Webster's Clear Type Dictionary

Developed from
The New Merriam-Webster
Dictionary

THOMAS NELSON INC., PUBLISHERS
Nashville   New York

Copyright © 1976 by Thomas Nelson Inc., Publishers

Previous Editions
Copyright © 1971, 1970, 1964, 1961, 1958, 1951, 1947, by G. & C. Merriam Co.

All rights reserved under International and Pan-American Conventions. Published by Thomas Nelson Inc., Publishers, Nashville, Tennessee.

MANUFACTURED IN THE UNITED STATES OF AMERICA.

PREFACE

To get satisfactory and pleasing rewards from looking into a dictionary, one must learn how to use it, how to interpret the information that is contained in each entry. This knowledge involves mainly an ability to recognize different typefaces, a small number of abbreviations, and a few traditional dictionary devices. Every user is urged to find time to read this preface carefully.

THE ENTRY

Entries are set flush with the left-hand margin or run on after a dash. The left-hand words (like **abide**) are MAIN ENTRIES and determine the alphabetical order. Those following dashes (like **absolutely** at **absolute**) are DERIVATIVE ENTRIES, derived from or formed on the main entry.

Most English words change their forms to agree with their context. Nouns have plural forms (as *boys* and *houses*). Verbs have past forms (as *walked* and *amplified*) and participial forms (as *walking, amplifying,* and *shown*). Adjectives and adverbs have comparative forms (like *cheaper* and *happier*) and superlative forms (like *cheapest* and *happiest*). When these forms are regular, they are not shown in this dictionary. However, if these forms are irregular, they appear in boldface type and are called INFLECTIONAL ENTRIES. Examples: **mice** at **mouse**, **beeves** *or* **beefs** at **beef**, **beaux** *or* **beaus** at **beau**, **fungi** *or* **funguses** at **fungus**, **saw** and **seen** at **see**, **worse** and **worst** at **bad**. Occasionally these inflectional forms are shown only as parts of words preceded by a hyphen (like **-horred** and **-horring** for *abhorred* and *abhorring* at **abhor**), which indicates that the user can supply the missing syllable or syllables from the main entry.

CENTERED PERIODS in boldface within entry words (as in **an·ti·bi·ot·ic**) indicate division points where a word may be broken by a hyphen at the end of a line. In accordance with widespread practice among publishers, this book does not show a division after a single initial letter of a word, before a single final letter of a word, before a single final letter of an English prefix, or after a single initial letter of an English suffix. Examples: **ane·mia, Pass·over, semi·fi·nal, read·able** rather than *a·ne·mi·a, Pass·o·ver, sem·i·fi·nal, read·a·ble*. A single hyphen in a boldface word at the end of a line (as **fa-** in **fatherless** at **father**) replaces a centered period.

In entries no division mark is placed after the second of two vowels that might be taken as a digraph (**pi·ety** rather than *pi·e·ty*).

The syllabic division of an entry is based on the first pronunciation variant shown.

Words taken unchanged from another language are often divided in accordance with the practices of that language (as **cause cé·lè·bre**).

A DOUBLE HYPHEN = at the end of a line (as at **father-in-law**) indicates the hyphen of a hyphenated word, which should be retained when the word is written as a unit on one line.

Boldface words in parentheses (like **coca** at **cocaine** and **coconut palm** at **coconut**) are RUN-IN ENTRIES.

When one main entry has exactly the same written form as the one following, they are distinguished by SUPERIOR NUMBERS preceding each word (like [1]**chase**, [2]**chase**, and [3]**chase**). Called homographs, such words are sometimes derived from the same root, whereas others have no relationship beyond the accident of spelling.

PRONUNCIATION

A set of reversed virgules \ \ usually follows the boldface entries. The symbols within these slant lines indicate pronunciation. A tabular key to the Merriam-Webster pronunciation symbols appears on the page immediately preceding the preface.

A high-set mark ′ indicates that the syllable following has primary or strongest stress; a low-set mark ‚ indicates that the syllable following has secondary or next strongest stress (as \ ′ded-‚lin \ at **deadline**). A syllable with neither a high-set nor a low-set mark is unstressed (as the middle syllable of \ ′ab-di-‚kat\ at **abdicate**).

Parentheses mean that whatever is indicated within them is (1) present in the pronunciation of some speakers and absent from that of others, (2) present in some utterances and absent from others of the same speaker, or (3) simply sometimes heard and sometimes not heard. The pronunciation \ ′fak-t(ə-)rē \ at **factory** shows that the pronunciation may be in three syllables \ ′fak-tə-rē \ or two syllables \ ′fak-trē \.

The placement of syllable divisions in the pronunciation transcriptions is based on only phonetic considerations.

The pronunciation of an entry is usually not indicated if it is identical in spelling, division, and pronunciation with a preceding entry (as [2]**meet** and [3]**meet** are like [1]**meet**, and **megaphone** *verb* is like **megaphone** *noun*). An entry is often not pronounced if it consists of a preceding entry and a suffix entered at its alphabetical place with pronunciation (as the pronunciation of **implicitly** is that at **implicit** plus that at **-ly**). Open compounds of two or more words usually have no pronunciation indicated (as at **cable car**).

A syllable or syllable sequence at the beginning of a pronunciation may be omitted if it is identical with the beginning of a pronunciation for a closely preceding entry (as the pronunciation of **multiplicity** gets its first two syllables from the pronunciation at **multiplication** and that of **multiplier** from **multiply**).

VARIANTS

Variant entries are joined by either an italicized *or* or an italicized *also*. Once *also* has been used, additional variants joined by *or* are also-variants. The italicized *or* joins equal variants. This means that either is correct. The italicized *also* joins a secondary variant to a spelling or form that is more common, but it does not mean that the secondary variant is wrong or even less appropriate. In either case (*or* or *also*) ordinarily no one should be induced by the dictionary entry alone to change from one form to the other. The form one has always used or the form prevailing in one's community is likely to be the preferred form for the individual.

Variant pronunciations are separated within the pronunciation virgules by a comma. The presence of variant pronunciations simply indicates that not all educated speakers pronounce the word the same way. A second-place variant should not necessarily be regarded as a less desirable variant than the first. In fact, it may be used by as many educated speakers as the first variant. A variant that our records indicate is appreciably less frequent than that or those listed first may be preceded by *also*. Some variant pronunciations (as \ ′ak-′sent, ak-sent \ for the verb **accent**, ab-′salv, -′zalv \ at **absolve**) are used by one speaker but not another because their dialects or speech habits are different.

ITALIC LABELS

An italic label following the pronunciation or the entry itself indicates the part of speech. Abbreviations for eight traditional parts of speech are:

ac·tive . . . *adj*	(adjective)
¹**across** . . . *adv*	(adverb)
al·though . . . *conj*	(conjunction)
ahoy . . . *interj*	(interjection)
¹**act** . . . *n*	(noun)
²**across** . . . *prep*	(preposition)
he . . . *pron*	(pronoun)
²**act** . . . *vb*	(verb)

These labels are sometimes combined [as at **awash** *adv* (*or adj*)], especially at undefined derivatives (like **billionth** *adj or n*).

Other italic labels sometimes occurring in the same position as the part-of-speech label and signaled by an initial or final hyphen are:

    an·ti- . . . *prefix*
    -ness . . . *n suffix*
    ²**-ant** . . . *adj suffix*

The label *pl* means PLURAL. This occurs after a comma to introduce the boldface plural form of a singular entry (as at **abacus** . . . *n, pl* **-ci** . . .) or without a comma to indicate that the preceding boldface is a plural (as **alms** *n pl*).

No italic labels are regularly used to indicate inflectional verb parts since their position after the infinitive of the entry form is regular. At ¹**dive** the past tense, in second position, is **dived** or **dove**; the past participle, in third position, is **dived**; and the present participle, in fourth position, is **diving**. For similar reasons the comparative and superlative forms of adjectives and adverbs, when shown, are not labeled.

CAPITALIZATION

Words nearly always capitalized are capitalized in the boldface entry (as **Al·ex·an·dri·an**) unless it is the second or third or fourth sense of a word initially lowercased. In the latter situation it is labeled *cap* (as at **dem·o·crat** . . . **3** *cap* . . .). Sometimes the letters to be capitalized are specified (as at **union jack** . . . **2** *cap U & J* . . .).

Words entered with an initial lowercase letter sometimes bear a label to indicate that they are not always written lowercase:

    al·ex·an·drine . . . *often cap*
    ¹**word** . . . **4** *often cap*

Words entered with an initial capital but using lowercase for some senses have a label *often not cap* (as at **Mass** . . . **2** *often not cap*).

ETYMOLOGY

The matter in boldface square brackets preceding the definition is the etymology. Meanings given in roman type within these brackets are not definitions of the main entry but meanings of the non-English words within the brackets. No attempt has been made to give etymologies for all the vocabulary entries, but a sufficient number is provided to show the varied origins of the English vocabulary:

    alms . . . [OE *aelmesse,* fr. LL *eleemosyna,* fr. Gk *eleēmosynē* pity, alms, fr. *eleēmōn* merciful, fr. *eleos* pity]

    as·sas·sin . . . [Ar *hashshāshīn* members of a medieval Muslim order who committed murder under the influence of hashish, fr. *hashīsh* hashish]

    bed·lam [fr. *Bedlam,* popular name for the hospital of St. Mary of Bethlehem, London insane asylum]

    bel·la·don·na [It., lit., beautiful lady; from its cosmetic use]

SYMBOLIC COLON

This dictionary uses a boldface character recognizably distinct from the usual roman colon as a linking symbol between the main entry and a definition.

Words that have two or more definitions have two or more symbolic colons. The signal for another definition is another colon.

SENSE DIVISION

Boldface arabic numerals within an entry separate the various senses of a word:

    ap·peal . . . *vb* **1** : to take steps to have (a case) reheard in a higher court **2** : to plead for help, corroboration, or decision **3** : to arouse a sympathetic response

No one of the senses, as defined, is better or more important than another, but one may have more appropriate meaning in a specific context. Senses closely related, such as two aspects of the same sense, are usually joined by a semicolon plus *also* or *esp*:

    all·spice . . . : the berry of the pimento tree; *also* : a spice made from it

    all·Amer·i·can . . . : representative of the U. S. as a whole; *esp* : selected as the best in the U. S.

VERBAL ILLUSTRATIONS

The matter enclosed in a pair of angle brackets illustrates an appropriate use of the word in context. The word illustrated is replaced by a swung dash, which stands for the same form of the word as the main entry, or by a swung dash plus an italicized suffix that can be added without any change of letters to the form of the main entry. Otherwise the word is written in full and italicized:

    equiv·o·cal . . . *adj* . . . <∼ *behavior*>

    ¹**be·tween** . . . *prep* **1** : . . . <earned $10,000 ∼ the two of them> **2** : . . . <an alley ∼ two buildings> **3** : . . . <choose ∼ two cars> **4** : . . . <hostility ∼ nations> <a bond ∼ brothers>

    -ance . . . *n suffix* **1** : . . . <further*ance*> **2** : . . . <protuber*ance*> **3** : . . . <conduct*ance*>

USAGE NOTES

A usage note, introduced by a lightface dash, provides information about the use of the word being defined and so always modifies the main entry. It may be in the form of a comment or idiom, syntax, semantic relationship, status, or various other matters:

    amen . . . used esp. at the end of prayers to express solemn ratification or approval

    jaw . . . —usu. used in pl.

    sir . . . —used as a title before the given name of a knight or baronet

A usage note may stand in place of a definition and without the symbolic colon. Some function words have little or no semantic content, and most interjections express feelings but otherwise are untranslatable into a meaning that can be substituted. Many other words (as some oaths and imprecations, calls to animals, specialized signals, song refrains, and honorific titles), though genuinely a part of the language, have a usage note instead of a definition:

    and . . . *conj* . . . —used as a function word to indicate connection or addition esp. of items within the same class or type or to join words or phrases of the same grammatical rank or function.
    be·hold . . . *vb* . . . —used imperatively to direct the attention
    ¹**at** . . . *prep* . . . —used to indicate a point in time or space
    may . . . —used as an auxiliary to express a wish or desire, purpose or expectation, or contingency or concession

CROSS-REFERENCES

A sequence of lightface SMALL CAPITALS used in a definition is identical letter-by-letter with a boldface entry (or with one of its inflectional forms) at its own alphabetical place. This sequence is a cross-reference. It is not a definition but an indication that a definition at its boldface equivalent can be substituted at the place where the small capitals are used. It appears sometimes with a full definition, sometimes by itself:

    ¹**aban·don** . . . : to give up : FORSAKE, DESERT
    ab·bey . . . : MONASTERY, CONVENT
    abound . . . to be plentiful : TEEM

Sometimes the small capitals simply direct the user to another place in the vocabulary:

    ran *past of* RUN
    mice *pl of* MOUSE
    ¹**better** . . . *comparative of* GOOD
    him . . . *objective case of* HE

SYNONYMS

The boldface symbol **syn** near the end of an entry introduces words that are synonymous in some uses with the word being defined. Synonyms are not definitions, although they may often be substituted for each other in context. Examples:

    ben·e·fi·cial . . . **syn** advantageous, profitable
    bel·li·cose . . . **syn** belligerent, quarrelsome

A

¹a \'ā\ *n, often cap* : the 1st letter of the English alphabet
²a \ə, (')ā\ *indefinite article* : ONE, SOME — used to indicate an unspecified or unidentified individual ⟨there's ~ man outside⟩
aard·vark \'ärd-,värk\ *n* : a large burrowing ant-eating African mammal
aback \ə-'bak\ *adv* : by surprise ⟨taken ~⟩
ab·a·cus \'ab-ə-kəs\ *n, pl* **-ci** \-,sī, -,kē\ *or* **-cus·es** : an instrument for performing calculations by sliding counters along rods or grooves

abacus

ab·a·lo·ne \,ab-ə-'lō-nē\ *n* : a large edible sea mollusk with an ear-shaped shell
¹**aban·don** \ə-'ban-dən\ *vb* : to give up : FORSAKE, DESERT — **aban·don·ment** *n*
²**abandon** *n* **1** : a thorough yielding to natural impulses **2** : ENTHUSIASM, EXUBERANCE
aban·doned *adj* **1** : FORSAKEN **2** : morally unrestrained **syn** profligate, dissolute
abase \ə-'bās\ *vb* : HUMBLE, DEGRADE — **abase·ment** *n*
abash \ə-'bash\ *vb* : to destroy the composure of : EMBARRASS — **abash·ment** *n*
abate \ə-'bāt\ *vb* **1** : to put an end to ⟨~ a nuisance⟩ **2** : to decrease in amount, number, or degree
abate·ment *n* **1** : DECREASE **2** : an amount abated; *esp* : a deduction from the full amount of a tax
ab·bé \a-'bā, 'ab-,ā\ *n* : a member of the French secular clergy — used as a title
ab·bey \'ab-ē\ *n* **1** : MONASTERY, CONVENT **2** : an abbey church
ab·bre·vi·ate \ə-'brē-vē-,āt\ *vb* : SHORTEN, CURTAIL; *esp* : to reduce to an abbreviation
ab·bre·vi·a·tion \ə-,brē-vē-'ā-shən\ *n* **1** : the act or result of abbreviating **2** : a shortened form of a word or phrase used for brevity esp. in writing
ab·di·cate \'ab-di-,kāt\ *vb* : to give up (as a throne) formally — **ab·di·ca·tion** \,ab-di-'kā-shən\ *n*
ab·do·men \'ab-də-mən, ab-'dō-mən\ *n* : the cavity in or area of the body between the chest and the pelvis — **ab·dom·i·nal** \ab-'däm-ən-ᵊl\ *adj*

ab·duct \ab-'dəkt\ *vb* : to take away (a person) by force : KIDNAP — **ab·duc·tion** \-'dək-shən\ *n* — **ab·duc·tor** \-'dək-tər\ *n*
ab·er·ra·tion \,ab-ə-'rā-shən\ *n* **1** : deviation from normal or usual — DERANGEMENT **2** : failure of a mirror or lens to produce exact point-to-point correspondence between an object and its image — **ab·er·rant** \a-'ber-ənt\ *adj*
abey·ance \ə-'bā-əns\ *n* : a condition of suspended activity

ab·hor \ab-'hor, əb-\ *vb* **-horred; -horring** : LOATHE, DETEST — **ab·hor·rence** \-'hor-əns\ *n*
ab·hor·rent \-'hor-ənt\ *adj* : LOATHSOME, DETESTABLE
abide \ə-'bīd\ *vb* **abode** \-'bōd\ *or* **abid·ed; abid·ing** **1** : DWELL, REMAIN, LAST **2** : BEAR, ENDURE, TOLERATE
abil·i·ty \ə-'bil-ət-ē\ *n* : the quality of being able : POWER, SKILL
ab·ject \'ab-,jekt, ab-'jekt\ *adj* : low in spirit or hope : CRINGING — **ab·jec·tion** \ab-'jek-shən\ *n* — **ab·ject·ly** \'ab-,jekt-lē, ab-'jekt-\ *adv* — **ab·ject·ness** *n*
ab·jure \ab-'jùr\ *vb* **1** : to renounce solemnly : RECANT **2** : to abstain from — **ab·ju·ra·tion** \,ab-jə-'rā-shən\ *n*
ablaze \ə-'blāz\ *adj* : being on fire : BLAZING
able \'ā-bəl\ *adj* **1** : having sufficient power, skill, or resources to accomplish an object **2** : marked by skill or efficiency — **ably** \-blē\ *adv*
-able *also* **-ible** \ə-bəl\ *adj suffix* **1** : capable of, fit for, or worthy of (being or acted upon or toward) ⟨break*able*⟩ ⟨collect*ible*⟩ **2** : tending, given, or liable to ⟨knowledge*able*⟩ ⟨perish*able*⟩
able-bod·ied \,ā-bəl-'bäd-ēd\ *adj* : having a sound strong body
ab·lu·tion \a-'blü-shən\ *n* : a washing or cleansing of the body
ab·ne·gate \'ab-ni-,gāt\ *vb* **1** : SURRENDER, RELINQUISH **2** : DENY, RENOUNCE
ab·nor·mal \ab-'nor-məl\ *adj* : deviating from the normal or average — **ab·nor·mal·i·ty** \,ab-nor-'mal-ət-ē\ *n* — **ab·nor·mal·ly** \ab-'nor-mə-lē\ *adv*
¹**aboard** \ə-'bōrd\ *adv* **1** : on, onto, or within a conveyance (as a ship) **2** : ALONGSIDE
²**aboard** *prep* : ON, ONTO, WITHIN
abode \ə-'bōd\ *n* **1** : STAY, RESIDENCE **2** : the place where one abides : HOME
abol·ish \ə-'bäl-ish\ *vb* : to do away with : ANNUL — **ab·o·li·tion** \,ab-ə-'lish-ən\ *n*
ab·o·li·tion·ist \,ab-ə-'lish-(ə-)nəst\ *n* : one in favor of the abolition of slavery
A-bomb \'ā-,bäm\ *n* : ATOM BOMB
abom·i·na·ble \ə-'bäm-(ə-)nə-bəl\ *adj* : ODIOUS, LOATHSOME, DETESTABLE
ab·orig·i·nal \,ab-ə-'rij-(ə-)nəl\ *adj* : ORIGINAL, INDIGENOUS, PRIMITIVE
ab·orig·i·ne \,ab-ə-'rij-ə-nē\ *n* : a member of the original race of inhabitants of a region : NATIVE
abor·tion \ə-'bor-shən\ *n* : a premature birth occurring before the fetus can survive; *also* : an induced expulsion of a fetus — **abort** \-'bort\ *vb* — **abor·tive** *adj*
abound \ə-'baund\ *vb* **1** : to be plentiful : TEEM **2** : to be fully occupied
¹**about** \ə-'baut\ *adv* **1** : on all sides **2** : AROUND **3** : NEARBY
²**about** *prep* **1** : on every side of **2** : near to **3** : on the verge of beginning : GOING ⟨he was just ~ to go⟩ **4** : CONCERNING
about-face \-'fās\ *n* : a reversal of direction or attitude — **about-face** *vb*
¹**above** \ə-'bəv\ *adv* **1** : in the sky; *also* : in or to heaven **2** : in or to a higher place; *also* : higher on the same page or on a preceding page

²**above** *prep* **1** : in or to a higher place than : OVER ⟨storm clouds ~ the bay⟩ **2** : superior to ⟨he thought her far ~ him⟩ **3** : more than : EXCEEDING ⟨men ~ 35⟩

above·board \-ˌbōrd\ *adv* (*or adj*) : without concealment or deception : OPENLY

abrade \ə-ˈbrād\ *vb* : to wear away by rubbing — **abra·sion** \-ˈbrā-zhən\ *n*

abra·sive \ə-ˈbrā-siv\ *n* : a substance (as emery, pumice, or fine sand) for grinding, smoothing, or polishing

abreast \ə-ˈbrest\ *adv* (*or adj*) **1** : side by side **2** : up to a standard or level esp. of knowledge

abridge \ə-ˈbrij\ *vb* [MF *abregier*, fr. LL *abbreviare*, fr. L *ad* to + *brevis* brief] : to lessen in length or extent : SHORTEN — **abridg·ment** *or* **abridge·ment** *n*

abroad \ə-ˈbrȯd\ *adv* (*or adj*) **1** : over a wide area **2** : out of doors **3** : outside one's country

ab·ro·gate \ˈab-rə-ˌgāt\ *vb* : ANNUL, REVOKE — **ab·ro·ga·tion** \ˌab-rə-ˈgā-shən\ *n*

abrupt \ə-ˈbrəpt\ *adj* **1** : broken or as if broken off **2** : SUDDEN, HASTY **3** : so quick as to seem rude **4** : DISCONNECTED **5** : STEEP — **abrupt·ly** *adv*

ab·scess \ˈab-ˌses\ *n* : a collection of pus surrounded by inflamed tissue

ab·scond \ab-ˈskänd\ *vb* : to depart secretly and hide oneself

ab·sence \ˈab-səns\ *n* **1** : failure to be present **2** : WANT, LACK **3** : lack of attention

¹**ab·sent** \ˈab-sənt\ *adj* **1** : not present **2** : LACKING **3** : INATTENTIVE

²**ab·sent** \ab-ˈsent\ *vb* : to keep (oneself) away

ab·sen·tee \ˌab-sən-ˈtē\ *n* : one that is absent or absents himself

ab·sinthe \ˈab-ˌsinth\ *n* : a liqueur flavored esp. with wormwood and anise

ab·so·lute \ˈab-sə-ˌlüt\ *adj* **1** : free from imperfection **2** : free from mixture **3** : free from control, restriction, or qualification **4** : lacking grammatical connection with any other word in a sentence ⟨~ construction⟩ **5** : POSITIVE ⟨~ proof⟩ **6** : FUNDAMENTAL, ULTIMATE — **ab·so·lute·ly** \ˈab-sə-ˌlüt-lē, ˌab-sə-ˈlüt-\ *adv*

ab·so·lu·tion \ˌab-sə-ˈlü-shən\ *n* : the act of absolving; *esp* : a remission of sins pronounced by a priest in the sacrament of penance

ab·so·lut·ism \ˈab-sə-ˌlüt-ˌiz-əm\ *n* **1** : the theory that a sovereign should have unlimited power **2** : government by an absolute ruler

ab·solve \əb-ˈsälv, -ˈzälv\ *vb* **1** : to set free from an obligation or the consequences of guilt **2** : ACQUIT *syn* pardon, confess, shrive

ab·sorb \əb-ˈsȯrb, -ˈzȯrb\ *vb* **1** : ASSIMILATE, INCORPORATE **2** : to suck up or take in in the manner of a sponge **3** : to engage (one's attention) : ENGROSS **4** : to receive without recoil or echo ⟨a ceiling that ~s sound⟩ — **ab·sorb·ing** *adj* —

ab·sor·bent \-ˈsȯr-bənt, -ˈzȯr-\ *adj* : able to absorb ⟨~ cotton⟩ — **ab·sorbent** *n*

ab·sorp·tion \-ˈsȯrp-shən, -ˈzȯrp-\ *n* **1** : a process of absorbing or being absorbed **2** : concentration of attention

ab·stain \əb-ˈstān\ *vb* : to restrain oneself : leave off *syn* refrain, forbear — **ab·sten·tion** \-ˈsten-chən\ *n*

ab·sti·nence \ˈab-stə-nəns\ *n* : voluntary refraining esp. from eating certain foods or drinking liquor

¹**ab·stract** \ab-ˈstrakt, ˈab-ˌstrakt\ *adj* **1** : considered apart from any specific embodiment **2** : expressing a quality apart from an object ⟨*whiteness* is an ~ word⟩ **3** : having only intrinsic form with little or no pictorial representation ⟨~ painting⟩ — **ab·stract·ly** *adv*

²**ab·stract** \ˈab-ˌstrakt, ab-ˈstrakt\ *n* **1** : SUMMARY, EPITOME **2** : an abstract thing, state, or word

³**ab·stract** \ab-ˈstrakt, *esp for 2* ˈab-ˌstrakt\ *vb* **1** : REMOVE, SEPARATE; *also* : STEAL **2** : to make an abstract of : SUMMARIZE **3** : to draw away the attention of

ab·strac·tion \ab-ˈstrak-shən\ *n* **1** : the act of abstracting : the state of being abstracted **2** : an abstract idea **3** : an abstract work of art

ab·struse \əb-ˈstrüs, ab-\ *adj* : hard to understand : RECONDITE — **ab·struse·ly** *adv* — **ab·struse·ness** *n*

ab·surd \əb-ˈsərd, -ˈzərd\ *adj* : RIDICULOUS, UNREASONABLE — **ab·sur·di·ty** *n*

abun·dant \ə-ˈbən-dənt\ *adj* : more than enough : amply sufficient *syn* copious, plentiful — **abun·dance** \-dəns\ *n* — **abun·dant·ly** *adv*

¹**abuse** \ə-ˈbyüz\ *vb* **1** : to put to a wrong use : MISUSE **2** : MISTREAT **3** : to blame or scold rudely : REVILE — **abu·sive** \-ˈbyü-siv\ *adj* — **abu·sive·ly** *adv*

²**abuse** \ə-ˈbyüs\ *n* **1** : MISUSE **2** : MISTREATMENT **3** : a corrupt practice **4** : coarse and insulting speech

abut \ə-ˈbət\ *vb* **abut·ted**; **abut·ting** : to touch along a border : border on

abut·ment *n* : a structure that supports weight or withstands lateral pressure (as at either end of a bridge or arch)

abut·tals \ə-ˈbət-ᵊlz\ *n pl* : the boundaries of lands with respect to other contiguous lands or highways by which they are bounded

abys·mal \ə-ˈbiz-məl\ *adj* : immeasurably deep : BOTTOMLESS — **abys·mal·ly** *adv*

abyss \ə-ˈbis\ *n* **1** : the bottomless pit of old accounts of the universe **2** : an immeasurable depth

ac·a·dem·ic \ˌak-ə-ˈdem-ik\ *adj* **1** : of or relating to schools or colleges **2** : literary or general rather than technical — **ac·a·dem·i·cal·ly** *adv*

ac·a·de·mi·cian \ˌak-əd-ə-ˈmish-ən, ə-ˌkad-ə-\ *n* : a member of a society of scholars or artists

acad·e·my \ə-ˈkad-ə-mē\ *n* [Gk *Akadēmeia*, school of philosophy founded by Plato, fr. *Akadēmeia*, gymnasium where Plato taught, fr. *Akadēmos* Academus, Greek mythological hero] **1** : a school above the elementary level; *esp* : a private secondary school **2** : a society of scholars, artists, or learned men

a cap·pel·la \ˌäk-ə-ˈpel-ə\ *adv* (*or adj*) : without instrumental accompaniment ⟨the choir sang *a cappella*⟩

ac·cede \ak-ˈsēd\ *vb* **1** : to adhere to an agreement **2** : to express approval **3** : to enter upon an office *syn* acquiesce, assent, consent, subscribe

ac·cel·er·ate \ik-ˈsel-ə-ˌrāt, ak-\ *vb* **1** : to bring about earlier **2** : to speed

accent 11 accrue

up : QUICKEN — **ac·cel·er·a·tion** \-ˌsel-ə-'rā-shən\ n — **ac·cel·er·a·tor** \-'sel-ə-ˌrāt-ər\ n
¹**ac·cent** \'ak-ˌsent\ n 1 : a distinctive manner of pronunciation ⟨a foreign ~⟩ 2 : prominence given to one syllable of a word esp. by stress 3 : a mark (as ´, `, ˆ) over a vowel in writing or printing used usu. to indicate a difference in pronunciation (as stress) from a vowel not so marked — **ac·cen·tu·al** \ak-'sench-(ə-)wəl\ adj
²**ac·cent** \'ak-ˌsent, ak-'sent\ vb : STRESS, EMPHASIZE
ac·cen·tu·ate \ak-'sen-chə-ˌwāt\ vb : ACCENT — **ac·cen·tu·a·tion** \-ˌsen-chə-'wā-shən\ n
ac·cept \ik-'sept, ak-\ vb 1 : to receive or take willingly 2 : to agree to 3 : to acknowledge as binding and promise to pay — **ac·cept·abil·i·ty** \-ˌsep-tə-'bil-ət-ē\ n — **ac·cept·able** \-'sep-tə-bəl\ adj
ac·cep·tance \ik-'sep-təns, ak-\ n 1 : the act of accepting 2 : the state of being accepted or acceptable 3 : an accepted bill of exchange
ac·cep·ta·tion \ˌak-ˌsep-'tā-shən\ n : the meaning in which a word is generally understood
ac·cess \'ak-ˌses\ n 1 : ATTACK, FIT 2 : APPROACH, ADMITTANCE 3 : a way of approach : ENTRANCE
ac·ces·si·ble \ik-'ses-ə-bəl, ak-\ adj : easy to approach — **ac·ces·si·bil·i·ty**
ac·ces·sion \ik-'sesh-ən, ak-\ n 1 : something added 2 : increase by something added 3 : the act of acceding (as to a throne)
ac·ces·so·ry \ik-'ses-(ə-)rē, ak-\ n 1 : something helpful but not essential 2 : a person who though not present abets or assists in the commission of an offense syn appurtenance, adjunct, appendage — **accessory** adj
ac·ci·dent \'ak-səd-ənt\ n 1 : something occurring by chance or without intention 2 : CHANCE 3 : a nonessential property
¹**ac·ci·den·tal** \ˌak-sə-'dent-ᵊl\ adj : happening unexpectedly or by chance syn casual, fortuitous, incidental, adventitious — **ac·ci·den·tal·ly** \-(ᵊ-)lē\ adv
²**accidental** n : a note (as a sharp or flat) not belonging to the key indicated by the signature of a musical composition
ac·claim \ə-'klām\ vb 1 : APPLAUD, PRAISE 2 : to welcome or proclaim with applause syn extol, laud — **acclaim** n
ac·cla·ma·tion \ˌak-lə-'mā-shən\ n : an overwhelming affirmative vote by shouting or applause rather than by ballot
ac·cli·mate \ə-'klī-mət, 'ak-lə-ˌmāt\ vb : to accustom to a new climate or new conditions
ac·cli·ma·tize \ə-'klī-mə-ˌtīz\ vb 1 : ACCLIMATE 2 : to become acclimated
ac·co·lade \'ak-ə-ˌlād\ n : a recognition of merit : AWARD
ac·com·mo·date \ə-'käm-ə-ˌdāt\ vb 1 : to make fit or suitable : ADAPT, ADJUST 2 : HARMONIZE, RECONCILE 3 : to provide with something needed 4 : to hold without crowding
ac·com·mo·da·tion \ə-ˌkäm-ə-'dā-shən\ n 1 : something supplied to satisfy a need 2 : the act of accommodating : ADJUSTMENT

ac·com·pa·ni·ment \ə-'kəmp-(ə-)nē-mənt\ n : something that accompanies something else; esp : subordinate music to support a principal voice or instrument
ac·com·pa·ny \-(ə-)nē\ vb 1 : to go or occur along with : ESCORT, ATTEND 2 : to play an accompaniment for — **ac·com·pa·nist** \-(ə-)nəst\ n
ac·com·plice \ə-'käm-pləs, -'kəm-\ n : an associate in crime
ac·com·plish \ə-'käm-plish, -'kəm-\ vb : to bring to completion syn achieve, effect, fulfill, discharge, execute, perform
ac·com·plish·ment n 1 : COMPLETION 2 : something completed or effected 3 : an acquired excellence or skill : ATTAINMENT
¹**ac·cord** \ə-'kȯrd\ vb 1 : GRANT, CONCEDE 2 : AGREE, HARMONIZE — **ac·cor·dant** \-'kȯrd-ᵊnt\ adj
²**accord** n : AGREEMENT, HARMONY
ac·cor·dance \ə-'kȯrd-ᵊns\ n 1 : ACCORD 2 : the act of granting
ac·cord·ing·ly adv 1 : in accordance 2 : CONSEQUENTLY, SO
according to prep 1 : in conformity with ⟨they're paid according to ability⟩ 2 : as stated or attested by ⟨according to the paper, his trial starts today⟩
¹**ac·cor·di·on** \ə-'kȯrd-ē-ən\ n : a portable musical instrument with a bellows, keys, and reeds
²**accordion** adj : folding like the bellows of an accordion ⟨~ pleats⟩

accordion

ac·cost \ə-'kȯst\ vb : to approach and speak to : ADDRESS
¹**ac·count** \ə-'kaunt\ n 1 : RECKONING 2 : a statement of business transactions 3 : an arrangement with a vendor to supply credit 4 : NARRATIVE, REPORT 5 : WORTH, VALUE 6 : a sum of money deposited in a bank and subject to withdrawal by the depositor — **on account of** : because of — **on no account** : under no circumstances : **in one's account** : for one's benefit : in one's behalf
²**account** vb 1 : CONSIDER ⟨I ~ him lucky⟩ 2 : to give an explanation — used with for
ac·count·able adj 1 : ANSWERABLE, RESPONSIBLE 2 : EXPLICABLE — **ac·count·abil·i·ty** \-ˌkaunt-ə-'bil-ət-ē\ n
ac·coun·tant \ə-'kaunt-ᵊnt\ n : a person skilled in accounting — **ac·coun·tan·cy** \-ᵊn-sē\ n
ac·count·ing n 1 : the art or system of keeping financial records 2 : an explanation of one's behavior
ac·cou·ter or **ac·cou·tre** \ə-'küt-ər\ vb : to equip esp. for military service — **ac·cou·ter·ment** or **ac·cou·tre·ment** \-'küt-ər-mənt, -'kü-trə-mənt\ n
ac·cred·it \ə-'kred-ət\ vb 1 : to authorize officially : APPROVE, ENDORSE 2 : CREDIT
ac·crue \ə-'krü\ vb 1 : to come by way of increase 2 : to be added by regular growth over a period of time — **ac·cru·al** \-əl\ n

ac·cul·tur·a·tion \ə-ˌkəl-chə-ˈrā-shən\ *n* : a process of intercultural borrowing between diverse peoples resulting in new and blended patterns

ac·cu·mu·late \ə-ˈkyü-myə-ˌlāt\ *vb* : to heap or pile up *syn* amass, gather, collect — **ac·cu·mu·la·tion** \-ˌkyü-myə-ˈlā-shən\ *n* — **ac·cu·mu·la·tor** \-ˈkyü-myə-ˌlāt-ər\ *n*

ac·cu·ra·cy \ˈak-yə-rə-sē\ *n* : freedom from mistake : EXACTNESS, PRECISION

ac·cu·rate \ˈak-yə-rət\ *adj* : free from error : EXACT, PRECISE — **ac·cu·rate·ly**

ac·cursed \ə-ˈkər-səd, -ˈkərst\ *or* **ac·curst** \-ˈkərst\ *adj* **1** : being under a curse **2** : DAMNABLE, EXECRABLE

ac·cus·al \ə-ˈkyü-zəl\ *n* : ACCUSATION

ac·cuse \ə-ˈkyüz\ *vb* : to charge with an offense : BLAME — **ac·cu·sa·tion** \ˌak-yə-ˈzā-shən\ *n* — **ac·cus·er** \ə-ˈkyü-zər\ *n*

ac·cus·tom \ə-ˈkəs-təm\ *vb* : FAMILIARIZE, HABITUATE

ac·cus·tomed *adj* : USUAL, CUSTOMARY

¹ace \ˈās\ *n* **1** : a playing card bearing a single large pip in its center **2** : a point (as in tennis) won by a single stroke **3** : a golf score of one stroke on a hole **4** : an aviator who has brought down 5 or more enemy planes **5** : one that excels

²ace *vb* : to score an ace against (an opponent)

³ace *adj* : of first rank or quality

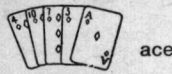 ace

acer·bi·ty \ə-ˈsər-bət-ē\ *n* : SOURNESS, BITTERNESS — **acerb** \-ˈsərb\ *adj*

ac·e·tate \ˈas-ə-ˌtāt\ *n* **1** : a salt or ester of acetic acid **2** : a fast-drying fabric made of fiber derived from cellulose and acetic acid; *also* : a plastic of similar composition used for wrapping film and phonograph records

ace·tic \ə-ˈsēt-ik\ *adj* : of, relating to, or producing acetic acid or vinegar

ac·e·tone \ˈas-ə-ˌtōn\ *n* : a volatile flammable liquid of pleasing odor used as a solvent

acet·y·lene \ə-ˈset-ᵊl-ən, -ᵊl-ˌēn\ *n* : a colorless flammable gas used for lighting and as a fuel in welding and soldering

ache \ˈāk\ *vb* **1** : to suffer a usu. dull persistent pain **2** : LONG, YEARN — **ache** *n*

achieve \ə-ˈchēv\ *vb* [MF *achever* to finish, fr. *a* to (fr. L *ad*) + *chef* head, fr. L *caput*] : to gain by work or effort *syn* accomplish, fulfill, effect — **achievement** *n*

¹ac·id \ˈas-əd\ *adj* **1** : sour or biting to the taste; *also* : sharp or sour in manner **2** : of or relating to an acid — **acid·i·ty** \ə-ˈsid-ət-ē\ *n*

²acid *n* **1** : a sour substance **2** : a usu. water-soluble chemical compound that has a sour taste, reacts with a base to form a salt, and reddens litmus — **acid·ic** \ə-ˈsid-ik\ *adj*

ac·i·do·sis \ˌas-ə-ˈdō-səs\ *n* : an abnormal state of reduced alkalinity of the blood and body tissues

ac·knowl·edge \ik-ˈnäl-ij, ak-\ *vb* **1** : to admit as true **2** : to admit the authority of **3** : to express thanks for; *also* : to report receipt of **4** : to recognize as valid — **ac·knowl·edg·ment** *also* **ac·knowl·edge·ment** *n*

ac·me \ˈak-mē\ *n* : the highest point : PEAK

ac·ne \ˈak-nē\ *n* : a skin disorder marked by inflammation of skin glands and hair follicles and by pimple formation esp. on the face

ac·o·lyte \ˈak-ə-ˌlīt\ *n* : a man or boy who assists the clergyman in a liturgical service

acorn \ˈā-ˌkȯrn, -kərn\ *n* : the nut of the oak

 acorns

acous·tic \ə-ˈkü-stik\ *adj* **1** : of or relating to the sense or organs of hearing, to sound, or to the science of sounds **2** : deadening sound ⟨~ tile⟩ **3** : operated by or utilizing sound waves — **acous·ti·cal** *adj* — **acous·ti·cal·ly** *adv*

acous·tics \-stiks\ *n sing or pl* **1** : the science dealing with sound **2** : the qualities in a room that make it easy or hard for a person in it to hear distinctly

ac·quaint \ə-ˈkwānt\ *vb* **1** : INFORM, NOTIFY **2** : to make familiar : cause to know

ac·quain·tance \-ᵊns\ *n* **1** : personal knowledge **2** : a person with whom one is acquainted — **ac·quain·tance·ship** \-ˌship\ *n*

ac·qui·esce \ˌak-wē-ˈes\ *vb* : to accept a plan or statement without open opposition *syn* consent, agree, assent, accede — **ac·qui·es·cence** \-ˈes-ᵊns\ *n* — **ac·qui·es·cent** \-ᵊnt\ *adj* — **ac·qui·es·cent·ly** *adv*

ac·quire \ə-ˈkwī(ə)r\ *vb* : to come into possession of : GET

ac·quire·ment *n* **1** : the act of acquiring **2** : ATTAINMENT, ACCOMPLISHMENT

ac·qui·si·tion \ˌak-wə-ˈzish-ən\ *n* **1** : ACQUIREMENT **2** : something acquired

ac·quis·i·tive \ə-ˈkwiz-ət-iv\ *adj* : eager to acquire : GREEDY — **ac·quis·i·tive·ly** *adv* — **ac·quis·i·tive·ness** *n*

ac·quit \ə-ˈkwit\ *vb* **-quit·ted; -quit·ting** **1** : to pronounce not guilty **2** : to conduct (oneself) usu. satisfactorily : BEHAVE — **ac·quit·tal** \-ᵊl\ *n*

acre \ˈā-kər\ *n* **1** *pl* : LANDS, ESTATE **2** : a unit of area equal to 4840 square yards

acre·age \ˈā-k(ə-)rij\ *n* : area in acres : ACRES

ac·rid \ˈak-rəd\ *adj* **1** : sharp and biting in taste or odor **2** : bitterly irritating : CAUSTIC — **acrid·i·ty** \a-ˈkrid-ət-ē, ə-\ *n*

ac·ri·mo·ny \ˈak-rə-ˌmō-nē\ *n* : harsh or biting sharpness of language or feeling : ASPERITY — **ac·ri·mo·ni·ous**

ac·ro·bat \ˈak-rə-ˌbat\ *n* : a performer of gymnastic feats — **ac·ro·bat·ic**

ac·ro·nym \ˈak-rə-ˌnim\ *n* : a word (as *radar*) formed from the initial letter or letters of each of the successive parts or major parts of a compound term

ac·ro·pho·bia \ˌak-rə-ˈfō-bē-ə\ *n* : abnormal dread of being at a great height

¹across \ə-ˈkrȯs\ *adv* **1** : to or on the opposite side **2** : so as to be understandable or acceptable : OVER ⟨get the point ~⟩

across   13   **adhesive**

²**across** *prep* **1** : to or on the opposite side of ⟨ran ~ the street⟩ ⟨standing ~ the street⟩ **2** : on at an angle
across-the-board *adj* **1** : placed in combination to win, place, or show ⟨an ~ bet⟩ **2** : including all classes or categories ⟨an ~ wage increase⟩
acros·tic \ə-'krȯ-stik\ *n* **1** : a composition usu. in verse in which the initial or final letters of the lines taken in order form a word or phrase **2** : a series of words of equal length arranged to read the same horizontally or vertically — **acros·ti·cal·ly** *adv*
¹**act** \'akt\ *n* **1** : a thing done : DEED **2** : STATUTE, DECREE **3** : a main division of a play; *also* : an item on a variety program **4** : an instance of insincere behavior : PRETENSE
²**act** *vb* **1** : to perform by action esp. on the stage; *also* : FEIGN, SIMULATE, PRETEND **2** : to conduct oneself : BEHAVE **3** : to perform a specified function : produce an effect
act·ing *adj* : doing duty temporarily or for another ⟨~ president⟩
ac·tin·i·um \ak-'tin-ē-əm\ *n* : a radioactive metallic chemical element
ac·tion \'ak-shən\ *n* **1** : a legal proceeding **2** : the manner or method of performing **3** : ACTIVITY **4** : ACT **5** *pl* : CONDUCT **6** : COMBAT, BATTLE **7** : the events of a literary plot **8** : an operating mechanism ⟨~ of a gun⟩; *also* : the way it operates ⟨stiff ~⟩
ac·tion·able *adj* : subject to or affording ground for an action or suit at law
ac·ti·vate \'ak-tə-ˌvāt\ *vb* **1** : to spur into action; *also* : to make active, reactive, or radioactive **2** : to aerate (sewage) to favor the growth of organisms that cause decomposition **3** : to set up (a military unit) formally
ac·tive \'ak-tiv\ *adj* **1** : causing action or change **2** : asserting that the grammatical subject performs the action represented by the verb ⟨~ voice⟩ **3** : BRISK, LIVELY **4** : marked by present operation or use — **active** *n* — **ac·tive·ly** *adv*
ac·tiv·i·ty \ak-'tiv-ət-ē\ *n* **1** : the quality or state of being active **2** : an occupation in which one is engaged
ac·tor \'ak-tər\ *n* : one that acts in a play or motion picture — **ac·tress**
ac·tu·al \'ak-ch(ə-w)əl\ *adj* : really existing : REAL — **ac·tu·al·i·ty** \ˌak-chə-'wal-ət-ē\ *n* — **ac·tu·al·ly** \'ak-ch(ə-w)ə-lē\ *adv*
ac·tu·ary \'ak-chə-ˌwer-ē\ *n* : an expert who calculates insurance risks and premiums — **ac·tu·ar·i·al** \ˌak-chə-'wer-ē-əl\ *adj*
acu·i·ty \ə-'kyü-ət-ē\ *n* : keenness of perception esp. visually
acu·men \ə-'kyü-mən\ *n* : mental keenness and penetration **syn** discernment, insight
acute \ə-'kyüt\ *adj* **1** : SHARP, POINTED **2** : containing less than 90 degrees ⟨~ angle⟩ **3** : sharply perceptive; *esp* : mentally keen **4** : SEVERE ⟨~ distress⟩; *also* : rising rapidly to a peak and then subsiding ⟨~ inflammation⟩ **5** : of, marked by, or being an accent mark having the form ' — **acute·ly** *adv*
ad \'ad\ *n* : ADVERTISEMENT
ad·age \'ad-ij\ *n* : an old familiar saying : PROVERB, MAXIM

¹**ad·a·mant** \'ad-ə-mənt\ *n* : a stone believed to be of impenetrable hardness — **ad·a·man·tine** \ˌad-ə-'man-ˌtēn, -ˌtīn\ *adj*
²**adamant** *adj* : INFLEXIBLE, UNYIELDING — **ad·a·mant·ly** *adv*
Ad·am's apple \ˌad-əmz-\ *n* : the projection in front of the neck formed by the largest cartilage of the larynx
adapt \ə-'dapt\ *vb* : to make suitable or fit (as for a new use or for different conditions) **syn** adjust, accommodate — **adapt·abil·i·ty** \ə-ˌdap-tə-'bil-ət-ē\ *n* — **adapt·able** *adj* — **ad·ap·ta·tion**
²**add·er** *n* : one that adds
¹**ad·dict** \ə-'dikt\ *vb* : to devote or surrender (oneself) to something habitually or excessively — **ad·dic·tive**
add \'ad\ *vb* **1** : to join to something else so as to increase in number or amount **2** : to combine (numbers) into one sum
ad·den·dum \ə-'den-dəm\ *n*, *pl* **-da** \-də\ : something to be added
²**ad·dict** \'ad-(ˌ)ikt\ *n* : one who is addicted (as to a drug)
ad·dic·tion \ə-'dik-shən\ *n* : the quality or state of being addicted; *esp* : compulsive use of habit-forming drugs
ad·di·tion \ə-'dish-ən\ *n* **1** : the act or process of adding; *also* : something added **2** : the adding of numbers to obtain their sum **syn** accretion, increment, accession — **ad·di·tive** \'ad-ət-iv\ *adj or n*
ad·di·tion·al \ə-'dish-(ə-)nəl\ *adj* : coming by way of addition : ADDED, EXTRA — **ad·di·tion·al·ly** *adv*
ad·dle \'ad-ᵊl\ *vb* **1** : to throw into confusion : MUDDLE **2** : to become rotten ⟨addled eggs⟩
¹**ad·dress** \ə-'dres\ *vb* **1** : to direct the attention of (oneself) **2** : to direct one's remarks to : deliver an address to **3** : to mark directions for delivery on
²**ad·dress** \ə-'dres, 'ad-ˌres\ *n* **1** : skillful management **2** : a formal speech : LECTURE **3** : the place where a person or organization may be communicated with **4** : the directions for delivery placed on mail
ad·dress·ee \ˌad-ˌres-'ē, ə-ˌdres-'ē\ *n* : one to whom something is addressed
-ade \'ād\ *n suffix* **1** : act : action ⟨block*ade*⟩ **2** : product; *esp* : sweet drink (lime*ade*)
ad·e·noid \'ad-(ᵊ-)ˌnȯid\ *n* : an enlarged mass of tissue near the opening of the nose into the throat — usu. used in pl.
¹**ad·ept** \'ad-ˌept\ *n* : EXPERT
²**adept** \ə-'dept\ *adj* : highly skilled : EXPERT — **adept·ly** *adv* — **adept·ness** *n*
ad·e·quate \'ad-i-kwət\ *adj* : equal to or sufficient for a specific requirement — **ad·e·qua·cy** \-kwə-sē\ *n* — **ad·e·quate·ly** *adv*
ad·here \ad-'hiər, əd-\ *vb* **1** : to give support : maintain loyalty **2** : to stick fast : CLING — **ad·her·ence** \-'hir-əns\
ad·he·sion \ad-'hē-zhən, əd-\ *n* **1** : the act or state of adhering **2** : bodily tissues abnormally grown together after inflammation
¹**ad·he·sive** \-'hē-siv\ *adj* **1** : tending to adhere : STICKY **2** : prepared for adhering ⟨~ tape⟩ — **ad·he·sive·ness** *n*
²**adhesive** *n* : an adhesive substance

adinfinitum 14 **advance**

ad in·fi·ni·tum \‚ad-‚in-fə-'nīt-əm\ *adv (or adj)* : without end or limit
ad·i·pose \'ad-ə-‚pōs\ *adj* : of or relating to animal fat : FATTY — **ad·i·pos·i·ty** \‚ad-ə-'päs-ət-ē\ *n*
ad·ja·cent \ə-'jās-°nt\ *adj* : situated near or next **syn** adjoining, contiguous, abutting, juxtaposed
ad·jec·tive \'aj-ik-tiv\ *n* : a word that typically serves as a modifier of a noun — **ad·jec·ti·val** \‚aj-ik-'tī-vəl\ *adj* — **ad·jec·ti·val·ly** *adv*
ad·join \ə-'jȯin\ *vb* : to be situated next to
ad·join·ing *adj* : touching or bounding at a point or line
ad·journ \ə-'jərn\ *vb* 1 : to suspend indefinitely or until a stated time 2 : to transfer a session to another place — **ad·journ·ment** *n*
ad·judge \ə-'jəj\ *vb* 1 : JUDGE, ADJUDICATE 2 : to hold or pronounce to be : DEEM 3 : to award by judicial decision
ad·ju·di·cate \ə-'jüd-i-‚kāt\ *vb* : to settle judicially — **ad·ju·di·ca·tion** \ə-‚jüd-i-'kā-shən\ *n*
ad·junct \'aj-‚əŋkt\ *n* : something joined or added to another thing but not essentially a part of it **syn** appendage, appurtenance, accessory
ad·just \ə-'jəst\ *vb* 1 : to bring to agreement : SETTLE 2 : to cause to conform : ADAPT, FIT 3 : REGULATE ⟨~ a watch⟩ — **ad·just·able** *adj* — **ad·just·er** *or* **ad·jus·tor** *n* — **ad·just·ment** *n*
ad·ju·tant \'aj-ət-ənt\ *n* : one who assists; *esp* : an officer who assists a commanding officer by handling correspondence and keeping records
ad-lib \ad-'lib\ *vb* **-libbed; -lib·bing** : IMPROVISE
ad·min·is·ter \əd-'min-ə-stər\ *vb* 1 : MANAGE, SUPERINTEND 2 : to mete out : DISPENSE 3 : to give usu. ritually or remedially ⟨~ quinine for malaria⟩ 4 : to perform the office of administrator — **ad·min·is·tra·ble** \-strə-bəl\ *adj* — **ad·min·is·trant** \-strənt\ *n*
ad·min·is·tra·tion \-‚min-ə-'strā-shən, ad-‚\ *n* 1 : the act or process of administering 2 : MANAGEMENT 3 : the body of persons directing the government of a country 4 : the term of office of an administrative officer or body — **ad·min·is·tra·tive** \əd-'min-ə-‚strāt-iv\ *adj*
ad·min·is·tra·tor \əd-'min-ə-‚strāt-ər\ *n* : one that administers; *esp* : one who settles an intestate estate
ad·mi·ra·ble \'ad-m(ə-)rə-bəl\ *adj* : worthy of admiration : EXCELLENT — **ad·mi·ra·bly** *adv*
ad·mi·ral \'ad-m(ə-)rəl\ *n* : a commissioned officer in the navy ranking next below a fleet admiral
ad·mire \əd-'mī(ə)r\ *vb* : to regard with high esteem — **ad·mi·ra·tion** \‚ad-mə-'rā-shən\ *n* — **ad·mir·er** \əd-'mīr-ər\ *n*
ad·mis·si·ble \əd-'mis-ə-bəl\ *adj* : that can be or is worthy to be admitted or allowed ⟨~ evidence⟩ — **ad·mis·si·bil·i·ty** \-‚mis-ə-'bil-ət-ē\ *n* — **ad·mis·si·bly** \-'mis-ə-blē\ *adv*
ad·mis·sion \əd-'mish-ən\ *n* 1 : the granting of an argument 2 : the acknowledgment of a fact 3 : the act of admitting 4 : the privilege of being admitted 5 : a fee paid for admission

ad·mit \əd-'mit\ *vb* **-mit·ted; -mit·ting** 1 : to allow to enter 2 : PERMIT, ALLOW 3 : to recognize as genuine or valid — **ad·mit·ted·ly** *adv*
ad·mit·tance \əd-'mit-°ns\ *n* : permission to enter
ad·mon·ish \əd-'män-ish\ *vb* : to warn gently : reprove with a warning **syn** chide, reproach, rebuke, reprimand — **ad·mo·ni·tion** \‚ad-mə-'nish-ən\ *n*
adorn \ə-'dȯrn\ *vb* : to decorate with ornaments : BEAUTIFY — **adorn·ment** *n*
adre·nal \ə-'drēn-°l\ *adj* [L *ad* to, at
ado \ə-'dü\ *n* 1 : bustling excitement : FUSS 2 : TROUBLE
ado·be \ə-'dō-bē\ *n* [Sp, fr. Ar *aṭ-ṭūb* the brick, fr. Coptic *tōbe* brick] 1 : sun-dried brick; *also* : clay for making such bricks 2 : a structure made of adobe bricks — **adobe** *adj*
ad·o·les·cence \‚ad-°l-'es-°ns\ *n* : the process or period of growth between childhood and maturity — **ad·o·les·cent** \-°nt\ *adj or n*
adopt \ə-'däpt\ *vb* 1 : to take (a child of other parents) as one's own child 2 : to take up and practice as one's own 3 : to accept formally and put into effect — **adop·tion** \-'däp-shən\ *n*
adop·tive \ə-'däp-tiv\ *adj* : made or acquired by adoption ⟨~ father⟩ — **adop·tive·ly** *adv*
ador·able \ə-'dȯr-ə-bəl\ *adj* 1 : worthy of adoration 2 : extremely charming — **ador·ably** \-blē\ *adv*
adore \ə-'dȯr\ *vb* [L *adorare*, fr. L *ad-* to + *orare* to pray] 1 : WORSHIP 2 : to regard with reverent admiration 3 : to be extremely fond of — **ad·o·ra·tion** \‚ad-ə-'rā-shən\ *n*
adre·nal \ə-'drēn-°l\ *adj* [L *ad* to, at + *renes* kidneys] : of, relating to, or **ad-** being a pair of endocrine organs (**adrenal glands**) located near the kidneys that produce several hormones of which one (**adren·a·line** \-'dren-°l-ən\ *or* **adren·nin** \-'drē-nən\) acts on smooth muscle and raises blood pressure
adrift \ə-'drift\ *adv (or adj)* 1 : afloat without motive power or moorings 2 : without guidance or purpose
adroit \ə-'drȯit\ *adj* 1 : dexterous with one's hands 2 : SHREWD, RESOURCEFUL **syn** deft, clever, cunning, ingenious
ad·sorb \ad-'sȯrb, -'zȯrb\ *vb* : to take up (as molecules of gases) and hold on the surface of a solid or liquid — **ad·sorp·tion** \-'sȯrp-shən, -'zȯrp-\ *n*
ad·u·la·tion \‚aj-ə-'lā-shən\ *n* : excessive or servile praise : FLATTERY
¹**adult** \ə-'dəlt, 'ad-‚əlt\ *adj* : fully developed and mature
²**adult** *n* : one that is adult; *esp* : a human being after an age (as 21) specified by law
adul·ter·ate \ə-'dəl-tə-‚rāt\ *vb* : to make impure by mixing in a foreign or inferior substance — **adul·ter·a·tion** \-‚dəl-tə-'rā-shən\ *n*
adul·tery \ə-'dəl-t(ə-)rē\ *n* : sexual unfaithfulness of a married person — **adul·ter·er** \-tər-ər\ *n* — **adul·ter·ess** \-t(ə-)rəs\ *n* — **adul·ter·ous** *adj*
adult·hood \ə-'dəlt-‚hu̇d\ *n* : the state or time of being an adult
ad·um·brate \'ad-əm-‚brāt\ *vb* 1 : to foreshadow vaguely : INTIMATE 2 : to suggest or disclose partially 3 : SHADE, OBSCURE — **ad·um·bra·tion** \‚ad-əm-'brā-shən\ *n*
¹**ad·vance** \əd-'vans\ *vb* 1 : to bring or move forward 2 : to assist the

advantage 15 affection

progress of 3 : to promote in rank 4 : to make earlier in time 5 : PROPOSE 6 : to raise in rate : INCREASE 7 : LEND — **ad·vance·ment** *n*

²**advance** *n* 1 : a forward movement 2 : IMPROVEMENT 3 : a rise esp. in price or value 4 : OFFER

³**advance** *adj* : made, sent, or furnished ahead of time

ad·van·tage \əd-'vant-ij\ *n* 1 : superiority of position 2 : BENEFIT, GAIN 3 : the first point won in tennis after deuce — **ad·van·ta·geous** \,ad-,vən-'tā-jəs\ *adj*

ad·vent \'ad-,vent\ *n* 1 *cap* : a penitential season beginning four Sundays before Christmas 2 : ARRIVAL; *esp*, *cap* : the coming of Christ

ad·ven·ti·tious \,ad-vən-'tish-əs\ *adj* : ACCIDENTAL, INCIDENTAL — **ad·ven·ti·tious·ly** *adv*

¹**ad·ven·ture** \əd-'ven-chər\ *n* 1 : a risky undertaking 2 : a remarkable and exciting experience 3 : a business venture — **ad·ven·tur·ous** \-'vench-(ə-)rəs\ *adj*

²**adventure** *vb* : RISK, HAZARD

ad·ven·tur·er \-'ven-chər-ər\ *n* 1 : a person who engages in new and risky undertakings 2 : a person who follows a military career for adventure or profit 3 : a person who tries to advance his fortunes by questionable means — **ad·ven·tur·ess** \-'vench-(ə-)rəs\ *n*

ven·ture·some \-'ven-chər-səm\ *adj* : inclined to take risks : DARING

ad·verb \'ad-,vərb\ *n* : a word that typically serves as a modifier of a verb, an adjective, or another adverb — **ad·ver·bi·al** \əd-'vər-bē-əl\ *adj* — **ad·ver·bi·al·ly** *adv*

ad·ver·sary \'ad-və(r)-,ser-ē\ *n* : FOE

ad·ver·sa·tive \əd-'vər-sət-iv\ *adj* : expressing opposition or adverse circumstance — **ad·ver·sa·tive·ly** *adv*

ad·verse \(')ad-'vərs\ *adj* 1 : acting against or in a contrary direction 2 : UNFAVORABLE — **ad·verse·ly** *adv*

ad·ver·si·ty \əd-'vər-sət-ē\ *n* : hard times : MISFORTUNE

ad·vert \ad-'vərt\ *vb* : REFER

ad·ver·tise \'ad-vər-,tīz\ *vb* 1 : INFORM, NOTIFY 2 : to call public attention to esp. in order to arouse a desire to purchase — **ad·ver·tis·er** *n*

ad·ver·tise·ment \,ad-vər-'tīz-mənt, əd-'vərt-əz-\ *n* 1 : the act of advertising 2 : a public notice intended to advertise something

ad·ver·tis·ing \'ad-vər-,tī-ziŋ\ *n* : the business of preparing advertisements

ad·vice \əd-'vīs\ *n* 1 : recommendation with regard to a course of action : COUNSEL 2 : INFORMATION, REPORT

ad·vis·able \əd-'vī-zə-bəl\ *adj* : proper to be done : EXPEDIENT — **ad·vis·abil·i·ty** \-,vī-zə-'bil-ət-ē\ *n*

ad·vise \əd-'vīz\ *vb* 1 : to give advice to : COUNSEL 2 : INFORM, NOTIFY 3 : CONSULT, CONFER — **ad·vis·er** *or* **ad·vi·sor** *n*

ad·vise·ment \əd-'vīz-mənt\ *n* : careful consideration

ad·vi·so·ry \əd-'vīz-(ə-)rē\ *adj* 1 : having or exercising power to advise 2 : containing advice

ad·vo·cate \'ad-və-kət, -,kāt\ *n* 1 : one who pleads another's cause 2 : one who argues or pleads for a cause or proposal — **ad·vo·ca·cy** \-və-kə-sē\ *n*

adz *or* **adze** \'adz\ *n* : a cutting tool that has a curved blade set at right angles to the handle and is used in shaping wood

ae·gis \'ē-jəs\ *n* 1 : SHIELD, PROTECTION 2 : PATRONAGE, SPONSORSHIP

ae·on \'ē-ən, 'ē-,än\ *n* : an indefinitely long time : AGE

aer·ate \'a(ə)r-,āt\ *vb* 1 : to supply (blood) with oxygen by respiration 2 : to supply or impregnate with air 3 : to combine or charge with gas — **aer·a·tion** \,a(ə)r-'ā-shən\ *n*

¹**aer·i·al** \'ar-ē-əl, ā-'ir-ē-əl\ *adj* 1 : inhabiting, produced by, or done in the air 2 : AIRY 3 : of or relating to aircraft

²**aer·i·al** \'ar-ē-əl\ *n* : a radio or television antenna

aer·i·al·ist \'ar-ē-ə-ləst\ *n* : a performer of feats above the ground esp. on a flying trapeze

aer·ie \'a(ə)r-ē, 'i(ə)r-ē\ *n* : a highly placed nest (as of an eagle)

aer·o·bic \,a(ə)r-'ō-bik\ *adj* : living or active only in the presence of oxygen (~bacteria) — **aer·obe** \'a(ə)r-,ōb\ *n*

aer·o·nau·tics \,ar-ə-'not-iks\ *n* : a science dealing with the operation of aircraft or with their design and manufacture — **aer·o·nau·tic** *or* **aer·o·nau·ti·cal** *adj*

aer·o·sol \'ar-ə-,sol, -,säl\ *n* : a suspension of fine solid or liquid particles in a gas; *esp* : a substance (as an insecticide, medicine, or cosmetic) in a liquid sprayed from the valve of a special container

aero·space \'ar-ə-,spās\ *n* : the earth's atmosphere and the space beyond

aes·thete \'es-,thēt\ *n* : a person having or affecting sensitivity to beauty esp. in art

aes·thet·ic \es-'thet-ik\ *adj* 1 : of or relating to aesthetics : ARTISTIC 2 : appreciative of the beautiful — **aes·thet·i·cal·ly** *adv*

aes·thet·ics \-'thet-iks\ *n* : a branch of philosophy dealing with beauty and the beautiful

afar \ə-'fär\ *adv* : from, at, or to a great distance

af·fa·ble \'af-ə-bəl\ *adj* : courteous and agreeable in conversation — **af·fa·bil·i·ty** \,af-ə-'bil-ət-ē\ *n* — **af·fa·bly** *adv*

af·fair \ə-'faər\ *n* 1 : something that relates to or involves one : CONCERN 2 : a romantic or sexual attachment of limited duration

¹**af·fect** \ə 'fekt, a-\ *vb* 1 : to be fond of using or wearing 2 : SIMULATE, ASSUME, PRETEND

²**affect** *vb* : to produce an effect on : INFLUENCE, IMPRESS

af·fec·ta·tion \,af-,ek-'tā-shən\ *n* : an attitude or mode of behavior assumed by a person in an effort to impress others

af·fect·ed *adj* 1 : pretending to some trait which is not natural 2 : artificially assumed to impress others (~ mannerisms) — **af·fect·ed·ly** *adv*

af·fect·ing *adj* : arousing pity, sympathy, or sorrow (an ~ story) — **af·fect·ing·ly** *adv*

¹**af·fec·tion** \ə-'fek-shən\ *n* : tender attachment : LOVE — **af·fec·tion·ate** \-sh(ə-)nət\ *adj* — **af·fec·tion·ate·ly** *adv*

²affection *n* : DISEASE, DISORDER ⟨an ∼ of the brain⟩

af·fi·da·vit \,af-ə-'dā-vət\ *n* : a sworn statement in writing

¹af·fil·i·ate \ə-'fil-ē-,āt\ *vb* : to associate as a member or branch — **af·fil·i·a·tion** \-,fil-ē-'ā-shən\ *n*

²af·fil·i·ate \-'fil-ē-ət\ *n* : an affiliated person or organization

af·fin·i·ty \ə-'fin-ət-ē\ *n* 1 : KINSHIP, RELATIONSHIP 2 : attractive force : ATTRACTION, SYMPATHY

af·firm \ə-'fərm\ *vb* 1 : CONFIRM, RATIFY 2 : to assert positively **syn** aver, avow, avouch, declare, assert — **af·fir·ma·tion** \,af-ər-'mā-shən\ *n*

¹af·fir·ma·tive \ə-'fər-mət-iv\ *adj* : asserting that the fact is so : POSITIVE

²affirmative *n* 1 : an expression of affirmation or assent 2 : the side that upholds the proposition stated in a debate

¹af·fix \ə-'fiks\ *vb* : ATTACH, FASTEN, ADD

²af·fix \'af-,iks\ *n* : one or more sounds or letters attached to the beginning or end of a word and serving to produce a derivative word or an inflectional form

af·flict \ə-'flikt\ *vb* : to cause pain and distress to : trouble grievously **syn** try, torment, torture — **af·flic·tion** \-'flik-shən\ *n*

af·flic·tive \-'flik-tiv\ *adj* : causing affliction : DISTRESSING — **af·flic·tive·ly** *adv*

af·flu·ence \'af-,lü-əns\ *n* : abundant supply; *also* : WEALTH, RICHES — **af·flu·ent** \-ənt\ *adj*

af·ford \ə-'fōrd\ *vb* 1 : to manage to bear or bear the cost of without serious harm or loss 2 : PROVIDE, FURNISH

af·front \ə-'frənt\ *vb* 1 : INSULT 2 : CONFRONT — **affront** *n*

af·ghan \'af-,gan, -gən\ *n* : a blanket or shawl of colored wool knitted or crocheted in sections

afield \ə-'fēld\ *adv* 1 : to, in, or on the field 2 : away from home 3 : out of the way : ASTRAY

afire \ə-'fī(ə)r\ *adj* : being on fire : BURNING

afloat \ə-'flōt\ *adv (or adj)* 1 : being on board ship 2 : FLOATING, ADRIFT 3 : flooded with water

aflut·ter \ə-'flət-ər\ *adj* 1 : FLUTTERING 2 : nervously excited

afoot \ə-'fut\ *adv (or adj)* 1 : on foot 2 : in action : in progress

afore·men·tioned \ə-'fōr-,men-chənd\ *adj* : mentioned previously

afore·said \ə-'fōr-,sed\ *adj* : said or named before

afore·thought \-,thȯt\ *adj* : PREMEDITATED ⟨with malice ∼⟩

afoul \ə-'faul\ *adj* : FOULED, TANGLED

afraid \ə-'frād, *South also* -'fre(ə)d\ *adj* : FRIGHTENED, FEARFUL

afresh \ə-'fresh\ *adv* : ANEW, AGAIN

Af·ri·can \'af-ri-kən\ *n* 1 : a native or inhabitant of Africa 2 : NEGRO — **African** *adj*

Af·ri·kaans \,af-ri-'käns\ *n* : a language developed from 17th century Dutch that is one of the official languages of the Republic of South Africa

Af·ro-Amer·i·can \,af-rō-ə-'mer-ə-kən\ *adj* : of or relating to Americans of African and esp. of negroid descent — **Afro-American** *n*

aft \'aft\ *adv* : near, toward, or in the stern of a ship or the tail of an aircraft

¹af·ter \'af-tər\ *adv* : AFTERWARD, SUBSEQUENTLY

²after *prep* 1 : behind in place 2 : later than 3 : intent on the seizure, mastery, or achievement of ⟨go ∼ an escaped prisoner⟩ ⟨he's ∼ your job⟩

³after *conj* : following the time when

⁴after *adj* 1 : LATER 2 : located toward the rear

af·ter·birth \'af-tər-,bərth\ *n* : structures and membranes expelled from the uterus after the birth of young

af·ter·ef·fect \-ə-,fekt\ *n* 1 : an effect that follows its cause after some time has passed 2 : a secondary effect coming on after the first or immediate effect has subsided ⟨a medicine with no noticeable ∼s⟩

af·ter·glow \-,glō\ *n* : a glow remaining (as in the sky after sunset) where a light has disappeared

af·ter·life \-,līf\ *n* : an existence after death

af·ter·math \'af-tər-,math\ *n* 1 : a second-growth crop esp. of hay 2 : CONSEQUENCES, EFFECTS **syn** sequel, result, outcome

af·ter·noon \,af-tər-'nün\ *n* : the time between noon and evening

af·ter·taste \-,tāst\ *n* : a sensation (as of flavor) continuing after the stimulus causing it has ended

af·ter·thought \'af-tər-,thȯt\ *n* : a later thought; *also* : something thought of later

af·ter·ward \'af-tə(r)-wərd\ *or* **af·ter·wards** \-wərdz\ *adv* : at a later time

again \ə-'gen\ *adv* 1 : once more : ANEW 2 : on the other hand 3 : FURTHER, MOREOVER 4 : in addition

against \ə-'genst\ *prep* 1 : directly opposite to : FACING 2 : in opposition to 3 : as defense from 4 : so as to touch or strike ⟨threw him ∼ the wall⟩; *also* : TOUCHING

¹agape \ə-'gāp\ *adj* : having the mouth open in wonder or surprise : GAPING

²aga·pe \ä-'gäp-ā, 'äg-ə-,pā\ *n* : self-giving loyal concern that freely accepts another and seeks his good

ag·ate \'ag-ət\ *n* 1 : a striped or clouded quartz 2 : a child's marble of agate or of glass resembling agate

¹age \'āj\ *n* 1 : the length of time during which a being or thing has lived or existed 2 : the time of life at which some particular qualification is achieved; *esp* : MAJORITY 3 : the latter part of life 4 : the quality of being old 5 : a long time 6 : a period in history

²age *vb* 1 : to grow old or cause to grow old 2 : to become or cause to become mature or mellow

-age \ij\ *n suffix* 1 : aggregate : collection ⟨track*age*⟩ 2 **a** : action : process ⟨haul*age*⟩ **b** : cumulative result of ⟨break*age*⟩ **c** : rate of ⟨dos*age*⟩ 3 : house or place of ⟨orphan*age*⟩ 4 : state : rank ⟨vassal*age*⟩ 5 : fee : charge ⟨post*age*⟩

aged \'ā-jəd *for 1,* 'ājd *for 2*\ *adj* 1 : of advanced age 2 : having attained a specified age ⟨a man ∼ forty years⟩

age·less \'āj-ləs\ *adj* 1 : not growing old or showing the effects of age 2 : TIMELESS, ETERNAL ⟨an ∼ story⟩

agen·cy \'ā-jən-sē\ *n* 1 : one through which something is accomplished : IN-

agenda 17 **airlift**

STRUMENTALITY **2 :** the office or function of an agent **3 :** an establishment doing business for another **4 :** an administrative division of a government **syn** means, medium
agen·da \ə-'jen-də\ *n* **:** a list of things to be done **:** PROGRAM
agent \'ā-jənt\ *n* **1 :** one that acts **2 :** MEANS, INSTRUMENT **3 :** a person acting or doing business for another **syn** attorney, deputy, proxy
age-old \'āj-'ōld\ *adj* **:** having existed for ages **:** ANCIENT
ag·gran·dize \ə-'gran-,dīz, 'ag-rən-\ *vb* **:** to make great or greater — **ag·gran·dize·ment** \ə-'gran-dəz-mənt, -,dīz-; ,ag-rən-'dīz-mənt\ *n*
ag·gra·vate \'ag-rə-,vāt\ *vb* **1 :** to make more severe **:** INTENSIFY **2 :** IRRITATE — **ag·gra·va·tion** \,ag-rə-'vā-shən\ *n*
¹**ag·gre·gate** \'ag-ri-gət\ *adj* **:** formed by the gathering of units into one mass
²**ag·gre·gate** \-,gāt\ *vb* **:** to collect into one mass
³**ag·gre·gate** \-gət\ *n* **:** a mass or body of units or parts somewhat loosely associated with one another; *also* **:** the whole amount
ag·gres·sion \ə-'gresh-ən\ *n* **1 :** an unprovoked attack **2 :** the practice of making attacks — **ag·gres·sive** \-'gres-iv\ *adj* — **ag·gres·sive·ly** *adv* — **ag·gres·sive·ness** *n* — **ag·gres·sor** \-'gres-ər\ *n*
ag·grieve \ə-'grēv\ *vb* **1 :** to cause grief to **2 :** to inflict injury on **:** WRONG
aghast \ə-'gast\ *adj* **:** struck with amazement or horror
ag·ile \'aj-əl\ *adj* **:** able to move quickly and easily **:** NIMBLE — **agil·i·ty** \ə-'jil-ət-ē\ *n*
ag·i·tate \'aj-ə-,tāt\ *vb* **1 :** to move with an irregular rapid motion **2 :** to stir up **:** EXCITE **3 :** to discuss earnestly **4 :** to attempt to arouse public feeling — **ag·i·ta·tion** \,aj-ə-'tā-shən\ *n* — **ag·i·ta·tor** \'aj-ə-,tāt-ər\ *n*
aglit·ter \ə-'glit-ər\ *adj* **:** GLITTERING
aglow \ə-'glō\ *adj* **:** GLOWING
ag·nos·tic \ag-'näs-tik\ *adj* [Gk *agnōstos* unknown, unknowable, fr. *a-* un- + *gignōskein* to know] **:** of or relating to the belief that the existence of any ultimate reality (as God) is unknown and prob. unknowable — **agnostic** *n* — **ag·nos·ti·cism** \-'näs-tə-,siz-əm\ *n*
ago \ə-'gō\ *adj* (*or adv*) **:** earlier than the present time
agog \ə-'gäg\ *adj* **:** full of excitement **:** EAGER
ag·o·nize \'ag-ə-,nīz\ *vb* **:** to suffer or cause to suffer agony — **ag·o·niz·ing·ly** *adv*
ag·o·ny \'ag-ə-nē\ *n* **:** extreme pain of mind or body **syn** suffering, distress
ag·o·ra·pho·bia \,ag-ə-rə-'fō-bē-ə\ *n* **:** abnormal fear of being in open spaces
agrar·i·an \ə-'grer-ē-ən\ *adj* **1 :** of or relating to land or its ownership ⟨~ reforms⟩ **2 :** of or relating to farmers or farming interests
agree \ə-'grē\ *vb* **1 :** ADMIT, CONCEDE **2 :** to settle by common consent **3 :** to express agreement or approval **4 :** to be in harmony **5 :** to be similar **:** CORRESPOND **6 :** to be fitting or healthful **:** SUIT ⟨the climate ~s with him⟩
agree·able *adj* **1 :** PLEASING, PLEASANT **2 :** ready to consent **3 :** SUITABLE — **agree·able·ness** *n* — **agree·ably** *adv*

agree·ment *n* **1 :** harmony of opinion or action **2 :** mutual understanding or arrangement; *also* **:** a document containing such an arrangement
ag·ri·cul·ture \'ag-ri-,kəl-chər\ *n* **:** FARMING, HUSBANDRY — **ag·ri·cul·tur·al** \,ag-ri-'kəlch-(ə-)rəl\ *adj* —
aground \ə-'graund\ *adv* (*or adj*) **:** with the bottom lodged on the ground **:** STRANDED
ague \'ā-gyü\ *n* **:** a fever with recurrent chills and sweating; *esp* **:** MALARIA
ahead \ə-'hed\ *adv* (*or adj*) **1 :** in or toward the front **2 :** into or for the future ⟨plan ~⟩ **3 :** in or toward a more advantageous position
ahead of *prep* **1 :** in front or advance of **2 :** in excess of **:** ABOVE
ahoy \ə-'hoi\ *interj* — used in hailing ⟨ship ~⟩
¹**aid** \'ād\ *vb* **:** to provide with what is useful in achieving an end **:** ASSIST
²**aid** *n* **1 :** ASSISTANCE **2 :** ASSISTANT
aide \'ād\ *n* **:** a person who acts as an assistant; *esp* **:** a military officer assisting a superior
aide-de-camp \,ād-di-'kamp, -'kän\ *n*, *pl* **aides-de-camp** \,ādz-di-\ **:** AIDE
ai·grette \ā-'gret, 'ā-,gret\ *n* **:** a plume or decorative tuft for the head
ail \'āl\ *vb* **1 :** to be the matter with **:** TROUBLE **2 :** to be unwell
ai·le·ron \'ā-lə-,rän\ *n* **:** a movable part of an airplane wing or of an airfoil external to the wing
ail·ment \'āl-mənt\ *n* **:** a bodily disorder
¹**aim** \'ām\ *vb* **1 :** to point (a weapon) toward some object **2 :** to direct one's efforts **:** ASPIRE **3 :** to direct to or toward a specified object or goal
²**aim** *n* **1 :** the direction of a weapon **2 :** OBJECT, PURPOSE
aim·less \-ləs\ *adj* **:** lacking purpose **:** RANDOM — **aim·less·ly** *adv*
¹**air** \'aər\ *n* **1 :** the gaseous mixture surrounding the earth **2 :** a light breeze **3 :** compressed air ⟨~ sprayer⟩ **4 :** AIRCRAFT ⟨~ patrol⟩ **5 :** AVIATION ⟨~ safety⟩ **6 :** the medium of transmission of radio waves; *also* **:** RADIO, TELEVISION **7 :** the outward appearance of a person or thing **:** MANNER **8 :** an artificial manner ⟨put on ~s⟩ **9 :** MELODY, TUNE
²**air** *vb* **1 :** to expose to the air **2 :** to expose to public view
air·borne \-,bōrn\ *adj* **:** supported or transported by air
air·brush \-,brəsh\ *n* **:** a device for applying a fine spray (as of paint) by compressed air
air conditioning *n* **:** the process of washing and controlling the temperature and humidity of air before it enters a room — **air-con·di·tioned** \,aər-kən-'dish-ənd\ *adj*
air·craft \'aər-,kraft\ *n* **:** a weight-carrying machine (as an airplane, glider, helicopter, or balloon) for navigation of the air
air·drop \-,dräp\ *n* **:** delivery of cargo or personnel by parachute from an airplane in flight — **air-drop** *vb*
air·field \-,fēld\ *n* **1 :** the landing field of an airport **2 :** AIRPORT
air force *n* **:** the military organization of a nation for air warfare
air·lift \'aər-,lift\ *n* **:** a supply line operated by aircraft — **airlift** *vb*

air line *n* **1** : a straight line **2 air·line** : a system of transportation by aircraft; *also* : a company operating such a system

air·lin·er \\'aər-,lī·nər\\ *n* : a large passenger airplane operating over an airline

air·mail \\'aər-,māl\\ *n* : the system of transporting mail by airplane; *also* : mail transported by air — **airmail** *vb*

air·man \-mən\ *n* **1** : an enlisted man in the air force in one of the four ranks next below a staff sergeant **2** : AVIATOR

air·plane \-,plān\ *n* : a fixed-wing aircraft heavier than air that is driven by a propeller or by a rearward jet and supported by the reaction of the air against its wings

air·port \-,pōrt\ *n* : a place maintained for the landing and takeoff of airplanes and for receiving and discharging passengers and cargo

air·sick \-,sik\ *adj* : affected with motion sickness associated with flying —

air·space \-,spās\ *n* : the space lying above a nation and coming under its jurisdiction

air·speed \-,spēd\ *n* : the speed of an airplane with relation to the air as distinguished from its speed relative to the earth

air·strip \-,strip\ *n* : a runway without normal airport facilities

air·tight \-'tīt\ *adj* **1** : so tightly sealed that no air can enter or escape **2** : leaving no opening for attack

air·wave \-,wāv\ *n* : the medium of radio and television transmission — usu. used in pl.

air·way \-,wā\ *n* **1** : a regular route for airplanes **2** : AIRLINE

air·wor·thy \-,wər-thē\ *adj* : fit or safe for operation in the air ⟨a very ∼ plane⟩ — **air·wor·thi·ness** *n*

airy \'a(ə)r-ē\ *adj* **1** : LOFTY **2** : lacking in reality : EMPTY **3** : DELICATE **4** : BREEZY

aisle \'īl\ *n* **1** : the side of a church nave separated by piers from the nave proper **2** : a passage between sections of seats

ajar \ə-'jär\ *adv* (*or adj*) : partly open

akin \ə-'kin\ *adj* **1** : related by blood **2** : similar in kind

¹-al \əl\ *adj suffix* : of, relating to, or characterized by ⟨direction*al*⟩ ⟨fiction*al*⟩

²-al *n suffix* : action : process ⟨rehears*al*⟩

al·a·bas·ter \'al-ə-,bas-tər\ *n* : a compact fine-textured usu. white and translucent gypsum mineral often carved into objects (as vases)

a la carte \,al-ə-'kärt, ,äl-\ *adv* (*or adj*) : with a separate price for each item on the menu

alac·ri·ty \ə-'lak-rət-ē\ *n* : cheerful readiness : BRISKNESS

a la mode \,al-ə-'mōd, ,äl-\ *adj* **1** : FASHIONABLE, STYLISH **2** : topped with ice cream

¹alarm \ə-'lärm\ *n* [MF *alarme*, fr. It *all' arme* to arms] **1** : a warning signal **2** : the terror caused by sudden danger

²alarm *vb* **1** : to warn of danger **2** : to arouse to a sense of danger

Al·ba·ni·an \al-'bā-nē-ən\ *n* : a native or inhabitant of Albania

al·be·it \al-'bē-ət, ȯl-\ *conj* : even though : ALTHOUGH

al·bi·no \al-'bī-nō\ *n* : a person or lower animal lacking coloring matter in the skin, hair, and eyes — **al·bi·nism**

al·bum \'al-bəm\ *n* **1** : a book with blank pages in which to insert photographs, stamps, or autographs **2** : one or more phonograph records or tape recordings carrying a major musical work or a group of related selections

al·bu·min \al-'byü-mən\ *n* : any of various water-soluble proteins of blood, milk, egg white, and plant and animal tissues

al·che·my \'al-kə-mē\ *n* : medieval chemistry chiefly concerned with efforts to turn base metals into gold — **al·chem·i·cal** \al-'kem-i-kəl\ *adj* — **al·che·mist** \'al-kə-məst\ *n*

al·co·hol \'al-kə-,hȯl\ *n* **1** : the liquid that is the intoxicating element in fermented and distilled liquors **2** : any of various carbon compounds similar to alcohol **3** : beverages containing alcohol — **alcoholic** *adj*

al·co·hol·ic \,al-kə-'hȯl-ik, -'häl-\ *n* : a person addicted to excessive use of alcoholic liquors or affected with alcoholism

al·co·hol·ism \'al-kə-,hȯl-,iz-əm\ *n* : continued excessive and usu. uncontrollable use of alcoholic drinks; *also* : the abnormal state associated with such use

al·cove \'al-,kōv\ *n* **1** : a nook or small recess opening off a larger room **2** : a niche or arched opening (as in a wall)

al·der·man \'ȯl-dər-mən\ *n* : a member of a city legislative body

ale \'āl\ *n* : an alcoholic beverage brewed from malt and hops that is usu. more bitter than beer

ale·house \'āl-,hau̇s\ *n* : a place where ale is sold to be drunk on the premises

¹alert \ə-'lərt\ *adj* **1** : watchful against danger **2** : quick to perceive and act — **alert·ly** *adv* — **alert·ness** *n*

²alert *n* **1** : a signal given to warn of danger **2** : the period during which an alert is in effect

³alert *vb* : WARN

Al·ex·an·dri·an \,al-ig-'zan-drē-ən\ *adj* **1** : of or relating to Alexander the Great **2** : HELLENISTIC

al·ex·an·drine \-'zan-drən\ *n*, *often cap* : a line of six iambic feet

al·fal·fa \al-'fal-fə\ *n* : a leguminous plant widely grown for hay and forage

al·fres·co \al-'fres-kō\ *adv* (*or adj*) : in the open air

al·ga \'al-gə\ *n, pl* **al·gae** \'al-(,)jē\ : any of a group of lower plants having chlorophyll but no vascular system and including seaweeds and related freshwater plants

al·ge·bra \'al-jə-brə\ *n* : a branch of mathematics using symbols (as letters) in calculating — **al·ge·bra·ic** \,al-jə-'brā-ik\ *adj*

Al·ge·ri·an \al-'jir-ē-ən\ *n* : a native or inhabitant of Algeria

¹ali·as \'ā-lē-əs, 'āl-yəs\ *adv* : otherwise called

²alias *n* : an assumed name

¹al·i·bi \'al-ə-,bī\ *n* **1** : a plea offered by an accused person of having been elsewhere than at the scene of commission of an offense **2** : a plausible excuse (as for failure or negligence)

¹alien \'ā-lē-ən, 'āl-yən\ *adj* : FOREIGN

²alien *n* : a foreign-born resident who has not been naturalized

alien·able \ˈāl-yə-nə-bəl, ˈā-lē-ə-nə-\ adj : transferable to the ownership of another ⟨~ property⟩

alien·ate \-lē-ə-ˌnāt, -yə-ˌnāt\ vb **1 :** to transfer (property) to another **2 :** to make hostile where previously friendship had existed : ESTRANGE — **alien·ation** \ˌā-lē-ə-ˈnā-shən, ˌāl-yə-\ n

alien·ist \ˈā-lē-ə-nəst, ˈāl-yə-\ n : PSYCHIATRIST; esp : one testifying in legal proceedings

¹alight \ə-ˈlīt\ vb **alight·ed** also **alit** \ə-ˈlit\ **alight·ing 1 :** to get down (as from a vehicle) **2 :** to come to rest from the air syn dismount, land, perch

²alight adj : lighted up

align also **aline** \ə-ˈlīn\ vb **1 :** to bring into line **2 :** to array on the side of or against a cause — **align·ment** also **aline·ment** n

¹alike \ə-ˈlīk\ adj : LIKE syn similar, comparable

²alike adv : EQUALLY

al·i·ment \ˈal-ə-mənt\ n : FOOD, NUTRIMENT

al·i·men·ta·ry \ˌal-ə-ˈmen-t(ə-)rē\ adj : of, relating to, or functioning in nourishment or nutrition

alimentary canal n : a tube that extends from the mouth to the anus and functions in the digestion and absorption of food and the elimination of residues

al·i·mo·ny \ˈal-ə-ˌmō-nē\ n : an allowance paid by a man to a woman after her legal separation or divorce from him

alive \ə-ˈlīv\ adj **1 :** having life : LIVING **2 :** being in force or operation **3 :** SENSITIVE **4 :** ANIMATED

al·ka·li \ˈal-kə-ˌlī\ n **1 :** a substance (as carbonate of sodium, carbonate of potassium, or hydroxide of sodium) that has marked basic properties (as an acrid taste and the power to neutralize acids, form salts, and turn red litmus blue) **2 :** a mixture of salts in the soil of some dry regions in such amount as to make ordinary farming impossible — **al·ka·line** \-kə-lən, -ˌlīn\ adj — **al·ka·lin·i·ty** \ˌal-kə-ˈlin-ət-ē\ n

al·ka·loid \ˈal-kə-ˌlöid\ n : any of various usu. basic and bitter organic compounds found esp. in seed plants

¹all \ˈöl\ adj **1 :** the whole of **2 :** the greatest possible **3 :** every one of

²all adv **1 :** WHOLLY **2 :** so much ⟨~ the better for it⟩ **3 :** for each side ⟨the score is two ~⟩

³all pron **1 :** every one : the whole number ⟨~ of you are welcome⟩ **2 :** the whole : every bit ⟨~ of the money is gone⟩ **3 :** EVERYTHING

Al·lah \ˈal-ə, ä-ˈlä\ n : the supreme being of the Muslims

all–Amer·i·can \ˌöl-ə-ˈmer-ə-kən\ adj **1 :** composed wholly of American elements **2 :** representative of the U.S. as a whole; esp : selected as the best in the U.S.

all–around \ˌöl-ə-ˈraund\ also **all–round** \ˈöl-ˈraund\ adj : having ability in many fields : VERSATILE

al·lay \ə-ˈlā\ vb **1 :** to reduce in severity **2 :** to put at rest syn alleviate, lighten

al·lege \ə-ˈlej\ vb **1 :** to state as a fact without proof **2 :** to bring forward as a reason or excuse — **al·le·ga·tion** \ˌal-i-ˈgā-shən\ n — **al·leg·ed·ly** \ə-ˈlej-əd-lē\ adv

al·le·giance \ə-ˈlē-jəns\ n **1 :** loyalty owed by a citizen to his government **2 :** loyalty to a person or cause

al·le·go·ry \ˈal-ə-ˌgōr-ē\ n : the expression through symbolic figures and actions of truths or generalizations about human conduct or experience — **al·le·gor·i·cal** \ˌal-ə-ˈgòr-i-kəl\ adj

al·le·lu·ia \ˌal-ə-ˈlü-yə\ interj : HALLELUJAH

al·ler·gen \ˈal-ər-jən\ n : something that causes allergy — **al·ler·gen·ic**

al·ler·gy \ˈal-ər-jē\ n : exaggerated or abnormal reaction to substances, situations, or physical states harmless to most people syn susceptibility — **al·ler·gic**

al·le·vi·ate \ə-ˈlē-vē-ˌāt\ vb **1 :** to make easier to be endured syn LIGHTEN, MITIGATE — **al·le·vi·a·tion** \ə-ˌlē-vē-ˈā-shən\ n

al·ley \ˈal-ē\ n **1 :** a narrow passage between buildings **2 :** a place for bowling; esp : a hardwood lane

All·hal·lows \òl-ˈhal-ōz\ n : ALL SAINTS' DAY

al·li·ance \ə-ˈlī-əns\ n : a union to promote common interests syn league, coalition, confederacy, federation

al·lied \ə-ˈlīd, ˈal-ˌīd\ adj : joined in alliance

al·li·ga·tor \ˈal-ə-ˌgāt-ər\ n [Sp el lagarto the lizard, fr. L lacertus lizard] : a large aquatic reptile related to the crocodiles but having a shorter and broader snout

al·lit·er·ate \ə-ˈlit-ə-ˌrāt\ vb **1 :** to form an alliteration **2 :** to arrange so as to make alliteration

al·lit·er·a·tion \ə-ˌlit-ə-ˈrā-shən\ n : the repetition of initial sounds in adjacent words or syllables — **al·lit·er·a·tive**

al·lo·cate \ˈal-ə-ˌkāt\ vb : ALLOT, ASSIGN — **al·lo·ca·tion** \ˌal-ə-ˈkā-shən\ n

al·lot \ə-ˈlät\ vb **-lot·ted; -lot·ting :** to distribute as a share or portion syn assign, apportion, allocate — **al·lot·ment** n

all–out \ˈòl-ˈaut\ adj : using maximum energy or resources ⟨an ~ offensive⟩

al·low \ə-ˈlau\ vb **1 :** to assign as a share ⟨~ time for rest⟩ **2 :** to reckon as a deduction **3 :** ADMIT, CONCEDE **4 :** PERMIT **5 :** to make allowance ⟨~ for expansion⟩ — **al·low·able** adj

al·low·ance \-əns\ n **1 :** an allotted share **2 :** money given regularly as a bounty **3 :** the taking into account of mitigating circumstances or possible contingencies ⟨make ~ for his youth⟩

al·loy \ˈal-ˌòi, ə-ˈlòi\ n **1 :** a substance composed of metals fused together **2 :** an admixture of something that debases — **alloy** vb

all right adv **1 :** YES **2 :** beyond doubt : CERTAINLY

All Saints' Day n : a church feast observed November 1 in honor of all the saints

All Souls' Day n : a day of supplication for the souls in purgatory observed in some churches

all·spice \ˈòl-ˌspīs\ n : the berry of the pimento tree; also : a spice made from it

al·lude \ə-ˈlüd\ vb : to refer indirectly or by suggestion — **al·lu·sion** \-ˈlü-zhən\ n — **al·lu·sive** \-ˈlü-siv\ adj — **al·lu·sive·ly** adv — **al·lu·sive·ness** n

al·lure \ə-ˈlùr\ vb : to entice by charm or attraction : ATTRACT — **al·lure·ment** n

al·lu·vi·um \ə-'lü-vē-əm\ *n* : soil material (as clay or gravel) deposited by running water — **al·lu·vi·al** \-vē-əl\ *adj*

¹al·ly \ə-'lī, 'al-,ī\ *vb* [OF *alier*, fr. L *alligare* to bind to, fr. *ad-* to + *ligare* to bind] : to unite in alliance

²al·ly \'al-,ī, ə-'lī\ *n* : a person or state united with another in an alliance

-al·ly \(ə-)lē\ *adv suffix* : ²-LY ⟨terrifi*cally*⟩

al·ma ma·ter \,al-mə-'mät-ər\ *n* : a school, college, or university that one has attended

al·ma·nac \'ȯl-mə-,nak, 'al-\ *n* : a calendar containing astronomical and meteorological data and often a miscellany of other information

al·mighty \ȯl-'mīt-ē\ *adj* **1** *often cap* : having absolute power over all ⟨*Almighty* God⟩ **2** : relatively unlimited in power

al·mond \'äm-ənd, 'am-; 'al-mənd\ *n* : a small tree related to the peach; *also* : the edible nutlike kernel of its fruit

aloft \ə-'lȯft\ *adv* **1** : high in the air **2** : on or to the higher rigging of a ship

al·most \'ȯl-,mōst, ȯl-'mōst\ *adv* : only a little less than : NEARLY

alms \'ämz\ *n, pl* **alms** [OE *ælmesse*, fr. LL *eleemosyna*, fr. Gk *eleēmosynē* pity, alms, fr. *eleēmōn* merciful, fr. *eleos* pity] : something given freely to relieve the poor

alone \ə-'lōn\ *adj* **1** : separated from others **2** : not including anyone or anything else : ONLY **syn** lonely, lonesome, lone, forlorn — **alone** *adv*

¹along \ə-'lȯŋ\ *prep* **1** : on or near in a lengthwise direction ⟨walk ~ the street⟩ ⟨sail ~ the coast⟩ **2** : at a point on or during ⟨stopped ~ the way⟩

²along *adv* **1** : FORWARD, ON **2** : as a companion or associate ⟨bring her ~⟩ **3** : all the time ⟨knew it all ~⟩

¹along·side \ə-'lȯŋ-,sīd\ *adv* : along or by the side

²alongside *prep* **1** : to, along, or at the side of ⟨came ~ the dock⟩ ⟨swimming ~ the dock⟩ ⟨anchored ~ the dock⟩ **2** : WITH ⟨working ~ his colleagues⟩

aloof \ə-'lüf\ *adj* : removed or distant in interest or feeling : RESERVED — **aloofness** *n*

aloud \ə-'laud\ *adv* : using the voice so as to be clearly heard

alp \'alp\ *n* : a high mountain

al·paca \al-'pak-ə\ *n* : a So. American mammal related to the llama; *also* : its wool or cloth made from this

al·pha·bet \'al-fə-,bet, -bət\ *n* : the set of letters used in writing a language arranged in a conventional order

al·pha·bet·ic \,al-fə-'bet-ik\ *or* **al·pha·bet·i·cal** \-'bet-i-kəl\ *adj* **1** : of or employing an alphabet **2** : arranged in the order of the letters of the alphabet — **al·pha·bet·i·cal·ly** *adv*

al·pha·bet·ize \'al-fə-bə-,tīz\ *vb* : to arrange in alphabetic order

al·pha particle \,al-fə-\ *n* : a positively charged particle that is ejected at high speed in various radioactive transformations

alpha ray *n* : a stream of alpha particles

Al·pine \'al-,pīn\ *adj* : relating to, located in, or resembling the Alps

al·ready \ȯl-'red-ē\ *adv* **1** : prior to a specified or implied time : PREVIOUSLY **2** : so soon

al·so \'ȯl-sō\ *adv* : in addition : TOO

al·so-ran \-,ran\ *n* **1** : a horse or dog that finishes out of the money in a race **2** : a contestant that does not win

al·tar \'ȯl-tər\ *n* **1** : a structure on which sacrifices are offered or incense is burned in worship **2** : a table used as a center of ritual

al·tar·piece \-,pēs\ *n* : a work of art to decorate the space above and behind the altar

al·ter \'ȯl-tər\ *vb* : to make or become different : CHANGE, MODIFY — **al·ter·ation** \,ȯl-tə-'rā-shən\ *n*

al·ter·ca·tion \,ȯl-tər-'kā-shən\ *n* : a noisy or angry dispute

¹al·ter·nate \'ȯl-tər-nət, 'al-\ *adj* **1** : arranged or succeeding by turns **2** : every other — **al·ter·nate·ly** *adv*

²al·ter·nate \-,nāt\ *vb* : to occur or cause to occur by turns — **al·ter·na·tion** \,ȯl-tər-'nā-shən, ,al-\ *n*

³al·ter·nate \'ȯl-tər-nət, 'al-\ *n* : SUBSTITUTE

alternating current *n* : an electric current that reverses its direction at regular short intervals

al·ter·na·tive \ȯl-'tər-nət-iv, al-\ *adj* : that may be chosen in place of something else — **alternative** *n*

al·though *also* **al·tho** \ȯl-'thō\ *conj* : in spite of the fact that : even though

al·tim·e·ter \al-'tim-ət-ər, 'al-tə-,mēt-ər\ *n* : an instrument for measuring altitudes

al·ti·tude \'al-tə-,t(y)üd\ *n* **1** : vertical elevation : HEIGHT **2** : angular distance above the horizon

al·to \'al-tō\ *n* : the lowest female voice; *also* : a singer or instrument having the range of such a voice

al·to·geth·er \,ȯl-tə-'geth-ər\ *adv* **1** : WHOLLY **2** : on the whole

al·tru·ism \'al-trü-,iz-əm\ *n* : unselfish interest in the welfare of others — **al·tru·ist** \-trü-əst\ *n* — **al·tru·is·tic** \,al-trü-'is-tik\ *adj* — **al·tru·is·ti·cal·ly** *adv*

al·um \'al-əm\ *n* **1** : either of two colorless crystalline compounds containing aluminum that have a sweetish-sour taste and are used (as to stop bleeding) in medicine **2** : a colorless aluminum salt used in purifying water and in tanning and dyeing

alu·mi·num \ə-'lü-mə-nəm\ *n* : a whitish light malleable metal used in articles where lightness and strength are desirable

alum·na \ə-'ləm-nə\ *n, pl* **-nae** \-(,)nē\ : a woman graduate or former student of a college or school

alum·nus \ə-'ləm-nəs\ *n, pl* **-ni** \-,nī\ : a graduate or former student of a college or school

al·ways \'ȯl-wēz, -wəz\ *adv* **1** : at all times **2** : FOREVER **3** : without exception

am *pres 1st sing of* BE

amal·gam \ə-'mal-gəm\ *n* **1** : an alloy of mercury with another metal used in making dental cements and in silvering mirrors **2** : a compound made up of different things

amal·ga·mate \ə-'mal-gə-,māt\ *vb* : to unite into one body or organization — **amal·ga·ma·tion** \-,mal-gə-'mā-shən\ *n*

am·a·ryl·lis \,am-ə-'ril-əs\ *n* : any of various mostly bulbous herbs with clusters of lilylike often bright-colored flowers

amass \ə-'mas\ *vb* : to heap up : ACCUMULATE

am·a·teur \'am-ə-,tər, -ət-ər, -ə-,t(y)ůr\ *n* [F, fr. L *amator* lover, fr. *amare* to love] **1** : a person who engages in a pursuit for pleasure and not as a profession **2** : a person who is not expert — **am·a·teur·ish** \,am-ə-'tər-ish, -'t(y)ůr-ish\ *adj* — **am·a·teur·ism**

am·a·to·ry \'am-ə-,tōr-ē\ *adj* : of or expressing sexual love

amaze \ə-'māz\ *vb* : to overwhelm with wonder : ASTOUND **syn** astonish, surprise — **amaze·ment** *n* — **amaz·ing·ly** *adv*

am·a·zon \'am-ə-,zän, -zən\ *n* **1** *cap* : a member of a race of female warriors repeatedly warring with the ancient Greeks of mythology **2** : a tall strong masculine woman

am·bas·sa·dor \am-'bas-əd-ər\ *n* : a person accredited to a foreign government as an official representative of his own government — **am·bas·sa·dor·ship** \-,ship\ *n*

am·ber \'am-bər\ *n* : a yellowish fossil resin used esp. for ornamental objects; *also* : the color of this resin

am·ber·gris \'am-bər-,gris, -,grēs\ *n* : a waxy substance from the sperm whale used in making perfumes

am·bi·dex·trous \,am-bi-'dek-strəs\ *adj* : using both hands with equal ease

am·bi·ence \än-byäⁿs, 'am-bē-əns\ *n* : a surrounding or pervading atmosphere

am·bi·ent \'am-bē-ənt\ *adj* : SURROUNDING

am·big·u·ous \am-'big-yə-wəs\ *adj* : capable of being understood in more than one way — **am·bi·gu·i·ty** \,am-bə-'gyü-ət-ē\ *n*

am·bi·tion \am-'bish-ən\ *n* : eager desire for success, honor, or power

am·bi·tious \am-'bish-əs\ *adj* : characterized by ambition — **am·bi·tious·ly** *adv*

am·biv·a·lence \am-'biv-ə-ləns\ *n* : simultaneous attraction toward and repulsion from a person, object, or action — **am·biv·a·lent** \-lənt\ *adj*

¹am·ble \'am-bəl\ *vb* : to go at an amble : SAUNTER

²amble *n* : an easy gait esp. of a horse

am·bu·lance \'am-byə-ləns\ *n* : a vehicle equipped for carrying the injured or sick

am·bu·lant *adj* : moving about : AMBULATORY

¹am·bu·la·to·ry \'am-byə-lə-,tōr-ē\ *adj* **1** : of, relating to, or adapted to walking **2** : able to walk about

²ambulatory *n* : a sheltered place (as a cloister) for walking

am·bush \'am-,bůsh\ *n* : a trap by which concealed persons attack an enemy by surprise — **ambush** *vb*

ame·lio·rate \ə-'mēl-yə-,rāt\ *vb* : to make or grow better : IMPROVE — **ame·lio·ra·tion** \,mēl-yə-'rā-shən\ *n*

amen \(')ā-'men, (')ä-\ *interj* — used esp. at the end of prayers to express solemn ratification or approval

ame·na·ble \ə-'mē-nə-bəl, -'men-ə-\ *adj* **1** : ANSWERABLE **2** : easily managed : TRACTABLE

amend \ə-'mend\ *vb* **1** : to change for the better : IMPROVE **2** : to alter formally in phraseology

amend·ment \ə-'men(d)-mənt\ *n* **1** : correction of faults **2** : the process of amending a parliamentary motion or a constitution; *also* : the alteration so proposed or made

amends \ə-'men(d)z\ *n sing or pl* : compensation for injury or loss

amen·i·ty \ə-'men-ət-ē, -'mē-nət-\ *n* **1** : AGREEABLENESS **2** : something conducing to comfort or convenience **3** *pl* : the conventions observed in social intercourse

Amer·i·can \ə-'mer-ə-kən\ *n* **1** : a native or inhabitant of No. or So. America **2** : a citizen of the U.S. — **American** *adj* — **Amer·i·can·ism** \-ə-kə-,niz-əm\ *n* — **Amer·i·can·iza·tion** \ə-,mer-ə-kə-nə-'zā-shən\ *n*

amer·i·ci·um \,am-ə-'ris(h)-ē-əm\ *n* : a radioactive metallic chemical element artificially produced from uranium

am·e·thyst \'am-ə-thəst\ *n* : a gemstone consisting of clear purple or bluish violet quartz

ami·a·ble \'ā-mē-ə-bəl\ *adj* **1** : AGREEABLE **2** : having a friendly and sociable disposition — **ami·a·bil·i·ty** \,ā-mē-ə-'bil-ət-ē\ *n* — **ami·a·bly** \'ā-mē-ə-blē\ *adv*

am·i·ca·ble \'am-i-kə-bəl\ *adj* : FRIENDLY, PEACEABLE — **am·i·ca·bly** *adv*

amid \ə-'mid\ *or* **amidst** \-'midst\ *prep* : in or into the middle of : AMONG

amid·ships \-'mid-,ships\ *adv* : in or toward the part of a ship midway between the bow and the stern

ami·no acid \ə-,mē-nō-, ,am-ə-,nō-\ *n* : any of numerous nitrogen-containing acids that include some which are the building blocks of proteins

¹amiss \ə-'mis\ *adv* **1** : FAULTILY **2** : IMPROPERLY

²amiss *adj* **1** : WRONG **2** : out of place

am·i·ty \'am-ət-ē\ *n* : FRIENDSHIP; *esp* : friendly relations between nations

am·me·ter \'am-,ēt-ər\ *n* : an instrument for measuring electric current in amperes

am·mo \'am-ō\ *n* : AMMUNITION

am·mo·nia \ə-'mō-nyə\ *n* **1** : a colorless gaseous compound of nitrogen and hydrogen used in refrigeration and in the making of fertilizers and explosives **2** : a solution (**ammonia water**) of ammonia in water

am·mu·ni·tion \,am-yə-'nish-ən\ *n* **1** : projectiles fired from guns **2** : explosive items used in war **3** : material for use in attack or defense

am·ne·sia \am-'nē-zhə\ *n* : abnormal loss of memory — **am·ne·si·ac** \-zh(ē-),ak\ *or* **am·ne·sic** \-'nē-zik, -sik\ *adj or n*

am·nes·ty \'am-nə-stē\ *n* : an act granting a pardon to a group of individuals

amoe·ba \ə-'mē-bə\ *n, pl* **-bas** *or* **-bae** \-(,)bē\ : any of various tiny one-celled animals that lack permanent cell organs and occur esp. in water and soil —

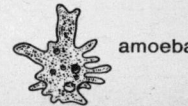
amoeba

amok \ə-'mək, -'mäk\ *or* **amuck** *adv* : in a murderously frenzied manner

among \ə-'məŋ\ *also* **amongst** \-'məŋst\ *prep* **1** : in or through the midst of **2** : in the number or class of **3** : in shares to each of **4** : by common action of

amor·al \ā-'mȯr-əl\ *adj* : neither moral nor immoral; *esp* : being outside the sphere to which moral judgments apply — **amor·al·ly** *adv*

am·o·rous \'am-(ə-)rəs\ *adj* **1** : inclined to love **2** : being in love — **am·o·rous·ly** *adv* — **am·o·rous·ness** *n*

amor·phous \ə-'mȯr-fəs\ *adj* **1** : SHAPELESS, FORMLESS **2** : not crystallized

am·or·tize \'am-ər-ˌtīz, ə-'mȯr-ˌtīz\ *vb* : to extinguish (as a mortgage) usu. by payment on the principal at the time of each periodic interest payment — **amor·ti·za·tion** \ˌam-ərt-ə-'zā-shən, ə-ˌmȯrt-\

¹**amount** \ə-'maunt\ *vb* **1** : to reach as a total ⟨the bill ~ed to $10⟩ **2** : to be equivalent

²**amount** *n* **1** : the total number or quantity **2** : a principal sum plus the interest on it

am·pere \'am-ˌpiər\ *n* : a unit of intensity of electric current equivalent to a steady current produced by one volt applied across a resistance of one ohm

am·per·sand \'am-pər-ˌsand\ *n* : a character & standing for the word *and*

am·phib·i·an \am-'fib-ē-ən\ *n* **1** : an amphibious organism; *esp* : any of a group of animals (as frogs and newts) intermediate between fishes and reptiles **2** : an airplane designed to take off from and land on either land or water

am·phib·i·ous \-ē-əs\ *adj* [Gk *amphibios*, fr. *amphi-* on both sides + *bios* life] **1** : able to live both on land and in water **2** : adapted for both land and water **3** : made by joint action of land, sea, and air forces invading from the sea; *also* : trained for such action

am·phi·the·ater \'am-fə-ˌthē-ət-ər\ *n* : an oval or circular building with rising tiers of seats around an arena

am·pho·ra \'am-fə-rə\ *n*, *pl* **-rae** \-ˌrē\ *or* **-ras** : an ancient Greek jar or vase with two handles that rise almost to the level of the mouth

am·ple \'am-pəl\ *adj* **1** : LARGE, CAPACIOUS **2** : enough to satisfy : ABUNDANT — **am·ply** \-plē\ *adv*

am·pli·fy \'am-plə-ˌfī\ *vb* **1** : to expand by extended treatment **2** : to increase (voltage, current, or power) in magnitude or strength (as by the use of a vacuum tube) **3** : to make louder — **am·pli·fi·ca·tion** \ˌam-plə-fə-'kā-shən\ *n* — **am·pli·fi·er** \'am-plə-ˌfī(-ə)r\ *n*

am·pli·tude \'am-plə-ˌt(y)üd\ *n* **1** : ample extent : FULLNESS **2** : the extent of a vibratory movement (as of a pendulum) or of an oscillation (as of an alternating current or a radio wave)

am·pul *or* **am·poule** \'am-p(y)ül\ *n* : a small sealed bulbous glass vessel used to hold a solution for hypodermic injection

am·pu·tate \'am-pyə-ˌtāt\ *vb* : to cut off ⟨~ a leg⟩ — **am·pu·ta·tion** \ˌam-pyə-'tā-shən\ *n*

am·pu·tee \ˌam-pyə-'tē\ *n* : one who has had a limb amputated

am·u·let \'am-yə-lət\ *n* : an ornament worn as a charm against evil

amuse \ə-'myüz\ *vb* : to entertain in a light or playful manner : DIVERT — **amuse·ment** *n*

an \ən, (')an\ *indefinite article* : A — used before words beginning with a vowel sound

¹**-an** \ən\ *or* **-ian** \(ē-)ən\ *also* **-ean** \(ē-)ən, 'ē-ən\ *n suffix* **1** : one that belongs to ⟨Americ*an*⟩ ⟨Boston*ian*⟩ ⟨crustac*ean*⟩ **2** : one skilled in or specializing in ⟨phonetic*ian*⟩

²**-an** *or* **-ian** *also* **-ean** *adj suffix* **1** : of or belonging to ⟨Americ*an*⟩ ⟨Florid*ian*⟩ **2** : characteristic of : resembling ⟨Mozart*ean*⟩

anach·ro·nism \ə-'nak-rə-ˌniz-əm\ *n* **1** : the error of placing a person or thing in a period to which he or it does not belong **2** : a person or thing that is chronologically out of place — **anach·ro·nis·tic** \ə-ˌnak-rə-'nis-tik\ *adj*

an·a·con·da \ˌan-ə-'kän-də\ *n* : a large So. American snake that crushes its prey

an·aer·o·bic \ˌan-ə-'rō-bik\ *adj* : living, active, or occurring in the absence of free oxygen

ana·gram \'an-ə-ˌgram\ *n* : a word or phrase made by transposing the letters of another word or phrase

anal \'ān-əl\ *adj* : of, relating to, or situated near the anus

an·al·ge·sia \ˌan-əl-'jē-zhə\ *n* : insensibility to pain — **an·al·ge·sic** \-'jē-zik, -sik\ *adj or n*

anal·o·gous \ə-'nal-ə-gəs\ *adj* : similar in one or more respects but not homologous

an·a·logue *or* **an·a·log** \'an-əl-ˌȯg\ *n* : something that is analogous or similar to something else

anal·o·gy \-ə-jē\ *n* **1** : inference that if two or more things agree in some respects they will prob. agree in others **2** : a likeness in one or more ways between things otherwise unlike — **an·a·log·i·cal** \ˌan-əl-'äj-i-kəl\ *adj* — **an·a·log·i·cal·ly** *adv*

anal·y·sis \ə-'nal-ə-səs\ *n*, *pl* **-y·ses** \-ə-ˌsēz\ **1** : separation of a thing into the parts or elements of which it is composed **2** : an examination of a thing to determine its parts or elements; *also* : a statement showing the results of such an examination **3** : PSYCHOANALYSIS — **an·a·lyst** \'an-əl-əst\ *n* — **an·a·lyt·ic** \ˌan-əl-'it-ik\ *or* **an·a·lyt·i·cal** *adj*

an·a·lyze \'an-əl-ˌīz\ *vb* : to make an analysis of

an·ar·chism \'an-ər-ˌkiz-əm\ *n* **1** : the theory that all government is an evil **2** : TERRORISM — **an·ar·chist** \-kəst\ *n* — **an·ar·chis·tic** \ˌan-ər-'kis-tik\ *adj*

an·ar·chy \'an-ər-kē\ *n* **1** : a social structure without government or law and order **2** : utter confusion — **an·ar·chic** \a-'när-kik\ *also* **an·ar·chi·cal** \-ki-kəl\ *adj*

anath·e·ma \ə-'nath-ə-mə\ *n* **1** : a solemn curse **2** : a person or thing accursed; *also* : one intensely disliked

anat·o·mize \ə-'nat-ə-ˌmīz\ *vb* : to dissect so as to examine the structure and parts; *also* : ANALYZE

anat·o·my \ə-'nat-ə-mē\ *n* **1** : a branch of science dealing with the structure of organisms **2** : a separating into parts for detailed study : ANALYSIS, ANATOMIZING — **an·a·tom·ic** \ˌan-ə-'täm-ik\ *or* **an·a·tom·i·cal** \-i-kəl\ *adj* — **anat·o·mist** \ə-'nat-ə-məst\ *n*

-ance \əns\ *n suffix* **1** : action or process ⟨further*ance*⟩ : instance of an action or process ⟨perform*ance*⟩ **2** : quality or state : instance of a quality or state ⟨protuber*ance*⟩ **3** : amount or degree ⟨conduct*ance*⟩

an·ces·tor \'an-ˌses-tər\ *n* : one from whom an individual is descended — **an·ces·tress** \-trəs\ *n*

an·ces·try \-ˌses-trē\ *n* **1** : line of descent : LINEAGE **2** : ANCESTORS — **an·ces·tral** \an-'ses-trəl\ *adj*

¹**an·chor** \'aŋ-kər\ *n* : a heavy metal device attached to a boat and so made that when thrown overboard it catches hold of the earth and holds the boat in place

²**anchor** *vb* : to hold or become held in place by or as if by an anchor

an·cho·vy \'an-ˌchō-vē, an-'chō-\ *n* : a small herringlike fish used esp. for sauces and relishes

an·cien ré·gime \ˌäⁿs-yaⁿ-rā-zhēm\ *n* **1** : the political and social system of France before the Revolution of 1789 **2** : a system no longer prevailing

¹**an·cient** \'ān-shənt, 'āŋ-\ *adj* **1** : having existed for many years **2** : belonging to times long past; *esp* : belonging to the period before the Middle Ages

²**ancient** *n* **1** : an aged person **2** *pl* : the peoples of ancient Greece and Rome

an·cil·lary \'an-sə-ˌler-ē\ *adj* **1** : SUBORDINATE, SUBSIDIARY **2** : AUXILIARY, SUPPLEMENTARY

-an·cy \ən-sē\ *n suffix* : quality or state ⟨flamboy*ancy*⟩

and \ən(d), (')an(d)\ *conj* — used as a function word to indicate connection or addition esp. of items within the same class or type or to join words or phrases of the same grammatical rank or function

and·iron \'an-ˌdī(-ə)rn\ *n* : one of a pair of metal supports for firewood in a fireplace

an·dro·gen \'an-drə-jən\ *n* : a male sex hormone

an·ec·dote \'an-ik-ˌdōt\ *n* : a brief story of an interesting usu. biographical incident

ane·mia \ə-'nē-mē-ə\ *n* **1** : a condition in which blood is deficient in quantity, in red cells, or in hemoglobin and which is marked by pallor, weakness, and irregular heart action **2** : lack of vitality — **ane·mic** \-mik\ *adj*

an·e·mom·e·ter \ˌan-ə-'mäm-ət-ər\ *n* : an instrument for measuring the force or speed of the wind

anem·o·ne \ə-'nem-ə-nē\ *n* : a small herb related to the buttercups that has showy usu. white flowers

an·es·the·sia \ˌan-əs-'thē-zhə\ *n* : loss of bodily sensation

¹**an·es·thet·ic** \-'thet-ik\ *adj* : of, relating to, or capable of producing anesthesia

²**anesthetic** *n* : an agent (as ether) that produces anesthesia — **anes·the·tist** \ə-'nes-thət-əst\ *n* — **anes·the·tize**

anew \ə-'n(y)ü\ *adv* : over again : from a new start

an·gel \'ān-jəl\ *n* [LL *angelus*, fr. Gk *angelos*, lit., messenger] **1** : a spiritual being superior to man **2** : an attendant spirit ⟨guardian ~⟩ **3** : a winged figure of human form in art **4** : MESSENGER, HARBINGER **5** : a person held to resemble an angel — **an·gel·ic** \an-'jel-ik\ *or* **an·gel·i·cal** \-i-kəl\ *adj* — **an·gel·i·cal·ly** *adv*

¹**an·ger** \'aŋ-gər\ *n* : a strong feeling of displeasure **syn** wrath, ire, rage, fury, indignation

²**anger** *vb* : to make angry

an·gi·na \an-'jī-nə\ *n* : a disorder (as of the heart) marked by attacks of intense pain — **an·gi·nal** \-'jīn-ᵊl\ *adj*

¹**an·gle** \'aŋ-gəl\ *n* **1** : the figure formed by the meeting of two lines in a point **2** : a sharp projecting corner **3** : a point of view

An·gli·can \'aŋ-gli-kən\ *n* : a member of the Church of England; *also* : EPISCOPALIAN

an·gli·cize \'aŋ-glə-ˌsīz\ *vb, often cap* **1** : to make English (as in habits, speech, character, or outlook) **2** : to borrow (a foreign word or phrase) into English without changing form or spelling and sometimes without changing pronunciation — **an·gli·ci·za·tion** \ˌaŋ-glə-sə-'zā-shən\ *n, often cap*

An·glo–Sax·on \ˌaŋ-glō-'sak-sən\ *n* **1** : a member of any of the Germanic peoples who invaded England in the 5th century A.D. **2** : a member of the English people **3** : OLD ENGLISH — **Anglo–Saxon** *adj*

an·go·ra \aŋ-'gōr-ə, an-\ *n* **1** *cap* : a cat, goat, or rabbit with a long silky coat **2** : yarn or cloth made from the hair of an Angora goat or rabbit

an·gry \'aŋ-grē\ *adj* : feeling or showing anger **syn** enraged, wrathful, irate, indignant — **an·gri·ly** *adv*

angst \'äŋst\ *n* : a feeling of anxiety : DREAD

an·guish \'aŋ-gwish\ *n* : extreme pain or distress esp. of mind

an·guished *adj* : full of anguish : TORMENTED ⟨an ~ call for help⟩

an·gu·lar \'aŋ-gyə-lər\ *adj* **1** : having one or more angles **2** : sharp-cornered **3** : being thin and bony — **an·gu·lar·i·ty** \ˌaŋ-gyə-'lar-ət-ē\ *n*

an·hy·drous \an-'hī-drəs\ *adj* : free from water

an·i·line \'an-ᵊl-ən\ *n* : an oily poisonous liquid used in making dyes, medicines and explosives

¹**an·i·mal** \'an-ə-məl\ *n* **1** : a living being capable of feeling and voluntary motion **2** : a lower animal as distinguished from man; *also* : MAMMAL

²**animal** *adj* **1** : of, relating to, or derived from animals **2** : of or relating to the physical as distinguished from the mental or spiritual **syn** carnal

an·i·mal·ism \'an-ə-mə-ˌliz-əm\ *n* : SENSUALITY

¹**an·i·mate** \'an-ə-mət\ *adj* : having life

²**an·i·mate** \-ˌmāt\ *vb* **1** : to impart life to **2** : to give spirit and vigor to **3** : to make appear to move ⟨~ a cartoon for motion pictures⟩ — **an·i·mat·ed** *adj*

an·i·ma·tion \ˌan-ə-'mā-shən\ *n* **1** : LIVELINESS, VIVACITY **2** : an animated cartoon

an·i·mism \'an-ə-ˌmiz-əm\ *n* : attribution of conscious life to nature as a whole or to inanimate objects — **an·i·mist** *n* — **an·i·mis·tic** \ˌan-ə-'mis-tik\ *adj*

an·i·mos·i·ty \ˌan-ə-'mäs-ət-ē\ *n* : ILL WILL, RESENTMENT

an·i·mus \'an-ə-məs\ *n* : deep-seated resentment and hostility

an·ise \'an-əs\ *n* : an herb related to the carrot with aromatic seeds (**ani·seed** \-ə(s)-ˌsēd\) used in flavoring

an·kle \'aŋ-kəl\ *n* : the joint or region between the foot and the leg

an·klet \'aŋ-klət\ *n* **1** : something (as an ornament) worn around the ankle **2** : a short sock reaching slightly above the ankle

an·nals \'an-ᵊlz\ *n pl* **1** : a record of events in chronological order **2** : HISTORY — **an·nal·ist** \-ᵊl-əst\ *n*

¹**an·nex** \ə-'neks, 'an-,eks\ *vb* **1** : to attach as an addition **2** : to incorporate (as a territory) within a political domain — **an·nex·a·tion** \,an-,ek-'sā-shən\ *n*

²**an·nex** \'an-,eks, -iks\ *n* : a subsidiary or supplementary structure ⟨his room is in the ~ to the hotel⟩

an·ni·hi·late \ə-'nī-ə-,lāt\ *vb* : to destroy completely : wipe out — **an·ni·hi·la·tion** \-,nī-ə-'lā-shən\ *n*

an·ni·ver·sa·ry \,an-ə-'vərs-(ə-)rē\ *n* : the annual return of the date of some notable event and esp. a wedding

an·no Do·mi·ni \,an-ō-'däm-ə-nē, -,nī\ *adv, often cap A* — used to indicate that a time division falls within the Christian era

an·no·tate \'an-ə-,tāt\ *vb* : to furnish with notes — **an·no·ta·tion** \,an-ə-'tā-shən\ *n* — **an·no·ta·tor** \'an-ə-,tāt-ər\ *n*

an·nounce \ə-'nauns\ *vb* **1** : to make known publicly **2** : to give notice of the arrival or presence of — **an·nounce·ment** *n*

an·nounc·er *n* : a person who introduces radio or television programs, reads commercials and news summaries, and gives station identification

an·noy \ə-'nòi\ *vb* : to disturb or irritate esp. by repeated acts : VEX **syn** irk, bother, pester, tease, harass — **an·noy·ing·ly** *adv*

an·noy·ance \-'nòi-əns\ *n* **1** : the act of annoying : the state of being annoyed **2** : NUISANCE

¹**an·nu·al** \'an-y(ə-w)əl\ *adj* **1** : covering the period of a year **2** : occurring once a year : YEARLY **3** : completing the life cycle in one growing season ⟨~ plants⟩ — **an·nu·al·ly** *adv*

²**annual** *n* **1** : a publication appearing once a year **2** : an annual plant

an·nu·i·ty \ə-'n(y)ü-ət-ē\ *n* : an amount payable annually; *also* : the right to receive such a payment

an·nul \ə-'nəl\ *vb* **-nulled; -nul·ling** : to make legally void — **an·nul·ment** *n*

an·nu·lar \'an-yə-lər\ *adj* : ring-shaped

an·nun·ci·ate \ə-'nən-sē-,āt\ *vb* : ANNOUNCE — **an·nun·ci·a·tor** *n* — **an·nun·ci·a·to·ry** \-sē-ə-,tōr-ē\ *adj*

an·nun·ci·a·tion \ə-,nən-sē-'ā-shən\ *n* **1** : the act of announcing : ANNOUNCEMENT **2** *cap* : a church feast commemorating the announcement of the Incarnation and celebrated on March 25

an·ode \'an-,ōd\ *n* **1** : the positive electrode of an electrolytic cell **2** : the negative terminal of a battery **3** : the electron-collecting electrode of an electron tube — **an·od·ic** \a-'näd-ik\ *adj*

an·o·dyne \'an-ə-,dīn\ *n* : something that relieves pain : a soothing agent

anoint \ə-'nòint\ *vb* **1** : to apply oil to esp. as a sacred rite **2** : CONSECRATE — **anoint·ment** *n*

anom·a·lous \ə-'näm-ə-ləs\ *adj* : deviating from a general rule : ABNORMAL

anom·a·ly \ə-'näm-ə-lē\ *n* : something anomalous : IRREGULARITY

anon·y·mous \ə-'nän-ə-məs\ *adj* : of unknown or undeclared origin or authorship — **an·o·nym·i·ty** \,an-ə-'nim-ət-ē\ *n* — **anon·y·mous·ly** \ə-'nän-ə-məs-lē\ *adv*

anoph·e·les \ə-'näf-ə-,lēz\ *n* : a mosquito that transmits malaria to man

¹**an·oth·er** \ə-'nəth-ər\ *adj* **1** : any or some other **2** : being one in addition : one more

²**another** *pron* **1** : an additional one : one more **2** : one that is different from the first or present one

¹**an·swer** \'an-sər\ *n* **1** : something spoken or written in return to or satisfying a question **2** : a solution of a problem

²**answer** *vb* **1** : to speak or write in reply to **2** : to be responsible **3** : to be adequate — **an·swer·er** *n*

an·swer·able \'ans-(ə-)rə-bəl\ *adj* **1** : liable to be called to give an explanation or satisfaction : RESPONSIBLE **2** : capable of being refuted

ant \'ant\ *n* : any of various small insects related to the bees and living in communities usu. in earth or wood

¹**-ant** \ənt\ *n suffix* **1** : one that performs or promotes (a specified action) ⟨cool*ant*⟩ ⟨expector*ant*⟩ **2** : thing that is acted upon (in a specified manner)

²**-ant** *adj suffix* **1** : performing (a specified action) or being (in a specified condition) ⟨propell*ant*⟩ **2** : promoting (a specified action or process) ⟨expector*ant*⟩

ant·ac·id \ant-'as-əd\ *n* : a substance that counteracts acidity

an·tag·o·nism \an-'tag-ə-,niz-əm\ *n* **1** : active opposition or hostility **2** : opposition in physiological action — **an·tag·o·nis·tic** \-,tag-ə-'nis-tik\ *adj*

an·tag·o·nist \an-'tag-ə-nəst\ *n* : ADVERSARY, OPPONENT

an·tag·o·nize \ə-,nīz\ *vb* : to provoke the hostility of

ant·arc·tic \ant-'är(k)t-ik\ *adj, often cap* : of or relating to the south pole or the region near it

¹**an·te** \'ant-ē\ *n* : a poker stake put up by each player before he sees his hand; *also* : an amount paid : PRICE

²**ante** *vb* **1** : to put up (an ante) **2** : PAY

an·te·bel·lum \,ant-i-'bel-əm\ *adj* : existing before a war; *esp* : existing before the U.S. Civil War of 1861–65

an·te·ced·ent \,ant-ə-'sēd-ᵊnt\ *n* **1** : a noun, pronoun, phrase, or clause referred to by a personal or relative pronoun **2** : a preceding event or cause **3** *pl* : the significant conditions of one's earlier life **4** *pl* : ANCESTORS — **antecedent** *adj*

an·te·cham·ber \'ant-i-,chām-bər\ *n* : an outer chamber leading to another room

an·te·date \-,dāt\ *vb* **1** : to date (a paper) as of an earlier day than that on which the actual writing or signing is done **2** : to precede in time

an·te·di·lu·vi·an \,ant-i-də-'lü-vē-ən, -dī-\ *adj* **1** : of the period before the biblical flood **2** : ANTIQUATED, OBSOLETE

an·te·lope \'ant-ᵊl-,ōp\ *n* : any of various ruminant mammals related to the oxen but with smaller lighter bodies and horns that extend upward and backward

an·te me·ri·di·em \,ant-i-mə-'rid-ē-əm\ *adj* : being before noon

an·ten·na \an-'ten-ə\ *n* **1** *pl usu* **-nae** \-'ten-(,)ē\ : one of the long slender paired sensory organs on the head of an arthropod (as an insect or crab) **2** *pl usu* **-nas** : a metallic device (as a rod or wire) for sending out or receiving radio waves

antennae

an·te·ri·or \an-'tir-ē-ər\ *adj* : located before in place or time **syn** preceding, previous, prior
an·te·room \'ant-i-,rüm, -,rum\ *n* : a room forming the entrance to another and often used as a waiting room
an·them \'an-thəm\ *n* **1** : a sacred composition usu. sung by a church choir **2** : a song or hymn of praise or gladness
an·ther \'an-thər\ *n* : the part of the stamen of a seed plant that contains pollen

anther

ant·hill \'ant-,hil\ *n* : a mound thrown up by ants or termites in digging their nest
an·thol·o·gy \an-'thäl-ə-jē\ *n* : a collection of literary selections
an·thra·cite \'an-thrə-,sīt\ *n* : a hard glossy coal that burns without much smoke
an·thrax \'an-,thraks\ *n* : a destructive bacterial disease of warm-blooded animals (as cattle and sheep)
an·thro·po·cen·tric \,an-thrə-pə-'sen-trik\ *adj* : interpreting or regarding the world in terms of human values and experiences
¹an·thro·poid \'an-thrə-,pȯid\ *adj* **1** : resembling man **2** : resembling an ape
an·thro·pol·o·gy \,an-thrə-'päl-ə-jē\ *n* : a science dealing with man and esp. his origin, development, and culture — **an·thro·po·log·i·cal** \-pə-'läj-i-kəl\ *adj* — **an·thro·pol·o·gist** \-'päl-ə-jəst\ *n*
an·thro·po·mor·phism \,an-thrə-pə-'mor-,fiz-əm\ *n* : the conception of God or gods as possessing human qualities — **an·thro·po·mor·phic** \-fik\ *adj*
an·ti \'an-,tī, 'ant-ē\ *n* : one who is opposed
an·ti- \,ant-i, -ē; ,an-,tī\ *or* **ant-** *prefix* **1** : opposite in kind, position, or action **2** : opposing : hostile toward **3** : counteractive **4** : preventive of : curative of
an·ti·bi·ot·ic \,ant-i-bī-'ät-ik, ,an-,tī-, -bē-\ *n* : a substance produced by an organism (as a fungus or bacteria) that in dilute solution inhibits or kills harmful microorganisms — **antibiotic** *adj*
an·ti·body \'ant-i-,bäd-ē\ *n* : a bodily substance that specifically counteracts the effects of a disease-producing microorganism
¹an·tic \'ant-ik\ *n* : a ludicrous act : CAPER
²antic *adj* **1** *archaic* : GROTESQUE **2** : PLAYFUL
an·ti·christ \'ant-i-,krīst\ *n* **1** : one who denies or opposes Christ **2** : a false Christ

an·tic·i·pate \an-'tis-ə-,pāt\ *vb* **1** : to foresee and provide for beforehand **2** : to look forward to — **an·tic·i·pa·tion** \-,tis-ə-'pā-shən\ *n* — **an·tic·i·pa·to·ry** \-'tis-ə-pə-,tōr-ē\ *adj*
an·ti·cli·max \,ant-i-'klī-,maks\ *n* : an event or statement esp. closing a series that is strikingly less important than what has preceded it — **an·ti·cli·mac·tic** \-klī-'mak-tik\ *adj*
an·ti·dote \'ant-i-,dōt\ *n* : a remedy to counteract the effects of poison
an·ti·freeze \-,frēz\ *n* : a substance added to the liquid in an automobile radiator to prevent its freezing
an·ti·his·ta·mine \,ant-i-'his-tə-,mēn\ *n* : any of various drugs used in treating allergies and colds
an·ti-in·tel·lec·tu·al·ism \,ant-ē-,int-ᵊl-'ek-ch(ə-w)ə-,liz-əm, ,an-,tī-\ *n* : hostility toward or suspicion of intellectuals or intellectual traits and activities
an·ti·log·a·rithm \,ant-i-'lȯg-ə-,rith-əm, ,an-,tī-, -'läg-\ *n* : the number corresponding to a given logarithm
an·ti·mo·ny \'ant-ə-,mō-nē\ *n* : a brittle silvery white metallic chemical element used in alloys
an·tip·a·thy \an-'tip-ə-thē\ *n* **1** : settled aversion or dislike **2** : an object of aversion
an·ti·per·son·nel \,ant-i-,pərs-ᵊn-'el, ,an-,tī-\ *adj* : designed for use against military personnel ⟨~ mine⟩
an·tiph·o·nal \an-'tif-ən-ᵊl\ *adj* : performed by two alternating groups : ANSWERING — **an·tiph·o·nal·ly** *adv*
an·tip·o·des \an-'tip-ə-,dēz\ *n pl* : the parts of the earth diametrically opposite — **an·tip·o·dal** \-'tip-əd-ᵊl\ *adj*
an·ti·quar·i·an \,ant-ə-'kwer-ē-ən\ *adj* **1** : of or relating to antiquities **2** : dealing in old or rare books — **an·ti·quar·i·an·ism** \-,iz-əm\ *n*
an·ti·quat·ed \'ant-ə-,kwāt-əd\ *adj* : OUT-OF-DATE, OLD-FASHIONED ⟨~ economic theories⟩
¹an·tique \an-'tēk\ *adj* **1** : belonging to antiquity **2** : OLD-FASHIONED **3** : of a bygone style or period
²antique *n* : an object made in a bygone period
an·tiq·ui·ty \an-'tik-wət-ē\ *n* **1** : ancient times **2** : great age **3** *pl* : relics of ancient times **4** *pl* : matters relating to the culture of ancient times
an·ti-Sem·i·tism \,ant-i-'sem-ə-,tiz-əm, ,an-,tī-\ *n* : hostility toward Jews as a religious or social minority — **an·ti-Se·mit·ic** \-sə-'mit-ik\ *adj*
an·ti·sep·tic \,ant-ə-'sep-tik\ *adj* : killing or checking the growth of germs that cause decay or infection — **antiseptic** *n* — **an·ti·sep·ti·cal·ly** *adv*
an·ti·so·cial \,ant-i-'sō-shəl, ,an-,tī-\ *adj* **1** : contrary or hostile to the well-being of society ⟨crime is ~⟩ **2** : disliking the society of others
an·tith·e·sis \an-'tith-ə-səs\ *n, pl* **-e·ses** \-ə-,sēz\ **1** : the opposition or contrast of ideas **2** : the direct opposite
an·ti·tox·in \,ant-i-'täk-sən\ *n* : an antibody able to neutralize a particular toxin that is formed when the toxin is introduced into the body and is produced in lower animals for use in treating human diseases (as diphtheria)
ant·ler \'ant-lər\ *n* : the solid usu. branched horn of deer — **ant·lered**

ant·onym \'an-tə-ˌnim\ *n* : a word of opposite meaning

anus \'ā-nəs\ *n* : the posterior opening of the alimentary canal

an·vil \'an-vəl\ *n* : a heavy iron block on which metal is shaped (as by hammering)

anvil

anx·i·ety \aŋ-'zī-ət-ē\ *n* : painful uneasiness of mind usu. over an anticipated ill

anx·ious \'aŋk-shəs\ *adj* 1 : uneasy in mind : WORRIED 2 : earnestly wishing : EAGER — **anx·ious·ly** *adv*

¹**any** \'en-ē\ *adj* 1 : one chosen at random 2 : of whatever number or quantity

²**any** *pron* 1 : any one or ones ⟨take ~ of the books you like⟩ 2 : any amount ⟨~ of the money not used is to be returned⟩

³**any** *adv* : to any extent or degree : at all

any·body \-ˌbäd-ē\ *pron* : ANYONE

any·how \-ˌhau̇\ *adv* 1 : in any way 2 : NEVERTHELESS; *also* : in any case

any·more \ˌen-ē-'mōr\ *adv* : at the present time

any·one \'en-ē-(ˌ)wən\ *pron* : any person

any·place \-ˌplās\ *adv* : in any place

any·thing \-ˌthiŋ\ *pron* : any thing whatever

any·way \'en-ē-ˌwā\ *adv* : ANYHOW

any·where \-ˌhweər\ *adv* : in or to any place

aor·ta \ā-'ȯrt-ə\ *n, pl* **-tas** *or* **-tae** \-'ȯr-ˌtē\ : the main artery that carries blood from the heart — **aor·tic** \-'ȯrt-ik\ *adj*

apace \ə-'pās\ *adv* : SWIFTLY

apart \ə-'pärt\ *adv* 1 : separately in place or time 2 : ASIDE 3 : to pieces : ASUNDER

apart·heid \ə-'pär-ˌtāt\ *n* : a policy of racial segregation practiced in the Republic of So. Africa

apart·ment \ə-'pärt-mənt\ *n* : a room or set of rooms esp. occupied as a dwelling; *also* : a building divided into individual dwelling units

ap·a·thy \'ap-ə-thē\ *n* 1 : lack of emotion 2 : lack of interest : INDIFFERENCE — **ap·a·thet·ic** \ˌap-ə-'thet-ik\ *adj* — **ap·a·thet·i·cal·ly** *adv*

¹**ape** \'āp\ *n* 1 : any of the larger tailless primates (as a baboon or gorilla); *also* : MONKEY 2 : MIMIC, IMITATOR; *also* : a large uncouth person

²**ape** *vb* : IMITATE, MIMIC

aper·i·tif \ˌäp-ˌer-ə-'tēf\ *n* : an alcoholic drink taken before a meal as an appetizer

ap·er·ture \'ap-ə(r)-ˌchu̇r, -chər\ *n* : OPENING, HOLE

apex \'ā-ˌpeks\ *n, pl* **apex·es** *or* **api·ces** \'ā-pə-ˌsēz, 'ap-ə-\ : the highest point : PEAK

apha·sia \ə-'fā-zh(ē-)ə\ *n* : loss of power to use or understand speech

aphid \'ā-fəd, 'af-əd\ *n* : a small insect that sucks the juices of plants

aph·o·rism \'af-ə-ˌriz-əm\ *n* : a short saying stating a general truth : MAXIM

aph·ro·dis·i·ac \ˌaf-rə-'diz-ē-ˌak\ *adj* : exciting sexual desire — **aphrodisiac** *n*

api·ary \'ā-pē-ˌer-ē\ *n* : a place where bees are kept — **api·a·rist** \-pē-ə-rəst\ *n*

apiece \ə-'pēs\ *adv* : for each one

aplomb \ə-'pläm, -'pləm\ *n* : complete composure or self-assurance : POISE

apoc·a·lypse \ə-'päk-ə-ˌlips\ *n* : a writing prophesying a cataclysm in which evil forces are destroyed — **apoc·a·lyp·tic** \-ˌpäk-ə-'lip-tik\ *or* **apoc·a·lyp·ti·cal** *adj*

Apoc·ry·pha \ə-'päk-rə-fə\ *n* 1 *not cap* : writings of dubious authenticity 2 : books included in the Septuagint and Vulgate but excluded from the Jewish and Protestant canons of the Old Testament 3 : early Christian writings not included in the New Testament

apoc·ry·phal \-rə-fəl\ *adj* 1 : of or resembling the Apocrypha 2 : not canonical : SPURIOUS ⟨an ~ anecdote⟩

apo·gee \'ap-ə-(ˌ)jē\ *n* [fr. *apogee* point at which the moon is farthest from the earth, fr. F *apogée*, fr. NL *apogaeum*, fr. Gk *apogaion*, fr. *apo* away from + *gē, gaia* earth] : the point at which an orbiting object is farthest from the body (as the earth or moon) being orbited

apol·o·get·ic \ə-ˌpäl-ə-'jet-ik\ *adj* : expressing apology — **apol·o·get·i·cal·ly** *adv*

apol·o·gize \ə-'päl-ə-ˌjīz\ *vb* : to make an apology : express regret — **apol·o·gist** \-ə-jəst\ *n*

apol·o·gy \ə-'päl-ə-jē\ *n* 1 : a formal justification : DEFENSE 2 : an expression of regret for a discourteous remark or act

ap·o·plexy \'ap-ə-ˌplek-sē\ *n* : sudden loss of consciousness caused by rupture or obstruction of an artery of the brain

apos·ta·sy \ə-'päs-tə-sē\ *n* : a renunciation or abandonment of a former loyalty (as to a religious faith) — **apos·tate**

apos·tle \ə-'päs-əl\ *n* 1 : one of the group composed of Jesus' 12 original disciples and Paul 2 : the first prominent missionary to a region or group 3 : one who initiates or first advocates a great reform — **apos·tle·ship** \-ˌship\ *n*

ap·os·tol·ic \ˌap-ə-'stäl-ik\ *adj* 1 : of or relating to an apostle or to the New Testament apostles 2 : of or relating to a succession of spiritual authority from the apostles 3 : PAPAL

¹**apos·tro·phe** \ə-'päs-trə-(ˌ)fē\ *n* : the rhetorical addressing of an absent person as if present or of an abstract idea or inanimate object as if capable of understanding (as in "O grave, where is thy victory?")

²**apostrophe** *n* : a punctuation mark ' used esp. to denote the possessive case or the omission of a letter or figure

apoth·e·cary \ə-'päth-ə-ˌker-ē\ *n* : DRUGGIST

ap·pall *also* **ap·pal** \ə-'pȯl\ *vb* **-palled**; **-pall·ing** : to overcome with horror : DISMAY

ap·pa·ra·tus \ˌap-ə-'rat-əs, -'rāt-\ *n, pl* **-rat·us·es** *or* **-rat·us** : 1 : a set of materials or equipment for a particular use 2 : a complex machine or device : MECHANISM 3 : the organization of a political party or underground movement

¹**ap·par·el** \ə-'par-əl\ *n* : CLOTHING, DRESS

²**apparel** *vb* **-eled** *or* **-elled**; **-el·ing** *or* **-el·ling** 1 : CLOTHE, DRESS 2 : ADORN

ap·par·ent \ə-'par-ənt\ *adj* 1 : open to view : VISIBLE 2 : EVIDENT, OBVIOUS 3 : appearing as real or true : SEEMING

ap·pa·ri·tion \,ap-ə-'rish-ən\ *n* : a supernatural appearance : GHOST
ap·peal \ə-'pēl\ *vb* **1** : to take steps to have (a case) reheard in a higher court **2** : to plead for help, corroboration, or decision **3** : to arouse a sympathetic response — **appeal** *n*
ap·pear \ə-'piər\ *vb* **1** : to become visible **2** : to come formally before an authority **3** : SEEM **4** : to become evident **5** : to come before the public
ap·pear·ance \ə-'pir-əns\ *n* **1** : the act of appearing **2** : outward aspect : LOOK **3** : PHENOMENON
ap·pease \ə-'pēz\ *vb* **1** : to cause to subside : ALLAY **2** : PACIFY, CONCILIATE; *esp* : to buy off by concessions — **ap·pease·ment** *n*
ap·pel·lant \ə-'pel-ənt\ *n* : one who appeals esp. from a judicial decision
ap·pel·late \ə-'pel-ət\ *adj* : having power to review decisions of a lower court
ap·pel·la·tion \,ap-ə-'lā-shən\ *n* : NAME, DESIGNATION
ap·pel·lee \,ap-ə-'lē\ *n* : one against whom an appeal is taken
ap·pend \ə-'pend\ *vb* : to attach esp. as something additional : AFFIX
ap·pend·age \ə-'pen-dij\ *n* : something appended to a principal or greater thing *syn* accessory, adjunct
ap·pen·dec·to·my \,ap-ən-'dek-tə-mē\ *n* : surgical removal of the intestinal appendix
ap·pen·di·ci·tis \ə-,pen-də-'sīt-əs\ *n* : inflammation of the intestinal appendix
ap·pen·dix \ə-'pen-diks\ *n, pl* **-dix·es** or **-di·ces** \-də-,sēz\ **1** : supplementary matter added at the end of a book **2** : a small tubular outgrowth from the intestinal cecum
ap·per·tain \,ap-ər-'tān\ *vb* : to belong as a rightful part or privilege
ap·pe·tite \'ap-ə-,tīt\ *n* **1** : natural desire for satisfying some want or need esp. for food **2** : TASTE, PREFERENCE
ap·pe·tiz·ing \-ziŋ\ *adj* : tempting to the appetite — **ap·pe·tiz·ing·ly** *adv*
ap·plaud \ə-'plod\ *vb* : to show approval esp. by clapping
ap·plause \ə-'plóz\ *n* : approval publicly expressed (as by clapping)
ap·ple \'ap-əl\ *n* : a rounded fruit with firm white flesh and a seedy core; *also* : a tree related to the roses that bears this fruit
ap·ple·jack \-,jak\ *n* : a liquor distilled from fermented cider
ap·pli·ance \ə-'plī-əns\ *n* **1** : INSTRUMENT, DEVICE **2** : a piece of household equipment (as a stove, toaster, or vacuum cleaner) operated by gas or electricity
ap·pli·ca·ble \'ap-li-kə-bəl, ə-'plik-ə-\ *adj* : capable of being applied : RELEVANT — **ap·pli·ca·bil·i·ty** \,ap-li-kə-'bil-ət-ē, ə-,plik-ə-\ *n*
ap·pli·cant \'ap-li-kənt\ *n* : one who applies — **ap·pli·can·cy** \-kən-sē\ *n*
ap·pli·ca·tion \,ap-lə-'kā-shən\ *n* **1** : the act of applying **2** : assiduous attention **3** : REQUEST; *also* : a form used in making a request **4** : something placed or spread on a surface **5** : capacity for use
ap·pli·ca·tor \'ap-lə-,kāt-ər\ *n* : one that applies; *esp* : a device for applying a substance (as medicine or polish)
ap·plied \ə-'plīd\ *adj* : put to practical use
ap·ply \ə-'plī\ *vb* **1** : to place in contact : put or spread on a surface **2** : to put to practical use **3** : to employ with close attention **4** : to submit a request personally or by letter
ap·point \ə-'póint\ *vb* **1** : to fix or set officially ⟨~ a day for trial⟩ **2** : to name officially ⟨~ a committee⟩ **3** : to fit out : EQUIP
ap·poin·tee \ə-,póin-'tē, ,ap-,óin-\ *n* : a person appointed
ap·point·ment \ə-'póint-mənt\ *n* **1** : the act of appointing **2** : a nonelective office or position **3** : an arrangement for a meeting **4** *pl* : FURNISHINGS, EQUIPMENT
ap·por·tion \ə-'pōr-shən\ *vb* : to distribute proportionately : ALLOT — **ap·por·tion·ment** *n*
ap·po·si·tion \,ap-ə-'zish-ən\ *n* : a grammatical construction in which a noun or pronoun is followed by another that explains it (as *the poet* and *Burns* in "a biography of the poet Burns")
ap·pos·i·tive \ə-'päz-ət-iv\ *n* : the second of a pair of nouns or noun equivalents in apposition — **appositive** *adj*
ap·praise \ə-'prāz\ *vb* : to set a value on — **ap·prais·al** \-'prā-zəl\ *n* — **ap·prais·er** *n*
ap·pre·cia·ble \ə-'prē-shə-bəl\ *adj* : large enough to be recognized and measured — **ap·pre·cia·bly** *adv*
ap·pre·ci·ate \ə-'prē-shē-,āt\ *vb* **1** : to value justly **2** : to be aware of **3** : to be grateful for **4** : to increase in value — **ap·pre·ci·a·tion** \-,prē-shē-'ā-shən\ *n*
ap·pre·cia·tive \ə-'prē-shət-iv, -shē-,āt-iv\ *adj* : having or showing appreciation
ap·pre·hend \,ap-ri-'hend\ *vb* **1** : ARREST **2** : to become aware of **3** : to look forward to with dread **4** : UNDERSTAND — **ap·pre·hen·sion** \-'hen-chən\ *n*
ap·pre·hen·sive \,ap-ri-'hen-siv\ *adj* : viewing the future with anxiety — **ap·pre·hen·sive·ly** *adv* — **ap·pre·hen·sive·ness** *n*
¹ap·pren·tice \ə-'prent-əs\ *n* **1** : a person learning a craft under a skilled worker **2** : BEGINNER — **ap·pren·tice·ship** \-,ship\ *n*
²apprentice *vb* : to bind or set at work as an apprentice
ap·prise *also* **ap·prize** \ə-'prīz\ *vb* : INFORM
ap·proach \ə-'prōch\ *vb* **1** : to move nearer to **2** : to take preliminary steps toward — **approach** *n* — **ap·proach·able** *adj*
ap·pro·ba·tion \,ap-rə-'bā-shən\ *n* : APPROVAL
¹ap·pro·pri·ate \ə-'prō-prē-,āt\ *vb* **1** : to take possession of **2** : to set apart for a particular use
²ap·pro·pri·ate \-prē-ət\ *adj* : fitted to a purpose or use : SUITABLE *syn* proper, fit, apt — **ap·pro·pri·ate·ly** *adv*
ap·pro·pri·a·tion \ə-,prō-prē-'ā-shən\ *n* : money set aside by formal action for a specific use
ap·prov·al \ə-'prü-vəl\ *n* : an act of approving — **on approval** : subject to a prospective buyer's acceptance or refusal

ap·prove \ə-'prüv\ *vb* **1** : to have or express a favorable opinion of **2** : to accept as satisfactory : RATIFY

¹**ap·prox·i·mate** \ə-'präk-sə-mət\ *adj* : nearly correct or exact — **ap·prox·i·mate·ly** *adv*

²**ap·prox·i·mate** \-sə-,māt\ *vb* : to come near : APPROACH — **ap·prox·i·ma·tion**

ap·pur·te·nance \ə-'pərt-(ə-)nəns\ *n* : something that belongs to or goes with another thing **syn** accessory, adjunct, appendage — **ap·pur·te·nant** *adj*

ap·ri·cot \'ap-rə-,kät, 'ā-prə-\ *n* : an oval orange-colored fruit resembling the related peach in flavor; *also* : the tree bearing it

April \'ā-prəl\ *n* : the 4th month of the year having 30 days

a pri·o·ri \,ä-prē-'ōr-ē\ *adj* **1** : characterized by or derived by reasoning from self-evident propositions **2** : independent of experience — **a priori** *adv*

apron \'ā-prən, -pərn\ *n* [ME; alter. of *napron* (the phrase *a napron* being understood as *an apron*), fr. MF *naperon*, dim. of *nape* cloth, modif. of L *mappa* napkin] **1** : a garment tied over the front of the body to protect the clothes **2** : a paved area for parking or handling airplanes

¹**ap·ro·pos** \,ap-rə-'pō, 'ap-rə-,pō\ *adv* **1** : OPPORTUNELY **2** : SUITABLY

²**apropos** *adj* : being to the point : PERTINENT

apse \'aps\ *n* : a projecting usu. semicircular and vaulted part of a building (as a church)

apt \'apt\ *adj* **1** : well adapted : SUITABLE **2** : having an habitual tendency : LIKELY **3** : quick to learn — **apt·ly** *adv*

ap·ti·tude \'ap-tə-,t(y)üd\ *n* **1** : capacity for learning **2** : natural ability : TALENT **3** : APPROPRIATENESS

aq·ua·ma·rine \,ak-wə-mə-'rēn, ,äk-\ *n* : a bluish green gem

aq·ua·plane \'ak-wə-,plān, 'äk-\ *n* : a board towed behind a speeding motorboat and ridden by a person standing on it — **aquaplane** *vb*

aquar·i·um \ə-'kwer-ē-əm\ *n, pl* **-i·ums** *or* **-ia** \-ē-ə\ **1** : a container in which living aquatic animals and plants are kept **2** : a place where aquatic animals and plants are kept and shown

aquat·ic \ə-'kwät-ik, -'kwat-\ *adj* **1** : growing or living in or frequenting water **2** : performed in or on water

aq·ue·duct \'ak-wə-,dəkt\ *n* **1** : a conduit for carrying running water **2** : a structure carrying a canal over a river or hollow **3** : a passage in a bodily part

aque·ous \'ā-kwē-əs, 'ak-wē-\ *adj* **1** : WATERY **2** : made of, by, or with water

aq·ui·line \'ak-wə-,līn, -lən\ *adj* **1** : of or resembling an eagle **2** : hooked like an eagle's beak ⟨an ~ nose⟩

-ar \ər\ *adj suffix* : of or relating to ⟨molecul*ar*⟩ : being ⟨spectacul*ar*⟩ : resembling ⟨oracul*ar*⟩

Ar·ab \'ar-əb\ *n* **1** : a member of a Semitic people of the Arabian peninsula **2** : a member of an Arabic-speaking people — **Arab** *adj* — **Ara·bi·an**

ar·a·besque \,ar-ə-'besk\ *n* : a design of interlacing lines forming figures of flowers, foliage, and sometimes animals

¹**Ar·a·bic** \'ar-ə-bik\ *adj* : of or relating to Arabia, the Arabs, or Arabic

²**Arabic** *n* : a Semitic language of southwest Asia and north Africa

arabic numeral *n, often cap A* : one of the number symbols 1, 2, 3, 4, 5, 6, 7, 8, 9, and 0

ar·a·ble \'ar-ə-bəl\ *adj* : fit for or cultivated by plowing : suitable for crops

ar·bi·ter \'är-bət-ər\ *n* : one having power to decide : JUDGE

ar·bi·trary \'är-bə-,trer-ē\ *adj* **1** : determined by will or caprice : selected at random **2** : AUTOCRATIC, DESPOTIC — **ar·bi·trar·i·ly** \,är-bə-'trer-ə-lē\ *adv* — **ar·bi·trar·i·ness** \'är-bə-,trer-ē-nəs\ *n*

ar·bi·trate \'är-bə-,trāt\ *vb* **1** : to act as arbitrator **2** : to act on as arbitrator **3** : to submit for decision to an arbitrator — **ar·bi·tra·tion** \,är-bə-'trā-shən\ *n*

ar·bi·tra·tor \'är-bə-,trāt-ər\ *n* : one chosen to settle differences between two parties in a controversy

ar·bor \'är-bər\ *n* : a bower formed of or covered with vines or branches

ar·bo·re·al \är-'bōr-ē-əl\ *adj* **1** : of, relating to, or resembling a tree **2** : living in trees

arc \'ärk\ *n* **1** : a part of a curved line (as of a circle) **2** : a sustained luminous discharge of electricity (as between two electrodes)

ar·cade \är-'kād\ *n* **1** : a row of arches with their supporting columns **2** : an arched or covered passageway; *esp* : one lined with shops

ar·cane \är-'kān\ *adj* : SECRET, MYSTERIOUS

¹**arch** \'ärch\ *n* **1** : a curved structure spanning an opening (as a door or window) **2** : something resembling an arch **3** : ARCHWAY

²**arch** *vb* **1** : to cover with an arch **2** : to form or bend into an arch

³**arch** *adj* **1** : CHIEF, EMINENT **2** : ROGUISH, MISCHIEVOUS — **arch·ly** *adv* — **arch·ness** *n*

ar·chae·ol·o·gy \,är-kē-'äl-ə-jē\ *n* : the study of past human life as revealed by relics left by ancient peoples — **ar·chae·o·log·i·cal** \-kē-ə-'läj-i-kəl\ *adj* — **ar·chae·ol·o·gist** \-kē-'äl-ə-jəst\ *n*

ar·cha·ic \är-'kā-ik\ *adj* **1** : belonging to an earlier time : ANTIQUATED ⟨~ customs⟩ **2** : having the characteristics of the language of the past and surviving chiefly in specialized uses ⟨~ words⟩ — **ar·cha·i·cal·ly** *adv*

arch·an·gel \'ärk-,ān-jəl\ *n* : an angel of high rank

arch·bish·op \ärch-'bish-əp\ *n* : a bishop of high rank — **arch·bish·op·ric** \-'bish-ə-(,)prik\ *n*

arch·di·o·cese \-'dī-ə-səs, -,sēz\ *n* : the diocese of an archbishop

arch·en·e·my \'ärch-'en-ə-mē\ *n* : a principal enemy

ar·chery \'ärch-(ə-)rē\ *n* : the art or practice of shooting with bow and arrows — **ar·cher** \'är-chər\ *n*

ar·che·type \'är-ki-,tīp\ *n* : the original pattern or model of all things of the same type

arch·fiend \'ärch-'fēnd\ *n* : a chief fiend; *esp* : SATAN

ar·chi·epis·co·pal \,är-kē-ə-'pis-kə-pəl\ *adj* : of or relating to an archbishop

ar·chi·pel·a·go \,är-kə-'pel-ə-,gō, ,är-chə-\ *n, pl* **-goes** *or* **-gos** **1** : a sea

architect   29   **army**

dotted with islands **2** : a group of islands

ar·chi·tect \\'är-kə-ˌtekt\\ *n* : a person who plans buildings and oversees their construction

ar·chi·tec·ton·ics \\-iks\\ *n sing or pl* : structural design

ar·chi·tec·ture \\'är-kə-ˌtek-chər\\ *n* **1** : the art or science of planning and building structures **2** : method or style of building — **ar·chi·tec·tur·al** \\ˌär-kə-'tek-chə-rəl, -'tek-shrəl\\ *adj*

ar·chive \\'är-ˌkīv\\ *n* : a place for keeping public records; *also* : public records — usu. used in pl.

ar·chi·vist \\'är-kə-vəst, -ˌkī-\\ *n* : a person in charge of archives

arch·way \\'ärch-ˌwā\\ *n* : a passageway under an arch; *also* : an arch over a passage

¹**arc·tic** \\'är(k)t-ik\\ *adj* [Gk *arktikos,* fr. *arktos* bear, Ursa Major] **1** *often cap* : of or relating to the north pole or the region near it **2** : FRIGID

²**arctic** *n* : a rubber overshoe reaching to the ankle or above

arctic circle *n, often cap A & C* : a circle of the earth parallel to its equator approximately 23°27' from the north pole

-ard \\ərd\\ *also* **-art** \\ərt\\ *n suffix* : one that is characterized by performing some action, possessing some quality, or being associated with some thing esp. conspicuously or excessively ⟨bragg*ard*⟩ ⟨dull*ard*⟩ : a large one of its kind

ar·dent \\'ärd-ənt\\ *adj* **1** : characterized by warmth of feeling : PASSIONATE **2** : FIERY, HOT **3** : GLOWING — **ar·dent·ly** *adv*

ar·dor \\'ärd-ər\\ *n* **1** : warmth of feeling : ZEAL **2** : burning heat

ar·du·ous \\'är-jə-wəs\\ *adj* : DIFFICULT, LABORIOUS — **ar·du·ous·ly** *adv* — **ar·du·ous·ness** *n*

are *pres 2d sing or pres pl of* BE

ar·ea \\'ar-ē-ə\\ *n* **1** : a flat surface or space **2** : the amount of surface included (as within the lines of a geometric figure) **3** : REGION **4** : range or extent of some thing or concept : FIELD ⟨∼s of experience⟩ ⟨∼ of foreign policy⟩

are·na \\ə-'rē-nə\\ *n* **1** : an enclosed area used for public entertainment **2** : a sphere of activity

ar·gent \\'är-jənt\\ *adj* : of or resembling silver : SILVERY

Ar·gen·tine \\'är-jən-ˌtēn\\ *n* : a native or inhabitant of Argentina — **Argentine** *adj*

ar·gon \\'är-ˌgän\\ *n* : a colorless odorless gaseous chemical element found in the air and used for filling electric light bulbs

ar·got \\'är-gət, -ˌgō\\ *n* : the language of a particular group or class esp. of the underworld

ar·gue \\'är-gyü\\ *vb* **1** : to give reasons for or against something **2** : to contend in words : DISPUTE **3** : DEBATE **4** : to persuade by giving reasons

ar·gu·ment \\-gyə-mənt\\ *n* **1** : a reason offered in proof **2** : discourse intended to persuade **3** : DISCUSSION, DEBATE

ar·gu·men·ta·tion \\ˌär-gyə-mən-'tā-shən\\ *n* : the art of formal discussion

ar·gu·men·ta·tive \\ˌär-gyə-'ment-ət-iv\\ *adj* : inclined to argue

ar·gyle \\'är-ˌgīl\\ *n* : a geometric knitting pattern of varicolored diamonds on a single background color; *also* : a sock knit in this pattern

ar·id \\'ar-əd\\ *adj* **1** : DRY, BARREN **2** : having insufficient rainfall to support agriculture — **arid·i·ty** \\ə-'rid-ət-ē\\ *n*

arise \\ə-'rīz\\ *vb* **arose** \\-'rōz\\ **aris·en** \\-'riz-ən\\ **aris·ing** \\-'rī-ziŋ\\ **1** : to get up **2** : ORIGINATE **3** : ASCEND **syn** rise, mount, spring, issue

ar·is·toc·ra·cy \\ˌar-ə-'stäk-rə-sē\\ *n* **1** : government by a noble or privileged class; *also* : a state so governed **2** : the governing class of an aristocracy **3** : UPPER CLASS — **aris·to·crat** \\ə-'ris-tə-ˌkrat\\ *n* — **aris·to·crat·ic** \\ə-ˌris-tə-'krat-ik\\ *adj*

arith·me·tic \\ə-'rith-mə-ˌtik\\ *n* : mathematics that deals with computations with numbers — **ar·ith·met·i·cal** \\ˌar-ith-'met-i-kəl\\ *adj* — **arith·me·ti·cian**

ark \\'ärk\\ *n* **1** : a boat held to resemble that of Noah at the time of the Deluge **2** : the sacred chest in which the ancient Hebrews kept the tablets of the Law

¹**arm** \\'ärm\\ *n* **1** : a human upper limb **2** : something resembling or corresponding to the human upper limb **3** : POWER, MIGHT ⟨the ∼ of the law⟩

²**arm** *vb* : to furnish or equip with weapons

³**arm** *n* **1** : WEAPON **2** : a branch of the military forces **3** *pl* : the hereditary heraldic devices of a family

ar·ma·da \\är-'mäd-ə, -'mād-\\ *n* : a fleet of armed ships

ar·ma·dil·lo \\ˌär-mə-'dil-ō\\ *n* : a small burrowing mammal with head and body protected by an armor of bony plates

Ar·ma·ged·don \\ˌär-mə-'ged-ən\\ *n* : a final conclusive battle between the forces of good and evil; *also* : the site or time of this

ar·ma·ment \\'är-mə-mənt\\ *n* **1** : military strength **2** : supply of materials for war **3** : the process of preparing for war

ar·ma·ture \\'är-mə-chər, -ˌchùr\\ *n* **1** : protective covering **2** : the part including the conductors in an electric generator or motor in which the current is induced; *also* : the movable part in an electromagnetic device (as an electric bell or a loudspeaker)

arm·chair \\'ärm-ˌcheər\\ *n* : a chair with supports for the arms

armed forces *n pl* : the combined military, naval, and air forces of a nation

arm·hole \\'ärm-ˌhōl\\ *n* : an opening for the arm in a garment

ar·mi·stice \\'är-mə-stəs\\ *n* : temporary suspension of hostilities by mutual agreement : TRUCE

ar·mor \\'är-mər\\ *n* : protective covering — **ar·mored** \\-mərd\\ *adj*

ar·mo·ry \\'ärm-(ə-)rē\\ *n* **1** : a place where arms are stored **2** : a factory where arms are made

arm·pit \\'ärm-ˌpit\\ *n* : the hollow under the junction of the arm and shoulder

arm·rest \\-ˌrest\\ *n* : a support for the arm

ar·my \\'är-mē\\ *n* **1** : a body of men organized for war **2** *often cap* : the complete military organization of a country for land warfare **3** : a great number **4** : a body of persons organized to advance a cause

aroma \ə-'rō-mə\ *n* : a usu. pleasing odor : FRAGRANCE — **ar·o·mat·ic**

¹around \ə-'raund\ *adv* **1** : in or along a circuit **2** : on all sides **3** : NEARBY **4** : in various places **5** : in an opposite direction

²around *prep* **1** : ENVELOPING ⟨trees ~ the house⟩ **2** : along the circuit of ⟨go ~ the world⟩ **3** : to or on the other side of ⟨~ the corner⟩ **4** : NEAR ⟨stayed right ~ home⟩

arouse \ə-'rauz\ *vb* **1** : to awaken from sleep **2** : to stir up : rouse to action — **arous·al** \-'rau-zəl\ *n*

ar·raign \ə-'rān\ *vb* **1** : to call before a court to answer to an indictment **2** : to accuse of wrong or imperfection — **ar·raign·ment** *n*

ar·range \ə-'rānj\ *vb* **1** : to put in order **2** : to come to an agreement about : SETTLE **3** : to adapt (a musical composition) to voices or instruments other than those for which it was orig. written — **ar·range·ment** *n*

¹ar·ray \ə-'rā\ *vb* **1** : to arrange in order **2** : to dress esp. in splendid attire

²array *n* **1** : a regular arrangement **2** : rich apparel **3** : an imposing group

ar·rears \ə-'riərz\ *n pl* **1** : a state of being behind in the discharge of obligations ⟨three months in ~⟩ **2** : overdue debts

¹ar·rest \ə-'rest\ *vb* **1** : STOP, CHECK **2** : to take into legal custody

²arrest *n* : the act of taking into custody by legal authority

ar·riv·al \ə-'rī-vəl\ *n* **1** : the act of arriving **2** : one that arrives

ar·rive \-'rīv\ *vb* **1** : to reach a destination **2** : to be near or at hand ⟨the time to go finally *arrived*⟩ : COME **3** : to attain success

ar·ro·gant \'ar-ə-gənt\ *adj* : offensively exaggerating one's own importance — **ar·ro·gance** \-gəns\ *n* — **ar·ro·gant·ly** *adv*

ar·ro·gate \'ar-ə-ˌgāt\ *vb* : to claim or seize without justification as one's right

ar·row \'ar-ō\ *n* **1** : a missile shot from a bow and usu. having a slender shaft, a pointed head, and feathers at the butt **2** : a pointed mark used to indicate direction

ar·row·head \-ˌhed\ *n* : the pointed end of an arrow

ar·row·root \-ˌrüt, -ˌrut\ *n* : an edible starch from the roots of a tropical American plant

ar·se·nal \'ärs-nəl, -ᵊn-əl\ *n* **1** : a place for making and storing arms and military equipment **2** : STORE, REPERTORY

ar·se·nic \'ärs-nik, -ᵊn-ik\ *n* **1** : a solid brittle poisonous chemical element of grayish color and metallic luster whose compounds are used as insecticides and in drug preparations **2** : a very poisonous oxygen compound of arsenic used in making glass and insecticides

ar·son \'ärs-ᵊn\ *n* : the malicious burning of property

art \'ärt\ *n* **1** : skill acquired by experience or study : KNACK **2** : a branch of learning; *esp* : one of the humanities **3** : systematic use of knowledge or skill in making or doing things **4** : the use of skill and imagination in the production of things of beauty; *also* : works so produced **5** : ARTFULNESS

-art — see -ARD

ar·te·ri·al \är-'tir-ē-əl\ *n* : a through street or arterial highway

ar·te·rio·scle·ro·sis \är-ˌtir-ē-ō-sklə-'rō-səs\ *n* : a chronic disease in which arterial walls are abnormally thickened and hardened — **ar·te·rio·scle·rot·ic**

ar·tery \'ärt-ə-rē\ *n* **1** : one of the tubular vessels that carry the blood from the heart **2** : a main channel of communication; *esp* : a principal road with through-traffic facilities — **ar·te·ri·al** \är-'tir-ē-əl\ *adj*

ar·te·sian well \är-ˌtē-zhən-\ *n* **1** : a bored well gushing water like a fountain **2** : a relatively deep-bored well

art·ful \'ärt-fəl\ *adj* **1** : INGENIOUS **2** : CRAFTY — **art·ful·ly** *adv* — **art·ful·ness** *n*

ar·thri·tis \är-'thrīt-əs\ *n* : inflammation of the joints — **ar·thrit·ic** \-'thrit-ik\ *adj or n*

ar·thro·pod \'är-thrə-ˌpäd\ *n* : any of a major group of invertebrate animals comprising those (as insects, spiders, or crabs) with segmented bodies and jointed limbs — **arthropod** *adj*

ar·ti·choke \'ärt-ə-ˌchōk\ *n* : a tall herb related to the daisies; *also* : its edible flower head

ar·ti·cle \'ärt-i-kəl\ *n* **1** : a distinct part of a written document **2** : a nonfictional prose composition forming an independent part of a publication **3** : a word (as *an, the*) used with a noun to limit or give definiteness to its application **4** : a member of a class of things; *esp* : COMMODITY

ar·tic·u·lar \är-'tik-yə-lər\ *adj* : of or relating to a joint

¹ar·tic·u·late \är-'tik-yə-lət\ *adj* **1** : divided into meaningful parts : INTELLIGIBLE **2** : able to speak; *also* : expressing oneself readily and effectively **3** : JOINTED — **ar·tic·u·late·ly** *adv*

²ar·tic·u·late \-ˌlāt\ *vb* **1** : to utter distinctly **2** : to unite by joints — **ar·tic·u·la·tion** \-ˌtik-yə-'lā-shən\ *n*

ar·ti·fact or **ar·te·fact** \'ärt-ə-ˌfakt\ *n* : a usu. simple object (as a tool or ornament) showing human workmanship or modification

ar·ti·fice \'ärt-ə-fəs\ *n* **1** : TRICK; *also* : TRICKERY **2** : an ingenious device; *also* : INGENUITY

ar·ti·fi·cial \ˌärt-ə-'fish-əl\ *adj* **1** : produced by art rather than nature; *also* : made by man to imitate nature **2** : not genuine : FEIGNED — **ar·ti·fi·ci·al·i·ty** \-ˌfish-ē-'al-ət-ē\ *n* — **ar·ti·fi·cial·ly**

ar·til·lery \är-'til-(ə)-rē\ *n* **1** : large-caliber mounted firearms : ORDNANCE **2** : a branch of the army armed with artillery — **ar·til·ler·ist** \-rəst\ *n*

ar·ti·san \'ärt-ə-zən\ *n* : a skilled manual workman

art·ist \'ärt-əst\ *n* **1** : one who practices an art; *esp* : one who creates objects of beauty **2** : a skilled public performer

ar·tiste \är-'tēst\ *n* : a skilled public performer

ar·tis·tic \är-'tis-tik\ *adj* : showing taste and skill — **ar·tis·ti·cal·ly** *adv*

art·ist·ry \'ärt-ə-strē\ *n* : artistic quality or ability

art·less \'ärt-ləs\ *adj* **1** : lacking art or skill **2** : free from artificiality : NATURAL **3** : free from guile : SINCERE — **art·less·ly** *adv* — **art·less·ness** *n*
arty \'ärt-ē\ *adj* **1** : showily imitative of art **2** : pretentiously artistic — **art·i·ly** *adv* — **art·i·ness** *n*
¹-ary \-,er-ē\ *n suffix, pl* **-ar·ies** : thing or person belonging to or connected with ⟨functionary⟩
²-ary *adj suffix* : of, relating to, or connected with ⟨budgetary⟩
Ar·y·an \'ar-ē-ən\ *adj* **1** : INDO-EUROPEAN **2** : NORDIC **3** : GENTILE — **Aryan** *n*
¹as \əz, (,)az\ *conj* **1** : in the same amount or degree in which ⟨green ~ grass⟩ **2** : the same way that ⟨farmed ~ his father before him had farmed⟩ **3** : WHILE, WHEN ⟨spoke to me ~ I was leaving⟩ **4** : THOUGH ⟨improbable ~ it seems, it's true⟩ **5** : SINCE, BECAUSE ⟨~ I'm not wanted, I'll leave⟩ **6** : that the result is ⟨so guilty ~ to leave no doubt⟩
²as *adv* **1** : to the same degree or amount : EQUALLY ⟨~ green as grass⟩ **2** : for instance ⟨various trees, ~ oak or pine⟩ **3** : when considered in a specified relation ⟨my opinion ~ distinguished from his⟩
³as *pron* **1** : THAT — used after *same* or *such* ⟨it's the same price ~ before⟩ **2** : a fact that ⟨he is rich, ~ everyone knows⟩
⁴as *prep* : in the capacity or character of
as·bes·tos *also* **as·bes·tus** \as-'bes-təs, az-\ *n* : a nonburning grayish mineral that occurs in fibrous form and is used as a fireproof material
as·cend \ə-'send\ *vb* **1** : to move upward : MOUNT, CLIMB **2** : to succeed to : OCCUPY ⟨he ~ed the throne⟩
as·cen·dan·cy *or* **as·cen·den·cy** \ə-'sen-dən-sē\ *n* : controlling influence : DOMINATION
¹as·cen·dant *or* **as·cen·dent** \ə-'sen-dənt\ *n* : a position of dominant power
²ascendant *or* **ascendent** *adj* **1** : moving upward **2** : DOMINANT
as·cen·sion \ə-'sen-chən\ *n* **1** : the act of ascending **2** *cap* : the ascending of Christ into heaven commemorated as **Ascension Day** on the Thursday 40 days after Easter
as·cent \ə-'sent\ *n* **1** : the act of mounting upward : CLIMB **2** : degree of upward slope
as·cer·tain \,as-ər-'tān\ *vb* : to find out : learn by inquiry — **as·cer·tain·able** *adj*
as·cet·ic \ə-'set-ik\ *adj* : practicing self-denial esp. for religious reasons : AUSTERE — **ascetic** *n* — **as·cet·i·cism**
ascor·bic acid \ə-,skȯr-bik-\ *n* : VITAMIN C
as·cribe \ə-'skrīb\ *vb* : to refer to a supposed cause, source, or author : ATTRIBUTE — **as·crib·able** *adj* — **as·crip·tion** \-'skrip-shən\ *n*
asep·tic \ā-'sep-tik\ *adj* : free or freed from disease-causing germs
asex·u·al \ā-'sek-sh(ə-w)əl\ *adj* : lacking sex : involving no sexual action
as for *prep* : with regard to : CONCERNING ⟨*as for* your other request, you had better take it up with the manager⟩
¹ash \'ash\ *n* : a tree related to the olives; *also* : its tough elastic wood
²ash *n* **1** : the solid matter left when material is burned **2** : fine mineral particles from a volcano **3** *pl* : the remains of the dead human body
ashamed \ə-'shāmd\ *adj* **1** : feeling shame **2** : restrained by anticipation of shame ⟨~ to say anything⟩ — **asham·ed·ly** \-'shā-məd-lē\ *adv*
ash·en \'ash-ən\ *adj* **1** : of or resembling ashes; *esp* : ash-colored **2** : deadly pale
ashore \ə-'shȯr\ *adv (or adj)* : on or to the shore
Ash Wednesday *n* : the 1st day of Lent
Asian \'ā-zhən, -shən\ *n* : a native or inhabitant of Asia — **Asian** *adj*
¹aside \ə-'sīd\ *adv* **1** : to or toward the side **2** : out of the way : AWAY
²aside *n* : an actor's words heard by the audience but supposedly not by other characters on stage
aside from *prep* **1** : BESIDES ⟨*aside from* being pretty, she's intelligent⟩ **2** : with the exception of : EXCLUDING ⟨*aside from* one D his grades have been excellent⟩
as if *conj* **1** : as it would be if ⟨it's *as if* nothing had changed⟩ **2** : as one would if ⟨he acts *as if* he'd never been away⟩ **3** : THAT ⟨it seems *as if* nothing ever happens around here⟩
as·i·nine \'as-ᵊn-,īn\ *adj* : STUPID, FOOLISH — **as·i·nin·i·ty** \,as-ᵊn-'in-ət-ē\ *n*
ask \'ask\ *vb* **1** : to call on for an answer **2** : UTTER ⟨~ a question⟩ **3** : to make a request of ⟨~ him for help⟩ **4** : to make a request for ⟨~ help of him⟩ **5** : to set as a price **6** : INVITE
askance \ə-'skans\ *adv* **1** : with a side glance **2** : with distrust
askew \ə-'skyü\ *adv (or adj)* : out of line : AWRY
¹aslant \ə-'slant\ *adv* : in a slanting direction
asleep \ə-'slēp\ *adv (or adj)* **1** : in or into a state of sleep **2** : DEAD **3** : NUMBED **4** : INACTIVE
as long as *conj* **1** : on condition that ⟨can do as they like *as long as* they have a B average⟩ **2** : inasmuch as : SINCE ⟨*as long as* you're up, turn on the light⟩
as of *prep* : AT, DURING, FROM, ON
asp \'asp\ *n* : a small poisonous African snake
as·par·a·gus \ə-'spar-ə-gəs\ *n* : a tall perennial herb related to the lilies; *also* : its edible young stalks
as·pect \'as-,pekt\ *n* **1** : a position facing a particular direction **2** : APPEARANCE, LOOK **3** : PHASE
as·pen \'as-pən\ *n* : any of several poplars with leaves that flutter in the slightest breeze
as·per·i·ty \a-'sper-ət-ē, ə-\ *n* **1** : ROUGHNESS **2** : harshness of temper
as·per·sion \ə-'spər-zhən\ *n* : the act of calumniating; *also* : a calumnious remark
¹as·phalt \'as-,fȯlt\ *n* : a dark solid or somewhat plastic substance that is found in natural beds or obtained as a residue in petroleum or coal-tar refining and is used in paving streets, in roofing houses, and in paints
²asphalt *vb* : to cover or impregnate with asphalt
as·phyx·i·ate \as-'fik-sē-,āt\ *vb* : SUFFOCATE — **as·phyx·i·a·tion** \-,fik-sē-'ā-shən\ *n*

as·pic \\'as-pik\\ *n* : a savory meat jelly

as·pi·rant \\'as-p(ə-)rənt, ə-'spī-rənt\\ *n* : one who aspires **syn** candidate, applicant

as·pi·ra·tion \\ˌas-pə-'rā-shən\\ *n* : a strong desire to achieve something noble; *also* : an object of this desire

as·pire \\ə-'spī(ə)r\\ *vb* **1** : to have a noble desire or ambition **2** : to rise aloft

as·pi·rin \\'as-p(ə-)rən\\ *n* : a white crystalline drug used to relieve pain and fever

ass \\'as\\ *n* **1** : a long-eared animal smaller than the related horse : DONKEY **2** : a stupid person

as·sail \\ə-'sāl\\ *vb* : to attack violently — **as·sail·able** *adj* — **as·sail·ant**

as·sas·sin \\ə-'sas-ᵊn\\ *n* [Ar *hashshāshīn* members of a medieval Muslim order who committed murder under the influence of hashish, fr. *hashīsh* hashish] : a murderer esp. for hire or fanatical reasons

as·sas·si·nate \\-ᵊn-ˌāt\\ *vb* : to murder by sudden or secret attack — **as·sas·si·na·tion** \\-ˌsas-ᵊn-'ā-shən\\ *n*

as·sault \\ə-'sȯlt\\ *n* **1** : a violent attack **2** : an unlawful attempt or offer to do hurt to another — **assault** *vb*

¹**as·say** \\a-'sā, 'as-ˌā\\ *vb* **1** : TRY, ATTEMPT **2** : to subject (as an ore or drug) to an assay **3** : to make a critical estimate of **4** : to prove to be of a particular nature by means of an assay

²**as·say** \\'as-ˌā, a-'sā\\ *n* **1** : a test (as of gold) to determine characteristics (as weight or quality) **2** : analysis (as of an ore or drug) to determine presence of one or more ingredients

as·sem·blage \\ə-'sem-blij\\ *n* **1** : a collection of persons or things : GATHERING **2** : the act of assembling

as·sem·ble \\ə-'sem-bəl\\ *vb* **1** : to collect into one place : CONGREGATE **2** : to fit together the parts of **3** : to meet together : CONVENE

as·sem·bly \\ə-'sem-blē\\ *n* **1** : a gathering of persons : MEETING **2** *cap* : a legislative body; *esp* : the lower house of a legislature **3** : a signal for troops to assemble **4** : the fitting together of parts (as of a machine)

as·sent \\ə-'sent\\ *vb* **1** : CONSENT **2** : AGREE, CONCUR — **assent** *n*

as·sert \\ə-'sərt\\ *vb* **1** : to state positively **2** : to maintain against opposition : DEFEND **syn** declare, affirm, protest, avow, claim — **as·sert·ive**

as·ser·tion \\ə-'sər-shən\\ *n* : a positive statement

as·sess \\ə-'ses\\ *vb* **1** : to fix the rate or amount of **2** : to impose (as a tax) at a specified rate **3** : to evaluate for taxation — **as·sess·ment** *n* — **as·ses·sor** *n*

as·set \\'as-ˌet\\ *n* **1** *pl* : the entire property of a person or company that may be used to pay debts **2** : ADVANTAGE, RESOURCE

as·sev·er·ate \\ə-'sev-ə-ˌrāt\\ *vb* : to assert earnestly

as·sid·u·ous \\ə-'sij-ə-wəs\\ *adj* : steadily attentive : DILIGENT — **as·si·du·i·ty** \\ˌas-ə-'d(y)ü-ət-ē\\ *n* — **as·sid·u·ous·ly**

as·sign \\ə-'sīn\\ *vb* **1** : to transfer (property) to another **2** : to appoint to a duty **3** : PRESCRIBE (~ a lesson) **4** : FIX, SPECIFY (~ a limit) **5** : ASCRIBE

as·sig·na·tion \\ˌas-ig-'nā-shən\\ *n* : an appointment for a lovers' meeting; *also* : the resulting meeting

as·sign·ment \\ə-'sīn-mənt\\ *n* **1** : the act of assigning **2** : something assigned : TASK

as·sim·i·late \\ə-'sim-ə-ˌlāt\\ *vb* **1** : to take up and absorb as nourishment; *also* : to absorb into a cultural tradition **2** : COMPREHEND **3** : to make or become similar — **as·sim·i·la·tion** \\-ˌsim-ə-'lā-shən\\ *n*

¹**as·sist** \\ə-'sist\\ *vb* : HELP, AID — **as·sis·tance** *n*

²**assist** *n* **1** : an act of assistance **2** : the act of a player who enables a teammate to make a putout (as in baseball) or score a goal (as in hockey)

as·sis·tant \\ə-'sis-tənt\\ *n* : one who assists : HELPER

as·size \\ə-'sīz\\ *n* **1** : a judicial inquest

¹**as·so·ci·ate** \\ə-'sō-s(h)ē-ˌāt\\ *vb* **1** : to join in companionship or partnership **2** : to connect in thought

²**as·so·ci·ate** \\-s(h)ē-ət, -shət\\ *n* **1** : a fellow worker : PARTNER **2** : COMPANION — **associate** *adj*

as·so·ci·a·tion \\ə-ˌsō-s(h)ē-'ā-shən\\ *n* **1** : the act of associating **2** : an organization of persons : SOCIETY

as·so·cia·tive \\ə-'sō-s(h)ē-ˌāt-iv, -shət-iv\\ *adj* : of, relating to, or involved in association and esp. mental association

as·so·nance \\'as-ə-nəns\\ *n* : repetition of vowels esp. as an alternative to rhyme in verse

as·sort \\ə-'sȯrt\\ *vb* **1** : to distribute into like groups : CLASSIFY **2** : HARMONIZE

as·sort·ed *adj* : consisting of various kinds

as·sort·ment \\-'sȯrt-mənt\\ *n* : a collection of assorted things or persons

as·suage \\ə-'swāj\\ *vb* **1** : to make (as pain or grief) less : EASE **2** : SATISFY **syn** alleviate, relieve, lighten

as·sume \\ə-'süm\\ *vb* **1** : to take upon oneself **2** : to pretend to have **3** : to take as granted though not proved

as·sump·tion \\ə-'səmp-shən\\ *n* **1** : the taking up of a person into heaven **2** *cap* : a church feast commemorating the Assumption of Mary and celebrated on August 15 **3** : a taking upon oneself **4** : PRETENSION **5** : SUPPOSITION

as·sur·ance \\ə-'shu̇r-əns\\ *n* **1** : PLEDGE **2** : CERTAINTY **3** : INSURANCE **4** : SELF-CONFIDENCE **5** : AUDACITY

as·sure \\ə-'shu̇r\\ *vb* **1** : INSURE **2** : to give confidence to **3** : to state confidently to **4** : to make certain the attainment of

as·sured \\ə-'shu̇rd\\ *n*, *pl* **assured** or **assureds** : the beneficiary of an insurance policy

as·ta·tine \\'as-tə-ˌtēn\\ *n* : an unstable radioactive chemical element

as·ter \\'as-tər\\ *n* : any of various mostly fall-blooming leafy-stemmed herbs with daisylike purple, white, pink, or yellow flower heads

as·ter·isk \\'as-tə-ˌrisk\\ *n* : a character * used as a reference mark or as an indication of the omission of letters or words

astern \\ə-'stərn\\ *adv* **1** : behind a ship or airplane : in the rear **2** : at or toward the stern of a ship or aircraft **3** : BACKWARD

as·ter·oid \\'as-tə-ˌrȯid\\ *n* : one of

thousands of small planets between Mars and Jupiter with diameters under 500 miles

asth·ma \'az-mə\ *n* : an often allergic disorder marked by difficulty in breathing and a cough — **asth·mat·ic** \az-'mat-ik\ *adj or n*

astig·ma·tism \ə-'stig-mə-,tiz-əm\ *n* : a defect in a lens or an eye causing improper focusing

astir \ə-'stər\ *adj* : being in action : MOVING

as to *prep* **1** : ABOUT, CONCERNING ⟨at a loss *as to* what went on that night⟩ **2** : according to ⟨graded *as to* size and color⟩

as·ton·ish \ə-'stän-ish\ *vb* : to strike with sudden wonder : AMAZE — **as·ton·ish·ing·ly** *adv* — **as·ton·ish·ment** *n*

as·tound \ə-'staùnd\ *vb* : to fill with bewildered wonder — **as·tound·ing·ly** *adv*

¹**astrad·dle** \ə-'strad-ᵊl\ *adv* : on or above and extending onto both sides

²**astraddle** *prep* : ASTRIDE

as·tral \'as-trəl\ *adj* : of or relating to the stars

astray \ə-'strā\ *adv* **1** : off the right way or route **2** : into error

¹**astride** \ə-'strīd\ *adv* **1** : with one leg on each side **2** : with legs apart

²**astride** *prep* : with one leg on each side of

¹**as·trin·gent** \ə-'strin-jənt\ *adj* : able or tending to shrink body tissues — **as·trin·gen·cy** \-jən-sē\ *n*

²**astringent** *n* : an astringent agent or substance

as·tro·labe \'as-trə-,lāb\ *n* : an instrument for observing the positions of celestial bodies

as·trol·o·gy \ə-'sträl-ə-jē\ *n* : divination based on the supposed influence of the stars upon human events — **as·trol·o·ger** \-ə-jər\ *n* — **as·tro·log·i·cal** *adj*

as·tro·naut \'as-trə-,nȯt\ *n* : a traveler in a spaceship — **as·tro·nau·ti·cal** *adj*

as·tro·nom·i·cal \,as-trə-'näm-i-kəl\ *or* **as·tro·nom·ic** \-ik\ *adj* **1** : of or relating to astronomy **2** : extremely large ⟨an ∼ amount of money⟩

as·tron·o·my \ə-'strän-ə-mē\ *n* : the science of the celestial bodies and of their magnitudes, motions, and constitution — **as·tron·o·mer** \-ə-mər\ *n*

as·tro·phys·ics \,as-trə-'fiz-iks\ *n* : astronomy dealing with the physical and chemical constitution of the celestial bodies

as·tute \ə-'st(y)üt, a-\ *adj* : shrewdly discerning; *also* : WILY — **as·tute·ly** *adv* — **as·tute·ness** *n*

asun·der \ə-'sən-dər\ *adv* (*or adj*) **1** : into separate pieces **2** : separated in position

asy·lum \ə-'sī-ləm\ *n* **1** : a place of refuge **2** : protection given to esp. political fugitives **3** : an institution for the care of the needy or afflicted and esp. of the insane

asym·met·ric \,ā-sə-'met-rik\ *or* **asym·met·ri·cal** \-ri-kəl\ *adj* : not symmetrical

¹**at** \ət, (')at\ *prep* **1** — used to indicate a point in time or space ⟨be here ∼ 3 o'clock⟩ ⟨he is ∼ the hotel⟩ **2** — used to indicate a goal ⟨swung ∼ the ball⟩ ⟨laugh ∼ him⟩ **3** — used to indicate position or condition ⟨∼ rest⟩ **4** — used to indicate means, cause, or manner

²**at** \'ät\ *n, pl* **at** — see MONEY table

at all *adv* **1** : in all ways : without restriction ⟨will go anywhere *at all*⟩ **2** : in any way : in any circumstances

at·a·vism \'at-ə-,viz-əm\ *n* : appearance in an individual of a remotely ancestral character; *also* : such an individual or character — **at·a·vis·tic** *adj*

¹**-ate** *n suffix* **1** : one acted upon (in a specified way) ⟨distill*ate*⟩ **2** : chemical compound or element derived from a (specified) compound or element ⟨phenol*ate*⟩; *esp* : salt or ester of an acid with a name ending in *-ic* ⟨acet*ate*⟩

²**-ate** *n suffix* : office : function : rank : group of persons holding a (specified) office or rank ⟨professor*ate*⟩

³**-ate** *adj suffix* **1** : acted on (in a specified way) : brought into or being in a (specified) state ⟨temper*ate*⟩ **2** : marked by having ⟨chord*ate*⟩

⁴**-ate** *vb suffix* : cause to be modified or affected by ⟨camphor*ate*⟩ : cause to become ⟨activ*ate*⟩ : furnish with ⟨aer*ate*⟩

ate·lier \,at-ᵊl-'yā\ *n* **1** : an artist's studio **2** : WORKSHOP

athe·ist \'ā-thē-əst\ *n* : one who denies the existence of God — **athe·ism** \'ā-thē-,iz-əm\ *n* — **athe·is·tic** \,ā-thē-'is-tik\ *adj*

ath·lete \'ath-,lēt\ *n* : one trained to compete in athletics

ath·let·ic \ath-'let-ik\ *adj* **1** : of or relating to athletes or athletics **2** : VIGOROUS, ACTIVE **3** : STURDY, MUSCULAR

ath·let·ics \-iks\ *n sing or pl* : exercises and games requiring physical skill, strength, and endurance

²**athwart** *prep* **1** : ACROSS **2** : in opposition to

atilt \ə-'tilt\ *adj* (*or adv*) **1** : TILTED **2** : with lance in hand

at·las \'at-ləs\ *n* : a book of maps

at·mo·sphere \'at-mə-,sfiər\ *n* **1** : the mass of air surrounding the earth **2** : a surrounding influence **3** : pressure of air at sea level used as a unit in physics **4** : a dominant effect — **at·mo·spher·ic** *adj*

atoll \'a-,tȯl, 'ā-, -,täl\ *n* : a ring-shaped coral island surrounding a lagoon

at·om \'at-əm\ *n* [Gk *atomos*, fr. *atomos* indivisible, fr. *a-* un- + *tom-*, *temnein* to cut] **1** : a tiny particle : BIT **2** : the smallest particle of a chemical element that can exist alone or in combination

atom bomb *or* **atomic bomb** *n* : a very destructive bomb utilizing the energy released by splitting the atom

atom·ic \ə-'täm-ik\ *adj* **1** : of or relating to atoms, atomic energy, or atomic bombs **2** : extremely small

atomic energy *n* : energy that can be liberated by changes (as by fission or fusion) in the nucleus of an atom

at·om·ize \'at-ə-,mīz\ *vb* : to subject to atom bomb attack

at·om·iz·er *n* : a device for reducing a liquid to a very fine spray (as for spraying the throat)

aton·al \ā-'tōn-ᵊl\ *adj* : characterized by avoidance of traditional musical tonality — **ato·nal·i·ty** \,ā-tō-'nal-ət-ē\ *n* — **aton·al·ly** \ā-'tōn-ᵊl-ē\ *adv*

atone \ə-'tōn\ *vb* **1** : to make amends **2** : EXPIATE

atone·ment \-mənt\ *n* **1** : RECONCILIA-

TION; *esp* : the reconciliation of God and man through the death of Jesus Christ 2 : reparation for an offense
atop \ə-'täp\ *prep* : on top of
atri·um \'ā-trē-əm\ *n, pl* **atria** \-trē-ə\ *also* **atri·ums** 1 : the central hall of a Roman house 2 : an anatomical cavity or passage; *esp* : one of the parts of the heart that receives blood from the veins — **atri·al** \-trē-əl\ *adj*
atro·cious \ə-'trō-shəs\ *adj* 1 : savagely brutal, cruel, or wicked 2 : very bad : ABOMINABLE — **atro·cious·ly**
atroc·i·ty \ə-'träs-ət-ē\ *n* 1 : ATROCIOUSNESS 2 : an atrocious act or object
¹**at·ro·phy** \'at-rə-fē\ *n* : decrease in size or wasting away of a bodily part or tissue
²**atrophy** *vb* : to cause or undergo atrophy
at·ro·pine \'at-rə-ˌpēn, -pən\ *n* : a poisonous drug from belladonna and related plants used to relieve spasms and to dilate the pupil of the eye
at·tach \ə-'tach\ *vb* 1 : to seize legally in order to force payment of a debt 2 : to bind by personal ties 3 : FASTEN, CONNECT 4 : to be fastened or connected
at·ta·ché \ˌat-ə-'shā, ˌa-ˌta-, ə-ˌta-\ *n* : a technical expert on the diplomatic staff of an ambassador
at·ta·ché case \ə-'tash-ē-, ˌat-ə-'shā-\ *n* : a small suitcase used esp. for carrying papers and documents
at·tach·ment \ə-'tach-mənt\ *n* 1 : legal seizure of property 2 : connection by ties of affection and regard 3 : a device attached to a machine or implement 4 : a connection by which one thing is attached to another
¹**at·tack** \ə-'tak\ *vb* 1 : to set upon with force or words : ASSAIL, ASSAULT 2 : to set to work on
²**attack** 1 : an offensive action 2 : a fit of sickness
at·tain \ə-'tān\ *vb* 1 : ACHIEVE, ACCOMPLISH 2 : to arrive at : REACH — **at·tain·abil·i·ty** \ə-ˌtā-nə-'bil-ət-ē\ *n* — **at·tain·able** \-'tā-nə-bəl\ *adj*
at·tain·der \ə-'tān-dər\ *n* : extinction of the civil rights of a person upon sentence of death or outlawry
at·tain·ment \ə-'tān-mənt\ *n* 1 : the act of attaining 2 : something attained : ACCOMPLISHMENT
at·taint \ə-'tānt\ *vb* : to condemn to loss of civil rights
at·tempt \ə-'tempt\ *vb* : to make an effort toward : TRY — **attempt** *n*
at·tend \ə-'tend\ *vb* 1 : to look after : TEND 2 : to be present with : ACCOMPANY 3 : to be present at 4 : to pay attention 5 : to apply oneself 6 : to take charge
at·ten·dance \ə-'ten-dəns\ *n* 1 : the act or fact of attending 2 : the number of persons present
¹**at·ten·dant** \-dənt\ *adj* : ACCOMPANYING ⟨~ circumstances⟩
²**attendant** *n* : one that attends another to render a service
at·ten·tion \ə-'ten-chən\ *n* 1 : the act or state of applying the mind to an object 2 : CONSIDERATION 3 : an act of courtesy 4 : a position of readiness for further orders assumed on command by a soldier — **at·ten·tive** \-'tent-iv\ *adj* — **at·ten·tive·ly** *adv*
at·ten·u·ate \ə-'ten-yə-ˌwāt\ *vb* 1 : to

make or become thin 2 : WEAKEN — **at·ten·u·a·tion** \ə-ˌten-yə-'wā-shən\ *n*
at·test \ə-'test\ *vb* 1 : to certify as genuine by signing as a witness 2 : MANIFEST 3 : TESTIFY — **at·tes·ta·tion** \ˌa-ˌtes-'tā-shən\ *n*
at·tic \'at-ik\ *n* : the space or room in a building next below the roof
¹**at·tire** \ə-'tī(ə)r\ *vb* : DRESS, ARRAY
²**attire** *n* : DRESS, CLOTHES
at·ti·tude \'at-ə-ˌt(y)üd\ *n* 1 : the arrangement of the parts of a body : POSTURE 2 : a mental position or feeling with regard to an object 3 : the position of something in relation to something else
at·ti·tu·di·nize \ˌat-ə-'t(y)üd-ᵊn-ˌīz\ *vb* : to assume an affected mental attitude : POSE
at·tor·ney \ə-'tər-nē\ *n* : a legal agent qualified to act for persons in legal proceedings
at·tract \ə-'trakt\ *vb* 1 : to draw to or toward oneself : cause to approach 2 : to draw by emotional or aesthetic appeal   *syn* charm, fascinate, allure — **at·trac·tive** \-'trak-tiv\ *adj* — **at·trac·tive·ly** *adv* — **at·trac·tive·ness** *n*
at·trac·tion \ə-'trak-shən\ *n* 1 : the act or power of attracting; *esp* : personal charm 2 : an attractive quality, object, or feature 3 : a force tending to draw particles together
¹**at·tri·bute** \'at-rə-ˌbyüt\ *n* 1 : an inherent characteristic : QUALITY 2 : a word ascribing a quality; *esp* : ADJECTIVE
²**at·trib·ute** \ə-'trib-yət\ *vb* 1 : to explain as to cause or origin ⟨~ the illness to fatigue⟩ 2 : to regard as a characteristic   *syn* ascribe, credit, charge — **at·trib·ut·able** \ə-'trib-yət-ə-bəl\ *adj* — **at·tri·bu·tion** \ˌat-rə-'byü-shən\ *n*
at·trib·u·tive \ə-'trib-yət-iv\ *adj* : joined directly to a modified noun without a copulative verb ⟨*red* in *red hair* is an ~ adjective⟩ — **attributive** *n*
at·tri·tion \ə-'trish-ən\ *n* : the act of wearing away as if by rubbing
at·tune \ə-'t(y)ün\ *vb* : to bring into harmony : TUNE
atyp·i·cal \ā-'tip-i-kəl\ *adj* : not typical : IRREGULAR
au·burn \'ȯ-bərn\ *adj* : reddish brown — **auburn** *n*
¹**auc·tion** \'ȯk-shən\ *n* : public sale of property to the highest bidder
²**auction** *vb* : to sell at auction
auc·tion·eer \ˌȯk-shə-'ni(ə)r\ *n* : an agent who conducts an auction
au·da·cious \ȯ-'dā-shəs\ *adj* 1 : DARING, BOLD 2 : INSOLENT — **au·da·cious·ly** *adv* — **au·da·cious·ness** *n* — **au·dac·i·ty** \ȯ-'das-ət-ē\ *n*
au·di·ble \'ȯd-ə-bəl\ *adj* : capable of being heard — **au·di·bil·i·ty** \ˌȯd-ə-'bil-ət-ē\ *n* — **au·di·bly** \'ȯd-ə-blē\ *adv*
au·di·ence \'ȯd-ē-əns\ *n* 1 : a formal interview 2 : an opportunity of being heard 3 : an assembly of listeners or spectators
au·dio \'ȯd-ē-ˌō\ *adj* 1 : of or relating to frequencies (as of radio waves) corresponding to those of audible sound waves 2 : of or relating to sound or its reproduction and esp. high-fidelity reproduction 3 : relating to or used in the transmission or reception of sound

au·di·o·vi·su·al \ˌȯd-ē-ō-ˈvizh-(ə-w)əl\ *adj* : of, relating to, or making use of both hearing and sight ⟨~ teaching aids⟩

¹**au·dit** \ˈȯd-ət\ *n* : a formal examination and verification of financial accounts

²**audit** *vb* **1** : to make an audit of **2** : to attend (a course) without expecting formal credit

¹**au·di·tion** \ȯ-ˈdish-ən\ *n* : HEARING; *esp* : a trial performance to appraise an entertainer's merits

²**audition** *vb* : to give an audition to

au·di·tor \ˈȯd-ət-ər\ *n* **1** : LISTENER **2** : a person who audits

au·di·to·ri·um \ˌȯd-ə-ˈtōr-ē-əm\ *n* **1** : the part of a public building where an audience sits **2** : a hall or building used for public gatherings

au·di·to·ry \ˈȯd-ə-ˌtōr-ē\ *adj* : of or relating to hearing or the sense or organs of hearing

au·ger \ˈȯ-gər\ *n* : a boring tool

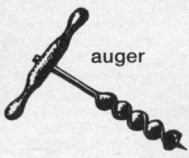

auger

aug·ment \ȯg-ˈment\ *vb* : ENLARGE, INCREASE — **aug·men·ta·tion** \ˌȯg-mən-ˈtā-shən\ *n*

au gra·tin \ō-ˈgrät-ᵊn, -ˈgrat-\ *adj* : covered with bread crumbs, butter, and cheese and browned

¹**au·gur** \ˈȯ-gər\ *n* : DIVINER, SOOTHSAYER

²**augur** *vb* **1** : to foretell esp. from omens **2** : to give promise of : PRESAGE

au·gu·ry \ˈȯ-g(y)ə-rē\ *n* **1** : divination from omens **2** : OMEN, PORTENT

au·gust \ȯ-ˈgəst\ *adj* : marked by majestic dignity or grandeur — **au·gust·ly** *adv* — **au·gust·ness** *n*

Au·gust \ˈȯ-gəst\ *n* : the 8th month of the year having 31 days

aunt \ˈant, ˈänt\ *n* **1** : the sister of one's father or mother **2** : the wife of one's uncle

au·ra \ˈȯr-ə\ *n* **1** : a distinctive atmosphere surrounding a given source **2** : a luminous radiation

au·ral \ˈȯr-əl\ *adj* : of or relating to the ear or to the sense of hearing

au·re·ole \ˈȯr-ē-ˌōl\ *n* : HALO, NIMBUS

au·ri·cle \ˈȯr-i-kəl\ *n* **1** : the external ear **2** : an earlike lobe (as of the heart)

au·ric·u·lar \ȯ-ˈrik-yə-lər\ *adj* **1** : AURAL **2** : told privately **3** : known by the sense of hearing **4** : of or relating to an auricle

au·ro·ra \ə-ˈrōr-ə\ *n, pl* -**rae** \-ˈrōr-(ˌ)ē\ *or* -**ras** **1** : AURORA BOREALIS **2** : AURORA AUSTRALIS

aurora aus·tra·lis \-ȯ-ˈstrā-ləs\ *n* : a display of light in the southern hemisphere corresponding to the aurora borealis

aurora bo·re·al·is \-ˌbōr-ē-ˈal-əs\ *n* : streamers or arches of light in the night sky that are held to be of electrical origin and appear esp. in the arctic regions

aus·pice \ˈȯ-spəs\ *n* **1** : observation in augury **2** : a prophetic sign or omen **3** *pl* : kindly patronage and protection

aus·pi·cious \ȯ-ˈspish-əs\ *adj* **1** : affording a favorable auspice **2** : FORTUNATE, PROSPEROUS — **aus·pi·cious·ly** *adv*

aus·tere \ȯ-ˈstiər\ *adj* **1** : STERN, SEVERE, STRICT **2** : ABSTEMIOUS **3** : UNADORNED ⟨~ style⟩ — **aus·tere·ly** *adv* — **aus·ter·i·ty** \ȯ-ˈster-ət-ē\ *n*

aus·tral \ˈȯ-strəl\ *adj* : SOUTHERN

Aus·tra·lian \ȯ-ˈstrāl-yən\ *n* : a native or inhabitant of Australia — **Australian** *adj*

Aus·tri·an \ˈȯ-strē-ən\ *n* : a native or inhabitant of Austria — **Austrian** *adj*

au·then·tic \ə-ˈthent-ik, ȯ-\ *adj* : GENUINE, REAL — **au·then·ti·cal·ly** *adv* — **au·then·tic·i·ty** \ˌȯ-ˌthen-ˈtis-ət-ē\ *n*

au·then·ti·cate \ə-ˈthent-i-ˌkāt, ȯ-\ *vb* : to prove genuine — **au·then·ti·ca·tion** \-ˌthent-i-ˈkā-shən\ *n*

au·thor \ˈȯ-thər\ *n* **1** : one that writes or composes a literary work **2** : one that originates or creates — **au·thor·ess** \-th(ə-)rəs\ *n*

au·thor·i·tar·i·an \ə-ˌthȯr-ə-ˈter-ē-ən, ȯ-\ *adj* **1** : characterized by or favoring the principle of blind obedience to authority **2** : characterized by or favoring concentration of political power in an authority not responsible to the people

au·thor·i·ta·tive \ə-ˈthȯr-ə-ˌtāt-iv, ȯ-\ *adj* : supported by or proceeding from authority : TRUSTWORTHY — **au·thor·i·ta·tive·ly** *adv*

au·thor·i·ty \ə-ˈthȯr-ət-ē, ȯ-\ *n* **1** : a citation used in support of a statement or in defense of an action; *also* : the source of such a citation **2** : one appealed to as an expert **3** : power to influence thought or behavior **4** : freedom granted : RIGHT **5** : persons in command; *esp* : GOVERNMENT

au·tho·rize \ˈȯ-thə-ˌrīz\ *vb* **1** : to give legal power to **2** : SANCTION **3** : JUSTIFY — **au·tho·ri·za·tion** \ˌȯ-th(ə-)rə-ˈzā-shən\ *n*

au·thor·ship \ˈȯ-thər-ˌship\ *n* **1** : the state of being an author **2** : the origin of a piece of writing

au·to \ˈȯt-ō\ *n* : AUTOMOBILE

au·to·bi·og·ra·phy \ˌȯt-ə-bī-ˈäg-rə-fē\ *n* : the biography of a person narrated by himself — **au·to·bi·og·ra·pher** \-rə-fər\ *n* — **au·to·bi·o·graph·i·cal** \-ˌbī-ə-ˈgraf-i-kəl\ *adj*

au·toc·ra·cy \ȯ-ˈtäk-rə-sē\ *n* : government by one person having unlimited power — **au·to·crat** \ˈȯt-ə-ˌkrat\ *n* — **au·to·crat·ic** \ˌȯt-ə-ˈkrat-ik\ *adj* — **au·to·crat·i·cal·ly** *adv*

¹**au·to·graph** \ˈȯt-ə-ˌgraf\ *n* **1** : an original manuscript **2** : a person's signature written by hand

²**autograph** *vb* : to write one's signature on

au·to·mate \ˈȯt-ə-ˌmāt\ *vb* **1** : to operate by automation **2** : to convert to automatic operation

¹**au·to·mat·ic** \ˌȯt-ə-ˈmat-ik\ *adj* **1** : INVOLUNTARY **2** : made so that certain parts act in a desired manner at the proper time : SELF-ACTING — **au·to·mat·i·cal·ly** *adv*

²**automatic** *n* : an automatic device; *esp* : an automatic firearm

au·to·ma·tion \ˌȯt-ə-ˈmā-shən\ *n* **1** : the technique of making an apparatus, a

process, or a system operate automatically 2 : the state of being operated automatically 3 : automatically controlled operation of an apparatus, process, or system by mechanical or electronic devices that take the place of human operators
au·to·ma·tize \ȯ-'tam-ə-ˌtīz\ vb : to make automatic — **au·tom·a·ti·za·tion** n
au·tom·a·ton \ȯ-'täm-ət-ən, -ə-ˌtän\ n 1 : an automatic machine; esp : one made to imitate the motions of a person 2 : a creature who acts in a mechanical manner
au·to·mo·bile \ˌȯt-ə-mō-'bēl, -'mō-ˌbēl\ n : a usu. 4-wheeled self-propelling vehicle for passenger transportation on streets and roadways — **au·to·mo·bil·ist** \-mō-'bē-ləst\ n
au·to·mo·tive \ˌȯt-ə-'mōt-iv\ adj 1 : SELF-PROPELLING 2 : of or relating to self-propelling vehicles and esp. automobiles and motorcycles
au·ton·o·mous \ȯ-'tän-ə-məs\ adj : having the right or power of self-government : INDEPENDENT — **au·ton·o·mous·ly** adv — **au·ton·o·my** \-mē\ n
au·top·sy \'ȯ-ˌtäp-sē, 'ȯt-əp-\ n : examination of a dead body usu. to determine the cause of death
au·tumn \'ȯt-əm\ n : the season between summer and winter — **au·tum·nal** \ȯ-'təm-nəl\ adj
¹**aux·il·ia·ry** \ȯg-'zil-yə-rē\ adj 1 : providing help 2 : functioning in a subsidiary capacity 3 : accompanying a verb form to express person, number, mood, or tense ⟨~ verbs⟩
²**auxiliary** n 1 : an auxiliary person, group, or device 2 : an auxiliary verb
¹**avail** \ə-'vāl\ vb : to be of use or advantage : HELP, BENEFIT
²**avail** n : USE ⟨effort was of no ~⟩
avail·able \ə-'vā-lə-bəl\ adj 1 : that may be utilized 2 : ACCESSIBLE — **avail·abil·i·ty** \-ˌvā-lə-'bil-ət-ē\ n
av·a·lanche \'av-ə-ˌlanch\ n : a mass of snow, ice, earth, or rock sliding down a mountainside
avant-garde \ˌäv-ˌän(t)-'gärd, -ˌän-\ n : those esp. in the arts who create or apply new or experimental ideas and techniques — **avant-garde** adj
av·a·rice \'av-(ə-)rəs\ n : excessive desire for wealth : GREED — **av·a·ri·cious** \ˌav-ə-'rish-əs\ adj
avast \ə-'vast\ vb — a nautical command to stop or cease
ave \'äv-ˌā\ n : an expression of greeting or parting
avenge \ə-'venj\ vb : to take vengeance for — **aveng·er** n
av·e·nue \'av-ə-ˌn(y)ü\ n 1 : PASSAGEWAY 2 : a way of attaining something 3 : a broad street esp. when bordered by trees
aver \ə-'vər\ vb **averred**; **aver·ring** : to declare positively
¹**av·er·age** \'av-(ə-)rij\ n 1 : ³MEAN 4 2 : a ratio (as a rate per thousand) of successful tries to total tries ⟨batting ~ of .303⟩
²**average** adj 1 : equaling or approximating an average 2 : being about midway between extremes 3 : being not out of the ordinary : COMMON ⟨the ~ man⟩
³**average** vb 1 : to be at or come to an average 2 : to be usually 3 : to find the average of

aver·ment \ə-'vər-mənt\ n : AFFIRMATION
averse \ə-'vərs\ adj : having an active feeling of dislike or reluctance ⟨~ from publicity⟩ ⟨~ to exercise⟩
aver·sion \ə-'vər-zhən\ n 1 : a feeling of repugnance for something with a desire to avoid it 2 : something decidedly disliked
avert \ə-'vərt\ vb 1 : to turn aside or away ⟨~ the eyes⟩ 2 : to ward off : prevent the occurrence of
avi·an \'ā-vē-ən\ adj : of, relating to, or derived from birds
avi·ary \'ā-vē-ˌer-ē\ n : a place where live birds are kept usu. for exhibition
avi·a·tion \ˌā-vē-'ā-shən, ˌav-ē-\ n 1 : the operation of heavier-than-air airplanes 2 : aircraft manufacture, development, and design — **avi·a·tor** n
av·id \'av-əd\ adj 1 : craving eagerly : GREEDY 2 : enthusiastic in pursuit of an interest — **avid·i·ty** \ə-'vid-ət-ē, a-\ n — **av·id·ly** \'av-əd-lē\ adv
avi·on·ics \ˌā-vē-'än-iks, ˌav-ē-\ n : the production of electrical devices for use in aviation, missilery, and astronautics — **avi·on·ic** \-ik\ adj
av·o·ca·do \ˌav-ə-'käd-ō\ n : the soft oily edible fruit of a tropical American tree; also : this tree
av·o·ca·tion \ˌav-ə-'kā-shən\ n : a subordinate occupation pursued esp. for pleasure : HOBBY
avoid \ə-'vȯid\ vb 1 : to keep away from : SHUN 2 : to prevent the occurrence of 3 : to refrain from — **avoid·able** adj — **avoid·ance** \-ᵊns\ n
¹**av·oir·du·pois** \ˌav-ərd-ə-'pȯiz\ n 1 : avoirdupois weight 2 : WEIGHT, HEAVINESS; esp : personal weight
avouch \ə-'vauch\ vb 1 : to declare positively : AVER 2 : GUARANTEE
avow \ə-'vau\ vb : to declare openly : ACKNOWLEDGE — **avow·al** \-'vau(-ə)l\ n
await \ə-'wāt\ vb : to wait for : EXPECT
¹**awake** \ə-'wāk\ vb **awoke** \-'wōk\ also **awaked**; **awaked** also **awoke** or **awo·ken** \-'wō-kən\ **awak·ing** : to bring back to consciousness after sleep : wake up
²**awake** adj : not asleep; also : ALERT
awak·en \ə-'wā-kən\ vb : AWAKE
¹**award** \ə-'wȯrd\ vb 1 : to give by judicial decision ⟨~ damages⟩ 2 : to give in recognition of merit or achievement ⟨~ a prize⟩
²**award** n 1 : a final decision : JUDGMENT 2 : something awarded : PRIZE
aware \ə-'waər\ adj : having perception or knowledge : CONSCIOUS, INFORMED — **aware·ness** n
awash \ə-'wȯsh, -'wäsh\ adv (or adj) 1 : washed by waves or tide 2 : AFLOAT 3 : FLOODED
¹**away** \ə-'wā\ adv 1 : from this or that place ⟨go ~⟩ 2 : out of the way ⟨lay ~⟩ 3 : in another direction ⟨turn ~⟩ 4 : out of existence ⟨fade ~⟩ 5 : from one's possession ⟨give ~⟩ 6 : without interruption ⟨chatter ~⟩ 7 : without hesitation ⟨fire ~⟩ 8 : at a distance in space or time ⟨far ~⟩ ⟨~ back in 1910⟩
²**away** adj 1 : ABSENT 2 : DISTANT ⟨a lake 10 miles ~⟩
¹**awe** \'ȯ\ n 1 : profound and reverent dread of the supernatural 2 : respectful fear inspired by authority
²**awe** vb : to inspire with awe

aweigh   **backgammon**

aweigh \ə-'wā\ *adj* : just clear of the bottom and hanging perpendicularly ⟨anchors ~⟩

awe·some \'ȯ-səm\ *adj* **1** : expressive of awe **2** : inspiring awe

awe-strick·en \'ȯ-,strik-ən\ *or* **awe-struck** \-,strək\ *adj* : filled with awe

aw·ful \'ȯ-fəl\ *adj* **1** : inspiring awe **2** : extremely disagreeable **3** : very great

aw·ful·ly *usu* 'ȯ-fə-lē *for 1,* 'ȯ-flē *for 2*\ *adv* **1** : in an awful manner **2** : EXCEEDINGLY

awhile \ə-'hwīl\ *adv* : for a while

awhirl \ə-'hwərl\ *adv (or adj)* : in a whirl : WHIRLING

awk·ward \'ȯ-kwərd\ *adj* **1** : CLUMSY **2** : UNGRACEFUL **3** : difficult to explain : EMBARRASSING **4** : difficult to deal with — **awk·ward·ly** *adv* — **awk·ward·ness** *n*

awl \'ȯl\ *n* : a pointed instrument for making small holes

awn \'ȯn\ *n* : one of the bristles on a spike of grass

aw·ning \'ȯ-niŋ\ *n* : a rooflike cover (as of canvas) extended over or in front of a place as a shelter

AWOL \'ā-,wȯl, ,ā-,dəb-əl-yü-,ō-'el\ *n* : a person who is absent without permission — **AWOL** *adv (or adj)*

awry \ə-'rī\ *adv (or adj)* **1** : twisted to one side : ASKEW **2** : out of the right course : AMISS

ax *or* **axe** \'aks\ *n* : a chopping or cutting tool with an edged head fitted parallel to a handle

ax·i·al \'ak-sē-əl\ *adj* **1** : of, relating to, or functioning as an axis **2** : situated around, in the direction of, on, or along an axis

ax·i·om \'ak-sē-əm\ *n* **1** : a statement generally accepted as true : MAXIM **2** : a proposition regarded as a self-evident truth — **ax·i·om·at·ic** \,ak-sē-ə-'mat-ik\ *adj*

ax·is \'ak-səs\ *n, pl* **ax·es** \-,sēz\ **1** : a real or imaginary straight line passing through a body that actually or supposedly revolves upon it ⟨the earth's ~⟩. **2** : a lengthwise central line or part (as a plant stem) around which parts of a body are symmetrically arranged **3** : an alliance between major powers to show solidarity of interest and to insure mutual support

ax·le \'ak-səl\ *n* : a spindle on which a wheel revolves

axle-tree \-(,)trē\ *n* : a fixed bar with bearings at its ends on which wheels (as of a cart) revolve

¹aye *also* **ay** \'ā\ *adv* : ALWAYS, EVER

²aye *also* **ay** \'ī\ *adv* : YES

³aye \'ī\ *n* : an affirmative vote

az·i·muth \'az-ə-məth\ *n* **1** : an arc of the horizon measured between a fixed point and the vertical circle passing through the center of an object **2** : horizontal direction

Az·tec \'az-,tek\ *n* : a member of an Indian people that founded the Mexican empire and were conquered by Cortes in 1519 — **Az·tec·an** *adj*

azure \'azh-ər\ *n* : the blue of the clear sky — **azure** *adj*

B

b \'bē\ *n, often cap* : the 2d letter of the English alphabet

bab·ble \'bab-əl\ *vb* **1** : to utter meaningless sounds **2** : to talk foolishly or excessively — **babble** *n* — **bab·bler** *n*

babe \'bāb\ *n* : BABY

ba·boon \ba-'bün\ *n* : a large ape of Asia and Africa with a doglike muzzle

¹ba·by \'bā-bē\ *n* **1** : a very young child : INFANT **2** : the youngest or smallest of a group **3** : a childish person — **baby** *adj* — **ba·by·hood** *n* — **ba·by·ish** *adj*

²baby *vb* : to use with great care or consideration : HUMOR

ba·by-sit \-,sit\ *vb* : to care for children usu. during a short absence of the parents — **ba·by-sit·ter** *n*

bac·ca·lau·re·ate \,bak-ə-'lȯr-ē-ət\ *n* **1** : the degree of bachelor conferred by colleges and universities **2** : a sermon (**baccalaureate sermon**) delivered to a graduating class

bac·cha·na·lia \,bak-ə-'nāl-yə\ *n, pl* **-lia** : a drunken orgy — **bac·cha·na·lian** *adj or n*

bach·e·lor \'bach-(ə-)lər\ *n* **1** : a person holding the first or lowest academic degree **2** : a man who has not married

ba·cil·lus \bə-'sil-əs\ *n, pl* **-cil·li** \-'sil-,ī\ : any of numerous rod-shaped bacteria; *also* : a disease-producing bacterium — **bac·il·lary** \'bas-ə-,ler-ē\ *adj*

¹back \'bak\ *n* **1** : the rear or dorsal part of the human body; *also* : the corresponding part of a lower animal **2** : the part or surface opposite the front : REAR, REVERSE **3** : a player in the backfield in football — **back·less** *adj*

²back *adv* **1** : to, toward, or at the rear **2** : AGO **3** : so as to be restrained or retarded **4** : to, toward, or in a former place or state **5** : in return or reply

³back *adj* **1** : located at or in the back; *also* : REMOTE **2** : OVERDUE **3** : moving or operating backward **4** : not current *syn* posterior

⁴back *vb* **1** : SUPPORT, UPHOLD **2** : to go or make go backward or in reverse **3** : to furnish with a back : form the back of

back·ache \-,āk\ *n* : pain in the back; *esp* : a dull persistent pain in the lower back

back·bone \-'bōn\ *n* **1** : the bony column in the back of a vertebrate that encloses the spinal cord and is the chief support of the trunk **2** : firm resolute character

back·drop \-,dräp\ *n* : a painted cloth hung across the rear of a stage

back·er *n* : one that supports (as a policy) *syn* upholder, champion, sponsor, patron

back·field \'bak-,fēld\ *n* : the football players whose positions are behind the line

back·fire \-,fī(ə)r\ *n* : a premature explosion in the cylinder or an explosion in the intake or exhaust passages of an internal-combustion engine — **backfire** *vb*

back·gam·mon \'bak-,gam-ən\ *n* : a game played with pieces on a double board in which the moves are determined by throwing dice

background 38 **bailiwick**

back·ground \-,graúnd\ *n* **1** : the scenery behind something seen or represented **2** : the conditions that form the setting within which something is experienced; *also* : the sum of a person's experience, training, and understanding
back·hand \-,hand\ *n* : a stroke made with the back of the hand turned in the direction in which the hand is moving; *also* : the side on which such a stroke is made
back·ing \-iŋ\ *n* **1** : a material back **2** : SUPPORT, AID; *also* : a body of supporters
back·log \-,lòg, -,läg\ *n* **1** : a large log at the back of a hearth fire **2** : a reserve esp. of unfilled orders **3** : an accumulation of unperformed tasks
back·rest \'bak-,rest\ *n* : a rest at or for the back
back·side \'bak-'sīd\ *n* : BUTTOCKS
back·slap \-,slap\ *vb* : to display excessive cordiality — **back·slap·per** *n*
back·slide \-,slīd\ *vb* : to lapse morally or in the practice of religion — **back·slid·er** *n*
back·spin \'bak-,spin\ *n* : a backward rotary motion of a ball
back·stop \-,stäp\ *n* : something serving as a stop behind something else; *esp* : a screen or fence used in a game (as baseball) to keep a ball from leaving the field of play
back·stretch \-,strech\ *n* : the side opposite the homestretch on a racecourse
back·stroke \-,strōk\ *n* : a swimming stroke executed by a swimmer lying on his back
back·track \-,trak\ *vb* **1** : to retrace one's course **2** : to reverse a position or stand
¹**back·ward** \-wərd\ *or* **back·wards** \-wərdz\ *adv* **1** : toward the back **2** : with back foremost **3** : in a reverse or contrary direction or way **4** : toward the past; *also* : toward a worse state
²**backward** *adj* **1** : directed, turned, or done backward **2** : DIFFIDENT, SHY **3** : retarded in development — **backward·ness** *n*
back·wash \'bak-,wòsh, -,wäsh\ *n* : backward movement (as of water or air) produced by motion of oars or other propelling force
back·woods \-'wùdz\ *n pl* **1** : wooded or partly cleared frontier areas **2** : a remote or isolated place
ba·con \'bā-kən\ *n* : salted and smoked meat from the sides or back of a pig
bac·te·ri·ol·o·gy \bak-,tir-ē-'äl-ə-jē\ *n* **1** : a science dealing with bacteria **2** : bacterial life and phenomena — **bac·te·ri·o·log·i·cal** \-ē-ə-'läj-i-kəl\ *adj* — **bac·te·ri·ol·o·gist** \-ē-'äl-ə-jəst\ *n*
bac·te·ri·um \bak-'tir-ē-əm\ *n, pl* **-ria** \-ē-ə\ : any of a large group of microscopic plants including some that are disease producers and others valued esp. for their fermentations — **bac·te·ri·al** *adj* — **bac·te·ri·cid·al** \-,tir-ə-'sīd-°l\ *adj*
bad \'bad\ *adj* **worse** \'wərs\ **worst** \'wərst\ **1** : below standard : POOR; *also* : UNFAVORABLE ⟨a ~ report⟩ **2** : WICKED; *also* : not well-behaved : NAUGHTY **3** : DISAGREEABLE ⟨a ~ taste⟩; *also* : HARMFUL **4** : DEFECTIVE,

FAULTY ⟨~ wiring⟩; *also* : not valid ⟨a ~ check⟩ **5** : SPOILED, DECAYED **6** : UNWELL, ILL **7** : SORRY, REGRETFUL **syn** evil, wrong, putrid — **bad·ly** *adv*
bade *past of* BID
badge \'baj\ *n* : a device or token usu. worn as a sign of status (as of membership, office, or authority)
¹**bad·ger** \'baj-ər\ *n* : a sturdy burrowing mammal with long claws on the forefeet
²**badger** *vb* : to harass or annoy persistently
bad·i·nage \,bad-°n-'äzh\ *n* : playful talk back and forth : BANTER
bad·min·ton \'bad-,mint-°n\ *n* : a court game played with light rackets and a shuttlecock volleyed over a net
¹**baf·fle** \'baf-əl\ *vb* : FRUSTRATE, THWART, FOIL; *also* : PERPLEX
²**baffle** *n* : a device (as a wall or screen) to deflect, check, or regulate flow (as of liquid or sound)
¹**bag** \'bag\ *n* : a flexible usu. closable container (as for storing or carrying)
²**bag** *vb* **bagged; bag·ging 1** : DISTEND, BULGE **2** : to get possession of; *esp* : to take in hunting ⟨~ a partridge⟩ **syn** trap, snare, catch
bag·gage \'bag-ij\ *n* **1** : the traveling bags and personal belongings of a traveler : LUGGAGE **2** : a saucy, worthless, or immoral woman
bag·gy \'bag-ē\ *adj* : puffed out or hanging like a bag — **bag·gi·ly** *adv*
bag·pipe \'bag-,pīp\ *n* : a musical wind instrument consisting of a bag, a tube with valves, and sounding pipes — often used in pl.

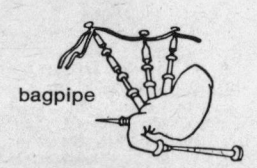

bagpipe

¹**bail** \'bāl\ *n* : security given to guarantee a prisoner's appearance when legally required; *also* : one giving such security or the release secured
²**bail** *vb* : to release under bail; *also* : to procure the release of by giving bail
³**bail** *n* : a container for ladling water out of a boat
⁴**bail** *vb* : to dip and throw out water from a boat

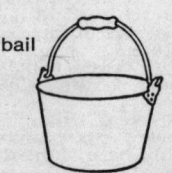

bail

bai·liff \'bā-ləf\ *n* **1** : an aide of a British sheriff employed esp. in serving writs and making arrests; *also* : a minor officer of a U.S. court **2** : an estate or farm manager esp. in Britain : STEWARD
bai·li·wick \'bā-li-,wik\ *n* : one's special province or domain

bails·man \'bālz-mən\ *n* : one who gives bail for another

¹bait \'bāt\ *vb* **1** : to persecute by continued attacks **2** : to harass with dogs usu. for sport ⟨~ a bear⟩ **3** : ALLURE, ENTICE **4** : to furnish (as a hook) with bait **5** : to give food and drink to (as an animal) *syn* badger, heckle, hound

²bait *n* **1** : a lure for catching animals (as fish) **2** : LURE, TEMPTATION *syn* snare, trap, decoy

¹bake \'bāk\ *vb* **1** : to cook or become cooked in dry heat esp. in an oven **2** : to dry and harden by heat ⟨~ bricks⟩ — **bak·er** *n*

²bake *n* : a social gathering featuring baked food

bak·ery \'bā-k(ə-)rē\ *n* : a place for baking or selling baked goods

¹bal·ance \'bal-əns\ *n* [OF, fr. (assumed) VL *bilancia*, fr. LL *bilanc-, bilanx* having two scalepans, fr. L *bi-* two + *lanx* plate] **1** : a weighing device : SCALE **2** : a weight, force, or influence counteracting the effect of another **3** : a vibrating wheel used to regulate a watch or clock **4** : a state of equilibrium **5** : REMAINDER, REST; *esp* : an amount in excess esp. on the credit side of an account

²balance *vb* **1** : to compute the balance of an account **2** : to arrange so that one set of elements equals another; *also* : to equal or equalize in weight, number, or proportions **3** : WEIGH **4** : to bring or come to a state or position of equipoise; *also* : to bring into harmony or proportion

balance

bal·co·ny \'bal-kə-nē\ *n* **1** : a platform projecting from the side of a building and enclosed by a railing **2** : a gallery inside a building (as a theater)

bald \'bȯld\ *adj* **1** : lacking a natural or usual covering (as of hair) **2** : UNADORNED, PLAIN *syn* bare, barren, naked, nude — **bald·ness** *n*

bal·da·chin \'bȯl-də-kən, 'bal-\ *or* **bal·da·chi·no** \,bal-də-'kē-nō\ *n* : a canopylike structure over an altar

bal·der·dash \'bȯl-dər-,dash\ *n* : NONSENSE

¹bale \'bāl\ *n* : a large bundle or closely packed package

²bale *vb* : to pack in a bale — **bal·er** *n*

bale·ful \'bāl-fəl\ *adj* : DEADLY, HARMFUL; *also* : OMINOUS *syn* sinister

¹balk \'bȯk\ *n* : HINDRANCE, CHECK, SETBACK

²balk *vb* **1** : CHECK, BLOCK, THWART **2** : to stop short and refuse to go on *syn* frustrate

balky *adj* : likely to balk

¹ball \'bȯl\ *n* **1** : a rounded body or mass (as at the base of the thumb or for use as a missile or in a game) **2** : a game played with a ball **3** : PITCH ⟨curve ~⟩ **4** : a pitched baseball that misses the strike zone and is not swung at by the batter

²ball *vb* : to form into a ball

³ball *n* : a large formal dance

bal·lad \'bal-əd\ *n* **1** : a simple song : AIR **2** : a narrative poem of strongly marked rhythm suitable for singing **3** : a slow romantic dance song

¹bal·last \'bal-əst\ *n* **1** : heavy material put in the hold of a ship to steady it or in the car of a balloon to steady it or control its ascent **2** : crushed stone used in making roadbeds firm

²ballast *vb* : to provide with ballast *syn* balance

bal·le·ri·na \,bal-ə-'rē-nə\ *n* : a female ballet dancer

bal·let \'bal-,ā, bal-'ā\ *n* **1** : dancing in which fixed poses and steps are combined with light flowing movements often to convey a story or theme; *also* : a theatrical art form using ballet dancing **2** : a company of ballet dancers

bal·lis·tic \bə-'lis-tik\ *adj* **1** : of or relating to ballistics **2** : being a missile that is self-powered during most of its ascent, travels in a high arch, and descends as a free-falling object

bal·lis·tics \-tiks\ *n sing or pl* **1** : the science dealing with the motion of projectiles (as bullets) or of bombs dropped from aircraft **2** : the flight characteristics of a missile

bal·loon \bə-'lün\ *n* **1** : a bag filled with gas or heated air so as to rise and float in the atmosphere **2** : a toy consisting of a rubber bag that can be inflated — **bal·loon·ist** *n*

¹bal·lot \'bal-ət\ *n* **1** : a piece of paper used to cast a vote **2** : the action or a system of voting; *also* : the right to vote **3** : the number of votes cast in an election

ball·room \'bȯl-,rüm, -,rum\ *n* : a large room for dances

bal·ly·hoo \'bal-ē-,hü\ *n* **1** : a noisy attention-getting demonstration or talk **2** : grossly exaggerated or sensational advertising or propaganda

balm \'bäm\ *n* **1** : a fragrant healing or soothing lotion or ointment **2** : any of several spicy fragrant herbs **3** : something that comforts or soothes

balmy *adj* : gently soothing : MILD *syn* soft, bland

bal·sa \'bȯl-sə\ *n* : the extremely light strong wood of a tropical American tree

bal·sam \'bȯl-səm\ *n* **1** : a fragrant aromatic and usu. resinous substance oozing from various plants; *also* : a preparation containing or smelling like balsam **2** : a balsam-yielding plant; *also* : any of several showy garden plants

bal·us·ter \'bal-ə-stər\ *n* : an upright support of a rail (as of a staircase)

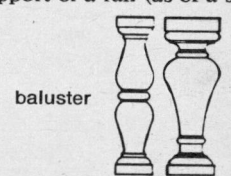

baluster

bal·us·trade \-ə-,strād\ *n* : a row of balusters topped by a rail

bam·boo \bam-'bü\ *n* : any of various woody mostly tall tropical grasses including some with strong hollow stems used for building, furniture, or utensils

bam·boo·zle \bam-'bü-zəl\ *vb* : TRICK, HOODWINK

¹ban \'ban\ *vb* **banned; ban·ning** : PROHIBIT, FORBID
²ban *n* **1** : CURSE **2** : a legal or official prohibiting
ba·nal \bə-'näl, -'nal; 'bān-³l\ *adj* : COMMONPLACE, TRITE — **ba·nal·i·ty**
ba·nana \bə-'nan-ə\ *n* : a treelike tropical plant bearing thick clusters of yellow or reddish fruit; *also* : this fruit
¹band \'band\ *n* **1** : something (as a fetter or an obligation) that constrains or restrains **2** : a strip serving to bring or hold together; *also* : one used to cover, protect, or finish something **3** : a range of wavelengths (as in radio)
²band *vb* **1** : to tie up, finish, or enclose with a band **2** : to gather or unite in a company or for some common end
³band *n* : a group of persons, animals, or things; *esp* : a company of musicians organized for playing together
¹ban·dage \'ban-dij\ *n* : a strip of material used esp. in dressing wounds
²bandage *vb* : to dress or cover with a bandage

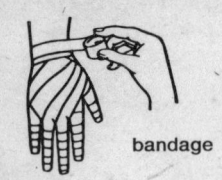

bandage

ban·dan·na *or* **ban·dana** \ban-'dan-ə\ *n* : a large colored figured handkerchief
ban·dit \'ban-dət\ *n, pl* **bandits** *also* **ban·dit·ti** \ban-'dit-ē\ : BRIGAND, GANGSTER — **ban·dit·ry** \'ban-də-trē\ *n*
ban·do·lier *or* **ban·do·leer** \,ban-də-'liər\ *n* : a belt slung over the shoulder and used esp. to carry ammunition
band·stand \'ban(d)-,stand\ *n* : a usu. roofed outdoor stand or platform on which a band or orchestra performs
band·wag·on \'band-,wag-ən\ *n* **1** : a wagon carrying musicians in a parade **2** : a candidate, side, or movement that attracts open support or approval because it seems to be winning or gaining popularity — used in phrases like *climb on the bandwagon*
¹ban·dy \'ban-dē\ *vb* **1** : to exchange (as blows or quips) in rapid succession **2** : to use in a glib or offhand way
²bandy *adj* : curved outward (~ legs)
bane \'bān\ *n* **1** : POISON **2** : WOE, HARM; *also* : a source of this — **baneful** *adj*
¹bang \'baŋ\ *vb* **1** : BUMP **2** : to strike, thrust, or move usu. with a loud noise
²bang *n* **1** : BLOW **2** : a sudden loud noise
³bang *adv* : DIRECTLY, RIGHT
⁴bang *n* : a fringe of hair cut short (as across the forehead)
ban·gle \'baŋ-gəl\ *n* : BRACELET; *also* : a loose-hanging ornament
ban·ish \'ban-ish\ *vb* **1** : to require by authority to leave a country **2** : to drive out : EXPEL **syn** exile, ostracize, deport — **ban·ish·ment** *n*
ban·is·ter \'ban-ə-stər\ *n* **1** : a baluster of a stair rail **2** : the handrail of a staircase

ban·jo \'ban-,jō\ *n* : a musical instrument with a long neck, a drumlike body, and usu. 5 strings — **ban·jo·ist** *n*

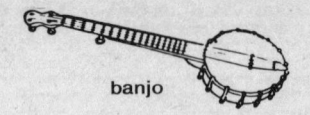

banjo

¹bank \'baŋk\ *n* **1** : a piled-up mass (as of cloud or earth) **2** : an undersea elevation **3** : rising ground bordering a lake, river, or sea **4** : the sidewise slope of a surface along a curve or of a vehicle as it rounds a curve
²bank *vb* **1** : to form a bank about **2** : to build (a curve) with the roadbed or track inclined laterally upward from the inside edge **3** : to pile or heap in a bank; *also* : to arrange in a tier **4** : to incline (an airplane) laterally
³bank *n* **1** : a tier of oars **2** : a group of objects arranged near together (as in a row or tier)
⁴bank *n* **1** : an establishment concerned esp. with the custody, loan, exchange, or issue of money, the extension of credit, and the transmission of funds **2** : a stock of or a place for holding something in reserve (a blood ~)
⁵bank *vb* **1** : to conduct the business of a bank **2** : to deposit money or have an account in a bank — **bank·er** *n* — **bank·ing** *n*
bank note *n* : a promissory note issued by a bank and circulating as money
bank·roll \'baŋk-,rōl\ *n* : supply of money : FUNDS
¹bank·rupt \'baŋk-(,)rəpt\ *n* : an insolvent person; *esp* : one whose property is turned over by court action to a trustee to be handled for the benefit of his creditors — **bankrupt** *vb*
²bankrupt *adj* **1** : reduced to financial ruin; *esp* : legally declared a bankrupt **2** : wholly lacking in or deprived of some essential (~ soils) (~ of natural emotion) — **bank·rupt·cy** *n*
¹ban·ner \'ban-ər\ *n* **1** : a piece of cloth attached to a staff and used by a ruler or commander as his standard **2** : FLAG
²banner *adj* : distinguished from all others esp. in excellence (a ~ year for apple growers)
banns \'banz\ *n pl* : public announcement esp. in church of a proposed marriage
ban·quet \'baŋ-kwət\ *n* : a ceremonial dinner — **banquet** *vb*
ban·quette \baŋ-'ket\ *n* **1** : a raised way along the inside of a parapet or trench for gunners or guns **2** : a long upholstered seat esp. along a wall
ban·shee \'ban-shē\ *n* : a female spirit in Gaelic folklore whose wailing warns a family of an approaching death
ban·tam \'bant-əm\ *n* **1** : a small domestic fowl that is often a miniature of a standard breed **2** : a small but pugnacious person
¹ban·ter \'bant-ər\ *vb* : to ridicule playfully : CHAFF, RALLY
²banter *n* : RAILLERY
Ban·tu \'ban-,tü\ *n* : a member of a family of negroid peoples occupying equatorial and southern Africa — **Bantu** *adj*

ban·yan \'ban-yən\ *n* : a large East Indian tree whose aerial roots grow downward to the ground and form new trunks

bap·tism \'bap-,tiz-əm\ *n* **1** : a Christian sacrament signifying spiritual rebirth and symbolized by the ritual use of water **2** : an act of baptizing — **bap·tis·mal** \bap-'tiz-məl\ *adj*

Bap·tist \'bap-təst\ *n* : a member of a Protestant denomination emphasizing baptism of believers by immersion

bap·tis·tery \-tə-strē\ *n* : a place esp. in a church used for baptism

bap·tize \bap-'tiz\ *vb* [Gk *baptizein*, fr. *baptos* dipped, fr. *baptein* to dip] **1** : to administer baptism to; *also* : CHRISTEN **2** : to purify esp. by an ordeal

¹bar \'bär\ *n* **1** : a long narrow piece of material (as wood or metal) used esp. for a lever, fastening, or support **2** : BARRIER, OBSTACLE **3** : the railing in a law court at which prisoners are stationed; *also* : the legal profession or the whole body of lawyers **4** : a stripe, band, or line much longer than wide **5** : a counter at which food or esp. drink is served; *also* : BARROOM **6** : a vertical line across the musical staff

²bar *vb* **barred; bar·ring 1** : to fasten, confine, or obstruct with or as if with a bar or bars **2** : to mark with bars : STRIPE **3** : to shut or keep out : EXCLUDE **4** : FORBID, PREVENT

³bar *prep* : EXCEPT

bar

barb \'bärb\ *n* : a sharp usu. hooked or back-extending projection (as on an arrowhead, a fishhook, or a plant process) — **barbed** \'bärbd\ *adj*

bar·bar·i·an \bär-'ber-ē-ən\ *n* : an incompletely civilized person — **barbarian** *adj*

bar·bar·ic \bär-'bar-ik\ *adj* **1** : BARBARIAN **2** : WILD **3** : PRIMITIVE, UNSOPHISTICATED

bar·ba·rism \'bär-bə-,riz-əm\ *n* **1** : a word or expression that offends current standards of correctness or purity **2** : the social level of barbarians; *also* : the use or display of barbarian or barbarous cultural attributes

bar·ba·rous \'bär-b(ə-)rəs\ *adj* **1** : using linguistic barbarisms **2** : deficient in culture or refinement **3** : mercilessly harsh or cruel — **bar·bar·i·ty** \bär-'bar-ət-ē\ *n* — **bar·ba·rous·ly** *adv*

¹bar·be·cue \'bär-bi-,kyü\ *n* : a large animal (as an ox) roasted whole over an open fire; *also* : a social gathering at which barbecued food is served

²barbecue *vb* : to cook over hot coals or on a revolving spit usu. with a highly seasoned vinegar sauce

bar·bell \'bär-,bel\ *n* : a bar with adjustable weights attached to each end used for exercise and in weight-lifting competition

bar·ber \'bär-bər\ *n* : one whose business is cutting and dressing hair or shaving and trimming beards

bar·bit·u·rate \bär-'bich-ə-rət\ *n* : a salt or ester of an organic acid (**bar·bi·tu·ric acid** \,bär-bə-,t(y)ůr-ik-\); *esp* : one used as a sedative or hypnotic

bard \'bärd\ *n* : POET

¹bare \'baər\ *adj* **1** : NAKED **2** : UNCONCEALED, EXPOSED **3** : EMPTY **4** : leaving nothing to spare : MERE **5** : PLAIN, UNADORNED **syn** nude, bald — **bare·ness** *n*

²bare *vb* : to make or lay bare : REVEAL

bare·back \-,bak\ *or* **bare·backed** \-'bakt\ *adv* (*or adj*) : without a saddle

bare·faced \-'fāst\ *adj* **1** : having the face uncovered; *esp* : BEARDLESS **2** : not concealed : OPEN

bare·foot \-,fůt\ *or* **bare·foot·ed** \-'fůt-əd\ *adv* (*or adj*) : with the feet bare

bare–hand·ed \-'han-dəd\ *adv* (*or adj*) **1** : without gloves **2** : without tools or weapons

bare·head·ed \-'hed-əd\ *adv* (*or adj*) : without a hat

bare·ly *adv* **1** : by a narrow margin : SCARCELY **2** : with nothing to spare : SPARSELY **syn** hardly

¹bar·gain \'bär-gən\ *n* **1** : AGREEMENT **2** : something of which the value exceeds the cost **3** : a transaction, situation, or event with important good or bad results

²bargain *vb* **1** : to talk over the terms of an agreement : CHAFFER, HAGGLE; *also* : to come to terms **2** : BARTER

¹barge \'bärj\ *n* **1** : a broad flat-bottomed boat for river or canal use usu. moved by towing **2** : a powerboat supplied to a flagship (as for use by an admiral) **3** : a ceremonial boat elegantly furnished — **barge·man** \-mən\ *n*

²barge *vb* **1** : to carry by barge **2** : to move or thrust oneself clumsily or rudely

bar·i·tone \'bar-ə-,tōn\ *n* [It *baritono*, fr. Gk *barytonos* having a deep sound, fr. *barys* heavy + *tonos* tone] : a male voice between bass and tenor; *also* : a man with such a voice

bar·i·um \'bar-ē-əm\ *n* : a silver-white metallic chemical element that occurs only in combination and is used in the form of its sulfate as a pigment and as a substance that is opaque to X rays

¹bark \'bärk\ *vb* **1** : to make the characteristic short sharp cry of a dog **2** : to speak or utter in a curt loud tone : SNAP

²bark *n* : the sound made by a barking dog

³bark *n* : the tough corky outer covering of a woody stem or root

⁴bark *vb* **1** : to strip the bark from **2** : to rub the skin from : ABRADE

bark·er \'bär-kər\ *n* : a person who stands at the entrance esp. to a show and tries to attract customers to it

barley

bar·ley \'bär-lē\ *n* : a cereal grass with seeds used as food and in making malt liquors; *also* : its seed

bar mitz·vah \bär-'mits-və\ *n* **1** : a Jewish boy who at about 13 years of age assumes religious responsibilities **2** : the ceremony recognizing a boy as a bar mitzvah

barn \'bärn\ *n* : a building used esp. for storing hay and grain and for housing livestock and often adjoined by a fenced enclosure (**barn·yard** \-,yärd\)

bar·na·cle \'bär-ni-kəl\ *n* : a marine crustacean free-swimming when young but fixed (as to rocks) when adult

barn·storm \'bärn-,storm\ *vb* **1** : to tour through rural districts staging theatrical performances usu. in one-night stands **2** : to travel from place to place making brief stops (as in political campaigning)

barn·yard \-,yärd\ *n* : a usu. fenced area adjoining a barn

ba·rom·e·ter \bə-'räm-ət-ər\ *n* : an instrument for measuring atmospheric pressure and so predicting weather changes — **baro·met·ric** \,bar-ə-'me-trik\ *adj*

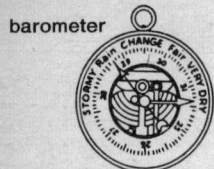

barometer

bar·on \'bar-ən\ *n* : a member of the lowest grade of the British peerage — **ba·ro·ni·al** \bə-'rō-nē-əl\ *adj* — **bar·ony** \'bar-ə-nē\ *n*

bar·on·age \-ij\ *n* : PEERAGE

bar·on·ess \'bar-ə-nəs\ *n* **1** : the wife or widow of a baron **2** : a woman holding a baronial title in her own right

bar·on·et \-nət\ *n* : a man holding a rank of honor below a baron but above a knight — **bar·on·et·cy** \-sē\ *n*

ba·roque \bə-'rōk, -'räk\ *adj* : marked by elaborate and sometimes grotesque ornamentation and esp. by curved and plastic figures

ba·rouche \bə-'rüsh\ *n* : a 4-wheeled carriage with a high driver's seat in front and a folding top

bar·racks \'bar-əks\ *n sing or pl* : a building or group of buildings for lodging soldiers

bar·ra·cu·da \,bar-ə-'küd-ə\ *n* : any of several large fierce sea fishes related to the gray mullets

bar·rage \bə-'räzh, -'räj\ *n* : a barrier laid down by machine-gun or artillery fire directed against a narrow strip of ground

barred \'bärd\ *adj* : STRIPED

¹bar·rel \'bar-əl\ *n* **1** : a round bulging cask with flat ends of equal diameter **2** : the amount contained in a barrel **3** : a cylindrical or tubular part (gun ~)

²barrel *vb* -reled or -relled; -rel·ing or -rel·ling **1** : to pack in a barrel **2** : to travel at high speed

¹bar·ren \'bar-ən\ *adj* **1** : STERILE, UNFRUITFUL **2** : lacking interest or charm **3** : UNPROFITABLE **4** : DULL, STUPID — **bar·ren·ness** *n*

²barren *n* : a tract of barren land

bar·rette \bä-'ret\ *n* : a clasp for holding a woman's hair in place

¹bar·ri·cade \'bar-ə-,kād\ *vb* : to block, obstruct, or fortify with a barricade

²barricade *n* **1** : a hastily thrown-up obstruction or fortification **2** : BARRIER, OBSTACLE

bar·ri·er \'bar-ē-ər\ *n* : something material that separates, demarcates, or serves as a barricade; *also* : an immaterial obstacle (racial ~s)

bar·ris·ter \'bar-ə-stər\ *n* : a British counselor admitted to plead in the higher courts **syn** lawyer, attorney

bar·room \'bär-,rüm, -,rüm\ *n* : an establishment whose main feature is a bar for the sale of liquor

¹bar·row \'bar-ō\ *n* : a large burial mound of earth and stones

²barrow *n* **1** : a frame that has handles and sometimes a wheel and is used for carrying things **2** : a cart with boxlike body and two shafts for pushing

bar·tend·er \'bär-,ten-dər\ *n* : one that serves liquor at a bar

bar·ter \'bärt-ər\ *vb* : to trade by exchange of goods — **barter** *n*

bas·al \'bā-səl\ *adj* : BASIC

ba·salt \bə-'solt, 'bā-,solt\ *n* : a dark fine-grained igneous rock — **ba·sal·tic** *adj*

¹base \'bās\ *n* **1** : BOTTOM, FOUNDATION **2** : a main ingredient or fundamental part **3** : the point of beginning an act or operation **4** : any of the four stations at the corners of a baseball diamond **5** : a place on which a force depends for supplies **6** : a chemical compound (as lime or ammonia) that reacts with an acid to form a salt, has a salty taste, and turns litmus blue **syn** basis, ground

²base *vb* **1** : to form or serve as a base for **2** : ESTABLISH

³base *adj* **1** : of inferior quality : DEBASED, ALLOYED **2** : CONTEMPTIBLE, IGNOBLE **3** : MENIAL, DEGRADING **4** : of little value **syn** low, vile — **base·ly** *adv*

base·ball \'bās-,ból\ *n* : a game played with a bat and ball by 2 teams on a field with 4 bases arranged in a diamond; *also* : the ball used in this game

base·board \-,bōrd\ *n* : a line of boards or molding covering the joint of a wall and the adjoining floor

base·less \-ləs\ *adj* : having no base or basis : GROUNDLESS

base·ment \-mənt\ *n* **1** : the part of a building that is wholly or partly below ground level **2** : the lowest or fundamental part of something

bash \'bash\ *vb* **1** : to strike violently : BEAT **2** : to smash by a blow

bash·ful \'bash-fəl\ *adj* : inclined to shrink from public attention — **bash·ful·ness** *n*

ba·sic \'bā-sik\ *adj* **1** : of, relating to, or forming the base or essence : FUNDAMENTAL **2** : of, relating to, or having the character of a chemical base (a ~ substance) **syn** underlying — **ba·si·cal·ly** *adv*

bas·il \'baz-əl, 'bās-\ *n* : an aromatic mint used in cookery

ba·sil·i·ca \bə-'sil-i-kə, -'zil-\ *n* **1** : an early Christian church of simple design **2** : a church or cathedral given ceremonial privileges

ba·sin \'bās-ᵊn\ *n* **1** : a wide hollow vessel for holding liquid (as water) **2** : a hollow or enclosed place containing water; *also* : the region drained by a river

ba·sis \'bā-səs\ *n, pl* **ba·ses** \-,sēz\

bask \\'bask\\ *vb* **1 :** to expose oneself to comfortable heat **2 :** to enjoy something as if comforting warmth ⟨~*ing* in his friends' admiration⟩

bas·ket \\'bas-kət\\ *n* **:** a container of woven material (as twigs or grasses); *also* **:** any of various lightweight usu. wood containers — **bas·ket·ful** *n*

bas·ket·ball \\-,bȯl\\ *n* **:** a game played on a court by 2 teams who try to throw an inflated ball through a raised goal; *also* **:** the ball used in this game

bas mitz·vah \\bäs-'mits-və\\ *n* **1 :** a Jewish girl who at about 13 years of age assumes religious responsibilities **2 :** the ceremony recognizing a girl as a bas mitzvah

Basque \\'bask\\ *n* **:** a member of a people inhabiting a region bordering on the Bay of Biscay in northern Spain and southwestern France — **Basque** *adj*

bas–re·lief \\,bä-ri-'lēf\\ *n* **:** a sculpture in relief with the design raised very slightly from the background

¹**bass** \\'bas\\ *n* **:** any of several spiny–finned sport and food fishes of eastern No. America

²**bass** \\'bās\\ *adj* **:** deep or grave in tone **:** of low pitch

³**bass** \\'bās\\ *n* **1 :** a deep sound or tone **2 :** the lowest part in harmonic or polyphonic music **3 :** the lowest male singing voice **4 :** a singer or instrument having a bass voice or part

bas·si·net \\,bas-ə-'net\\ *n* **:** a basket hooded at one end for use as a cradle

bas·soon \\ba-'sün, bə-\\ *n* **:** a musical wind instrument lower in pitch than the oboe

bassoon

¹**bas·tard** \\'bas-tərd\\ *n* **:** an illegitimate child

²**bastard** *adj* **1 :** ILLEGITIMATE **2 :** of an inferior or nontypical kind, size, or form; *also* **:** SPURIOUS — **bas·tardy** *n*

¹**baste** \\'bāst\\ *vb* **:** to sew with long stitches so as to keep temporarily in place

²**baste** *vb* **:** to moisten (as roasting meat) at intervals with liquid while cooking

¹**bat** \\'bat\\ *n* **1 :** a stout stick **:** CLUB **2 :** a sharp blow **3 :** an implement (as of wood) used to hit the ball (as in baseball) **4 :** a turn at batting — usu. used with *at*

²**bat** *vb* **bat·ted; bat·ting :** to hit with or as if with a bat

³**bat** *n* **:** any of a large group of flying mammals with forelimbs modified to form wings

batch \\'bach\\ *n* **1 :** a quantity (as of bread) baked at one time **2 :** a quantity of material for use at one time or produced at one operation

bate \\'bāt\\ *vb* **:** MODERATE, REDUCE

bath \\'bath, 'bȧth\\ *n, pl* **baths** \\'ba<u>th</u>z, 'ba<u>th</u>s, 'bȧ<u>th</u>z, 'bȧ<u>th</u>s\\ **1 :** a washing of the body **2 :** water for washing the body **3 :** a liquid in which objects are immersed so that it can act on them **4 :** BATHROOM

bathe \\'bā<u>th</u>\\ *vb* **1 :** to wash in liquid and esp. water; *also* **:** to apply water or a medicated liquid to ⟨*bathed* her eyes⟩ **2 :** to wash along, over, or against so as to wet **3 :** to suffuse with or as if with light **4 :** to take a bath; *also* **:** to take a swim — **bath·er** *n*

bath·house \\'bath-,haus, 'bȧth-\\ *n* **1 :** a building equipped for bathing **2 :** a building containing dressing rooms for bathers

ba·thos \\'bā-,thäs\\ *n* **1 :** the sudden appearance of the commonplace in otherwise elevated matter or style **2 :** insincere or overdone pathos — **ba·thet·ic**

bath·room \\-,rüm, -,ru̇m\\ *n* **1 :** a room with facilities for bathing **2 :** TOILET

bath·tub \\-,təb\\ *n* **:** a usu. fixed tub for bathing

ba·tiste \\bə-'tēst\\ *n* **:** a fine sheer fabric of plain weave

ba·ton \\bə-'tän\\ *n* **:** STAFF, ROD; *esp* **:** a stick with which the leader directs an orchestra or band

bats·man \\'bats-mən\\ *n* **:** a batter esp. in cricket

bat·tal·ion \\bə-'tal-yən\\ *n* **1 :** a large body of troops organized to act together **:** ARMY **2 :** a military unit composed of a headquarters and two or more units (as companies)

¹**bat·ten** \\'bat-ᵊn\\ *vb* **1 :** to grow or make fat **2 :** THRIVE

²**batten** *n* **:** a strip of wood for nailing across other pieces to cover a crack or strengthen parts

¹**bat·ter** \\'bat-ər\\ *vb* **:** to beat or damage with repeated blows

²**batter** *n* **:** a soft mixture (as for cake) basically of flour and liquid

³**batter** *n* **:** one that bats; *esp* **:** the player whose turn it is to bat

battering ram *n* **:** an ancient military machine for battering down walls

battering ram

bat·tery \\'bat-(ə-)rē\\ *n* **1 :** BEATING; *esp* **:** unlawful beating of or use of force on a person **2 :** a grouping of artillery pieces for tactical purposes; *also* **:** the guns of a warship **3 :** a group of electric cells for furnishing electric current; *also* **:** a single electric cell ⟨a flashlight ~⟩ **4 :** a number of similar items grouped or used as a unit ⟨a ~ of tests⟩ **5 :** the pitcher and the catcher of a baseball team

bat·ting \\'bat-iŋ\\ *n* **:** layers or sheets of cotton or wool (as for lining quilts)

¹**bat·tle** \\'bat-ᵊl\\ *n* **:** a general military engagement; *also* **:** an extended contest or controversy

²**battle** *vb* **:** to engage in battle **:** CONTEND, FIGHT

bat·tle·field \\-,fēld\\ *n* **:** a place where a battle is fought

bat·tle·ship \\-,ship\\ *n* **:** a warship of the most heavily armed and armored class

bau·ble \\'bȯ-bəl\\ *n* **:** a trifling bit of finery **:** TRINKET

baux·ite \\'bȯk-,sīt\\ *n* **:** a clayey substance that is the chief ore of aluminum

bawdy \'bȯd-ē\ *adj* : OBSCENE, LEWD — **bawd·i·ly** *adv* — **bawd·i·ness** *n*

¹**bawl** \'bȯl\ *vb* : to cry or cry out loudly; *also* : to scold harshly

²**bawl** *n* : a long loud cry : BELLOW

¹**bay** \'bā\ *adj* : reddish brown

²**bay** *n* **1** : a bay-colored animal **2** : a moderate brown

³**bay** *n* : the Old World laurel; *also* : a shrub or tree resembling this

⁴**bay** *n* **1** : a compartment of a building set off from other parts (as by pillars) **2** : a compartment projecting outward from the wall of a building and containing a window

⁵**bay** *vb* : to bark with deep long tones

⁶**bay** *n* **1** : the position of one unable to escape and forced to face danger **2** : a baying bark

⁷**bay** *n* : an inlet of a body of water (as the sea) usu. smaller than a gulf

¹**bay·o·net** \'bā-ə-nət, ,bā-ə-'net\ *n* : a daggerlike weapon made to fit on the muzzle end of a rifle

²**bayonet** *vb* -net·ed *also* -net·ted; -net·ing *also* -net·ting : to use or stab with a bayonet

bay·ou \'bī-ō, -ü\ *n* : a minor or secondary stream that is tributary to a larger body of water; *also* : a marshy or sluggish body of water

ba·zaar \bə-'zär\ *n* **1** : a group of shops : MARKETPLACE **2** : a fair usu. for charity

ba·zoo·ka \bə-'zü-kə\ *n* : a weapon consisting of a tube and launching an explosive rocket able to pierce armor

be \(')bē\ *vb, past 1st & 3rd sing* **was** \(')wəz, 'wäz\ *2nd sing* **were** \(')wər\ *pl* **were**; *past subjunctive* **were**; *past part* **been** \(')bin\ *pres part* **be·ing** \'bē-iŋ\ *pres 1st sing* **am** \(ə)m, (')am\ *2nd sing* **are** \ər, (')är\ *3rd sing* **is** \(')iz, əz\ *pl* **are**; *pres subjunctive* **be** **1** : to equal in meaning or symbolically ⟨God *is* love⟩; *also* : to have a specified qualification or relationship ⟨leaves *are* green⟩ ⟨this fish *is* a trout⟩ **2** : to have objective existence ⟨there *was* once an old woman⟩; *also* : to have or occupy a particular place ⟨here *is* your pen⟩ **3** : to take place : OCCUR ⟨the meeting *is* tonight⟩ **4** — used with the past participle of transitive verbs as a passive voice auxiliary ⟨the door *was* opened⟩ **5** — used as the auxiliary of the present participle in expressing continuous action ⟨he *is* sleeping⟩ **6** — used as an auxiliary with the past participle of some intransitive verbs to form archaic perfect tenses **7** — used as an auxiliary with *to* and the infinitive to express futurity, prearrangement, or obligation

¹**beach** \'bēch\ *n* : the shore of the sea or of a lake

²**beach** *vb* : to run or drive ashore

beach·comb·er \-,kō-mər\ *n* **1** : a drifter, loafer, or casual worker along the seacoast **2** : one who searches along a shore for useful or salable flotsam and refuse

beach·head \'bēch-,hed\ *n* : an area on an enemy-held shore occupied by an advance attacking force to protect the later landing of troops or supplies

bea·con \'bē-kən\ *n* **1** : a signal fire **2** : a signal mark (as a lighthouse) for guidance **3** : a radio transmitter emitting signals for guidance of airplanes

bead \'bēd\ *n* [OE *bed* prayer] **1** *pl* : a series of prayers and meditations made with a rosary **2** : a small piece of material pierced for threading on a line (as in a rosary) **3** : a small globular body **4** : a narrow projecting rim or band — **bead·ing** *n* — **beady** *adj*

bea·gle \'bē-gəl\ *n* : small short-legged smooth-coated hound

beak \'bēk\ *n* : the bill of a bird and esp. of a bird of prey; *also* : a pointed projecting part — **beaked** \'bēkt\ *adj*

beak

bea·ker \'bē-kər\ *n* **1** : a large drinking cup with a wide mouth **2** : a thin-walled laboratory vessel with a wide mouth

¹**beam** \'bēm\ *n* **1** : a large long piece of timber or metal **2** : the bar of a balance from which the scales hang **3** : the breadth of a ship at its widest part **4** : a ray or shaft of light **5** : a collection of nearly parallel rays (as X rays) or streams of particles (as electrons) **6** : a directed flow of radio signals for the guidance of pilots; *also* : the course indicated by this flow

²**beam** *vb* **1** : to send out light **2** : to smile with joy **3** : to aim (a radio broadcast) by directional antennas

bean \'bēn\ *n* : the edible seed borne in pods by some leguminous plants; *also* : a plant or a pod bearing these seeds

¹**bear** \'baər\ *n* **1** *or pl* **bear** : a large heavy mammal with shaggy hair and a very short tail **2** : a surly uncouth person **3** : one who sells securities or commodities in expectation of a price decline — **bear·ish** *adj*

²**bear** *vb* **bore** \'bōr\ **borne** \'bōrn\ *also* **born** \'bȯrn\ **bear·ing** **1** : CARRY **2** : to be equipped with **3** : to give testimony ⟨~ witness to the facts of the case⟩ **4** : to give birth to; *also* : PRODUCE, YIELD ⟨a tree that ~s regularly⟩ **5** : ENDURE, SUSTAIN ⟨~ pain⟩ ⟨bore the weight on piles⟩; *also* : to exert pressure or influence **6** : to be or become directed ⟨~ to the right⟩ — **bear·able** *adj* — **bear·er** *n*

¹**beard** \'biərd\ *n* **1** : the hair that grows on the face of a man **2** : a growth of bristly hairs (as on rye or the chin of a goat) — **beard·less** *adj*

²**beard** *vb* : to confront boldly

bear·ing \'ba(ə)r-iŋ\ *n* **1** : manner of carrying oneself : COMPORTMENT **2** : a supporting object, purpose, or point **3** : an emblem in a coat of arms **4** : connection with or influence on something; *also* : SIGNIFICANCE **5** : a machine part in which another part (as an axle or pin) turns **6** : the position or direction of one point with respect to another or to the compass; *also* : a determination of position **7** *pl* : comprehension of one's position or situation

bear·skin \'baər-,skin\ *n* : an article (as a military hat) made of the skin of a bear

beast \'bēst\ *n* **1** : ANIMAL 1; *esp* : a 4-footed animal **2** : a contemptible person **syn** brute — **beast·ly** *adj*

¹**beat** \'bēt\ *vb* **beat; beat·en** \'bēt-ᵊn\ *or* **beat; beat·ing** **1** : to strike repeatedly **2** : TREAD **3** : to affect or

alter by beating ⟨~ metal into sheets⟩ **4** : OVERCOME; *also* : SURPASS **5** : to sound (as an alarm) on a drum **6** : to act or arrive before ⟨~ his brother home⟩ **7** : THROB — **beat·er** *n*

²**beat** *n* **1** : a single stroke or blow esp. of a series; *also* : PULSATION **2** : a rhythmic stress in poetry or music or the rhythmic effect of these **3** : a regular course

be·at·if·ic \ˌbē-ə-'tif-ik\ *adj* : giving or indicative of great joy or bliss

be·at·i·fy \bē-'at-ə-ˌfī\ *vb* **1** : to make supremely happy **2** : to declare to have attained the blessedness of heaven and authorize the title "Blessed" for — **be·at·i·fi·ca·tion** \-ˌat-ə-fə-'kā-shən\ *n*

be·at·i·tude \-'at-ə-ˌt(y)üd\ *n* **1** : a state of utmost bliss **2** : a declaration made in the Sermon on the Mount (Mt 5: 3-12) beginning "Blessed are"

beat·nik \'bēt-nik\ *n* : a person who behaves and dresses unconventionally and is inclined to exotic philosophizing and extreme self-expression

beau \'bō\ *n, pl* **beaux** \'bōz\ *or* **beaus** **1** : a man of fashion : DANDY **2** : SUITOR, LOVER

beau monde \bō-'mänd\ *n* : the world of high society and fashion

beau·te·ous \'byüt-ē-əs\ *adj* : BEAUTIFUL

beau·ti·cian \byü-'tish-ən\ *n* : COSMETOLOGIST

beau·ti·ful \'byüt-i-fəl\ *adj* : characterized by beauty : LOVELY **syn** pretty, fair — **beau·ti·ful·ly** *adv*

beau·ti·fy \'byüt-ə-ˌfī\ *vb* : to make more beautiful — **beau·ti·fi·er** *n*

beau·ty \'byüt-ē\ *n* : qualities that give pleasure to the senses or exalt the mind : LOVELINESS; *also* : something having such qualities

bea·ver \'bē-vər\ *n* : a large fur-bearing rodent that builds dams and underwater houses of mud and sticks; *also* : its fur

be·calm \bi-'käm\ *vb* : to keep (as a ship) motionless by lack of wind

be·cause \bi-'kȯz\ *conj* : for the reason that

beck \'bek\ *n* : a beckoning gesture; *also* : SUMMONS

beck·on \'bek-ən\ *vb* : to summon or signal esp. by a nod or gesture; *also* : ATTRACT

be·come \bi-'kəm\ *vb* **1** : to come to be ⟨~ tired⟩ **2** : to suit or be suitable to ⟨her dress ~s her⟩

be·com·ing \bi-'kəm-iŋ\ *adj* : SUITABLE, FIT; *also* : ATTRACTIVE — **be·com·ing·ly** *adv*

¹**bed** \'bed\ *n* **1** : an article of furniture to sleep on **2** : a plot of ground prepared for plants **3** : FOUNDATION, BOTTOM ⟨river ~⟩ **4** : LAYER, STRATUM ⟨~ of sandstone⟩

²**bed** *vb* **bed·ded; bed·ding 1** : to put or go to bed **2** : to fix in a foundation : EMBED **3** : to plant in a bed or beds **4** : to lay or lie flat or in layers

be·daz·zle \bi-'daz-əl\ *vb* : to confuse by or as if by a strong light — **be·daz·zle·ment** *n*

bed·bug \-ˌbəg\ *n* : a wingless bloodsucking insect infesting houses and esp. beds

bed·ding *n* **1** : materials for making up a bed **2** : FOUNDATION

be·dev·il \bi-'dev-əl\ *vb* **1** : HARASS, TORMENT **2** : CONFUSE, MUDDLE

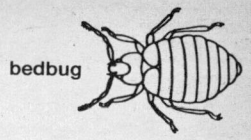

bedbug

bed·fel·low \'bed-ˌfel-ō\ *n* : one sharing the bed of another

bed·lam \'bed-ləm\ *n* [fr. *Bedlam*, popular name for the Hospital of St. Mary of Bethlehem, London insane asylum] **1** *archaic* : an insane asylum **2** : a scene of uproar and confusion

bed·ou·in \'bed-ə-wən\ *n, often cap* : a nomadic Arab of the Arabian, Syrian, or No. African deserts

be·drag·gled \bi-'drag-əld\ *adj* : soiled and disordered as if by being drenched

bed·rid·den \'bed-ˌrid-ᵊn\ *adj* : kept in bed by illness or weakness

bed·rock \-'räk\ *n* : the solid rock underlying surface materials (as soil)

bed·roll \-ˌrōl\ *n* : bedding rolled up for carrying

bed·room \-ˌrüm, -ˌru̇m\ *n* : a room containing a bed and used esp. for sleeping

bed·side \-ˌsīd\ *n* : the place beside a bed esp. of a sick or dying person

bed·spread \-ˌspred\ *n* : a usu. ornamental outer cover for a bed

bed·stead \-ˌsted\ *n* : the framework of a bed

bed·time \-ˌtīm\ *n* : time to go to bed

bee \'bē\ *n* **1** : a colonial 4-winged insect often kept in hives for the honey it produces; *also* : any of various related insects **2** : a neighborly gathering for work

beech \'bēch\ *n* : a deciduous hardwood tree with smooth gray bark and small sweet triangular nuts (**beech·nuts**

beech: leaves and fruit

beef \'bēf\ *n, pl* **beeves** \'bēvz\ *or* **beefs 1** : the flesh of a steer, cow, or bull; *also* : the dressed carcass of a beef animal **2** : a steer, cow, or bull esp. when fattened for food **3** : MUSCLE, BRAWN

beef·steak \-ˌstāk\ *n* : a slice of beef suitable for broiling or frying

beefy *adj* : THICKSET, BRAWNY

bee·hive \'bē-ˌhīv\ *n* : HIVE

old-fashioned beehive

beekeeper 46 **bellicose**

bee·keep·er \-,kē-pər\ *n* : a raiser of bees — **bee·keep·ing** *n*
bee·line \-,līn\ *n* : a straight direct course
been *past part of* BE
beer \'biər\ *n* : an alcoholic beverage brewed from malt and hops — **beery** *adj*
bees·wax \'bēz-,waks\ *n* : wax that bees secrete and use in making honeycomb
beet \'bēt\ *n* : a garden plant with edible leaves and a thick sweet root used as a vegetable, as a source of sugar, or as forage; *also* : its root
¹**bee·tle** \'bēt-ᵊl\ *n* : an insect with 4 wings of which the stiff outer pair covers the membranous inner pair when not in flight
²**beetle** *n* : a heavy tool for hammering or ramming
be·fall \bi-'fȯl\ *vb* : to happen to : OCCUR
be·fit \bi-'fit\ *vb* : to be suitable to : BECOME
¹**be·fore** \bi-'fōr\ *adv* 1 : in front 2 : EARLIER
²**before** *prep* 1 : in front of ⟨stood ~ him⟩ 2 : earlier than ⟨got there ~ me⟩ 3 : in a more important category than
³**before** *conj* 1 : earlier than the time when ⟨he got here ~ I did⟩ 2 : more willingly than ⟨he will starve ~ he will steal⟩
be·fore·hand \-,hand\ *adv (or adj)* : in advance
be·friend \bi-'frend\ *vb* : to act as friend to
be·fud·dle \bi-'fəd-ᵊl\ *vb* : MUDDLE, CONFUSE
beg \'beg\ *vb* **begged; beg·ging** 1 : to ask as a charity; *also* : ENTREAT 2 : EVADE 3 : to seek or live by asking charity
be·get \bi-'get\ *vb* **-got** \-'gät\ **-gotten** \-'gät-ᵊn\ *or* **-got; -get·ting** : to become the father of : SIRE
¹**beg·gar** \'beg-ər\ *n* : one that begs esp. as a way of life
²**beggar** *vb* : IMPOVERISH
beg·gar·ly *adj* 1 : marked by unrelieved poverty ⟨a ~ life⟩ 2 : contemptibly mean or inadequate ⟨a ~ wage⟩
be·gin \bi-'gin\ *vb* **be·gan** \-'gan\ **begun** \-'gən\ **be·gin·ning** 1 : to do the first part of an action; *also* : to undertake or undergo initial steps : COMMENCE 2 : to come into being : ARISE *also* : FOUND 3 : ORIGINATE, INVENT — **be·gin·ner** *n*
be·gone \bi-'gȯn\ *vb* : to go away : DEPART — used esp. in the imperative
be·grudge \-'grəj\ *vb* : GRUDGE
be·guile \-'gīl\ *vb* 1 : DECEIVE, CHEAT 2 : to while away 3 : to coax by wiles : CHARM
be·half \bi-'haf, -'häf\ *n* : BENEFIT, SUPPORT, DEFENSE
be·have \bi-'hāv\ *vb* 1 : to bear, comport, or conduct oneself in a particular and esp. a proper way 2 : to act, function, or react in a particular way
be·hav·ior \bi-'hāv-yər\ *n* : way of behaving; *esp* : personal conduct — **be·hav·ior·al** *adj*
be·head \bi-'hed\ *vb* : to cut off the head of
be·he·moth \bi-'hē-məth, 'bē-ə-,mȯth\ *n* : a huge powerful animal described in Job 40:15–24 that is prob. the hippopotamus
be·hest \bi-'hest\ *n* : COMMAND, INJUNCTION
¹**be·hind** \-'hīnd\ *adv* 1 : BACK, BACKWARD 2 : LATE, SLOW
²**behind** *prep* 1 : in a former place, situation, or time of ⟨stayed ~ the troops⟩ 2 : to or at the back or farther side or part of ⟨ran ~ the house⟩ ⟨stood ~ a tree⟩ 3 : inferior to (as in rank) : BELOW ⟨three games ~ the first-place team⟩ 4 : in support of : SUPPORTING
be·hold \bi-'hōld\ *vb* 1 : to have in sight : SEE 2 — used imperatively to direct the attention **syn** view, observe, notice, contemplate — **be·hold·er** *n*
be·hold·en \-'hōl-dən\ *adj* : OBLIGATED, INDEBTED
be·hoove \-'hüv\ *or* **be·hove** \-'hōv\ *vb* : to be necessary, proper, or advantageous for
beige \'bāzh\ *n* : a pale dull yellowish brown — **beige** *adj*
be·ing \'bē-iŋ\ *n* 1 : EXISTENCE; *also* : LIFE 2 : the qualities or constitution of an existent thing 3 : a living thing; *esp* : PERSON
be·la·bor \bi-'lā-bər\ *vb* 1 : to beat soundly : DRUB 2 : to assail (as with words) tiresomely or at length
be·lat·ed \-'lāt-əd\ *adj* : DELAYED, LATE
belch \'belch\ *vb* 1 : to expel (gas) from the stomach through the mouth 2 : to gush forth ⟨a volcano ~*ing* lava⟩
be·lea·guer \bi-'lē-gər\ *vb* 1 : BESET, BESIEGE 2 : HARASS
bel·fry \'bel-frē\ *n* : a tower for a bell (as on a church); *also* : the part of the tower in which the bell hangs
Bel·gian \'bel-jən\ *n* : a native or inhabitant of Belgium — **Belgian** *adj*
be·lie \bi-'lī\ *vb* 1 : MISREPRESENT 2 : to give the lie to : be false to; *also* : to run counter to
be·lief \bə-'lēf\ *n* 1 : CONFIDENCE, TRUST 2 : something (as a tenet or creed) believed **syn** conviction, opinion
be·lieve \bə-'lēv\ *vb* 1 : to have religious convictions 2 : to have a firm conviction about something : accept as truly such as indicated 3 : to hold as an opinion : SUPPOSE — **be·liev·able** *adj* — **be·liev·er** *n*
be·lit·tle \-'lit-ᵊl\ *vb* : to make seem little or less; *also* : DISPARAGE
¹**bell** \'bel\ *n* 1 : a hollow metallic device that makes a ringing sound when struck 2 : the sounding or stroke of a bell (as on shipboard to tell the time); *also* : time so indicated 3 : something with the flared form of a typical bell
²**bell** *vb* : to provide with a bell
bel·la·don·na \,bel-ə-'dän-ə\ *n* [It., lit., beautiful lady; fr. its cosmetic use] : a poisonous herb related to the potato that yields a drug used esp. to relieve spasms and pain or to dilate the eye; *also* : this drug
bell·boy \'bel-,bȯi\ *n* : a hotel or club employee who escorts guests to rooms, assists them with luggage, and runs errands
belle \'bel\ *n* : an attractive and popular girl or woman
bell·hop \'bel-,häp\ *n* : BELLBOY
bel·li·cose \'bel-i-,kōs\ *adj* : WARLIKE, PUGNACIOUS **syn** belligerent, quarrelsome — **bel·li·cos·i·ty** \,bel-i-'käs-ət-ē\ *n*

bel·lig·er·en·cy \bə-'lij-(ə)-rən-sē\ n 1 : the status of a nation engaged in war 2 : BELLIGERENCE, TRUCULENCE
bel·lig·er·ent \-rənt\ adj 1 : waging war 2 : TRUCULENT syn bellicose, pugnacious — **bel·lig·er·ence** \-rəns\ n — **belligerent** n
bel·low \'bel-ō\ vb 1 : to make the deep hollow sound characteristic of a bull 2 : to call or utter in a loud deep voice — **bellow** n
bel·lows \-ōz, -əz\ n sing or pl : a closed boxlike device with sides that can be spread apart or pressed together thereby drawing in air and then expelling it through a tube

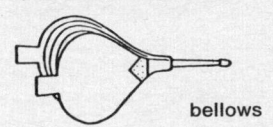

bellows

bell·weth·er \'bel-'weth-ər\ n : one that takes the lead or initiative : LEADER
¹bel·ly \'bel-ē\ n 1 : ABDOMEN; also : STOMACH 2 : the under part of an animal's body
²belly vb : BULGE
belly button n : NAVEL
be·long \bi-'lȯŋ\ vb 1 : to be suitable or appropriate; also : to be properly situated ⟨shoes ~ in the closet⟩ 2 : to be the property ⟨this ~s to me⟩; also : to be attached (as through birth or membership) ⟨~ to a club⟩ 3 : to form an attribute or part ⟨this wheel ~s to the cart⟩ 4 : to be classified ⟨whales ~ among the mammals⟩
be·long·ings \-'lȯŋ-iŋz\ n pl : GOODS, EFFECTS, POSSESSIONS
be·loved \-'ləv(-ə)d\ adj : dearly loved — **beloved** n
¹be·low \-'lō\ adv 1 : in or to a lower place or rank 2 : on earth 3 : in hell syn under, beneath, underneath
²below prep 1 : in or to a lower place than : UNDER ⟨swimming ~ the surface⟩ 2 : inferior to (as in rank)
¹belt \'belt\ n 1 : a strip (as of leather) worn about the waist 2 : an endless band passing around pulleys or cylinders to communicate motion or convey material 3 : a region marked by some distinctive feature; esp : one suited to a particular crop
²belt vb 1 : to encircle or secure with a belt 2 : to beat with or as if with a belt 3 : to mark with an encircling band
be·moan \bi-'mōn\ vb : LAMENT, DEPLORE syn bewail
be·muse \-'myüz\ vb : BEWILDER, CONFUSE
bench \'bench\ n 1 : a long seat for two or more persons 2 : a table for holding work and tools ⟨a carpenter's ~⟩ 3 : the seat of a judge in court; also : the office or dignity of a judge 4 : COURT; also : JUDGES

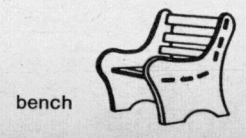

¹bend \'bend\ n : a knot by which a rope is fastened (as to another rope)
²bend vb **bent** \'bent\ **bend·ing** 1 : to draw (as a bow) taut 2 : to turn or cause to turn : CURVE; also : TREND 3 : to make fast : SECURE 4 : SUBDUE 5 : RESOLVE, DETERMINE; also : APPLY ⟨bent themselves to the task⟩ 6 : DEFLECT : to curve downward : STOOP 8 : YIELD, SUBMIT
³bend n 1 : an act or process of bending 2 : something bent; esp : CURVE 3 pl : a painful and dangerous disorder resulting from too sudden removal (as of a diver) from a compressed atmosphere
¹be·neath \bi-'nēth\ adv : BELOW, UNDERNEATH syn under
²beneath prep 1 : BELOW, UNDER ⟨stood ~ a tree⟩ 2 : unworthy of
ben·e·dic·tion \,ben-ə-'dik-shən\ n : the invocation of a blessing esp. at the close of a public worship service
ben·e·fac·tion \-'fak-shən\ n : a charitable donation syn contribution, alms
ben·e·fac·tor \'ben-ə-,fak-tər\ n : one that confers a benefit and esp. a benefaction
ben·e·fac·tress \-trəs\ n : a female benefactor
ben·e·fice \'ben-ə-fəs\ n : an ecclesiastical office to which the revenue from an endowment is attached
be·nef·i·cence \bə-'nef-ə-səns\ n 1 : beneficent quality 2 : BENEFACTION
be·nef·i·cent \-sənt\ adj : doing or producing good (as by acts of kindness or charity); also : productive of benefit
ben·e·fi·cial \,ben-ə-'fish-əl\ adj : being of benefit or help : HELPFUL syn advantageous, profitable — **ben·e·fi·cial·ly** adv
ben·e·fi·cia·ry \-'fish-ē-,er-ē, -'fish-(ə-)rē\ n : one that receives some benefit (as the income of a trust or the proceeds of an insurance)
¹ben·e·fit \'ben-ə-,fit\ n 1 : ADVANTAGE, PROFIT 2 : useful aid : HELP; also : material aid provided or due (as in sickness or unemployment) as a right 3 : a performance or event to raise funds for some person or cause
²benefit vb -fit·ed or -fit·ted; -fit·ing or -fit·ting 1 : to be useful or profitable to 2 : to receive benefit
be·nev·o·lence \bə-'nev(-ə)-ləns\ n 1 : charitable nature 2 : an act of kindness : CHARITY — **be·nev·o·lent** adj
be·night·ed \bi-'nīt-əd\ adj 1 : overtaken by darkness or night 2 : living in ignorance
be·nign \bi-'nīn\ adj 1 : kindly disposed : GRACIOUS 2 : of a mild kind; esp : not malignant ⟨~ tumors⟩ syn benignant, kind — **be·nig·ni·ty** \-'nig-nət-ē\ n
be·nig·nant \-'nig-nənt\ adj : BENIGN 1 syn kind, kindly
bent \'bent\ n 1 : tendency of mind : BIAS 2 : power of endurance syn talent, aptitude, gift
ben·zene \'ben-,zēn\ n : a colorless highly flammable liquid obtained chiefly in the distillation of coal and used as a solvent and in making dyes and drugs
ben·zine \'ben-,zēn\ n : any of various flammable petroleum distillates used as solvents for fats or as motor fuels
ben·zo·ic acid \ben-,zō-ik-\ n : a white crystalline acid that occurs in benzoin

bench

and cranberries and is used as a preservative and antiseptic
be·queath \bi-'kwēth, -'kwēth\ *vb* **1** : to leave by will **2** : to hand down
be·quest \-'kwest\ *n* **1** : the action of bequeathing **2** : LEGACY
be·rate \-'rāt\ *vb* : to scold harshly
Ber·ber \'bər-bər\ *n* : a member of a Caucasoid people of northwestern Africa
be·reave \-'rēv\ *vb* **be·reaved** *or* **be·reft** \-'reft\ **be·reav·ing** : to deprive esp. by death : STRIP ⟨*bereaved* of hope⟩ — **be·reave·ment** *n*
be·ret \bə-'rā\ *n* : a round soft cap with no visor
beri·beri \,ber-ē-'ber-ē\ *n* : a deficiency disease marked by weakness, wasting, and nerve damage and caused by lack of thiamine
berke·li·um \'bər-klē-əm, ,bər-'kē-lē-əm\ *n* : an artificially prepared radioactive chemical element
ber·ry \'ber-ē\ *n* **1** : a small pulpy fruit; *esp* : a simple fruit (as a grape, tomato, or banana) with the wall of the ripened ovary thick and pulpy **2** : the dry seed of some plants (as coffee)
ber·serk \bə(r)-'sərk, -'zərk\ *adj* : FRENZIED, CRAZED — **berserk** *adv*
¹**berth** \'bərth\ *n* **1** : room enough for a ship to maneuver **2** : the place where a ship lies at anchor **3** : a place to sit or sleep esp. on a ship or vehicle **4** : JOB, POSITION *syn* post, situation
ber·yl \'ber-əl\ *n* : a hard silicate mineral occurring as green, yellow, pink, or white crystals
be·ryl·li·um \bə-'ril-ē-əm\ *n* : a light strong metallic chemical element used as a hardener in alloys
be·seech \bi-'sēch\ *vb* **be·sought** \-'sȯt\ *or* **be·seeched**; **be·seech·ing** : to ask earnestly : ENTREAT *syn* implore, beg
be·set \-'set\ *vb* **1** : TROUBLE, HARASS **2** : ASSAIL; *also* : to hem in : SURROUND
¹**be·side** \-'sīd\ *adv, archaic* : BESIDES
²**beside** *prep* **1** : by the side of ⟨sit ~ me⟩ **2** : in addition to ⟨~ being pretty, she's intelligent⟩ **3** : other than ⟨there's nobody here ~ me⟩
¹**be·sides** \-'sīdz\ *prep* : ²BESIDE 2, 3
²**besides** *adv* **1** : in addition : ALSO **2** : MOREOVER
be·siege \bi-'sēj\ *vb* : to lay siege to; *also* : IMPORTUNE — **be·sieg·er** *n*
be·smirch \'smərch\ *vb* : SMIRCH, SOIL
be·span·gle \-'spaŋ-gəl\ *vb* : to adorn with or as if with spangles
be·speak \-'spēk\ *vb* **1** : to hire or arrange for beforehand **2** : INDICATE, SIGNIFY **3** : FORETELL
¹**best** \'best\ *adj, superlative of* GOOD **1** : excelling all others **2** : most productive (as of good or satisfaction) **3** : LARGEST, MOST
²**best** *adv, superlative of* WELL **1** : in the best way **2** : to the highest degree : MOST
³**best** *n* : something that is best
⁴**best** *vb* : to get the better of : OUTDO
bes·tial \'bes-chəl\ *adj* **1** : of or relating to beasts **2** : resembling a beast esp. in lack of intelligence or reason : BEASTLY
bes·ti·al·i·ty \,bes-chē-'al-ət-ē\ *n* **1** : the condition or status of a lower animal **2** : display or gratification of bestial traits or impulses

be·stow \-'stō\ *vb* **1** : PUT, PLACE, STOW **2** : to present as a gift : CONFER — **be·stow·al** *n*
bet \'bet\ *vb* **bet** *or* **bet·ted**; **bet·ting** : WAGER — **bet** *n*
be·take \bi-'tāk\ *vb* : to cause (oneself) to go
be·ta particle \'bāt-ə-\ *n* : an electron or positron ejected from an atomic nucleus during radioactive transformation
beta ray *n* : a stream of beta particles
be·to·ken \-'tō-kən\ *vb* **1** : to give evidence of **2** : PRESAGE *syn* indicate, prove
be·tray \-'trā\ *vb* **1** : to lead astray; *esp* : SEDUCE **2** : to deliver to an enemy by treachery **3** : to prove unfaithful to **4** : to reveal unintentionally; *also* : SHOW, INDICATE *syn* mislead, delude, deceive, disclose, divulge — **be·tray·al** *n* — **be·tray·er** *n*
be·troth \-'trōth, -'trȯth\ *vb* : to promise to marry : AFFIANCE — **be·troth·al** *n*
be·trothed *n* : the person to whom one is betrothed
¹**bet·ter** \'bet-ər\ *adj, comparative of* GOOD **1** : more than half **2** : improved in health **3** : of higher quality
²**better** *adv, comparative of* WELL **1** : in a superior manner **2** : to a higher or greater degree; *also* : MORE
³**better** *n* **1** : something better; *also* : a superior esp. in merit or rank **2** : ADVANTAGE
⁴**better** *vb* **1** : to make or become better **2** : SURPASS, EXCEL
bet·ter·ment \'bet-ər-mənt\ *n* : IMPROVEMENT
¹**be·tween** \bi-'twēn\ *prep* **1** : by the common action of ⟨earned $10,000 ~ the two of them⟩ **2** : in the interval separating ⟨an alley ~ two buildings⟩ **3** : in point of comparison of ⟨choose ~ two cars⟩ **4** : marking or constituting the interrelation or interaction of ⟨hostility ~ nations⟩ ⟨a bond ~ brothers⟩
²**between** *adv* : in an intervening space or interval
be·twixt \-'twikst\ *adv or prep, archaic* : BETWEEN
¹**bev·el** \'bev-əl\ *n* **1** : the angle or slant that one surface or line makes with another when not at right angles **2** : a device for adjusting the slant of the surfaces of a piece of work
²**bevel** *vb* **-eled** *or* **-elled**; **-el·ing** *or* **-el·ling** **1** : to cut or shape (as an edge or surface) to a bevel **2** : INCLINE, SLANT
bev·er·age \'bev-(ə-)rij\ *n* : liquid for drinking; *esp* : a liquid (as milk or coffee) other than water
bevy \'bev-ē\ *n* : a group (as of women or quail) together
be·wail \bi-'wāl\ *vb* : LAMENT *syn* deplore, bemoan
be·ware \-'waər\ *vb* : to be on one's guard : be wary of
be·wil·der \-'wil-dər\ *vb* : PERPLEX, CONFUSE *syn* mystify, distract, puzzle — **be·wil·der·ment** *n*
be·witch \-'wich\ *vb* **1** : to affect by witchcraft **2** : CHARM, FASCINATE *syn* enchant, attract
¹**be·yond** \bē-'änd\ *adv* **1** : FARTHER **2** : BESIDES
²**beyond** *prep* **1** : on or to the farther side of **2** : out of the reach or sphere of

bezel   49   **bill**

3 : BESIDES

bez·el \\'bez-əl\\ *n* **1** : a sloping edge on a cutting tool **2** : the top part of a ring setting **3** : the faceted part of a cut gem that rises above the setting **4** : a usu. grooved rim holding the glass on a watch, clock dial, or headlight

bi·an·nu·al \\bī-'an-y(ə-w)əl\\ *adj* : occurring twice a year — **bi·an·nu·al·ly** *adv*

¹**bi·as** \\'bī-əs\\ *n* **1** : a line diagonal to the grain of a fabric **2** : PREJUDICE, BENT

²**bias** *adv* : on the bias : DIAGONALLY

³**bias** *vb* bi·ased *or* bi·assed; bi·as·ing *or* bi·as·sing : PREJUDICE

bib \\'bib\\ *n* : a protective cover tied under a child's chin over the clothes at meals

Bi·ble \\'bī-bəl\\ *n* [ML *biblia*, fr. Gk, pl. of *biblion* book, fr. *byblos* papyrus, fr. *Byblos*, ancient Phoenician city from which papyrus was exported] **1** : the sacred scriptures of Christians comprising the Old and New Testaments **2** : the sacred scriptures of Judaism or of some other religion — **bib·li·cal** \\'bib-li-kəl\\ *adj, sometimes cap*

bib·li·og·ra·phy \\,bib-lē-'äg-rə-fē\\ *n* **1** : the history or description of writings or publications **2** : a list of writings (as on a subject or of an author) — **bib·li·og·ra·pher** \\-fər\\ *n* — **bib·li·o·graph·ic** \\-lē-ə-'graf-ik\\

bib·u·lous \\'bib-yə-ləs\\ *adj* **1** : highly absorbent **2** : inclined to drink esp. to excess

bi·cam·er·al \\'bī-'kam-(ə-)rəl\\ *adj* : having or consisting of two legislative branches

bi·car·bon·ate of soda \\bī-,kär-bə-nət-, -,nāt-\\ : a white crystalline salt used in cooking and in medicine

bi·ceps \\'bī-,seps\\ *n* : a muscle (as in the front of the upper arm) having two points of origin

bi·chlo·ride \\bī-'klōr-,īd\\ *n* : any of several chlorides; *esp.* : one (**mercuric chloride** *or* **bichloride of mercury**) that is a poisonous compound of mercury and chlorine used as an antiseptic and fungicide

¹**bick·er** \\'bik-ər\\ *n* : WRANGLING, ALTERCATION

²**bicker** *vb* : to contend in petty altercation : SQUABBLE

bi·cus·pid \\bī-'kəs-pəd\\ *n* : either of 2 double-pointed teeth next to the canine on each side of each jaw in man

bi·cy·cle \\'bī-,sik-əl\\ *n* : a light 2-wheeled vehicle with a steering handle, saddle, and pedals by which it is propelled

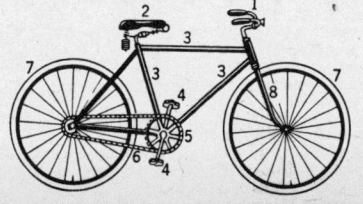

bicycle: 1 handlebar, 2 saddle, 3, 3, 3 frame, 4, 4 pedals, 5 sprocket wheel, 6 chain, 7, 7 tires, 8 fork

¹**bid** \\'bid\\ *vb* **bade** \\'bad, 'bād\\ *or* **bid**; **bid·den** \\'bid-°n\\ *or* **bid** *also* **bade**; **bid·ding** **1** : COMMAND, ORDER **2** : INVITE **3** : to give expression to **4** : to make a bid : OFFER — **bid·der** *n*

²**bid** *n* **1** : an act of bidding; *also* : a chance or turn to bid **2** : an offer (as at an auction) of what one will give for something; *also* : the thing or sum offered **3** : an announcement by a player in a card game of what he proposes to accomplish; *also* : an attempt to win or gain **4** : INVITATION

bide \\'bīd\\ *vb* **bode** \\'bōd\\ *or* **bid·ed**; **bid·ed**; **bid·ing** **1** : WAIT, TARRY **2** : DWELL **3** : to wait for (bided his time)

bi·en·ni·al \\bī-'en-ē-əl\\ *adj* **1** : taking place once in two years **2** : lasting two years **3** : producing leaves the first year and fruiting and dying the second year — **biennial** *n* — **bi·en·ni·al·ly** *adv*

bier \\'biər\\ *n* : a stand bearing a coffin or corpse

bi·fo·cals \\bī-'fō-kəlz\\ *n pl* : eyeglasses with lenses that have one part that corrects for near vision and one for distant vision

bi·fur·cate \\'bī-fər-,kāt\\ *vb* : to divide into two branches or parts — **bi·fur·ca·tion** \\,bī-fər-'kā-shən\\ *n*

big \\'big\\ *adj* **1** : large in size, amount, or scope **2** : PREGNANT; *also* : SWELLING **3** : IMPORTANT, IMPOSING **syn** great — **big·ness** *n*

big·a·my \\'big-ə-mē\\ *n* : the act of marrying one person while still legally married to another — **big·a·mist** *n* — **big·a·mous** *adj*

Big Dipper *n* : the seven principal stars in the constellation of Ursa Major arranged in a form resembling a dipper

bight \\'bīt\\ *n* **1** : the slack part of a rope fastened at both ends **2** : a curve in a coast; *also* : the bay formed by such a curve

big·ot \\'big-ət\\ *n* : one intolerantly devoted to his own church, party, or opinion **syn** fanatic, enthusiast, zealot — **big·ot·ed** *adj* — **big·ot·ry** *n*

bike \\'bīk\\ *n* : BICYCLE

bi·ki·ni \\bə-'kē-nē\\ *n* : a woman's brief 2-piece bathing suit

bi·lat·er·al \\bī-'lat-(ə-)rəl\\ *adj* **1** : having or involving 2 sides **2** : affecting reciprocally 2 sides or parties — **bi·lat·er·al·ly** *adv*

bile \\'bīl\\ *n* **1** : a bitter greenish fluid secreted by the liver that aids in the digestion of fats **2** : ill-humored state : SURLINESS

bilge \\'bilj\\ *n* **1** : the part of a ship that lies between the bottom and the point where the sides go straight up **2** : foul water that collects in the bottom of a ship

bi·lin·gual \\bī-'liŋ-gwəl\\ *adj* : expressed in, knowing, or using two languages

bil·ious \\'bil-yəs\\ *adj* **1** : marked by or suffering from disordered liver function **2** : IRRITABLE, CHOLERIC

bilk \\'bilk\\ *vb* : to cheat out of what is due : SWINDLE

¹**bill** \\'bil\\ *n* : the jaws of a bird together with their horny covering; *also* : a mouth structure (as of a turtle) resembling these

²**bill** *vb* : to caress fondly

³bill *n* **1 :** a written document (as a memorandum); *esp* **:** a draft of a law presented to a legislature for enactment **2 :** a written statement of a legal wrong suffered or of some breach of law **3 :** a paper bearing a statement of particulars (as of a ship's crew members and their duties) **4 :** a list of items (as of goods and their costs or of moneys due) **5 :** an advertisement (as a poster or handbill) displayed or distributed **6 :** a piece of paper money

⁴bill *vb* **1 :** to enter in or prepare a bill; *also* **:** to submit a bill or account to **2 :** to advertise by bills or posters

bill·board \-ˌbōrd\ *n* **:** a flat surface on which advertising bills are posted

¹bil·let \'bil-ət\ *n* **1 :** an order requiring a person to provide lodging for a soldier; *also* **:** quarters assigned by or as if by such an order **2 :** POSITION, APPOINTMENT

²billet *vb* **:** to assign lodging to by billet

bill·fold \'bil-ˌfōld\ *n* **:** WALLET

bill·head \'bil-ˌhed\ *n* **:** a printed form on which a commercial bill may be made out

bil·liards \'bil-yərdz\ *n* **:** any of several games played on a rectangular table (**billiard table**) by driving balls against each other or into pockets with a cue

bil·lion \'bil-yən\ *n, pl* **billions** *or* **billion 1 :** a thousand millions **2** *Brit* **:** a million millions — **billion** *adj* — **bil·lionth** \-yənth\ *adj or n*

bill of exchange : a written order from one party to another to pay to a person named in the bill a specified sum of money

¹bil·low \'bil-ō\ *n* **1 :** WAVE; *esp* **:** a great wave **2 :** a rolling mass (as of fog or flame) like a great wave — **bil·lowy** *adj*

²billow *vb* **:** to rise and roll in waves; *also* **:** to swell out ⟨~*ing* sails⟩

bil·ly \'bil-ē\ *n* **:** a heavy usu. wooden club; *esp* **:** a policeman's club

bi·met·al·lism \bī-'met-əl-ˌiz-əm\ *n* **:** the policy of using two metals at fixed ratios to form a standard of value for a monetary system

bin \'bin\ *n* **:** a box, crib, or enclosure used for storage

bi·na·ry \'bī-nə-rē\ *adj* **:** consisting of two things or parts ⟨DOUBLE⟩ — **binary** *n*

bind \'bīnd\ *vb* **bound** \'baùnd\ **bind·ing 1 :** TIE; *also* **:** to restrain as if by tying **2 :** to put under an obligation; *also* **:** to constrain with legal authority **3 :** to unite into a mass **4 :** BANDAGE **5 :** CONSTIPATE **6 :** to strengthen or decorate with a band **7 :** to fasten together and enclose in a cover ⟨~ books⟩ **8 :** to compel as if by a pledge **9 :** to exert a tying, restraining, or compelling effect — **bind·er** *n*

bind·ing *n* **:** something (as a ski fastening, a cover, or an edging fabric) used to bind

binge \'binj\ *n* **:** SPREE

¹bin·oc·u·lar \bī-'näk-yə-lər, bə-\ *adj* **:** of, relating to, or adapted to the use of both eyes

²bin·oc·u·lar \bə-, bī-\ *n* **1 :** a binocular optical instrument (as a microscope) **2 :** FIELD GLASS — usu. used in pl.

bi·no·mi·al \bī-'nō-mē-əl\ *n* **1 :** a mathematical expression consisting of two terms connected by the sign plus (+) or minus (−) **2 :** a biological species name consisting of two terms — **binomial** *adj*

bio·chem·is·try \ˌbī-ō-'kem-ə-strē\ *n* **:** chemistry that deals with the chemical compounds and processes in organisms — **bio·chem·i·cal** \-'kem-i-kəl\ *adj* — **bio·chem·ist** \-'kem-əst\ *n*

bio·ge·og·ra·phy \-jē-'äg-rə-fē\ *n* **:** a branch of biology that deals with the distribution of plants and animals — **bio·ge·og·ra·pher** \-fər\ *n* — **bio·ge·o·graph·ic** \-ˌjē-ə-'graf-ik\ *adj*

bi·og·ra·phy \bī-'äg-rə-fē\ *n* **:** a written history of a person's life; *also* **:** such writings in general — **bi·og·ra·pher** \-fər\ *n* — **bi·o·graph·i·cal** \ˌbī-ə-'graf-i-kəl\ *or* **bi·o·graph·ic** *adj*

biological warfare *n* **:** warfare in which living organisms (as bacteria) are used to harm the enemy or his livestock and crops

bi·ol·o·gy \bī-'äl-ə-jē\ *n* **1 :** a science that deals with living beings and life processes **2 :** the laws and phenomena of life (as of a kind of organism) — **bi·o·log·i·cal** \ˌbī-ə-'läj-i-kəl\ *adj* — **bi·ol·o·gist** \bī-'äl-ə-jəst\ *n*

bi·op·sy \'bī-ˌäp-sē\ *n* **:** the removal of cells or tissue from the living body for examination

bi·o·tin \'bī-ə-tən\ *n* **:** a member of the vitamin B complex found esp. in yeast, liver, and egg yolk and active in growth promotion

bi·pa·ren·tal \ˌbī-pə-'rent-əl\ *adj* **:** involving or derived from 2 parents ⟨~ inheritance⟩

bi·par·ti·san \bī-'pärt-ə-zən\ *adj* **:** representing or composed of members of two parties

bi·par·tite \-'pär-ˌtīt\ *adj* **1 :** being in two parts **2 :** shared by two ⟨~ treaty⟩

bi·ped \'bī-ˌped\ *n* **:** a 2-footed animal

bi·plane \'bī-ˌplān\ *n* **:** an airplane with two main supporting surfaces placed one above the other

bi·ra·cial \bī-'rā-shəl\ *adj* **:** of, relating to, or involving members of two races

¹birch \'bərch\ *n* **1 :** any of a genus of mostly short-lived deciduous shrubs and trees with membranous outer bark and pale close-grained wood; *also* **:** this wood **2 :** a birch rod or bundle of twigs for flogging — **birch·en** *adj*

bird \'bərd\ *n* **:** a warm-blooded egg-laying vertebrate having the body feathered and the forelimbs modified to form wings

bird·bath \-ˌbath, -ˌbàth\ *n* **:** a usu. ornamental basin set up for birds to bathe in

bird·house \-ˌhaùs\ *n* **:** an artificial nesting place for birds

bird·ie \'bərd-ē\ *n* **:** a score of one under par on a hole in golf

bird·lime \-ˌlīm\ *n* **:** a sticky substance smeared on twigs to snare small birds

bird·seed \-ˌsēd\ *n* **:** a mixture of small seeds (as of hemp or millet) used chiefly for feeding cage birds

bird's-eye \'bərd-ˌzī\ *adj* **1 :** seen from above as if by a flying bird ⟨~ view⟩; *also* **:** CURSORY **2 :** marked with spots resembling birds' eyes ⟨~ maple⟩; *also* **:** made of bird's-eye wood

birth \'bərth\ *n* **1 :** the act or fact of being born or of bringing forth young **2 :** LINEAGE, DESCENT **3 :** ORIGIN, BEGINNING

birthday 51 blackmail

birth·day \-,dā\ *n* : the day or anniversary of one's birth

birth·mark \-,märk\ *n* : an unusual mark or blemish on the skin at birth

birth·place \-,plās\ *n* : place of birth or origin

birth·rate \-,rāt\ *n* : the number of births for every hundred or every thousand persons in a given area or group during a given time

birth·right \-,rīt\ *n* : a right, privilege, or possession to which one is entitled by birth **syn** prerogative, heritage, inheritance

birth·stone \-,stōn\ *n* : a precious stone associated symbolically with the month of one's birth

bi·sect \'bī-,sekt\ *vb* : to divide into two usu. equal parts; *also* : CROSS, INTERSECT

bi·sex·u·al \bī-'sek-sh(ə-w)əl\ *adj* **1** : possessing characters of or sexually oriented toward both sexes **2** : of, relating to, or involving two sexes

bish·op \'bish-əp\ *n* [OE *bisceop*, fr. LL *episcopus*, fr. Gk *episkopos*, lit., overseer, fr. *epi-* on, over + *skeptesthai* to look] **1** : a clergyman ranking above a priest and typically governing a diocese **2** : any of various Protestant church officials who superintend other clergy **3** : a chess piece that can move diagonally across any number of unoccupied squares

bis·muth \'biz-məth\ *n* : a heavy brittle grayish white metallic chemical element used in alloys and medicine

bi·son \'bīs-ᵊn, 'bīz-\ *n, pl* **bison** : a large shaggy-maned hump-shouldered wild ox formerly abundant on the plains of central U.S.

bisque \'bisk\ *n* **1** : a thick cream soup **2** : ice cream containing powdered nuts or macaroons

¹bit \'bit\ *n* **1** : the part of a bridle that is placed in a horse's mouth **2** : a drilling or boring tool used in a brace

²bit *n* **1** : a morsel of food; *also* : a small piece or quantity of something **2** : a small coin; *also* : a unit of value equal to 12½ cents **3** : something small or trivial; *also* : some degree or extent ⟨a ~ tired⟩

bit, 1   bits, 2

bitch \'bich\ *n* : the female of the dog

¹bite \'bīt\ *vb* **bit** \'bit\ **bit·ten** \'bit-ᵊn\ *also* **bit**; **bit·ing** \'bīt-iŋ\ **1** : to grip with teeth or jaws; *also* : to wound or sting with or as if with fangs **2** : to cut or pierce as if with a sharp-edged instrument **3** : to cause to smart or sting **4** : CORRODE **5** : to take bait ⟨fish are *biting* well⟩

²bite *n* **1** : the act or manner of biting **2** : MORSEL, SNACK **3** : a wound made by biting; *also* : a biting sensation : STING

bit·ing \'bīt-iŋ\ *adj* : producing bodily or mental distress ⟨~ winds⟩ ⟨a ~ speech⟩

bit·ter \'bit-ər\ *adj* **1** : having the acrid lingering taste suggestive of wormwood or hops that is one of the basic taste sensations **2** : marked by intensity or severity (as of distress or hatred) **3** : extremely harsh or cruel — **bit·ter·ly** *adv* — **bit·ter·ness** *n*

bit·ters \'bit-ərz\ *n sing or pl* : a usu. alcoholic solution of bitter and often aromatic plant products used in mixing drinks and as a mild tonic

bit·ter·sweet \'bit-ər-,swēt\ *n* **1** : a poisonous nightshade with purple flowers and orange-red berries **2** : a woody vine with yellow capsules that open when ripe and disclose scarlet seed coverings

bi·tu·men \bə-'t(y)ü-mən, bī-\ *n* : any of various mixtures of hydrogen-and-carbon-containing substances (as asphalt, tar, or petroleum)

bi·tu·mi·nous \-mə-nəs\ *adj* **1** : resembling, mixed with, or containing bitumen **2** : being coal that when heated yields considerable volatile bituminous matter

bi·valve \'bī-,valv\ *n* : an animal (as a clam) with a shell composed of 2 separate parts that open and shut — **bivalve** *adj*

¹biv·ouac \'biv-(ə-),wak\ *n* : a temporary encampment or shelter

bi·zarre \bə-'zär\ *adj* : ODD, ECCENTRIC, FANTASTIC — **bi·zarre·ly** *adv*

¹black \'blak\ *adj* **1** : of the color black; *also* : very dark **2** : SWARTHY; *also* : of or relating to a group of dark-haired dark-skinned people **3** : SOILED, DIRTY **4** : lacking light ⟨a ~ night⟩ **5** : WICKED, EVIL ⟨~ deeds⟩ ⟨~ magic⟩ **6** : DISMAL, GLOOMY ⟨a ~ outlook⟩ **7** : SULLEN ⟨a ~ mood⟩ — **black·ish** *adj* — **black·ness** *n*

²black *n* **1** : a black pigment or dye; *also* : something (as clothing) that is black **2** : the color of least lightness that characterizes objects which neither reflect nor transmit light : the opposite of white **3** : a person of a dark-skinned race

³black *vb* : BLACKEN

black art *n* : MAGIC, WITCHCRAFT

black·ball \'blak-,bȯl\ *n* : a black object used to cast a negative vote; *also* : such a vote — **black·ball** *vb*

black·ber·ry \-,ber-ē\ *n* : the usu. black or purple juicy but seedy edible fruit of various brambles; *also* : a plant bearing this fruit

black·bird \-,bərd\ *n* : any of various birds (as the redwing blackbird) of which the male is largely or wholly black

black·board \-,bȯrd\ *n* : a dark smooth surface (as of slate) used for writing or drawing on usu with chalk

black·en \'blak-ən\ *vb* **1** : to make or become black **2** : DEFAME, SULLY

black·guard \'blag-ərd, -,ärd\ *n* : SCOUNDREL, RASCAL

black·head \'blak-,hed\ *n* : a small oily mass plugging the outlet of a skin gland

¹black·jack \-,jak\ *n* **1** : a leather-covered club with a flexible handle **2** : a card game in which the object is to be dealt cards having a higher count than the dealer but not exceeding 21

black·list \'blak-,list\ *n* : a list of persons who are disapproved of and are to be punished (as by refusal of jobs or a boycott) — **blacklist** *vb*

black·mail \-,māl\ *n* : extortion by

blackout   52   **bless**

threats esp. of public exposure; *also* : something so extorted — **blackmail** *vb* — **black·mail·er** *n*
black·out \-‚aůt\ *n* : a transitory loss or dulling of vision or consciousness — **black out** \-'aůt\ *vb*
black·smith \-‚smith\ *n* : a workman who shapes heated iron by hammering it
black·top \-‚täp\ *n* : a blackish bituminous material used esp. for surfacing roads
blad·der \'blad-ər\ *n* : a sac in which liquid is stored; *esp* : one in a vertebrate into which urine passes from the kidneys
blade \'blād\ *n* 1 : a leaf of a plant and esp. of a grass; *also* : the flat part of a leaf as distinguished from its stalk 2 : something (as the flat part of an oar or an arm of a propeller) resembling the blade of a leaf 3 : the cutting part of an instrument or tool 4 : SWORD; *also* : SWORDSMAN 5 : a dashing fellow ⟨a group of gay young ~s⟩
¹**blame** \'blām\ *vb* 1 : to find fault with 2 : to hold responsible or responsible for **syn** charge, condemn, criticize
²**blame** *n* 1 : CENSURE, REPROOF 2 : responsibility for fault or error **syn** guilt — **blame·less** *adj* — **blame·less·ness** *n*
blanch \'blanch\ *vb* 1 : BLEACH 2 : to make or become white or pale
bland \'bland\ *adj* 1 : smooth in manner : SUAVE 2 : gently soothing ⟨a ~ diet⟩; *also* : INSIPID **syn** diplomatic, mild, soft, balmy — **bland·ly** *adv* — **bland·ness** *n*
blan·dish·ment \'blan-dish-mənt\ *n* : flattering or coaxing speech or action : CAJOLERY
¹**blank** \'blaŋk\ *adj* 1 : showing or causing an appearance of dazed dismay; *also* : EXPRESSIONLESS 2 : DULL, COLORLESS ⟨~ moments⟩ 3 : EMPTY; *esp* : free from writing or marks 4 : ABSOLUTE, DOWNRIGHT ⟨a ~ refusal⟩ 5 : not shaped in final form — **blank·ly** *adv* — **blank·ness** *n*
²**blank** *n* 1 : an empty space 2 : a form with spaces for the entry of data 3 : the center of a target 4 : a cartridge with powder but no bullet
¹**blan·ket** \'blaŋ-kət\ *n* 1 : a heavy woven often woolen covering ⟨an extra ~ for the bed⟩ 2 : a covering layer ⟨a ~ of snow⟩
²**blanket** *vb* : to cover with a blanket
³**blanket** *adj* : covering a group or class ⟨~ insurance⟩; *also* : applicable in all instances ⟨~ rules⟩
blank verse *n* : unrhymed iambic pentameter
blare \'blaər\ *vb* : to sound loud and harsh; *also* : to proclaim loudly — **blare** *n*
blar·ney \'blär-nē\ *n* : skillful flattery : BLANDISHMENT
bla·sé \blä-'zā\ *adj* : not responsive to pleasure or excitement as a result of excessive indulgence; *also* : SOPHISTICATED
blas·pheme \blas-'fēm\ *vb* 1 : to speak of or address with irreverence 2 : to utter blasphemy
blas·phe·my \'blas-fə-mē\ *n* 1 : the act of expressing lack of reverence for God 2 : irreverence toward something considered sacred — **blas·phe·mous** *adj*

¹**blast** \'blast\ *n* 1 : a violent gust of wind; *also* : its effect 2 : sound made by a wind instrument 3 : a sudden withering esp. of plants : BLIGHT 4 : a current of air forced at high pressure through a hole (as in a bellows, organ, or furnace) 5 : EXPLOSION; *also* : the often destructive wave of increased air pressure that moves outward from an explosion
²**blast** *vb* 1 : to shrivel up : BLIGHT 2 : to shatter by or as if by an explosive
blast off *vb* : to take off — used esp. of rocket-propelled devices
bla·tant \'blāt-ənt\ *adj* : offensively obtrusive : vulgarly showy **syn** vociferous, boisterous — **bla·tan·cy** \-ən-sē\ *n*
blath·er \'blath-ər\ *vb* : to talk foolishly — **blather** *n*
¹**blaze** \'blāz\ *n* 1 : FIRE 2 : intense direct light (as of the sun at noon) 3 : something (as a dazzling display or sudden outburst) suggesting fire ⟨a ~ of autumn leaves⟩ **syn** glare, glow
²**blaze** *vb* 1 : to burn brightly; *also* : to flare up 2 : to be conspicuously bright : GLITTER
³**blaze** *vb* : to make public
⁴**blaze** *n* 1 : a white mark on the face of an animal 2 : a mark made on a tree by chipping off a piece of bark
⁵**blaze** *vb* : to mark (as a tree or trail) with blazes
blaz·er \'blā-zər\ *n* : a light single-breasted jacket for sport wear
¹**bla·zon** \'blāz-ən\ *n* 1 : COAT OF ARMS 2 : ostentatious display
²**blazon** *vb* 1 : to publish abroad 2 : DECK, ADORN
¹**bleach** \'blēch\ *vb* : to whiten or become white : BLANCH
²**bleach** *n* : a preparation used in bleaching
bleach·ers \'blē-chərz\ *n sing or pl* : a usu. uncovered stand containing lower-priced tiered seats for spectators
bleak \'blēk\ *adj* 1 : desolately barren and windswept 2 : lacking warm or cheering qualities ⟨~ weather⟩ ⟨~ prospects⟩ — **bleak·ly** *adv* — **bleak·ness** *n*
blear \'bliər\ *adj* : dim with water or tears ⟨~ eyes⟩
bleary \'bli(ə)r-ē\ *adj* 1 : dull or dimmed esp. from fatigue or sleep 2 : poorly outlined or defined
bleat \'blēt\ *n* : the cry of a sheep or goat or a sound like it — **bleat** *vb*
bleed \'blēd\ *vb* **bled** \'bled\ **bleed·ing** 1 : to lose or shed blood 2 : to be wounded; *also* : to feel pain or distress 3 : to flow or ooze from a wounded surface; *also* : to draw fluid from ⟨~ a patient⟩ ⟨~ a tire⟩ 4 : to extort money from
bleed·er *n* : one that bleeds; *esp* : HEMOPHILIAC
¹**blem·ish** \'blem-ish\ *vb* : to spoil by a flaw : MAR
²**blemish** *n* : a noticeable flaw
¹**blend** \'blend\ *vb* 1 : to mix thoroughly 2 : to prepare (as coffee) by mixing different varieties 3 : to combine into an integrated whole 4 : HARMONIZE **syn** fuse, merge, mingle
²**blend** *n* : a product of blending **syn** compound, composite
bless \'bles\ *vb* **blessed** \'blest\ *also* **blest** \'blest\ **bless·ing** 1 : to hallow

blessed   53   **bloom**

or consecrate by religious rite or word 2 : to make the sign of the cross over 3 : to invoke divine care for 4 : PRAISE, GLORIFY 5 : to confer happiness upon — **bless·ed** \'bles-əd\ *adj* 1 : HOLY 2 : BEATIFIED 3 : DELIGHTFUL — **bless·ed·ness** *n*

bless·ing *n* 1 : the act of one who blesses 2 : a thing conducive to happiness 3 : grace said at a meal

¹**blight** \'blīt\ *n* 1 : a plant disorder marked by withering; *also* : an organism causing a blight 2 : an impairing or frustrating influence; *also* : an impaired condition

²**blight** *vb* : to affect with or suffer from blight

blimp \'blimp\ *n* : a small airship without a rigid framework

¹**blind** \'blīnd\ *adj* 1 : lacking or grossly deficient in ability to see; *also* : intended for blind persons ⟨~ schools⟩ 2 : not based on reason, evidence, or knowledge ⟨~ faith⟩ ⟨a ~ choice⟩ 3 : not intelligently controlled or directed ⟨~ chance⟩ 4 : performed solely by the aid of instruments within an airplane and without looking outside ⟨a ~ landing⟩ 5 : hard to discern or make out : HIDDEN ⟨a ~ seam⟩ 6 : lacking an opening or outlet ⟨a ~ alley⟩ — **blind·ly** *adv* — **blind·ness** *n*

²**blind** *vb* 1 : to make blind 2 : DAZZLE 3 : DARKEN; *also* : HIDE

³**blind** *n* 1 : something (as a shutter) to hinder vision or keep out light 2 : AMBUSH 3 : SUBTERFUGE

blind date *n* : a date between persons of opposite sex not previously acquainted; *also* : either of the persons

blind·fold \'blīn(d)-,fōld\ *vb* : to cover the eyes of with or as if with a bandage — **blindfold** *n*

¹**blink** \'bliŋk\ *vb* 1 : WINK 2 : TWINKLE 3 : EVADE, SHIRK

²**blink** *n* 1 : GLIMMER, SPARKLE 2 : a usu. involuntary shutting and opening of the eyes

blink·er \'bliŋ-kər\ *n* : a blinking light used as a signal

bliss \'blis\ *n* 1 : complete happiness 2 : HEAVEN, PARADISE **syn** felicity

bliss·ful \-fəl\ *adj* : full of or causing bliss — **bliss·ful·ly** *adv*

¹**blis·ter** \'blis-tər\ *n* 1 : a raised area of skin containing watery fluid; *also* : an agent that causes blisters 2 : something (as a raised spot in paint) suggesting a blister

²**blister** *vb* : to develop a blister; *also* : to cause blisters

blithe \'blīth, 'blīth\ *adj* : happily lighthearted : CHEERFUL **syn** merry, jovial, jolly — **blithe·ly** *adv* — **blithe·some** \-səm\ *adj*

blitz \'blits\ *n* 1 : an intensive series of air raids 2 : a fast intensive campaign — **blitz** *vb*

bliz·zard \'bliz-ərd\ *n* : a long severe snowstorm esp. with wind-driven snow and intense cold

bloat \'blōt\ *vb* : to swell by or as if by filling with water or air

blob \'bläb\ *n* : a small lump or drop (as of paste or paint) of a thick consistency

bloc \'bläk\ *n* : a combination of individuals or groups (as nations) working for a common purpose

¹**block** \'bläk\ *n* 1 : a solid piece of substantial material (as wood or stone) 2 : a frame enclosing one or more pulleys and having a hook or strap by which it may be attached to objects 3 : a quantity of things considered as a unit ⟨a ~ of seats⟩ 4 : a large building divided into separate units (as apartments or offices) 5 : a row of houses or shops 6 : a city square; *also* : the distance along one of the sides of such a square 7 : HINDRANCE, OBSTRUCTION; *also* : interruption of normal function of body or mind ⟨heart ~⟩ 8 : an engraved stamp from which impressions are made

²**block** *vb* 1 : OBSTRUCT, CHECK 2 : to outline roughly ⟨~ out a statue⟩ 3 : to provide or support with a block ⟨~ up a wheel⟩ **syn** bar, impede, hinder

¹**block·ade** \blä-'kād\ *n* : the shutting off of a place usu. by troops or ships to prevent entrance or exit

²**blockade** *vb* : to subject to a blockade

block·bust·er \'bläk-,bəs-tər\ *n* : a very large high-explosive demolition bomb

block·head \'bläk-,hed\ *n* : DOLT, DUNCE

block·house \-,haůs\ *n* : a small strong building used as a shelter (as from enemy fire) or observation post (as of operations producing blast or radiation)

¹**blond** *also* **blonde** \'bländ\ *adj* : fair in complexion; *also* : of a light or bleached color ⟨~ mahogany⟩

²**blond** *also* **blonde** *n* : a blond person

blood \'bləd\ *n* 1 : the red liquid that circulates in the heart, arteries, and veins of animals 2 : LIFEBLOOD; *also* : LIFE 3 : LINEAGE, STOCK 4 : KINSHIP; *also* : KINDRED 5 : the taking of life 6 : TEMPER, PASSION 7 : a gay fellow — **blood·less** \-ləs\ *adj* — **blood·stained** \-,stānd\ *adj* — **bloody** *adj*

blood·cur·dling \-,kərd-(ə-)liŋ\ *adj* : seeming to have the effect of congealing the blood through fear or horror : TERRIFYING ⟨~ screams⟩

blood·ed \'bləd-əd\ *adj* 1 : entirely or largely of pure stock ⟨~ horses⟩ 2 : having blood of a specified kind

blood·hound \-,haůnd\ *n* : a large powerful hound noted for keenness of smell

blood pressure *n* : pressure of the blood on the walls of blood vessels and esp. arteries

blood·shed \'bləd-,shed\ *n* : wounding or taking of life : SLAUGHTER, CARNAGE

blood·shot \-,shät\ *adj* : inflamed to redness ⟨~ eyes⟩

blood·stain \-,stān\ *n* : a discoloration caused by blood — **blood-stained** *adj*

blood·stone \-,stōn\ *n* : a green quartz sprinkled with red spots

blood·stream \-,strēm\ *n* : the flowing blood in a circulatory system

blood·suck·er \-,sək-ər\ *n* : an animal that sucks blood; *esp* : LEECH — **blood·suck·ing** *adj*

blood·thirsty \-,thər-stē\ *adj* : eager to shed blood : CRUEL — **blood·thirst·i·ly** *adv*

¹**bloom** \'blüm\ *n* 1 : FLOWER; *also* : flowers or amount of flowers (as of a plant) 2 : the period or state of flowering 3 : a state or time of beauty and vigor 4 : a powdery coating esp. on

blooper   54   **blur**

fruits and leaves **5** : rosy color; *also* : an appearance of freshness or health — **bloomy** *adj*
²**bloom** *vb* **1** : to produce or yield flowers **2** : to glow esp. with healthy color syn flower, blossom
bloop·er \'blü-pər\ *n* **1** : an embarrassing blunder made in public **2** : a fly ball hit barely beyond a baseball infield
¹**blos·som** \'bläs-əm\ *n* : the flower of a plant : BLOOM
²**blossom** *vb* : FLOWER, BLOOM
¹**blot** \'blät\ *n* **1** : SPOT, STAIN (ink ~s) **2** : BLEMISH syn stigma, brand
²**blot** *vb* **blot·ted; blot·ting 1** : SPOT, STAIN **2** : OBSCURE, ECLIPSE **3** *obs* : MAR; *also* : DISGRACE **4** : to dry or remove with or as if with blotting papers **5** : to make a blot
blotch \'bläch\ *n* : a usu. large and irregular spot or mark (as of ink or color) — **blotch** *vb* — **blotchy** *adj*
blot·ter \'blät-ər\ *n* **1** : a piece of blotting paper **2** : a book for preliminary records (as of sales or arrests)
blouse \'blaùs, 'blaùz\ *n* **1** : a loose outer garment like a smock **2** : the uniform coat of the U. S. Army **3** : a usu. loose garment reaching from the neck to about the waist level
¹**blow** \'blō\ *vb* **blew** \'blü\ **blown** \'blōn\ **blow·ing 1** : to move forcibly ⟨the wind *blew*⟩ **2** : to send forth a current of gas (as air) **3** : to sound or cause to sound ⟨~ a horn⟩ **4** : PANT, GASP; *also* : to expel moist air in breathing ⟨the whale *blew*⟩ **5** : BOAST; *also* : BLUSTER **6** : MELT — used of an electrical fuse **7** : to act on with a current of gas or vapor; *esp* : to drive with such a current **8** : to shape or form by blown or injected air ⟨~ glass⟩ **9** : to shatter or destroy by or as if by explosion **10** : to make breathless by exertion **11** : to spend recklessly — **blow·er** *n*
²**blow** *n* **1** : a usu. strong blowing of air : GALE **2** : BOASTING, BRAG **3** : a blowing from the mouth or nose or through or from an instrument ⟨a ~ of his whistle⟩
³**blow** *vb* **blew** \'blü\ **blown** \'blōn\ **blow·ing** : FLOWER, BLOOM
⁴**blow** *n* **1** : a forcible stroke ⟨a ~ to the jaw⟩ **2** *pl* : COMBAT ⟨come to ~s⟩ **3** : a severe and usu. unexpected calamity ⟨a ~ to his hopes⟩
blow-by-blow *adj* : minutely detailed
blow·gun \'blō-,gən\ *n* : a tube from which an arrow or a dart may be shot by the force of the breath
blow·out \-,aùt\ *n* : a bursting of something (as a tire) because of pressure of the contents (as air)
blow·pipe \-,pīp\ *n* : an instrument for blowing gas (as air) into a flame in such a way as to concentrate and increase the heat
blow·sy \'blaù-zē\ *adj* : DISHEVELED, SLOVENLY
blow·torch \'blō-,tòrch\ *n* : a small portable burner in which combustion is intensified by means of a blast of air or oxygen
blowy \'blō-ē\ *adj* : WINDY
¹**blub·ber** \'bləb-ər\ *n* **1** : the fat of large sea mammals (as whales) **2** : a noisy crying
²**blubber** *vb* : to cry noisily

¹**blud·geon** \'bləj-ən\ *n* : a short often loaded club
²**bludgeon** *vb* : to strike with or as if with a bludgeon
¹**blue** \'blü\ *adj* **1** : of the color blue; *also* : BLUISH **2** : MELANCHOLY; *also* : DEPRESSING **3** : PURITANICAL **4** : INDECENT
²**blue** *n* **1** : a color between green and violet in the spectrum : the color of the clear daytime sky **2** : something (as clothing or the sky) that is blue
blue baby *n* : a baby with bluish skin usu. due to a congenital heart defect
blue·ber·ry \-,ber-ē, -b(ə-)rē\ *n* : the edible blue or blackish berry of various shrubs related to the heaths; *also* : one of these shrubs
blue·bird \-,bərd\ *n* : any of several small songbirds related to the robin and more or less blue above
blue cheese *n* : cheese marked with veins of greenish blue mold
blue·fish \-,fish\ *n* : a marine sport and food fish bluish above and silvery below
blue·grass \-,gras\ *n* : a valuable pasture and lawn grass with bluish green stems
blue jay *n* : an American crested jay with upper parts bright blue
blue·nose \'blü-,nōz\ *n* : one who advocates a rigorous moral code
blue·print \-,print\ *n* **1** : a photographic print in white on a blue ground used esp. for copying mechanical drawings and architects' plans **2** : a detailed plan of action — **blueprint** *vb*
blues \'blüz\ *n pl* **1** : MELANCHOLY **2** : music in a style of American Negro origin marked by recurrent minor intervals and melancholy lyrics
blue·stock·ing \'blü-,stäk-iŋ\ *n* : a woman having intellectual interests
¹**bluff** \'bləf\ *adj* **1** : having a broad flattened front **2** : rising steeply with a broad flat front **3** : OUTSPOKEN, FRANK syn blunt, brusque, curt, gruff
²**bluff** *n* : a high steep bank : CLIFF
³**bluff** *vb* : to frighten or deceive by a show of confidence
⁴**bluff** *n* : an act or instance of bluffing; *also* : one who bluffs
blu·ing *or* **blue·ing** \'blü-iŋ\ *n* : a preparation of blue or violet dyes used in laundering to counteract yellowing of white fabrics
blu·ish \'blü-ish\ *adj* : somewhat blue
¹**blun·der** \'blən-dər\ *vb* **1** : to move clumsily or unsteadily **2** : to make a stupid or needless mistake
²**blunder** *n* : an avoidable and usu. serious mistake
blun·der·buss \-,bəs\ *n* [by folk etymology fr. obs. D *donderbus*, lit., thunder gun] : an obsolete short-barreled firearm with a flaring muzzle

blunderbuss

¹**blunt** \'blənt\ *adj* **1** : not sharp : DULL **2** : lacking in tact : BLUFF syn brusque, curt, gruff — **blunt·ly** *adv* — **blunt·ness** *n*
²**blunt** *vb* : to make or become dull
¹**blur** \'blər\ *n* **1** : a blot or cloud that obscures **2** : something vaguely seen or perceived — **blur·ry** *adj*

blurb   55   **bolt**

²**blur** *vb* **blurred; blur·ring** : DIM, CLOUD, OBSCURE
blurb \'blərb\ *n* : a brief notice praising a product extravagantly
blurt \'blərt\ *vb* : to utter suddenly and impulsively
blush \'bləsh\ *n* : a reddening of the face (as from modesty or confusion) : FLUSH — **blush** *vb*
blus·ter \'bləs-tər\ *vb* **1** : to blow in noisy gusts **2** : to talk or act with noisy violence — **bluster** *n* — **blus·tery** *adj*
boa \'bō-ə\ *n* **1** : a large snake (as the **boa con·stric·tor** \,bō-ə-kən-'strik-tər\ or the related anaconda) that crushes its prey in its coils **2** : a fluffy scarf usu. of fur or feathers
boar \'bōr\ *n* : a male swine; *also* : the Old World wild hog from which domestic swine are descended
¹**board** \'bōrd\ *n* **1** : the side of a ship **2** : a thin flat length of sawed lumber; *also* : material (as cardboard) or a piece of material formed as a thin flat firm sheet **3** *pl* : STAGE 1 **4** : a table spread with a meal; *also* : daily meals esp. when furnished for pay **5** : a table at which a council or magistrates sit **6** : a group or association of persons organized for a special responsibility (as the management of a business or institution); *also* : an organized commercial exchange
²**board** *vb* **1** : to go aboard ⟨~ a boat⟩ **2** : to cover with boards **3** : to provide or be provided with meals and often lodging — **board·er** *n*
board·ing·house \-iŋ-,haus\ *n* : a house at which persons are boarded
board·walk \-,wok\ *n* : a promenade (as of planking) along a beach
boast \'bōst\ *vb* **1** : to vaunt oneself **2** : to mention or assert with undue pride **3** : to prize as a possession; *also* : HAVE ⟨the house ~s a fireplace⟩ — **boast** *n* — **boast·er** *n*
boast·ful \-fəl\ *adj* : given to or marked by boasting ⟨~ speeches⟩ — **boast·ful·ly** *adv*
boat \'bōt\ *n* : a vessel (as a canoe or ship) for traveling through water
boat·house \'bōt-,haus\ *n* : a house or shelter for boats
boat·ing *n* : the action, fact, or pastime of cruising or racing in a boat
¹**bob** \'bäb\ *vb* **bobbed; bob·bing 1** : to move up and down jerkily or repeatedly **2** : to come or go suddenly or unexpectedly
²**bob** *n* : a bobbing movement
³**bob** *n* **1** : a knob, bunch, or tuft esp. of hair or angling bait **2** : FLOAT 2 **3** : a short haircut of a woman or child **4** : a small usu. pendent weight (as on a pendulum or plumb line)
⁴**bob** *vb* **bobbed; bob·bing** : to cut hair in a bob
bob·bin \'bäb-ən\ *n* : a cylinder or spindle for holding or dispensing thread (as in a sewing machine)
bob·cat \'bäb-,kat\ *n* : a small usu. rusty-colored American lynx
bob·sled \'bäb-,sled\ *n* **1** : a short sled usu. used as one of a joined pair **2** : a compound sled formed of two bobsleds and a coupling — **bobsled** *vb*
bob·white \(')bäb-'hwīt\ *n* : QUAIL
¹**bode** \'bōd\ *vb* : to indicate by signs : PRESAGE
bod·ice \'bäd-əs\ *n* : the usu. close-fitting part of a dress above the waist
bodi·ly \'bäd-əl-ē\ *adj* : of or relating to the body ⟨~ welfare⟩
bod·kin \'bäd-kən\ *n* **1** : DAGGER **2** : a pointed implement for punching holes in cloth **3** : a blunt needle for drawing tape or ribbon through a loop or hem
body \'bäd-ē\ *n* **1** : the physical whole of a living or dead organism; *also* : the trunk or main mass of an organism as distinguished from its appendages **2** : a human being : PERSON **3** : the main part of something **4** : a mass of matter distinct from other masses **5** : GROUP **6** : VISCOSITY, FIRMNESS **7** : richness of flavor — used esp. of wines
body·guard \-,gärd\ *n* : a personal guard; *also* : RETINUE
Boer \'bōr, 'bur\ *n* : a South African of Dutch or Huguenot descent
¹**bog** \'bäg, 'bog\ *n* : wet spongy and usu. acid ground — **bog·gy** *adj*
²**bog** *vb* **bogged; bog·ging** : to sink into or as if into a bog
bo·gey *or* **bo·gy** *or* **bo·gie** *n* **1** \'bug-ē, 'bō-gē\ : SPECTER, HOBGOBLIN; *also* : a source of annoyance **2** \'bō-gē\ : a score of one over par on a hole in golf
bo·gey·man \'bug-ē-,man, 'bō-gē-\ *n* : a terrifying person or thing; *esp* : an imaginary figure used in threatening children
bo·gus \'bō-gəs\ *adj* : SPURIOUS, SHAM
Bo·he·mi·an \bō-'hē-mē-ən\ *n* **1** : a native or inhabitant of Bohemia **2** *often not cap* : VAGABOND, WANDERER **3** *often not cap* : a writer or artist living an unconventional life — **bohemian** *adj, often cap*
¹**boil** \'boil\ *n* : an inflamed swelling on the skin containing pus
²**boil** *vb* **1** : to heat or become heated to a temperature (**boiling point**) at which vapor is formed and rises in bubbles ⟨water ~s and changes to steam⟩; *also* : to act on or be acted on by a boiling liquid ⟨~ eggs⟩ **2** : to be in a state of seething agitation ⟨~ with rage⟩ ⟨the tide ~*ing* over rocks⟩
³**boil** *n* : the action or state of boiling
boil·er *n* **1** : a container in which something is boiled **2** : the part of a steam-generating plant in which water is heated until it becomes steam **3** : a tank holding hot water
bois·ter·ous \'boi-st(ə-)rəs\ *adj* : noisily turbulent or exuberant — **bois·ter·ous·ly** *adv*
bold \'bōld\ *adj* **1** : COURAGEOUS, INTREPID **2** : IMPUDENT **3** : STEEP **4** : DARING **syn** dauntless, brave — **bold·ly** *adv* — **bold·ness** *n*
bold·face \-,fās\ *n* : a heavy-faced type; *also* : printing in boldface — **bold-faced**
boll \'bōl\ *n* : a seed pod (as of cotton)
bo·lo·gna \bə-'lō-nē\ *n* : a large smoked sausage of beef, veal, and pork
Bol·she·vik \'bōl-shə-,vik\ *n* **1** : a member of the party that seized power in Russia during the revolution of 1917–20 **2** : COMMUNIST — **Bolshevik** *adj*
¹**bol·ster** \'bōl-stər\ *n* : a long pillow or cushion extending from side to side of a bed
²**bolster** *vb* : to support with or as if with a bolster; *also* : REINFORCE
¹**bolt** \'bōlt\ *n* **1** : a usu. short stout blunt missile for a crossbow or catapult **2** : a flash of lightning : THUNDERBOLT

bolt 56 **boom**

3 : a sliding bar to fasten a door 4 : a roll of cloth or wallpaper of specified length 5 : a rod with a head at one end and a screw thread at the other used to hold objects in place 6 : a short length or block of timber

²**bolt** vb 1 : to move suddenly (as in fright or hurry) : START, DASH 2 : to break away (as from control or association) ⟨~ a political convention⟩ 3 : to secure or fasten with a bolt 4 : to swallow hastily or without chewing

³**bolt** n : an act of bolting ⟨made a ~ for the door⟩

⁴**bolt** vb : SIFT ⟨~ flour⟩

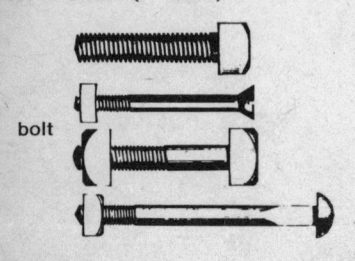

bolt

¹**bomb** \'bäm\ n 1 : an explosive-filled case that may be dropped (as from a plane) or projected (as by hand) and is designed to detonate under specified conditions (as impact) 2 : a container of material (as insecticide) under pressure for release in a fine spray

²**bomb** vb : to attack with bombs

bom·bard \bäm-'bärd, bəm-\ vb 1 : to attack with artillery 2 : to assail persistently 3 : to subject to the impact of rapidly moving particles (as electrons) — **bom·bard·ment** n

bom·bar·dier \,bäm-bə(r)-'di(ə)r\ n : a bomber-crew member who releases the bombs

bom·bast \'bäm-,bast\ n : pretentious wordy utterance — **bom·bas·tic** \bäm-'bas-tik\ adj

bom·ba·zine \,bäm-bə-'zēn\ n : a silk fabric in twill weave dyed black

bomb·er \'bäm-ər\ n : one that bombs; esp : an airplane for dropping bombs

bomb·shell \'bäm-,shel\ n 1 : BOMB 1 2 : something wholly unanticipated

bomb·sight \-,sīt\ n : a sighting device on an airplane for aiming bombs

bo·na fide \'bō-nə-,fīd, ,bō-nə-'fīd-ē\ adj 1 : made in good faith ⟨a bona fide agreement⟩; also : legally valid 2 : GENUINE, REAL ⟨a bona fide bargain⟩ syn authentic

bo·nan·za \bə-'nan-zə\ n : something yielding a rich return

¹**bond** \'bänd\ n 1 pl : FETTERS 2 : a binding or uniting force or tie ⟨~s of friendship⟩ 3 : an agreement or obligation often made binding by a pledge of money or goods 4 : a person who acts as surety for another 5 : an interest-bearing certificate of public or private indebtedness 6 : the state of goods subject to supervision pending payment of taxes or duties due ⟨imports held in ~⟩

²**bond** vb 1 : to assure payment of duties or taxes on (goods) by giving a bond 2 : to insure against losses caused by the acts of ⟨~ a salesman⟩ 3 : to make or become firmly united as if by bonds

bond·age \'bän-dij\ n : SLAVERY, SERVITUDE

bond·hold·er \'bänd-,hōl-dər\ n : one that owns a government or corporation bond

bond·man \'bän(d)-mən\ n : SLAVE, SERF

¹**bone** \'bōn\ n 1 : a hard largely calcareous tissue forming most of the skeleton of a vertebrate animal; also : one of the pieces in which bone naturally occurs 2 : a hard animal substance (as ivory or whalebone) similar to true bone 3 : something made of bone — **bone·less** \-ləs\ adj — **bony** adj

²**bone** vb : to free from bones ⟨~ a chicken⟩

bone meal n : fertilizer or feed made of crushed or ground bone

bon·er \'bō-nər\ n : a stupid and ridiculous blunder

bon·fire \'bän-,fī(ə)r\ n : a large fire built in the open air

bon·go \'bäŋ-gō\ n : one of a pair of small tuned drums played with the hands

bon·ho·mie \,bän-ə-'mē\ n : good-natured easy friendliness : GENIALITY

bon·net \'bän-ət\ n : a covering (as a cap) for the head; esp : a hat for a woman or infant tied under the chin

bo·nus \'bō-nəs\ n : something and esp. money given in addition to what is usual or due syn bounty, premium, reward

bon voy·age \,bōⁿv-,wī-'äzh\ n : a good trip : FAREWELL — often used as an interjection

boo \'bü\ n : a shout of disapproval or contempt — **boo** vb

boo·by \'bü-bē\ n : an awkward ineffective person : DOLT

boo·dle \'büd-ᵊl\ n : bribe money; also : LOOT

¹**book** \'bůk\ n 1 : a set of sheets bound into a volume 2 : a long written or printed narrative or record 3 : a subdivision of a long literary work 4 cap : BIBLE

²**book** vb : to engage, reserve, or schedule by or as if by writing in a book ⟨~ seats on a plane⟩

book·case \-,kās\ n : a piece of furniture consisting of shelves to hold books

book·end \-,end\ n : a support placed at the end of a row of books to hold them up

book·ie \-ē\ n : BOOKMAKER

book·ish adj 1 : fond of books and reading 2 : inclined to rely unduly on book knowledge

book·keep·ing \-,kē-piŋ\ n : the art or practice of keeping a systematic record of business transactions and accounts — **book·keep·er** n

book·let \'bůk-lət\ n : PAMPHLET

book·mak·er \-,mā-kər\ n : one who determines odds and receives and pays off bets — **book·mak·ing** n

book·mark \-,märk\ n : a marker for finding a place in a book

book·plate \-,plāt\ n : a label placed in a book to show who owns it

book·shelf \-,shelf\ n : a shelf for books

¹**boom** \'büm\ n 1 : a long spar used to extend the bottom of a sail 2 : a beam projecting from the upright pole of

boomerang 57 bottom

a derrick to support or guide the object lifted 3 : a line of floating timbers used to hold logs in a restricted water area
²**boom** *vb* 1 : to make a deep hollow sound : RESOUND 2 : to grow or cause to grow rapidly esp. in value, esteem, or importance
³**boom** *n* 1 : a booming sound or cry 2 : a rapid expansion or increase

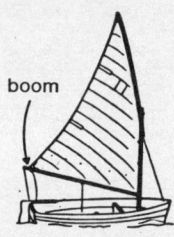

boom

boo·mer·ang \'bü-mə-,raŋ\ *n* : a bent or angular club that can be so thrown as to return near the starting point
boom·town \'büm-,taun\ *n* : a town undergoing a sudden growth in economic activity and population
¹**boon** \'bün\ *n* : BENEFIT, BLESSING **syn** favor, gift
²**boon** *adj* : INTIMATE, CONGENIAL
boon·dog·gling \'bün-,dog-(ə-)liŋ\ *n* : a trivial, useless, or wasteful activity
boor \'bur\ *n* : a rude or clownish person **syn** churl, lout, bumpkin — **boorish** *adj*
boost \'büst\ *vb* 1 : to push up from below 2 : INCREASE, RAISE ⟨~ prices⟩ 3 : AID, PROMOTE ⟨voted a bonus to ~ morale⟩ — **boost** *n* — **boost·er** *n*
¹**boot** \'büt\ *n* : something given to equalize an exchange
²**boot** *vb, archaic* : AVAIL, PROFIT
³**boot** *n* 1 : a covering for the foot and leg 2 : a protective sheath (as of a flower) or liner (as in a tire) 3 *Brit* : an automobile trunk 4 : KICK; *also* : a discharge from employment
⁴**boot** *vb* 1 : KICK 2 : to eject or discharge summarily
boo·tee *or* **boo·tie** \'büt-ē-\ *n* : an infant's knitted or crocheted sock
booth \'büth\ *n, pl* **booths** \'büthz, 'büths\ 1 : a small enclosed stall (as at a fair) 2 : a restaurant accommodation having a table between backed benches
boot·leg \'büt-,leg\ *vb* : to make, transport, or sell (as liquor) illegally — **bootleg** *adj or n* — **boot·leg·ger** *n*
boot·less \'büt-ləs\ *adj* : USELESS **syn** futile, vain — **boot·less·ly** *adv*
boo·ty \'büt-ē\ *n* : PLUNDER, SPOIL
¹**booze** \'büz\ *vb* : to drink liquor to excess — **booz·er** *n*
²**booze** *n* : intoxicating liquor — **boozy** *adj*
bo·rax \'bōr-,aks\ *n* : a crystalline compound of boron that occurs as a mineral and is used as a flux and cleanser and in glass and ceramics
¹**bor·der** \'bord-ər\ *n* 1 : EDGE, MARGIN 2 : BOUNDARY, FRONTIER **syn** rim, brim, brink
²**border** *vb* 1 : to put a border on 2 : ADJOIN 3 : VERGE
bor·der·land \-,land\ *n* 1 : territory at or near a border 2 : an outlying or intermediate region often not clearly defined ⟨the ~ between sleeping and waking⟩

¹**bore** \'bōr\ *vb* 1 : to make a hole in usu. with a rotary tool 2 : to make (as a well) by piercing or drilling **syn** perforate, drill — **bor·er** *n*
²**bore** *n* 1 : a hole made by boring 2 : a lengthwise cylindrical cavity 3 : the diameter of a hole or tube; *esp* : the interior diameter of a gun barrel or engine cylinder
³**bore** *past of* BEAR
⁴**bore** *n* : one that causes boredom
⁵**bore** *vb* : to weary with tedious dullness
bo·re·al \'bōr-ē-əl\ *adj* : of, relating to, or located in northern regions
bore·dom \'bōrd-əm\ *n* : the condition of being bored
bo·ric acid \,bōr-ik-\ *n* : a white crystalline weak acid that contains boron and is used as an antiseptic
born \'bōrn\ *adj* : produced by or acquired at birth ⟨native-*born* citizens⟩
bo·ron \'bōr-,än\ *n* : a chemical element that occurs in nature only in combination and is used esp. in metallurgy
bor·ough \'bər-ō\ *n* 1 : a British town that sends one or more members to parliament; *also* : an incorporated British urban area 2 : an incorporated town or village in some U.S. states; *also* : any of the 5 political divisions of New York City
bor·row \'bär-ō\ *vb* 1 : to take or receive (something) temporarily and with intent to return 2 : to take into possession or use from another source : DERIVE, APPROPRIATE ⟨~ a metaphor⟩
borsch *or* **borscht** \'bōrsh(t)\ *n* : a soup made esp. from beets
bosh \'bäsh\ *n* : foolish talk : NONSENSE
¹**bos·om** \'buz-əm\ *n* 1 : the front of the human chest; *esp* : the female breasts 2 : the part of a garment covering the breast 3 : the seat of secret thoughts and feelings
²**bosom** *adj* : CLOSE, INTIMATE
³**boss** \'bös\ *n* 1 : one (as a foreman or manager) exercising control or supervision 2 : a politician who controls votes or dictates policies — **bossy** *adj*
⁴**boss** \'bös\ *vb* : to act as a boss : SUPERVISE
bot·a·ny \'bät-(ə-)nē\ *n* : a branch of biology dealing with plants and plant life — **bo·tan·i·cal** \bə-'tan-i-kəl\ *or* **bo·tan·ic** \-ik\ *adj* — **bot·a·nist** *n*
botch \'bäch\ *vb* 1 : to patch clumsily 2 : BUNGLE — **botch** *n*
¹**both** \'bōth\ *adj* : the one and the other
²**both** *pron* : both ones : the one and the other
³**both** *conj* : both or all of the following, namely : INCLUSIVELY — used with following *and* ⟨he was ~ hungry and tired⟩
both·er \'bäth-ər\ *vb* : WORRY, PESTER, TROUBLE **syn** vex, annoy, irk — **bother** *n* — **both·er·some** \-səm\ *adj*
¹**bot·tle** \'bät-əl\ *n* 1 : a container (as of glass) with a narrow neck and no handles 2 : the quantity held by a bottle 3 : intoxicating liquor
²**bottle** *vb* : to put into a bottle
bot·tle·neck \-,nek\ *n* 1 : a narrow passage or point of congestion 2 : something that obstructs or impedes
bot·tom \'bät-əm\ *n* 1 : an under or

supporting surface; *also* : BUTTOCKS **2** : the bottom of a body of water **3** : the lowest part or place; *also* : an inferior position ⟨start at the ~⟩ — **bot·tom** *adj* — **bot·tom·less** \-ləs\ *adj*
bough \'baù\ *n* : a usu. large or main branch of a tree
bought *past of* BUY
boul·der \'bōl-dər\ *n* : a large detached rounded or worn mass of rock
bou·le·vard \'bùl-ə-,värd, 'bül-\ *n* [F, modif. of MD *bolwerc* bulwark; so called because the first boulevards were laid out on the sites of razed city fortifications] : a broad often landscaped thoroughfare
bounce \'baùns\ *vb* : BOUND, REBOUND — **bounce** *n*
bounc·er *n* : a man employed in a public place to remove disorderly persons
¹**bound** \'baùnd\ *adj* : intending to go : GOING
²**bound** *n* : LIMIT, BOUNDARY — **bound·less** \-ləs\ *adj* — **bound·less·ness** *n*
³**bound** *vb* **1** : to set limits to **2** : to form the boundary of **3** : to name the boundaries of
⁴**bound** *adj* **1** : constrained by or as if by bonds : CONFINED, OBLIGED; *also* : held in combination ⟨~ water⟩ **2** : enclosed in a binding or cover **3** : RESOLVED, DETERMINED; *also* : SURE ⟨~ to rain⟩
⁵**bound** *n* **1** : LEAP, JUMP **2** : REBOUND, BOUNCE
⁶**bound** *vb* : SPRING, BOUNCE
bound·a·ry \'baùn-d(ə-)rē\ *n* : something that marks or fixes a limit (as of territory) *syn* border, frontier
bound·en \'baùn-dən\ *adj* : BINDING
boun·te·ous \'baùnt-ē-əs\ *adj* **1** : GENEROUS **2** : ABUNDANT — **boun·te·ous·ly** *adv*
boun·ti·ful \'baùnt-i-fəl\ *adj* **1** : giving freely **2** : PLENTIFUL — **boun·ti·ful·ly** *adv*
boun·ty \'baùnt-ē\ *n* **1** : GENEROSITY **2** : something given liberally **3** : a reward, premium, or subsidy given usu. for doing something *syn* award, prize, bonus
bou·quet \bō-'kā, bü-\ *n* **1** : a bunch of flowers **2** : distinctive aroma (as of wine) *syn* scent, fragrance
bour·bon \'bər-bən\ *n* : a whiskey distilled from a corn mash
bour·geois \'bürzh-,wä\ *n, pl* **bourgeois** \-,wä(z)\ [MF, lit., citizen of a town, fr. *borc* town, borough, fr. L *burgus* fortified place, of Gmc origin] : a middle-class person — **bourgeois** *adj*
bout \'baùt\ *n* **1** : CONTEST, MATCH **2** : OUTBREAK, ATTACK ⟨a ~ of measles⟩ **3** : SESSION
bo·vine \'bō-,vīn, -,vēn\ *adj* : of, related to, or resembling the ox or cow — **bovine** *n*
¹**bow** \'baù\ *vb* **1** : SUBMIT, YIELD **2** : to bend the head or body (as in submission, courtesy, or assent)
²**bow** *n* : an act or posture of bowing
³**bow** \'bō\ *n* **1** : BEND, ARCH; *esp* : RAINBOW **2** : a weapon for shooting arrows; *also* : ARCHER **3** : a knot formed by doubling a line into two or more loops **4** : a wooden rod strung with horsehairs for playing esp. a violin
⁴**bow** \'bō\ *vb* **1** : BEND, CURVE **2** : to play (an instrument) with a bow

⁵**bow** \'baù\ *n* : the forward part of a ship — **bow** *adj*
bowd·ler·ize \'bōd-lə-,rīz, 'baùd-\ *vb* : to expurgate with prudish care
bow·el \'baù(-ə)l\ *n* **1** *pl* : INTESTINES **2** : one of the divisions of the intestine **3** *pl* : the inmost parts ⟨the ~s of the earth⟩
bow·er \'baù(-ə)r\ *n* : a shelter of boughs or vines : ARBOR
¹**bowl** \'bōl\ *n* **1** : a concave vessel to hold liquids **2** : a drinking vessel **3** : a bowl-shaped part or structure
²**bowl** *n* **1** : a ball for rolling on a level surface in bowling **2** : a cast of the ball in bowling
³**bowl** *vb* **1** : to play a game of bowling; *also* : to roll a ball in bowling **2** : to travel in a vehicle rapidly and smoothly **3** : to strike or knock down with a moving object; *also* : to overwhelm with surprise
bow·leg \'bō-,leg, -'leg\ *n* : a leg bowed outward usu. at or below the knee — **bow·leg·ged** \-'leg-əd\ *adj*
¹**bowl·er** \'bō-lər\ *n* : one that bowls
²**bowl·er** \'bō-lər\ *n* : DERBY 3
bowl·ing *n* : any of various games in which balls are rolled on a green (**bowling green**) or alley (**bowling alley**) at an object or a group of objects; *esp* : TENPINS
bow·string \'bō-,striŋ\ *n* : the cord connecting the two ends of a bow
¹**box** \'bäks\ *n* : an evergreen shrub or small tree used esp. for hedges — **box·wood** \-,wùd\ *n*
²**box** *n* **1** : a rigid typically rectangular receptacle often with a cover **2** : the quantity held by a box **3** : a small compartment (as for a group of theater patrons); *also* : a boxlike receptacle or division **3** : any of 6 spaces on a baseball diamond where the batter, pitcher, coaches, and catcher stand **4** : PREDICAMENT
³**box** *vb* : to furnish with or enclose in or as if in a box
⁴**box** *n* : SLAP, CUFF
⁵**box** *vb* **1** : to strike with the hand **2** : to engage in boxing with : fight with the fists *syn* smite, strike, slap
box·car \-,kär\ *n* : a roofed freight car usu. with sliding doors in the sides
¹**box·er** *n* : PUGILIST
²**boxer** *n* : a compact short-haired usu. fawn or brindle dog of German origin
box·ing *n* : the sport of fighting with the fists
boy \'bòi\ *n* **1** : a male child : YOUTH **2** : a male servant — **boy·hood** \-,hùd\ *n* — **boy·ish** *adj* — **boy·ish·ness** *n*
boy·cott \'bòi-,kät\ *vb* : to refrain from having any dealings with — **boycott** *n*
bra \'brä\ *n* : BRASSIERE
¹**brace** \'brās\ *n* **1** : a crank-shaped device for turning a bit **2** : something (as a tie, prop, or clamp) that distributes, directs, or resists pressure or weight; *also* : an appliance for supporting a body part **3** *pl* : SUSPENDERS **4** : a mark { or } or — used to connect words or items to be considered together
²**brace** *vb* **1** *archaic* : to make fast : BIND **2** : to tighten preparatory to use; *also* : to get ready for : prepare oneself **3** : INVIGORATE **4** : to furnish or support with a brace; *also* : STRENGTHEN **5** : to set firmly ⟨~ your feet⟩; *also* : to gain courage or confidence

brace·let \-lət\ *n* : an ornamental band or chain worn around the arm

¹brack·et \'brak-ət\ *n* **1** : a projecting framework or arm designed to support weight; *also* : a shelf on such framework **2** : one of a pair of punctuation marks [ ] used esp. to enclose interpolated matter **3** : a continuous section of a series; *esp* : one of a graded series of income groups

²bracket *vb* **1** : to furnish or fasten with brackets **2** : to place within brackets; *also* : to separate or group with or as if with brackets

brack·ish \'brak-ish\ *adj* : somewhat salty

bract \'brakt\ *n* : an often modified leaf on or at the base of a flower stalk

brag \'brag\ *vb* **bragged; brag·ging** : to talk or assert boastfully — **brag** *n*

Brah·man *or* **Brah·min** \'bräm-ən\ *n* : a Hindu of the highest caste traditionally assigned to the priesthood

¹braid \'brād\ *vb* **1** : to form (strands) into a braid : PLAIT; *also* : to make by braiding **2** : to ornament with braid

²braid *n* **1** : a cord or ribbon of three or more interwoven strands **2** : a narrow ornamental fabric of intertwined threads

braille \'brāl\ *n, often cap* : a system of writing for the blind that uses characters made up of raised dots

¹brain \'brān\ *n* **1** : the part of the vertebrate nervous system that is the organ of thought and nervous coordination, is made up of nerve cells and their fibers, and is enclosed in the skull; *also* : a centralized mass of nerve tissue in an invertebrate **2** : INTELLECT, INTELLIGENCE — often used in pl. — **brain·less** \-ləs\ *adj* — **brainy** *adj*

²brain *vb* : to kill by smashing the skull

brain·child \-ˌchīld\ *n* : a product of one's creative imagination

brain·storm \-ˌstȯrm\ *n* : a sudden burst of inspiration

brain·wash·ing \-ˌwȯsh-iŋ, -ˌwäsh-\ *n* **1** : a forcible attempt by indoctrination to induce someone to give up his basic political, social, or religious beliefs and attitudes and to accept contrasting regimented ideas **2** : persuasion by propaganda or salesmanship

braise \'brāz\ *vb* : to cook (meat) slowly in fat and little moisture in a covered dish

¹brake \'brāk\ *n* : a large coarse fern : BRACKEN

²brake *n* : a device for slowing up or checking motion (as of a wheel)

³brake *vb* **1** : to slow or stop by or as if by a brake **2** : to apply a brake

brake·man \-mən\ *n* : a train crew member whose duties include operating hand brakes and switches and checking the train mechanically

bram·ble \'bram-bəl\ *n* : any of a large genus of prickly shrubs of the rose family

bran \'bran\ *n* : broken husks of cereal grain sifted from flour or meal

¹branch \'branch\ *n* **1** : a natural subdivision (as of a bough or twig) of a plant stem **2** : a division (as of an antler or a river) related to a whole like a plant branch to its stem **3** : a discrete unit or element of a complex system (as of knowledge, people, or business); *esp* : a division of a family descended from a particular ancestor

²branch *vb* **1** : to develop branches **2** : DIVERGE

¹brand \'brand\ *n* **1** : a piece of charred or burning wood **2** : a mark made (as by burning) usu. to identify; *also* : a mark of disgrace : STIGMA **3** : a class of goods identified as the product of a particular firm or producer **4** : a distinctive kind ⟨his own ~ of humor⟩

²brand *vb* **1** : to mark with a brand **2** : STIGMATIZE

bran·dish \'bran-dish\ *vb* : to shake or wave menacingly **syn** flourish, swing

bran·dy \'bran-dē\ *n* : a liquor distilled from wine or fermented fruit juice — **brandy** *vb*

brash \'brash\ *adj* **1** : IMPETUOUS **2** : aggressively self-assertive : IMPUDENT

brass \'bras\ *n* **1** : an alloy of copper and zinc; *also* : an object of brass **2** : bold assurance — **brassy** *adj*

bras·siere \brə-'ziər\ *n* : a woman's close-fitting undergarment designed to support the breasts

brat \'brat\ *n* : a usu. ill-behaved child

bra·va·do \brə-'väd-ō\ *n* : swaggering pretense of courage

¹brave \'brāv\ *adj* **1** : showing courage **2** : EXCELLENT, SPLENDID **syn** bold, intrepid — **brave·ly** *adv*

²brave *vb* : to face or endure bravely

³brave *n* : a No. American Indian warrior

brav·ery \'brāv-(ə-)rē\ *n* : COURAGE

bra·vo \'bräv-ō\ *n* : a shout of approval — often used as an interjection in applauding

bra·vu·ra \brə-'v(y)u̇r-ə\ *n* **1** : a florid brilliant musical style **2** : self-assured brilliant performance

brawl \'brȯl\ *n* : a noisy quarrel **syn** fracas, row, rumpus, scrap — **brawl** *vb* — **brawl·er** *n*

brawn \'brȯn\ *n* : strong muscles; *also* : muscular strength — **brawny** *adj*

bray \'brā\ *n* : the characteristic harsh cry of a donkey — **bray** *vb*

braze \'brāz\ *vb* : to solder with a relatively infusible alloy (as brass)

bra·zen \'brāz-ən\ *adj* **1** : made of brass **2** : sounding harsh and loud **3** : of the color of brass **4** : SHAMELESS, IMPUDENT — **bra·zen·ly** *adv*

¹bra·zier \'brā-zhər\ *n* : a worker in brass

²brazier *n* : a vessel holding burning coals (as for heating); *also* : a device on which food is exposed to heat through a wire grill

Bra·zil·ian \brə-'zil-yən\ *n* : a native or inhabitant of Brazil — **Brazilian** *adj*

¹breach \'brēch\ *n* **1** : a breaking of a law, obligation, tie (as of friendship), or standard (as of conduct) **2** : an interruption or opening made by or as if by breaking through **syn** violation, transgression, infringement

²breach *vb* : to make a breach in

¹bread \'bred\ *n* **1** : baked food made basically of flour or meal **2** : FOOD

²bread *vb* : to cover with bread crumbs before cooking

bread·bas·ket \-ˌbas-kət\ *n* : a major cereal-producing region

breadth \'bredth\ *n* **1** : WIDTH **2** : SPACIOUSNESS; *also* : liberality of taste or views

bread·win·ner \'bred-ˌwin-ər\ *n* : a member of a family whose wages supply its livelihood

¹**break** \'brāk\ *vb* **broke** \'brōk\ **bro·ken** \'brō-kən\ **break·ing** **1** : to separate into parts usu. suddenly or violently : come or force apart **2** : TRANSGRESS ⟨~ a law⟩ **3** : to force a way into, out of, or through **4** : to disrupt the order or unity of ⟨~ ranks⟩ ⟨~ up a gang⟩; *also* : to bring to submission or helplessness **5** : EXCEED, SURPASS ⟨~ a record⟩ **6** : RUIN **7** : to make known **8** : HALT, INTERRUPT; *also* : to act or change abruptly (as a course or activity) **9** : to come esp. suddenly into being or notice ⟨as day ~s⟩ **10** : to fail under stress **11** : HAPPEN, DEVELOP — **break·able** *adj or n*

²**break** *n* **1** : an act of breaking **2** : a result of breaking; *esp* : an interruption of continuity **3** : an awkward social blunder **4** : a stroke of good luck

break·age \'brā-kij\ *n* **1** : the action of breaking **2** : articles or amount broken **3** : allowance for things broken

break·down \'brāk-ˌdau̇n\ *n* **1** : functional failure; *esp* : a physical, mental, or nervous collapse **2** : DISINTEGRATION ⟨~ of communications⟩ **3** : DECOMPOSITION ⟨~ of stored fruit⟩ **4** : ANALYSIS, CLASSIFICATION

break·er *n* **1** : one that breaks **2** : a wave that breaks into foam (as when nearing shore)

break·fast \'brek-fəst\ *n* : the first meal of the day — **breakfast** *vb*

break·out \'brāk-ˌau̇t\ *n* : a military attack to break from encirclement

break·through \-ˌthrü\ *n* **1** : an act or point of breaking through an obstruction or defensive line **2** : a sudden advance in knowledge or technique

break·wa·ter \'brāk-ˌwȯt-ər, -ˌwät-\ *n* : a structure built to break the force of waves

breast \'brest\ *n* **1** : either of two milk-producing glandular organs situated on the front of the chest esp. in the human female; *also* : the front part of the chest **2** : something resembling a breast

breast·bone \'bres(t)-'bōn, -ˌbōn\ *n* : STERNUM

breast·plate \-ˌplāt\ *n* : a metal plate of armor for protecting the breast

breast·stroke \-ˌstrōk\ *n* : a swimming stroke executed by extending the arms in front of the head while drawing the knees forward and outward and then sweeping the arms back with palms out while kicking backward and outward

breast·work \'brest-ˌwərk\ *n* : a temporary or improvised fortification

breath \'breth\ *n* **1** : the act or power of breathing **2** : a slight breeze **3** : air inhaled or exhaled in breathing **4** : spoken sound : UTTERANCE **5** : SPIRIT — **breath·less** \-ləs\ *adj* — **breath·less·ly** *adv*

breathe \'brēth\ *vb* **1** : to draw air into and expel it from the lungs in respiration **2** : LIVE **3** : to halt for rest **4** : to utter softly or secretly

breath·tak·ing \'breth-ˌtā-kiŋ\ *adj* **1** : making one out of breath ⟨a ~ climb⟩ **2** : EXCITING, THRILLING

breech \'brēch\ *n* **1** *pl* *usu* 'brich-əz\ : trousers ending near the knee; *also* : PANTS **2** : BUTTOCKS, RUMP **3** : the rear part of a firearm behind the bore

¹**breed** \'brēd\ *vb* **bred** \'bred\ **breed·ing** **1** : BEGET; *also* : ORIGINATE **2** : to propagate sexually; *also* : MATE **3** : to bring up : NURTURE **syn** generate, reproduce — **breed·er** *n*

²**breed** *n* **1** : a strain of similar and presumably related plants or animals usu. developed under the influence of man **2** : KIND, SORT, CLASS ⟨a different ~ of courage⟩

breed·ing *n* **1** : ANCESTRY **2** : training in polite social intercourse **3** : sexual propagation of plants or animals

breeze \'brēz\ *n* : a light wind — **breezy** *adj*

breeze·way \'brēz-ˌwā\ *n* : a roofed open passage usu. connecting two buildings (as a house and garage)

breth·ren \'breth-(ə-)rən, 'breth-ərn\ *pl of* BROTHER — used esp. in formal or solemn address

bre·via·ry \'brē-v(y)ə-rē, -vē-ˌer-ē\ *n* : a book of prayers, hymns, psalms, and readings used by Roman Catholic priests

brev·i·ty \'brev-ət-ē\ *n* **1** : shortness of duration **2** : CONCISENESS

brew \'brü\ *vb* : to prepare (as beer) by steeping, boiling, and fermenting — **brew·er** *n* — **brew·ery** *n*

¹**bribe** \'brīb\ *vb* : to corrupt or influence (one in a position of trust) by favors or gifts — **brib·ery** *n*

²**bribe** *n* : something offered or given in bribing

¹**brick** \'brik\ *n* : a block molded from moist clay and hardened by heat used esp. for building

²**brick** *vb* : to close, cover, or pave with bricks

brick·lay·er \-ˌlā-ər\ *n* : a person who builds or paves with bricks — **brick·lay·ing** *n*

¹**brid·al** \'brīd-ᵊl\ *n* : MARRIAGE, WEDDING

²**bridal** *adj* : of or relating to a bride or a wedding

bride \'brīd\ *n* : a woman newly married or about to be married

bride·groom \-ˌgrüm, -ˌgru̇m\ *n* : a man newly married or about to be married

brides·maid \'brīdz-ˌmād\ *n* : a woman who attends a bride at her wedding

¹**bridge** \'brij\ *n* **1** : a structure built over a depression or obstacle for use as a passageway **2** : something (as the upper part of the nose) resembling a bridge in form or function; *esp* : a platform over the deck of a ship **3** : an artificial replacement for missing teeth

²**bridge** *vb* : to build a bridge over — **bridge·able** *adj*

³**bridge** *n* : a card game for 4 players developed from whist and usu. played as either **contract bridge** or **auction bridge**

bridge·work \-ˌwərk\ *n* : the dental bridges in a mouth

¹**bri·dle** \'brīd-ᵊl\ *n* **1** : headgear with which a horse is controlled **2** : CURB, RESTRAINT

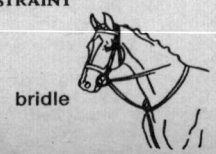

bridle

²**bridle** vb **1** : to put a bridle on; *also* : to restrain with or as if with a bridle **2** : to show hostility or scorn usu. by tossing the head

¹**brief** \'brēf\ *adj* **1** : short in duration or extent **2** : CONCISE; *also* : CURT — **brief·ly** *adv* — **brief·ness** *n*

²**brief** *n* **1** : a concise statement or document; *esp* : one summarizing a law client's case or a legal argument **2** *pl* : short snug drawers

³**brief** *vb* : to give final instructions or essential information to ⟨~ a bombing crew⟩

brief-case \-,kās\ *n* : a flat flexible case usu. of leather for carrying papers

bri·er *or* **bri·ar** \'brī(-ə)r\ *n* : a plant (as a bramble or rose) with a thorny or prickly woody stem; *also* : a group or mass of brier bushes — **bri·ery** *adj*

¹**brig** \'brig\ *n* : a 2-masted square-rigged sailing ship

²**brig** *n* : the place of confinement for offenders on a naval ship

bri·gade \brig-'ād\ *n* **1** : a military unit composed of a headquarters, one or more units of infantry or armored forces, and supporting units **2** : a group organized for a particular purpose (as fire-fighting)

brig·a·dier general \,brig-ə-,diər-\ *n* : a commissioned officer (as in the army) ranking next below a major general

brig·and \'brig-ənd\ *n* : BANDIT

brig·an·tine \'brig-ən-,tēn\ *n* : a 2-masted square-rigged ship not carrying a square mainsail

bright \'brīt\ *adj* **1** : SHINING, RADIANT **2** : ILLUSTRIOUS, GLORIOUS **3** : INTELLIGENT, CLEVER; *also* : LIVELY, CHEERFUL **syn** brilliant, lustrous, beaming, smart — **bright·ly** *adv* — **bright·ness** *n*

bright·en \'brīt-ᵊn\ *vb* : to make or become bright or brighter

bril·liant \'bril-yənt\ *adj* **1** : very bright **2** : DISTINGUISHED, SPLENDID **3** : very intelligent **syn** radiant, lustrous, beaming, clever, bright, smart — **bril·liance** \-yəns\ *or* **bril·lian·cy** \-yən-sē\ *n* — **bril·liant·ly** *adv*

bril·lian·tine \'bril-yən-,tēn\ *n* : a usu. oily dressing for the hair

brim \'brim\ *n* : EDGE, RIM **syn** brink, border, verge — **brim·less** *adj*

brim·stone \'brim-,stōn\ *n* : SULFUR

brine \'brīn\ *n* **1** : water saturated with salt **2** : OCEAN — **briny** *adj*

bring \'briŋ\ *vb* **brought** \'brȯt\ **bring·ing 1** : to cause to come with one **2** : INDUCE, PERSUADE, LEAD **3** : PRODUCE, EFFECT **4** : to fetch in exchange : sell for — **bring·er** *n*

bring up *vb* **1** : to give a parent's fostering care to **2** : to come or bring to a sudden halt **3** : to call to notice

brink \'briŋk\ *n* **1** : an edge at the top of a steep place **2** : the point of onset : VERGE

bri·quette *or* **bri·quet** \brik-'et\ *n* : a consolidated often brick-shaped mass of fine material ⟨a charcoal ~⟩

brisk \'brisk\ *adj* **1** : ALERT, LIVELY **2** : INVIGORATING **syn** agile, spry — **brisk·ly** *adv* — **brisk·ness** *n*

bris·ket \'bris-kət\ *n* : the breast or lower chest of a quadruped

bris·ling *or* **bris·tling** \'briz-liŋ, 'bris-\ *n* : a small sardinelike herring

¹**bris·tle** \'bris-əl\ *n* : a short stiff coarse hair — **bris·tly** \-(ə-)lē\ *adj*

²**bristle** *vb* **1** : to stand stiffly erect **2** : to show angry defiance **3** : to appear as if covered with bristles

Brit·ish \'brit-ish\ *n pl* : the people of Great Britain or the British Commonwealth — **British** *adj*

Brit·on \'brit-ᵊn\ *n* **1** : a member of a people inhabiting Britain before the Anglo-Saxon invasion **2** : a native or inhabitant of Great Britain

brit·tle \'brit-ᵊl\ *adj* : easily broken or snapped : FRAGILE **syn** crisp

¹**broach** \'brōch\ *n* **1** : a pointed tool (as for opening casks) **2** : a bitlike tool for enlarging or shaping a hole

²**broach** *vb* **1** : to pierce (as a cask) in order to draw the contents **2** : to shape or enlarge a hole with a broach **3** : to introduce as a topic of conversation

broad \'brȯd\ *adj* **1** : WIDE **2** : SPACIOUS **3** : CLEAR, OPEN **4** : OBVIOUS **5** : COARSE, CRUDE ⟨~ stories⟩ **6** : liberal in outlook **7** : GENERAL **8** : dealing with essential points — **broad·ly** *adv*

¹**broad·cast** \-,kast\ *adj* **1** : cast in all directions **2** : made public by means of radio or television — **broadcast** *adv*

²**broadcast** *n* **1** : the transmitting of sound or images by radio waves **2** : a single radio or television program

³**broadcast** *vb* **-cast** *also* **-cast·ed; -cast·ing 1** : to scatter or sow broadcast; *also* : to make widely known **2** : to send out or speak or perform on a radio or television broadcast — **broad·cast·er** *n*

broad·en \'brȯd-ᵊn\ *vb* : WIDEN

broad–mind·ed \-'mīn-dəd\ *adj* : free from prejudice : TOLERANT

broad·side \-,sīd\ *n* **1** : the part of a ship's side above the waterline **2** : simultaneous discharge of all the guns on one side of a ship; *also* : a volley of abuse or denunciation

broad–spectrum *adj* : having a wide range esp. of effectiveness ⟨~ antibiotics⟩

bro·cade \brō-'kād\ *n* : a usu. silk fabric with a raised design

broc·co·li \'bräk-(ə-)lē\ *n* : an open branching cauliflower whose young flowering shoots are used as a vegetable

bro·chette \brō-'shet\ *n* : a small spit : SKEWER

bro·chure \brō-'shu̇r\ *n* : PAMPHLET, BOOKLET

bro·gan \'brō-gən, brō-'gan\ *n* : a heavy shoe; *esp* : a work shoe reaching to the ankle

brogue \'brōg\ *n* : a dialect or regional pronunciation; *esp* : an Irish accent

broil \'brȯil\ *vb* : to cook by exposure to radiant heat : GRILL — **broil** *n*

broil·er *n* **1** : a utensil for broiling **2** : a young chicken fit for broiling

broke *past of* **BREAK**

bro·ken \'brō-kən\ *adj* **1** : SHATTERED **2** : having gaps or breaks : INTERRUPTED, DISRUPTED **3** : SUBDUED, CRUSHED **4** : BANKRUPT **5** : imperfectly spoken

bro·ken–heart·ed \,brō-kən-'härt-əd\ *adj* : shattered by grief or despair

bro·ker \'brō-kər\ *n* : an agent who negotiates contracts of purchase and sale for a fee or commission; *also* : DEALER

bro·ker·age \-k(ə-)rij\ *n* **1** : the business of a broker **2** : the fee or commission on business transacted through

bromide 62 **bubble**

a broker
bro·mide \'brō-,mīd\ *n* **1** : a compound of bromine and another element or a radical including some (as **potassium bromide**) used as sedatives **2** : a trite remark or notion
bro·mid·ic \brō-'mid-ik\ *adj* : DULL, TIRESOME ⟨~ remarks⟩
bro·mine \-,mēn\ *n* [F *brome* bromine, fr. Gk *brōmos* stink] : a deep red liquid corrosive chemical element that gives off an irritating vapor and occurs naturally only in combination
bron·chi·al \'brän-kē-əl\ *adj* : of, relating to, or affecting the bronchi or their branches

bronchial tubes

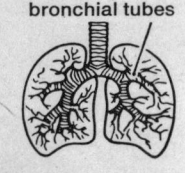

bron·chi·tis \brän-'kīt-əs, bräŋ-\ *n* : inflammation of the bronchi and their branches — **bron·chit·ic** \-'kit-ik\ *adj*
bron·chus \'bräŋ-kəs\ *n, pl* **bron·chi** \'brän-,kī, 'bräŋ-, -,kē\ : either of the main divisions of the windpipe each leading to a lung
bron·co \'bräŋ-kō, 'brän-\ *n* : a small half-wild horse of western No. America
¹bronze \'bränz\ *vb* : to give the appearance of bronze
²bronze *n* **1** : an alloy basically of copper and tin; *also* : something (as a sculpture) of bronze **2** : a yellowish brown color
brooch \'brōch, 'brüch\ *n* : an ornamental clasp or pin
¹brood \'brüd\ *n* : a family of young animals or children and *esp.* of birds
²brood *vb* **1** : to sit on eggs to hatch them; *also* : to shelter (hatched young) with the wings **2** : PONDER
³brood *adj* : kept for breeding ⟨a ~ mare⟩
brood·er *n* **1** : one that broods **2** : a heated structure for raising young birds
¹brook \'brùk\ *vb* : TOLERATE, BEAR
²brook *n* : a small natural stream of water
brook·let \-lət\ *n* : a small brook
broom \'brüm, 'brùm\ *n* **1** : a shrub of the pea group with long slender branches and yellow flowers **2** : an implement for sweeping orig. made from twigs — **broom·stick** \-,stik\ *n*
broth \'brȯth\ *n* : liquid in which meat or sometimes vegetable food has been cooked
broth·el \'bräth-əl, 'brȯth-\ *n* : an establishment housing prostitutes
broth·er \'brəth-ər\ *n* **1** : a male having one or both parents in common with another individual; *also* : KINSMAN **2** : a kindred human being **3** : a man who is a religious but not a priest — **broth·er·li·ness** *n* — **broth·er·ly** *adj*
broth·er·hood \-,hùd\ *n* **1** : the state of being brothers or a brother **2** : ASSOCIATION, FRATERNITY **3** : the whole body of persons in a business or profession
brother—in—law *n, pl* **brothers—in—law** : the brother of one's spouse; *also* : the husband of one's sister or one's spouse's sister
brow \'braù\ *n* **1** : the eyebrow or the ridge on which it grows; *also* : FOREHEAD **2** : the projecting upper part of a steep place
brow·beat \-,bēt\ *vb* : to disconcert by abuse : BULLY **syn** intimidate
¹brown \'braùn\ *adj* : of the color brown; *also* : of dark or tanned complexion
²brown *n* **1** : a pigment or dye that colors brown **2** : a color like that of coffee or chocolate that is a blend of red and yellow darkened by black — **brownish** *adj*
³brown *vb* : to make or become brown
brown·ie \'braù-nē\ *n* : a cheerful goblin supposed to do good deeds at night
brown·stone \'braùn-,stōn\ *n* : a dwelling faced with reddish brown sandstone
¹browse \'braùz\ *n* : tender shoots, twigs, and leaves fit for food for cattle
²browse *vb* **1** : to feed on browse; *also* : GRAZE **2** : to read bits at random in a book or collection of books
¹bruise \'brüz\ *n* : a surface injury to flesh : CONTUSION
²bruise *vb* **1** : to inflict a bruise on; *also* : to become bruised **2** : to break down by pounding : CRUSH ⟨~ garlic for a salad⟩
bruit \'brüt\ *vb* : to noise abroad : RUMOR
brunch \'brənch\ *n* : a late breakfast, an early lunch, or a combination of the two
bru·net *or* **bru·nette** \brü-'net\ *adj* : of dark or relatively dark pigmentation; *esp* : having brown or black hair and eyes — **brunet** *n*
brunt \'brənt\ *n* : the main shock, force, or stress esp. of an attack
¹brush \'brəsh\ *also* **brush·wood** \-,wùd\ *n* **1** : small branches lopped from trees or shrubs **2** : THICKET; *also* : coarse shrubby vegetation
²brush *n* **1** : a device composed of bristles set in a handle and used esp. for cleaning or painting **2** : a bushy tail (as of a fox) **3** : a light rubbing or touching
³brush *vb* **1** : to treat (as in cleaning or painting) with a brush **2** : to remove with or as if with a brush; *also* : to dispose of in an offhand manner **3** : to touch gently in passing
⁴brush *n* : SKIRMISH **syn** encounter
brush—off \-,òf\ *n* : an abrupt or offhand dismissal
brusque \'brəsk\ *adj* : CURT, BLUNT, ABRUPT **syn** gruff, bluff — **brusque·ly** *adv*
brus·sels sprout \,brəs-əl(z)-\ *n* : one of the edible small heads borne on the stalk of a cabbagelike plant; *also* : this plant
bru·tal \'brüt-ᵊl\ *adj* : resembling or befitting a brute (as in coarseness or cruelty) : RUTHLESS, BRUTISH — **bru·tal·i·ty** \brü-'tal-ət-ē\ *n* — **bru·tal·ly** *adv*
¹brute \'brüt\ *adj* **1** : of, relating to, or typical of beasts **2** : BRUTAL **3** : UNREASONING; *also* : purely physical
²brute *n* **1** : BEAST 1 **2** : a brutal person **syn** animal
¹bub·ble \'bəb-əl\ *vb* : to form, rise in, or give off bubbles

bubonic plague   63   **bull**

²**bubble** n **1** : a globule of gas in a liquid **2** : a thin film of liquid filled with gas **3** : something lacking firmness or solidity — **bub·bly** \-(ə-)lē\ adj
bu·bon·ic plague \b(y)ü-,bän-ik-\ : a bacterial plague transmitted to man by flea bites and marked esp. by chills and fever and by inflammatory swellings
buc·ca·neer \,bək-ə-'niər\ n : PIRATE
¹**buck** \'bək\ n **1** : a male animal (as a deer or antelope) **2** : DANDY **3** slang : DOLLAR
²**buck** vb **1** : to spring with a quick plunging leap ⟨a ~ing horse⟩ **2** : to charge against something; also : to strive for advancement sometimes without regard to ethical behavior
buck·board \-,bōrd\ n : a 4-wheeled vehicle with a springy platform carrying the seat
buck·et \'bək-ət\ n **1** : PAIL **2** : an object resembling a bucket in collecting, scooping, or carrying something — **buck·et·ful** \-,ful\ n
¹**buck·le** \'bək-əl\ n : a clasp (as on a belt) for two loose ends
²**buckle** vb **1** : to fasten with a buckle **2** : to apply oneself with vigor **3** : to crumple up : BEND, COLLAPSE
³**buckle** n : BEND, FOLD, KINK
buck·ler \'bək-lər\ n : SHIELD
buck·saw \'bək-,sȯ\ n : a saw set in a deep often H-shaped frame and used for sawing wood on a sawhorse
buck·shot \-,shät\ n : coarse lead shot used in shotgun shells
buck·skin \-,skin\ n **1** : the skin of a buck **2** : a soft usu. suede-finished leather
buck·wheat \-,hwēt\ n : an herb grown for its triangular seeds which are used as a cereal grain; also : these seeds
bu·col·ic \byü-'käl-ik\ adj : RURAL, RUSTIC
¹**bud** \'bəd\ n **1** : an undeveloped plant shoot (as of a leaf or a flower); also : a partly opened flower **2** : an asexual reproductive structure **3** : something not yet mature
²**bud** vb **bud·ded**; **bud·ding 1** : to form or put forth buds; also : to reproduce by asexual buds **2** : to be or develop like a bud **3** : to propagate a desired variety (as of peach) by inserting a bud in a plant of a different variety
Bud·dhism \'bü-,diz-əm, 'bud-,iz-\ n : a religion of eastern and central Asia growing out of the teachings of Gautama Buddha — **Bud·dhist** \'büd-əst, 'bud-\ n or adj
bud·dy \'bəd-ē\ n : COMPANION; esp : a fellow soldier
budge \'bəj\ vb : MOVE, STIR, SHIFT
¹**bud·get** \'bəj-ət\ n **1** : STOCK, SUPPLY **2** : a financial report containing estimates of income and expenses; also : a plan for coordinating income and expenses
²**budget** vb **1** : to allow for in a budget **2** : to draw up a budget
¹**buff** \'bəf\ n **1** : a fuzzy-surfaced usu. oil-tanned leather; also : a garment of this **2** : a dull yellow-orange color **3** : FAN, ENTHUSIAST
²**buff** adj : of the color buff
³**buff** vb : POLISH, SHINE
buf·fa·lo \'bəf-ə-,lō\ n, pl **-lo** or **-loes** : any of several wild oxen; esp : BISON
¹**buff·er** \'bəf-ər\ n : one that buffs

²**buffer** n : something that lessens shock (as from a physicial or financial blow)
¹**buf·fet** \'bəf-ət\ n : BLOW, SLAP
²**buffet** vb **1** : to strike with the hand or repeatedly **2** : to struggle against or on syn beat
³**buf·fet** \(,)bə-'fā, bü-\ n **1** : SIDEBOARD **2** : a counter for refreshments; also : a meal at which people serve themselves (as from a buffet)
buf·foon \(,)bə-'fün\ n : CLOWN syn fool, jester — **buf·foon·ery** \-(ə-)rē\ n
bug \'bəg\ n **1** : a small usu. obnoxious creeping or crawling creature (as a louse or spider); esp : any of a group of 4-winged sucking insects that includes many serious plant pests **2** : a disease= producing germ
bug·a·boo \'bəg-ə-,bü\ n : BOGEY
bug·gy \'bəg-ē\ n : a light carriage
bu·gle \'byü-gəl\ n : a brass wind instrument resembling a trumpet but shorter — **bu·gler** \-glər\ n

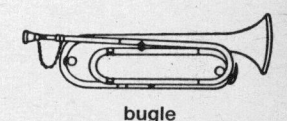

bugle

¹**build** \'bild\ vb **built** \'bilt\ **build·ing 1** : to form or have formed by ordering and uniting materials ⟨~ a house⟩; also : to bring into being or develop **2** : ESTABLISH, FOUND ⟨~ an argument on facts⟩ **3** : INCREASE, ENLARGE; also : ENHANCE ⟨~ up one's reputation⟩ **4** : to engage in building — **build·er** n
²**build** n : form or mode of structure; esp : PHYSIQUE
build·ing n **1** : a usu. roofed and walled structure (as a house) for permanent use **2** : the art or business of constructing buildings
built–in \'bil-'tin\ adj **1** : forming an integral part of a structure **2** : INHERENT
bulb \'bəlb\ n **1** : a large underground plant bud or bud group from which a new plant (as a lily or onion) can grow; also : a fleshy plant structure (as a tuber) resembling a bud **2** : a plant having or growing from a bulb **3** : a rounded, spheroidal, or pear-shaped object or part (as an electric lamp) — **bul·bous** \'bəl-bəs\ adj
bul·bul \'bul-,bul\ n : a Persian songbird
Bul·gar·i·an \,bəl-'gar-ē-ən, bul-\ n : a native or inhabitant of Bulgaria — **Bulgarian** adj
¹**bulge** \'bəlj\ n : a swelling projecting part
²**bulge** vb : to become or cause to become protuberant
¹**bulk** \'bəlk\ n **1** : MAGNITUDE, VOLUME **2** : a large mass **3** : the major portion — **bulky** adj
²**bulk** vb **1** : to give a bulky effect : LOOM **2** : to be impressive or important
bulk·head \'bəlk-,hed\ n **1** : a partition separating compartments on a ship **2** : a retaining wall along a waterfront **3** : a structure built to cover a mine shaft or a descending stairway
¹**bull** \'bul\ n **1** : the adult male of an animal of the cattle kind or of some

bulldog 64 **bureaucracy**

other large animals (as the elephant or walrus) **2** : one who buys securities or commodities in expectation of a price increase — **bull·ish** *adj*
²**bull** *adj* **1** : MALE **2** : large of its kind **3** : RISING ⟨a ~ market⟩
³**bull** *n* [ML *bulla* papal seal, bull, fr. L, amulet] **1** : a papal letter **2** : EDICT
⁴**bull** *n* **1** : a grotesque blunder **2** *slang* : NONSENSE
¹**bull·dog** \-,dȯg\ *n* : a compact muscular short-haired dog of English origin
bull·doze \-,dōz\ *vb* **1** : to move, clear, gouge out, or level off with a tractor-driven machine (**bull·doz·er**) having a broad blade or a ram for pushing **2** : to force as if by using a bulldozer
bul·let \'bul-ət\ *n* : a missile to be shot from a firearm — **bul·let-proof** \,bul-ət-'prüf\ *adj*
bul·le·tin \'bul-ət-ᵊn\ *n* **1** : a brief public report of a matter of public interest **2** : a periodical publication (as of a college) — **bulletin** *vb*
bull·fight \'bul-,fīt\ *n* : a spectacle in which men ceremonially excite and kill bulls in an arena — **bull·fight·er** *n*
bull·frog \-,frȯg, -,fräg\ *n* : FROG; *esp* : a large deep-voiced frog
bull·head·ed \-'hed-əd\ *adj* : stupidly stubborn : HEADSTRONG
bul·lion \'bul-yən\ *n* : gold or silver metal
bul·lock \'bul-ək\ *n* : a young bull; *also* : STEER
¹**bul·ly** \'bul-ē\ *n* : a blustering fellow oppressive to others weaker than himself
²**bully** *adj* : EXCELLENT, FIRST-RATE — often used interjectionally
³**bully** *vb* : to behave as a bully toward : DOMINEER **syn** browbeat, intimidate
bul·rush \'bul-,rəsh\ *n* : a tall coarse rush or sedge
bul·wark \'bul-(,)wərk, -,wȯrk, 'bəl-(,)wərk\ *n* **1** : a wall-like defensive structure **2** : a strong support or protection in danger
¹**bum** \'bəm\ *vb* **bummed**; **bum·ming** **1** : to wander as a tramp; *also* : LOAF **2** : to seek or gain by begging ⟨~ a meal⟩
²**bum** *n* : an idle worthless fellow : LOAFER
³**bum** *adj* **1** : WORTHLESS **2** : DISABLED
bum·ble·bee \'bəm-bəl-,bē\ *n* : a large hairy social bee that makes a loud humming sound in flight
¹**bump** \'bəmp\ *vb* **1** : to strike or knock forcibly; *also* : to move or alter by bumping **2** : to collide with
²**bump** *n* **1** : a sudden forceful blow or impact **2** : a local bulge; *esp* : a swelling of tissue — **bumpy** *adj*
bump·er *n* **1** : a cup or glass filled to the brim **2** : something unusually large — **bumper** *adj*
²**bumper** *n* : a device for absorbing shock or preventing damage in collision; *esp* : a metal bar at either end of an automobile
bump·kin \'bəmp-kən\ *n* : a country lout
bump·tious \'bəmp-shəs\ *adj* : obtusely and often noisily self-assertive
bun \'bən\ *n* : a sweet biscuit or roll
¹**bunch** \'bənch\ *n* **1** : SWELLING **2** : CLUSTER, GROUP — **bunchy** *adj*
²**bunch** *vb* : to form or form into a bunch
bun·co *or* **bun·ko** \'bəŋ-kō\ *n* : a swindling scheme — **bunco** *vb*
¹**bun·dle** \'bən-dᵊl\ *n* **1** : several items bunched and fastened together; *also* : something wrapped for carrying : PARCEL **2** : a considerable amount : LOT **3** : GROUP
²**bundle** *vb* : to gather or tie in a bundle
bung \'bəŋ\ *n* : the stopper in the bunghole of a cask
bun·ga·low \'bəŋ-gə-,lō\ *n* : a one-storied dwelling with low sweeping lines and a wide veranda
bun·gle \'bəŋ-gəl\ *vb* : to do badly : BOTCH — **bungle** *n* — **bun·gler** *n*
bun·ion \'bən-yən\ *n* : an inflamed swelling of the first joint of the big toe
¹**bunk** \'bəŋk\ *n* : a built-in bed (as on a ship) that is often one of a tier
²**bunk** *n* : BUNKUM, NONSENSE
bun·ker \'bəŋ-kər\ *n* **1** : a bin or compartment for storage (as for coal on a ship) **2** : a protective embankment or dugout; *also* : an embankment constituting a hazard on a golf course
¹**bunt** \'bənt\ *vb* **1** : BUTT **2** : to push or tap a baseball lightly without swinging the bat
²**bunt** *n* : an act or instance of bunting; *also* : a bunted ball
¹**bun·ting** \'bənt-iŋ\ *n* : any of numerous small stout-billed finches
²**bunting** *n* : a thin fabric used esp. for flags; *also* : FLAGS
¹**buoy** \'bü-ē, 'bȯi\ *n* **1** : a floating object anchored in water to mark something (as a channel, shoal, or rock) **2** : a float consisting of a ring of buoyant material to support a person who has fallen into the water
²**buoy** *vb* **1** : to mark by a buoy **2** : to keep afloat **3** : to raise the spirits of

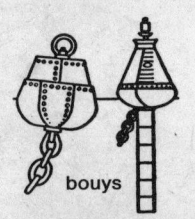

bouys

buoy·an·cy \'bȯi-ən-sē, 'bü-yən-\ *n* **1** : the quality of being able to float **2** : upward force exerted by a liquid or gas upon a body in or on it **3** : resilience of spirit — **buoy·ant** \-ənt, -yənt\ *adj*
¹**bur·den** \'bərd-ᵊn\ *n* **1** : LOAD; *also* : CARE, RESPONSIBILITY **2** : something oppressive : ENCUMBRANCE **3** : CARGO; *also* : capacity for cargo
²**burden** *vb* : LOAD, OPPRESS — **burden·some** \-səm\ *adj*
³**burden** *n* **1** : REFRAIN, CHORUS **2** : a main theme or idea : GIST
bu·reau \'byu̇r-ō\ *n, pl* **-reaus** *also* **-reaux** \-ōz\ **1** : a chest of drawers for bedroom use **2** : an administrative unit (as of a government department) **3** : a business office ⟨news ~⟩
bu·reau·cra·cy \byu̇-'räk-rə-sē\ *n* **1** : a body of appointive government officials **2** : administration characterized by specialization of functions under fixed rules and a hierarchy of authority; *also* : an unwieldy administrative system deficient in initiative and flexibility

burgeon / **butt**

— **bu·reau·crat** \\'byůr-ə-,krat\\ *n*
bu·reau·crat·ic \\,byůr-ə-'krat-ik\\ *adj*
bur·geon \\'bər-jən\\ *vb* : to put forth fresh growth (as from buds) : grow vigorously : FLOURISH
bur·gla·ry \\'bər-glə-rē\\ *n* : forcible entry into a building and esp. a dwelling with intent to steal — **bur·glar** \\-glər\\ *n* — **bur·glar·i·ous** \\,bər-'glar-ē-əs\\ *adj* — **bur·glar·ize** \\'bər-glə-,rīz\\ *vb*
bur·go·mas·ter \\'bər-gə-,mas-tər\\ *n* : the chief magistrate of a town in some European countries
Bur·gun·dy \\'bər-gən-dē\\ *n* : a dry usu. red table wine
buri·al \\'ber-ē-əl\\ *n* : the act or process of burying
bur·lap \\'bər-,lap\\ *n* : a coarse fabric usu. of jute or hemp used esp. for bags
¹**bur·lesque** \\(,)bər-'lesk\\ *n* **1** : witty or derisive usu. literary imitation **2** : broadly humorous theatrical entertainment consisting of several items (as songs, skits, or dances)
²**burlesque** *vb* : to make ludicrous by burlesque : MOCK **syn** caricature, parody
bur·ly \\'bər-lē\\ *adj* : strongly and heavily built : HUSKY **syn** muscular, brawny
Bur·mese \\,bər-'mēz\\ *n, pl* **Burmese** : a native or inhabitant of Burma — **Burmese** *adj*
¹**burn** \\'bərn\\ *vb* **burned** \\'bərnd\\ *or* **burnt** \\'bərnt\\ **burn·ing 1** : to be on fire **2** : to feel or look as if on fire **3** : to alter or become altered by or as if by the action of fire or heat : SCORCH, CHAR, SCALD ⟨clay ~*ed* to brick⟩ **4** : to use as fuel ⟨~ coal⟩; *also* : to destroy by fire ⟨~ trash⟩ **5** : to cause or make by fire ⟨~ a hole⟩; *also* : to affect as if by heat ⟨*burnt* out by overwork⟩ —
²**burn** *n* : an injury or effect produced by burning
bur·nish \\'bər-nish\\ *vb* : to polish usu. with something hard and smooth — **bur·nish·er** *n*
burp \\'bərp\\ *n* : an act of belching — **burp** *vb*
burr \\'bər\\ *n* **1** *usu* **bur** : a rough or prickly envelope of a fruit; *also* : a plant that bears burs **2** : a roughness left on metal that has been cut or shaped (as by a drill or lathe) **3** : WHIR — **bur·ry** *adj*
bur·ro \\'bər-ō, 'bůr-\\ *n* : a usu. small donkey
¹**bur·row** \\'bər-ō\\ *n* : a hole in the ground made by an animal (as a rabbit)
²**burrow** *vb* **1** : to form by tunneling ⟨~ a way through the snow⟩; *also* : to make a burrow **2** : to progress by or as if by digging ⟨clams ~*ing* into the sand⟩ — **bur·row·er** *n*
bur·sar \\'bər-sər\\ *n* : a treasurer esp. of a college
bur·si·tis \\(,)bər-'sīt-əs\\ *n* : inflammation of the serous sac (**bur·sa** \\'bər-sə\\) of a joint (as the elbow or shoulder)
¹**burst** \\'bərst\\ *vb* **burst** *or* **burst·ed**; **burst·ing 1** : to fly apart or into pieces **2** : suddenly to give vent to : PLUNGE ⟨~ into song⟩ **3** : to enter or emerge suddenly : SPRING **4** : to be filled to the breaking point
²**burst** *n* **1** : a sudden outbreak or effort : SPURT **2** : EXPLOSION **3** : an act or result of bursting

bury \\'ber-ē\\ *vb* **1** : to deposit in the earth; *also* : to inter with funeral ceremonies **2** : CONCEAL, HIDE
bus \\'bəs\\ *n, pl* **bus·es** *or* **bus·ses** : a large motor-driven passenger vehicle
bus·boy \\'bəs-,bȯi\\ *n* : a waiter's helper
bush \\'bůsh\\ *n* **1** : SHRUB **2** : rough uncleared country **3** : a thick tuft or mat — **bushy** *adj*
bush·el \\'bůsh-əl\\ *n* : a dry measure equal to 4 pecks or 32 quarts
bush·ing \\'bůsh-iŋ\\ *n* : a metal lining used esp. as a bearing (as for an axle or shaft)
bush·whack \\'bůsh-,hwak\\ *vb* **1** : to live or hide out in the woods **2** : AMBUSH — **bush·whack·er** *n*
busi·ly \\'biz-ə-lē\\ *adv* : in a busy manner
busi·ness \\'biz-nəs, -nəz\\ *n* **1** : OCCUPATION, CALLING; *also* : TASK, MISSION **2** : a commercial or industrial enterprise; *also* : TRADE ⟨~ is good⟩ **3** : AFFAIR, MATTER **4** : personal concerns
busi·ness·man \\-,man\\ *n* : a man engaged in business esp. as an executive
buss \\'bəs\\ *n* : KISS — **buss** *vb*
bust \\'bəst\\ *n* **1** : sculpture representing the upper part of the human figure **2** : the part of the human torso between the neck and the waist; *esp* : the breasts of a woman
¹**bus·tle** \\'bəs-əl\\ *vb* : to move or work in a brisk fussy way
²**bustle** *n* : briskly energetic activity : STIR
³**bustle** *n* : a pad or frame formerly worn to swell out the fullness at the back of a woman's skirt
¹**busy** \\'biz-ē\\ *adj* **1** : engaged in action : not idle **2** : being in use ⟨~ telephones⟩ **3** : full of activity ⟨~ streets⟩ **4** : OFFICIOUS **syn** industrious, diligent
²**busy** *vb* : to make or keep busy : OCCUPY
busy·body \\'biz-ē-,bäd-ē\\ *n* : MEDDLER
¹**but** \\(,)bət\\ *conj* **1** : except for the fact ⟨would have protested ~ that he was afraid⟩ **2** : as to the following, namely ⟨there's no doubt ~ he's the guilty one⟩ **3** : without the concomitant that ⟨never rains ~ it pours⟩ **4** : on the contrary, rather ⟨not one, ~ two job offers⟩ **5** : yet nevertheless ⟨would like to go, ~ I can't⟩; *also* : while on the contrary ⟨would like to go ~ he is busy⟩ **6** : yet also ⟨came home sadder ~ wiser⟩ ⟨poor ~ proud⟩
²**but** *prep* : other than : EXCEPT ⟨there's no one here ~ me⟩ ⟨who ~ George would do such a thing⟩
¹**butch·er** \\'bůch-ər\\ *n* **1** : one who slaughters animals or dresses their flesh; *also* : a dealer in meat **2** : one who kills brutally or needlessly — **butch·ery**
²**butcher** *vb* **1** : to slaughter and dress for meat ⟨~ hogs⟩ **2** : to kill barbarously
but·ler \\'bət-lər\\ *n* : the chief male servant of a household
¹**butt** \\'bət\\ *vb* : to strike with the head or horns
²**butt** *n* : a blow or thrust with the head or horns
³**butt** *n* **1** : TARGET **2** : an object of abuse or ridicule
⁴**butt** *vb* **1** : ABUT **2** : to place or join edge to edge without overlapping
⁵**butt** *n* : a large, thicker, or bottom end

of something
butte \'byüt\ *n* : an isolated steep-sided hill
¹but·ter \'bət-ər\ *n* [OE *butere*, fr. L *butyrum*, fr. Gk *boutyron*, fr. *bous* cow + *tyros* cheese] **1** : a solid edible emulsion of fat obtained from cream by churning **2** : a substance resembling butter — **but·tery** *adj*
²butter *vb* : to spread with butter
but·ter·cup \-,kəp\ *n* : a usu. 5-petaled yellow-flowered herb
but·ter·fat \-,fat\ *n* : the natural fat of milk and chief constituent of butter
but·ter·fin·gered \,bət-ər-'fiŋ-gərd\ *adj* : likely to let things fall or slip through the fingers — **but·ter·fin·gers** \'bət-ər-,fiŋ-gərz\ *n sing or pl*
but·ter·fly \'bət-ər-,flī\ *n* : any of a group of slender day-flying insects with 4 broad wings covered with bright-colored scales
but·ter·milk \-,milk\ *n* : the liquid remaining after butter is churned
but·ter·nut \-,nət\ *n* : the edible oily nut of an American tree related to the walnut; *also* : this tree
but·ter·scotch \-,skäch\ *n* : a candy made from sugar, corn syrup, and water; *also* : the flavor of such candy
but·tocks \'bət-əks\ *n pl* : the seat of the body : RUMP
¹but·ton \'bət-ᵊn\ *n* **1** : a small knob secured to an object and usu. passed through an opening (**but·ton·hole** \-,hōl\) in another part of the object to act as a fastener **2** : a buttonlike part, object, or device
²button *vb* : to close or fasten with buttons
¹but·tress \'bət-rəs\ *n* **1** : a projecting structure to support a wall **2** : PROP, SUPPORT
²buttress *vb* : PROP, SUPPORT
bux·om \'bək-səm\ *adj* : healthily plump
¹buy \'bī\ *vb* **bought** \'bȯt\ **buy·ing** : to obtain for a price : PURCHASE; *also* : BRIBE — **buy·er** *n*
²buy *n* **1** : PURCHASE 1, 2 **2** : an exceptional value
¹buzz \'bəz\ *vb* **1** : to make a buzz **2** : to fly low and fast over in an airplane
²buzz *n* : a low humming sound (as of bees in flight)
buz·zard \'bəz-ərd\ *n* **1** : a heavy slow-flying hawk **2** : an American vulture
buzz·er *n* : a device that signals with a buzzing sound
¹by \(')bī, bə\ *prep* **1** : NEAR ⟨stood ~ the window⟩ **2** : through or through the medium of : VIA ⟨left ~ the door⟩ **3** : PAST ⟨drove ~ the house⟩ **4** : DURING, AT ⟨studied ~ night⟩ **5** : no later than ⟨get here ~ 3 p.m.⟩ **6** : through the means or direct agency of ⟨got it ~ fraud⟩ ⟨was seen ~ the others⟩ **7** : in conformity with : according to ⟨did it ~ the book⟩ **8** : with respect to ⟨an electrician ~ trade⟩ **9** : to the amount or extent of ⟨his horse won ~ a nose⟩ ⟨was overpaid ~ three dollars⟩
²by \'bī\ *adv* **1** : near at hand; *also* : IN ⟨stopped ~ to chat⟩ **2** : PAST **3** : ASIDE, APART
bye \'bī\ *n* : a position of a participant in a tournament who has no opponent after pairs are drawn and advances to the next round without playing
by·gone \'bī-,gȯn\ *adj* : gone by : PAST — **bygone** *n*
by·law *or* **bye·law** \'bī-,lȯ\ *n* : a rule adopted by an organization for managing its internal affairs
by–line \-,līn\ *n* : a line at the head of a newspaper or magazine article giving the writer's name
¹by·pass \'bī-,pas\ *n* : a way around something; *esp* : an alternate route
²bypass *vb* : to avoid by means of a bypass
by·play \-,plā\ *n* : action engaged in at the side of a stage while the main action proceeds
by–prod·uct \-,präd-(,)əkt\ *n* : something produced (as in manufacturing) in addition to the main product
by·stand·er \-,stan-dər\ *n* : one present but not participating **syn** onlooker, witness, spectator
by·way \-,wā\ *n* : a side road; *also* : a secondary aspect
by·word \-,wərd\ *n* **1** : PROVERB **2** : an object of scorn

C

c \'sē\ *n, often cap* : the 3d letter of the English alphabet
cab \'kab\ *n* **1** : a light closed horse-drawn carriage **2** : TAXICAB **3** : the covered compartment for the engineer and operating controls of a locomotive; *also* : a similar structure on a truck, tractor, or crane — **cab·man** \-mən\ *n*
cabana \kə-'ban-(y)ə\ *n* : a beach shelter with an open side facing the sea
cab·a·ret \,kab-ə-'rā\ *n* : a restaurant providing liquor and entertainment; *also* : the show provided
cab·bage \'kab-ij\ *n* : a vegetable related to the turnip and grown for its dense head of leaves
cab·by *or* **cab·bie** \'kab-ē\ *n* : a driver of a cab
cab·in \'kab-ən\ *n* **1** : a private room on a ship; *also* : a compartment below deck on a small boat for passengers or crew **2** : a small one-story house of simple construction **3** : an airplane compartment for passengers, crew, or cargo
cabin boy *n* : a boy acting as servant on a ship
cabin class *n* : a class of accommodations on a passenger ship superior to tourist class and inferior to first class
cab·i·net \'kab-(ə-)nət\ *n* **1** : a case or cupboard for holding or displaying articles (as jewels, specimens, or documents) **2** : an upright case housing a radio or television receiver **3** *archaic* : a private room for consultations **4** : the advisory council of a sovereign, president, or other head of state
cab·i·net·mak·er \-,mā-kər\ *n* : a skilled woodworker who makes fine furniture
cab·i·net·work \-,wərk\ *n* : the finished work of a cabinetmaker
¹ca·ble \'kā-bəl\ *n* **1** : a very strong rope, wire, or chain **2** : CABLEGRAM **3** : a bundle of insulated wires to carry

cable car — calculation

electric current

²cable \vb\ : to telegraph by submarine cable

cable car \n\ : a car moved along rails by an endless cable operated by a stationary engine or along an overhead cable

ca·ble·gram \'kā-bəl-,gram\ \n\ : a message sent by a submarine telegraph cable

ca·boose \kə-'büs\ \n\ : a car usu. at the rear of a freight train for the use of the train crew and railroad workmen

ca·cao \kə-'kaú, 'kā-ō\ \n\ : a So. American tree whose seeds (**cacao beans**) are the source of cocoa and chocolate

¹cache \'kash\ \n\ : a hiding place esp. for concealing and preserving provisions; *also* : something hidden or stored in a cache

²cache \vb\ : to place or store in a cache

ca·chet \ka-'shā\ \n\ 1 : a seal used esp. as a mark of official approval 2 : a feature or quality conferring prestige; *also* : PRESTIGE 3 : a flour paste capsule for medicine 4 : a design, inscription, or advertisement printed or stamped on mail

cack·le \'kak-əl\ \n\ 1 : a sharp broken cry esp. of a hen 2 : a laugh suggestive of a hen's cackle 3 : noisy chatter — **cackle** \vb\ — **cack·ler** \-(ə-)lər\ \n\

ca·coph·o·ny \ka-'käf-ə-nē\ \n\ : harsh or discordant sound — DISSONANCE — **ca·coph·o·nous** \adj\

cac·tus \'kak-təs\ \n, pl\ **-ti** \-,tī\ \or\ **-tus·es** : any of a large group of drought-resistant flowering plants with fleshy usu. jointed stems and with leaves replaced by scales or prickles

cad \'kad\ \n\ : a person without gentlemanly instincts — **cad·dish** \adj\ — **cad·dish·ly** \adv\ — **cad·dish·ness** \n\

ca·dav·er \kə-'dav-ər\ \n\ : a dead body : CORPSE

cad·die \or\ **cad·dy** \'kad-ē\ \n\ : one that assists a golfer esp. by carrying his clubs — **caddie** \or\ **caddy** \vb\

cad·dy \'kad-ē\ \n\ : a small box or chest; *esp* : one to keep tea in

ca·dence \'kād-ᵊns\ \n\ : the measure or beat of a rhythmical flow (as of sound or motion) : RHYTHM — **ca·denced** \adj\

ca·den·za \kə-'den-zə\ \n\ : a brilliant sometimes improvised passage usu. toward the close of a musical composition

ca·det \kə-'det\ \n\ 1 : a younger son or brother 2 : a student military officer

cadge \'kaj\ \vb\ : SPONGE, BEG

cad·mi·um \'kad-mē-əm\ \n\ : a grayish metallic chemical element used in protective platings and bearing metals

cad·re \'kad-rē\ \n\ 1 : FRAMEWORK 2 : a nucleus esp. of trained personnel capable of assuming control and training others

ca·du·ce·us \kə-'d(y)ü-sē-əs\ \n, pl\ **-cei** \-sē-,ī\ \n\ 1 : the staff of a herald; *esp* : a representation of a staff with two entwined snakes and two wings at the top 2 : an insignia bearing a caduceus and symbolizing a physician

Cae·sar \'sē-zər\ \n\ 1 : any of the Roman emperors succeeding Augustus Caesar — used as a title ⟨*not temporal cap*⟩ : a powerful ruler : AUTOCRAT, DICTATOR; *also* : the civil or temporal power as such

caf·e·te·ria \,kaf-ə-'tir-ē-ə\ \n\ : a self-service restaurant or lunchroom

caf·feine \ka-'fēn\ \n\ : a stimulating alkaloid found esp. in coffee and tea

caf·tan \kaf-'tan\ \n\ : an ankle-length garment with long sleeves worn in the Levant

¹cage \'kāj\ \n\ 1 : an openwork enclosure for confining an animal 2 : something resembling a cage

²cage \vb\ : to put or keep in or as if in a cage

ca·gey \also\ **ca·gy** \'kā jē\ \adj\ : wary of being trapped or deceived : SHREWD, CAUTIOUS, CALCULATING — **ca·gi·ly** \adv\ — **cag·i·ness** \n\

ca·hoot \kə-'hüt\ \n\ : PARTNERSHIP, LEAGUE — usu. used in pl. ⟨in ~s with the devil⟩

cais·son \'kās-,än, -ᵊn\ \n\ 1 : an ammunition chest mounted on two wheels and joined as a trailer to form an ammunition wagon 2 : a watertight chamber used for carrying on construction under water or as a foundation

cai·tiff \'kāt-əf\ \adj\ : being base, cowardly, or despicable — **caitiff** \n\

ca·jole \kə-'jōl\ \vb\ : to persuade or coax esp. with flattery or false promises : WHEEDLE — **ca·jole·ment** \-'jōl-mənt\

Ca·jun \'kā-jən\ \n\ : a Louisianian descended from French-speaking immigrants from Acadia

¹cake \'kāk\ \n\ 1 : any of various usu. small round flat breads 2 : any of various fancy sweetened breads often coated with an icing 3 : a flattened round mass of baked or fried food 4 : a block of compacted matter 5 : CRUST

²cake \vb\ 1 : to form or harden into a cake 2 : ENCRUST

cal·a·mine \'kal-ə-,mīn\ \n\ : a mixture of oxides of zinc and iron used in lotions and ointments

ca·lam·i·ty \kə-'lam-ət-ē\ \n\ 1 : great distress or misfortune 2 : an event causing great harm or loss and affliction : DISASTER — **ca·lam·i·tous** \adj\ — **ca·lam·i·tous·ly** \adv\ — **ca·lam·i·tous·ness** \n\

cal·car·e·ous \kal-'kar-ē-əs\ \adj\ : containing calcium or a calcium compound (as calcium carbonate or lime); *also* : resembling calcium carbonate in hardness

cal·ci·fy \'kal-sə-,fī\ \vb\ : to make or become calcareous — **cal·ci·fi·ca·tion**

cal·ci·mine \'kal-sə-,mīn\ \n\ : a thin water paint for plastering — **calcimine** \vb\

cal·ci·um \'kal-sē-əm\ \n\ : a silver-white soft metallic chemical element occurring in combination (as in limestone and bones)

calcium carbonate \n\ : a substance found in nature as limestone and marble and in plant ashes, bones, and shells

cal·cu·late \'kal-kyə-,lāt\ \vb\ [L *calculare*, fr. *calculus* small stone, pebble used in reckoning] 1 : to determine by mathematical processes : COMPUTE 2 : to reckon by exercise of practical judgment : ESTIMATE 3 : to design or adapt for a purpose 4 : COUNT, RELY — **cal·cu·la·ble** \-lə-bəl\ \adj\ — **cal·cu·la·bly** \adv\ — **cal·cu·la·tive** \'kal-kyə-,lāt-iv\ \adj\ — **cal·cu·la·tor** \n\

cal·cu·lat·ed \adj\ : undertaken after estimating the probability of success or failure ⟨a ~ risk⟩

cal·cu·lat·ing \adj\ : marked by shrewd consideration esp. of self-interest : SCHEMING

cal·cu·la·tion \,kal-kyə-'lā-shən\ \n\ 1 : the process or an act of calculating 2 : the result of an act of calculating

3 : studied care in analyzing or planning : CAUTION

cal·cu·lus \'kal-kyə-ləs\ *n* : a process or system of usu. mathematical reasoning through the use of symbols; *esp* : one dealing with rate of change and integrals of functions

cal·dron \'kȯl-drən\ *n* : a large kettle or boiler

¹**cal·en·dar** \'kal-ən-dər\ *n* **1** : an arrangement of time into days, weeks, months, and years; *also* : a sheet or folder containing such an arrangement for a period (as a year) **2** : an orderly list : SCHEDULE

¹**cal·en·der** \-dər\ *vb* : to press (as cloth or paper) between rollers or plates so as to make smooth or glossy or to thin into sheets

²**calender** *n* : a machine for calendering

calf \'kaf, 'kȧf\ *n, pl* **calves** \'kavz, 'kȧvz\ **1** : the young of the domestic cow or of some related large mammals (as the whale) **2** : leather made from the skin of a calf **3** : the fleshy back part of the leg below the knee

cal·i·ber *or* **cal·i·bre** \'kal-ə-bər\ *n* **1** : the diameter of a projectile **2** : the diameter of the bore of a gun **3** : degree of mental capacity or moral quality : measure of excellence or importance

cal·i·brate \'kal-ə-ˌbrāt\ *vb* **1** : to measure the caliber of **2** : to determine, correct, or put the measuring marks on ⟨~ a thermometer⟩ — **cal·i·bra·tion** \ˌkal-ə-'brā-shən\ *n* — **cal·i·bra·tor** *n*

cal·i·co \'kal-i-ˌkō\ *n, pl* **-coes** *or* **-cos** : cotton cloth; *esp* : a cheap cotton printed fabric — **calico** *adj*

cal·i·for·ni·um \ˌkal-ə-'fȯr-nē-əm\ *n* : an artificially prepared radioactive chemical element

cal·i·per *or* **cal·li·per** \'kal-ə-pər\ *n* : an instrument with two adjustable legs used to measure the thickness of objects or distances between surfaces — usu. used in pl. ⟨a pair of ~s⟩

cal·is·then·ics \ˌkal-əs-'then-iks\ *n sing or pl* : systematic bodily exercises without apparatus or with light hand apparatus — **cal·is·then·ic** *adj*

¹**call** \'kȯl\ *vb* **1** : SHOUT, CRY; *also* : to utter a characteristic cry **2** : to utter in a loud clear voice **3** : to announce authoritatively **4** : SUMMON **5** : to make a request or demand ⟨~ for an investigation⟩ **6** : to get or try to get into communication by telephone **7** : to demand payment of (a loan); *also* : to demand surrender of (as a bond issue) for redemption **8** : to make a brief visit **9** : to speak of or address by name : give a name to **10** : to estimate or consider for practical purposes ⟨~ it ten miles⟩ — **call·er** *n*

²**call** *n* **1** : SHOUT **2** : the cry of an animal (as a bird) **3** : a request or a command to come or assemble : INVITATION, SUMMONS **4** : DEMAND, CLAIM; *also* : REQUEST **5** : ROLL CALL **6** : a brief usu. formal visit **7** : an act of calling on the telephone

call down \ˌkȯl-'daủn\ *vb* : REPRIMAND

cal·lig·ra·phy \kə-'lig-rə-fē\ *n* **1** : beautiful or elegant handwriting; *also* : the art of producing such writing **2** : PENMANSHIP — **cal·lig·ra·pher** *n*

call·ing \'kȯ-liŋ\ *n* **1** : a strong inner impulse toward a particular vocation **2** : the activity in which one customarily engages as an occupation

cal·li·o·pe \kə-'lī-ə-(ˌ)pē, 'kal-ē-ˌōp\ *n* : a musical instrument consisting of a series of whistles played by keys arranged as in an organ

cal·los·i·ty \ka-'läs-ət-ē\ *n* **1** : the quality or state of being callous **2** : CALLUS 1

¹**cal·lous** \'kal-əs\ *adj* **1** : being thickened and usu. hardened ⟨~ skin⟩ **2** : hardened in feeling : UNFEELING — **cal·lous·ly** *adv*

²**callous** *vb* : to make callous

cal·low \'kal-ō\ *adj* : lacking adult sophistication : IMMATURE, INEXPERIENCED — **cal·low·ness** *n*

¹**cal·lus** \'kal-əs\ *n* **1** : a callous area on skin or bark **2** : tissue that is converted into bone in the healing of a bone fracture

²**callus** *vb* : to form a callus

¹**calm** \'käm\ *n* **1** : a period or a condition of freedom from storms, high winds, or turbulent water **2** : complete or almost complete absence of wind **3** : a state of freedom from turmoil or agitation

²**calm** *adj* : marked by calm : STILL, PLACID, SERENE — **calm·ly** *adv* — **calm·ness** *n*

³**calm** *vb* : to make or become calm

ca·lor·ic \kə-'lȯr-ik\ *adj* **1** : of or relating to heat **2** : of or relating to calories

cal·o·rie \'kal-(ə-)rē\ *n* : a unit for measuring heat; *esp* : one for measuring the value of foods for producing heat and energy in the human body equivalent to the amount of heat required to raise the temperature of one kilogram of water one degree centigrade

ca·lum·ni·ate \kə-'ləm-nē-ˌāt\ *vb* : to accuse falsely and maliciously : SLANDER syn defame, malign, libel — **ca·lum·ni·a·tion** \-ˌləm-nē-'ā-shən\ *n* — **ca·lum·ni·a·tor** \-'ləm-nē-ˌāt-ər\ *n*

cal·um·ny \'kal-əm-nē\ *n* : false and malicious accusation : SLANDER — **ca·lum·ni·ous** \kə-'ləm-nē-əs\ *adj* — **ca·lum·ni·ous·ly** *adv*

calve \'kav, 'kȧv\ *vb* : to give birth to a calf

calves *pl of* CALF

Cal·vin·ism \'kal-və-ˌniz-əm\ *n* : the theological system of Calvin and his followers — **Cal·vin·ist** *n* — **Cal·vin·is·tic** \ˌkal-və-'nis-tik\ *adj*

ca·lyp·so \kə-'lip-sō\ *n* : an improvised ballad usu. satirizing current events in a rhythmic style originating in the British West Indies

ca·lyx \'kāl-iks, 'kal-\ *n* : the outside usu. green or leaflike part of a flower

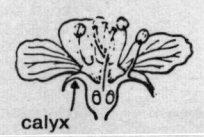

calyx

cam \'kam\ *n* : a rotating or sliding projection (as on a wheel) for receiving or imparting motion

cam·a·rad·e·rie \ˌkam-(ə-)'rad-ə-rē, ˌkäm-(ə-)'räd-\ *n* : friendly feeling and goodwill between comrades

cam·bi·um \\'kam-bē-əm\\ *n* : a thin cellular layer between xylem and phloem of most higher plants from which new tissues develop

came *past of* COME

cam·el \\'kam-əl\\ *n* : a large hoofed cud-chewing mammal used esp. in desert regions of Asia and Africa for carrying burdens and for riding

cam·el·back \\-,bak\\ *n* : an uncured compound chiefly of reclaimed or synthetic rubber used for retreading or recapping pneumatic tires

ca·mel·lia *also* **ca·me·lia** \\kə-'mēl-yə\\ *n* : any of several shrubs or trees related to the tea plant and grown in warm regions for their showy roselike flowers

cam·eo \\'kam-ē-,ō\\ *n* : a gem carved in relief; *also* : a small medallion with a profiled head in relief

cam·era \\'kam-(ə-)rə\\ *n* : a closed light-proof box with an aperture through which the image of an object can be recorded on a surface sensitive to light; *also* : the part of a television transmitter in which the image to be transmitted is formed — **in camera** : PRIVATELY, SECRETLY

cam·i·sole \\'kam-ə-,sōl\\ *n* : a short sleeveless undergarment for women

cam·ou·flage \\'kam-ə-,fläzh\\ *n* **1** : the disguising of military equipment or installations with paint, nets, or foliage; *also* : the disguise itself **2** : a deceptive expedient — **camouflage** *vb*

¹**camp** \\'kamp\\ *n* **1** : a place where tents or buildings are erected for usu. temporary shelter (as for an army) **2** : a collection of tents or other shelters **3** : a body of persons encamped

²**camp** *vb* **1** : to make or occupy a camp **2** : to live in a camp or outdoors — **camp·er** *n*

cam·paign \\kam-'pān\\ *n* **1** : a series of military operations forming one distinct stage in a war **2** : a series of activities designed to bring about a particular result ⟨advertising ~⟩ — **campaign** *vb* — **cam·paign·er** *n*

cam·pa·ni·le \\,kam-pə-'nē-lē\\ *n* : a usu. freestanding bell tower

cam·phor \\'kam-fər\\ *n* : a gummy volatile fragrant compound obtained from an evergreen Asiatic tree (**camphor tree**) and used esp. in medicine and the chemical industry

camp·stool \\'kamp-,stül\\ *n* : a folding backless seat

cam·pus \\'kam-pəs\\ *n* : the grounds and buildings of a college or school; *also* : a central grassy part of the grounds

cam·shaft \\'kam-,shaft\\ *n* : a shaft to which a cam is fastened

¹**can** \\kən, (')kan\\ *vb, past* **could** \\kəd, (')kud\\ **1** : be able to **2** : may perhaps ⟨~ he still be alive⟩ **3** : be permitted by conscience or feeling to ⟨you ~ hardly blame him⟩ **4** : have permission or liberty to ⟨you ~ go now⟩

²**can** \\'kan\\ *n* **1** : a typically cylindrical metal container or receptacle ⟨garbage ~⟩ ⟨coffee ~⟩ **2** *slang* : JAIL

³**can** \\'kan\\ *vb* **canned; can·ning 1** : to put in a can : preserve by sealing in airtight cans or jars **2** *slang* : to discharge from employment **3** *slang* : to put a stop or an end to **4** : to record on discs or tape

Ca·na·di·an \\kə-'nād-ē-ən\\ *n* : a native or inhabitant of Canada — **Canadian** *adj*

ca·nal \\kə-'nal\\ *n* **1** : a tubular passage in the body : DUCT **2** : a channel dug and filled with water (as for passage of boats or irrigation of land)

ca·nal·ize \\kə-'nal-,īz\\ *vb* **1** : to provide with a canal or make into or like a channel **2** : to provide with an outlet; *esp* : to direct into preferred channels — **ca·nal·iza·tion** \\-,nal-ə-'zā-shən\\ *n*

can·a·pé \\'kan-ə-pē\\ *n* : a piece of bread or toast or a cracker topped with a savory food

ca·nard \\kə-'närd\\ *n* : a false or unfounded report or story circulated to deceive the public

ca·nary \\kə-'ne(ə)r-ē\\ *n* [fr. the Canary islands] **1** : a usu. sweet wine similar to Madeira **2** : a usu. yellow or greenish finch often kept as a cage bird **3** : a bright yellow

ca·nas·ta \\kə-'nas-tə\\ *n* : rummy played with two full decks of cards plus four jokers

can·can \\'kan-,kan\\ *n* : a woman's dance of French origin characterized by high kicking

¹**can·cel** \\'kan-səl\\ *vb* **-celed** *or* **-celled; -cel·ing** *or* **-cel·ling 1** : to cross out : DELETE **2** : to destroy the force or validity of : ANNUL **3** : to match in force or effect : OFFSET **4** : to remove (a common divisor) from a numerator and denominator; *also* : to remove (equivalents) on opposite sides of an equation or account **5** : to cross (a postage stamp) with lines to invalidate for reuse **6** : to neutralize each other's strength or effect — **can·cel·la·tion** \\,kan-sə-'lā-shən\\ *n*

²**cancel** *n* **1** : CANCELLATION **2** : a deleted part **3** : a part (as a page) from which something has been deleted

can·cer \\'kan-sər\\ *n* **1** : a malignant tumor that tends to spread in the body **2** : a malignant evil that corrodes slowly and fatally — **can·cer·ous** \\'kans-(ə-)rəs\\ *adj*

can·de·la·bra \\,kan-də-'läb-rə, -'lab-\\ *n* : CANDELABRUM

can·de·la·brum \\-'läb-rəm, -'lab-\\ *n, pl* **-bra** \\-rə\\ *also* **-brums** : an ornamental branched candlestick or lamp with several lights

candelabrum

can·des·cent \\kan-'des-ᵊnt\\ *adj* : glowing or dazzling esp. from great heat — **can·des·cence** *n*

can·did \\'kan-dəd\\ *adj* **1** : FRANK, STRAIGHTFORWARD **2** : relating to the informal recording (as in photography or television) of human subjects acting naturally or spontaneously without being posed — **can·did·ly** *adv* — **can·did·ness** *n*

can·di·da·cy \\'kan-(d)əd-ə-sē\\ *n* : the state of being a candidate

can·di·date \\'kan-(d)ə-,dāt, -(d)əd-ət\\ *n* [L *candidatus*, fr. *candidatus* clothed in white; so called fr. the white toga worn by candidates in ancient Rome] : one

candied   70   **canton**

who seeks or is proposed by others for an office, honor, or membership

can·died \'kan-dēd\ *adj* : preserved in or encrusted with sugar

¹**can·dle** \'kan-d³l\ *n* : a slender mass of tallow or wax molded around a wick and burned to give light

²**candle** *vb* : to examine (as eggs) by holding between the eye and a light — **can·dler** \-d(ə-)lər\ *n*

can·dle·light \'kan-d³l-‚līt\ *n* 1 : the light of a candle; *also* : any soft artificial light 2 : time for lighting up : DUSK

can·dle·stick \-‚stik\ *n* : a holder with a socket for a candle

can·dle·wick \-‚wik\ *n* : a soft cotton yarn; *also* : embroidery made with this yarn usu. in tufts

can·dor \'kan-dər\ *n* : FRANKNESS, OUTSPOKENNESS

¹**can·dy** \'kan-dē\ *n* : a confection made from sugar often with flavoring and filling

²**candy** *vb* 1 : to encrust in sugar often by cooking in a syrup 2 : to crystallize into sugar 3 : to make seem attractive

¹**cane** \'kān\ *n* 1 : a slender hollow or pithy stem (as of a reed or bramble) 2 : a tall woody grass or reed (as sugarcane) 3 : a walking stick; *also* : a rod for flogging

²**cane** *vb* 1 : to beat with a cane 2 : to weave or make with cane — **can·er** *n*

¹**ca·nine** \'kā-‚nīn\ *adj* 1 : of or relating to dogs or to the natural group to which they belong 2 : being the pointed tooth next to the incisors

²**canine** *n* 1 : a canine tooth 2 : DOG

can·is·ter \'kan-ə-stər\ *n* 1 : a small box for holding a dry product (as tea) 2 : a shell for close-range artillery fire 3 : a perforated box containing material to absorb or filter a harmful substance in the air

can·ker \'kaŋ-kər\ *n* : a spreading sore that eats into tissue — **can·ker·ous** *adj*

canned \'kand\ *adj* 1 : preserved in cans or jars 2 : recorded for radio or television reproduction

can·nel coal \‚kan-³l-\ *n* : a bituminous coal containing much volatile matter that burns brightly

can·nery \'kan-(ə-)rē\ *n* : a factory for the canning of foods

can·ni·bal \'kan-ə-bəl\ *n* 1 : a human being who eats human flesh 2 : an animal that eats its own kind — **can·ni·bal·ism** \-‚iz-əm\ *n* — **can·ni·bal·is·tic**

can·non \'kan-ən\ *n, pl* **cannons** *or* **cannon** 1 : an artillery piece supported on a carriage or mount 2 : a heavy-caliber automatic gun on an airplane 3 *Brit* : a carom in billiards

can·non·ade \‚kan-ə-'nād\ *n* : a heavy fire of artillery — **cannonade** *vb*

¹**can·non·ball** \'kan-ən-‚bȯl\ *n* : a usu. round solid missile for firing from a cannon

²**cannonball** *vb* : to travel at great speed

can·non·eer \‚kan-ə-'niər\ *n* : an artilleryman who tends and fires cannon : GUNNER

can·not \'kan-‚ät, kə-'nät\ : can not — **cannot but** : to be bound to : MUST

can·ny \'kan-ē\ *adj* : PRUDENT, FARSIGHTED, SHREWD — **can·ni·ly** *adv* — **can·ni·ness** *n*

ca·noe \kə-'nü\ *n* : a small long narrow boat with sharp ends and curved sides that is usu. propelled by paddles — **canoe** *vb* — **ca·noe·ist** *n*

¹**can·on** \'kan-ən\ *n* 1 : a regulation decreed by a church council; *also* : a provision of ecclesiastical law ⟨**canon law**⟩ 2 : an accepted principle ⟨the ∼s of good taste⟩ 3 : an official or authoritative list (as of the saints or the books of the Bible)

²**canon** *n* : a clergyman on the staff of a cathedral — **can·on·ry** \-rē\ *n*

ca·non·i·cal \kə-'nän-i-kəl\ *adj* 1 : of, relating to, or conforming to a canon 2 : conforming to a general rule : ORTHODOX 3 : of or relating to a clergyman who is a canon — **ca·non·i·cal·ly** *adv*

can·on·ize \'kan-ə-‚nīz\ *vb* 1 : to declare an officially recognized saint 2 : GLORIFY, EXALT — **can·on·iza·tion**

can·o·py \'kan-ə-pē\ *n* : an overhanging cover, shelter, or shade — **canopy** *vb*

¹**cant** \'kant\ *n* 1 : an oblique or slanting surface 2 : an inclination from a given line : TILT, SLANT

²**cant** *vb* 1 : to tip or tilt up or over 2 : to pitch to one side : LEAN 3 : SLOPE

³**cant** *vb* 1 : to whine like a beggar 2 : to talk hypocritically

⁴**cant** *n* 1 : the special idiom of a profession or trade : JARGON 2 : insincere conventional mode of speech; *esp* : insincere use of pious phraseology

can't \'kant, 'kȧnt, 'känt\ : can not

can·ta·loupe \'kant-³l-‚ōp\ *n* : MUSKMELON; *esp* : one with orange flesh and rough skin

can·tan·ker·ous \kan-'taŋ-k(ə-)rəs\ *adj* : ILL-NATURED, CROTCHETY, QUARRELSOME — **can·tan·ker·ous·ly** *adv* — **can·tan·ker·ous·ness** *n*

can·ta·ta \kən-'tät-ə\ *n* : a choral composition arranged in a somewhat dramatic manner and usu. accompanied by organ, piano, or orchestra

can·teen \kan-'tēn\ *n* 1 : a store (as in a camp or factory) in which food, drinks, and small supplies are sold 2 : a place of recreation and entertainment for servicemen 3 : a flask for water carried by soldiers and travelers

can·ter \'kant-ər\ *n* : a horse's 3-beat gait resembling but easier and slower than a gallop — **canter** *vb*

can·ti·cle \'kant-i-kəl\ *n* : SONG; *esp* : any of several liturgical songs taken from the Bible

can·ti·le·ver \'kant-³l-‚ē-vər, -‚ev-ər\ *n* : a projecting beam or structure supported only at one end; *also* : either of a pair of such structures projecting toward each other so that when joined they form a bridge

cantilever bridge

can·to \'kan-tō\ *n* : one of the major divisions of a long poem

¹**can·ton** \'kant-³n, 'kan-‚tän\ *n* : a small territorial division of a country; *esp* : one of the political divisions of Switzerland — **can·ton·al** \'kant-³n-əl, kan-'tän-³l\ *adj*

²**can·ton** *same for 1; for 2 usu* kan-'tōn, -'tän\ *vb* 1 : to divide into cantons 2 : to allot quarters to (as to troops) : QUARTER

can·tor \'kant-ər\ *n* : a synagogue official who sings liturgical music and leads the congregation in prayer

can·vas *also* **can·vass** \'kan-vəs\ *n* **1** : a strong cloth used esp. for making tents and sails **2** : a set of sails **3** : a group of tents **4** : a surface prepared to receive oil paint; *also* : an oil painting **5** : the floor of a boxing or wrestling ring

¹**can·vass** *also* **can·vas** \'kan-vəs\ *vb* : to go through (a district) or to go to (persons) to solicit votes or orders for goods or to determine public opinion or sentiment — **can·vass·er** *n*

²**canvass** *also* **canvas** *n* : an act of canvassing (as the solicitation of votes or orders or an examination into public opinion)

can·yon \'kan-yən\ *n* : a deep valley with high steep slopes

¹**cap** \'kap\ *n* **1** : a usu. tight-fitting covering for the head; *also* : something resembling such a covering ⟨bottle ~⟩ **2** : a paper or metal container holding an explosive charge

²**cap** *vb* **capped; cap·ping 1** : to provide or protect with or as if with a cap **2** : to form a cap over : CROWN **3** : OUTDO, SURPASS **4** : CLIMAX

ca·pa·ble \'kā-pə-bəl\ *adj* : having ability, capacity, or power to do something : ABLE, COMPETENT — **ca·pa·bil·i·ty** \,kā-pə-'bil-ət-ē\ *n* — **ca·pa·bly** \'kā-pə-blē\ *adv*

ca·pa·cious \kə-'pā-shəs\ *adj* : able to contain much — **ca·pa·cious·ly** *adv* — **ca·pa·cious·ness** *n*

ca·pac·i·tate \kə-'pas-ə-,tāt\ *vb* : to make capable : QUALIFY

ca·pac·i·ty \kə-'pas-ət-ē\ *n* **1** : the ability to contain, receive, or accommodate **2** : extent of space : VOLUME **3** : legal qualification or fitness **4** : ABILITY **5** : position or character assigned or assumed ⟨served in the ~ of manager⟩

cap-a-pie *or* **cap-à-pie** \,kap-ə-'pē\ *adv* : from head to foot : at all points

¹**cape** \'kāp\ *n* : a point of land jutting out into water

²**cape** *n* : a sleeveless garment hanging from the neck over the shoulders

¹**ca·per** \'kā-pər\ *n* : the flower bud of a Mediterranean shrub pickled for use as a relish; *also* : this shrub

²**caper** *vb* : to leap about in a gay frolicsome way : PRANCE

³**caper** *n* **1** : a frolicsome leap or spring **2** : a capricious escapade **3** *slang* : an illegal escapade

cape·skin \'kāp-,skin\ *n* : a light flexible leather made from sheepskins

cap·il·lar·i·ty \,kap-ə-'lar-ət-ē\ *n* : the action by which the surface of a liquid where (as in a slender tube) it is in contact with a solid is raised or lowered depending on the relative attraction of the molecules of the liquid for each other and for those of the solid

¹**cap·il·lary** \'kap-ə-,ler-ē\ *adj* **1** : resembling a hair; *esp* : having a very small bore ⟨~ tube⟩ **2** : of or relating to capillaries or to capillarity

²**capillary** *n* : any of the tiny thin-walled tubes that carry blood between the smallest arteries and their corresponding veins

¹**cap·i·tal** \'kap-ət-əl\ *adj* **1** : punishable by death ⟨~ offense⟩ **2** : most serious ⟨~ error⟩ **3** : first in importance or position : CHIEF ⟨~ city⟩ **4** : conforming to the series A, B, C rather than a, b, c ⟨~ letters⟩ ⟨~ G⟩ **5** : of or relating to capital ⟨~ expenditures⟩ **6** : FIRST-RATE, EXCELLENT ⟨a ~ dinner⟩

²**capital** *n* **1** : a letter larger than the ordinary small letter and often different in form **2** : the capital city of a state or country; *also* : a city preeminent in some activity ⟨the fashion ~ of the world⟩ **3** : accumulated wealth esp. as used to produce more wealth **4** : the total face value of shares of stock issued by a company **5** : capitalists considered as a group **6** : ADVANTAGE, GAIN

³**capital** *n* : the top part or piece of an architectural column

capital goods *n pl* : machinery, tools, factories, and commodities used in the production of goods

cap·i·tal·ism \'kap-ət-əl-,iz-əm\ *n* : an economic system characterized by private or corporation ownership of capital goods and by prices, production, and distribution of goods that are determined mainly in a free market

¹**cap·i·tal·ist** \-əst\ *n* **1** : a person who has capital esp. invested in business **2** : a person of great wealth : PLUTOCRAT **3** : a believer in capitalism

²**capitalist** *or* **cap·i·tal·is·tic** \,kap-ət-əl-'is-tik\ *adj* **1** : owning capital **2** : practicing or advocating capitalism **3** : marked by capitalism

cap·i·tal·ize \'kap-ət-əl-,īz\ *vb* **1** : to write or print with an initial capital or in capitals **2** : to convert into or use as capital **3** : to supply capital for **4** : to gain by turning something to advantage : PROFIT ⟨~ on another's error⟩

cap·i·tal·ly \'kap-ət-əl-ē\ *adv* **1** : in a way involving sentence of death **2** : ADMIRABLY, EXCELLENTLY

cap·i·ta·tion \,kap-ə-'tā-shən\ *n* : a direct uniform tax levied on each person

cap·i·tol \'kap-ət-əl\ *n* : the building in which a legislature holds its sessions

ca·pit·u·late \kə-'pich-ə-,lāt\ *vb* **1** : to surrender esp. on conditions agreed upon **2** : to cease resisting : ACQUIESCE **syn** submit, yield, succumb, relent — **ca·pit·u·la·tion** \-,pich-ə-'lā-shən\ *n*

ca·pon \'kā-,pän\ *n* : a castrated male chicken — **ca·pon·ize** \-pə-,nīz\ *vb*

ca·pric·cio \kə-'prēch-(ē-,)ō\ *n* : an instrumental piece in free form usu. lively in tempo and brilliant in style

ca·price \kə-'prēs\ *n* **1** : a sudden whim or fancy **2** : an instrumental piece in free form and usu. lively tempo — **ca·pri·cious** \kə-'prish-əs\ *adj* — **ca·pri·cious·ly** *adv* — **ca·pri·cious·ness** *n*

cap·size \'kap-,sīz, kap-'sīz\ *vb* : UPSET, OVERTURN

cap·su·late \-,lāt\ *or* **cap·su·lat·ed** *adj* : enclosed in a capsule

cap·sule \'kap-səl, -sül\ *n* **1** : an enveloping cover (as of a bodily joint) ⟨a spore ~⟩; *esp* : an edible shell enclosing medicine to be swallowed **2** : a dry fruit made of two or more united carpels that splits open when ripe **3** : a small pressurized compartment for an aviator or astronaut for flight or emergency escape

¹**cap·tain** \'kap-tən\ *n* **1** : a commander of a body of troops **2** : an officer in charge of a ship **3** : a commissioned officer in the navy ranking next below a

rear admiral or a commodore **4** : a commissioned officer (as in the army) ranking next below a major **5** : a leader of a side or team **6** : a dominant figure — **cap·tain·cy** *n* — **cap·tain·ship** *n*
²**captain** *vb* : to be captain of : LEAD
cap·tion \'kap-shən\ *n* **1** : a heading esp. of an article or document : TITLE **2** : a legend accompanying an illustration **3** : a motion-picture subtitle — **caption** *vb*
cap·ti·vate \'kap-tə-,vāt\ *vb* : to attract and hold irresistibly by some special charm or art : FASCINATE, CHARM — **cap·ti·va·tion** \,kap-tə-'vā-shən\ *n* — **cap·ti·va·tor** \'kap-tə-,vāt-ər\ *n*
¹**cap·tive** \'kap-tiv\ *n* **1** : a prisoner esp. of war **2** : one captivated or controlled
²**captive** *adj* **1** : made prisoner esp. in war **2** : kept within bounds : CONFINED **3** : held under control **4** : of or relating to bondage — **cap·tiv·i·ty** \kap-'tiv-ət-ē\ *n*
cap·tor \'kap-tər\ *n* : one that captures
¹**cap·ture** \'kap-chər\ *n* **1** : seizure by force or trickery **2** : one that has been taken; *esp* : a prize ship
²**capture** *vb* **1** : to take captive : WIN, GAIN **2** : to preserve in a relatively permanent form ⟨historic moment *captured* on film⟩
Cap·u·chin \'kap-yə-shən, kə-'p(y)ü-\ *n* : a member of an austere branch of the first order of St. Francis of Assisi engaged in missionary work and preaching
car \'kär\ *n* **1** : a vehicle moved on wheels **2** : the cage of an elevator **3** : the part of a balloon or airship which carries passengers or equipment
ca·rafe \kə-'raf\ *n* : a water bottle with a flaring lip
car·a·mel \'kar-ə-məl, 'kär-məl\ *n* **1** : burnt sugar used for flavoring and coloring **2** : a firm chewy candy
car·a·pace \'kar-ə-,pās\ *n* : a protective case or shell on the back of an animal (as a turtle or crab)
¹**carat** *var of* KARAT
²**car·at** \'kar-ət\ *n* : a unit of weight for precious stones equal to 200 milligrams
car·a·van \'kar-ə-,van\ *n* **1** : a group of travelers journeying together through desert or hostile regions **2** : a group of vehicles traveling together in a file **3** : VAN
car·a·van·sa·ry \,kar-ə-'van-sə-rē\ *or* **car·a·van·se·rai** \-sə-,rī\ *n* **1** : an inn in eastern countries where caravans rest at night **2** : HOTEL, INN
car·a·way \'kar-ə-,wā\ *n* : an aromatic herb related to the carrot with seeds used in seasoning and medicine
car·bine \'kär-,bīn, -,bēn\ *n* : a short-barreled lightweight rifle
car·bo·hy·drate \,kär-bō-'hī-,drāt\ *n* : any of various compounds composed of carbon, hydrogen, and oxygen including the sugars and starches
car·bol·ic acid \,kär-,bäl-ik-\ *n* : a caustic crystalline compound usu. obtained from coal tar or by synthesis and used in solution as an antiseptic and disinfectant and in making plastics
car·bon \'kär-bən\ *n* **1** : a chemical element occurring in nature as the diamond and graphite and forming a constituent of coal, petroleum, and limestone **2** : a piece of carbon paper; *also* : a copy made with carbon paper

¹**car·bon·ate** \'kär-bə-,nāt, -nət\ *n* : a salt or ester of carbonic acid
²**car·bon·ate** \-,nāt\ *vb* : to impregnate with carbon dioxide ⟨a *carbonated* beverage⟩ — **car·bon·ation** \,kär-bə-'nā-shən\ *n*
carbon copy *n* **1** : a copy made by carbon paper **2** : DUPLICATE
carbon dioxide *n* : a heavy colorless gas that does not support combustion but is formed by the combustion and decomposition of organic substances
carbon 14 *n* : a heavy radioactive form of carbon used for determining the age of old specimens of formerly living materials
car·bon·ic acid \kär-,bän-ik-\ *n* : a weak acid that decomposes readily into water and carbon dioxide
car·bon·if·er·ous \,kär-bə-'nif-(ə-)rəs\ *adj* : producing or containing carbon or coal
carbon monoxide *n* : a colorless odorless very poisonous gas formed by the incomplete burning of carbon
carbon paper *n* : a thin paper coated with a waxy substance containing pigment and used in making copies of written or printed matter
car·bun·cle \'kär-,bəŋ-kəl\ *n* : a painful inflammation of the skin and underlying tissue that discharges pus from several openings
car·bu·re·tor \'kär-b(y)ə-,rāt-ər\ *n* : an apparatus for supplying an internal-combustion engine with vaporized fuel mixed with air in an explosive mixture
car·cass \'kär-kəs\ *n* : a dead body; *esp* : one of an animal dressed for food
car·cin·o·gen \kär-'sin-ə-jən\ *n* : an agent causing or inciting cancer — **car·cin·o·gen·ic** \,kär-sən-ə-'jen-ik\ *adj* — **car·cin·o·ge·nic·i·ty** \-,sin-ə-jə-'nis-ət-ē\ *n*
¹**card** \'kärd\ *vb* : to comb with a card : cleanse and untangle before spinning — **card·er** *n*
²**card** *n* **1** : an implement for raising a nap on cloth **2** : a toothed instrument for combing wool, cotton, or flax before spinning
³**card** *n* **1** : PLAYING CARD **2** *pl* : a game played with playing cards; *also* : card playing **3** : a usu. clownishly amusing person : WAG **4** : a small piece of pasteboard for various purposes **5** : PROGRAM; *esp* : a sports program
⁴**card** *vb* **1** : to place or fasten on a card **2** : to list or record on a card **3** : SCORE
card·board \-,bōrd\ *n* : a stiff moderately thick board made of paper
car·di·ac \'kärd-ē-,ak\ *adj* **1** : of, relating to, or located near the heart **2** : of, relating to, or being the part of the stomach into which the esophagus opens
car·di·gan \'kärd-i-gən\ *n* : a sweater or jacket usu. without a collar and with a full-length opening in the front
¹**car·di·nal** \'kärd-(ə-)nəl\ *adj* **1** : of basic importance : CHIEF, MAIN, PRIMARY **2** : of cardinal red color — **car·di·nal·ly** *adv*
²**cardinal** *n* **1** : an ecclesiastical official of the Roman Catholic Church ranking next below the pope **2** : a bright red **3** : any of several American finches of which the male is bright red
cardinal number *n* : a number (as 1, 5, 82, 357) that is used in simple counting

car·dio·vas·cu·lar \,kärd-ē-ō-'vas-kyə-lər\ *adj* : of or relating to the heart and blood vessels

¹**care** \'keər\ *n* **1** : a heavy sense of responsibility : WORRY, ANXIETY **2** : watchful attention : HEED **3** : CHARGE, SUPERVISION **4** : a person or thing that is an object of anxiety or solicitude

²**care** *vb* **1** : to feel anxiety **2** : to feel interest **3** : to have a liking, fondness, taste, or inclination **4** : to give care ⟨~ for the sick⟩ **5** : to be concerned about ⟨~ what happens⟩

ca·reen \kə-'rēn\ *vb* **1** : to cause (as a boat) to lean over on one side **2** : to heel over **3** : to sway from side to side : LURCH

¹**ca·reer** \kə-'riər\ *n* **1** : a course of action or events; *esp* : a person's progress in his chosen occupation **2** : an occupation or profession followed as a life's work

²**career** *vb* : to go at top speed esp. in a headlong manner

care·free \'keər-,frē\ *adj* : free from care or worry

care·ful \-fəl\ *adj* **1** : using or taking care : WATCHFUL, VIGILANT **2** : marked by solicitude, caution, or prudence — **care·ful·ly** *adv* — **care·ful·ness** *n*

care·less \-ləs\ *adj* **1** : free from care : UNTROUBLED **2** : UNCONCERNED, INDIFFERENT **3** : not taking care **4** : not showing or receiving care — **care·less·ly** *adv* — **care·less·ness** *n*

¹**ca·ress** \kə-'res\ *n* : a tender or loving touch or embrace

²**caress** *vb* : to touch or stroke tenderly or lovingly — **ca·ress·er** *n*

car·et \'kar-ət\ *n* [L, is missing, fr. *carēre* to be lacking] : a mark ∧ used to indicate the place where something is to be inserted

care·tak·er \'keər-,tā-kər\ *n* **1** : one in charge usu. as occupant in place of an absent owner : CUSTODIAN **2** : one temporarily fulfilling the functions of an office

care·worn \-,wōrn\ *adj* : showing effects of grief or anxiety

car·go \'kär-gō\ *n, pl* **-goes** *or* **-gos** : the goods carried in a ship, airplane, or vehicle : FREIGHT

car·hop \-,häp\ *n* : one who serves customers at a drive-in restaurant

car·i·bou \'kar-ə-,bü\ *n* : a large No. American deer related to the reindeer

car·i·ca·ture \'kar-i-kə-,chùr\ *n* **1** : distorted representation of parts or features to produce a ridiculous effect **2** : a representation esp. in literature or art having the qualities of caricature — **car·i·ca·ture** *vb* — **car·i·ca·tur·ist**

car·ies \'ka(ə)r-ēz\, *n* : tooth decay

car·il·lon \'kar-ə-,län\ *n* : a set of bells tuned to the chromatic scale and sounded by hammers controlled by a keyboard

car·load \'kar-'lōd\ *n* : a load that fills a car

car·min·a·tive \kär-'min-ət-iv\ *adj* : expelling gas from the alimentary canal

car·mine \'kär-mən, -,mīn\ *n* : a vivid red

car·nage \'kär-nij\ *n* : great destruction of life : SLAUGHTER

car·nal \'kärn-ᵊl\ *adj* **1** : of or relating to the body **2** : SENSUAL — **car·nal·i·ty** \kär-'nal-ət-ē\ *n* — **car·nal·ly** \'kärn-ᵊl-ē\ *adv*

car·na·tion \kär-'nā-shən\ *n* : a cultivated usu. double-flowered pink

car·ne·lian \kär-'nēl-yən\ *n* : a hard tough reddish quartz used as a gem

car·ni·val \'kär-nə-vəl\ *n* **1** : a season of merrymaking just before Lent **2** : a boisterous merrymaking **3** : a traveling enterprise offering a variety of amusements **4** : an organized program of entertainment

car·ni·vore \'kär-nə-,vōr\ *n* : a flesh-eating animal; *esp* : any of a large group of mammals that feed mostly on flesh and include the dogs, cats, bears, minks, and seals — **car·niv·o·rous** \kär-'niv-(ə-)rəs\ *adj* — **car·niv·o·rous·ly** *adv* — **car·niv·o·rous·ness** *n*

car·ol \'kar-əl\ *n* : a song of joy, praise, or devotion — **carol** *vb*

car·om \'kar-əm\ *n* **1** : a shot in billiards in which the cue ball strikes each of two object balls **2** : a striking and rebounding esp. at an angle — **carom** *vb*

car·o·tene \'kar-ə-,tēn\ *n* : any of several orange to red pigments formed esp. in plants and used as a source of vitamin A

ca·rouse \kə-'raůz\ *n* : a drunken revel — **carouse** *vb* — **ca·rous·er** *n*

carousel *var of* CARROUSEL

¹**carp** \'kärp\ *vb* : to find fault : CAVIL, COMPLAIN — **carp·er** *n*

²**carp** *n* : a long-lived soft-finned freshwater fish of sluggish waters

car·pel \'kär-pəl\ *n* : one of the highly modified leaves that together form the ovary of a flower

car·pen·ter \'kär-pən-tər\ *n* : one who builds or repairs wooden structures — **carpenter** *vb* — **car·pen·try** \-trē\ *n*

¹**car·pet** \'kär-pət\ *n* : a heavy fabric used esp. as a floor covering

²**carpet** *vb* : to cover with or as if with a carpet

car·pet·bag \-,bag\ *n* : a traveling bag common in the 19th century

car·pet·bag·ger *n* : a Northerner in the South during the reconstruction period seeking private gain by taking advantage of unsettled conditions and political corruption

car·pet·ing *n* : material for carpets; *also* : CARPETS

car·port \'kär-,pōrt\ *n* : an open-sided automobile shelter

car·rel \'kar-əl\ *n* : a table with bookshelves often partitioned or enclosed for individual study in a library

car·riage \'kar-ij\ *n* **1** : conveyance esp. of goods **2** : manner of holding or carrying oneself : BEARING **3** : a wheeled vehicle **4** *Brit* : a railway passenger coach **5** : a movable part of a machine for supporting some other moving part

car·ri·er \'kar-ē-ər\ *n* **1** : one that carries something; *esp* : one that spreads germs while remaining well himself **2** : a person or corporation in the transportation business **3** : a wave whose characteristic (as amplitude or frequency) is varied in order to transmit a radio or television signal

car·ri·on \'kar-ē-ən\ *n* : dead and decaying flesh

car·rot \'kar-ət\ *n* : a vegetable widely grown for its elongated orange-red root; *also* : this root

car·rou·sel *or* **car·ou·sel** \,kar-ə-'scl\ *n* : MERRY-GO-ROUND

¹**car·ry** \'kar-ē\ *vb* **1** : to move while

carry on *vb* **1** : CONDUCT, MANAGE **2** : to behave in a foolish, excited, or improper manner **3** : to continue in spite of hindrance or discouragement

carry out *vb* **1** : to put into execution ⟨*carry out* a plan⟩ **2** : to bring to a successful conclusion

¹**cart** \'kärt\ *n* **1** : a 2-wheeled wagon **2** : a small wheeled vehicle

²**cart** *vb* : to convey in or as if in a cart — **cart·er** *n*

carte blanche \'kärt-'bläⁿsh\ *n* : full discretionary power

car·tel \kär-'tel\ *n* : a combination of independent business enterprises designed to limit competition **syn** pool, syndicate, monopoly

car·ti·lage \'kärt-ᵊl-ij\ *n* : an elastic tissue composing most of the skeleton of embryonic and very young vertebrates and later mostly turning into bone — **car·ti·lag·i·nous** \,kärt-ᵊl-'aj-ə-nəs\ *adj*

car·tog·ra·phy \kär-'täg-rə-fē\ *n* : the making of maps — **car·tog·ra·pher** *n*

car·ton \'kärt-ᵊn\ *n* : a cardboard box or container

car·toon \kär-'tün\ *n* **1** : a preparatory sketch (as for a painting) **2** : a satirical drawing commenting on public affairs **3** : COMIC STRIP — **cartoon** *vb* — **cartoon·ist** *n*

car·tridge \'kär-trij\ *n* **1** : a tube containing a complete charge for a firearm **2** : a container of material for insertion into an apparatus **3** : a phonograph part that translates stylus motion into electrical voltage

cart·wheel \'kärt-,hwēl\ *n* **1** : a large coin (as a silver dollar) **2** : a lateral handspring with arms and legs extended

carve \'kärv\ *vb* **1** : to cut with care or precision ; shape by cutting **2** : to cut into pieces or slices **3** : to slice and serve meat at table **4** : to work as a sculptor or engraver — **carv·er** *n* — **carv·ing** *n*

¹**cas·cade** \kas-'kād\ *n* **1** : a steep usu. small waterfall **2** : something arranged in a series or succession of stages so that each stage derives from or acts upon the product of the preceding

²**cascade** *vb* : to fall, pass, or connect in or as if in a cascade

¹**case** \'kās\ *n* **1** : a particular instance or situation **2** : a convincing argument **3** : an inflectional form esp. of a noun or pronoun indicating its grammatical relation to other words; *also* : such a relation whether indicated by inflection or not **4** : what actually exists or happens : FACT **5** : a suit or action in law : CAUSE **6** : an instance of disease or injury; *also* : PATIENT **7** : INSTANCE, EXAMPLE

²**case** *n* **1** : a receptacle (as a box) for holding something **2** : SET ⟨a ~ of instruments⟩; *esp* : PAIR **3** : an outer covering **4** : a shallow divided tray for holding printing type **5** : the frame of a door or window : CASING

³**case** *vb* **1** : to enclose in or cover with a case **2** *slang* : to inspect esp. with intent to rob

ca·sein \kā-'sēn, 'kā-sē-ən\ *n* : a whitish phosphorous-containing protein occurring in milk

case·ment \'kās-mənt\ *n* : a window sash opening on hinges at the side like a door; *also* : a window having such a sash

¹**cash** \'kash\ *n* **1** : ready money **2** : money or its equivalent paid at the time of purchase or delivery

²**cash** *vb* : to pay or obtain cash for ⟨~ a check⟩

cash·ew \'kash-ü, kə-'shü\ *n* : a tropical American tree related to the sumac; *also* : its edible nut

¹**cash·ier** \kash-'iər\ *vb* : to dismiss from service; *esp* : to dismiss in disgrace

²**cashier** *n* **1** : a bank official responsible for moneys received and paid out **2** : an employee (as of a store or restaurant) who receives and records payments by customers

cashier's check *n* : a check drawn by a bank upon its own funds and signed by its cashier

cash·mere \'kazh-,miər, 'kash-\ *n* : fine wool from the undercoat of an Indian goat or a yarn spun of this; *also* : a soft twilled fabric orig. woven from this yarn

cas·ing \'kā-siŋ\ *n* : something that encases

ca·si·no \kə-'sē-nō\ *n* **1** : a building or room for social amusements; *esp* : one used for gambling **2** *or* **cas·si·no** : a card game

cask \'kask\ *n* : a barrel-shaped container usu. for liquids; *also* : the quantity held by such a container

cas·ket \'kas-kət\ *n* **1** : a small box (as for jewels) **2** : COFFIN

cas·sa·va \kə-'säv-ə\ *n* : a tropical spurge whose rootstock yields a nutritious starch from which tapioca is prepared

cas·se·role \'kas-ə-,rōl\ *n* **1** : a glass or earthenware dish in which food may be baked and served **2** : a dish cooked and served in a casserole

cas·sette \kə-'set\ *n* : a lightproof container of films or plates for use in a camera

cas·sock \'kas-ək\ *n* : an ankle-length garment worn by the clergy of certain churches

¹**cast** \'kast\ *vb* **cast**; **cast·ing** **1** : THROW, FLING **2** : DIRECT ⟨~ a glance⟩ **3** : to deposit (a ballot) formally **4** : to throw off, out, or away : DISCARD, SHED **5** : COMPUTE; *esp* : add up **6** : to assign the parts of (a play) to actors; *also* : to assign to a role or part **7** : MOLD **8** : to make (as a knot or stitch) by looping or catching up

²**cast** *n* **1** : THROW, FLING **2** : a throw of dice **3** : something formed in or as if in a mold; *also* : a rigid surgical dressing

castanets 75 **catch**

(as for protecting and supporting a fractured bone) **4** : TINGE, HUE **5** : APPEARANCE, LOOK **6** : something thrown out or off, shed, or expelled ⟨worm ~s⟩ **7** : the group of actors to whom parts in a play are assigned
cas·ta·nets \,kas-tə-'nets\ *n pl* [Sp *castañetas*, fr. *castaña* chestnut, fr. L *castanea*] : a rhythm instrument consisting of two small ivory or wooden shells held in the hand and clicked in accompaniment with music and dancing

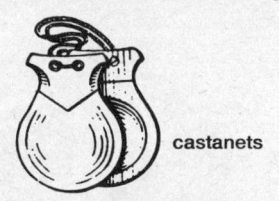

castanets

cast·away \'kas-tə-,wā\ *adj* **1** : thrown away : REJECTED **2** : cast adrift or ashore as a survivor of a shipwreck — **castaway** *n*
caste \'kast\ *n* **1** : one of the hereditary social classes in Hinduism **2** : a division of society based upon wealth, inherited rank, or occupation **3** : social position : PRESTIGE **4** : a system of rigid social stratification
cast·er *or* **cas·tor** \'kas-tər\ *n* **1** : a small container to hold salt or pepper at the table **2** : a small wheel usu. free to swivel used to support and move furniture, trucks, and machines

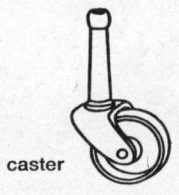

caster

cas·ti·gate \'kas-tə-,gāt\ *vb* : to punish, reprove, or criticize severely — **cas·ti·ga·tion** \,kas-tə-'gā-shən\ *n* — **cas·ti·ga·tor** \'kas-tə-,gāt-ər\ *n*
cast·ing *n* **1** : something cast in a mold **2** : something cast out or off
cast iron *n* : a hard brittle alloy of iron, carbon, and silicon cast in a mold
cas·tle \'kas-əl\ *n* **1** : a large fortified building or set of buildings **2** : a large or imposing house **3** : ³ROOK
cast-off \'kas-,tȯf\ *adj* : thrown away or aside: DISCARDED
cast-off *n* : a cast-off person or thing
cas·tor oil \,kas-tər-\ *n* : a thick yellowish oil extracted from the poisonous seeds of an herb and used as a lubricant and cathartic
cas·trate \'kas-,trāt\ *vb* : to deprive of sex glands and esp. testes — **cas·tra·tion** \kas-'trā-shən\ *n*
ca·su·al \'kazh-(ə-w)əl\ *adj* **1** : resulting from or occurring by chance **2** : OCCASIONAL, INCIDENTAL **3** : showing or feeling little concern : OFFHAND, NONCHALANT **4** : designed for informal use ⟨~ clothing⟩ — **ca·su·al·ly** *adv* — **ca·su·al·ness** *n*

ca·su·al·ty \'kazh-(ə-w)əl-tē\ *n* **1** : serious or fatal accident : DISASTER **2** : a military person lost through death, injury, sickness, or capture or through being missing in action **3** : a person or thing injured, lost, or destroyed
ca·su·ist·ry \'kazh-ə-wə-strē\ *n* : adroit but false or misleading argument or reasoning esp. about morals — **ca·su·ist**
ca·sus bel·li \,käs-əs-'bel-,ē\ *n* : an event or action that justifies or allegedly justifies war
cat \'kat\ *n* **1** : a common domestic mammal long kept by man as a pet or for catching rats and mice **2** : any of various animals (as the lion, lynx, or leopard) that are related to the domestic cat **3** : a spiteful woman **4** : CAT-O'-NINE-TAILS
cat·a·clysm \'kat-ə-,kliz-əm\ *n* : a violent change or upheaval — **cat·a·clys·mic** \,kat-ə-'kliz-mik\ *adj*
cat·a·comb \'kat-ə-,kōm\ *n* : an underground burial place with galleries and recesses for tombs
cat·a·lep·sy \'kat-ᵊl-,ep-sē\ *n* : a trancelike state of suspended animation — **cat·a·lep·tic** \,kat-ᵊl-'ep-tik\ *adj or n*
¹**cat·a·log** *or* **cat·a·logue** \'kat-ᵊl-,ȯg\ *n* **1** : LIST, REGISTER **2** : a systematic list of items with descriptive details; *also* : a book containing such a list
²**catalog** *or* **catalogue** *vb* **1** : to make a catalog of **2** : to enter in a catalog — **cat·a·log·er** *or* **cat·a·logu·er** *n*
ca·tal·y·sis \kə-'tal-ə-səs\ *n* : the change and esp. increase in the rate of a chemical reaction brought about by a substance (**cat·a·lyst** \'kat-ᵊl-əst\) that is itself unchanged at the end
cat·a·pult \'kat ə-,pəlt, -,pu̇lt\ *n* **1** : an ancient military machine for hurling missiles (as stones and arrows) **2** : a device for launching an airplane from the deck of a ship — **catapult** *vb*
cat·a·ract \'kat-ə-,rakt\ *n* **1** : a large waterfall; *also* : steep rapids in a river **2** : a cloudiness of the lens of the eye obstructing vision
ca·tarrh \kə-'tär\ *n* : inflammation of a mucous membrane esp. of the nose and throat — **ca·tarrh·al** *adj*
ca·tas·tro·phe \kə-'tas-trə-(,)fē\ *n* **1** : a sudden calamity : great disaster or misfortune **2** : utter failure : FIASCO — **cat·a·stroph·ic** \,kat-ə-'sträf-ik\ *adj*
cat·call \-,kȯl\ *n* : a sound like the cry of a cat; *also* : a noise made to express disapproval (as at a sports event) — **catcall** *vb*
¹**catch** \'kach, 'kech\ *vb* **caught** \'kȯt\ **catch·ing 1** : to capture esp. after pursuit **2** : TRAP **3** : to discover esp. unexpectedly : SURPRISE, DETECT **4** : to become suddenly aware of **5** : to take hold of : SEIZE, GRASP **6** : SNATCH ⟨~ at a straw⟩ **7** : INTERCEPT **8** : to get entangled **9** : to become affected with or by ⟨~ fire⟩ ⟨~ cold⟩ **10** : to seize and hold firmly; *also* : FASTEN **11** : to take in and retain **12** : OVERTAKE **13** : to be in time for ⟨~ a train⟩ **14** : to look at or listen to ⟨~ a TV show⟩
²**catch** *n* **1** : the act of catching; *also* : a game in which a ball is thrown and caught **2** : something caught **3** : something that catches or checks or holds immovable ⟨a door ~⟩ **4** : one worth catching esp. in marriage **5** : FRAG-

MENT, SNATCH 6 : a concealed difficulty
catch·all \-,ȯl\ *n* : something to hold a variety of odds and ends
catch·er *n* : one that catches; *esp* : a player stationed behind home plate in baseball
catch·ing *adj* **1** : INFECTIOUS, CONTAGIOUS **2** : ALLURING, CATCHY
catch on *vb* **1** : UNDERSTAND **2** : to become popular
catch up *vb* : to travel or work fast enough to overtake or complete
catchy \'kach-ē, 'kech-\ *adj* **1** : apt to catch the interest or attention **2** : tending to mislead : TRICKY **3** : FITFUL, IRREGULAR
cat·e·chism \'kat-ə-,kiz-əm\ *n* : a summary or test (as of religious doctrine) usu. in the form of questions and answers — **cat·e·chist** \-,kist\ *n* — **cat·e·chize** \-,kīz\ *vb*
cat·e·chu·men \,kat-ə-'kyü-mən\ *n* : a religious convert receiving training before baptism
cat·e·gor·i·cal \,kat-ə-'gȯr-i-kəl\ *adj* **1** : ABSOLUTE, UNQUALIFIED **2** : of, relating to, or constituting a category — **cat·e·go·ri·cal·ly** *adv*
cat·e·go·rize \'kat-i-gə-,rīz\ *vb* : to put into a category : CLASSIFY
cat·e·go·ry \-,gōr-ē\ *n* : a division used in classification; *also* : CLASS, GROUP, KIND
ca·ter \'kāt-ər\ *vb* **1** : to provide a supply of food **2** : to supply what is wanted — **ca·ter·er** *n*
cat·er·cor·ner \,kat-ē-'kȯr-nər, ,kat-ə-, ,kit-ē-\ *or* **cat·er·cor·nered** *adv* (*or adj*) : in a diagonal or oblique position
cat·er·pil·lar \'kat-ə(r)-,pil-ər\ *n* : a wormlike often hairy insect esp. of a butterfly or moth
cat·er·waul \'kat-ər-,wȯl\ *vb* : to make the characteristic harsh cry of a rutting cat — **caterwaul** *n*
cat·fish \'kat-,fish\ *n* : any of several big-headed gluttonous fishes with fleshy sensory processes around the mouth
cat·gut \-,gət\ *n* : a tough cord made usu. from sheep intestines
ca·thar·tic \kə-'thärt-ik\ *adj or n* : PURGATIVE
ca·the·dral \kə-'thē-drəl\ *n* : the principal church of a diocese
cath·e·ter \'kath-ət-ər\ *n* : a tube for insertion into a bodily passage or cavity esp. for drawing off material (as urine)
cath·ode \'kath-,ōd\ *n* **1** : the negative electrode of an electrolytic cell **2** : the positive terminal of a battery **3** : the electron-emitting electrode of an electron tube — **ca·thod·ic** \ka-'thäd-ik\ *adj*
cath·o·lic \'kath-(ə-)lik\ *adj* **1** : GENERAL, UNIVERSAL ⟨a man of ~ interests⟩ **2** *cap* : of or relating to Catholics and esp. Roman Catholics
Cath·o·lic *n* : a member of a church claiming historical continuity from the ancient undivided Christian church; *esp* : a member of the Roman Catholic Church — **Ca·thol·i·cism** \kə-'thäl-ə-,siz-əm\ *n*
cath·o·lic·i·ty \,kath-ə-'lis-ət-ē\ *n* **1** *cap* : the character of being in conformity with a Catholic church **2** : liberality of sentiments or views **3** : comprehensive range
cat·kin \'kat-kən\ *n* : a long flower cluster (as of a willow) bearing crowded flowers and prominent bracts
cat-like \-,līk\ *adj* : resembling a cat; *esp* : STEALTHY
cat·nap \-,nap\ *n* : a very short light nap — **catnap** *vb*
cat·nip \-,nip\ *n* : an aromatic mint relished by cats
cat·sup \'kech-əp, 'kach-əp, 'kat-səp\ *n* : a seasoned sauce of puree consistency usu. made of tomatoes
cat·tail \'kat-,tāl\ *n* : a tall reedlike marsh herb with furry brown spikes of tiny flowers
cat·tle \'kat-ᵊl\ *n, pl* **cattle** : LIVESTOCK; *esp* : domestic bovines (as cows, bulls, or calves) — **cat·tle·man** \-mən\ *n*
cat·ty \'kat-ē\ *adj* : slyly spiteful : MALICIOUS — **cat·ti·ly** *adv* — **cat·ti·ness** *n*
cat·walk \'kat-,wȯk\ *n* : a narrow walk (as along a bridge or around a large machine)
Cau·ca·sian \kȯ-'kāzh-ən, -'kazh-\ *n* : a member of the white race — **Caucasian** *adj* — **Cau·ca·soid** \'kȯ-kə-,sȯid\ *adj or n*
cau·cus \'kȯ-kəs\ *n* : a meeting of leaders of a party or faction usu. to decide upon policies and candidates — **caucus** *vb*
cau·dal \'kȯd-ᵊl\ *adj* : of, relating to, or located near the tail or the hind end of the body — **cau·dal·ly** *adv*
caught *past of* CATCH
cau·li·flow·er \'kȯ-li-,flaù(-ə)r\ *n* : a vegetable closely related to cabbage and grown for its compact head of undeveloped flowers; *also* : this head
cauliflower ear *n* : an ear deformed from injury and excessive growth of scar tissue
caulk \'kȯk\ *vb* : to make the seams of (a boat) watertight by filling with waterproofing material; *also* : to make tight against leakage by a sealing substance ⟨~ a pipe joint⟩ — **caulk·er** *n*
caus·al \'kȯ-zəl\ *adj* **1** : expressing or indicating cause **2** : relating to or acting as a cause **3** : showing interaction of cause and effect — **cau·sal·i·ty** \kȯ-'zal-ət-ē\ *n* — **caus·al·ly** \'kȯ-zə-lē\ *adv*
cau·sa·tion \kȯ-'zā-shən\ *n* **1** : the act or process of causing **2** : the means by which an effect is produced
¹cause \'kȯz\ *n* **1** : something that brings about a result; *esp* : a person or thing that is the agent of bringing something about **2** : REASON, MOTIVE **3** : a question or matter to be decided **4** : a suit or action in court : CASE **5** : a principle or movement earnestly supported — **cause·less** *adj*
²cause *vb* : to be the cause or occasion of — **caus·ative** \'kȯ-zət-iv\ *adj* — **caus·er** *n*
cause cé·lè·bre \,kōz-sā-'lebrᵊ\ *n, pl* **causes célèbres** *same*\ **1** : a legal case that excites widespread interest **2** : a notorious incident or episode
cause·way \'kȯz-,wā\ *n* : a raised way or road across wet ground or water
¹caus·tic \'kȯ-stik\ *adj* **1** : CORROSIVE **2** : SHARP, INCISIVE ⟨~ wit⟩ — **caus·ti·cal·ly** *adv*
²caustic *n* : a caustic substance
cau·ter·ize \'kȯt-ə-,rīz\ *vb* : to burn or sear usu. to prevent infection or bleeding — **cau·ter·i·za·tion** \,kȯt-ə-rə-'zā-shən\ *n*

caution — **cellulose**

¹**cau·tion** \'kȯ-shən\ *n* **1** : a word or act that conveys a warning **2** : prudent forethought to minimize risk : WARINESS **3** : one that arouses astonishment : an extreme or grotesque example
²**caution** *vb* : to advise caution to : WARN
cau·tion·ary \'kȯ-shə-,ner-ē\ *adj* : serving as or offering a caution
cau·tious \'kȯ-shəs\ *adj* : marked by or given to caution : CAREFUL, PRUDENT — **cau·tious·ly** *adv* — **cau·tious·ness** *n*
cav·al·cade \,kav-əl-'kād\ *n* **1** : a procession of persons on horseback; *also* : a procession of vehicles **2** : a dramatic sequence or procession : PARADE, PAGEANT
¹**cav·a·lier** \,kav-ə-'liər\ *n* [MF, fr. It *cavaliere*, fr. Old Provençal *cavalier*, fr. LL *caballarius* groom, fr. L *caballus* horse] **1** : a mounted soldier : KNIGHT **2** *cap* : a Royalist in the time of Charles I of England **3** : a debonair person
²**cavalier** *adj* **1** : gay and easy in manner : DEBONAIR **2** : DISDAINFUL, HAUGHTY — **cav·a·lier·ly** *adv* — **cav·a·lier·ness** *n*
cav·al·ry \'kav-əl-rē\ *n* : troops mounted on horseback or moving in motor vehicles — **cav·al·ry·man**
cave \'kāv\ *n* : a natural underground chamber with an opening to the surface
ca·ve·at emp·tor \,kā-vē-,at-'emp-tər, -,tȯr\ *n* : a warning principle in trading that the buyer should be alert to see that he gets the quantity and quality paid for
cave–in \'kāv-,in\ *n* **1** : the action of caving in **2** : a place where earth has caved in
cave·man \-,man\ *n* **1** : one who lives in a cave; *esp* : a man of the Stone Age **2** : a man who acts with rough or violent directness esp. toward women
cav·ern \'kav-ərn\ *n* : a hollowed-out space in the earth; *esp* : an underground chamber of large extent — **cav·ern·ous** *adj* — **cav·ern·ous·ly** *adv*
cav·i·ar *or* **cav·i·are** \'kav-ē-,är\ *n* : the salted roe of a large fish (as sturgeon) used as an appetizer
cav·il \'kav-əl\ *vb* -iled *or* -illed; -iling *or* -il·ling : to find fault without good reason : make frivolous objections — **cavil** *n* — **cav·il·er** *or* **cav·il·ler** *n*
cav·i·ty \'kav-ət-ē\ *n* : an unfilled space within a mass : a hollow place
ca·vort \kə-'vȯrt\ *vb* : PRANCE, CAPER
caw \'kȯ\ *vb* : to utter the harsh raucous natural call of the crow or a similar cry — **caw** *n*
cay·enne pepper \,kī-,en-, ,kā-\ *n* : a pungent condiment consisting of ground dried fruits or seeds of a hot pepper
cease \'sēs\ *vb* : to come or bring to an end : STOP
cease–fire \-'fī(ə)r\ *n* : a suspension of active hostilities
cease·less \-ləs\ *adj* : being without pause or stop : CONTINUOUS — **cease·less·ly** *adv* — **cease·less·ness** *n*
ce·cum \'sē-kəm\ *n, pl* **ce·ca** \-kə\ *or* **cecums** : the blind pouch at the beginning of the large intestine into one side of which the small intestine opens — **ce·cal** \-kəl\ *adj*
ce·dar \'sēd-ər\ *n* : any of various cone-bearing trees noted for their fragrant durable wood; *also* : this wood
cede \'sēd\ *vb* **1** : to yield or give up esp. by treaty **2** : ASSIGN, TRANSFER — **ced·er** *n*
ceil·ing \'sē-liŋ\ *n* **1** : the overhead inside surface of a room **2** : the greatest height at which an airplane can operate efficiently **3** : the height above the ground of the base of the lowest layer of clouds **4** : an upper prescribed limit ⟨price ∼⟩
cel·an·dine \'sel-ən-,dīn, -,dēn\ *n* : a yellow-flowered herb related to the poppies
cel·e·brate \'sel-ə-,brāt\ *vb* **1** : to perform (as a sacrament) with appropriate rites **2** : to honor (as a holy day) by solemn ceremonies or by refraining from ordinary business **3** : to observe a notable occasion with festivities **4** : to hold up for public acclaim : EXTOL — **cel·e·brant** \-brənt\ *n* — **cel·e·bration** \,sel-ə-'brā-shən\ *n*
cel·e·brat·ed \'sel-ə-,brāt-əd\ *adj* : widely known and often referred to **syn** distinguished, renowned, noted, famous, illustrious, notorious
ce·leb·ri·ty \sə-'leb-rət-ē\ *n* **1** : the state of being celebrated : RENOWN **2** : a celebrated person
ce·ler·i·ty \sə-'ler-ət-ē\ *n* : SPEED, RAPIDITY
cel·ery \'sel-(ə-)rē\ *n* : an herb related to the carrot and widely grown for crisp edible petioles
ce·les·tial \sə-'les-chəl\ *adj* **1** : of or relating to the sky ⟨a star is a ∼ body⟩ **2** : HEAVENLY, DIVINE — **ce·les·tial·ly** *adv*
celestial sphere *n* : an imaginary sphere of infinite radius against which the celestial bodies appear to be projected
cel·i·ba·cy \'sel-ə-bə-sē\ *n* **1** : the state of being unmarried; *esp* : abstention by vow from marriage **2** : CHASTITY
cel·i·bate \-bət\ *n* : one who lives in celibacy — **celibate** *adj*
cell \'sel\ *n* **1** : a small room (as in a convent or prison) usu. for use of a single person; *also* : a small compartment, cavity, or bounded space **2** : a tiny mass of protoplasm that contains a nucleus, is enclosed by a membrane, and forms the fundamental unit of living matter **3** : a container holding an electrolyte either for generating electricity or use in electrolysis **4** : a device for converting radiant energy into electrical energy or for varying an electric current in accordance with radiation received
cel·lar \'sel-ər\ *n* **1** : a room or group of rooms below the surface of the ground and usu. under a building **2** : a stock of wines
cel·list \'chel-əst\ *n* : one that plays the cello
cel·lo \'chel-ō\ *n* : a bass member of the violin family tuned an octave below the viola
cel·lo·phane \'sel-ə-,fān\ *n* : a thin transparent material made from cellulose and used as a wrapping
cel·lu·lar \'sel-yə-lər\ *adj* **1** : of, relating to, or consisting of cells **2** : porous in texture
cel·lu·lose \-,lōs\ *n* : a complex carbohydrate of the cell walls of plants used esp. in making paper or rayon — **cel-**

lu·los·ic \,sel-yə-'lō-sik\ *adj or n*
Cel·si·us \'sel-sē-əs\ *adj* : CENTIGRADE ⟨10° ∼⟩
Celt \'selt, 'kelt\ *n* : a member of any of a group of peoples (as the Irish or Welsh) of western Europe — **Celt·ic** *adj*
¹**ce·ment** \si-'ment\ *n* **1** : a powder that is produced from a burned mixture chiefly of clay and limestone, that with water forms a paste that hardens into a stonelike mass, and that is used in mortars and concretes; *also* : CONCRETE **2** : a binding element or agency **3** : a substance for filling cavities in teeth
²**cement** *vb* : to unite or cover with cement
cem·e·tery \'sem-ə-,ter-ē\ *n* : a burial ground : GRAVEYARD
cen·ser \'sen-sər\ *n* : a vessel for burning incense (as in religious ritual)
¹**cen·sor** \'sen-sər\ *n* **1** : one of two early Roman magistrates whose duties included taking the census **2** : an official who inspects printed matter or sometimes motion pictures with power to suppress anything objectionable — **cen·so·ri·al** \sen-'sōr-ē-əl\ *adj*
²**censor** *vb* : to subject to censorship
cen·so·ri·ous \sen-'sōr-ē-əs\ *adj* : marked by or given to censure : CRITICAL — **cen·so·ri·ous·ly** *adv* — **cen·so·ri·ous·ness** *n*
cen·sor·ship \'sen-sər-,ship\ *n* **1** : the office of a Roman censor **2** : the action of a censor esp. in stopping the transmission or publication of matter considered objectionable
¹**cen·sure** \'sen-chər\ *n* **1** : the act of blaming or condemning sternly **2** : an official reprimand
²**censure** *vb* : to find fault with and criticize as blameworthy — **cen·sur·able** *adj* — **cen·sur·er** *n*
cen·sus \'sen-səs\ *n* **1** : a periodic governmental count of population **2** : COUNT, TALLY
cent \'sent\ *n* **1** : a unit of value equal to 100th part of a basic unit in various monetary systems **2** : a coin, token, or note representing one cent — see MONEY table
cen·taur \'sen-,tȯr\ *n* : one of a race of creatures in Greek mythology half man and half horse
cen·te·nar·i·an \,sent-ᵊn-'er-ē-ən\ *n* : a person who is 100 or more years old
cen·ten·a·ry \sen-'ten-ə-rē, 'sent-ᵊn-,er-ē\ *adj or n* : CENTENNIAL
cen·ten·ni·al \sen-'ten-ē-əl\ *n* : a 100th anniversary of its celebration — **centennial** *adj* — **cen·ten·ni·al·ly** *adv*
¹**cen·ter** \'sent-ər\ *n* **1** : the point equally distant or at the average distance from the outside points of a figure or body **2** : the point about which an activity concentrates or from which something originates **3** : a region of concentrated population **4** : a middle part **5** *often cap* : political figures holding moderate views esp. between those of conservatives and liberals **6** : a player occupying a middle position (as in football or basketball)
²**center** *vb* **1** : to place or fix at or around a center or central area **2** : to gather to a center : CONCENTRATE **3** : to have a center
cen·ter·board \-,bōrd\ *n* : a retractable keel used esp. in sailboats

cen·ter·piece \-,pēs\ *n* : an object occupying a central position; *esp* : an adornment in the center of a table
cen·ti·grade \'sent-ə-,grād, 'sänt-\ *adj* : relating to, conforming to, or having a thermometer scale on which the interval between the freezing and boiling points of water is divided into 100 degrees with 0° representing the freezing point and 100° the boiling point ⟨10° ∼⟩
cen·ti·gram \-,gram\ *n* : a weight of ¹⁄₁₀₀ gram
cen·ti·me·ter \'sent-ə-,mēt-ər, 'sänt-\ *n* : a measure of length equal to ¹⁄₁₀₀ meter
cen·ti·pede \'sent-ə-,pēd\ *n* : a long flat many-legged arthropod
¹**cen·tral** \'sen-trəl\ *adj* **1** : constituting a center **2** : ESSENTIAL, PRINCIPAL **3** : relating to, at, or near the center **4** : centrally placed and superseding separate units ⟨∼ heating⟩ — **cen·tral·ly** *adv*
²**central** *n* : a telephone exchange or an operator handling calls there
cen·tral·ize \'sen-trə-,līz\ *vb* : to bring to a central point or under central control — **cen·tral·iza·tion** \,sen-trə-lə-'zā-shən\ *n* — **cen·tral·iz·er** \'sen-trə-,lī-zər\ *n*
cen·trif·u·gal \sen-'trif-yə-gəl\ *adj* **1** : proceeding or acting in a direction away from a center or axis **2** : using centrifugal force or acting or separated by it — **cen·trif·u·gal·ly** *adv*
centrifugal force *n* : the force that tends to impel a thing or parts of a thing outward from a center of rotation
cen·tri·fuge \'sen-trə-,fyüj, 'sän-\ *n* : a machine using centrifugal force (as for separating substances of different densities or for removing moisture)
cen·trip·e·tal \sen-'trip-ət-ᵊl\ *adj* : proceeding or acting in a direction toward a center or axis — **cen·trip·e·tal·ly** *adv*
cen·trist \'sen-trəst\ *n* **1** *often cap* : a member of a center party **2** : one that holds moderate views
cen·tu·ri·on \sen-'t(y)ür-ē-ən\ *n* : an officer commanding a Roman century
cen·tu·ry \'sench-(ə-)rē\ *n* **1** : a subdivision of a Roman legion **2** : a group or sequence of 100 like things **3** : a period of 100 years esp. of the Christian era or the preceding period
ce·phal·ic \sə-'fal-ik\ *adj* **1** : of or relating to the head **2** : directed toward or situated on or in or near the head
ce·ram·ic \sə-'ram-ik\ *n* **1** *pl* : the art or process of making articles from clay by shaping and hardening by firing; *also* : the process of making any product (as earthenware, brick, tile, or glass) from a nonmetallic mineral by firing **2** : a product produced by ceramics — **ceramic** *adj*
ce·ram·ist \sə-'ram-əst\ *or* **ce·ram·i·cist** \-'ram-ə-səst\ *n* : one that engages in ceramics
ce·re·al \'sir-ē-əl\ *n* **1** : a grass (as wheat) yielding grain suitable for food; *also* : its grain **2** : cereal grain prepared for use as a breakfast food
cer·e·bel·lum \,ser-ə-'bel-əm\ *n* : a part of the brain that projects over the medulla and is concerned esp. with coordination of muscular action and

cerebral palsy 79 challenge

with bodily equilibrium — **cer·e·bel·lar** *adj*

ce·re·bral palsy \sə-,rē-brəl-, ,ser-ə-\ *n* : a disorder caused by brain damage usu. before or during birth and marked esp. by defective muscle control

cer·e·brate \'ser-ə-,brāt\ *vb* : THINK — **cer·e·bra·tion** \,ser-ə-'brā-shən\ *n*

ce·re·brum \sə-'rē-brəm, 'ser-ə-\ *n* : the enlarged front and upper part of the brain that contains the higher nervous centers — **ce·re·bral** *adj*

cere·cloth \'siər-,klȯth\ *n* : cloth treated with melted wax or gummy matter and formerly used esp. for wrapping a dead body

cere·ment \'ser-ə-mənt, 'siər-mənt\ *n* : a shroud for the dead

¹**cer·e·mo·ni·al** \,ser-ə-'mō-nē-əl\ *adj* : of, relating to, or forming a ceremony — **cer·e·mo·ni·al·ly** *adv* — **cer·e·mo·ni·al·ness** *n*

²**ceremonial** *n* : a ceremonial act or system : RITUAL, FORM

cer·e·mo·ni·ous \-nē-əs\ *adj* 1 : CEREMONIAL 2 : devoted to forms and ceremony 3 : according to formal usage or procedure 4 : marked by ceremony — **cer·e·mo·ni·ous·ly** *adv* — **cer·e·mo·ni·ous·ness** *n*

cer·e·mo·ny \'ser-ə-,mō-nē\ *n* 1 : a formal act or series of acts prescribed by law, ritual, or convention 2 : a conventional act of politeness 3 : a mere outward form 4 : FORMALITY

ce·ri·um \'sir-ē-əm\ *n* : a malleable metallic chemical element

cer·tain \'sərt-ᵊn\ *adj* 1 : FIXED, SETTLED 2 : proved to be true 3 : of a specific but unspecified character ⟨~ people in authority⟩ 4 : DEPENDABLE, RELIABLE 5 : INDISPUTABLE, UNDENIABLE 6 : assured in mind or action — **cer·tain·ly** *adv*

cer·tain·ty \-tē\ *n* 1 : something that is certain 2 : the quality or state of being certain : **for a certainty** : beyond doubt : CERTAINLY

cer·tif·i·cate \sər-'tif-i-kət\ *n* 1 : a document testifying to the truth of a fact 2 : a document testifying that one has fulfilled certain requirements (as of a course or school) 3 : a document evidencing ownership or debt

cer·ti·fi·ca·tion \,sərt-ə-fə-'kā-shən\ *n* 1 : the act of certifying : the state of being certified 2 : a certified statement

certified check *n* : a check certified to be good by the bank upon which it is drawn

cer·ti·fy \'sərt-ə-,fī\ *vb* 1 : VERIFY, CONFIRM 2 : to endorse officially 3 : to guarantee (a bank check) as good by a statement to that effect stamped on its face 4 : to attest officially to the insanity of *syn* attest, witness, accredit, approve, sanction — **cer·ti·fi·er** *n*

cer·ti·tude \'sərt-ə-,t(y)üd\ *n* : the state of being or feeling certain : CERTAINTY

ce·ru·le·an \sə-'rü-lē-ən\ *adj* : AZURE

ce·sar·e·an *or* **ce·sar·i·an** \si-'zar-ē-ən\ *n* : surgical incision of the walls of the abdomen and uterus for delivery of offspring — **cesarean** *or* **cesarian** *adj*

ce·si·um \'sē-zē-əm\ *n* : a silver-white soft ductile chemical element

ces·sa·tion \se-'sā-shən\ *n* : a temporary or final ceasing (as of action) : STOP

ces·sion \'sesh-ən\ *n* : a yielding (as of property or rights) to another

cess·pool \'ses-,pül\ *n* : an underground pit or tank for receiving household sewage

chafe \'chāf\ *vb* 1 : IRRITATE, VEX 2 : FRET 3 : to warm by rubbing esp. with the hands 4 : to rub so as to wear away; *also* : to make sore by rubbing

¹**chaff** \'chaf\ *n* 1 : debris (as husks) separated from grain in threshing 2 : something light and worthless — **chaffy** *adj*

²**chaff** *n* : light jesting talk : BANTER

³**chaff** *vb* : to tease in a good-natured manner

chaf·ing dish \'chā-fiŋ-\ *n* : a utensil for cooking food at the table

¹**cha·grin** \shə-'grin\ *n* : mental uneasiness or annoyance caused by failure, disappointment, or humiliation

²**chagrin** *vb* **cha·grined; cha·grin·ing** : to cause to feel chagrin

¹**chain** \'chān\ *n* 1 : a flexible series of connected links 2 *pl* : BONDS, FETTERS; *also* : BONDAGE 3 : a series of things linked together 4 : a chainlike measuring instrument 66 feet long; *also* : a unit of measurement equal to 66 feet *syn* train, string, set, sequence, succession

²**chain** *vb* : to fasten, bind, or connect with a chain; *also* : FETTER

chain gang *n* : a gang of convicts chained together

chain mail *n* : flexible armor of interlocking metal rings

chain reaction *n* 1 : a series of events in which each event initiates the succeeding one 2 : a chemical or nuclear reaction giving products that cause further reactions of the same kind

chain store *n* : one of numerous usu. retail stores under the same ownership and general management and selling the same lines of goods

¹**chair** \'cheər\ *n* 1 : a seat with four legs and a back for one person 2 : an official seat; *also* : an office or position of authority or dignity 3 : CHAIRMAN 4 : a sedan chair 5 : ELECTRIC CHAIR

²**chair** *vb* : to act as chairman of

chair·man \-mən\ *n* 1 : the presiding officer of a meeting or of a committee

chaise \'shāz\ *n* 1 : a 2-wheeled carriage with a folding top 2 : a light carriage or pleasure cart

chaise longue \'shāz-'lȯŋ\ *or* **chaise lounge** \-'laȯnj\ *n* : a long couchlike chair

chal·ced·o·ny \kal-'sed-ᵊn-ē\ *n* : a translucent pale blue or gray quartz

cha·let \sha-'lā\ *n* 1 : a herdsman's cabin in the Swiss mountains 2 : a building in the style of a Swiss cottage with a wide roof overhang and balconies

chal·ice \'chal-əs\ *n* : a drinking cup; *esp* : the eucharistic cup

¹**chalk** \'chȯk\ *n* 1 : a soft limestone 2 : chalk or chalky material used as a crayon — **chalky** *adj*

²**chalk** *vb* 1 : to rub or mark with chalk 2 : to record (an account) with or as if with chalk

chalk·board \'chȯk-,bȯrd\ *n* : BLACKBOARD

¹**chal·lenge** \'chal-ənj\ *vb* 1 : to halt and demand the countersign of 2 : to

take exception to : DISPUTE   3 : to issue an invitation to compete against one esp. in single combat : DARE, DEFY — **chal·leng·er** *n*

²challenge *n*   1 : a calling into question : PROTEST   2 : an exception taken to a juror   3 : a sentry's command to halt and prove identity   4 : a summons to a duel   5 : an invitation to compete in a sport

cham·ber \'chām-bər\ *n*   1 : ROOM; *esp* : BEDROOM   2 : an enclosed space or compartment   3 : a hall for meetings of a legislative body   4 *pl, chiefly Brit* : a set of rooms arranged for business or personal use   5 : a judge's consultation room — usu. used in pl.   6 : a legislative or judicial body; *also* : a council for a business purpose   7 : a compartment in the cartridge cylinder of a revolver — **cham·bered** *adj*

cham·ber·lain \'chām-bər-lən\ *n*   1 : a high court dignitary (as the chief household officer of a king)   2 : a treasurer or receiver of public money (as for a city)

cham·ber·maid \-,mād\ *n* : a maid who takes care of bedrooms

chamber music *n* : music intended for performance by a few musicians before a small audience

cha·me·leon \kə-'mēl-yən\ *n* : a small lizard whose skin changes color esp. according to the surroundings

cham·ois \'sham-ē\ *n, pl* **cham·ois** \-ē(z)\   1 : a small goatlike antelope of Europe and the Caucasus   2 *also* **cham·my** : a soft leather made esp. from the skin of the sheep or goat

cham·o·mile \'kam-ə-,mīl\ *n* : any of a genus of strong-scented herbs related to the daisy whose flower heads yield a bitter medicinal substance

¹champ \'champ, 'chämp\ *vb*   1 : to chew noisily   2 : to show impatience of delay or restraint

²champ \'champ\ *n* : CHAMPION

cham·pagne \sham-'pān\ *n* : a sparkling white wine

cham·paign \-'pān\ *n* : a stretch of flat open country

¹cham·pi·on \'cham-pē-ən\ *n*   1 : a militant advocate or defender   2 : one that wins first prize or place in a contest   3 : one that is acknowledged to be better than all others

²champion *vb* : to protect or fight for as a champion   *syn* back, advocate, uphold, support

cham·pi·on·ship \-,ship\ *n*   1 : the position or title of a champion   2 : a defending as a champion   3 : a contest held to determine a champion

¹chance \'chans\ *n*   1 : something that happens without apparent cause   2 : the unpredictable element in existence : LUCK, FORTUNE   3 : OPPORTUNITY   4 : the likelihood of a particular outcome in an uncertain situation : PROBABILITY   5 : RISK   6 : a ticket in a raffle — **chance** *adj*

²chance *vb*   1 : to take place by chance : HAPPEN   2 : to come by chance — used with *upon*   3 : to leave to chance   4 : to accept the risk of

chan·cel \'chan-səl\ *n* : the part of a church including the altar and choir

chan·cel·lery *or* **chan·cel·lory** \'chan-s(ə-)lə-rē\ *n*   1 : the position or office of a chancellor   2 : the building or room housing a chancellor's office   3 : the office or staff of an embassy or consulate

chan·cel·lor \'chan-s(ə-)lər\ *n*   1 : a high state official in various countries   2 : a judge in the equity court in various states of the U.S.   3 : the head of various universities   4 : the chief minister of state in some European countries — **chan·cel·lor·ship** *n*

chan·cery \'chans-(ə-)rē\ *n*   1 : any of various courts of equity in the U.S. and Britain   2 : a record office for public or diplomatic archives   3 : a chancellor's court or office   4 : the office of an embassy

chan·cre \'shan-kər\ *n* : a primary sore or ulcer at the site of entry of an infective agent (as of syphilis)

chancy \'chan-sē\ *adj*   1 *Scot* : AUSPICIOUS   2 : RISKY

chan·de·lier \,shan-də-'liər\ *n* : a branched lighting fixture hanging from a ceiling

¹change \'chānj\ *vb*   1 : to make or become different : ALTER   2 : to replace with another   3 : EXCHANGE   4 : to give or receive an equivalent sum in notes or coins of usu. smaller denominations or of another currency   5 : to put fresh clothes or covering on (~ a bed)   6 : to put on different clothes — **change·able** *adj* — **chang·er** *n*

²change *n*   1 : the act, process, or result of changing : ALTERATION, TRANSFORMATION, SUBSTITUTION   2 : a fresh set of clothes to replace those being worn   3 : surplus money returned to a person who offers payment exceeding the sum due   4 : money given in exchange for other money of higher denomination   5 : coins esp. of small denominations — **change·ful** *adj* — **change·less** *adj*

change·ling \'chānj-liŋ\ *n* : a child secretly exchanged for another in infancy

change of life : MENOPAUSE

change ringing *n* : the art or practice of ringing a set of tuned bells in continually varying order

¹chan·nel \'chan-ᵊl\ *n*   1 : the bed of a stream   2 : the deeper part of a waterway   3 : DUCT, TUBE; *also* : PASSAGEWAY   4 : a long narrow depression (as a groove or furrow)   5 : STRAIT   6 : a means of passage or transmission   7 : a range of frequencies of sufficient width for a single radio or television transmission

²channel *vb* **-neled** *or* **-nelled;** **-nel·ing** *or* **-nel·ling**   1 : to make a channel in   2 : to direct into or through a channel

chan·nel·ize \'chan-ᵊl-,īz\ *vb* : CHANNEL — **chan·nel·iza·tion** \,chan-ᵊl-ə-'zā-shən\ *n*

¹chant \'chant\ *vb*   1 : SING; *esp* : to sing a chant   2 : to sing or speak in the manner of a chant   3 : to celebrate or praise in song — **chant·er** *n*

²chant *n* : SONG : a repetitive melody in which several words are sung to one tone; *esp* : a liturgical melody   2 : a manner of singing or speaking in musical monotones

chan·tey *or* **chan·ty** \'shant-ē, 'chant-\ *n* : a song sung by sailors in rhythm with their work

chan·ti·cleer \,chant-ə-'kliər\ *n* : COCK

chan·try \'chan-trē\ *n*   1 : an endowment for the chanting of masses   2 : a

chanukah 81 **charnel**

chapel endowed by a chantry
Cha·nu·kah \'kän-ə-kə, 'hän-\ *var of* HANUKKAH
cha·os \'kā-ˌäs\ *n* **1** *often cap* : the confused unorganized state existing before the creation of distinct forms **2** : complete disorder **syn** confusion, jumble, snarl, muddle — **cha·ot·ic** \kā-'ät-ik\ *adj* — **cha·ot·i·cal·ly** *adv*
¹chap \'chap\ *n* : FELLOW
²chap *vb* **chapped; chap·ping** : to dry and crack open usu. from wind and cold ⟨*chapped* lips⟩
³chap \'chäp, 'chap\ *n* : a jaw with its fleshy covering — usu. used in pl.
chap·el \'chap-əl\ *n* **1** : a private or subordinate place of worship **2** : an assembly at an educational institution usu. including devotional exercises **3** : a place of worship used by a Christian group other than the established church
¹chap·er·on *or* **chap·er·one** \'shap-ə-ˌrōn\ *n* **1** : a matron who accompanies young unmarried women in public for propriety **2** : an older person who accompanies young people at a social gathering to ensure proper behavior
²chaperon *or* **chaperone** *vb* **1** : ESCORT, GUIDE **2** : to act as a chaperon to or for — **chap·er·on·age** *n*
chap·lain \'chap-lən\ *n* **1** : a clergyman officially attached to a special group (as the army) **2** : a person chosen to conduct religious exercises (as for a club) — **chap·lain·cy** *n*
chap·let \'chap-lət\ *n* **1** : a wreath for the head **2** : a string of beads : NECKLACE — **chap·let·ed** *adj*
chaps \'shaps\ *n pl* : leather leggings resembling trousers without a seat that are worn esp. by western ranch hands
chap·ter \'chap-tər\ *n* **1** : a main division of a book **2** : a body of canons (as of a cathedral) **3** : a local branch of a society or fraternity
²char *vb* **charred; char·ring 1** : to burn to charcoal **2** : SCORCH **3** : to burn to a cinder
char·ac·ter \'kar-ik-tər\ *n* **1** : a graphic symbol (as a letter) used in writing or printing **2** : a distinguishing feature : ATTRIBUTE **3** : the complex of mental and ethical traits marking a person or a group **4** : a person marked by conspicuous often peculiar traits **5** : one of the persons in a novel or play **6** : REPUTATION **7** : moral excellence
¹char·ac·ter·is·tic \ˌkar-ik-tə-'ris-tik\ *adj* : serving to mark individual character **syn** individual, peculiar, distinctive — **char·ac·ter·is·ti·cal·ly** *adv*
²characteristic *n* : a distinguishing trait, quality, or property
char·ac·ter·ize \'kar-ik-tə-ˌrīz\ *vb* **1** : to describe the character or quality of **2** : to be a quality or feature of : be characteristic of — **char·ac·ter·i·za·tion** \ˌkar-ik-tə-rə-'zā-shən\ *n*
char·ac·tery \'kar-ik-t(ə-)rē\ *n* : written letters or symbols
cha·rades \shə-'rādz\ *n sing or pl* : a guessing game in which contestants act out the syllables of a word to be guessed
char·coal \'chär-ˌkōl\ *n* **1** : a dark porous carbon made by partly burning wood in such a way that little air gets to it during the burning **2** : a piece of fine charcoal used in drawing; *also* : a drawing made with charcoal
¹charge \'chärj\ *vb* **1** : to load or fill to capacity; *also* : IMPREGNATE **2** : to give an electric charge to; *also* : to restore the activity of (a storage battery) by means of an electric current **3** : to impose a task or responsibility on **4** : COMMAND, ORDER **5** : ACCUSE **6** : to rush against : rush forward in assault **7** : to make liable for payment; *also* : to record a debt or liability against **8** : to fix as a price — **charge·able** *adj*
²charge *n* **1** : a quantity (as of fuel or ammunition) required to fill something to capacity **2** : a store or accumulation of force **3** : an excess or deficiency of electrons in a body **4** *slang* : THRILL, KICK **5** : a task or duty imposed **6** : one given into another's care **7** : CARE, RESPONSIBILITY **8** : ACCUSATION, INDICTMENT **9** : instructions from a judge to a jury **10** : COST, EXPENSE, PRICE; *also* : a debit to an account **11** : ATTACK, ASSAULT
char·gé d'af·faires \shär-ˌzhäd-ə-'faər\ *n, pl* **char·gés d'af·faires** \-ˌzhā(z)d-ə-\ : a diplomat who substitutes for an absent ambassador or minister
char·i·ot \'char-ē-ət\ *n* : a 2-wheeled vehicle of ancient times used in war and in races and processions — **char·i·o·teer** \ˌchar-ē-ə-'tiər\ *n*
char·is·mat·ic \ˌkar-əz-'mat-ik\ *adj* : having or showing a personal quality of leadership that arouses special popular loyalty or enthusiasm
char·i·ta·ble \'char-ət-ə-bəl\ *adj* **1** : liberal in giving to the poor **2** : merciful or lenient in judging others **syn** benevolent, philanthropic — **char·i·ta·ble·ness** *n* — **char·i·ta·bly** *adv*
char·i·ty \'char-ət-ē\ *n* [OF *charité*, fr. LL *caritat-, caritas*, fr. L, affection, fr. *carus* dear] **1** : Christian love for God and men **2** : an act or feeling of generosity **3** : the giving of aid to the poor; *also* : ALMS **4** : an institution engaged in relief of the poor **5** : leniency in judging others **syn** mercy, clemency, philanthropy
char·la·tan \'shär-lə-tən\ *n* : a person pretending to knowledge or ability that he lacks : QUACK
char·ley horse \'chär-lē-ˌhȯrs\ *n* : pain and stiffness from muscular strain in an arm or leg
¹charm \'chärm\ *n* **1** : an act or expression believed to have magic power **2** : something worn about the person to ward off evil or bring good fortune : AMULET **3** : a trait that fascinates or allures **4** : physical grace or attraction **5** : a small ornament worn on a bracelet or chain
²charm *vb* **1** : to affect by or as if by a magic spell **2** : FASCINATE, ENCHANT **3** : to protect by or as if by charms ⟨a ~ed life⟩ **syn** allure, captivate, bewitch, attract
charm·er *n* : one that pleases or fascinates; *esp* : an attractive woman
charm·ing *adj* : greatly pleasing to the mind or senses : DELIGHTFUL — **charm·ing·ly** *adv*
char·nel \'chärn-əl\ *n* : a building or chamber in which bodies or bones are deposited — **charnel** *adj*

¹**chart** \'chärt\ *n* **1** : MAP **2** : a sheet giving information in the form of a table, list, or diagram; *also* : GRAPH
²**chart** *vb* **1** : to make a chart of **2** : PLAN
char·ter \'chärt-ər\ *n* **1** : an official document granting rights or privileges (as to a colony, town, or college) from a sovereign or a governing body **2** : CONSTITUTION **3** : an instrument from a society creating a branch **4** : a mercantile lease of a ship
²**charter** *vb* **1** : to establish, enable, or convey by charter **2** *Brit* : CERTIFY ⟨~*ed* engineer⟩ **3** : to hire, rent, or lease for temporary use ⟨~*ed* bus⟩ — **char·ter·er** *n*
char·treuse \shär-'trüz, -'trüs\ *n* **1** : a usu. green or yellow liqueur **2** : a variable color averaging a brilliant yellow green
char·wom·an \'chär-,wum-ən\ *n* : a woman who does cleaning (as of houses and offices) by the hour or day
chary \'cha(ə)r-ē\ *adj* **1** : CAUTIOUS, CIRCUMSPECT **2** : SPARING — **char·i·ly** *adv* — **char·i·ness** *n*
¹**chase** \'chās\ *vb* **1** : to follow rapidly : PURSUE **2** : HUNT **3** : to seek out ⟨salesmen *chasing* orders⟩ **4** : to cause to depart or flee : drive away **5** : RUSH, HASTEN ⟨~ off to school⟩
²**chase** *n* **1** : PURSUIT; *also* : HUNTING **2** : QUARRY **3** : a tract of unenclosed land used as a game preserve
³**chase** *vb* : to decorate (a metal surface) by embossing or engraving
chas·er \'chā-sər\ *n* **1** : one that chases **2** : a mild drink taken after hard liquor
chasm \'kaz-əm\ *n* : a narrow steep-walled valley : GORGE
chas·sis \'shas-ē, 'chas-\ *n* : a supporting framework (as for the body of an automobile or the parts of a radio set)
chaste \'chāst\ *adj* **1** : innocent of unlawful sexual intercourse : VIRTUOUS, PURE **2** : CELIBATE **3** : pure in thought : MODEST **4** : severe or simple in design — **chaste·ly** *adv* — **chaste·ness** *n*
chas·ten \'chās-ᵊn\ *vb* **1** : to correct through punishment or suffering : DISCIPLINE; *also* : PURIFY — **chas·ten·er** *n*
chas·tise \chas-'tīz\ *vb* **1** : to punish esp. bodily (as by whipping) — **chas·tise·ment** \-mənt, 'chas-təz-\ *n*
chas·ti·ty \'chas-tət-ē\ *n* : the quality or state of being chaste; *esp* : sexual purity
chas·u·ble \'chaz-ə-bəl, 'chas-\ *n* : the outer vestment of the celebrant at the Eucharist
chat \'chat\ *n* : light familiar informal talk — **chat** *vb*
châ·teau \sha-'tō\ *n*, *pl* **châ·teaus** \-'tōz\ *or* **châ·teaux** \-'tō(z)\ [F, fr. L *castellum* castle, dim. of *castra* camp] **1** : a feudal castle in France **2** : a large country house **3** : a French vineyard estate
chat·tel \'chat-ᵊl\ *n* **1** : an item of tangible property other than real estate **2** : SLAVE, BONDMAN
chat·ter \'chat-ər\ *vb* **1** : to utter speechlike but meaningless sounds **2** : to talk idly, incessantly, or fast : JABBER, BABBLE **3** : to click repeatedly or uncontrollably ⟨~*ing* teeth⟩ — **chatter** *n* — **chat·ter·er** *n*

chat·ter·box \'chat-ər-,bäks\ *n* : one that talks incessantly
chat·ty \'chat-ē\ *adj* : TALKATIVE — **chat·ti·ly** *adv* — **chat·ti·ness** *n*
¹**chauf·feur** \'shō-fər, shō-'fər\ *n* : a person employed to drive an automobile
²**chauffeur** *vb* **1** : to do the work of a chauffeur **2** : to transport in the manner of a chauffeur
chau·vin·ism \'shō-və-,niz-əm\ *n* : excessive or blind patriotism — **chau·vin·ist** *n* — **chau·vin·is·tic** \,shō-və-'nis-tik\ *adj* — **chau·vin·is·ti·cal·ly** *adv*
cheap \'chēp\ *adj* **1** : costing little money : INEXPENSIVE **2** : costing little effort to obtain **3** : worth little **4** : SHODDY, TAWDRY **5** : worthy of scorn — **cheap** *adv* — **cheap·ly** *adv* — **cheap·ness** *n*
cheap·en \'chē-pən\ *vb* **1** : to make or become cheap or cheaper in price or value **2** : to make tawdry or vulgar
cheap·skate \'chēp-,skāt\ *n* : a niggardly person; *esp* : one seeking to avoid his share of costs
¹**cheat** \'chēt\ *n* **1** : the act of deceiving : FRAUD, DECEPTION **2** : a means of cheating : a deceitful trick **3** : one that cheats : a dishonest person — **cheat·er** *n*
²**cheat** *vb* **1** : to deprive of something through fraud or deceit **2** : to practice fraud or trickery **3** : to violate rules (as of a game) dishonestly
¹**check** \'chek\ *n* **1** : a sudden stoppage of progress **2** : a sudden pause or break **3** : something that stops or restrains : CURB, RESTRAINT **4** : a standard for testing or evaluation **5** : EXAMINATION, INSPECTION, INVESTIGATION **6** : the act of testing or verifying **7** : a written order to a bank to pay money **8** : a ticket or token showing ownership or identity **9** : a slip indicating an amount due **10** : a pattern in squares; *also* : a fabric in such a pattern **11** : a mark typically √ placed beside an item to show that it has been noted **12** : CRACK, SPLIT
²**check** *vb* **1** : to slow down or stop : BRAKE **2** : to restrain the action or force of : CURB **3** : to compare with a source, original, or authority : VERIFY **4** : to correspond point by point : TALLY **5** : to inspect or test for satisfactory condition **6** : to mark with a check as examined **7** : to leave or accept for safekeeping in a checkroom **8** : to consign for shipment for one holding a passenger ticket **9** : to mark into squares **10** : CRACK, SPLIT
check·book \-,bůk\ *n* : a book containing blank checks to be drawn on a bank
¹**check·er** \'chek-ər\ *n* : a piece in the game of checkers
²**checker** *vb* **1** : to variegate with different colors or shades **2** : to mark into squares
³**checker** *n* : one that checks
check·ers \'chek-ərz\ *n* : a game for two played on a board (**check·er·board** \-ər-,bōrd\) of 64 squares of alternate colors with each player having 12 pieces
check in *vb* : to report one's presence (as at a hotel)
check·list \'chek-,list\ *n* : a list of items that may easily be referred to
check·mate \'chek-,māt\ *vb* **1** : to thwart completely : DEFEAT, FRUSTRATE **2** : to attack (an opponent's king) in

checkoff / **chide**

chess so that escape is impossible — **checkmate** n
check·off \-ˌȯf\ n : the deduction of union dues from a worker's paycheck by the employer
check out vb : to settle one's account (as at a hotel) and leave
check·point \'chek-ˌpȯint\ n : a point at which vehicular traffic is halted for inspection or clearance
check·room \'chek-ˌrüm, -ˌrum\ n : a room for temporary safekeeping of baggage, parcels, or clothing
check·up \-ˌəp\ n : EXAMINATION; esp : a general physical examination
ched·dar \'ched-ər\ n, often cap : a hard-pressed standard factory cheese of smooth texture
cheek \'chēk\ n 1 : the fleshy side part of the face 2 : IMPUDENCE, BOLDNESS, AUDACITY
cheek·bone \-ˌbōn\ n : the bone or bony projection below the eye
cheeky \'chē-kē\ adj : IMPUDENT, SAUCY — **cheek·i·ly** adv — **cheek·i·ness** n
cheep \'chēp\ vb : to utter faint shrill sounds : PEEP — **cheep** n
¹**cheer** \'chiər\ n 1 : state of mind or heart : SPIRIT 2 : ANIMATION, GAIETY 3 : hospitable entertainment : WELCOME 4 : food and drink for a feast 5 : something that gladdens 6 : a shout of applause or encouragement
²**cheer** vb 1 : to give hope or courage to : COMFORT 2 : to make glad 3 : to urge on esp. by shouts 4 : to applaud with shouts 5 : to grow or be cheerful —usu. used with up — **cheer·er** n
cheer·ful \'chiər-fəl\ adj 1 : having or showing good spirits 2 : conducive to good spirits : pleasant and bright — **cheer·ful·ly** adv — **cheer·ful·ness** n
cheer·lead·er \-ˌlēd-ər\ n : a person who directs organized cheering esp. at a sports event
cheer·less \-ləs\ adj : BLEAK, DISPIRITING — **cheer·less·ly** adv — **cheer·less·ness** n
cheery \'chi(ə)r-ē\ adj : LIVELY, BRIGHT, GAY — **cheer·i·ly** adv — **cheer·i·ness** n
cheese \'chēz\ n : the curd of milk usu. pressed into cakes and cured for use as food — **cheesy** adj
cheese·burg·er \-ˌbər-gər\ n : a hamburger with a slice of toasted cheese
cheese·cloth \-ˌklȯth\ n : a lightweight coarse cotton gauze
chef \'shef\ n [F, head, chief, fr. L caput head] 1 : a male head cook 2 : COOK
¹**chem·i·cal** \'kem-i-kəl\ adj 1 : of or relating to chemistry 2 : acting or operated or produced by chemicals — **chem·i·cal·ly** adv
²**chemical** n : a substance obtained by a process involving the use of chemistry; also : a substance used for producing a chemical effect
che·mise \shə-'mēz\ n 1 : a woman's one-piece undergarment 2 : a loose straight-hanging dress
chem·ist \'kem-əst\ n 1 : one trained or engaged in chemistry 2 Brit : PHARMACIST
chem·is·try \-ə-strē\ n 1 : a science that deals with the composition, structure, and properties of substances and of the changes they undergo 2 : chemical composition or properties ⟨the ~ of gasoline⟩
chemo·ther·a·py \ˌkem-ō-'ther-ə-pē, ˌkē-mō-\ n : the use of chemicals in the treatment or control of disease
chem·ur·gy \'kem-ˌər-jē\ n : chemistry that deals with industrial utilization of organic raw materials esp. from farm products — **chem·ur·gic** \ke-'mər-jik\ adj
che·nille \shə-'nēl\ n : a wool, cotton, silk, or rayon yarn with protruding pile; also : a fabric of such yarn
cher·ish \'cher-ish\ vb 1 : to hold dear : treat with care and affection 2 : to keep deeply in mind (as a memory or purpose)
che·root \shə-'rüt\ n : a cigar cut square at both ends
cher·ry \'cher-ē\ n 1 : the small fleshy fruit of a tree related to the peaches and plums 2 : a variable color averaging a moderate red
chert \'chərt, 'chat\ n : a rock resembling flint and consisting essentially of fine crystalline quartz or fibrous chalcedony
cher·ub \'cher-əb\ n, pl **cherubs** or **cher·u·bim** \'cher-(y)ə-ˌbim\ 1 : an angel of the second highest rank 2 : a chubby rosy child
chess \'ches\ n : a game for two played on a board of 64 squares of alternate colors with each player having 16 pieces
chest \'chest\ n 1 : a box, case, or boxlike receptacle for storage or shipping 2 : the part of the body enclosed by the ribs and breastbone
ches·ter·field \'ches-tər-ˌfēld\ n : an overcoat with a velvet collar
chest·nut \'ches-(ˌ)nət\ n 1 : the edible nut of a tree related to the beech and oak; also : this tree 2 : a grayish brown 3 : an old joke or story
chev·ron \'shev-rən\ n : a sleeve badge of one or more bars or stripes worn to indicate rank or service (as in the armed forces)
¹**chew** \'chü\ vb : to crush or grind with the teeth — **chew·able** adj — **chew·er** n
²**chew** n 1 : an act of chewing 2 : something that is chewed or is suitable for chewing
chewy adj : requiring chewing ⟨~ candy⟩
Chi·an·ti \kē-'änt-ē\ n : a dry usu. red table wine
chiao \'tyau̇\ n, pl **chiao** — see MONEY table
¹**chic** \'shēk\ n : STYLISHNESS
²**chic** adj : cleverly stylish : SMART; also : currently fashionable
chi·ca·nery \shik-'ān-(ə-)rē\ n : TRICKERY, DECEPTION
chick \'chik\ n : a young chicken; also : a young bird
chick·a·dee \'chik-ə-(ˌ)dē\ n : a small grayish American bird with a black cap
chick·en \'chik-ən\ n : a common domestic fowl esp. when young; also : its flesh used as food
chick·en·heart·ed \ˌchik-ən-'härt-əd\ adj : TIMID, COWARDLY
chic·o·ry \'chik-(ə-)rē\ n : an herb related to the thistles and used as a salad; also : its dried ground root used for flavoring or adulterating coffee
chide \'chīd\ vb **chid** \'chid\ or **chid·ed** \'chīd-əd\ **chid** or **chid·den** \'chid-ᵊn\ or **chid·ed**; **chid·ing** \'chīd-

chief | 84 | **chitterlings**

in\ : to voice disapproval to : speak out in rebuke or displeasure **syn** reproach, reprove, reprimand, admonish, scold, rebuke

¹**chief** \'chēf\ *n* **1** : the leader of a body or organization : HEAD **2** : the principal or most valuable part

²**chief** *adj* **1** : highest in rank **2** : most eminent or important **syn** principal, main, leading — **chief·ly** *adv*

chief·tain \'chēf-tən\ *n* : a chief esp. of a band, tribe, or clan — **chief·tain·cy** *n* — **chief·tain·ship** *n*

chief warrant officer *n* : a warrant officer of senior rank

chif·fon \shif-'än\ *n* : a sheer fabric esp. of silk

chif·fo·nier \,shif-ə-'niər\ *n* : a high narrow chest of drawers

chig·ger \'chig-ər\ *n* **1** : a tropical flea that burrows under the skin **2** : a blood-sucking larval mite that irritates the skin

chi·gnon \'shēn-,yän\ *n* : a knot of hair worn at the back of the head

chil·blain \'chil-,blān\ *n* : a sore or inflamed swelling (as on the feet or hands) caused by cold

child \'chīld\ *n, pl* **chil·dren** \'chil-drən\ **1** : an unborn or recently born person **2** : a young person between the periods of infancy and youth **3** : one strongly influenced by another or by a place or state of affairs — **child·ish** \'chīl-dish\ *adj* — **child·ish·ly** *adv* — **child·ish·ness** *n* — **child·less** \'chīld-ləs\ *adj* — **child·less·ness** *n* — **child·like** *adj*

child·birth \'chīld-,bərth\ *n* : the act or process of giving birth to offspring

child·hood *n* : the state or time of being a child

¹**chill** \'chil\ *vb* **1** : to make or become cold or chilly **2** : to make cool esp. without freezing **3** : to harden the surface of (as metal) by sudden cooling — **chill·er** *n*

²**chill** *adj* **1** : moderately cold **2** : COLD, RAW **3** : DISTANT, FORMAL ⟨a ~ reception⟩ **4** : DEPRESSING, DISPIRITING

³**chill** *n* **1** : a feeling of coldness attended with shivering **2** : moderate coldness **3** : a check to warmth of feeling

chilly *adj* **1** : noticeably cold **2** : unpleasantly affected by cold **3** : lacking warmth of feeling — **chill·i·ness** *n*

¹**chime** \'chīm\ *n* **1** : a set of bells musically tuned **2** : the sound of a set of bells — usu. used in pl. **3** : a sound suggesting bells

²**chime** *vb* **1** : to make bell-like sounds **2** : to indicate (as the time of day) by chiming **3** : to be or act in accord : be in harmony

chime in *vb* : to break into or join in a conversation

chi·me·ra *or* **chi·mae·ra** \kī-'mir-ə, kə-\ *n* **1** : an imaginary monster made up of incongruous parts **2** : a frightful or foolish fancy

chim·ney \'chim-nē\ *n* **1** : a passage for smoke that is usu. made of bricks, stone, or metal and often rises above the roof of a building **2** : a glass tube around a lamp flame

chimp \'chimp, 'shimp\ *n* : CHIMPANZEE

chim·pan·zee \,chim-,pan-'zē, ,shim-, -'pan-zē\ *n* : an African manlike ape

¹**chin** \'chin\ *n* : the part of the face below the mouth including the prominence of the lower jaw

²**chin** *vb* **chinned; chin·ning** : to raise (oneself) while hanging by the hands until the chin is level with the support

chi·na \'chī-nə\ *n* : porcelain ware; *also* : domestic pottery in general

chinch bug \'chinch-\ *n* : a small black and white bug destructive to cereal grasses

chin·chil·la \chin-'chil-ə\ *n* **1** : a small So. American rodent with soft pearly gray fur; *also* : its fur **2** : a heavy long-napped woolen cloth

Chi·nese \chī-'nēz\ *n, pl* **Chinese 1** : a native or inhabitant of China **2** : any of a group of related languages of China — **Chinese** *adj*

Chinese wall *n* : a strong barrier; *esp* : a serious obstacle to understanding

¹**chink** \'chiŋk\ *n* : a small crack or fissure

²**chink** *vb* : to fill the chinks of : stop up

³**chink** *n* : a slight sharp metallic sound

⁴**chink** *vb* : to make a slight sharp metallic sound

chi·no \'chē-nō\ *n* **1** : a usu. khaki cotton twill **2** : an article of clothing made of chino — usu. used in pl.

chintz \'chints\ *n* : a usu. glazed printed cotton cloth

chintzy *adj* **1** : decorated with or as if with chintz **2** : GAUDY, CHEAP

¹**chip** \'chip\ *n* **1** : a small usu. thin and flat piece (as of wood) cut or broken off **2** : a thin crisp morsel of food **3** : a counter used in games (as poker) **4** *pl, slang* : MONEY **5** : a flaw left after a chip is removed

²**chip** *vb* **chipped; chip·ping 1** : to cut or break chips from **2** : to break off in small pieces at the edges **3** : to play a chip shot

chip in *vb* : CONTRIBUTE

chip·munk \'chip-,məŋk\ *n* : a small striped American ground-dwelling squirrel

chipped beef \'chip(t)-\ *n* : smoked dried beef sliced thin

¹**chip·per** \'chip-ər\ *n* : one that chips

²**chipper** *adj* : LIVELY, CHEERFUL, SPRIGHTLY

chip shot *n* : a short usu. low shot to the green in golf

chi·rop·o·dy \kə-'räp-əd-ē, shə-\ *n* : professional care and treatment of the human foot — **chi·rop·o·dist** *n*

chi·ro·prac·tic \'kī-rə-,prak-tik\ *n* : a system of healing based esp. on manipulation of body structures — **chi·ro·prac·tor** \-tər\ *n*

chirp \'chərp\ *n* : a short sharp sound characteristic of a small bird or cricket — **chirp** *vb*

¹**chis·el** \'chiz-əl\ *n* : a sharp-edged metal tool used in cutting away and shaping wood, stone, or metal

²**chisel** *vb* **-eled** *or* **-elled; -el·ing** *or* **-el·ling 1** : to work with or as if with a chisel **2** : to obtain by shrewd often unfair methods; *also* : CHEAT — **chis·el·er** *n*

chisels

chit·chat \'chit-,chat\ *n* : casual or trifling conversation

chit·ter·lings *or* **chit·lings** *or* **chit·lins**

\'chit-lənz\ *n pl* : the intestines of hogs esp. prepared as food

chiv·al·rous \'shiv-əl-rəs\ *adj* **1** : of or relating to chivalry **2** : marked by honor, courtesy, and generosity **3** : marked by especial courtesy to women — **chiv·al·rous·ly** *adv* — **chiv·al·rous·ness** *n*

chiv·al·ry \-rē\ *n* **1** : a body of knights **2** : the system or practices of knighthood **3** : the spirit or character of the ideal knight

chlo·ral \'klōr-əl\ *n* : a white crystalline compound used as a narcotic

chlor·dane \'klōr-,dān\ *n* : a viscous liquid insecticide

chlo·ride \'klōr-,īd\ *n* : a compound of chlorine with another element or a radical

chlo·ri·nate \'klōr-ə-,nāt\ *vb* : to treat or cause to combine with chlorine or a chlorine-containing compound esp. for purifying — **chlo·ri·na·tion** \,klōr-ə-'nā-shən\ *n*

chlo·rine \'klōr-,ēn\ *n* : a chemical element that is a heavy strong-smelling greenish yellow irritating gas used as a bleach, oxidizing agent, and disinfectant

¹chlo·ro·form \'klōr-ə-,fôrm\ *n* : a colorless heavy fluid with etherlike odor used as a solvent and anesthetic

²chloroform *vb* : to treat with chloroform so as to produce anesthesia or death

chlo·ro·phyll \-,fil\ *n* : the green coloring matter of plants that functions in photosynthesis

chock \'chäk\ *n* : a wedge for steadying something or for blocking the movement of a wheel — **chock** *vb*

chock·a·block \-ə-,bläk\ *adj* : very full : CROWDED

chock–full \-'fùl\ *adj* : full to the limit

choc·o·late \'chäk-(ə-)lət, 'chòk-\ *n* [Sp, fr. Nahuatl *xocoatl*] **1** : processed ground and roasted cacao beans; *also* : a drink prepared from this **2** : a candy made of or with a coating of chocolate **3** : a dark brown color

¹choice \'chòis\ *n* **1** : the act of choosing : SELECTION **2** : the power or opportunity of choosing : OPTION **3** : a person or thing selected **4** : the best part : CREAM **5** : a variety offered for selection

²choice *adj* **1** : worthy of being chosen **2** : selected with care : well chosen **3** : of high quality

choir \'kwī(ə)r\ *n* **1** : an organized company of singers esp. in a church **2** : the part of a church occupied by the singers

¹choke \'chōk\ *vb* **1** : to hinder breathing (as by obstructing the windpipe) : STRANGLE **2** : to check the growth or action of **3** : CLOG, OBSTRUCT **4** : to decrease or shut off the air intake of the carburetor of a gasoline engine to make the fuel mixture richer

²choke *n* **1** : a choking or sound of choking **2** : a narrowing in size toward the muzzle in the bore of a gun **3** : a valve for choking a gasoline engine

chol·er \'käl-ər, 'kō-lər\ *n* : tendency toward anger : IRASCIBILITY

chol·era \'käl-ə-rə\ *n* : a disease marked by severe vomiting and dysentery; *esp* : an often fatal epidemic disease (**Asiatic cholera**) chiefly of southeastern Asia

chol·er·ic \'käl-ə-rik, kə-'ler-ik\ *adj* **1** : IRASCIBLE : hot-tempered **2** : ANGRY, IRATE

cho·les·ter·ol \kə-'les-tə-,ról\ *n* : a physiologically important waxy substance in animal tissues

choose \'chüz\ *vb* **chose** \'chōz\ **cho·sen** \'chōz-ᵊn\ **choos·ing** **1** : to select esp. after consideration **2** : to think proper : see fit : PLEASE **3** : DECIDE ⟨*chose* to go by train⟩ — **choos·er** *n*

choosy *or* **choos·ey** \'chü-zē\ *adj* : very particular in making choices

¹chop \'chäp\ *vb* **chopped; chop·ping** **1** : to cut by repeated blows **2** : to cut into small pieces : MINCE **3** : to strike (a ball) with a short quick downward stroke — **chop·per** *n*

²chop *n* **1** : a sharp downward blow or stroke **2** : a small cut of meat often including part of a rib **3** : a short abrupt motion (as of waves)

³chop *n* **1** : an official seal or stamp or its impression **2** : a mark on goods to indicate quality or kind; *also* : QUALITY, GRADE

chop·house \-,haús\ *n* : RESTAURANT

¹chop·py \'chäp-ē\ *adj* : CHANGEABLE, VARIABLE ⟨a ~ wind⟩ — **chop·pi·ly** *adv* — **chop·pi·ness** *n*

²choppy *adj* **1** : rough with small waves **2** : JERKY, DISCONNECTED — **chop·pi·ly** *adv* — **chop·pi·ness** *n*

chops \'chäps\ *n pl* : the fleshy covering of the jaws

chop·stick \'chäp-,stik\ *n* : one of a pair of sticks used in oriental countries for lifting food to the mouth

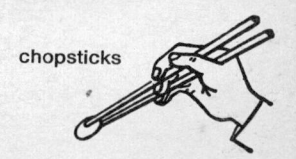

chopsticks

chop su·ey \chäp-'sü-ē\ *n* : a dish made typically of bean sprouts, bamboo shoots, celery, onions, mushrooms, and meat or fish and served with rice

cho·ral \'kōr-əl\ *adj* : of, relating to, or sung by a choir or chorus or in chorus — **cho·ral·ly** *adv*

cho·rale *also* **cho·ral** \kə-'ral\ *n* **1** : a hymn or psalm sung in church; *also* : a hymn tune or a harmonization of a traditional melody **2** : CHORUS, CHOIR

¹chord \'kórd\ *n* : a combination of tones that blend harmoniously when sounded together

²chord *n* **1** : CORD, STRING; *esp* : a cordlike anatomical structure **2** : a straight line joining two points on a curve

chore \'chōr\ *n pl* : the daily light work of a household or farm **2** : a routine task or job **3** : a difficult or disagreeable task

cho·rea \kə-'rē-ə\ *n* : a nervous disorder marked by spasmodic uncontrolled movements

cho·re·og·ra·phy \,kōr-ē-'äg-rə-fē\ *n* : the art of dancing or of arranging dances and esp. ballets — **cho·re·og·ra·pher** *n*

chor·tle \'chòrt-ᵊl\ *vb* : to laugh or chuckle esp. in satisfaction or exultation — **chortle** *n*

chorus   86   **chute**

¹**cho·rus** \\'kōr-əs\\ *n* **1** : an organized company of singers : CHOIR **2** : a group of dancers and us. singers supporting the featured players in a revue **3** : a part of a song repeated at intervals **4** : a composition to be sung by a number of voices in concert; *also* : group singing **5** : sounds uttered by a number of persons or animals together

²**chorus** *vb* : to sing or utter in chorus

cho·sen \\'chōz-ᵊn\\ *adj* : selected or marked for special favor or privilege

chow \\'chaù\\ *n* : a thick-coated straight-legged muscular dog with a blue-black tongue and a short tail curled close to the back

chrism \\'kriz-əm\\ *n* : consecrated oil used esp. in baptism and confirmation

Christ \\'krīst\\ *n* [L *Christus*, fr. Gk *Christos*, lit., anointed, trans. of Heb *māshīaḥ*] : Jesus esp. in his character as the Messiah

chris·ten \\'kris-ᵊn\\ *vb* **1** : BAPTIZE **2** : to name at baptism **3** : to name or dedicate (as a ship) by a ceremony suggestive of baptism — **chris·ten·ing** *n*

Chris·ten·dom \\'kris-ᵊn-dəm\\ *n* **1** : the entire body of Christians **2** : the part of the world in which Christianity prevails

¹**Chris·tian** \\'kris-chən\\ *n* **1** : an adherent of Christianity **2** : a member of one of several Protestant religious bodies dedicated to the restoration of a united New Testament Christianity

²**Christian** *adj* **1** : of, relating to, or professing a belief in Christianity **2** : of or relating to Jesus Christ **3** : based on or conforming with Christianity **4** : of or relating to a Christian

Chris·ti·an·i·ty \\,kris-chē-'an-ət-ē\\ *n* **1** : CHRISTENDOM **2** : the religion derived from Jesus Christ, based on the Bible as sacred scripture, and professed by Christians

Christian Scientist *n* : one who practices the teachings of Christian Science

Christ·mas \\'kris-məs\\ *n* : December 25 celebrated as a church festival in commemoration of the birth of Christ and observed as a legal holiday

chro·mat·ic \\krō-'mat-ik\\ *adj* **1** : of or relating to color **2** : proceeding by half steps of the musical scale

chrome \\'krōm\\ *n* **1** : CHROMIUM **2** : a chromium pigment **3** : plating of a chromium alloy

chro·mi·um \\'krō-mē-əm\\ *n* : a bluish white hard brittle metallic chemical element used in alloys for lustrous rust-resistant platings in automobiles

chro·mo·some \\'krō-mə-,sōm\\ *n* : one of the usu. elongated bodies in a cell nucleus that contains the genes

chron·ic \\'krän-ik\\ *adj* : marked by long duration or frequent recurrence ⟨a ~ disease⟩; *also* : affected by a chronic condition ⟨a ~ grumbler⟩ — **chron·i·cal·ly** *adv*

¹**chron·i·cle** \\'krän-i-kəl\\ *n* : HISTORY, NARRATIVE

²**chronicle** *vb* : to record in or as if in a chronicle — **chron·i·cler** \\-k(ə-)lər\\ *n*

chron·o·graph \\'krän ə-,graf\\ *n* : an instrument for measuring and recording time intervals with accuracy

chro·nol·o·gy \\krə-'näl-ə-jē\\ *n* **1** : the science that deals with measuring time and dating events **2** : a chronological list or table **3** : arrangement of events in the order of their occurrence — **chron·o·log·i·cal** \\,krän-ᵊl-'äj-i-kəl\\ *adj* — **chron·o·log·i·cal·ly** *adv* — **chro·nol·o·gist** \\krə-'näl-ə-jəst\\ *n*

chro·nom·e·ter \\krə-'näm-ət-ər\\ *n* : TIMEPIECE; *esp* : a very accurate timepiece

chrys·a·lis \\'kris-ə-ləs\\ *n* : an insect pupa quiescent in a firm case

chry·san·the·mum \\kris-'an-thə-məm\\ *n* : any of a genus of plants related to the daisies including some grown for their showy bloom or for medicinal products or insecticides; *also* : a chrysanthemum bloom

chrys·o·lite \\'kris ə-,līt\\ *n* : an olive-green mineral sometimes used as a gem

chub·by \\'chəb-ē\\ *adj* : PLUMP — **chub·bi·ness** *n*

¹**chuck** \\'chək\\ *vb* **1** : to give a pat or tap **2** : to toss or throw with a short motion of the arms **3** : DISCARD; *also* : EJECT **4** : to have done with ⟨~ed his job⟩

²**chuck** **1** : a light pat under the chin **2** : TOSS

³**chuck** *n* **1** : a part of a side of dressed beef **2** : a device for holding work or a tool (as in a lathe)

chuck·hole \\-,hōl\\ *n* : a hole or rut in a road

chuck·le \\'chək-əl\\ *vb* : to laugh in a quiet hardly audible manner — **chuckle** *n*

chuck wagon *n* : a wagon equipped with a stove and provisions for cooking

¹**chug** \\'chəg\\ *n* : a dull explosive sound made by or as if by a laboring engine

²**chug** *vb* **chugged; chug·ging** : to move or go with chugs ⟨a locomotive *chugging* along⟩

chuk·ker \\-ər\\ *or* **chuk·ka** \\-ə\\ *n* : a playing period of a polo game

¹**chum** \\'chəm\\ *n* : an intimate friend

²**chum** *vb* **chummed; chum·ming** **1** : to room together **2** : to go about with as a friend

chum·my \\'chəm-ē\\ *adj* : INTIMATE, SOCIABLE — **chum·mi·ly** *adv* — **chum·mi·ness** *n*

chump \\'chəmp\\ *n* : FOOL, BLOCKHEAD

chunk \\'chəŋk\\ *n* **1** : a short thick piece **2** : a sizable amount

chunky *adj* : STOCKY

church \\'chərch\\ *n* [OE *cirice*, fr. LGk *kyriakon*, short for *kyriakon dōma*, lit., the Lord's house, fr Gk *Kyrios* Lord + *dōma* house] **1** : a building esp. for Christian public worship **2** : the whole body of Christians **3** : DENOMINATION **4** : CONGREGATION **5** : public divine worship

church·go·er \\-,gō(-ə)r\\ *n* : one that goes to church esp. habitually — **church·go·ing** \\-,gō-iŋ\\ *adj or n*

church·yard \\-,yärd\\ *n* : a yard that belongs to a church and is often used as a burial ground

churl \\'chərl\\ *n* **1** : a medieval peasant **2** : RUSTIC **3** : a surly fellow : a rude ill-bred person — **churl·ish** *adj* — **churl·ish·ly** *adv* — **churl·ish·ness** *n*

¹**churn** \\'chərn\\ *n* : a container in which milk or cream is violently stirred in making butter

²**churn** *vb* **1** : to stir in a churn; *also* : to make (butter) by such stirring **2** : to shake around violently

chute \\'shüt\\ *n* **1** : an inclined surface, trough, or passage down or through

cicatrix / **citizen**

which something may pass ⟨a coal ∼⟩ ⟨a mail ∼⟩ **2** : PARACHUTE
cic·a·trix \'sik-ə-ˌtriks\ *n, pl* **cic·a·tri·ces** \ˌsik-ə-'trī-ˌsēz\ : a scar resulting from formation and contraction of fibrous tissue in a flesh wound
ci·der \'sīd-ər\ *n* : juice pressed from fruit (as apples) and used as a beverage, vinegar, or flavoring
ci·gar \sig-'är\ *n* : a roll of tobacco for smoking
cig·a·rette \ˌsig-ə-'ret\ *n* : a small tube of cut tobacco enclosed in paper for smoking
cinch \'sinch\ *n* **1** : a strong strap for holding a saddle or a pack in place **2** : a sure or an easy thing — **cinch** *vb*
cinc·ture \'sink-chər\ *n* : BELT, GIRDLE
cin·der \'sin-dər\ *n* **1** : SLAG **2** : a hot piece of partly burned wood or coal **3** *pl* : ASHES
cin·e·ma \'sin-ə-mə\ *n* **1** : a motion-picture theater **2** : MOVIES — **cin·e·mat·ic** \ˌsin-ə-'mat-ik\ *adj*
cin·e·ma·tog·ra·phy \-mə-'täg-rə-fē\ *n* : motion-picture photography — **cin·e·ma·tog·ra·pher** \-fər\ *n* — **cin·e·mat·o·graph·ic** \-mat-ə-'graf-ik\ *adj*
cin·na·bar \'sin-ə-ˌbär\ *n* : a red mineral that is the only important ore of mercury
cin·na·mon \'sin-ə-mən\ *n* : the aromatic inner bark of a tropical Asiatic tree related to the true laurel that is used as a spice
¹**ci·pher** \'sī-fər\ *n* [MF *cifre*, fr. ML *cifra*, fr. Ar *ṣifr* empty, zero] **1** : ZERO, NAUGHT **2** : a method of secret writing : CODE
²**cipher** *vb* : to compute arithmetically
cir·ca \'sər-kə\ *prep* : ABOUT ⟨born ∼ 1600⟩
¹**cir·cle** \'sər-kəl\ *n* **1** : a closed curve every point of which is equally distant from a point within it **2** : something in the form of a circle **3** : an area of action or influence **4** : CYCLE, ROUND **5** : a group bound by a common tie
²**circle** *vb* **1** : to enclose in a circle **2** : to move or revolve around; *also* : to move in a circle

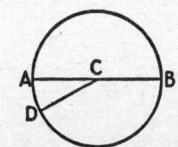

center C, diameter A B, and radius C D of circle

cir·cuit \'sər-kət\ *n* **1** : a boundary around an enclosed space **2** : a moving or revolving around (as in an orbit) **3** : a regular tour (as by a judge)around an assigned territory **4** : LEAGUE; *also* : a chain of theaters **5** : the path of an electric current
cir·cu·itous \ˌsər-'kyü-ət-əs\ *adj* **1** : marked by a circular or winding course **2** : ROUNDABOUT, INDIRECT
cir·cuit·ry \'sər-kə-trē\ *n* : the plan or the components of an electric circuit
cir·cu·ity \ˌsər-'kyü-ət-ē\ *n* : INDIRECTION
¹**cir·cu·lar** \'sər-kyə-lər\ *adj* **1** : having the form of a circle : ROUND **2** : moving in or around a circle **3** : CIRCUITOUS **4** : sent around to a number of persons ⟨a ∼ letter⟩ — **cir·cu·lar·i·ty** \ˌsər-kyə-'lar-ət-ē\ *n*
²**circular** *n* : a paper (as an advertising leaflet) intended for wide distribution
cir·cu·lar·ize \'sər-kyə-lə-ˌrīz\ *vb* **1** : to send circulars to **2** : to poll by questionnaire
cir·cu·late \'sər-kyə-ˌlāt\ *vb* **1** : to move or cause to move in a circle, circuit, or orbit **2** : to pass from place to place or from person to person — **cir·cu·la·tion** \ˌsər-kyə-'lā-shən\ *n* — **cir·cu·la·to·ry** \'sər-kyə-lə-ˌtōr-ē\ *adj*
cir·cum·am·bu·late \ˌsər-kəm-'am-byə-ˌlāt\ *vb* : to circle on foot esp. ritualistically
cir·cum·cise \'sər-kəm-ˌsīz\ *vb* : to cut off the foreskin of — **cir·cum·ci·sion**
cir·cum·fer·ence \sər-'kəm-f(ə-)rəns\ *n* **1** : the perimeter of a circle **2** : the external boundary or surface of a figure or object
cir·cum·flex \'sər-kəm-ˌfleks\ *n* : a mark (as ^) used chiefly to indicate length, contraction, or a specific vowel quality
cir·cum·lo·cu·tion \ˌsər-kəm-lō-'kyü-shən\ *n* : the use of an unnecessarily large number of words to express an idea
cir·cum·scribe \'sər-kəm-ˌskrīb\ *vb* **1** : to draw a line around **2** : to limit narrowly the range or activity of
cir·cum·spect \'sər-kəm-ˌspekt\ *adj* : careful to consider all circumstances and consequences : PRUDENT — **cir·cum·spec·tion** \ˌsər-kəm-'spek-shən\ *n*
cir·cum·stance \'sər-kəm-ˌstans\ *n* **1** : a fact or event that must be considered along with another fact or event **2** *pl* : surrounding conditions **3** *pl* : situation with regard to wealth **4** : CEREMONY ⟨pomp and ∼⟩ **5** : CHANCE, FATE
cir·cum·stan·tial \ˌsər-kəm-'stan-chəl\ *adj* **1** : consisting of or depending on circumstances ⟨∼ evidence⟩ **2** : INCIDENTAL **3** : containing full details — **cir·cum·stan·tial·ly** *adv*
cir·cum·vent \ˌsər-kəm-'vent\ *vb* : to check or defeat esp. by ingenuity or stratagem
cir·cus \'sər-kəs\ *n* **1** : an often tent-covered arena used for shows featuring feats of physical skill and daring, wild animal acts, and performances by clowns **2** : a circus performance; *also* : the physical plant, livestock, and personnel of a circus
cir·rus \'sir-əs\ *n* : a filmy white cloud usu. of minute ice crystals at high altitudes
cis·tern \'sis-tərn\ *n* : an often underground artificial tank for storing water
cit·a·del \'sit-əd-ᵊl\ *n* **1** : a fortress commanding a city **2** : STRONGHOLD
ci·ta·tion \sī-'tā-shən\ *n* **1** : an official summons to appear (as before a court) **2** : QUOTATION **3** : a formal statement of the achievements of a person; *also* : a specific reference in a military dispatch to meritorious performance of duty
cite \'sīt\ *vb* **1** : to summon to appear before a court **2** : QUOTE **3** : to refer to esp. in commendation or praise
cit·i·fy \'sit-i-ˌfī\ *vb* : to stamp with or accustom to urban ways
cit·i·zen \'sit-ə-zən\ *n* **1** : an inhabitant of a city or town **2** : a person who owes allegiance to a government and

is entitled to protection from it — **cit·i·zen·ship** *n*
cit·ric acid \‚sit-rik-\ *n* : a sour acid substance obtained from lemon and lime juices or by fermentation of sugars and used as a flavoring
cit·ron \'sit-rən\ *n* 1 : the oval lemon-like fruit of an Asiatic citrus tree 2 : a small hard-fleshed watermelon used esp. in pickles and preserves
cit·rus \'sit-rəs\ *n* : any of a genus of often thorny evergreen trees or shrubs grown in warm regions for their fruits (as the orange, lemon, lime, citron, and grapefruit)
city \'sit-ē\ *n* 1 : an inhabited place larger or more important than a town 2 : a municipality in the U.S. governed under a charter granted by the state; *also* : an incorporated municipal unit of the highest class in Canada
civ·ic \'siv-ik\ *adj* : of or relating to a city, a citizen, citizenship, or civil affairs
civ·ics \-iks\ *n* : a social science dealing with the rights and duties of citizens
civ·il \'siv-əl\ *adj* 1 : of or relating to citizens or to the state as a political body 2 : of or relating to the general population : not military or ecclesiastical 3 : COURTEOUS, POLITE 4 : of or relating to legal proceedings in connection with private rights and obligations ⟨the ~ code⟩
civil engineering *n* : engineering dealing chiefly with design and construction of public works (as roads or harbors) — **civil engineer** *n*
ci·vil·ian \sə-'vil-yən\ *n* : a person not on active duty in a military, police, or fire-fighting force
ci·vil·i·ty \sə-'vil-ət-ē\ *n* : POLITENESS, COURTESY
civ·i·li·za·tion \‚siv-ə-lə-'zā-shən\ *n* 1 : a relatively high level of cultural and technological development 2 : the culture characteristic of a time or place
civ·i·lize \'siv-ə-‚līz\ *vb* 1 : to raise from a primitive state to an advanced and ordered stage of cultural development 2 : REFINE — **civ·i·lized** *adj*
civ·il·ly \-ə(l)-lē\ *adv* 1 : in a civil manner : POLITELY 2 : in terms of civil rights, matters, or law ⟨~ dead⟩
¹**clack** \'klak\ *vb* 1 : CHATTER, PRATTLE 2 : to make or cause to make a clatter
²**clack** *n* 1 : rapid continuous talk : CHATTER 2 : a sound of clacking ⟨the ~ of a typewriter⟩
clad \'klad\ *adj* : CLOTHED, COVERED
¹**claim** \'klām\ *vb* 1 : to ask for as one's own; *also* : to take as the rightful owner 2 : to call for : REQUIRE 3 : to state as a fact : MAINTAIN
²**claim** *n* 1 : a demand for something due 2 : a right to something usu. in another's possession 3 : an assertion open to challenge 4 : something claimed
claim·ant \'klā-mənt\ *n* : a person making a claim
clair·voy·ant \klaər-'voi-ənt\ *adj* 1 : unusually perceptive 2 : having the power of discerning objects not present to the senses — **clair·voy·ance** *n* — **clairvoyant** *n*
clam \'klam\ *n* : any of numerous bivalve mollusks including many that are edible
clam·ber \'klam-bər\ *vb* : to climb awkwardly

clam·my \'klam-ē\ *adj* : being damp, soft, sticky, and usu. cool — **clam·mi·ness** *n*
¹**clam·or** \'klam-ər\ *n* 1 : a noisy shouting; *also* : a loud continuous noise 2 : vigorous protest or demand — **clam·or·ous** *adj*
²**clamor** *vb* : to make a clamor
¹**clamp** \'klamp\ *n* : a device for holding things together
²**clamp** *vb* : to fasten with or as if with a clamp

clamp

clan \'klan\ *n* : a group (as in the Scottish Highlands) made up of households whose heads claim descent from a common ancestor — **clan·nish** *adj*
clan·des·tine \klan-'des-tən\ *adj* : held in or conducted with secrecy
clang \'klaŋ\ *n* : a loud metallic ringing sound — **clang** *vb*
clan·gor \'klaŋ-(g)ər\ *n* : a resounding clang or medley of clangs
clank \'klaŋk\ *n* : a sharp brief metallic ringing sound ⟨the ~ of chains⟩ — **clank** *vb*
¹**clap** \'klap\ *vb* **clapped; clap·ping** 1 : to strike noisily 2 : APPLAUD
²**clap** *n* 1 : a loud noisy crash ⟨a ~ of thunder⟩ 2 : APPLAUSE
clap·board \'klab-ərd, 'kla(p)-‚bōrd\ *n* : a narrow board thicker at one edge than the other used for covering wooden buildings — **clapboard** *vb*
clap·per \'klap-ər\ *n* : one that makes a clapping sound; *esp* : the tongue of a bell
clap·trap \'klap-‚trap\ *n* : pretentious nonsense
claque \'klak\ *n* : a group hired to applaud at a performance
clar·et \'klar-ət\ *n* : a dry red table wine
clar·i·fy \'klar-ə-‚fī\ *vb* : to make or become pure or clear — **clar·i·fi·ca·tion** \‚klar-ə-fə-'kā-shən\ *n*
clar·i·net \‚klar-ə-'net\ *n* : a single-reed woodwind instrument in the form of a cylindrical tube with moderately flaring end — **clar·i·net·ist** *n*

clarinet

clar·i·on \'klar-ē-ən\ *adj* : brilliantly clear ⟨a ~ call to action⟩
clar·i·ty \'klar-ət-ē\ *n* : CLEARNESS
¹**clash** \'klash\ *vb* 1 : to make or cause to make a clash 2 : CONFLICT, COLLIDE
²**clash** *n* 1 : a noisy usu. metallic sound of collision 2 : a hostile encounter; *also* : a conflict of opinion
¹**clasp** \'klasp\ *n* 1 : a device (as a hook) for holding objects or parts together 2 : EMBRACE, GRASP ⟨the warm ~ of his hand⟩
²**clasp** *vb* 1 : to fasten with a clasp 2 : EMBRACE 3 : GRASP
¹**class** \'klas\ *n* 1 : a group of the same general status or nature 2 : social rank; *also* : high quality 3 : a course of instruction; *also* : the period when such a course is taught 4 : a group of students meeting regularly in a course; *also* : a group graduating together 5 : a division or rating based on grade

or quality — **class·less** *adj*
²class *vb* : CLASSIFY
¹clas·sic \'klas-ik\ *adj* **1** : serving as a standard of excellence; *also* : TRADITIONAL **2** : CLASSICAL **3** : notable esp. as the best example **4** : AUTHENTIC
²classic *n* **1** : a work of enduring excellence and esp. of ancient Greece or Rome; *also* : its author **2** : a traditional event
clas·si·cal \'klas-i-kəl\ *adj* **1** : CLASSIC **2** : of or relating to the ancient Greek and Roman classics **3** : of or relating to a form or system of first significance before modern times (~ economics) **4** : concerned with a general study of the arts and sciences
clas·si·cism \'klas-ə-,siz-əm\ *n* **1** : the principles or style of the literature or art of ancient Greece and Rome **2** : adherence to traditional standards believed to be universally valid — **clas·si·cist** \-səst\ *n*
clas·si·fied \'klas-ə-,fīd\ *adj* : withheld from general circulation for reasons of national security (~ information)
clas·si·fy \-,fī\ *vb* : to arrange in or assign to classes — **clas·si·fi·ca·tion**
class·mate \'klas-,māt\ *n* : a member of the same class (as in a college)
class·room \-,rüm, -,rùm\ *n* : a room (as in a school) in which classes meet
clat·ter \'klat-ər\ *n* : a rattling sound
clause \'klòz\ *n* **1** : a separate part of an article or document **2** : a group of words having its own subject and predicate but forming only part of a compound or complex sentence
claus·tro·pho·bia \,klòs-trə-'fō-bē-ə\ *n* : abnormal dread of being in closed or narrow spaces
clav·i·cle \'klav-i-kəl\ *n* [NL *clavicula*, fr. L, dim. of *clavis* key] : COLLARBONE
cla·vier \klə-'viər, 'klā-vē-ər\ *n* **1** : the keyboard of a musical instrument **2** : an early keyboard instrument
¹claw \'klò\ *n* **1** : a sharp usu. curved nail on the toe of an animal **2** : a sharp curved process (as on the foot of an insect); *also* : CHELA
²claw *vb* : to rake, seize, or dig with or as if with claws
clay \'klā\ *n* **1** : plastic earthy material used in making pottery that consists largely of silicates of aluminum and becomes permanently hardened by firing; *also* : finely divided soil consisting largely of such clay **2** : EARTH, MUD **3** : the mortal human body — **clay·ey** *adj*
clay pigeon *n* : a saucer-shaped target thrown from a trap in trapshooting
¹clean \'klēn\ *adj* **1** : free from dirt or disease **2** : PURE; *also* : HONORABLE **3** : THOROUGH (made a ~ sweep) **4** : TRIM (a ship with ~ lines); *also* : EVEN **5** : habitually neat — **clean** *adv* — **clean·ly** \'klēn-lē\ *adv* — **clean·ness** *n*
²clean *vb* : to make or become clean — **clean·er** *n*
clean–cut \'klēn-'kət\ *adj* **1** : cut so that the surface or edge is smooth and even **2** : sharply defined or outlined (~ decision) **3** : giving an effect of wholesomeness (a ~ young man)
clean·ly \'klen-lē\ *adj* **1** : careful to keep clean **2** : habitually kept clean — **clean·li·ness** *n*

cleanse \'klenz\ *vb* : to make clean — **cleans·er** *n*
¹clear \'kliər\ *adj* **1** : BRIGHT, LUMINOUS; *also* : UNTROUBLED, SERENE **2** : CLEAN, PURE; *also* : TRANSPARENT **3** : easily heard, seen, or understood **4** : capable of sharp discernment; *also* : free from doubt **5** : INNOCENT **6** : free from restriction, obstruction, or entanglement — **clear** *adv* — **clear·ly** *adv* — **clear·ness** *n*
²clear *vb* **1** : to make or become clear **2** : to go away : DISPERSE **3** : to free from accusation or blame; *also* : to certify as trustworthy **4** : EXPLAIN **5** : to get free from obstruction **6** : SETTLE **7** : NET **8** : to get rid of : REMOVE **9** : to jump or go by without touching; *also* : PASS
³clear *n* : a clear space or part
clear·ance \'klir-əns\ *n* **1** : an act or process of clearing **2** : the distance by which one object clears another
clear–cut \'kliər-'kət\ *adj* **1** : sharply outlined **2** : DEFINITE, UNEQUIVOCAL
clear·head·ed \-'hed-əd\ *adj* : having a clear understanding : PERCEPTIVE
clear·ing \'kli(ə)r-iŋ\ *n* **1** : a tract of land cleared of wood **2** : the passage of checks and claims through a clearinghouse
clear·ing·house \-,haùs\ *n* : an institution maintained by banks for making an exchange of checks and claims held by each bank against other banks
cleat \'klēt\ *n* : a strip of wood or metal fastened on or projecting from something to give strength, provide a grip, or prevent slipping
cleav·age \'klē-vij\ *n* : a splitting apart : SPLIT
¹cleave \'klēv\ *vb* **cleaved** *or* **clove** \'klōv\ **cleav·ing** : ADHERE, CLING
²cleave *vb* **cleaved** *also* **cleft** \'kleft\ *or* **clove** \'klōv\ **cleaved** *also* **cleft** *or* **clo·ven** \'klō-vən\ **cleav·ing 1** : to divide by force : split asunder **2** : DIVIDE (~ a group into two camps)
cleav·er *n* : a heavy chopping knife used by butchers in cutting meat
clef \'klef\ *n* : a sign placed on the staff in music to show what pitch is represented by each line and space
cleft \'kleft\ *n* : FISSURE, CRACK
clem·en·cy \'klem-ən-sē\ *n* **1** : disposition to be merciful **2** : mildness of weather
clem·ent \-ənt\ *adj* **1** : MERCIFUL, LENIENT **2** : TEMPERATE, MILD (~ weather)
clench \'klench\ *vb* **1** : CLINCH **2** : to hold fast **3** : to set or close tightly
clere·sto·ry *or* **clear·sto·ry** \'kliər-,stōr-ē\ *n* : an outside wall of a room or building that rises above an adjoining roof and contains windows
cler·gy \'klər-jē\ *n* : a body of religious officials authorized to conduct services
cler·i·cal \'kler-i-kəl\ *adj* **1** : of or relating to the clergy or a clergyman **2** : of or relating to a clerk or office worker
cler·i·cal·ism *n* : a policy of maintaining or increasing the power of a religious hierarchy
clerk \'klərk\ *n* **1** : CLERIC **2** : an official responsible for correspondence, records, and accounts; *also* : a person employed to perform general office work **3** : a store salesman

clev·er \\'klev-ər\\ *adj* **1** : showing skill or resourcefulness **2** : marked by wit or ingenuity — **clev·er·ly** *adv* — **clev·er·ness** *n*

cli·ché \\klē-'shā\\ *n* : a trite phrase or expression

¹**click** \\'klik\\ *n* : a slight sharp noise

²**click** *vb* **1** : to make or cause to make a click **2** : to fit or work together smoothly

cli·ent \\'klī-ənt\\ *n* **1** : DEPENDENT **2** : a person who engages the professional services of another; *also* : PATRON, CUSTOMER

cli·en·tele \\,klī-ən-'tel\\ *n* : a body of clients and esp. customers

cliff \\'klif\\ *n* : a high steep face of rock

cliff-hang·er \\-,haŋ-ər\\ *n* **1** : an adventure serial or melodrama usu. presented in installments each of which ends in suspense **2** : a contest whose outcome is in doubt up to the very end

cli·mate \\'klī-mət\\ *n* : the average weather conditions at a place over a period of years — **cli·mat·ic** \\klī-'mat-ik\\ *adj*

¹**cli·max** \\'klī-,maks\\ *n* [LL, fr. Gk, lit., staircase, ladder] **1** : a series of ideas or statements so arranged that they increase in force and power from the first to the last; *also* : the last member of such a series **2** : the highest point : CULMINATION — **cli·mac·tic** \\klī-'mak-tik\\ *adj*

²**climax** *vb* : to come or bring to a climax

¹**climb** \\'klīm\\ *vb* **1** : to go up or down esp. by use of hands and feet; *also* : to ascend in growing **2** : to rise to a higher point — **climb·er** *n*

²**climb** *n* **1** : a place where climbing is necessary **2** : the act of climbing : ascent by climbing

¹**clinch** \\'klinch\\ *vb* **1** : to fasten securely (as by driving a nail through boards and bending its point over) **2** : to make final : SETTLE **3** : to hold fast or firmly

²**clinch** *n* **1** : a fastening by means of a clinched nail, rivet, or bolt **2** : an act or instance of clinching in boxing

clinch·er *n* : one that clinches; *esp* : a decisive fact, argument, act, or remark

cling \\'kliŋ\\ *vb* **clung** \\'kləŋ\\ **cling·ing 1** : to adhere as if glued firmly; *also* : to hold or hold on tightly **2** : to have a strong emotional attachment

clin·ic \\'klin-ik\\ *n* **1** : medical instruction featuring the examination and discussion of actual cases **2** : a facility (as of a hospital) for diagnosis and treatment of outpatients

clin·i·cal \\'klin-i-kəl\\ *adj* **1** : of, relating to, or typical of a clinic; *esp* : involving direct observation of the patient **2** : scientifically detached and dispassionate — **clin·i·cal·ly** *adv*

¹**clink** \\'kliŋk\\ *vb* : to make or cause to make a slight sharp short metallic sound

²**clink** *n* : a clinking sound

clin·ker \\'kliŋ-kər\\ *n* : stony matter fused by fire (as in a furnace from impurities in coal)

¹**clip** \\'klip\\ *vb* **clipped; clip·ping 1** : to clasp or fasten with a clip **2** : to block an opponent in football by hitting with the body from behind

²**clip** *n* **1** : a device that grips, clasps, or hooks **2** : a cartridge holder for a rifle

³**clip** *vb* **clipped; clip·ping 1** : to cut or cut off with shears **2** : CURTAIL, DIMINISH **3** : HIT, PUNCH

⁴**clip** *n* **1** : a 2-bladed instrument for cutting esp. the nails **2** : a sharp blow **3** : a rapid pace

clip·board \\'klip-,bōrd\\ *n* : a small writing board with a spring clip at the top for holding papers

clip·per *n* **1** : an implement for clipping esp. the hair or nails — usu. used in pl. **2** : a fast sailing ship

clip·ping *n* : a piece clipped from something (as a newspaper)

clique \\'klēk, 'klik\\ *n* : a small exclusive group of people : COTERIE

¹**cloak** \\'klōk\\ *n* **1** : a loose outer garment **2** : something that conceals or covers

²**cloak** *vb* : to cover or hide with a cloak

¹**clock** \\'kläk\\ *n* : a timepiece not intended to be carried on the person

²**clock** *vb* **1** : to time (a person or a performance) by a timing device **2** : to register (as time, distance, rate, or speed) on a recording device

clock·wise \\-,wīz\\ *adv* : in the direction in which the hands of a clock move

clock·work \\-,wərk\\ *n* : machinery containing a train of wheels of small size

clod \\'kläd\\ *n* **1** : a lump esp. of earth or clay **2** : a dull or insensitive person

clod·hop·per \\-,häp-ər\\ *n* **1** : an uncouth rustic **2** : a large heavy shoe

¹**clog** \\'kläg\\ *n* **1** : a weight so attached as to impede motion **2** : a thick-soled shoe

²**clog** *vb* **clogged; clog·ging 1** : to impede with a clog : HINDER **2** : to obstruct passage through **3** : to become filled with extraneous matter

¹**clois·ter** \\'klòi-stər\\ *n* **1** : a monastic establishment **2** : a covered usu. colonnaded passage on the side of a court — **clois·tral** \\-strəl\\ *adj*

²**cloister** *vb* : to shut away from the world

clop \\'kläp\\ *n* : a sound made by or as if by a hoof or wooden shoe against pavement

¹**close** \\'klōz\\ *vb* **1** : to bar passage through : SHUT **2** : to suspend the operations (as of a school) **3** : END, TERMINATE **4** : to bring together the parts or edges of; *also* : to fill up **5** : GRAPPLE ⟨~ with the enemy⟩ **6** : to enter into an agreement — **clos·able** *adj*

²**close** *n* : CONCLUSION, END

³**close** \\'klōs\\ *n* : an enclosed area

⁴**close** \\'klōs\\ *adj* **1** : having no openings **2** : narrowly restricting or restricted **3** : limited to a privileged class **4** : SECLUDED; *also* : SECRETIVE **5** : RIGOROUS **6** : SULTRY, STUFFY **7** : STINGY **8** : having little space between **9** : fitting tightly; *also* : SHORT ⟨~ haircut⟩ **10** : NEAR **11** : INTIMATE ⟨~ friends⟩ **12** : ACCURATE **13** : decided by a narrow margin ⟨a ~ game⟩ — **close·ly** *adv* — **close·ness** *n*

closed circuit *n* : television in which the signal is transmitted by wire

close-fist·ed \\'klōs-'fis-təd\\ *adj* : STINGY

close·mouthed \\-'maůthd, -'maůtht\\ *adj* : cautious in speaking

¹**clos·et** \'kläz-ət\ *n* **1** : a small room for privacy **2** : a small compartment for household utensils or clothing **3** : WATER CLOSET

²**closet** *vb* : to take into a private room for an interview

close-up \'klōs-,əp\ *n* **1** : a photograph or movie shot taken at close range **2** : an intimate view or examination of something

clo·sure \'klō-zhər\ *n* **1** : an act of closing : the condition of being closed **2** : something that closes **3** : CLOTURE

clot \'klät\ *n* : a mass formed by a portion of liquid (as blood or cream) thickening and sticking together — **clot** *vb*

cloth \'klȯth\ *n* **1** : a pliable fabric made usu. by weaving or knitting natural or synthetic fibers and filaments **2** : TABLECLOTH **3** : distinctive dress of a profession and esp. of the clergy; *also* : CLERGY

clothe \'klōth\ *vb* **clothed** *or* **clad** \'klad\ **cloth·ing 1** : DRESS **2** : to express by suitably significant language

clothes \'klō(th)z\ *n pl* **1** : CLOTHING **2** : BEDCLOTHES

clothes·horse \-,hȯrs\ *n* **1** : a frame on which to hang clothes **2** : a conspicuously dressy person

clothes·pin \-,pin\ *n* : a device (as of wood or plastic) for fastening clothes on a line

clothes·press \-,pres\ *n* : a receptacle for clothes

cloth·ier \'klōth-yər\ *n* : a maker or seller of cloth or clothing

cloth·ing \'klō-thiŋ\ *n* : garments in general

clo·ture \'klō-chər\ *n* : the closing or limitation (as by calling for a vote) of debate in a legislative body

¹**cloud** \'klaud\ *n* **1** : a visible mass of water or ice particles in the air above the earth's surface; *also* : a visible mass of particles (as of dust) in the air **2** : CROWD, SWARM ⟨a ~ of mosquitoes⟩ **3** : something having a dark or threatening look — **cloud·i·ness** *n* — **cloud·less** *adj* — **cloudy** *adj*

²**cloud** *vb* **1** : to darken or hide with or as if with a cloud **2** : OBSCURE **3** : TAINT, SULLY

cloud·burst \-,bərst\ *n* : a sudden heavy rainfall

¹**clout** \'klaut\ *n* : a blow esp. with the hand

²**clout** *vb* : to hit forcefully

¹**clove** *past of* CLEAVE

²**clove** \'klōv\ *n* [OF *clou* nail, fr. L *clavus*] : the dried flower bud of an East Indian tree used esp. as a spice

clo·ver \'klō-vər\ *n* : any of numerous leguminous herbs with usu. 3-parted leaves and dense flower heads

¹**clown** \'klaun\ *n* **1** : BOOR **2** : a fool or comedian in an entertainment (as a play or circus) — **clown·ish** *adj* — **clown·ish·ly** *adv*

²**clown** *vb* : to act like a clown

cloy \'klȯi\ *vb* : to surfeit with an excess of something orig. pleasing

¹**club** \'kləb\ *n* **1** : a heavy wooden stick or staff used as a weapon; *also* : BAT **2** : any of a suit of playing cards marked with a black figure resembling a clover leaf **3** : a group of persons associated for a common purpose, *also* : the meeting place of such a group

²**club** *vb* **clubbed; club·bing 1** : to strike with a club **2** : to unite or combine for a common cause

club·foot \-'fut\ *n* : a misshapen foot twisted out of position from birth — **club·foot·ed** *adj*

cluck \'klək\ *n* : the call of a hen esp. to her chicks — **cluck** *vb*

¹**clue** \'klü\ *n* : a guide through an intricate procedure or maze; *esp* : a piece of evidence leading to the solution of a problem

²**clue** *vb* : to provide with a clue

¹**clump** \'kləmp\ *n* **1** : a group of things clustered together **2** : a heavy tramping sound

²**clump** *vb* : to tread clumsily and noisily

clum·sy \'kləm-zē\ *adj* **1** : lacking dexterity, nimbleness, or grace **2** : not tactful or subtle — **clum·si·ly** *adv* — **clum·si·ness** *n*

clung *past of* CLING

¹**clus·ter** \'kləs-tər\ *n* : GROUP, BUNCH

²**cluster** *vb* : to grow or gather in a cluster

¹**clutch** \'kləch\ *vb* : to grasp with or as if with the hand

²**clutch** *n* **1** : the claws or a hand in the act of grasping; *also* : CONTROL, POWER **2** : a device (as a coupling for connecting two working parts in machinery) for gripping an object **3** : a crucial situation

¹**clut·ter** \'klət-ər\ *vb* : to fill with scattered things that impede movement or reduce efficiency

²**clutter** *n* : crowded confusion

¹**coach** \'kōch\ *n* **1** : a closed 2-door 4-wheeled carriage with an elevated outside front seat for the driver **2** : a railroad passenger car esp. for day travel **3** : BUS **4** : an automobile body; *also* : a closed 2-door automobile **5** : a private tutor; *also* : one who instructs or trains a team of performers

²**coach** *vb* **1** : to go in a horse-drawn coach **2** : to instruct, direct, or prompt as a coach — **coach·er** *n*

co·ad·ju·tor \,kō-ə-'jüt-ər\ *n* : ASSISTANT; *esp* : an assistant bishop having the right of succession

co·ag·u·lant \kō-'ag-yə-lənt\ *n* : something that produces coagulation

co·ag·u·late \-yə-,lāt\ *vb* : CLOT — **co·ag·u·la·tion** \-,ag-yə-'lā-shən\ *n*

¹**coal** \'kōl\ *n* **1** : EMBER **2** : a black solid combustible mineral used as fuel

²**coal** *vb* **1** : to supply with coal **2** : to take in coal

co·alesce \,kō-ə-'les\ *vb* : to grow together; *also* : FUSE **syn** merge, blend, mingle, mix — **co·ales·cence** \,kō-ə-'les-ᵊns\ *n*

co·ali·tion \,kō-ə-'lish-ən\ *n* : UNION; *esp* : a temporary union for a common purpose — **co·ali·tion·ist** *n*

coal oil *n* : KEROSENE

coal tar *n* : tar distilled from bituminous coal and used in dyes, explosives, and drugs

coarse \'kōrs\ *adj* **1** : of ordinary or inferior quality **2** : composed of large parts or particles ⟨~ sand⟩ **3** : ROUGH, HARSH **4** : CRUDE ⟨~ manners⟩ — **coarse·ly** *adv* — **coarse·ness** *n*

coars·en \'kōrs-ᵊn\ *vb* : to make or become coarse

¹**coast** \'kōst\ *n* **1** : SEASHORE **2** : a slide down a slope — **coast·al** *adj*

²**coast** *vb* **1** : to sail along the shore

2 : to move (as downhill on a sled or as on a bicycle while not pedaling) without effort — **coast-er** *n*

coast guard *n* **:** a military force employed in guarding or patrolling a coast

coast-line \'kōst-ˌlīn\ *n* **:** the outline or shape of a coast

¹**coat** \'kōt\ *n* **1 :** an outer garment for the upper part of the body **2 :** an external growth (as of fur or feathers) on an animal **3 :** a covering layer ⟨a ∼ of paint⟩

²**coat** *vb* **:** to cover usu. with a finishing or protective coat

coat-ing *n* **:** COAT, COVERING ⟨a ∼ of ice⟩

coat of arms : the heraldic bearings (as of a person) usu. depicted on an escutcheon

coat of mail : a garment of metal scales or rings worn as armor

co-au-thor \ˈkō-ȯ-thər\ *n* **:** a joint or associate author

coax \'kōks\ *vb* **:** WHEEDLE; *also* **:** to gain by gentle urging or flattery — **coax-er** *n*

co-ax-i-al \kō-'ak-sē-əl\ *adj* **1 :** having coincident axes **2 :** being an electrical cable that consists of a tube of conducting material surrounding a central conductor

cob \'käb\ *n* **1 :** a male swan **2 :** CORN COB **3 :** a short-legged stocky horse

co-balt \'kō-ˌbȯlt\ *n* **:** a tough shiny silver-white magnetic metallic chemical element found with iron and nickel

cob-bler \'käb-lər\ *n* **1 :** a mender or maker of shoes **2 :** a deep-dish fruit pie with a thick crust

cob-ble-stone \'käb-əl-ˌstōn\ *n* **:** a naturally rounded stone larger than a pebble and smaller than a boulder

co-bra \'kō-brə\ *n* **:** a venomous snake of Asia and Africa that when excited expands the skin of the neck into a broad hood

cob-web \'käb-ˌweb\ *n* **1 :** the network spun by a spider; *also* **:** a thread of insect or spider silk **2 :** something flimsy or entangling

co-caine \kō-'kān\ *n* **:** an addictive drug obtained from the leaves of a So. American shrub (**co-ca** \'kō-kə\) and sometimes used as a local anesthetic

¹**cock** \'käk\ *n* **1 :** the male of a bird and esp. of the common domestic fowl **2 :** VALVE, FAUCET **3 :** LEADER **4 :** the hammer of a firearm; *also* **:** the position of the hammer when drawn back ready for firing

²**cock** *vb* **1 :** to draw back the hammer of a firearm **2 :** to set erect **3 :** to turn or tilt usu. to one side

cock-a-trice \'käk-ə-trəs, -ˌtrīs\ *n* **:** a legendary serpent with a deadly glance

cock-eye \'käk-ˌī\ *n* **:** a squinting eye — **cock-eyed** \-'īd\ *adj*

¹**cock-le** \'käk-əl\ *n* **:** any of several weeds found in fields where grain is grown

²**cockle** *n* **:** a bivalve mollusk with a heart-shaped shell

cock-ney \'käk-nē\ *n, often cap* **:** a native of London and esp. of the East End of London; *also* **:** the dialect of a cockney

cock-pit \-ˌpit\ *n* **1 :** a pit for cockfights **2 :** an open space aft of a decked area from which a small boat is steered **3 :** a space in an airplane fuselage for the pilot, pilot and passengers, or pilot and crew

cock-roach \-ˌrōch\ *n* **:** an active nocturnal insect often infesting houses and ships

cock-sure \-'shu̇r\ *adj* **1 :** CERTAIN **2 :** COCKY

cock-tail \-ˌtāl\ *n* **1 :** an iced drink made of liquor and flavoring ingredients **2 :** an appetizer (as tomato juice) served as a first course of a meal

cocky \'käk-ē\ *adj* **:** PERT, CONCEITED — **cock-i-ly** *adj* — **cock-i-ness** *n*

co-co \'kō-kō\ *n* **:** the coconut palm or its fruit

co-coa \'kō-kō\ *n* **1 :** CACAO **2 :** chocolate deprived of some of its fat and powdered; *also* **:** a drink made of this cooked with water or milk

co-co-nut \'kō-kə-(ˌ)nət\ *n* **:** a large edible nut produced by a tall tropical palm (**coconut palm**)

co-coon \kə-'kün\ *n* **:** a case which an insect larva forms and in which it passes the pupal stage

cod \'käd\ *n* **:** a soft-finned largemouthed food fish of the No. Atlantic

cod-dle \'käd-əl\ *vb* **1 :** to cook slowly in water below the boiling point **2 :** PAMPER

code \'kōd\ *n* [MF, fr. LL *codex* written collection of laws, fr. L, book] **1 :** a systematic statement of a body of law **2 :** a system of principles or rules ⟨moral ∼⟩ **3 :** a system of signals **4 :** a system of letters or symbols used (as in secret communication or in a computing machine) with special meanings

co-deine \'kō-ˌdēn, 'kōd-ē-ən\ *n* **:** a narcotic drug obtained from opium and used in cough remedies

cod-i-cil \'käd-ə-səl\ *n* **:** a legal instrument modifying an earlier will

cod-i-fy \'käd-ə-ˌfī, 'kōd-\ *vb* **:** to arrange in a systematic form — **cod-i-fi-ca-tion** \ˌkäd-ə-fə-'kā-shən, ˌkōd-\ *n*

co-ed \'kō-ˌed\ *n* **:** a female student in a coeducational institution — **co-ed** *adj*

co-ed-u-ca-tion \ˌkō-ˌej-ə-'kā-shən\ *n* **:** the education of male and female students at the same institution — **co-ed-u-ca-tion-al** *adj*

co-ef-fi-cient \ˌkō-ə-'fish-ənt\ *n* **1 :** any of the factors of a product considered in relation to a specific factor **2 :** a number that serves as a measure of some property or characteristic (as of a substance or device)

co-equal \kō-'ē-kwəl\ *adj* **:** equal with another — **co-equal-i-ty** \ˌkō-ē-'kwäl-ət-ē\ *n* — **co-equal-ly** \kō-'ē-kwə-lē\ *adv*

co-erce \kō-'ərs\ *vb* **1 :** REPRESS **2 :** COMPEL **3 :** ENFORCE — **co-er-cion** \-'ər-zhən, -shən\ *n* — **co-er-cive** \-'ər-siv\ *adj*

co-eval \kō-'ē-vəl\ *adj* **:** of the same age — **coeval** *n*

co-ex-ist \ˌkō-ig-'zist\ *vb* **1 :** to exist together or at the same time **2 :** to live in peace with each other — **co-ex-is-tence** \-'zis-təns\ *n*

co-ex-ten-sive \ˌkō-ik-'sten-siv\ *adj* **:** having the same scope or extent in space or time

cof-fee \'kȯ-fē\ *n* **:** a drink made from the roasted and ground seeds of a fruit of a tropical shrub or tree; *also* **:** these

coffee pot   93   **collective**

seeds (**coffee beans**) or a plant producing them
cof·fee·pot \-,pät\ *n* : a utensil for preparing or serving coffee
cof·fer \'kȯ-fər\ *n* : a chest or box used esp. for valuables
cof·fin \'kȯ-fən\ *n* : a box or chest for a corpse to be buried in
cog \'käg\ *n* : a tooth on the rim of a wheel in a machine
co·gent \'kō-jənt\ *adj* : having power to compel or constrain ✳ CONVINCING — **co·gen·cy** *n*
cog·i·tate \'käj-ə-,tāt\ *vb* : THINK, PONDER — **cog·i·ta·tion** \,käj-ə-'tā-shən\ *n*
co·gnac \'kōn-,yak\ *n* : a French brandy
cog·nate \'käg-,nāt\ *adj* 1 : RELATED; *esp* : related by descent from the same ancestral language 2 : of the same or similar nature — **cognate** *n*
cog·ni·tion \käg-'nish-ən\ *n* : the act or process of knowing — **cog·ni·tion·al** *adj* — **cog·ni·tive** \'käg-nət-iv\ *adj*
cog·ni·zance \'käg-nə-zəns\ *n* 1 : apprehension by the mind : AWARENESS 2 : NOTICE, HEED — **cog·ni·zant** *adj*
cog·wheel \'käg-,hwēl\ *n* : a wheel with cogs on the rim

cogwheel

co·hab·it \kō-'hab-ət\ *vb* : to live together as husband and wife — **co·hab·i·ta·tion** \-,hab-ə-'tā-shən\ *n*
co·here \kō-'hiər\ *vb* : to stick together
co·her·ent \-'hir-ənt\ *adj* 1 : having the quality of cohering 2 : logically consistent — **co·her·ence** *n* — **co·her·ent·ly** *adv*
co·he·sion \-'hē-zhən\ *n* 1 : a sticking together 2 : a molecular attraction by which the particles of a body are united — **co·he·sive** \-siv\ *adj*
co·hort \'kō-,hȯrt\ *n* 1 : a group of warriors or followers 2 : COMPANION, ACCOMPLICE
coif \'kȯif\ *n* 1 : a close-fitting hat 2 : COIFFURE
¹**coil** \'kȯil\ *vb* : to wind in a spiral shape
²**coil** *n* : a series of rings or loops (as of coiled rope, wire, or pipe) : RING, LOOP
¹**coin** \'kȯin\ *n* : a piece of metal issued by government authority as money
²**coin** *vb* 1 : to make (a coin) esp. by stamping : MINT 2 : CREATE, INVENT
co·in·cide \,kō-ən-'sīd\ *vb* 1 : to occupy the same place in space 2 : to correspond or agree exactly — **co·in·ci·dence** \kō-'in-səd-əns\ *n*
co·in·ci·dent \kō-'in-səd-ənt\ *adj* 1 : occupying the same space or time 2 : of similar nature — **co·in·ci·den·tal** \-,in-sə-'dent-ᵊl\ *adj*
co·itus \'kō-ət-əs\ *n* : sexual intercourse
coke \'kōk\ *n* : a hard gray porous fuel made by heating soft coal to drive off most of its volatile material
co·la \'kō-lə\ *n* : a carbonated soft drink

col·an·der \'kəl-ən-dər, 'käl-\ *n* : a perforated utensil for draining food
¹**cold** \'kōld\ *adj* 1 : having a low or decidedly subnormal temperature 2 : lacking warmth of feeling 3 : suffering or uncomfortable from lack of warmth — **cold·ly** *adv* — **cold·ness** *n*
²**cold** *n* 1 : a condition marked by low temperature; *also* : cold weather 2 : a chilly feeling 3 : a bodily disorder (as a respiratory inflammation) popularly associated with chilling
cold–blood·ed \-'bləd-əd\ *adj* 1 : lacking normal human feelings 2 : sensitive to cold
col·ic \'käl-ik\ *n* : sharp sudden abdominal pain
col·i·se·um \,käl-ə-'sē-əm\ *n* : a large structure (as a stadium) esp. for athletic contests
col·lab·o·rate \kə-'lab-ə-,rāt\ *vb* 1 : to work jointly with others (as in writing a book) 2 : to cooperate with an enemy force occupying one's country — **col·lab·o·ra·tion** \-,lab-ə-'rā-shən\ *n* — **col·lab·o·ra·tor** \-'lab-ə-,rāt-ər\ *n*
col·lage \kə-'läzh\ *n* : an artistic composition of fragments (as of printed matter) pasted on a picture surface
¹**col·lapse** \kə-'laps\ *vb* 1 : DISINTEGRATE; *also* : to fall in : give way 2 : to shrink together abruptly 3 : to break down physically or mentally; *esp* : to fall helpless or unconscious — **col·laps·ible** *adj*
²**collapse** *n* : BREAKDOWN
¹**col·lar** \'käl-ər\ *n* 1 : a band, strip, or chain worn around the neck or the neckline of a garment 2 : something resembling a collar — **col·lar·less** *adj*
²**collar** *vb* : to seize by the collar; *also* : CAPTURE, GRAB
col·lar·bone \-,bōn\ *n* : the bone of the shoulder that joins the breastbone and the shoulder blade
col·lard \'käl-ərd\ *n* : a stalked smooth-leaved kale — usu. used in pl.
col·late \kə-'lāt\ *vb* : to compare (as two texts) carefully and critically
¹**col·lat·er·al** \kə-'lat-(ə-)rəl\ *adj* 1 : associated but of secondary importance 2 : descended from the same ancestors but not in the same line 3 : PARALLEL 4 : of, relating to, or being collateral used as security; *also* : secured by collateral
²**collateral** *n* : property (as stocks) used as security for the repayment of a loan
col·la·tion \kə-'lā-shən\ *n* 1 : a light meal 2 : the act, process, or result of collating
col·league \'käl-,ēg\ *n* : an associate esp. in a profession
¹**col·lect** \'käl-ikt\ *n* : a short prayer comprising an invocation, petition, and conclusion
²**col·lect** \kə-'lekt\ *vb* 1 : to bring or come together into one body or place : ASSEMBLE 2 : to gather from numerous sources (~ stamps) 3 : to gain control of (~ his thoughts) 4 : to receive payment for — **col·lect·ible** *or* **col·lect·able** *adj* — **col·lec·tion** \-'lek-shən\ *n* — **col·lec·tor** \-'lek-tər\ *n*
³**col·lect** \kə-'lekt\ *adv* (*or adj*) : to be paid for by the receiver
col·lect·ed \kə-'lek-təd\ *adj* : SELF=POSSESSED, CALM
¹**col·lec·tive** \kə-'lek-tiv\ *adj* 1 : of, relating to, or denoting a group of

individuals considered as a whole **2** : formed by collecting **3** : shared or assumed by all members of the group — **col·lec·tive·ly** *adv*
²**collective** *n* **1** : GROUP **2** : a cooperative unit or organization
col·lec·tiv·ism \-ti-,viz-əm\ *n* : a political or economic theory advocating collective control esp. over production and distribution
col·lege \'käl-ij\ *n* **1** : a building used for an educational or religious purpose **2** : an institution of higher learning granting a bachelor's degree; *also* : an institution offering instruction esp. in a vocational or technical field ⟨barber ~⟩ **3** : an organized body of persons having common interests or duties ⟨~ of cardinals⟩ — **col·le·giate** \kə-'lē-jət\ *adj*
col·le·gium \-j(ē-)əm\ *n* : a governing group in which each member has approximately equal power and authority
col·lide \kə-'līd\ *vb* **1** : to come together with solid impact **2** : CLASH — **col·li·sion** \-'lizh-ən\ *n*
col·lie \'käl-ē\ *n* : a large usu. long-haired dog of a breed developed in Scotland for herding sheep
col·lo·ca·tion \,käl-ə-'kā-shən\ *n* : a placing together or side by side; *also* : the result of such placing
col·lo·di·on \kə-'lōd-ē-ən\ *n* : a sticky substance that hardens in the air and is used to cover wounds and coat photographic films
col·loid \'käl-,oid\ *n* : a substance in the form of very fine particles that are not visible in an ordinary microscope and that when in solution or suspension do not settle out; *also* : such a substance together with the gaseous, liquid, or solid substance in which it is dispersed — **col·loi·dal** \kə-'loid-ᵊl\ *adj*
col·lo·qui·al \kə-'lō-kwē-əl\ *adj* : of, relating to, or characteristic of conversation and esp. of familiar and informal conversation
col·lo·qui·al·ism *n* : a colloquial expression
col·lo·qui·um \kə-'lō-kwē-əm\ *n* : CONFERENCE, SEMINAR
col·lo·quy \'käl-ə-kwē\ *n* : a usu. formal conversation or conference
col·lu·sion \kə-'lü-zhən\ *n* : secret agreement or cooperation for a fraudulent or deceitful purpose
co·logne \kə-'lōn\ *n* : a perfumed liquid consisting of alcohol and various aromatic oils
¹**co·lon** \'kō-lən\ *n* : the part of the large intestine extending from the cecum to the rectum
²**colon** *n* : a punctuation mark : used esp. to direct attention to following matter (as a list, explanation, or quotation)
³**co·lon** \kə-'lōn\ *n, pl* **co·lo·nes** \-'lō-,nās\ — see MONEY table
col·o·nel \'kərn-ᵊl\ *n* [alter. of earlier *coronel*, fr. MF, modif. of It *colonnello*, fr. *colonna* column, fr. L *columna*] : a commissioned officer (as in the army) ranking next below a brigadier general
¹**co·lo·ni·al** \kə-'lō-nē-əl\ *adj* **1** : of, relating to, or characteristic of a colony; *also* : possessing or composed of colonies **2** *often cap* : of or relating to the original 13 colonies forming the U.S.
²**colonial** *n* : a member or inhabitant of a colony
co·lo·ni·al·ism *n* : control by one power over a dependent area or people; *also* : a policy advocating or based on such control
col·o·nist \'käl-ə-nəst\ *n* **1** : COLONIAL **2** : one who takes part in founding a colony
col·o·nize \-,nīz\ *vb* **1** : to establish a colony in or on **2** : to settle in a colony — **col·o·ni·za·tion** \,käl-ə-nə-'zā-shən\ *n* — **col·o·niz·er** \'käl-ə-,nī-zər\ *n*
col·on·nade \,käl-ə-'nād\ *n* : a row of columns usu. supporting the base of the roof structure
col·o·ny \'käl-ə-nē\ *n* **1** : a body of people sent out by a state to a new territory; *also* : the territory inhabited by these people **2** : a localized population of organisms ⟨a ~ of bees⟩ **3** : a group with common interests ⟨a writers' ~⟩; *also* : the section occupied by such a group
¹**col·or** \'kəl-ər\ *n* **1** : a phenomenon of light (as red or blue) or visual perception that enables one to differentiate otherwise identical objects; *also* : a hue as contrasted with black, white, or gray **2** : APPEARANCE **3** : complexion tint **4** *pl* : FLAG; *also* : military service (a call to the ~s) **5** : VIVIDNESS, INTEREST — **col·or·ful** *adj* — **col·or·less** *adj*
²**color** *vb* **1** : to give color to (as by painting); *also* : to change the color of **2** : BLUSH
col·or·ation \,kəl-ə-'rā-shən\ *n* : use or arrangement of colors
col·ored \'kəl-ərd\ *adj* **1** : having color **2** : SLANTED, BIASED **3** : of a race other than the white; *esp* : NEGRO
col·or·fast \'kəl-ər-,fast\ *adj* : having color that does not fade or run — **col·or·fast·ness** *n*
co·los·sal \kə-'läs-əl\ *adj* : of very great size or degree
co·los·sus \kə-'läs-əs\ *n* : a gigantic statue; *also* : one resembling a colossus esp. in size
colt \'kōlt\ *n* : FOAL; *also* : a young male horse, ass, or zebra
col·umn \'käl-əm\ *n* **1** : one of two or more vertical sections of a printed page; *also* : a special department (as in a newspaper) **2** : a pillar supporting a roof or gallery; *also* : something resembling such a column ⟨a ~ of water⟩ **3** : a long row (as of soldiers) — **co·lum·nar** \kə-'ləm-nər\ *adj*
col·um·nist \'käl-əm-(n)əst\ *n* : one who writes a newspaper column
co·ma \'kō-mə\ *n* : a state of deep unconsciousness caused by disease, injury, or poison — **co·ma·tose** \-,tōs\ *adj*
comb \'kōm\ *n* **1** : a toothed instrument for arranging the hair or for separating and cleaning textile fibers **2** : a fleshy crest on the head of a fowl **3** : HONEYCOMB — **comb** *vb*
com·bat \kəm-'bat, 'käm-,bat\ *vb* **1** : FIGHT, CONTEND **2** : to struggle or work against : OPPOSE — **com·bat** \'käm-,bat\ *n* — **com·bat·ant** \kəm-'bat-ᵊnt, 'käm-bət-ənt\ *n* — **com·bat·ive** \kəm-'bat-iv\ *adj*
comb·er \'kō-mər\ *n* **1** : one that combs **2** : a long curling oceanic wave
com·bi·na·tion \,käm-bə-'nā-shən\ *n*

1 : the process of combining or being combined **2** : a union or aggregation made by combining **3** : a series of symbols which when dialed by a disk on a lock will open the lock
¹**com·bine** \kəm-'bīn\ *vb* : to become one : UNITE, JOIN
²**com·bine** \'käm-,bīn\ *n* **1** : COMBINATION; *esp* : one made to secure business or political advantage **2** : a machine that harvests and threshes grain while moving over the field
com·bo \'käm-bō\ *n, pl* **combos** : a small jazz or dance band
com·bus·ti·ble \kəm-'bəs-tə-bəl\ *adj* : apt to catch fire : FLAMMABLE — **combustible** *n*
com·bus·tion \-'bəs-chən\ *n* **1** : the process of burning **2** : slow oxidation (as in the animal body)
come \(')kəm\ *vb* **came** \'käm\ **come**; **com·ing** \'kəm-iŋ\ **1** : APPROACH **2** : ARRIVE **3** : to reach the point of being or getting ⟨~ to a boil⟩ **4** : to have a place in a series, calendar, or scale **5** : ORIGINATE, ARISE **6** : to be available **7** : REACH, EXTEND **8** : AMOUNT
come·back \'kəm-,bak\ *n* **1** : RETORT **2** : a return to a former position or condition (as of health or prosperity)
co·me·di·an \kə-'mēd-ē-ən\ *n* **1** : an actor in comedy **2** : an amusing person
co·me·di·enne \-,mēd-ē-'en\ *n* : an actress who plays comedy
come·down \'kəm-,daun\ *n* : a descent in rank or dignity
com·e·dy \'käm-əd-ē\ *n* **1** : a light amusing play with a happy ending **2** : a literary work treating a comic theme or written in a comic style
come·ly \'kəm-lē\ *adj* : good-looking : HANDSOME — **come·li·ness** *n*
come-on \-,ȯn, -,än\ *n* : INDUCEMENT, LURE
¹**co·mes·ti·ble** \kə-'mes-tə-bəl\ *adj* : EDIBLE
²**comestible** *n* : FOOD — usu. used in pl.
com·et \'käm-ət\ *n* [Gk *komētēs*, lit., long-haired, fr. *komē* hair] : a fuzzy heavenly body that often when in the part of its orbit near the sun develops a cloudy tail and that moves in an orbit around the sun in a period from three to thousands of years
come·up·pance \kə-'məp-əns\ *n* : a deserved rebuke or penalty
¹**com·fort** \'kəm-fərt\ *n* **1** : CONSOLATION **2** : freedom from pain, trouble, or anxiety; *also* : something that gives such freedom — **com·fort·less** *adj*
²**comfort** *vb* **1** : to give strength and hope to **2** : CONSOLE
com·fort·able \'kəm(f)t-ə-bəl, 'kəm-fərt-\ *adj* **1** : providing comfort **2** : more than adequate **3** : feeling at ease : enjoying comfort — **com·fort·ably** *adv*
com·fort·er \'kəm-fə(r)t-ər\ *n* **1** : one that comforts **2** : QUILT
com·fy \-fē\ *adj* : COMFORTABLE
¹**com·ic** \'käm-ik\ *adj* **1** : relating to comedy **2** : provoking laughter : LUDICROUS *syn* laughable, funny — **com·i·cal** *adj*
²**comic** *n* **1** : COMEDIAN **2** : a magazine composed of comic strips
comic strip *n* : a group of cartoons in narrative sequence
com·ing \'kəm-iŋ\ *adj* **1** : APPROACHING, NEXT **2** : gaining importance

com·ma \'käm-ə\ *n* : a punctuation mark , used esp. as a mark of separation within the sentence
¹**com·mand** \kə-'mand\ *vb* **1** : to direct authoritatively : ORDER **2** : DOMINATE, CONTROL, GOVERN **3** : to overlook from a strategic position
²**command** *n* **1** : the act of commanding **2** : an order given **3** : ability to control : MASTERY **4** : a body of troops under a commander; *also* : an area or position that one commands **5** : a position of highest authority
com·man·dant \'käm-ən-,dant, -,dänt\ *n* : an officer in command
com·man·deer \,käm-ən-'diər\ *vb* : to seize for military purposes
com·mand·er \kə-'man-dər\ *n* **1** : LEADER, CHIEF; *esp* : an officer commanding an army or subdivision of an army **2** : a commissioned officer in the navy ranking next below a captain
commander in chief : one who holds supreme command of the armed forces of a nation
com·mand·ment \kə-'man(d)-mənt\ *n* : COMMAND, ORDER; *esp* : any of the Ten Commandments
com·man·do \kə-'man-dō\ *n, pl* **-dos** or **-does** : a member of a military unit trained for surprise raids
com·mem·o·rate \kə-'mem-ə-,rāt\ *vb* **1** : to call or recall to mind **2** : to serve as a memorial of — **com·mem·o·ra·tion** \-,mem-ə-'rā-shən\ *n*
com·mem·o·ra·tive \-'mem-ə-,rāt-iv\ *adj* : intended to commemorate an event
com·mence \kə-'mens\ *vb* : BEGIN, START
com·mence·ment \-mənt\ *n* **1** : the act or time of a beginning **2** : the graduation exercises of a school or college
com·mend \kə-'mend\ *vb* **1** : to commit to one's care **2** : RECOMMEND **3** : PRAISE — **com·mend·able** *adj* — **com·men·da·tion** \,käm-ən-'dā-shən\ *n*
com·men·su·rate \kə-'mens(-ə)-rət, -'mench(-ə)-\ *adj* : equal in measure or extent; *also* : PROPORTIONATE, CORRESPONDING
com·ment \'käm-,ent\ *n* **1** : an expression of opinion **2** : an explanatory, illustrative, or critical note or observation : REMARK — **comment** *vb*
com·men·tary \'käm-ən-,ter-ē\ *n* : a systematic series of comments
com·men·ta·tor \-,tāt-ər\ *n* : one who comments; *esp* : one who gives talks on news events on radio or television
com·merce \'käm-(,)ərs\ *n* : the buying and selling of commodities : TRADE
¹**com·mer·cial** \kə-'mər-shəl\ *adj* : having to do with commerce; *also* : designed for profit or for mass appeal — **com·mer·cial·ly** *adv*
²**commercial** *n* : an advertisement broadcast on radio or television
com·mer·cial·ism *n* : a spirit, method, or practice characteristic of business
com·mer·cial·ize *vb* : to treat in a business way esp. so as to yield profit
com·min·gle \kə-'miŋ-gəl\ *vb* : MINGLE, BLEND
com·mis·er·ate \kə-'miz-ə-,rāt\ *vb* : to feel or express pity : SYMPATHIZE — **com·mis·er·a·tion** \-,miz-ə-'rā-shən\ *n*
com·mis·sar \'käm-ə-,sär\ *n* : a Communist party official assigned to a mili-

tary unit to teach and enforce party principles and policy

com·mis·sary \'käm-ə-,ser-ē\ *n* : a store for equipment and provisions esp. for military personnel

¹**com·mis·sion** \kə-'mish-ən\ *n* 1 : a warrant granting certain powers and imposing certain duties 2 : authority to act as agent for another; *also* : something to be done by an agent 3 : a body of persons charged with performing a duty 4 : the doing of some act; *also* : the thing done 5 : the allowance made to an agent for transacting business for another 6 : a certificate conferring military rank and authority

²**commission** *vb* 1 : to give a commission to 2 : to order to be made 3 : to put (a ship) into a state of readiness for service

commissioned officer *n* : a military or naval officer holding the rank of second lieutenant or ensign or a higher rank

com·mis·sion·er *n* 1 : a person given a commission 2 : a member of a commission 3 : an official in charge of a department of public service

com·mit \kə-'mit\ *vb* -mit·ted; -mit·ting 1 : to put into charge or trust : ENTRUST ⟨*committed* the children to the care of a friend⟩ 2 : TRANSFER, CONSIGN 3 : to put in a prison or mental institution 4 : PERPETRATE ⟨~ a crime⟩ 5 : to pledge or assign to some particular course or use — **com·mit·ment** *n* — **com·mit·tal** *n*

com·mit·tee \kə-'mit-ē\ *n* : a body of persons selected to consider and act or report on some matter — **com·mit·tee·man** \-mən\ *n*

com·mode \kə-'mōd\ *n* : a movable washstand with cupboard underneath

com·mo·di·ous \-'mōd-ē-əs\ *adj* : comfortably spacious : ROOMY

com·mod·i·ty \-'mäd-ət-ē\ *n* 1 : a product of agriculture or mining 2 : an article of commerce

com·mo·dore \'käm-ə-,dōr\ *n* 1 : a commissioned officer in the navy ranking next below a rear admiral 2 : an officer commanding a group of merchant ships; *also* : the chief officer of a yacht club

¹**com·mon** \'käm-ən\ *adj* 1 : belonging to or serving the community : PUBLIC 2 : shared by a number in a group 3 : widely or generally known, found, or observed : FAMILIAR 4 : ORDINARY, USUAL 5 : not above the average esp. in social status **syn** universal, mutual, popular, vulgar — **com·mon·ly** *adv*

²**common** *n* 1 *pl* : the mass of people as distinguished from the nobility 2 : a piece of land held in common by a community 3 *pl* : a dining hall 4 *pl, cap* : the lower house of the British and Canadian parliaments — **in common** : shared together

com·mon·er *n* : one of the common people : one having no rank of nobility

¹**com·mon·place** \'käm-ən-,plās\ *n* : something (as a remark) that is ordinary or trite

²**commonplace** *adj* : not remarkable : ORDINARY

com·mon·wealth \-,welth\ *n* 1 : the body of people politically organized into a state 2 : STATE; *also* : an association or federation of autonomous states

com·mo·tion \kə-'mō-shən\ *n* 1 : AGI-TATION 2 : DISTURBANCE, UPRISING

com·mu·nal \kə-'myün-ᵊl, 'käm-yən-\ *adj* 1 : relating to a commune or to organization in communes 2 : of or belonging to a community 3 : marked by collective ownership and use of property

¹**com·mune** \kə-'myün\ *vb* : to communicate intimately **syn** consult, negotiate

²**com·mune** \'käm-,yün\ *n* 1 : the common people 2 : the smallest administrative district in some European countries

com·mu·ni·ca·ble \kə-'myü-ni-kə-bəl\ *adj* : capable of being communicated

com·mu·ni·cant \-kənt\ *n* 1 : a church member entitled to receive Communion 2 : one who communicates; *esp* : INFORMANT

com·mu·ni·cate \kə-'myü-nə-,kāt\ *vb* 1 : TRANSMIT, IMPART 2 : to make known 3 : to receive Communion 4 : to be in communication 5 : JOIN, CONNECT ⟨the rooms ~⟩

com·mu·ni·ca·tion \-,myü-nə-'kā-shən\ *n* 1 : an act of transmitting 2 : exchange of information or opinions 3 : MESSAGE 4 : a means of communicating — **com·mu·ni·ca·tive** \-'myü-nə-,kāt-iv, -ni-kət-\ *adj*

com·mu·nion \kə-'myü-nyən\ *n* 1 : a sharing of something with others 2 : mutual intercourse 3 *cap* : a Christian sacrament in which bread and wine are partaken of as a commemoration of the death of Christ 4 *cap* : the act of receiving the sacrament 5 : a body of Christians having a common faith and discipline

com·mu·ni·qué \kə-'myü-nə-,kā\ *n* : an official communication

com·mu·nism \'käm-yə-,niz-əm\ *n* 1 : social organization in which goods are held in common 2 : a theory of social organization advocating common ownership of means of production and an equal distribution of products of industry 3 *cap* : a political doctrine based upon revolutionary Marxian socialism that is the official ideology of the U.S.S.R. and some other countries — **com·mu·nist** *n or adj, often cap* — **com·mu·nis·tic** \,käm yə-'nis-tik\ *adj, often cap*

com·mu·ni·ty \kə-'myü-nət-ē\ *n* 1 : a body of people living in the same place under the same laws; *also* : a natural population of plants and animals occupying a common area 2 : society at large 3 : joint ownership 4 : AGREEMENT, CONCORD

com·mu·ta·tion \,käm-yə-'tā-shən\ *n* : substitution of one form of payment or penalty for another

com·mu·ta·tor \'käm-yə-,tāt-ər\ *n* : a device (as on a generator or motor) for changing the direction of electric current

com·mute \kə-'myüt\ *vb* 1 : EXCHANGE 2 : to substitute a less severe penalty for (one more severe) 3 : to travel back and forth regularly — **com·mut·er** *n*

¹**com·pact** \kəm-'pakt, (')käm-\ *adj* 1 : SOLID, DENSE 2 : BRIEF, SUCCINCT 3 : filling a small space or area — **compact·ly** *adv* — **com·pact·ness** *n*

²**compact** *vb* : to pack together : COMPRESS

³**com·pact** \'käm-,pakt\ *n* 1 : a small case for cosmetics 2 : a small automobile

companion 97 **complicate**

⁴**com·pact** \'käm-,pakt\ *n* : AGREEMENT, COVENANT
¹**com·pan·ion** \kəm-'pan-yən\ *n* [OF *compagnon*, fr. LL *companion-, companio*, lit., one who shares bread, fr. L *com-* together + *panis* bread] **1** : an intimate friend or associate : COMRADE **2** : one of a pair of matching things — **com·pan·ion·able** *adj* — **com·pan·ion·less** *adj* — **com·pan·ion·ship** *n*
com·pa·ny \'kəmp-(ə-)nē\ *n* **1** : association with others : FELLOWSHIP; *also* : COMPANIONS **2** : RETINUE **3** : an association of persons for carrying on a business **4** : a group of musical or dramatic performers **5** : GUESTS **6** : an infantry unit normally commanded by a captain **7** : the officers and crew of a ship syn party, band, troop, troupe
com·pa·ra·ble \'käm-p(ə-)rə-bəl\ *adj* : capable of being compared syn parallel, similar, like, alike
¹**com·par·a·tive** \kəm-'par-ət-iv\ *adj* **1** : of, relating to, or constituting the degree of grammatical comparison that denotes increase in quality, quantity, or relation **2** : RELATIVE ⟨a ~ stranger⟩ — **com·par·a·tive·ly** *adv*
²**comparative** *n* : the comparative degree or a comparative form in a language
¹**com·pare** \kəm-'paər\ *vb* **1** : to represent as like something : LIKEN **2** : to examine for likenesses and differences **3** : to inflect or modify (an adjective or adverb) according to the degrees of comparison
com·par·i·son \-'par-ə-sən\ *n* **1** : act of comparing **2** : relative estimate **3** : change in the form of an adjective or adverb to show different levels of quality, quantity, or relation
com·part·ment \-'pärt-mənt\ *n* **1** : a section of an enclosed space : ROOM **2** : a separate division
com·part·men·tal·ize \-,pärt-'ment-ᵊl-,īz\ *vb* : to separate into compartments
¹**com·pass** \'kəm-pəs, 'käm-\ *vb* **1** : CONTRIVE, PLOT **2** : to bring about : ACHIEVE **3** : to make a circuit of; *also* : SURROUND
²**compass** *n* **1** : BOUNDARY, CIRCUMFERENCE **2** : an enclosed space **3** : RANGE, SCOPE **4** *usu pl* : an instrument for drawing circles or transferring measurements consisting of two legs joined at the top by a pivot **5** : a device for determining direction by means of a magnetic needle swinging freely and pointing to the magnetic north; *also* : a nonmagnetic device that indicates direction
com·pas·sion \kəm-'pash-ən\ *n* : sympathetic feeling : PITY, MERCY — **com·pas·sion·ate** \-(ə-)nət\ *adj*
com·pat·i·ble \kəm-'pat-ə-bəl\ *adj* : able to exist or act together harmoniously ⟨~ colors⟩ ⟨~ drugs⟩ syn consonant, congenial, sympathetic — **com·pat·i·bil·i·ty** \-,pat-ə-'bil-ət-ē\ *n*
com·pa·tri·ot \kəm-'pā-trē-ət, -,ät\ *n* : a fellow countryman
com·pel \kəm-'pel\ *vb* : to drive or urge with force : CONSTRAIN
com·pen·di·um \kəm-'pen-dē-əm\ *n, pl* **-di·ums** *or* **-dia** \-dē-ə\ : a brief summary of a larger work or of a field of knowledge
com·pen·sate \'käm-pən-,sāt\ *vb* **1** : to be equivalent to in value or effect : COUNTERBALANCE **2** : PAY, REMUNERATE syn balance, offset, recompense, repay, satisfy — **com·pen·sa·tion** \,käm-pən-'sā-shən\ *n* — **com·pen·sa·to·ry** \kəm-'pen-sə-,tōr-ē\ *adj*
com·pete \kəm-'pēt\ *vb* : CONTEND, VIE
com·pe·tence \'käm-pət-əns\ *n* **1** : adequate means for subsistence **2** : FITNESS, ABILITY
com·pe·ten·cy *n* : COMPETENCE
com·pe·tent \-pət-ənt\ *adj* : CAPABLE, FIT, QUALIFIED
com·pe·ti·tion \,käm-pə-'tish-ən\ *n* **1** : the act of competing : RIVALRY **2** : CONTEST, MATCH — **com·pet·i·tive** *adj*
com·pet·i·tor \kəm-'pet-ət-ər\ *n* : one that competes; *esp* : a rival in selling or buying
com·pile \kəm-'pīl\ *vb* **1** : to collect (literary materials) into a volume **2** : to compose out of materials from other documents — **com·pi·la·tion** \,käm-pə-'lā-shən\ *n*
com·pla·cence \kəm-'plās-ᵊns\ *n* : SATISFACTION; *esp* : SELF-SATISFACTION — **com·pla·cent** *adj* — **com·pla·cent·ly** *adv*
com·pla·cen·cy *n* : COMPLACENCE
com·plain \kəm-'plān\ *vb* **1** : to express grief, pain, or discontent **2** : to make a formal accusation — **com·plain·ant** *n*
com·plaint \-'plānt\ *n* **1** : expression of grief or discontent **2** : a bodily ailment or disease **3** : a formal accusation against a person
com·plai·sance \kəm-'plās-ᵊns, 'käm-plā-,zans\ *n* : disposition to please : AFFABILITY — **com·plai·sant** *adj*
¹**com·ple·ment** \'käm-plə-mənt\ *n* **1** : a quantity needed to make a thing complete **2** : full quantity, number, or amount **3** : an added word by which a predication is made complete — **com·ple·men·ta·ry** \,käm-plə-'men-t(ə-)rē\ *adj*
²**com·ple·ment** \'käm-plə-,ment\ *vb* : to be complementary to : fill out
¹**com·plete** \kəm-'plēt\ *adj* **1** : having no part lacking **2** : ENDED **3** : fully realized : THOROUGH — **com·plete·ly** *adv* — **com·plete·ness** *n* — **com·ple·tion** \-'plē-shən\ *n*
²**complete** *vb* **1** : to make whole or perfect **2** : FINISH, CONCLUDE
¹**com·plex** \(')käm-'pleks, kəm-\ *adj* **1** : composed of two or more parts **2** : consisting of a main clause and one or more subordinate clauses ⟨~ sentence⟩ **3** : COMPLICATED, INTRICATE — **com·plex·i·ty** \kəm-'plek-sət-ē, käm-\ *n*
²**com·plex** *n* \'käm-,pleks\ : something made up of or involving an often intricate combination of elements; *esp* : a system of repressed desires and memories that modify the personality or the individual's response to a subject or situation
com·plex·ion \kəm-'plek-shən\ *n* **1** : the hue or appearance of the skin esp. of the face **2** : general appearance : ASPECT
com·pli·ance \kəm-'plī-əns\ *n* **1** : the act of complying to a demand or proposal **2** : a disposition to yield — **com·pli·ant** *adj*
com·pli·cate \'käm-plə-,kāt\ *vb* : to make or become complex or intricate
com·pli·ca·tion \,käm-plə-'kā-shən\ *n*

com·pli·cat·ed *adj* **1** : consisting of parts intricately combined **2** : difficult to analyze, understand, or explain — **com·pli·cat·ed·ly** *adv* — **com·pli·cat·ed·ness** *n*

com·plic·i·ty \kəm-'plis-ət-ē\ *n* : state of being an accomplice : PARTICIPATION

¹**com·pli·ment** \'käm-plə-mənt\ *n* **1** : an expression of approval or courtesy; *esp* : a flattering remark **2** *pl* : formal greeting

²**com·pli·ment** \-,ment\ *vb* : to pay a compliment to

com·pli·men·ta·ry \,käm-plə-'men-t(ə-)rē\ *adj* **1** : containing or expressing a compliment **2** : given free as a courtesy ⟨~ ticket⟩

com·ply \kəm-'plī\ *vb* : ACQUIESCE, YIELD

¹**com·po·nent** \kəm-'pō-nənt, 'käm-,pō-\ *n* : a component part **syn** ingredient, element

²**component** *adj* : serving to form a part of : CONSTITUENT

com·port \kəm-'pōrt\ *vb* **1** : AGREE, ACCORD **2** : CONDUCT ⟨~ed himself honorably⟩ **syn** behave

com·port·ment *n* : BEHAVIOR, BEARING

com·pose \kəm-'pōz\ *vb* **1** : to form by putting together : FASHION **2** : ADJUST, ARRANGE **3** : CALM, QUIET **4** : to set type for printing **5** : to practice composition ⟨~ music⟩ — **com·posed** \-'pōzd\ *adj* — **com·pos·ed·ly** \-'pō-zəd-lē\ *adv* — **com·pos·er** *n*

¹**com·pos·ite** \käm-'päz-ət, kəm-\ *adj* **1** : made up of distinct parts or elements **2** : of, relating to, or being a large group of flowering plants (as the daisy) that bear many small flowers united into compact heads resembling single flowers **syn** blend, compound, mixture

²**composite** *n* **1** : something composite **2** : a plant of the composite group

com·po·si·tion \,käm-pə-'zish-ən\ *n* **1** : the act of composing; *esp* : arrangement of elements in artistic form **2** : the art or practice of writing **3** : MAKEUP, CONSTITUTION **4** : COMBINATION **5** : a literary, musical, or artistic product; *esp* : ESSAY **6** : the composing of type

com·pos·i·tor \kəm-'päz-ət-ər\ *n* : one who sets type

com·post \'käm-,pōst\ *n* : a fertilizing material consisting largely of decayed organic matter

com·po·sure \kəm-'pō-zhər\ *n* : CALMNESS, SELF-POSSESSION

¹**com·pound** \(')käm-'paùnd, kəm-\ *vb* **1** : COMBINE **2** : to form by combining parts ⟨~ a medicine⟩ **3** : SETTLE ⟨~ a dispute⟩ **4** : to increase (as interest) by an amount that itself increases; *also* : to add to **5** : to forbear prosecution of (an offense) in return for some reward

²**com·pound** \'käm-,paùnd\ *adj* **1** : made up of two or more parts **2** : formed by the combination of two or more otherwise independent elements ⟨~ sentence⟩

³**com·pound** \'käm-,paùnd\ *n* **1** : a compound substance; *esp* : one formed by the union of two or more chemical elements **2** : a solid or hyphenated word made up of two or more distinct words or word elements **syn** mixture, composite, blend

⁴**com·pound** \'käm-,paùnd\ *n* : an enclosure of European residences and commercial buildings esp. in the Orient

com·pre·hend \,käm-pri-'hend\ *vb* **1** : UNDERSTAND **2** : INCLUDE — **com·pre·hen·si·ble** \-'hen-sə-bəl\ *adj* — **com·pre·hen·sion** \-'hen-chən\ *n* — **com·pre·hen·sive** \-'hen-siv\ *adj*

¹**com·press** \kəm-'pres\ *vb* : to squeeze together : CONDENSE **syn** constrict, contract, shrink — **com·pressed** *adj* — **com·pres·sion** \-'presh-ən\ *n*

²**com·press** \'käm-,pres\ *n* : a soft often wet or medicated pad used to press upon an injured bodily part

compressed air *n* : air under pressure greater than that of the atmosphere

com·prise \kəm-'prīz\ *vb* **1** : INCLUDE, CONTAIN **2** : to be made up of **3** : to make up : CONSTITUTE

¹**com·pro·mise** \'käm-prə-,mīz\ *n* : a settlement of differences reached by mutual concessions; *also* : the agreement thus made

²**compromise** *vb* **1** : to settle by compromise **2** : to endanger the reputation of : expose to discredit

comp·trol·ler \kən-'trō-lər, 'kämp-,trō-\ *n* : an official who audits and supervises expenditures and accounts

com·pul·sion \kəm-'pəl-shən\ *n* **1** : COERCION **2** : an irresistible impulse **syn** constraint, force, violence, restraint — **com·pul·sive** \-'pəl-siv\ *adj* — **com·pul·so·ry** \-'pəls-(ə-)rē\ *adj*

com·punc·tion \kəm-'pəŋk-shən\ *n* : anxiety arising from guilt : REMORSE

com·pute \kəm-'pyüt\ *vb* : CALCULATE, RECKON — **com·pu·ta·tion** \,käm-pyü-'tā-shən\ *n*

com·put·er \kəm-'pyüt-ər\ *n* : an automatic electronic machine for calculating

com·rade \'käm-,rad, -rəd\ *n* [MF *camarade* group of soldiers sleeping in one room, roommate, companion, fr. Sp *camarada*, fr. *cámara* room, fr. LL *camera*] : COMPANION, ASSOCIATE — **com·rade·ship** *n*

¹**con** \'kän\ *vb* **conned; con·ning** **1** : STUDY **2** : MEMORIZE

²**con** *adv* : in opposition : AGAINST

³**con** *n* : an opposing argument, person, or position

⁴**con** *vb* **conned; con·ning** **1** : SWINDLE **2** : PERSUADE, CAJOLE

con·cave \(')kän-'kāv\ *adj* : curved or rounded inward like the inside of a bowl — **con·cav·i·ty** \kän-'kav-ət-ē\ *n*

con·ceal \kən-'sēl\ *vb* : to place out of sight : HIDE — **con·ceal·ment** *n*

con·cede \kən-'sēd\ *vb* **1** : to admit to be true **2** : GRANT, YIELD **syn** allow, accord, award

con·ceit \kən-'sēt\ *n* **1** : excessively high opinion of oneself, one's appearance, or ability : VANITY **2** : an elaborate or strained metaphor — **con·ceit·ed** *adj*

con·ceive \kən-'sēv\ *vb* **1** : to become pregnant **2** : to form an idea of : THINK, IMAGINE — **con·ceiv·able** *adj* — **con·ceiv·ably** *adv*

con·cen·trate \'kän-sən-,trāt\ *vb* **1** : to gather into one body, mass, or force **2** : to make less dilute **3** : to fix one's powers, efforts, or attentions on one thing

con·cen·tra·tion \,kän-sən-'trā-shən\ *n* **1** : the act or process of concentrating : the state of being concentrated; *esp* : direction of attention on a single object **2** : the relative content of a com-

concentric 99 **condition**

ponent : STRENGTH ⟨the ~ of salt in a solution⟩
con·cen·tric \kən-'sen-trik\ *adj* **1** : having a common center ⟨~ circles drawn one within another⟩ **2** : COAXIAL
con·cept \'kän-,sept\ *n* : THOUGHT, NOTION, IDEA — **con·cep·tu·al** \kən-'sep-ch(ə-w)əl\ *adj*
con·cep·tion \kən-'sep-shən\ *n* **1** : the act of conceiving or being conceived; *also* : BEGINNING **2** : the power to form ideas or concepts **3** : IDEA, CONCEPT
¹**con·cern** \kən-'sərn\ *vb* **1** : to relate to **2** : to be the business of : INVOLVE **3** : ENGAGE, OCCUPY
²**concern** *n* **1** : AFFAIR, MATTER **2** : INTEREST, ANXIETY **3** : a business organization **syn** business, care, worry
con·cerned *adj* : ANXIOUS, TROUBLED
con·cern·ing *prep* : relating to : REGARDING
¹**con·cert** \kən-'sərt\ *vb* **1** : to plan together **2** : to act in conjunction or harmony
²**con·cert** \'kän-(,)sərt\ *n* **1** : agreement in a plan or design **2** : a concerted action **3** : a musical performance by several instruments or voices
con·cert·ed \kən-'sərt-əd\ *adj* : mutually agreed on
con·cer·ti·na \,kän-sər-'tē-nə\ *n* : an instrument of the accordion family
con·cert·mas·ter \'kän-sərt-,mas-tər\ *n* : the leader of the first violins and assistant conductor of an orchestra
con·cer·to \kən-'chert-ō\ *n*, *pl* **-ti** \-(,)ē\ *or* **-tos** : a symphonic piece for one or more solo instruments and orchestra
con·ces·sion \kən-'sesh-ən\ *n* **1** : an act of conceding or yielding **2** : something yielded : ADMISSION, ACKNOWLEDGMENT **3** : a grant by a government of land or of a right to use it **4** : a grant of a portion of premises for some specific purpose — **con·ces·sion·aire**
conch \'käŋk, 'känch\ *n*, *pl* **conchs** \'käŋks\ *or* **conch·es** \'kän-chəz\ : a large spiral-shelled marine mollusk
con·cierge \kōⁿ-'syerzh\ *n* : an attendant at the entrance of a building esp. in France who observes those entering and leaving, handles mail, and acts as a janitor or porter
con·cil·i·ate \kən-'sil-ē-,āt\ *vb* **1** : to win over from a state of hostility **2** : to gain the goodwill of — **con·cil·i·a·tion** \-,sil-ē-'ā-shən\ *n* — **con·cil·ia·to·ry**
con·cise \kən-'sīs\ *adj* : expressing much in few words : TERSE, SUCCINCT — **con·cise·ness** *n*
con·clave \'kän-,klāv\ *n* [ML, fr. L, room that can be locked, fr. *com-* together + *clavis* key] : a private gathering (as of Roman Catholic cardinals); *also* : CONVENTION
con·clude \kən-'klüd\ *vb* **1** : to bring to a close : END **2** : DECIDE, JUDGE **3** : to bring about as a result ⟨~ an agreement⟩ **syn** close, finish, terminate, complete, gather, infer
con·clu·sion \kən-'klü-zhən\ *n* **1** : the logical consequence of a reasoning process : INFERENCE **2** : TERMINATION, END **3** : OUTCOME, RESULT — **con·clu·sive** \-'klü-siv\ *adj* — **con·clu·sive·ly** *adv*
con·coct \kən-'käkt, kän-\ *vb* **1** : to prepare by combining diverse ingredients **2** : DEVISE ⟨~ a scheme⟩ — **con·coc·tion** \-'käk-shən\ *n*
con·com·i·tant \-'käm-ət-ənt\ *adj* : ACCOMPANYING, ATTENDING — **concomitant** *n*
con·cord \'kän-,kȯrd, 'käŋ-\ *n* : AGREEMENT, HARMONY
con·cor·dance \kən-'kȯrd-ᵊns\ *n* **1** : AGREEMENT **2** : an alphabetical index of words in a book or in an author's works with the passages in which they occur
con·cor·dant \-ᵊnt\ *adj* : HARMONIOUS, AGREEING
con·cor·dat \kən-'kȯr-,dat\ *n* : AGREEMENT, COVENANT
con·course \'kän-,kōrs\ *n* **1** : a flocking together of people **2** : GATHERING **2** : an open place where roads meet or crowds may gather
¹**con·crete** \kän-'krēt, 'kän-,krēt\ *adj* **1** : united in solid form **2** : naming a real thing or class of things : not abstract **3** : not theoretical : ACTUAL **4** : made of or relating to concrete **syn** specific, particular, special
²**con·crete** \'kän-,krēt, kän-'krēt\ *n* : a hard building material made by mixing cement, sand, and gravel with water
³**con·crete** \'kän-,krēt, kän-'krēt\ *vb* **1** : SOLIDIFY **2** : to cover with concrete
con·cre·tion \kän-'krē-shən\ *n* : a hard mass esp. when formed abnormally in the body
con·cu·bine \'käŋ-kyə-,bīn\ *n* : a woman who is not legally a wife but lives with a man and has a recognized position in his household
con·cu·pis·cence \kän-'kyü-pə-səns\ *n* : ardent sexual desire : LUST
con·cur \kən-'kər\ *vb* **-curred; -curring** **1** : COINCIDE **2** : to act together **3** : AGREE **syn** unite, combine, cooperate
con·cur·rence \-'kər-əns\ *n* **1** : CONJUNCTION, COINCIDENCE **2** : agreement in action or opinion
con·cur·rent *adj* **1** : happening or operating at the same time **2** : joint and equal in authority
con·cus·sion \kən-'kəsh-ən\ *n* **1** : SHOCK, SHAKING **2** : a sharp sudden blow or collision; *also* : bodily injury (as to the brain) resulting from a sudden jar
con·demn \kən-'dem\ *vb* **1** : to declare to be wrong **2** : to convict of guilt **3** : to sentence judicially **4** : to pronounce unfit for use ⟨~ a building⟩ **5** : to declare forfeited or taken for public use **syn** denounce, censure, blame, criticize, doom, damn — **con·dem·na·tion** \,kän-,dem-'nā-shən\ *n* — **con·dem·na·to·ry** \kən-'dem-nə-,tōr-ē\ *adj*
con·dense \kən-'dens\ *vb* **1** : to make or become more compact or dense : CONCENTRATE **2** : to change from vapor to liquid **syn** contract, shrink, deflate — **con·den·sa·tion** \,kän-,den-'sā-shən\ *n* — **con·dens·er** \kən-'den-sər\ *n*
con·de·scend \,kän-di-'send\ *vb* : to assume an air of superiority **syn** stoop, deign — **con·de·scend·ing·ly** *adv*
con·di·ment \'kän-də-mənt\ *n* : something used to make food savory; *esp* : a pungent seasoning (as pepper)
¹**con·di·tion** \kən-'dish-ən\ *n* **1** : some-

thing essential to the occurrence of some other thing **2** *pl* : state of affairs : CIRCUMSTANCES **3** : state of being **4** : station in life : social rank **5** : state in respect to fitness (as for action or use); *esp* : state of health

²**condition** *vb* **1** : to limit or modify by a condition **2** : to put into proper condition for action or use

con·di·tion·al \-(ə-)nəl\ *adj* : containing, implying, or depending upon a condition

con·dole \kən-'dōl\ *vb* : to express sympathetic sorrow — **con·do·lence** *n*

con·do·min·i·um \,kän-də-'min-ē-əm\ *n* **1** : joint sovereignty (as by two or more nations) **2** : a politically dependent territory under condominium **3** : individual ownership of a unit in a multi-unit structure (as an apartment)

con·done \kən-'dōn\ *vb* : to overlook or forgive (an offense) by treating the offender as if he had done nothing wrong **syn** excuse, pardon — **con·do·na·tion**

con·dor \'kän-dər\ *n* : a very large western American vulture

con·duce \kən-'d(y)üs\ *vb* : to lead or contribute to a result — **con·du·cive** *adj*

¹**con·duct** \'kän-(,)dəkt\ *n* **1** : MANAGEMENT, DIRECTION **2** : BEHAVIOR

²**con·duct** \kən-'dəkt\ *vb* **1** : GUIDE, ESCORT **2** : MANAGE, DIRECT **3** : to serve as a channel for : CONVEY, TRANSMIT **4** : BEHAVE, BEAR ⟨~s himself honorably⟩ — **con·duc·tion** \-'dək-shən\ *n*

con·duc·tive \kən-'dək-tiv\ *adj* : having the power to conduct (as heat or electricity) — **con·duc·tance** *n* — **con·duc·tiv·i·ty** \,kän-,dək-'tiv-ət-ē\ *n*

con·duc·tor \kən-'dək-tər\ *n* **1** : one that conducts **2** : a collector of fares in a public conveyance **3** : the leader of a musical ensemble

con·duit \'kän-,d(y)ü-ət, -dət\ *n* **1** : a channel (as a pipe or aqueduct) for conveying fluid **2** : a tube or trough for protecting electric wires or cables

cone \'kōn\ *n* **1** : the scaly fruit of trees of the pine family **2** : a solid figure whose base is a circle and whose sides taper evenly up to an apex; *also* : something having a similar shape

co·ney \'kō-nē\ *n* : a rabbit or its fur

con·fab·u·la·tion \kən-,fab-yə-'lā-shən\ *n* : familiar talk : CHAT; *also* : CONFERENCE

con·fec·tion \kən-'fek-shən\ *n* : a fancy dish or sweet; *also* : CANDY

con·fec·tion·er \-sh(ə-)nər\ *n* : a maker of or dealer in confections (as candies)

con·fec·tion·ery \-shə-,ner-ē\ *n* **1** : CANDIES **2** : a confectioner's place of business

con·fed·er·a·cy \kən-'fed-(ə-)rə-sē\ *n* **1** : LEAGUE, ALLIANCE **2** *cap* : the 11 southern states that seceded from the U. S. in 1860 and 1861

¹**con·fed·er·ate** \-(ə-)rət\ *adj* **1** : united in a league : ALLIED

²**confederate** *n* **1** : ALLY; *also* : ACCOMPLICE

³**con·fed·er·ate** \kən-'fed-ə-,rāt\ *vb* : to unite in a confederacy or a conspiracy

con·fed·er·a·tion \-,fed-ə-'rā-shən\ *n* **1** : act of confederating **2** : ALLIANCE, LEAGUE

con·fer \kən-'fər\ *vb* **-ferred; -fer·ring** **1** : GRANT, BESTOW **2** : to exchange views : CONSULT — **con·fer·ee** \,kän-fə-'rē\ *n*

con·fer·ence \'kän-f(ə-)rəns\ *n* : an interchange of views; *also* : a meeting for this purpose

con·fess \kən-'fes\ *vb* **1** : to acknowledge or disclose one's misdeed, fault, or sin **2** : to acknowledge one's sins to God or to a priest **3** : to receive the confession of (a penitent) **syn** admit, own

con·fess·ed·ly \-'fes-əd-lē\ *adv* : by confession : ADMITTEDLY

con·fes·sion \-'fesh-ən\ *n* **1** : an act of confessing (as in the sacrament of penance) **2** : an acknowledgment of guilt **3** : a formal statement of religious beliefs **4** : a religious body having a common creed — **con·fes·sion·al** *adj*

con·fes·sion·al *n* : a place where a priest hears confessions

con·fes·sor \kən-'fes-ər\ *n* **1** : one that confesses **2** : a priest who hears confessions

con·fet·ti \kən-'fet-ē\ *n* : bits of colored paper or ribbon for throwing about in celebration

con·fi·dant \'kän-fə-,dant\ *n* : one to whom secrets are confided

con·fide \kən-'fīd\ *vb* **1** : to have or show faith : TRUST ⟨~ in a friend⟩ **2** : to tell confidentially ⟨~ a secret⟩ **3** : ENTRUST

con·fi·dence \'kän-fəd-əns\ *n* **1** : TRUST, RELIANCE **2** : SELF-ASSURANCE, BOLDNESS **3** : a state of trust or intimacy — **con·fi·dent** *adj* — **con·fi·dent·ly** *adv*

con·fi·den·tial \,kän-fə-'den-chəl\ *adj* **1** : SECRET, PRIVATE **2** : enjoying or treated with confidence ⟨~ clerk⟩ — **con·fi·den·tial·ly** \-'dench-(ə-)lē\ *adv*

con·fig·u·ra·tion \kən-,fig-yə-'rā-shən\ *n* : structural arrangement of parts : SHAPE

con·fine \kən-'fīn\ *vb* **1** : to keep within limits : RESTRAIN **2** : IMPRISON **3** : to restrict to a particular place or situation (as from illness or duties) — **con·fine·ment** *n* — **con·fin·er** *n*

con·firm \kən-'fərm\ *vb* **1** : to make firm or firmer **2** : RATIFY **3** : VERIFY, CORROBORATE **4** : to administer the rite of confirmation to — **con·fir·ma·to·ry**

con·fir·ma·tion \,kän-fər-'mā-shən\ *n* **1** : an act of ratifying or corroborating; *also* : PROOF **2** : a religious ceremony admitting a person to full membership in a church or synagogue

con·fis·cate \'kän-fə-,skāt\ *vb* : to take possession of by or as if by public authority — **con·fis·ca·tion** \,kän-fə-'skā-shən\ *n* — **con·fis·ca·to·ry** \kən-'fis-kə-,tōr-ē\ *adj*

con·fla·gra·tion \,kän-flə-'grā-shən\ *n* : FIRE; *esp* : a large disastrous fire

¹**con·flict** \'kän-,flikt\ *n* **1** : WAR **2** : clash between hostile or opposing elements or ideas

²**con·flict** \kən-'flikt\ *vb* : to show antagonism or irreconcilability : CLASH

con·flu·ence \kən-,flü-əns\ *n* **1** : the meeting or place of meeting of two or more streams **2** : a flocking together **3** : CROWD — **con·flu·ent** *adj*

con·form \kən-'fȯrm\ *vb* **1** : to make or be like : AGREE, ACCORD **2** : to obey customs or standards — **con·form·able** *adj*

con·for·mance \-'fȯr-məns\ *n* : CON-

conformation   **101**   **connective**

FORMITY
con·for·ma·tion \ˌkän-fȯr-'mā-shən\ *n* : arrangement and congruity of parts : FORM
con·for·mi·ty \kən-'fȯr-mət-ē\ *n* 1 : HARMONY, AGREEMENT 2 : COMPLIANCE, OBEDIENCE
con·found \kən-'faùnd, kän-\ *vb* 1 : to throw into disorder or confusion : DISMAY 2 : to mix up : CONFUSE **syn** bewilder, puzzle, perplex, mistake
con·fra·ter·ni·ty \ˌkän-frə-'tər-nət-ē\ *n* : a society devoted to a religious or charitable cause
con·front \kən-'frənt\ *vb* 1 : to face esp. in challenge : OPPOSE 2 : to cause to face or meet
Con·fu·cian·ism \kən-'fyü-shən-ˌiz-əm\ *n* : a religion growing out of the teachings of the Chinese philosopher Confucius — **Con·fu·cian** *n or adj*
con·fuse \kən-'fyüz\ *vb* 1 : to make mentally unclear or uncertain; *also* : to disturb the composure of 2 : to mix up : JUMBLE **syn** muddle, befuddle, mistake, confound — **con·fus·ed·ly**
con·fu·sion \-'fyü-zhən\ *n* 1 : turmoil or uncertainty of mind 2 : DISORDER, JUMBLE
con·fute \kən-'fyüt\ *vb* : to overwhelm by argument : REFUTE — **con·fu·ta·tion**
con·geal \kən-'jēl\ *vb* 1 : FREEZE 2 : to make or become hard or thick as if by freezing
con·ge·ner \'kän-jə-nər\ *n* : one related to another
con·ge·nial \kən-'jē-nyəl\ *adj* 1 : KINDRED, SYMPATHETIC 2 : suited to one's taste or nature : AGREEABLE
con·gen·i·tal \kən-'jen-ət-ᵊl\ *adj* : existing at or dating from birth but usu. not hereditary **syn** inborn, innate
con·gest \kən-'jest\ *vb* 1 : to cause excessive fullness of the blood vessels of (as a lung) 2 : to obstruct by overcrowding — **con·ges·tion** \-'jes-chən\ *n*
¹**con·glom·er·ate** \kən-'gläm-(ə-)rət\ *adj* 1 : made up of parts from various sources 2 : densely massed or clustered
²**con·glom·er·ate** \-ə-ˌrāt\ *vb* : to form into a ball or mass — **con·glom·er·a·tion** \-ˌgläm-ə-'rā-shən\ *n*
³**con·glom·er·ate** \-'gläm-(ə-)rət\ *n* : a mass formed of fragments from various sources; *esp* : a rock composed of fragments varying from pebbles to boulders held together by a cementing material
con·grat·u·late \kən-'grach-ə-ˌlāt\ *vb* : to express sympathetic pleasure to on account of success or good fortune : FELICITATE — **con·grat·u·la·tion**
con·gre·gate \'käŋ-gri-ˌgāt\ *vb* : ASSEMBLE
con·gre·ga·tion \ˌkäŋ-gri-'gā-shən\ *n* 1 : an assembly of persons met esp. for worship; *also* : a group that habitually so meets 2 : a company or order of religious persons under a common rule 3 : the act or an instance of congregating
con·gre·ga·tion·al \-sh(ə-)nəl\ *adj* 1 : of or relating to a congregation 2 *cap* : observing the faith and practice of certain Protestant churches which recognize the independence of each congregation in church matters
Con·gre·ga·tion·al·ist *n* : a member of one of several Protestant denominations that emphasize the autonomy of the local congregation — **Con·gre·ga·tion·al·ism** *n*
con·gress \'käŋ-grəs\ *n* 1 : an assembly esp. of delegates for discussion and usu. action on some question 2 : the body of senators and representatives constituting a nation's legislature — **con·gres·sio·nal** \kən-'gresh-(ə-)nəl\ *adj*
con·gru·ence \kən-'grü-əns, 'käŋ-grə-wəns\ *n* : the quality of according or coinciding : CONGRUITY — **con·gru·ent** *adj*
con·gru·i·ty \kən-'grü-ət-ē\ *n* : correspondence between things : AGREEMENT, HARMONY — **con·gru·ous** \'käŋ-grə-wəs\ *adj*
con·ic \'kän-ik\ *adj* : relating to or resembling a cone — **con·i·cal** *adj*
con·i·fer \'kän-ə-fər, 'kōn-\ *n* : a cone-bearing tree or shrub (as a pine) — **co·nif·er·ous** \kō-'nif-(ə-)rəs\ *adj*
con·jec·ture \kən-'jek-chər\ *n* 1 : GUESS, SURMISE — **con·jec·tur·al** *adj* — **conjecture** *vb*
con·ju·gal \'kän-ji-gəl, kən-'jü-\ *adj* : of or relating to marriage : MATRIMONIAL
¹**con·ju·gate** \'kän-ji-gət\ *adj* 1 : united esp. in pairs : COUPLED 2 : of kindred origin and meaning ⟨*sing* and *song* are ~⟩
²**con·ju·gate** \-jə-ˌgāt\ *vb* 1 : INFLECT ⟨~ a verb⟩ 2 : to join together : COUPLE
con·ju·ga·tion \ˌkän-jə-'gā-shən\ *n* 1 : the act of conjugating : the state of being conjugated 2 : a schematic arrangement of the inflectional forms of a verb
con·junct \kən-'jəŋkt\ *adj* : JOINED, UNITED
con·junc·tion \kən-'jəŋk-shən\ *n* 1 : UNION, COMBINATION 2 : occurrence at the same time 3 : a word that joins together sentences, clauses, phrases, or words
con·junc·tive \-'jəŋk-tiv\ *adj* 1 : CONNECTIVE 2 : CONJUNCT 3 : being or functioning like a conjunction
con·junc·ture \-'jəŋk-chər\ *n* 1 : CONJUNCTION, UNION 2 : a combination of circumstances or events esp. producing a crisis
con·jure \'kän-jər, 'kən-; 3 *is* kən-'jùr\ *vb* 1 : to practice magic; *esp* : to summon (as a devil) by sorcery 2 : to practice sleight of hand 3 : to implore earnestly or solemnly — **con·ju·ra·tion** \ˌkän-jə-'rā-shən, ˌkən-\ *n* — **con·jur·er** *or* **con·ju·ror**
conk \'käŋk\ *vb* : to break down; *esp* : STALL ⟨the motor ~ed out⟩
con·nect \kə-'nekt\ *vb* 1 : JOIN, LINK 2 : to associate in one's mind — **con·nec·tor** *n*
con·nec·tion \-'nek-shən\ *n* 1 : JUNCTION, UNION 2 : logical relationship : COHERENCE; *esp* : relation of a word to other words in a sentence 3 : BOND, LINK 4 : family relationship 5 : relationship in social affairs or in business 6 : a person related by blood or marriage 7 : an association of persons; *esp* : a religious denomination
¹**con·nec·tive** \-'nek-tiv\ *adj* : connecting or functioning in connecting : JOINING

²connective *n* : a word (as a conjunction) that connects words or word groups

con·nip·tion \kə-'nip-shən\ *n* : a fit of rage, hysteria, or alarm

con·nive \kə-'nīv\ *vb* [L *conivēre*, lit., to close the eyes, wink] **1** : to pretend ignorance of something one ought to oppose as wrong **2** : to cooperate secretly : give secret aid — **con·niv·ance** *n*

con·nois·seur \,kän-ə-'sər\ *n* : a critical judge in matters of art or taste

con·no·ta·tion \,kän-ə-'tā-shən\ *n* : a meaning in addition to or apart from the thing explicitly named or described by a word

con·no·ta·tive \'kän-ə-,tāt-iv, kə-'nōt-ət-\ *adj* **1** : connoting or tending to connote **2** : relating to connotation

con·note \kə-'nōt\ *vb* **1** : to suggest or mean along with or in addition to the exact explicit meaning **2** : to be associated with as a consequence or concomitant ⟨guilt usually ∼s suffering⟩

con·nu·bi·al \kə-'n(y)ü-bē-əl\ *adj* : of or relating to marriage : CONJUGAL

con·quer \'käŋ-kər\ *vb* **1** : to gain by force of arms : WIN **2** : to get the better of : OVERCOME *syn* defeat, subjugate, subdue, overthrow — **con·quer·or** *n*

con·quest \'kän-,kwest, 'käŋ-\ *n* **1** : an act of conquering : VICTORY **2** : something conquered

con·quis·ta·dor \koŋ-'kēs-tə-,dȯr\ *n, pl* **-do·res** \-,kēs-tə-'dȯr-ēz\ *or* **-dors** \-'kēs-tə-,dȯrz\ : CONQUEROR; *esp* : a leader in the Spanish conquest of America and esp. of Mexico and Peru in the 16th century

con·san·guin·i·ty \,kän-,san-'gwin-ət-ē, -,saŋ-\ *n* : blood relationship — **con·san·guin·e·ous** \-'gwin-ē-əs\ *adj*

con·science \'kän-chəns\ *n* : consciousness of the moral right and wrong of one's own acts or motives — **con·science·less** *adj*

con·sci·en·tious \,kän-chē-'en-chəs\ *adj* : guided by one's own sense of right and wrong *syn* scrupulous, honorable, honest, upright, just — **con·sci·en·tious·ly** *adv*

con·scious \'kän-chəs\ *adj* **1** : AWARE **2** : mentally awake or alert : not asleep or unconscious **3** : known or felt by one's inner self **4** : INTENTIONAL — **con·scious·ly** *adv* — **con·scious·ness** *n*

con·script \kən-'skript\ *vb* : to enroll by compulsion for military or naval service — **con·script** \'kän-,skript\ *n* — **con·scrip·tion** \kən-'skrip-shən\ *n*

con·se·crate \'kän-sə-,krāt\ *vb* **1** : to induct (as a bishop) into an office with a religious rite **2** : to make or declare sacred ⟨∼ a church⟩ **3** : to devote solemnly to a purpose — **con·se·cra·tion** \,kän-sə-'krā-shən\ *n*

con·sec·u·tive \kən-'sek-(y)ət-iv\ *adj* : following in regular order : SUCCESSIVE — **con·sec·u·tive·ly** *adv*

con·sen·sus \kən-'sen-səs\ **1** : agreement in opinion, testimony, or belief : UNANIMITY **2** : collective opinion

¹con·sent \kən-'sent\ *vb* : to give assent or approval

²consent *n* : approval or acceptance of something done or proposed by another

con·se·quence \'kän-sə-,kwens,-kwəns\ *n* **1** : RESULT **2** : IMPORTANCE *syn* effect, outcome, significance

con·se·quent \-kwənt, -,kwent\ *adj* : following as a result or effect — **con·se·quent·ly** *adv*

con·se·quen·tial \,kän-sə-'kwen-chəl\ *adj* **1** : having significant consequences **2** : showing self-importance

con·ser·va·tion \,kän-sər-'vā-shən\ *n* : PRESERVATION, PROTECTION; *esp* : planned management of natural resources

con·ser·va·tion·ist *n* : one who advocates conservation esp. of natural resources

con·ser·va·tism \kən-'sər-və-,tiz-əm\ *n* : disposition to keep to established ways : opposition to change

¹con·ser·va·tive \-'vət-iv\ *adj* **1** : PRESERVATIVE **2** : disposed to maintain existing views, conditions, or institutions **3** : MODERATE, CAUTIOUS — **con·ser·va·tive·ly** *adv*

²conservative *n* : one who adheres to traditional methods or views

con·ser·va·tor \kən-'sər-vət-ər, 'kän-sər-,vāt-\ *n* **1** : PROTECTOR, GUARDIAN **2** : one named by a court to protect the interests of an incompetent (as a child)

con·ser·va·to·ry \kən-'sər-və-,tōr-ē\ *n* **1** : GREENHOUSE **2** : a place of instruction in one of the fine arts (as music)

¹con·serve \kən-'sərv\ *vb* : to keep from losing or wasting : PRESERVE

²con·serve \'kän-,sərv\ *n* **1** : CONFECTION; *esp* : a candied fruit **2** : PRESERVE; *esp* : one prepared from a mixture of fruits

con·sid·er \kən-'sid-ər\ *vb* **1** : THINK, PONDER **2** : HEED, REGARD **3** : JUDGE, BELIEVE — **con·sid·ered** *adj*

con·sid·er·able \-'sid-ər-(ə-)bəl\ *adj* **1** : IMPORTANT **2** : large in extent, amount, or degree — **con·sid·er·ably** *adv*

con·sid·er·ate \-'sid-(ə-)rət\ *adj* : observant of the rights and feelings of others *syn* thoughtful, attentive

con·sid·er·ation \-,sid-ə-'rā-shən\ *n* **1** : careful thought : DELIBERATION **2** : thoughtful attention **3** : MOTIVE, REASON **4** : JUDGMENT, OPINION **5** : RECOMPENSE

con·sid·er·ing *prep* : in view of : taking into account

con·sign \kən-'sīn\ *vb* **1** : to deliver formally **2** : ENTRUST, COMMIT **3** : ALLOT **4** : to send (goods) to an agent for sale

con·sign·ment \kən-'sīn-mənt\ *n* : a shipment of goods consigned to an agent

con·sist \kən-'sist\ *vb* **1** : to be inherent : LIE — used with *in* **2** : to be composed or made up ⟨coal ∼s chiefly of carbon⟩

con·sis·tence \-'sis-təns\ *n* : CONSISTENCY

con·sis·ten·cy \-tən-sē\ *n* **1** : COHESIVENESS, FIRMNESS **2** : agreement or harmony in parts or of different things **3** : UNIFORMITY ⟨∼ of behavior⟩ — **con·sis·tent** \-tənt\ *adj* — **con·sis·tent·ly** *adv*

¹con·sole \kən-'sōl\ *vb* : to soothe the grief of : COMFORT, SOLACE — **con·so·la·tion** \,kän-sə-'lā-shən\ *n*

²con·sole \'kän-,sōl\ *n* **1** : the desklike part of an organ at which the organist

sits 2 : a panel or cabinet for the controls of an electrical or mechanical device 3 : a cabinet for a radio or television set resting directly on the floor
con·sol·i·date \kən-'säl-ə-,dāt\ vb 1 : to unite or become united into one whole : COMBINE 2 : to make firm or secure 3 : to form into a compact mass — con·sol·i·da·tion \-,säl-ə-'dā-shən\ n
con·so·nance \'kän-s(ə-)nəns\ n 1 : AGREEMENT, HARMONY 2 : repetition of consonants esp. as an alternative to rhyme in verse
¹con·so·nant \-s(ə-)nənt\ adj : having consonance, harmony, or agreement syn consistent, compatible, congruous, congenial, sympathetic
²consonant n 1 : a speech sound (as \p\, \g\, \n\, \l\, \s\, \r\) characterized by constriction or closure at one or more points in the breath channel 2 : a letter other than a, e, i, o, and u — con·so·nan·tal \,kän-sə-'nant-ᵊl\ adj
¹con·sort \'kän-,sȯrt\ n 1 : SPOUSE, MATE 2 : a ship accompanying another for protection
²con·sort \kən-'sȯrt\ vb 1 : to keep company : ASSOCIATE 2 : ACCORD, HARMONIZE
con·sor·tium \-'sȯr-sh(ē-)əm\ n, pl -tia \-sh(ē-)ə\ : an international business or banking agreement or combination
con·spic·u·ous \kən-'spik-yə-wəs\ adj : attracting attention : PROMINENT, STRIKING syn noticeable, remarkable, outstanding — con·spic·u·ous·ly adv
con·spir·a·cy \kən-'spir-ə-sē\ n : an agreement among conspirators : PLOT
con·spire \-'spī(ə)r\ vb : to plan secretly an unlawful act : PLOT — con·spir·a·tor \-'spir-ət-ər\ n
con·sta·ble \'kän-stə-bəl, 'kən-\ n [ME conestable chief officer of a nobleman's household, fr. OF, fr. LL comes stabuli companion or officer of the stable] : POLICEMAN
con·stan·cy \'kän-stən-sē\ n 1 : firmness of mind : STEADFASTNESS 2 : STABILITY
¹con·stant \-stənt\ adj 1 : STEADFAST, FAITHFUL 2 : FIXED, UNCHANGING 3 : continually recurring : REGULAR — con·stant·ly adv
²constant n : something unchanging
con·stel·la·tion \,kän-stə-'lā-shən\ n : any of 88 groups of stars forming patterns
con·ster·na·tion \,kän-stər-'nā-shən\ n : amazed dismay and confusion
con·sti·pa·tion \,kän-stə-'pā-shən\ n : abnormally delayed or infrequent passage of usu. hard dry feces — con·sti·pate \'kän-stə-,pāt\ vb
con·stit·u·en·cy \kən-'stich-ə-wən-sē\ n : a body of constituents; also : an electoral district
¹con·stit·u·ent \-wənt\ adj 1 : COMPONENT 2 : having power to elect 3 : having power to frame or revise a constitution
²constituent n 1 : a component part 2 : one entitled to vote for a representative for a district
con·sti·tute \'kän-stə-,t(y)üt\ vb 1 : to appoint to an office or duty 2 : to set up : ESTABLISH ⟨~ a law⟩ 3 : to make up : COMPOSE
con·sti·tu·tion \,kän-stə-'t(y)ü-shən\ n 1 : an established law or custom 2 : the physical makeup of the individual 3 : the structure, composition, or makeup of something ⟨~ of the sun⟩ 4 : the basic law in a politically organized body; also : a document containing such law
con·sti·tu·tion·al n : an exercise (as a walk) taken for one's health
con·sti·tu·tion·al·i·ty \-,t(y)ü-shə-'nal-ət-ē\ n : the condition of being in accordance with the constitution of a nation or state
con·sti·tu·tive \'kän-stə-,t(y)üt-iv, kən-'stich-ət-\ adj : CONSTITUENT, ESSENTIAL
con·strain \kən-'strān\ vb 1 : COMPEL, FORCE 2 : CONFINE 3 : RESTRAIN
con·straint \-'strānt\ n 1 : COMPULSION; also : RESTRAINT 2 : unnaturalness of manner produced by a repression of one's natural feelings : EMBARRASSMENT
con·strict \kən-'strikt\ vb : to draw together : SQUEEZE — con·stric·tion \-'strik-shən\ n — con·stric·tive \-'strik-tiv\ adj
con·struct \kən-'strəkt\ vb : BUILD, MAKE — con·struc·tor n
con·struc·tion \kən-'strək-shən\ n 1 : the art, process, or manner of building; also : something built : STRUCTURE 2 : INTERPRETATION 3 : syntactical arrangement of words in a sentence — con·struc·tive \-'strək-tiv\ adj
con·struc·tion·ist n : one who construes an instrument (as the U.S. Constitution) in a specific way ⟨a strict ~⟩
con·strue \kən-'strü\ vb 1 : to explain the mutual relations of words in a sentence; also : TRANSLATE 2 : EXPLAIN, INTERPRET
con·sub·stan·ti·a·tion \,kän-səb-,stan-chē-'ā-shən\ n : the actual substantial presence and combination of the body of Christ with the eucharistic bread and wine
con·sul \'kän-səl\ n 1 : a chief magistrate of the Roman republic 2 : an official appointed by a government to reside in a foreign country to care for the commercial interests of citizens of his own country — con·sul·ar \-sə-lər\ adj — con·sul·ate \-lət\ n — con·sul·ship \-səl-,ship\ n
con·sult \kən-'səlt\ vb 1 : to ask the advice or opinion of 2 : CONFER — con·sul·tant \-'nt\ n — con·sul·ta·tion \,kän-səl-'tā-shən\ n
con·sume \kən-'süm\ vb 1 : DESTROY ⟨consumed by fire⟩ 2 : to spend wastefully 3 : to eat up : DEVOUR 4 : to absorb the attention of : ENGROSS — con·sum·er n
¹con·sum·mate \kən-'səm-ət\ adj : COMPLETE, PERFECT syn finished, accomplished
²con·sum·mate \'kän-sə-,māt\ vb : to make complete : FINISH, ACHIEVE — con·sum·ma·tion \,kän-sə-'mā-shən\ n
con·sump·tion \kən-'səmp-shən\ n 1 : the act of consuming or using up 2 : the use of economic goods 3 : progressive bodily wasting away; also : TUBERCULOSIS
¹con·sump·tive \-'səmp-tiv\ adj 1 : DESTRUCTIVE, WASTEFUL 2 : relating to or affected with bodily consumption
²consumptive n : a consumptive person
¹con·tact \'kän-,takt\ n 1 : a touching or meeting of bodies 2 : ASSOCIATION, RELATIONSHIP; also : CONNECTION, COMMUNICATION
²contact vb 1 : to come or bring into

contact : TOUCH **2** : to get in communication with

contact lens *n* : a thin lens fitting over the cornea

con·ta·gion \kən-'tā-jən\ *n* **1** : the passing of disease by contact **2** : a contagious disease; *also* : its causative agent **3** : transmission of an influence on the mind or emotions

con·ta·gious \-jəs\ *adj* : communicable by contact; *also* : relating to contagion or to contagious diseases

con·tain \kən-'tān\ *vb* **1** : ENCLOSE, INCLUDE **2** : to have within : HOLD **3** : RESTRAIN

con·tain·er *n* : RECEPTACLE; *esp* : one for shipment of goods

con·tam·i·nant \kən-'tam-ə-nənt\ *n* : something that contaminates

con·tam·i·nate \kən-'tam-ə-ˌnāt\ *vb* : to soil, stain, or infect by contact or association — **con·tam·i·na·tion** \-ˌtam-ə-'nā-shən\ *n*

con·tem·plate \'känt-əm-ˌplāt\ *vb* **1** : to view or consider with continued attention **2** : INTEND — **con·tem·pla·tion**

con·tem·po·ra·ne·ous \kən-ˌtem-pə-'rā-nē-əs\ *adj* : CONTEMPORARY

con·tem·po·rary \kən-'tem-pə-ˌrer-ē\ *adj* **1** : occurring or existing at the same time **2** : being of the same age **3** : marked by characteristics of the present period : MODERN — **contemporary** *n*

con·tempt \kən-'tempt\ *n* **1** : the act of despising : the state of mind of one who despises : DISDAIN **2** : DISGRACE **3** : disobedience to or open disrespect of a court or legislative body

con·tempt·ible *adj* : deserving contempt : DESPICABLE — **con·tempt·ibly** *adv*

con·temp·tu·ous \kən-'temp-ch(ə-w)əs\ *adj* : feeling or expressing contempt — **con·temp·tu·ous·ly** *adv*

con·tend \kən-'tend\ *vb* **1** : to strive against rivals or difficulties; *also* : ARGUE, DEBATE **2** : MAINTAIN, CLAIM — **con·tend·er** *n*

¹**con·tent** \kən-'tent\ *adj* : SATISFIED

²**content** *vb* : SATISFY; *esp* : to limit (oneself) in requirements or actions

⁴**con·tent** \'kän-ˌtent\ *n* **1** : something contained ⟨~s of a room⟩ ⟨~s of a bottle⟩ **2** : subject matter or topics treated (as in a book or course of study) **3** : essential meaning **4** : proportion contained

con·tent·ed \kən-'tent-əd\ *adj* : SATISFIED — **con·tent·ed·ly** *adv* — **con·tent·ed·ness** *n*

con·ten·tion \kən-'ten-chən\ *n* : CONTEST, STRIFE — **con·ten·tious** \-chəs\ *adj*

con·tent·ment \kən-'tent-mənt\ *n* : ease of mind : SATISFACTION

¹**con·test** \kən-'test\ *vb* **1** : to engage in strife : FIGHT, STRUGGLE **2** : CHALLENGE, DISPUTE — **con·tes·tant** \-'tes-tənt\ *n*

²**con·test** \'kän-ˌtest\ *n* **1** : STRUGGLE, FIGHT **2** : COMPETITION

con·text \'kän-ˌtekst\ *n* : the part of a discourse surrounding a word or group of words that helps to explain the meaning of the word or word group; *also* : the circumstances surrounding an act or event

con·tig·u·ous \kən-'tig-yə-wəs\ *adj* : being in contact : TOUCHING; *also* : NEXT,

ADJOINING — **con·ti·gu·i·ty** \ˌkänt-ə-'gyü-ət-ē\ *n*

con·ti·nence \'känt-ᵊn-əns\ *n* **1** : SELF-RESTRAINT; *esp* : voluntary refraining from sexual intercourse **2** : ability to retain a bodily discharge — **con·ti·nent**

con·ti·nent \'känt-(ᵊ-)nənt\ *n* **1** : one of the grand divisions of land on the globe **2** *cap* : the continent of Europe as distinguished from the British Isles

¹**con·ti·nen·tal** \ˌkänt-ᵊn-'ent-ᵊl\ *adj* **1** : of or relating to a continent; *esp* : of or relating to the continent of Europe as distinguished from the British Isles **2** *often cap* : of or relating to the colonies later forming the U.S. ⟨*Continental Congress*⟩

²**continental** *n* **1** *often cap* : a soldier in the Continental army

con·tin·gen·cy \kən-'tin-jən-sē\ *n* : a chance or possible event

¹**con·tin·gent** *adj* **1** : liable but not certain to happen : POSSIBLE **2** : happening by chance : not planned **3** : CONDITIONAL **4** : dependent on something that may or may not occur *syn* accidental, casual, incidental

²**contingent** *n* : a quota (as of troops) supplied from an area or group

con·tin·u·al \kən-'tin-y(ə-w)əl\ *adj* **1** : CONTINUOUS, UNBROKEN **2** : steadily recurring — **con·tin·u·al·ly** *adv*

con·tin·u·ance \-yə-wəns\ *n* **1** : a continuing in a state or course of action : DURATION **2** : unbroken succession **3** : adjournment of legal proceedings

con·tin·u·a·tion \kən-ˌtin-yə-'wā-shən\ *n* **1** : extension or prolongation of a state or activity **2** : resumption after an interruption; *also* : something that carries on after a pause or break

con·tin·ue \kən-'tin-yü\ *vb* **1** : to remain in a place or condition : ABIDE, STAY **2** : ENDURE, LAST **3** : PERSEVERE **4** : to resume (as a story) after an intermission **5** : EXTEND; *also* : to persist in **6** : to allow to remain **7** : to keep (a legal case) on the calendar or undecided

con·ti·nu·i·ty \ˌkänt-ᵊn-'(y)ü-ət-ē\ *n* **1** : the condition of being continuous **2** : something that continues without a break; *esp* : a motion-picture scenario

con·tin·u·ous \kən-'tin-yə-wəs\ *adj* : continuing without interruption : UNBROKEN — **con·tin·u·ous·ly** *adv*

con·tin·u·um \-yə-wəm\ *n*, *pl* **-ua** \-yə-wə\ *also* **-u·ums** **1** : something that is the same throughout **2** : something consisting of a series of variations or of a sequence of things in regular order

con·tort \kən-'tòrt\ *vb* : to twist out of shape : DEFORM, DISTORT — **con·tor·tion** \-'tòr-shən\ *n*

con·tor·tion·ist \-'tòr-sh(ə-)nəst\ *n* : an acrobat who puts himself into unusual postures

con·tour \'kän-ˌtùr\ *n* **1** : OUTLINE ⟨~ of a mountain against the sky⟩ **2** : SHAPE, FORM — usu. used in pl. ⟨the ~s of a statue⟩

con·tra·band \'kän-trə-ˌband\ *n* : goods legally prohibited in trade; *also* : smuggled goods

con·tra·cep·tion \ˌkän-trə-'sep-shən\ *n* : intentional prevention of conception — **con·tra·cep·tive** \-'sep-tiv\ *adj or n*

¹**con·tract** \'kän-ˌtrakt\ *n* **1** : a binding agreement : COVENANT **2** : an undertaking to win a specified number of

tricks in contract bridge — **con·trac·tu·al** \kən-'trak-ch(ə-w)əl\ *adj* — **con·trac·tu·al·ly** *adv*
²**con·tract** \kən-'trakt, *1 usu* 'kän-,trakt\ *vb* **1** : to establish or undertake by contract **2** : CATCH ⟨~ a disease⟩ **3** : SHRINK, LESSEN; *esp* : to draw together esp. so as to shorten ⟨~ a muscle⟩ **4** : to shorten (a word) by omitting letters or sounds in the middle — **con·trac·tion** \kən-'trak-shən\ *n* — **con·trac·tor** \'kän-,trak-tər\ *n*
con·trac·tile \kən-'trak-t^əl\ *adj* : able to contract — **con·trac·til·i·ty** \,kän-,trak-'til-ət-ē\ *n*
con·tra·dict \,kän-trə-'dikt\ *vb* : to state the contrary of : deny the truth of — **con·tra·dic·tion** \-'dik-shən\ *n* — **con·tra·dic·to·ry** \-'dik-t(ə-)rē\ *adj*
con·tra·dis·tinc·tion \-dis-'tiŋk-shən\ *n* : distinction by contrast ⟨painting in ~ to sculpture⟩
con·tral·to \kən-'tral-tō\ *n* : the lowest female voice; *also* : a singer having such a voice
con·trap·tion \kən-'trap-shən\ *n* : CONTRIVANCE, DEVICE
con·trary \'kän-,trer-ē, *4 often* kən-'tre(ə)r-\ *adj* **1** : opposite in nature or position **2** : UNFAVORABLE **3** : COUNTER, OPPOSED **4** : tending to oppose or find fault : PERVERSE — **con·trar·i·ly** *adv*
¹**con·trast** \'kän-,trast\ *n* **1** : unlikeness as shown when things are compared : DIFFERENCE **2** : diversity of adjacent parts in color, emotion, tone, or brightness ⟨a photograph with good ~⟩
²**con·trast** \kən-'trast\ *vb* **1** : to show differences when compared **2** : to compare in such a way as to show differences
con·trib·ute \kən-'trib-yət\ *vb* : to give along with others (as to a fund) : supply or furnish a share to : HELP, ASSIST — **con·tri·bu·tion** \,kän-trə-'byü-shən\ *n* — **con·trib·u·tor** \kən-'trib-yət-ər\ *n* — **con·trib·u·to·ry** \-yə-,tōr-ē\ *adj*
con·trite \'kän-,trīt, kən-'trīt\ *adj* : PENITENT, REPENTANT — **con·tri·tion** \kən-'trish-ən\ *n*
con·triv·ance \kən-'trī-vəns\ *n* **1** : SCHEME, PLAN **2** : a mechanical device : APPLIANCE
con·trive \kən-'trīv\ *vb* **1** : PLAN, DEVISE **2** : FRAME, MAKE **3** : to bring about with difficulty : EFFECT — **con·triv·er** *n*
¹**con·trol** \kən-'trōl\ *vb* **-trolled; -trolling 1** : to exercise restraining or directing influence over : REGULATE **2** : DOMINATE, RULE
²**control** *n* **1** : power to direct or regulate **2** : RESERVE, RESTRAINT **3** : a device for regulating a mechanism ⟨the ~s of an airplane⟩
con·trol·ler *n* **1** : COMPTROLLER **2** : one that controls
con·tro·ver·sy \'kän-trə-,vər-sē\ *n* : a clash of opposing views : DISPUTE — **con·tro·ver·sial** \,kän-trə-'vər-shəl, -sē-əl\ *adj*
con·tro·vert \'kän-trə-,vərt, ,kän-trə-'vərt\ *vb* : DENY, CONTRADICT — **con·tro·vert·ible** *adj*
con·tu·ma·cious \,kän-t(y)ə-'mā-shəs\ *adj* : stubbornly resisting or disobeying authority **syn** rebellious, insubordinate — **con·tu·ma·cy** \kən-'t(y)ü-mə-sē, **con·tu·me·li·ous** \,kän-t(y)ə-'mē-lē-əs\ *adj* : insolently abusive and humiliating

con·tu·me·ly \kən-'t(y)ü-mə-lē, 'kän-t(y)ə-,mē-lē\ *n* : contemptuous treatment : INSULT
con·tu·sion \kən-'t(y)ü-zhən\ *n* : BRUISE — **con·tuse** \-'t(y)üz\ *vb*
con·va·lesce \,kän-və-'les\ *vb* : to recover health gradually — **con·va·les·cence** \-'les-^əns\ *n* — **con·va·les·cent** *adj or n*
con·vec·tion \kən-'vek-shən\ *n* : a circulatory motion in fluids due to warmer portions rising and colder denser portions sinking; *also* : the transfer of heat by such motion
con·vene \kən-'vēn\ *vb* : ASSEMBLE, MEET
con·ve·nience \kən-'vē-nyəns\ *n* **1** : SUITABLENESS **2** : personal comfort : EASE **3** : a labor-saving device **4** : a suitable time
con·ve·nient *adj* **1** : suited to one's comfort or ease **2** : placed near at hand — **con·ve·nient·ly** *adv*
con·vent \'kän-vənt, -,vent\ *n* : a local community or house of a religious order esp. of nuns — **con·ven·tu·al** \kən-'ven-chə-wəl\ *adj*
con·ven·tion \kən-'ven-chən\ *n* **1** : an agreement esp. between states on a matter of common concern **2** : MEETING, ASSEMBLY **3** : a body of delegates convened for some purpose **4** : fixed usage : accepted way of acting **5** : a social form sanctioned by general custom
con·ven·tion·al \-'vench-(ə-)nəl\ *adj* **1** : sanctioned by general custom **2** : COMMONPLACE, ORDINARY **syn** formal, ceremonial — **con·ven·tion·al·i·ty** \-,ven-chə-'nal-ət-ē\ *n*
con·ven·tion·al·ize \-'vench-(ə-)nə-,līz\ *vb* : to make conventional
con·verge \kən-'vərj\ *vb* : to approach one common center or single point — **con·ver·gence** *or* **con·ver·gen·cy** *n* — **con·ver·gent** *adj*
con·ver·sant \kən-'vərs-^ənt\ *adj* : having knowledge and experience
con·ver·sa·tion \,kän-vər-'sā-shən\ *n* : an informal talking together — **con·ver·sa·tion·al** \-sh(ə-)nəl\ *adj*
¹**con·verse** \kən-'vərs\ *vb* : to engage in conversation — **con·verse** \'kän-,vərs\ *n*
²**con·verse** \'kän-,vərs\ *n* : CONVERSATION
³**con·verse** \kən-'vərs, 'kän-,vərs\ *adj* : reversed in order or relation — **con·verse·ly** *adv*
⁴**con·verse** \'kän-,vərs\ *n* **1** : a statement related to another statement by having the parts reversed or interchanged **2** : OPPOSITE, REVERSE
con·ver·sion \kən-'vər-zhən\ *n* **1** : a change in nature or form **2** : an experience associated with a decisive adoption of religion **3** : illegal seizure and use of property of another person
¹**con·vert** \kən-'vərt\ *vb* **1** : to turn from one belief or party to another **2** : TRANSFORM, CHANGE **3** : M- APPROPRIATE **4** : EXCHANGE — **con·vert·er** *or* **con·ver·tor** *n* — **con·vert·ible** *adj*
²**con·vert** \'kän-,vərt\ *n* : one who has undergone religious conversion
con·vert·ible \kən-'vərt-ə-bəl\ *n* : an automobile with a top that may be lowered or removed
con·vex \(')kän-'veks\ *adj* : curved or rounded like the exterior of a sphere or circle — **con·vex·i·ty** \kən-'vek-sət-ē\

convey — **cord**

n — **con·vex·ly** \(')kän-'veks-lē\ adv
con·vey \kən-'vā\ vb 1 : CARRY, TRANSPORT 2 : TRANSMIT, TRANSFER — **con·vey·er** or **con·vey·or** n
con·vey·ance \-'vā-əns\ n 1 : the act of conveying 2 : VEHICLE 3 : a legal paper transferring ownership of property
¹**con·vict** \'kän-,vikt\ n : a person convicted of a serious crime
²**con·vict** \kən-'vikt\ vb : to prove or find guilty
con·vic·tion \kən-'vik-shən\ n 1 : the act of convicting esp. in a court 2 : a being convinced : strong belief : positive opinion
con·vince \kən-'vins\ vb : to bring by demonstration or argument to a sure belief — **con·vinc·ing** adj — **con·vinc·ing·ly** adv
con·viv·ial \kən-'viv-yəl\ adj [LL convivialis, fr. L convivium feast, fr. com- together + vivere to live] : enjoying companionship and the pleasures of feasting and drinking : JOVIAL, FESTIVE — **con·viv·i·al·i·ty** \-,viv-ē-'al-ət-ē\ n — **con·viv·ial·ly** \-'viv-yə-lē\ adv
con·vo·ca·tion \,kän-və-'kā-shən\ n 1 : a ceremonial assembly (as of clergymen) 2 : the act of convoking
con·voke \kən-'vōk\ vb : to call together to a meeting
con·vo·lut·ed \'kän-və-,lüt-əd\ adj 1 : folded in curved or tortuous windings 2 : INVOLVED, INTRICATE
con·vo·lu·tion \,kän-və-'lü-shən\ n 1 : a winding or coiling together 2 : a tortuous or sinuous structure; esp : one of the ridges of the brain
¹**con·voy** \'kän-,voi, kən-'voi\ vb : to accompany for protection
²**con·voy** \'kän-,voi\ n : one that convoys; esp : a protective escort for ships, persons, or goods
con·vulse \kən-'vəls\ vb : to agitate violently
con·vul·sion \kən-'vəl-shən\ n 1 : an abnormal and violent involuntary contraction or series of contractions of muscle 2 : a violent disturbance — **con·vul·sive** \-'vəl-siv\ adj — **con·vul·sive·ly** adv
¹**cook** \'kůk\ n : one who prepares food for eating
²**cook** vb 1 : to prepare food for eating 2 : to subject to heat or fire
cook·book \-,bůk\ n : a book of cooking directions and recipes
cook·ie or **cooky** \'kůk-ē\ n : a small sweet flat cake
¹**cool** \'kül\ adj 1 : moderately cold 2 : protecting from heat 3 : not excited : CALM 4 : not ardent 5 : indicating dislike 6 : IMPUDENT 7 : stated without exaggeration syn chilly, composed, collected, unruffled, nonchalant — **cool·ly** \'kül-(l)ē\ adv — **cool·ness** n
²**cool** vb : to make or become cool
cool·ant \'kü-lənt\ n : a usu. fluid cooling agent
cool·er n 1 : REFRIGERATOR 2 : JAIL, PRISON
coo·lie \'kü-lē\ n : an unskilled laborer in the Far East
¹**coop** \'küp, 'kůp\ n : a small enclosure or building usu. for poultry
²**coop** vb : to confine in or as if in a coop
co-op \'kō-,äp\ n : COOPERATIVE
co·op·er·ate \kō-'äp-ə-,rāt\ vb : to act jointly with another or others — **co·op·er·a·tion** \-,äp-ə-'rā-shən\ n — **co·op·er·a·tor** \-'äp-ə-,rāt-ər\ n
¹**co·op·er·a·tive** \kō-'äp-(ə-)rət-iv, -ə-,rāt-\ adj 1 : willing to work with others 2 : of or relating to an association formed to enable its members to buy or sell to better advantage by eliminating middlemen's profits
²**cooperative** n : a cooperative association
co-opt \kō-'äpt\ vb : to choose or elect as a fellow member or colleague
¹**co·or·di·nate** \kō-'ȯrd-(ə-)nət\ adj 1 : equal in rank or order 2 : of equal rank in a compound sentence ⟨~ clause⟩ 3 : joining words or word groups of the same rank
²**coordinate** n : one of a set of numbers used in specifying the location of a point on a surface or in space
³**co·or·di·nate** \-'ȯrd-ᵊn-,āt\ vb 1 : to make or become coordinate 2 : to work or act together harmoniously — **co·or·di·na·tion** \-,ȯrd-ᵊn-'ā-shən\ n
cop \'käp\ n : POLICEMAN
¹**cope** \'kōp\ n : a long cloaklike ecclesiastical vestment
²**cope** vb : to struggle to overcome problems or difficulties
co·pi·lot \'kō-,pī-lət\ n : an assistant airplane pilot
cop·ing \'kō-piŋ\ n : the top layer of a wall
co·pi·ous \'kō-pē-əs\ adj : LAVISH, ABUNDANT — **co·pi·ous·ly** adv — **co·pi·ous·ness** n
cop·per \'käp-ər\ n 1 : a malleable reddish metallic chemical element that is one of the best conductors of heat and electricity 2 : something made of copper; esp : PENNY — **cop·pery** adj
cop·per·head \'käp-ər-,hed\ n : a largely coppery brown venomous snake of upland eastern U.S.
cop·u·late \'käp-yə-,lāt\ vb : to engage in sexual intercourse — **cop·u·la·tion**
¹**copy** \'käp-ē\ n 1 : an imitation or reproduction of an original work 2 : PATTERN 3 : material (as manuscript) to be set up for printing
²**copy** vb 1 : to make a copy of 2 : IMITATE — **copy·ist** n
copy·cat \-,kat\ n : a sedulous imitator
copy·desk \-,desk\ n : the desk at which newspaper copy is edited
¹**copy·right** \-,rīt\ n : the sole right to reproduce, publish, and sell a literary or artistic work
²**copyright** vb : to secure a copyright on
co·quet or **co·quette** \kō-'ket\ vb -quet·ted; -quet·ting : FLIRT — **co·quet·ry** \'kō-kə-trē\ n
co·quette \kō-'ket\ n : FLIRT — **co·quett·ish** adj
cor·al \'kȯr-əl\ n 1 : a stony or horny material that forms the skeleton of colonies of tiny sea polyps and includes a red form used in jewelry; also : a coral-forming polyp or polyp colony 2 : a deep pink color
¹**cord** \'kȯrd\ n 1 : a usu. heavy string consisting of several strands woven or twisted together 2 : a long slender anatomical structure (as a tendon or nerve) 3 : a cubic measure used esp. for firewood and equal to a stack 4x4x8 feet 4 : a rib or ridge on cloth

²**cord** vb **1** : to tie or furnish with a cord **2** : to pile (wood) in cords
¹**cor·dial** \'kȯr-jəl\ adj : warmly receptive or welcoming : HEARTFELT, HEARTY — **cor·di·al·i·ty** \ˌkȯr-jē-'al-ət-ē\ n — **cor·dial·ly** \'kȯr-jə-lē\ adv
²**cordial** n **1** : a stimulating medicine or drink **2** : LIQUEUR
cor·don \'kȯrd-ᵊn\ n **1** : an ornamental cord **2** : an encircling line composed of individual units
cor·do·van \'kȯrd-ə-vən\ n : a soft fine-grained leather
cor·du·roy \'kȯrd-ə-ˌrȯi\ n : a heavy ribbed fabric; also, pl : trousers of this material
¹**core** \'kōr\ n **1** : the central usu. inedible part of some fruits (as the apple); also : an inmost part of something **2** : GIST, ESSENCE
²**core** vb : to take out the core of
co·re·spon·dent \ˌkō-ri-'spän-dənt\ n : a person named as guilty of adultery with the defendant in a divorce suit
cork \'kȯrk\ n **1** : the tough elastic bark of a European oak (**cork oak**) used for stoppers and insulation; also : a stopper of this **2** : a tissue making up most of the bark of a woody plant — **cork** vb — **corky** adj
cork·screw \-ˌskrü\ n : a device for drawing corks from bottles
¹**corn** \'kȯrn\ n **1** : the seeds of a cereal grass and esp. of the chief cereal crop of a region; also : a cereal grass **2** : MAIZE **3** : sweet corn served as a vegetable
²**corn** vb : to salt (as beef) in brine and preservatives
³**corn** n : a local hardening and thickening of skin (as on a toe)
corn·cob \-ˌkäb\ n : the axis on which the kernels of Indian corn are arranged
corn·crib \-ˌkrib\ n : a crib for storing ears of Indian corn
cor·nea \'kȯr-nē-ə\ n : the transparent part of the coat of the eyeball covering the iris and the pupil — **cor·ne·al** adj
¹**cor·ner** \'kȯr-nər\ n **1** : the point or angle formed by the meeting of lines, edges, or sides **2** : the place where two streets come together **3** : a quiet secluded place **4** : a position from which retreat or escape is impossible **5** : control of enough of the available supply (as of a commodity) to permit manipulation of the price
²**corner** vb **1** : to drive into a corner **2** : to turn a corner
cor·ner·stone \-ˌstōn\ n **1** : a stone forming part of a corner in a wall; esp : such a stone laid with special ceremonies **2** : something of basic importance
cor·net \kȯr-'net\ n : a brass band instrument resembling the trumpet
cor·nice \'kȯr-nəs\ n : the horizontal projecting part crowning the wall of a building

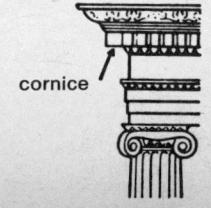

cornice

corn·meal \'kȯrn-'mēl\ n : meal ground from corn
corn·stalk \-ˌstȯk\ n : a stalk of Indian corn
corn·starch \-ˌstärch\ n : a starch made from corn and used in cookery as a thickening agent
corn syrup n : a syrup obtained by partial hydrolysis of cornstarch
cor·nu·co·pia \ˌkȯr-n(y)ə-'kō-pē-ə\ n : a goat's horn shown filled with fruits and grain emblematic of abundance
corny \'kȯr-nē\ adj : mawkishly old-fashioned or countrified : tiresomely simple or sentimental ⟨~ music⟩
co·rol·la \kə-'räl-ə\ n : the petals of a flower
cor·ol·lary \'kȯr-ə-ˌler-ē\ n **1** : a deduction from a proposition already proved true **2** : CONSEQUENCE, RESULT
co·ro·na \kə-'rō-nə\ n : a colored ring surrounding the sun or moon; esp : a shining ring around the sun seen during eclipses
cor·o·nal \'kȯr-ən-ᵊl\ n : a circlet for the head
¹**cor·o·nary** \'kȯr-ə-ˌner-ē\ adj : of or relating to the heart or its blood vessels
²**coronary** n : coronary disease
cor·o·na·tion \ˌkȯr-ə-'nā-shən\ n : the ceremony attending the crowning of a monarch
cor·o·ner \'kȯr-ə-nər\ n : a public official whose chief duty is to investigate the causes of deaths possibly not due to natural causes
cor·o·net \ˌkȯr-ə-'net\ n **1** : a small crown indicating rank lower than sovereignty **2** : an ornamental band worn around the temples

coronet, 1

¹**cor·po·ral** \'kȯr-p(ə-)rəl\ adj : BODILY, PHYSICAL ⟨~ punishment⟩
²**corporal** n : a noncommissioned officer (as in the army) ranking next below a sergeant
cor·po·rate \'kȯr-p(ə-)rət\ adj **1** : combined into one body **2** : INCORPORATED; also : belonging to an incorporated body
cor·po·ra·tion \ˌkȯr-pə-'rā-shən\ n **1** : a political body legally authorized to act as a person **2** : a legal creation authorized to act with the rights and liabilities of a person ⟨a business ~⟩
cor·po·re·al \kȯr-'pōr-ē-əl\ adj **1** : PHYSICAL, MATERIAL **2** : BODILY
corps \'kōr\ n, pl **corps** \'kōrz\ **1** : an organized subdivision of a country's military forces ⟨the Marine Corps⟩ **2** : a group acting under common direction
corpse \'kȯrps\ n : a dead body
cor·pu·lence \'kȯr-pyə-ləns\ n or **cor·pu·len·cy** n : excessive fatness — **cor·pu·lent** adj
cor·pus \'kȯr-pəs\ n, pl **cor·po·ra** \-pə-rə\ **1** : BODY; esp : CORPSE **2** : a body of writings
cor·pus·cle \'kȯr-(ˌ)pəs-əl\ n **1** : a minute particle **2** : a living cell; esp : one (as in blood or cartilage) not aggregated into continuous tissues
cor·pus de·lic·ti \ˌkȯr-pəs-di-'lik-ˌtī, -tē\ n : the substantial fact establishing that a crime has been committed; also : the body of a victim of murder
cor·ral \kə-'ral\ n : an enclosure for

confining or capturing animals; *also* : an enclosure for defense — **corral** *vb*

¹cor·rect \kə-'rekt\ *vb* **1** : to make right **2** : REPROVE, CHASTISE — **cor·rec·tion** \-'rek-shən\ *n* — **cor·rec·tive** \-'rek-tiv\ *adj*

²correct *adj* **1** : agreeing with fact or truth **2** : conforming to a conventional standard — **cor·rect·ly** *adv* — **cor·rect·ness** *n*

cor·re·late \'kȯr-ə-ˌlāt\ *vb* : to connect in a systematic way : establish the mutual relations existing between — **cor·re·la·tion** \ˌkȯr-ə-'lā-shən\ *n*

cor·rel·a·tive \kə-'rel-ət-iv\ *adj* **1** : reciprocally related

cor·re·spond \ˌkȯr-ə-'spänd\ *vb* **1** : to be in agreement : SUIT, MATCH **2** : to communicate by letter

cor·re·spon·dence \-'spän-dəns\ *n* **1** : agreement between particular things **2** : communication by letters; *also* : the letters exchanged

¹cor·re·spon·dent \-dənt\ *adj* **1** : SIMILAR **2** : FITTING, CONFORMING

²correspondent *n* **1** : something that corresponds to some other thing **2** : a person with whom one communicates by letter **3** : a person employed to contribute news regularly from a place

cor·ri·dor \'kȯr-əd-ər\ *n* **1** : a passageway into which compartments or rooms open (as in a hotel or school) **2** : a narrow strip of land esp. through foreign-held territory

cor·rob·o·rate \kə-'räb-ə-ˌrāt\ *vb* : to support with evidence : CONFIRM — **cor·rob·o·ra·tion** \-ˌräb-ə-'rā-shən\ *n* — **cor·rob·o·ra·tive** \-'räb-ə-ˌrāt-iv\ *adj*

cor·rode \kə-'rōd\ *vb* : to eat or be eaten away gradually (as by action of rust or of a chemical) — **cor·ro·sion**

cor·ru·gate \'kȯr-ə-ˌgāt\ *vb* : to form into wrinkles or ridges and grooves — **cor·ru·gat·ed** *adj* — **cor·ru·ga·tion**

¹cor·rupt \kə-'rəpt\ *vb* **1** : to make evil : DEPRAVE; *esp* : BRIBE **2** : TAINT — **cor·rupt·ible** *adj* — **cor·rup·tion**

²corrupt *adj* : DEPRAVED, DEBASED

cor·sage \kȯr-'säzh, -'säj\ *n* **1** : the waist of a woman's dress **2** : a bouquet worn or carried by a woman

cor·set \'kȯr-sət\ *n* : a stiffened undergarment worn by women to give shape to the waist and hips

cor·tege \'kȯr-ˌtezh\ *n* : PROCESSION; *esp* : a funeral procession

cor·tex \'kȯr-ˌteks\ *n, pl* **cor·ti·ces** \'kȯrt-ə-ˌsēz\ *or* **cor·tex·es** : an outer or covering layer of an organism or one of its parts ⟨the kidney ∼⟩ ⟨∼ of a plant stem⟩; *esp* : the outer layer of gray matter of the brain — **cor·ti·cal** \'kȯrt-i-kəl\ *adj*

cor·ti·sone \'kȯrt-ə-ˌsōn, -ˌzōn\ *n* : an adrenal hormone used in treating arthritis

cor·us·cate \'kȯr-ə-ˌskāt\ *vb* : FLASH, SPARKLE — **cor·us·ca·tion** \ˌkȯr-ə-'skā-shən\ *n*

cor·vette \kȯr-'vet\ *n* **1** : a naval sailing ship smaller than a frigate **2** : a lightly armed escort ship smaller than a destroyer

co·ry·za \kə-'rī-zə\ *n* : an inflammatory disorder of the upper respiratory tract : the common cold

co·sig·na·to·ry \kō-'sig-nə-ˌtōr-ē\ *n* : a joint signer

¹cos·met·ic \käz-'met-ik\ *n* : an external application intended to beautify the complexion

²cosmetic *adj* [Gk *kosmētikos* of adorment, fr. *kosmein* to adorn, fr. *kosmos* orderly arrangement, ornament, universe] : relating to beautifying the physical appearance

cos·mic \'käz-mik\ *adj* **1** : of or relating to the cosmos **2** : VAST, GRAND

cosmic ray *n* : a stream of very penetrating and high speed atomic nuclei that enter the earth's atmosphere from outer space

cos·mol·o·gy \-'mäl-ə-jē\ *n* : a study dealing with the origin and structure of the universe — **cos·mo·log·i·cal** \ˌkäz-mə-'läj-i-kəl\ *adj*

cos·mo·naut \'käz-mə-ˌnȯt\ *n* : ASTRONAUT

cos·mo·pol·i·tan \ˌkäz-mə-'päl-ət-ᵊn\ *adj* : belonging to all the world : not local *syn* universal — **cosmopolitan** *n*

cos·mos \'käz-məs, 1 *also* 2 *also* 3\ *n* **1** : UNIVERSE **2** : a tall garden herb related to the daisies

cos·sack \'käs-ˌak, -ək\ *n* : a member of a group of frontiersmen of southern Russia organized as cavalry in the czarist army

¹cost \'kȯst\ *n* **1** : the amount paid or asked for a thing : PRICE **2** : the loss or penalty incurred in gaining something **3** : OUTLAY

²cost *vb* **cost**; **cost·ing 1** : to require a specified amount in payment **2** : to cause to pay, suffer, or lose

cost·ly *adj* : of great cost or value : not cheap *syn* dear, valuable — **cost·li·ness** *n*

cos·tume \'käs-ˌt(y)üm\ *n* : CLOTHES, ATTIRE; *also* : a suit or dress characteristic of a period or country — **cos·tum·er** \'käs-ˌt(y)ü-mər\ *n* — **cos·tu·mi·er**

¹cot \'kät\ *n* : a small house : COTTAGE

²cot \'kät\ *n* : a small often collapsible bed (as of canvas stretched on a frame)

cote \'kōt, 'kät\ *n* : a small shed or coop (as for sheep or doves)

co·til·lion \kō-'til-yən\ *n* **1** : an elaborate dance with frequent changing of partners executed under the leadership of one couple at formal balls **2** : a formal ball

cot·tage \'kät-ij\ *n* : a small house

cot·ton \'kät-ᵊn\ *n* : a soft fibrous usu. white substance composed of hairs attached to the seeds of a plant related to the mallow; *also* : thread or cloth made of cotton — **cot·tony** *adj*

cot·ton·seed \'kät-ᵊn-ˌsēd\ *n* : the seed of the cotton plant yielding a protein-rich meal and a fixed oil (**cottonseed oil**) used esp. in cooking

cot·y·le·don \ˌkät-ᵊl-'ēd-ᵊn\ *n* : the first leaf or one of the first pair or whorl of leaves developed by a seed plant

¹couch \'kauch\ *vb* **1** : to lie or place on a couch **2** : to phrase in a certain manner

²couch *n* : a bed or sofa for resting or sleeping

cou·gar \'kü-gər, -ˌgär\ *n* : a large tawny wild American cat

cough \'kȯf\ *vb* : to force air from the lungs with short sharp noises; *also* : to expel by coughing — **cough** *n*

could \kəd, (ˈ)kud\ *past of* CAN — used as an auxiliary in the past or as a polite

coun·cil \'kaun-səl\ *n* **1 :** ASSEMBLY, MEETING **2 :** an official body of lawmakers ⟨a city ~⟩ — **coun·cil·lor** *or* **coun·cil·or** *n* — **coun·cil·man** \-səl-mən\ *n*

¹coun·sel \'kaun-səl\ *n* **1 :** ADVICE **2 :** deliberation together **3 :** a plan of action **4 :** LAWYER

²counsel *vb* **-seled** *or* **-selled; -sel·ing** *or* **-sel·ling 1 :** ADVISE, RECOMMEND **2 :** to consult together

coun·sel·or *or* **coun·sel·lor** *n* **1 :** ADVISER **2 :** LAWYER

¹count \'kaunt\ *vb* **1 :** to name one by one in order to find the total number **2 :** to recite numbers in order **3 :** CONSIDER, ESTEEM **4 :** RELY ⟨you can ~ on him⟩ **5 :** to be of value or account — **count·able** *adj*

²count *n* **1 :** the act of counting; *also* **:** the total obtained by counting **2 :** a particular charge in an indictment or legal declaration

³count *n* **:** a European nobleman whose rank corresponds to that of a British earl

count·down \-,daun\ *n* **:** an audible backward counting off (as in seconds) to indicate the time remaining before an event (as the launching of a rocket)

¹coun·te·nance \'kaunt-(ə-)nəns\ *n* **1 :** the human face esp. as an indicator of mood or character **2 :** FAVOR, APPROVAL

²countenance *vb* **:** SANCTION, TOLERATE

¹count·er \'kaunt-ər\ *n* **1 :** a device used in counting or in games **2 :** a level surface (as a board) over which business is transacted, food is served, or work is conducted

²coun·ter *vb* **:** to act in opposition to **:** OPPOSE, OFFSET

³coun·ter *adv* **:** in an opposite direction **:** CONTRARY

⁴coun·ter *adj* **:** CONTRARY, OPPOSITE

⁵coun·ter *n* **1 :** OPPOSITE, CONTRARY **2 :** an answering or offsetting force or blow

coun·ter·act \,kaunt-ər-'akt\ *vb* **:** to lessen the force of **:** OFFSET ⟨~ the effect of poison⟩ ⟨~ an evil influence⟩ — **coun·ter·ac·tive** *adj*

coun·ter·at·tack \'kaunt-ər-ə-,tak\ *n* **:** an attack made to oppose an enemy's attack — **counterattack** *vb*

¹coun·ter·bal·ance \'kaunt-ər-,bal-əns\ *n* **:** a weight or influence that balances another

²coun·ter·bal·ance \,kaunt-ər-'bal-əns\ *vb* **:** to oppose with equal weight or influence

coun·ter·claim \'kaunt-ər-,klām\ *n* **:** an opposing claim esp. in law

coun·ter·clock·wise \,kaunt-ər-'kläk-,wīz\ *adv (or adj)* **:** in a direction opposite to that in which the hands of a clock rotate

coun·ter·es·pi·o·nage \-'es-pē-ə-,näzh, -nij\ *n* **:** the attempt to discover and defeat enemy espionage

¹coun·ter·feit \'kaunt-ər-,fit\ *vb* **1 :** to copy or imitate in order to deceive **2 :** PRETEND, FEIGN — **coun·ter·feit·er** *n*

²counterfeit *adj* **:** SHAM, SPURIOUS; *also* **:** FORGED

³counterfeit *n* **:** something made to imitate another thing with a view to defraud **syn** fraud, sham, fake, imposture, deceit, deception

coun·ter·in·tel·li·gence \,kaunt-ər-in-'tel-ə-jəns\ *n* **:** organized activities of an intelligence service designed to counter the activities of an enemy's intelligence service

coun·ter·mand \'kaunt-ər-,mand\ *vb* **:** to withdraw (an order already given) by a contrary order

coun·ter·mea·sure \-,mezh-ər\ *n* **:** an action undertaken to counter another

coun·ter·of·fen·sive \-ə-,fen-siv\ *n* **:** a large-scale military offensive undertaken by a force previously on the defensive

coun·ter·part \-,pärt\ *n* **:** a person or thing very closely like or corresponding to another person or thing

coun·ter·point \-,point\ *n* **:** music in which one melody is accompanied by one or more other melodies all woven into a harmonious whole

coun·ter·poise \-,poiz\ *n* **:** COUNTERBALANCE

coun·ter·rev·o·lu·tion \,kaunt-ə(r)-,rev-ə-'lü-shən\ *n* **:** a revolution opposed to a former revolution

¹coun·ter·sign \'kaunt-ər-,sīn\ *n* **1 :** a confirmatory signature added to a writing already signed by another person **2 :** a secret signal that must be given by a person who wishes to pass a guard

²countersign *vb* **:** to add a confirmatory signature to — **coun·ter·sig·na·ture**

coun·ter·sink \'kaunt-ər-,siŋk\ *vb* **:** to form a flaring depression around the top of (a hole in wood or metal made to receive a screw or bolt); *also* **:** to sink (a screw or bolt) in such a depression — **countersink** *n*

coun·ter·weight \-,wāt\ *n* **:** COUNTERBALANCE

count·ess \'kaunt-əs\ *n* **1 :** the wife or widow of a count or an earl **2 :** a woman holding the rank of a count or an earl in her own right

count·less \'kaunt-ləs\ *adj* **:** INNUMERABLE

coun·tri·fied *or* **coun·try·fied** \'kən-tri-,fīd\ *adj* **:** looking or acting like a person from the country **:** RUSTIC

coun·try \'kən-trē\ *n* **1 :** REGION, DISTRICT **2 :** the territory of a nation **3 :** FATHERLAND **4 :** NATION **5 :** rural regions as opposed to towns and cities

coun·try·man *n* \-mən\ **:** an inhabitant of a certain country; *also* **:** COMPATRIOT **2** \-,man, -mən\ **:** one raised in the country **:** RUSTIC

coun·try·side \-,sīd\ *n* **:** a rural area or its people

coun·ty \'kaunt-ē\ *n* **1 :** the domain of a count or earl **2 :** a territorial division of a country or state for purposes of local government

coup \'kü\ *n* **:** a brilliant sudden stroke or stratagem

¹cou·ple \'kəp-əl\ *vb* **:** to link together **:** JOIN, CONNECT, PAIR

²couple *n* **1 :** BOND, TIE **2 :** PAIR **3 :** two persons closely associated; *esp* **:** a man and a woman married or otherwise paired

cou·plet \'kəp-lət\ *n* **:** two successive rhyming lines of verse

cou·pling \'kəp-(ə-)liŋ\ *n* **1 :** CONNECTION **2 :** a device for connecting two parts or things

cou·pon \'k(y)ü-,pän\ *n* **1 :** a certificate attached to a bond showing interest due and designed to be cut off and presented for payment **2 :** a certificate given to a purchaser of goods and redeemable in merchandise or cash

cour·age \'kər-ij\ *n* **:** ability to conquer fear or despair **:** BRAVERY, VALOR — **cou·ra·geous** \kə-'rā-jəs\ *adj* — **cou·ra·geous·ly** *adv*

cou·ri·er \'kur-ē-ər, 'kər-\ *n* **1 :** one who bears messages or information for the diplomatic or military services **2 :** a tourists' guide

¹**course** \'kōrs\ *n* **1 :** PROGRESS, PASSAGE; *also* **:** direction of progress **2 :** the ground or path over which something moves **3 :** the part of a meal served at one time **4 :** an ordered series of acts or proceedings **:** sequence of events **5 :** method of procedure **:** CONDUCT, BEHAVIOR **6 :** a series of instruction periods dealing with a subject **7 :** the series of studies leading to graduation from a school or college

²**course** *vb* **1 :** to hunt with dogs ⟨~ a rabbit⟩

¹**court** \'kōrt\ *n* **1 :** the residence of a sovereign or similar dignitary **2 :** a sovereign and his officials and advisers as a governing power **3 :** an assembly of the retinue of a sovereign **4 :** an open space enclosed by a building or buildings **5 :** a space walled or marked off for playing a game (as tennis or basketball) **6 :** the place where justice is administered; *also* **:** the judicial body **7 :** HOMAGE, COURTSHIP

²**court** *vb* **1 :** to try to gain the favor of **2 :** WOO **3 :** ATTRACT, TEMPT ⟨~ danger⟩

cour·te·ous \'kərt-ē-əs\ *adj* **:** marked by respect for others **:** CIVIL, POLITE — **cour·te·ous·ly** *adv*

cour·te·san \'kōrt-ə-zən, 'kərt-\ *n* **:** PROSTITUTE

cour·te·sy \'kərt-ə-sē\ *n* **1 :** courteous behavior **:** POLITENESS **2 :** a favor courteously performed

court·house \'kōrt-,haus\ *n* **1 :** a building in a town or city for holding courts of law **2 :** a building for housing county offices

court·ly \'kōrt-lē\ *adj* **:** REFINED, ELEGANT, POLITE **syn** courteous, civil —

court–mar·tial \'kōrt-,mär-shəl\ *n, pl* **courts–martial :** a military or naval court for trial of offenses against military or naval law; *also* **:** a trial by this court — **court–martial** *vb*

court·room \-,rüm, -,rum\ *n* **:** a room in which a court of law is held

court·ship \'kōrt-,ship\ *n* **:** the act of courting **:** WOOING

court·yard \-,yärd\ *n* **:** an enclosure attached to a house or palace

cous·in \'kəz-ᵊn\ *n* [OF, fr. L *consobrinus*, lit., child of a mother's sister, fr. *com-* together + *soror* sister] **:** a child of one's uncle or aunt

cove \'kōv\ *n* **1 :** a trough for lights at the upper part of a wall **2 :** a small sheltered inlet or bay

cov·en \'kəv-ən, 'kō-vən\ *n* **:** an assembly or band of witches

cov·e·nant \'kəv-ə-nənt\ *n* **:** a formal binding agreement **:** COMPACT — **cov·e·nant** \-nənt, -,nant\ *vb*

¹**cov·er** \'kəv-ər\ *vb* **1 :** to place something over or upon **2 :** CLOTHE **3 :** to bring or hold within range of a firearm **4 :** PROTECT, SHIELD **5 :** INCLUDE, COMPRISE **6 :** HIDE, CONCEAL **7 :** to have as one's field of activity **8 :** to buy (stocks) in order to have them for delivery on a previous short sale

²**cover** *n* **1 :** something that protects or shelters **2 :** LID, TOP **3 :** CASE, BINDING **4 :** SCREEN, DISGUISE **5 :** TABLECLOTH **6 :** a cloth used on a bed **7 :** an envelope or wrapper for mail

cov·er·age \-(ə-)rij\ *n* **1 :** the act or fact of covering

cov·er·all \'kəv-ər-,ol\ *n* **:** a one-piece outer garment worn to protect one's clothes — usu. used in pl.

cov·er·let \-lət\ *n* **:** BEDSPREAD

¹**cov·ert** \'kəv-ərt, 'kōv-\ *adj* **1 :** HIDDEN, SECRET **2 :** SHELTERED — **cov·ert·ly** *adv*

²**covert** *n* **1 :** a secret or sheltered place; *esp* **:** a thicket sheltering game **2 :** a feather covering the bases of the quills of the wings and tail of a bird **3 :** a wool or silk-and-wool cloth usu. of mixed-color yarns

cov·et \'kəv-ət\ *vb* **:** to desire enviously **:** long for — **cov·et·ous** \-əs\ *adj* — **cov·et·ous·ness** *n*

cov·ey \'kəv-ē\ *n* **1 :** a bird with her brood of young **2 :** a small flock (as of quail)

¹**cow** \'kau\ *n* **1 :** the mature female of cattle or of an animal (as the moose) of which the male is called *bull* **2 :** a domestic bovine animal irrespective of sex or age

²**cow** *vb* **:** INTIMIDATE, DAUNT, OVERAWE

cow·ard \'kau(-ə)rd\ *n* **:** one who lacks courage or shows shameful fear or timidity — **coward** *adj* — **cow·ard·ice** \-əs\ *n* — **cow·ard·ly** *adv*

cow·boy \'kau-,boi\ *n* **:** one (as a mounted ranch hand) who tends or drives cattle

cow·er \'kau(-ə)r\ *vb* **:** to shrink or crouch down from fear or cold **:** QUAIL

cow·hide \'kau-,hīd\ *n* **1 :** the hide of a cow; *also* **:** leather made from it **2 :** a coarse whip of braided rawhide

cowl \'kaul\ *n* **1 :** a monk's hood **2 :** the top part of the front of the body of an automobile to which the windshield is attached

cow·lick \'kau-,lik\ *n* **:** a turned-up tuft of hair that resists control

co–work·er \'kō-,wər-kər\ *n* **:** a fellow worker

cow·poke \'kau-,pōk\ *n* **:** COWBOY

cox·comb \'käks-,kōm\ *n* **:** a conceited silly man **:** FOP

cox·swain \'käk-sən, -,swān\ *n* **:** the steersman of a ship's boat or a racing shell

coy \'koi\ *adj* **:** BASHFUL, SHY; *esp* **:** pretending shyness — **coy·ly** *adv* — **coy·ness** *n*

coy·ote \'kī-,ōt, kī-'ōt-ē\ *n* **:** a small wolf native to western No. America

coz·en \'kəz-ᵊn\ *vb* **:** CHEAT, DEFRAUD

¹**co·zy** \'kō-zē\ *adj* **:** SNUG, COMFORTABLE — **co·zi·ly** *adv* — **co·zi·ness** *n*

²**cozy** *n* **:** a padded covering for a vessel (as a teapot) to keep the contents hot

crab \'krab\ *n* **:** a crustacean with a short broad shell and small abdomen

crab·bed \'krab-əd\ *adj* **1 :** MOROSE, PEEVISH **2 :** CRAMPED, IRREGULAR ⟨~ handwriting⟩

crab·by \'krab-ē\ *adj* **:** ILL-NATURED

¹crack \\ˈkrak\\ *vb* **1** : to break with a sharp sudden sound **2** : to fail in tone or become harsh ⟨his voice ∼*ed*⟩ **3** : to break without completely separating into parts **4** : to subject (as a petroleum oil) to heat for breaking down into lighter products (as gasoline)

²crack *n* **1** : a sudden sharp noise **2** : a witty or sharp remark **3** : a narrow break or opening : FISSURE **4** : a sharp blow **5** : ATTEMPT, TRY

crack-down \\-ˌdau̇n\\ *n* : an act or instance of taking positive disciplinary action ⟨a ∼ on gambling⟩

crack-er \\ˈkrak-ər\\ *n* **1** : FIRECRACKER **2** : a dry thin crisp bakery product made of flour and water **3** *cap* : a native of Georgia or Florida

crack-er-jack \\-ˌjak\\ *n* : something very excellent — **crackerjack** *adj*

crack-le \\ˈkrak-əl\\ *vb* **1** : to make small sharp snapping noises **2** : to develop fine cracks in a surface — **crackle** *n*

crack-pot \\ˈkrak-ˌpät\\ *n* : an eccentric person

crack–up \\ˈkrak-ˌəp\\ *n* : CRASH, WRECK; *also* : BREAKDOWN

¹cra-dle \\ˈkrād-ᵊl\\ *n* **1** : a baby's bed or cot **2** : a place of origin and early development **3** : a scythe for mowing grain

²cradle *vb* **1** : to place in or as if in a cradle **2** : NURSE, REAR

craft \\ˈkraft\\ *n* **1** : ART, SKILL; *also* : an occupation requiring special skill **2** : CUNNING, GUILE **3** *pl usu* **craft** : a boat esp. of small size; *also* : AIRCRAFT

crafts-man \\ˈkrafts-mən\\ *n* : a skilled artisan — **crafts-man-ship** *n*

crafty \\ˈkraf-tē\\ *adj* : CUNNING, DECEITFUL, SUBTLE — **craft-i-ness** *n*

crag \\ˈkrag\\ *n* : a steep rugged cliff or point of rock — **crag-gy** *adj*

cram \\ˈkram\\ *vb* **crammed; cram-ming 1** : to eat greedily : stuff with food **2** : to pack in tight : JAM **3** : to study rapidly under pressure for an examination

¹cramp \\ˈkramp\\ *n* **1** : a sudden painful contraction of muscle **2** : sharp abdominal pains

²cramp *vb* **1** : to affect with cramp **2** : to restrain from free action : HAMPER **3** : to turn (the front wheels) sharply to the side

cran-ber-ry \\ˈkran-ˌber-ē, -b(ə-)rē\\ *n* : the red acid berry of a trailing plant related to the heaths; *also* : this plant

¹crane \\ˈkrān\\ *n* **1** : a tall wading bird related to the rails **2** : a machine for lifting and carrying heavy objects

²crane *vb* : to stretch one's neck to see better

cra-ni-um \\ˈkrā-nē-əm\\ *n, pl* **-ni-ums** *or* **-nia** \\-nē-ə\\ : SKULL; *esp* : the part enclosing the brain — **cra-ni-al** *adj*

¹crank \\ˈkraŋk\\ *n* **1** : a bent part of an axle or shaft or an arm at right angles to the end of a shaft by which circular motion is imparted to or received from it **2** : a person with a mental twist esp. on some one subject **3** : a bad-tempered person : GROUCH

²crank *vb* : to start or operate by turning a crank

crank-case \\-ˌkās\\ *n* : the housing of a crankshaft

crank-shaft \\-ˌshaft\\ *n* : a shaft turning or driven by a crank

cranky \\ˈkraŋ-kē\\ *adj* **1** : operating uncertainly or imperfectly **2** : IRRITABLE

cran-ny \\ˈkran-ē\\ *n* : CREVICE, CHINK

craps \\ˈkraps\\ *n* : a gambling game played with 2 dice

crap-shoot-er \\ˈkrap-ˌshüt-ər\\ *n* : a person who plays craps

¹crash \\ˈkrash\\ *vb* **1** : to break noisily : SMASH **2** : to bring down an airplane in such a way that it is damaged

²crash *n* **1** : a loud sound (as of things smashing) **2** : SMASH; *also* : COLLISION **3** : a sudden failure (as of a business) **4** : the crashing of an airplane

³crash *n* : coarse linen fabric used for towels and draperies

crass \\ˈkras\\ *adj* : STUPID, GROSS — **crass-ly** *adv*

crate \\ˈkrāt\\ *n* : a container with spaces for ventilation — **crate** *vb*

cra-ter \\ˈkrāt-ər\\ *n* : the depression around the opening of a volcano; *also* : a bowl-shaped depression

crave \\ˈkrāv\\ *vb* **1** : to ask earnestly : BEG **2** : to long for : DESIRE

cra-ven \\ˈkrā-vən\\ *adj* : COWARDLY — **craven** *n*

crav-ing \\ˈkrā-viŋ\\ *n* : an urgent or abnormal desire

craw-fish \\ˈkro-ˌfish\\ *n* : CRAYFISH; *also* : the spiny lobster

¹crawl \\ˈkrȯl\\ *vb* **1** : to move slowly by drawing the body along the ground **2** : to advance feebly or cautiously **3** : to swarm with or as if with creeping things **4** : to feel as if crawling creatures were swarming over one

²crawl *n* **1** : a very slow pace or advance **2** : a speed swimming stroke

cray-fish \\ˈkrā-ˌfish\\ *n* : a freshwater crustacean like a lobster but smaller

cray-on \\ˈkrā-ˌän, -ən\\ *n* : a stick of chalk or wax used for writing, drawing, or coloring; *also* : a drawing made with such material — **crayon** *vb*

¹craze \\ˈkrāz\\ *vb* : to make or become insane

²craze *n* : FAD, MANIA

cra-zy \\ˈkrā-zē\\ *adj* **1** : mentally disordered : INSANE **2** : wildly impractical; *also* : ERRATIC — **cra-zi-ly** *adv*

creak \\ˈkrēk\\ *vb* : to make a prolonged squeaking or grating sound — **creak** *n* — **creaky** *adj*

¹cream \\ˈkrēm\\ *n* **1** : the yellowish fat-rich part of milk **2** : a thick smooth sauce, confection, or cosmetic **3** : the choicest part **4** : a pale yellow color — **creamy** *adj*

²cream *vb* **1** : to prepare with a cream sauce **2** : to beat or blend (butter) into creamy consistency

cream cheese *n* : a cheese made from sweet milk enriched with cream

crease \\ˈkrēs\\ *n* : a mark or line made by or as if by folding — **crease** *vb*

cre-ate \\krē-ˈāt\\ *vb* **1** : to bring into being : cause to exist : MAKE, PRODUCE — **cre-ative** \\-ˈāt-iv\\ *adj*

cre-ation \\krē-ˈā-shən\\ *n* **1** : the act of creating or producing ⟨∼ of the world⟩ **2** : something that is created **3** : all created things : WORLD

cre-ator \\krē-ˈāt-ər\\ *n* : one that creates : MAKER, AUTHOR

crea-ture \\ˈkrē-chər\\ *n* : a lower animal; *also* : a human being

crèche \\ˈkresh\\ *n* : a representation of

the Nativity scene in the stable at Bethlehem
cre·dence \'krēd-ᵊns\ *n* : BELIEF
cre·den·tial \kri-'den-chəl\ *n* : something that gives a basis for credit or confidence
cred·i·ble \'kred-ə-bəl\ *adj* : TRUSTWORTHY, BELIEVABLE — **cred·i·bil·i·ty**
¹**cred·it** \'kred-ət\ *n* **1** : the balance (as in a bank) in a person's favor **2** : time given for payment for goods sold on trust **3** : an accounting entry of payment received **4** : BELIEF, FAITH **5** : financial trustworthiness **6** : ESTEEM **7** : a source of honor or distinction **8** : a unit of academic work
²**credit** *vb* **1** : BELIEVE **2** : to give credit to
cred·it·able *adj* : worthy of esteem or praise — **cred·it·ably** *adv*
cred·i·tor \'kred-ə-tər\ *n* : a person to whom money is owed
cred·u·lous \'krej-ə-ləs\ *adj* : inclined to believe esp. on slight evidence — **cre·du·li·ty** \kri-'d(y)ü-lət-ē\ *n*
creed \'krēd\ *n* [OE *crēda*, fr. L *credo* I believe, first word of the Apostles' and Nicene Creeds] : a statement of the essential beliefs of a religious faith
creek \'krēk, 'krik\ *n* **1** : a small inlet **2** : a stream smaller than a river and larger than a brook
creep \'krēp\ *vb* **crept** \'krept\ **creeping 1** : CRAWL **2** : to grow over a surface like ivy **3** : to feel as though insects were crawling on the skin — **creep** *n* — **creep·er** *n*
creepy \'krē-pē\ *adj* : having or producing a nervous shivery fear
cre·mate \'krē-,māt\ *vb* : to reduce (a dead body) to ashes with fire — **cre·ma·tion** \kri-'mā-shən\ *n*
Cre·ole \'krē-,ōl\ *n* : a descendant of early French or Spanish settlers of the U.S. Gulf states preserving their speech and culture
crepe *or* **crêpe** \'krāp\ *n* : a light crinkled fabric of silk, rayon, wool, or cotton
cre·pus·cu·lar \kri-'pəs-kyə-lər\ *adj* **1** : of, relating to, or resembling twilight **2** : active in the twilight ⟨~ insects⟩
cre·scen·do \kri-'shen-dō\ *adv (or adj)* : increasing in loudness — used as a direction in music — **crescendo** *n*
cres·cent \'kres-ᵊnt\ *n* : the moon at any stage between new moon and first quarter and between last quarter and new moon; *also* : something shaped like the figure of the crescent moon with a convex and a concave edge
cress \'kres\ *n* : any of several salad plants related to the mustards
¹**crest** \'krest\ *n* **1** : a tuft or process on the head of an animal (as a bird) **2** : the ridge at the top of a hill or a billow **3** : a heraldic device — **crest·ed** *adj* — **crest·less** *adj*
²**crest** *vb* **1** : CROWN **2** : to reach the crest of **3** : to rise to a crest ⟨the river ~ed at eight feet⟩
crest·fall·en \'krest-,fȯ-lən\ *adj* : DISPIRITED, DEJECTED
cre·ta·ceous \kri-'tā-shəs\ *adj* : having the nature of or abounding in chalk
cre·vasse \kri-'vas\ *n* **1** : a deep fissure esp. in a glacier **2** : a break in a levee
crev·ice \'krev-əs\ *n* : a narrow fissure : CRACK

¹**crew** \'krü\ *chiefly Brit past of* CROW
²**crew** *n* **1** : a body of men trained to work together for certain purposes **2** : the body of seamen who man a ship **3** : the persons who man an airplane in flight
¹**crib** \'krib\ *n* **1** : a manger for feeding animals **2** : a building or bin for storage (as of grain) **3** : a small bedstead for a child **4** : a translation prepared to aid a student in preparing a lesson
²**crib** *vb* **cribbed; crib·bing 1** : CONFINE, CRAMP **2** : to put in a crib **3** : STEAL; *esp* : PLAGIARIZE — **crib·ber** *n*
crib·bage \'krib-ij\ *n* : a card game usu. played by 2 players and scored on a board (**cribbage board**)
crick \'krik\ *n* : a painful spasm of muscles (as of the neck)
¹**crick·et** \'krik-ət\ *n* : a leaping insect noted for the chirping notes of the males
²**cricket** *n* : a game played with a bat and ball by 2 teams on a field with 2 wickets each defended by a batsman
cri·er \'krī-(ə)r\ *n* : one who calls out proclamations and announcements
crime \'krīm\ *n* : a serious offense against the public law
¹**crim·i·nal** \'krim-ən-ᵊl\ *adj* **1** : involving or being a crime **2** : relating to crime or its punishment — **crim·i·nal·i·ty** \,krim-ə-'nal-ət-ē\ *n* — **crim·i·nal·ly** \'krim-ən-ᵊl-ē\ *adv*
²**criminal** *n* : one who has committed a crime
crim·i·nol·o·gy \,krim-ə-'näl-ə-jē\ *n* : the scientific study of crime and criminals — **crim·i·no·log·i·cal** \-nə-'läj-i-kəl\ *adj* — **crim·i·nol·o·gist**
¹**crimp** \'krimp\ *vb* : to cause to become crinkled, wavy, or bent ⟨~ hair⟩ — **crimp·er** *n*
²**crimp** *n* : something (as a curl in hair) produced by or as if by crimping
¹**crim·son** \'krim-zən\ *n* : a deep purplish red — **crimson** *adj*
cringe \'krinj\ *vb* : to shrink in fear : WINCE, COWER, QUAIL
crin·kle \'kriŋ-kəl\ *vb* : to turn or wind in many short bends or curves; *also* : WRINKLE, RIPPLE — **crinkle** *n* — **crin·kly** \-k(ə-)lē\ *adj*
¹**crip·ple** \'krip-əl\ *n* : a lame or disabled person
²**cripple** *vb* : to make lame : DISABLE
cri·sis \'krī-səs\ *n, pl* **cri·ses** \-,sēz\ **1** : the turning point for better or worse in an acute disease or fever **2** : a decisive or critical moment
crisp \'krisp\ *adj* **1** : CURLY, WAVY **2** : BRITTLE **3** : being sharp and clear **4** : LIVELY, SPARKLING **5** : FIRM, FRESH ⟨~ lettuce⟩ **6** : FROSTY, SNAPPY; *also* : BRACING — **crisp** *vb* — **crisp·ly** *adv* — **crisp·ness** *n* — **crispy** *adj*
¹**criss·cross** \'kris-,krȯs\ *n* : a pattern of crossed lines
²**crisscross** *vb* **1** : to mark with crossed lines **2** : to go or pass back and forth
³**crisscross** *adv* : CONTRARILY, AWRY
cri·te·ri·on \krī-'tir-ē-ən\ *n* : STANDARD, TEST
crit·ic \'krit-ik\ *n* **1** : one skilled in judging literary or artistic works **2** : one inclined to find fault or complain
crit·i·cal \'krit-i-kəl\ *adj* **1** : inclined to criticize **2** : requiring careful judgment **3** : being a crisis **4** : UNCERTAIN

5 : relating to criticism or critics — **crit·i·cal·ly** *adv*
crit·i·cism \'krit-ə-,siz-əm\ *n* **1** : the act of criticizing; *esp* : CENSURE **2** : a critical judgment or review **3** : the art of judging expertly works of literature or art
crit·i·cize \-,sīz\ *vb* **1** : to judge as a critic : EVALUATE **2** : to find fault : express criticism **syn** blame, censure, condemn
cri·tique \krə-'tēk\ *n* : a critical estimate or discussion
crit·ter \'krit-ər\ *n, dial* : CREATURE
cro·chet \krō-'shā\ *n* : needlework done with a single thread and hooked needle — **crochet** *vb*
crock \'kräk\ *n* : a thick earthenware pot or jar
crock·ery \-(ə-)rē\ *n* : EARTHENWARE
croc·o·dile \'kräk-ə-,dīl\ *n* : a thick-skinned long-bodied reptile of tropical and subtropical waters
cro·cus \'krō-kəs\ *n* : a low herb related to the irises with brightly colored flowers borne singly in early spring
crone \'krōn\ *n* : a withered old woman
cro·ny \'krō-nē\ *n* : an intimate companion
¹crook \'krůk\ *n* **1** : a bent or curved implement **2** : a bent or curved part; *also* : BEND, CURVE **3** : SWINDLER, THIEF
²crook *vb* : to curve or bend sharply
crook·ed \'krůk-əd\ *adj* **1** : having a crook : BENT, CURVED **2** : DISHONEST
croon \'krün\ *vb* **1** : to sing in a low soft voice **2** : to sing in half voice — **croon·er** *n*
¹crop \'kräp\ *n* **1** : a pouch in the throat of many birds and insects where food is received **2** : the handle of a whip; *also* : a short riding whip **3** : something that can be harvested; *also* : the yield at harvest
²crop *vb* **cropped**; **crop·ping** **1** : to remove the ends of : cut off short; *also* : to feed on by cropping **2** : to devote (land) to crops **3** : to appear unexpectedly
cro·quet \krō-'kā\ *n* : a game in which mallets are used to drive wooden balls through a series of wickets set out on a lawn
¹cross \'krós\ *n* **1** : a structure consisting of an upright beam and a crossbar used esp. by the ancient Romans for execution **2** *often cap* : a figure of the cross on which Christ was crucified used as a Christian symbol **3** : a hybridizing of unlike individuals or strains; *also* : a product of this **4** : a punch delivered with a circular motion over an opponent's lead
²cross *vb* **1** : to lie or place across; *also* : INTERSECT **2** : to cancel by marking a cross on or by lining through : strike out **3** : THWART, OBSTRUCT **4** : to go or extend across : TRAVERSE **5** : HYBRIDIZE **6** : to meet and pass on the way
³cross *adj* **1** : lying across **2** : CONTRARY, OPPOSED **3** : marked by bad temper **4** : HYBRID — **cross·ly** *adv*
cross·bar \-,bär\ *n* : a transverse bar or piece
cross·bones \-,bōnz\ *n pl* : two leg or arm bones placed or depicted crosswise
cross–coun·try \-'kən-trē\ *adj* **1** : proceeding over the countryside (as fields

cross: 1 Latin; 2 Greek; 3 Maltese; 4 Saint Andrew's

and woods) rather than by roads **2** : of or relating to cross-country sports — **cross–country** *adv*
cross–cur·rent \-'kər-ənt\ *n* **1** : a current running counter to another **2** : a conflicting tendency
¹cross–cut \-,kət\ *vb* : to cut or saw crosswise esp. of the grain of wood
²crosscut *adj* **1** : made or used for crosscutting **2** : cut across the grain
³crosscut *n* : something that cuts through transversely ⟨a ~ through the park⟩
cross–ex·am·ine \,krós-ig-'zam-ən\ *vb* : to examine with questions as a check to answers to previous examination — **cross–ex·am·i·na·tion** \-,zam-ə-'nā-shən\ *n*
cross–eye \'krós-,ī\ *n* : an abnormality in which the eye turns toward the nose — **cross–eyed** \-'īd\ *adj*
cross–hatch \-,hach\ *vb* : to mark with a series of parallel lines that cross esp. obliquely — **cross–hatch·ing** *n*
cross·ing *n* **1** : a point of intersection (as of a street and a railroad track) **2** : a place for crossing something (as a street or river)
cross–piece \'krós-,pēs\ *n* : a crosswise member (as of a figure or a structure)
cross–pol·li·na·tion \,krós-,päl-ə-'nā-shən\ *n* : transfer of pollen from one flower to the stigma of another — **cross–pol·li·nate** \'krós-'päl-ə-,nāt\ *vb*
cross·road \'krós-,rōd\ *n* **1** : a road that crosses a main road or runs between main roads **2** : a place where roads meet — usu. used in pl.
cross section *n* **1** : a section cut across something; *also* : a representation made by or as if by such cutting **2** : a number of persons or things selected from an entire group to show the general nature of the whole group
cross–walk \'krós-,wók\ *n* : a specially marked path for pedestrians crossing a street
cross–wise \-,wīz\ *also* **cross–ways** \-,wāz\ *adv* : so as to cross something : ACROSS — **crosswise** *adj*
crotch \'kräch\ *n* : an angle formed by the parting of two legs, branches, or members
crotch·et \'kräch-ət\ *n* : an odd notion : WHIM — **crotch·ety** *adj*
crouch \'kraúch\ *vb* **1** : to stoop over **2** : CRINGE, COWER — **crouch** *n*
croup \'krüp\ *n* : laryngitis esp. of infants marked by a hoarse ringing cough and difficult breathing
crou·ton \'krü-,tän\ *n* : a small piece of toast
¹crow \'krō\ *n* : a large glossy black bird
²crow *vb* **crowed**; **crow·ing** **1** : to make the loud shrill sound characteristic of the rooster **2** : to utter a sound expres-

crow·bar \'krō-,bär\ *n* : a metal bar usu. wedge-shaped at the end for use as a pry or lever

¹**crowd** \'kraůd\ *vb* 1 : to collect in numbers : THRONG 2 : to press close 3 : CRAM, STUFF

²**crowd** *n* : a large number of people gathered together at random : THRONG

crow·foot \'krō-,fůt\ *n* : BUTTERCUP

¹**crown** \'kraůn\ *n* 1 : GARLAND; *also* : the title of champion in a sport 2 : a royal headdress 3 *cap* : sovereign power; *also* : MONARCH 4 : the top of the head 5 : a British silver coin 6 : something resembling a crown in shape, position, or use; *esp* : a top part (as of a tree or tooth)

²**crown** *vb* 1 : to place a crown upon 2 : HONOR 3 : TOP, SURMOUNT 4 : to fit (a tooth) with an artificial crown

cru·cial \'krü-shəl\ *adj* : DECISIVE; *also* : SEVERE, TRYING

cru·ci·ble \'krü-sə-bəl\ *n* : a container used to hold a substance (as metal or ore) treated under great heat

cru·ci·fix \'krü-sə-,fiks\ *n* : a representation of Christ on the cross

cru·ci·fix·ion \,krü-sə-'fik-shən\ *n* : the act of crucifying; *esp*, *cap* : the execution of Christ on the cross

cru·ci·form \'krü-sə-,form\ *adj* : cross-shaped

cru·ci·fy \'krü-sə-,fī\ *vb* 1 : to put to death by nailing or binding the hands and feet to a cross 2 : MORTIFY ⟨~ the flesh⟩ 3 : TORTURE, PERSECUTE

crude \'krüd\ *adj* 1 : not refined : RAW ⟨~ oil⟩ ⟨~ statistics⟩ 2 : lacking grace, taste, tact, or polish : RUDE — **crude·ly** *adv* — **cru·di·ty** \'krüd-ət-ē\ *n*

cru·el \'krü-əl\ *adj* : causing pain and suffering to others : MERCILESS — **cru·el·ly** *adv* — **cru·el·ty** *n*

cru·et \'krü-ət\ *n* : a glass bottle for oil or vinegar at the table

cruise \'krüz\ *vb* 1 : to sail about touching at a series of ports 2 : to travel for enjoyment 3 : to travel about the streets at random 4 : to travel at the most efficient operating speed ⟨the *cruising* speed of an airplane⟩ — **cruise** *n*

cruis·er \'krü-zər\ *n* 1 : a fast moderately armored and gunned warship 2 : a motorboat equipped for living aboard 3 : a police car equipped with radio to maintain communication with headquarters

crul·ler \'krəl-ər\ *n* 1 : a sweet cake made of egg batter fried in deep fat

¹**crumb** \'krəm\ *n* : a small fragment (as of bread)

²**crumb** *vb* 1 : to break into crumbs 2 : to cover with crumbs

crum·ble \'krəm-bəl\ *vb* : to break into small pieces : DISINTEGRATE — **crum·bly** *adj*

crum·pet \'krəm-pət\ *n* : a small round cake made of unsweetened batter cooked on a griddle

crum·ple \'krəm-pəl\ *vb* 1 : to crush together : RUMPLE 2 : COLLAPSE

crunch \'krənch\ *vb* : to chew with a grinding noise; *also* : to grind or press with a crushing noise — **crunch** *n*

cru·sade \krü-'sād\ *n* 1 *cap* : any of the expeditions in the 11th, 12th, and 13th centuries undertaken by Christian countries to recover the Holy Land from the Turks 2 : a reforming enterprise undertaken with zeal — **crusade** *vb* — **cru·sad·er** *n*

cruse \'krüz, 'krüs\ *n* : a jar for water or oil

¹**crush** \'krəsh\ *vb* 1 : to squeeze out of shape 2 : HUG, EMBRACE 3 : to grind or pound to small bits 4 : OVERWHELM, SUPPRESS

²**crush** *n* 1 : an act of crushing 2 : a violent crowding 3 : INFATUATION

crust \'krəst\ *n* 1 : the outside part of bread; *also* : a piece of old dry bread 2 : the cover of a pie 3 : a hard surface layer — **crust·al** *adj* — **crusty** *adj*

crus·ta·cean \,krəs-'tā-shən\ *n* : any of a large group of mostly aquatic arthropods (as lobsters or crabs) having a firm crustlike shell

crutch \'krəch\ *n* : a supporting device; *esp* : a staff with a cross-piece at the top to fit under the armpit used by lame persons

crux \'krəks, 'krůks\ *n* 1 : a puzzling or difficult problem 2 : a crucial point

¹**cry** \'krī\ *vb* 1 : to call out : SHOUT 2 : WEEP 3 : to proclaim publicly; *also* : to advertise wares by calling out

²**cry** *n* 1 : a loud outcry 2 : APPEAL, ENTREATY 3 : a fit of weeping 4 : the characteristic sound uttered by an animal

crypt \'kript\ *n* : a chamber wholly or partly underground

cryp·tic \'krip-tik\ *adj* : MYSTERIOUS, ENIGMATIC

cryp·to·gram \'krip-tə-,gram\ *n* : a writing in cipher or code

crys·tal \'kris-t³l\ *n* 1 : transparent quartz 2 : something resembling crystal (as in transparency); *esp* : a clear glass used for table articles 3 : a body that is formed by solidification of a substance and has a regular repeating arrangement of atoms and often of external plane faces ⟨a snow ~⟩ ⟨a salt ~⟩ 4 : the transparent cover of a watch dial — **crys·tal·line** \-tə-lən\ *adj*

snow crystals

crys·tal·ize \-tə-,līz\ *vb* : to assume or cause to assume a crystalline structure or a fixed and definite shape — **crys·tal·i·za·tion** \,kris-tə-lə-'zā-shən\ *n*

cub \'kəb\ *n* : a young individual of some animals (as a fox, bear, or lion)

cub·by·hole \'kəb-ē-,hōl\ *n* 1 : a snug or confined place (as for hiding) 2 : a small closet, cupboard, or compartment for storing things

¹**cube** \'kyüb\ *n* 1 : a solid having 6 equal square sides 2 : the product obtained by taking a number 3 times as a factor ⟨27 is the ~ of 3⟩

²**cube** *vb* 1 : to raise to the third power ⟨~ 3 to get 27⟩ 2 : to form into a cube 3 : to cut into cubes

cu·bic \'kyü-bik\ *adj* 1 : having the form of a cube 2 : having three dimensions 3 : being the volume of a cube whose edge is a specified unit — **cu·bi·cal** *adj*

cu·bi·cle \'kyü-bi-kəl\ *n* 1 : a sleeping compartment partitioned off from a large room 2 : a small partitioned space

cu·bit \-bət\ *n* : an ancient measure of length equal to about 18 inches

cuck·old \'kək-əld, 'kuk-\ *n* : a man whose wife is unfaithful

cuck·oo \'kü-kü, 'kuk-\ *n* : a European bird that lays its eggs in the nests of other birds for them to hatch

cu·cum·ber \'kyü-(,)kəm-bər\ *n* : a fleshy fruit related to the gourds and eaten as a vegetable

cud \'kəd\ *n* : food brought up into the mouth by ruminating animals (as cows) from the first stomach to be chewed again

cud·dle \'kəd-ᵊl\ *vb* : to lie close : SNUGGLE

cud·gel \'kəj-əl\ *n* : a short heavy club — **cudgel** *vb*

¹**cue** \'kyü\ *n* 1 : words or stage business serving as a signal for an entrance or for the next speaker to speak 2 : HINT

²**cue** *n* : a tapered rod for striking the balls in billiards

¹**cuff** \'kəf\ *n* 1 : a part (as of a sleeve or glove) encircling the wrist 2 : the folded hem of a trouser leg

²**cuff** *vb* : to strike esp. with the open hand : SLAP

³**cuff** *n* : a blow with the hand esp. when open

cui·sine \kwi-'zēn\ *n* : manner of cooking; *also* : the food so prepared

cul·i·nary \'kəl-ə-,ner-ē, 'kyü-lə-\ *adj* : relating to cookery

¹**cull** \'kəl\ *vb* : to pick out from a group : CHOOSE

²**cull** *n* : something rejected from a group or lot as worthless or inferior

cul·mi·nate \'kəl-mə-,nāt\ *vb* : to form a summit : rise to the highest point — **cul·mi·na·tion** \,kəl-mə-'nā-shən\ *n*

cul·pa·ble \'kəl-pə-bəl\ *adj* : deserving blame

cul·prit \'kəl-prət\ *n* : one accused or guilty of a crime : OFFENDER

cult \'kəlt\ *n* 1 : formal religious veneration 2 : a religious system; *also* : its adherents 3 : faddish devotion; *also* : a group of persons showing such devotion — **cult·ist** *n*

cul·ti·vate \'kəl-tə-,vāt\ *vb* 1 : to prepare for the raising of crops 2 : to foster the growth of ⟨~ vegetables⟩ 3 : REFINE, IMPROVE, ENCOURAGE, FURTHER — **cul·ti·va·ble** \-və-bəl\ *adj* — **cul·ti·vat·able** \-,vāt-ə-bəl\ *adj* — **cul·ti·va·tion** \,kəl-tə-'vā-shən\ *n* — **cul·ti·va·tor** \'kəl-tə-,vāt-ər\ *n*

cul·ture \'kəl-chər\ *n* 1 : TILLAGE, CULTIVATION; *also* : the growing of a particular crop ⟨grape ~⟩ 2 : the act of developing by education and training 3 : a stage of advancement in civilization — **cul·tur·al** *adj* — **cul·tur·al·ly** *adv* — **cul·tured** *adj*

cul·vert \'kəl-vərt\ *n* : a drain crossing under a road or railroad

cum·ber \'kəm-bər\ *vb* : to weigh down : HAMPER, BURDEN — **cum·ber·some** *adj* — **cum·brous** \'kəm-brəs\ *adj*

cum·mer·bund \'kəm-ər-,bənd\ *n* : a broad sash worn as a waistband

cu·mu·la·tive \'kyü-myə-lət-iv, -,lāt-\ *adj* : increasing in force or value by successive additions

cu·mu·lus \'kyü-myə-ləs\ *n* : a massive cloud having a flat base and rounded outlines

cu·ne·i·form \kyü-'nē-ə-,form\ *adj* 1 : wedge-shaped 2 : composed of wedge-shaped characters ⟨~ alphabet⟩

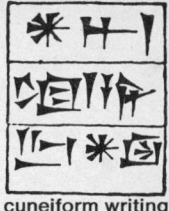

cuneiform writing

¹**cun·ning** \'kən-iŋ\ *adj* 1 : contrived with skill 2 : CRAFTY, SLY 3 : CLEVER 4 : prettily appealing — **cun·ning·ly** *adv*

²**cunning** *n* 1 : SKILL 2 : CRAFTINESS, SLYNESS

cup \'kəp\ *n* 1 : a small bowl-shaped drinking vessel 2 : the contents of a cup 3 : communion wine 4 : something resembling a cup : a small bowl or hollow — **cup·ful** *n*

cup·board \'kəb-ərd\ *n* : a small storage closet

cu·pid \'kyü-pəd\ *n* : a winged naked figure of an infant often with a bow and arrow that represents the god Cupid

cu·pid·i·ty \kyu-'pid-ət-ē\ *n* : excessive desire for money : AVARICE

cu·po·la \'kyü-pə-lə, -,lō\ *n* : a small structure on top of a roof or building (as to complete a design or to serve as a lookout)

cur \'kər\ *n* : a mongrel dog

cu·rate \'kyūr-ət\ *n* 1 : a clergyman in charge of a parish 2 : a clergyman who assists a rector or vicar — **cu·ra·cy** \-ə-sē\ *n*

cu·ra·tive \'kyūr-ət-iv\ *adj* : relating to or used in the cure of diseases

cu·ra·tor \kyu-'rāt-ər\ *n* : CUSTODIAN; *esp* : one in charge of a place of exhibit (as a museum or zoo)

¹**curb** \'kərb\ *n* 1 : a chain or strap on a bit used to check a horse 2 : CHECK, RESTRAINT 3 : a raised stone edging along a paved street 4 : a market for trading in securities not listed on the stock exchange

²**curb** *vb* : to hold in or back : RESTRAIN

curd \'kərd\ *n* : the thick protein-rich part of coagulated milk

cur·dle \'kərd-ᵊl\ *vb* : to form curds; *also* : SPOIL, SOUR

¹**cure** \'kyūr\ *n* 1 : spiritual care 2 : recovery or relief from disease 3 : a curative agent : REMEDY 4 : a course or period of treatment — **cure·less** *adj*

²**cure** *vb* 1 : to restore to health : HEAL, REMEDY 2 : to process for storage or use ⟨~ bacon⟩; *also* : to become cured ⟨sun-*cured* hay⟩ — **cur·able** *adj*

³**cu·ré** \kyu-'rā\ *n* : a parish priest

cure-all \'kyūr-,ol\ *n* : a remedy for all ill : PANACEA

cur·few \'kər-,fyü\ *n* [MF *covrefeu* curfew signal, fr. *covrir* to cover + *feu* fire] : a regulation that specified persons (as children) be off the streets at a set hour of the evening; *also* : the sounding of a signal (as a bell) at this hour

cu·ria \'k(y)ūr-ē-ə\ *n, often cap* : the body of congregations, tribunals, and offices through which the pope governs the Roman Catholic Church

cu·rio \'kyūr-ē-,ō\ *n* : a small object valued for its rarity or beauty; *also* : an

cu·ri·ous \'kyur-ē-əs\ *adj* **1** : having a desire to investigate and learn : INQUISITIVE, PRYING **2** : STRANGE, UNUSUAL **3** : ODD, ECCENTRIC — **cu·ri·os·i·ty** \,kyur-ē-'äs-ət-ē\ *n* — **cu·ri·ous·ly** *adv*

¹curl \'kərl\ *vb* **1** : to form into ringlets **2** : CURVE, COIL — **curl·er** *n*

²curl *n* **1** : a lock of hair that coils : RINGLET **2** : something having a spiral or twisted form — **curly** *adj*

curl·i·cue \'kər-lē-,kyü\ *n* : a fancifully curved or spiral figure

cur·rant \'kər-ənt\ *n* **1** : a small seedless raisin **2** : the acid berry of a shrub related to the gooseberry; *also* : this plant

cur·ren·cy \'kər-ən-sē\ *n* **1** : general use or acceptance **2** : something that is in circulation as a medium of exchange : MONEY

¹cur·rent \'kər-ənt\ *adj* **1** : occurring in or belonging to the present **2** : used as a medium of exchange **3** : generally accepted or practiced

²current *n* **1** : continuous onward movement of a fluid; *also* : the swiftest part of a stream **2** : a movement of electricity analogous to the flow of a stream of water

cur·ric·u·lum \kə-'rik-yə-ləm\ *n*, *pl* **-u·la** \-yə-lə\ *also* **-ulums** [L, racecourse, fr. *currere* to run] : a course of study offered by a school or one of its divisions

¹cur·ry \'kər-ē\ *vb* **1** : to dress the coat of (a horse) with a metal-toothed comb (**cur·ry·comb**) **2** : to scrape (leather) until clean

²curry *n* : a powder of blended spices used in cooking; *also* : a food seasoned with curry

¹curse \'kərs\ *n* **1** : a prayer for harm to come upon one **2** : something that is cursed **3** : something that comes as if in response to a curse : SCOURGE

²curse *vb* **1** : to call on divine power to send injury upon **2** : BLASPHEME **3** : AFFLICT *syn* execrate, damn, anathematize

cur·sive \'kər-siv\ *adj* : written or formed with the strokes of the letters joined together and the angles rounded

cur·so·ry \'kərs(-ə)-rē\ *adj* : hastily and often superficially done : HASTY — **cur·so·ri·ly** \-rə-lē\ *adv*

curt \'kərt\ *adj* : rudely short or abrupt — **curt·ly** *adv*

cur·tail \(,)kər-'tāl\ *vb* : to cut off the end of : SHORTEN — **cur·tail·ment** *n*

cur·tain \'kərt-ᵊn\ *n* : a hanging screen that can be drawn back esp. at a window **2** : the screen between the stage and auditorium of a theater — **curtain** *vb*

curt·sy *or* **curt·sey** \'kərt-sē\ *n* : a courteous bow made by women chiefly by bending the knees — **curtsy** *vb*

cur·va·ture \'kər-və-,chur\ *n* : a measure or amount of curving : BEND

¹curve \'kərv\ *vb* : to bend from a straight line or course

²curve *n* **1** : a bending without angles **2** : something curved **3** : a ball thrown so that it swerves from its normal course

cur·vet \(,)kər-'vet\ *n* : a prancing leap of a horse — **curvet** *vb*

¹cush·ion \'kush-ən\ *n* **1** : a stuffed bag or case for sitting on or lying against in comfort **2** : the springy pad inside the rim of a billiard table

²cushion *vb* **1** : to provide (as a seat) with a cushion **2** : to soften or lessen the force or shock of

cusp \'kəsp\ *n* : a pointed end (as of a tooth)

cus·pi·dor \'kəs-pə-,dȯr\ *n* : SPITTOON

cus·tard \'kəs-tərd\ *n* : a sweetened mixture of milk and eggs cooked until it is set

cus·to·di·an \,kəs-'tōd-ē-ən\ *n* : one who has custody (as of a public building) : KEEPER

cus·to·dy \'kəs-təd-ē\ *n* : immediate care or charge

¹cus·tom \'kəs-təm\ *n* **1** : habitual course of action : recognized usage **2** *pl* : taxes levied on imports **3** : business patronage

²custom *adj* **1** : made to personal order **2** : doing work only on order

cus·tom·ary \'kəs-tə-,mer-ē\ *adj* **1** : based on or established by custom 〈~ rent〉 **2** : commonly practiced or observed : HABITUAL 〈~ courtesy〉 — **cus·tom·ar·i·ly** \,kəs-tə-'mer-ə-lē\ *adv*

cus·tom-built \,kəs-təm-'bilt\ *adj* : built to individual order

cus·tom·er \'kəs-tə-mər\ *n* : BUYER, PURCHASER; *esp* : a regular or frequent buyer

cus·tom-made \,kəs-təm-'mād\ *adj* : made to individual order

¹cut \'kət\ *vb* **cut**; **cut·ting** **1** : to penetrate or divide with a sharp edge : CLEAVE, GASH; *also* : to experience the growth of (a tooth) through the gum **2** : SHORTEN, REDUCE **3** : to remove by severing or paring **4** : INTERSECT, CROSS **5** : to strike sharply **6** : to divide into parts **7** : to go quickly or change direction abruptly **8** : to cause to stop

²cut *n* **1** : something made by cutting : GASH, CLEFT **2** : an excavated channel or roadway **3** : SHARE **4** : a customary segment of a meat carcass **5** : a sharp stroke or blow **6** : the shape or manner in which a thing is cut **7** : REDUCTION 〈~ in wages〉 **8** : an engraved surface for printing; *also* : a picture printed from it

cut-and-dried \,kət-ᵊn-'drīd\ *adj* : according to a plan, set procedure, or formula

cu·ta·ne·ous \kyu̇-'tā-nē-əs\ *adj* : of or relating to the skin

cut·back \'kət-,bak\ *n* **1** : something cut back **2** : REDUCTION

cute \'kyüt\ *adj* **1** : CLEVER, SHREWD **2** : daintily attractive : PRETTY

cu·ti·cle \'kyüt-i-kəl\ *n* : an outer layer (as of skin)

cut·lery \'kət-lə-rē\ *n* : edged or cutting tools; *esp* : implements for cutting and eating food — **cut·ler** *n*

cut·let \'kət-lət\ *n* : a slice (as of veal) cut from the leg or ribs

cut·off \-,ȯf\ *n* **1** : the channel formed when a stream cuts through the neck of an oxbow; *also* : SHORTCUT **2** : a device for cutting off

cut·ter \'kət-ər\ *n* **1** : a tool or a machine for cutting **2** : a ship's boat for carrying stores and passengers **3** : a small armed powerboat 〈coast guard ~〉

¹cut·throat \'kət-,thrōt\ *n* : MURDERER

²cutthroat *adj* **1** : MURDEROUS, CRUEL **2** : MERCILESS, RUTHLESS 〈~ competition〉

cut·ting \'kət-iŋ\ *n* : a piece of a plant able to grow into a new plant

cut·up \'kət-ˌəp\ *n* : one that clowns or acts boisterously

-cy \sē\ *n suffix* : action : practice ⟨mendican*cy*⟩ : rank : office ⟨chaplain*cy*⟩ : body : class ⟨magistra*cy*⟩ : state : quality ⟨accura*cy*⟩ ⟨bankrupt*cy*⟩

cy·a·nide \'sī-ə-ˌnīd\ *n* : a very poisonous potassium-containing or sodium-containing substance used esp. in electroplating

cy·cle \'sī-kəl, 5 & 6 also 'sik-əl\ *n* **1** : a period of time occupied by a series of events that repeat themselves regularly and in the same order **2** : a recurring round of operations or events **3** : one complete series of changes of value of an alternating current or an electromagnetic wave; *also* : the number of such changes per second ⟨a current of 60 ∼s⟩ **4** : a long period of time : AGE **5** : BICYCLE **6** : MOTORCYCLE — **cy·clic** \'sī-klik, 'sik-lik\ *adj*

cy·clom·e·ter \sī-'kläm-ət-ər\ *n* : a device which records the revolutions of a wheel and the distance covered

cy·clone \'sī-ˌklōn\ *n* **1** : a storm or system of winds that rotates about a center of low atmospheric pressure and advances at 20 to 30 miles an hour **2** : TORNADO — **cy·clon·ic** \sī-'klän-ik\ *adj*

cy·clo·tron \'sī-klə-ˌträn\ *n* : a device for giving high speed to charged particles by magnetic and electrical means

cyl·in·der \'sil-ən-dər\ *n* **1** : the solid figure formed by turning a rectangle about one side as an axis; *also* : a body of this form **2** : the rotating chamber in a revolver **3** : the piston chamber in an engine — **cy·lin·dri·cal** \sə-'lin-dri-kəl\ *adj*

cym·bal \'sim-bəl\ *n* : one of a pair of concave brass plates clashed together to make a ringing sound

cyn·ic \'sin-ik\ *n* : one who attributes all actions to selfish motives — **cyn·i·cal** \-i-kəl\ *adj* — **cyn·i·cism** \'sin-ə-ˌsiz-əm\ *n*

cy·no·sure \'sī-nə-ˌshùr, 'sin-ə-\ *n* : a center of attraction

cy·press \'sī-prəs\ *n* : a scaly-leaved evergreen tree related to the pines

cyst \'sist\ *n* : an abnormal closed bodily sac usu. containing liquid — **cys·tic** \'sis-tik\ *adj*

czar \'zär\ *n* : the ruler of Russia until 1917; *also* : one having great authority

Czech \'chek\ *n* **1** : a native or inhabitant of Czechoslovakia **2** : the language of the Czechs — **Czech** *adj*

D

d \'dē\ *n, often cap* : the 4th letter of the English alphabet

¹dab \'dab\ *n* **1** : a sudden blow or thrust : POKE; *also* : PECK **2** : a gentle touch or stroke : PAT

²dab *vb* **dabbed; dab·bing 1** : to strike or touch gently : PAT **2** : to apply lightly or irregularly : DAUB

³dab *n* **1** : DAUB **2** : a small amount

dab·ble \'dab-əl\ *vb* **1** : to wet by splashing : SPATTER **2** : to paddle or play in or as if in water **3** : to work or concern oneself lightly or without serious effort ⟨∼s in politics⟩

dachs·hund \'däks-ˌhunt\ *n* : a small dog of a breed of German origin with a long body, short legs, and long drooping ears

dac·tyl \'dak-t³l\ *n* : a metrical foot of one accented syllable followed by two unaccented syllables — **dac·tyl·ic** \dak-'til-ik\ *adj*

dad \'dad\ *n* : FATHER

daf·fo·dil \'daf-ə-ˌdil\ *n* : a narcissus with usu. large flowers having a trumpetlike center

daft \'daft\ *adj* : FOOLISH; *also* : INSANE — **daft·ness** *n*

dag·ger \'dag-ər\ *n* **1** : a short knifelike weapon used for stabbing **2** : a character † used as a reference mark or to indicate a death date

da·guerre·o·type \də-'ger-(ē-)ə-ˌtīp\ *n* : an early photograph produced on a silver or a silver-covered copper plate

dahl·ia \'dal-yə\ *n* : a tuberous herb related to the daisies and widely grown for its showy flowers

dai·ly \'dā-lē\ *adj* **1** : occurring, done, or used every day or every weekday **2** : of or relating to every day ⟨∼ visitors⟩ **3** : computed in terms of one day

¹dain·ty \'dānt-ē\ *n* : something delicious or pleasing to the taste : DELICACY

²dainty *adj* **1** : pleasing to the taste **2** : delicately pretty **3** : having or showing delicate taste; *also* : FASTIDIOUS — **dain·ti·ly** *adv* — **dain·ti·ness** *n*

dairy \'de(ə)r-ē\ *n* **1** : CREAMERY **2** : a farm specializing in milk production

da·is \'dā-əs, 'dī-\ *n* : a raised platform usu. above the floor of a hall or large room

dai·sy \'dā-zē\ *n* [OE *dægeseage*, lit., day's eye] : any of numerous composite plants having flower heads in which the marginal flowers resemble petals

dale \'dāl\ *n* : VALLEY

dal·ly \'dal-ē\ *vb* **1** : to act playfully; *esp* : to play amorously **2** : to waste time **3** : LINGER, DAWDLE — **dal·li·ance** *n*

dal·ma·tian \dal-'mā-shən\ *n, often cap* : a large dog of a breed characterized by a white short-haired coat with black or brown spots

¹dam \'dam\ *n* : a female parent — used esp. of a domestic animal

²dam *n* : a barrier (as across a stream) to prevent the flow of water — **dam** *vb*

¹dam·age \'dam-ij\ *n* **1** : loss or harm due to injury to persons, property, or reputation **2** *pl* : compensation in money imposed by law for loss or injury

²damage *vb* : to cause damage to

dam·ask \'dam-əsk\ *n* **1** : a firm lustrous reversible figured fabric used esp. for household linen **2** : a tough steel (**damask steel** *or* **Da·mas·cus steel** \də-ˌmas-kəs-\) formerly valued for sword blades

dame \'dām\ *n* **1** : a woman of rank, station, or authority **2** : an elderly woman **3** *slang* : WOMAN

damn \'dam\ *vb* **1** : to condemn esp. to hell **2** : CURSE — **damned** \'damd\ *adj*

dam·na·tion \dam-'nā-shən\ *n* **1** : the act of damning **2** : the state of being

damp — dateless

damned
¹damp \\'damp\\ *n* **1** : a noxious gas **2** : MOISTURE
²damp *vb* **1** : DEPRESS **2** : CHECK, RESTRAIN **3** : DAMPEN
³damp *adj* : MOIST — **damp·ness** *n*
damp·en \\'dam-pən\\ *vb* **1** : to check or diminish in activity or vigor **2** : to make or become damp
damp·er *n* : one that damps; *esp* : a valve or movable plate (as in the flue of a stove, furnace, or fireplace) to regulate the draft
dam·sel \\'dam-zəl\\ *n* : GIRL, MAIDEN
¹dance \\'dans\\ *vb* **1** : to glide, step, or move through a set series of movements usu. to music **2** : to move quickly up and down or about **3** : to perform or take part in as a dancer — **danc·er** *n*
²dance *n* **1** : an act or instance of dancing **2** : a social gathering for dancing **3** : a piece of music (as a waltz) by which dancing may be guided **4** : the art of dancing
dan·de·li·on \\'dan-dᵊl-,ī-ən\\ *n* : a common yellow-flowered herb related to the chicory
dan·der \\'dan-dər\\ *n* : ANGER, TEMPER
dan·dle \\'dan-dᵊl\\ *vb* : to move up and down in one's arms or on one's knee in affectionate play
dan·druff \\'dan-drəf\\ *n* : a whitish scurf on the scalp that comes off in small scales
¹dan·dy \\'dan-dē\\ *n* **1** : a man unduly attentive to dress **2** : something excellent in its class
²dandy *adj* : very good : FIRST-RATE
Dane \\'dān\\ *n* : a native or inhabitant of Denmark
dan·ger \\'dān-jər\\ *n* **1** : exposure or liability to injury, harm, or evil **2** : something that may cause injury or harm
syn peril, hazard
dan·ger·ous \\'dānj-(ə-)rəs\\ *adj* **1** : HAZARDOUS, PERILOUS **2** : able or likely to inflict injury — **dan·ger·ous·ly** *adv*
dan·gle \\'daŋ-gəl\\ *vb* **1** : to hang loosely esp. with a swinging motion : SWING **2** : to be a hanger-on or dependent **3** : to be left without proper grammatical connection in a sentence ⟨*dangling* participle⟩ **4** : to keep hanging uncertainly
Dan·ish \\'dā-nish\\ *n* : the language of the Danes — **Danish** *adj*
dank \\'daŋk\\ *adj* : disagreeably wet or moist : DAMP
dap·per \\'dap-ər\\ *adj* **1** : SPRUCE, TRIM **2** : being alert and lively in movement and manners : JAUNTY
dap·ple \\'dap-əl\\ *vb* : to mark with different-colored spots
¹dare \\'daər\\ *vb* **1** : to have sufficient courage : be bold enough to **2** : CHALLENGE **3** : to confront boldly
²dare *n* : an invitation to contend : CHALLENGE
dare·dev·il \\-,dev-əl\\ *n* : a recklessly bold person
dar·ing \\'da(ə)r-iŋ\\ *n* : venturesome boldness — **daring** *adj* — **dar·ing·ly** *adv*
¹dark \\'därk\\ *adj* **1** : being without light or without much light **2** : not light in color ⟨a ~ suit⟩ **3** : GLOOMY ⟨looks on the ~ side of life⟩ **4** : being without knowledge and culture ⟨the *Dark* Ages⟩ **5** : SECRETIVE — **dark·ly** *adv* — **dark·ness** *n*

²dark *n* **1** : absence of light : DARKNESS; *esp* : NIGHT **2** : a dark or deep color **3** : IGNORANCE; *also* : SECRECY
dark·en \\'där-kən\\ *vb* **1** : to make or grow dark or darker **2** : BESMIRCH, TARNISH ⟨~ a reputation⟩ **4** : to make or become gloomy or forbidding
dark·ling \\'där-kliŋ\\ *adv* : in the dark
dark·room \\'därk-,rüm, -,rum\\ *n* : a room protected from rays of light that are harmful in the process of developing sensitive photographic plates and film
¹dar·ling \\'där-liŋ\\ *n* **1** : a dearly loved person **2** : FAVORITE
²darling *adj* **1** : dearly loved : FAVORITE
darn \\'därn\\ *vb* : to mend with interlacing stitches — **darn** *n* — **darn·er** *n*
darning needle *n* **1** : a needle for darning **2** : DRAGONFLY
¹dart \\'därt\\ *n* **1** : a small pointed missile thrown at a target in a game (**darts**) **2** : something projected with sudden speed; *esp* : a sharp glance **3** : something causing a sudden pain **4** : a stitched tapering fold in a garment **5** : a quick movement
²dart *vb* **1** : to throw with a sudden movement **2** : to thrust or move suddenly or rapidly ⟨hundreds of minnows ~*ing* about in the creek⟩
¹dash \\'dash\\ *vb* **1** : to knock, hurl, or thrust violently **2** : SMASH **3** : SPLASH, SPATTER **4** : RUIN **5** : DEPRESS, SADDEN **6** : to perform or finish hastily ⟨~ off a letter⟩ **7** : to move with sudden speed
²dash *n* **1** : a sudden burst or splash **2** : a stroke of a pen **3** : a punctuation mark — used esp. to indicate a break in the thought or structure of a sentence **4** : a small addition ⟨add a ~ of salt⟩
dash·board \\-,bōrd\\ *n* : an instrument panel below the windshield in an automobile or airplane
dash·er *n* : a device (as in a churn) that agitates or stirs up something
dash·ing *adj* **1** : marked by vigorous action **2** : marked by smartness esp. in dress and manners
das·tard \\'das-tərd\\ *n* : COWARD; *esp* : one who sneakingly commits malicious acts — **das·tard·ly** *adj*
da·ta \\'dāt-ə, 'dat-\\ *n sing or pl* **1** : factual information (as measurements or statistics) used as a basis for reasoning, discussion, or calculation **2** : DATUM
¹date \\'dāt\\ *n* : the edible fruit of a tall Old World palm; *also* : this plant
²date *n* **1** : the day, month, or year of an event **2** : a statement giving the time of execution or making (as of a coin or check) **3** : the period to which something belongs **4** : APPOINTMENT; *esp* : a social engagement between two persons of opposite sex **5** : a person of the opposite sex with whom one has a social engagement — **to date** : up to the present moment
³date *vb* **1** : to determine the date of **2** : to record the date of or on **3** : to mark or reveal the date, age, or period of ⟨the architecture ~*s* the house⟩ **4** : to make or have a date with **5** : ORIGINATE ⟨~*s* from ancient times⟩ **6** : EXTEND ⟨*dating* back to childhood⟩ **7** : to show qualities typical of a past period
date·less *adj* **1** : ENDLESS **2** : having no date **3** : too ancient to be dated

date·line \'dāt-,līn\ *n* : a line in a publication giving the date and place of composition or issue

da·tum \'dāt-əm, 'dat-\ *n, pl* **da·ta** \-ə\ *or* **da·tums** : a single piece of data : FACT

¹**daub** \'dȯb\ *vb* **1** : to cover with soft adhesive matter : PLASTER **2** : SMEAR, SMUDGE **3** : to paint crudely — **daub·er** *n*

²**daub** *n* **1** : something daubed on : SMEAR **2** : a crude picture

daugh·ter \'dȯt-ər\ *n* **1** : a female offspring esp. of human beings **2** : a human female having a specified ancestor or belonging to a group of common ancestry — **daugh·ter·ly** *adj*

daughter–in–law *n, pl* **daughters–in–law** : the wife of one's son

daunt \'dȯnt\ *vb* : to lessen the courage of : INTIMIDATE

daunt·less *adj* : FEARLESS, UNDAUNTED

dav·en·port \'dav-ən-,pōrt\ *n* : a large upholstered sofa

daw·dle \'dȯd-ᵊl\ *vb* **1** : to spend time wastefully or idly : LINGER **2** : LOITER — **daw·dler** \'dȯd-(ᵊ-)lər\ *n*

¹**dawn** \'dȯn\ *vb* **1** : to begin to grow light as the sun rises **2** : to begin to appear or develop **3** : to begin to be understood ⟨the solution ∼*ed* on him⟩

²**dawn** *n* **1** : the first appearance of light in the morning **2** : a first appearance : BEGINNING ⟨the ∼ of a new era⟩

day \'dā\ *n* **1** : the period of light between one night and the next : DAYLIGHT **2** : the period of the earth's revolution on its axis **3** : a period of 24 hours beginning at midnight **4** : a specified day or date ⟨wedding ∼⟩ **5** : a specified time or period : AGE ⟨in olden ∼s⟩ **6** : the conflict or contention of the day ⟨carried the ∼⟩ **7** : the time set apart by usage or law for work ⟨the 8-hour ∼⟩

day·bed \-,bed\ *n* : a couch with low head and foot pieces

day·book \-,bu̇k\ *n* : DIARY, JOURNAL

day·break \-,brāk\ *n* : DAWN

day·dream \-,drēm\ *n* : a pleasant reverie — **daydream** *vb*

day·light \-,līt\ *n* **1** : the light of day **2** : DAWN **3** : understanding of something that has been obscure **4** *pl* : CONSCIOUSNESS; *also* : WITS

daylight saving time *n* : time usu. one hour ahead of standard time

Day of Atonement *n* : YOM KIPPUR

day·time \'dā-,tīm\ *n* : the period of daylight

¹**daze** \'dāz\ *vb* **1** : to stupefy esp. by a blow : STUN **2** : DAZZLE

²**daze** *n* the state of being dazed

daz·zle \'daz-əl\ *vb* **1** : to overpower with light **2** : to impress greatly or confound with brilliance ⟨*dazzled* the audience with his oratory⟩ — **dazzle** *n*

DDT \,dē-(,)dē-'tē\ *n* : an insecticide widely used against lice, flies, mosquitoes, and agricultural pests

dea·con \'dē-kən\ *n* [OE *dēacon*, fr. LL *diaconus*, fr. Gk *diakonos* servant, attendant, deacon] : a subordinate officer in a Christian church — **dea·con·ess** *n*

de·ac·ti·vate \dē-'ak-tə-,vāt\ *vb* : to make inactive or ineffective

¹**dead** \'ded\ *adj* **1** : LIFELESS **2** : DEATHLIKE, DEADLY ⟨in a ∼ faint⟩ **3** : NUMB **4** : very tired **5** : UNRESPONSIVE **6** : EXTINGUISHED ⟨∼ coals⟩ **7** : INANIMATE, INERT **8** : no longer active or functioning : EXHAUSTED, EXTINCT ⟨∼ battery⟩ ⟨a ∼ volcano⟩ **9** : lacking power, significance, or effect ⟨a ∼ custom⟩ **10** : OBSOLETE ⟨a ∼ language⟩ **11** : lacking in gaiety or animation ⟨a ∼ party⟩ **12** : QUIET, IDLE, UNPRODUCTIVE ⟨∼ capital⟩ **13** : lacking elasticity ⟨a ∼ tennis ball⟩ **14** : not circulating : STAGNANT ⟨∼ air⟩ **15** : lacking warmth, vigor, or taste ⟨∼ wine⟩

²**dead** *n, pl* **dead** **1** : one that is dead — usu. used collectively ⟨the living and the ∼⟩ **2** : the time of greatest quiet ⟨the ∼ of the night⟩

³**dead** *adv* **1** : UTTERLY ⟨∼ right⟩ **2** : in a sudden and complete manner ⟨stopped ∼⟩ **3** : DIRECTLY ⟨∼ ahead⟩

dead·beat \-,bēt\ *n* : one who persistently fails to pay his debts or his way

dead·en \'ded-ᵊn\ *vb* **1** : to impair in force, activity, or sensation : BLUNT ⟨∼ pain⟩ **2** : to lessen the luster or spirit of **3** : to make (as a wall) soundproof

dead·line \'ded-,līn\ *n* : a date or time before which something must be done

dead·lock \'ded-,läk\ *n* : a stoppage of action because neither of two equally strong factions in a struggle will give in — **deadlock** *vb*

¹**dead·ly** *adj* **1** : likely to cause or capable of causing death **2** : HOSTILE, IMPLACABLE **3** : very accurate : UNERRING **4** : fatal to spiritual progress ⟨∼ sin⟩ **5** : tending to deprive of force or vitality ⟨a ∼ habit⟩ **6** : suggestive of death

²**deadly** *adv* **1** : suggesting death ⟨∼ pale⟩ **2** : EXTREMELY ⟨∼ dull⟩

dead–weight \'ded-'wāt\ *n* : the unrelieved weight of an inert mass

deaf \'def\ *adj* **1** : unable to hear **2** : unwilling to hear or listen ⟨∼ to all suggestions⟩ — **deaf·ness** *n*

deaf–mute \'def-'myüt\ *n* : a deaf person who cannot speak

¹**deal** \'dēl\ *n* **1** : an indefinite quantity or degree ⟨a great ∼⟩; *also* : a large quantity ⟨a ∼ of money⟩ **2** : the act or right of distributing cards to players in a card game; *also* : HAND

²**deal** *vb* **dealt** \'delt\ **deal·ing** \'dē-liŋ\ **1** : DISTRIBUTE **2** : ADMINISTER, DELIVER ⟨*dealt* him a blow⟩ **3** : to have to do : TREAT ⟨the book ∼s with crime⟩ **4** : to take action in regard to something ⟨∼ with offenders⟩ **5** : TRADE; *also* : to sell or distribute something as a business ⟨∼ in used cars⟩ — **deal·er**

³**deal** *n* **1** : BARGAINING, NEGOTIATION; *also* : TRANSACTION **2** : treatment received ⟨a raw ∼⟩ **3** : a secret or underhand agreement **4** : BARGAIN

⁴**deal** *n* : wood or a board of fir or pine

deal·ing *n* **1** *pl* : INTERCOURSE, TRAFFIC; *esp* : business transactions **2** : a way of acting or of doing business ⟨fair in his ∼⟩

dean \'dēn\ *n* **1** : a clergyman who is head of a group of canons or of joint pastors of a church **2** : the head of a division, faculty, college, or school of a university **3** : a college or secondary school administrator in charge of counseling and disciplining students **4** : the senior member of a group ⟨the ∼ of a diplomatic corps⟩ — **dean·ship** *n*

¹**dear** \'diər\ *adj* **1** : highly valued : PRECIOUS **2** : AFFECTIONATE, FOND

dearth — **decibel**

3 : EXPENSIVE 4 : HEARTFELT — **dear·ly** *adv* — **dear·ness** *n*
²**dear** *n* : a loved one : DARLING
dearth \'dərth\ *n* : SCARCITY, FAMINE
death \'deth\ *n* 1 : the end of life 2 : the cause of loss of life 3 : the state of being dead 4 : DESTRUCTION, EXTINCTION 5 : SLAUGHTER — **death·like** *adj*
death·bed \-'bed\ *n* 1 : the bed in which a person dies 2 : the last hours of life
death·less *adj* : IMMORTAL, IMPERISHABLE ⟨~ fame⟩
death·ly *adj* 1 : FATAL 2 : of, relating to, or suggestive of death ⟨a ~ pallor⟩ — **deathly** *adv*
de·ba·cle \di-'bäk-əl, -'bak-\ *n* : BREAKDOWN, COLLAPSE ⟨stock market ~⟩
de·bar \di-'bär\ *vb* : to bar from having or doing something : PRECLUDE
de·bark \-'bärk\ *vb* : DISEMBARK — **de·bar·ka·tion** \,dē-,bär-'kā-shən\ *n*
de·base \di-'bās\ *vb* : to lower in character, dignity, quality, or value *syn* degrade, corrupt, deprave — **de·base·ment** *n*
de·bate \-'bāt\ *vb* 1 : to discuss or examine a question by presenting and considering arguments on both sides 2 : to take part in a debate — **de·bat·able** *adj* — **debate** *n* — **de·bat·er** *n*
de·bauch \-'bȯch\ *vb* : SEDUCE, CORRUPT — **de·bauch·ery** \-(ə-)rē\ *n*
de·ben·ture \-'ben-chər\ *n* : a certificate of indebtedness; *esp* : a bond secured only by the general assets of the issuing government or corporation
de·bil·i·tate \di-'bil-ə-,tāt\ *vb* : to impair the health or strength of
de·bil·i·ty \-'bil-ət-ē\ *n* : an infirm or weakened state
¹**deb·it** \'deb-ət\ *n* 1 : an entry in an account showing money paid out or owed 2 : a disadvantageous or unfavorable quality or character
²**debit** *vb* : to enter as a debit : charge with or as a debt
deb·o·nair \,deb-ə-'naər\ *adj* : gaily and gracefully charming : LIGHTHEARTED
de·brief \di-'brēf\ *vb* : to question (as a pilot back from a mission) in order to obtain useful information
de·bris \də-'brē, 'dā-,brē\ *n, pl* **debris** \-'brēz, -,brēz\ 1 : the remains of something broken down or destroyed : RUINS 2 : an accumulation of fragments of rock
debt \'det\ *n* 1 : SIN, TRESPASS 2 : something owed : OBLIGATION 3 : a condition of owing; *esp* : the state of owing money in amounts greater than one can pay
debt·or *n* 1 : SINNER 2 : one that owes a debt
de·bunk \dē-'bəŋk\ *vb* : to expose the sham or falseness in ⟨~ a rumor⟩
de·but \'dā-,byü\ *n* 1 : a first public appearance 2 : a formal entrance into society
deb·u·tante \'deb-yu̇-,tänt\ *n* : a young woman making her formal entrance into society
dec·ade \'dek-,ād, -əd\ *n* : a period of 10 years
dec·a·dence \'dek-əd-əns, di-'kād-ᵊns\ *n* : DETERIORATION, DECLINE — **dec·a·dent** *adj or n*
de·cal \'dē-,kal\ *n* : DECALCOMANIA

de·cal·co·ma·nia \di-,kal-kə-'mā-nē-ə\ *n* : a transferring (as to glass) of designs from specially prepared paper; *also* : a design prepared for such transferring
dec·a·logue \'dek-ə-,lȯg\ *n, often cap* : the ten commandments of God given to Moses on Mount Sinai
de·camp \di-'kamp\ *vb* 1 : to break up a camp 2 : to depart suddenly : ABSCOND
de·cant·er *n* : an ornamental glass bottle for serving wine

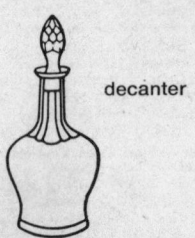

decanter

de·cap·i·tate \di-'kap-ə-,tāt\ *vb* : BEHEAD — **de·cap·i·ta·tion** \-,kap-ə-'tā-shən\ *n*
de·cay \di-'kā\ *vb* 1 : to decline from a sound, prosperous, or healthy condition ⟨a ~ing neighborhood⟩ ⟨~ed teeth⟩ 2 : to cause or undergo decomposition ⟨radium ~s slowly⟩; *esp* : to break down in the course of spoiling : ROT — **decay** *n*
de·cease \-'sēs\ *n* : DEATH — **decease** *vb*
de·ce·dent \-'sēd-ᵊnt\ *n* : a deceased person
de·ceit \-'sēt\ *n* 1 : DECEPTION 2 : TRICK
de·ceit·ful *adj* 1 : practicing or tending to practice deceit 2 : MISLEADING, DECEPTIVE ⟨a ~ answer⟩ — **de·ceit·ful·ly** *adv* — **de·ceit·ful·ness** *n*
de·ceive \di-'sēv\ *vb* 1 : to cause to believe an untruth 2 : to deal with dishonestly 3 : to use or practice dishonesty — **de·ceiv·er** *n*
de·cel·er·ate \dē-'sel-ə-,rāt\ *vb* : to slow down
De·cem·ber \di-'sem-bər\ *n* : the 12th month of the year having 31 days
de·cen·cy \'dēs-ᵊn-sē\ *n* 1 : PROPRIETY 2 : conformity to standards of taste, propriety, or quality 3 : standard of propriety — usu. used in pl.
de·cent \'dēs-ᵊnt\ *adj* 1 : conforming to standards of propriety, good taste, or morality 2 : modestly clothed 3 : free from immodesty or obscenity 4 : ADEQUATE ⟨~ housing⟩ — **de·cent·ly** *adv*
de·cen·tral·iza·tion \dē-,sen-trə-lə-'zā-shən\ *n* 1 : the dispersion or distribution of functions and powers from a central authority to regional and local authorities 2 : the redistribution of population and industry from urban centers to outlying areas — **de·cen·tral·ize** \-'sen-trə-,līz\ *vb*
de·cep·tion \di-'sep-shən\ *n* 1 : the act of deceiving 2 : the fact or condition of being deceived 3 : FRAUD, TRICK — **de·cep·tive** \-'sep-tiv\ *adj* — **de·cep·tive·ly** *adv*
dec·i·bel \'des-ə-,bel\ *n* 1 : a unit for expressing the ratio of two amounts of electric or acoustic signal power 2 : a

decide   121   **deed**

unit for measuring the relative loudness of sounds equal to about the smallest degree of difference detectable by the human ear whose range includes about 130 such units

de·cide \di-'sīd\ *vb* **1** : to arrive at a solution that ends uncertainty or dispute about **2** : to bring to a definitive end ⟨one blow *decided* the fight⟩ **3** : to induce to come to a choice **4** : to make a choice or judgment

de·cid·ed *adj* **1** : CLEAR, UNMISTAKABLE ⟨a ~ smell of gas⟩ **2** : FIRM, DETERMINED — **de·cid·ed·ly** *adv*

de·cid·u·ous \di-'sij-ə-wəs\ *adj* **1** : falling off usu. at the end of a period of growth or function ⟨~ leaves⟩ ⟨a ~ tooth⟩ **2** : having deciduous parts ⟨~ trees⟩

¹dec·i·mal \'des-ə-məl\ *adj* : based on the number 10 : reckoning by tens

²decimal *n* : a fraction in which the denominator is a power of 10 usu. not expressed but signified by a point placed at the left of the numerator (as .2 = 2/10, .25 = 25/100, .025 = 25/1000)

dec·i·mate \'des-ə-,māt\ *vb* **1** : to take or destroy the 10th part of **2** : to destroy a large part of

de·ci·pher \di-'sī-fər\ *vb* **1** : to translate from secret writing (as code) **2** : to make out the meaning of despite indistinctness — **de·ci·pher·able** *adj*

de·ci·sion \di-'sizh-ən\ *n* **1** : the act or result of deciding esp. by giving judgment **2** : promptness and firmness in deciding : DETERMINATION

de·ci·sive \-'sī-siv\ *adj* **1** : having the power to decide ⟨the ~ vote⟩ **2** : CONCLUSIVE ⟨a ~ victory⟩ **3** : marked by or showing decision ⟨a ~ manner⟩ — **de·ci·sive·ly** *adv* — **de·ci·sive·ness** *n*

¹deck \'dek\ *n* **1** : a floorlike platform of a ship; *also* : something resembling the deck of a ship **2** : a pack of playing cards

²deck *vb* **1** : ARRAY **2** : DECORATE **3** : to furnish with a deck

deck·hand \-,hand\ *n* : a seaman who performs manual duties

de·claim \di-'klām\ *vb* : to speak or deliver loudly or impressively — **dec·la·ma·tion** \,dek-lə-'mā-shən\ *n* — **de·clam·a·to·ry** \di-'klam-ə-,tōr-ē\ *adj*

de·clar·a·tive \di-'klar-ət-iv\ *adj* : making a declaration ⟨~ sentence⟩

de·clare \di-'klaər\ *vb* **1** : to make known formally or explicitly : ANNOUNCE ⟨~ war⟩ **2** : to state emphatically : AFFIRM **3** : to make a full statement of — **dec·la·ra·tion** \,dek-lə-'rā-shən\ *n* — **de·clar·a·to·ry** \di-'klar-ə-,tōr-ē\ *adj* — **de·clar·er** \-'klar-ər\ *n*

de·clas·si·fy \dē-'klas-ə-,fī\ *vb* : to remove or reduce the security classification of

¹de·cline \di-'klīn\ *vb* **1** : to slope downward : DESCEND **2** : DROOP **3** : RECEDE **4** : WANE **5** : to withhold consent; *also* : REFUSE, REJECT **6** : INFLECT ⟨~ a noun⟩ — **de·clin·able** *adj* — **dec·li·na·tion** \,dek-lə-'nā-shən\ *n*

²decline *n* **1** : a gradual sinking and wasting away **2** : a change to a lower state or level **3** : the time when something is approaching its end **4** : a descending slope **5** : a wasting disease; *esp* : pulmonary tuberculosis

de·cliv·i·ty \di-'kliv-ət-ē\ *n* : a steep downward slope

de·code \dē-'kōd\ *vb* : to convert (a coded message) into ordinary language

de·com·mis·sion \,dē-kə-'mish-ən\ *vb* : to take out of commission ⟨~ a battleship⟩

de·com·pose \,dē-kəm-'pōz\ *vb* **1** : to separate into its constituent parts **2** : to break down in decay : ROT — **de·com·po·si·tion** \dē-,käm-pə-'zish-ən\ *n*

de·com·press \,dē-kəm-'pres\ *vb* : to release (as a diver) from pressure or compression — **de·com·pres·sion** \-'presh-ən\ *n*

de·con·tam·i·nate \,dē-kən-'tam-ə-,nāt\ *vb* : to rid of contamination —

de·cor *or* **dé·cor** \dā-'kōr\ *n* : DECORATION; *esp* : the arrangement of accessories in interior decoration

dec·o·rate \'dek-ə-,rāt\ *vb* **1** : to make more attractive by adding something beautiful or becoming : ADORN, EMBELLISH **2** : to award a mark of honor (as a medal) to

dec·o·ra·tion \,dek-ə-'rā-shən\ *n* **1** : the act or process of decorating **2** : ORNAMENT **3** : a badge of honor

dec·o·ra·tor \'dek-ə-,rāt-ər\ *n* : one that decorates; *esp* : a person who designs or executes the interiors of buildings and their furnishings

dec·o·rous \'dek-ə-rəs, di-'kōr-əs\ *adj* : PROPER, SEEMLY, CORRECT

de·co·rum \di-'kōr-əm\ *n* **1** : conformity to accepted standards of conduct : proper behavior **2** : ORDERLINESS, PROPRIETY

¹de·coy \di-'kói, 'dē-,kói\ *n* : something that lures or entices; *esp* : an artificial bird used to attract live birds within shot

²decoy *vb* : to lure by or as if by a decoy : ENTICE

¹de·crease \di-'krēs\ *vb* : to grow or cause to grow less : DIMINISH

²decrease *n* **1** : DIMINISHING, LESSENING ⟨a ~ in accidents⟩ **2** : REDUCTION ⟨a ~ in prices⟩

¹de·cree \di-'krē\ *n* **1** : ORDER, EDICT **2** : a judicial decision

²decree *vb* **1** : COMMAND **2** : to determine or order judicially

de·crep·it \di-'krep-ət\ *adj* : broken down with age : worn out — **de·crep·i·tude** \-ə-,t(y)üd\ *n*

de·cry \di-'krī\ *vb* **1** : to belittle publicly **2** : to find fault with : CONDEMN

ded·i·cate \'ded-i-,kāt\ *vb* **1** : to devote to the worship of a divine being esp. with sacred rites **2** : to set apart for a definite purpose; *also* : to give over : COMMIT **3** : to inscribe or address as a compliment ⟨~ a book to a teacher⟩ — **ded·i·ca·tion** \,ded-i-'kā-shən\ *n*

de·duce \di-'d(y)üs\ *vb* **1** : to trace the course of ⟨~ their lineage⟩ **2** : to derive by reasoning : INFER — **de·duc·ible** *adj*

de·duct \-'dəkt\ *vb* : SUBTRACT — **de·duct·ible** *adj*

de·duc·tion \-'dək-shən\ *n* **1** : SUBTRACTION **2** : the deriving of a conclusion by reasoning : the conclusion so reached **3** : something that is or may be subtracted : ABATEMENT — **de·duc·tive** \-'dək-tiv\ *adj*

¹deed \'dēd\ *n* **1** : something done **2** : FEAT, EXPLOIT **3** : a document containing some legal transfer, bargain, or contract

deed *vb* : to convey or transfer by deed
deem \'dēm\ *vb* : THINK, JUDGE, SUPPOSE
¹**deep** \'dēp\ *adj* **1** : extending far down, back, within, or outward **2** : having a specified extension downward or backward **3** : difficult to understand; *also* : MYSTERIOUS, OBSCURE ⟨a ~ dark secret⟩ **4** : WISE **5** : ENGROSSED, INVOLVED ⟨~ in thought⟩ **6** : INTENSE, PROFOUND ⟨~ sleep⟩ **7** : high in saturation and low in lightness ⟨a ~ red⟩ **8** : having a low musical pitch or range ⟨a ~ voice⟩
²**deep** *adv* **1** : DEEPLY **2** : far on : LATE ⟨~ in the night⟩
³**deep** *n* **1** : an extremely deep place or part; *esp* : OCEAN **2** : the middle or most intense part ⟨the ~ of winter⟩
deep-seat-ed \-'sēt-əd\ *adj* **1** : situated far below the surface **2** : firmly established ⟨~ convictions⟩
deer \'di(ə)r\ *n*, *pl* **deer** [OE *dēor* wild animal] : any of a group of ruminant mammals with cloven hoofs and antlers in the males
de-face \di-'fās\ *vb* : to destroy or mar the face or surface of — **de-face-ment** *n*
de fac-to \di-'fak-tō, dā-\ *adj (or adv)* **1** : actually exercising power ⟨de facto government⟩ **2** : actually existing ⟨de facto state of war⟩
de-fal-ca-tion \ˌdē-ˌfal-'kā-shən, ˌdē-ˌfól-, ˌdef-əl-\ *n* : EMBEZZLEMENT
de-fame \di-'fām\ *vb* : to injure or destroy the reputation of by libel or slander — **def-a-ma-tion** \ˌdef-ə-'mā-shən\ *n* — **de-fam-a-to-ry** \di-'fam-ə-ˌtōr-ē\ *adj*
de-fault \di-'fólt\ *n* : failure to do something required by duty or law ⟨the defendant failed to appear and was held in ~⟩; *also* : failure to compete in or to finish an appointed contest ⟨lose a race by ~⟩ — **default** *vb* — **de-fault-er** *n*
¹**de-feat** \di-'fēt\ *vb* **1** : FRUSTRATE, NULLIFY **2** : to win victory over : BEAT
²**defeat** *n* **1** : FRUSTRATION **2** : an overthrow of an army in battle **3** : loss of a contest
¹**de-fect** \'dē-ˌfekt, di-'fekt\ *n* : BLEMISH, FAULT, IMPERFECTION
²**de-fect** \di-'fekt\ *vb* : to desert a cause or party esp. in order to espouse another — **de-fec-tion** \-'fek-shən\ *n* — **de-fec-tor** \-'fek-tər\ *n*
de-fec-tive \di-'fek-tiv\ *adj* : FAULTY, DEFICIENT
de-fend \di-'fend\ *vb* **1** : to repel danger or attack from **2** : to act as attorney for **3** : to oppose the claim of another in a lawsuit : CONTEST **4** : to maintain against opposition ⟨~ an idea⟩ — **de-fend-er** *n*
de-fen-dant \di-'fen-dənt\ *n* : a person required to make answer in a legal action or suit
de-fense *or* **de-fence** \di-'fens\ *n* **1** : the act of defending : resistance against attack **2** : capability of resisting attack **3** : means or method of defending **4** : an argument in support or justification **5** : a defending party or group
¹**de-fer** \-'fər\ *vb* **de-ferred; de-fer-ring** : to put off : DELAY
²**defer** *vb* **de-ferred; de-fer-ring** : to submit or yield to the opinion or wishes of another
def-er-ence \'def-(ə-)rəns\ *n* : courteous, respectful, or ingratiating regard for another's wishes — **def-er-en-tial** \ˌdef-ə-'ren-chəl\ *adj*

de-fer-ment \di-'fər-mənt\ *n* : the act of delaying; *esp* : official postponement of military service
de-fi-ance \-'fī-əns\ *n* **1** : CHALLENGE **2** : a willingness to resist : contempt of opposition
de-fi-ant \-ənt\ *adj* : full of defiance : BOLD, INSOLENT ⟨a ~ gesture⟩ — **de-fi-ant-ly** *adv*
de-fi-cient \di-'fish-ənt\ *adj* : lacking in something necessary (as for completeness or health) : DEFECTIVE — **de-fi-cien-cy** *n*
def-i-cit \'def-ə-sət\ *n* : a deficiency in amount; *esp* : an excess of expenditures over revenue
¹**de-file** \di-'fīl\ *vb* **1** : to make filthy **2** : CORRUPT **3** : RAVISH, VIOLATE
²**defile** *n* : a narrow passage or gorge
de-fine \di-'fīn\ *vb* **1** : to fix or mark the limits of **2** : to clarify in outline or character **3** : to discover and set forth the meaning of ⟨~ a word⟩ — **de-fin-able** *adj* — **de-fin-er** *n*
def-i-nite \'def-(ə-)nət\ *adj* **1** : having distinct limits : FIXED **2** : clear in meaning : EXACT, IMPLICIT **3** : typically designating an identified or immediately identifiable person or thing — **def-i-nite-ly** *adv* — **def-i-nite-ness** *n*
def-i-ni-tion \ˌdef-ə-'nish-ən\ *n* **1** : an act of determining or settling **2** : a statement of the meaning of a word or word group; *also* : the action or process of stating such a meaning **3** : the action or the power of making definite and clear : CLARITY, DISTINCTNESS
de-fin-i-tive \di-'fin-ət-iv\ *adj* **1** : DECISIVE, CONCLUSIVE **2** : being authoritative and apparently exhaustive ⟨~ studies⟩ **3** : serving to define or specify precisely
de-flate \di-'flāt\ *vb* **1** : to release air or gas from **2** : to cause to contract from an abnormally high level **3** : reduce from a state of inflation **3** : to become deflated : COLLAPSE
de-fla-tion \-'flā-shən\ *n* **1** : an act or instance of deflating : the state of being deflated **2** : reduction in the volume of available money or credit resulting in a decline of the general price level
de-flect \-'flekt\ *vb* : to turn aside — **de-form** \di-'fórm\ *vb* **1** : MISSHAPE, DISTORT **2** : DISFIGURE, DEFACE — **de-for-ma-tion** \ˌdē-ˌfór-'mā-shən, ˌdef-ər-\ *n*
de-for-mi-ty \di-'fór-mət-ē\ *n* **1** : the state of being deformed **2** : DISFIGUREMENT
de-fraud \-'fród\ *vb* : CHEAT
de-fray \-'frā\ *vb* : to provide for the payment of : PAY — **de-fray-al** *n*
de-frost \-'fróst\ *vb* **1** : to thaw out **2** : to free from ice
deft \'deft\ *adj* : quick and neat in action : SKILLFUL — **deft-ly** *adv* — **deft-ness** *n*
de-funct \di-'fəŋkt\ *adj* : DEAD, EXTINCT ⟨a ~ organization⟩
de-fy \di-'fī\ *vb* **1** : CHALLENGE, DARE **2** : to refuse boldly to obey or to yield to : DISREGARD ⟨~ the law⟩ **3** : WITHSTAND, BAFFLE ⟨a scene that defies description⟩
¹**de-gen-er-ate** \-'jen(-ə-)rət\ *adj* : fallen from a former, higher, or normal condition — **de-gen-er-a-cy** \-rə-sē\ *n* —
²**degenerate** *n* : a degenerate person; *esp* : a sexual pervert
³**de-gen-er-ate** \-'jen-ə-ˌrāt\ *vb* : to be-

degrade

come degenerate : DETERIORATE
de·grade \di-'grād\ *vb* **1** : to reduce from a higher to a lower rank or degree **2** : DEBASE, CORRUPT — **deg·ra·da·tion**
de·gree \di-'grē\ *n* **1** : a step in a series **2** : the extent, intensity, or scope of something esp. as measured by a graded series **3** : one of the forms or sets of forms used in the comparison of an adjective or adverb **4** : a rank or grade of official, ecclesiastical, or social position; *also* : the civil condition of a person **5** : a title conferred upon students by a college, university, or professional school upon completion of a unified program of study **6** : a 360th part of the circumference of a circle **7** : a line or space of the musical staff; *also* : a note or tone of a musical scale

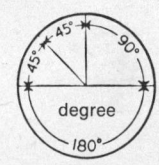

de·hu·man·ize \dē-'(h)yü-mə-,nīz\ *vb* : to divest of human qualities or personality — **de·hu·man·iza·tion**
de·hy·drate \dē-'hī-,drāt\ *vb* **1** : to remove liquid (as water) from ⟨*dehydrated* by fever⟩ ⟨~ fruits⟩; *also* : to lose liquid — **de·hy·dra·tion** \,dē-,hī-'drā-shən\ *n*
de·ify \'dē-ə-,fī\ *vb* **1** : to make a god of **2** : WORSHIP, GLORIFY — **de·ifi·ca·tion** \,dē-ə-fə-'kā-shən\ *n*
de·ism \'dē-,iz-əm\ *n* : a system of thought advocating natural religion based on human reason rather than revelation — **de·ist** *n* — **de·is·tic** \dē-'is-tik\ *adj*
de·ity \'dē-ət-ē\ *n* **1** : the rank or nature of a god or supreme being **2** *cap* : ²GOD **3** : GOD; *also* : GODDESS
de·ject·ed \di-'jek-təd\ *adj* : low-spirited : SAD, DEPRESSED — **de·ject·ed·ly** *adv*
de ju·re \dē-'jůr-ē\ *adj (or adv)* : existing or exercising power by legal right ⟨*de jure* government⟩
¹**de·lay** \di-'lā\ *n* **1** : the act of delaying : the state of being delayed **2** : the time during which something is delayed
²**delay** *vb* **1** : to put off : POSTPONE **2** : to stop, detain, or hinder for a time
de·lec·ta·ble \di-'lek-tə-bəl\ *adj* **1** : highly pleasing : DELIGHTFUL **2** : DELICIOUS
¹**del·e·gate** \'del-i-gət\ *n* **1** : DEPUTY, REPRESENTATIVE **2** : a member of the lower house of the legislature of Maryland, Virginia, or West Virginia
²**del·e·gate** \-,gāt\ *vb* **1** : to entrust to another ⟨*delegated* his authority⟩ **2** : to appoint as one's delegate
del·e·ga·tion \,del-i-'gā-shən\ *n* **1** : the act of delegating **2** : one or more persons chosen to represent others
de·lete \di-'lēt\ *vb* : to eliminate esp. by blotting out, cutting out, or erasing — **de·le·tion** \-'lē-shən\ *n*
del·e·te·ri·ous \,del-ə-'tir-ē-əs\ *adj* : HARMFUL, NOXIOUS
delft \'delft\ *n* **1** : a Dutch brown pottery coated with an opaque white glaze upon which the predominantly blue decoration is painted **2** : glazed pottery esp. when blue and white
delft·ware \-,waər\ *n* : DELFT
¹**de·lib·er·ate** \di-'lib-(ə-)rət\ *adj* **1** : determined after careful thought **2** : weighing facts and arguments : careful and slow in deciding **3** : UNHURRIED, SLOW — **de·lib·er·ate·ly** *adv*
²**de·lib·er·ate** \-'lib-ə-,rāt\ *vb* : to consider carefully — **de·lib·er·a·tion**
del·i·ca·cy \'del-i-kə-sē\ *n* **1** : something pleasing to eat because it is rare or luxurious **2** : FINENESS, DAINTINESS; *also* : FRAILTY **3** : nicety or expressiveness of touch **4** : precise perception and discrimination : SENSITIVITY
del·i·cate \-kət\ *adj* **1** : pleasing to the senses of taste or smell esp. in a mild or subtle way **2** : marked by daintiness or charm : EXQUISITE **3** : FASTIDIOUS, SQUEAMISH, SCRUPULOUS **4** : marked by minute precision : very sensitive
del·i·ca·tes·sen \,del-i-kə-'tes-ᵊn\ *n pl* [G, pl. of *delicatesse* delicacy, fr. F *délicatesse*, prob. fr. It *delicatezza*, fr. *delicato* delicate] **1** : ready-to-eat food products (as cooked meats and prepared salads) **2** *sing, pl* **delicatessens** : a store where delicatessen are sold
de·li·cious \di-'lish-əs\ *adj* : affording great pleasure : DELIGHTFUL; *esp* : very pleasing to the taste or smell — **de·li·cious·ly** *adv*
¹**de·light** \-'līt\ *n* **1** : great pleasure or satisfaction : JOY **2** : something that gives great pleasure — **de·light·ful** *adj* — **de·light·ful·ly** *adv*
²**delight** *vb* **1** : to take great pleasure **2** : to satisfy greatly : PLEASE
de·lin·e·ate \di-'lin-ē-,āt\ *vb* **1** : SKETCH, PORTRAY **2** : to picture in words : DESCRIBE — **de·lin·ea·tion** \-,lin-ē-'ā-shən\ *n*
de·lin·quen·cy \di-'liŋ-kwən-sē\ *n* : the quality or state of being delinquent
¹**de·lin·quent** \-kwənt\ *n* : a delinquent person
²**delinquent** *adj* **1** : offending by neglect or violation of duty or of law **2** : being in arrears in payment
del·i·quesce \,del-i-'kwes\ *vb* **1** : to become liquid by absorbing moisture from the air **2** : MELT — **del·i·ques·cent** \-'kwes-ᵊnt\ *adj*
de·lir·i·um \di-'lir-ē-əm\ *n* : mental disturbance marked by confusion, disordered speech, and hallucinations; *also* : violent excitement — **de·lir·i·ous** *adj*
de·liv·er \di-'liv-ər\ *vb* **1** : to set free : SAVE **2** : to hand over : CONVEY, SURRENDER **3** : to assist in giving birth or at the birth of **4** : UTTER, RELATE, COMMUNICATE **5** : to send to an intended target or destination ⟨~ a blow⟩ — **de·liv·er·ance** *n* — **de·liv·er·er** *n*
de·liv·ery \-'liv-(ə-)rē\ *n* **1** : a freeing from restraint **2** : the act of handing over : something delivered at one time or in one unit **3** : PARTURITION **4** : UTTERANCE; *also* : manner of speaking or singing **5** : the act or manner of discharging or throwing
dell \'del\ *n* : a small secluded valley
del·ta \'del-tə\ *n* [Gk, fr. *delta*, fourth letter of the Gk alphabet, Δ, which an alluvial delta resembles in shape] : triangular silt-formed land at the mouth of a river
de·lude \di-'lüd\ *vb* : MISLEAD, DECEIVE,

deluge TRICK

¹del·uge \'del-yüj\ *n* **1** : a flooding of land by water **2** : a drenching rain **3** : an irresistible rush ⟨a ~ of Easter mail⟩
²deluge *vb* **1** : INUNDATE, FLOOD **2** : to overwhelm as if with a deluge
de·lu·sion \di-'lü-zhən\ *n* : a deluding or being deluded; *esp* : a persistent belief in something false typical of some mental disorders — **de·lu·sive** \-'lü-siv\ *adj*
de·luxe \di-'lüks, -'ləks\ *adj* : notably luxurious or elegant ⟨a ~ edition⟩
delve \'delv\ *vb* **1** : DIG **2** : to seek laboriously for information in written records (as books)
dem·a·gogue *or* **dem·a·gog** \'dem-ə-,gäg\ *n* : a person who appeals to the emotions and prejudices of people esp. in order to advance his own political ends — **dem·a·gogu·ery** \-,gäg-(ə-)rē\ *n* — **dem·a·gogy** \-,gäj-ē, -,gäg-\ *n*
¹de·mand \di-'mand\ *n* **1** : an act of demanding or asking esp. with authority; *also* : something claimed as due **2** : an expressed desire to own or use something ⟨the ~ for new cars⟩ : the ability and desire to buy goods or services; *also* : the quantity of goods wanted at a stated price **3** : a seeking or being sought after : urgent need **4** : a pressing need or requirement ⟨~s that taxed his energy⟩
²demand *vb* **1** : to ask for with authority : claim as due **2** : to ask earnestly or in the manner of a command **3** : REQUIRE, NEED ⟨an illness that ~s care⟩
de·mar·cate \di-'mär-,kāt, 'dē-,mär-\ *vb* **1** : to mark the limits of **2** : SEPARATE — **de·mar·ca·tion** \dē-,mär-'kā-shən\ *n*
¹de·mean \di-'mēn\ *vb* : to behave or conduct (oneself) usu. in a proper manner
²demean *vb* : DEGRADE, DEBASE
de·mea·nor \di-'mē-nər\ *n* : CONDUCT, BEARING
de·ment·ed \di-'ment-əd\ *adj* : MAD, INSANE — **de·ment·ed·ly** *adv*
de·men·tia \-'men-chə\ *n* : mental deterioration : INSANITY
de·mer·it \dē-'mer-ət\ *n* **1** : FAULT **2** : a mark placed against a person's record for some fault or offense
de·mil·i·ta·rize \dē-'mil-ə-tə-,rīz\ *vb* : to strip of military forces, weapons, or fortifications — **de·mil·i·ta·ri·za·tion** \-,mil-ə-tə-rə-'zā-shən\ *n*
de·mise \di-'mīz\ *n* **1** : LEASE **2** : transfer of sovereignty to a successor ⟨~ of the crown⟩ **3** : DEATH
de·mo·bi·lize \di-'mō-bə-,līz\ *vb* **1** : to disband from military service **2** : to change from a state of war to a state of peace — **de·mo·bi·li·za·tion** \-,mō-bə-lə-'zā-shən\ *n*
de·moc·ra·cy \di-'mäk-rə-sē\ *n* **1** : government by the people; *esp* : rule of the majority **2** : a government in which the supreme power is held by the people **3** : a political unit that has a democratic government **4** *cap* : the principles and policies of the Democratic party in the U.S. **5** : the common people esp. when constituting the source of political authority **6** : the absence of hereditary or arbitrary class distinctions or privileges
dem·o·crat \'dem-ə-,krat\ *n* **1** : an adherent of democracy **2** : one who practices social equality **3** *cap* : a member of the Democratic party of the U.S.

demure

dem·o·crat·ic \,dem-ə-'krat-ik\ *adj* **1** : of, relating to, or favoring democracy **2** *often cap* : of or relating to one of the two major political parties in the U.S. associated in modern times with policies of broad social reform and internationalism **3** : of, relating to, or appealing to the common people ⟨~ art⟩ **4** : not snobbish
de·moc·ra·tize \di-'mäk-rə-,tīz\ *vb* : to make democratic
de·mog·ra·phy \di-'mäg-rə-fē\ *n* : the statistical study of human populations and esp. their size and distribution and the number of births and deaths — **de·mog·ra·pher** *n* — **de·mo·graph·ic** \,dēm-ə-'graf-ik, ,dem-\ *adj* — **de·mo·graph·i·cal·ly** *adv*
de·mol·ish \di-'mäl-ish\ *vb* **1** : to tear down : RAZE **2** : SMASH **3** : to put an end to
dem·o·li·tion \,dem-ə-'lish-ən, ,dē-mə-\ *n* : the act of demolishing; *esp* : destruction in war by means of explosives
de·mon *or* **dae·mon** \'dē-mən\ *n* **1** *usu* **daemon** : an attendant power or spirit **2** : an evil spirit : DEVIL **3** : one that has unusual drive or effectiveness ⟨he is a ~ for work⟩
de·mon·e·tize \dē-'män-ə-,tīz, -'mən-\ *vb* : to stop using as money or as a monetary standard ⟨~ silver⟩ — **de·mon·e·ti·za·tion** \-,män-ət-ə-'zā-shən, -,mən-\ *n*
de·mo·ni·ac \di-'mō-nē-,ak\ *adj* **1** : possessed or influenced by a demon **2** : DEVILISH, FIENDISH — **de·mo·ni·a·cal** \,dē-mə-'nī-ə-kəl\ *adj*
de·mon·ol·o·gy \,dē-mə-'näl-ə-jē\ *n* **1** : the study of demons **2** : belief in demons
de·mon·stra·ble \di-'män-strə-bəl\ *adj* **1** : capable of being demonstrated or proved **2** : APPARENT, EVIDENT
dem·on·strate \'dem-ən-,strāt\ *vb* **1** : to show clearly **2** : to prove or make clear by reasoning or evidence **3** : to explain esp. with many examples **4** : to show publicly ⟨~ a new car⟩ **5** : to make a public display (as of feelings or military force) ⟨citizens *demonstrated* in protest⟩ — **dem·on·stra·tion** \,dem-ən-'strā-shən\ *n* — **dem·on·stra·tor** \'dem-ən-,strāt-ər\ *n*
¹de·mon·stra·tive \di-'män-strət-iv\ *adj* **1** : demonstrating as real or true **2** : characterized by demonstration **3** : pointing out the one referred to and distinguishing it from others of the same class ⟨~ pronoun⟩ ⟨~ adjective⟩ **4** : marked by display of feeling : EFFUSIVE ⟨a ~ greeting⟩
²demonstrative *n* : a demonstrative word and esp. a pronoun
de·mor·al·ize \di-'mór-ə-,līz\ *vb* **1** : to corrupt in morals **2** : to weaken in discipline or spirit : DISORGANIZE — **de·mor·al·iza·tion** \-,mór-ə-lə-'zā-shən\ *n*
de·mote \-'mōt\ *vb* : to reduce to a lower grade or rank
de·mul·cent \-'məl-sənt\ *n* : a usu. oily or somewhat thick and gelatinous preparation used to soothe or protect an irritated mucous membrane
de·mur \-'mər\ *vb* **de·murred**; **de·mur·ring** : to take exception : OBJECT — **de·mur** *n*
de·mure \-'myúr\ *adj* **1** : quietly modest : DECOROUS **2** : affectedly modest,

reserved, or serious : PRIM — **de·mure·ly** *adv*

de·mur·rer \-'mər-ər\ *n* : a claim by the defendant in a legal action that the pleadings of the plaintiff are defective

den \'den\ *n* **1** : a shelter or resting place of a wild animal **2** : a hiding place (as for thieves) **3** : a dirty wretched place in which people live or gather ⟨~s of misery⟩ **4** : a cozy private little room

de·na·ture \dē-'nā-chər\ *vb* : to change the nature of; *esp* : to make (alcohol) unfit for drinking

den·gue \'deŋ-gē\ *n* : an acute infectious disease characterized by headache, severe joint pain, and rash

de·ni·al \di-'nī(-ə)l\ *n* **1** : rejection of a request **2** : refusal to admit the truth of a statement or charge : CONTRADICTION; *also* : assertion that something alleged is false **3** : DISAVOWAL **4** : restriction on one's own activity or desires

den·ier \'den-yər\ *n* : a unit of fineness for silk, rayon, or nylon yarn equal to the fineness of a yarn weighing one gram for each 9000 meters

den·i·grate \'den-ə-,grāt\ *vb* : to cast aspersions on : DEFAME

den·im \'den-əm\ *n* [F *serge de Nîmes* serge of Nîmes, France] **1** : a firm durable twilled usu. cotton fabric woven with colored warp and white filling threads **2** *pl* : overalls or trousers of usu. blue denim

de·nom·i·nate \di-'näm-ə-,nāt\ *vb* : to give a name to : DESIGNATE

de·nom·i·na·tion \-,näm-ə-'nā-shən\ *n* **1** : an act of denominating **2** : NAME, DESIGNATION; *esp* : a general name for a class of things **3** : a religious body comprising a number of local congregations having similar beliefs **4** : a value or size of a series of related values (as of money) — **de·nom·i·na·tion·al** \-'nā-sh(ə-)nəl\ *adj*

de·nom·i·na·tor \-'näm-ə-,nāt-ər\ *n* : the part of a fraction that is below the line

de·note \di-'nōt\ *vb* **1** : to mark out plainly : INDICATE **2** : to make known : SHOW ⟨smiled to ~ approval⟩ **3** : MEAN, NAME — **de·no·ta·tion** \,dē-nō-'tā-shən\ *n*

de·nounce \di-'nauns\ *vb* **1** : to point out as deserving blame or punishment **2** : to inform against : ACCUSE **3** : to announce formally the termination of (as a treaty) — **de·nounce·ment** *n*

dense \'dens\ *adj* **1** : marked by compactness or crowding together of parts ⟨a ~ forest⟩ : THICK, COMPACT ⟨a ~ fog⟩ **2** : DULL, STUPID — **dense·ly** *adv* — **dense·ness** *n*

den·si·ty \'den-sət-ē\ *n* **1** : the quality or state of being dense **2** : the quantity of something per unit volume, unit area, or unit length ⟨~ of a substance in grams per cubic centimeter⟩ ⟨population ~⟩

dent \'dent\ *n* **1** : a small depressed place made by a blow or by pressure **2** : an impression or effect made usu. against resistance **3** : initial progress — **dent** *vb*

den·tal \'dent-ᵊl\ *adj* : of or relating to the teeth or dentistry — **den·tal·ly** *adv*

den·tist \'dent-əst\ *n* : one whose profession is the care and replacement of teeth — **den·tist·ry** *n*

den·ture \'den-chər\ *n* : an artificial replacement for teeth

de·nude \di-'n(y)üd\ *vb* : to strip the covering from — **de·nu·da·tion** \,dē-n(y)ü-'dā-shən\ *n*

de·nun·ci·a·tion \di-,nən-sē-'ā-shən\ *n* : the act of denouncing; *esp* : a public accusation

de·ny \di-'nī\ *vb* **1** : to declare untrue : CONTRADICT **2** : to refuse to recognize or acknowledge : DISAVOW ⟨*denied* his faith⟩ **3** : to refuse to grant ⟨~ a request⟩ **4** : to reject as false ⟨~ the theory of evolution⟩

de·odor·ant \dē-'ōd-ə-rənt\ *n* : a preparation that destroys or masks unpleasant odors

de·oxy·ri·bo·nu·cle·ic acid \dē-,äk-sē-'rī-bō-n(y)ü-,klē-ik-\ *n* : any of various acids found esp. in cell nuclei

de·part \di-'pärt\ *vb* **1** : to go away : go away from : LEAVE **2** : DIE **3** : to turn aside : DEVIATE

de·part·ment \-mənt\ *n* **1** : a distinct sphere : PROVINCE **2** : a functional or territorial division (as of a government, business, or college) — **de·part·men·tal** \di-,pärt-'ment-ᵊl, ,dē-\ *adj*

de·par·ture \di-'pär-chər\ *n* **1** : the act of going away **2** : a starting out (as on a journey) **3** : DIVERGENCE

de·pend \di-'pend\ *vb* **1** : to hang down ⟨a vine ~*ing* from a tree⟩ **2** : to rely for support **3** : to be determined by or based on some action or condition **4** : TRUST, RELY

de·pend·able \-'pen-də-bəl\ *adj* : TRUSTWORTHY, RELIABLE — **de·pend·abil·i·ty** \-,pen-də-'bil-ət-ē\ *n*

de·pen·dence *also* **de·pen·dance** \-'pen-dəns\ *n* **1** : the quality or state of being dependent; *esp* : the quality or state of being influenced by or subject to another **2** : RELIANCE, TRUST **3** : something on which one relies

¹de·pen·dent \-dənt\ *adj* **1** : hanging down **2** : determined or conditioned by another **3** : relying on another for support **4** : subject to another's jurisdiction **5** : SUBORDINATE 4

²de·pen·dent *also* **de·pen·dant** \-dənt\ *n* : one that is dependent; *esp* : a person who relies on another for support

de·pict \di-'pikt\ *vb* **1** : to represent by a picture **2** : to describe in words — **de·pic·tion** \-'pik-shən\ *n*

de·pil·a·to·ry \-'pil-ə-,tōr-ē\ *n* : an agent for removing hair, wool, or bristles

de·plete \di-'plēt\ *vb* : to exhaust esp. of strength or resources — **de·ple·tion** \-'plē-shən\ *n*

de·plor·able \-'plōr-ə-bəl\ *adj* **1** : LAMENTABLE **2** : WRETCHED — **de·plor·ably** *adv*

de·plore \-'plōr\ *vb* **1** : to feel or express grief for **2** : to regret strongly **3** : to consider unfortunate or deserving of disapproval

de·ploy \-'plȯi\ *vb* : to spread out (as troops or ships) in order for battle

de·pop·u·late \dē-'päp-yə-,lāt\ *vb* : to reduce greatly the population of by destroying or driving away the inhabitants ⟨a city *depopulated* by an epidemic⟩ — **de·pop·u·la·tion** \-,päp-yə-'lā-shən\ *n*

de·port \di-'pōrt\ *vb* **1** : CONDUCT, BEHAVE **2** : BANISH, EXILE — **de·por·ta·tion** \,dē-,pōr-'tā-shən\ *n*

de·pose \-'pōz\ vb **1** : to remove from a high office (as of king) **2** : to testify under oath or by affidavit

¹de·pos·it \-'päz-ət\ vb **1** : to place for safekeeping or as a pledge; *esp* : to put money in a bank **2** : to lay down : PUT **3** : to let fall or sink ⟨sand and silt ~ed by a flood⟩ — **de·pos·i·tor** *n*

²deposit *n* **1** : the state of being deposited ⟨money on ~⟩ **2** : something placed for safekeeping; *esp* : money deposited in a bank **3** : money given as a pledge **4** : an act of depositing **5** : something laid or thrown down ⟨a ~ of silt by a river⟩ **6** : an accumulation of mineral matter (as ore, oil, or gas) in nature

dep·o·si·tion \,dep-ə-'zish-ən, ,dēp-\ *n* **1** : an act of removing from a position of authority **2** : TESTIMONY **3** : the process of depositing **4** : DEPOSIT

de·pos·i·to·ry \di-'päz-ə-,tōr-ē\ *n* : a place where something is deposited esp. for safekeeping

de·pot *1, 3 usu* 'dep-ō, *2 usu* 'dēp-\ *n* **1** : STOREHOUSE **2** : a building for railroad, bus, or airplane passengers : STATION **3** : a place where military supplies are kept or where troops are assembled and trained

de·prave \di-'prāv\ *vb* : CORRUPT, PERVERT — **de·praved** *adj* — **de·prav·i·ty** \-'prav-ət-ē\ *n*

dep·re·cate \'dep-ri-,kāt\ *vb* **1** : to express disapproval of **2** : DEPRECIATE

de·pre·ci·ate \di-'prē-shē-,āt\ *vb* **1** : to lessen in price or value **2** : UNDERVALUE, BELITTLE, DISPARAGE — **de·pre·ci·a·tion** \-,prē-shē-'ā-shən\ *n*

dep·re·da·tion \,dep-rə-'dā-shən\ *n* : a laying waste or plundering ⟨the ~s of rodents⟩

de·press \di-'pres\ *vb* **1** : to press down : cause to sink to a lower position **2** : to lessen the activity or force of **3** : SADDEN, DISCOURAGE **4** : to lessen in price or value

de·pres·sant *n* : one that depresses; *esp* : an agent that reduces bodily functional activity

de·pres·sion \-'presh-ən\ *n* **1** : an act of depressing : a state of being depressed **2** : a pressing down : LOWERING **3** : DEJECTION, MELANCHOLY **4** : a depressed area or part : HOLLOW **5** : a period of low general economic activity with widespread unemployment

dep·ri·va·tion \,dep-rə-'vā-shən\ *n* : an act or instance of depriving : LOSS; *also* : PRIVATION

de·prive \di-'prīv\ *vb* **1** : to take something away from ⟨~ a king of his power⟩ **2** : to stop from having something

depth \'depth\ *n* **1** : something that is deep; *esp* : the deep part of a body of water **2** : a part that is far from the outside or surface ⟨the ~s of the woods⟩ **3** : ABYSS **4** : the middle or innermost part ⟨the ~ of winter⟩ **5** : an extreme state (as of misery); *also* : the worst part ⟨the ~s of despair⟩ **6** : the perpendicular distance downward from a surface; *also* : the distance from front to back **7** : the quality of being deep **8** : degree of intensity ⟨the ~ of a color⟩

dep·u·ty \'dep-yət-ē\ *n* **1** : a person appointed to act for or in place of another **2** : an assistant empowered to act as a substitute in the absence of his superior **3** : a member of a lower house of a legislative assembly

de·rail \di-'rāl\ *vb* : to cause to run off the rails ⟨a train ~ed by heavy snow⟩ — **de·rail·ment** *n*

de·range \di-'rānj\ *vb* **1** : DISARRANGE, UPSET **2** : to make insane — **de·range·ment** *n*

der·by \'dər-bē, *Brit* 'där-\ *n* **1** : a horse race usu. for three-year-olds held annually **2** : a race or contest open to all **3** : a man's stiff felt hat with dome-shaped crown and narrow brim

¹der·e·lict \'der-ə-,likt\ *adj* **1** : abandoned by the owner or occupant ⟨a ~ ship⟩ **2** : NEGLECTFUL, NEGLIGENT ⟨~ in his duty⟩

²derelict *n* **1** : something voluntarily abandoned; *esp* : a ship abandoned on the high seas **2** : one that is not a responsible or acceptable member of society

der·e·lic·tion \,der-ə-'lik-shən\ *n* **1** : the act of abandoning : the state of being abandoned **2** : a failure in duty : DELINQUENCY

de·ride \di-'rīd\ *vb* : to laugh at scornfully : make fun of : RIDICULE — **de·ri·sion** \-'rizh-ən\ *n* — **de·ri·sive** \-'rī-siv\ *adj* — **de·ri·sive·ly** *adv*

der·i·va·tion \,der-ə-'vā-shən\ *n* **1** : the formation of a word from an earlier word or root; *also* : an act of ascertaining or stating the derivation of a word **2** : ETYMOLOGY **3** : SOURCE, ORIGIN; *also* : DESCENT **4** : an act or process of deriving

¹de·riv·a·tive \di-'riv-ət-iv\ *adj* : derived from something else : not original or fundamental

²derivative *n* **1** : a word formed by derivation **2** : something derived

de·rive \di-'rīv\ *vb* **1** : to receive or obtain from a source **2** : to obtain from a parent substance **3** : to trace the origin, descent, or derivation of **4** : to come from a certain source **5** : INFER, DEDUCE

der·ma·tol·o·gy \-'täl-ə-jē\ *n* : a branch of knowledge concerned with the skin and its disorders — **der·ma·tol·o·gist** *n*

der·o·gate \'der-ə-,gāt\ *vb* **1** : to cause to seem inferior : DISPARAGE **2** : DETRACT — **der·o·ga·tion** \,der-ə-'gā-shən\ *n*

de·rog·a·to·ry \di-'räg-ə-,tōr-ē\ *adj* : intended to lower the reputation of a person or thing : DISPARAGING ⟨~ remarks⟩

der·rick \'der-ik\ *n* **1** : a hoisting apparatus : CRANE **2** : a framework over a drill hole (as for oil) supporting the tackle for boring and hoisting

der·ri·ere *or* **der·ri·ère** \,der-ē-'eər\ *n* : BUTTOCKS

der·rin·ger \'der-ən-jər\ *n* : a short-barreled pocket pistol

de·scend \di-'send\ *vb* **1** : to pass from a higher to a lower place or level : pass, move, or climb down or down along **2** : DERIVE ⟨~ed from royalty⟩ **3** : to pass by inheritance or transmission **4** : to incline, lead, or extend downward ⟨the road ~s to the river⟩ **5** : to swoop down in a sudden attack

¹de·scen·dant *or* **de·scen·dent** \-'sen-dənt\ *adj* **1** : DESCENDING **2** : proceeding from an ancestor or source

²descendant *or* **descendent** *n* **1** : one descended from another or from a common stock **2** : one deriving directly from a precursor or prototype

de·scent \di-'sent\ *n* **1** : the act or process of descending **2** : a downward

step (as in station or value) : DECLINE 3 : ANCESTRY, BIRTH, LINEAGE 4 : SLOPE 5 : a descending way (as a downgrade or stairway) 6 : a sudden hostile raid or assault
de·scribe \-'skrīb\ vb 1 : to represent or give an account of in words 2 : to trace the outline of — de·scrib·able adj
de·scrip·tion \-'skrip-shən\ n 1 : an account of something; esp : an account that presents a picture to a person who reads or hears it 2 : KIND, SORT — de·scrip·tive \-'skrip-tiv\ adj
de·scry \-'skrī\ vb 1 : to catch sight of 2 : to discover by observation or investigation
des·e·crate \'des-i-ˌkrāt\ vb : PROFANE — des·e·cra·tion \ˌdes-i-'krā-shən\ n
de·seg·re·gate \dē-'seg-ri-ˌgāt\ vb : to eliminate segregation in; esp : to free of any law, provision, or practice requiring isolation of the members of a particular race in separate units — de·seg·re·ga·tion \-ˌseg-ri-'gā-shən\ n
1des·ert \'dez-ərt\ n : a dry barren region incapable of supporting a population without an artificial water supply
2desert adj : of, relating to, or resembling a desert; esp : being barren and without life ⟨a ~ island⟩
3de·sert \di-'zərt\ n 1 : worthiness of reward or punishment 2 : a just reward or punishment
4de·sert \di-'zərt\ vb 1 : to withdraw from : LEAVE, ABANDON 2 : FORSAKE — de·sert·er n — de·ser·tion \-'zər-shən\ n
de·serve \di-'zərv\ vb : to be worthy of : MERIT — de·serv·ing adj
des·ic·cate \'des-i-ˌkāt\ vb : DRY, DEHYDRATE — des·ic·ca·tion \ˌdes-i-'kā-shən\ n
1de·sign \di-'zīn\ vb 1 : to conceive and plan out in the mind; also : DEVOTE, CONSIGN 2 : INTEND 3 : to devise for a specific function or end 4 : to make a pattern or sketch of 5 : to conceive and draw the plans for ⟨~ an airplane⟩ — de·sign·er n
2design n 1 : a mental project or scheme : PLAN 2 : a particular purpose : deliberate planning 3 : a secret project or scheme : PLOT 4 pl : aggressive or evil intent — used with on or against 5 : a preliminary sketch or plan : DELINEATION 6 : an underlying scheme that governs functioning, developing, or unfolding : MOTIF 7 : the arrangement of elements that make up a structure or a work of art 8 : a decorative pattern
1des·ig·nate \'dez-ig-ˌnāt, -nət\ adj : chosen for an office but not yet installed ⟨ambassador ~⟩
2des·ig·nate \'dez-ig-ˌnāt\ vb 1 : to mark or point out : INDICATE; also : SPECIFY, STIPULATE 2 : to appoint or choose by name for a special purpose 3 : to call by a name or title — des·ig·na·tion \ˌdez-ig-'nā-shən\ n
de·sir·able \-'zī-rə-bəl\ adj 1 : PLEASING, ATTRACTIVE ⟨a ~ woman⟩ ⟨a ~ location⟩ 2 : ADVISABLE ⟨~ legislation⟩ — de·sir·abil·i·ty \-ˌzī-rə-'bil-ət-ē\ n
1de·sire \-'zī(ə)r\ vb 1 : to long, hope, or wish for : COVET 2 : REQUEST
2desire n 1 : a strong wish : LONGING, CRAVING 2 : an expressed wish : REQUEST 3 : something desired
desk \'desk\ n 1 : a table, frame, or case esp. for writing and reading 2 : a counter, stand, or booth at which a person performs his duties 3 : a specialized division of an organization (as a newspaper) ⟨city ~⟩
1des·o·late \'des-ə-lət\ adj 1 : DESERTED, ABANDONED 2 : FORSAKEN, LONELY 3 : DILAPIDATED 4 : BARREN, LIFELESS 5 : CHEERLESS, GLOOMY — des·o·late·ly adv
2des·o·late \-ˌlāt\ vb : to make desolate : lay waste : make wretched
des·o·la·tion \ˌdes-ə-'lā-shən\ n 1 : the action of desolating 2 : DEVASTATION, RUIN 3 : barren wasteland 4 : GRIEF, SADNESS 5 : LONELINESS
1de·spair \di-'spaər\ vb : to lose all hope or confidence — de·spair·ing adj — de·spair·ing·ly adv
2despair n 1 : utter loss of hope 2 : a cause of hopelessness
des·per·ate \'des-p(ə-)rət\ adj 1 : being beyond or almost beyond hope : causing despair 2 : RASH 3 : extremely intense : OVERPOWERING — des·per·ate·ly adv
des·per·a·tion \ˌdes-pə-'rā-shən\ n 1 : a loss of hope and surrender to misery or dread 2 : a state of hopelessness leading to rashness
de·spic·a·ble \di-'spik-ə-bəl, 'des-pi-kə-\ adj : deserving to be despised : CONTEMPTIBLE — des·pi·ca·bly adv
de·spise \di-'spīz\ vb 1 : to look down on with contempt or aversion : DISDAIN, DETEST 2 : to regard as negligible, worthless, or distasteful
de·spite \-'spīt\ prep : in spite of
de·spoil \-'spȯil\ vb : to strip of belongings, possessions, or value : PLUNDER, PILLAGE — de·spoil·er n
1de·spond \di-'spänd\ vb : to become discouraged or disheartened
2despond n : DESPONDENCY
de·spon·den·cy \-'spän-dən-sē\ n : DEJECTION, HOPELESSNESS — de·spon·dent adj
des·sert \di-'zərt\ n : a course of sweet food, fruit, or cheese served at the close of a meal
des·ti·na·tion \ˌdes-tə-'nā-shən\ n 1 : an act of appointing, setting aside for a purpose, or predetermining 2 : purpose for which something is destined 3 : a place set for the end of a journey or to which something is sent
des·tine \'des-tən\ vb 1 : to settle in advance 2 : to designate, assign, or dedicate in advance 3 : to be bound or directed ⟨a ship destined for Gulf ports⟩
des·ti·ny \'des-tə-nē\ n 1 : something to which a person or thing is destined : FATE, FORTUNE 2 : a predetermined course of events
des·ti·tute \'des-tə-ˌt(y)üt\ adj 1 : lacking something needed or desirable 2 : extremely poor — des·ti·tu·tion \ˌdes-tə-'t(y)ü-shən\ n
de·stroy \di-'strȯi\ vb 1 : to put an end to : RUIN 2 : KILL
de·struc·ti·ble \di-'strək-tə-bəl\ adj : capable of being destroyed — de·struc·ti·bil·i·ty \-ˌstrək-tə-'bil-ət-ē\ n
de·struc·tion \-'strək-shən\ n 1 : the action or process of destroying something 2 : RUIN 3 : a destroying agency — de·struc·tive \-'strək-tiv\ adj —
de·tach \di-'tach\ vb 1 : to separate esp. from a larger mass 2 : DISENGAGE, WITHDRAW — de·tach·able adj

de·tached *adj* **1** : not joined or connected : SEPARATE **2** : ALOOF, UNCONCERNED, IMPARTIAL ⟨a ~ attitude⟩

de·tach·ment \di-'tach-mənt\ *n* **1** : SEPARATION **2** : the dispatching of a body of troops or part of a fleet from the main body for special service; *also* : the portion so dispatched **3** : a small permanent military unit different in composition from normal units **4** : indifference to worldly concerns : ALOOFNESS, UNWORLDLINESS **5** : IMPARTIALITY

¹**de·tail** \di-'tāl, 'dē-,tāl\ *n* **1** : a dealing with something item by item ⟨go into ~⟩; *also* : ITEM, PARTICULAR ⟨the ~s of a story⟩ **2** : selection (as of soldiers) for special duty; *also* : the persons thus selected

²**detail** *vb* **1** : to report in detail **2** : ENUMERATE, SPECIFY **3** : to select for some special duty

de·tain \di-'tān\ *vb* **1** : to hold in or as if in custody **2** : STOP, DELAY

de·tect \-'tekt\ *vb* : to discover the nature, existence, presence, or fact of ⟨~ smoke⟩ — **de·tect·able** *adj* — **de·tec·tion** \-'tek-shən\ *n* — **de·tec·tor** *n*

¹**de·tec·tive** \di-'tek-tiv\ *adj* **1** : fitted for, employed for, or concerned with detection ⟨a ~ device for coal gas⟩ **2** : of or relating to detectives ⟨a ~ story⟩

²**detective** *n* : a person employed or engaged in detecting lawbreakers or getting information that is not readily accessible

de·ten·tion \di-'ten-chən\ *n* **1** : the act or fact of detaining : CONFINEMENT; *esp* : temporary custody awaiting trial **2** : a forced delay

de·ter \-'tər\ *vb* -terred; -ter·ring **1** : to turn aside, discourage, or prevent from acting (as by fear) **2** : INHIBIT

de·ter·gent \-'tər-jənt\ *n* : a cleansing agent; *esp* : any of numerous synthetic preparations chemically different from soap

de·te·ri·o·rate \-'tir-ē-ə-,rāt\ *vb* : to make or grow worse : DEGENERATE — **de·te·ri·o·ra·tion** \-,tir-ē-ə-'rā-shən\ *n*

de·ter·min·able \di-'tər-mə-nə-bəl\ *adj* : capable of being determined; *esp* : ASCERTAINABLE

de·ter·mi·nant \-nənt\ *n* **1** : something that determines or conditions : FACTOR **2** : a hereditary factor : GENE

de·ter·mi·nate \-nət\ *adj* **1** : having fixed limits : DEFINITE **2** : definitely settled

de·ter·mi·na·tion \di-,tər-mə-'nā-shən\ *n* **1** : the act of coming to a decision; *also* : the decision or conclusion reached **2** : the act of fixing the extent, position, or character of something **3** : accurate measurement (as of length or volume) **4** : firm or fixed purpose

de·ter·mine \di-'tər-mən\ *vb* **1** : to fix conclusively or authoritatively **2** : to come to a decision : SETTLE, RESOLVE **3** : to fix the form or character of beforehand : ORDAIN; *also* : REGULATE **4** : to find out the limits, nature, dimensions, or scope of ⟨~ a position at sea⟩

de·ter·mined *adj* **1** : DECIDED, RESOLVED **2** : FIRM, RESOLUTE — **de·ter·mined·ly** *adv* — **de·ter·mined·ness** *n*

de·ter·rence \di-'tər-əns\ *n* : the act, process, or capacity of deterring

de·ter·rent \-ənt\ *adj* **1** : serving to deter **2** : relating to deterrence — **deterrent** *n*

de·test \di-'test\ *vb* : LOATHE, HATE — **de·test·able** *adj* — **de·tes·ta·tion** *n*

de·throne \di-'thrōn\ *vb* : to remove from a throne : DEPOSE — **de·throne·ment** *n*

¹**de·tour** \'dē-,tùr\ *n* : a roundabout way temporarily replacing part of a route

²**detour** *vb* : to go by detour

de·tract \di-'trakt\ *vb* **1** : to take away : WITHDRAW, SUBTRACT **2** : DISTRACT — **de·trac·tion** \-'trak-shən\ *n* — **de·trac·tor** *n*

det·ri·ment \'det-rə-mənt\ *n* : injury or damage or its cause : HURT — **det·ri·men·tal** \,det-rə-'ment-°l\ *adj* — **det·ri·men·tal·ly** *adv*

deuce \'d(y)üs\ *n* **1** : a two in cards or dice **2** : a tie in tennis with both sides at 40 **3** : DEVIL — used chiefly as a mild oath

de·val·ue \dē-'val-yü\ *vb* : to reduce the international exchange value of ⟨~ a currency⟩ — **de·val·u·a·tion** \-,val-yə-'wā-shən\ *n*

dev·as·tate \'dev-ə-,stāt\ *vb* **1** : to reduce to ruin : lay waste **2** : to shatter completely : DEMOLISH — **dev·as·ta·tion** \,dev-ə-'stā-shən\ *n*

de·vel·op \di-'vel-əp\ *vb* **1** : to unfold gradually or in detail **2** : to place (exposed photographic material) in chemicals in order to make the image visible **3** : to bring out the possibilities of **4** : to make more available or usable ⟨~ natural resources⟩ **5** : to acquire gradually ⟨~ a taste for olives⟩ **6** : to go through a natural process of growth and differentiation : EVOLVE **7** : to become apparent — **de·vel·op·er** *n* — **de·vel·op·ment** *n*

de·vi·ant \'dē-vē-ənt\ *adj* **1** : deviating esp. from some accepted norm **2** : characterized by deviation

de·vi·ate \'dē-vē-,āt\ *vb* : to turn aside from a course, standard, principle, or topic — **de·vi·a·tion** \,dē-vē-'ā-shən\ *n*

de·vice \di-'vīs\ *n* **1** : SCHEME, STRATAGEM **2** : a piece of equipment or a mechanism for a special purpose **3** : WILL, DESIRE ⟨left to his own ~s⟩

¹**dev·il** \'dev-əl\ *n* [OE *dēofol*, fr. LL *diabolus*, fr. Gk *diabolos*, lit., slanderer, fr. *diaballein* to slander] **1** *often cap* : the personal supreme spirit of evil **2** : DEMON **3** : a wicked person **4** : a reckless or dashing person **5** : a pitiable person ⟨poor ~⟩ **6** : a printer's apprentice — *or adv* — **dev·il·ish·ly** *adv*

²**devil** *vb* -iled *or* -illed; -il·ing *or* -il·ling **1** : TEASE, ANNOY **2** : to chop fine and season highly ⟨~ed eggs⟩

dev·il·ish \-(ə-)lish\ *adj* **1** : characteristic of or resembling the devil ⟨~ tricks⟩ **2** : EXTREME, EXCESSIVE ⟨in a ~ hurry⟩

de·vi·ous \'dē-vē-əs\ *adj* **1** : deviating from a straight line : ROUNDABOUT **2** : ERRING **3** : TRICKY

¹**de·vise** \di-'vīz\ *vb* **1** : INVENT **2** : PLOT **3** : to give (real estate) by will

²**devise** *n* **1** : a disposing of real property by will **2** : a will or clause of a will disposing of real property **3** : property given by will

de·vi·tal·ize \dē-'vīt-°l-,īz\ *vb* : to deprive of life or vitality

de·void \di-'vȯid\ *adj* : entirely lacking : DESTITUTE ⟨a book ~ of interest⟩

de·volve \di-'välv\ *vb* : to pass from one person to another by succession or transmission — **dev·o·lu·tion** \,dev-ə-'lü-shən\ *n*

de·vote \di-'vōt\ *vb* **1** : to set apart for a special purpose : DEDICATE **2** : to give up to wholly or chiefly ⟨*devoted* his time to sports⟩

de·vot·ed *adj* **1** : ZEALOUS, ARDENT, DEVOUT **2** : AFFECTIONATE, LOVING ⟨a ~ husband⟩

dev·o·tee \,dev-ə-'tē\ *n* **1** : an esp. ardent adherent of a religion or deity **2** : a zealous follower, supporter, or enthusiast ⟨a ~ of sports⟩

de·vo·tion \di-'vō-shən\ *n* **1** : religious fervor **2** : an act of prayer or supplication — usu. used in pl. **3** *pl* : prayers or service of worship for private use **4** : the act of devoting or quality of being devoted ⟨~ to music⟩ **5** : strong love or affection — **de·vo·tion·al** *adj*

de·vour \di-'vau̇(ə)r\ *vb* **1** : to eat up greedily or ravenously **2** : WASTE, ANNIHILATE **3** : to take in eagerly by the senses or mind ⟨~ a book⟩

de·vout \-'vau̇t\ *adj* **1** : devoted to religion : PIOUS **2** : expressing devotion : SINCERE — **de·vout·ly** *adv*

dew \'d(y)ü\ *n* : moisture condensed on the surfaces of cool bodies at night — **dewy** *adj*

dex·ter·i·ty \dek-'ster-ət-ē\ *n* **1** : readiness and grace in physical activity; *esp* : skill and ease in using the hands **2** : mental skill or quickness

dex·ter·ous \'dek-st(ə-)rəs\ *or* **dextrous** \-strəs\ *adj* **1** : skillful and competent with the hands **2** : EXPERT **3** : done with skillfulness — **dex·ter·ous·ly** *adv*

dex·trose \'dek-,strōs\ *n* : a sugar that occurs in plants and blood and may be made from starch

di·a·be·tes \,dī-ə-'bēt-ēz, -'bēt-əs\ *n* : an abnormal state marked by passage of excessive amounts of urine; *esp* : one in which insulin is deficient and the urine and blood contain excess sugar — **di·a·bet·ic** \-'bet-ik\ *adj or n*

di·a·bol·ic \-'bäl-ik\ *adj* : DEVILISH, FIENDISH — **di·a·bol·i·cal** *adj* — **di·a·bol·i·cal·ly** *adv*

di·ag·no·sis \,dī-ig-'nō-səs\ *n, pl* **-no·ses** \-,sēz\ : the art or act of identifying a disease from its signs and symptoms

¹**di·ag·o·nal** \dī-'ag-ən-ᵊl\ *adj* **1** : extending from one corner to the opposite corner in a 4-sided figure **2** : running in a slanting direction ⟨~ stripes⟩ **3** : having slanting markings or parts ⟨a ~ weave⟩ — **di·ag·o·nal·ly** *adv*

²**diagonal** *n* **1** : a diagonal line **2** : a diagonal direction **3** : a diagonal row, arrangement, or pattern

¹**di·a·gram** \'dī-ə-,gram\ *n* : a drawing, sketch, plan, or chart that makes something easier to understand — **di·a·gram·mat·ic** \,dī-ə-grə-'mat-ik\ *or* **di·a·gram·mat·i·cal** *adj* — **di·a·gram·mat·i·cal·ly** *adv*

²**diagram** *vb* **-gramed** *or* **-grammed**; **-gram·ing** *or* **-gram·ming** : to represent by a diagram

¹**di·al** \'dī(-ə)l\ *n* **1** : SUNDIAL **2** : the face of a timepiece **3** : a plate or face with a pointer and numbers that indicate something ⟨the ~ of a pressure gauge⟩ **4** : a disk with a knob or slots that is turned for making connections (as on a telephone) or for regulating operation (as of a radio)

²**dial** *vb* **-aled** *or* **-alled**; **-al·ing** *or* **-al·ling** **1** : to manipulate a telephone dial so as to call **2** : to manipulate a dial so as to operate or select ⟨~ a radio program⟩

di·a·lect \'dī-ə-,lekt\ *n* : a regional variety of a language

di·a·lec·tic \,dī-ə-'lek-tik\ *n* : the process or art of reasoning correctly

di·a·logue *or* **di·a·log** \'dī-ə-,lȯg\ *n* **1** : a conversation between two or more persons **2** : the parts of a literary or dramatic composition that represent conversation

di·am·e·ter \dī-'am-ət-ər\ *n* [Gk *diametros*, fr. *dia-* through + *metron* measure] **1** : a straight line that passes through the center of a circle and divides it in half **2** : THICKNESS ⟨~ of a rope⟩

di·a·met·ri·cal·ly \,dī-ə-'met-ri-k(ə-)lē\ *adv* : as if at opposite ends of a diameter ⟨~ opposed⟩

di·a·mond \'dī-(ə-)mənd\ *n* **1** : a hard brilliant mineral that consists of crystalline carbon and is used as a gem **2** : a flat figure having four equal sides, two acute angles, and two obtuse angles **3** : any of a suit of playing cards marked with a red diamond **4** : INFIELD; *also* : the entire playing field in baseball

di·a·mond·back \-,bak\ *n* : a large and very deadly rattlesnake

¹**di·a·per** \'dī-(ə-)pər\ *n* **1** : a cotton or linen fabric woven in a simple geometric pattern **2** : a piece of folded cloth drawn up between the legs of a baby and fastened about the waist

²**diaper** *vb* **1** : to ornament with diaper designs **2** : to put a diaper on

di·a·phragm \'dī-ə-,fram\ *n* **1** : a muscular bodily partition; *esp* : one between the chest and abdominal cavities of a mammal **2** : a vibrating disk (as in a telephone receiver) — **di·a·phrag·mat·ic** \,dī-ə-,frag-'mat-ik\ *adj*

di·ar·rhea *or* **di·ar·rhoea** \,dī-ə-'rē-ə\ *n* : abnormal looseness of the bowels

di·a·ry \'dī-(ə-)rē\ *n* : a daily record esp. of personal experiences and observations; *also* : a book for keeping such private notes and records

di·as·to·le \dī-'as-tə-(,)lē\ *n* : a rhythmically recurrent expansion; *esp* : the dilatation of the cavities of the heart during which they fill with blood

dia·ther·my \'dī-ə-,thər-mē\ *n* : the generation of heat in tissue for medical or surgical purposes by electric currents

di·a·tribe \'dī-ə-,trīb\ *n* : a bitter or violent attack in speech or writing : an angry criticism or denunciation

dib·ble \'dib-əl\ *n* : a pointed hand tool for making holes (as for planting bulbs) in the ground — **dibble** *vb*

¹**dice** \'dīs\ *n, pl* **dice** : a small cube marked on each face with one to six spots and used usu. in pairs in various games and in gambling

dice, 1

dice *vb* **1** : to cut into small cubes ⟨~ carrots⟩ **2** : to play games with dice
di·chot·o·my \dī-'kät-ə-mē\ *n* : a division or the process of dividing into two esp. mutually exclusive or contradictory groups
dick·er \'dik-ər\ *vb* : BARGAIN, HAGGLE
dick·ey *or* **dicky** \'dik-ē\ *n* **1** : a small fabric insert worn to fill in the neckline **2** *chiefly Brit* : the driver's seat in a carriage; *also* : a seat at the back of a carriage or automobile
di·cot·y·le·don \,dī-,kät-ᵊl-'ēd-ᵊn\ *n* : a seed plant having two cotyledons — **di·cot·y·le·don·ous** *adj*
¹**dic·tate** \'dik-,tāt\ *vb* **1** : to speak or read for a person to transcribe or for a machine to record **2** : COMMAND, ORDER — **dic·ta·tion** \dik-'tā-shən\ *n*
²**dictate** *n* : an authoritative rule, prescription, or injunction : COMMAND ⟨the ~s of conscience⟩
dic·ta·tor \'dik-,tāt-ər\ *n* **1** : a person ruling absolutely and often brutally and oppressively **2** : one that dictates
dic·ta·to·ri·al \,dik-tə-'tōr-ē-əl\ *adj* : of, relating to, or characteristic of a dictator or a dictatorship : AUTOCRATIC, IMPERIOUS, DESPOTIC
dic·ta·tor·ship \dik-'tāt-ər-,ship\ *n* **1** : the office or term of office of a dictator **2** : autocratic rule, control, or leadership **3** : a government or country in which absolute power is held by a dictator or a small clique
dic·tion \'dik-shən\ *n* **1** : choice of words esp. with regard to correctness, clearness, or effectiveness : WORDING **2** : ENUNCIATION
dic·tio·nary \'dik-shə-,ner-ē\ *n* : a reference book containing words usu. alphabetically arranged along with information about their forms, pronunciations, functions, etymologies, meanings, and syntactical and idiomatic uses
dic·tum \'dik-təm\ *n, pl* **-ta** \-tə\ *also* **-tums** **1** : an authoritative statement : PRONOUNCEMENT **2** : a formal statement of an opinion
¹**die** \'dī\ *vb* **died; dy·ing** **1** : to stop living : EXPIRE **2** : to pass out of existence ⟨a *dying* race⟩ **3** : to disappear or subside gradually ⟨the wind *died* down⟩ **4** : to long keenly ⟨*dying* to go⟩ **5** : STOP ⟨the motor *died*⟩
die \'dī\ *n, pl* **dice** \'dīs\ *or* **dies** \'dīz\ **1** *pl* **dice** : DICE **2** *pl usu* **dice** : something determined as if by a cast of dice : FATE ⟨the *dice* appear to be loaded against a victory this year⟩ **3** *pl* **dies** : a device used in shaping or stamping an object or material
die·hard \-,härd\ *n* : one who resists against hopeless odds
¹**di·et** \'dī-ət\ *n* **1** : the food and drink regularly consumed (as by a person or group) : FARE **2** : an allowance of food prescribed with reference to a particular state (as ill health) — **di·etary** \'dī-ə-,ter-ē\ *adj or n*
²**diet** *vb* : to eat or cause to eat less or according to a prescribed rule — **di·et·er** *n*
di·etet·ics \,dī-ə-'tet-iks\ *n pl* : the science or art of applying the principles of nutrition to diet — **di·etet·ic** *adj* —
dif·fer \'dif-ər\ *vb* **1** : to be unlike **2** : DISAGREE
dif·fer·ence \'dif(-ə)-rəns\ *n* **1** : UN-
LIKENESS ⟨~ in their looks⟩ **2** : distinction or discrimination in preference **3** : DISAGREEMENT, DISSENSION; *also* : an instance or cause of disagreement ⟨unable to settle their ~s⟩ **4** : the amount by which one number or quantity differs from another
dif·fer·ent \-rənt\ *adj* **1** : UNLIKE, DISSIMILAR **2** : not the same : DISTINCT, VARIOUS, ANOTHER, SEPARATE ⟨~ age groups⟩ ⟨seen at ~ times⟩ ⟨try a ~ book⟩ **3** : UNUSUAL, SPECIAL — **dif·fer·ent·ly** *adv*
¹**dif·fer·en·tial** \,dif-ə-'ren-chəl\ *adj* : showing, creating, or relating to a difference
²**differential** *n* **1** : the amount or degree by which things differ **2** : an arrangement of gears in an automobile that allows one wheel to go faster than another (as in rounding curves)
dif·fer·en·ti·ate \-'ren-chē-,āt\ *vb* **1** : to make or become different **2** : to recognize or state the difference ⟨~ between two plants⟩ — **dif·fer·en·ti·a·tion**
dif·fi·cult \'dif-i-(,)kəlt\ *adj* **1** : hard to do or make : ARDUOUS **2** : hard to understand or deal with ⟨~ reading⟩
dif·fi·cul·ty \-,kəl-tē\ *n* **1** : difficult nature ⟨the ~ of a task⟩ **2** : great effort **3** : OBSTACLE ⟨overcome *difficulties*⟩ **4** : TROUBLE ⟨in financial *difficulties*⟩ **5** : DISAGREEMENT ⟨settled their *difficulties*⟩ **syn** hardship, rigor, vicissitude
dif·fi·dent \'dif-əd-ənt\ *adj* **1** : lacking confidence : TIMID **2** : RESERVED, UN-ASSERTIVE — **dif·fi·dence** *n* — **dif·fi·dent·ly** *adv*
¹**dif·fuse** \dif-'yüs\ *adj* **1** : not concentrated ⟨~ light⟩ **2** : VERBOSE, WORDY ⟨~ writing⟩ **3** : SCATTERED
²**dif·fuse** \-'yüz\ *vb* : to pour out or spread widely : SCATTER — **dif·fu·sion**
¹**dig** \'dig\ *vb* **dug** \'dəg\ **dig·ging** **1** : to turn up the soil (as with a spade) **2** : to hollow out or form by removing earth ⟨~ a hole⟩ **3** : to uncover or seek by turning up earth ⟨~ potatoes⟩ **4** : DISCOVER ⟨~ up information⟩ **5** : POKE, THRUST ⟨~ a person in the ribs⟩ **6** : to work hard
²**dig** *n* **1** : THRUST, POKE **2** : a cutting remark : GIBE
¹**di·gest** \'dī-,jest\ *n* : a summation or condensation of a body of information or of a literary work
²**di·gest** \dī-'jest, də-\ *vb* **1** : to think over and arrange in the mind **2** : to convert (food) into a form that can be absorbed **3** : to compress into a short summary — **di·gest·ible** *adj* — **di·gestion** \-'jes-chən\ *n* — **di·ges·tive**
dig·it \'dij-ət\ *n* **1** : any of the figures 1 to 9 inclusive and usu. the symbol 0 **2** : FINGER, TOE
dig·ni·fy \-,fī\ *vb* : to give dignity or distinction to : HONOR
dig·ni·tary \-,ter-ē\ *n* : a person of high position or honor ⟨*dignitaries* of the church⟩
dig·ni·ty \'dig-nət-ē\ *n* **1** : the quality or state of being worthy, honored, or esteemed : true worth : EXCELLENCE **2** : high rank, office, or position **3** : formal reserve of manner or language
di·graph \'dī-,graf\ *n* : a group of 2 successive letters whose phonetic value

digress \dī-'gres\ *vb* : to turn aside esp. from the main subject in writing or speaking — **di·gres·sion** \-'gresh-ən\ *n* — **di·gres·sive** \-'gres-iv\ *adj*
is a single sound
dike \'dīk\ *n* : a bank of earth to control water : LEVEE
di·lap·i·dat·ed \də-'lap-ə-,dāt-əd\ *adj* : fallen into partial ruin or decay — **di·lap·i·da·tion** \-,lap-ə-'dā-shən\ *n*
di·late \dī-'lāt\ *vb* : SWELL, DISTEND, EXPAND — **dil·a·ta·tion** \,dil-ə-'tā-shən\ *n* — **di·la·tion** \dī-'lā-shən\ *n*
dil·a·to·ry \'dil-ə-,tōr-ē\ *adj* 1 : DELAYING 2 : TARDY, SLOW
di·lem·ma \də-'lem-ə\ *n* : a choice between equally undesirable alternatives
dil·i·gent \'dil-ə-jənt\ *adj* : characterized by steady, earnest, and energetic application and effort : PAINSTAKING — **dil·i·gence** *n* — **dil·i·gent·ly** *adv*
¹**di·lute** \dī-'lüt, də-\ *vb* : to lessen the consistency or strength of by mixing with something else ⟨~ wine with water⟩ — **di·lu·tion** \-'lü-shən\ *n*
²**diluted** *adj* : DILUTED, WEAK
¹**dim** \'dim\ *adj* 1 : not bright or distinct : OBSCURE, FAINT 2 : LUSTERLESS, DULL 3 : not seeing or understanding clearly — **dim·ly** *adv* — **dim·ness** *n*
²**dim** *vb* **dimmed; dim·ming** 1 : to make or become dim or lusterless 2 : to reduce the light from ⟨~ the headlights⟩
dime \'dīm\ *n* [MF, tenth part, fr. L *decima*, fr. fem. of *decimus* tenth, fr. *decem* ten] : a U.S. coin worth ¹⁄₁₀ dollar
di·men·sion \də-'men-chən\ *n* 1 : measurement of extension (as in length, height, or breadth) 2 : EXTENT, SCOPE, PROPORTIONS — **di·men·sion·al** *adj*
di·min·ish \də-'min-ish\ *vb* 1 : to make less or cause to appear less 2 : BELITTLE 3 : DWINDLE 4 : TAPER —
¹**di·min·u·tive** \də-'min-yət-iv\ *n* 1 : a diminutive word or affix 2 : a diminutive object or individual
²**diminutive** *adj* 1 : indicating small size and sometimes the state or quality of being lovable, pitiable, or contemptible ⟨the ~ suffixes *-ette* and *-ling*⟩ 2 : extremely small : TINY
dim·mer \'dim-ər\ *n* 1 : one that dims 2 *pl* : automobile headlights that have been dimmed
¹**dim·ple** \'dim-pəl\ *n* : a small depression esp. in the cheek or chin
²**dimple** *vb* : to form dimples (as in smiling)
dine \'dīn\ *vb* 1 : to eat dinner 2 : to give a dinner to : FEED
din·er \'dī-nər\ *n* 1 : one that dines 2 : a railroad dining car; *also* : a restaurant in the shape of a railroad car
di·nette \dī-'net\ *n* : an alcove or small room used for dining
din·gy \'din-jē\ *adj* 1 : DARK, DULL 2 : not fresh or clean : GRIMY — **din·gi·ness** *n*
din·ky \'diŋ-kē\ *adj* : SMALL, INSIGNIFICANT
din·ner \'din-ər\ *n* : the main meal of the day; *also* : a formal banquet
di·no·saur \'dī-nə-,sȯr\ *n* : any of a group of extinct long-tailed reptiles often of huge size
dint \'dint\ *n* 1 *archaic* : BLOW, STROKE 2 : FORCE, POWER ⟨he reached the top by ~ of sheer grit⟩ 3 : DENT

skeleton of a dinosaur

di·o·cese \'dī-ə-səs, -,sēz\ *n* : the territorial jurisdiction of a bishop —
¹**dip** \'dip\ *vb* **dipped; dip·ping** 1 : to plunge temporarily or partially under the surface (as of a liquid) so as to moisten, cool, or coat 2 : to thrust in a way to suggest immersion 3 : to scoop up or out : LADLE 4 : to lower and then raise quickly ⟨~ a flag in salute⟩ 5 : to drop or slope down or out of sight esp. suddenly ⟨the moon *dipped* below the crest⟩ 6 : to decrease moderately and usu. temporarily ⟨prices *dipped*⟩ 7 : to reach down inside or as if inside or below a surface ⟨*dipped* into their savings⟩ 8 : to delve casually into something; *esp* : to read superficially ⟨~ into a book⟩
²**dip** *n* 1 : an act of dipping; *esp* : a brief plunge into the water for sport or exercise 2 : inclination downward : DROP 3 : something obtained by or used in dipping 4 : a liquid into which something may be dipped
diph·the·ria \dif-'thir-ē-ə, dip-\ *n* : an acute contagious bacterial disease marked by fever and by coating of the air passages with a membrane that interferes with breathing
diph·thong \'dif-,thȯŋ, 'dip-\ *n* : two vowel sounds joined in one syllable to form one speech sound (as *ou* in *out*, *oi* in *oil*)
di·plo·ma \də-'plō-mə\ *n* : an official paper bearing record of graduation from or of a degree conferred by an educational institution
di·plo·ma·cy \-mə-sē\ *n* 1 : the art and practice of conducting negotiations between nations 2 : TACT — **dip·lo·mat** \'dip-lə-,mat\ *n* — **dip·lo·mat·ic** \,dip-lə-'mat-ik\ *adj*
dip·per \'dip-ər\ *n* 1 : something (as a ladle or scoop) that dips or is used for dipping 2 *cap* : BIG DIPPER 3 *cap* : LITTLE DIPPER 4 : any of several birds skilled in diving
dip·stick \'dip-,stik\ *n* : a graduated rod for indicating depth
dip·ter·ous \'dip-tə-rəs\ *adj* : having two wings; *also* : of or relating to the two-winged flies — **dip·ter·an** *adj or n*
dire \'dī(ə)r\ *adj* 1 : very horrible : DREADFUL 2 : warning of disaster ⟨a ~ forecast⟩ 3 : EXTREME ⟨~ need⟩
¹**di·rect** \də-'rekt, dī-\ *vb* 1 : ADDRESS ⟨~ a letter⟩; *also* : to impart orally : AIM ⟨~ a remark to the gallery⟩ 2 : to cause to turn, move, or point or to follow a certain course 3 : to point, extend, or project in a specified line or course 4 : to show or point out the way
²**direct** *adj* 1 : leading from one point to another in time or space without turn or stop : STRAIGHT 2 : stemming immediately from a source, cause, or reason ⟨~ result⟩ 3 : operating without an intervening agency or step ⟨~ action⟩ 4 : being or passing in a straight line of descent : LINEAL ⟨~ ancestor⟩ 5 : NATURAL, STRAIGHTFORWARD ⟨a ~ manner⟩

direction / **disclaim**

di·rec·tion \-'rek-shən\ *n* **1** : MANAGEMENT, GUIDANCE **2** *archaic* : SUPERSCRIPTION **3** : COMMAND, ORDER, INSTRUCTION **4** : the course or line along which something moves, lies, or points; *also* : TREND — **di·rec·tion·al** *adj*

di·rec·tive \-'rek-tiv\ *n* : a general instruction as to procedure ⟨a ~ from the main office⟩

di·rec·tor \-tər\ *n* **1** : one that directs : MANAGER, SUPERVISOR, CONDUCTOR **2** : one of a group of persons who direct the affairs of an organized body (as a corporation) — **di·rec·tor·ship** *n*

di·rec·to·ry \-t(ə-)rē\ *n* : an alphabetical or classified list of names and addresses

dirt \'dərt\ *n* **1** : a filthy or soiling substance (as mud, dust, or grime) **2** : loose or packed earth : SOIL **3** : moral uncleanness **4** : scandalous gossip

¹dirty *adj* **1** : SOILED, FILTHY **2** : BASE, UNFAIR ⟨a ~ trick⟩ **3** : INDECENT, SMUTTY ⟨~ talk⟩ **4** : STORMY, FOGGY ⟨~ weather⟩ **5** : not clear in color : DULL ⟨a ~ red⟩ — **dirt·i·ness** *n*

²dirty *vb* : to make or become dirty

dis·able \dis-'ā-bəl\ *vb* **1** : to incapacitate by or as if by illness, injury, or wounds : CRIPPLE **2** : to disqualify legally — **dis·abil·i·ty** \‚dis-ə-'bil-ət-ē\ *n*

dis·ad·van·tage \‚dis-əd-'vant-ij\ *n* **1** : loss or damage esp. to reputation or finances **2** : an unfavorable, inferior, or prejudicial condition; *also* : HANDICAP — **dis·ad·van·ta·geous** \dis-‚ad-‚van-'tā-jəs\ *adj*

dis·af·fect \‚dis-ə-'fekt\ *vb* : to alienate the affection or loyalty of : cause discontent in ⟨the troops were ~ed⟩ — **dis·af·fec·tion** \-'fek-shən\ *n*

dis·agree \‚dis-ə-'grē\ *vb* **1** : to fail to agree ⟨the accounts ~⟩ **2** : to differ in opinion **3** : to be unsuitable ⟨fried foods ~ with her⟩ — **dis·agree·ment** *n*

dis·agree·able *adj* **1** : causing discomfort : UNPLEASANT, OFFENSIVE **2** : ill-tempered : PEEVISH — **dis·agree·ably** *adv*

dis·al·low \‚dis-ə-'laů\ *vb* : to refuse to admit or recognize : REJECT ⟨~ a claim⟩ — **dis·al·low·ance** *n*

dis·ap·pear \-ə-'piər\ *vb* **1** : to pass out of sight **2** : to cease to be : become lost — **dis·ap·pear·ance** *n*

dis·ap·point \‚dis-ə-'point\ *vb* : to fail to fulfill the expectation or hope of — **dis·ap·point·ment** *n*

dis·ap·pro·ba·tion \dis-‚ap-rə-'bā-shən\ *n* : DISAPPROVAL

dis·ap·prov·al \‚dis-ə-'prü-vəl\ *n* : adverse judgment : CENSURE

dis·ap·prove \-ə-'prüv\ *vb* **1** : CONDEMN **2** : REJECT **3** : to feel or express disapproval ⟨~s of smoking⟩

dis·arm \dis-'ärm\ *vb* **1** : to take arms or weapons from **2** : DISBAND; *esp* : to reduce the size and strength of the armed forces of a country **3** : to make harmless, peaceable, or friendly : win over ⟨a ~*ing* smile⟩ — **dis·ar·ma·ment** \-'är-mə-mənt\ *n*

dis·ar·range \‚dis-ə-'rānj\ *vb* : to disturb the arrangement or order of — **dis·ar·range·ment** *n*

dis·ar·ray \-ə-'rā\ *n* **1** : DISORDER, CONFUSION **2** : disorderly or careless dress

dis·as·sem·ble \‚dis-ə-'sem-bəl\ *vb* : to take apart

dis·as·so·ci·ate \-sō-s(h)ē-‚āt\ *vb* : to detach from association : DISSOCIATE

di·sas·ter \diz-'as-tər\ *n* : a sudden or great misfortune : CALAMITY — **di·sas·trous** \-'as-trəs\ *adj* — **di·sas·trous·ly** *adv*

dis·avow \‚dis-ə-'vaů\ *vb* : to deny responsibility for : REPUDIATE — **dis·avow·al** *n*

dis·band \dis-'band\ *vb* : to break up the organization of : DISPERSE

dis·bar \-'bär\ *vb* : to expel from the bar or the legal profession — **dis·bar·ment** *n*

dis·be·lieve \‚dis-bi-'lēv\ *vb* **1** : to hold not to be true or real ⟨*disbelieved* his testimony⟩ **2** : to withhold or reject belief ⟨*disbelieved* in his sincerity⟩ — **dis·be·lief** \-'lēf\ *n* — **dis·be·liev·er** *n*

dis·burse \dis-'bərs\ *vb* : to pay out : EXPEND — **dis·burse·ment** *n*

dis·card \dis-'kärd\ *vb* **1** : to let go a playing card from one's hand; *also* : to play (a card) from a suit other than a trump but different from the one led **2** : to get rid of as useless or unwanted

dis·cern \dis-'ərn, diz-\ *vb* **1** : to detect with the eyes : make out : DISTINGUISH **2** : to come to know or recognize mentally **3** : DISCRIMINATE — **dis·cern·ible** *adj* — **dis·cern·ment** *n*

dis·cern·ing *adj* : revealing insight and understanding : DISCRIMINATING

¹dis·charge \dis-'chärj\ *vb* **1** : to relieve of a charge, load, or burden : UNLOAD **2** : SHOOT ⟨~ a gun⟩ ⟨~ an arrow⟩ **3** : to set free ⟨~ a prisoner⟩ **4** : to dismiss from service or employment ⟨~ a soldier⟩ **5** : to let go or let off ⟨~ passengers⟩ **6** : to give forth fluid ⟨the river ~s into the ocean⟩ **7** : to get rid of by paying or doing ⟨~ a debt⟩ ⟨~ a duty⟩ **8** : to remove the electrical energy from ⟨~ a storage battery⟩

²dis·charge \'dis-‚chärj, dis-'chärj\ *n* **1** : the act of discharging, unloading, or releasing **2** : something that discharges; *esp* : a certification of release or payment **3** : a firing off (as of a gun) **4** : a flowing out (as of blood from a wound); *also* : a flow of electricity through a gas **5** : release or dismissal esp. from an office or employment; *also* : complete separation from military service

dis·ci·ple \dis-'ī-pəl\ *n* **1** : a pupil or follower who helps to spread his master's teachings; *also* : a convinced adherent **2** *cap* : a member of the Disciples of Christ

dis·ci·pli·nar·i·an \‚dis-ə-plə-'ner-ē-ən\ *n* : one who disciplines or enforces order

¹dis·ci·pline \'dis-ə-plən\ *n* **1** : a field of study : SUBJECT **2** : training that corrects, molds, or perfects **3** : PUNISHMENT **4** : control gained by obedience or training : orderly conduct **5** : a system of rules governing conduct

²discipline *vb* **1** : PUNISH **2** : to train or develop by instruction and exercise esp. in self-control **3** : to bring under control ⟨~ troops⟩; *also* : to impose order upon

disc jockey *n* : a person who conducts a radio or television program of musical recordings

dis·claim \dis-'klām\ *vb* : to deny having a connection with or responsibility

disclose   133   **disfranchise**

for : DISAVOW — **dis·claim·er** *n*
dis·close \-'klōz\ *vb* : to expose to view : REVEAL — **dis·clo·sure** \-'klō-zhər\ *n*
dis·col·or \-'kəl-ər\ *vb* : to alter or change in hue or color : STAIN, FADE — **dis·col·or·ation** \-,kəl-ə-'rā-shən\ *n*
dis·com·fit \dis-'kəm-fət, ,dis-kəm-'fit\ *vb* : UPSET, FRUSTRATE — **dis·com·fi·ture** \dis-'kəm-fə-,chùr\ *n*
¹**dis·com·fort** \dis-'kəm-fərt\ *vb* : to make uncomfortable or uneasy
²**discomfort** *n* : lack of comfort : uneasiness of mind or body : DISTRESS
dis·con·cert \-kən-'sərt\ *vb* : CONFUSE, UPSET
dis·con·nect \-kə-'nekt\ *vb* : to undo the connection of — **dis·con·nec·tion** \-'nek-shən\ *n*
dis·con·nect·ed *adj* : not connected : RAMBLING, INCOHERENT — **dis·con·nect·ed·ly** *adv*
dis·con·so·late \dis-'kän-sə-lət\ *adj* 1 : hopelessly sad 2 : CHEERLESS — **dis·con·so·late·ly** *adv*
dis·con·tent \,dis-kən-'tent\ *n* : uneasiness of mind : DISSATISFACTION — **dis·con·tent·ed** *adj*
dis·con·tin·ue \-'tin-yü\ *vb* 1 : to break the continuity of : cease to operate, use, or take 2 : END — **dis·con·tin·u·ance** \-yə-wəns\ *n* — **dis·con·ti·nu·i·ty** \dis-,känt-ᵊn-'(y)ü-ət-ē\ *n* — **dis·con·tin·u·ous** \,dis-kən-'tin-yə-wəs\ *adj*
dis·cord \'dis-,kȯrd\ *n* 1 : lack of agreement or harmony : DISSENSION, CONFLICT, OPPOSITION 2 : a harsh combination of musical sounds : DISSONANCE 3 : a harsh or unpleasant sound — **dis·cor·dant** \dis-'kȯrd-ᵊnt\ *adj*
¹**dis·count** \'dis-,kaùnt\ *n* 1 : a reduction made from a regular or list price 2 : a deduction of interest in advance when lending money
²**discount** \'dis-,kaùnt, dis-'kaùnt\ *vb* 1 : to deduct from the amount of a bill, debt, or charge usu. for cash or prompt payment; *also* : to sell or offer for sale at a discount 2 : to lend money after deducting the discount ⟨~ a note⟩ 3 : DISREGARD; *also* : MINIMIZE 4 : to make allowance for bias or exaggeration ⟨~ a romantic tale⟩; *also* : DISBELIEVE
dis·coun·te·nance \dis-'kaùnt-(ᵊ-)nəns\ *vb* 1 : EMBARRASS, DISCONCERT 2 : to look with disfavor on
dis·cour·age \dis-'kər-ij\ *vb* 1 : to deprive of courage or confidence : DISHEARTEN 2 : to hinder by inspiring fear of consequences : DETER ⟨laws that ~ speeding⟩ 3 : to attempt to dissuade
¹**dis·course** \'dis-,kōrs\ *n* 1 : CONVERSATION 2 : formal and orderly and usu. extended expression of thought on a subject
²**dis·course** \dis-'kōrs\ *vb* 1 : to express oneself in esp. oral discourse 2 : TALK, CONVERSE
dis·cour·te·ous \dis-'kərt-ē-əs\ *adj* : lacking courtesy : UNCIVIL, RUDE
dis·cour·te·sy \-'kərt-ə-sē\ *n* : RUDENESS; *also* : a rude act
dis·cov·er \dis-'kəv-ər\ *vb* 1 : to make known or visible 2 : to obtain sight or knowledge of for the first time : FIND — **dis·cov·er·er** *n* — **dis·cov·ery** \-(ə-)rē\ *n*
¹**dis·cred·it** \-'kred-ət\ *vb* 1 : DISBE-

LIEVE 2 : to cause disbelief in the accuracy or authority of : DISGRACE — **dis·cred·it·able** *adj*
²**discredit** *n* 1 : loss of credit or reputation 2 : lack or loss of belief or confidence
dis·creet \dis-'krēt\ *adj* : showing good judgment : PRUDENT; *esp* : capable of observing prudent silence — **dis·creet·ly** *adv*
dis·crep·an·cy \-'krep-ən-sē\ *n* 1 : DIFFERENCE, DISAGREEMENT 2 : an instance of being discrepant : VARIATION, INCONSISTENCY
dis·crep·ant \-ənt\ *adj* : being at variance : DISAGREEING
dis·crete \dis-'krēt, 'dis-,krēt\ *adj* 1 : individually distinct 2 : NONCONTINUOUS
dis·cre·tion \dis-'kresh-ən\ *n* 1 : the quality of being discreet : PRUDENCE 2 : individual choice or judgment 3 : power of free decision or latitude of choice ⟨reached the age of ~⟩ — **dis·cre·tion·ary** *adj*
dis·crim·i·nate \-'krim-ə-,nāt\ *vb* 1 : DISTINGUISH, DIFFERENTIATE 2 : to make a distinction in favor of or against one person or thing as compared with others — **dis·crim·i·na·tion** \-,krim-ə-'nā-shən\ *n*
dis·crim·i·nat·ing *adj* : marked by discrimination; *esp* : DISCERNING, JUDICIOUS
dis·crim·i·na·to·ry \dis-'krim-ə-nə-,tōr-ē\ *adj* : marked by esp. unjust discrimination ⟨~ treatment⟩
dis·cur·sive \-'kər-siv\ *adj* : passing from one topic to another : RAMBLING — **dis·cur·sive·ly** *adv*
dis·cus \'dis-kəs\ *n* : a disk (as of wood or rubber) that is hurled for distance in a track-and-field contest
dis·cuss \dis-'kəs\ *vb* 1 : to argue or consider carefully by presenting the various sides 2 : to talk about — **dis·cus·sion** \-'kəsh-ən\ *n*
¹**dis·dain** \dis-'dān\ *n* : CONTEMPT, SCORN — **dis·dain·ful** *adj* — **dis·dain·ful·ly** *adv*
²**disdain** *vb* 1 : to look upon with scorn 2 : to reject or refrain from because of disdain
dis·ease \diz-'ēz\ *n* : an alteration of a living body that impairs its functioning; *also* : a particular instance or kind of this — **dis·eased** *adj*
dis·em·bark \,dis-əm-'bärk\ *vb* : to go or put ashore from a ship — **dis·em·bar·ka·tion** \dis-,em-,bär-'kā-shən\ *n*
dis·em·body \,dis-əm-'bäd-ē\ *vb* : to divest of bodily existence ⟨*disembodied* spirits⟩
dis·en·chant \,dis-ᵊn-'chant\ *vb* : to free from enchantment : DISILLUSION — **dis·en·chant·ment** *n*
dis·en·gage \-'gāj\ *vb* : RELEASE, EXTRICATE, DISENTANGLE
dis·en·tan·gle \-'taŋ-gəl\ *vb* : to free from entanglement : UNRAVEL
dis·fa·vor \dis-'fā-vər\ *n* 1 : DISAPPROVAL, DISLIKE 2 : the state or fact of being deprived of favor
dis·fig·ure \-'fig-yər\ *vb* : to spoil the appearance of ⟨*disfigured* by a scar⟩ — **dis·fran·chise** \-'fran-,chīz\ *vb* : to deprive of a franchise, a legal right, or a privilege; *esp* : to deprive of the right to vote

¹dis·grace \-'grās\ *vb* : to bring reproach or shame to
²disgrace *n* **1** : the condition of being out of favor : loss of respect **2** : SHAME, DISHONOR; *also* : a cause of shame — **dis·grace·ful** *adj* — **dis·grace·ful·ly** *adv*
dis·grun·tle \dis-'grənt-ᵊl\ *vb* : to put in bad humor
¹dis·guise \dis-'gīz\ *vb* **1** : to change the dress or looks of so as to conceal the identity or so as to resemble another : ALTER **2** : HIDE, CONCEAL
²disguise *n* **1** : clothing put on to conceal one's identity or counterfeit another's **2** : an outward form hiding or misrepresenting the true nature or identity of a person or thing : PRETENSE
¹dis·gust \dis-'gəst\ *n* : AVERSION, REPUGNANCE
²disgust *vb* : to provoke to loathing, repugnance, or aversion : be offensive to — **dis·gust·ed·ly** *adv*
¹dish \'dish\ *n* [OE *disc*, fr. L *discus* quoit, disk, dish, fr. Gk *diskos*] **1** : a vessel used for serving food **2** : the food served in a dish ⟨a ~ of berries⟩ **3** : food prepared in a particular way
²dish *vb* **1** : to put into a dish ⟨~ up the dinner⟩ **2** : to make concave like a dish
dis·har·mo·ny \dis-'här-mə-nē\ *n* : lack of harmony
dis·heart·en \dis-'härt-ᵊn\ *vb* : DISCOURAGE, DEJECT
di·shev·el \dish-'ev-əl\ *vb* **-eled** *or* **-elled; -el·ing** *or* **-el·ling** : to let hang or fall loosely in disorder : DISARRAY — **di·shev·eled** *or* **di·shev·elled** *adj*
dis·hon·est \dis-'än-əst\ *adj* **1** : not honest : UNTRUSTWORTHY **2** : DECEITFUL, CORRUPT — **dis·hon·est·ly** *adv* — **dis·hon·es·ty** \-ə-stē\ *n*
¹dis·hon·or \-'än-ər\ *n* **1** : lack or loss of honor : SHAME, DISGRACE **2** : something dishonorable : a cause of disgrace **3** : the act of dishonoring a negotiable instrument when presented for payment — **dis·hon·or·able** *adj* — **dis·hon·or·ably** *adv*
²dishonor *vb* **1** : DISGRACE **2** : to refuse to accept or pay ⟨~ a check⟩
dis·il·lu·sion \,dis-ə-'lü-zhən\ *vb* : to free from or deprive of illusion — **dis·il·lu·sion·ment** *n*
dis·in·cli·na·tion \dis-,in-klə-'nā-shən\ *n* : a feeling of unwillingness or aversion : DISTASTE
dis·in·cline \,dis-ᵊn-'klīn\ *vb* : to make or be unwilling
dis·in·fect \-'fekt\ *vb* : to free from infection esp. by destroying disease germs — **dis·in·fec·tant** *adj or n* — **dis·in·fec·tion** \-'fek-shən\ *n*
dis·in·her·it \-'her-ət\ *vb* : to prevent from inheriting property that would naturally be passed on
dis·in·te·grate \dis-'int-ə-,grāt\ *vb* **1** : to break or decompose into constituent parts or small particles **2** : to destroy the unity or integrity of — **dis·in·te·gra·tion** \-,int-ə-'grā-shən\ *n*
dis·in·ter·est·ed \dis-'in-t(ə-)rəs-təd, -tə-,res-\ *adj* **1** : not interested **2** : free from selfish motive or interest : UNBIASED — **dis·in·ter·est·ed·ness** *n*
dis·joint \-'jȯint\ *vb* : to separate the parts of : DISCONNECT; *also* : to separate at the joints

dis·joint·ed *adj* **1** : separated at or as if at the joint **2** : DISCONNECTED; *esp* : INCOHERENT ⟨~ conversation⟩
disk *or* **disc** \'disk\ *n* **1** : something round and flat; *esp* : a flat rounded anatomical structure (as the central part of the flower head of a composite plant or a pad of cartilage between vertebrae) **2** *usu* **disc** : a phonograph record
¹dis·like \dis-'līk\ *vb* : to regard with dislike : DISAPPROVE
²dislike *n* : a feeling of distaste or disapproval
dis·lo·cate \'dis-lō-,kāt, dis-'lō-\ *vb* **1** : to put out of place; *esp* : to displace (a joint) from normal connections ⟨~ a shoulder⟩ **2** : DISRUPT — **dis·lo·ca·tion** \,dis-lō-'kā-shən\ *n*
dis·lodge \dis-'läj\ *vb* **1** : to force out of a place **2** : to drive out from a place of hiding or defense
dis·loy·al \-'lȯi-əl\ *adj* : lacking in loyalty — **dis·loy·al·ty** *n*
dis·mal \'diz-məl\ *adj* **1** : gloomy to the eye or ear : DREARY, DEPRESSING **2** : DEPRESSED — **dis·mal·ly** *adv*
dis·man·tle \dis-'mant-ᵊl\ *vb* **1** : to strip of furniture and equipment **2** : to take apart
dis·may \-'mā\ *vb* : to cause to lose courage or resolution from alarm or fear : DAUNT — **dismay** *n*
dis·mem·ber \-'mem-bər\ *vb* **1** : to cut off or separate the limbs, members, or parts of **2** : to break up or tear into pieces — **dis·mem·ber·ment** *n*
dis·miss \-'mis\ *vb* **1** : to send away **2** : to send or remove from office, service, or employment **3** : to put aside or out of mind **4** : to refuse further judicial hearing or consideration to ⟨the judge ~ed the charge⟩ — **dis·miss·al** *n*
dis·mount \-'maȯnt\ *vb* **1** : to get down from something (as a horse or bicycle) **2** : UNHORSE **3** : to take (as a cannon) from the carriage or mountings **4** : to take apart (as a machine)
dis·obe·di·ence \,dis-ə-'bēd-ē-əns\ *n* : neglect or refusal to obey — **dis·o·be·di·ent** *adj*
dis·obey \-'bā\ *vb* : to fail to obey : be disobedient
¹dis·or·der \dis-'ȯrd-ər\ *vb* **1** : to disturb the order of **2** : to cause disorder in ⟨a ~ed digestion⟩
²disorder *n* **1** : lack of order : CONFUSION **2** : breach of the peace or public order : TUMULT **3** : an abnormal state of body or mind : AILMENT
dis·or·der·ly *adj* **1** : UNRULY, TURBULENT **2** : offensive to public order or decency; *also* : guilty of disorderly conduct **3** : marked by disorder : DISARRANGED ⟨a ~ desk⟩
dis·or·ga·nize \dis-'ȯr-gə-,nīz\ *vb* : to break up the regular system of : throw into disorder : CONFUSE — **dis·or·ga·ni·za·tion** \-,ȯr-gə-nə-'zā-shən\ *n*
dis·own \dis-'ōn\ *vb* : REPUDIATE, RENOUNCE, DISCLAIM
dis·par·age \-'par-ij\ *vb* **1** : to lower in rank or reputation : DEGRADE **2** : BELITTLE — **dis·par·age·ment** *n* — **dis·par·ag·ing·ly** *adv*
dis·pa·rate \dis-'par-ət, 'dis-pə-rət\ *adj* : distinct in quality or character : DISSIMILAR — **dis·par·i·ty** \dis-'par-ət-ē\ *n*
dis·pas·sion·ate \dis-'pash-(ə-)nət\ *adj* : not influenced by strong feeling : CALM,

IMPARTIAL — **dis·pas·sion·ate·ly** *adv*

¹dis·patch \dis-'pach\ *vb* **1** : to send off or away with promptness or speed esp. on official business **2** : to put to death **3** : to attend to (as a task) rapidly or efficiently — **dis·patch·er** *n*

²dispatch *n* **1** : the sending of a message or messenger **2** : the shipment of goods **3** : MESSAGE **4** : the act of putting to death **5** : a news item sent in by a correspondent to a newspaper **6** : promptness and efficiency in performing a task

dis·pel \dis-'pel\ *vb* **-pelled; -pel·ling** : to drive away by scattering : DISSIPATE

dis·pens·able \-'pen-sə-bəl\ *adj* : capable of being dispensed with : NONESSENTIAL

dis·pen·sa·ry \-'pens-(ə-)rē\ *n* : a place where medicine or medical or dental aid is dispensed

dis·pen·sa·tion \,dis-pən-'sā-shən\ *n* **1** : a system of rules for ordering affairs; *esp* : a system of revealed commands and promises regulating human affairs **2** : a particular arrangement or provision esp. of nature **3** : an exemption from a rule or from a vow or oath **4** : the act of dispensing **5** : something dispensed or distributed

dis·pense \dis-'pens\ *vb* **1** : to portion out **2** : ADMINISTER ⟨~ justice⟩ **3** : EXEMPT **4** : to make up and give out (remedies) — **dis·pens·er** *n*

dis·perse \-'pərs\ *vb* **1** : to break up and scatter about : SPREAD **2** : DISSEMINATE, DISTRIBUTE — **dis·per·sal** *n* — **dis·per·sion** \-'pər-zhən\ *n*

dis·place \-'plās\ *vb* **1** : to remove from the usual or proper place; *esp* : to expel or force to flee from home or native land ⟨*displaced* persons⟩ **2** : to remove from an office **3** : to take the place of : REPLACE

dis·place·ment *n* **1** : the act of displacing : the state of being displaced **2** : the volume or weight of a fluid displaced by a floating body (as a ship) **3** : the difference between the initial position of an object and a later position

¹dis·play \dis-'plā\ *vb* : to present to view

²display *n* : a displaying of something : EXHIBITION

dis·please \dis-'plēz\ *vb* **1** : to arouse the disapproval and dislike of **2** : to be offensive to : give displeasure

dis·plea·sure \-'plezh-ər\ *n* : a feeling of annoyance and dislike accompanying disapproval : DISSATISFACTION

dis·port \dis-'pōrt\ *vb* **1** : DIVERT, AMUSE ⟨~ themselves on the beach⟩ **2** : FROLIC **3** : DISPLAY

dis·pos·al \dis-'pō-zəl\ *n* **1** : ARRANGEMENT **2** : a getting rid of ⟨trash ~⟩ **3** : MANAGEMENT, ADMINISTRATION **4** : the transfer of something into new hands **5** : CONTROL, COMMAND

dis·pose \-'pōz\ *vb* **1** : to give a tendency to : INCLINE ⟨*disposed* to accept⟩ **2** : PREPARE ⟨*disposed* for withdrawal⟩ **3** : ARRANGE **4** : SETTLE — **dis·pos·able** *adj* — **dis·pos·er** *n* — **dispose of 1** : to settle or determine the fate, condition, or use of **2** : to get rid of ⟨*dispose of* rubbish⟩ **3** : to transfer to the control of another

dis·po·si·tion \,dis-pə-'zish-ən\ *n* **1** : the act or power of disposing : DISPOSAL ⟨funds at their ~⟩ **2** : RELINQUISHMENT **3** : ARRANGEMENT **4** : TENDENCY, INCLINATION **5** : natural attitude toward things ⟨a cheerful ~⟩

dis·pro·por·tion \,dis-prə-'pōr-shən\ *n* : lack of proportion, symmetry, or proper relation — **dis·pro·por·tion·ate** \-sh(ə-)nət\ *adj*

dis·prove \dis-'prüv\ *vb* : to prove to be false : REFUTE — **dis·proof** \-'prüf\ *n*

dis·pu·ta·tion \,dis-pyə-'tā-shən\ *n* **1** : DEBATE **2** : an oral defense of an academic thesis

¹dis·pute \dis-'pyüt\ *vb* **1** : ARGUE, DEBATE **2** : WRANGLE **3** : to deny the truth or rightness of **4** : to struggle against or over : CONTEST — **dis·put·able** \dis-'pyüt-ə-bəl, 'dis-pyət-ə-bəl\ *adj* — **dis·put·er** \dis-'pyüt-ər\ *n*

²dispute *n* **1** : DEBATE **2** : QUARREL

dis·qual·i·fy \dis-'kwäl-ə-,fī\ *vb* **1** : to make or declare unfit or ineligible **2** : to deprive of necessary qualifications —

¹dis·qui·et \dis-'kwī-ət\ *vb* : to make uneasy or restless : DISTURB

²disquiet *n* : lack of peace or tranquillity : ANXIETY

¹dis·re·gard \,dis-ri-'gärd\ *vb* : to pay no attention to : treat as unworthy of notice or regard

²disregard *n* : the act of disregarding : the state of being disregarded : NEGLECT — **dis·re·gard·ful** *adj*

dis·rep·u·ta·ble \dis-'rep-yət-ə-bəl\ *adj* : not reputable : DISCREDITABLE, DISGRACEFUL; *esp* : having a bad reputation

dis·re·pute \,dis-ri-'pyüt\ *n* : loss or lack of reputation : low esteem : DISCREDIT

dis·re·spect \-'spekt\ *n* : DISCOURTESY — **dis·re·spect·ful** *adj*

dis·robe \dis-'rōb\ *vb* : UNDRESS

dis·rupt \-'rəpt\ *vb* **1** : to break apart **2** : to throw into disorder : break up —

dis·sat·is·fac·tion \dis-,at-əs-'fak-shən\ *n* : DISCONTENT

dis·sat·is·fy \dis-'at-əs-,fī\ *vb* : to fail to satisfy : DISPLEASE — **dis·sat·is·fied** *adj*

dis·sect \dis-'ekt, dī-'sekt\ *vb* **1** : to divide into parts esp. for examination and study **2** : ANALYZE — **dis·sec·tion** \-'ek-shən, -'sek-\ *n*

dis·sem·ble \dis-'em-bəl\ *vb* **1** : to hide under or put on a false appearance : conceal facts, intentions, or feelings under some pretense **2** : SIMULATE —

dis·sem·i·nate \dis-'em-ə-,nāt\ *vb* : to spread abroad as though sowing seed ⟨~ ideas⟩ — **dis·sem·i·na·tion** \-,em-ə-'nā-shən\ *n*

dis·sen·sion \dis-'en-chən\ *n* : disagreement in opinion : DISCORD, QUARRELING

¹dis·sent \dis-'ent\ *vb* **1** : to withhold assent **2** : to differ in opinion

²dissent *n* **1** : difference of opinion; *esp* : religious nonconformity **2** : a written statement in which a justice disagrees with the opinion of the majority — **dis·sen·tient** \-'en-chənt\ *adj or n*

dis·ser·ta·tion \,dis-ər-'tā-shən\ *n* : an extended usu. written treatment of a subject; *esp* : one submitted for a doctorate

dis·ser·vice \dis-'ər-vəs\ *n* : INJURY, HARM, MISCHIEF

dis·si·dent \'dis-əd-ənt\ *adj* : openly and often violently differing with an opinion or a group — **dis·si·dence** \-əns\ *n* — **dissident** *n*

dis·sim·i·lar \dis-'im-ə-lər\ *adj* : UN-

LIKE — **dis·sim·i·lar·i·ty** \-,im-ə-'lar-ət-ē\ *n*
dis·sim·u·late \dis-'im-yə-,lāt\ *vb* : to hide under a false appearance : DISSEMBLE — **dis·sim·u·la·tion** \-,im-yə-'lā-shən\ *n*
dis·si·pate \'dis-ə-,pāt\ *vb* 1 : to break up and drive off : DISPERSE, SCATTER ⟨~ a crowd⟩ 2 : DISPEL, DISSOLVE ⟨the breeze *dissipated* the fog⟩ 3 : SQUANDER 4 : to break up and vanish 5 : to be dissolute; *esp* : to drink alcoholic beverages to excess — **dis·si·pat·ed** *adj* — **dis·si·pa·tion** \,dis-ə-'pā-shən\ *n*
dis·so·ci·ate \dis-'ō-s(h)ē-,āt\ *vb* : DISCONNECT, DISUNITE — **dis·so·ci·a·tion**
dis·so·lute \'dis-ə-,lüt\ *adj* : loose in morals or conduct — **dis·so·lute·ly** *adv* — **dis·so·lute·ness** *n*
dis·so·lu·tion \,dis-ə-'lü-shən\ *n* 1 : separation of a thing into its parts 2 : DECAY; *esp* : DEATH 3 : the termination or breaking up of an assembly or a partnership
dis·solve \diz-'älv\ *vb* 1 : to separate into component parts 2 : to pass or cause to pass into solution ⟨sugar ~s in water⟩ 3 : TERMINATE, DISPERSE ⟨~ parliament⟩ 4 : to waste or fade away ⟨his strength *dissolved*⟩ 5 : to appear or fade out gradually 6 : to be overcome emotionally ⟨~ in tears⟩ 7 : to resolve itself as if by dissolution
dis·so·nance \'dis-ə-nəns\ *n* : DISCORD — **dis·so·nant** *adj*
dis·suade \dis-'wād\ *vb* : to advise against a course of action : persuade or try to persuade not to do something
¹**dis·tance** \'dis-təns\ *n* 1 : measure of separation in space or time 2 : EXPANSE 3 : a full course ⟨go the ~⟩ 4 : spatial remoteness 5 : COLDNESS, RESERVE 6 : DIFFERENCE, DISPARITY 7 : a distant point
²**distance** *vb* : to leave far behind : OUTSTRIP
dis·tant \-tənt\ *adj* 1 : separate in space : AWAY 2 : FAR-OFF 3 : being far apart 4 : not close in relationship ⟨a ~ cousin⟩ 5 : different in kind 6 : RESERVED, ALOOF, COLD ⟨~ politeness⟩ 7 : coming from or going to a distance
dis·taste \dis-'tāst\ *n* : DISINCLINATION, DISLIKE, AVERSION — **dis·taste·ful** *adj*
dis·tem·per \-'tem-pər\ *n* : a bodily disorder usu. of a domestic animal; *esp* : a contagious often fatal virus disease of dogs
dis·tend \-'tend\ *vb* : EXPAND, SWELL — **dis·ten·sion** *or* **dis·ten·tion** \-'ten-chən\ *n*
dis·till *also* **dis·til** \dis-'til\ *vb* 1 : to fall or let fall drop by drop 2 : to obtain or extract by distillation — **dis·till·er** *n* — **dis·till·ery** \-(ə-)rē\ *n*
dis·til·la·tion \,dis-tə-'lā-shən\ *n* : the driving off of gas or vapor from liquids or solids by heat into a retort and then condensing to a liquid product
dis·tinct \dis-'tiŋkt\ *adj* 1 : distinguished from others : SEPARATE, INDIVIDUAL 2 : clearly seen, heard, or understood : PLAIN, UNMISTAKABLE — **dis·tinct·ly** *adv* — **dis·tinct·ness** *n*
dis·tinc·tion \-'tiŋk-shən\ *n* 1 : the act of distinguishing a difference 2 : DIFFERENCE 3 : a distinguishing quality or mark 4 : a special recognition; *also* : a mark or sign of such recognition 5 : HONOR
dis·tinc·tive \-'tiŋk-tiv\ *adj* 1 : clearly marking a person or a thing as different from others 2 : CHARACTERISTIC 3 : having or giving style or distinction
dis·tin·guish \-'tiŋ-gwish\ *vb* 1 : to recognize by some mark or characteristic 2 : to hear or see clearly : DISCERN 3 : to make distinctions ⟨~ between right and wrong⟩ 4 : to set apart : mark as different 5 : to make outstanding
dis·tin·guished *adj* 1 : marked by eminence, distinction, or excellence 2 : befitting an eminent person
dis·tort \dis-'tört\ *vb* 1 : to twist out of the true meaning 2 : to twist out of a natural, normal, or original shape or condition 3 : to reproduce improperly ⟨a radio *distorting* sound⟩ — **dis·tor·tion** \-'tór-shən\ *n*
dis·tract \-'trakt\ *vb* 1 : DIVERT; *esp* : to draw (the attention or mind) to a different object 2 : to stir up or confuse with conflicting emotions or motives : HARASS — **dis·trac·tion**
dis·trait \di-'strā\ *adj* : ABSENTMINDED, DISTRAUGHT
dis·traught \dis-'tròt\ *adj* : PERPLEXED, CONFUSED; *also* : CRAZED
¹**dis·tress** \dis-'tres\ *n* 1 : suffering of body or mind : PAIN, ANGUISH 2 : TROUBLE, MISFORTUNE 3 : a condition of danger or desperate need — **dis·tress·ful** *adj*
²**distress** *vb* 1 : to subject to great strain or difficulties 2 : UPSET
dis·trib·ute \dis-'trib-yət\ *vb* 1 : to divide among several or many : APPORTION 2 : to spread out : SCATTER; *also* : DELIVER 3 : CLASSIFY 4 : to market in a particular area usu. as a wholesaler — **dis·tri·bu·tion** \,dis-trə-'byü-shən\ *n*
dis·trict \'dis-(,)trikt\ *n* 1 : a fixed territorial division (as for administrative or electoral purposes) 2 : an area, region, or section with a distinguishing character
district attorney *n* : the prosecuting attorney for a state or federal government
¹**dis·trust** \dis-'trəst\ *vb* : to feel no confidence in : SUSPECT
²**distrust** *n* : a lack of trust or confidence : SUSPICION, WARINESS — **dis·trust·ful**
dis·turb \dis-'tərb\ *vb* 1 : to interfere with : INTERRUPT 2 : to alter the position or arrangement of 3 : to destroy the tranquillity or composure of : make uneasy 4 : to throw into disorder
dis·turbed *adj* : showing symptoms of mental or emotional illness
dis·unite \,dis-yü-'nīt\ *vb* : DIVIDE, SEPARATE
dis·use \-'yüs\ *n* : a cessation of use or practice
ditch \'dich\ *n* : a trench dug in the earth
dit·to \'dit-ō\ *n* 1 : the same or more of the same : ANOTHER — used to avoid repeating a word ⟨lost: one book (new); ~ (old)⟩ 2 : a mark composed of a pair of inverted commas or apostrophes used as a symbol for the word *ditto*
di·uret·ic \,dī-yə-'ret-ik\ *adj* : tending to increase urine flow — **diuretic** *n*
di·ur·nal \dī-'ərn-ᵊl\ *adj* 1 : DAILY 2 : of, relating to, or occurring in the daytime
di·va·gate \'dī-və-,gāt\ *vb* 1 : to wander about 2 : DIVERGE — **di·va·ga-**

divan — **docket**

tion \ˌdī-və-'gā-shən\ *n*
di·van \'dī-ˌvan\ *n* : COUCH, SOFA
¹**dive** \'dīv\ *vb* **dived** *or* **dove** \'dōv\ **dived; div·ing** **1** : to plunge into water headfirst **2** : SUBMERGE **3** : to descend or fall precipitously **4** : to descend in an airplane at a steep angle with or without power **5** : to plunge into some matter or activity **6** : DART, LUNGE — **div·er** *n*
²**dive** *n* **1** : the act or an instance of diving **2** : a sharp decline **3** : a disreputable bar or place of amusement
di·verge \də-'vərj, dī-\ *vb* **1** : to move or extend in different directions from a common point : draw apart **2** : to differ in character, form, or opinion **3** : DEVIATE **4** : DEFLECT — **di·vergence** *n* — **di·ver·gent** *adj*
di·verse \dī-'vərs, də-\ *adj* **1** : UNLIKE **2** : having various forms or qualities ⟨the ~ nature of man⟩ — **diverse·ly** *adv*
di·ver·si·fy \də-'vər-sə-ˌfī, dī-\ *vb* : to make different or various in form or quality — **di·ver·si·fi·ca·tion** \-ˌvər-sə-fə-'kā-shən\ *n*
di·ver·sion \-'vər-zhən\ *n* **1** : a turning aside from a course, activity, or use : DEVIATION **2** : something that diverts or amuses : PASTIME
di·ver·si·ty \-'vər-sət-ē\ *n* **1** : the condition of being different or having differences : VARIETY **2** : an instance or a point of difference
di·vert \-'vərt\ *vb* **1** : to turn from a course or purpose : DEFLECT, DEVIATE **2** : DISTRACT **3** : ENTERTAIN, AMUSE
di·vest \dī-'vest, də-\ *vb* **1** : to strip esp. of clothing, ornament, or equipment **2** : to deprive or dispossess esp. of property, authority, or rights
¹**di·vide** \də-'vīd\ *vb* **1** : SEPARATE; *also* : CLASSIFY **2** : CLEAVE, PART **3** : DISTRIBUTE, APPORTION **4** : to possess or make use of in common : share in ⟨~ the blame⟩ **5** : to cause to be separate, distinct, or apart from one another **6** : to separate into opposing sides or parties **7** : to mark divisions on **8** : to subject to mathematical division **9** : to branch out

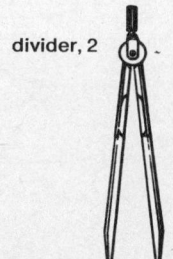

divider, 2

²**divide** *n* : WATERSHED
div·i·dend \'div-ə-ˌdend\ *n* **1** : a sum or amount to be divided and distributed; *also* : an individual share of such a sum **2** : BONUS **3** : a number to be divided by another
div·i·na·tion \ˌdiv-ə-'nā-shən\ *n* **1** : the art or practice that seeks to foresee or foretell future events or discover hidden knowledge usu. by the study of omens or by the aid of supernatural powers **2** : unusual insight or intuitive perception
¹**di·vine** \də-'vīn\ *adj* **1** : of, relating to, or being deity **2** : supremely good : SUPERB; *also* : HEAVENLY — **di·vine·ly** *adv*
²**divine** *n* **1** : CLERGYMAN **2** : THEOLOGIAN
³**divine** *vb* **1** : INFER, CONJECTURE **2** : PROPHESY — **di·vin·er** *n*
di·vin·i·ty \də-'vin-ət-ē\ *n* **1** : the quality or state of being divine **2** : a divine being; *esp* : GOD **3** : THEOLOGY
di·vis·i·ble \də-'viz-ə-bəl\ *adj* : capable of being divided
di·vi·sion \də-'vizh-ən\ *n* **1** : DISTRIBUTION, SEPARATION **2** : one of the parts, sections, or groupings into which a whole is divided **3** : a large self-contained military unit **4** : a naval unit or subdivision **5** : an administrative or operating unit of a governmental, business, or educational organization **6** : something that divides or separates
di·vi·sive \də-'vī-siv\ *adj* : creating disunity or dissension — **di·vi·sive·ly** *adv* — **di·vi·sive·ness** *n*
di·vi·sor \də-'vī-zər\ *n* : the number by which a dividend is divided
di·vorce \də-'vōrs\ *n* **1** : a complete legal breaking up of a marriage **2** : SEPARATION, SEVERANCE — **divorce** *vb*
di·vulge \də-'vəlj, dī-\ *vb* : REVEAL, DISCLOSE
diz·zy \'diz-ē\ *adj* **1** : having a sensation of whirling : GIDDY **2** : causing or caused by giddiness — **diz·zi·ly** *adv* — **diz·zi·ness** *n*
do \(')dü\ *vb* **did** \(')did\ **done** \'dən\ **do·ing** \'dü-iŋ\ **does** \(')dəz\ **1** : to bring to pass : ACCOMPLISH **2** : ACT, BEHAVE ⟨~ as I say⟩ **3** : to be active or busy ⟨up and ~ing⟩ **4** : HAPPEN ⟨what's ~ing?⟩ **5** : to work at ⟨he *does* tailoring⟩ **6** : PREPARE ⟨*did* his homework⟩ **7** : to put in order (as by cleaning or arranging) ⟨~ the dishes⟩ **8** : DECORATE ⟨*did* the hall in blue⟩ **9** : to get along ⟨he *does* well⟩ **10** : to carry on **11** : to feel or function better ⟨could ~ with some food⟩ **12** : RENDER **13** : FINISH ⟨when he had *done*⟩ **14** : EXERT ⟨*did* my best⟩ **15** : PRODUCE ⟨*did* a poem⟩ **16** : to play the part of **17** : CHEAT ⟨*did* him out of his share⟩ **18** : TRAVERSE, TOUR **19** : TRAVEL **20** : to serve out in prison
doc·ile \'däs-əl\ *adj* [L *docilis* teachable, fr *docēre* to teach] : easily taught, led, or managed : TRACTABLE — **do·cil·i·ty** \dä-'sil-ət-ē\ *n*
¹**dock** \'däk\ *n* : a weedy herb related to buckwheat
²**dock** *vb* **1** : to cut off the end of : cut short **2** : to take away a part of : deduct from ⟨~ a man's wages⟩
³**dock** *n* **1** : an artificial basin to receive ships **2** : a slip between two piers to receive ships **3** : a wharf or platform for loading or unloading materials
⁴**dock** *vb* : to bring or come into dock
⁵**dock** *n* : the place in a court where a prisoner stands or sits during trial
dock·et \'däk-ət\ *n* **1** : a formal abridged record of the proceedings in a legal action; *also* : a register of such records **2** : a list of legal causes to be tried **3** : a calendar of matters to be acted on

: AGENDA   **4** : a label attached to a parcel containing identification or directions — **docket** *vb*

¹doc·tor \'däk-tər\ *n* **1** : a person holding one of the highest academic degrees (as a PhD) conferred by a university   **2** : one skilled in healing arts; *esp* : an academically and legally qualified physician, surgeon, dentist, or veterinarian — **doc·tor·al** \-t(ə-)rəl\ *adj*

²doctor *vb* **1** : to give medical treatment to   **2** : to practice medicine   **3** : REPAIR   **4** : to adapt or modify for a desired end   **5** : to alter deceptively

doc·tor·ate \'däk-t(ə-)rət\ *n* : the degree, title, or rank of a doctor

doc·tri·naire \,däk-trə-'naər\ *n* : one who attempts to put an abstract theory into effect without regard to practical difficulties — **doctrinaire** *adj*

doc·trine \'däk-trən\ *n* **1** : something that is taught   **2** : DOGMA, TENET — **doc·tri·nal** \-trən-ᵊl\ *adj*

doc·u·ment \'däk-yə-mənt\ *n* : a paper that furnishes information, proof, or support of something else — **doc·u·ment** \-,ment\ *vb* — **doc·u·men·ta·tion** \,däk-yə-mən-'tā-shən\ *n*

doc·u·men·ta·ry \,däk-yə-'men-t(ə-)rē\ *adj* **1** : of or relating to documents   **2** : giving a factual presentation in artistic form 〈a ~ movie〉 — **documentary** *n*

¹dodge \'däj\ *vb* **1** : to move suddenly aside; *also* : to avoid or evade by so doing   **2** : to avoid by trickery or evasion

²dodge *n* **1** : an act of evading by sudden bodily movement   **2** : an artful device to evade, deceive, or trick   **3** : TECHNIQUE, METHOD

do·do \'dōd-ō\ *n, pl* **-does** *or* **-dos**   **1** : a heavy flightless extinct bird related to the pigeons but larger than a turkey and formerly found on some of the islands of the Indian ocean   **2** : one hopelessly behind the times

doe \'dō\ *n* : an adult female deer; *also* : the female of a mammal of which the male is called buck — **doe·skin** \-,skin\ *n*

¹dog \'dȯg\ *n* **1** : a flesh-eating domestic mammal related to the wolves; *esp* : a male of this animal   **2** : a worthless fellow   **3** : FELLOW, CHAP 〈a gay ~〉   **4** : a mechanical device for holding something   **5** : affected stylishness or dignity 〈put on the ~〉   **6** *pl* : RUIN 〈gone to the ~s〉

²dog *vb* dogged; dog·ging   **1** : to hunt or track like a hound   **2** : to worry as if by dogs : HOUND

dog·fish \-,fish\ *n* : any of various small sharks

dog·ged \'dȯg-əd\ *adj* : stubbornly determined : TENACIOUS — **dog·ged·ly** *adv* — **dog·ged·ness** *n*

dog·ger·el \'dȯg-(ə-)rəl\ *n* : verse that is loosely styled and irregular in measure esp. for comic effect

dog·house \'dȯg-,haus\ *n* : a shelter for a dog — **in the doghouse** : in a state of disfavor

dog·ma \'dȯg-mə\ *n* **1** : a tenet or code of tenets   **2** : a doctrine or body of doctrines formally proclaimed by a church

dog·ma·tism \-,tiz-əm\ *n* : positiveness in stating matters of opinion esp. when unwarranted or arrogant — **dog·mat·ic** \dȯg-'mat-ik\ *adj* — **dog·mat·i·cal·ly** *adv*

doi·ly \'dȯi-lē\ *n* : a small often decorative mat

do·ings \'dü-iŋz\ *n pl* : ACTS, DEEDS, EVENTS

dol·drums \'dōl-drəmz, 'dȧl-\ *n pl*   **1** : a spell of listlessness or despondency   **2** : a part of the ocean near the equator abounding in calms   **3** : a state of inactivity, stagnation, or slump 〈business is in the ~〉

¹dole \'dōl\ *n* **1** : a distribution esp. of food, money, or clothing to the needy; *also* : something so distributed   **2** : a grant of government funds to the unemployed

²dole *vb* **1** : to give or distribute as a charity   **2** : to give in small portions : PARCEL 〈~ out food〉

dole·ful \-fəl\ *adj* : full of grief : SAD — **dole·ful·ly** *adv*

doll \'däl, 'dȯl\ *n* **1** : a small figure of a human being used esp. as a child's plaything   **2** : a pretty but sometimes empty-headed young woman

dol·lar \'däl-ər\ *n* **1** : a basic monetary unit; *esp* : a U.S. silver coin of the legal value of 100 cents — see MONEY table   **2** : a coin, note, or token representing one dollar

dol·ly \'däl-ē\ *n* : a small wheeled truck used in moving heavy loads; *also* : a wheeled platform for a television or movie camera

do·lor \'dō-lər, 'däl-ər\ *n* : mental suffering or anguish : SORROW — **do·lor·ous** *adj* — **do·lor·ous·ly** *adv* — **do·lor·ous·ness** *n*

dol·phin \'däl-fən\ *n* : a sea mammal related to the whales

dolt \'dōlt\ *n* : a stupid fellow — **dolt·ish** *adj*

-dom \dəm\ *n suffix* **1** : dignity : office 〈duke*dom*〉   **2** : realm : jurisdiction 〈king*dom*〉   **3** : geographical area   **4** : state or fact of being 〈free*dom*〉   **5** : those having a (specified) office, occupation, interest, or character 〈offi­cial*dom*〉

do·main \dō-'mān\ *n* **1** : complete and absolute ownership of land   **2** : land completely owned   **3** : a territory over which dominion is exercised   **4** : a sphere of influence or action 〈the ~ of science〉

dome \'dōm\ *n* : a large hemispherical roof or ceiling

¹do·mes·tic \də-'mes-tik\ *adj* **1** : of or relating to the household or the family   **2** : relating and limited to one's own country or the country under consideration   **3** : INDIGENOUS   **4** : living near or about the habitations of man   **5** : TAME, DOMESTICATED   **6** : devoted to home duties and pleasures — **do·mes·ti·cal·ly** *adv*

²domestic *n* : a household servant

do·mes·ti·cate \də-'mes-ti-,kāt\ *vb* : to adapt to life in association with and to the use of man 〈the dog was *domesticated* in prehistoric times〉 — **do·mes·ti·ca·tion** \-,mes-ti-'kā-shən\ *n*

do·mes·tic·i·ty \,dō-,mes-'tis-ət-ē, də-\ *n* **1** : the quality or state of being domestic or domesticated   **2** : domestic activities or life

dom·i·nance \'däm-ə-nəns\ *n* : AUTHORITY, CONTROL — **dom·i·nant** *adj*

dom·i·nate \-,nāt\ *vb* **1** : RULE, CONTROL   **2** : to have a commanding position or controlling power over   **3** : to rise high above in a position suggesting

domination 139 douche

power to dominate ⟨a mountain range *dominated* by a single peak⟩
dom·i·na·tion \,däm-ə-'nā-shən\ *n* **1** : supremacy or preeminence over another **2** : exercise of mastery or preponderant influence
do·min·ion \də-'min-yən\ *n* **1** : supreme authority : SOVEREIGNTY **2** : DOMAIN **3** *often cap* : a self-governing nation of the British Commonwealth
do·nate \'dō-,nāt\ *vb* **1** : to make a gift of : CONTRIBUTE **2** : to make a donation
do·na·tion \dō-'nā-shən\ *n* **1** : the action of making a gift esp. to a charity **2** : a free contribution : GIFT
¹done \'dən\ *past part of* DO
²done *adj* **1** : conformable to social convention **2** : gone by : OVER ⟨when day is ~⟩ **3** : doomed to failure, defeat, or death ⟨industry is ~ in this area⟩ **4** : cooked sufficiently ⟨the meat is ~⟩
don·key \'däŋ-kē, 'dəŋ-\ *n* **1** : the domestic ass **2** : a stupid or obstinate person
do·nor \'dō-nər\ *n* : one that gives, donates, or presents
doo·dle \'düd-ᵊl\ *vb* : to draw or scribble aimlessly while occupied with something else — **doodle** *n* — **doo·dler** \-(ᵊ-)lər\ *n*
doom \'düm\ *n* **1** : JUDGMENT, SENTENCE; *esp* : a judicial condemnation or sentence **2** : DESTINY, FATE **3** : RUIN, DEATH — **doom** *vb*
dooms·day \'dümz-,dā\ *n* : the day of the Last Judgment
door \'dōr\ *n* **1** : the movable frame by which a passageway for entrance can be opened or closed **2** : a passage for entrance **3** : a means of access ⟨the ~ to success⟩
door·jamb \-,jam\ *n* : an upright piece forming the side of a door opening
¹dope \'dōp\ *n* **1** : a preparation for giving a desired quality **2** : a narcotic preparation **3** : a stupid person **4** : INFORMATION
²dope *vb* **1** : to treat with dope; *esp* : to give a narcotic to **2** *slang* : PREDICT, FIGURE ⟨~ out which team will win⟩
dorm \'dorm\ *n* : DORMITORY
dor·mant \'dor-mənt\ *adj* : INACTIVE; *esp* : not actively growing or functioning ⟨~ buds⟩ — **dor·man·cy** *n*
dor·mer \-mər\ *n* : a window (**dormer window**) built upright in a sloping roof

dormer

dor·mi·to·ry \'dor-mə-,tōr-ē\ *n* **1** : a room for sleeping; *esp* : a large room containing a number of beds **2** : a residence hall providing sleeping rooms
dor·mouse \'dor-,maus\ *n, pl* **dor·mice** \-,mīs\ : an Old World squirrellike rodent
dor·sal \'dor-səl\ *adj* : of, relating to, or located near or on the surface of the body that in man is the back but in most other animals is the upper surface — **dor·sal·ly** *adv*

¹dose \'dōs\ *n* **1** : a quantity (as of medicine) to be taken or administered at one time **2** : the quantity of radiation administered or absorbed — **dos·age** \'dō-sij\ *n*
²dose *vb* **1** : to give medicine to **2** : to give in doses
¹dot \'dät\ *n* **1** : a small spot : SPECK **2** : a small round mark made with or as if with a pen **3** : a precise point in time or space ⟨be here on the ~⟩
²dot *vb* **dot·ted; dot·ting** **1** : to mark with a dot ⟨~ an *i*⟩ **2** : to cover with or as if with dots ⟨a lake *dotted* with boats⟩
dote \'dōt\ *vb* **1** : to be feebleminded esp. from old age **2** : to show excessive or foolish affection or fondness ⟨*doted* on her only niece⟩ — **dot·ing** *adj*
¹dou·ble \'dəb-əl\ *adj* **1** : TWOFOLD, DUAL **2** : consisting of two members or parts **3** : being twice as great or as many **4** : folded in two **5** : having more than one whorl of petals ⟨~ roses⟩
²double *n* **1** : something twice another in size, strength, speed, quantity, or value **2** : a hit in baseball that enables the batter to reach second base **3** : COUNTERPART, DUPLICATE; *esp* : a person who closely resembles another **4** : UNDERSTUDY, SUBSTITUTE **5** : a sharp turn : REVERSAL **6** : FOLD **7** : a combined bet placed on two different contests **8** *pl* : a tennis match with two players on each side **9** : an act of doubling in a card game
³double *adv* **1** : DOUBLY **2** : two together ⟨sleep ~⟩
⁴double *vb* **1** : to make, be, or become twice as great or as many **2** : to make a call in bridge that increases the trick values and penalties of (an opponent's bid) **3** : FOLD **4** : CLENCH **5** : BEND **6** : to sail around (as a cape) by reversing direction **7** : to take the place of another **8** : to hit a double **9** : to turn sharply and suddenly; *esp* : to turn back on one's course
dou·ble–cross \,dəb-əl-'kros\ *vb* : to deceive by double-dealing — **dou·ble–cross·er** *n*
dou·ble–deck·er \-'dek-ər\ *n* **1** : something (as a ship or bed) having two decks **2** : a sandwich having two layers
dou·ble en·ten·dre \,düb-(ə-),läⁿ-'täⁿdrᵊ, ,dəb-\ *n* : a word or expression capable of two interpretations one of which is usu. risqué
dou·bly \'dəb-lē\ *adv* **1** : to twice the degree **2** : in a twofold manner
¹doubt \'daut\ *vb* **1** : to be uncertain about **2** : to lack confidence in : DISTRUST, FEAR **3** : to consider unlikely
²doubt *n* **1** : uncertainty of belief or opinion **2** : the condition of being uncertain ⟨the outcome was in ~⟩ **3** : DISTRUST **4** : an inclination not to believe or accept
doubt·ful \-fəl\ *adj* **1** : not clear or certain as to fact **2** : QUESTIONABLE **3** : UNDECIDED **4** : not certain in outcome ⟨a ~ battle⟩ — **doubt·ful·ly** *adv*
¹doubt·less \-ləs\ *adv* **1** : without doubt **2** : PROBABLY
²doubtless *adj* : free from doubt : CERTAIN
douche \'düsh\ *n* : a jet of fluid (as water) directed against a part or into a cavity of the body; *also* : a cleansing with a douche

dough \'dō\ *n* **1** : a mixture of flour and other ingredients stiff enough to knead or roll **2** : something resembling dough esp. in consistency **3** : MONEY — **doughy** *adj*

dough·nut \-(,)nət\ *n* : a small usu. ring-shaped cake fried in fat

dough·ty \'daut-ē\ *adj* . ABLE, STRONG, VALIANT

dour \'dau(ə)r, 'dùr\ *adj* **1** : STERN, HARSH **2** : GLOOMY, SULLEN

douse \'daus\ *vb* **1** : to plunge into water **2** : DRENCH **3** : EXTINGUISH

¹**dove** \'dəv\ *n* : PIGEON; *esp* : a small wild pigeon — **dove·cote** \-,kōt\

²**dove** \'dōv\ *past of* DIVE

¹**dove·tail** \'dəv-,tāl\ *n* : something that resembles a dove's tail; *esp* : a flaring tenon and a mortise into which it fits tightly

²**dovetail** *vb* **1** : to join (as timbers) by means of dovetails **2** : to fit skillfully together to form a whole ⟨our plans ~ perfectly⟩

dow·a·ger \'daù-i-jər\ *n* **1** : a widow owning property or a title received from her deceased husband **2** : a dignified elderly woman

dowdy \'daud-ē\ *adj* : lacking neatness and charm : SHABBY, UNTIDY; *also* : lacking smartness

¹**dow·er** \'dau(-ə)r\ *n* **1** : the part of a deceased husband's real estate which the law gives for life to his widow **2** : DOWRY

²**dower** *vb* : to supply with a dower or dowry : ENDOW

¹**down** \'daun\ *n* : a rolling usu treeless upland with sparse soil ⟨the ~s of southern England⟩

²**down** *adv* **1** : toward or in a lower physical position **2** : to a lying or sitting position **3** : toward or to the ground, floor, or bottom **4** : in cash ⟨paid $5 ~⟩ **5** : on paper ⟨put ~ what he says⟩ **6** : to a source or place of concealment ⟨tracked him ~⟩ **7** : FULLY, COMPLETELY **8** : in a direction that is the opposite of up **9** : SOUTH **10** : toward or in the center of a city; *also* : away from a center **11** : to or in a lower or worse condition or status **12** : from a past time ⟨heirlooms handed ~⟩ **13** : to or in a state of less activity **14** : from a thinner to a thicker consistency

³**down** *adj* **1** : occupying a low position; *esp* : lying on the ground **2** : directed or going downward **3** : being at a lower level ⟨sales were ~⟩ **4** : being in a state of reduced or low activity **5** : DEPRESSED, DEJECTED **6** : SICK ⟨~ with a cold⟩ **7** : having a low opinion or dislike ⟨~ on the boy⟩ **8** : FINISHED, DONE **9** : being the part of a price paid at the time of purchase or delivery ⟨a ~ payment⟩

⁴**down** *prep* : in a descending direction in, on, along, or through : to or toward the lower end or bottom of

⁵**down** *n* **1** : a low or falling period (as in activity, emotional life, or fortunes) ⟨the ups and ~s of business⟩ **2** : one of a series of attempts to advance a football

⁶**down** *vb* : to go or cause to go or come down

⁷**down** *n* **1** : a covering of soft fluffy feathers; *also* : such feathers **2** : a downlike covering or material

down·beat \'daun-,bēt\ *n* : the downward stroke of a conductor indicating the principally accented note of a measure of music

down·cast \'daun-,kast\ *adj* **1** : DEJECTED ⟨a ~ manner⟩ **2** : directed down ⟨a ~ glance⟩

down·fall \-,fol\ *n* **1** : a sudden fall (as from high rank) : RUIN **2** : a fall (as of rain) esp. when sudden or heavy **3** : something that causes a downfall — **down·fal·len** \-,fo-lən\ *adj*

¹**down·grade** \-,grād\ *n* **1** : a downward grade or slope (as of a road) **2** : a decline toward a worse condition

²**downgrade** *vb* : to lower in grade, rank, position, or status

¹**down·right** \-,rīt\ *adv* : THOROUGHLY ⟨~ mean⟩

²**downright** *adj* **1** : ABSOLUTE, THOROUGH ⟨a ~ lie⟩ **2** : PLAIN, BLUNT ⟨a ~ man⟩

down·stairs \-'staərz\ *adv* : on or to a lower floor and esp. the main or ground floor — **downstairs** *adj or n*

downtown *n* : an urban business center — **downtown** *adj*

down·trod·den \-'träd-³n\ *adj* : abused by superior power: OPPRESSED

down·turn \-,tərn\ *n* **1** : a turning downward **2** : a decline esp. in business activity

¹**down·ward** \-wərd\ *also* **downwards** \-wərdz\ *adv* **1** : from a higher to a lower place or condition **2** : from an earlier time **3** : from an ancestor or predecessor

²**downward** *adj* : directed toward or situated in a lower place or condition : DESCENDING

down·wind \'daun-'wind\ *adv* (or *adj*) : in the direction toward which the wind is blowing

downy \'daù-nē\ *adj* : resembling or covered with down

dow·ry \'daù(ə)r-ē\ *n* : the property that a woman brings to her husband in marriage

dox·ol·o·gy \däk-'säl-ə-jē\ *n* : a usu. short hymn of praise to God

doze \'dōz\ *vb* : to sleep lightly — **doze** *n*

doz·en \'dəz-³n\ *n, pl* **dozens** *or* **dozen** [OF *dozaine*, fr. *doze* twelve, fr. L *duodecim*, fr. *duo* two + *decem* ten] : a group of twelve

drab \'drab\ *adj* **1** : being of a light olive-brown color **2** : DULL, MONOTONOUS, CHEERLESS

¹**draft** \'draft, 'dràft\ *n* **1** : the act of drawing or hauling : the thing or amount that is drawn **2** : the force required to pull an implement **3** : the act or an instance of drinking or inhaling; *also* : the portion drunk or inhaled in one such act **4** : DOSE, POTION **5** : DELINEATION, PLAN, DESIGN; *also* : a preliminary sketch, outline, or version ⟨a rough ~ of a speech⟩ **6** : the act of drawing (as from a cask); *also* : a portion of liquid so drawn **7** : the depth of water a ship draws esp. when loaded **8** : the selection of a person esp. for compulsory military service; *also* : the persons so selected **9** : an order for the payment of money drawn by one person or bank on another **10** : a heavy demand : STRAIN **11** : a current of air; *also* : a device to regulate air supply (as to a fire) — **on draft** : ready to be drawn from a receptacle ⟨beer on draft⟩

²draft *adj* **1** : used for drawing loads ⟨~ animals⟩ **2** : constituting a preliminary or tentative version, sketch, or outline ⟨a ~ treaty⟩ **3** : being on draft; *also* : DRAWN ⟨~ beer⟩

³draft *vb* **1** : to select usu. on a compulsory basis; *esp* : to conscript for military service **2** : to draw the preliminary sketch, version, or plan of **3** : COMPOSE, PREPARE **4** : to draw up, off, or away

drafts·man \'drafts-mən, 'dràfts-\ *n* : one who draws plans (as for buildings or machinery)

drafty *adj* : relating to or exposed to a draft ⟨a ~ hall⟩

¹drag \'drag\ *n* **1** : something (as a harrow, grapnel, sledge, or clog) that is dragged along over a surface **2** : something that hinders progress **3** : the act or an instance of dragging

²drag *vb* **dragged; drag·ging 1** : HAUL **2** : to move with painful slowness or difficulty **3** : to force into or out of some situation, condition, or course of action **4** : to pass (time) in pain or tedium **5** : PROTRACT ⟨~ a story out⟩ **6** : to hang or lag behind **7** : to trail along on the ground **8** : to explore, search, or fish with a drag **9** : DRAW, PUFF ⟨~ on a cigarette⟩

drag·net \-,net\ *n* **1** : NET, TRAWL **2** : a network of planned actions for pursuing and catching ⟨a police ~⟩

drag·on \'drag-ən\ *n* : a fabulous animal usu. represented as a huge winged scaly serpent with a crested head and large claws

drag·on·fly \-,flī\ *n* : any of a group of large 4-winged insects

¹dra·goon \drə-'gün\ *n* : a heavily armed mounted soldier

²dragoon *vb* : to force or attempt to force into submission by violent measures

¹drain \'drān\ *vb* **1** : to draw off or flow off gradually or completely **2** : to exhaust physically or emotionally **3** : to make or become gradually dry or empty **4** : to carry away the surface water of : discharge surface or surplus water **5** : EMPTY, EXHAUST — **drain·er** *n*

²drain *n* **1** : a means (as a channel or sewer) of draining **2** : the act of draining **3** : DEPLETION **4** : BURDEN, STRAIN ⟨a ~ on his savings⟩

drain·age \-ij\ *n* **1** : the act or process of draining; *also* : something that is drained off **2** : a means for draining : DRAIN, SEWER **3** : an area drained

drake \'drāk\ *n* : a male duck

dra·ma \'dräm-ə, 'dram-\ *n* [Gk *dramat-, drama*, lit., action, fr. *dran* to do, act] **1** : a literary composition designed for theatrical presentation **2** : PLAYS **3** : a series of events involving conflicting forces — **dra·mat·ic** \drə-'mat-ik\ *adj* — **dra·mat·i·cal·ly**

dram·a·tize \'dram-ə-,tīz\ *vb* **1** : to adapt for or be suitable for theatrical presentation **2** : to present or represent in a dramatic manner — **dram·a·ti·za·tion** \,dram-ət-ə-'zā-shən\ *n*

drank *past of* DRINK

¹drape \'drāp\ *vb* **1** : to cover or adorn with or as if with folds of cloth **2** : to cause to hang or stretch out loosely or carelessly **3** : to arrange or become arranged in flowing lines or folds

²drape *n* **1** : CURTAIN **2** : arrangement in or of folds **3** : the cut or hang of clothing

drap·ery \-p(ə-)rē\ *n* **1** *Brit* : DRY GOODS **2** *Brit* : the occupation of a draper **3** : a decorative fabric esp. when hung loosely and in folds : HANGINGS **4** : the draping or arranging of materials

dras·tic \'dras-tik\ *adj* : HARSH, RIGOROUS, SEVERE ⟨~ punishment⟩ — **dras·ti·cal·ly** *adv*

¹draw \'drò\ *vb* **drew** \'drü\ **drawn** \'dròn\ **draw·ing 1** : HAUL, DRAG **2** : to cause to go in a certain direction ⟨*drew* him aside⟩ **3** : to move or go steadily or gradually ⟨night ~*s* near⟩ **4** : ATTRACT, ENTICE **5** : PROVOKE, ROUSE ⟨*drew* enemy fire⟩ **6** : INHALE ⟨~ a deep breath⟩ **7** : to bring or pull out **8** : to force out from cover or possession ⟨~ trumps⟩ **9** : to extract the essence from ⟨~ tea⟩ **10** : EVISCERATE **11** : to require (a specified depth) to float in **12** : ACCUMULATE, GAIN ⟨~*ing* interest⟩ **13** : to take money from a place of deposit : WITHDRAW **14** : to receive regularly from a source ⟨~ a salary⟩ **15** : to take (cards) from a stack or the dealer **16** : to receive or take at random ⟨~ a winning number⟩ **17** : to bend (a bow) by pulling back the string **18** : WRINKLE, SHRINK **19** : to change shape by or as if by pulling or stretching ⟨a face *drawn* with sorrow⟩ **20** : to leave (a contest) undecided : TIE **21** : DELINEATE, SKETCH **22** : to write out in due form : DRAFT ⟨~ up a will⟩ **23** : FORMULATE ⟨~ comparisons⟩ **24** : DEDUCE **25** : to spread or elongate (metal) by hammering or by pulling through dies **26** : to produce or allow a draft or current of air ⟨the furnace ~*s* well⟩ **27** : to swell out in a wind ⟨all sails ~*ing*⟩

²draw *n* **1** : the act, process, or result of drawing **2** : a lot or chance drawn at random **3** : TIE **4** : ATTRACTION

draw·back \-,bak\ *n* : HINDRANCE, HANDICAP

draw·er \'drò(-ə)r\ *n* **1** : one that draws **2** : a sliding boxlike compartment (as in a table or desk) **3** *pl* : an undergarment for the lower part of the body

draw·ing *n* **1** : an act or instance of drawing; *esp* : an occasion when something is decided by drawing lots **2** : the act or art of making a figure, plan, or sketch by means of lines **3** : a representation made by drawing : SKETCH

drawl \'dròl\ *vb* : to speak or utter slowly with vowels greatly prolonged — **drawl** *n*

¹dread \'dred\ *vb* **1** : to fear greatly **2** : to feel extreme reluctance to meet face to face

²dread *n* : great fear esp. of some harm to come

³dread *adj* **1** : causing great fear or anxiety **2** : inspiring awe

dread·ful \-fəl\ *adj* **1** : inspiring dread or awe : FRIGHTENING **2** : extremely distasteful, unpleasant, or shocking

¹dream \'drēm\ *n* **1** : a series of thoughts, images, or emotions occurring during sleep **2** : a dreamlike vision : DAYDREAM, REVERIE **3** : something notable for its beauty, excellence, or enjoyable quality **4** : IDEAL — **dream·like** *adj* — **dreamy** *adj*

²**dream** *vb* **dreamed** \'drēmd\ *or* **dreamt** \'dremt\ **dream·ing** \'drē-miŋ\ **1** : to have a dream of **2** : to indulge in daydreams or fantasies : pass (time) in reverie or inaction **3** : IMAGINE — **dream·er** \'drē-mər\ *n*

dreary \'dri(ə)r-ē\ *adj* **1** : DOLEFUL, SAD **2** : DISMAL, GLOOMY — **drear·i·ly** *adv*

¹**dredge** \'drej\ *n* : a machine or ship for scooping up and removing earth or silt

²**dredge** *vb* : to gather or search with or as if with a dredge — **dredg·er** *n*

³**dredge** *vb* : to coat (food) by sprinkling (as with flour)

dregs \'dregz\ *n pl* **1** : LEES, SEDIMENT **2** : the most worthless part of something

drench \'drench\ *vb* : to wet through : SOAK

¹**dress** \'dres\ *vb* **1** : to make or set straight : ALIGN **2** : to put clothes on : CLOTHE; *also* : to put on or wear formal or fancy clothes **3** : TRIM, EMBELLISH ⟨~ a store window⟩ **4** : to prepare for use; *esp* : BUTCHER **5** : to apply dressings or remedies to **6** : to arrange (the hair) by combing or curling **7** : to apply fertilizer to **8** : SMOOTH, FINISH ⟨~ leather⟩

²**dress** *n* **1** : APPAREL, CLOTHING **2** : FROCK, GOWN — **dress·mak·er** \-,mā-kər\ *n* — **dress·mak·ing** *n*

³**dress** *adj* : suitable for a formal occasion; *also* : requiring formal dress

¹**dress·er** \'dres-ər\ *n* : a chest of drawers or bureau with a mirror

²**dresser** *n* : one that dresses

dress·ing *n* **1** : the act or process of one who dresses **2** : a sauce or similar mixture for adding to a dish **3** : a seasoned mixture usu. used as a stuffing (as for poultry) **4** : material used to cover an injury

dressing gown *n* : a loose robe worn esp. while dressing or resting

dressy *adj* **1** : showy in dress **2** : STYLISH, SMART

drew *past of* DRAW

¹**drib·ble** \'drib-əl\ *vb* **1** : to fall or flow in drops : TRICKLE **2** : DROOL **3** : to propel by successive slight taps or bounces

²**dribble** *n* **1** : a small trickling stream or flow **2** : a drizzling shower **3** : the dribbling of a ball or puck

drib·let \'drib-lət\ *n* **1** : a trifling sum or part : a small amount **2** : a falling drop

dri·er *also* **dry·er** \'drī(-ə)r\ *n* **1** : a substance dissolved in paints, varnishes, or inks to speed drying **2** *usu* **dryer** : a device for drying

¹**drift** \'drift\ *n* **1** : the motion or course of something drifting **2** : a mass of matter (as snow or sand) blown up by wind **3** : earth, gravel, and rock deposited by a glacier or by running water **4** : a general underlying design or tendency : MEANING — **drift·wood** \-,wu̇d\ *n*

²**drift** *vb* **1** : to float or be driven along by wind, waves, or currents **2** : to pile up under the force of the wind or water

drift·er *n* : a person without aim, ambition, or inks to speed drying or initiative

¹**drill** \'dril\ *vb* **1** : to bore with a drill **2** : to instruct and exercise by repetition

²**drill** *n* **1** : a boring tool **2** : the training of soldiers **3** : strict training and instruction in a subject

³**drill** *n* : an agricultural implement for making furrows and dropping seed into them

⁴**drill** *n* : a firm cotton fabric in twill weave

drill, 1

¹**drink** \'driŋk\ *vb* **drank** \'draŋk\ **drunk** \'drəŋk\ *or* **drank**; **drink·ing** **1** : to swallow liquid : IMBIBE **2** : ABSORB **3** : to take in through the senses ⟨~ in the beautiful scenery⟩ **4** : to give or join in a toast **5** : to drink alcoholic beverages esp. to excess

²**drink** *n* **1** : BEVERAGE **2** : alcoholic liquor **3** : a draft or portion of liquid **4** : excessive consumption of alcoholic beverages

¹**drip** \'drip\ *vb* **dripped** *or* **dript**; **drip·ping** **1** : to fall or let fall in drops **2** : to let fall drops of moisture or liquid ⟨a *dripping* faucet⟩ **3** : to overflow with or as if with moisture ⟨a coat *dripping* with gold braid⟩

²**drip** *n* **1** : a falling in drops **2** : liquid that falls, overflows, or is extruded in drops **3** : the sound made by or as if by falling drops

¹**drive** \'drīv\ *vb* **drove** \'drōv\ **driv·en** \'driv-ən\ **driv·ing** \'drī-viŋ\ **1** : to urge, push, or force onward **2** : to direct the movement or course of **3** : to convey in a vehicle **4** : to set or keep in motion or operation **5** : to carry through strongly ⟨~ a bargain⟩ **6** : FORCE, COMPEL ⟨*driven* by hunger to steal⟩ **7** : to project, inject, or impress forcefully ⟨*drove* the lesson home⟩ **8** : to bring into a specified condition ⟨the noise ~s me crazy⟩ **9** : to produce by opening a way ⟨~ a well⟩ **10** : to rush and press with violence **11** : to propel an object of play (as a golf ball) by a hard blow — **driv·er** \'drī-vər\ *n*

²**drive** *n* **1** : a trip in a carriage or automobile **2** : a driving together of animals (as for capture or slaughter) **3** : the guiding of logs downstream to a mill **4** : the act of driving a ball; *also* : the flight of a ball **5** : DRIVEWAY **6** : a public road for driving (as in a park)

¹**driv·el** \'driv-əl\ *vb* **-eled** *or* **-elled**; **-el·ing** *or* **-el·ling** **1** : DROOL, SLAVER **2** : to talk or utter stupidly, carelessly, or in an infantile way — **driv·el·er** *or* **driv·el·ler** \-(ə-)lər\ *n*

²**drivel** *n* **1** *archaic* : saliva trickling from the mouth **2** : NONSENSE

drive·way \'drīv-,wā\ *n* **1** : a road or way along which animals are driven **2** : a short private road leading from the street to a house, garage, or parking lot

¹driz·zle \\'driz-əl\\ *vb* **:** to rain in very small drops
²drizzle *n* **:** a fine misty rain
droll \\'drōl\\ *adj* **:** having a humorous, whimsical, or odd quality ⟨a ~ expression⟩ — **droll·ery** \\-(ə-)rē\\ *n* — **drol·ly** \\'drō(l)-lē\\ *adv*
¹drone \\'drōn\\ *n* **1 :** a male honeybee **2 :** one that lives on the labors of others **:** PARASITE **3 :** a pilotless airplane or ship controlled by radio
²drone *vb* **:** to sound with a low dull monotonous murmuring sound **:** speak monotonously
³drone *n* **:** a deep monotonous sound **:** HUM
drool \\'drül\\ *vb* **1 :** to let liquid flow from the mouth **2 :** to talk foolishly **:** express in a sentimental or effusive manner
droop \\'drüp\\ *vb* **1 :** to hang or incline downward **2 :** to sink gradually **3 :** LANGUISH — **droop** *n*
¹drop \\'dräp\\ *n* **1 :** the quantity of fluid that falls in one spherical mass **2** *pl* **:** a dose of medicine measured by drops **3 :** a small quantity of drink **4 :** the smallest practical unit of liquid measure **5 :** something (as a pendant or a small round candy) that resembles a liquid drop in quantity or quality **6 :** FALL **7 :** a decline in quantity or quality **8 :** a descent by parachute **9 :** the distance through which something drops
²drop *vb* **dropped; drop·ping 1 :** to fall or let fall in drops **2 :** to let fall ⟨~ a glove⟩ **:** LOWER ⟨dropped his voice⟩ **3 :** SEND ⟨~ me a note⟩ **4 :** to let go **:** DISMISS ⟨~ the subject⟩ **5 :** to knock down **:** cause to fall **6 :** to go lower **:** become less ⟨prices *dropped*⟩ **7 :** to come or go unexpectedly or informally ⟨~ in to call⟩ **8 :** to pass from one state into a less active one ⟨~ off to sleep⟩ **9 :** to move downward or with a current **10 :** QUIT ⟨*dropped* out of the race⟩
drop-kick \\'dräp-'kik\\ *n* **:** a kick made by dropping a football to the ground and kicking it at the moment it starts to rebound — **drop-kick** *vb*
drop·let \\-lət\\ *n* **:** a tiny drop
drop·out \\-,aut\\ *n* **:** one who drops out (as from school) before achieving his goal
drop·per *n* **:** one that drops **2 :** a short glass tube with a rubber bulb used to measure out liquids by drops
drop·sy \\'dräp-sē\\ *n* **:** an abnormal accumulation of serous fluid in the body — **drop·si·cal** *adj*
drought *or* **drouth** \\'draùth, 'draùt\\ *n* **:** a long spell of dry weather
drove \\'drōv\\ *n* **1 :** a group of animals driven or moving in a body **2 :** a crowd of people moving or acting together
drov·er \\'drō-vər\\ *n* **:** one that drives domestic animals usu. to market; *also* **:** a dealer in cattle
drown \\'draùn\\ *vb* **1 :** to suffocate by submersion esp. in water **2 :** to become drowned **3 :** to cover with water **:** INUNDATE **4 :** OVERCOME, OVERPOWER
drowse \\'draùz\\ *vb* **:** DOZE — **drowse** *n*
drub \\'drəb\\ *vb* **drubbed; drub·bing 1 :** to beat severely **:** PUMMEL, THRASH **2 :** to defeat decisively
drudge \\'drəj\\ *vb* **:** to do hard, menial, or monotonous work — **drudge** *n* —

drudg·ery \\-(ə-)rē\\ *n*
¹drug \\'drəg\\ *n* **1 :** a substance used as or in medicine **2 :** NARCOTIC
²drug *vb* **drugged; drug·ging :** to affect with drugs; *esp* **:** to stupefy with a narcotic
drug·gist \\-əst\\ *n* **:** a dealer in drugs and medicines **:** PHARMACIST
dru·id \\'drü-əd\\ *n, often cap* **:** one of an ancient Celtic priesthood of Gaul, Britain, and Ireland appearing in legends as magicians and wizards
¹drum \\'drəm\\ *n* **1 :** a musical percussion instrument usu. consisting of a hollow cylinder with a skin head stretched over each end that is beaten with sticks in playing **2 :** EARDRUM **3 :** the sound of a drum; *also* **:** a similar sound **4 :** a drum-shaped object
²drum *vb* **drummed; drum·ming 1 :** to beat a drum **2 :** to sound rhythmically **:** THROB, BEAT **3 :** to summon or assemble by or as if by beating a drum ⟨~ up customers⟩ **4 :** EXPEL ⟨*drummed* out of camp⟩ **5 :** to drive or force by steady effort ⟨~ a lesson into his head⟩ **6 :** to strike or tap repeatedly so as to produce rhythmic sounds
drum·beat \\'drəm-,bēt\\ *n* **:** a stroke on a drum or its sound
drum·mer *n* **1 :** one that plays a drum **2 :** a traveling salesman
¹drunk \\'drəŋk\\ *adj* **1 :** having the faculties impaired by alcohol **2 :** controlled by some feeling as if under the influence of alcohol ⟨~ with power⟩ **3 :** of, relating to, or caused by intoxication
²drunk *n* **1 :** a period of excessive drinking **2 :** a drunken person **:** DRUNKARD
drunk·en *adj* **1 :** DRUNK **2 :** given to habitual excessive use of alcohol **3 :** of, relating to, or resulting from intoxication **4 :** unsteady or lurching as if from intoxication — **drunk·en·ness** *n*
¹dry \\'drī\\ *adj* **1 :** free or freed from water or liquid **2 :** characterized by loss or lack of water or moisture **3 :** lacking freshness **:** WITHERED; *also*: low in or deprived of succulence ⟨~ fruits⟩ **4 :** not being in or under water ⟨~ land⟩ **5 :** THIRSTY **6 :** marked by the absence of alcoholic beverages **7 :** no longer liquid or sticky ⟨the ink is ~⟩ **8 :** containing or employing no liquid **9 :** not giving milk ⟨a ~ cow⟩ **10 :** lacking natural lubrication ⟨a ~ cough⟩ **11 :** solid as opposed to liquid ⟨~ groceries⟩ **12 :** SEVERE **13 :** not productive **:** BARREN **14 :** marked by a matter-of-fact, ironic, or terse manner of expression ⟨~ humor⟩ **15 :** UNINTERESTING, WEARISOME **16 :** not sweet ⟨~ wine⟩ **17 :** relating to, favoring, or practicing prohibition of alcoholic beverages — **dry·ly** *adv* — **dry·ness** *n*
²dry *vb* **:** to make or become dry
³dry *n, pl* **drys :** PROHIBITIONIST
dry–clean *vb* **:** to clean (fabrics) chiefly with solvents (as naphtha) other than water — **dry cleaning** *n*
du·al \\'d(y)ü-əl\\ *adj* **1 :** TWOFOLD, DOUBLE **2 :** having a double character or nature — **du·al·ism** *n* — **du·al·i·ty** \\d(y)ü-'al-ət-ē\\ *n*
¹dub \\'dəb\\ *vb* **dubbed; dub·bing 1 :** to confer knighthood upon **2 :** NAME, NICKNAME

²dub *vb* **dubbed; dub·bing :** to add (sound effects) to a motion picture or to a radio or television production

du·bi·ety \d(y)ü-ˈbī-ət-ē\ *n* **1 :** UNCERTAINTY **2 :** a matter of doubt

du·bi·ous \ˈd(y)ü-bē-əs\ *adj* **1 :** occasioning doubt : UNCERTAIN **2 :** feeling doubt : UNDECIDED **3 :** QUESTIONABLE ⟨resorted to ~ measures⟩ — **du·bi·ous·ly** *adv* — **du·bi·ous·ness** *n*

duch·ess \ˈdəch-əs\ *n* **1 :** the wife or widow of a duke **2 :** a woman holding a ducal title in her own right

duchy \ˈdəch-ē\ *n* : the territory of a duke or duchess : DUKEDOM

¹duck \ˈdək\ *n* : any of various swimming birds related to but smaller than geese and swans

²duck *vb* **1 :** to thrust or plunge under water **2 :** to lower the head or body suddenly **3 :** BOW, BOB **4 :** DODGE **5 :** to evade a duty, question, or responsibility ⟨~ the issue⟩

³duck *n* **1 :** a durable closely woven usu. cotton fabric **2** *pl* **:** clothes made of duck

duck·bill \-ˌbil\ *n* **:** PLATYPUS

duckbill

duck·ling \-liŋ\ *n* : a young duck

duct \ˈdəkt\ *n* **:** a tube or canal for conveying a fluid; *also* **:** a pipe or tube for electrical conductors — **duct·less** *adj*

duc·tile \ˈdək-tᵊl\ *adj* **1 :** capable of being drawn out (as into wire) or hammered thin **2 :** DOCILE — **duc·til·i·ty** \ˌdək-ˈtil-ət-ē\ *n*

dud \ˈdəd\ *n* **1** *pl* **:** CLOTHES; *also* **:** personal belongings **2 :** one that fails completely **3 :** a missile that fails to explode

dude \ˈd(y)üd\ *n* **1 :** FOP, DANDY **2 :** a city man; *esp* **:** an Easterner in the West

¹due \ˈd(y)ü\ *adj* **1 :** owed or owing as a debt **2 :** owed or owing as a right **3 :** APPROPRIATE, FITTING **4 :** SUFFICIENT, ADEQUATE **5 :** REGULAR, LAWFUL ⟨~ process of law⟩ **6 :** ATTRIBUTABLE, ASCRIBABLE ⟨~ to negligence⟩ **7 :** PAYABLE ⟨a bill ~ today⟩ **8 :** required or expected to happen : SCHEDULED ⟨~ to arrive soon⟩

²due *n* **1 :** DEBT ⟨pay him his ~⟩ **2** *pl* **:** a regular or legal charge or fee ⟨membership ~s⟩

³due *adv* **:** DIRECTLY, EXACTLY ⟨~ north⟩

du·el \ˈd(y)ü-əl\ *n* **:** a combat between two persons; *esp* **:** one fought with weapons in the presence of witnesses — **duel** *vb* — **du·el·ist** *or* **du·el·list** *n*

du·et \d(y)ü-ˈet\ *n* **:** a musical composition for 2 performers

dug *past of* DIG

dug·out \ˈdəg-ˌaůt\ *n* **1 :** a boat made by hollowing out a log **2 :** a shelter dug in a hillside or in the ground or in the side of a trench **3 :** a low shelter facing a baseball diamond and containing the players' bench

duke \ˈd(y)ük\ *n* [OF *duc*, fr. L *duc-, dux* leader, commander] **1 :** a sovereign ruler of a continental European duchy **2 :** a nobleman of the highest rank; *esp* **:** a member of the highest grade of the British peerage — **duke·dom** *n*

dul·cet \ˈdəl-sət\ *adj* **1 :** sweet to the ear **:** MELODIOUS **2 :** AGREEABLE, SOOTHING

dul·ci·mer \ˈdəl-sə-mər\ *n* **:** a wire=stringed instrument of trapezoidal shape played with light hammers held in the hands

¹dull \ˈdəl\ *adj* **1 :** mentally slow **:** STUPID **2 :** slow in perception or sensibility **3 :** LISTLESS **4 :** slow in action **:** SLUGGISH ⟨a ~ market⟩ **5 :** BLUNT **6 :** lacking brilliance or luster **7 :** DIM, INDISTINCT **8 :** not resonant or ringing **9 :** CLOUDY, OVERCAST **10 :** TEDIOUS, UNINTERESTING **11 :** low in saturation and lightness ⟨~ color⟩ — **dull·ness** *or* **dul·ness** *n* — **dul·ly** \ˈdəl-(l)ē\ *adv*

²dull *vb* **:** to make or become dull

dull·ard \ˈdəl-ərd\ *n* **:** a stupid person

du·ly \ˈd(y)ü-lē\ *adv* **:** in a due manner, time, or degree

dumb \ˈdəm\ *adj* **1 :** lacking the power of speech **2 :** SILENT **3 :** STUPID — **dumb·ly** *adv*

dumb·bell \ˈdəm-ˌbel\ *n* **1 :** a weight of 2 rounded ends connected by a short bar and usu. used in pairs for gymnastic exercises **2 :** one who is dull or stupid **:** DUMMY

dumb·found *or* **dum·found** \ˌdəm-ˈfaůnd\ *vb* **:** to strike dumb with astonishment **:** AMAZE

dum·my \ˈdəm-ē\ *n* **1 :** a dumb person **2 :** the exposed hand in bridge played by the declarer in addition to his own hand; *also* **:** a bridge player whose hand is a dummy **3 :** an imitation or copy of something used as a substitute **4 :** one who seems to be acting for himself but is really acting for another **5 :** something usu. mechanically operated that serves to replace or aid a human being's work **6 :** a pattern arrangement of matter to be reproduced esp. by printing

¹dump \ˈdəmp\ *vb* **:** to let fall in a mass **:** UNLOAD ⟨~ coal⟩

²dump *n* **1 :** a place for dumping something (as refuse) **2 :** a reserve supply; *esp* **:** one of military materials stored at one place ⟨an ammunition ~⟩ **3 :** a slovenly or dilapidated place

dumps \ˈdəmps\ *n pl* **:** a dull gloomy state of mind **:** low spirits ⟨in the ~⟩

dumpy \ˈdəm-pē\ *adj* **:** short and thick in build

¹dun \ˈdən\ *adj* **:** having a variable color averaging a nearly neutral slightly brownish dark gray

²dun *vb* **dunned; dun·ning 1 :** to ask repeatedly (as for payment of a debt) **2 :** PLAGUE, PESTER — **dun** *n*

dunce \ˈdəns\ *n* **:** a dull-witted and stupid person

dune \ˈd(y)ün\ *n* **:** a hill or ridge of sand piled up by the wind

¹dung \ˈdəŋ\ *n* **:** MANURE

²dung *vb* **:** to dress (land) with dung

dun·geon \ˈdən-jən\ *n* **:** a close dark prison commonly underground

dung·hill \ˈdəŋ-ˌhil\ *n* **:** a manure pile

dunk \ˈdəŋk\ *vb* **1 :** to dip (as bread) into liquid (as coffee) while eating **2 :** to dip or submerge temporarily in liquid **3 :** to submerge oneself in water

duo \ˈd(y)ü-ō\ *n* **1 :** DUET **2 :** PAIR

du·o·de·num \ˌd(y)ü-ə-ˈdēn-əm, d(y)ü-ˈäd-ᵊn-\ *n* **:** the part of the small intes-

dupe | **ear**

tine immediately below the stomach
du·o·de·nal \-'dēn-ᵊl, -ᵊn-əl\ *adj*
¹**dupe** \'d(y)üp\ *n* : one who is easily deceived or cheated : FOOL
²**dupe** *vb* : to make a dupe of : DECEIVE, FOOL
¹**du·plex** \'d(y)ü-,pleks\ *adj* : DOUBLE, TWOFOLD
²**duplex** *n* : something duplex; *esp* : a 2-family house
¹**du·pli·cate** \'d(y)ü-pli-kət\ *adj* 1 : consisting of or existing in 2 corresponding or identical parts or examples 2 : being the same as another
²**duplicate** *n* : a thing that exactly resembles another in appearance, pattern, or content : COPY
³**du·pli·cate** \-,kāt\ *vb* 1 : to make double or twofold 2 : to make an exact copy of — **du·pli·ca·tion** \,d(y)ü-pli-'kā-shən\ *n*
du·pli·ca·tor \'d(y)ü-pli-,kāt-ər\ *n* : a machine for making copies of typed, drawn, or printed matter
du·plic·i·ty \d(y)ü-'plis-ət-ē\ *n* : deception by pretending to feel and act one way while acting another
du·ra·ble \'d(y)ùr-ə-bəl\ *adj* : able to endure : LASTING ⟨~ clothing⟩ — **du·ra·bil·i·ty** \,d(y)ùr-ə-'bil-ət-ē\ *n*
du·ra·tion \d(y)ù-'rā-shən\ *n* 1 : continuance in time 2 : the time during which something exists or lasts
du·ress \d(y)ù-'res\ *n* 1 : forcible restraint or restriction 2 : compulsion by threat ⟨confession made under ~⟩
dur·ing \,d(y)ùr-iŋ\ *prep* 1 : throughout the course of ⟨there was rationing ~ the war⟩ 2 : at some point in the course of ⟨broke in ~ the night⟩
dusk \'dəsk\ *n* 1 : the darker part of twilight esp. at night 2 : GLOOM
dusky *adj* 1 : somewhat dark in color; *esp* : having dark skin 2 : SHADOWY — **dusk·i·ness** *n*
¹**dust** \'dəst\ *n* 1 : powdery particles (as of earth) 2 : the earthy remains of bodies once alive; *esp* : the human corpse 3 : something worthless 4 : a state of humiliation 5 : the surface of the ground — **dust·less** *adj* — **dust·y** *adj*
²**dust** *vb* 1 : to make free of dust : remove dust 2 : to sprinkle with fine particles 3 : to sprinkle in the form of dust
dust·er *n* 1 : one that removes dust 2 : a lightweight garment to protect clothing from dust 3 : a dress-length housecoat 4 : one that scatters fine particles
dust·pan \'dəst-,pan\ *n* : a shovel-shaped pan for sweepings

Dutch \'dəch\ *n* 1 **Dutch** *pl* : the people of the Netherlands 2 : the language of the Netherlands — **Dutch** *adj* — **Dutchman** \-mən\ *n*
du·te·ous \'d(y)üt-ē-əs\ *adj* : DUTIFUL, OBEDIENT
du·ti·ful \'d(y)üt-i-fəl\ *adj* 1 : filled with or motivated by a sense of duty ⟨a ~ son⟩ 2 : proceeding from or expressive of a sense of duty ⟨~ affection⟩ — **du·ti·ful·ly** *adv* — **du·ti·ful·ness** *n*
du·ty \'d(y)üt-ē\ *n* 1 : conduct due to parents or superiors : RESPECT 2 : the action required by one's occupation or position 3 : assigned service or business; *esp* : active military service 4 : a moral or legal obligation 5 : TAX 6 : the service required (as of a machine) : USE ⟨a heavy-*duty* tire⟩
¹**dwarf** \'dwörf\ *n, pl* **dwarfs** *or* **dwarves** \'dwörvz\ : a person, animal, or plant much below normal size
²**dwarf** *vb* 1 : to restrict the growth or development of : STUNT 2 : to cause to appear smaller
dwell \'dwel\ *vb* **dwelt** \'dwelt\ *or* **dwelled** \'dweld\ **dwell·ing** 1 : ABIDE, REMAIN 2 : RESIDE, EXIST 3 : to keep the attention directed : LINGER 4 : to write or speak at length or insistently — **dwell·er** *n*
dwell·ing *n* : ABODE, RESIDENCE, HOUSE
dwin·dle \'dwin-dᵊl\ *vb* : to make or become steadily less : DIMINISH, SHRINK
¹**dye** \'dī\ *n* 1 : color produced by dyeing 2 : material used for coloring or staining
²**dye** *vb* **dyed**; **dye·ing** 1 : to impart a new color to esp. by impregnating with a dye 2 : to take up or impart color in dyeing
dying *pres part of* DIE
dy·nam·ic \dī-'nam-ik\ *adj* : of or relating to physical force producing motion : ENERGETIC, FORCEFUL
¹**dy·na·mite** \'dī-nə-,mīt\ *n* : an explosive made of nitroglycerin absorbed in a porous material; *also* : a blasting explosive
²**dynamite** *vb* : to blow up with dynamite
dy·na·mo \'dī-nə-,mō\ *n* : a machine for converting mechanical energy into electrical energy
dy·nas·ty \'dī-nəs-tē, -,nas-\ *n* 1 : a succession of rulers of the same line of descent 2 : a powerful group or family that maintains its position for a considerable time — **dy·nas·tic** \dī-'nastik\ *adj*
dys·en·tery \'dis-ᵊn-,ter-ē\ *n* : a disorder marked by diarrhea with blood and mucus in the feces

E

e \'ē\ *n, often cap* : the 5th letter of the English alphabet
¹**each** \'ēch\ *adj* : being one of the class named ⟨~ man⟩ ⟨~ grape in the bunch⟩
²**each** *pron* : each one : every individual one
³**each** *adv* : APIECE ⟨cost five cents ~⟩
ea·ger \'ē-gər\ *adj* : marked by urgent or enthusiastic desire or interest ⟨~ to learn⟩ **syn** avid, anxious — **ea·ger·ly** *adv* — **ea·ger·ness** *n*

ea·gle \'ē-gəl\ *n* 1 : a large bird of prey related to the hawks 2 : a U.S. 10= dollar gold coin 3 : a score of two under par on a hole in golf
ea·glet \'ē-glət\ *n* : a young eagle
¹**ear** \'iər\ *n* 1 : the organ of hearing; *also* : the outer part of this in a vertebrate 2 : something resembling a mammal's ear in shape or position 3 : sympathetic attention
²**ear** *n* : the fruiting spike of a cereal (as wheat)

ear·ache \-,āk\ *n* : an ache or pain in the ear

ear·drum \-,drəm\ *n* : a thin membrane that transmits sound waves to the receptors of the ear

earl \'ərl\ *n* : a member of the British peerage ranking below a marquess and above a viscount

ear·lobe \'iər-,lōb\ *n* : the pendent part of the ear

¹**ear·ly** \'ər-lē\ *adv* : at an early time (as in a period or series)

²**early** *adj* 1 : of, relating to, or occurring near the beginning (as of a period, series, or development) 2 : ANCIENT, PRIMITIVE 3 : occurring before the usual time ⟨an ~ breakfast⟩; *also* : occurring in the near future ⟨looked for an ~ improvement in prices⟩

ear·muff \-,məf\ *n* : one of a pair of ear coverings connected by a flexible band and worn as protection against cold

earn \'ərn\ *vb* 1 : to receive as a return for service 2 : DESERVE, MERIT **syn** gain, secure, get, obtain

¹**ear·nest** \'ər-nəst\ *n* : an intensely serious state of mind

²**earnest** *adj* 1 : seriously intent and sober ⟨an ~ face⟩ ⟨an ~ attempt to understand⟩ 2 : GRAVE, IMPORTANT **syn** solemn, sedate, staid — **ear·nest·ly** *adv* — **ear·nest·ness** *n*

³**earnest** *n* 1 : something of value given by a buyer to a seller to bind a bargain 2 : PLEDGE

earn·ings \'ər-niŋz\ *n pl* : something earned : WAGES, PROFIT

ear·phone \'iər-,fōn\ *n* : a device that converts electrical energy into sound and is worn over or in the ear

ear·ring \'iər-,riŋ\ *n* : an ornament for the earlobe

ear·shot \-,shät\ *n* : range of hearing

earth \'ərth\ *n* 1 : SOIL, DIRT 2 : LAND, GROUND 3 : the planet inhabited by man : WORLD

earth·en \'ər-thən\ *adj* : made of earth or baked clay

earth·ly *adj* : typical of or belonging to this earth esp. as distinguished from heaven ⟨~ affairs⟩

earth·quake \'ərth-,kwāk\ *n* : a shaking or trembling of a portion of the earth

earth·work \-,wərk\ *n* : an embankment or fortification of earth

earth·worm \-,wərm\ *n* : a long segmented worm found in damp soil

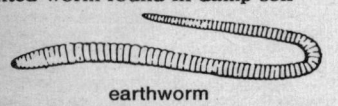

earthworm

earthy \'ər-thē\ *adj* 1 : consisting of or resembling soil 2 : PRACTICAL 3 : COARSE, GROSS ⟨~ remarks⟩

¹**ease** \'ēz\ *n* 1 : comfort of body or mind 2 : naturalness of manner 3 : freedom from difficulty or effort **syn** relaxation, rest, repose, comfort, leisure

²**ease** *vb* 1 : to relieve from something (as pain or worry) that distresses 2 : to lessen the pressure or tension of 3 : to make or become less difficult ⟨~ credit⟩

ea·sel \'ē-zəl\ *n* : a frame to hold a painter's canvas or a picture

¹**east** \'ēst\ *adv* : to or toward the east

²**east** *adj* 1 : situated toward or at the east 2 : coming from the east

³**east** *n* 1 : the general direction of sunrise 2 : the compass point directly opposite to west 3 *cap* : regions or countries east of a specified or implied point — **east·er·ly** \-ər-lē\ *adv or adj* — **east·ward** *adv or adj* — **east·wards** *adv*

Eas·ter \'ēs-tər\ *n* : a church festival observed on a Sunday in March or April in commemoration of Christ's resurrection

east·ern \'ēst-ərn\ *adj* 1 *often cap* : of, relating to, or characteristic of a region conventionally designated East 2 : lying toward or coming from the east 3 *cap* : of, relating to, or being the Christian churches originating in the church of the Eastern Roman Empire — **East·ern·er** *n*

easy \'ē-zē\ *adj* 1 : marked by ease ⟨an ~ life⟩; *esp* : not causing distress or difficulty ⟨~ tasks⟩ 2 : MILD, LENIENT ⟨be ~ on him⟩ 3 : TRANQUIL ⟨an ~ calm⟩ 4 : not less than ⟨weighs an ~ 200 pounds⟩ 5 : GRADUAL ⟨an ~ slope⟩ **syn** comfortable, restful, facile, simple, effortless — **eas·i·ly** *adv* — **eas·i·ness** *n*

easy·go·ing \,ē-zē-'gō-iŋ\ *adj* : taking life easily

eat \'ēt\ *vb* **ate** \'āt\ **eat·en** \'ēt-ᵊn\ **eat·ing** 1 : to take in as food : take food 2 : to use up : DEVOUR 3 : CORRODE — **eat·able** *adj or n* — **eat·er** *n*

eaves \'ēvz\ *n pl* : the overhanging lower edge of a roof

eaves

eaves·drop \-,dräp\ *vb* : to listen secretly — **eaves·drop·per** *n*

¹**ebb** \'eb\ *n* 1 : the flowing back of water brought in by the tide 2 : a point or state of decline

²**ebb** *vb* 1 : to recede from the flood state 2 : DECLINE ⟨as his fortunes ~ed⟩

¹**eb·o·ny** \'eb-ə-nē\ *n* : a hard heavy wood of Old World tropical trees (ebony trees) related to the persimmon

²**ebony** *adj* 1 : made of or resembling ebony 2 : BLACK, DARK

ebul·lient \i-'bul-yənt, -'bəl-\ *adj* 1 : BOILING, AGITATED 2 : EXUBERANT — **ebul·lience** *n*

ec·cen·tric \ik-'sen-trik\ *adj* 1 : deviating from a usual or accepted pattern : ODD, STRANGE 2 : deviating from a circular path ⟨~ orbits⟩ 3 : set with axis or support off center ⟨an ~ cam⟩; *also* : being off center **syn** erratic, queer, singular, curious — **eccentric** *n* — **ec·cen·tri·cal·ly** *adv* — **ec·cen·tric·i·ty** \,ek-,sen-'tris-ət-ē\ *n*

ec·cle·si·as·tic \ik-,lē-zē-'as-tik\ *n* : CLERGYMAN

ec·cle·si·as·ti·cal *adj* : of or relating to a church esp. as an institution ⟨~ art⟩ — **ecclesiastic** *adj*

ech·e·lon \'esh-ə-,län\ *n* 1 : a steplike arrangement (as of troops or airplanes) 2 : a level (as of authority or responsibility) within a hierarchy

echo \'ek-ō\ *n, pl* **ech·oes** : repetition of a sound caused by a reflection of the sound waves; *also* : the reflection of a radar signal by an object — **echo** *vb*

eclec·tic \e-'klek-tik, i-\ *adj* : selecting or made up of what seems best of varied sources
¹**eclipse** \i-'klips\ *n* 1 : the total or partial obscuring of one heavenly body by another; *also* : a passing into the shadow of a heavenly body 2 : a falling into obscurity, decline, or disgrace
²**eclipse** *vb* : to cause an eclipse of
eclip·tic \i-'klip-tik\ *n* : the great circle of the celestial sphere that is the apparent path of the sun
ecol·o·gy \i-'käl-ə-jē\ *n* : a branch of science concerned with the interaction of organisms and their environments — **ec·o·log·ic** \‚ek-ə-'läj-ik, ‚ēk-\ *or* **ec·o·log·i·cal** *adj* — **ecol·o·gist** \i-'käl-ə-jəst\ *n*
ec·o·nom·ic \‚ek-ə-'näm-ik, ‚ēk-\ *adj* : of or relating to the satisfaction of man's material needs
ec·o·nom·i·cal *adj* : THRIFTY **syn** frugal, sparing — **ec·o·nom·i·cal·ly** *adv*
ec·o·nom·ics *n* : a branch of knowledge dealing with the production, distribution, and consumption of goods and services — **econ·o·mist** \i-'kän-ə-məst\ *n*
econ·o·mize \i-'kän-ə-‚mīz\ *vb* : to practice economy : be frugal
econ·o·my \i-'kän-ə-mē\ *n* 1 : thrifty management or use of resources; *also* : an instance of this ⟨petty *economies*⟩ 2 : manner of arrangement or functioning : ORGANIZATION ⟨the bodily ∼⟩ 3 : an economic system ⟨a money ∼⟩
ec·sta·sy \'ek-stə-sē\ *n* : extreme and usu. rapturous emotional excitement — **ec·stat·ic** \ek-'stat-ik\ *adj* — **ec·stat·i·cal·ly** *adv*
ec·u·men·i·cal \‚ek-yə-'men-i-kəl\ *adj* [LL *oecumenicus* worldwide, fr. LGk *oikoumenikos*, fr. Gk *oikoumenē* world, fr. fem. of *oikoumenos*, prp. passive of *oikein* to inhabit, fr. *oikos* house, home] : general in extent or influence; *esp* : promoting or tending toward worldwide Christian unity — **ec·u·men·i·cal·ly** *adv* — **ec·u·me·nic·i·ty** \-mə-'nis-ət-ē\ *n*
ec·ze·ma \ig-'zē-mə, 'ek-sə-\ *n* : an itching skin inflammation with crusted lesions — **ec·zem·a·tous** \ig-'zem-ət-əs\ *adj*
¹**-ed** \d *after a vowel or* b, g, j, l, m, n, ŋ, r, th, v, z, zh; əd *after* d, t; t *after other sounds*\ *vb suffix or adj suffix* 1 — used to form the past participle of regular weak verbs ⟨end*ed*⟩ ⟨fad*ed*⟩ ⟨tri*ed*⟩ ⟨patt*ed*⟩ 2 — used to form adjectives of identical meaning from Latin-derived adjectives ending in *-ate* ⟨pinnat*ed*⟩ 3 : having : characterized by ⟨cultur*ed*⟩ ⟨two-legg*ed*⟩; *also* : having the characteristics of ⟨bigot*ed*⟩
²**-ed** *vb suffix* — used to form the past tense of regular weak verbs ⟨judg*ed*⟩ ⟨deni*ed*⟩ ⟨dropp*ed*⟩
ed·dy \'ed-ē\ *n* : WHIRLPOOL; *also* : a contrary or circular current — **eddy** *vb*
Eden \'ēd-ᵊn\ *n* : PARADISE 2
¹**edge** \'ej\ *n* 1 : the cutting side of a blade 2 : power to cut or penetrate : SHARPNESS 3 : the line where something begins or ends; *also* : the area adjoining such an edge
²**edge** *vb* 1 : to give or form an edge 2 : to move or force gradually ⟨∼ into a crowd⟩
edg·ing *n* : something that forms an edge or border ⟨a lace ∼⟩

edgy *adj* 1 : SHARP ⟨an ∼ tone⟩ 2 : TENSE, NERVOUS — **edg·i·ness** *n*
ed·i·ble \'ed-ə-bəl\ *adj* : fit or safe to be eaten — **ed·i·bil·i·ty** \‚ed-ə-'bil-ət-ē\ *n* — **edible** *n*
edict \'ē-‚dikt\ *n* : DECREE
ed·i·fi·ca·tion \‚ed-ə-fə-'kā-shən\ *n* : instruction and improvement esp. in morality — **ed·i·fy** \'ed-ə-‚fī\ *vb*
ed·i·fice \'ed-ə-fəs\ *n* : a usu. large building
ed·it \'ed-ət\ *vb* 1 : to revise and prepare for publication 2 : to direct the publication and policies of (as a newspaper) — **ed·i·tor** *n* — **ed·i·tor·ship** *n*
edi·tion \i-'dish-ən\ *n* 1 : the form in which a text is published 2 : the total number of copies (as of a book) published at one time 3 : VERSION
¹**ed·i·to·ri·al** \‚ed-ə-'tōr-ē-əl\ *adj* 1 : of, relating to, or functioning as an editor 2 : being an editorial; *also* : expressing opinion — **ed·i·to·ri·al·ly** *adv*
²**editorial** *n* : an article (as in a newspaper) expressing the views of an editor or publisher
ed·u·ca·ble \'ej-ə-kə-bəl\ *adj* : capable of being educated
ed·u·cate \'ej-ə-‚kāt\ *vb* 1 : to provide with schooling 2 : to develop and cultivate mentally and morally **syn** train, discipline, school, instruct — **ed·u·ca·tor** *n*
ed·u·ca·tion \‚ej-ə-'kā-shən\ *n* 1 : the action or process of educating or being educated 2 : a field of knowledge dealing with technical aspects of teaching — **ed·u·ca·tion·al** *adj*
eel \'ēl\ *n* : a snakelike fish with a smooth slimy skin
ee·rie *also* **ee·ry** \'i(ə)r-ē\ *adj* : WEIRD, UNCANNY — **ee·ri·ly** *adv*
ef·face \i-'fās\ *vb* : to obliterate or obscure by or as if by rubbing out **syn** erase, delete — **ef·face·able** *adj*
¹**ef·fect** \i-'fekt\ *n* 1 : RESULT 2 : MEANING, INTENT 3 : APPEARANCE 4 : FULFILLMENT 5 : REALITY 6 : INFLUENCE 7 *pl* : GOODS, POSSESSIONS 8 : the quality or state of being operative : OPERATION **syn** consequence, outcome, upshot
²**effect** *vb* 1 : ACCOMPLISH ⟨∼ repairs⟩ 2 : PRODUCE ⟨∼ changes⟩
ef·fec·tive \i-'fek-tiv\ *adj* 1 : producing a decided, decisive, or desired effect 2 : IMPRESSIVE, STRIKING 3 : ready for service or action 4 : being in effect — **ef·fec·tive·ly** *adv* — **ef·fec·tive·ness** *n*
ef·fec·tu·al \i-'fek-ch(-ə-w)əl\ *adj* : producing an intended effect : ADEQUATE — **ef·fec·tu·al·ly** *adv*
ef·fem·i·nate \ə-'fem-ə-nət\ *adj* : marked by qualities more typical of and suitable to women than men : UNMANLY — **ef·fem·i·na·cy** \-nə-sē\ *n*
ef·fer·ent \'ef-ə-rənt\ *adj* : bearing or conducting outward from a more central part ⟨∼ nerves⟩
ef·fer·vesce \‚ef-ər-'ves\ *vb* : to bubble and hiss as gas escapes; *also* : to be exhilarated — **ef·fer·ves·cence** *n* — **ef·fer·ves·cent** *adj*
ef·fete \e-'fēt\ *adj* : worn out : EXHAUSTED; *also* : DECADENT
ef·fi·ca·cious \‚ef-ə-'kā-shəs\ *adj* : producing an intended effect ⟨∼ remedies⟩ **syn** effectual, effective — **ef·fi·ca·cy** \'ef-i-kə-sē\ *n*

ef·fi·cient \i-'fish-ənt\ *adj* : productive of desired effects esp. without loss or waste : COMPETENT — **ef·fi·cien·cy** *n* — **ef·fi·cient·ly** *adv*

ef·fi·gy \'ef-ə-jē\ *n* : IMAGE, REPRESENTATION; *esp* : a crude figure of a hated person

ef·flo·res·cence *n* **1** : the period or state of flowering **2** : the action or process of developing **3** : fullness of manifestation : CULMINATION

ef·flu·vi·um \e-'flü-vē-əm\ *n, pl* **-via** \-vē-ə\ *or* **-vi·ums** : a usu. unpleasant emanation

ef·fort \'ef-ərt\ *n* **1** : EXERTION, ENDEAVOR; *also* : a product of effort ⟨literary ~s⟩ **2** : active or applied force — **ef·fort·less** *adj* — **ef·fort·less·ly** *adv*

ef·fu·sion \i-'fyü-zhən\ *n* : a gushing forth; *also* : unrestrained utterance — **ef·fuse** \-'fyüz\ *vb* — **ef·fu·sive** \-'fyü-siv\ *adj*

egal·i·tar·i·an·ism \i-,gal-ə-'ter-ē-ə-,niz-əm\ *n* : a belief in human equality esp. in social, political, and economic affairs — **egal·i·tar·i·an** *adj or n*

¹**egg** \'eg\ *vb* : to urge to action

²**egg** *n* **1** : a rounded shelled reproductive body esp. of birds and reptiles from which the young hatches; *also* : the egg of domestic poultry as an article of food ⟨allergic to ~s⟩ **2** : a female germ cell

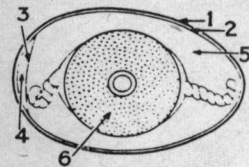

diagram of hen's egg, showing: 1 shell; 2, 3 membrane enclosing air space, 4; 5 albumen or white; 6 yolk.

egg·head \-,hed\ *n* : INTELLECTUAL, HIGHBROW

egg·nog \-,näg\ *n* : a drink consisting of eggs beaten up with sugar, milk or cream, and often alcoholic liquor

egg·plant \-,plant\ *n* : the edible usu. large and purplish fruit of a plant related to the potato

egg·shell \-,shel\ *n* : the hard exterior covering of an egg

ego \'ē-gō\ *n* **1** : the self as distinguished from others **2** : the conscious part of the personality derived from the id through contact with reality

ego·cen·tric \,ē-gō-'sen-trik\ *adj* : concerned with or overly concerned with the self; *esp* : SELF-CENTERED

ego·ism \'ē-gō-,iz-əm\ *n* **1** : a doctrine holding self-interest to be the motive or the valid end of action **2** : EGOTISM — **ego·ist** *n* — **ego·is·tic** \,ē-gō-'is-tik\ *also* **ego·is·ti·cal** *adj* — **ego·is·ti·cal·ly** *adv*

ego·tism \'ē-gə-,tiz-əm\ *n* : too frequent reference to oneself; *also* : excessive self-awareness : CONCEIT — **ego·tist** *n* — **ego·tis·tic** \,ē-gə-'tis-tik\ *or* **ego·tis·ti·cal** *adj* — **ego·tis·ti·cal·ly** *adv*

egre·gious \i-'grē-jəs\ *adj* [L *egregius* outstanding from the herd, fr. *ex*, *e* out of + *greg-*, *grex* flock, herd] : notably bad : FLAGRANT

egress \'ē-,gres\ *n* : a way out : EXIT

Egyp·tian \i-'jip-shən\ *n* : a native or inhabitant of Egypt — **Egyptian** *adj*

ei·do·lon \ī-'dō-lən\ *n, pl* **-lons** *or* **-la** \-lə\ **1** : an unsubstantial image : PHANTOM **2** : IDEAL

eight \'āt\ *n* **1** : one more than seven **2** : the 8th in a set or series **3** : something having eight units; *esp* : an 8=cylinder engine or automobile — **eight** *adj or pron* — **eighth** \'ātth\ *adj or adv or n*

eigh·teen \'ā(t)-'tēn\ *n* : one more than 17 — **eighteen** *adj or pron* — **eigh·teenth** *adj or n*

eighty \'āt-ē\ *n* : eight times 10 — **eight·i·eth** *adj or n* — **eighty** *adj or pron*

ein·stei·ni·um \īn-'stī-nē-əm\ *n* : an artificially produced radioactive element

¹**ei·ther** \'ē-thər, 'ī-\ *adj* **1** : both the one and the other ⟨trees on ~ side of the drive⟩ **2** : the first or the second : this or that ⟨take ~ one of the two⟩

²**either** *pron* : one of two or more

³**either** *conj* — used as a function word before the first of two or more words or word groups of which the last is preceded by *or* to indicate that they represent alternatives ⟨a statement is ~ true or false⟩

ejac·u·late \i-'jak-yə-,lāt\ *vb* **1** : to utter suddenly : EXCLAIM **2** : to eject a fluid (as semen) — **ejac·u·la·tion** \-,jak-yə-'lā-shən\ *n*

eject \i-'jekt\ *vb* : to drive or throw out or off *syn* expel, oust, evict — **ejec·tion** \-'jek-shən\ *n*

eke \'ēk\ *vb* : to gain, supplement, or extend usu. with effort — usu. used with *out* ⟨~ out a living⟩

¹**elab·o·rate** \i-'lab-(ə-)rət\ *adj* **1** : planned or carried out with care and in detail **2** : being complex and usu. ornate — **elab·o·rate·ly** *adv* — **elab·o·rate·ness** *n*

²**elab·o·rate** \-'lab-ə-,rāt\ *vb* **1** : to work out in detail : develop fully **2** : to build up from simpler ingredients — **elab·o·ra·tion** \-,lab-ə-'rā-shən\ *n*

elapse \i-'laps\ *vb* : to slip by (as time) : PASS

¹**elas·tic** \i-'las-tik\ *adj* **1** : SPRINGY **2** : FLEXIBLE, PLIABLE **3** : ADAPTABLE *syn* resilient, supple — **elas·tic·i·ty** \-,las-'tis-ət-ē\ *n*

²**elastic** *n* **1** : elastic material **2** : a rubber band

elate \i-'lāt\ *vb* : to fill with joy or pride — **ela·tion** \-'lā-shən\ *n*

¹**el·bow** \'el-,bō\ *n* **1** : the joint of the arm; *also* : the outer curve of the bent arm **2** : a bend or joint resembling an elbow in shape

²**elbow** *vb* : to push or shove aside with the elbow; *also* : to make a way by elbowing

el·bow·room \-,rüm, -,rum\ *n* **1** : room for moving the elbows freely **2** : enough space for work or operation

¹**el·der** \'el-dər\ *n* : a shrub related to the honeysuckles; *also* : its small black or red fruit (**el·der·ber·ry** \-,ber-ē\)

²**elder** *adj* **1** : OLDER **2** : EARLIER, FORMER **3** : of higher ranking : SENIOR

elderly   149   **elicit**

³**elder** *n* **1** : an older individual : SENIOR **2** : one having authority by reason of age and experience **3** : a church officer
el·der·ly *adj* **1** : rather old; *esp* : past middle age **2** : of, relating to, or characteristic of later life
el·dest \'el-dəst\ *adj* : OLDEST
¹**elect** \i-'lekt\ *adj* **1** : CHOSEN, SELECT **2** : elected but not yet installed in office
²**elect** *vb* **1** : to select by vote (as for office or membership) **2** : CHOOSE, PICK *syn* designate, name
elec·tion \i-'lek-shən\ *n* **1** : an act or process of electing **2** : the fact of being elected
¹**elec·tive** \i-'lek-tiv\ *adj* **1** : chosen or filled by election **2** : permitting a choice : OPTIONAL
²**elective** *n* : an elective course or subject of study
elec·tor \i-'lek-tər\ *n* **1** : one qualified to vote in an election **2** : one elected to a body (**electoral college**) and entitled to vote for the president and vice-president — **elec·tor·al** \-'lek-t(ə-)rəl\ *adj*
elec·tor·ate \i-'lek-t(ə-)rət\ *n* : a body of persons entitled to vote
elec·tric \i-'lek-trik\ *or* **elec·tri·cal** *adj* **1** : of, relating to, operated by, or produced by electricity **2** : ELECTRIFYING, THRILLING (an ~ performance) — **elec·tri·cal·ly** *adv* — **elec·tri·cal·ness** *n*
electric chair *n* : a chair used in legal electrocution
elec·tri·cian \i-,lek-'trish-ən\ *n* : one who designs, installs, operates, or repairs electrical equipment
elec·tric·i·ty \i-,lek-'tris-(ə-)tē\ *n* : a fundamental phenomenon of nature observable in the attractions and repulsions of bodies electrified by friction and in natural phenomena (as lightning) and utilized as a source of energy in the form of electric currents; *also* : such a current
electric wave *n* : an electromagnetic wave
elec·tri·fy \i-'lek-trə-,fī\ *vb* **1** : to charge with electricity **2** : to equip for use of electric power **3** : THRILL — **elec·tri·fi·ca·tion** \-,lek-trə-fə-'kā-shən\ *n*
elec·tro·cute \i-'lek-trə-,kyüt\ *vb* : to kill by an electric shock — **elec·tro·cu·tion** \-,lek-trə-'kyü-shən\ *n*
elec·trode \i-'lek-,trōd\ *n* : a conductor used to establish electrical contact with a nonmetallic part of a circuit (as in a storage battery or electron tube)
elec·trol·y·sis \i-,lek-'träl-ə-səs\ *n* : the production of chemical changes by passage of an electric current through an electrolyte — **elec·tro·lyt·ic** \-trə-'lit-ik\ *adj*
elec·tro·lyte \i-'lek-trə-,līt\ *n* : a nonmetallic electric conductor (as a liquid) in which current is carried by the movement of ions with matter liberated at electrodes; *also* : a substance whose solution or molten form is such a conductor
elec·tro·mag·net \i-,lek-trō-'mag-nət\ *n* : a core of magnetic materials (as soft iron) surrounded by wire through which an electric current is passed to magnetize the core
elec·tro·mag·net·ic \-'mag-'net-ik\ *adj* **1** : of or relating to magnetism (**elec·tro·mag·ne·tism** \-'mag-nə-,tiz-əm\)

developed by a current of electricity **2** : being a wave (as a light wave) propagated by regular variations of the intensity of an associated electric and magnetic effect
elec·tron \i-'lek-,trän\ *n* : a negatively charged particle that singly or in numbers forms the part of an atom outside the nucleus and is of the kind whose flow along a conductor forms an electric current
elec·tron·ic \i-,lek-'trän-ik\ *adj* : of or relating to electrons or electronics — **elec·tron·i·cal·ly** *adv*
elec·tron·ics *n* : the physics of electrons and their utilization
electron tube *n* : a device in which electrical conduction by electrons takes place within a container and which is used for the controlled flow of electrons (as in radio)
elec·tro·plate \i-'lek-trə-,plāt\ *vb* : to coat (as with metal) by electrolysis
elec·tro·type \-,tīp\ *n* : a plate for use in printing made by covering a mold made from typeset matter with a thin shell of metal by an electric process and then putting on a heavier backing (as of metal)
el·e·gance \'el-i-gəns\ *n* **1** : refined gracefulness; *also* : tasteful richness (as of design) **2** : something marked by elegance — **el·e·gant** *adj* — **el·e·gant·ly** *adv*
el·e·gi·ac \,el-ə-'jī-ək, i-'lē-jē-,ak\ *adj* : of, relating to, or constituting an elegy; *esp* : expressing grief
el·e·gy \'el-ə-jē\ *n* : a poem expressing grief for one who is dead; *also* : a reflective poem usu. melancholy in tone
el·e·ment \'el-ə-mənt\ *n* **1** : a constituent part **2** *pl* : the simplest principles (as of an art or science) : RUDIMENTS **3** : a substance not separable by ordinary chemical means into substances different from itself *syn* component, ingredient, factor — **el·e·men·tal** \,el-ə-'ment-ᵊl\ *adj*
el·e·men·ta·ry \,el-ə-'men-t(ə-)rē\ *adj* **1** : SIMPLE, RUDIMENTARY; *also* : of, relating to, or teaching the basic subjects of education **2** : of or relating to an element; *also* : consisting of a single chemical element : UNCOMBINED
el·e·phant \'el-ə-fənt\ *n* : a huge mammal with the snout prolonged as a trunk and two long ivory tusks
el·e·vate \'el-ə-,vāt\ *vb* **1** : to lift up : RAISE **2** : EXALT, ENNOBLE **3** : ELATE
el·e·va·tion \,el-ə-'vā-shən\ *n* **1** : the height to which something is raised (as above sea level) **2** : a lifting up **3** : something (as a hill or swelling) that is elevated *syn* altitude
el·e·va·tor \'el-ə-,vāt-ər\ *n* **1** : a cage or platform for conveying something from one level to another **2** : a building for storing and discharging grain **3** : a movable surface on an airplane to produce motion up or down
elev·en \i-'lev-ən\ *n* **1** : one more than 10 **2** : the 11th in a set or series **3** : something having 11 units; *esp* : a football team — **eleven** *adj or pron* — **elev·enth** *adj or n*
elf \'elf\ *n, pl* **elves** \'elvz\ : a mischievous fairy — **elf·in** \'el-fən\ *adj* — **elf·ish** *adj*
elic·it \i-'lis-ət\ *vb* : to draw out or forth

eligible — **embrasure**

syn evoke, educe, extract, extort
el·i·gi·ble \\'el-i-jə-bəl\\ *adj* : qualified to be chosen — **el·i·gi·bil·i·ty** \\,el-i-jə-'bil-ət-ē\\ *n* — **eligible** *n*
elim·i·nate \\i-'lim-ə-,nāt\\ *vb* **1** : EXCLUDE, EXPEL; *esp* : to pass (wastes) from the body **2** : to leave out : IGNORE — **elim·i·na·tion** \\-,lim-ə-'nā-shən\\ *n*
eli·sion \\i-'lizh-ən\\ *n* : the omission of a final or initial sound of a word; *esp* : the omission of an unstressed vowel or syllable in a verse to achieve a uniform rhythm
elite \\ā-'lēt\\ *n* : the choice part; *also* : a superior group
Eliz·a·be·than \\i-,liz-ə-'bē-thən\\ *adj* : of, relating to, or characteristic of Elizabeth I of England or her times
elk \\'elk\\ *n* : a very large deer; *esp* : WAPITI
¹ell \\'el\\ *n* : a unit of length; *esp* : a former English cloth measure of 45 inches
²ell *n* : an extension at right angles to a building syn wing, annex
el·lipse \\i-'lips\\ *n* : a closed curve of oval shape — **el·lip·tic** \\-'lip-tik\\ *or* **el·lip·ti·cal** *adj*

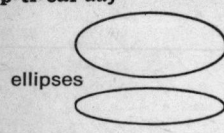

ellipses

el·lip·sis \\i-'lip-səs\\ *n, pl* **-lip·ses** \\-,sēz\\ **1** : omission from an expression of a word clearly implied **2** : marks (as ... or ***) to show omission
elm \\'elm\\ *n* : a tall shade tree with spreading branches and broad top; *also* : its wood
el·o·cu·tion \\,el-ə-'kyü-shən\\ *n* : the art of effective public speaking — **el·o·cu·tion·ist** *n*
elon·gate \\i-'lȯŋ-,gāt\\ *vb* : to make or grow longer syn extend, lengthen — **elon·ga·tion** \\-,lȯŋ-'gā-shən\\ *n*
elope \\i-'lōp\\ *vb* : to run away esp. to be married — **elope·ment** *n*
el·o·quent \\'el-ə-kwənt\\ *adj* **1** : speaking with ease and force **2** : of a kind to move the hearers syn articulate, fluent, glib — **el·o·quence** *n* — **el·o·quent·ly** *adv*
¹else \\'els\\ *adv* **1** : so as to differ (as in manner, place, or time) ⟨where ~ can we meet⟩ **2** : OTHERWISE ⟨obey or ~ regret⟩
²else *adj* : OTHER; *esp* : being in addition ⟨what ~ do you want⟩
else·where \\-,hweər\\ *adv* : in or to another place
elu·ci·date \\i-'lü-sə-,dāt\\ *vb* : to make clear usu. by explanation syn interpret — **elu·ci·da·tion** \\-,lü-sə-'dā-shən\\ *n*
elude \\i-'lüd\\ *vb* **1** : EVADE **2** : to escape the notice of
elu·sive \\i-'lü-siv\\ *adj* : tending to elude : EVASIVE — **elu·sive·ly** *adv* — **elu·sive·ness** *n*
ema·ci·ate \\i-'mā-shē-,āt\\ *vb* : to become or cause to become very thin — **ema·ci·a·tion** \\-,mā-s(h)ē-'ā-shən\\ *n*
em·a·nate \\'em-ə-,nāt\\ *vb* : to come out from a source syn proceed, spring, rise, arise, originate — **em·a·na·tion** \\,em-ə-'nā-shən\\ *n*
eman·ci·pate \\i-'man-sə-,pāt\\ *vb* : to set free syn enfranchise, liberate, release, deliver, discharge — **eman·ci·pa·tion** \\-,man-sə-'pā-shən\\ *n* — **eman·ci·pa·tor** \\-'man-sə-,pāt-ər\\ *n*
emas·cu·late \\i-'mas-kyə-,lāt\\ *vb* : CASTRATE, GELD; *also* : WEAKEN — **emas·cu·la·tion** \\-,mas-kyə-'lā-shən\\ *n*
em·balm \\im-'bäm\\ *vb* : to treat (a corpse) with preservative preparations — **em·balm·er** *n*
em·bank·ment \\im-'baŋk-mənt\\ *n* : a raised structure (as of earth) to hold back water or carry a roadway
em·bar·go \\im-'bär-gō\\ *n, pl* **-goes** : a prohibition on commerce — **embargo** *vb*
em·bark \\im-'bärk\\ *vb* **1** : to put or go on board a ship or airplane **2** : to make a start — **em·bar·ka·tion** \\,em-,bär-'kā-shən\\ *n*
em·bar·rass \\im-'bar-əs\\ *vb* **1** : HINDER **2** : CONFUSE, DISCONCERT **3** : to involve in financial difficulties — **em·bar·rass·ment** *n*
em·bas·sy \\'em-bə-sē\\ *n* **1** : the function or position of an ambassador; *also* : an official mission esp. of an ambassador **2** : a group of diplomatic representatives usu. headed by an ambassador **3** : the official residence and offices of an ambassador
em·bed \\-'bed\\ *vb* : to enclose closely in a surrounding mass
em·bel·lish \\-'bel-ish\\ *vb* : ADORN, DECORATE syn beautify, deck, bedeck, garnish, ornament — **em·bel·lish·ment** *n*
em·ber \\'em-bər\\ *n* **1** : a glowing or smoldering fragment from a fire **2** *pl* : smoldering remains of a fire
em·bez·zle \\im-'bez-əl\\ *vb* : to take (as money) fraudulently by breach of trust — **em·bez·zle·ment** *n*
em·bit·ter \\-'bit-ər\\ *vb* **1** : to make bitter **2** : to arouse bitter feelings in
em·bla·zon \\-'blāz-ᵊn\\ *vb* **1** : to adorn with heraldic devices **2** : to make bright with color **3** : EXTOL
em·blem \\'em-bləm\\ *n* : something (as an object or picture) suggesting another object or an idea : SYMBOL — **em·blem·at·ic** \\,em-blə-'mat-ik\\ *also* **em·blem·at·i·cal** *adj*
em·body \\im-'bäd-ē\\ *vb* **1** : INCARNATE **2** : to express in definite form **3** : to incorporate into a system or body syn materialize, assimilate, identify — **em·bodi·ment** *n*
em·bo·lism \\'em-bə-,liz-əm\\ *n* : obstruction of a blood vessel by a foreign or abnormal particle (as an air bubble or blood clot) during life — **em·bol·ic** \\em-'bäl-ik\\ *adj*
em·boss \\im-'bäs, -'bȯs\\ *vb* **1** : to ornament with raised work **2** : to raise in relief from a surface (as a head on a coin)
¹em·brace \\-'brās\\ *vb* [MF *embracer*, fr. *en* in + *brace* the two arms, fr. L *bracchia*, pl. of *bracchium* arm] **1** : to clasp in the arms; *also* : CHERISH, LOVE **2** : ENCIRCLE **3** : to take up : ADOPT; *also* : WELCOME **4** : INCLUDE **5** : to participate in an embrace syn comprehend, involve
²embrace *n* : an encircling with the arms
em·bra·sure \\im-'brā-zhər\\ *n* **1** : a recess of a door or window **2** : an opening in a wall through which cannon are fired

em·broi·der \im-'broi-dər\ *vb* **1 :** to ornament with or do needlework **2 :** to elaborate with florid detail
em·broi·dery *n* **1 :** the forming of decorative designs with needlework **2 :** something embroidered
em·broil \im-'broil\ *vb* **:** to throw into confusion or strife — **em·broil·ment** *n*
em·bryo \'em-brē-ō\ *n* **:** a living being in its earliest stages of development —

embryo

em·bry·on·ic \,em-brē-'än-ik\ *adj*
em·bry·ol·o·gy \,em-brē-'äl-ə-jē\ *n* **:** a branch of biology dealing with embryos and their development — **em·bry·o·log·i·cal** \-brē-ə-'läj-i-kəl\ *adj* — **em·bry·ol·o·gist** \-brē-'äl-ə-jəst\ *n*
em·cee \'em-'sē\ *n* **:** MASTER OF CEREMONIES — **emcee** *vb*
emend \ē-'mend\ *vb* **:** to correct or alter usu. by altering the text of **syn** rectify, revise, amend — **emen·da·tion** \(,)ē-,men-'dā-shən, ,em-ən-\ *n*
¹**em·er·ald** \'em-(ə-)rəld\ *n* **:** a green beryl prized as a gem
²**emerald** *adj* **:** brightly or richly green
emerge \i-'mərj\ *vb* **:** to rise, come forth, or come out into view **syn** appear, loom — **emer·gence** *n* — **emer·gent** *adj*
emer·gen·cy \i-'mər-jən-sē\ *n* **:** an unforeseen happening or state of affairs requiring prompt action **syn** exigency, contingency, crisis
emer·i·tus \i-'mer-ət-əs\ *adj* **:** retired from active duty
em·ery \'em-(ə-)rē\ *n* **:** a dark granular corundum used esp. for grinding
emet·ic \i-'met-ik\ *n* **:** an agent that induces vomiting — **emetic** *adj*
em·i·grate \'em-ə-,grāt\ *vb* **:** to leave a place (as a country) to settle elsewhere — **em·i·grant** \-grənt\ *n* — **em·i·gra·tion** \,em-ə-'grā-shən\ *n*
émi·gré *or* **em·i·gré** \,em-ə-'grā\ *n* **:** a person who emigrates esp. because of political conditions
em·i·nence \'em-ə-nəns\ *n* **1 :** high rank or position; *also* **:** a person of high rank or attainments **2 :** a lofty place
em·i·nent *adj* **1 :** CONSPICUOUS, EVIDENT **2 :** LOFTY, HIGH **3 :** DISTINGUISHED, PROMINENT ⟨~ men⟩ — **em·i·nent·ly** *adv*
em·is·sary \'em-ə-,ser-ē\ *n* **:** AGENT; *esp* **:** a secret agent
emit \ē-'mit\ *vb* **emit·ted**; **emit·ting 1 :** to give off or out ⟨~ light⟩; *also* **:** EJECT **2 :** to put (as money) into circulation **3 :** EXPRESS, UTTER — **emis·sion** \-'mish-ən\ *n*
emol·lient \i-'mäl-yənt\ *adj* **:** making soft or supple; *also* **:** soothing esp. to the skin or mucous membrane — **emollient** *n*
emol·u·ment \i-'mäl-yə-mənt\ *n* **:** the

product (as salary or fees) of an employment
emote \i-'mōt\ *vb* **:** to give expression to emotion in or as if in a play
emo·tion \i-'mō-shən\ *n* **:** a usu. intense feeling (as of love, hate, or despair) — **emo·tion·al** *adj* — **emo·tion·al·ly** *adv*
em·pa·thy \'em-pə-thē\ *n* **:** capacity for participating in the feelings or ideas of another — **em·path·ic** \em-'path-ik\ *adj*
em·per·or \'em-pər-ər\ *n* **:** the sovereign ruler of an empire
em·pha·sis \'em-fə-səs\ *n, pl* **-pha·ses** \-,sēz\ **:** particular stress or prominence given (as to a phrase in speaking or to a phase of action)
em·pha·size \-,sīz\ *vb* **:** STRESS
em·phat·ic \im-'fat-ik\ *adj* **:** uttered with emphasis **:** STRESSED — **em·phat·i·cal·ly** *adv*
em·pire \'em-,pī(ə)r\ *n* **1 :** a group of states under a single sovereign who is usu. an emperor **2 :** imperial sovereignty or dominion
em·pir·i·cal \im-'pir-i-kəl\ *or* **em·pir·ic** *adj* **:** depending or based on experience or observation; *also* **:** subject to verification by observation or experiment ⟨~ laws⟩ — **em·pir·i·cal·ly** *adv*
em·pir·i·cism \-'pir-ə-,siz-əm\ *n* **:** the practice of relying upon observation and experiment esp. in the natural sciences — **em·pir·i·cist** *n*
¹**em·ploy** \im-'ploi\ *vb* **1 :** USE **2 :** to use the services of **3 :** OCCUPY, DEVOTE
²**employ** *n* **:** EMPLOYMENT
em·ploy·ee \im-,ploi-'ē, ,em-\ *n* **:** a person who works for another
em·ploy·er \im-'ploi(-ə)r\ *n* **:** one that employs
em·ploy·ment \im-'ploi-mənt\ *n* **1 :** the act of employing **:** the condition of being employed **2 :** OCCUPATION, ACTIVITY
em·po·ri·um \im-'pōr-ē-əm\ *n, pl* **-ri·ums** *also* **-ria** \-ē-ə\ **:** a commercial center; *esp* **:** a store carrying varied articles
em·pow·er \im-'pau(-ə)r\ *vb* **:** AUTHORIZE
em·press \'em-prəs\ *n* **1 :** the wife or widow of an emperor **2 :** a woman holding an imperial title in her own right
¹**emp·ty** \'emp-tē\ *adj* **1 :** containing nothing **2 :** UNOCCUPIED, UNINHABITED **3 :** lacking value, force, sense, or purpose **syn** vacant, blank, void, idle, hollow, vain — **emp·ti·ness** *n*
²**empty** *vb* **1 :** to make or become empty **2 :** to discharge its contents; *also* **:** to transfer by emptying
emp·ty-hand·ed \,emp-tē-'han-dəd\ *adj* **1 :** having nothing in the hands **2 :** having acquired or gained nothing
em·u·late \'em-yə-,lāt\ *vb* **:** to strive to equal or excel **:** RIVAL — **em·u·la·tion** \,em-yə-'lā-shən\ *n* — **em·u·lous** \'em-yə-ləs\ *adj*
emul·si·fi·er \i-'məl-sə-,fī(-ə)r\ *n* **:** something (as a soap) that promotes the formation and stabilizing of an emulsion
emul·si·fy \-,fī\ *vb* **:** to convert into or become an emulsion — **emul·si·fi·able** *adj* — **emul·si·fi·ca·tion** \-,məl-sə-fə-'kā-shən\ *n*
emul·sion \i-'məl-shən\ *n* **1 :** a mixture of mutually insoluble liquids in which

one is dispersed in droplets throughout the other ⟨an ~ of oil in water⟩ **2** : a light-sensitive coating on photographic film or paper

¹-en \ən, °n\ *also* **-n** \n\ *adj suffix* : made of : consisting of ⟨earth*en*⟩ ⟨wool*en*⟩ ⟨leath*ern*⟩

²-en *vb suffix* **1** : become or cause to be ⟨sharp*en*⟩ **2** : cause or come to have ⟨length*en*⟩

en·a·ble \in-'ā-bəl\ *vb* **1** : to make able or feasible **2** : to give legal power, capacity, or sanction to

en·act \-'akt\ *vb* **1** : to make into law **2** : to act out — **en·act·ment** *n*

enam·el \in-'am-əl\ *n* **1** : a glasslike substance used for coating the surface of metal or pottery **2** : the hard outer layer of a tooth **3** : a usu. glossy paint that forms a hard coat — **enamel** *vb*

en·am·or \in-'am-ər\ *vb* : to inflame with love

en·camp \in-'kamp\ *vb* : to make camp — **en·camp·ment** *n*

en·cap·su·late \-'kap-sə-,lāt\ *vb* : to encase or become encased in a capsule

en·case \-'kās\ *vb* : to enclose in or as if in a case

-ence \əns, °ns\ *n suffix* **1** : action or process ⟨emerg*ence*⟩ : instance of an action or process ⟨refer*ence*⟩ **2** : quality or state ⟨depend*ence*⟩

en·ceph·a·li·tis \en-,sef-ə-'līt-əs\ *n* : inflammation of the brain — **en·ceph·a·lit·ic** \-'lit-ik\ *adj*

en·chant \-'chant\ *vb* **1** : BEWITCH **2** : ENRAPTURE, FASCINATE — **en·chant·er** *n* — **en·chant·ment** *n* — **en·chant·ress** \-'chan-trəs\ *n*

en·chant·ing *adj* : CHARMING

en·cir·cle \in-'sər-kəl\ *vb* : to pass completely around : SURROUND — **en·cir·cle·ment** *n*

en·clave \'en-,klāv, 'än-\ *n* : a territorial or culturally distinct unit enclosed within foreign territory

en·close \in-'klōz\ *vb* **1** : to shut up or in; *esp* : to surround with a fence **2** : to put in a cover along with a parcel or letter ⟨~ a check⟩ — **en·clo·sure** \-'klō-zhər\ *n*

en·co·mi·um \en-'kō-mē-əm\ *n, pl* **-mi·ums** *or* **-mia** \-mē-ə\ : high or glowing praise

en·com·pass \in-'kəm-pəs, -'käm-\ *vb* **1** : ENCIRCLE **2** : ENVELOP, INCLUDE, CONTAIN

¹en·core \'än-,kōr\ *n* : a demand for repetition or reappearance; *also* : a further performance (as of a singer) in response

²encore *vb* : to request an encore from

¹en·coun·ter \in-'kaunt-ər\ *vb* **1** : to meet as an enemy : FIGHT **2** : to meet usu. unexpectedly

²encounter *n* **1** : a hostile meeting; *esp* : COMBAT **2** : a chance meeting

en·cour·age \in-'kər-ij\ *vb* **1** : to inspire with courage and hope **2** : STIMULATE, INCITE; *also* : FOSTER — **en·cour·age·ment** *n*

en·croach \-'krōch\ *vb* : to enter or force oneself gradually upon another's property or rights : TRESPASS — **en·croach·ment** *n*

en·crust \-'krəst\ *vb* : to provide with or form a crust

en·cum·ber \-'kəm-bər\ *vb* **1** : to weigh down : BURDEN **2** : to hinder the function or activity of — **en·cum·brance** \-brəns\ *n*

-en·cy \ən-sē, °n-\ *n suffix, pl* **-encies** : quality or state ⟨despond*ency*⟩

encyclical *n* : an encyclical letter; *esp* : a papal letter to the bishops of the church

en·cy·clo·pe·dia \in-,sī-klə-'pēd-ē-ə\ *n* : a work treating the various branches of learning — **en·cy·clo·pe·dic** *adj*

¹end \'end\ *n* **1** : the part of an area that lies at the boundary; *also* : a point which marks the extent or limit of something or at which something ceases to exist **2** : a ceasing of a course (as of action or activity); *also* : DEATH **3** : an ultimate state; *also* : RESULT, ISSUE **4** : REMNANT **5** : PURPOSE, OBJECTIVE **6** : a share or phase esp. of an undertaking **7** : a player stationed at the extremity of a line (as in football)

²end *vb* **1** : to bring or come to an end **2** : to put to death; *also* : DIE **3** : to form or be at the end of **syn** close, conclude, terminate, finish

en·dan·ger \in-'dān-jər\ *vb* : to bring into danger : IMPERIL, RISK

en·dear \-'diər\ *vb* : to cause to become an object of affection

en·dear·ment *n* : a sign of affection : CARESS

en·deav·or \in-'dev-ər\ *vb* : TRY, ATTEMPT — **endeavor** *n*

en·dem·ic \en-'dem-ik\ *adj* : restricted or peculiar to a particular place ⟨~ plants⟩ ⟨an ~ disease⟩

end·ing *n* : something that forms an end; *esp* : SUFFIX

end·less \'end-ləs\ *adj* **1** : having no end : ETERNAL **2** : united at the ends : CONTINUOUS ⟨an ~ belt⟩ **syn** interminable, everlasting, unceasing — **end·less·ly** *adv*

end·most \'en(d)-,mōst\ *adj* : situated at the very end

en·do·crine \'en-də-krən, -,krīn, -,krēn\ *adj* : producing secretions that are distributed by way of the bloodstream ⟨~ glands⟩; *also* : HORMONAL ⟨~ effects⟩ — **endocrine** *n* — **en·do·cri·nol·o·gy** \,en-də-kri-'näl-ə-jē\ *n*

en·dorse \in-'dórs\ *vb* **1** : to sign one's name on the back of (as a check) for some purpose **2** : APPROVE, SANCTION **syn** accredit — **en·dorse·ment** *n*

en·dow \-'daù\ *vb* **1** : to furnish with funds for support ⟨~ a school⟩ **2** : to furnish with something freely or naturally ⟨~ed with beauty⟩ — **en·dow·ment** *n*

en·dur·ance \-'d(y)ùr-əns\ *n* **1** : DURATION **2** : ability to withstand hardship or stress : FORTITUDE

en·dure \-'d(y)ùr\ *vb* **1** : LAST, PERSIST **2** : to suffer firmly or patiently : BEAR **3** : TOLERATE **syn** continue, abide — **en·dur·able** *adj*

en·e·ma \'en-ə-mə\ *n* : injection of liquid into the rectum; *also* : material so injected

en·e·my \'en-ə-mē\ *n* [OF *enemi*, fr. L *inimicus* personal enemy, fr. *in-* un- + *amicus* friend, fr. *amare* to love] : one that attacks or tries to harm another : FOE; *esp* : a military opponent

en·er·get·ic \,en-ər-'jet-ik\ *adj* : marked by energy : ACTIVE, VIGOROUS **syn** strenuous, lusty — **en·er·get·i·cal·ly** *adv*

energize \'en-ər-,jīz\ *vb* : to give energy to : make energetic
en·er·gy \-jē\ *n* **1** : vitality of expression **2** : capacity for action : VIGOR; *also* : vigorous action **3** : capacity for performing work **syn** strength, might
en·er·vate \'en-ər-,vāt\ *vb* : to lessen the strength or vigor of : weaken in mind or body
en·fee·ble \in-'fē-bəl\ *vb* : to make feeble **syn** weaken, debilitate, sap, undermine — **en·fee·ble·ment** *n*
en·fold \in-'fōld\ *vb* **1** : ENVELOP **2** : EMBRACE
en·force \-'fōrs\ *vb* **1** : COMPEL ⟨~ obedience by threats⟩ **2** : to execute with vigor ⟨~ the law⟩ — **en·force·able** *adj* — **en·force·ment** *n*
en·fran·chise \-'fran-,chīz\ *vb* **1** : to set free (as from slavery) **2** : to admit to citizenship; *also* : to grant the vote to — **en·fran·chise·ment** \-,chīz-mənt, -chəz-\ *n*
en·gage \-'gāj\ *vb* **1** : to offer as security : PLEDGE **2** : to attract and hold esp. by interesting ⟨engaged his friend's attention⟩; *also* : to cause to participate **3** : to connect or interlock with : MESH; *also* : to cause to mesh **4** : BETROTH **5** : EMPLOY, HIRE **6** : to bring or enter into conflict **7** : to commence or take part in a venture (as in business)
en·gage·ment *n* **1** : BETROTHAL **2** : EMPLOYMENT **3** : a hostile encounter **4** : APPOINTMENT
en·gag·ing *adj* : ATTRACTIVE — **en·gag·ing·ly** *adv*
en·gen·der \in-'jen-dər\ *vb* **1** : BEGET **2** : to bring into being : CREATE, PRODUCE **syn** generate, breed, sire
en·gine \'en-jən\ *n* **1** : a mechanical device; *esp* : a machine used in war **2** : a machine by which physical power is applied to produce a physical effect **3** : LOCOMOTIVE
¹**en·gi·neer** \,en-jə-'niər\ *n* **1** : a member of a military group devoted to engineering work **2** : a designer or builder of engines **3** : one trained in engineering **4** : one that operates an engine
²**engineer** *vb* : to lay out or manage as an engineer **syn** guide, pilot, lead, steer
en·gi·neer·ing *n* : a science by which the properties of matter and sources of energy are made useful to man in structures, machines, and products
En·glish \'iŋ-glish\ *n* **1 English** *pl* : the people of England **2** : the language of England, the U.S., and many areas now or formerly under British rule — **English** *adj*
en·graft \in-'graft\ *vb* : GRAFT 1; *also* : IMPLANT
en·grave \-'grāv\ *vb* **1** : to produce (as letters or lines) by incising a surface **2** : to incise (as stone or metal) to produce a representation (as of letters or figures) esp. that may be printed from; *also* : to print from such a plate **3** : PHOTOENGRAVE — **en·grav·er** *n*
en·grav·ing *n* **1** : the art of one who engraves **2** : an engraved plate; *also* : a print made from it
en·gross \in-'grōs\ *vb* **1** : to copy or write in a large hand; *also* : to prepare the final text of (an official document) **2** : to occupy fully ⟨the scene ~ed his interest⟩ **syn** monopolize, absorb

en·gulf \-'gəlf\ *vb* : to flow over and enclose
en·hance \-'hans\ *vb* : to make greater (as in value or desirability) **syn** heighten, intensify — **en·hance·ment** *n*
enig·ma \i-'nig-mə\ *n* : something obscure or hard to understand : PUZZLE
en·ig·mat·ic \,en-ig-'mat-ik, ,ēn-\ *also* **en·ig·mat·i·cal** *adj* : resembling an enigma : CRYPTIC, PUZZLING **syn** obscure, ambiguous, equivocal
en·jamb·ment *or* **en·jambe·ment** \in-'jam-mənt\ *n* : the running over of a sentence from one verse or couplet into another so that closely related words fall in different lines
en·join \in-'join\ *vb* **1** : COMMAND, ORDER **2** : FORBID **syn** direct, bid, charge, prohibit
en·joy \-'joi\ *vb* **1** : to take pleasure or satisfaction in ⟨~ed the concert⟩ : have and use with satisfaction **2** : to have for one's benefit, use, or lot ⟨~ good health⟩ **syn** like, love, relish, fancy, possess, own — **en·joy·able** *adj* — **en·joy·ment** *n*
en·large \-'lärj\ *vb* **1** : to make or grow larger **2** : to set free **3** : to speak or write at length **syn** increase, augment, multiply — **en·large·ment** *n*
en·light·en \-'līt-ᵊn\ *vb* **1** : INSTRUCT, INFORM **2** : to give spiritual insight to **syn** illuminate — **en·light·en·ment** *n*
en·list \-'list\ *vb* **1** : to engage for service in the armed forces **2** : to secure the aid or support of — **en·list·ment** *n*
en·liv·en \-'lī-vən\ *vb* : to give life, action, or spirit to : ANIMATE
en masse \än-'mas\ *adv* : in a body : as a whole
en·mesh \in-'mesh\ *vb* : to catch or entangle in or as if in meshes
en·mi·ty \'en-mət-ē\ *n* : ILL WILL; *esp* : mutual hatred **syn** hostility, antipathy, animosity, rancor
en·nui \'än-'wē\ *n* : BOREDOM
enor·mi·ty \i-'nor-mət-ē\ *n* **1** : great wickedness **2** : an outrageous act **3** : huge size
enor·mous \-məs\ *adj* **1** : exceedingly wicked **2** : great in size, number, or degree : HUGE **syn** immense, vast, gigantic, giant, colossal, mammoth, elephantine
¹**enough** \i-'nəf\ *adj* : SUFFICIENT **syn** adequate
²**enough** *adv* **1** : SUFFICIENTLY **2** : TOLERABLY
³**enough** *n* : SUFFICIENCY
en·quire \in-'kwī(ə)r\, **en·qui·ry** \in-'kwī(ə)r-ē, 'in-kwə-rē\ *var of* INQUIRE, INQUIRY
en·rage \in-'rāj\ *vb* : to fill with rage : ANGER
en·rap·ture \-'rap-chər\ *vb* : DELIGHT
en·rich \-'rich\ *vb* **1** : to make rich or richer **2** : ORNAMENT, ADORN — **en·rich·ment** *n*
en·roll *or* **en·rol** \-'rōl\ *vb* **-rolled; -roll·ing 1** : to enter or register on a roll or list **2** : to offer (oneself) for enrolling — **en·roll·ment** *n*
en route \än-'rüt, en-\ *adv* : on or along the way
en·sem·ble \än-'säm-bəl\ *n* **1** : SET, WHOLE **2** : integrated music of two or more parts **3** : a complete costume of harmonizing garments **4** : a group of

enshrine 154 **envisage**

persons (as musicians) acting together to produce a particular effect or end
en·shrine \in-'shrīn\ *vb* **1** : to enclose in or as if in a shrine **2** : to cherish as sacred
en·sign \'en-sən, *1 also* -ˌsīn\ *n* **1** : FLAG; *also* : BADGE, EMBLEM **2** : a commissioned officer in the navy ranking next below a lieutenant junior grade
en·sile \en-'sīl\ *vb* : to prepare and store (fodder) for silage
en·slave \in-'slāv\ *vb* : to make a slave of — **en·slave·ment** *n*
en·snare \-'snaər\ *vb* : SNARE, TRAP **syn** entrap, bag, catch, capture
en·sue \-'sü\ *vb* : to follow as a consequence or in time : RESULT
en·sure \-'shur\ *vb* : INSURE, GUARANTEE **syn** assure, secure
¹-ent \ənt, ²nt\ *n suffix* : one that performs (a specified action) ⟨reg*ent*⟩ ⟨tang*ent*⟩
²-ent *adj suffix* : doing, behaving, or existing (in the way specified) : -ING ⟨appar*ent*⟩ ⟨rever*ent*⟩
en·tail \in-'tāl\ *vb* **1** : to limit the inheritance of (property) to the owner's lineal descendants or to a class thereof **2** : to include or involve as a necessary result
en·tan·gle \-'taŋ-gəl\ *vb* : TANGLE, CONFUSE — **en·tan·gle·ment** *n*
en·tente \än-'tänt\ *n* : an understanding providing for joint action; *also* : parties linked by such an entente
en·ter \'ent-ər\ *vb* **1** : to go or come in or into **2** : to become a member of : JOIN ⟨~ the ministry⟩ **3** : BEGIN **4** : to take part in : CONTRIBUTE **5** : to set down (as in a list) : REGISTER **6** : to place (a complaint) before a court; *also* : to put on record ⟨~ed his objections⟩ **7** : to go into or upon and take possession ⟨~ rented premises⟩
en·ter·i·tis \ˌent-ə-'rīt-əs\ *n* : intestinal inflammation
en·ter·prise \'ent-ər-ˌprīz\ *n* **1** : UNDERTAKING, PROJECT **2** : a business organization **3** : readiness for daring action : INITIATIVE
en·ter·pris·ing *adj* : bold and vigorous in action : ENERGETIC
en·ter·tain \ˌent-ər-'tān\ *vb* **1** : to treat or receive as a guest **2** : to hold in mind **3** : AMUSE, DIVERT **syn** harbor, shelter, lodge, house — **en·ter·tain·er** *n* — **en·ter·tain·ment** *n*
en·thrall *or* **en·thral** \in-'throl\ *vb* -thralled; -thrall·ing **1** : ENSLAVE **2** : to hold spellbound
en·throne \-'thrōn\ *vb* **1** : to seat on or as if on a throne **2** : EXALT
en·thuse \in-'th(y)üz\ *vb* **1** : to make enthusiastic **2** : to show enthusiasm
en·thu·si·asm \in-'th(y)ü-zē-ˌaz-əm\ *n* **1** : strong warmth of feeling : keen interest : FERVOR **2** : a cause of fervor — **en·thu·si·ast** \-ˌast, -əst\ *n* — **en·thu·si·as·tic** \-ˌth(y)ü-zē-'as-tik\ *adj* — **en·thu·si·as·ti·cal·ly** *adv*
en·tice \in-'tīs\ *vb* : ALLURE, TEMPT — **en·tice·ment** *n*
en·tire \-'tī(ə)r\ *adj* : COMPLETE, WHOLE **syn** total, all, gross, perfect, intact — **en·tire·ly** *adv*
en·tire·ty \-'tī-rət-ē, -'tī(ə)rt-ē\ *n* **1** : COMPLETENESS **2** : WHOLE, TOTALITY
en·ti·tle \-'tīt-ᵊl\ *vb* **1** : NAME, DESIGNATE **2** : to give a right or claim to

en·ti·ty \'ent-ət-ē\ *n* **1** : EXISTENCE, BEING **2** : something with separate and real existence
en·tomb \in-'tüm\ *vb* : to place in a tomb : BURY — **en·tomb·ment** \-'tümmənt\ *n*
en·to·mol·o·gy \ˌent-ə-'mäl-ə-jē\ *n* : a branch of zoology that deals with insects — **en·to·mo·log·i·cal** \-mə-'läj-i-kəl\ *adj* — **en·to·mol·o·gist** \-'mäl-əjəst\ *n*
en·tou·rage \ˌänt-ə-'räzh\ *n* : RETINUE
en·trails \'en-trəlz -ˌtrālz\ *n pl* : VISCERA; *esp* : INTESTINES
¹en·trance \'en-trəns\ *n* **1** : the act of entering **2** : a means or place of entry **3** : permission or right to enter
²en·trance \in-'trans\ *vb* : CHARM, DELIGHT
en·trant \'en-trənt\ *n* : one that enters esp. as a competitor
en·trap \in-'trap\ *vb* : ENSNARE, TRAP — **en·trap·ment** *n*
en·treat \in-'trēt\ *vb* : to ask earnestly or urgently : BESEECH **syn** beg, implore — **en·treaty** \-'trēt-ē\ *n*
en·trée *or* **en·tree** \'än-ˌtrā\ *n* **1** : ENTRANCE **2** : a dish served before the roast or between the chief courses; *also* : the principal dish of a meal **syn** entry, access
en·trench \in-'trench\ *vb* **1** : to surround with a trench; *also* : to establish in a strong defensive position ⟨~ed customs⟩ **2** : ENCROACH, TRESPASS — **en·trench·ment** *n*
en·tre·pre·neur \ˌän-trə-prə-'nər\ *n* : an organizer or promoter of an activity; *esp* : one that manages and assumes the risk of a business
en·tro·py \'en-trə-pē\ *n* **1** : a measure of the unavailable energy of a system **2** : an ultimate state of inert uniformity
en·trust \in-'trəst\ *vb* **1** : to commit something to as a trust **2** : to commit to another with confidence **syn** confide, consign, relegate
en·try \'en-trē\ *n* **1** : ENTRANCE 1, 2; *also* : VESTIBULE **2** : an entering in a record; *also* : an item so entered **3** : a headword with its definition or identification; *also* : VOCABULARY ENTRY **4** : one entered for a contest
en·twine \in-'twīn\ *vb* : to twine together or around
enu·mer·ate \i-'n(y)ü-mə-ˌrāt\ *vb* **1** : to determine the number of : COUNT **2** : LIST — **enu·mer·a·tion** \-ˌn(y)ü-mə-'rā-shən\ *n*
enun·ci·ate \ē-'nən-sē-ˌāt\ *vb* **1** : to state definitely; *also* : ANNOUNCE, PROCLAIM **2** : PRONOUNCE, ARTICULATE — **enun·ci·a·tion** \-ˌnən-sē-'ā-shən\ *n*
en·vel·op \in-'vel-əp\ *vb* : to enclose completely with or as if with a covering — **en·vel·op·ment** *n*
en·ve·lope \'en-və-ˌlōp, 'än-\ *n* **1** : WRAPPER, COVERING **2** : a usu. paper container for a letter **3** : the bag containing the gas in a balloon or airship
en·vi·able \'en-vē-ə-bəl\ *adj* : highly desirable — **en·vi·ably** *adv*
en·vi·ous \'en-vē-əs\ *adj* : feeling or showing envy — **en·vi·ous·ly** *adv* — **en·vi·ous·ness** *n*
en·vi·ron·ment \in-'vī-rən-mənt\ *n* : SURROUNDINGS — **en·vi·ron·men·tal** \-ˌvī-rən-'ment-ᵊl\ *adj*
en·vis·age \in-'viz-ij\ *vb* : to have a

mental picture of : VISUALIZE
en·voi or **en·voy** \'en-,vȯi, 'än-\ n : the concluding remarks to a poem, essay, or book
en·voy \'en-,vȯi, 'än-\ n 1 : a diplomatic agent 2 : REPRESENTATIVE, MESSENGER
¹en·vy \'en-vē\ n : grudging desire for or discontent at the sight of another's excellence or advantages; also : an object of envy
²envy vb : to feel envy toward or on account of
en·zyme \'en-,zīm\ n : a complex mostly protein product of living cells that induces or speeds chemical reactions in plants and animals without being itself permanently altered — **en·zy·mat·ic** \,en-zə-'mat-ik\ adj
eon \'ē-ən, 'ē-, än\ var of AEON
ep·au·let also **ep·au·lette** \,ep-ə-'let\ n : a shoulder ornament esp. on a uniform
épée \'ep-,ā, ā-'pā\ n : a fencing or dueling sword having a bowl-shaped guard and a tapering rigid blade with no cutting edge
epergne \i-'pərn\ n : a composite centerpiece of silver or glass used esp. on a dinner table
ephed·rine \i-'fed-rən\ n : a drug used in relieving hay fever, asthma, and nasal congestion
ephem·er·al \i-'fem-(ə-)rəl\ adj : SHORT= LIVED, TRANSITORY syn passing, fleeting
ep·ic \'ep-ik\ n : a long poem in elevated style narrating the deeds of a hero — **epic** adj
ep·i·cure \'ep-i-,kyu̇r\ n [after *Epicurus* d270 B.C. Greek hedonistic philosopher] : a person with sensitive and fastidious tastes esp. in food and wine
ep·i·cu·re·an \,ep-i-kyu̇-'rē-ən\ n : EPICURE — **epicurean** adj
¹ep·i·dem·ic \,ep-ə-'dem-ik\ adj : affecting many persons at one time (~ disease); also : excessively prevalent
²epidemic n : an epidemic outbreak esp. of disease
epi·der·mis \,ep-ə-'dər-məs\ n : an outer layer esp. of skin — **epi·der·mal** \-məl\ adj
epi·glot·tis \,ep-ə-'glät-əs\ n : a thin plate of flexible tissue protecting the tracheal opening during swallowing
ep·i·gram \'ep-ə-,gram\ n : a short witty poem or saying — **ep·i·gram·mat·ic** \,ep-i-grə-'mat-ik\ adj
ep·i·lep·sy \'ep-ə-,lep-sē\ n : a nervous disorder marked typically by convulsive attacks with loss of consciousness — **ep·i·lep·tic** \,ep-ə-'lep-tik\ adj or n
ep·i·logue \'ep-ə-,lȯg\ n : a speech often in verse addressed to the spectators by an actor at the end of a play
Epiph·a·ny \i-'pif-ə-nē\ n : a feast on January 6 commemorating the coming of the Magi to Jesus at Bethlehem
epis·co·pa·cy \i-'pis-kə-pə-sē\ n 1 : government of a church by bishops 2 : EPISCOPATE
epis·co·pal \-pəl\ adj 1 : of or relating to a bishop 2 : of, having, or constituting government by bishops 3 cap : of or relating to the Protestant Episcopal Church
Epis·co·pa·lian \i-,pis-kə-'pāl-yən\ n : a member of the Protestant Episcopal Church

epis·co·pate \i-'pis-kə-pət\ n 1 : the rank, office, or term of bishop 2 : a body of bishops
ep·i·sode \'ep-ə-,sōd\ n 1 : a unit of action in a dramatic or literary work 2 : an incident in a course of events : OCCURRENCE (a feverish ~) — **ep·i·sod·ic** \,ep-ə-'säd-ik\ adj
epis·tle \i-'pis-əl\ n 1 cap : one of the letters of the New Testament 2 : LETTER — **epis·to·lary** \-'pis-tə-,ler-ē\ adj
ep·i·taph \'ep-ə-,taf\ n : an inscription (as on a tomb) in memory of a dead person
ep·i·the·li·um \,ep-ə-'thē-lē-əm\ n : a cellular membrane covering a bodily surface or lining a cavity — **ep·i·the·li·al** adj
ep·i·thet \'ep-ə-,thet\ n : a characterizing and often abusive word or phrase
epit·o·me \i-'pit-ə-mē\ n 1 : ABSTRACT, SUMMARY 2 : EMBODIMENT — **epit·o·mize** \-,mīz\ vb
ep·och \'ep-ək, -,äk\ n : a usu. extended period : ERA, AGE — **ep·och·al** adj
ep·oxy resin \(,)ep-,äk-sē-\ n : a synthetic resin used in coatings and adhesives
¹equal \'ē-kwəl\ adj 1 : of the same measure, quantity, value, quality, number, or degree as another : EVEN, EQUIVALENT 2 : IMPARTIAL 3 : free from extremes 4 : able to cope with a situation or task syn same, identical — **equal·i·ty** \i-'kwäl-ət-ē\ n — **equal·ly** \'ē-kwə-lē\ adv
²equal n : one that is equal; esp : a person of like rank, abilities, or age
³equal vb **equaled** or **equalled**; **equal·ing** or **equal·ling** : to be or become equal to : MATCH
equal·ize \'ē-kwə-,līz\ vb : to make equal, uniform, or constant — **equal·iza·tion** \,ē-kwə-lə-'zā-shən\ n — **equal·iz·er** \'ē-kwə-,lī-zər\ n
equa·nim·i·ty \,ēk-wə-'nim-ət-e, ,ek-\ n : evenness of mind : COMPOSURE
equate \i-'kwāt\ vb : to make, treat, or regard as equal or comparable
equa·tion \i-'kwā-zhən, -shən\ n 1 : an act of equating : the state of being equated 2 : a usu. formal statement of equivalence (as between mathematical or logical expressions) with the relation typically symbolized by the sign =
equa·tor \i-'kwāt-ər\ n : an imaginary circle around the earth that is everywhere equally distant from the two poles and divides the earth's surface into the northern and southern hemispheres — **equa·to·ri·al** \,ēk-wə-'tōr-ē-əl, ,ek-\ adj
¹eques·tri·an \i-'kwes-trē-ən\ adj 1 : of or relating to horses, horsemen, or horsemanship 2 : representing a person on horseback
²equestrian n : one that rides on horseback
eques·tri·enne \i-,kwes-trē-'en\ n : a female equestrian
equi·dis·tant \,ē-kwə-'dis-tənt\ adj : equally distant
equi·lat·er·al \-'lat-(ə-)rəl\ adj : having equal sides
equi·lib·ri·um \-'lib-rē-əm\ n, pl **-ri·ums** or **-ria** \-rē-ə\ : a state of balance between opposing forces or actions syn poise
equine \'ē-,kwīn\ adj : of or relating to

equinox 156 **escape**

the horse — **equine** *n*
equi·nox \'ē-kwə-,näks\ *n* : either of the two times each year when the sun crosses the equator and day and night are everywhere of equal length that occur about March 21 and September 23 — **equi·noc·tial** \,ē-kwə-'näk-shəl\ *adj*
equip \i-'kwip\ *vb* **equipped; equipping** : to supply with needed resources : fit out : PREPARE
equip·ment \i-'kwip-mənt\ *n* **1** : the equipping of a person or thing : the state of being equipped **2** : things used in equipping : SUPPLIES, OUTFIT, PARAPHERNALIA
equi·poise \'ek-wə-,pòiz, 'ēk-\ *n* **1** : BALANCE, EQUILIBRIUM **2** : COUNTERPOISE
eq·ui·ta·ble \'ek-wət-ə-bəl\ *adj* : JUST, FAIR — **eq·ui·ta·bly** *adv*
eq·ui·ta·tion \,ek-wə-'tā-shən\ *n* : the act or art of riding on horseback
eq·ui·ty \'ek-wət-ē\ *n* **1** : JUSTNESS, IMPARTIALITY **2** : a legal system developed into a body of rules supplementing the common law **3** : value of a property or of an interest in it in excess of claims against it
equiv·a·lent \i-'kwiv(-ə)-lənt\ *adj* : EQUAL; *also* : virtually identical **syn** same — **equiv·a·lence** *n* — **equivalent** *n*
equiv·o·cal \i-'kwiv-ə-kəl\ *adj* **1** : AMBIGUOUS **2** : UNCERTAIN **3** : SUSPICIOUS, DUBIOUS ⟨~ behavior⟩ **syn** obscure, dark, vague, enigmatic — **equiv·o·cal·ly** *adv*
equiv·o·cate \-,kāt\ *vb* : to use misleading language; *also* : PREVARICATE — **equiv·o·ca·tion** \-,kwiv-ə-'kā-shən\ *n*
¹-er \ər\ *adj suffix or adv suffix* — used to form the comparative degree of adjectives and adverbs of one syllable ⟨hot*er*⟩ ⟨dri*er*⟩ and of some adjectives and adverbs of two syllables ⟨complet*er*⟩ and sometimes of longer ones
²-er *also* **-ier** \ē-ər, yər\ *or* **-yer** \yər\ *n suffix* **1** : a person occupationally connected with ⟨batt*er*⟩ ⟨lawy*er*⟩ **2** : a person or thing belonging to or associated with ⟨old-tim*er*⟩ **3** : a native of : resident of ⟨New York*er*⟩ **4** : one that has ⟨three-deck*er*⟩ **5** : one that produces or yields ⟨pork*er*⟩ **6** : one that does or performs (a specified action) ⟨report*er*⟩ ⟨build*er*-upp*er*⟩ **7** : one that is a suitable object of (a specified action) ⟨broil*er*⟩ **8** : one that is ⟨foreign*er*⟩
era \'ir-ə, 'er-ə\ *n* **1** : a chronological order or system of notation reckoned from a given date as basis **2** : a period typified by some special feature **syn** age, epoch, aeon
erad·i·cate \i-'rad-ə-,kāt\ *vb* [L *eradicare*, fr. *ex-*, *e-* out + *radic-*, *radix* root] : UPROOT, ELIMINATE **syn** exterminate — **erad·i·ca·ble** \-'rad-i-kə-bəl\ *adj*
erase \i-'rās\ *vb* : to rub or scratch out (as written words); also : OBLITERATE **syn** cancel, efface, delete — **eras·er** *n* — **era·sure** \-'rā-shər\ *n*
¹erect \i-'rekt\ *adj* : not leaning or lying down : UPRIGHT
²erect *vb* **1** : BUILD **2** : to fix or set in an upright position **3** : to set up; *also* : ESTABLISH, DEVELOP — **erec·tion** \-'rek-shən\ *n*

er·mine \'ər-mən\ *n* **1** : a weasel with winter fur mostly white; *also* : its fur **2** : a rank or office whose official robe is ornamented with ermine

ermine

erode \i-'rōd\ *vb* : to diminish or destroy by degrees; *esp* : to gradually eat into or wear away ⟨soil *eroded* by wind and water⟩ — **ero·sion** \-'rō-zhən\ *n*
erot·ic \i-'rät-ik\ *adj* : relating to or dealing with sexual love : AMATORY
err \'eər, 'ər\ *vb* : to be or do wrong
er·rand \'er-ənd\ *n* : a short trip taken to do something esp. for another; *also* : the object or purpose of this trip
er·rant \'er-ənt\ *adj* **1** : WANDERING **2** : going astray; *esp* : doing wrong **3** : moving aimlessly
er·rat·ic \ir-'at-ik\ *adj* **1** : IRREGULAR, CAPRICIOUS **2** : ECCENTRIC, QUEER — **er·rat·i·cal·ly** *adv*
er·ro·ne·ous \ir-'ō-nē-əs\ *adj* : INCORRECT, MISTAKEN — **er·ro·ne·ous·ly** *adv*
er·ror \'er-ər\ *n* **1** : a usu. ignorant or unintentional deviating from accuracy or rectitude : MISTAKE, BLUNDER ⟨made an ~ in adding⟩ **2** : the state of one that errs ⟨to be in ~⟩ **3** : a product of mistake ⟨a typographical ~⟩ **4** : a defensive misplay in baseball
er·u·di·tion \,er-(y)ə-'dish-ən\ *n* : LEARNING, SCHOLARSHIP — **er·u·dite** \'er-(y)ə-,dīt\ *adj*
erupt \i-'rəpt\ *vb* **1** : to force out or release usu. suddenly and violently ⟨~ steam⟩ : become suddenly or violently active ⟨an ~*ing* volcano⟩ ⟨~ into sudden anger⟩ **2** : to break out with or as if with a skin rash — **erup·tion** \-'rəp-shən\ *n* — **erup·tive** \-'rəp-tiv\ *adj*
-ery \(ə-)rē\ *n suffix* **1** : qualities collectively : character : -NESS ⟨snobb*ery*⟩ **2** : art : practice ⟨cook*ery*⟩ **3** : place of doing, keeping, producing, or selling (the thing specified) ⟨fish*ery*⟩ ⟨bak*ery*⟩ **4** : collection : aggregate ⟨fin*ery*⟩ **5** : state or condition ⟨slav*ery*⟩
er·y·sip·e·las \,er-ə-'sip-(ə-)ləs, ,ir-\ *n* : an acute bacterial disease marked by fever and severe skin inflammation
¹-es \əz *after* s, z, sh, ch; z *after* v *or a vowel*\ *n pl suffix* **1** — used to form the plural of most nouns that end in *s* ⟨glass*es*⟩, *z* ⟨fuzz*es*⟩, *sh* ⟨bush*es*⟩, *ch* ⟨peach*es*⟩, or a final *y* that changes to *i* ⟨lad*ies*⟩ and of some nouns ending in *f* that changes to *v* ⟨loav*es*⟩ **2** : ¹-s **2**
²-es *vb suffix* — used to form the third person singular present of most verbs that end in *s* ⟨bless*es*⟩, *z* ⟨fizz*es*⟩, *sh* ⟨hush*es*⟩, *ch* ⟨catch*es*⟩, or a final *y* that changes to *i* ⟨def*ies*⟩
es·ca·la·tor \'es-kə-,lāt-ər\ *n* : a power-driven set of stairs arranged to ascend or descend continuously
es·cal·lop \is-'käl-əp, -'kal-\ *var of* SCALLOP
es·ca·pade \'es-kə-,pād\ *n* : a mischievous adventure : PRANK
¹es·cape \is-'kāp\ *vb* **1** : to get away

escape 2 : to avoid a threatening evil 3 : to miss or succeed in averting ⟨~ injury⟩ 4 : ELUDE ⟨his name ~s me⟩ 5 : to be produced or uttered involuntarily by ⟨let a sob ~ him⟩

²**escape** n 1 : flight from or avoidance of something unpleasant 2 : LEAKAGE 3 : a means of escape

³**escape** adj : providing a means or way of escape

es·cap·ee \,es-,kā-'pē, is-\ n : one that has escaped esp. from prison

es·cap·ism \is-'kā-,piz-əm\ n : diversion of the mind to imaginative activity as an escape from routine — **es·cap·ist** adj or n

es·chew \is-'chü\ vb : SHUN, AVOID

¹**es·cort** \'es-,kȯrt\ n : one (as a person or warship) accompanying another esp. as a protection or courtesy

²**es·cort** \is-'kȯrt, es-\ vb : to accompany as an escort

Es·ki·mo \'es-kə-,mō\ n : a member of a group of peoples of northern Canada, Greenland, Alaska, and eastern Siberia

esoph·a·gus \i-'säf-ə-gəs\ n, pl -gi \-,gī, -,jī\ : a muscular tube connecting the mouth and stomach — **esoph·a·geal** \-,säf-ə-'jē-əl\ adj

es·o·ter·ic \,es-ə-'ter-ik\ adj 1 : designed for or understood by the specially initiated alone 2 : PRIVATE, SECRET

es·pa·drille \'es-pə-,dril\ n : a flat sandal usu. having a fabric upper and a flexible sole

es·pal·ier \is-'pal-yər, -,yā\ n : a plant (as a fruit tree) trained to grow flat against a support (as a wall or trellis) — **espalier** vb

es·pe·cial \is-'pesh-əl\ adj : SPECIAL, PARTICULAR — **es·pe·cial·ly** adv

Es·pe·ran·to \,es-pə-'rant-ō\ n : an artificial international language based as far as possible on words common to the chief European languages

es·pi·o·nage \'es-pē-ə-,näzh, -nij\ n : the practice of spying

es·pla·nade \,es-plə-,näd, -,nād\ n : a level open stretch or area; esp : one designed for walking or driving along a shore

es·pous·al \is-'paů-zəl\ n 1 : BETROTHAL; also : WEDDING 2 : a taking up (as of a cause) as a supporter — **es·pouse** \-'paůz\ vb

espres·so \is-'pres-ō\ n : coffee brewed by forcing steam through finely ground darkly roasted coffee beans

es·prit \is-'prē\ n : sprightly wit

es·py \is-'pī\ vb : to catch sight of syn behold, see, perceive, discern, notice

es·quire \'es-,kwī(ə)r\ n [MF esquier squire to a knight, fr. LL scutarius shield bearer, fr. L scutum shield] 1 : a man of the English gentry ranking next below a knight

-ess \əs\ n suffix : female ⟨author*ess*⟩

¹**es·say** \e-'sā, 'es-,ā\ vb : ATTEMPT, TRY

²**es·say** \'es-,ā\ n 1 : ATTEMPT 2 : a literary composition usu. dealing with a subject from a limited or personal point of view — **es·say·ist** n

es·sence \'es-ᵊns\ n 1 : fundamental nature or quality 2 : a substance distilled or extracted from another substance (as a plant or drug) and having the special qualities of the original substance ⟨~ of peppermint⟩ 3 : PERFUME

¹**es·sen·tial** \i-'sen-chəl\ adj 1 : containing or constituting an essence 2 : of the utmost importance : INDISPENSABLE syn requisite, needful — **es·sen·tial·ly** adv

²**essential** n : something essential

¹**-est** \əst\ adj suffix or adv suffix — used to form the superlative degree of adjectives and adverbs of one syllable ⟨fatt*est*⟩ ⟨lat*est*⟩, of some adjectives and adverbs of two syllables ⟨lucki*est*⟩ ⟨oftenest⟩, and less often of longer ones ⟨beggarli*est*⟩

²**-est** \əst\ or **-st** \st\ suffix — used to form the archaic second person singular of English verbs (with *thou*) ⟨gett*est*⟩ ⟨did*st*⟩

es·tab·lish \is-'tab-lish\ vb 1 : to make firm or stable 2 : ORDAIN 3 : FOUND ⟨~ a settlement⟩; also : EFFECT 4 : to put on a firm basis : set up ⟨~ a son in business⟩ 5 : to gain acceptance or recognition of (as a claim or fact) ⟨~ed his right to help⟩; also : PROVE

es·tab·lish·ment n 1 : an organized force for carrying on public or private business 2 : a place of residence or business with its furnishings and staff 3 : an establishing or being established

es·tate \is-'tāt\ n 1 : STATE, CONDITION; also : social standing : STATUS 2 : a social or political class (the three ~s of nobility, clergy, and commons⟩ 3 : a person's possessions : FORTUNE 4 : a landed property

¹**es·teem** \-'tēm\ n : high regard

²**esteem** vb 1 : REGARD 2 : to set a high value on : PRIZE syn respect, admire

es·ter \'es-tər\ n : an often fragrant organic compound formed by the reaction of an acid and an alcohol

es·ti·ma·ble \'es-tə-mə-bəl\ adj : worthy of esteem

¹**es·ti·mate** \'es-tə-,māt\ vb 1 : to give or form an approximation (as of the value, size, or cost of something) 2 : to form an opinion of : CONCLUDE, JUDGE syn evaluate, value, rate, calculate

²**es·ti·mate** \-mət\ n 1 : OPINION, JUDGMENT 2 : a rough or approximate calculation 3 : a statement of the cost of a job

es·ti·ma·tion \,es-tə-'mā-shən\ n 1 : JUDGMENT, OPINION 2 : ESTIMATE 3 : ESTEEM, HONOR

Es·to·ni·an \es-'tō-nē-ən\ n : a native or inhabitant of Estonia

es·trange \is-'trānj\ vb : to alienate the affections or confidence of — **es·trange·ment** n

es·tro·gen \'es-trə-jən\ n : a substance (as a hormone) that promotes development of various female characteristics

es·tu·ary \'es-chə-,wer-ē\ n : an arm of the sea at the mouth of a river

etch \'ech\ vb 1 : to make lines on (as metal) usu. by the action of acid; also : to produce (as a design) by etching 2 : to delineate clearly — **etch·er** n

etch·ing n 1 : the act, process, or art of etching 2 : a design produced on or print made from an etched plate

eter·nal \i-'tərn-ᵊl\ adj : EVERLASTING, PERPETUAL — **eter·nal·ly** adv

eter·ni·ty \i-'tər-nət-ē\ n 1 : infinite duration 2 : IMMORTALITY

¹**-eth** \əth\ or **-th** \th\ vb suffix — used to form the archaic third person singular present of verbs ⟨go*eth*⟩ ⟨do*th*⟩

²-eth — see -TH
ether \'ē-thər\ *n* **1** : the upper regions of space; *also* : the gaseous element formerly held to fill these regions **2** : a light flammable liquid used as an anesthetic and solvent
ethe·re·al \i-'thir-ē-əl\ *adj* **1** : CELESTIAL, HEAVENLY **2** : exceptionally delicate: AIRY, DAINTY — **ethe·re·al·ly** *adv*
eth·i·cal \'eth-i-kəl\ *adj* **1** : of or relating to ethics **2** : conforming to accepted and esp. professional standards of conduct **syn** virtuous, honorable, upright — **eth·i·cal·ly** *adv*
eth·ics \-iks\ *n sing or pl* **1** : a discipline dealing with good and evil and with moral duty **2** : moral principles or practice
Ethi·o·pi·an \,ē-thē-'ō-pē-ən\ *n* : a native or inhabitant of Ethiopia — **Ethiopian** *adj*
eth·nic \'eth-nik\ *adj* : of or relating to races or large groups of people classed according to common traits and customs — **eth·ni·cal·ly** \-ni-k(ə-)lē\ *adv*
eth·nol·o·gy \eth-'näl-ə-jē\ *n* : a science dealing with the races of man, their origin, distribution, characteristics, and relations — **eth·no·log·ic** \,eth-nə-'läj-ik\ *adj* — **eth·nol·o·gist** \eth-'näl-ə-jəst\ *n*
eth·yl \'eth-əl\ *n* : a carbon and hydrogen radical occurring in alcohol and ether
eti·ol·o·gy \,ēt-ē-'äl-ə-jē\ *n* : CAUSE, ORIGIN; *also* : the study of causes — **eti·o·log·ic** \,ēt-ē-ə-'läj-ik\ *adj*
et·i·quette \'et-i-kət, -,ket\ *n* : the forms prescribed by custom or authority to be observed in social, official, or professional life **syn** propriety, decorum
et·y·mol·o·gy \,et-ə-'mäl-ə-jē\ *n* **1** : the history of a linguistic form (as a word) shown by tracing its development and relationships **2** : a branch of linguistics dealing with etymologies — **et·y·mo·log·i·cal** \-mə-'läj-i-kəl\ *adj* — **et·y·mol·o·gist** \-'mäl-ə-jəst\ *n*
Eu·cha·rist \'yü-k(ə-)rəst\ *n* : COMMUNION **3** — **eu·cha·ris·tic** \,yü-kə-'ris-tik\ *adj, often cap*
eu·gen·ics \yu-'jen-iks\ *n* : a science dealing with the improvement (as by selective breeding) of hereditary qualities esp. of human beings — **eu·gen·ic** *adj*
eu·lo·gy \'yü-lə-jē\ *n* **1** : a speech in praise of some person or thing **2** : high praise — **eu·lo·gis·tic** \,yü-lə-'jis-tik\ *adj* — **eu·lo·gize** \'yü-lə-,jīz\ *vb*
eu·nuch \'yü-nək\ *n* : a castrated man
eu·phe·mism \'yü-fə-,miz-əm\ *n* : the substitution of a pleasant expression for one offensive or unpleasant; *also* : the expression substituted
eu·pho·ni·ous \yu-'fō-nē-əs\ *adj* : pleasing to the ear
eu·pho·ny \'yü-fə-nē\ *n* : the effect produced by words so combined as to please the ear
eu·pho·ria \yu̇-'fōr-ē-ə\ *n* : a marked feeling of well-being or elation — **eu·phor·ic** \-'fȯr-ik\ *adj*
Eur·asian \yu̇-'rā-zhən, -shən\ *adj* : of or relating to Europe and Asia — **Eurasian** *n*
eu·re·ka \yu̇-'rē-kə\ *interj* — used to express triumph on a discovery
Eu·ro·pe·an \,yu̇r-ə-'pē-ən\ *n* : a native or inhabitant of Europe — **European** *adj*
eu·ro·pi·um \yu̇-'rō-pē-əm\ *n* : a metallic chemical element
eu·tha·na·sia \,yü-thə-'nā-zh(ē-)ə\ *n* : an easy death; *also* : the act or practice of killing (as an aged animal or incurable invalid) for reasons of mercy
eu·then·ics \yu̇-'then-iks\ *n* : a science dealing with the improvement of human qualities by changes in environment — **eu·then·ic** *adj*
evac·u·ate \i-'vak-yə-,wāt\ *vb* **1** : EMPTY **2** : to discharge wastes from the body **3** : to remove or withdraw from : VACATE — **evac·u·a·tion** \-,vak-yə-'wā-shən\ *n*
evade \i-'vād\ *vb* : to manage to avoid esp. by dexterity or slyness : ELUDE, ESCAPE
eval·u·ate \i-'val-yə-,wāt\ *vb* : APPRAISE, VALUE — **eval·u·a·tion** \-,val-yə-'wā-shən\ *n*
ev·a·nes·cent \,ev-ə-'nes-³nt\ *adj* : tending to vanish like vapor : FLEETING **syn** passing, transient, transitory, momentary — **ev·a·nes·cence** *n*
evan·gel·i·cal \,ē-,van-'jel-i-kəl, ,ev-ən-\ *adj* [LL *evangelium* gospel, fr. Gk *evangelion*, fr. *en-* good + *angelos* messenger] **1** : of or relating to the Christian gospel esp. as presented in the four Gospels **2** : of or relating to certain Protestant churches emphasizing the authority of Scripture and the importance of preaching as contrasted with ritual **3** : ZEALOUS ⟨∼ fervor⟩ — **Evangelical** *n* — **Evan·gel·i·cal·ism** *n* — **evan·gel·i·cal·ly** *adv*
evan·ge·lism \i-'van-jə-,liz-əm\ *n* **1** : the winning or revival of personal commitments to Christ **2** : militant or crusading zeal
evan·ge·list \i-'van-jə-ləst\ *n* **1** *often cap* : the writer of any of the four Gospels **2** : one who evangelizes; *esp* : a preacher who conducts revival services — **evan·ge·lis·tic** \-,van-jə-'lis-tik\ *adj*
evan·ge·lize \i-'van-jə-,līz\ *vb* **1** : to preach the gospel **2** : to convert to Christianity
evap·o·rate \i-'vap-ə-,rāt\ *vb* **1** : to pass off in vapor **2** : to convert into vapor **3** : to drive out the moisture from (as by heat) — **evap·o·ra·tion** \-,vap-ə-'rā-shən\ *n*
eva·sion \i-'vā-zhən\ *n* **1** : an act or instance of evading **2** : a means of evading; *esp* : an equivocal statement used in evading — **eva·sive** \-'vā-siv\ *adj*
eve \'ēv\ *n* **1** : EVENING **2** : the period just before some important event
¹even \'ē-vən\ *adj* **1** : LEVEL, FLAT **2** : REGULAR, SMOOTH **3** : EQUAL **4** : FAIR **5** : BALANCED; *also* : fully revenged **6** : divisible by two **7** : EXACT **syn** flush, uniform, steady, constant — **even·ly** *adv* — **even·ness** \-vən-nəs\ *n*
²even *adv* **1** : as well : PRECISELY, JUST **2** : FULLY, QUITE **3** : at the very time : ALREADY **4** — used as an intensive to stress identity or the comparative degree ⟨∼ we know that⟩ ⟨gold and ∼ more precious treasures⟩
³even *vb* : to make or become even
even·hand·ed \,ē-vən-'han-dəd\ *adj* : FAIR, IMPARTIAL

evening   159   **excess**

eve·ning \'ēv-niŋ\ *n* : the end of the day and early part of the night

event \i-'vent\ *n* **1** : OCCURRENCE **2** : a noteworthy happening **3** : CONTINGENCY **4** : a contest in a program of sports — **event·ful** *adj*

even·tu·al \i-'ven-ch(ə-w)əl\ *adj* : LATER; *also* : ULTIMATE — **even·tu·al·ly** *adv*

even·tu·ate \-chə-ˌwāt\ *vb* : to come to pass

ev·er \'ev-ər\ *adv* **1** : ALWAYS **2** : at any time **3** : in any case

ev·er·bloom·ing \ˌev-ər-'blü-miŋ\ *adj* : blooming more or less continuously throughout the growing season

ev·er·glade \'ev-ər-ˌglād\ *n* : a low-lying tract of swampy or marshy land

ev·er·green \-ˌgrēn\ *adj* : having foliage that remains green ⟨coniferous trees are mostly ∼⟩ — **evergreen** *n*

¹ev·er·last·ing \ˌev-ər-'las-tiŋ\ *adj* : enduring forever : ETERNAL — **ev·er·last·ing·ly** *adv*

²everlasting *n* **1** : ETERNITY ⟨from ∼⟩ **2** : a plant whose flowers may be dried without loss of form or color

ev·er·more \-'mōr\ *adv* : FOREVER

ev·ery \'ev-rē\ *adj* **1** : being one of the total of members of a group or class **2** : all possible ⟨given ∼ chance⟩; *also* : COMPLETE

ev·ery·body \'ev-ri-ˌbäd-ē\ *pron* : every person

ev·ery·day \'ev-rē-ˌdā\ *adj* : used or fit for daily use : ORDINARY

ev·ery·one \-(ˌ)wən\ *pron* : every person

ev·ery·thing \-ˌthiŋ\ *pron* : all that exists; *also* : all that is relevant

ev·ery·where \-ˌhwe(ə)r\ *adv* : in every place or part

evict \i-'vikt\ *vb* : to put (a person) out from a property by legal process; *also* : EXPEL **syn** eject, oust — **evic·tion** \-'vik-shən\ *n*

ev·i·dence \'ev-əd-əns\ *n* **1** : an outward sign : INDICATION **2** : PROOF, TESTIMONY; *esp* : matter submitted in court to determine the truth of alleged facts

ev·i·dent \'ev-əd-ənt\ *adj* : clear to the vision and understanding **syn** manifest, distinct, obvious, apparent, plain — **ev·i·dent·ly** \-ə-ˌdent-lē\ *adv*

¹evil \'ē-vəl\ *adj* **1** : WICKED **2** : causing or threatening distress or harm : PERNICIOUS — **evil·ly** *adv*

²evil *n* **1** : SIN **2** : a source of sorrow or distress : CALAMITY — **evil·do·er** \ˌē-vəl-'dü-ər\ *n*

evil-mind·ed \ˌē-vəl-'mīn-dəd\ *adj* : having an evil disposition or evil thoughts

evoke \i-'vōk\ *vb* : to call forth or up — **evo·ca·tion** \ˌē-vō-'kā-shən, ˌev-ə-\ *n*

ev·o·lu·tion \ˌev-ə-'lü-shən\ *n* **1** : a process of change in a particular direction **2** : one of a series of prescribed movements (as in a dance or military exercise) **3** : the process by which through a series of steps something (as an organism) attains its distinctive character; *also* : a theory that existent types of animals and plants have developed from previously existing kinds — **ev·o·lu·tion·ary** *adj* — **ev·o·lu·tion·ist** *n*

evolve \i-'välv\ *vb* : to develop by or as if by evolution

ewe \'yü\ *n* : a female sheep

ew·er \'yü-ər\ *n* : a vase-shaped jug

ex·ac·er·bate \ig-'zas-ər-ˌbāt\ *vb* : to make more violent, bitter, or severe — **ex·ac·er·ba·tion** \-ˌzas-ər-'bā-shən\ *n*

¹ex·act \ig-'zakt\ *vb* **1** : to compel to furnish : EXTORT **2** : to call for as suitable or necessary — **ex·ac·tion** \-'zak-shən\ *n*

²exact *adj* : precisely accurate or correct **syn** right, precise — **ex·act·ly** *adv* — **ex·act·ness** *n*

ex·act·ing *adj* **1** : greatly demanding ⟨an ∼ taskmaster⟩ **2** : requiring close attention and precision ⟨∼ studies⟩

ex·ac·ti·tude \ig-'zak-tə-ˌt(y)üd\ *n* : the quality or an instance of being exact

ex·ag·ger·ate \ig-'zaj-ə-ˌrāt\ *vb* [L *exaggerare*, lit., to heap up, fr. *ex-* out + *agger* heap, rampart] : to enlarge (as a statement) beyond bounds : OVERSTATE — **ex·ag·ger·a·tion** \-ˌzaj-ə-'rā-shən\ *n*

ex·alt \ig-'zólt\ *vb* **1** : to raise up esp. in rank, power, or dignity **2** : GLORIFY **3** : to elate the mind or spirits — **ex·al·ta·tion** \ˌeg-ˌzól-'tā-shən\ *n*

exam \ig-'zam\ *n* : EXAMINATION

ex·am·ine \ig-'zam-ən\ *vb* **1** : to inspect closely : SCRUTINIZE, INVESTIGATE **2** : QUESTION; *esp* : to test by questioning **syn** scan, audit, quiz, catechize — **ex·am·i·na·tion** \-ˌzam-ə-'nā-shən\ *n*

ex·am·ple \ig-'zam-pəl\ *n* **1** : a representative sample **2** : something forming a model to be followed or avoided **3** : a problem to be solved in order to show the application of some rule

ex·as·per·ate \ig-'zas-pə-ˌrāt\ *vb* : VEX, IRRITATE — **ex·as·per·a·tion** \-ˌzas-pə-'rā-shən\ *n*

ex·ca·vate \'ek-skə-ˌvāt\ *vb* **1** : to hollow out; *also* : to form by hollowing out **2** : to dig out and remove (as earth) **3** : to reveal to view by digging away a covering — **ex·ca·va·tion** \ˌek-skə-'vā-shən\ *n* — **ex·ca·va·tor** \'ek-skə-ˌvāt-ər\ *n*

ex·ceed \ik-'sēd\ *vb* **1** : to go or be beyond the limit of **2** : SURPASS

ex·ceed·ing·ly *adv* : EXTREMELY, VERY

ex·cel \ik-'sel\ *vb* **-celled; -cel·ling** : SURPASS, OUTDO

ex·cel·lence \'eks(-ə)-ləns\ *n* **1** : the quality of being excellent **2** : an excellent or valuable quality : VIRTUE **3** : EXCELLENCY 2

ex·cel·len·cy *n* **1** : EXCELLENCE **2** — used as a title of honor

ex·cel·lent *adj* : very good of its kind : FIRST-CLASS — **ex·cel·lent·ly** *adv*

ex·cel·si·or \ik-'sel-sē-ər\ *n* : fine curled wood shavings used esp. for packing fragile items

¹ex·cept \ik-'sept\ *vb* **1** : to take or leave out **2** : OBJECT

²except *also* **ex·cept·ing** *prep* **1** : not including ⟨daily ∼ Sundays⟩ **2** : other than : BUT ⟨saw no one ∼ him⟩

³except *also* **ex·cept·ing** *conj* : ONLY ⟨I'd go, ∼ it's too far⟩

ex·cep·tion \ik-'sep-shən\ *n* **1** : the act of excepting **2** : something excepted **3** : OBJECTION

ex·cep·tion·al *adj* : UNUSUAL; *esp* : SUPERIOR — **ex·cep·tion·al·ly** *adv*

ex·cerpt \'ek-ˌsərpt\ *n* : a passage selected or copied : EXTRACT

ex·cess \ik-'ses, 'ek-ˌses\ *n* **1** : SUPERFLUITY, SURPLUS **2** : the amount by which one quantity exceeds another **3** : INTEMPERANCE — **excess** *adj* — **ex·ces·sive** \ik-'ses-iv\ *adj* — **ex·ces·sive·ly** *adv*

¹ex·change \iks-'chānj, 'eks-,chānj\ n 1 : the giving or taking of one thing in return for another : TRADE 2 : a substituting of one thing for another 3 : interchange of valuables and esp. of business orders or drafts (**bills of exchange**) or money of different countries 4 : a place where things and services are exchanged; *esp* : a marketplace esp. for securities 5 : a central office in which telephone lines are connected for communication

²exchange *vb* : to transfer in return for some equivalent : BARTER, SWAP — **ex·change·able** *adj*

¹ex·cise \'ek-,sīz, -,sīs\ n : a tax on the manufacture, sale, or consumption of goods within a country

²ex·cise \ek-'sīz\ *vb* : to remove by cutting out — **ex·ci·sion** \-'sizh-ən\ n

ex·cite \ik-'sīt\ *vb* 1 : to rouse to activity : stir up 2 : to kindle the emotions of : STIMULATE **syn** provoke, stimulate, pique — **ex·cit·abil·i·ty** \-,sīt-ə-'bil-ət-ē\ n — **ex·cit·able** \-'sīt-ə-bəl\ *adj* — **ex·cit·ed·ly** *adv*

ex·cite·ment \ik-'sīt-mənt\ n : AGITATION, STIR

ex·claim \iks-'klām\ *vb* : to cry out, speak, or utter sharply or vehemently — **ex·cla·ma·tion** \,eks-klə-'mā-shən\ n — **ex·clam·a·to·ry** \iks-'klam-ə-,tōr-ē\ *adj*

exclamation point n : a punctuation mark ! used esp. after an interjection or exclamation

ex·clude \iks-'klüd\ *vb* 1 : to shut out (as from using or participating) : BAR 2 : EJECT — **ex·clu·sion** \-'klü-zhən\ n

ex·clu·sive \iks-'klü-siv\ *adj* 1 : reserved for particular persons 2 : snobbishly aloof; *also* : STYLISH 3 : SOLE ⟨~ rights⟩; *also* : UNDIVIDED ⟨your ~ attention⟩ **syn** select, elect, fashionable — **ex·clu·sive·ly** *adv* — **ex·clu·sive·ness** n

exclusive of *prep* : not taking into account

ex·com·mu·ni·cate \,eks-kə-'myü-nə-,kāt\ *vb* 1 : to cut off officially from communion with the church 2 : to exclude from fellowship — **ex·com·mu·ni·ca·tion** \-,myü-nə-'kā-shən\ n

ex·co·ri·ate \ek-'skōr-ē-,āt\ *vb* : to censure with harsh severity

ex·cre·ment \'ek-skrə-mənt\ n : waste discharged from the body and esp. from the alimentary canal

ex·cres·cence \ek-'skres-ᵊns\ n : OUTGROWTH; *esp* : an abnormal outgrowth (as a wart) — **ex·cres·cent** *adj*

ex·crete \ek-'skrēt\ *vb* : to separate and eliminate wastes from the body esp. in urine — **ex·cre·tion** \-'skrē-shən\ n — **ex·cre·to·ry** \'ek-skrə-,tōr-ē\ *adj*

ex·cru·ci·at·ing \ik-'skrü-shē-,āt-iŋ\ *adj* : intensely painful or distressing **syn** agonizing

ex·cur·sion \ik-'skər-zhən\ n 1 : EXPEDITION; *esp* : a pleasure trip 2 : DIGRESSION 3 : an outward movement or a cycle of movement (as of a pendulum) — **ex·cur·sion·ist** n

¹**ex·cuse** \ik-'skyüz\ *vb* 1 : to offer excuse for 2 : PARDON 3 : to release from an obligation 4 : JUSTIFY — **ex·cus·able** *adj*

²**ex·cuse** \-'skyüs\ n 1 : an act of excusing 2 : grounds for being excused : JUSTIFICATION 3 : APOLOGY

ex·e·cra·ble \'ek-si-krə-bəl\ *adj* 1 : DETESTABLE 2 : very bad ⟨~ spelling⟩

ex·e·crate \'ek-sə-,krāt\ *vb* : to denounce as evil or detestable; *also* : DETEST — **ex·e·cra·tion** \,ek-sə-'krā-shən\ n

ex·e·cute \'ek-sə-,kyüt\ *vb* 1 : to carry to completion : PERFORM 2 : to do what is called for by (as a law) 3 : to put to death in accordance with a legal sentence 4 : to produce in accordance with a plan or design 5 : to do what is needed to give legal force to (as a deed) — **ex·e·cu·tion** \,ek-sə-'kyü-shən\ n — **ex·e·cu·tion·er** n

¹**ex·ec·u·tive** \ig-'zek-(y)ət-iv\ *adj* 1 : designed for or related to carrying out plans or purposes 2 : of or relating to the enforcement of laws and the conduct of affairs

²**executive** n 1 : the branch of government with executive duties 2 : one constituting the controlling element of an organization 3 : one working as a manager or administrator

ex·ec·u·tor \ig-'zek-(y)ət-ər\ n : the person named by a testator to execute his will

ex·ec·u·trix \-(y)ə-,triks\ n : a female executor

ex·e·ge·sis \,ek-sə-'jē-səs\ n, *pl* -**ge·ses** \-,sēz\ : explanation or critical interpretation of a text

ex·em·plar \ig-'zem-,plär, -plər\ n 1 : one that serves as a model or pattern; *esp* : an ideal model 2 : a typical instance or example

ex·em·pla·ry \ig-'zem-plə-rē\ *adj* : serving as a pattern; *also* : COMMENDABLE

ex·em·pli·fy \ig-'zem-plə-,fī\ *vb* : to illustrate by example : serve as an example of — **ex·em·pli·fi·ca·tion** \-,zem-plə-fə-'kā-shən\ n

¹**ex·empt** \ig-'zempt\ *adj* : free from some liability to which others are subject

²**exempt** *vb* : to make exempt : EXCUSE — **ex·emp·tion** \-'zemp-shən\ n

¹**ex·er·cise** \'ek-sər-,sīz\ n 1 : EMPLOYMENT, USE ⟨~ of authority⟩ 2 : exertion made for the sake of training 3 : a task or problem done to develop skill 4 *pl* : a public exhibition or ceremony ⟨graduation ~s⟩

²**exercise** *vb* 1 : EXERT ⟨~ control⟩ 2 : to train by or engage in exercise ⟨~ muscles⟩ ⟨~ troops⟩ 3 : WORRY, DISTRESS

ex·ert \ig-'zərt\ *vb* : to bring or put into action ⟨~ a skill⟩ ⟨~ed himself⟩ — **ex·er·tion** \-'zər-shən\ n

ex·hale \eks-'hāl\ *vb* 1 : to breathe out 2 : to give or pass off in the form of vapor — **ex·ha·la·tion** \,eks-(h)ə-'lā-shən\ n

¹**ex·haust** \ig-'zȯst\ *vb* 1 : to draw out completely (as air from a jar); *also* : EMPTY 2 : to use up wholly 3 : to tire or wear out 4 : to develop (a subject) completely

²**exhaust** n : the escape of used steam or gas from an engine; *also* : the matter that escapes

ex·haus·tion \ig-'zȯs-chən\ n : extreme weariness : FATIGUE

ex·haus·tive \-'zȯ-stiv\ *adj* : covering all possibilities : THOROUGH

ex·haust·less \-'zȯst-ləs\ *adj* : INEXHAUSTIBLE

¹**ex·hib·it** \ig-'zib-ət\ *vb* 1 : to dis-

exhibitionism 161 **experiment**

play esp. publicly **2** : to present to a court in legal form **syn** expose, show, parade, flaunt — **ex·hi·bi·tion** \,ek-sə-'bish-ən\ *n* — **ex·hib·i·tor** \ig-'zib-ət-ər\ *n*

²**exhibit** *n* **1** : an act or instance of exhibiting; *also* : something exhibited **2** : something produced and identified in court for use as evidence

ex·hi·bi·tion·ism \,ek-sə-'bish-ə-,niz-əm\ *n* : the act or practice of so behaving as to attract undue attention sometimes by indecent exposure — **ex·hi·bi·tion·ist** *n*

ex·hil·a·rate \ig-'zil-ə-,rāt\ *vb* : ENLIVEN, CHEER, STIMULATE — **ex·hil·a·ra·tion** \-,zil-ə-'rā-shən\ *n*

ex·hort \ig-'zort\ *vb* : to urge, advise, or warn earnestly — **ex·hor·ta·tion** \,eks-,ȯr-'tā-shən, ,egz-\ *n*

ex·hume \igz-'(y)üm\ *vb* : DISINTER — **ex·hu·ma·tion** \,eks-(h)yü-'mā-shən\ *n*

ex·i·gen·cy \'ek-sə-jən-sē, ig-'zij-ən-\ *n* **1** : urgent need **2** *pl* : REQUIREMENTS — **ex·i·gent** \'ek-sə-jənt\ *adj*

¹**ex·ile** \'eg-,zīl, 'ek-,sīl\ *n* **1** : BANISHMENT **2** : a person driven from his native place

²**exile** *vb* : BANISH, EXPEL **syn** expatriate, deport

ex·ist \ig-'zist\ *vb* **1** : to have being **2** : to continue to be : LIVE

ex·is·tence \ig-'zis-təns\ *n* **1** : continuance in living **2** : actual occurrence **3** : something existing — **ex·is·tent** *adj*

ex·is·ten·tial·ism \,eg-zis-'ten-chə-,liz-əm\ *n* : a philosophy centered upon the analysis of existence and stressing the freedom, responsibility, and usu. the isolation of the individual — **ex·is·ten·tial·ist** *adj or n*

ex·it \'egz-ət, 'eks-\ *n* **1** : a departure from a stage **2** : a going out or away; *also* : DEATH **3** : a way out of an enclosed space — **exit** *vb*

ex·o·dus \'ek-səd-əs\ *n* : a mass departure : EMIGRATION

ex·on·er·ate \ig-'zän-ə-,rāt\ *vb* [L *exonerare* to unburden, fr. *ex-* out + *oner-, onus* load] : to free from blame **syn** acquit, absolve, exculpate — **ex·on·er·a·tion** \-,zän-ə-'rā-shən\ *n*

ex·or·bi·tant \ig-'zor-bət-ənt\ *adj* : exceeding what is usual or proper : EXCESSIVE

ex·or·cise \'ek-,sȯr-,sīz, -sər-\ *vb* **1** : to get rid of by or as if by solemn command **2** : to free of an evil spirit — **ex·or·cism** \-,siz-əm\ *n* — **ex·or·cist** \-,sist\ *n*

ex·ot·ic \ig-'zät-ik\ *adj* : FOREIGN, STRANGE — **exotic** *n* — **ex·ot·i·cal·ly** *adv* — **ex·ot·i·cism** \-'zät-ə-,siz-əm\ *n*

ex·pand \ik-'spand\ *vb* **1** : to spread out **2** : ENLARGE **3** : to develop in detail **syn** amplify, swell, distend, inflate, dilate — **ex·pand·er** *n*

ex·panse \-'spans\ *n* : a broad extent (as of land or sea)

ex·pan·sion \-'span-chən\ *n* **1** : the act or process of expanding **2** : the state or degree of being expanded **3** : an expanded part or thing

ex·pan·sive \-'span-siv\ *adj* **1** : tending to expand or to cause expansion **2** : warmly benevolent or emotional **3** : of large extent or scope — **ex·pan·sive·ly** *adv*

ex·pa·tri·ate \ek-'spā-trē-,āt\ *vb* : EXILE — **ex·pa·tri·ate** \-,āt, -ət\ *n*

ex·pect \ik-'spekt\ *vb* **1** : to look for-ward to **2** : to consider (one) in duty bound **7** : SUPPOSE, ASSUME

ex·pec·tan·cy \-'spek-tən-sē\ *n* **1** : EXPECTATION **2** : something expected

ex·pec·tant *adj* : EXPECTING — **ex·pec·tant·ly** *adv*

ex·pec·ta·tion \,ek-,spek-'tā-shən\ *n* **1** : the act or state of expecting **2** : anticipation of future good **3** : something expected

ex·pec·to·rant \ik-'spek-tə-rənt\ *adj* : tending to promote discharge of mucus from the respiratory tract

ex·pec·to·rate \ik-'spek-tə-,rāt\ *vb* : SPIT — **ex·pec·to·ra·tion** \-,spek-tə-'rā-shən\ *n*

ex·pe·di·en·cy \ik-'spēd-ē-ən-sē\ *or* **ex·pe·di·ence** \-əns\ *n* **1** : fitness to some end **2** : use of expedient means and methods; *also* : something expedient

¹**ex·pe·di·ent** *adj* **1** : adapted for achieving a particular end **2** : marked by concern with what is advantageous without regard to fairness or rightness

²**expedient** *n* : something that is expedient; *also* : a means devised or used for want of something better

ex·pe·dite \'ek-spə-,dīt\ *vb* : to carry out promptly; *also* : FACILITATE

ex·pe·dit·er *n* : one that expedites; *esp* : one employed to ensure adequate supplies of raw materials and equipment or to coordinate the flow of materials, tools, parts, and processed goods within a plant

ex·pe·di·tion \,ek-spə-'dish-ən\ *n* **1** : a journey for a particular purpose; *also* : the persons making it **2** : efficient promptness — **ex·pe·di·tion·ary** *adj*

ex·pe·di·tious \-'dish-əs\ *adj* : marked by or acting with prompt efficiency **syn** swift, fast, rapid

ex·pel \ik-'spel\ *vb* -pelled-; -pel·ling : to drive or force out : EJECT — **ex·pel·lant** \-'spel-ənt\ *adj or n*

ex·pend \ik-'spend\ *vb* **1** : to pay out : SPEND **2** : to consume by use : use up — **ex·pend·able** *adj*

ex·pen·di·ture \-'spen-di-chər\ *n* **1** : the act or process of expending **2** : something (as money) expended

ex·pense \-'spens\ *n* **1** : EXPENDITURE **2** : COST **3** : a cause of expenditure **4** : SACRIFICE

ex·pen·sive \-'spen-siv\ *adj* : COSTLY, DEAR — **ex·pen·sive·ly** *adv*

¹**ex·pe·ri·ence** \ik-'spir-ē-əns\ *n* **1** : observation or practice resulting in or tending toward knowledge; *also* : the resulting state of enhanced comprehension and efficiency **2** : a state of being affected from without (as by events); *also* : an affecting event ⟨a startling ∼⟩ **3** : something or the totality experienced (as by a person or community) ⟨human ∼⟩

²**experience** *vb* **1** : to know as an experience : SUFFER, UNDERGO ⟨∼ hunger⟩ ⟨∼ conversion⟩ **2** : to find out : DISCOVER

ex·pe·ri·enced *adj* : made capable by repeated experience ⟨∼ workmen⟩

¹**ex·per·i·ment** \ik-'sper-ə-mənt\ *n* : a controlled procedure carried out to discover, test, or demonstrate something; *also* : the practice of experiments — **ex·per·i·men·tal** \-,sper-ə-'ment-°l\ *adj*

²**ex·per·i·ment** \-'sper-ə-,ment\ *vb* : to make experiments — **ex·per·i·men·ta·tion** \-,sper-ə-mən-'tā-shən\ *n* — **ex-**

per·i·ment·er \-'sper-ə-,ment-ər\ *n*
¹ex·pert \'ek-,spərt\ *adj* : thoroughly skilled — **ex·pert·ly** *adv* — **ex·pert·ness** *n*
²expert *n* : an expert person : SPECIALIST
ex·per·tise \,ek-,spər-'tēz\ *n* : EXPERTNESS
ex·pi·ate \'ek-spē-,āt\ *vb* : to make amends : ATONE — **ex·pi·a·tion** \,ek-spē-'ā-shən\ *n*
ex·pire \ik-'spī(ə)r, ek-\ *vb* 1 : to breathe out from or as if from the lungs; *also* : to emit the breath 2 : DIE 3 : to come to an end — **ex·pi·ra·tion** \,ek-spə-'rā-shən\ *n*
ex·plain \ik-'splān\ *vb* 1 : to make clear or plain 2 : to give the reason for or cause of — **ex·pla·na·tion** \,ek-splə-'nā-shən\ *n* — **ex·plan·a·to·ry** \ik-'splan-ə-,tōr-ē\ *adj*
ex·ple·tive \'ek-splət-iv\ *n* : a usu profane exclamation
ex·plic·a·ble \ek-'splik-ə-bəl, 'ek-(,)splik-\ *adj* : capable of being explained
ex·pli·cate \'ek-splə-,kāt\ *vb* : to give a detailed explanation of
ex·plic·it \ik-'splis-ət\ *adj* : clearly and precisely expressed — **ex·plic·it·ly** *adv*
ex·plode \ik-'splōd\ *vb* 1 : DISCREDIT ⟨~ a belief⟩ 2 : to affect or be affected (as by driving or shattering) by or as if by the pressure of expanding gas ⟨~ a bomb⟩ ⟨the boiler *exploded*⟩ 3 : to cause or undergo a rapid chemical or nuclear reaction with production of heat and violent expansion of gas ⟨~ dynamite⟩ ⟨material that ~s when jarred⟩; *also* : to react violently ⟨ready to ~ with rage⟩
¹ex·ploit \'ek-,sploit\ *n* : a usu. heroic act : DEED
²ex·ploit \ik-'sploit, 'ek-,sploit\ *vb* 1 : to turn to economic account ⟨~ resources⟩; *also* : UTILIZE 2 : to use unfairly for one's own advantage — **ex·ploi·ta·tion** \,ek-,sploi-'tā-shən\ *n*
ex·plore \ik-'splōr\ *vb* : to range over (a region) in order to discover facts about it; *also* : to examine in careful detail ⟨~ a wound⟩ — **ex·plo·ra·tion** \,ek-splə-'rā-shən\ *n* — **ex·plor·er** \ik-'splōr-ər\ *n*
ex·plo·sion \ik-'splō-zhən\ *n* : the process or an instance of exploding
ex·plo·sive \-'splō-siv\ *adj* 1 : relating to or prepared to cause explosion 2 : tending to explode — **explosive** *n* — **ex·plo·sive·ly** *adv*
ex·po·nent \ik-'spō-nənt, 'ek-,spō-\ *n* 1 : a symbol written above and to the right of a mathematical expression to signify how many times it is to be repeated as a factor 2 : INTERPRETER, EXPOUNDER 3 : ADVOCATE, CHAMPION — **ex·po·nen·tial** \,ek-spə-'nen-chəl\ *adj*
¹ex·port \ek-'spōrt\ *vb* : to send (as merchandise) to foreign countries — **ex·por·ta·tion** \,ek-,spōr-'tā-shən, -spər-\ *n* — **ex·port·er** \ek-'spōrt-ər\ *n*
²ex·port \'ek-,spōrt\ *n* 1 : something exported esp. for trade 2 : an act or the business of exporting
¹ex·pose \ik-'spōz\ *vb* 1 : to deprive of shelter or protection 2 : to submit or subject to an action or influence; *esp* : to subject (a sensitive photographic film, plate, or paper) to the action of radiant energy (as light) 3 : to display esp. for sale 4 : to bring to light : DISCLOSE
²ex·po·sé \,ek-spō-'zā\ *n* : an exposure of something discreditable
ex·po·si·tion \,ek-spə-'zish-ən\ *n* 1 : a setting forth of the meaning or purpose (as of a writing); *also* : discourse designed to convey information 2 : a public exhibition
ex·pos·tu·late \ik-'späs-chə-,lāt\ *vb* : to reason earnestly with a person esp. in dissuading : REMONSTRATE — **ex·pos·tu·la·tion** \-,späs-chə-'lā-shən\ *n*
ex·po·sure \ik-'spō-zhər\ *n* 1 : an exposing or being exposed 2 : a section of a photographic film for one picture 3 : the time during which a film is subjected to the action of light
ex·pound \ik-'spaund\ *vb* 1 : STATE 2 : INTERPRET, EXPLAIN — **ex·pound·er** *n*
¹ex·press \ik-'spres\ *adj* 1 : EXPLICIT; *also* : EXACT, PRECISE 2 : SPECIFIC ⟨his ~ purpose⟩ 3 : traveling at high speed and usu. with few stops ⟨~ train⟩; *also* : adapted to high speed use ⟨~ roads⟩ 4 : being or relating to special transportation of goods at premium rates ⟨~ delivery⟩ ⟨~ rates⟩ — **ex·press·ly** *adv*
²express *n* : an express system or vehicle
³express *vb* 1 : to make known : SHOW, STATE ⟨~ regret⟩ ⟨~*ed* himself through art⟩; *also* : SYMBOLIZE 2 : to squeeze out : extract by pressing 3 : to send by express
ex·pres·sion \ik-'spresh-ən\ *n* 1 : UTTERANCE 2 : something that represents or symbolizes : SIGN; *esp* : a mathematical symbol or symbol group representing a quantity or operation 3 : a significant word or phrase; *also* : manner of expressing (as in writing or music) 4 : facial aspect or vocal intonation indicative of feeling ⟨an ~ of disgust⟩ — **ex·pres·sion·less** *adj* — **ex·pres·sive** \-'spres-iv\ *adj* — **ex·pres·sive·ness** *n*
ex·press·way \ik-'spres-,wā\ *n* : a high-speed divided highway for through traffic with grade separations at intersections
ex·pro·pri·ate \ek-'sprō-prē-,āt\ *vb* : to take away from a person the possession of or right to (property) — **ex·pro·pri·a·tion** \-,sprō-prē-'ā-shən\ *n*
ex·pul·sion \ik-'spəl-shən\ *n* : an expelling or being expelled : EJECTION
ex·punge \ik-'spənj\ *vb* : OBLITERATE, ERASE
ex·pur·gate \'ek-spər-,gāt\ *vb* : to clear (as a book) of objectionable passages — **ex·pur·ga·tion** \,ek-spər-'gā-shən\ *n*
¹ex·qui·site \ek-'skwiz-ət, 'ek-(,)skwiz-\ *adj* 1 : excellent in form or workmanship 2 : keenly appreciative 3 : pleasingly beautiful or delicate 4 : INTENSE
²exquisite *n* : an overly fastidious individual
ex·tant \'ek-stənt, ek-'stant\ *adj* : EXISTENT; *esp* : not lost or destroyed
ex·tem·po·ra·ne·ous \ek-,stem-pə-'rā-nē-əs\ *adj* : not planned beforehand : IMPROMPTU — **ex·tem·po·ra·ne·ous·ly** *adv*
ex·tem·po·rary \ik-'stem-pə-,rer-ē\ *adj* : EXTEMPORANEOUS
ex·tem·po·rize \-pə-,rīz\ *vb* : to do

something extemporaneously
ex·tend \ik-'stend\ *vb* **1 :** to spread or stretch forth or out (as in reaching or straightening) **2 :** to exert or make exert to capacity **3 :** PROLONG ⟨~ a note⟩ **4 :** PROFFER ⟨~ credit⟩ **5 :** to make greater or broader ⟨~ knowledge⟩ ⟨~ a business⟩ **6 :** to spread over (as space) or through (as time) ⟨the town ~ed northward⟩ ⟨the sale ~s through tomorrow⟩ **syn** lengthen, elongate
ex·ten·sion \-'sten-chən\ *n* **1 :** an extending or being extended **2 :** an additional part ⟨~ on a house⟩
ex·ten·sive \-'sten-siv\ *adj* **:** of considerable extent **:** far-reaching **:** BROAD ⟨~ changes⟩ ⟨an ~ property⟩ — **ex·ten·sive·ly** *adv*
ex·tent \-'stent\ *n* **1 :** the size, length, or bulk of something ⟨a property of large ~⟩ **2 :** the degree or measure of something ⟨the ~ of his guilt⟩
ex·ten·u·ate \ik-'sten-yə-,wāt\ *vb* **:** to treat (as a fault) as of less importance than is real or apparent **:** EXCUSE — **ex·ten·u·a·tion** \-,sten-yə-'wā-shən\ *n*
¹**ex·te·ri·or** \ek-'stir-ē-ər\ *adj* **1 :** EXTERNAL **2 :** suitable for use on an outside surface ⟨~ paint⟩
²**exterior** *n* **:** an exterior part or surface **:** OUTSIDE
ex·ter·mi·nate \ik-'stər-mə-,nāt\ *vb* **:** to destroy utterly **syn** extirpate, eradicate — **ex·ter·mi·na·tion** \-,stər-mə-'nā-shən\ *n*
ex·tern \'ek-,stərn\ *n* **:** a person (as a doctor) professionally connected with an institution but not living in it
¹**ex·ter·nal** \ek-'stərn-ᵊl\ *adj* **1 :** outwardly perceivable; *also* **:** SUPERFICIAL **2 :** of, relating to, or located on the outside or an outer part **3 :** arising or acting from without; *also* **:** FOREIGN ⟨~ affairs⟩ — **ex·ter·nal·ly** *adv*
²**external** *n* **:** something that is external
ex·tinct \ik-'stiŋkt, 'ek-,stiŋkt\ *adj* **1 :** EXTINGUISHED ⟨with hope ~⟩ **2 :** no longer existing (as a kind of plant) or active (as a volcano) or in use (as a language) — **ex·tinc·tion** \ik-'stiŋk-shən\ *n*
ex·tin·guish \ik-'stiŋ-gwish\ *vb* **:** to put out (as a fire); *also* **:** to bring to an end (as by destroying, checking, eclipsing, or nullifying) — **ex·tin·guish·able** *adj* — **ex·tin·guish·er** *n*
ex·tol *also* **ex·toll** \ik-'stōl\ *vb* **-tolled; -tol·ling :** to praise highly **:** GLORIFY **syn** laud, eulogize, acclaim
ex·tort \ik-'stȯrt\ *vb* **:** to obtain by force or improper pressure ⟨~ a bribe⟩ — **ex·tor·tion** \-'stȯr-shən\ *n* — **ex·tor·tion·er** *n*
ex·tor·tion·ate \ik-'stȯr-sh(ə-)nət\ *adj* **:** EXCESSIVE, EXORBITANT — **ex·tor·tion·ate·ly** *adv*
¹**ex·tra** \'ek-strə\ *adj* **1 :** ADDITIONAL **2 :** SUPERIOR **syn** spare, surplus, superfluous
²**extra** *n* **1 :** something (as a charge) added **2 :** a special edition of a newspaper **3 :** an additional worker or performer (as in a group scene)
³**extra** *adv* **:** beyond what is usual ⟨~ good⟩
¹**ex·tract** \ik-'strakt\ *vb* **1 :** to draw out; *esp* **:** to pull out forcibly ⟨~ a tooth⟩ **2 :** to withdraw (as a juice or a constituent) by a physical or chemical process **3 :** to select for citation **:** QUOTE — **ex·tract·able** *adj* — **ex·trac·tion** \-'strak-shən\ *n* — **ex·trac·tor** \-'strak-tər\ *n*
²**ex·tract** \'ek-,strakt\ *n* **1 :** EXCERPT, CITATION **2 :** a product (as a juice or concentrate) obtained by extracting
ex·tra·cur·ric·u·lar \,ek-strə-kə-'rik-yə-lər\ *adj* **:** lying outside the regular curriculum; *esp* **:** of or relating to school-connected activities (as sports) carrying no academic credit
ex·tra·di·tion \,ek-strə-'dish-ən\ *n* **:** a surrendering of an alleged criminal to a different jurisdiction for trial
ex·tra·mu·ral \,ek-strə-'myu̇r-əl\ *adj* **:** relating to or taking part in informal contests between teams of different schools other than varsity teams
ex·tra·ne·ous \ek-'strā-nē-əs\ *adj* **1 :** coming from without ⟨~ moisture⟩ **2 :** not intrinsic ⟨~ incidents in a story⟩; *also* **:** IRRELEVANT ⟨~ digressions⟩ — **ex·tra·ne·ous·ly** *adv*
ex·traor·di·nary \ik-'strȯrd-ᵊn-,er-ē, ,ek-strə-'ȯrd-\ *adj* **1 :** notably unusual or exceptional **2 :** employed on a special service — **ex·traor·di·nar·i·ly** \ik-,strȯrd-ᵊn-'er-ə-lē, ,ek-strə-,ȯrd-\ *adv*
ex·trap·o·late \ik-'strap-ə-,lāt\ *vb* **:** to infer (unknown data) from known data — **ex·trap·o·la·tion** \-,strap-ə-'lā-shən\ *n*
ex·tra·sen·so·ry \,ek-strə-'sens-(ə-)rē\ *adj* **:** occurring beyond the known senses ⟨~ perception⟩
ex·tra·ter·ri·to·ri·al \-,ter-ə-'tōr-ē-əl\ *adj* **1 :** located outside the territorial limits of a jurisdiction **2 :** of or relating to extraterritoriality ⟨~ rights⟩
ex·trav·a·gant \ik-'strav-i-gənt\ *adj* **1 :** EXCESSIVE ⟨~ claims⟩ **2 :** unduly lavish **:** WASTEFUL **3 :** too costly **syn** immoderate, exorbitant, extreme — **ex·trav·a·gance** *n* — **ex·trav·a·gant·ly** *adv*
ex·trav·a·gan·za \ik-,strav-ə-'gan-zə\ *n* **1 :** a literary or musical work marked by extreme freedom of style and structure **2 :** a lavish or spectacular show or event
¹**ex·treme** \ik-'strēm\ *adj* **1 :** very great or intense ⟨~ cold⟩ **2 :** very severe or drastic ⟨~ measures⟩ **3 :** going to great lengths or beyond normal limits ⟨politically ~⟩ **4 :** most remote ⟨the ~ end⟩ **5 :** UTMOST; *also* **:** MAXIMUM ⟨an ~ effort⟩ — **ex·treme·ly** *adv*
²**extreme** *n* **1 :** an extreme state **2 :** something located at one end or the other of a range or series **3 :** EXTREMITY 4
ex·trem·ist \-'strē-məst\ *n* **:** one who advocates or practices extreme measures esp. in politics — **ex·trem·ism** \-,miz-əm\ *n*
ex·trem·i·ty \-'strem-ət-ē\ *n* **1 :** the most remote part or point **2 :** a limb of the body; *esp* **:** a human hand or foot **3 :** the greatest need or danger **4 :** the utmost degree; *also* **:** a drastic or desperate measure
ex·tri·cate \'ek-strə-,kāt\ *vb* **:** to free from an entanglement or difficulty **syn** disentangle, untangle
ex·trin·sic \ek-'strin-zik, -sik\ *adj* **1 :** not forming part of or belonging to a thing **:** EXTRANEOUS **2 :** EXTERNAL — **ex·trin·si·cal·ly** *adv*
ex·tro·vert \'ek-strə-,vərt\ *n* **:** a person

extrude

more interested in the world about him than in his inner self — **ex·tro·ver·sion** \ˌek-strə-'vər-zhən\ *n* — **ex·tro·vert·ed** \'ek-strə-ˌvərt-əd\ *or* **extrovert** *adj*

ex·trude \ik-'strüd\ *vb* : to force, press, or push out; *esp* : to form (as plastic) by forcing through a die — **ex·tru·sion** \-'strü-zhən\ *n*

ex·u·ber·ant \ig-'zü-b(ə-)rənt\ *adj* **1** : joyously unrestrained **2** : PROFUSE, — **ex·u·ber·ance** *n* — **ex·u·ber·ant·ly** *adv*

ex·ude \ig-'züd\ *vb* [L *exsudare,* fr. *ex-* out + *sudare* to sweat] **1** : to discharge slowly through pores or cuts **2** : to spread out in all directions — **ex·u·date** \'eks-ə-ˌdāt, 'egz-\ *n* — **ex·u·da·tion** \ˌeks-ə-'dā-shən, ˌegz-\ *n*

ex·ult \ig-'zəlt\ *vb* : to rejoice in triumph : GLORY — **ex·ul·tant** \-'zəlt-ᵊnt\ *adj* — **ex·ul·tant·ly** *adv* — **ex·ul·ta·tion** \ˌeks-ˌ(ˌ)əl-'tā-shən, ˌegz-\ *n*

ex·urb \'ek-ˌsərb\ *n* : a region or district outside a city and usu. beyond its suburbs inhabited chiefly by well-to-do families — **ex·ur·bia** \ek-'sər-bē-ə\ *n*

-ey — see -Y

¹eye \'ī\ *n* **1** : an organ of sight typically consisting of a globular structure (**eye·ball** \-ˌbȯl\) in a socket of the skull with thin movable covers (**eye·lids** \-ˌlidz\) bordered with hairs (**eye·lash·es** \-ˌlash-əz\) **2** : VISION, PERCEPTION; *also* : faculty of discrimination ⟨a good ∼ for bargains⟩ **3** : something suggesting an eye ⟨the ∼ of a needle⟩; *esp* : an undeveloped bud (as of a potato)

²eye *vb* : to look at : WATCH

eye·brow \-ˌbraù\ *n* : the bony arch forming the upper edge of the eye socket; *also* : the hairs growing on this

eye·glass \-ˌglas\ *n* **1** : a lens variously mounted for personal use as an aid to vision **2** *pl* : GLASS 3

eye·let \-lət\ *n* **1** : a small reinforced hole in material intended for ornament or for passage of something (as a cord or lace) **2** : a metal ring for reinforcing an eyelet

eye·sight \-ˌsīt\ *n* : SIGHT, VISION

eye·sore \-ˌsōr\ *n* : something displeasing to the sight ⟨that old building is an ∼⟩

eye·strain \'ī-ˌstrān\ *n* : weariness or a strained state of the eye

eye·tooth \-'tüth\ *n* : a canine tooth of the upper jaw

eye·wash \-ˌwȯsh, -ˌwäsh\ *n* **1** : an eye lotion **2** : misleading or deceptive statements, actions, or procedures

eye·wit·ness \-'wit-nəs\ *n* : a person who sees an occurrence with his own eyes and is able to give a firsthand account of it

ey·rie \'ī(ə)r-ē, 'a(ə)r-, 'i(ə)r-\ *n* : AERIE

F

f \'ef\ *n, often cap* : the 6th letter of the English alphabet

Fa·bi·an \'fā-bē-ən\ *adj* : of, relating to, or being a society of socialists organized in England in 1884 to spread socialist principles gradually — **Fabian** *n* — **Fa·bi·an·ism** *n*

fa·ble \'fā-bəl\ *n* **1** : a legendary story of supernatural happenings **2** : a narration intended to teach a lesson; *esp* : one in which animals speak and act like people **3** : FALSEHOOD

fa·bled *adj* **1** : FICTITIOUS **2** : told or celebrated in fable

fab·ric \'fab-rik\ *n* **1** : STRUCTURE, FRAMEWORK ⟨the ~ of society⟩ **2** : CLOTH; *also* : a material that resembles cloth

fab·ri·cate \'fab-ri-ˌkāt\ *vb* **1** : CONSTRUCT, MANUFACTURE **2** : INVENT, CREATE **3** : to make up for the sake of deception — **fab·ri·ca·tion** \ˌfab-ri-'kā-shən\ *n*

fab·u·lous \'fab-yə-ləs\ *adj* **1** : resembling a fable : LEGENDARY **2** : told in or based on fable **3** : INCREDIBLE, MARVELOUS — **fab·u·lous·ly** *adv*

fa·cade *also* **fa·çade** \fə-'säd\ *n* **1** : the principal face or front of a building **2** : a false, superficial, or artificial appearance ⟨a ~ of composure⟩

¹**face** \'fās\ *n* **1** : the front part of the head **2** : PRESENCE ⟨in the ~ of danger⟩ **3** : facial expression : LOOK ⟨put a sad ~ on⟩ **4** : GRIMACE ⟨made a ~⟩ **5** : outward appearance ⟨looks easy on the ~ of it⟩ **6** : BOLDNESS **7** : DIGNITY, PRESTIGE ⟨afraid to lose ~⟩ **8** : the surface of something; *esp* : the front or principal surface — **faced** *adj*

²**face** *vb* **1** : to confront brazenly **2** : to line near the edge esp. with a different material; *also* : to cover the front or surface of ⟨~ a building with marble⟩ **3** : to bring face to face ⟨*faced* him with the proof⟩ **4** : to stand or sit with the face toward ⟨~ the sun⟩ **5** : to front on ⟨a house *facing* the park⟩ **6** : to oppose firmly ⟨*faced* up to his foe⟩ **7** : to turn the face or body in a specified direction

face-lift·ing \-ˌlif-tiŋ\ *n* **1** : a plastic operation for removal of facial defects (as wrinkles or sagging) usu. associated with aging **2** : MODERNIZATION

fac·et \'fas-ət\ *n* **1** : one of the small plane surfaces of a cut gem **2** : ASPECT, PHASE

gem cut with facets

fa·ce·tious \fə-'sē-shəs\ *adj* **1** : COMICAL **2** : JOCULAR **3** : FLIPPANT — **fa·ce·tious·ly** *adv* — **fa·ce·tious·ness** *n*

¹**fa·cial** \'fā-shəl\ *adj* : of or relating to the face

²**facial** *n* : a facial treatment or massage

fac·ile \'fas-əl\ *adj* **1** : easily accomplished, handled, or attained **2** : SUPERFICIAL **3** : readily manifested and often insincere ⟨~ tears⟩ **4** : mild or yielding in disposition : PLIANT **5** : READY, FLUENT ⟨a ~ writer⟩

fa·cil·i·tate \fə-'sil-ə-ˌtāt\ *vb* : to make easier

fa·cil·i·ty \-ət-ē\ *n* **1** : the quality of being easily performed **2** : ease in performance : APTITUDE **3** : PLIANCY **4** : something that makes easier an action, operation, or course of conduct ⟨*facilities* for further study⟩ **5** : something (as a hospital or plumbing) built, installed, or established to serve a purpose

fac·ing \'fā-siŋ\ *n* **1** : a lining at the edge esp. of a garment **2** *pl* : the collar, cuffs, and trimmings of a uniform coat **3** : an ornamental or protective covering; *esp* : one on the face of something **4** : material for facing

fac·sim·i·le \fak-'sim-ə-lē\ *n* **1** : an exact copy **2** : the transmitting of printed matter or pictures by wire or radio for reproduction

fact \'fakt\ *n* **1** : DEED; *esp* : CRIME ⟨accessory after the ~⟩ **2** : the quality of being actual **3** : something that exists or occurs : ACTUALITY, EVENT; *also* : a piece of information about such a fact

fac·tion \'fak-shən\ *n* **1** : a group or combination (as in a state or church) acting together within and usu. against a larger body : CLIQUE **2** : party spirit esp. when marked by dissension

fac·tious \-shəs\ *adj* **1** : of, relating to, or caused by faction **2** : inclined to faction or the formation of factions : causing dissension

fac·ti·tious \fak-'tish-əs\ *adj* : ARTIFICIAL, SHAM ⟨a ~ display of grief⟩

¹**fac·tor** \'fak-tər\ *n* **1** : AGENT **2** : something that actively contributes to a result : INGREDIENT **3** : GENE **4** : a number or symbol in mathematics that when multiplied with another forms a product

²**factor** *vb* **1** : to resolve into factors **2** : to work as a factor

fac·to·ry \-t(ə-)rē\ *n* **1** : a trading post where resident factors trade **2** : a building or group of buildings used for manufacturing

fac·tu·al \'fak-ch(ə-w)əl\ *adj* : of or relating to facts; *also* : based on fact — **fac·tu·al·ly** *adv*

fac·ul·ty \'fak-əl-tē\ *n* **1** : ability to act or do : POWER; *also* : natural aptitude **2** : one of the powers of the mind or body ⟨the ~ of hearing⟩ **3** : the teachers in a school or college **4** : a department of instruction in an educational institution **5** : the members of a profession

fad \'fad\ *n* : a practice or interest followed for a time with exaggerated zeal : CRAZE — **fad·dish** *adj* — **fad·dist** *n*

fade \'fād\ *vb* **1** : WITHER **2** : to lose or cause to lose freshness or brilliance of color **3** : to grow dim or faint **4** : to sink away : VANISH

¹**fag** \'fag\ *vb* **fagged; fag·ging** **1** : DRUDGE **2** : to act as a fag **3** : TIRE, EXHAUST

³**fag** *n* : CIGARETTE

³**fag·ot** *or* **fag·got** \'fag-ət\ *n* : a bundle of sticks or twigs esp. as used for fuel

Fahr·en·heit \'far-ən-ˌhīt\ *adj* [after Gabriel *Fahrenheit* d1736 German physicist] : relating to, conforming to, or having a thermometer scale on which the boiling point of water is at 212 degrees and the freezing point at 32 degrees above its zero point

¹**fail** \ˈfāl\ *vb* **1 :** to become feeble; *esp* **:** to decline in health **2 :** to die away **3 :** to stop functioning **4 :** to fall short ⟨~*ed* in his duty⟩ **5 :** to be or become absent or inadequate **6 :** to be unsuccessful **7 :** to become bankrupt **8 :** DISAPPOINT, DESERT ⟨~ a friend in need⟩ **9 :** NEGLECT

²**fail** *n* **:** FAILURE (without ~)

¹**fail·ing** *n* **:** WEAKNESS, SHORTCOMING

²**failing** *prep* **:** in the absence or lack of

fail·ure \ˈfāl-yər\ *n* **1 :** a failing to do or perform **2 :** a state of inability to perform a normal function adequately ⟨heart ~⟩ **3 :** a lack of success **4 :** BANKRUPTCY **5 :** DEFICIENCY **6 :** DETERIORATION, BREAKDOWN **7 :** one that has failed

¹**faint** \ˈfānt\ *adj* **1 :** COWARDLY, SPIRITLESS **2 :** weak and dizzy nearly to the loss of consciousness **3 :** lacking vigor or strength **:** FEEBLE ⟨~ praise⟩ **4 :** INDISTINCT, DIM — **faint·ly** *adv* — **faint·ness** *n*

²**faint** *vb* **:** to lose consciousness

³**faint** *n* **:** an act or condition of fainting ⟨fell in a ~⟩

faint-heart·ed \-ˈhärt-əd\ *adj* **:** lacking courage **:** TIMID

¹**fair** \ˈfaər\ *adj* **1 :** attractive in appearance **:** BEAUTIFUL; *also* **:** FEMININE **2 :** superficially pleasing **:** SPECIOUS **3 :** CLEAN, PURE **4 :** CLEAR, LEGIBLE **5 :** not stormy or cloudy ⟨~ weather⟩ **6 :** JUST **7 :** conforming with the rules **:** ALLOWED; *also* **:** being within the foul lines ⟨~ ball⟩ **8 :** open to legitimate pursuit or attack ⟨~ game⟩ **9 :** PROMISING, LIKELY ⟨a ~ chance of winning⟩ **10 :** favorable to a ship's course ⟨a ~ wind⟩ **11 :** light in coloring **:** BLOND **12 :** ADEQUATE — **fair·ness** *n*

²**fair** *adv* **:** FAIRLY

³**fair** *n* **1 :** a gathering of buyers and sellers at a stated time and place for trade **2 :** a competitive exhibition (as of farm products) **3 :** a sale of a collection of articles usu. for a charitable purpose

fair·ly *adv* **1 :** HANDSOMELY, FAVORABLY ⟨~ situated⟩ **2 :** QUITE, COMPLETELY **3 :** in a fair manner **:** JUSTLY **4 :** MODERATELY, TOLERABLY ⟨a ~ easy job⟩

fair-trade \-ˈtrād\ *adj* **:** of, relating to, or being an agreement between a producer and a seller that branded merchandise will be sold at or above a specified price ⟨~ items⟩ — **fair-trade** *vb*

fair·way \-ˌwā\ *n* **:** the mowed part of a golf course between tee and green

fairy \ˈfa(ə)r-ē\ *n* **:** an imaginary being of folklore and romance usu. having diminutive human form and magic powers — **fairy tale** *n*

faith \ˈfāth\ *n* **1 :** allegiance to duty or a person **:** LOYALTY **2 :** belief and trust in God **3 :** CONFIDENCE **4 :** a system of religious beliefs — **faith·ful** *adj* — **faith·ful·ly** *adv* — **faith·ful·ness** *n* — **faith·less** *adj* — **faith·less·ly** *adv* — **faith·less·ness** *n*

¹**fake** \ˈfāk\ *vb* **1 :** to treat so as to falsify **:** DOCTOR **2 :** COUNTERFEIT **3 :** PRETEND, SIMULATE — **fak·er** *n*

²**fake** *n* **1 :** IMITATION, FRAUD, COUNTERFEIT **2 :** IMPOSTOR

³**fake** *adj* **:** COUNTERFEIT, SHAM

fal·con \ˈfal-kən, ˈfȯ(l)-\ *n* **:** a hawk trained to pursue game birds; *also* **:** any of various long-winged hawks — **fal·con·er** *n* — **fal·con·ry** *n*

¹**fall** \ˈfȯl\ *vb* **fell** \ˈfel\ **fall·en** \ˈfȯ-lən\ **fall·ing 1 :** to descend freely by the force of gravity **2 :** to hang freely **3 :** to come as if by descending ⟨darkness *fell*⟩ **4 :** to become uttered **5 :** to lower or become lowered **:** DROP ⟨her eyes *fell*⟩ **6 :** to leave an erect position suddenly and involuntarily **7 :** STUMBLE, STRAY **8 :** to drop down wounded or dead **:** die in battle **9 :** to become captured or defeated **10 :** to suffer ruin or failure **11 :** to commit an immoral act **12 :** to move or extend in a downward direction **13 :** SUBSIDE, ABATE **14 :** to decline in quality, activity, quantity, or value **15 :** to assume a look of shame or dejection ⟨her face *fell*⟩ **16 :** to occur at a certain time **17 :** to come by chance **18 :** DEVOLVE **19 :** to have the proper place or station ⟨the accent ~*s* on the first syllable⟩ **20 :** to come within the scope of something **21 :** to pass from one condition to another ⟨*fell* ill⟩ **22 :** to set about heartily or actively ⟨~ to work⟩ — **fall flat :** to produce no response or result — **fall for 1 :** to fall in love with **2 :** to become a victim of — **fall foul 1 :** to have a collision **2 :** to have a quarrel **:** CLASH ⟨*fell foul* of one another⟩ — **fall from grace 1 :** SIN **2 :** BACKSLIDE — **fall into line :** to comply with a certain course of action — **fall over oneself :** to display excessive eagerness — **fall short 1 :** to be deficient **2 :** to fail to attain

²**fall** *n* **1 :** the act of falling **2 :** a falling out, off, or away **:** DROPPING **3 :** AUTUMN **4 :** a thing or quantity that falls ⟨a light ~ of snow⟩ **5 :** COLLAPSE, DOWNFALL **6 :** the surrender or capture of a besieged place **7 :** departure from virtue **8 :** SLOPE **9 :** WATERFALL — usu. used in pl. **10 :** a decrease in size, quantity, activity, or value ⟨a ~ in price⟩ **11 :** the distance which something falls **:** DROP **12 :** an act of forcing a wrestler's shoulders to the mat; *also* **:** a bout of wrestling

fal·la·cious \fə-ˈlā-shəs\ *adj* **1 :** embodying a fallacy ⟨a ~ argument⟩ **2 :** MISLEADING, DECEPTIVE

fal·la·cy \ˈfal-ə-sē\ *n* **1 :** a false or mistaken idea **2 :** false or illogical reasoning; *also* **:** an instance of such reasoning

fall guy *n* **1 :** one that is easily duped **2 :** SCAPEGOAT

fal·li·ble \ˈfal-ə-bəl\ *adj* **1 :** liable to be erroneous **2 :** capable of making a mistake

fall·ing-out \ˌfȯ-liŋ-ˈaút\ *n, pl* **fallings-out :** QUARREL

falling star *n* **:** METEOR

fall·out \ˈfȯl-ˌaút\ *n* **:** the often radioactive particles that result from a nuclear explosion and descend through the air

fal·low \ˈfal-ō\ *n* **:** usu. cultivated land left idle during a growing season **:** land plowed but not tilled or sowed — **fallow** *vb* — **fallow** *adj*

false \\'fȯls\\ *adj* **1** : not true : ERRONEOUS, INCORRECT **2** : intentionally untrue **3** : DISHONEST, DECEITFUL **4** : adjusted or made so as to deceive ⟨~ scales⟩ **5** : inaccurate in pitch **6** : tending to mislead : DECEPTIVE ⟨~ promises⟩ **7** : not faithful or loyal : TREACHEROUS **8** : SHAM, ARTIFICIAL **9** : not essential or permanent ⟨~ front⟩ **10** : based on mistaken ideas — **false·ly** *adv* — **falseness** *n* — **fal·si·ty** \\'fȯl-sət-ē\\ *n*

false·hood \\'fȯls-ˌhu̇d\\ *n* **1** : LIE **2** : absence of truth or accuracy **3** : the practice of lying

fal·set·to \\fȯl-'set-ō\\ *n* : an artificially high voice; *esp* : an artificial singing voice that overlaps and extends above the range of the full voice esp. of a tenor

fal·si·fy \\'fȯl-sə-ˌfī\\ *vb* **1** : to make false : change so as to deceive ⟨~ accounts⟩ **2** : LIE **3** : MISREPRESENT **4** : to prove to be false — **fal·si·fi·ca·tion** \\ˌfȯl-sə-fə-'kā-shən\\ *n*

fal·ter \\'fȯl-tər\\ *vb* **1** : to move unsteadily : STUMBLE, TOTTER **2** : to hesitate in speech : STAMMER **3** : to hesitate in purpose or action : WAVER, FLINCH — **fal·ter·ing·ly** *adv*

fame \\'fām\\ *n* : public reputation : RENOWN — **famed** \\'fāmd\\ *adj*

fa·mil·ial \\fə-'mil-yəl\\ *adj* : of, relating to, or characteristic of a family ⟨a ~ disease⟩

¹fa·mil·iar \\fə-'mil-yər\\ *n* **1** : COMPANION **2** : a spirit held to attend and serve or guard a person **3** : one that frequents a place

²familiar *adj* **1** : closely acquainted : INTIMATE **2** : of or relating to a family **3** : INFORMAL ⟨a ~ essay⟩ **4** : FORWARD, PRESUMPTUOUS **5** : frequently seen or experienced **6** : being of everyday occurrence — **fa·mil·iar·ly** *adv*

fa·mil·iar·i·ty \\fə-ˌmil-'yar-ət-ē\\ *n* **1** : close friendship : INTIMACY **2** : close acquaintance with or knowledge of something **3** : INFORMALITY **4** : an unduly bold or forward act or expression : IMPROPRIETY

fa·mil·iar·ize \\fə-'mil-yə-ˌrīz\\ *vb* **1** : to make known or familiar **2** : to make thoroughly acquainted : ACCUSTOM

fam·i·ly \\'fam-(ə-)lē\\ *n* **1** : a group of persons of common ancestry : CLAN **2** : a group of individuals living under one roof and under one head : HOUSEHOLD **3** : a social group composed of parents and their children **4** : a group of related persons, lower animals, or plants; *also* : a group of things having common characteristics

fam·ine \\'fam-ən\\ *n* **1** : an extreme general scarcity of food **2** : a great shortage

fam·ish \\'fam-ish\\ *vb* **1** : STARVE **2** : to suffer or cause to suffer from extreme hunger

fa·mous \\'fā-məs\\ *adj* **1** : widely known **2** : honored for achievement **3** : EXCELLENT, FIRST-RATE **syn** renowned, celebrated, noted, notorious, distinguished, eminent, illustrious

fa·mous·ly *adv* : SPLENDIDLY, EXCELLENTLY

¹fan \\'fan\\ *n* : a device (as a hand-waved triangular piece or a mechanism with blades) for producing a current of air

²fan *vb* **fanned; fan·ning 1** : to drive away the chaff from grain by winnowing **2** : to move (air) with or as if with a fan **3** : to direct a current of air upon ⟨~ a fire⟩ **4** : to stir up to activity : STIMULATE **5** : to spread like a fan **6** : to strike out in baseball

³fan *n* **1** : an enthusiastic follower of a sport or entertainment **2** : an enthusiastic admirer (as of a celebrity)

fa·nat·ic \\fə-'nat-ik\\ *adj* : marked or moved by excessive enthusiasm and intense uncritical devotion — **fanatic** *n* — **fa·nat·i·cal** *adj* — **fa·nat·i·cism** \\-'nat-ə-ˌsiz-əm\\ *n*

fan·ci·er \\'fan-sē-ər\\ *n* : a person who breeds or grows some kind of animal or plant for points of excellence

fan·ci·ful \\-si-fəl\\ *adj* **1** : full of fancy : guided by fancy : WHIMSICAL **2** : coming from the fancy rather than from the reason **3** : curiously made or shaped ⟨~ forms of ice on a windowpane⟩ — **fan·ci·ful·ly** *adv*

¹fan·cy \\'fan-sē\\ *n* **1** : LIKING, INCLINATION; *also* : LOVE **2** : NOTION, IDEA, WHIM ⟨a passing ~⟩ **3** : IMAGINATION **4** : TASTE, JUDGMENT

²fancy *vb* **1** : LIKE **2** : IMAGINE **3** : to believe without any evidence

³fancy *adj* **1** : WHIMSICAL **2** : not plain : ORNAMENTAL **3** : of particular excellence **4** : bred for special qualities **5** : above real value : EXTRAVAGANT **6** : executed with technical skill and superior grace — **fan·ci·ly** *adv*

fancy dress *n* : a costume (as for a masquerade) chosen to suit the wearer's fancy

fan·cy–free \\'fan-sē-ˌfrē\\ *adj* : not centering the attention on any one person or thing; *esp* : not in love

fan·fare \\'fan-ˌfaər\\ *n* **1** : a flourish of trumpets **2** : a showy outward display

fang \\'faŋ\\ *n* : a long sharp tooth; *esp* : a grooved or hollow tooth of a venomous snake

fan·tail \\-ˌtāl\\ *n* : a fan-shaped tail or end

fan·ta·sia \\far.-'tā-zh(ē-)ə, ˌfant-ə-'zē-ə\\ *n* : a musical composition free and fanciful in form

fan·tas·tic \\fan-'tas-tik\\ *also* **fan·tas·ti·cal** *adj* **1** : IMAGINARY, UNREAL, UNREALISTIC **2** : conceived by unrestrained fancy : GROTESQUE **3** : exceedingly or unbelievably great **4** : extremely individual : ECCENTRIC — **fan·tas·ti·cal·ly** *adv*

fan·ta·sy \\'fant-ə-sē\\ *n* **1** : IMAGINATION, FANCY **2** : a product of the imagination : ILLUSION **3** : FANTASIA

¹far \\'fär\\ *adv* **far·ther** \\-thər\\ *or* **fur·ther** \\'fər-\\ **far·thest** \\-thəst\\ *or* **fur·thest 1** : at or to a considerable distance in space or time ⟨~ from home⟩ **2** : by a broad interval : WIDELY, MUCH ⟨~ better⟩ **3** : to or at a definite distance, point, or degree ⟨as ~ as I know⟩ **4** : to an advanced point or extent : a long way ⟨go ~ in his field⟩ — **by far** : GREATLY — **far and away** : DECIDEDLY

²far *adj* **farther** *or* **further; farthest** *or* **furthest 1** : remote in space or time : DISTANT **2** : DIFFERENT ⟨a ~ cry from former methods⟩ **3** : LONG ⟨a ~ journey⟩ **4** : being the more distant of two ⟨on the ~ side of the lake⟩

faraway 168 **fatalism**

far·away \'fär-ə-,wā\ *adj* **1** : DISTANT, REMOTE **2** : DREAMY
farce \'färs\ *n* **1** : a play marked by broadly satirical comedy and improbable plot **2** : the broad humor characteristic of farce or pretense : MOCKERY **3** : a ridiculous action, display, or pretense — **far·ci·cal** *adj*
¹**fare** \'faər\ *vb* **1** : GO, TRAVEL **2** : to get along : SUCCEED **3** : EAT, DINE
²**fare** *n* **1** : the price charged to transport a person **2** : a person paying a fare : PASSENGER **3** : range of food : DIET; *also* : material provided for use, consumption, or enjoyment
¹**fare·well** \faər-'wel\ *imperative verb* : get along well — used interjectionally to or by one departing
²**farewell** *n* **1** : a wish of welfare at parting : GOOD-BYE **2** : LEAVE-TAKING
³**farewell** *adj* : PARTING, FINAL ⟨a ~ concert⟩
far-fetched \'fär-'fecht\ *adj* : not easily or naturally deduced or introduced : IMPROBABLE
far-flung \-'fləŋ\ *adj* : widely spread or distributed
fa·ri·na \fə-'rē-nə\ *n* : a fine meal (as of wheat) used in puddings or as a breakfast cereal
¹**farm** \'färm\ *n* : a tract of land used for raising crops or livestock
²**farm** *vb* : to use (land) as a farm ⟨~ed 200 acres⟩; *also* : to raise crops or livestock esp. as a business — **farm·er** *n*
farm·hand \'färm-,hand\ *n* : a farm laborer
farm·ing *n* : the occupation or business of a person who farms : AGRICULTURE
farm·land \'färm-,land\ *n* : land used or suitable for farming
farm·yard \-,yärd\ *n* : space around or enclosed by farm buildings
far-off \'fär-'óf\ *adj* : remote in time or space : DISTANT
far-reach·ing \'fär-'rē-chiŋ\ *adj* : having a wide range, influence, or effect
¹**far·row** \'far-ō\ *vb* : to give birth to a farrow
²**farrow** *n* : a litter of pigs
far·see·ing \'fär-'sē-iŋ\ *adj* : FARSIGHTED
far·sight·ed \'fär-'sīt-əd\ *adj* **1** : able to see distant things more clearly than near **2** : JUDICIOUS, WISE, SHREWD — **far·sight·ed·ness** *n*
¹**far·ther** \'fär-thər\ *adv* **1** : at or to a greater distance or more advanced point **2** : more completely
²**farther** *adj* **1** : more distant **2** : ²FURTHER 2
¹**far·thest** \-thəst\ *adj* : most distant
²**farthest** *adv* **1** : to or at the greatest distance : REMOTEST **2** : to the most advanced point **3** : by the greatest degree or extent : MOST
far·thing \'fär-thiŋ\ *n* : a British monetary unit equal to ¼ of a penny; *also* : a coin representing this unit
fas·ci·nate \'fas-ᵊn-,āt\ *vb* **1** : to transfix and hold spellbound by an irresistible power **2** : ALLURE **3** : to be irresistibly attractive — **fas·ci·na·tion** \,fas-ᵊn-'ā-shən\ *n*
fas·cism \'fash-,iz-əm\ *n* **1** *often cap* : the body of principles held by Fascisti **2** : a political philosophy, movement, or regime that exalts nation and race and stands for a centralized autocratic government headed by a dictatorial leader, severe economic and social regimentation, and forcible suppression of opposition — **fas·cist** \-əst\ *n or adj, often cap* — **fas·cis·tic** \fash-'is-tik\ *adj, often cap*
Fa·sci·sta \fä-'shē-stä\ *n, pl* -**sti** \-stē\ : a member of an Italian political organization under Mussolini governing Italy 1922–43 according to the principles of fascism
¹**fash·ion** \'fash-ən\ *n* **1** : the make or form of something **2** : MANNER, WAY **3** : a prevailing custom, usage, or style **4** : the prevailing style (as in dress) during a particular time **syn** mode, vogue
²**fashion** *vb* **1** : MOLD, CONSTRUCT **2** : FIT, ADAPT
fash·ion·able \'fash-(ə-)nə-bəl\ *adj* **1** : dressing or behaving according to fashion : STYLISH **2** : of or relating to the world of fashion ⟨~ resorts⟩ — **fash·ion·ably** *adv*
¹**fast** \'fast\ *adj* **1** : firmly fixed or bound **2** : tightly shut **3** : adhering firmly : STUCK **4** : UNCHANGEABLE ⟨hard and ~ rules⟩ **5** : STAUNCH ⟨~ friends⟩ **6** : characterized by quick motion, operation, or effect ⟨a ~ trip⟩ ⟨a ~ track⟩ **7** : indicating ahead of the correct time ⟨the clock is ~⟩ **8** : not easily disturbed : SOUND ⟨a ~ sleep⟩ **9** : permanently dyed; *also* : being proof against fading ⟨colors ~ to sunlight⟩ **10** : DISSIPATED, WILD **11** : daringly unconventional esp. in sexual matters **syn** rapid, swift, fleet, quick, speedy, hasty
²**fast** *adv* **1** : in a fast or fixed manner ⟨stuck ~ in the mud⟩ **2** : SOUNDLY, DEEPLY ⟨~ asleep⟩ **3** : SWIFTLY **4** : RECKLESSLY
³**fast** *vb* **1** : to abstain from food **2** : to eat sparingly or abstain from some foods
⁴**fast** *n* **1** : the act or practice of fasting **2** : a time of fasting
fas·ten \'fas-ᵊn\ *vb* **1** : to attach or join by or as if by pinning, tying, or nailing **2** : to make fast : fix securely **3** : to fix or set steadily ⟨~ed his eyes on her⟩ **4** : to become fixed or joined — **fas·ten·er** \'fas-(ᵊ-)nər\ *n*
fas·ten·ing \'fas-(ᵊ-)niŋ\ *n* : something that fastens : FASTENER
fas·tid·i·ous \fas-'tid-ē-əs\ *adj* **1** : overly difficult to please **2** : showing or demanding excessive delicacy or care — **fas·tid·i·ous·ness** *n*
¹**fat** \'fat\ *adj* **1** : FLESHY, PLUMP **2** : OILY, GREASY **3** : well filled out : BIG **4** : well stocked : ABUNDANT **5** : PROFITABLE — **fat·ness** *n*
²**fat** *n* **1** : animal tissue rich in greasy or oily matter **2** : any of numerous energy-rich esters that occur naturally in animal fats and in plants and are soluble in organic solvents (as ether) but not in water **3** : the best or richest portion ⟨lived on the ~ of the land⟩ **4** : excess matter
fa·tal \'fāt-ᵊl\ *adj* **1** : MORTAL, DEADLY, DISASTROUS **2** : FATEFUL — **fa·tal·ly** *adv*
fa·tal·ism \-,iz-əm\ *n* : the belief that events are determined by fate — **fa·tal·ist** *n* — **fa·tal·is·tic** \,fāt-ᵊl-'is-tik\ *adj*

fa·tal·i·ty \fā-'tal-ət-ē\ *n* **1** : DEADLINESS **2** : the quality or state of being destined for disaster **3** : FATE **4** : death resulting from a disaster or accident

fat·back \'fat-,bak\ *n* : a fatty strip from the back of the hog usu. cured by salting and drying

fate \'fāt\ *n* **1** : the cause beyond man's control that is held to determine events : DESTINY **2** : LOT, FORTUNE **3** : END, OUTCOME **4** : DISASTER; *esp* : DEATH **5** *cap, pl* : the three goddesses of classical mythology who determine the course of human life

fat·ed \'fāt-əd\ *adj* : decreed, controlled, or marked by fate

fate·ful \'fāt-fəl\ *adj* **1** : IMPORTANT **2** : OMINOUS, PROPHETIC **3** : determined by fate **4** : DEADLY, DESTRUCTIVE — **fate·ful·ly** *adv*

¹fa·ther \'fäth-ər\ *n* **1** : a male parent **2** *cap* : God esp. as the first person of the Trinity **3** : ANCESTOR, FOREFATHER **4** : one deserving the respect and love given to a father **5** *often cap* : an early Christian writer accepted by the church as an authoritative witness to its teaching and practice **6** : ORIGINATOR ⟨the ~ of modern radio⟩; *also* : SOURCE **7** : PRIEST — used esp. as a title **8** : one of the leading men ⟨city ~s⟩ — **fa·ther·land** \-,land\ *n* — **fa·ther·less** *adj* — **fa·ther·ly** *adj*

²father *vb* **1** : BEGET **2** : to be the founder, producer, or author of **3** : to treat or care for as a father

fa·ther·hood \-,hud\ *n* : the state of being a father

father–in–law *n, pl* **fathers–in–law** : the father of one's husband or wife

¹fath·om \'fath-əm\ *n* [OE *fæthm* outstretched arms, fathom] : a nautical unit of length equal to 6 feet

²fathom *vb* **1** : to measure by a sounding line **2** : PROBE **3** : to get to the bottom of and come to understand — **fath·om·able** *adj*

fath·om·less \-ləs\ *adj* : incapable of being fathomed

¹fa·tigue \fə-'tēg\ *n* **1** : weariness from labor or use **2** : manual or menial work performed by military personnel **3** *pl* : the uniform or work clothing worn on fatigue and in the field

²fatigue *vb* : WEARY, TIRE

fat·ten \'fat-ᵊn\ *vb* : to make or grow fat

fat·ty \'fat-ē\ *adj* : containing fat or having the qualities of fat

fa·tu·i·ty \fə-'t(y)ü-ət-ē\ *n* : FOOLISHNESS, STUPIDITY

fat·u·ous \'fach-ə-wəs\ *adj* : FOOLISH, INANE, SILLY — **fat·u·ous·ly** *adv*

fau·cet \'fòs-ət, 'fäs-\ *n* : a fixture for drawing off a liquid (as from a pipe) : TAP

¹fault \'fòlt\ *n* **1** : a weakness in character : FAILING **2** : IMPERFECTION, IMPAIRMENT **3** : an error in a racket game **4** : MISDEMEANOR; *also* : MISTAKE **5** : responsibility for something wrong **6** : a fracture in the earth's crust — **fault·i·ly** *adv* — **fault·less** *adj* — **fault·less·ly** *adv* — **faulty** *adj*

²fault *vb* **1** : to commit a fault : ERR **2** : to fracture so as to produce a geologic fault **3** : to find fault in ⟨could not ~ his argument⟩

fault·find·er \-,fīn-dər\ *n* : a person who is inclined to find fault or complain — **fault·find·ing** *n* or *adj*

faun \'fòn\ *n* : an ancient Italian deity of fields and herds represented as part goat and part man

faun

fau·na \'fò-nə\ *n, pl* **-nas** *also* **-nae** \-,nē, -,nī\ : animals or animal life esp. of a region or period — **fau·nal** *adj*

¹fa·vor \'fā-vər\ *n* **1** : friendly regard shown toward another esp. by a superior **2** : APPROVAL **3** : PARTIALITY **4** : POPULARITY **5** : gracious kindness; *also* : an act of such kindness **6** *pl* : effort in one's behalf : ATTENTION **7** : a token of love (as a ribbon) usu. worn conspicuously **8** : a small gift or decorative item given out at a party **9** : a special privilege **10** *archaic* : LETTER **11** : BEHALF, INTEREST

²favor *vb* **1** : to regard or treat with favor **2** : OBLIGE **3** : ENDOW ⟨~ed by nature⟩ **4** : to treat gently or carefully : SPARE ⟨~ a lame leg⟩ **5** : PREFER **6** : SUPPORT, SUSTAIN **7** : FACILITATE ⟨darkness ~s attack⟩ **8** : RESEMBLE ⟨he ~s his father⟩

fa·vor·able \'fāv-(ə-)rə-bəl\ *adj* **1** : APPROVING **2** : HELPFUL, PROMISING, ADVANTAGEOUS ⟨~ weather⟩ — **fa·vor·ably** *adv*

fa·vor·ite \-(ə-)rət\ *n* **1** : a person or a thing that is favored above others **2** : a competitor (as a horse in a race) regarded as most likely to win — **favorite** *adj*

favorite son *n* : a candidate supported by the delegates of his state at a presidential nominating convention

fa·vor·it·ism \-,iz-əm\ *n* : PARTIALITY, BIAS

¹fawn \'fòn\ *vb* **1** : to show affection ⟨a dog ~ing on its master⟩ **2** : to court favor by a cringing or flattering manner : GROVEL

²fawn *n* **1** : a young deer **2** : a variable color averaging a light grayish brown

faze \'fāz\ *vb* : to disturb the composure or courage of : DAUNT

fe·al·ty \'fē(-ə)l-tē\ *n* : LOYALTY, ALLEGIANCE

¹fear \'fiər\ *n* **1** : an unpleasant often strong emotion caused by expectation or awareness of danger; *also* : an instance of or a state marked by this emotion **2** : anxious concern : SOLICITUDE **3** : profound reverence esp. toward God **syn** dread, fright, alarm, panic, terror, trepidation

²fear *vb* **1** : to have a reverent awe of ⟨~ God⟩ **2** : to be afraid of : have fear **3** : to be apprehensive

fear·ful *adj* **1** : causing fear **2** : filled with fear **3** : showing or caused by fear **4** : extremely bad, intense, or large — **fear·ful·ly** *adv*

fear·less *adj* : free from fear : BRAVE — **fear·less·ly** *adv* — **fear·less·ness** *n*

fear·some *adj* **1** : causing fear **2** : TIMID

fea·si·ble \'fē-zə-bəl\ *adj* **1** : capable of being done or carried out ⟨a ~ plan⟩

feast 170 **feeling**

2 : SUITABLE 3 : REASONABLE, LIKELY —
fea·si·bil·i·ty \‚fē-zə-'bil-ət-ē\ n —
fea·si·bly \'fē-zə-blē\ adv
¹**feast** \'fēst\ n 1 : an elaborate meal : BANQUET 2 : FESTIVAL 1
²**feast** vb 1 : to eat plentifully : participate in a feast 2 : to entertain with rich and plentiful food 3 : DELIGHT, GRATIFY
feat \'fēt\ n : DEED, EXPLOIT, ACHIEVEMENT; esp : an act notable for courage, skill, endurance, or ingenuity
¹**feath·er** \'feth-ər\ n 1 : one of the light horny outgrowths that form the external covering of the body of a bird 2 : PLUME 3 : PLUMAGE 4 : KIND, NATURE ⟨men of the same ~⟩ 5 : ATTIRE, DRESS ⟨fine ~s⟩ 6 : CONDITION, MOOD ⟨feeling in good ~⟩ 7 : a feathery tuft or fringe of hair (as on the leg of a dog) — **feath·er·less** adj — **feath·ery** adj — **a feather in one's cap** : a mark of distinction : HONOR
²**feather** vb 1 : to furnish with a feather ⟨~ an arrow⟩ 2 : to cover, clothe, line, or adorn with feathers — **feather one's nest** : to provide for oneself esp. reprehensibly while in a position of trust
feath·er·bed·ding \-‚bed-iŋ\ n : the requiring of an employer usu. under a union rule or safety statute to employ more workers than are needed or to limit production
feath·er·edge \-‚ej\ n : a very thin sharp edge; esp : one that is easily broken or bent over
feath·er·weight \-‚wāt\ n 1 : a very light weight 2 : one that is very light in weight; esp : a boxer weighing more than 118 but not over 126 pounds
¹**fea·ture** \'fē-chər\ n 1 : the shape or appearance of the face or its parts 2 : a part of the face : LINEAMENT 3 : a specially prominent characteristic 4 : a special attraction (as in a motion picture or newspaper) 5 : something offered to the public or advertised as particularly attractive
²**feature** vb 1 : to outline or mark the features of 2 : to give special prominence to ⟨~ a story in a newspaper⟩ 3 : to play an important part
feb·rile \'feb-rəl, 'fēb-, -‚rīl\ adj : FEVERISH
Feb·ru·ary \'feb-(y)ə-‚wer-ē, 'feb-rə-\ n : the 2d month of the year having 28 and in leap years 29 days
fe·ces \'fē-‚sēz\ n pl : bodily waste discharged from the intestine — **fe·cal** \-kəl\ adj
feck·less \'fek-ləs\ adj 1 : INEFFECTUAL, WEAK 2 : WORTHLESS, IRRESPONSIBLE
fe·cund \'fēk-ənd, 'fek-\ adj : FRUITFUL, PROLIFIC — **fe·cun·di·ty** \fi-'kən-dət-ē\ n
fec·un·date \'fek-ən-‚dāt\ vb : FERTILIZE — **fec·un·da·tion** \‚fek-ən-'dā-shən\ n
fed·er·al \'fed-(ə-)rəl\ adj 1 : formed by a compact between political units that surrender individual sovereignty to a central authority but retain certain limited powers 2 : of or constituting a form of government in which power is distributed between a central authority and constituent territorial units 3 : of or relating to the central government of a federation 4 often cap : FEDERALIST 5 often cap : of, relating to, or loyal to the federal government or the Union armies of the U.S. in the American Civil War
Federal n : a supporter of the U.S. government in the Civil War; esp : a soldier in the federal armies
federal district n : a district (as the District of Columbia) set apart as the seat of the central government of a federation
fed·er·al·ism n 1 often cap : the federal principle of organization 2 : support or advocacy of federalism 3 cap : the principles of the Federalists
fed·er·al·ist n 1 : an advocate of federalism; esp, often cap : an advocate of a federal union between the American colonies after the Revolution and of the adoption of the U.S. Constitution 2 cap : a member of a major political party in the early years of the U.S. favoring a strong centralized national government — **federalist** adj, often cap
fed·er·al·ize \'fed-(ə-)rə-‚līz\ vb 1 : to unite in or under a federal system 2 : to bring under the jurisdiction of a federal government
fed·er·ate \'fed-ə-‚rāt\ vb : to join in a federation
fed·er·a·tion \‚fed-ə-'rā-shən\ n 1 : the act of federating; esp : the formation of a federal union 2 : a federal government 3 : a union of organizations
fed up adj : satiated, tired, or disgusted beyond endurance
fee \'fē\ n 1 : an estate in land held from a feudal lord 2 : an inherited or heritable estate in land 3 : a fixed charge; also : a charge for a professional service 4 : TIP
fee·ble \'fē-bəl\ adj [OF feble, fr. L flebilis lamentable, wretched, fr. flēre to weep] 1 : DECREPIT, FRAIL 2 : INEFFECTIVE, INADEQUATE ⟨a ~ protest⟩ —
¹**feed** \'fēd\ vb **fed** \'fed\ **feed·ing** 1 : to give food to; also : to give as food 2 : to consume food; also : PREY ⟨fleas ~ing on a dog⟩ 3 : to furnish what is necessary to the growth or function of
²**feed** n 1 : a usu. large meal; also : food for livestock 2 : material supplied (as to a furnace) 3 : a mechanism for feeding material to a machine
feed·back \'fēd-‚bak\ n : the return to the input of a part of the output of a machine, system, or process
¹**feel** \'fēl\ vb **felt** \'felt\ **feel·ing** 1 : to perceive or examine through physical contact : TOUCH, HANDLE 2 : EXPERIENCE; also : to suffer from 3 : to ascertain by cautious trial ⟨~ out public sentiment⟩ 4 : to be aware of 5 : BELIEVE, THINK 6 : to search for something with the fingers : GROPE 7 : to be conscious of an inward impression, state of mind, or physical condition
²**feel** n 1 : the sense of touch 2 : SENSATION, FEELING 3 : a quality of a thing as imparted through touch
feel·er n 1 : a tactile organ (as on the head of an insect) 2 : a proposal or remark made to find out the views of other people
¹**feel·ing** n 1 : the sense of touch; also : a sensation perceived by this 2 : an often indefinite state of mind ⟨a ~ of loneliness⟩ 3 : EMOTION; also, pl : SENSIBILITIES 4 : mental awareness

feet   171   **ferry**

5 : OPINION, BELIEF 6 : unreasoned attitude : SENTIMENT 7 : capacity to respond emotionally : SYMPATHY
²**feeling** *adj* : SENSITIVE; *esp* : easily moved emotionally — **feel·ing·ly** *adv*
feet *pl of* FOOT
feign \'fān\ *vb* 1 : to give a false appearance of : SHAM ⟨~ illness⟩ 2 : to assert as if true : PRETEND
feint \'fānt\ *n* : something feigned; *esp* : a mock blow or attack at one point in order to distract attention from the point one really intends to attack — **feint** *vb*
fe·lic·i·tate \fi-'lis-ə-ˌtāt\ *vb* : CONGRATULATE — **fe·lic·i·ta·tion** \-ˌlis-ə-'tā-shən\ *n*
fe·lic·i·tous \fi-'lis-ət-əs\ *adj* 1 : suitably expressed : APT 2 : possessing a talent for apt expression ⟨a ~ speaker⟩ — **fe·lic·i·tous·ly** *adv*
fe·lic·i·ty \-ət-ē\ *n* 1 : the quality or state of being happy; *esp* : great happiness 2 : something that causes happiness 3 : a pleasing faculty esp. in art or language : APTNESS 4 : an apt expression
¹**fe·line** \'fē-ˌlīn\ *adj* 1 : of or relating to cats or their kin 2 : SLY, TREACHEROUS, STEALTHY
²**feline** *n* : a feline animal
¹**fell** \'fel\ *n* : SKIN, HIDE, PELT
²**fell** *vb* 1 : to cut, beat, or knock down ⟨~ trees⟩; *also* : KILL 2 : to sew (a seam) by folding one raw edge under the other
³**fell** *past of* FALL
⁴**fell** *adj* : CRUEL, FIERCE; *also* : DEADLY
fel·low \'fel-ō\ *n* 1 : COMRADE, ASSOCIATE 2 : EQUAL, PEER 3 : one of a pair : MATE 4 : a member of an incorporated literary or scientific society
fel·low·man \ˌfel-ō-'man\ *n* : a kindred human being
fel·low·ship \'fel-ō-ˌship\ *n* 1 : the condition of friendly relationship existing among persons : COMPANIONSHIP, COMRADESHIP 2 : a community of interest or feeling 3 : a group with similar interests : ASSOCIATION 4 : the position of a fellow (as of a university) 5 : the stipend granted a fellow; *also* : a foundation granting such a stipend
fellow traveler *n* : a person who sympathizes with and often furthers the ideals and program of an organized group (as the Communist party) without joining it or regularly participating in its activities
fel·ly \'fel-ē\ *or* **fel·loe** \'fel-ō\ *n* : the outside rim or a part of the rim of a wheel supported by the spokes
¹**fel·on** \'fel-ən\ *n* : CRIMINAL; *esp* : one who has committed a felony
²**felon** *n* : a deep inflammation on a finger or toe
fel·o·ny \'fel-ə-nē\ *n* : a serious crime punishable by a heavy sentence — **fe·lo·ni·ous** \fə-'lō-nē-əs\ *adj*
¹**felt** \'felt\ *n* 1 : a cloth made of wool and fur often mixed with natural or synthetic fibers 2 : a material resembling felt
²**felt** *past of* FEEL
fe·male \'fē-ˌmāl\ *adj* : of, relating to, or being the sex that bears young; *also* : PISTILLATE **syn** feminine, womanly, womanlike, womanish, effeminate, ladylike — **female** *n*

¹**fem·i·nine** \'fem-ə-nən\ *adj* 1 : of the female sex; *also* : characteristic of or appropriate or peculiar to women 2 : of, relating to, or constituting the gender that includes most words or grammatical forms referring to females
²**feminine** *n* 1 : the female principle 2 : a noun, pronoun, adjective, or inflectional form or class of the feminine gender; *also* : the feminine gender
fem·i·nism \'fem-ə-ˌniz-əm\ *n* 1 : the theory of the political, economic, and social equality of the sexes 2 : organized activity on behalf of women's rights and interests — **fem·i·nist** *n or adj*
fe·mur \'fē-mər\ *n, pl* **femurs** *or* **fem·o·ra** \'fem-ə-rə\ : the long bone of the thigh
¹**fence** \'fens\ *n* 1 : a barrier intended to prevent escape or intrusion or to mark a boundary; *esp* : such a barrier made of posts and wire or boards 2 : a person who receives stolen goods; *also* : a place where stolen goods are disposed of — **on the fence** : in a state of indecision or neutrality
²**fence** *vb* 1 : to enclose with a fence 2 : to keep in or out with a fence 3 : to practice fencing 4 : to use tactics of attack and defense esp. in debate — **fenc·er** *n*
fenc·ing *n* 1 : the art or practice of attack and defense with the sword or foil 2 : the fences of a property or region 3 : material used for building fences
fend \'fend\ *vb* 1 : to keep or ward off : REPEL 2 : SHIFT ⟨~ for himself⟩
fend·er *n* : a protective device (as a guard over the wheel of an automobile or as a screen before a fire)
fen·nel \'fen-ᵊl\ *n* : an herb related to the carrot and grown for its aromatic seeds
¹**fer·ment** \fər-'ment\ *vb* 1 : to cause or undergo fermentation 2 : to be or cause to be in a state of agitation
²**fer·ment** \'fər-ˌment\ *n* 1 : an agent (as yeast) that causes fermentation 2 : AGITATION, TUMULT
fer·men·ta·tion \ˌfər-mən-'tā-shən\ *n* 1 : chemical decomposition of an organic substance (as milk or fruit juice) by enzymatic action often with formation of gas 2 : AGITATION, UNREST
fern \'fərn\ *n* : any of a group of flowerless seedless vascular green plants
fe·ro·cious \fə-'rō-shəs\ *adj* 1 : FIERCE, SAVAGE 2 : unbearably intense : EXTREME ⟨~ heat⟩ — **fe·ro·cious·ly** *adv* — **fe·ro·cious·ness** *n*
fe·roc·i·ty \-'räs-ət-ē\ *n* : the quality or state of being ferocious
Fer·ris wheel \'fer-əs-\ *n* : an amusement device consisting of a large upright power-driven wheel carrying seats that remain horizontal around its rim
fer·rous \'fer-əs\ *adj* : of, relating to, or containing iron
¹**fer·ry** \'fer-ē\ *vb* 1 : to carry by boat over a body of water 2 : to cross by a ferry 3 : to convey from one place to another
²**ferry** *n* 1 : a place where persons or things are carried across a body of water (as a river) in a boat 2 : FERRYBOAT 3 : an organized service and route for flying airplanes

fer·tile \\'fərt-ᵊl\\ *adj* **1** : producing plentifully : PRODUCTIVE ⟨~ soils⟩ **2** : capable of developing or reproducing ⟨~ eggs⟩ ⟨a ~ family⟩ *syn* fruitful, prolific — **fer·til·i·ty** \\(,)fər-'til-ət-ē\\ *n*

fer·til·ize \\-ᵊl-,īz\\ *vb* **1** : to make fertile; *esp* : to apply fertilizer to **2** : to interact with to form a zygote ⟨one sperm ~s each egg⟩ — **fer·til·iza·tion** \\,fərt-ᵊl-ə-'zā-shən\\ *n*

fer·til·iz·er \\'fərt-ᵊl-,ī-zər\\ *n* : material (as manure or a chemical mixture) for enriching land

fer·ule \\'fer-əl\\ *n* : a rod or ruler used to punish children

fer·vent \\-vənt\\ *adj* **1** : very hot : GLOWING **2** : marked by great warmth of feeling : ARDENT — **fer·vent·ly** *adv*

fer·vid \\-vəd\\ *adj* **1** : very hot : BURNING **2** : ARDENT, ZEALOUS — **fer·vid·ly** *adv*

fer·vor \\-vər\\ *n* **1** : intense heat **2** : intensity of feeling or expression : PASSION, ENTHUSIASM

¹**fes·ter** \\'fes-tər\\ *n* : a pus-filled sore

²**fester** *vb* **1** : to form pus; *also* : to become inflamed **2** : RANKLE

fes·ti·val \\'fes-tə-vəl\\ *n* **1** : a time of celebration marked by special observances; *esp* : an occasion marked with religious ceremonies **2** : a periodic season or program of cultural events or entertainment ⟨a dance ~⟩ **3** : CONVIVIALITY, GAIETY

fes·tive \\-tiv\\ *adj* **1** : of, relating to, or suitable for a feast or festival **2** : JOYOUS, GAY — **fes·tive·ly** *adv*

fes·tiv·i·ty \\fes-'tiv-ət-ē\\ *n* **1** : FESTIVAL 1 **2** : the quality or state of being festive : GAIETY **3** : festive activity

¹**fes·toon** \\fes-'tün\\ *n* **1** : a decorative chain or strip hanging in a curve between two points **2** : a carved, molded, or painted ornament representing a decorative chain

²**festoon** *vb* **1** : to hang or form festoons on **2** : to shape into festoons

fetch \\'fech\\ *vb* **1** : to go or come after and bring or take back ⟨teach a dog to ~ a stick⟩ **2** : to cause to come : bring out ⟨~ed tears from the eyes⟩ **3** : DRAW ⟨~ing her breath⟩; *also* : HEAVE ⟨~ a sigh⟩ **4** : to sell for

fetch·ing *adj* : ATTRACTIVE, PLEASING — **fetch·ing·ly** *adv*

¹**fete** *or* **fête** \\'fāt\\ *n* **1** : FESTIVAL **2** : a lavish often outdoor entertainment **3** : a lavish usu. large party

²**fete** *or* **fête** *vb* **1** : to honor or commemorate with a fete **2** : to pay high honor to

fet·id \\'fet-əd\\ *adj* : having an offensive smell : STINKING

fet·ish *or* **fet·ich** \\'fet-ish\\ *n* **1** : an object (as an idol or image) believed to have magical powers (as in curing disease) **2** : an object of unreasoning devotion or concern : PREPOSSESSION ⟨made a ~ of discipline⟩

fet·ter \\'fet-ər\\ *n* **1** : a chain or shackle for the feet **2** : something that confines : RESTRAINT — **fetter** *vb*

fet·tle \\'fet-ᵊl\\ *n* : a state of fitness or order : CONDITION ⟨in fine ~⟩

fe·tus \\'fēt-əs\\ *n* : an unborn or unhatched vertebrate esp. after its basic structure is laid down — **fe·tal** \\-ᵊl\\ *adj*

feud \\'fyüd\\ *n* : a prolonged quarrel; *esp* : a lasting conflict between families or clans marked by violent attacks undertaken for revenge — **feud** *vb*

feu·dal \\'fyüd-ᵊl\\ *adj* **1** : of, relating to, or having the characteristics of a medieval fee **2** : of, relating to, or characteristic of feudalism

feu·dal·ism *n* : a system of political organization prevailing in medieval Europe in which a vassal renders service to a lord and receives protection and land in return; *also* : a similar political or social system — **feu·dal·is·tic** \\,fyüd-ᵊl-'is-tik\\ *adj*

fe·ver \\'fē-vər\\ *n* **1** : a rise in body temperature above the normal; *also* : a disease of which this is a chief symptom **2** : a state of heightened emotion or activity **3** : a contagious transient enthusiasm : CRAZE — **fe·ver·ish** *adj* —

¹**few** \\'fyü\\ *pron* : not many : a small number

²**few** *adj* **1** : consisting of or amounting to a small number **2** : not many but some ⟨caught a ~ fish⟩ — **few·ness** *n*

³**few** *n* **1** : a small number of units or individuals ⟨a ~ of them⟩ **2** : a special limited number ⟨among the ~⟩

fi·an·cé \\,fē-,än-'sā\\ *n* : a man engaged to be married

fi·an·cée \\-'sā\\ *n* : a woman engaged to be married

fi·as·co \\fē-'as-kō\\ *n*, *pl* **-coes** : a complete failure

fi·at \\'fī-,at, 'fē-\\ *n* : an authoritative and often arbitrary order or decree

¹**fib** \\'fib\\ *n* : a lie about some trivial matter

²**fib** *vb* **fibbed; fib·bing** : to tell a fib — **fib·ber** *n*

fi·ber *or* **fi·bre** \\'fī-bər\\ *n* **1** : a threadlike substance or structure (as a muscle cell or fine root); *esp* : a natural (as wool or flax) or artificial (as rayon) filament capable of being spun or woven **2** : an element that gives texture or substance **3** : basic toughness : STRENGTH — **fi·brous** \\-brəs\\ *adj*

fi·ber·board \\'fī-bər-,bōrd\\ *n* : a material made by compressing fibers (as of wood) into stiff sheets

fiber glass *n* : glass in fibrous form used in making various products (as yarn and insulation)

fi·broid \\'fī-,broid\\ *adj* : resembling, forming, or consisting of fibrous tissue ⟨~ tumors⟩

fick·le \\'fik-əl\\ *adj* : not firm or steadfast in disposition or character : INCONSTANT — **fick·le·ness** *n*

fic·tion \\'fik-shən\\ *n* **1** : something (as a story) invented by the imagination **2** : fictitious literature (as novels and short stories) — **fic·tion·al** *adj*

fic·ti·tious \\fik-'tish-əs\\ *adj* **1** : of, relating to, or characteristic of fiction : IMAGINARY **2** : FEIGNED *syn* fabulous, legendary, mythical

¹**fid·dle** \\'fid-ᵊl\\ *n* : VIOLIN

²**fiddle** *vb* **1** : to play on a fiddle **2** : to move the hands or fingers restlessly **3** : PUTTER **4** : MEDDLE, TAMPER

fid·dle·stick \\'fid-ᵊl-,stik\\ *n* **1** : a violin bow **2** *pl* : NONSENSE — used as an interjection

fi·del·i·ty \\fə-'del-ət-ē, fī-\\ *n* **1** : the quality or state of being faithful **2** : ACCURACY ⟨~ of a news report⟩ ⟨~ in sound reproduction⟩ *syn* allegiance, loyalty, devotion

fidget   173   **filet mignon**

¹**fid·get** \'fij-ət\ *n* **1** *pl* : uneasiness or restlessness as shown by nervous movements **2** : one that fidgets — **fid·gety** *adj*

²**fidget** *vb* : to move or cause to move or act restlessly or nervously

fi·du·ci·ary \fə-'d(y)ü-shē-,er-ē, fī-\ *adj* **1** : involving a confidence or trust ⟨employed in a ~ capacity⟩ **2** : held or holding in trust for another ⟨~ accounts⟩ — **fiduciary** *n*

¹**field** \'fēld\ *n* **1** : open country **2** : a piece of cleared land for tillage or pasture **3** : a piece of land yielding some special product **4** : the place where a battle is fought; *also* : BATTLE **5** : an area, division, or sphere of activity ⟨the ~ of science⟩ ⟨salesmen in the ~⟩ **6** : an area for military exercises **7** : an area for sports **8** : a background on which something is drawn or projected ⟨a flag with white stars on a ~ of blue⟩ — **field** *adj*

²**field** *vb* **1** : to handle a batted or thrown baseball while on defense **2** : to put into the field — **field·er** *n*

fiend \'fēnd\ *n* [OE *fēond, fīend*, lit., enemy] **1** : DEVIL, DEMON **2** : an extremely wicked or cruel person **3** : a person excessively devoted to a pursuit : FANATIC ⟨golf ~⟩ **4** : ADDICT ⟨dope ~⟩ — **fiend·ish** *adj*

fierce \'fiərs\ *adj* **1** : violently hostile or aggressive in temperament **2** : PUGNACIOUS **3** : INTENSE **4** : furiously active or determined **5** : wild or menacing in aspect *syn* ferocious, barbarous, savage, cruel — **fierce·ly** *adv* — **fierce·ness** *n*

fi·ery \'fī-(ə-)rē\ *adj* **1** : consisting of fire **2** : BURNING, BLAZING **3** : FLAMMABLE **4** : hot like a fire : INFLAMED, FEVERISH **5** : RED **6** : full of emotion or spirit **7** : IRRITABLE

fife \'fīf\ *n* : a small shrill flutelike musical instrument

fif·teen \fif-'tēn\ *n* : one more than 14 — **fifteen** *adj or pron* — **fif·teenth** *adj or n*

¹**fifth** \'fifth\ *adj* **1** : being number five in a countable series **2** : next after the fourth — **fifth** *adv*

²**fifth** *n*, *pl* **fifths 1** : one that is fifth **2** : one of five equal parts of something **3** : a unit of measure for liquor equal to ⅕ U.S. gallon

fifth column *n* : a group of secret sympathizers or supporters of a nation's enemy that engage in espionage or sabotage within the country — **fifth columnist** *n*

fif·ty \'fif-tē\ *n* : five times 10 — **fif·ti·eth** *adj or n* — **fifty** *adj or pron*

fif·ty–fif·ty \,fif-tē-'fif-tē\ *adj* **1** : shared equally ⟨a ~ proposition⟩ **2** : half favorable and half unfavorable

fig \'fig\ *n* : a usu. pear-shaped edible fruit of warm regions; *also* : a tree related to the mulberry that bears this fruit

¹**fight** \'fīt\ *vb* **fought** \'fȯt\ **fight·ing 1** : to contend against another in battle or physical combat **2** : BOX **3** : to put forth a determined effort **4** : STRUGGLE, CONTEND **5** : to attempt to prevent the success or effectiveness of **6** : WAGE

²**fight** *n* **1** : a hostile encounter : BATTLE **2** : a boxing match **3** : a verbal disagreement **4** : a struggle for a goal or an objective **5** : strength or disposition for fighting ⟨full of ~⟩

fight·er *n* **1** : one that fights; *esp* : WARRIOR **2** : BOXER **3** : an airplane of high speed and maneuverability with armament for destroying enemy aircraft

fig·ment \'fig-mənt\ *n* : something imagined or made up ⟨a ~ of the imagination⟩

fig·u·ra·tive \'fig-yə-rət-iv\ *adj* **1** : EMBLEMATIC **2** : SYMBOLIC, METAPHORICAL ⟨~ language⟩ **3** : characterized by figures of speech or elaborate expression ⟨a ~ description⟩ — **fig·u·ra·tive·ly** *adv*

¹**fig·ure** \'fig-yər\ *n* **1** : a symbol representing a number : NUMERAL **2** *pl* : arithmetical calculations **3** : a written or printed character **4** : PRICE, AMOUNT **5** : SHAPE, FORM, OUTLINE **6** : the graphic representation of a form and esp. of a person **7** : a diagram or pictorial illustration **8** : an expression (as in metaphor) that uses words in other than a plain or literal way **9** : PATTERN, DESIGN **10** : appearance made or impression produced ⟨they cut quite a ~⟩ **11** : a series of movements (as in a dance) **12** : PERSONAGE

²**figure** *vb* **1** : to represent by or as if by a figure or outline : PORTRAY **2** : to decorate with a pattern **3** : to indicate or represent by numerals **4** : REGARD, CONSIDER **5** : to be or appear important or conspicuous **6** : COMPUTE, CALCULATE

fig·ure·head \-,hed\ *n* **1** : a carved figure on the bow of a ship **2** : a person who has the title but not the powers of the head or chief

fig·u·rine \,fig-yə-'rēn\ *n* : a small carved or molded figure

fil·a·ment \'fil-ə-mənt\ *n* : a fine thread or threadlike object, part, or process — **fil·a·men·tous** \,fil-ə-'ment-əs\ *adj*

filament

fil·bert \'fil-bərt\ *n* : the oblong edible nut of a European hazel; *also* : this plant

filch \'filch\ *vb* : to steal furtively : PILFER

¹**file** \'fīl\ *n* : a steel instrument with ridged surface used for rubbing down a hard substance

²**file** *vb* : to rub, smooth, or cut away with a file

³**file** *vb* **1** : to arrange in order for preservation or reference **2** : to enter or record officially or as prescribed by law ⟨~ a lawsuit⟩ **3** : to send (copy) to a newspaper

⁴**file** *n* **1** : a device (as a folder or cabinet) by means of which papers or records may be kept in order **2** : a collection of papers usu. arranged or classified

⁵**file** *n* : a row of persons, animals, or things arranged one behind the other

⁶**file** *vb* : to march or proceed in file

fil·er *n* : one that files

fi·let mi·gnon \,fil-ā-mēn-'yōⁿ\ *n*, *pl* **filets mignons** \-ā-mēn-'yōⁿ(z)\ : a fillet of beef cut from the thick end of a beef tenderloin

fil·i·bus·ter \'fil-ə-,bəs-tər\ *n* **1** : a military adventurer; *esp* : an American engaged in fomenting insurrections in Latin America in the mid-19th century **2** : the use of delaying tactics (as extremely long speeches) esp. in a legislative assembly; *also* : an instance of this practice — **filibuster** *vb* — **fil·i·bus·ter·er** *n*

fil·i·gree \'fil-ə-,grē\ *n* : ornamental openwork (as of fine wire)

fil·ing \'fī-liŋ\ *n* **1** : the act of one who files **2** : a small piece scraped off by a file ⟨iron ~s⟩

Fil·i·pi·no \,fil-ə-'pē-nō\ *n* : a native or inhabitant of the Philippines — **Filipino** *adj*

¹**fill** \'fil\ *vb* **1** : to make or become full **2** : to stop up : PLUG ⟨~ a cavity⟩ **3** : FEED, SATIATE **4** : SATISFY, FULFILL ⟨~ all requirements⟩ **5** : to occupy fully **6** : to spread through ⟨laughter ~ed the room⟩ **7** : OCCUPY ⟨~ the office of president⟩ **8** : to put a person in ⟨~ a vacancy⟩ **9** : to supply as directed ⟨~ a prescription⟩

²**fill** *n* **1** : a full supply; *esp* : a quantity that satisfies or satiates **2** : material used esp. for filling a ditch or hollow in the ground

fill·er \'fil-ər\ *n* : one that fills

¹**fil·let** \'fil-ət, 2 *also* fi-'lā, 'fil-ā\ *also* **fi·let** \fi-'lā, 'fil-ā\ *n* **1** : a narrow band, strip, or ribbon **2** : a piece or slice of boneless meat or fish; *esp* : the tenderloin of beef

²**fillet** *vb* **1** : to bind or adorn with or as if with a fillet **2** : to cut into fillets

fill·ing \'fil-iŋ\ *n* : material used to fill something ⟨a ~ for a tooth⟩ **2** : the yarn interlacing the warp in a fabric **3** : a food mixture used to fill pastry or sandwiches

fil·ly \'fil-ē\ *n* : a young female horse

¹**film** \'film\ *n* **1** : a thin skin or membrane **2** : a thin coating or layer **3** : a flexible strip of chemically treated material used in taking pictures **4** : MOTION PICTURE — **filmy** *adj*

²**film** *vb* **1** : to cover with a film **2** : PHOTOGRAPH **3** : to make a motion picture of

¹**filter** \'fil-tər\ *n* **1** : a porous material through which a fluid is passed to separate out matter in suspension; *also* : a device containing such material **2** : a device for suppressing waves or oscillations of certain frequencies; *esp* : one (as on a camera lens) that absorbs light of certain colors

²**filter** *vb* **1** : to pass through a filter **2** : to remove by means of a filter — **fil·ter·able** *also* **fil·tra·ble** \-t(ə-)rə-bəl\ *adj* — **fil·tra·tion** \fil-'trā-shən\ *n*

filth \'filth\ *n* **1** : foul matter; *esp* : loathsome dirt or refuse **2** : moral corruption **3** : OBSCENITY — **filth·i·ness** *n* — **filthy** *adj*

fil·trate \'fil-,trāt\ *n* : the fluid that has passed through a filter

fin \'fin\ *n* **1** : one of the thin external processes by which an aquatic animal (as a fish) moves through water **2** : a fin-shaped part (as on an airplane) **3** : FLIPPER 2

fi·na·gle \fə-'nā-gəl\ *vb* **1** : to arrange for **2** : to obtain by trickery **3** : to use devious dishonest methods to achieve one's ends — **fi·na·gler** \-g(ə-)lər\ *n*

¹**fi·nal** \'fīn-ᵊl\ *adj* **1** : not to be altered or undone : CONCLUSIVE **2** : ULTIMATE **3** : relating to or occurring at the end or conclusion — **fi·nal·i·ty** \fī-'nal-ət-ē\ *n* — **fi·nal·ly** \'fīn-(ᵊ-)lē\ *adv*

²**final** *n* **1** : a deciding match, game, or trial **2** : the last examination in a course

fi·na·le \fə-'nal-ē\ *n* : the close or termination of something; *esp* : the last section of a musical composition

fi·nal·ist \'fīn-ᵊl-əst\ *n* : a contestant in the finals of a competition

¹**fi·nance** \fə-'nans, 'fī-,nans\ *n* **1** *pl* : money resources available esp. to a government or business **2** : management of money affairs

²**finance** *vb* **1** : to raise or provide funds for **2** : to furnish with necessary funds **3** : to sell or supply on credit

fi·nan·cial \fə-'nan-chəl, fī-\ *adj* : having to do with finance or financiers ⟨in ~ circles⟩ — **fi·nan·cial·ly** *adv*

fin·an·cier \,fin-ən-'siər, ,fī-,nan-\ *n* **1** : a person skilled in managing large funds **2** : a person who invests large sums of money

finch \'finch\ *n* : any of a group of songbirds (as sparrows, linnets, or buntings) with strong conical bills

¹**find** \'fīnd\ *vb* **found** \'faùnd\ **finding** **1** : to come upon either by chance or by searching or study : ENCOUNTER, DISCOVER **2** : to obtain by effort or management ⟨~ time to read⟩ **3** : to arrive at : REACH ⟨the bullet *found* its mark⟩ **4** : EXPERIENCE, DETECT, PERCEIVE, FEEL **5** : to gain or regain the use of ⟨*found* his voice again⟩ **6** : PROVIDE, SUPPLY ⟨~ room for a guest⟩ **7** : to settle upon and make a statement about ⟨~ a verdict⟩

²**find** *n* **1** : an act or instance of finding **2** : something found; *esp* : a valuable item of discovery

find·er *n* : one that finds; *esp* : a device on a camera showing the view being photographed

fin de siè·cle \,faⁿ-də-'syeklᵊ\ *adj* : of, relating to, or characteristic of the close of the 19th century

find·ing \'fīn-diŋ\ *n* **1** : the act of finding **2** : FIND 2 **3** : the result of a judicial proceeding or inquiry

¹**fine** \'fīn\ *n* : money exacted as a penalty for an offense

²**fine** *vb* : to impose a fine on : punish by a fine

³**fine** *adj* **1** : free from impurity **2** : very thin in gauge or texture **3** : not coarse **4** : SUBTLE, SENSITIVE ⟨a ~ distinction⟩ **5** : superior in quality, conception, or appearance **6** : ELEGANT, REFINED — **fine·ly** *adv* — **fine·ness** *n*

⁴**fine** *adv* : FINELY

fine art *n* : art (as painting, sculpture, or music) concerned primarily with the creation of beautiful objects ⟨majored in *fine arts*⟩

fin·ery \'fīn-(ə-)rē\ *n* : ORNAMENT, DECORATION; *esp* : showy clothing and jewels

fi·nesse \fə-'nes\ *n* **1** : delicate skill **2** : CUNNING, STRATAGEM, TRICK — **finesse** *vb*

¹**fin·ger** \'fiŋ-gər\ *n* **1** : one of the five divisions at the end of the hand; *esp* : one other than the thumb **2** : something that resembles or does the work of

a finger   **3** : a part of a glove into which a finger is inserted
²**finger** *vb* **1** : to touch with the fingers : HANDLE   **2** : to perform with the fingers or with a certain fingering   **3** : to mark the notes of a piece of music as a guide in playing   **4** : to point out : IDENTIFY
fin·ger·board \-,bȯrd\ *n* : the part of a stringed instrument against which the fingers press the strings to vary the pitch
fin·ger·ing \'fiŋ-g(ə-)riŋ\ *n* **1** : the act or process of handling or touching with the fingers   **2** : the act or method of using the fingers in playing an instrument   **3** : the marking of the method of fingering
fin·icky \'fin-i-kē\ *adj* : excessively particular in taste or standards
¹**fin·ish** \'fin-ish\ *vb* **1** : TERMINATE   **2** : to use or dispose of entirely   **3** : to bring to completion : ACCOMPLISH; *also* : PERFECT   **4** : to put a final coat or surface on   **5** : to come to the end of a course or undertaking — **fin·ish·er** *n*
²**finish** *n* **1** : END, CONCLUSION   **2** : something that completes or perfects   **3** : the treatment given a surface; *also* : the result or product of a finishing process ⟨a shiny ~ on a new car⟩   **4** : social polish
fi·nite \'fī-,nīt\ *adj* **1** : having definite or definable limits   **2** : having a limited nature or existence   **3** : being neither infinite nor infinitesimal
Finn \'fin\ *n* : a native or inhabitant of Finland
¹**Finn·ish** \'fin-ish\ *adj* : of or relating to Finland, the Finns, or Finnish
²**Finnish** *n* : the language of Finland
fin·ny \'fin-ē\ *adj* **1** : resembling or having fins   **2** : of, relating to, or full of fish
fiord *var of* **fjord**
fir \'fər\ *n* : an erect evergreen tree related to the pines; *also* : its light soft wood
¹**fire** \'fī(ə)r\ *n* **1** : the light or heat and esp. the flame of something burning   **2** : fuel that is burning (as in a stove or fireplace)   **3** : destructive burning of something (as a house)   **4** : ENTHUSIASM, ZEAL   **5** : the discharge of firearms — **fire·less** *adj* — **fire·proof** \-'prüf\ *adj or vb*
²**fire** *vb* **1** : KINDLE, IGNITE ⟨~ a house⟩   **2** : STIR, ENLIVEN ⟨~ the imagination⟩   **3** : to dismiss from employment   **4** : SHOOT ⟨~ a gun⟩ ⟨~ an arrow⟩   **5** : to apply fire or fuel to something ⟨~ a furnace⟩   **6** : BAKE ⟨~*ing* pottery in a kiln⟩
fire·arm \-,ärm\ *n* : a weapon (as a rifle or pistol) from which a shot is discharged by an explosion of gunpowder
fire·ball \-,bȯl\ *n* **1** : a ball of fire   **2** : a brilliant meteor that may trail bright sparks   **3** : the highly luminous cloud of vapor and dust created by a nuclear explosion (as of an atom bomb)
fire·boat \-,bōt\ *n* : a ship equipped with apparatus (as pumps) for fighting fire
fire·brand \-,brand\ *n* **1** : a piece of burning wood   **2** : a person who creates unrest or strife : AGITATOR
fire·break \-,brāk\ *n* : a barrier of cleared or plowed land intended to check a forest or grass fire
fire·brick \-,brik\ *n* : a brick capable of withstanding great heat and used for lining furnaces or fireplaces
fire·bug \-,bəg\ *n* : a person who deliberately sets destructive fires
fire·crack·er \'fī(ə)r-,krak-ər\ *n* : a paper tube containing an explosive to be fired for noise during celebrations
fire·fly \-,flī\ *n* : a small night-flying beetle that produces a soft light
fire irons *n pl* : implements for tending a fire esp. in a fireplace
fire·man \'fī(ə)r-mən\ *n* **1** : a member of a company organized to put out fires   **2** : STOKER; *also* : a locomotive crew member who services motors and assists the engineer
fire·place \-,plās\ *n* **1** : a framed rectangular opening made in a chimney to hold an open fire : HEARTH   **2** : an outdoor structure of brick or stone made for an open fire
fire·trap \-,trap\ *n* : a building or place apt to catch on fire or difficult to escape from in case of fire
fire·wood \-,wu̇d\ *n* : wood cut for fuel
fire·work \-,wərk\ *n* : a device designed to be lighted and produce a display of light, noise, and smoke (as for a celebration)
¹**firm** \'fərm\ *adj* **1** : securely fixed in place   **2** : SOLID, VIGOROUS ⟨a ~ handshake⟩   **3** : having a solid or compact texture ⟨~ flesh⟩   **4** : not subject to change or fluctuation : STEADY ⟨~ prices⟩   **5** : STEADFAST   **6** : indicating firmness or resolution ⟨a ~ mouth⟩ — **firm·ly** *adv* — **firm·ness** *n*
²**firm** *vb* : to make or become firm
³**firm** *n* : the name under which a company transacts business   **2** : a business partnership of two or more persons   **3** : a business enterprise
fir·ma·ment \'fər-mə-mənt\ *n* : the arch of the sky : HEAVENS
¹**first** \'fərst\ *adj* **1** : being number one in a countable series   **2** : preceding all others
²**first** *adv* **1** : before any other   **2** : for the first time   **3** : in preference to something else
³**first** *n* **1** : number one in a countable series   **2** : one that is first   **3** : the lowest forward gear in an automotive vehicle
first aid *n* : emergency care or treatment given an injured or ill person — **first-aid** *adj*
first lady *n, often cap F&L* : the wife or hostess of the chief executive of a political unit (as a country)
first lieutenant *n* : a commissioned officer (as in the army) ranking next below a captain
first-rate \'fərst-'rāt\ *adj* : of the first order of size, importance, or quality — **first-rate** *adv*
first sergeant *n* : MASTER SERGEANT 1
fis·cal \'fis-kəl\ *adj* **1** : of or relating to taxation, public revenues, or public debt   **2** : of or relating to financial matters
¹**fish** \'fish\ *n, pl* **fish** *or* **fish·es**   **1** : a water animal; *esp* : any of a large group of cold-blooded water-breathing vertebrates with fin, gills, and usu. scales   **2** : the flesh of fish used as food
²**fish** *vb* **1** : to attempt to catch fish

2 : to seek something by roundabout means ⟨~ for praise⟩ **3** : to search (as with a hook) for something underwater **4** : to engage in a search by groping **5** : to draw forth — **fish·er** *n*

fish·er·man \'fish-ər-mən\ *n* : a person engaged in fishing; *also* : a fishing boat

fish·er·y \-(ə-)rē\ *n* : the business of catching fish; *also* : a place for catching fish

fish·hook \'fish-ˌhu̇k\ *n* : a usu. barbed hook for catching fish

fish·ing *n* : the business or sport of catching fish

fish ladder *n* : an arrangement of pools by which fish can pass around a dam

fishy *adj* **1** : of, relating to, or resembling fish **2** : QUESTIONABLE

fis·sion \'fish-ən\ *n* [L *fission-, fissio*, fr. *fiss-, findere* to split] **1** : a cleaving into parts **2** : the splitting of an atomic nucleus resulting in the release of large amounts of energy — **fis·sion·a·ble** *adj*

fis·sure \'fish-ər\ *n* : a narrow opening or crack

fist \'fist\ *n* **1** : the hand with fingers doubled into the palm **2** : INDEX 6

fist·i·cuffs \'fis-ti-ˌkəfs\ *n pl* : a fight with usu. bare fists

fis·tu·la \'fis-chə-lə\ *n, pl* **-las** *or* **-lae** \-ˌlē\ : an abnormal passage leading from an abscess or hollow organ — **fis·tu·lous** *adj*

¹fit \'fit\ *n* **1** : a sudden violent attack (as of bodily disorder) **2** : a sudden outburst (as of laughter)

²fit *adj* **1** : adapted to a purpose : APPROPRIATE **2** : PROPER, RIGHT, BECOMING **3** : PREPARED, READY **4** : QUALIFIED, COMPETENT **5** : physically and mentally sound — **fit·ly** *adv* — **fit·ness** *n*

³fit *vb* **fit·ted; fit·ting** **1** : to be suitable for or to : BEFIT **2** : to be correctly adjusted to or shaped for **3** : to insert or adjust until correctly in place **4** : to make a place or room for **5** : to be in agreement or accord with **6** : PREPARE **7** : ADJUST **8** : SUPPLY, EQUIP **9** : BELONG — **fit·ter** *n*

⁴fit *n* **1** : the state or manner of fitting or being fitted **2** : a piece of clothing that fits

fit·ful \-fəl\ *adj* : RESTLESS ⟨~ sleep⟩ — **fit·ful·ly** *adv*

¹fit·ting *adj* : APPROPRIATE, SUITABLE — **fit·ting·ly** *adv*

²fit·ting *n* **1** : the action or act of one that fits; *esp* : a trying on of clothes being made or altered **2** : a small accessory part ⟨a plumbing ~⟩ ⟨an airplane ~⟩

five \'fīv\ *n* **1** : one more than four **2** : the 5th in a set or series **3** : something having five units; *esp* : a male basketball team — **five** *adj or pron*

¹fix \'fiks\ *vb* **1** : to make firm, stable, or fast **2** : to give a permanent or final form to **3** : AFFIX, ATTACH **4** : to hold or direct steadily ⟨~*es* his eyes on the stars⟩ **5** : ESTABLISH ⟨~ a date⟩ **6** : ASSIGN ⟨~ blame⟩ **7** : to set in order : ADJUST **8** : PREPARE **9** : to make whole or sound again **10** : to get even with **11** : to influence by improper or illegal methods ⟨~ a horse race⟩

²fix *n* : PREDICAMENT

fix·a·tion \fik-'sā-shən\ *n* : an obsessive or unhealthy preoccupation or attachment

fix·a·tive \'fik-sət-iv\ *n* : something (as a varnish for crayon drawings) that stabilizes or sets

fixed \'fikst\ *adj* **1** : securely placed or fastened : STATIONARY **2** : not volatile **3** : SETTLED, FINAL **4** : INTENT, CONCENTRATED ⟨a ~ stare⟩ **5** : supplied with a definite amount of something needed (as money) — **fix·ed·ly** \'fik-səd-lē\ *adv* — **fix·ed·ness** \'fik-səd-nəs\ *n*

fix·ture \'fiks-chər\ *n* : something firmly attached as a permanent part of some other thing ⟨an electrical ~⟩ ⟨a plumbing ~⟩

¹fizz \'fiz\ *vb* : to make a hissing or sputtering sound

²fizz *n* : an effervescent beverage

¹fiz·zle \'fiz-əl\ *vb* **1** : FIZZ **2** : to fail after a good start

²fizzle *n* : FAILURE

fjord \fē-'ȯrd\ *n* : a narrow inlet of the sea between cliffs or steep slopes

flab·ber·gast \'flab-ər-ˌgast\ *vb* : ASTOUND

flab·by \'flab-ē\ *adj* : lacking firmness and substance : FLACCID ⟨~ muscles⟩

flac·cid \'flak-səd\ *adj* : deficient in firmness : FLABBY ⟨~ plant stems⟩

¹flag \'flag\ *n* : a usu. wild iris or a related plant

²flag *n* : a hard flat stone (**flag·stone** \-ˌstōn\) suitable for paving

³flag *n* **1** : a usu. rectangular piece of fabric of distinctive design that is used as a symbol (as of nationality) or as a signaling device **2** : something used like a flag to signal or attract attention **3** : one of the cross strokes of a musical note less than a quarter note in value —

⁴flag *vb* **flagged; flag·ging** **1** : to put a flag on **2** : to signal with or as if with a flag; *esp* : to signal to stop ⟨~ a taxi⟩

⁵flag *vb* **flagged; flag·ging** **1** : to be loose, yielding, or limp : DROOP **2** : to become unsteady, feeble, or spiritless ⟨his interest *flagged*⟩ **3** : to decline in interest or attraction ⟨the topic *flagged*⟩

flag·el·late \'flaj-ə-ˌlāt\ *vb* : to punish by whipping : WHIP

fla·gi·tious \flə-'jish-əs\ *adj* **1** : grossly wicked **2** : VILLAINOUS

fla·grant \'flā-grənt\ *adj* : conspicuously bad : OUTRAGEOUS, NOTORIOUS — **fla·grant·ly** *adv*

flag·ship \'flag-ˌship\ *n* : the ship that carries the commander of a fleet or subdivision thereof and flies his flag

¹flail \'flāl\ *n* : a tool for threshing grain by hand

²flail *vb* : to beat with or as if with a flail

flair \'flaər\ *n* **1** : discriminating sense **2** : natural aptitude : BENT ⟨a ~ for acting⟩

flak \'flak\ *n* : antiaircraft guns or bursting shells fired from them

¹flake \'flāk\ *n* **1** : a small loose mass or bit **2** : a thin flattened piece or layer : CHIP — **flaky** *adj*

²flake *vb* : to form or separate into flakes

flam·boy·ant \flam-'bȯi-ənt\ *adj* : FLORID, ORNATE, SHOWY — **flam·boy·ance** *also* **flam·boy·an·cy** *n* — **flam·boy·ant·ly** *adv*

flame \'flām\ *n* **1** : the glowing gaseous part of a fire **2** : a state of blazing combustion **3** : a flamelike condition

flamingo   177   **flaw**

or appearance **4** : BRILLIANCE **5** : burning zeal or passion **6** : SWEETHEART — **flame** vb — **flam·ing** adj

fla·min·go \flə-'miŋ-gō\ n : a long-legged long-necked tropical water bird with scarlet wings and a broad bill bent downward

flam·ma·ble \'flam-ə-bəl\ adj : easily ignited

flange \'flanj\ n : a rim used for strengthening or guiding something or for attachment to another object

¹**flank** \'flaŋk\ n **1** : the fleshy part of the side between the ribs and the hip; also : the side of a quadruped **2** : SIDE **3** : the right or left of a formation (as a line of battle)

²**flank** vb **1** : to attack or threaten the flank of **2** : to get around the flank of **3** : BORDER

flank·er n **1** : one that flanks **2** : a football player stationed wide of the end who serves chiefly as a pass receiver

flan·nel \'flan-ᵊl\ n **1** : a soft twilled wool or worsted fabric with a napped surface **2** : a stout cotton fabric napped on one side **3** pl : flannel underwear or trousers

¹**flap** \'flap\ n **1** : a stroke with something broad : SLAP **2** : something broad, limber, or flat and usu. thin that hangs loose ⟨the ~ of a pocket⟩ **3** : the motion or sound of something broad and limber as it swings to and fro

²**flap** vb **flapped**; **flap·ping** **1** : to beat with something broad and flat **2** : FLING **3** : to move (as wings) with a beating motion **4** : to sway loosely usu. with a noise of striking

flap·jack \'flap-,jak\ n : PANCAKE

flap·per n **1** : one that flaps **2** : a young woman esp. of the 1920s who shows bold freedom from conventions in conduct and dress

¹**flare** \'flaər\ vb **1** : to flame with a sudden unsteady light **2** : to become suddenly excited or angry ⟨~ up⟩ **3** : to spread outward

²**flare** n **1** : an unsteady glaring light **2** : a blaze of light used to signal or illuminate; also : a device for producing such a blaze

flare–up \-,əp\ n : a sudden outburst or intensification

¹**flash** \'flash\ vb **1** : to break forth in or like a sudden flame **2** : to appear or pass suddenly or with great speed **3** : to send out in or as if in flashes ⟨~ a message⟩ **4** : to make a sudden display (as of brilliance or feeling) **5** : to gleam or glow intermittently **6** : to fill by a sudden rush of water **7** : to expose to view very briefly ⟨~ a badge⟩ **syn** glance, glint, sparkle

²**flash** n **1** : a sudden burst of light **2** : a movement of a flag or light in signaling **3** : a sudden and brilliant burst (as of wit) **4** : a brief time **5** : SHOW, DISPLAY; esp : ostentatious display **6** : one that attracts notice; esp : an outstanding athlete **7** : GLIMPSE, LOOK **8** : a first brief news report **9** : FLASHLIGHT **10** : a quick-spreading flame or momentary intense outburst of radiant heat

³**flash** adj **1** : of sudden origin and usu. short duration ⟨a ~ fire⟩ ⟨a ~ flood⟩ **2** : involving brief exposure to an intense agent (as heat or cold) ⟨~ freezing of food⟩

flash·back \-,bak\ n : injection into the chronological sequence of events in a literary or theatrical work of an event of earlier occurrence

flash·gun \-,gən\ n : a device for holding and operating a flashbulb

flash·ing \-iŋ\ n : sheet metal used in waterproofing roof valleys or the angle between a chimney and a roof

flash·light \-,līt\ n **1** : a sudden bright artificial light used in photography; also : a photograph made by such a light **2** : a small battery-operated portable electric light

flashy adj **1** : momentarily dazzling **2** : BRIGHT **3** : SHOWY — **flash·i·ness** n

flask \'flask\ n : a bottle-shaped container ⟨a whiskey ~⟩

¹**flat** \'flat\ adj **1** : having a smooth, level, or even surface **2** : spread out along a surface **3** : having a broad smooth surface and little thickness **4** : DOWNRIGHT, POSITIVE ⟨a ~ refusal⟩ **5** : FIXED, UNCHANGING ⟨charge a ~ rate⟩ **6** : EXACT, PRECISE **7** : DULL, UNINTERESTING ⟨a ~ story⟩; also : INSIPID ⟨a ~ taste⟩ **8** : DEFLATED **9** : lower than the true pitch; also : lower by a half step ⟨a ~ note⟩ **10** : lacking contrast ⟨a ~ photographic negative⟩ **11** : free from gloss — **flat·ly** adv

²**flat** n **1** : a level surface of land : PLAIN **2** : a flat part or surface **3** : a flat note or tone in music; also : a character ♭ indicating a half step drop in pitch **4** : something (as a shoe having a flat heel) flat **5** : a deflated tire

³**flat** adv **1** : FLATLY **2** : EXACTLY ⟨in one minute ~⟩ **3** : below the true musical pitch

⁴**flat** vb **flat·ted**; **flat·ting** **1** : FLATTEN **2** : to lower in pitch esp. by a half step **3** : to sing or play below the true pitch

⁵**flat** n **1** : a floor or story in a building **2** : an apartment on one floor

flat·boat \'flat-,bōt\ n : a flat-bottomed boat used esp. for carrying bulky freight

flat·car \-,kär\ n : a railroad freight car without permanent raised sides, ends, or covering

flat·ten \'flat-ᵊn\ vb : to make or become flat

flat·ter \-ər\ vb **1** : to praise too much or without sincerity **2** : to represent too favorably ⟨the picture ~s her⟩ **3** : to judge (oneself) favorably or too favorably ⟨~ed himself on his skill as a dancer⟩ — **flat·ter·er** n

flat·tery \-ə-rē\ n : flattering speech or attentions : insincere or excessive praise

flat·ware \'flat-,waər\ n : tableware (as silver) more or less flat and usu. formed or cast in a single piece

flaunt \'flȯnt\ vb **1** : to wave or flutter showily **2** : to display oneself to public notice **3** : to display ostentatiously or impudently : PARADE — **flaunt** n

¹**fla·vor** \'flā-vər\ n **1** : the quality of something that affects the sense of taste or of taste and smell; also : the resulting sensation **2** : something (as a condiment or extract) that adds flavor **3** : characteristic or predominant quality — **fla·vor·ful** adj — **fla·vor·less** adj — **fla·vor·some** adj

²**flavor** vb : to give or add flavor to

fla·vor·ing \'flāv-(ə-)riŋ\ n : FLAVOR 2

flaw \'flȯ\ n : an imperfect part : CRACK,

FAULT, DEFECT — **flawed** *adj* — **flawless** *adj*
flax \'flaks\ *n* : a blue-flowered plant grown for its fiber and its oily seeds; *also* : its fiber that is the source of linen
flay \'flā\ *vb* **1** : to strip off the skin or surface of **2** : to criticize harshly : SCOLD
flea \'flē\ *n* : any of a group of small wingless leaping bloodsucking insects

flea

flea·bane \-,bān\ *n* : any of various plants of the daisy family believed to drive away fleas
flea market *n* : a street market for cheap or secondhand articles
¹**fleck** \'flek\ *vb* : STREAK, SPOT
²**fleck** *n* **1** : SPOT, MARK **2** : FLAKE, PARTICLE
fledg·ling \'flej-liŋ\ *n* : a young bird with feathers newly developed
flee \'flē\ *vb* **fled** \'fled\ **flee·ing 1** : to run away from danger or evil : FLY **2** : to run away from : SHUN **3** : VANISH
¹**fleece** \'flēs\ *n* **1** : the coat of wool covering a sheep **2** : a soft or woolly covering — **fleecy** *adj*
²**fleece** *vb* **1** : SHEAR **2** : to strip of money or property by fraud or extortion
¹**fleet** \'flēt\ *vb* : to fly swiftly : pass rapidly ⟨time is ~*ing*⟩
²**fleet** *n* **1** : a group of warships under one command **2** : a group of ships or vehicles (as trucks or airplanes) under one management
³**fleet** *adj* **1** : SWIFT, NIMBLE **2** : not enduring : FLEETING — **fleet·ness** *n*
fleet·ing *adj* : passing swiftly : TRANSITORY
Flem·ing \'flem-iŋ\ *n* : a member of a Germanic people inhabiting chiefly northern Belgium
Flem·ish \-ish\ *n* **1** : the Germanic language of the Flemings **2 Flemish** *pl* : FLEMINGS — **Flemish** *adj*
flesh \'flesh\ *n* **1** : the soft parts of an animal's body; *esp* : muscular tissue **2** : MEAT **3** : the physical being of man as distinguished from the soul **4** : human beings; *also* : living beings **5** : STOCK, KINDRED **6** : fleshy plant tissue (as fruit pulp)
flesh·ly *adj* **1** : CORPOREAL, BODILY **2** : CARNAL, SENSUAL **3** : not spiritual : WORLDLY
fleshy *adj* : consisting of or resembling animal flesh; *also* : PLUMP, FAT
flew *past of* FLY
flex \'fleks\ *vb* : to bend esp. repeatedly
flex·i·ble \'flek-sə-bəl\ *adj* **1** : capable of being flexed : PLIANT, PLIABLE **2** : yielding to influence : TRACTABLE **3** : readily changed or changing : ADAPTABLE **syn** elastic, supple, resilient, springy — **flex·i·bil·i·ty** \,flek-sə-'bil-ət-ē\ *n*
flex·ure \'flek-shər\ *n* : TURN, FOLD, BEND
¹**flick** \'flik\ *n* **1** : a light sharp jerky stroke or movement **2** : a sound produced by a flick **3** : DAUB, SPLOTCH
²**flick** *vb* **1** : to strike lightly with a quick sharp motion **2** : FLUTTER, DART, FLIT

¹**flick·er** \'flik-ər\ *vb* **1** : to waver unsteadily; *also* : FLUTTER **2** : FLIT, DART **3** : to burn fitfully or with a fluctuating light ⟨a ~*ing* candle⟩
²**flicker** *n* **1** : an act of flickering **2** : a sudden brief movement ⟨a ~ of an eyelid⟩ **3** : a momentary stirring ⟨a ~ of interest⟩ **4** : a brief interval of brightness **5** : a wavering light
fli·er \'flī-(ə)r\ *n* **1** : one that flies; *esp* : AVIATOR **2** : something (as an express train) that travels fast **3** : a reckless or speculative undertaking **4** : an advertising circular for mass distribution
¹**flight** \'flīt\ *n* **1** : an act or instance of flying **2** : the ability to fly **3** : a passing through the air or through space ⟨a balloon ~⟩ ⟨a rocket ~ to the moon⟩ **4** : the distance covered in a flight **5** : swift movement **6** : a trip made by or in an airplane **7** : a group of similar individuals (as birds or airplanes) taken as a unit **8** : a passing (as of the imagination) beyond ordinary limits **9** : a series of stairs from one landing to another — **flight·less** *adj*
²**flight** *n* : an act or instance of running away
flighty *adj* **1** : subject to flights of fancy or sudden change of mind : CAPRICIOUS **2** : SKITTISH **3** : not stable : IRRESPONSIBLE; *also* : SILLY
flim·flam \'flim-,flam\ *n* : DECEPTION, FRAUD
flim·sy \'flim-zē\ *adj* **1** : lacking strength or substance **2** : of inferior materials and workmanship **3** : having little worth or plausibility ⟨a ~ excuse⟩ — **flim·si·ly** *adv* — **flim·si·ness** *n*
flinch \'flinch\ *vb* : to shrink from or as if from physical pain : WINCE
¹**fling** \'fliŋ\ *vb* **flung** \'fləŋ\ **fling·ing 1** : to move hastily, brusquely, or violently ⟨*flung* out of the room⟩ **2** : to kick or plunge vigorously **3** : to throw with force or recklessness : HURL **4** : DISCARD, DISREGARD **5** : to put suddenly into a state or condition
²**fling** *n* **1** : an act or instance of flinging **2** : a casual try : ATTEMPT **3** : a period of self-indulgence
flint \'flint\ *n* **1** : a hard quartz that strikes fire with steel **2** : an alloy used for striking fire in cigarette lighters — **flinty** *adj*
flint·lock \'flint-,läk\ *n* **1** : a lock for a 17th and 18th century firearm using a flint to ignite the charge **2** : a firearm fitted with a flintlock
¹**flip** \'flip\ *vb* **flipped; flip·ping 1** : to turn by tossing ⟨~ a coin⟩ **2** : to turn quickly ⟨~ the pages of a book⟩ **3** : FLICK, JERK ⟨~ a light switch⟩ — **flip** *n*
²**flip** *adj* : FLIPPANT, IMPERTINENT
flip·pant \'flip-ənt\ *adj* : treating lightly something serious or worthy of respect : SAUCY — **flip·pan·cy** *n*
flip·per \'flip-ər\ *n* **1** : a broad flat limb (as of a seal) adapted for swimming **2** : a paddlelike shoe used in swimming
¹**flirt** \'flərt\ *vb* **1** : to move erratically : FLIT **2** : to behave amorously without serious intent **3** : to deal lightly : TRIFLE ⟨~ with death⟩ — **flir·ta·tion** \,flər-'tā-shən\ *n* — **flir·ta·tious** *adj*

²**flirt** n **1** : an act or instance of flirting **2** : a person who flirts

flit \\'flit\\ vb **flit·ted; flit·ting** : to pass or move quickly or abruptly from place to place : DART

¹**float** \\'flōt\\ n **1** : something (as a raft) that floats **2** : a cork buoying up the baited end of a fishing line **3** : a hollow ball that floats at the end of a lever in a cistern or tank and regulates the level of the liquid **4** : a vehicle with a platform to carry an exhibit

²**float** vb **1** : to rest on the surface of or be suspended in a fluid **2** : to move gently on or through a fluid **3** : to cause to float **4** : WANDER **5** : FLOOD **6** : to offer (securities) in order to finance an enterprise **7** : to finance (an enterprise) by floating an issue of stocks or bonds **8** : to arrange for ⟨~ a loan⟩ — **float·er** n

¹**flock** \\'fläk\\ n **1** : a group of birds or mammals assembled or herded together **2** : a group of people under the guidance of a leader; esp : CONGREGATION **3** : a large number

²**flock** vb : to gather or move in a crowd

flog \\'fläg\\ vb **flogged; flog·ging** : to beat severely with a rod or whip : LASH — **flog·ger** n

¹**flood** \\'fləd\\ n **1** : a great flow of water over the land **2** : the flowing in of the tide **3** : an overwhelming volume

²**flood** vb **1** : to cover or become filled with a flood **2** : to fill abundantly or excessively **3** : to pour forth in a flood

flood·light \-,līt\ n : a lamp that throws a broad beam of light; also : the beam itself — **floodlight** vb

¹**floor** \\'flōr\\ n **1** : the bottom of a room on which one stands **2** : a ground surface **3** : a story of a building **4** : a main level space (as in a legislative chamber) distinguished from a platform or gallery **5** : AUDIENCE **6** : the right to speak from one's place in an assembly — **floor·ing** n

²**floor** vb **1** : to furnish with a floor **2** : to knock down **3** : SHOCK, OVERWHELM **4** : DEFEAT

floor leader n : a member of a legislative body chosen by his party to have charge of its organization and strategy on the floor

floor show n : a series of acts presented in a nightclub

floo·zy \\'flü-zē\ n : a tawdry or immoral woman

flop \\'fläp\\ vb **flopped; flop·ping** **1** : FLAP **2** : to throw oneself down heavily, clumsily, or in a relaxed manner ⟨flopped into a chair⟩ **3** : FAIL — **flop** n

flo·ra \\'flōr-ə\\ n, pl **floras** also **flo·rae** \-,ē, -,ī\ : plants or plant life esp. of a region or period

flo·ral \-əl\ adj : of or relating to flowers

flo·res·cence \flȯ-'res-ᵊns, flə-\ n : a state or period of being in bloom or flourishing — **flo·res·cent** adj

flor·id \\'flȯr-əd\\ adj **1** : excessively flowery in style : ORNATE ⟨~ writing⟩ **2** : tinged with red : RUDDY

flo·rist \\'flōr-əst\\ n : one who deals in flowers

floss \\'fläs\\ n **1** : waste or short silk fibers that cannot be reeled **2** : soft thread of silk or mercerized cotton used for embroidery **3** : a lightweight wool knitting yarn **4** : a fluffy filamentous mass esp. of plant fiber ⟨milkweed ~⟩

flossy adj **1** : of, relating to, or having the characteristics of floss; also : DOWNY **2** : STYLISH, GLAMOROUS

flo·til·la \flō-'til-ə\ n : a small fleet or a fleet of small ships

¹**flounce** \\'flaùns\\ vb **1** : to move with exaggerated jerky motions **2** : to go with sudden determination **3** : FLOUNDER, STRUGGLE

²**flounce** n : an act or instance of flouncing

³**flounce** n : a strip of fabric attached by one edge ⟨a wide ~ at the bottom of her skirt⟩

¹**floun·der** \\'flaùn-dər\\ n : FLATFISH; esp : one important as food

²**flounder** vb **1** : to struggle to move or obtain footing **2** : to proceed clumsily ⟨~ed through his speech⟩

¹**flour** \\'flaù(ə)r\\ n [ME, flower, the best of anything, flour, fr. OF, fr. L flor-, flos] : finely ground and sifted meal of a cereal (as wheat); also : a fine soft powder — **floury** adj

²**flour** vb : to coat with or as if with flour

¹**flour·ish** \\'flər-ish\\ vb **1** : THRIVE, PROSPER **2** : to be in a state of activity or production ⟨~ed about 1850⟩ **3** : to reach a height of development or influence **4** : to make bold and sweeping gestures **5** : BRANDISH

²**flourish** n **1** : a florid embellishment or passage ⟨handwriting with ~es⟩ ⟨a ~ of drums⟩ **2** : WAVE ⟨with a ~ of his cane⟩ **3** : a dramatic action ⟨introduced her with a ~⟩

¹**flout** \\'flaùt\\ vb **1** : SCORN **2** : to indulge in scornful behavior : jeer at : MOCK

²**flout** n : INSULT, MOCKERY

¹**flow** \\'flō\\ vb **1** : to issue or move in a stream **2** : RISE ⟨the tide ebbs and ~s⟩ **3** : ABOUND **4** : to proceed smoothly and readily **5** : to have a smooth uninterrupted continuity **6** : to hang loose and billowing **7** : COME, ARISE **8** : MENSTRUATE

²**flow** n **1** : an act or manner of flowing **2** : FLOOD 1, 2 **3** : a smooth uninterrupted movement **4** : STREAM **5** : the quantity that flows in a certain time **6** : MENSTRUATION **7** : YIELD, PRODUCTION **8** : a continuous flow of energy ⟨a ~ of electricity⟩

¹**flow·er** \\'flaù(-ə)r\\ n **1** : a plant branch modified for seed production and bearing leaves specialized into floral organs (as petals); also : a flowering plant **2** : the best part or example **3** : the finest most vigorous period

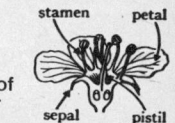

diagram of a flower

²**flower** vb **1** : to produce flowers : BLOOM **2** : DEVELOP; also : FLOURISH

flow·ered adj **1** : having or bearing flowers **2** : decorated with flowers or flowerlike figures ⟨~ silk⟩

flow·ery adj **1** : full of or covered with flowers **2** : full of fine words or phrases : FLORID ⟨~ language⟩ — **flow·er·i·ness** n

flown *past part of* FLY

flu \ˈflü\ *n* **1** : INFLUENZA **2** : a minor virus ailment usu. with respiratory symptoms

fluc·tu·ate \ˈflək-chə-ˌwāt\ *vb* **1** : to move up and down or back and forth like a wave **2** : WAVER, VACILLATE — **fluc·tu·a·tion** \ˌflək-chə-ˈwā-shən\ *n*

flue \ˈflü\ *n* : a passage (as in a chimney) for gases, smoke, flame, or air

flu·ent \ˈflü-ənt\ *adj* **1** : capable of flowing : FLUID **2** : ready or facile in speech 〈~ in French〉 **3** : effortlessly smooth and rapid : POLISHED 〈~ speech〉 — **flu·en·cy** *n* — **flu·ent·ly** *adv*

¹fluff \ˈfləf\ *n* **1** : NAP, DOWN 〈~ from a pillow〉 **2** : something fluffy **3** : something inconsequential **4** : BLUNDER; *esp* : an actor's lapse of memory

²fluff *vb* **1** : to make or become fluffy 〈~ up a pillow〉 **2** : to make a mistake : BOTCH

fluffy *adj* **1** : having, covered with, or resembling fluff or down **2** : being light and soft or airy 〈a ~ omelet〉 **3** : FATUOUS, SILLY

¹flu·id \ˈflü-əd\ *adj* **1** : capable of flowing like a liquid or gas **2** : likely to change or move **3** : FLOWING, FLUENT 〈~ speech〉 **4** : available for various uses 〈~ capital〉 **5** : easily converted into cash 〈~ assets〉 — **flu·id·i·ty** \flü-ˈid-ət-ē\ *n*

²fluid *n* : a substance tending to conform to the outline of its container 〈liquids and gases are ~s〉

¹fluke \ˈflük\ *n* **1** : the part of an anchor that fastens in the ground **2** : a barbed head (as of a harpoon) **3** : a lobe of a whale's tail

²fluke *n* : a stroke of luck 〈won by a ~〉

flume \ˈflüm\ *n* **1** : a ravine or gorge with a stream running through it **2** : an inclined channel for carrying water (as for power)

flung *past of* FLING

flunk \ˈfləŋk\ *vb* : to fail esp. in an examination or recitation

flun·ky *or* **flun·key** \ˈfləŋ-kē\ *n* **1** : a liveried servant; *esp* : FOOTMAN **2** : TOADY

flu·o·res·cence \flu̇(-ə)r-ˈes-ᵊns\ *n* : emission of radiation usu. as visible light and only during the absorption of radiation from some other source; *also* : the emitted radiation — **flu·o·resce** \-ˈes\ *vb* — **flu·o·res·cent** *adj*

fluorescent lamp *n* : a tubular electric lamp in which light is produced on the inside special coating by the action of invisible radiation

flu·o·ri·date \ˈflu̇r-ə-ˌdāt\ *vb* : to add a compound of fluorine to — **flu·o·ri·da·tion** \ˌflu̇r-ə-ˈdā-shən\ *n*

flu·o·rine \ˈflu̇(-ə)r-ˌēn, -ən\ *n* : a pale yellowish flammable irritating toxic gaseous chemical element

¹flur·ry \ˈflər-ē\ *n* **1** : a gust of wind **2** : a brief light snowfall **3** : COMMOTION, BUSTLE **4** : a brief outburst of activity 〈a ~ of trading〉

²flurry *vb* : AGITATE, EXCITE, FLUSTER

¹flush \ˈfləsh\ *vb* : to cause (as a bird) to take wing suddenly

²flush *n* **1** : a sudden flow (as of water) **2** : a surge esp. of emotion 〈a ~ of triumph〉 **3** : a tinge of red : BLUSH **4** : a fresh and vigorous state 〈in the ~ of youth〉 **5** : a passing sensation of extreme heat

³flush *vb* **1** : to flow and spread suddenly and freely **2** : to glow brightly **3** : BLUSH **4** : to wash out with a rush of liquid **5** : INFLAME, EXCITE **6** : to make red or hot 〈~ed by fever〉

⁴flush *adj* **1** : filled to overflowing **2** : fully supplied esp. with money **3** : full of life and vigor **4** : of a ruddy healthy color **5** : readily available : ABUNDANT **6** : having an unbroken or even surface **7** : being on a level with an adjacent surface **8** : directly abutting : immediately adjacent **9** : set even with the left edge of the type page or column **10** : DIRECT

⁵flush *adv* **1** : in a flush manner **2** : SQUARELY 〈a blow ~ on the chin〉

⁶flush *vb* : to make flush

⁷flush *n* : a hand of cards all of the same suit

flus·ter \ˈfləs-tər\ *vb* : to put into a state of agitated confusion : UPSET — **fluster** *n*

flute \ˈflüt\ *n* **1** : a hollow pipelike musical instrument **2** : a grooved pleat **3** : CHANNEL, GROOVE 〈one of the vertical ~s in an architectural column〉 — **flut·ed** *adj* — **flut·ing** *n*

flute

¹flut·ter \ˈflət-ər\ *vb* **1** : to flap the wings rapidly without flying or in short flights **2** : to move with quick wavering or flapping motions **3** : to vibrate in irregular spasms **4** : to move about or behave in an agitated aimless manner — **flut·tery** *adj*

²flutter *n* **1** : an act of fluttering **2** : a state of nervous confusion **3** : FLURRY, COMMOTION

¹flux \ˈfləks\ *n* **1** : an excessive fluid discharge esp. from the bowels **2** : an act of flowing **3** : a state of continuous change **4** : a substance used to aid in fusing metals

¹fly \ˈflī\ *vb* **flew** \ˈflü\ **flown** \ˈflōn\ **fly·ing 1** : to move in or pass through the air with wings **2** : to move through the air or before the wind **3** : to float or cause to float, wave, or soar in the air **4** : FLEE; *also* : AVOID, SHUN **5** : to fade and disappear : VANISH **6** : to move or pass swiftly **7** : to become expended or dissipated rapidly **8** : to pursue or attack in flight **9** : *past or past part* **flied** : to hit a fly in baseball **10** : to operate or travel in an airplane **11** : to journey over by flying **12** : to transport by flying

²fly *n* **1** : the action or process of flying : FLIGHT **2** : a horse-drawn public coach or delivery wagon; *also, chiefly Brit* : a light covered carriage or cab **3** *pl* : the space over a theater stage **4** : a garment closing concealed by a fold of cloth extending over the fastener **5** : the outer canvas of a tent with double top **6** : the length of an extended flag from its staff or support **7** : a baseball hit high into the air

³fly *n* **1** : a winged insect; *esp* : any of a large group of typically stout-bodied mostly 2-winged insects **2** : a fishhook dressed to suggest an insect

fly·blown \'flī-,blōn\ *adj* : TAINTED, SPOILED ⟨a ~ reputation⟩
fly casting *n* : the act or practice of throwing the lure in angling with artificial flies — **fly·cast·er** *n*
fly·er *var of* FLIER
flying colors *n pl* : complete success ⟨passed his exams with *flying colors*⟩
flying saucer *n* : any of various unidentified moving objects repeatedly reported as seen in the air and usu. alleged to be saucer-shaped or disk-shaped
fly·leaf \'flī-,lēf\ *n* : a blank leaf at the beginning or end of a book
fly·wheel \-,hwēl\ *n* : a heavy wheel that rotates steadily and thus regulates the speed of the machinery to which it is connected
foal \'fōl\ *n* : the young of an animal of the horse group — **foal** *vb*
¹**foam** \'fōm\ *n* **1** : a light mass of fine bubbles formed in or on the surface of a liquid : FROTH, SPUME **2** : material (as rubber) in a lightweight cellular form — **foamy** *adj*
²**foam** *vb* : to form foam : FROTH
fob \'fäb\ *n* **1** : a short strap, ribbon, or chain attached to a watch worn esp. in the watch pocket **2** : a small ornament worn on a fob
fob off \fäb-'òf\ *vb* **1** : to put off with a trick or excuse **2** : to pass or offer as genuine **3** : to put aside
¹**fo·cus** \'fō-kəs\ *n, pl* **fo·cus·es** *or* **fo·ci** \'fō-,sī\ **1** : a point at which rays (as of light, heat, or sound) meet or appear to meet after being reflected or refracted **2** : the distance from a lens or mirror to the point where the rays from it meet **3** : adjustment (as of eyes or eyeglasses) that gives clear vision **4** : central point : CENTER — **fo·cal** \-kəl\ *adj*
²**focus** *vb* **-cused** *also* **-cussed**; **-cus·ing** *also* **-cus·sing** **1** : to bring or come to a focus ⟨~ rays of light⟩ **2** : CENTER ⟨~ attention on a problem⟩ **3** : to adjust the focus of
foe \'fō\ *n* : ENEMY
¹**fog** \'fòg, 'fäg\ *n* **1** : fine particles of water that are suspended in the lower air and obscure vision **2** : mental confusion — **fog·gy** *adj*
²**fog** *vb* **fogged**; **fog·ging** : to obscure or become obscured with or as if with fog
fo·gy *also* **fo·gey** \'fō-gē\ *n* : a person with old-fashioned ideas ⟨he's an old ~⟩
¹**foil** \'fòil\ *vb* **1** : to prevent from attaining an end : DEFEAT **2** : to bring to naught
²**foil** *n* : a fencing weapon with a light flexible blade tapering to a blunt point
³**foil** *n* [MF *foil, foille* leaf, fr. L *folium*] **1** : a very thin sheet of metal **2** : something that by contrast sets off another thing to advantage
foist \'fòist\ *vb* : to pass off (something false or worthless) as genuine
¹**fold** \'fōld\ *n* **1** : an enclosure for sheep **2** : a group of people with a common faith, belief, or interest
²**fold** *vb* : to house (sheep) in a fold
³**fold** *vb* **1** : to double or become doubled over itself **2** : to clasp together **3** : to lay one part over or against another part of something **4** : to enclose in or as if in a fold **5** : EMBRACE **6** : to incorporate into a mixture by repeated overturnings without stirring or beating ⟨~ in whites of eggs⟩ **7** : FAIL, COLLAPSE
⁴**fold** *n* **1** : a doubling or folding over **2** : a part doubled or laid over another part
fold·er *n* **1** : one that folds **2** : a printed circular of folded sheets **3** : a folded cover or large envelope for loose papers
fo·liage \'fō-l(ē-)ij\ *n* : a mass of leaves (as of a plant or forest)
fo·lio \'fō-lē-,ō\ *n* **1** : a leaf of a book; *also* : a page number **2** : the size of a piece of paper cut two from a sheet **3** : a book printed on folio pages
¹**folk** \'fōk\ *n* **1** : a group of people forming a tribe or nation; *also* : the largest number or most characteristic part of such a group **2** : PEOPLE, PERSONS ⟨country ~⟩ ⟨old ~s⟩ **3** : the persons of one's own family
²**folk** *adj* : of, relating to, or originating among the common people ⟨~ music⟩
folk·lore \-,lōr\ *n* : customs, beliefs, stories, and sayings of a people handed down from generation to generation —
folk·way \'fōk-,wā\ *n* : a way of thinking, feeling, or acting common to a people or to a social group
fol·li·cle \'fäl-i-kəl\ *n* : a small anatomical cavity or gland ⟨a hair ~⟩
fol·low \'fäl-ō\ *vb* **1** : to go or come after **2** : PURSUE **3** : OBEY **4** : to proceed along **5** : to attend upon steadily ⟨~ the sea⟩ ⟨~ a profession⟩ **6** : to keep one's attention fixed on ⟨~ a speech⟩ **7** : to result from **syn** succeed, ensue — **fol·low·er** *n* — **follow suit 1** : to play a card of the same suit as the card led **2** : to follow an example
¹**fol·low·ing** *adj* **1** : next after : SUCCEEDING **2** : that immediately follows
²**following** *n* : a group of followers, adherents, or partisans
³**following** *prep* : subsequent to : AFTER
fol·low-up \'fäl-ō-,əp\ *n* : a system or instance of pursuing an initial effort by supplementary action
fol·ly \'fäl-ē\ *n* **1** : lack of good sense **2** : a foolish act or idea : FOOLISHNESS **3** : an excessively costly or unprofitable undertaking
fo·ment \fō-'ment\ *vb* **1** : to treat with moist heat (as for easing pain) **2** : to stir up : INSTIGATE — **fo·men·ta·tion**
fond \'fänd\ *adj* **1** : FOOLISH, SILLY ⟨~ pride⟩ **2** : prizing highly : DESIROUS ⟨~ of praise⟩ **3** : strongly attracted or predisposed ⟨~ of music⟩ **4** : foolishly tender : INDULGENT; *also* : LOVING, AFFECTIONATE **5** : CHERISHED, DEAR ⟨his ~*est* hopes⟩ — **fond·ly** *adv*
fon·dle \'fän-d⁰l\ *vb* : to touch or handle lovingly : CARESS, PET
fon·due *also* **fon·du** \fän-'d(y)ü\ *n* : a preparation of melted cheese usu. flavored with wine or brandy
¹**font** \'fänt\ *n* **1** : a receptacle for baptismal or holy water **2** : FOUNTAIN, SOURCE

font, 1

²**font** *n* : an assortment of printing type of one size and style

food \'füd\ *n* **1** : material taken into an organism and used for growth, repair, and vital processes and as a source of energy; *also* : organic material produced by green plants and used by them as food **2** : solid nutritive material as distinguished from drink **3** : something that nourishes, sustains, or supplies ⟨~ for thought⟩

food poisoning *n* : illness caused by food contaminated with bacteria or their products or with chemical residues

food·stuff \'füd-,stəf\ *n* : something with food value; *esp* : a specific nutrient (as fat or protein)

¹**fool** \'fül\ *n* **1** : a person who lacks sense or judgment **2** : JESTER **3** : DUPE ⟨he's nobody's ~⟩ **4** : IDIOT

²**fool** *vb* **1** : to spend time idly or aimlessly **2** : to meddle or tamper thoughtlessly or ignorantly **3** : JOKE **4** : DECEIVE **5** : FRITTER ⟨~ed away his time⟩

fool·ery \'fül-(ə-)rē\ *n* **1** : the habit of fooling : the behavior of a fool **2** : a foolish act : HORSEPLAY

fool·har·dy \-,härd-ē\ *adj* : foolishly daring : RASH — **fool·har·di·ness** *n*

fool·ish *adj* **1** : showing or arising from folly or lack of judgment **2** : ABSURD, RIDICULOUS **3** : ABASHED — **fool·ish·ly** *adv* — **fool·ish·ness** *n*

fool·proof \'fül-'prüf\ *adj* : so simple or reliable as to leave no opportunity for error, misuse, or failure

¹**foot** \'fut\ *n, pl* **feet** \'fēt\ *also* **foot** **1** : the terminal part of a leg on which one stands **2** : a measure of length equal to 12 inches **3** : a group of syllables forming the basic unit of verse meter **4** : something resembling an animal's foot in position or use **5** *foot pl, chiefly Brit* : INFANTRY **6** : the lowest part : BOTTOM **7** : the part at the opposite end from the head

²**foot** *vb* **1** : DANCE **2** : to go on foot **3** : to make speed : MOVE **4** : to add up **5** : to pay or provide for paying ⟨~ the bill⟩

foot·age \'fut-ij\ *n* : length expressed in feet

foot·ball \-,bol\ *n* **1** : any of several games played by two teams on a rectangular field with goalposts at each end; *esp* : one in which the ball is in possession of one team at a time and is advanced by running or passing **2** : the ball used in football

foot·board \-,bōrd\ *n* **1** : a narrow platform on which to stand or brace the feet **2** : a board forming the foot of a bed

foot·bridge \-,brij\ *n* : a bridge for pedestrians

foot·ed \-əd\ *adj* **1** : having a foot or feet ⟨a ~ stand⟩ ⟨~ creatures⟩ **2** : having such or so many feet ⟨flat-*footed*⟩

foot·hold \-,hōld\ *n* **1** : a hold for the feet : FOOTING **2** : a position usable as a base for further advance

foot·ing \'fut-iŋ\ *n* **1** : the placing of one's foot in a position to secure a firm stand **2** : a place for the foot to rest on : FOOTHOLD **3** : a moving on foot : WALK, TREAD, DANCE **4** : position with respect to one another : STATUS **5** : BASIS **6** : the adding up of a column of figures; *also* : the total amount of such a column

foot·less \-ləs\ *adj* **1** : having no feet **2** : UNSUBSTANTIAL **3** : STUPID, INEPT

foot·lights \-,līts\ *n pl* **1** : a row of lights along the front of a stage floor **2** : the stage as a profession

foot·loose \-,lüs\ *adj* : having no ties : FREE, UNTRAMMELED

foot·man \'fut-mən\ *n* : a male servant who attends a carriage, waits on table, admits visitors, and runs errands

foot·note \-,nōt\ *n* **1** : a note of reference, explanation, or comment placed usu. at the bottom of a page **2** : COMMENTARY

foot·path \-,path, -,pàth\ *n* : a narrow path for pedestrians

foot·print \-,print\ *n* : an impression of the foot

foot·race \-,rās\ *n* : a race run on foot

foot·rest \-,rest\ *n* : a support for the feet

foot·sore \-,sōr\ *adj* : having sore or tender feet (as from much walking)

foot·step \-,step\ *n* **1** : TREAD **2** : distance covered by a step : PACE **3** : the mark of the foot : TRACK **4** : a step on which to ascend or descend

foot·stool \-,stül\ *n* : a low stool to support the feet

fop \'fäp\ *n* : DANDY — **fop·pery** \-(ə-)rē\ *n* — **fop·pish** *adj*

¹**for** \fər, (')för\ *prep* **1** : as a preparation toward ⟨dress ~ dinner⟩ **2** : toward the purpose or goal of ⟨need time ~ study⟩ ⟨money ~ a trip⟩ **3** : so as to reach or attain ⟨run ~ cover⟩ **4** : as being ⟨took him ~ a fool⟩ **5** : because of ⟨cry ~ joy⟩ **6** — used to indicate a recipient ⟨a letter ~ you⟩ **7** : in support of ⟨fought ~ his country⟩ **8** : directed at : AFFECTING ⟨a cure ~ what ails you⟩ **9** — used with a noun or pronoun followed by an infinitive to form the equivalent of a noun clause ⟨~ you to go would be silly⟩ **10** : in exchange as equal to : so as to return the value of ⟨a lot of trouble ~ nothing⟩ ⟨pay $10 ~ a hat⟩ **11** : CONCERNING ⟨a stickler ~ detail⟩ **12** : CONSIDERING ⟨tall ~ his age⟩ **13** : through the period of ⟨served ~ three years⟩ **14** : in honor of

²**for** *conj* : BECAUSE

¹**for·age** \'fȯr-ij\ *n* **1** : food for animals esp. when taken by browsing or grazing **2** : a search for provisions

²**forage** *vb* **1** : to collect forage from **2** : to wander in search of provisions **3** : to get by foraging **4** : RAVAGE, RAID **5** : to make a search : RUMMAGE

for·ay \'fȯr-,ā\ *vb* : to raid esp. in search of plunder : PILLAGE — **foray** *n*

¹**for·bear** \fȯr-'baər\ *vb* -**bore** \-'bȯr\ -**borne** \-'bȯrn\ -**bear·ing** **1** : to refrain from : ABSTAIN **2** : to be patient — **for·bear·ance** *n*

²**for·bear** \'fȯr-,baər\ *var of* FOREBEAR

for·bid \fər-'bid\ *vb* -**bade** \-'bad, -'bād\ *or* -**bad** \-'bad\ -**bid·den** \-'bid-ᵊn\ -**bid·ding 1** : to command against : PROHIBIT **2** : to exclude or warn off by express command **3** : to bar from use **4** : HINDER, PREVENT *syn* enjoin, interdict, inhibit

for·bid·ding *adj* : DISAGREEABLE, REPELLENT

¹**force** \'fōrs\ *n* **1** : strength or energy esp. of an exceptional degree : active

forceps | **183** | **foreshore**

power **2** : capacity to persuade or convince **3** : military strength; *also, pl* : the whole military strength (as of a nation) **4** : a body (as of persons or ships) assigned to or available for a particular purpose **5** : VIOLENCE, COMPULSION **6** : an influence (as a push or pull) that causes motion or a change of motion — **force·ful** *adj*

²**force** *vb* **1** : COMPEL, COERCE **2** : to cause through necessity ⟨*forced* to admit defeat⟩ **3** : to press, attain to, or effect against resistance or inertia ⟨~ your way through⟩ **4** : to achieve or win by strength in struggle or violence **5** : to raise or accelerate to the utmost ⟨~ the pace⟩ **6** : to produce with unnatural or unwilling effort ⟨*forced* laughter⟩ **7** : to hasten (as in growth) by artificial means

for·ceps \'fȯr-səps\ *n, pl* **forceps** : a hand-held instrument for grasping, holding, or pulling objects esp. for delicate operations

forc·ible \'fȯr-sə-bəl\ *adj* **1** : obtained or done by force **2** : showing force or energy : POWERFUL — **forc·ibly** *adv*

¹**ford** \'fȯrd\ *n* : a place where a stream may be crossed by wading

²**ford** *vb* : to cross by a ford

¹**fore** \'fōr\ *adv* : in, toward, or adjacent to the front : FORWARD

²**fore** *adj* : being or coming before in time, order, or space

³**fore** *n* **1** : FRONT **2** : something that occupies a front position

¹**fore·arm** \'fōr-'ärm\ *vb* : to arm in advance : PREPARE

²**fore·arm** \'fōr-,ärm\ *n* : the part of the arm between the elbow and the wrist

fore·bear *also* **for·bear** \'fōr-,baər\ *or* **for·bear** \'fōr-\ *n* : ANCESTOR, FOREFATHER

fore·bode *also* **for·bode** \fōr-'bōd, fȯr-\ *vb* **1** : FORETELL, PORTEND **2** : to have a premonition esp. of misfortune **syn** augur, predict — **fore·bod·ing** *n*

fore·cast \'fōr-,kast\ *vb* **-cast** *or* **-cast·ed; -cast·ing 1** : PREDICT, CALCULATE ⟨~ weather conditions⟩ **2** : to indicate as likely to occur : FORESEE — **forecast** *n* — **fore·cast·er** *n*

fore·cas·tle \'fōk-səl\ *n* **1** : the upper deck of a ship in front of the foremast **2** : the forward part of a merchant ship where the sailors live

fore·close \fōr-'klōz\ *vb* **1** : to shut out : DEBAR **2** : to take legal measures to terminate a mortgage and take possession of the mortgaged property

fore·clo·sure \-'klō-zhər\ *n* : the act of foreclosing; *esp* : the legal procedure of foreclosing a mortgage

fore·fa·ther \'fōr-,fäth-ər\ *n* **1** : ANCESTOR **2** : a person of an earlier period and common heritage

fore·fin·ger \-,fiŋ-gər\ *n* : the finger next to the thumb

fore·foot \-,fu̇t\ *n* : either of the front feet of a quadruped

fore·front \-,frənt\ *n* : the foremost part or place : VANGUARD

¹**fore·go** \fōr-'gō\ *vb* : PRECEDE

²**forego** *var of* FORGO

fore·go·ing *adj* : PRECEDING ⟨the ~ paragraphs⟩

fore·gone \-'gȯn\ *adj* : determined in advance : PREVIOUS, PAST ⟨a ~ conclusion⟩

fore·ground \'fōr-,grau̇nd\ *n* **1** : the part of a scene or representation that appears nearest to and in front of the spectator **2** : a position of prominence

fore·hand \-,hand\ *n* : a stroke made with the palm of the hand turned in the direction in which the hand is moving; *also* : the side on which such a stroke is made — **forehand** *adj*

fore·hand·ed \-'han-dəd\ *adj* : mindful of the future : THRIFTY, PRUDENT

fore·head \'fȯr-əd, 'fōr-,hed\ *n* : the part of the face above the eyes

for·eign \'fȯr-ən\ *adj* [OF *forein*, fr. LL *foranus* situated outside, fr. L *foris* outside] **1** : situated outside a place or country and esp. one's own country **2** : born in, belonging to, or characteristic of some place or country other than the one under consideration ⟨~ language⟩ **3** : not connected or pertinent **4** : related to or dealing with other nations ⟨~ affairs⟩ **5** : occurring in an abnormal situation in the living body ⟨a ~ body in the eye⟩

for·eign·er \-ər\ *n* : a person belonging to or owing allegiance to a foreign country : ALIEN

foreign minister *n* : a governmental minister for foreign affairs

fore·know \fōr-'nō\ *vb* : to have previous knowledge of : know beforehand —
fore·knowl·edge \-'näl-ij\ *n*

fore·leg \-,leg\ *n* : either of the front legs of a quadruped

fore·limb \-,lim\ *n* : either of an anterior pair of limbs (as wings, arms, or fins)

fore·lock \-,läk\ *n* : a lock of hair growing from the front part of the head

fore·man \'fōr-mən\ *n* **1** : a spokesman of a jury **2** : a workman in charge of a group of workers

fore·mast \-,mast, -məst\ *n* : the mast nearest the bow of a ship

fore·most \-,mōst\ *adj* : first in time, place, or order : most important : PREEMINENT — **foremost** *adv*

fore·name \-,nām\ *n* : a first name

fore·named \-,nāmd\ *adj* : previously named : AFORESAID

fore·noon \-,nün\ *n* : the period from morning to noon : MORNING

¹**fo·ren·sic** \fə-'ren-sik\ *adj* [L *forensis*, lit., of the forum, where the lawcourts of ancient Rome were located] : belonging to, used in, or suitable to courts of law or to public speaking or debate

²**forensic** *n* **1** : an argumentative exercise **2** *pl* : the art or study of argumentative discourse

fore·or·dain \,fōr-ȯr-'dān\ *vb* : to ordain or decree beforehand : PREDESTINE

fore·quar·ter \'fōr-,kwȯrt-ər\ *n* : the front half of a lateral half of the body or carcass of a quadruped ⟨a ~ of beef⟩

fore·run·ner \-,rən-ər\ *n* **1** : one that goes or is sent before to give notice of the approach of others : HARBINGER **2** : PREDECESSOR, ANCESTOR **syn** precursor, herald

fore·see \fōr-'sē\ *vb* : to see or realize beforehand : EXPECT **syn** foreknow, divine, apprehend, anticipate — **fore·see·able** *adj*

fore·shad·ow \-'shad-ō\ *vb* : to give a hint or suggestion of beforehand : represent beforehand

fore·shore \-,shōr\ *n* : the part of a seashore between high-water and low-water marks

fore·sight \'fōr-ˌsīt\ *n* **1** : the act or power of foreseeing **2** : an act of looking forward; *also* : a view forward **3** : care or provision for the future : PRUDENCE — **fore·sight·ed** *adj*

fore·skin \-ˌskin\ *n* : a fold of skin enclosing the end of the penis

for·est \'fȯr-əst\ *n* : a large thick growth of trees and underbrush — **for·est·ed** *adj*

fore·stall \fōr-'stȯl\ *vb* **1** : to keep out, hinder, or prevent by measures taken in advance **2** : ANTICIPATE

for·est·ry \'fȯr-ə-strē\ *n* : the science of growing and caring for forests — **for·est·er** *n*

¹fore·taste \'fōr-ˌtāst\ *n* : an advance indication, warning, or notion

²fore·taste \fōr-'tāst\ *vb* : to taste beforehand : ANTICIPATE

fore·tell \fōr-'tel\ *vb* : to tell of beforehand : PREDICT **syn** forecast, prophesy, prognosticate

fore·thought \'fōr-ˌthȯt\ *n* **1** : PREMEDITATION **2** : consideration for the future

for·ev·er \fər-'ev-ər\ *adv* **1** : for a limitless time **2** : at all times : ALWAYS

fore·warn \fōr-'wȯrn\ *vb* : to warn beforehand

fore·word \-ˌwərd\ *n* : PREFACE

¹for·feit \'fȯr-fət\ *n* **1** : something forfeited : PENALTY, FINE **2** : FORFEITURE **3** : something deposited and then redeemed on payment of a fine **4** *pl* : a game in which forfeits are exacted

²forfeit *vb* : to lose or lose the right to by some error, offense, or crime

for·fend \fȯr-'fend\ *vb* **1** : to ward off **2** : PROTECT, PRESERVE

for·gath·er *or* **fore·gath·er** \fȯr-'gath-ər, fōr-\ *vb* **1** : to come together : ASSEMBLE **2** : to meet someone usu. by chance

¹forge \'fōrj\ *n* [OF, fr. L *fabrica*, fr. *faber* smith] : SMITHY

²forge *vb* **1** : to form (metal) by heating and hammering **2** : FASHION, SHAPE ⟨~ an agreement⟩ **3** : to make or imitate falsely esp. with intent to defraud ⟨~ a signature⟩ — **forg·er** *n* — **forg·ery** *n*

³forge *vb* : to move ahead steadily but gradually

for·get \fər-'get\ *vb* **-got; -got·ten** *or* **-got; -get·ting 1** : to be unable to think of or recall **2** : to fail to become mindful of at the proper time **3** : NEGLECT, DISREGARD ⟨*forgot* his old friends⟩ — **for·get·ful** *adj* — **for·get·ful·ness** *n*

forg·ing \'fȯr-jiŋ\ *n* : a piece of forged work

for·give \fər-'giv\ *vb* **-gave; -giv·en; -giv·ing 1** : PARDON, ABSOLVE **2** : to give up resentment of **3** : to grant relief from payment of — **for·giv·able** *adj* — **for·give·ness** *n*

for·giv·ing *adj* : showing forgiveness : inclined or ready to forgive

for·go *or* **fore·go** \fȯr-'gō, fōr-\ *vb* : to give up : abstain from : RENOUNCE

¹fork \'fȯrk\ *n* **1** : an implement with two or more prongs for taking up (as in eating), piercing, pitching, or digging **2** : a forked part, tool, or piece of equipment **3** : a dividing into branches or a place where something branches; *also* : a branch of such a fork

²fork *vb* **1** : to divide into two or more branches **2** : to give the form of a fork to ⟨~*ing* her fingers⟩ **3** : to raise or pitch with a fork ⟨~ hay⟩

forked \'fȯrkt, 'fȯr-kəd\ *adj* : having a fork : shaped like a fork ⟨~ lightning⟩

for·lorn \fər-'lȯrn\ *adj* **1** : DESERTED, FORSAKEN **2** : WRETCHED **3** : nearly hopeless — **for·lorn·ly** *adv*

¹form \'fȯrm\ *n* **1** : SHAPE, STRUCTURE **2** : a body esp. of a person : FIGURE **3** : the essential nature of a thing **4** : established manner of doing or saying something **5** : FORMULA **6** : a printed or typed document with blank spaces for insertion of requested information ⟨tax ~⟩ **7** : CEREMONY, CONVENTIONALITY **8** : manner or style of performing according to recognized standards **9** : a long seat : BENCH **10** : a frame model of the human figure used for displaying clothes **11** : MOLD ⟨a ~ for concrete⟩ **12** : type or plates in a frame ready for printing **13** : MODE, KIND, VARIETY ⟨coal is a ~ of carbon⟩ **14** : orderly method of arrangement; *also* : a particular kind or instance of such arrangement ⟨the sonnet ~ in poetry⟩ **15** : the structural element, plan, or design of a work of art **16** : a bounded surface or volume **17** : a grade in a British secondary school or in some American private schools **18** : a table with information on the past performances of racehorses **19** : known ability to perform; *also* : condition (as of an athlete) suitable for performing

²form *vb* **1** : to give form or shape to : FASHION, MAKE **2** : to give a particular shape to : ARRANGE **3** : TRAIN, INSTRUCT **4** : DEVELOP, ACQUIRE ⟨~ a habit⟩ **5** : to make up : CONSTITUTE **6** : to arrange in order ⟨~ a battle line⟩ **7** : to take form : ARISE ⟨clouds are ~*ing*⟩ **8** : to take a definite form, shape, or arrangement — **form·er** *n*

¹for·mal \'fȯr-məl\ *adj* **1** : CONVENTIONAL **2** : done in due or lawful form ⟨a ~ contract⟩ **3** : based on conventional forms and rules ⟨a ~ reception⟩ **4** : CEREMONIOUS, PRIM ⟨a ~ manner⟩ **5** : NOMINAL — **for·mal·ly** *adv*

²formal *n* : something (as a social event) formal in character

form·al·de·hyde \fȯr-'mal-də-ˌhīd\ *n* : a colorless pungent gas used in water solution as a preservative and disinfectant

for·mal·ism \'fȯr-mə-ˌliz-əm\ *n* : strict adherence to set forms

for·mal·i·ty \fȯr-'mal-ət-ē\ *n* **1** : the quality or state of being formal **2** : compliance with formal or conventional rules : CEREMONY **3** : an established form that is required or conventional

for·mal·ize \'fȯr-mə-ˌlīz\ *vb* **1** : to give a certain or definite form to : SHAPE **2** : to make formal; *also* : to give formal status or approval to

for·mat \'fȯr-ˌmat\ *n* **1** : the general composition or style of a publication **2** : the general plan or arrangement of something

for·ma·tion \fȯr-'mā-shən\ *n* **1** : a giving form to something : DEVELOPMENT **2** : something that is formed **3** : STRUCTURE, SHAPE **4** : an arrangement of persons, ships, or airplanes

for·ma·tive \'fȯr-mət-iv\ *adj* **1** : giving or capable of giving form : CONSTRUCTIVE **2** : of, relating to, or characterized

by important growth or formation ⟨a child's ~ years⟩
for·mer \'fȯr-mər\ *adj* **1** : PREVIOUS, EARLIER **2** : FOREGOING **3** : being first mentioned or in order of two things
form·fit·ting \'fȯrm-,fit-iŋ\ *adj* : conforming to the outline of the body : close-fitting
for·mi·da·ble \'fȯr-məd-ə-bəl\ *adj* **1** : exciting fear, dread, or awe **2** : imposing serious difficulties
form·less \'fȯrm-ləs\ *adj* : having no definite shape or form
for·mu·la \'fȯr-myə-lə\ *n*, *pl* **-las** *also* **-lae** \-,lē\ **1** : a set form of words for ceremonial use **2** : a conventionalized statement intended to express some fundamental truth **3** : RECIPE **4** : a milk mixture or substitute for a baby **5** : a group of symbols or figures joined to express a single rule or idea **6** : a prescribed or set form or method
for·mu·late \-,lāt\ *vb* **1** : to express in a formula **2** : to state definitely and clearly ⟨~ a plan⟩ **3** : to prepare according to a formula — **for·mu·la·tion** \,fȯr-myə-'lā-shən\ *n*
for·ni·ca·tion \,fȯr-nə-'kā-shən\ *n* : human sexual intercourse other than between a man and his wife
for·sake \fər-'sāk\ *vb* **-sook** \-'sůk\ **-sak·en** \-'sā-kən\ **-sak·ing** **1** : to give up : RENOUNCE **2** : to quit or leave entirely : ABANDON — **for·sak·en** *adj*
for·swear *or* **fore·swear** \fȯr-'swaər, fōr-\ *vb* **1** : to renounce earnestly or upon oath **2** : to deny upon oath **3** : to swear falsely : commit perjury
for·syth·ia \fər-'sith-ē-ə\ *n* : a shrub widely grown for its yellow bell-shaped flowers borne in early spring
fort \'fȯrt\ *n* **1** : a fortified place **2** : a permanent army post
¹forte \'fȯrt, fȯr-,tā\ *n* : something in which a person excels ⟨cooking is her ~⟩
²for·te \'fȯr-,tā\ *adv* (*or adj*) : LOUDLY, POWERFULLY — used as a direction in music
forth \'fōrth\ *adv* **1** : FORWARD, ONWARD ⟨from that day ~⟩ **2** : out into view ⟨put ~ leaves⟩
forth·com·ing \fōrth-'kəm-iŋ\ *adj* **1** : APPROACHING, COMING ⟨the ~ holidays⟩ **2** : readily available or approachable ⟨the funds will be ~⟩
forth·right \'fōrth-,rīt\ *adj* : DIRECT, STRAIGHTFORWARD ⟨a ~ answer⟩
forth·with \fōrth-'with, -'with\ *adv* : IMMEDIATELY
for·ti·fy \'fȯrt-ə-,fī\ *vb* **1** : to strengthen and secure by military defenses **2** : to give physical strength, courage, or endurance to **3** : ENCOURAGE **4** : ENRICH ⟨~ bread with vitamins⟩ — **for·ti·fi·ca·tion** \,fȯrt-ə-fə-'kā-shən\ *n*
for·ti·tude \'fȯrt-ə-,t(y)üd\ *n* : strength of mind that enables a person to meet danger or bear pain or adversity with courage *syn* grit, backbone, pluck
fort·night \'fȯrt-,nīt\ *n* [ME *fourtene night* fourteen nights] : the space of 14 days : two weeks
for·tress \'fȯr-trəs\ *n* : FORT
for·tu·i·tous \fȯr-'t(y)ü-ət-əs\ *adj* : happening by chance : ACCIDENTAL
for·tu·i·ty \-ət-ē\ *n* **1** : the quality or state of being fortuitous **2** : a chance event or occurrence
for·tu·nate \'fȯrch-(ə-)nət\ *adj* **1** : coming by good luck **2** : LUCKY — **for·tu·nate·ly** *adv*
for·tune \'fȯr-chən\ *n* **1** : CHANCE, LUCK **2** : good or bad luck **3** : FATE, DESTINY **4** : RICHES, WEALTH
for·ty \'fȯrt-ē\ *n* : four times 10 — **for·ti·eth** *adj or n* — **forty** *adj or pron*
fo·rum \'fōr-əm\ *n*, *pl* **forums** *also* **fo·ra** \-ə\ **1** : the marketplace or central meeting place of an ancient Roman city **2** : a medium (as a publication) of open discussion **3** : COURT **4** : a public assembly, lecture, or program involving audience or panel discussion
¹for·ward \'fȯr-wərd\ *adj* **1** : being near or at or belonging to the front **2** : EAGER, READY **3** : BRASH, BOLD **4** : notably advanced or developed : PRECOCIOUS **5** : moving, tending, or leading toward a position in front ⟨a ~ movement⟩ **6** : EXTREME, RADICAL **7** : of, relating to, or getting ready for the future — **for·ward·ness** *n*
²forward *adv* : to or toward what is before or in front
³forward *n* : a player stationed near the front of his team (as in basketball)
⁴forward *vb* **1** : to help onward : ADVANCE **2** : to send forward : TRANSMIT **3** : to send or ship onward
¹fos·sil \'fäs-əl\ *n* **1** : a trace or impression or the remains of a plant or animal preserved in the earth's crust from past ages **2** : a person whose ideas are out-of-date — **fos·sil·ize** *vb*
²fossil *adj* **1** : extracted from the earth ⟨~ fuels such as coal⟩ **2** : being or resembling a fossil ⟨~ plants⟩
¹fos·ter \'fȯs-tər\ *adj* : affording, receiving, or sharing nourishment or parental care though not related by blood or legal ties ⟨~ parent⟩ ⟨~ child⟩
²foster *vb* **1** : to give parental care to : NURTURE **2** : to promote the growth or development of : ENCOURAGE
fought *past of* FIGHT
¹foul \'faůl\ *adj* **1** : offensive to the senses : LOATHSOME; *also* : clogged with dirt **2** : ODIOUS, DETESTABLE **3** : OBSCENE, ABUSIVE **4** : DISAGREEABLE, STORMY ⟨~ weather⟩ **5** : TREACHEROUS, DISHONORABLE, UNFAIR **6** : marking the bounds of a playing field ⟨~ lines⟩; *also* : being outside the foul line ⟨~ ball⟩ ⟨~ territory⟩ **7** : marked up or defaced by changes ⟨~ manuscript⟩ **8** : ENTANGLED — **foul·ly** \'faůl-(l)ē\
²foul *n* **1** : ENTANGLEMENT, COLLISION **2** : an infraction of the rules in a game or sport; *also* : a baseball hit outside the foul line
³foul *adv* : FOULLY
⁴foul *vb* **1** : to make or become foul or filthy **2** : DISGRACE, DISHONOR **3** : to make or hit a foul **4** : to entangle or become entangled **5** : OBSTRUCT, BLOCK **6** : to collide with
¹found \'faůnd\ *past of* FIND
²found *vb* **1** : to take the first steps in building ⟨~ a colony⟩ **2** : to set or ground on something solid : BASE **3** : to establish and often to provide for the future maintenance of ⟨~ a college⟩ —
³found *vb* **1** : to melt (metal) and pour into a mold **2** : to make by founding metal — **found·er** *n*
foun·da·tion \faůn-'dā-shən\ *n* **1** : the act of founding **2** : the base or basis

founder ... **frantic**

upon which something stands or is supported ⟨suspicions without ~⟩ **3** : funds given for the permanent support of an institution : ENDOWMENT; *also* : an institution so endowed **4** : supporting structure : BASE **5** : CORSET

foun·der \'faún-dər\ *vb* **1** : to make or become lame ⟨~ a horse⟩ **2** : to give way : COLLAPSE **3** : to sink below the surface of the water ⟨a ~*ing* ship⟩

found·ling \'faúnd-liŋ\ *n* : an infant found after its unknown parents have abandoned it

found·ry \'faún-drē\ *n* : a building or works where metal is cast

foun·tain \'faúnt-ᵊn\ *n* **1** : a spring of water **2** : SOURCE **3** : an artificial jet of water **4** : a container for liquid that can be drawn off as needed

four \'fōr\ *n* **1** : one more than three **2** : the 4th in a set or series **3** : something having four units — **four** *adj or pron*

four·fold \-'fōld\ *adj* **1** : having four units or members **2** : of or amounting to 400 percent — **fourfold** *adv*

Four Hundred *or* **400** *n* : the exclusive social set of a community — used with *the*

four–in–hand \'fōr-ən-,hand\ *n* **1** : a team of four horses driven by one person; *also* : a vehicle drawn by such a team **2** : a necktie tied in a slipknot with long ends overlapping vertically in front

four–post·er \-'pō-stər\ *n* : a bed with tall corner posts orig. designed to support curtains or a canopy

four·score \-,skōr\ *adj* : being four times twenty : EIGHTY

four·some \-səm\ *n* **1** : a group of four persons or things **2** : a golf match between two pairs of partners

four·square \-'skwaər\ *adj* **1** : SQUARE **2** : marked by boldness and conviction; *also* : FORTHRIGHT — **foursquare** *adv*

four·teen \'fōr-'tēn\ *n* : one more than 13 — **fourteen** *adj or pron* — **fourteenth** *adj or n*

¹**fourth** \'fōrth\ *adj* **1** : being number four in a countable series **2** : next after the third — **fourth** *adv*

²**fourth** *n* **1** : one that is fourth **2** : one of four equal parts of something **3** : the 4th forward gear in an automotive vehicle

fourth estate *n, often cap F & E* : the public press

¹**fowl** \'faúl\ *n* **1** : BIRD **2** : a domestic cock or hen; *also* : the flesh of these used as food

²**fowl** *vb* : to hunt wildfowl — **fowl·er** *n*

¹**fox** \'fäks\ *n* **1** : a mammal related to the wolves but smaller and with shorter legs and pointed muzzle **2** : a clever crafty person

²**fox** *vb* : TRICK, OUTWIT

fox·glove \-,gləv\ *n* : a plant grown for its showy spikes of dotted white or purple tubular flowers and as a source of digitalis

foxy *adj* : WILY; *also* : CLEVER

foy·er \'fói-ər, 'fói-,(y)ā\ *n* : LOBBY; *also* : an entrance hallway

frac·tion \'frak-shən\ *n* **1** : a numerical representation of one or more equal parts of a unit ⟨½, ⅜, .256 are ~s⟩ **2** : FRAGMENT **3** : PORTION — **frac·tion·al** *adj*

frac·tious \-shəs\ *adj* **1** : tending to be troublesome : hard to handle or control **2** : QUARRELSOME, IRRITABLE

frac·ture \'frak-chər\ *n* **1** : a breaking of something and esp. a bone **2** : CRACK, CLEFT — **fracture** *vb*

frag·ile \'fraj-əl\ *adj* : easily broken : DELICATE — **fra·gil·i·ty** \frə-'jil-ət-ē\ *n*

frag·ment \'frag-mənt\ *n* : a part broken off, detached, or incomplete

frag·men·tary \-mən-,ter·ē\ *adj* : made up of fragments : INCOMPLETE

fra·grant \'frā-grənt\ *adj* : sweet or agreeable in smell — **fra·grance** *n* — **fra·grant·ly** *adv*

frail \'frāl\ *adj* **1** : morally or physically weak **2** : FRAGILE, DELICATE

frail·ty \'frā(-ə)l-tē\ *n* **1** : the quality or state of being frail **2** : a fault due to weakness (as of character)

¹**frame** \'frām\ *vb* **1** : PLAN, CONTRIVE **2** : FORMULATE **3** : SHAPE, CONSTRUCT **4** : to draw up ⟨~ a constitution⟩ **5** : to fit or adjust for a purpose : ARRANGE **6** : to provide with or enclose in a frame **7** : to make appear guilty ⟨~ an innocent man⟩ — **fram·er**

²**frame** *n* **1** : something made of parts fitted and joined together **2** : the physical makeup of the body **3** : an arrangement of structural parts that gives form or support **4** : a supporting or enclosing border or open case (as for a window or picture) **5** : a particular state or disposition (as of mind) : MOOD

frame of a roof

frame–up \-,əp\ *n* : a scheme to cause an innocent person to be accused of a crime; *also* : the action resulting from such a scheme

frame·work \-,wərk\ *n* **1** : a skeletal, openwork, or structural frame **2** : a basic structure (as of ideas)

fran·chise \'fran-,chīz\ *n* **1** : a special privilege granted to an individual or group ⟨a ~ to operate a ferry⟩ **2** : a constitutional or statutory right or privilege; *esp* : the right to vote

¹**frank** \'fraŋk\ *adj* : marked by free, forthright, and sincere expression : OUTSPOKEN — **frank·ly** *adv* — **frank·ness** *n*

²**frank** *vb* : to mark (a piece of mail) with an official signature or sign indicating that it can be mailed free; *also* : to mail in this manner

³**frank** *n* **1** : a signature, mark, or stamp on a piece of mail indicating that it can be mailed free **2** : the privilege of sending mail free of charge

Fran·ken·stein \'fraŋ-kən-,stīn, -,stēn\ *n* **1** : a work or agency that ruins its originator **2** : a monster in the shape of a man

frank·furt·er *or* **frank·fort·er** \'fraŋk-fə(r)t-ər\ *or* **frank·furt** *or* **frank·fort** \-fərt\ *n* : a seasoned beef or beef and pork sausage

frank·in·cense \'fraŋ-kən-,sens\ *n* : a fragrant resin burned as incense

fran·tic \'frant-ik\ *adj* : wildly excited : FRENZIED — **fran·ti·cal·ly** *adv*

fraternal   187   **fresh**

fra·ter·nal \frə-'tərn-ᵊl\ *adj* **1** : of, relating to, or involving brothers **2** : of, relating to, or being a fraternity or society **3** : FRIENDLY, BROTHERLY — **fra·ter·nal·ly** *adv*

fra·ter·ni·ty \-'tər-nət-ē\ *n* **1** : a social, honorary, or professional organization; *esp* : a social club of male college students **2** : BROTHERLINESS, BROTHERHOOD **3** : men of the same class, profession, or tastes ⟨the legal ~⟩

frat·er·nize \'frat-ər-,nīz\ *vb* **1** : to associate or mingle as brothers or friends **2** : to associate on intimate terms with citizens or troops of a hostile nation —

fraud \'frod\ *n* **1** : DECEIT, TRICKERY **2** : TRICK **3** : IMPOSTOR, CHEAT

fraud·u·lent \'froj-ə-lənt\ *adj* : characterized by, based on, or done by fraud

fraught \'frot\ *adj* **1** : ACCOMPANIED ⟨~ with memories⟩ **2** : bearing promise or menace

¹fray \'frā\ *n* : BRAWL, FIGHT; *also* : DISPUTE

²fray *vb* **1** : to wear (as an edge of cloth) by rubbing **2** : to separate the threads at the edge of **3** : to wear out or into shreds **4** : STRAIN, IRRITATE ⟨~ed nerves⟩

fraz·zle \'fraz-əl\ *vb* **1** : FRAY **2** : to put in a state of extreme physical or nervous fatigue

freak \'frēk\ *n* **1** : WHIM, CAPRICE **2** : a strange, abnormal, or unusual person or thing — **freak·ish** *adj*

freck·le \'frek-əl\ *n* : a brownish spot on the skin — **freckle** *vb*

¹free \'frē\ *adj* **1** : having liberty **2** : not controlled by others : INDEPENDENT; *also* : not allowing slavery **3** : not subject to a duty, tax, or other charge **4** : released or not suffering from something unpleasant **5** : given without charge **6** : made or done voluntarily : SPONTANEOUS **7** : LAVISH **8** : PLENTIFUL **9** : OPEN, FRANK **10** : not restricted by conventional forms **11** : not literal or exact **12** : not obstructed : CLEAR **13** : not being used or occupied **14** : not fastened or bound — **free·ly** *adv*

²free *adv* **1** : FREELY **2** : without charge

³free *vb* **1** : to set free **2** : RELIEVE, RID **3** : DISENTANGLE, CLEAR **syn** release, liberate, discharge

free·board \'frē-,bōrd\ *n* : the vertical distance between the waterline and the deck of a ship

free·born \-'bȯrn\ *adj* **1** : not born in vassalage or slavery **2** : relating to or befitting one that is freeborn

freed·man \'frēd-mən\ *n* : a man freed from slavery

free·dom \'frēd-əm\ *n* **1** : the quality or state of being free : INDEPENDENCE **2** : EXEMPTION, RELEASE **3** : EASE, FACILITY **4** : FRANKNESS **5** : unrestricted use **6** : a political right; *also* : FRANCHISE, PRIVILEGE

free·hand \'frē-,hand\ *adj* : done without mechanical aids or devices : FREE ⟨~ drawing⟩

free·hold \'frē-,hōld\ *n* : ownership of an estate for life usu. with the right to bequeath it to one's heirs; *also* : an estate thus owned — **free·hold·er** *n*

free·man \-mən\ *n* **1** : one who has civil or political liberty **2** : one having the full rights of a citizen

free·stand·ing \-'stan-diŋ\ *adj* : standing alone or on its own foundation

free·stone \-,stōn\ *n* **1** : a stone that may be cut freely without splitting **2** : a fruit stone to which the flesh does not cling; *also* : a fruit (as a peach or cherry) having such a stone

free·way \'frē-,wā\ *n* : an expressway with fully controlled access

free will *n* : the power to choose without restraint of physical or divine necessity or causal law

free·will \,frē-,wil\ *adj* : VOLUNTARY ⟨a ~ offering⟩

¹freeze \'frēz\ *vb* **froze** \'frōz\ **fro·zen** \'frōz-ᵊn\ **freez·ing 1** : to harden into ice or a like solid by loss of heat **2** : to chill or become chilled with cold **3** : to act or become coldly formal in manner **4** : to act toward in a stiff and formal way **5** : to damage by frost **6** : to adhere solidly by freezing **7** : to cause to grip tightly or remain in immovable contact **8** : to clog with ice **9** : to become fixed or motionless **10** : to fix at a certain stage or level ⟨~ rents⟩

²freeze *n* **1** : a state of weather marked by low temperature **2** : an act or instance of freezing **3** : the state of being frozen

freez·er *n* : one that freezes or keeps something cool; *esp* : a compartment for keeping food at a subfreezing temperature or for freezing perishable food rapidly

¹freight \'frāt\ *n* **1** : payment for carrying goods **2** : LOAD, CARGO **3** : the carrying of goods by some common carrier **4** : a train that carries freight

²freight *vb* **1** : to load with goods for transportation **2** : BURDEN, CHARGE **3** : to ship or transport by freight — **freight·er** *n*

French \'french\ *n* **1 French** *pl* : the people of France **2** : the language of France — **French** *adj*

fre·net·ic \fri-'net-ik\ *adj* : FRENZIED, FRANTIC — **fre·net·i·cal·ly** *adv*

fren·zy \'fren-zē\ *n* : temporary madness or a violently agitated state — **fren·zied** *adj*

fre·quen·cy \'frē-kwən-sē\ *n* **1** : the fact or condition of occurring frequently **2** : rate of occurrence **3** : the number of cycles per second of an alternating electric current **4** : the number of sound waves per second produced by a sounding body **5** : the number of complete oscillations per second of an electromagnetic wave

frequency modulation *n* : modulation of the frequency of a transmitting radio wave in accordance with the strength of the audio or video signal; *also* : a broadcasting system using such modulation

¹fre·quent \'frē-kwənt\ *adj* **1** : happening often or at short intervals **2** : HABITUAL, CONSTANT — **fre·quent·ly** *adv*

²fre·quent \frē-'kwent\ *vb* : to visit often : associate with, be in, or resort to habitually — **fre·quent·er** *n*

fres·co \'fres-kō\ *n*, *pl* **-coes** or **-cos** : the art of painting on fresh plaster; *also* : a painting done by this method

fresh \'fresh\ *adj* **1** : not salt ⟨~ water⟩ **2** : PURE, INVIGORATING **3** : fairly strong : BRISK ⟨~ breeze⟩ **4** : not

freshen   188   **front**

altered by processing (as freezing or canning) **5** : VIGOROUS, REFRESHED **6** : not stale, sour, or decayed ⟨~ bread⟩ **7** : not faded **8** : not worn or rumpled : SPRUCE **9** : experienced, made, or received newly or anew **10** : ADDITIONAL, ANOTHER ⟨made a ~ start⟩ **11** : ORIGINAL, VIVID **12** : INEXPERIENCED **13** : newly come or arrived ⟨~ from school⟩ **14** : IMPUDENT — **fresh·ly** *adv* — **fresh·ness** *n*

fresh·en \-ən\ *vb* : to make, grow, or become fresh

fresh·et \-ət\ *n* : an overflowing of a stream caused by heavy rains or melted snow

fresh·man \-mən\ *n* **1** : NOVICE, NEWCOMER **2** : a student in his first year (as in college)

fresh·wa·ter \-ˈwȯt-ər, -ˈwät-\ *adj* **1** : of, relating to, or living in water that is not salt **2** : accustomed to navigation only on fresh water; *also* : UNSKILLED ⟨a ~ sailor⟩

¹**fret** \ˈfret\ *vb* **fret·ted; fret·ting 1** : to become irritated : WORRY, VEX **2** : WEAR, CORRODE **3** : FRAY **4** : to cause by wearing away **5** : GRATE, RUB, CHAFE **6** : AGITATE, RIPPLE

²**fret** *n* **1** : EROSION **2** : a worn or eroded spot **3** : IRRITATION

³**fret** *n* : ornamental work esp. of straight lines in symmetrical patterns

frets

⁴**fret** *n* : a metal or ivory ridge across the fingerboard of a stringed musical instrument

fret·ful *adj* **1** : IRRITABLE **2** : TROUBLED ⟨~ waters⟩ **3** : GUSTY ⟨a ~ wind⟩ — **fret·ful·ly** *adv* — **fret·ful·ness** *n*

fret·work \ˈfret-ˌwərk\ *n* **1** : decoration consisting of work adorned with frets **2** : ornamental openwork or work in relief

fri·ar \ˈfrī(-ə)r\ *n* [OF *frere*, lit., brother, fr. L *fratr-*, *frater*] : a member of a mendicant religious order

fri·ary \-ē\ *n* : a monastery of friars

fric·tion \ˈfrik-shən\ *n* **1** : the rubbing of one body against another **2** : the resistance to motion between two surfaces that are touching each other in machinery **3** : clash in opinions between persons or groups : DISAGREEMENT — **fric·tion·al** *adj*

Fri·day \ˈfrīd-ē\ *n* : the 6th day of the week

friend \ˈfrend\ *n* **1** : a person attached to another by respect or affection : ACQUAINTANCE **2** : one who is not hostile **3** : one who supports or favors something ⟨a ~ of art⟩ **4** *cap* : a member of the Society of Friends : QUAKER — **friend·less** *adj* — **friend·li·ness** *n* — **friend·ly** *adj* — **friend·ship** *n*

frieze \ˈfrēz\ *n* : an ornamental often sculptured band extending around something (as a building or room)

fright \ˈfrīt\ *n* **1** : sudden terror : ALARM **2** : something that is ugly or shocking

fright·en \-ᵊn\ *vb* **1** : to make afraid : TERRIFY **2** : to drive away or out by frightening **3** : to become frightened

fright·ful *adj* **1** : TERRIFYING **2** : STARTLING **3** : EXTREME ⟨~ thirst⟩ — **fright·ful·ly** *adv* — **fright·ful·ness** *n*

frig·id \ˈfrij-əd\ *adj* **1** : intensely cold **2** : lacking warmth or ardor : INDIFFERENT — **fri·gid·i·ty** \frij-ˈid-ət-ē\ *n*

frigid zone *n* : the area or region between the arctic circle and the north pole or between the antarctic circle and the south pole

frill \ˈfril\ *n* **1** : a gathered, pleated, or ruffled edging **2** : an ornamental addition : something unessential — **frilly** *adj*

fringe \ˈfrinj\ *n* **1** : an ornamental border consisting of short threads or strips hanging from cut or raveled edges or from a separate band **2** : something that resembles a fringe : BORDER **3** : something on the margin of an activity, process, or subject matter — **fringe** *vb*

fringe area *n* : a region in which reception from a broadcasting station is weak or subject to serious distortion

fringe benefit *n* : an employment benefit paid for by an employer without affecting basic wage rates

frip·pery \ˈfrip-(ə-)rē\ *n* **1** : cheap showy finery **2** : pretentious display

frisk \ˈfrisk\ *vb* **1** : to leap, skip, or dance in a lively or playful way : GAMBOL **2** : to search (a person) esp. for concealed weapons by running the hand rapidly over the clothing

frisky *adj* : FROLICSOME

¹**frit·ter** \ˈfrit-ər\ *n* : a small quantity of fried or sautéed batter often containing fruit or meat

²**fritter** *vb* **1** : to reduce or waste piecemeal : DISSIPATE **2** : to break into small fragments

friv·o·lous \ˈfriv-ə-ləs\ *adj* **1** : of little importance : TRIVIAL **2** : lacking in seriousness : PLAYFUL — **fri·vol·i·ty** \friv-ˈäl-ət-ē\ *n* — **friv·o·lous·ly** *adv*

frizz \ˈfriz\ *vb* : to curl in small tight curls — **frizz** *n* — **frizzy** *adj*

¹**friz·zle** \ˈfriz-əl\ *vb* : FRIZZ, CURL

²**frizzle** *vb* **1** : to fry until crisp and curled **2** : to cook with a sizzling noise

frock \ˈfräk\ *n* **1** : an outer garment worn by monks and friars **2** : an outer garment worn esp. by men **3** : a woolen jersey worn esp. by sailors **4** : a woman's or child's dress

frog \ˈfrȯg, ˈfräg\ *n* **1** : a largely aquatic smooth-skinned tailless leaping amphibian **2** : a soreness in the throat causing hoarseness **3** : an ornamental braiding for fastening the front of a garment by a loop through which a button passes

¹**frol·ic** \ˈfräl-ik\ *vb* **-icked; -ick·ing 1** : to make merry **2** : to play about happily : ROMP

²**frolic** *n* **1** : a playful mischievous action **2** : FUN, MERRIMENT — **frol·ic·some** *adj*

from \(ˈ)frəm, ˈfräm\ *prep* : forth out of — used to indicate a physical or abstract point of origin or beginning

¹**front** \ˈfrənt\ *n* **1** : FOREHEAD; *also* : the whole face **2** : DEMEANOR, BEARING **3** : external and often feigned appearance **4** : a region of active fighting; *also* : a sphere of activity **5** : the side of a building containing the main entrance **6** : the forward part or sur-

frontage — fully

face 7 : FRONTAGE **8** : a position directly before or ahead of something else **9** : a person, group, or thing used to mask the identity or true character or activity of the actual controlling agent — **fron·tal** \'frənt-ᵊl\ *adj*

²front *vb* **1** : FACE **2** : to serve as a front **3** : CONFRONT

front·age \'frənt-ij\ *n* **1** : the front face (as of a building) **2** : the direction in which something faces **3** : the front boundary line of a lot on a street; *also* : the length of such a line

fron·tier \,frən-'tiər\ *n* **1** : a border between two countries **2** : a region that forms the margin of settled territory in a country being populated **3** : the outer limits of knowledge or achievement ⟨the ~s of science⟩ — **fron·tiers·man**

fron·tis·piece \'frənt-ə-,spēs\ *n* : an illustration preceding and usu. facing the title page of a book

¹frost \'frȯst\ *n* **1** : freezing temperature **2** : a covering of minute ice crystals formed on a cold surface from atmospheric vapor — **frosty** *adj*

²frost *vb* **1** : to cover with frost **2** : to put icing on (as a cake) **3** : to produce a slightly roughened surface on (as glass) **4** : to injure or kill by frost **5** : QUICK-FREEZE ⟨~ed food⟩

frost·bite \'frȯs(t)-,bīt\ *n* : the freezing or the local effect of a partial freezing of some part of the body

frost·ing \'frȯs-tiŋ\ *n* **1** : ICING **2** : dull finish on metal or glass

froth \'frȯth\ *n* **1** : bubbles formed in or on a liquid by fermentation or agitation **2** : something light or frivolous

frown \'fraun\ *vb* **1** : to wrinkle the forehead (as in anger, displeasure, or thought) : SCOWL **2** : to look with disapproval **3** : to express with a frown

frow·zy *or* **frow·sy** \'frau-zē\ *adj* : having a slovenly or uncared-for appearance

froze *past of* FREEZE

fro·zen \'frōz-ᵊn\ *adj* **1** : affected or crusted over by freezing **2** : subject to long and severe cold **3** : CHILLED, REFRIGERATED **4** : expressing or characterized by cold unfriendliness **5** : incapable of being changed, moved, or undone : FIXED ⟨~ wages⟩ **6** : not available for present use ⟨~ capital⟩

fru·gal \'frü-gəl\ *adj* : ECONOMICAL, THRIFTY — **fru·gal·i·ty** \frü-'gal-ət-ē\ *n* — **fru·gal·ly** *adv*

¹fruit \'früt\ *n* [OF, fr. L *fructus* fruit, profit, fr. *frui* to enjoy, have the use of] **1** : a usu. useful product of plant growth; *esp* : a usu. edible and sweet reproductive body of a seed plant **2** : a product of fertilization in a plant; *esp* : the ripe ovary of a seed plant with its contents and appendages **3** : CONSEQUENCE, RESULT — **fruit·ful** *adj* — **fruit·ful·ness** *n* — **fruit·less** *adj*

²fruit *vb* : to bear or cause to bear fruit

fru·i·tion \frü-'ish-ən\ *n* **1** : ENJOYMENT **2** : the state of bearing fruit **3** : REALIZATION, ACCOMPLISHMENT

frus·trate \'frəs-,trāt\ *vb* **1** : to balk in an endeavor : BLOCK **2** : to bring to nothing : NULLIFY — **frus·tra·tion** \,frəs-'trā-shən\ *n*

¹fry \'frī\ *vb* **1** : to cook in a pan or on a griddle over a fire esp. with the use of fat **2** : to undergo frying

²fry *n* **1** : a dish of something fried **2** : a social gathering where fried food is eaten

³fry *n, pl* **fry 1** : a young or tiny fish **2** : a young or insignificant individual ⟨small ~⟩

fry·er \'frī(-ə)r\ *n* : something (as a pan) for frying; *esp* : a young chicken somewhat larger than a broiler

fudge \'fəj\ *n* **1** : NONSENSE **2** : a soft creamy candy of milk, sugar, butter, and flavoring

¹fu·el \'fyü-əl\ *n* : a substance (as coal) used to produce heat or power by combustion; *also* : a substance from which atomic energy can be liberated

²fuel *vb* **-eled** *or* **-elled**; **-el·ing** *or* **-el·ling** : to provide with or take in fuel

¹fu·gi·tive \'fyü-jət-iv\ *adj* **1** : running away or trying to escape **2** : likely to vanish suddenly : not fixed or lasting

²fugitive *n* **1** : one who flees or tries to escape **2** : something elusive or hard to find

¹-ful \fəl\ *adj suffix* **1** : full of ⟨event*ful*⟩ **2** : characterized by ⟨peace*ful*⟩ **3** : having the qualities of ⟨master*ful*⟩ **4** : -ABLE ⟨mourn*ful*⟩

²-ful \,fùl\ *n suffix* : number or quantity that fills or would fill ⟨room*ful*⟩

ful·crum \'fùl-krəm, 'fəl-\ *n, pl* **-crums** *or* **-cra** \-krə\ : the support on which a lever turns

fulcrum

ful·fill *or* **ful·fil** \fùl-'fil\ *vb* **-filled**; **-fill·ing 1** : to put into effect **2** : to bring to an end **3** : SATISFY ⟨~ requirements⟩ — **ful·fill·ment** *n*

¹full \'fùl\ *adj* **1** : FILLED **2** : COMPLETE **3** : having all the distinguishing characteristics ⟨a ~ member⟩ **4** : MAXIMUM **5** : rounded in outline **6** : having an abundance of material ⟨a ~ skirt⟩ **7** : possessing or containing an abundance ⟨~ of wrinkles⟩ **8** : rich in detail ⟨a ~ report⟩ **9** : satisfied esp. with food or drink **10** : having volume or depth of sound **11** : completely occupied with a thought or plan — **full·ness** *also* **ful·ness** *n*

²full *adv* **1** : VERY, EXTREMELY **2** : ENTIRELY **3** : EXACTLY **4** : STRAIGHT, SQUARELY ⟨hit him ~ in the face⟩

³full *n* **1** : the utmost extent **2** : the highest or fullest state or degree **3** : the requisite or complete amount

⁴full *vb* : to shrink and thicken (woolen cloth) by moistening, heating, and pressing — **full·er** *n*

full·back \-,bak\ *n* : a football back stationed between the halfbacks

full dress *n* : the style of dress prescribed for ceremonial or formal social occasions

full–fledged \-'flejd\ *adj* **1** : fully developed : MATURE **2** : having full plumage

full moon *n* : the moon with its whole disk illuminated

full–scale \'fùl-'skāl\ *adj* **1** : identical to an original in proportion and size ⟨~ drawing⟩ **2** : involving full use of available resources ⟨a ~ biography⟩

ful·ly \'fùl-(l)ē\ *adv* **1** : in a full manner or degree : COMPLETELY **2** : at least ⟨~ nine tenths of us⟩

fulminate   190   **fuse**

ful·mi·nate \'fu̇l-mə-ˌnāt, 'fəl-\ *vb* **1** : to utter or send out censure or invective : condemn severely **2** : EXPLODE — **ful·mi·na·tion** \ˌfu̇l-mə-'nā-shən, ˌfəl-\ *n*

ful·some \'fu̇l-səm\ *adj* : offensive esp. from insincerity or baseness of motive : DISGUSTING

fum·ble \'fəm-bəl\ *vb* **1** : to grope about clumsily **2** : to fail to hold, catch, or handle properly ⟨~ a baseball⟩ — **fumble** *n*

¹**fume** \'fyüm\ *n* : a usu. irritating smoke, vapor, or gas

²**fume** *vb* **1** : to treat with fumes **2** : to give off fumes **3** : to express anger or annoyance

fu·mi·gate \'fyü-mə-ˌgāt\ *vb* : to treat with fumes to disinfect or destroy pests — **fu·mi·ga·tion** \ˌfyü-mə-'gā-shən\ *n*

fun \'fən\ *n* **1** : something that provides amusement or enjoyment **2** : AMUSEMENT, ENJOYMENT

¹**func·tion** \'fəŋk-shən\ *n* **1** : OCCUPATION **2** : special purpose **3** : a formal ceremony or social affair **4** : an action contributing to a larger action; *esp* : the normal contribution of a bodily part to the economy of the organism **5** : a mathematical quantity so related to another quantity that any change in the value of one is associated with a corresponding change in the other — **func·tion·al** *adj* — **func·tion·less** *adj*

²**function** *vb* **1** : SERVE **2** : OPERATE, WORK

func·tion·ary \'fəŋk-shə-ˌner-ē\ *n* : one who performs a certain function; *esp* : OFFICIAL

¹**fund** \'fənd\ *n* **1** : STORE, SUPPLY **2** : a sum of money or resources the income from which is set apart for a special purpose **3** *pl* : available money **4** : an organization administering a special fund

²**fund** *vb* : to convert (a short-term obligation) into a long-term interest-bearing debt

fun·da·men·tal \ˌfən-də-'ment-əl\ *adj* : PRIMARY, BASIC, RADICAL, PRINCIPAL — **fundamental** *n* — **fun·da·men·tal·ly** *adv*

fun·da·men·tal·ism \-ˌiz-əm\ *n*, *often cap* : a Protestant religious movement emphasizing the literal infallibility of the Scriptures — **fun·da·men·tal·ist** *adj or n*

¹**fu·ner·al** \'fyün-(ə-)rəl\ *adj* **1** : of, relating to, or constituting a funeral **2** : FUNEREAL 2

²**funeral** *n* : the ceremonies held for a dead person usu. before burial

fu·ner·ary \'fyü-nə-ˌrer-ē\ *adj* : of, used for, or associated with burial

fu·ne·re·al \fyu̇-'nir-ē-əl\ *adj* **1** : of or relating to a funeral **2** : suggesting a funeral

fun·gi·cide \'fən-jə-ˌsīd\ *n* : an agent that kills or checks the growth of fungi — **fun·gi·cid·al** \ˌfən-jə-'sīd-əl\ *adj*

fun·gus \'fəŋ-gəs\ *n*, *pl* **fun·gi** \'fən-ˌjī, 'fəŋ-ˌgī\ *also* **fun·gus·es** : any of a large group of lower plants that lack chlorophyll and include molds, mildews, mushrooms, and bacteria — **fungous** \'fəŋ-gəs\ *adj*

funk \'fəŋk\ *n* : a state of paralyzed fear : PANIC

¹**fun·nel** \'fən-əl\ *n* **1** : a cone-shaped utensil with a tube used for catching and directing a downward flow (as of liquid) **2** : FLUE, SMOKESTACK

²**funnel** *vb* **-neled** *also* **-nelled; -nel·ing** *also* **-nel·ling 1** : to pass through or as if through a funnel **2** : to move to a central point or into a central channel

¹**fun·ny** \'fən-ē\ *adj* **1** : AMUSING **2** : FACETIOUS **3** : QUEER **4** : UNDERHANDED **5** : COMIC

²**funny** *n* : a comic strip or a comic section of a newspaper or periodical

fur \'fər\ *n* **1** : the hairy coat of a mammal esp. when fine, soft, and thick; *also* : this coat dressed for human use **2** : an article of clothing made of or with fur — **fur** *adj*

fur·bish \'fər-bish\ *vb* **1** : POLISH **2** : RENOVATE, REVIVE

fu·ri·ous \'fyu̇r-ē-əs\ *adj* **1** : FIERCE, ANGRY, VIOLENT **2** : BOISTEROUS **3** : INTENSE — **fu·ri·ous·ly** *adv*

furl \'fərl\ *vb* **1** : to wrap or roll (as a sail or a flag) close to or around something **2** : to curl or fold in furls — **furl** *n*

fur·long \'fər-ˌlȯŋ\ *n* : a unit of length equal to 220 yards

fur·lough \'fər-lō\ *n* : a leave of absence from duty granted esp. to a soldier — **furlough** *vb*

fur·nace \'fər-nəs\ *n* : an enclosed structure in which heat is produced

fur·nish \'fər-nish\ *vb* **1** : to provide with what is needed : EQUIP **2** : SUPPLY, GIVE

fur·nish·ings *n pl* **1** : articles or accessories of dress ⟨men's ~⟩ **2** : FURNITURE

fur·ni·ture \'fər-ni-chər\ *n* : equipment that is necessary, useful, or desirable; *esp* : movable articles (as chairs, tables, or beds) for a room

fu·ror \'fyu̇r-ˌȯr\ *n* **1** : ANGER, RAGE **2** : FURORE

fu·rore \-ˌōr\ *n* **1** : a contagious excitement; *esp* : a fashionable craze **2** : UPROAR

fur·ri·er \'fər-ē-ər\ *n* : one who prepares or deals in fur — **fur·ri·ery** *n*

fur·row \'fər-ō\ *n* **1** : a trench in earth made by or as if by a plow **2** : a narrow groove (as a wrinkle) — **furrow** *vb*

fur·ry \'fər-ē\ *adj* **1** : resembling or consisting of fur **2** : covered with fur

¹**fur·ther** \'fər-thər\ *adv* **1** : ¹FARTHER 1 **2** : in addition **3** : to a greater extent or degree

²**further** *adj* **1** : ²FARTHER 1 **2** : ADDITIONAL

³**further** *vb* : to help forward : PROMOTE — **fur·ther·ance** *n*

fur·ther·more \-ˌmōr\ *adv* : in addition to what precedes : BESIDES

fur·ther·most \-ˌmōst\ *adj* : most distant : FARTHEST

fur·thest \'fər-thəst\ *adv* (*or adj*) : FARTHEST

fur·tive \'fərt-iv\ *adj* : done by stealth SLY, SECRET — **fur·tive·ly** *adv* — **fur·tive·ness** *n*

fu·ry \'fyu̇r-ē\ *n* **1** : violent anger : RAGE **2** : extreme fierceness or violence **3** : FRENZY

¹**fuse** \'fyüz\ *n* **1** : a tube filled with something flammable and lighted to transmit fire to an explosive **2** *usu* **fuze** : a mechanical or electrical device

for exploding the bursting charge of a projectile, bomb, or torpedo
²**fuse** *or* **fuze** *vb* : to equip with a fuse
³**fuse** *vb* **1** : MELT **2** : to unite by or as if by melting together — **fus·ible** *adj*
⁴**fuse** *n* : an electrical safety device in which metal melts and interrupts the circuit when the current becomes too strong
fu·see \fyü-'zē\ *n* **1** : a friction match with a bulbous head not easily blown out **2** : a red signal flare used esp. for protecting stalled trains and trucks
fu·se·lage \'fyü-sə-ˌläzh, -zə-\ *n* : the central body portion of an airplane that holds the crew, passengers, and cargo
fu·sil·lade \'fyü-sə-ˌläd, -zə-\ *n* : a discharge or a succession of discharges of a number of firearms at one time
fu·sion \'fyü-zhən\ *n* **1** : the process of melting or melting together **2** : a merging (as of diverse elements) by or as if by melting : COALITION **3** : the union of atomic nuclei to form heavier nuclei with the release of huge quantities of energy
¹**fuss** \'fəs\ *n* **1** : needless bustle or excitement : COMMOTION **2** : effusive praise **3** : a state of agitation **4** : OBJECTION, PROTEST **5** : DISPUTE
²**fuss** *vb* **1** : to create or be in a state of restless activity; *esp* : to shower flattering attentions **2** : to pay undue attention to small details **3** : WORRY

fussy *adj* **1** : IRRITABLE **2** : requiring or giving close attention to details **3** : FASTIDIOUS — **fuss·i·ly** *adv* — **fuss·i·ness** *n*
fus·ty \'fəs-tē\ *adj* **1** : MOLDY, MUSTY **2** : OLD-FASHIONED
fu·tile \'fyüt-°l\ *adj* **1** : USELESS, VAIN **2** : FRIVOLOUS, TRIVIAL — **fu·til·i·ty** \fyü-'til-ət-ē\ *n*
¹**fu·ture** \'fyü-chər\ *adj* **1** : coming after the present **2** : of, relating to, or constituting a verb tense that expresses time yet to come
²**future** *n* **1** : time that is to come **2** : what is going to happen **3** : an expectation of advancement or progressive development **4** : the future tense; *also* : a verb form in it
fu·tur·ism \-chə-ˌriz-əm\ *n* : a modern movement in art, music, and literature that tries esp. to express the energy and activity of contemporary life — **fu·tur·ist** *n*
fu·tur·is·tic \ˌfyü-chə-'ris-tik\ *adj* : of or relating to the future or to futurism
fu·tu·ri·ty \fyü-'t(y)ùr-ət-ē\ *n* **1** : FUTURE **2** : the quality or state of being future **3** *pl* : future events or prospects
fuzz \'fəz\ *n* : fine light particles or fibers (as of down or fluff)
fuzzy *adj* **1** : covered with or resembling fuzz **2** : INDISTINCT
-fy \ˌfī\ *vb suffix* **1** : make : form into ⟨dandi*fy*⟩ **2** : invest with the attributes of : make similar to ⟨citi*fy*⟩ — **-fi·er**

G

g \'jē\ *n, often cap* **1** : the 7th letter of the English alphabet **2** : a unit of force equal to the force exerted by gravity on a body at rest and used to indicate the force to which a body is subjected when accelerated
gab \'gab\ *vb* **gabbed; gab·bing** : to talk in a rapid or thoughtless manner : CHATTER — **gab** *n*
gab·ar·dine \'gab-ər-ˌdēn\ *n* **1** : GABERDINE **2** : a firm durable twilled fabric having diagonal ribs and made of various fibers; *also* : a garment of gabardine
gab·ble \'gab-əl\ *vb* : JABBER, BABBLE
ga·ble \'gā-bəl\ *n* : the triangular part at the end of a building formed by the sides of the roof sloping from the ridgepole down to the eaves — **ga·bled** *adj*
gad \'gad\ *vb* **gad·ded; gad·ding** : to roam about : wander restlessly and without purpose — **gad·der** *n*
gad·about \'gad-ə-ˌbaút\ *n* : a person who flits about in social activity
gad·fly \'gad-ˌflī\ *n* : a fly that bites or harasses (as livestock)
gad·get \'gaj-ət\ *n* : DEVICE, CONTRIVANCE — **gad·ge·teer** \ˌgaj-ə-'tiər\ *n* — **gad·get·ry** \'gaj-ə-trē\ *n*
Gael \'gāl\ *n* : a Celtic inhabitant of Ireland or Scotland
Gael·ic \'gā-lik\ *adj* : of or relating to the Gaels or their languages — **Gaelic** *n*
gaff \'gaf\ *n* **1** : a spear used in taking fish or turtles; *also* : a metal hook for holding or lifting heavy fish **2** : the

spar along the top of a fore-and-aft sail **3** : rough treatment : ABUSE
gaffe \'gaf\ *n* : a social blunder
¹**gag** \'gag\ *vb* **gagged; gag·ging 1** : to prevent from speaking or crying out by stopping up the mouth **2** : to prevent from speaking freely **3** : to cause to retch : RETCH **4** : OBSTRUCT, CHOKE **5** : BALK **6** : to make quips
²**gag** *n* **1** : something thrust into the mouth esp. to prevent speech or outcry **2** : a check to free speech **3** : a laugh-provoking remark or act **4** : HOAX, TRICK
¹**gage** \'gāj\ *n* **1** : a token of defiance; *esp* : a glove or cast on the ground as a pledge of combat **2** : SECURITY
²**gage** *var of* GAUGE
gai·ety \'gā-ət-ē\ *n* **1** : MERRYMAKING **2** : MERRIMENT **3** : FINERY
gai·ly \'gā-lē\ *adv* : in a gay manner
¹**gain** \'gān\ *n* **1** : PROFIT, ADVANTAGE **2** : ACQUISITION, ACCUMULATION **3** : INCREASE — **gain·ful** *adj*
²**gain** *vb* **1** : to get possession of : EARN **2** : WIN ⟨~ a victory⟩ **3** : ACHIEVE ⟨~ strength⟩ **4** : to arrive at **5** : PERSUADE **6** : to increase in ⟨~ momentum⟩ **7** : to run fast ⟨the watch ~s a minute a day⟩ **8** : PROFIT **9** : INCREASE **10** : to improve in health — **gain·er** *n*
gait \'gāt\ *n* : manner of moving on foot; *also* : a particular pattern or style of such moving — **gait·ed** *adj*
ga·la \'gā-lə, 'gal-ə\ *n* : a gay celebration : FESTIVITY — **gala** *adj*
gal·axy \'gal-ək-sē\ *n* **1** *often cap* : MILKY WAY GALAXY **2** : one of billions of systems each including stars, nebulae, and dust that make up the universe

3 : an assemblage of brilliant or famous persons or things — **ga·lac·tic** \gə-'lak-tik\ *adj*

gale \'gāl\ *n* 1 : a strong wind 2 : an emotional outburst (as of laughter)

¹**gall** \'gȯl\ *n* 1 : BILE 2 : something bitter to endure 3 : RANCOR 4 : IMPUDENCE

²**gall** *n* : a sore on the skin caused by chafing

³**gall** *vb* 1 : CHAFE; *esp* : to become sore or worn by rubbing 2 : VEX, HARASS

⁴**gall** *n* : a swelling of plant tissue caused by parasites (as fungi or mites)

¹**gal·lant** \gə-'lant, -'länt\ *n* 1 : a young man of fashion 2 : a man who shows a marked fondness for the company of women and who is esp. attentive to them 3 : SUITOR

²**gal·lant** \'gal-ənt (*usual for 3, 4*); gə-'lant, -'länt\ *adj* 1 : showy in dress or bearing : SMART 2 : SPLENDID, STATELY 3 : SPIRITED, BRAVE 4 : CHIVALROUS, NOBLE 5 : polite and attentive to women — **gal·lant·ly** *adv*

gal·lant·ry \'gal-ən-trē\ *n* 1 : *archaic* : gallant appearance 2 : an act of marked courtesy 3 : courteous attention to a woman 4 : conspicuous bravery

gall·blad·der \'gȯl-,blad-ər\ *n* : a pouch attached to the liver in which bile is stored

gal·lery \'gal-(ə-)rē\ *n* 1 : an outdoor balcony; *also* : PORCH, VERANDA 2 : a balcony in a theater, auditorium, or church; *esp* : the highest one in a theater 3 : a body of spectators (as at a tennis match) 4 : a long narrow room or hall; *esp* : one with windows along one side 5 : a narrow passage (as one made underground by a miner or through wood by an insect) 6 : a room where works of art are exhibited; *also* : an organization dealing in works of art 7 : an artist's studio — **gal·ler·ied** *adj*

gal·ley \'gal-ē\ *n* 1 : a former ship propelled by both oars and sails 2 : the kitchen of a ship, airplane, or trailer 3 : a tray to hold printer's type that has been set; *also* : proof from type in such a tray

galley

Gal·lic \'gal-ik\ *adj* : of or relating to Gaul or France

gal·li·vant \'gal-ə-,vant\ *vb* : to go roaming about for pleasure

gal·lon \'gal-ən\ *n* : a unit of liquid capacity equal to four quarts

gal·lop \'gal-əp\ *n* : a springing gait of a quadruped; *esp* : a fast 3-beat gait of a horse — **gal·lop** *vb* — **gal·lop·er** *n*

gal·lows \'gal-ōz\ *n* 1 : a frame usu. of two upright posts and a crosspiece from which criminals are hanged 2 : a structure consisting of an upright frame with a crossbar

gall·stone \'gȯl-,stōn\ *n* : an abnormal concretion occurring in the gallbladder or bile passages

ga·lore \gə-'lȯr\ *adj* [IrGael *go leor* in plenty, fr. *go* to + *leor* sufficiency] : ABUNDANT, PLENTIFUL ⟨gifts ~⟩

ga·losh \gə-'läsh\ *n* : a high overshoe worn esp. in snow and slush

gal·va·nism \'gal-və-,niz-əm\ *n* : electricity produced by chemical action in a battery — **gal·van·ic** \gal-'van-ik\ *adj*

gal·va·nize \'gal-və-,nīz\ *vb* 1 : to stimulate as if by an electric shock 2 : to coat (iron or steel) with zinc for protection against rust

gam·bit \'gam-bət\ *n* 1 : a chess opening in which a player risks one or more minor pieces to gain an advantage in position 2 : a calculated move : STRATAGEM

¹**gam·ble** \'gam-bəl\ *vb* 1 : to play a game for money or other stakes 2 : SPECULATE, BET, WAGER 3 : VENTURE, HAZARD — **gam·bler** *n*

²**gamble** *n* : a risky undertaking

gam·bol \'gam-bəl\ *vb* **-boled** *or* **-bolled; -bol·ing** *or* **-bol·ling** : to skip about in play : FRISK — **gambol** *n*

¹**game** \'gām\ *n* 1 : AMUSEMENT, DIVERSION 2 : SPORT, FUN 3 : SCHEME, PROJECT 4 : a line of work : PROFESSION 5 : CONTEST 6 : animals hunted for sport or food; *also* : the flesh of a game animal

²**game** *vb* : to play for a stake : GAMBLE

³**game** *adj* : PLUCKY — **game·ly** *adv* — **game·ness** *n*

⁴**game** *adj* : LAME ⟨a ~ leg⟩

game·cock \'gām-,käk\ *n* : a male game fowl

ga·mete \gə-'mēt, 'gam-,ēt\ *n* : a matured germ cell — **ga·met·ic** \gə-'met-ik\ *adj*

gam·ma glob·u·lin \,gam-ə-'gläb-yə-lən\ *n* : a blood protein fraction rich in antibodies

gamma rays *n pl* : penetrating radiation of the same nature as X rays but of shorter wavelength

¹**gam·mon** \'gam-ən\ *n* : a cured ham or side of bacon

²**gammon** *n* : deceptive talk : HUMBUG

gam·ut \'gam-ət\ *n* : an entire range or series

gamy \'gā-mē\ *adj* 1 : GAME, PLUCKY 2 : having the flavor of game esp. when slightly tainted ⟨~ meat⟩ — **gam·i·ness** *n*

¹**gan·der** \'gan-dər\ *n* : a male goose

²**gander** *n, slang* : LOOK, GLANCE

¹**gang** \'gaŋ\ *n* 1 : a group of persons working, going about, or associated together 2 : a set of implements or devices arranged to operate together

²**gang** *vb* 1 : to attack in a gang — usu. used with *up* 2 : to form into or move or act as a gang

gan·gling \'gaŋ-gliŋ\ *adj* : LANKY, SPINDLING

gan·gli·on \'gaŋ-glē-ən\ *n, pl* **-glia** \-glē-ə\ *also* **-gli·ons** : a mass of nerve cells : a nerve center either in or outside of the brain — **gan·gli·on·ic** \,gaŋ-glē-'än-ik\ *adj*

gang·plank \'gaŋ-,plaŋk\ *n* : a movable platform used in boarding or leaving a ship

gan·grene \'gaŋ-,grēn, 'gan-\ *n* : the dying of a part of the body due to interference with its nutrition — **gangrene** *vb* — **gan·gre·nous** \-nəs\ *adj*

gang·ster \'gaŋ-stər\ *n* : a member of a gang of criminals : RACKETEER

gang·way \'gaŋ-,wā\ *n* **1** : a passage into, through, or out of an enclosed place **2** : GANGPLANK

gan·try \'gan-trē\ *n* : a frame structure on side supports over or around something ⟨a ~ for servicing a rocket⟩

gap \'gap\ *n* **1** : BREACH, CLEFT **2** : a mountain pass **3** : a break or separation in continuity : a blank space

gape \'gāp\ *vb* **1** : to open the mouth wide **2** : to open or part widely **3** : to stare with mouth open **4** : YAWN — **gape** *n*

ga·rage \gə-'räzh, -'räj\ *n* : a building for housing or repairing automobiles

¹garb \'gärb\ *n* **1** : style of dress **2** : CLOTHING, DRESS

²garb *vb* : CLOTHE, ARRAY

gar·bage \'gär-bij\ *n* : food waste : REFUSE

gar·ble \'gär-bəl\ *vb* : to distort the meaning or sound of ⟨~ a story⟩ ⟨~ words⟩

¹gar·den \'gärd-ᵊn\ *n* **1** : a plot for growing fruits, flowers, or vegetables **2** : a fertile region **3** : a public recreation area; *esp* : one for displaying plants or animals

²garden *vb* : to develop or work in a garden — **gar·den·er** *n*

gar·de·nia \gär-'dē-nyə\ *n* : a leathery-leaved tree or shrub with fragrant white or yellow flowers; *also* : its flower

gar·gle \'gär-gəl\ *vb* : to rinse the throat with liquid agitated by air forced through it from the lungs — **gargle** *n*

gar·goyle \'gär-,gȯil\ *n* **1** : a waterspout in the form of a grotesque human or animal figure projecting from the roof or eaves of a building **2** : a grotesquely carved figure

gargoyle

gar·ish \'ga(ə)r-ish\ *adj* : FLASHY, GLARING, SHOWY, GAUDY

gar·land \'gär-lənd\ *n* : a wreath or rope of leaves or flowers

gar·lic \'gär-lik\ *n* : an herb related to the lilies and grown for its pungent bulbs used in cooking

gar·ment \'gär-mənt\ *n* : an article of clothing

gar·ner \'gär-nər\ *vb* **1** : to gather into storage **2** : to acquire by effort : EARN **3** : ACCUMULATE, COLLECT

gar·net \'gär-nət\ *n* : a transparent deep red mineral sometimes used as a gem

gar·nish \'gär-nish\ *vb* **1** : DECORATE, EMBELLISH **2** : to add decorative or savory touches to (food) — **garnish** *n*

gar·ret \'gar-ət\ *n* : the part of a house just under the roof : ATTIC

gar·ri·son \'gar-ə-sən\ *n* **1** : a military post; *esp* : a permanent military installation **2** : the troops stationed at a garrison — **garrison** *vb*

gar·rote *or* **ga·rotte** \gə-'rät, -'rōt\ *n* **1** : a method of execution by strangling with an iron collar; *also* : the iron collar used **2** : strangulation esp. for the purpose of robbery; *also* : an implement for this purpose — **garrote** *or* **garotte** *vb*

gar·ru·lous \'gar-ə-ləs\ *adj* : CHATTERING, TALKATIVE, WORDY — **gar·ru·li·ty**

gar·ter \'gärt-ər\ *n* : a band or strap worn to hold up a stocking or sock

gas \'gas\ *n* **1** : a fluid (as hydrogen or air) that tends to expand indefinitely **2** : a gas or mixture of gases used as a fuel or anesthetic **3** : a substance that can be used to produce a poisonous, asphyxiating, or irritant atmosphere **4** : GASOLINE — **gas** *vb* — **gas·eous**

gash \'gash\ *n* : a deep long cut — **gash** *vb*

gas·ket \'gas-kət\ *n* : material (as asbestos, rubber, or metal) used to seal a joint against leakage of fluid

gas·light \'gas-,līt\ *n* **1** : light made by burning illuminating gas **2** : a gas flame; *also* : a gas lighting fixture

gas·o·line *or* **gas·o·lene** \,gas-ə-'lēn\ *n* : a flammable liquid made esp. by blending products from natural gas and petroleum and used as a motor fuel and cleaning fluid

gasp \'gasp\ *vb* **1** : to catch the breath with emotion (as shock) **2** : to breathe laboriously : PANT **3** : to utter in a gasping manner — **gasp** *n*

gas·tric \'gas-trik\ *adj* : of, relating to, or located near the stomach

gas·tri·tis \gas-'trīt-əs\ *n* : inflammatory disorder of the stomach

gas·tron·o·my \gas-'trän-ə-mē\ *n* : the art of good eating — **gas·tro·nom·ic** \,gas-trə-'näm-ik\ *adj* — **gas·tro·nom·i·cal** *adj*

gas·tro·pod \'gas-trə-,päd\ *n* : any of a large group of mollusks (as snails, whelks, and slugs) with a muscular foot and a shell of one valve

gate \'gāt\ *n* **1** : an opening for passage in a wall or fence **2** : a city or castle entrance often with defensive structures **3** : the frame or door that closes a gate **4** : a device (as a door or valve) for controlling the flow of a fluid **5** : the total admission receipts or the number of spectators at a sports event

gate–crash·er \-,krash-ər\ *n* : one who enters without paying admission or attends without invitation

gate·way \-,wā\ *n* **1** : an opening for a gate in a wall or fence **2** : a passage into or out of a place or state

¹gath·er \'gath-ər\ *vb* **1** : to bring together : COLLECT **2** : PICK, HARVEST **3** : to pick up little by little **4** : to gain or win by gradual increase ⟨~ speed⟩ **5** : ACCUMULATE **6** : to summon up ⟨~ courage to dive⟩ **7** : to draw about or close to something **8** : to pull (fabric) along a line of stitching into puckers **9** : GUESS, DEDUCE, INFER **10** : ASSEMBLE **11** : to swell out and fill with pus **12** : GROW, INCREASE

²gather *n* : a puckering in cloth made by gathering

gauche \'gōsh\ *adj* : lacking social experience or grace : AWKWARD, CRUDE

gaudy *adj* : ostentatiously or tastelessly ornamented **syn** garish, flashy — **gaud·i·ly** *adv* — **gaud·i·ness** *n*

¹gauge \'gāj\ *n* **1** : measurement according to some standard or system

gaunt / **genetic**

2: DIMENSIONS, SIZE **3**: an instrument for measuring, testing, or registering

steam gauge   wire gauge

²**gauge** *vb* **1**: MEASURE **2**: to determine the capacity or contents of **3**: ESTIMATE, JUDGE
gaunt \'gȯnt\ *adj* **1**: being thin and angular: LANK, HAGGARD **2**: GRIM, BARREN, DESOLATE — **gaunt·ness** *n*
¹**gaunt·let** \'gȯnt-lət\ *n* **1**: a protective glove **2**: a challenge to combat **3**: a dress glove extending above the wrist
²**gauntlet** *n* **1**: a double file of men armed with weapons (as clubs) with which to strike at an individual who is made to run between them **2**: ORDEAL
gauze \'gȯz\ *n*: a very thin often transparent fabric used chiefly for clothing, draperies, or surgical dressings — **gauzy** *adj*
gave *past of* GIVE
gav·el \'gav-əl\ *n*: the mallet of a presiding officer or auctioneer
gawk \'gȯk\ *vb*: to gape or stare stupidly
gawky \'gȯ-kē\ *adj*: AWKWARD, CLUMSY
gay \'gā\ *adj* **1**: MERRY **2**: BRIGHT, LIVELY **3**: brilliant in color **4**: given to social pleasures; *also*: LICENTIOUS
gaze \'gāz\ *vb*: to fix the eyes in a steady intent look — **gaze** *n* — **gaz·er** *n*
ga·zelle \gə-'zel\ *n*: a small swift graceful antelope
¹**ga·zette** \gə-'zet\ *n* **1**: NEWSPAPER **2**: an official journal
²**gazette** *vb, chiefly Brit*: to announce or publish in a gazette
gear \'giər\ *n* **1**: CLOTHING **2**: EQUIPMENT ⟨fishing ~⟩ ⟨photographic ~⟩ **3**: movable property **4**: a mechanism that performs a specific function ⟨steering ~⟩ **5**: a toothed wheel that interlocks with another toothed wheel or shaft for transmitting motion **6**: working adjustment of gears ⟨in ~⟩ **7**: one of several adjustments of automobile transmission gears that determine direction of travel and relative speed between engine and motion of vehicle ⟨reverse ~⟩ ⟨first ~⟩ — **gear** *vb* — **gear·ing** *n*
gear·shift \-,shift\ *n*: a mechanism by which automobile transmission gears are engaged or disengaged
geese *pl of* GOOSE
Gei·ger counter \,gī-gər-\ *or* **Geiger–Mül·ler counter** \-'myül-ər-\ *n*: an electronic instrument for indicating (as by clicks) the presence of cosmic rays or radioactive substances
gel·a·tin *also* **gel·a·tine** \'jel-ət-ᵊn\ *n*: a glutinous substance obtained from animal tissues by boiling and used as a food, in dyeing, and in photography — **ge·lat·i·nous** \jə-'lat-(ᵊ-)nəs\ *adj*
geld \'geld\ *vb*: CASTRATE
geld·ing *n*: a gelded individual; *esp*: a castrated male horse
gel·id \'jel-əd\ *adj*: extremely cold
gem \'jem\ *n* **1**: JEWEL **2**: a more or less valuable stone cut and polished for ornament **3**: something valued for beauty or perfection

gem·i·nate \'jem-ə-,nāt\ *vb*: DOUBLE — **gem·i·na·tion** \,jem-ə-'nā-shən\ *n*
gem·stone \'jem-,stōn\ *n*: a mineral or petrified material that when cut and polished can be used in jewelry
gen·der \'jen-dər\ *n* **1**: SEX **2**: any of two or more divisions within a grammatical class that determine agreement with and selection of other words or grammatical forms
gene \'jēn\ *n*: one of the complex chemical units of a chromosome that are the actual carriers of heredity — **gen·ic** \'jē-nik\ *adj*
ge·ne·al·o·gy \,jēn-ē-'al-ə-jē, ,jen-, -'al-\ *n*: PEDIGREE, LINEAGE; *also*: the study of family pedigrees — **ge·ne·a·log·i·cal** \-ē-ə-'läj-i-kəl\ *adj*
genera *pl of* GENUS
¹**gen·er·al** \'jen-(ə-)rəl\ *adj* **1**: of or relating to the whole **2**: not local **2**: taken as a whole **3**: relating to or covering all instances or individuals of a class or group ⟨a ~ conclusion⟩ **4**: not limited in meaning: not specific ⟨a ~ outline⟩ **5**: common to many: PREVALENT ⟨a ~ custom⟩ **6**: not special or specialized **7**: not precise or definite **8**: holding superior rank: CHIEF ⟨inspector ~⟩ — **gen·er·al·ly** *adv*
²**general** *n* **1**: something that involves or is applicable to the whole **2**: a commissioned officer ranking next below a general of the army or a general of the air force **3**: a commissioned officer of the highest rank in the marine corps
gen·er·al·i·ty \,jen-ə-'ral-ət-ē\ *n* **1**: the quality or state of being general **2**: GENERALIZATION **2 3**: a vague or inadequate statement **4**: the greatest part: BULK
gen·er·al·iza·tion \,jen-(ə-)rə-lə-'zā-shən\ *n* **1**: the act or process of generalizing **2**: a general statement, law, principle, or proposition
gen·er·al·ize \'jen-(ə-)rə-,līz\ *vb* **1**: to make general **2**: to draw general conclusions from **3**: to reach a general conclusion esp. on the basis of particular instances **4**: to extend throughout the body
gen·er·ate \'jen-ə-,rāt\ *vb*: to bring into existence: PRODUCE; *esp*: to originate (as electricity) by a vital or chemical process
gen·er·a·tion \,jen-ə-'rā-shən\ *n* **1**: a body of living beings constituting a single step in the line of descent from an ancestor; *also*: the average period between generations **2**: PRODUCTION ⟨~ of electric current⟩ — **gen·er·a·tive** \'jen-ə-,rāt-iv, -(ə-)rət-\ *adj*
gen·er·a·tor \'jen-ə-,rāt-ər\ *n*: one that generates; *esp*: a machine by which mechanical energy is changed into electrical energy
ge·ner·ic \jə-'ner-ik\ *adj* **1**: not specific: GENERAL **2**: of or relating to a genus
gen·er·ous \'jen-(ə-)rəs\ *adj* **1**: free in giving or sharing: UNSELFISH **2**: HIGH-MINDED, NOBLE **3**: ABUNDANT, AMPLE
gen·e·sis \'jen-ə-səs\ *n, pl* **-e·ses** \-,sēz\: the origin or coming into existence of something
ge·net·ic \jə-'net-ik\ *adj*: of or relating to the origin, development, or causes of something; *also*: of or relating to genetics — **ge·net·i·cal·ly** *adv*

ge·net·ics \jə-'net-iks\ *n* : a branch of biology dealing with heredity and variation

ge·nial \'jē-nyəl\ *adj* **1** : favorable to growth or comfort ⟨~ sunshine⟩ **2** : CHEERFUL, CHEERING, KINDLY ⟨a ~ host⟩ — **ge·nial·i·ty** \‚jē-nē-'al-ət-ē, jēn-'yal-\ *n* — **ge·nial·ly** \'jē-nyə-lē\ *adv*

-gen·ic \'jen-ik\ *adj comb form* **1** : producing : forming **2** : produced by : formed from **3** : suitable for production or reproduction by (such) a medium

ge·nie \'jē-nē\ *n, pl* **genies** *also* **ge·nii** \-nē-‚ī\ : a supernatural spirit that often takes human form

gen·i·tal \'jen-ə-t³l\ *adj* : concerned with reproduction ⟨~ organs⟩ — **genital** *n*

gen·i·ta·lia \‚jen-ə-'tā-lē-ə\ *n pl* : reproductive organs; *esp* : the external genital organs

gen·i·tive \'jen-ət-iv\ *adj* : of, relating to, or constituting a grammatical case marking typically a relationship of possessor or source — **genitive** *n*

ge·nius \'jē-nyəs\ *n, pl* **ge·nius·es** *or esp in 1 & 5* **ge·nii** \-nē-‚ī\ **1** : an attendant spirit of a person or place **2** : a strong leaning or inclination **3** : a peculiar or distinctive character or spirit (as of a nation or a language) **4** : the associations and traditions of a place **5** : a nature spirit; *also* : a person who influences another for good or evil **6** : a single strongly marked capacity or aptitude **7** : extraordinary intellectual power; *also* : a person having such power

gen·o·cide \'jen-ə-‚sīd\ *n* : the deliberate and systematic destruction of a racial, political, or cultural group

genre \'zhä(ⁿ)n-rə, 'zhä¹(-ə)r\ *n* **1** : a style of painting in which everyday subjects are treated realistically **2** : a distinctive type or category of literary composition

gen·teel \jen-'tēl\ *adj* **1** : ARISTOCRATIC **2** : ELEGANT, STYLISH **3** : POLITE, REFINED **4** : maintaining the appearance of superior or middle-class social status or respectability **5** : marked by false delicacy, prudery, or affectation

gen·tile \'jen-‚tīl\ *n* [LL *gentilis* heathen, pagan, lit., belonging to the nations, fr. L *gen*t-, *gens* family, clan, nation] **1** *often cap* : a person who is not Jewish **2** : HEATHEN, PAGAN — **gentile** *adj, often cap*

gen·til·i·ty \jen-'til-ət-ē\ *n* **1** : good birth and family **2** : the qualities characteristic of a well-bred person **3** : good manners **4** : maintenance of the appearance of superior or middle-class social status

¹**gen·tle** \'jent-³l\ *adj* **1** : belonging to a family of high social station **2** : of, relating to, or characteristic of a gentleman **3** : KIND, AMIABLE **4** : TRACTABLE, DOCILE **5** : not harsh, stern, or violent : MILD **6** : SOFT, DELICATE **7** : MODERATE — **gen·tly** \'jent-lē\ *adv*

²**gentle** *vb* **1** : to make mild, docile, soft, or moderate **2** : MOLLIFY, PLACATE

gen·tle·man \-mən\ *n* **1** : a man of good family **2** : a well-bred man **3** : MAN — used in pl. as a form of address — **gen·tle·man·ly** *adj*

gen·tle·wom·an \-‚wùm-ən\ *n* **1** : a woman of good family or breeding **2** : a woman attending a lady of rank

gen·try \'jen-trē\ *n* **1** : people of good birth, breeding, and education : ARISTOCRACY **2** : the class of English people between the nobility and the yeomanry **3** : PEOPLE; *esp* : persons of a designated class

gen·u·flect \'jen-yə-‚flekt\ *vb* : to bend the knee esp. in worship — **gen·u·flection** *or* **gen·u·flex·ion** \‚jen-yə-'flek-shən\ *n*

gen·u·ine \'jen-yə-wən\ *adj* **1** : AUTHENTIC, REAL **2** : SINCERE, HONEST —

ge·nus \'jē-nəs\ *n, pl* **gen·era** \'jen-ə-rə\ : a category of biological classification comprising related organisms and usu. consisting of several species

ge·og·ra·phy \jē-'äg-rə-fē\ *n* **1** : a science that deals with the natural features of the earth and the climate, products, and inhabitants **2** : the natural features of a region — **ge·og·ra·pher** \-fər\ *n* — **ge·o·graph·ic** \‚jē-ə-'graf-ik\ *or* **ge·o·graph·i·cal** *adj* —

ge·ol·o·gy \jē-'äl-ə-jē\ *n* **1** : a science that deals with the history of the earth and its life esp. as recorded in rocks **2** : the geologic features of an area —

ge·om·e·try \jē-'äm-ə-trē\ *n* : a branch of mathematics dealing with the relations, properties, and measurements of solids, surfaces, lines, and angles — **ge·o·met·ric** \‚jē-ə-'met-rik\ *or* **ge·o·met·ri·cal** *adj*

geo·pol·i·tics \‚jē-ō-'päl-ə-‚tiks\ *n* : a science based on the theory that domestic and foreign politics of a country are dependent on physical geography

ge·ra·ni·um \jə-'rā-nē-əm\ *n* **1** : a purple or pink wild flower with deeply cut leaves **2** : a garden plant with clusters of usu. white, pink, or scarlet flowers

ger·i·at·rics *n* : a branch of medicine dealing with the aged and the problems of aging

germ \'jərm\ *n* **1** : a bit of living matter capable of growth and development (as into an organism); *also* : MICROBE **2** : SOURCE, RUDIMENT

Ger·man \'jər-mən\ *n* **1** : a native or inhabitant of Germany **2** : the language of Germany — **German** *adj* — **Ger·man·ic** \(‚)jər-'man-ik\ *adj*

ger·mane \(‚)jər-'mān\ *adj* : RELEVANT, PERTINENT

ger·ma·ni·um \(‚)jər-'mā-nē-əm\ *n* : a grayish white hard chemical element used as a semiconductor

ger·mi·cide \'jər-mə-‚sīd\ *n* : an agent that destroys microbes — **ger·mi·cid·al**

ger·mi·nate \'jər-mə-‚nāt\ *vb* : to begin to develop : SPROUT — **ger·mi·na·tion**

ger·on·tol·o·gy \‚jer-ən-'täl-ə-jē\ *n* : a scientific study of aging and the problems of the aged — **ger·on·tol·o·gist** *n*

ger·ry·man·der \‚jer-ē-'man-dər, ‚ger-\ *vb* : to divide (as a state or county) into election districts so as to give one political party an advantage over its opponents — **gerrymander** *n*

ger·und \'jer-ənd\ *n* : a word having the characteristics of both verb and noun

ge·sta·po \gə-'stäp-ō\ *n* : a secret= police organization operating esp. against suspected political criminals

ges·ta·tion \jes-'tā-shən\ *n* : PREGNANCY, INCUBATION — **ges·tate** \'jes-‚tāt\ *vb*

ges·tic·u·late \jes-'tik-yə-,lāt\ *vb* : to make gestures esp. when speaking —
ges·ture \'jes-chər\ *n* **1** : the use of motions of the body or limbs as a means of expression **2** : a movement usu. of the body or limbs that expresses or emphasizes an idea, sentiment, or attitude **3** : something said or done by way of formality or courtesy, as a symbol or token, or for its effect on the attitudes of others — **gesture** *vb*
¹**get** \'get\ *vb* **got** \'gät\ **got** *or* **got·ten** \'gät-ᵊn\ **get·ting 1** : to gain possession of (as by receiving, acquiring, earning, buying, or winning) : PROCURE, OBTAIN, FETCH **2** : to succeed in coming or going **3** : to cause to come or go **4** : BEGET **5** : to cause to be in a certain condition or position **6** : BECOME ⟨~ sick⟩ **7** : PREPARE **8** : SEIZE **9** : to move emo.ionally; *also* : IRRITATE **10** : BAFFLE, PUZZLE **11** : HIT **12** : KILL **13** : to be subjected to ⟨~ the measles⟩ **14** : to receive as punishment **15** : to find out by calculation **16** : HEAR; *also* : UNDERSTAND **17** : PERSUADE, INDUCE **18** : HAVE ⟨he's *got* no money⟩ **19** : to have as an obligation or necessity ⟨he has *got* to go⟩ **20** : to establish communication with **21** : to be able
²**get** *n* : OFFSPRING, PROGENY
get-away \'get-ə-,wā\ *n* **1** : ESCAPE **2** : the action of starting or getting under way (as by an automobile starting from a dead stop)
get-up \'get-,əp\ *n* **1** : general composition or structure **2** : OUTFIT, COSTUME
gey·ser \'gī-zər\ *n* [fr. *Geysir*, a geyser in Haukadal, Iceland, fr. Icelandic *geysa* to gush] : a spring that from time to time shoots up hot water and steam
Gha·na·ian \gä-'nā-(y)ən, gə-\ *n* : a native or inhabitant of Ghana — **Ghanaian** *adj*
ghast·ly \'gast-lē\ *adj* **1** : HORRIBLE, SHOCKING **2** : resembling a ghost : DEATHLIKE, PALE **syn** gruesome, grim, lurid
gher·kin \'gər-kən\ *n* : a small spiny pale cucumber used for pickling; *also* : a young common cucumber similarly used
ghet·to \'get-ō\ *n, pl* **-tos** *or* **-toes** : a quarter of a city in which members of a minority group (as Jews) live because of social, legal, or economic pressure
ghost \'gōst\ *n* **1** : the seat of life : SOUL **2** : a disembodied soul; *esp* : the soul of a dead person believed to be an inhabitant of the unseen world or to appear in bodily form to living people **3** : SPIRIT, DEMON **4** : a faint trace or suggestion ⟨a ~ of a smile⟩ — **ghost·ly** *adv*
ghost-write \-,rīt\ *vb* : to write for and in the name of another — **ghost-writ·er** *n*
ghoul \'gül\ *n* : a legendary evil being that robs graves and feeds on corpses — **ghoul·ish** *adj*
¹**GI** \(')jē-'ī\ *adj* **1** : provided by an official U.S. military supply department ⟨*GI* shoes⟩ **2** : of, relating to, or characteristic of U.S. military personnel **3** : conforming to military regulations or customs ⟨a *GI* haircut⟩
²**GI** *n* : a member or former member of the U.S. armed forces; *esp* : an enlisted man
gi·ant \'jī-ənt\ *n* **1** : a huge legendary manlike being of great strength **2** : a living being or thing of extraordinary size or powers — **giant** *adj* — **gi·ant·ess** *n*
gib·ber \'jib-ər\ *vb* : to speak rapidly, inarticulately, and often foolishly : CHATTER
¹**gib·bet** \'jib-ət\ *n* : GALLOWS
²**gibbet** *vb* **1** : to hang on a gibbet **2** : to expose to public scorn **3** : to execute by hanging
gib·bon \'gib-ən\ *n* : a manlike ape of southeastern Asia and the East Indies
gibe \'jīb\ *vb* : to utter taunting words : SNEER — **gibe** *n*
gib·let \'jib-lət\ *n* : the edible inner organs of a bird (as a fowl) ⟨chicken ~s⟩
gid·dy \'gid-ē\ *adj* **1** : DIZZY **2** : causing dizziness **3** : not serious : FRIVOLOUS, FICKLE — **gid·di·ness** *n*
gift \'gift\ *n* **1** : the act or power of giving **2** : something given : PRESENT **3** : a special ability : TALENT
¹**gig** \'gig\ *n* **1** : a long light ship's boat **2** : a light 2-wheeled carriage
²**gig** *n* : a pronged spear for catching fish — **gig** *vb*
gi·gan·tic \jī-'gant-ik\ *adj* : resembling a giant : IMMENSE, HUGE
gig·gle \'gig-əl\ *vb* : to laugh with repeated short catches of the breath : laugh in a silly manner — **giggle** *n* —
gig·o·lo \'jig-ə-,lō\ *n* **1** : a man living on the earnings of a woman **2** : a professional dancing partner or male escort
¹**gild** \'gild\ *vb* **gild·ed** *or* **gilt** \'gilt\ **gild·ing 1** : to overlay with or as if with a thin covering of gold **2** : to give an attractive but often deceptive outward appearance to — **gild·ing** *n*
¹**gill** \'jil\ *n* : a U.S. liquid unit equal to ¼ of a liquid pint
²**gill** \'gil\ *n* : an organ (as of a fish) for obtaining oxygen from water
¹**gilt** \'gilt\ *adj* : of the color of gold
²**gilt** *n* : gold or a substance resembling gold laid on the surface of an object
³**gilt** *n* : a young female swine
gim·mick \'gim-ik\ *n* **1** : CONTRIVANCE, GADGET; *esp* : one used secretly or illegally **2** : an important feature that is not immediately apparent : CATCH **3** : a new and ingenious scheme
gimpy \'gim-pē\ *adj* : CRIPPLED, LAME
¹**gin** \'jin\ *n* **1** : TRAP, SNARE **2** : a machine to separate seeds from cotton — **gin** *vb*
²**gin** *n* : a liquor distilled from a grain mash and flavored with juniper berries
gin·ger \'jin-jər\ *n* : the pungent aromatic rootstock of a tropical plant used esp. as a spice and in medicine; *also* : this plant
gin·ger·ly \-lē\ *adj* : very cautious or careful — **gingerly** *adv*
ging·ham \'giŋ-əm\ *n* : a clothing fabric usu. of yarn-dyed cotton in plain weave
Gipsy *var of* GYPSY
gi·raffe \jə-'raf\ *n* : an African ruminant mammal with an extraordinarily long neck
gird \'gərd\ *vb* **gird·ed** *or* **girt** \'gərt\ **gird·ing 1** : to encircle or fasten with or as if with a belt : GIRDLE ⟨~ on a sword⟩ **2** : SURROUND **3** : to clothe or invest esp. with power or authority **4** : PREPARE, BRACE ⟨~ed themselves for a struggle⟩
gird·er \'gərd-ər\ *n* : a strong horizontal

girdle 197 **glide**

beam on which the weight of a floor or partition is carried
gir·dle \\'gərd-ᵊl\\ *n* **1** : something (as a belt or sash) that encircles or confines **2** : a woman's supporting undergarment that extends from the waist to below the hips — **girdle** *vb*
girl \\'gərl\\ *n* **1** : a female child : a young unmarried woman; *also* : a woman of any age **2** : a female servant or employee **3** : SWEETHEART — **girlhood** \\-,hud\\ *n* — **girl·ish** \\-ish\\ *adj*
girth \\'gərth\\ *n* **1** : a band around an animal by which something (as a saddle) may be fastened on its back **2** : a measure around something (as the waist)

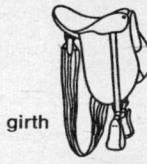

girth

gist \\'jist\\ *n* : the main point of a matter : ESSENCE
¹**give** \\'giv\\ *vb* **gave** \\'gāv\\ **giv·en** \\'giv-ən\\ **giv·ing 1** : to make a present of **2** : to bestow by formal action **3** : to accord or yield to another **4** : to put into the possession or keeping of another **5** : PROFFER **6** : DELIVER; *esp* : to deliver in exchange **7** : PAY **8** : to present in public performance or to view **9** : PROVIDE **10** : ATTRIBUTE **11** : PRODUCE **12** : to deliver by some bodily action ⟨~ him a push⟩ : EXECUTE **13** : UTTER, PRONOUNCE **14** : DEVOTE **15** : to cause to have or receive ⟨gave us pleasure⟩ **16** : CONTRIBUTE, DONATE **17** : to yield to force, strain, or pressure
²**give** *n* **1** : capacity or tendency to yield to force or strain **2** : the quality or state of being springy
giv·en \\'giv-ən\\ *adj* **1** : DISPOSED, INCLINED ⟨~ to swearing⟩ **2** : SPECIFIED, FIXED ⟨at a ~ time⟩ **3** : granted as true : ASSUMED **4** : EXECUTED, DATED
giz·mo or **gis·mo** \\'giz-mō\\ *n* : GADGET
giz·zard \\'giz-ərd\\ *n* : a muscular usu. horny-lined enlargement following the crop of a bird
gla·cial \\'glā-shəl\\ *adj* **1** : extremely cold **2** : of or relating to glaciers **3** : being or relating to a past period of time when a large part of the earth was covered by glaciers
gla·cier \\'glā-shər\\ *n* : a large body of ice moving slowly down a slope or valley or spreading outward on a land surface
¹**glad** \\'glad\\ *adj* **1** : experiencing pleasure, joy, or delight **2** : PLEASED **3** : very willing **4** : PLEASANT, JOYFUL **5** : CHEERFUL — **glad·ly** *adv* — **glad·ness** *n*
²**glad** *n* : GLADIOLUS
glade \\'glād\\ *n* : a grassy open space in a forest
glad·i·a·tor \\'glad-ē-,āt-ər\\ *n* **1** : a person engaged in a fight to the death for public entertainment in ancient Rome **2** : a person engaging in a fierce fight or controversy — **glad·i·a·to·ri·al**
glad·i·o·lus \\,glad-ē-'ō-ləs\\ *n*, *pl* **-li** \\-(,)lē, -,lī\\ *or* **-lus** *or* **-lus·es** : a plant related to the irises and widely grown

for its spikes of brilliantly colored flowers
glad·stone \\-,stōn\\ *n*, *often cap* : a traveling bag with flexible sides on a rigid frame that opens flat into two compartments
glam·or·ize *also* **glam·our·ize** \\'glam-ə-,rīz\\ *vb* **1** : to make glamorous **2** : GLORIFY
glam·our *or* **glam·or** \\'glam-ər\\ *n* : a romantic, exciting, and often illusory attractiveness; *esp* : alluring personal attraction — **glam·or·ous** *also* **glam·our·ous** *adj*
¹**glance** \\'glans\\ *vb* **1** : to strike and fly off to one side **2** : FLASH, GLEAM **3** : to give a quick look
²**glance** *n* **1** : a quick intermittent flash or gleam **2** : a glancing impact or blow **3** : a quick look
gland \\'gland\\ *n* : a cell or group of cells that prepares and secretes a substance (as saliva or sweat) for further use in or discharge from the body — **glan·du·lar** \\'glan-jə-lər\\ *adj*
¹**glare** \\'glaər\\ *vb* **1** : to shine with a harsh dazzling light **2** : to gaze fiercely or angrily — **glar·ing** \\'gla(ə)r-iŋ\\ *adj*
²**glare** *n* **1** : a harsh uncomfortably brilliant light **2** : an angry or fierce stare
glass \\'glas\\ *n* **1** : a hard brittle usu. transparent or translucent substance made by melting sand and other materials and used for windows and lenses; *also* : a substance (as rock produced by cooling of molten minerals) resembling glass **2** : something made of glass **3** *pl* : a pair of lenses used to correct defects of vision : SPECTACLES **4** : GLASSFUL — **glass** *adj* — **glass·ware** \\-,waər\\ *n* — **glassy** *adj*
glass·blow·ing \\-,blō-iŋ\\ *n* : the art of shaping a mass of glass that has been softened by heat by blowing air into it through a tube — **glass·blow·er** \\-,blō-(ə)r\\ *n*
glass·ful \\-,ful\\ *n* : the quantity held by a glass
¹**glaze** \\'glāz\\ *vb* **1** : to furnish (as a window frame) with glass **2** : to apply glaze to
²**glaze** *n* **1** : a smooth coating of thin ice **2** : a glassy coating (as on food or pottery)
gla·zier \\'glā-zhər\\ *n* : a person who sets glass in window frames
¹**gleam** \\'glēm\\ *n* **1** : a transient subdued or partly obscured light **2** : GLINT **3** : a faint trace ⟨a ~ of hope⟩
²**gleam** *vb* **1** : to shine with subdued light or moderate brightness **2** : to appear briefly or faintly
glean \\'glēn\\ *vb* **1** : to gather grain left by reapers **2** : to collect little by little or with patient effort ⟨~ knowledge from books⟩ — **glean·able** *adj* — **glean·er** *n*
glee \\'glē\\ *n* **1** : JOY, HILARITY **2** : an unaccompanied song for three or more solo usu. male voices — **glee·ful** *adj*
glen \\'glen\\ *n* : a secluded narrow valley
glib \\'glib\\ *adj* : speaking or spoken with careless ease — **glib·ly** *adv*
¹**glide** \\'glīd\\ *vb* **1** : to move smoothly and effortlessly **2** : to descend smoothly without engine power ⟨~ in an airplane⟩
²**glide** *n* **1** : smooth sliding motion **2** : smooth descent without engine power

glid·er *n* **1** : one that glides **2** : an aircraft resembling an airplane but having no engine **3** : a porch seat suspended from an upright framework by short chains or straps

¹**glim·mer** \'glim-ər\ *vb* : to shine faintly or unsteadily

²**glimmer** *n* **1** : a faint unsteady light **2** : INKLING **3** : a small amount : BIT ⟨a ~ of hope⟩

¹**glimpse** \'glimps\ *vb* : to take a brief look : see momentarily or incompletely

²**glimpse** *n* **1** : a faint idea : GLIMMER **2** : a short hurried look

glint \'glint\ *vb* **1** : to shine by reflection : SPARKLE, GLITTER, GLEAM **2** : to appear briefly or faintly — **glint** *n*

¹**glis·ten** \'glis-ᵊn\ *vb* : to shine by reflection with a soft luster or sparkle

²**glisten** *n* : GLITTER, SPARKLE

glis·ter \'glis-tər\ *vb* : GLISTEN

¹**glit·ter** \'glit-ər\ *vb* **1** : to shine with brilliant or metallic luster ⟨~*ing* sequins⟩ **2** : SPARKLE **3** : to shine with a cold glassy brilliance ⟨eyes that ~*ed* cruelly⟩ **4** : to be brilliantly attractive esp. in a superficial way

²**glitter** *n* **1** : sparkling brilliancy, showiness, or attractiveness **2** : small glittering objects used for ornamentation — **glit·tery** *adj*

gloam·ing \'glō-miŋ\ *n* : TWILIGHT, DUSK

gloat \'glōt\ *vb* **1** : to gaze at or think about with great self-satisfaction or joy **2** : to linger over or dwell upon something with malicious pleasure

glob \'gläb\ *n* : a small drop

glob·al \'glō-bəl\ *adj* : WORLDWIDE

globe \'glōb\ *n* **1** : BALL, SPHERE; *also* : something nearly spherical **2** : EARTH; *also* : a spherical representation of the earth

globe–trot·ter \-ˌträt-ər\ *n* : one that travels widely

glob·ule \'gläb-yül\ *n* : a tiny globe or ball ⟨~s of fat⟩ — **glob·u·lar** \-yə-lər\ *adj*

gloom \'glüm\ *n* **1** : partial or total darkness **2** : lowness of spirits : DEJECTION **3** : an atmosphere of despondency — **gloomy** *adj*

glo·ri·fy \'glōr-ə-ˌfī\ *vb* **1** : to raise to celestial glory **2** : to shed splendor on **3** : to make glorious by presentation in a favorable aspect **4** : to give glory to (as in worship) — **glo·ri·fi·ca·tion**

glo·ri·ous \'glōr-ē-əs\ *adj* **1** : possessing or deserving glory : ILLUSTRIOUS, PRAISEWORTHY **2** : conferring glory **3** : RESPLENDENT, MAGNIFICENT **4** : DELIGHTFUL, WONDERFUL — **glo·ri·ous·ly** *adv*

¹**glo·ry** \'glōr-ē\ *n* **1** : RENOWN **2** : honor and praise rendered in worship **3** : something that secures praise or renown **4** : a brilliant asset **5** : RESPLENDENCE, MAGNIFICENCE **6** : celestial bliss **7** : a height of prosperity or achievement

²**glory** *vb* : to rejoice proudly : EXULT

¹**gloss** \'gläs, 'glȯs\ *n* **1** : LUSTER, SHEEN, BRIGHTNESS **2** : outward show — **glossy** *adj*

²**gloss** *vb* **1** : to give a deceptive appearance to **2** : to pass over quickly in an attempt to ignore ⟨~ over inadequacies⟩

³**gloss** *n* [L *glossa* unusual word requiring explanation, fr. Gk *glōssa*, *glōtta*, lit., tongue, language] **1** : an explanatory note (as in the margin of a text) **2** : GLOSSARY **3** : an interlinear translation **4** : a continuous commentary accompanying a text

⁴**gloss** *vb* : to furnish glosses for : ANNOTATE

glos·sa·ry \'gläs-(ə-)rē, 'glȯs-\ *n* : a dictionary of the special terms found in a particular area of knowledge or used

glot·tis \'glät-əs\ *n*, *pl* **glot·tis·es** or **glot·ti·des** \-ə-ˌdēz\ : the slitlike opening between pharynx and windpipe —

glove \'gləv\ *n* **1** : a covering for the hand having separate sections for each finger **2** : a padded leather covering for the hand for use in a sport

¹**glow** \'glō\ *vb* **1** : to shine with or as if with intense heat **2** : to have a rich warm usu. ruddy color : FLUSH, BLUSH **3** : to feel hot **4** : to show exuberance or elation ⟨~ with pride⟩

²**glow** *n* **1** : brightness or warmth of color; *esp* : REDNESS **2** : warmth of feeling or emotion **3** : a sensation of warmth **4** : light such as is emitted from a heated substance

glow·er \'glau̇(-ə)r\ *vb* : to look or stare with sullen annoyance or anger — **glower** *n*

glow·worm \'glō-ˌwərm\ *n* : an insect or insect larva that gives off light

glu·cose \'glü-ˌkōs\ *n* **1** : a sugar known in three different forms; *esp* : DEXTROSE **2** : a light-colored syrup obtained chiefly from cornstarch and used as a sweetening agent

glue \'glü\ *n* : a jellylike protein substance made from animal materials and used for sticking things together; *also* : any of various other strong adhesives — **glue** *vb* — **gluey** *adj*

glum \'gləm\ *adj* **1** : MOROSE, SULLEN **2** : DREARY, GLOOMY

¹**glut** \'glət\ *vb* **glut·ted**; **glut·ting** **1** : to fill esp. with food to satiety : SATIATE **2** : OVERSUPPLY

²**glut** *n* : an excessive quantity : OVERSUPPLY

glu·ten \'glüt-ᵊn\ *n* : a gluey protein substance that causes dough to be sticky

glu·ti·nous \'glüt-(ᵊ-)nəs\ *adj* : STICKY

glut·ton \'glət-ᵊn\ *n* : one that eats to excess — **glut·ton·ous** *adj* — **glut·tony** *n*

glyc·er·in or **glyc·er·ine** \'glis-(ə-)rən\ *n* : a sweet colorless syrupy liquid obtained from fats or synthesized and used as a solvent, moistener, and lubricant

glyc·er·ol \'glis-ə-ˌrȯl\ *n* : GLYCERIN

gnarl \'närl\ *n* : a hard enlargement with twisted grain on a tree — **gnarled** *adj*

gnash \'nash\ *vb* : to grind (as teeth) together

gnat \'nat\ *n* : any of various small usu. biting two-winged flies

gnat

gnaw \'nȯ\ *vb* **1** : to consume, wear away, or make by persistent biting or nibbling ⟨~ a bone⟩ ⟨rats ~*ed* holes in the wall⟩ **2** : to affect as if by gnawing

gneiss \\'nīs\\ *n* : a granitelike rock in layers

gnome \\'nōm\\ *n* : a dwarf of folklore living inside the earth who guards precious ore or treasure — **gnom·ish** *adj*

gnu \\'n(y)ü\\ *n* : a large African antelope with oxlike head and horns and horselike mane and tail

¹**go** \\'gō\\ *vb* **went** \\'went\\ **gone** \\'gȯn\\ **go·ing** \\'gō-iŋ\\ **1** : to move on a course : PROCEED ⟨~ slow⟩ **2** : LEAVE, DEPART **3** : to take a certain course : follow a certain procedure **4** : EXTEND, RUN ⟨his land ~es to the river⟩; *also* : LEAD ⟨that door ~es to the cellar⟩ **5** : to be habitually in a certain state ⟨~es armed after dark⟩ **6** : to become lost, consumed, or spent; *also* : DIE **7** : ELAPSE, PASS **8** : to pass by sale ⟨went for a good price⟩ **9** : to become impaired or weakened **10** : to give way under force or pressure : BREAK **11** : HAPPEN ⟨what's ~ing on⟩ **12** : to be in general or on an average ⟨cheap, as yachts ~⟩ **13** : to become esp. as the result of a contest ⟨the decision went against him⟩ **14** : to put or subject oneself ⟨~ to great expense⟩ **15** : RESORT ⟨went to court to recover damages⟩ **16** : to begin or maintain an action or motion ⟨here ~es⟩ **17** : to function properly ⟨the clock doesn't ~⟩ **18** : to have currency : CIRCULATE ⟨the report ~es⟩ **19** : to be or act in accordance ⟨a good rule to ~ by⟩ **20** : to come to be applied **21** : to pass by award, assignment, or lot **22** : to contribute to a result ⟨qualities that ~ to make a hero⟩ **23** : to be about, intending, or expecting something ⟨is ~ing to leave town⟩ **24** : to arrive at a certain state or condition ⟨~ to sleep⟩ **25** : to come to be ⟨the tire *went* flat⟩ **26** : to be capable of being sung or played ⟨the tune ~es like this⟩ **27** : to be suitable or becoming : HARMONIZE **28** : to be capable of passing, extending, or being contained or inserted ⟨this coat will ~ in the trunk⟩ **29** : to have a usual or proper place or position : BELONG ⟨these books ~ on the top shelf⟩ **30** : to be capable of being divided ⟨3 ~es into 6 twice⟩ **31** : to have a tendency ⟨that ~es to show that he is honest⟩ **32** : to be acceptable, satisfactory, or adequate ⟨any kind of dress ~es here⟩ **33** : to proceed along or according to : FOLLOW ⟨he's ~ing my way⟩ **34** : TRAVERSE **35** : BET, BID ⟨willing to ~ $50⟩ **36** : to assume the function or obligation of ⟨~ bail for a friend⟩ **37** : to participate to the extent of ⟨~ halves⟩ **38** : WEIGH **39** : ENDURE, TOLERATE **40** : AFFORD ⟨can't ~ the price⟩ — **go at 1** : ATTACK, ATTEMPT **2** : UNDERTAKE — **go back on 1** : ABANDON **2** : BETRAY **3** : FAIL — **go by the board** : to be discarded — **go down the line** : to give wholehearted support — **go for 1** : to pass for or serve as **2** : to try to secure **3** : FAVOR — **go one better** : OUTDO, SURPASS — **go over 1** : EXAMINE **2** : REPEAT **3** : STUDY, REVIEW — **go places** : to be on the way to success

²**go** *n*, *pl* **goes 1** : the act or manner of going **2** : the height of fashion ⟨boots are all the ~⟩ **3** : a turn of affairs : OCCURRENCE **4** : ENERGY, VIGOR **5** : ATTEMPT, TRY **6** : a spell of activity — **no go** : USELESS, HOPELESS — **on the go** : constantly or restlessly active

goal \\'gōl\\ *n* **1** : the mark set as limit to a race **2** : AIM, PURPOSE **3** : an area or object toward which play is directed in order to score; *also* : a successful attempt to score

goal·ie \\'gō-lē\\ *n* : a player who defends the goal (as in soccer or hockey)

goal·post \\'gōl-,pōst\\ *n* : one of the two vertical posts with a crossbar that constitute the goal (as in soccer)

goat \\'gōt\\ *n* : a hollow-horned ruminant mammal related to the sheep that has backward-curving horns, short tail, and usu. straight hair

goa·tee \\gō-'tē\\ *n* : a small trim pointed or tufted beard on a man's chin

goat·skin \\'gōt-,skin\\ *n* : the skin of a goat used for making leather

¹**gob** \\'gäb\\ *n* : LUMP, MASS

²**gob** *n* : SAILOR

gob·bet \\'gäb-ət\\ *n* : LUMP, MASS

¹**gob·ble** \\'gäb-əl\\ *vb* **1** : to swallow or eat greedily **2** : to take eagerly : GRAB

²**gobble** *vb* : to make the natural guttural noise of a turkey cock

gob·let \\'gäb-lət\\ *n* : a drinking glass with a foot and stem

goblet

gob·lin \\'gäb-lən\\ *n* : an ugly grotesque sprite with mischievous and sometimes evil ways

¹**god** \\'gäd\\ *n* **1** : a being or object believed to have more than natural attributes and powers and to require man's worship **2** : a person or thing of supreme value

²**God** *n* : the supreme reality; *esp* : the Being whom men worship as the creator and ruler of the universe

god·child \\-,chīld\\ *n* : a person (**god·daugh·ter**, **god·son**) for whom one stands as sponsor (**god·fa·ther**, **god·moth·er**) at baptism

god·dess \\-əs\\ *n* **1** : a female god **2** : a woman whose charm or beauty arouses adoration

god·head \\-,hed\\ *n* **1** : divine nature or essence **2** *often cap* : DEITY; *also* : the nature of God esp. as existing in three persons

god·hood \\-,hu̇d\\ *n* : DIVINITY

god·less \\-ləs\\ *adj* : not acknowledging a deity or divine law — **god·less·ness** *n*

god·like \\-,līk\\ *adj* : resembling or having the qualities of God or a god : DIVINE

god·ly \\-lē\\ *adj* **1** : DIVINE **2** : PIOUS, DEVOUT — **god·li·ness** *n*

god·par·ent \\-,par-ənt\\ *n* : a sponsor at baptism

god·send \\-,send\\ *n* : a desirable or needed thing that comes unexpectedly as if sent by God

gog·gle \\'gäg-əl\\ *vb* : to stare with wide or protuberant eyes

gog·gles \\-əlz\\ *n pl* : large eyeglasses to protect the eyes (as from bright light or dust)

goi・ter *also* **goi・tre** \'goit-ər\ *n* : an abnormally enlarged thyroid gland visible as a swelling at the base of the neck — **goi・trous** \-(ə-)rəs\ *adj*

gold \'gōld\ *n* 1 : a malleable yellow metallic chemical element used esp. for coins and jewelry 2 : gold coins; *also* : MONEY 3 : a yellow color

gold・en \'gōl-dən\ *adj* 1 : made of or relating to gold 2 : abounding in gold 3 : having the color of gold; *also* : BLOND 4 : SHINING, LUSTROUS 5 : SUPERB 6 : FLOURISHING, PROSPEROUS 7 : radiantly youthful and vigorous 8 : FAVORABLE, ADVANTAGEOUS ⟨a ~ opportunity⟩ 9 : MELLOW, RESONANT

gold・en・rod \-,räd\ *n* : any of numerous herbs related to the daisies but having tall slender stalks with many tiny usu. yellow flower heads

gold・finch \'gōl(d)-,finch\ *n* : an American finch the male of which becomes bright yellow and black in summer

gold・fish \-,fish\ *n* : a small usu. yellow or golden carp often kept as an aquarium fish

gold・smith \-,smith\ *n* : one who makes or deals in articles of gold

golf \'gälf, 'gȯlf\ *n* : a game played with a small ball and various clubs on a course having 9 or 18 holes

-gon \,gän\ *n comb form* : figure having (so many) angles ⟨hexa**gon**⟩

go・nad \'gō-,nad\ *n* : a sex gland : OVARY, TESTIS

gone \'gȯn\ *adj* 1 : PAST 2 : ADVANCED, ABSORBED 3 : INFATUATED 4 : PREGNANT 5 : DEAD 6 : LOST, RUINED 7 : SINKING, WEAK

gong \'gäŋ, 'gȯŋ\ *n* : a metallic disk that produces a resounding tone when struck

gon・or・rhea \,gän-ə-'rē-ə\ *n* : a bacterial inflammatory disease of the genital tract — **gon・or・rhe・al** *adj*

goo \'gü\ *n* 1 : a viscid or sticky substance 2 : sickly sentimentality

¹**good** \'gu̇d\ *adj* **bet・ter** \'bet-ər\ **best** \'best\ 1 : of a favorable character or tendency 2 : BOUNTIFUL, FERTILE 3 : COMELY, ATTRACTIVE 4 : SUITABLE, FIT 5 : SOUND, WHOLE 6 : AGREEABLE, PLEASANT 7 : SALUTARY, WHOLESOME 8 : CONSIDERABLE, AMPLE 9 : FULL 10 : WELL-FOUNDED 11 : TRUE ⟨holds ~ for everybody⟩ 12 : REAL 13 : recognized or valid esp. in law 14 : ADEQUATE, SATISFACTORY 15 : conforming to a standard 16 : DISCRIMINATING 17 : COMMENDABLE, VIRTUOUS 18 : KIND 19 : UPPER-CLASS 20 : COMPETENT 21 : LOYAL — **good-heart・ed** \-'härt-əd\ *adj* — **good・ish** *adj* — **good-look・ing** \'gu̇d-'lu̇k-iŋ\ *adj* — **good-na・tured** \-'nā-chərd\ *adj* — **good-tem・pered** \-'tem-pərd\ *adj*

²**good** *n* 1 : something good 2 : GOODNESS 3 : BENEFIT, WELFARE ⟨for the ~ of mankind⟩ 4 : something that has economic utility 5 *pl* : personal property 6 *pl* : CLOTH 7 *pl* : WARES, COMMODITIES 8 : good persons ⟨the ~ die young⟩

good-bye *or* **good-by** \gu̇d-'bī\ *n* : a concluding remark at parting — often used interjectionally

Good Friday *n* : the Friday before Easter observed as the anniversary of the crucifixion of Christ

good・ly \'gu̇d-lē\ *adj* 1 : of pleasing appearance 2 : LARGE, CONSIDERABLE

good・will \-'wil\ *n* 1 : BENEVOLENCE 2 : the value of the trade a business has built up over a considerable time 3 : cheerful consent 4 : willing effort

goody \'gu̇d-ē\ *n* : something that is good to eat

goof \'güf\ *vb* : BLUNDER — **goof** *n*

goofy *adj* : CRAZY, SILLY — **goof・i・ness** *n*

goose \'güs\ *n, pl* **geese** \'gēs\ 1 : a large web-footed bird related to the swans and ducks; *esp* : a female goose as distinguished from a gander 2 : a foolish person 3 *pl* **goos・es** : a tailor's smoothing iron

goose・ber・ry \'güs-,ber-ē, 'gu̇z-\ *n* : the acid berry of a shrub related to the currant and used esp. in jams and pies

goose・flesh \'güs-,flesh\ *n* : a roughening of the skin caused usu. by cold or fear

go・pher \'gō-fər\ *n* 1 : a burrowing American land tortoise 2 : any of various American burrowing rodents (as a ground squirrel) that mostly have cheek pouches

¹**gore** \'gōr\ *n* : BLOOD

²**gore** *n* : a tapering or triangular piece (as of cloth in a skirt)

³**gore** *vb* : to pierce or wound with a horn or tusk

¹**gorge** \'gȯrj\ *n* 1 : THROAT 2 : a narrow ravine 3 : a mass of matter that chokes up a passage

²**gorge** *vb* : to eat greedily : stuff to capacity : GLUT

gor・geous \'gȯr-jəs\ *adj* : resplendently beautiful

Gor・gon・zo・la \,gȯr-gən-'zō-lə\ *n* : a blue cheese of Italian origin

go・ril・la \gə-'ril-ə\ *n* : an African manlike ape related to but much larger than the chimpanzee

gor・man・dize \'gȯr-mən-,dīz\ *vb* : to eat ravenously — **gor・man・diz・er** *n*

gory \'gōr-ē\ *adj* 1 : BLOODSTAINED 2 : HORRIBLE, SENSATIONAL

gos・ling \'gäz-liŋ, 'gȯz-\ *n* : a young goose

gos・pel \'gäs-pəl\ *n* 1 : the teachings of Christ and the apostles 2 *cap* : any of the first four books of the New Testament 3 : something accepted as infallible truth

¹**gos・sip** \'gäs-əp\ *n* 1 : a person who habitually reveals personal or sensational facts 2 : a rumor or report of an intimate nature 3 : an informal conversation — **gos・sipy** *adj*

²**gossip** *vb* : to spread gossip

got *past of* GET

Goth \'gäth\ *n* : a member of a Germanic race that early in the Christian era overran the Roman Empire

¹**Goth・ic** \'gäth-ik\ *adj* 1 : of or relating to the Goths 2 : of or relating to a style of architecture prevalent in western Europe from the middle 12th to the early 16th century

²**Gothic** *n* 1 : the Germanic language of the Goths 2 : the Gothic architectural style or decoration

gotten *past part of* GET

Gou・da \'gau̇d-ə\ *n* : a mild Dutch milk cheese shaped in balls and usu. covered with a red protective coating

¹**gouge** \'gau̇j\ *n* 1 : a rounded troughlike chisel 2 : a hole or groove made with or as if with a gouge

²gouge vb **1** : to cut holes or grooves in with or as if with a gouge **2** : DEFRAUD, CHEAT

gourd \'gōrd, 'gu̇rd\ n **1** : any of a group of tendril-bearing vines including the cucumber, squash, and melon **2** : the fruit of a gourd; esp : any of various inedible hard-shelled fruits used esp. for ornament or implements

gour·met \'gu̇r-ˌmā\ n : a connoisseur in eating and drinking

gout \'gau̇t\ n : a disease marked by painful inflammation and swelling of the joints — **gouty** adj

gov·ern \'gəv-ərn\ vb [OF governer, fr. L gubernare to steer, govern, fr. Gk kybernan] **1** : to control and direct the making and administration of policy in : RULE **2** : CONTROL, DIRECT, INFLUENCE **3** : DETERMINE, REGULATE **4** : RESTRAIN

gov·ern·ess n : a woman who teaches and trains a child esp. in a private home

gov·ern·ment \'gəv-ər(n)-mənt\ n **1** : authoritative direction or control : RULE **2** : the making of policy **3** : the organization or agency through which a political unit exercises authority **4** : the institutions, laws, and customs through which a political unit is governed **5** : the governing body — **gov·ern·men·tal** \ˌgəv-ər(n)-'ment-ᵊl\ adj

gov·er·nor \'gəv-ə(r)-nər\ n **1** : one that governs; esp : a ruler, chief executive, or head of a political unit (as a state) **2** : an attachment to a machine for automatic control of speed — **gov·er·nor·ship** n

gown \'gau̇n\ n **1** : a loose flowing outer garment **2** : an official robe worn esp. by a judge, clergyman, or teacher **3** : a woman's dress ⟨evening ~s⟩ **4** : a loose robe (as a dressing gown) — **gown** vb

grab \'grab\ vb **grabbed; grab·bing** : to take hastily : CLUTCH, SNATCH

¹grace \'grās\ n **1** : help given man by God (as in overcoming temptation) **2** : freedom from sin through divine grace **3** : a virtue coming from God **4** : a short prayer before or after a meal **5** : a temporary respite (as from the payment of a debt) **6** : APPROVAL, ACCEPTANCE ⟨in his good ~s⟩ **7** : CHARM **8** : ATTRACTIVENESS, BEAUTY **9** : fitness or proportion of line or expression **10** : ease of movement **11** : a musical trill or ornament **12** — used as a title for a duke, a duchess, or an archbishop — **grace·ful** adj — **grace·ful·ly** adv — **grace·ful·ness** n — **grace·less** adj

²grace vb **1** : HONOR **2** : ADORN, EMBELLISH

gra·cious \'grā-shəs\ adj **1** : marked by kindness and courtesy **2** : GRACEFUL **3** : characterized by charm and good taste **4** : MERCIFUL ⟨His Most Gracious Majesty⟩ — **gra·cious·ly** adv — **gra·cious·ness** n

gra·da·tion \grā-'dā-shən\ n **1** : a series forming successive stages **2** : a step, degree, or stage in a series **3** : an advance by regular degrees **4** : the act or process of grading

¹grade \'grād\ n **1** : a degree or stage in a series, order, or ranking **2** : a position in a scale of rank, quality, or order **3** : a class of persons or things of the same rank or quality **4** : a division of the school course representing one year's work; also : the pupils in such a division **5** pl : the elementary school system **6** : a mark or rating esp. of accomplishment in school **7** : the degree of slope (as of a road); also : SLOPE

²grade vb **1** : to arrange in grades : SORT **2** : to make level or evenly sloping ⟨~ a highway⟩ **3** : to give a grade to ⟨~ a pupil in history⟩ **4** : to assign to a grade

grade school n : a public school including the first six or the first eight grades

gra·di·ent \'grād-ē-ənt\ n : SLOPE, GRADE

grad·u·al \'graj-(ə-w)əl\ adj : proceeding or changing by steps or degrees — **grad·u·al·ly** adv

grad·u·al·ism n : the policy of approaching a desired end by gradual stages

¹grad·u·ate \'graj-ə-wət, -ˌwāt\ n **1** : a holder of an academic degree or diploma **2** : a receptacle marked with figures for measuring contents

²graduate adj **1** : holding an academic degree or diploma **2** : of or relating to studies beyond the first or bachelor's degree ⟨~ school⟩

³grad·u·ate \-ˌwāt\ vb **1** : to grant or receive an academic degree or diploma **2** : to admit to a particular standing or grade **3** : to mark with degrees of measurement **4** : to divide into grades, classes, or intervals

grad·u·a·tion \ˌgraj-ə-'wā-shən\ n **1** : a mark that graduates something **2** : an act or process of graduating **3** : COMMENCEMENT

graf·fi·to \grə-'fēt-ō\ n, pl **-ti** \-(ˌ)ē\ : a rude inscription or drawing found on rocks or walls

¹graft \'graft\ vb **1** : to insert a shoot from one plant into another so that they join and grow; also : to join one thing to another as in plant grafting ⟨~ skin over a burn⟩ **2** : to get (as money) by dishonest means — **graft·er** n

²graft n **1** : a grafted plant; also : the point of union in this **2** : material (as skin or a plant shoot) used in grafting **3** : the getting of money or advantage by dishonest means; also : the money or advantage gained dishonestly

gra·ham flour \ˌgrā-əm-\ n : whole wheat flour

Grail \'grāl\ n : the cup or platter used according to medieval legend by Christ at the Last Supper and thereafter the object of knightly quests

grain \'grān\ n **1** : a seed or fruit of a cereal grass **2** : seeds or fruits of various food plants and esp. cereal grasses; also : a plant producing grain **3** : a small hard particle **4** : a unit of weight equal to .0648 gram **5** : TEXTURE; also : the arrangement of fibers in wood **6** : natural disposition

grain·field \-ˌfēld\ n : a field where grain is grown

grainy adj **1** : GRANULAR **2** : resembling the grain of wood

gram or **gramme** \'gram\ n : a unit of weight in the metric system equal to ¹⁄₁₀₀₀ kilogram

-gram \ˌgram\ n comb form : drawing : writing : record ⟨telegram⟩

gram·mar \'gram-ər\ n **1** : the study of the classes of words, their inflections, and their functions and relations in the sentence **2** : a study of what is to be preferred and what avoided in inflection and syntax; *also* **:** speech or writing evaluated according to its conformity to the principles of grammar — **gram·mar·i·an** \grə-'mer-ē-ən\ *n* — **gram·mat·i·cal** \-'mat-i-kəl\ *adj* — **gram·mat·i·cal·ly** *adv*

grammar school *n* **1 :** a British secondary school emphasizing Latin and Greek in preparation for college; *also* **:** a British college preparatory school **2 :** a school intermediate between the primary grades and high school

gra·na·ry \'grān-(ə-)rē, 'gran-\ *n* **:** a storehouse for grain

grand \'grand\ *adj* **1 :** higher in rank or importance **:** FOREMOST, CHIEF **2 :** great in size **3 :** INCLUSIVE, COMPLETE ⟨a ∼ total⟩ **4 :** MAGNIFICENT, SPLENDID **5 :** showing wealth or high social standing **6 :** IMPRESSIVE, STATELY — **grand·ly** *adv* — **grand·ness** *n*

grand·child \'gran(d)-,chīld\ *n* **:** a child of one's son or daughter

grand·daugh·ter \'gran-,dȯt-ər\ *n* **:** a daughter of one's son or daughter

gran·deur \'gran-jər\ *n* **1 :** the quality or state of being grand **:** awe-inspiring magnificence **2 :** something grand or conducive to grandness

grand·fa·ther \'gran(d)-,fäth-ər\ *n* **:** the father of one's father or mother; *also* **:** ANCESTOR

gran·dil·o·quence \gran-'dil-ə-kwəns\ *n* **:** pompous eloquence — **gran·dil·o·quent** *adj*

gran·di·ose \'gran-dē-,ōs\ *adj* **:** IMPRESSIVE, IMPOSING; *also* **:** affectedly splendid

grand·moth·er \'gran(d)-,məth-ər\ *n* **:** the mother of one's father or mother; *also* **:** a female ancestor

grand·par·ent \-,par-ənt\ *n* **:** a parent of one's father or mother

grand piano *n* **:** a piano with horizontal frame and strings

grand·son \'gran(d)-,sən\ *n* **:** a son of one's son or daughter

grand·stand \-,stand\ *n* **:** a usu. roofed stand for spectators at a racecourse or stadium

grange \'grānj\ *n* **:** a farm or farmhouse with its various buildings

gran·ite \'gran-ət\ *n* **:** a hard igneous rock that takes a polish and is used for building

¹grant \'grant\ *vb* **1 :** to consent to **:** ALLOW, PERMIT **2 :** GIVE, BESTOW **3 :** to admit as true **:** CONCEDE — **grant·er** *n* — **grant·or** *n*

²grant *n* **1 :** the act of granting **2 :** something granted; *esp* **:** a gift for a particular purpose ⟨a ∼ for study abroad⟩ **3 :** a transfer of property by deed or writing; *also* **:** the instrument by which such a transfer is made **4 :** the property transferred by grant

gran·tee \grant-'ē\ *n* **:** one to whom a grant is made

gran·u·lar \'gran-yə-lər\ *adj* **:** consisting of or appearing to consist of granules

gran·u·late \-,lāt\ *vb* **:** to form into grains or crystals — **gran·u·lat·ed** *adj* — **gran·u·la·tion** \,gran-yə-'lā-shən\ *n*

gran·ule \'gran-yül\ *n* **:** a small particle; *esp* **:** one of numerous particles forming a larger unit

grape \'grāp\ *n* **1 :** a smooth juicy edible berry that is the chief source of wine **2 :** a woody vine widely grown for its clustered grapes

grape·fruit \-,früt\ *n* **:** a large edible yellow-skinned citrus fruit

grape·shot \-,shät\ *n* **:** a cluster of small iron balls used as a cannon charge

grape·vine \-,vīn\ *n* **1 :** GRAPE **2 :** RUMOR, REPORT; *also* **:** an informal means of circulating information or gossip

graph \'graf\ *n* **:** a diagram that by means of dots and lines shows a system of relationships between things

-graph \,graf\ *n comb form* **1 :** something written ⟨auto*graph*⟩ **2 :** instrument for making or transmitting records ⟨seismo*graph*⟩

graph·ic \'graf-ik\ *adj* **1 :** being written, drawn, or engraved **2 :** vividly described **3 :** of or relating to the arts (**graphic arts**) of representation, decoration, and printing on flat surfaces — **graph·i·cal·ly** *adv*

graph·ite \'graf-,īt\ *n* [G *graphit*, fr. Gk *graphein* to write] **:** soft carbon used esp. for lead pencils and lubricants

¹grap·ple \'grap-əl\ *n* **1 :** GRAPNEL **2 :** a hand-to-hand struggle

²grapple *vb* **1 :** to seize or hold with or as if with a hooked implement **2 :** to seize one another **3 :** WRESTLE **4 :** COPE ⟨∼ with a problem⟩

¹grasp \'grasp\ *vb* **1 :** to make the motion of seizing **2 :** to take or seize firmly **3 :** to enclose and hold with the fingers or arms **4 :** COMPREHEND

²grasp *n* **1 :** HANDLE **2 :** EMBRACE **3 :** HOLD, CONTROL **4 :** the reach of the arms **5 :** the power of seizing and holding **6 :** COMPREHENSION ⟨a good ∼ of the subject⟩

grass \'gras\ *n* **1 :** herbage for grazing animals **2 :** any of a large group of plants with jointed stems and narrow leaves **3 :** grass-covered land — **grassy** *adj*

grass·hop·per \-,häp-ər\ *n* **:** any of a group of leaping plant-eating insects

grass·land \-,land\ *n* **:** land covered naturally or under cultivation with grasses and low-growing herbs

¹grate \'grāt\ *n* **1 :** a framework with bars across it (as in a window) **2 :** a frame of iron bars for holding fuel while it is burning

²grate *vb* **1 :** to pulverize by rubbing against something rough **2 :** to grind or rub against with a rasping noise **3 :** IRRITATE — **grat·er** *n* — **grat·ing·ly** *adv*

grate·ful \'grāt-fəl\ *adj* **1 :** THANKFUL, APPRECIATIVE; *also* **:** expressing gratitude **2 :** PLEASING — **grate·ful·ly** *adv*

grat·i·fy \'grat-ə-,fī\ *vb* **:** to afford pleasure to **:** FAVOR, OBLIGE — **grat·i·fi·ca·tion** \,grat-ə-fə-'kā-shən\ *n*

grat·ing \'grāt-iŋ\ *n* **:** a frame with bars **:** GRATE

gra·tis \'grāt-əs, 'grat-\ *adv* (*or adj*) **:** without charge or recompense **:** FREE

grat·i·tude \'grat-ə-,t(y)üd\ *n* **:** THANKFULNESS

gra·tu·itous \grə-'t(y)ü-ət-əs\ *adj* **1 :** done or provided without recompense **:** FREE **2 :** UNWARRANTED

gra·tu·ity \-ət-ē\ *n* **:** TIP

gra·va·men \grə-'vām-ən, -'väm-\ *n, pl* **-mens** *or* **-mi·na** \-ə-nə\ **:** the basic or significant part of a grievance or complaint

¹grave \'grāv\ *vb* : SCULPTURE, ENGRAVE — **grav·er** *n*
²grave *n* : an excavation in the earth as a place of burial; *also* : TOMB
³grave *adj* **1** : IMPORTANT **2** : threatening great harm or danger **3** : DIGNIFIED, SOLEMN **4** : drab in color : SOMBER **5** : of, marked by, or being an accent mark having the form ` — **grave·ly** *adv*
grav·el \'grav-əl\ *n* : loose rounded fragments of rock — **grav·el·ly** *adj*
grave·stone \'grāv-,stōn\ *n* : a burial monument
grave·yard \'grāv-,yärd\ *n* : CEMETERY
grav·id \'grav-əd\ *adj* : PREGNANT
grav·i·tate \'grav-ə-,tāt\ *vb* **1** : to move or tend to move under the influence of gravitation **2** : to move toward something
grav·i·ta·tion \,grav-ə-'tā-shən\ *n* : a natural force of attraction that tends to draw bodies together — **grav·i·ta·tion·al** *adj*
grav·i·ty \'grav-ət-ē\ *n* **1** : IMPORTANCE; *esp* : SERIOUSNESS **2** : WEIGHT **3** : the attraction of bodies toward the center of the earth
gra·vy \'grā-vē\ *n* **1** : a sauce made from the thickened and seasoned juices of cooked meat **2** : unearned or illicit gain : GRAFT
¹gray \'grā\ *adj* **1** : of the color gray; *also* : dull in color **2** : having gray hair **3** : CHEERLESS, DISMAL — **gray·ish** *adj* — **gray·ness** *n*
²gray *n* **1** : something of a gray color **2** : a neutral color ranging between black and white
³gray *vb* : to make or become gray
gray·ling \'grā-liŋ\ *n* : any of several slender freshwater food and sport fishes related to the trouts
gray matter *n* : the grayish part of nervous tissue consisting mostly of nerve cell bodies
¹graze \'grāz\ *vb* **1** : to feed (livestock) on grass or pasture **2** : to feed on herbage or pasture
²graze *vb* **1** : to touch lightly in passing **2** : SCRATCH
¹grease \'grēs\ *n* : rendered and usu. solid animal fat; *also* : oily material — **greasy** \'grē-sē, -zē\ *adj*
²grease \'grēs, 'grēz\ *vb* : to smear or lubricate with grease
grease·paint \'grēs-,pānt\ *n* : theater makeup
great \'grāt, *South also* 'gre(ə)t\ *adj* **1** : large in size : BIG **2** : ELABORATE, AMPLE **3** : large in number : NUMEROUS **4** : being beyond the average : MIGHTY, INTENSE ⟨a ∼ weight⟩ ⟨in ∼ pain⟩ **5** : EMINENT, DISTINGUISHED, GRAND **6** : long continued ⟨a ∼ while⟩ **7** : MAIN, PRINCIPAL **8** : more distant in a family relationship by one generation ⟨a *great*-grandfather⟩ **9** : markedly superior in character or quality; *also* : remarkably skilled ⟨∼ at bridge⟩ **10** : EXCELLENT, FINE ⟨had a ∼ time⟩ — **great·ly** *adv*
great·coat \-,kōt\ *n* : a heavy overcoat
great·heart·ed \-'härt-əd\ *adj* **1** : COURAGEOUS **2** : MAGNANIMOUS
grebe \'grēb\ *n* : any of a group of lobe-toed diving birds related to the loons
Gre·cian \'grē-shən\ *adj* : GREEK
greed \'grēd\ *n* : acquisitive or selfish desire beyond reason : AVARICE —

greed·i·ly *adv* — **greed·i·ness** *n* — **greedy** *adj*
¹Greek \'grēk\ *n* **1** : a native or inhabitant of Greece **2** : the ancient or modern language of Greece
²Greek *adj* **1** : of, relating to, or characteristic of Greece, the Greeks, or Greek **2** : ORTHODOX **3**
¹green \'grēn\ *adj* **1** : of the color green **2** : covered with verdure; *also* : consisting of green plants or of the leafy parts of plants ⟨a ∼ salad⟩ **3** : UNRIPE; *also* : IMMATURE **4** : having a sickly appearance ⟨∼ with envy⟩ **5** : not fully processed or treated ⟨∼ liquor⟩ ⟨∼ hides⟩ **6** : INEXPERIENCED; *also* : NAÏVE — **green·ish** *adj* — **green·ness** \'grēn-nəs\ *n*
²green *n* **1** : a color between blue and yellow in the spectrum : the color of growing fresh grass or of the emerald **2** : something of a green color **3** *pl* : leafy parts of plants (as for ornament or food) **4** : a grassy plot; *esp* : a grassy area at the end of a golf fairway containing the hole into which the ball must be played
green·back \-,bak\ *n* : a legal-tender note issued by the U.S. government
green·belt \-,belt\ *n* : a belt of parkways or farmlands that encircles a community and is designed to prevent undesirable encroachments
green·ery \-(ə-)rē\ *n* : green foliage or plants
green·horn \-,hȯrn\ *n* : an inexperienced person; *esp* : one easily tricked or cheated
green·house \-,haus\ *n* : a glass structure for the growing of tender plants
green·room \-,rüm, -,rum\ *n* : a room in a theater or concert hall where actors or musicians relax before, between, or after appearances
green·wood \-,wud\ *n* : a forest green with foliage
greet \'grēt\ *vb* **1** : to address with expressions of kind wishes : HAIL **2** : to meet or react to in a specified manner ⟨∼ed him with cheers⟩ **3** : to be perceived by — **greet·er** *n*
greet·ing *n* **1** : a salutation on meeting **2** *pl* : best wishes : REGARDS
gre·gar·i·ous \gri-'gar-ē-əs\ *adj* **1** : SOCIAL, COMPANIONABLE **2** : tending to flock together — **gre·gar·i·ous·ly** *adv*
grem·lin \'grem-lən\ *n* : a small gnome held to be responsible for malfunction of equipment esp. in an airplane
gre·nade \grə-'nād\ *n* [MF, lit., pomegranate, fr. LL *granata*, fr. L *granatus* seedy, fr. *granum* grain, seed] : a case filled with a destructive agent (as an explosive) and designed to be hurled against an enemy
gren·a·dier \,gren-ə-'diər\ *n* : a member of a European regiment formerly armed with grenades
gren·a·dine \,gren-ə-'dēn\ *n* : a syrup flavored with pomegranates and used in mixed drinks
grew *past of* GROW
grey *var of* GRAY
grey·hound \'grā-,haund\ *n* : a tall slender dog noted for speed and keen sight
grid \'grid\ *n* **1** : GRATING, GRIDIRON **2** : a ridged or perforated metal plate for conducting current in a storage battery; *also* : an electron tube electrode with

griddle 204 **gross**

openings used for controlling the flow of electrons between other electrodes

grid·dle \'grid-ᵊl\ *n* : a flat usu. metal surface on which food is placed for cooking

grid·iron \'grid-ˌī(-ə)rn\ *n* **1** : a grate (as of parallel bars) for broiling food **2** : something resembling a gridiron in appearance; *esp* : a football field

grief \'grēf\ *n* **1** : emotional suffering caused by or as if by bereavement; *also* : a cause of such suffering **2** : MISHAP, DISASTER

griev·ance \'grē-vəns\ *n* **1** : a cause of distress affording reason for complaint or resistance **2** : COMPLAINT

grieve \'grēv\ *vb* **1** : to cause grief or sorrow to : DISTRESS **2** : to feel grief

griev·ous \'grē-vəs\ *adj* **1** : OPPRESSIVE, ONEROUS **2** : causing suffering : SEVERE ⟨a ~ wound⟩ **3** : causing grief or sorrow **4** : SERIOUS, GRAVE — **griev·ous·ly** *adv*

¹**grill** \'gril\ *vb* **1** : to broil on a grill; *also* : to fry or toast on a griddle **2** : to question intensely

²**grill** *n* **1** : GRIDIRON; *also* : GRIDDLE **2** : an informal restaurant esp. in a hotel

grille *or* **grill** \'gril\ *n* : a grating that forms a barrier or screen

grim \'grim\ *adj* **1** : CRUEL, SAVAGE, FIERCE **2** : harsh and forbidding in appearance **3** : RELENTLESS **4** : ghastly, repellent, or sinister in character — **grim·ly** *adv* — **grim·ness** *n*

grim·ace \'grim-əs, grim-'ās\ *n* : a facial expression usu. of disgust or disapproval — **grimace** *vb*

grime \'grīm\ *n* : soot, smut, or dirt adhering to or embedded in a surface; *also* : accumulated dirtiness and disorder — **grimy** *adj*

grin \'grin\ *vb* **grinned**; **grin·ning** : to draw back the lips so as to show the teeth esp. in amusement or laughter — **grin** *n*

¹**grind** \'grīnd\ *vb* **ground** \'graund\; **grind·ing** **1** : to reduce to small particles **2** : to wear down, polish, or sharpen by friction **3** : to press with a grating noise : GRIT ⟨~ the teeth⟩ **4** : OPPRESS **5** : to operate or produce by turning a crank **6** : to move with difficulty or friction ⟨gears ~ing⟩ **7** : DRUDGE; *esp* : to study hard

²**grind** *n* **1** : monotonous labor or routine; *esp* : intensive study **2** : a student who studies excessively

grind·er \'grīn-dər\ *n* **1** : MOLAR **2** *pl* : TEETH **3** : one that grinds **4** : a large sandwich usu. consisting of a long roll split lengthwise with various fillings

grind·stone \'grīn-ˌstōn\ *n* : a flat circular stone of natural sandstone that revolves on an axle and is used for grinding, shaping, or smoothing

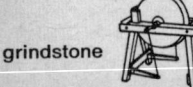

grindstone

¹**grip** \'grip\ *vb* **gripped**; **grip·ping** **1** : to seize firmly **2** : to hold strongly the interest of

²**grip** *n* **1** : GRASP; *also* : strength in gripping **2** : CONTROL, MASTERY **3** : UNDERSTANDING **4** : a device for grasping and holding **5** : SUITCASE

gripe \'grīp\ *vb* **1** : SEIZE, GRIP **2** : DISTRESS; *also* : VEX **3** : to cause or experience spasmodic pains in the bowels **4** : COMPLAIN — **gripe** *n*

grippe \'grip\ *n* : INFLUENZA

gris·ly \'griz-lē\ *adj* : HORRIBLE, GRUESOME

grist \'grist\ *n* : grain to be ground or already ground

gris·tle \'gris-əl\ *n* : CARTILAGE — **gris·tly** *adj*

¹**grit** \'grit\ *n* **1** : a hard sharp granule (as of sand); *also* : material composed of such granules **2** : firmness of mind or spirit : unyielding courage — **grit·ty** *adj*

²**grit** *vb* **grit·ted**; **grit·ting** : GRIND, GRATE

grits \'grits\ *n pl* : coarsely ground hulled grain

¹**griz·zly** \'griz-lē\ *adj* : GRIZZLED

²**grizzly** *n* : GRIZZLY BEAR

grizzly bear *n* : a large pale-coated bear of western No. America

groan \'grōn\ *vb* **1** : MOAN **2** : to make a harsh sound under sudden or prolonged strain ⟨the chair ~ed under his weight⟩ — **groan** *n*

gro·cer \'grō-sər\ *n* [MF *grossier* wholesaler, fr. *gros* coarse, gross, wholesale, fr. L *grossus* coarse] : a dealer esp. in staple foodstuffs — **gro·cery** \'grōs-(ə-)rē\ *n*

grog·gy \'gräg-ē\ *adj* : weak and dazed and unsteady on the feet or in action

groin \'groin\ *n* **1** : the fold marking the juncture of abdomen and thigh; *also* : the region of this fold **2** : the curved line in a building formed by the meeting of two vaults

grom·met \'gräm-ət\ *n* **1** : a ring of rope **2** : an eyelet of firm material to strengthen or protect an opening

¹**groom** \'grüm, 'grum\ *n* **1** : a male servant; *esp* : one in charge of horses **2** : BRIDEGROOM

²**groom** *vb* **1** : to attend to the cleaning of (an animal) **2** : to make neat, attractive, or acceptable : POLISH

grooms·man \'grümz-mən, 'grumz-\ *n* : a male friend who attends a bridegroom at his wedding

groove \'grüv\ *n* **1** : a long narrow channel **2** : a fixed routine — **groove** *vb*

grope \'grōp\ *vb* **1** : to feel about blindly or uncertainly in search ⟨~ for the right word⟩ **2** : to feel one's way by groping

gro·schen \'grō-shən\ *n, pl* **groschen** — see MONEY table

gros·grain \'grō-ˌgrān\ *n* : a silk or rayon fabric with crosswise cotton ribs

¹**gross** \'grōs\ *adj* **1** : glaringly noticeable **2** : OUT-AND-OUT, UTTER **3** : BIG, BULKY; *esp* : excessively fat **4** : excessively luxuriant : RANK **5** : GENERAL, BROAD **6** : consisting of an overall total exclusive of deductions ⟨~ earnings⟩ **7** : EARTHY, CARNAL ⟨~ pleasures⟩ **8** : UNDISCRIMINATING **9** : lacking knowledge or culture : UNREFINED **10** : OBSCENE — **gross·ly** *adv* — **gross·ness** *n*

²**gross** *n* **1** : an overall total exclusive of deductions **2** *archaic* : main body : MASS — **gross** *vb*

grotesque 205 guest

³**gross** *n, pl* **gross** : a total of 12 dozen things ⟨a ~ of pencils⟩
gro·tesque \grō-'tesk\ *adj* **1** : FANCIFUL, BIZARRE **2** : absurdly incongruous **3** : ECCENTRIC — **gro·tesque·ly** *adv*
grot·to \'grät-ō\ *n, pl* **-toes** *also* **-tos 1** : CAVE **2** : an artificial cavelike structure
grouch \'graùch\ *n* **1** : a fit of bad temper **2** : an habitually irritable or complaining person — **grouch** *vb* — **grouchy** *adj*
¹**ground** \'graùnd\ *n* **1** : the bottom of a body of water **2** *pl* : sediment at the bottom of a liquid : DREGS, LEES **3** : a basis for belief, action, or argument ⟨~s for divorce⟩ **4** : BACKGROUND **5** : FOUNDATION **6** : the surface of the earth; *also* : SOIL **7** : an area of land with a particular use ⟨parade ~s⟩ **8** *pl* : the area about and pertaining to a building **9** : a conductor that makes electrical connection with the earth or a large body of zero potential — **ground·less** *adj*
²**ground** *vb* **1** : to bring to or place on the ground **2** : to provide a reason or justification for **3** : to instruct in fundamental principles **4** : to connect with an electrical ground **5** : to restrict to the ground ⟨~ a pilot⟩ **6** : to run aground
³**ground** *past of* GRIND
ground·er *n* : a baseball hit on the ground
ground·hog \'graùnd-,hȯg, -,häg\ *n* : WOODCHUCK
ground·ling \'graùnd-liŋ\ *n* **1** : a spectator in the cheaper part of a theater **2** : a person of inferior judgment or taste
ground·work \-,wərk\ *n* : FOUNDATION, BASIS
¹**group** \'grüp\ *n* : a number of individuals related by a common factor (as physical association, community of interests, or blood)
²**group** *vb* : to associate in groups : CLUSTER, AGGREGATE
¹**grouse** \'graùs\ *n, pl* **grouse** : a ground-dwelling game bird related to the pheasants
²**grouse** *vb* : COMPLAIN, GRUMBLE
grove \'grōv\ *n* : a small wood usu. without underbrush
grov·el \'gräv-əl, 'grəv-\ *vb* **-eled** *or* **-elled; -el·ing** *or* **-el·ling 1** : to creep or lie with the body prostrate in fear or humility **2** : CRINGE
grow \'grō\ *vb* **grew** \'grü\ **grown** \'grōn\ **grow·ing 1** : to spring up and come to maturity **2** : to be able to grow : THRIVE **3** : to unite by or as if by growth **4** : INCREASE, EXPAND **5** : RESULT, ORIGINATE **6** : to come into existence : ARISE **7** : BECOME **8** : to obtain influence ⟨habit ~s on a man⟩ **9** : to cause to grow : CULTIVATE — **grow·er** *n*
growl \'graùl\ *vb* **1** : RUMBLE **2** : to utter a deep throaty threatening sound ⟨the dog ~ed at the stranger⟩ **3** : GRUMBLE — **growl** *n*
growth \'grōth\ *n* **1** : stage or condition attained in growing **2** : a process of growing : progressive development or increase **3** : a result or product of growing ⟨a fine ~ of hair⟩; *also* : an abnormal mass of tissue (as a tumor)

¹**grub** \'grəb\ *vb* **grubbed; grub·bing 1** : to clear or root out by digging **2** : DRUDGE **3** : to dig in the ground usu. for a hidden object **4** : RUMMAGE
²**grub** *n* **1** : a soft thick wormlike larva ⟨beetle ~s⟩ **2** : DRUDGE; *also* : a slovenly person **3** : FOOD
grub·by \'grəb-ē\ *adj* : DIRTY, SLOVENLY
grub·stake \'grəb-,stāk\ *n* : supplies or funds furnished a mining prospector in return for a promise of a share in his finds
¹**grudge** \'grəj\ *vb* : to be reluctant to give : BEGRUDGE
²**grudge** *n* : a feeling of deep-seated resentment or ill will
gru·el·ing *or* **gru·el·ling** \-ə-liŋ\ *adj* : requiring extreme effort : EXHAUSTING
grue·some \'grü-səm\ *adj* : inspiring horror or repulsion : GRISLY
gruff \'grəf\ *adj* **1** : rough in speech or manner **2** : being deep and harsh
grum·ble \'grəm-bəl\ *vb* **1** : to mutter in discontent **2** : GROWL **3** : RUMBLE
grumpy \'grəm-pē\ *adj* : moodily cross
grunt \'grənt\ *n* : a deep throaty sound (as that of a hog) — **grunt** *vb*
¹**guar·an·tee** \,gar-ən-'tē\ *n* **1** : GUARANTOR **2** : GUARANTY 1 **3** : an agreement by which one person undertakes to secure another in the possession or enjoyment of something **4** : an assurance of the quality of or of the length of use to be expected from a product offered for sale **5** : GUARANTY 3
²**guarantee** *vb* **1** : to undertake to answer for the debt, failure to perform, or faulty performance of (another) **2** : to undertake an obligation to establish, perform, or continue ⟨guaranteed wage⟩ **3** : to give security to : SECURE
guar·an·tor \,gar-ən-'tȯr\ *n* : a person who gives a guarantee
¹**guar·an·ty** \'gar-ən-tē\ *n* **1** : an undertaking to answer for another's failure to pay a debt or perform a duty **2** : GUARANTEE **3** : PLEDGE, SECURITY **4** : GUARANTOR
²**guaranty** *vb* : GUARANTEE
¹**guard** \'gärd\ *n* **1** : a posture of defense **2** : the act or duty of protecting or defending : PROTECTION **3** : a man or a body of men on sentinel duty **4** *pl* : troops attached to the person of the sovereign **5** : BRAKEMAN **6** *Brit* : CONDUCTOR **7** : a football lineman playing between center and tackle; *also* : a basketball player stationed toward the rear **8** : a protective or safety device
²**guard** *vb* **1** : PROTECT, DEFEND **2** : to watch over **3** : to be on guard
guard·ian \'gärd-ē-ən\ *n* **1** : CUSTODIAN **2** : one who has the care of the person or property of another — **guard·ian·ship** *n*
gu·ber·na·to·ri·al \,g(y)ü-bə(r)-nə-'tōr-ē-əl\ *adj* : of or relating to a governor
guer·ril·la *or* **gue·ril·la** \gə-'ril-ə\ *n* : a person who carries on irregular warfare esp. as a member of an independent unit
guess \'ges\ *vb* **1** : to form an opinion from little or no evidence **2** : to conjecture correctly about : DISCOVER **3** : BELIEVE, SUPPOSE — **guess** *n*
guest \'gest\ *n* **1** : a person to whom hospitality (as of a house or a club) is extended **2** : a patron of a commercial establishment (as a hotel or restaurant)

guf·faw \(ˌ)gə-ˈfȯ\ *n* : a loud burst of laughter — **guffaw** *vb*
guid·ance \ˈgīd-ᵊns\ *n* **1** : the act or process of guiding **2** : ADVICE, DIRECTION
¹**guide** \ˈgīd\ *n* **1** : one who leads or directs another in his way or course **2** : one who exhibits and explains points of interest **3** : something that provides a person with guiding information; *also* : SIGNPOST **4** : a device on a machine to direct the motion of something
²**guide** *vb* **1** : CONDUCT **2** : MANAGE, DIRECT **3** : SUPERINTEND
guided missile *n* : a missile whose course toward a target may be altered during flight
guild \ˈgild\ *n* : an association of men with common aims and interests; *esp* : a medieval association of merchants or craftsmen — **guild·hall** \-ˌhȯl\ *n*
guile \ˈgīl\ *n* : deceitful cunning : DUPLICITY — **guile·ful** *adj* — **guile·less**
guil·lo·tine \ˈgil-ə-ˌtēn, ˈgē-(y)ə-\ *n* : a machine for beheading persons — **guillotine** *vb*

guillotine

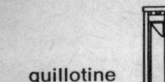

guilt \ˈgilt\ *n* **1** : the fact of having committed an offense esp. against the law **2** : BLAMEWORTHINESS **3** : a feeling of responsibility for offenses —
guilty *adj* **1** : having committed a breach of conduct **2** : suggesting or involving guilt **3** : aware of or suffering from guilt — **guilt·i·ness** *n*
guinea pig *n* : a small stocky short-eared and nearly tailless So. American rodent
guise \ˈgīz\ *n* **1** : a form or style of dress : COSTUME **2** : external appearance : SEMBLANCE
gui·tar \gə-ˈtär\ *n* : a musical instrument with six strings plucked with a plectrum or with the fingers
gulf \ˈgəlf\ *n* **1** : an extension of an ocean or a sea into the land **2** : ABYSS, CHASM **3** : a wide separation
¹**gull** \ˈgəl\ *n* : a usu. white or gray long-winged web-footed seabird
²**gull** *vb* : to make a dupe of : DECEIVE — **gull·ible** *adj*
³**gull** *n* : DUPE
gul·let \ˈgəl-ət\ *n* : ESOPHAGUS; *also* : THROAT
gul·ly \ˈgəl-ē\ *n* : a trench worn in the earth by running water after rains
gulp \ˈgəlp\ *vb* **1** : to swallow hurriedly or greedily **2** : SUPPRESS ⟨~ down a sob⟩ **3** : to catch the breath as if in taking a long drink — **gulp** *n*
¹**gum** \ˈgəm\ *n* : the tissue along the jaw that surrounds the necks of the teeth
²**gum** *n* **1** : a sticky plant exudate; *esp* : one that hardens on drying and is soluble in or swells in water and that includes substances used as emulsifiers, adhesives, and thickeners and in inks **2** : a sticky substance **3** : a preparation usu. of a plant gum sweetened and flavored and used as a chew — **gum·my** *adj*

gum arabic *n* : a water-soluble gum obtained from several acacias and used esp. in adhesives, in confectionery, and in pharmacy
gum·boil \ˈgəm-ˌbȯil\ *n* : an abscess in the gum
gum·drop \-ˌdräp\ *n* : a candy made usu. from corn syrup with gelatin and coated with sugar crystals
gump·tion \ˈgəmp-shən\ *n* **1** : shrewd common sense **2** : ENTERPRISE, INITIATIVE
¹**gun** \ˈgən\ *n* **1** : CANNON **2** : a portable firearm **3** : a discharge of a gun **4** : something suggesting a gun in shape or function **5** : THROTTLE
²**gun** *vb* gunned; gun·ning **1** : to hunt with a gun **2** : SHOOT **3** : to open up the throttle of so as to increase speed
gun·boat \-ˌbōt\ *n* : a small lightly armed ship for use in shallow waters
gun·ner *n* **1** : a soldier or airman who operates or aims a gun **2** : one that hunts with a gun
gun·nery \ˈgən-(ə-)rē\ *n* : the use of guns; *esp* : the science of the flight of projectiles and of the effective use of guns
gunnery sergeant *n* : a noncommissioned officer in the marine corps ranking next below a first sergeant
gun·ny \ˈgən-ē\ *n* **1** : coarse jute material for making sacks **2** : BURLAP
gun·ny·sack \-ˌsak\ *n* : a sack made of gunny or burlap
gun·point \ˈgən-ˌpȯint\ *n* : the point of a gun — **at gunpoint** : under a threat of death by being shot
gun·shot \-ˌshät\ *n* **1** : shot or a projectile fired from a gun **2** : the range of a gun ⟨within ~⟩
gun·shy \-ˌshī\ *adj* **1** : afraid of a loud noise (as of a gun) **2** : markedly distrustful
gun·smith \-ˌsmith\ *n* : one whose business is the making and repair of firearms
gup·py \ˈgəp-ē\ *n* : a tiny brightly colored tropical fish
gur·gle \ˈgər-gəl\ *vb* **1** : to flow in a broken irregular current **2** : to make a sound like that of a gurgling liquid — **gurgle** *n*
gush \ˈgəsh\ *vb* **1** : to issue or pour forth copiously or violently : SPOUT **2** : to make an effusive display of affection or enthusiasm
gush·er *n* : one that gushes; *esp* : an oil well with a large natural flow
gushy *adj* : marked by effusive sentimentality
gus·set \ˈgəs-ət\ *n* : a triangular insert (as in a seam of a sleeve) to give width or strength
gust \ˈgəst\ *n* **1** : a sudden brief rush of wind **2** : a sudden outburst : SURGE — **gusty** *adj*
gus·ta·to·ry \ˈgəs-tə-ˌtōr-ē\ *adj* : of, relating to, or being the sense or sensation of taste
gus·to \ˈgəs-tō\ *n* : RELISH, ZEST
¹**gut** \ˈgət\ *n* **1** *pl* : BOWELS, ENTRAILS **2** : the alimentary canal or a part of it (as the intestine); *also* : BELLY, ABDOMEN **3** *pl* : the inner essential parts **4** *pl* : COURAGE, STAMINA
²**gut** *vb* gut·ted; gut·ting **1** : EVISCERATE **2** : to destroy the inside of ⟨fire gutted the building⟩

gut·ter \'gət-ər\ *n* : a channel for carrying off waste water (as at the eaves of a house or at the sides of a road)

gut·ter·snipe \-,snīp\ *n* : a street urchin

gut·tur·al \'gət-ə-rəl\ *adj* **1** : of or relating to the throat **2** : sounded in the throat **3** : being or marked by an utterance that is strange, unpleasant, or disagreeable — **guttural** *n*

gut·ty \'gət-ē\ *adj* : being vital, bold, and challenging (~ realism)

¹**guy** \'gī\ *n* : a rope, chain, or rod attached to something to steady it

²**guy** *vb* : to steady or reinforce with a guy

³**guy** *n* : MAN, FELLOW

⁴**guy** *vb* : to make fun of : RIDICULE

guz·zle \'gəz-əl\ *vb* : to drink greedily

gym \'jim\ *n* : GYMNASIUM

gym·na·si·um \jim-'nā-zē-əm *for 1,* gim-'nä- *for 2*\ *n, pl* **-si·ums** *or* **-sia** \-zē-ə\ [L, fr. Gk *gymnasion*, fr. *gymnazein* to exercise naked, fr. *gymnos* naked] **1** : a place or building for sports activities **2** : a German secondary school that prepares students for the university

gym·nas·tics \jim-'nas-tiks\ *n* : physical exercises performed in or adapted to performance in a gymnasium

gyn·e·col·o·gy \,jin-i-'käl-ə-jē, ,gīn-\ *n* : a branch of medicine dealing with women and diseases peculiar to women

gyp \'jip\ *n* **1** : CHEAT, SWINDLER **2** : FRAUD, SWINDLE — **gyp** *vb*

gyp·sum \'jip-səm\ *n* : a calcium-containing mineral used in making plaster of paris

Gyp·sy \'jip-sē\ *n* : one of a dark Caucasian race coming orig. from India and living chiefly in Europe and the U.S.; *also* : the language of this race

gy·rate \'jī-,rāt\ *vb* **1** : to revolve around a point or axis **2** : to oscillate with or as if with a circular or spiral motion — **gy·ra·tion** \jī-'rā-shən\ *n*

gy·ro·com·pass \'jī-rō-,kəm-pəs, -,käm-\ *n* : a compass in which the axis of a spinning gyroscope points to the north

gy·ro·scope \'jī-rə-,skōp\ *n* : a wheel or disk mounted to spin rapidly about an axis that is free to turn in various directions

H

h \'āch\ *n, often cap* : the 8th letter of the English alphabet

ha·be·as cor·pus \,hā-bē-əs-'kȯr-pəs\ *n* : a writ issued to bring a party before a court

hab·er·dash·er \'hab-ə(r)-,dash-ər\ *n* : a dealer in men's furnishings

ha·bil·i·ment \hə-'bil-ə-mənt\ *n* **1** *pl* : TRAPPINGS, EQUIPMENT **2** : DRESS; *esp* : the dress characteristic of an occupation or occasion — usu. used in pl.

hab·it \'hab-ət\ *n* **1** : DRESS, GARB **2** : BEARING, CONDUCT **3** : PHYSIQUE **4** : mental makeup **5** : a usual manner of behavior : CUSTOM **6** : a behavior pattern acquired by frequent repetition **7** : ADDICTION **8** : mode of growth or occurrence

hab·it·a·ble \'hab-ət-ə-bəl\ *adj* : capable of being lived in — **hab·it·a·bil·i·ty** \,hab-ət-ə-'bil-ət-ē\ *n* — **hab·it·a·ble·ness** \'hab-ət-ə-bəl-nəs\ *n* — **hab·it·a·bly** *adv*

hab·i·tant \'hab-ət-ənt\ *n* : INHABITANT, RESIDENT

hab·i·tat \'hab-ə-,tat\ *n* [L, it inhabits] : the place or kind of place where a plant or animal naturally occurs

hab·i·ta·tion \,hab-ə-'tā-shən\ *n* **1** : OCCUPANCY **2** : a dwelling place : RESIDENCE **3** : SETTLEMENT

ha·bit·u·al \hə-'bich-(ə-w)əl\ *adj* **1** : CUSTOMARY **2** : doing, practicing, or acting in some manner by force of habit **3** : inherent in an individual — **ha·bit·u·al·ly** *adv* — **ha·bit·u·al·ness** *n*

ha·bit·u·ate \hə-'bich-ə-,wāt\ *vb* : ACCUSTOM — **ha·bit·u·a·tion** \-,bich-ə-'wā-shən\ *n*

¹**hack** \'hak\ *vb* **1** : to cut with repeated irregular blows : CHOP **2** : to cough in a short dry manner — **hack·er** *n*

²**hack** *n* **1** : an implement for hacking; *also* : a hacking blow **2** : a short dry cough

³**hack** *n* **1** : a horse let out for hire or used for varied work; *also* : a horse worn out in service **2** : a light easy often 3-gaited saddle horse **3** : HACKNEY 2 **4** : a writer who works mainly for hire

hack·le \'hak-əl\ *n* **1** : one of the long feathers on the neck or lower back of a bird **2** *pl* : hairs (as on the neck of a dog) that can be erected **3** *pl* : TEMPER, DANDER

¹**hack·ney** \'hak-nē\ *n* **1** : a horse for riding or driving **2** : a carriage or automobile kept for hire

²**hackney** *vb* : to make trite or commonplace

hack·neyed *adj* : worn out from too long or too much use : COMMONPLACE

hack·saw \'hak-,sȯ\ *n* : a fine-tooth saw in a bow-shaped frame for cutting metal

hacksaw

hack·work \-,wərk\ *n* : work done on order usu. according to a formula and in conformity with commercial standards

had *past of* HAVE

had·dock \'had-ək\ *n* : an Atlantic food fish usu. smaller than the related cod

Ha·des \'hād-(,)ēz\ *n* **1** : the abode of the dead in Greek mythology **2** *often not cap* : HELL

haf·ni·um \'haf-nē-əm\ *n* : a gray metallic chemical element

haft \'haft\ *n* : the handle of a weapon or tool

hag \'hag\ *n* **1** : WITCH **2** : an ugly, slatternly, or evil-looking old woman

hag·gard \'hag-ərd\ *adj* : having a worn or emaciated appearance : GAUNT *syn* careworn, wasted — **hag·gard·ly** *adv*

hag·gle \'hag-əl\ *vb* : to argue in bargaining : WRANGLE — **hag·gler** \-(ə-)lər\ *n*

hagiography 208 hamburger

hag·i·og·ra·phy \ˌhag-ē-'äg-rə-fē, ˌhā-jē-\ *n* **1** : biography of saints or venerated persons **2** : idealizing or idolizing biography — **hag·i·og·ra·pher** *n*

¹hail \'hāl\ *n* **1** : small lumps of ice that fall from the clouds esp. during thunderstorms **2** : something that gives the effect of falling hail ⟨a ~ of bullets⟩

²hail *vb* **1** : to precipitate hail **2** : to hurl forcibly

³hail *interj* — used to express acclamation

⁴hail *vb* : SALUTE, GREET

⁵hail *n* **1** : an expression of greeting, approval, or praise **2** : hearing distance

hail·stone \-ˌstōn\ *n* : a pellet of hail

hail·storm \-ˌstȯrm\ *n* : a storm accompanied by hail

hair \'haər\ *n* : a threadlike outgrowth esp. of the skin of a mammal; *also* : a covering (as of the head) consisting of such hairs — **hair·less** *adj*

hair·breadth \-ˌbredth\ *or* **hairs·breadth** \'haərz-\ *n* : a very small distance or margin

hair·cloth \'haər-ˌkloth\ *n* : a stiff wiry fabric (as of horsehair) used esp. for upholstery

hair·cut \-ˌkət\ *n* : the act, process, or style of cutting and shaping the hair

hair·do \-ˌdü\ *n* : a way of dressing a woman's hair

hair·dress·er \-ˌdres-ər\ *n* : one who dresses or cuts women's hair

hair·line \'haər-ˌlīn\ *n* **1** : a very slender line **2** : the outline of the scalp or of the hair on the head

hair·pin \-ˌpin\ *n* : a U-shaped pin to hold the hair in place

hair·rais·ing \'haər-ˌrā-ziŋ\ *adj* : causing terror or astonishment

hair·split·ter \-ˌsplit-ər\ *n* : a person who makes unnecessarily fine distinctions in reasoning or argument — **hair·split·ting** *adj or n*

hairy \'ha(ə)r-ē\ *adj* : covered with or as if with hair — **hair·i·ness** *n*

¹hale \'hāl\ *adj* : free from defect, disease, or infirmity **syn** healthy, sound, robust, well

²hale *vb* **1** : HAUL, PULL **2** : to compel to go ⟨*haled* him into court⟩

¹half \'haf, 'håf\ *n, pl* **halves** \'havz, 'håvz\ **1** : one of two equal parts into which something is divisible **2** : one of a pair

²half *adj* **1** : being one of two equal parts; *also* : amounting to nearly half **2** : of half the usual size or extent **3** : PARTIAL, IMPERFECT — **half** *adv*

half·back \-ˌbak\ *n* : a football back stationed on or near the flank

half·baked \-ˈbākt\ *adj* **1** : not thoroughly baked **2** : poorly planned; *also* : lacking intelligence or common sense

half·breed \-ˌbrēd\ *n* : the offspring of parents of different races

half·heart·ed \ˈhaf-ˈhärt-əd, ˈhåf-\ *adj* : lacking spirit or interest — **half·heart·ed·ly** *adv* — **half·heart·ed·ness** *n*

half·mast \-ˈmast\ *n* : a point some distance but not necessarily halfway down below the top of a mast or staff or the peak of a gaff ⟨flags hanging at ~⟩

half·pen·ny \ˈhāp-(ə-)nē\ *n, pl* **-pence** \ˈhā-pəns\ *or* **-pennies** : a British coin representing one half of a penny

half·track \'haf-ˌtrak, 'håf-\ *n* **1** : an endless chain-track drive system that propels a vehicle supported in front by a pair of wheels **2** : a motor vehicle propelled by half-tracks; *esp* : such a vehicle lightly armored for military use

half·truth \-ˌtrüth\ *n* : a statement that is only partially true; *esp* : one that mingles truth and falsehood and is deliberately intended to deceive

half·wit \-ˌwit\ *n* : a foolish or imbecilic person — **half·wit·ted** \-ˈwit-əd\ *adj*

hal·i·but \'hal-ə-bət\ *n* : a large edible marine flatfish

hal·i·to·sis \ˌhal-ə-ˈtō-səs\ *n* : a condition of having fetid breath

hall \'hȯl\ *n* **1** : the residence of a medieval king or noble; *also* : the house of a landed proprietor **2** : a large public building **3** : a college or university building **4** : LOBBY; *also* : CORRIDOR **5** : AUDITORIUM

hal·le·lu·jah \ˌhal-ə-ˈlü-yə\ *interj* — used to express praise, joy, or thanks

hall·mark \'hȯl-ˌmärk\ *n* **1** : a mark put on an article to indicate origin, purity, or genuineness **2** : a distinguishing characteristic

hal·low \'hal-ō\ *vb* **1** : CONSECRATE **2** : REVERE — **hal·lowed** \-ōd, -ə-wəd\ *adj*

Hal·low·een \ˌhal-ə-ˈwēn, ˌhäl-\ *n* : the evening of October 31 observed esp. by children in merrymaking and masquerading

hal·lu·ci·na·tion \hə-ˌlüs-ᵊn-ˈā-shən\ *n* : a perceiving of objects with no reality usu. arising from disorder of the nervous system; *also* : something so perceived **syn** delusion, illusion, mirage — **hal·lu·ci·nate** \-ˈlüs-ᵊn-ˌāt\ *vb* — **hal·lu·ci·na·tion·al** \-ˌlüs-ᵊn-ˈā-sh(ə-)nəl\ *adj*

ha·lo \'hā-lō\ *n, pl* **-los** *or* **-loes** **1** : a circle of light appearing to surround a shining body (as the sun or moon) **2** : the aura of glory surrounding an idealized person or thing

hal·o·gen \'hal-ə-jən\ *n* : any of the five chemical elements fluorine, chlorine, bromine, iodine, and astatine

¹halt \'hȯlt\ *adj* : LAME

²halt *n* : STOP

³halt *vb* **1** : to stop marching or traveling **2** : DISCONTINUE, END

¹hal·ter \'hȯl-tər\ *n* **1** : a rope or strap for leading or tying an animal; *also* : HEADSTALL **2** : NOOSE; *also* : death by hanging **3** : a brief blouse held in place by straps around the neck and across the back

²halter *vb* **1** : to catch with or as if with a halter; *also* : to put a halter on (as a horse) **2** : HAMPER, RESTRAIN

halt·ing *adj* **1** : LAME, LIMPING **2** : UNCERTAIN, FALTERING — **halt·ing·ly** *adv*

halve \'hav, 'håv\ *vb* **1** : to divide into two equal parts; *also* : to share equally **2** : to reduce to one half

¹ham \'ham\ *n* **1** : a buttock with its associated thigh; *also* : a cut of meat and esp. pork from this region **2** : an inept actor esp. in a highly theatrical style **3** : an operator of an amateur radio station

²ham *vb* **hammed; ham·ming** : to overplay a part ; OVERACT

ham·burg·er \'ham-ˌbər-gər\ *or* **ham·burg** \-ˌbərg\ *n* **1** : ground beef **2** : a sandwich consisting of a ground-beef patty in a round roll

ham·let \'ham-lət\ *n* : a small group of houses in the country

¹ham·mer \'ham-ər\ *n* **1** : a hand tool used for pounding; *also* : something resembling a hammer in form or function **2** : the part of a gun whose striking action causes explosion of the charge **3** : a metal sphere with a flexible wire handle that is hurled for distance in a track-and-field event (**hammer throw**)

²hammer *vb* **1** : to beat, drive, or shape with repeated blows of a hammer : POUND **2** : to produce or bring about as if by repeated blows ⟨~ out a policy⟩

ham·mer·toe \-,tō\ *n* : a deformed toe with the second and third joints permanently flexed

ham·mock \'ham-ək\ *n* [Sp *hamaca*, of AmerInd origin] : a swinging couch hung by cords at each end

¹ham·per \'ham-pər\ *vb* : IMPEDE **syn** trammel, clog, fetter, shackle

²hamper *n* : a large basket

ham·ster \'ham-stər\ *n* : a stocky short-tailed Old World rodent with large cheek pouches

ham·string \'ham-,striŋ\ *vb* **1** : to cripple by cutting the leg tendons **2** : to make ineffective or powerless : CRIPPLE

¹hand \'hand\ *n* **1** : the end of a front limb when modified (as in man) for grasping **2** : personal possession — usu. used in pl; *also* : CONTROL **3** : SIDE **4** : a pledge esp. of betrothal **5** : HANDWRITING **6** : SKILL, ABILITY; *also* : a significant part **7** : SOURCE **8** : ASSISTANCE; *also* : PARTICIPATION **9** : an outburst of applause **10** : a single round in a card game; *also* : the cards held by a player after a deal **11** : WORKER, EMPLOYEE; *also* : a member of a ship's crew — **hand·less** *adj* — **at hand** : near in time or place

²hand *vb* **1** : to lead, guide, or assist with the hand **2** : to give, pass, or transmit with the hand

hand·ball \-,bȯl\ *n* : a game played by striking a small rubber ball against a wall with the hand

hand·bill \-,bil\ *n* : a small printed sheet for distribution by hand

hand·book \-,bu̇k\ *n* : a concise reference book : MANUAL

hand·car \'han(d)-,kär\ *n* : a small 4-wheeled railroad car propelled by a hand-operated mechanism or by a small motor

hand·clasp \-,klasp\ *n* : HANDSHAKE

¹hand·cuff \-,kəf\ *vb* : MANACLE

²handcuff *n* : a metal fastening that can be locked around a wrist and is usu. connected with another such fastening

hand·ful \-,fu̇l\ *n* **1** : as much or as many as the hand will grasp **2** : a small number ⟨a ~ of people⟩

¹hand·i·cap \'han-di-,kap\ *n* **1** : a contest in which an artificial advantage is given or disadvantage imposed on a contestant to equalize chances of winning; *also* : the advantage given or disadvantage imposed **2** : a disadvantage that makes achievement difficult

²handicap *vb* **-capped; -cap·ping 1** : to give a handicap to **2** : to put at a disadvantage

hand·i·craft \-,kraft\ *n* **1** : manual skill **2** : an occupation requiring manual skill **3** : the articles fashioned by those engaged in handicraft — **hand·i·craft·er** *n* — **hand·i·crafts·man** \-,krafts-mən\ *n*

hand·i·work \-,wərk\ *n* : work done personally

hand·ker·chief \'haŋ-kər-chəf, -,chēf\ *n, pl* **-chiefs** \-chəfs, -,chēfs\ *also* **-chieves** \-,chēvz\ : a small piece of cloth esp. for various personal purposes (as the wiping of the face)

¹han·dle \'han-d³l\ *n* : a part (as of a tool) designed to be grasped by the hand

²handle *vb* **1** : to touch, hold, or manage with the hands **2** : to deal with **3** : to deal or trade in

han·dle·bar \-,bär\ *n* : a straight or bent bar with a handle (as for steering a bicycle) at each end

hand·made \'han(d)-'mād\ *adj* : made by hand or a hand process

hand·out \'hand-,au̇t\ *n* **1** : a portion (as of food) given to a beggar **2** : a press release by a news service; *also* : a prepared statement released to the press

hand·rail \'hand-,rāl\ *n* : a narrow rail for grasping as a support

hand·shake \'han(d)-,shāk\ *n* : a clasping of right hands by two people (as in greeting)

hand·some \'han-səm\ *adj* **1** : SIZABLE, AMPLE **2** : GENEROUS, LIBERAL **3** : pleasing and usu. impressive in appearance **syn** beautiful, lovely, pretty, comely, fair — **hand·some·ly** *adv* — **hand·some·ness** *n*

hand·spring \-,spriŋ\ *n* : a feat of tumbling in which the body turns forward or backward in a full circle from a standing position and lands first on the hands and then on the feet

hand·writ·ing \-,rīt-iŋ\ *n* : writing done by hand; *also* : the form of writing peculiar to a person — **hand·writ·ten** \-,rit-³n\ *adj*

handy \'han-dē\ *adj* **1** : conveniently near **2** : easily used or managed **3** : DEXTEROUS — **hand·i·ly** *adv* — **hand·i·ness** *n*

¹hang \'haŋ\ *vb* **hung** \'həŋ\ *also* **hanged** \'haŋd\ **hang·ing 1** : to fasten or remain fastened to an elevated point without support from below; *also* : to fasten or be fastened so as to allow free motion on the point of suspension ⟨~ a door⟩ **2** : to put or come to death by suspension (as from a gallows) **3** : to fasten to a wall ⟨~ wallpaper⟩ **4** : to prevent (a jury) from coming to a decision **5** : to display (pictures) in a gallery **6** : to remain stationary in the air **7** : to be imminent **8** : DEPEND **9** : to take hold for support **10** : to be burdensome **11** : to undergo delay **12** : to incline downward; *also* : to fit or fall from the figure in easy lines **13** : to be rapily attentive **14** : LINGER, LOITER — **hang·er** *n*

²hang *n* **1** : the manner in which a thing hangs **2** : peculiar and significant meaning **3** : KNACK

hang·ar \'haŋ-ər\ *n* : a covered and usu. enclosed area for housing and repairing airplanes

hang·dog \'haŋ-,dȯg\ *adj* **1** : ASHAMED, GUILTY **2** : ABJECT, COWED

hang·ing \'haŋ-iŋ\ *n* **1** : an execution by strangling or snapping the neck by a suspended noose **2** : something hung — **hanging** *adj*

hang·man \-mən\ *n* : a public executioner

hang·nail \-,nāl\ *n* : a bit of skin hanging loose at the side or base of a fingernail

hang·out \'haŋ-,aut\ *n* : a favorite or usual place of resort

hang·over \-,ō-vər\ *n* **1** : something (as a surviving custom) that remains from what is past **2** : disagreeable physical effects following heavy drinking

han·ker \'haŋ-kər\ *vb* : to desire strongly or persistently : LONG — **han·ker·ing** *n*

han·ky-pan·ky \,haŋ-kē-'paŋ-kē\ *n* : questionable or underhand activity

han·som \'han-səm\ *n* : a 2-wheeled covered carriage with the driver's seat elevated at the rear

hansom

Ha·nuk·kah \'kän-ə-kə, 'hän-\ *n* : an 8-day Jewish holiday commemorating the rededication of the Temple

hap \'hap\ *n* **1** : HAPPENING **2** : CHANCE, FORTUNE

¹**hap·haz·ard** \hap-'haz-ərd\ *n* : CHANCE

²**haphazard** *adj* : marked by lack of plan or order : AIMLESS — **hap·haz·ard·ly** *adv* — **hap·haz·ard·ness** *n*

hap·less \'hap-ləs\ *adj* : UNFORTUNATE — **hap·less·ly** *adv* — **hap·less·ness** *n*

hap·ly \-lē\ *adv* : by chance

hap·pen \'hap-ən\ *vb* **1** : to occur by chance **2** : to take place **3** : CHANCE

hap·pen·ing \-(ə-)niŋ\ *n* : OCCURRENCE

hap·pi·ly \'hap-ə-lē\ *adv* **1** : LUCKILY **2** : in a happy manner or state **3** : APTLY, SUCCESSFULLY

hap·pi·ness \'hap-ē-nəs\ *n* **1** : a state of well-being and contentment; *also* : a pleasurable satisfaction **2** : APTNESS

hap·py \'hap-ē\ *adj* **1** : FORTUNATE **2** : APT, FELICITOUS **3** : enjoying well-being and contentment **4** : PLEASANT; *also* : PLEASED, GRATIFIED **syn** glad, cheerful, lighthearted, joyful, joyous

hara–kiri \,har-i-'ki(ə)r-ē\ *n* : suicide by disembowelment

ha·rangue \hə-'raŋ\ *n* **1** : a bombastic ranting discourse **2** : LECTURE — **harangue** *vb* — **ha·rangu·er** *n*

ha·rass \hə-'ras, 'har-əs\ *vb* **1** : to worry and impede by repeated raids **2** : EXHAUST, FATIGUE **3** : to annoy continually **syn** harry, plague, pester, tease, tantalize — **ha·rass·ment** *n*

har·bin·ger \'här-bən-jər\ *n* : one that announces or foreshadows what is coming : PRECURSOR; *also* : PORTENT

¹**har·bor** \'här-bər\ *n* **1** : a place of security and comfort **2** : a part of a body of water protected and deep enough to furnish anchorage : PORT

²**harbor** *vb* **1** : to give or take refuge : SHELTER **2** : to be the home or habitat of; *also* : LIVE **3** : to hold a thought or feeling ⟨~ a grudge⟩

har·bor·age \-ij\ *n* : SHELTER, HARBOR

hard \'härd\ *adj* **1** : not easily penetrated **2** : having an alcoholic content of more than 22.5 percent; *also* : containing salts that prevent lathering with soap **3** : stable in value ⟨~ currency⟩ **4** : physically fit; *also* : free from flaw **5** : FIRM, DEFINITE ⟨~ agreement⟩ **6** : CLOSE, SEARCHING ⟨~ look⟩ **7** : REALISTIC ⟨good ~ sense⟩ **8** : OBDURATE, UNFEELING ⟨~ heart⟩ **9** : difficult to bear ⟨~ times⟩; *also* : HARSH, SEVERE **10** : RESENTFUL ⟨~ feelings⟩ **11** : STRICT, UNRELENTING ⟨~ bargain⟩ **12** : INCLEMENT ⟨~ winter⟩ **13** : intense in force or manner ⟨~ blow⟩ **14** : ARDUOUS, STRENUOUS ⟨~ work⟩ **15** : TROUBLESOME ⟨~ problem⟩ **16** : having difficulty in doing something ⟨~ of hearing⟩ — **hard** *adv* — **hard·ness** *n*

hard·back \'härd-,bak\ *n* : a book bound in hard covers

hard·ball \-,bȯl\ *n* : BASEBALL

hard–boiled \-'bȯild\ *adj* **1** : boiled until both white and yolk have solidified **2** : lacking sentiment : CALLOUS; *also* : HARDHEADED

hard·en \-ᵊn\ *vb* **1** : to make or become hard or harder **2** : to confirm or become confirmed in disposition or feelings — **hard·en·er** *n*

har·di·hood \'härd-ē-,hud\ *n* **1** : resolute courage and fortitude **2** : VIGOR, ROBUSTNESS

hard·ly \'härd-lē\ *adv* **1** : with force **2** : SEVERELY **3** : with difficulty **4** : not quite : SCARCELY

hard·pan \-,pan\ *n* : a compact often clayey layer in soil that roots scarcely penetrate

hard·ship \-,ship\ *n* **1** : SUFFERING, PRIVATION **2** : something that causes suffering or privation

hard·stand \-,stand\ *n* : a hard-surfaced area for parking an airplane

hard·tack \-,tak\ *n* : a hard biscuit made of flour and water without salt

hard·top \'härd-,täp\ *n* : an automobile resembling a convertible but having a rigid top

hard·ware \-,waər\ *n* : ware (as cutlery, tools, or utensils) made of metal

hard·wood \-,wud\ *n* : the wood of a broad-leaved usu. deciduous tree as distinguished from that of a conifer; *also* : such a tree

har·dy \'härd-ē\ *adj* **1** : BOLD, BRAVE **2** : AUDACIOUS, BRAZEN **3** : ROBUST; *also* : able to withstand adverse conditions (as of weather) ⟨~ shrubs⟩ — **har·di·ly** *adv* — **har·di·ness** *n*

hare \'haər\ *n* : a swift timid long-eared mammal distinguished from the related rabbit by being open-eyed and furry at birth

hare–brained \-'brānd\ *adj* : FLIGHTY

hare·lip \-'lip\ *n* : a deformity in which the upper lip is vertically split — **hare·lipped** *adj*

har·em \'har-əm\ *n* **1** : a house or part of a house allotted to women in a Muslim household **2** : the wives, concubines, female relatives, and servants occupying a harem

hark \'härk\ *vb* : LISTEN

harken *var of* HEARKEN

har·le·quin \\'här-li-k(w)ən\\ *n* **1** *cap* : a character (as in comedy) with a shaved head, masked face, variegated tights, and wooden sword **2** : BUFFOON
har·lot \\'här-lət\\ *n* : PROSTITUTE
¹**harm** \\'härm\\ *n* **1** : physical or mental damage : INJURY **2** : MISCHIEF, HURT — **harm·ful** *adj* — **harm·ful·ly** *adv* —
²**harm** *vb* : to cause harm to : INJURE
¹**har·mon·ic** \\här-'män-ik\\ *adj* **1** : of or relating to musical harmony or harmonics **2** : pleasing to the ear — **har·mon·i·cal·ly** *adv*
²**harmonic** *n* : a musical overtone
har·mon·i·ca \\-i-kə\\ *n* : a small wind instrument played by breathing in and out through metallic reeds
har·mon·ics \\-iks\\ *n sing or pl* : the study of the physical characteristics of musical sounds
har·mo·ni·ous \\här-'mō-nē-əs\\ *adj* **1** : musically concordant **2** : CONGRUOUS **3** : marked by accord in sentiment or action — **har·mo·ni·ous·ly** *adv* —
har·mo·ni·um \\här-'mō-nē-əm\\ *n* : a keyboard wind instrument in which the wind acts on a set of metal reeds
har·mo·nize \\'här-mə-,nīz\\ *vb* **1** : to play or sing in harmony **2** : to be in harmony **3** : to bring into consonance or accord — **har·mo·ni·za·tion** \\,härmə-nə-'zā-shən\\ *n*
har·mo·ny \\-nē\\ *n* **1** : musical agreement of sounds; *esp* : the combination of tones into chords and progressions of chords **2** : a pleasing arrangement of parts; *also* : CORRESPONDENCE, ACCORD **3** : internal calm
¹**har·ness** \\'här-nəs\\ *n* **1** : the gear other than a yoke of a draft animal **2** : occupational routine
²**harness** *vb* **1** : to put a harness on; *also* : YOKE **2** : UTILIZE
¹**harp** \\'härp\\ *n* : a musical instrument consisting of a triangular frame set with strings plucked by the fingers — **harp·ist** *n*
²**harp** *vb* **1** : to play on a harp **2** : to dwell on a subject tiresomely — **harp·er** *n*
har·poon \\här-'pün\\ *n* : a barbed spear used esp. in hunting large fish or whales — **harpoon** *vb* — **har·poon·er** *n*
harp·si·chord \\'härp-si-,kórd\\ *n* : a keyboard instrument resembling a grand piano

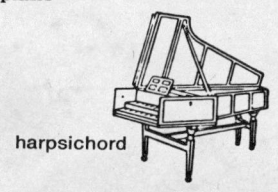

harpsichord

¹**har·ri·er** \\'har-ē-ər\\ *n* **1** : a small hound used esp. in hunting rabbits **2** : a runner on a cross-country team
²**harrier** *n* : a slender long-legged hawk
¹**har·row** \\'har-ō\\ *n* : an implement set with spikes, spring teeth, or disks and used esp. to pulverize and smooth the soil
²**harrow** *vb* **1** : to cultivate with a harrow **2** : TORMENT, VEX
har·ry \\'har-ē\\ *vb* **1** : RAID, PILLAGE **2** : to torment by or as if by constant attack **syn** worry, annoy, plague, pester
harsh \\'härsh\\ *adj* **1** : disagreeably rough **2** : causing discomfort or pain **3** : unduly exacting : SEVERE — **harsh·ly** *adv* — **harsh·ness** *n*
¹**har·vest** \\'här-vəst\\ *n* **1** : the season for gathering in crops; *also* : the act of gathering in a crop **2** : a mature crop (as of grain or fruit) **3** : the product or reward of exertion
²**harvest** *vb* : to gather in a crop : REAP — **har·vest·er** *n*
has *pres 3d sing of* HAVE
¹**hash** \\'hash\\ *vb* **1** : to chop into small pieces **2** : to talk about
²**hash** *n* **1** : chopped meat mixed with potatoes and browned **2** : HODGEPODGE, JUMBLE
hash·ish \\'hash-,ēsh\\ *n* : a narcotic and intoxicating preparation from the hemp plant
hasp \\'hasp\\ *n* : a fastener (as for a door) consisting of a hinged metal strap that fits over a staple and is secured by a pin or padlock
has·sle \\'has-əl\\ *n* : WRANGLE; *also* : FIGHT — **hassle** *vb*
has·sock \\'has-ək\\ *n* : a cushion that serves as a seat or leg rest; *also* : a cushion to kneel on in prayer
haste \\'hāst\\ *n* **1** : rapidity of motion or action : SPEED **2** : rash or headlong action **3** : undue eagerness to act : URGENCY — **hast·i·ly** *adv* — **hast·i·ness** *n* — **hasty** *adj*
has·ten \\'hās-ᵊn\\ *vb* **1** : to urge on **2** : to move or act quickly : HURRY **syn** speed, accelerate, quicken
hat \\'hat\\ *n* : a covering for the head
¹**hatch** \\'hach\\ *n* **1** : a small door or opening **2** : a door or grated cover for access down into a compartment of a ship
²**hatch** *vb* **1** : to produce young by incubation; *also* : to emerge from an egg or chrysalis **2** : ORIGINATE — **hatch·ery** \\-(ə-)rē\\ *n*
hatch·et \\'hach-ət\\ *n* **1** : a short-handled ax with a hammerlike part opposite the blade **2** : TOMAHAWK

hatchet

hatch·ing \\'hach-iŋ\\ *n* : the engraving or drawing of fine lines in close proximity chiefly to give an effect of shading; *also* : the pattern so created
¹**hate** \\'hāt\\ *n* **1** : intense hostility and aversion **2** : an object of hatred — **hate·ful** *adj* — **hate·ful·ly** *adv* — **hate·ful·ness** *n*
²**hate** *vb* **1** : to express or feel extreme enmity **2** : to find detestable or distasteful **syn** detest, abhor, abominate, loathe — **hat·er** *n*
ha·tred \\'hā-trəd\\ *n* : HATE; *also* : prejudiced hostility or animosity
haugh·ty \\'hót-ē\\ *adj* : disdainfully proud : ARROGANT **syn** insolent, lordly, overbearing — **haugh·ti·ly** *adv* — **haugh·ti·ness** *n*
¹**haul** \\'hól\\ *vb* **1** : to exert traction on : DRAW, PULL **2** : to furnish transportation : CART — **haul·er** *n*
²**haul** *n* **1** : PULL, TUG **2** : the result of an effort to collect : TAKE **3** : the distance over which a load is transported; *also* : LOAD

haul·age \-ij\ *n* **1** : the act or process of hauling **2** : a charge made for hauling
haunch \'hónch\ *n* **1** : HIP **1** **2** : HINDQUARTER **2** — usu. used in pl. **3** : HINDQUARTER **1**
¹**haunt** \'hónt\ *vb* **1** : FREQUENT **2** : to recur constantly to; *also* : to reappear continually in **3** : to visit or inhabit as a ghost — **haunt·er** *n* — **haunt·ing·ly** *adv*
²**haunt** *n* **1** : a place habitually frequented **2** *chiefly dial* : GHOST
¹**have** \(')hav, (h)əv\ *vb* **had** \(')had, (h)əd\ **hav·ing** \'hav-iŋ\ **has** \(')haz, (h)əz\ **1** : to hold in possession; *also* : to hold in one's use, service, or affection **2** : to be compelled or forced to **3** : to stand in relationship to **4** : OBTAIN; *also* : RECEIVE, ACCEPT **5** : to be marked by **6** : SHOW; *also* : USE, EXERCISE **7** : EXPERIENCE; *also* : TAKE ⟨~ a look⟩ **8** : to entertain in the mind; *also* : MAINTAIN **9** : to cause to **10** : ALLOW **11** : to be competent in **12** : to hold in a disadvantageous position; *also* : TRICK **13** : BEGET **14** : to partake of **15** — used as an auxiliary with the past participle to form the present perfect, past perfect, or future perfect
²**have** \'hav\ *n* : one that has material wealth as distinguished from one that is poor
ha·ven \'hā-vən\ *n* **1** : HARBOR, PORT **2** : a place of safety
hav·oc \'hav-ək\ *n* **1** : wide and general destruction **2** : great confusion and disorder
haw \'hò\ *n* : a hawthorn berry; *also* : HAWTHORN
hawk \'hók\ *n* : any of numerous mostly small or medium-sized dayflying birds of prey (as a falcon or kite)
haw·thorn \'hò-,thórn\ *n* : a spiny shrub or tree related to the apple and noted for its white or pink fragrant flowers
¹**hay** \'hā\ *n* **1** : herbage (as grass) mowed and cured for fodder **2** : REWARD; *also* : a small amount of money
²**hay** *vb* : to cut, cure, and store herbage for hay
hay fever *n* : an acute allergic catarrh
hay·seed \'hā-,sēd\ *n* **1** : clinging bits of straw or chaff from hay **2** : BUMPKIN, YOKEL
¹**haz·ard** \'haz-ərd\ *n* [ME, a dice game, fr. MF *hasard*, fr. Ar *az-zahr* the die] **1** : a source of danger **2** : CHANCE; *also* : ACCIDENT **3** : an obstacle on a golf course — **haz·ard·ous** *adj*
²**hazard** *vb* : VENTURE, RISK
¹**haze** \'hāz\ *n* **1** : fine dust, smoke, or light vapor causing lack of transparency in the air **2** : vagueness of mind or perception
²**haze** *vb* : to harass by abusive and humiliating tricks
ha·zel \'hā-zəl\ *n* : any of a genus of shrubs or small trees related to the birches and bearing edible nuts (**ha·zel·nuts** \-,nəts\) **2** : a light brown
ha·zy \'hā-zē\ *adj* **1** : obscured or darkened by haze **2** : VAGUE, INDEFINITE **3** : CLOUDED — **haz·i·ly** *adv* — **haz·i·ness** *n*
he \(')hē, ē\ *pron* **1** : that male one **2** : a or the person ⟨~ who hesitates is lost⟩ ⟨if a student fails ~ must take the course over again⟩

¹**head** \'hed\ *n* **1** : the front or upper part of the body containing the brain, the chief sense organs, and the mouth **2** : MIND; *also* : natural aptitude **3** : POISE **4** : the obverse of a coin **5** : INDIVIDUAL; *also*, *pl* **head** : a unit of number (as of cattle) **6** : an upper or higher end; *also* : either end of something (as a drum) whose two ends need not be distinguished **7** : DIRECTOR, LEADER; *also* : a leading element (as of a procession) **8** : a projecting part; *also* : the striking part of a weapon **9** : the place of leadership or honor **10** : a separate part or topic **11** : the foam on a fermenting or effervescing liquid **12** : CRISIS — **head·less** *adj*
²**head** *adj* **1** : PRINCIPAL, CHIEF **2** : coming from in front ⟨~ sea⟩
³**head** *vb* **1** : to cut back the upper growth of **2** : to provide with or form a head; *also* : to form the head of **3** : LEAD, CONDUCT **4** : to get in front of esp. so as to stop; *also* : SURPASS **5** : to put or stand at the head **6** : to point or proceed in a certain direction **7** : ORIGINATE
head·ache \-,āk\ *n* **1** : pain in the head **2** : a baffling situation or problem
head·first \-'fərst\ *adv* (*or adj*) : HEADLONG
head·ing \-iŋ\ *n* **1** : the compass direction in which the longitudinal axis of a ship or airplane points **2** : something that forms or serves as a head (as of a letter)
head·line \-,līn\ *n* : a head of a newspaper story or article usu. printed in large type
head·lock \-,läk\ *n* : a wrestling hold in which one encircles his opponent's head with one arm
¹**head·long** \-'lòŋ\ *adv* **1** : with the head foremost **2** : RECKLESSLY **3** : without delay
²**headlong** *adj* **1** : PRECIPITATE, RASH **2** : plunging with the head foremost
head·man \'hed-'man, -,man\ *n* : one who is a leader (as of a tribe, clan, or village) : CHIEF
head·phone \-,fōn\ *n* : an earphone held over the ear by a band worn on the head
head·pin \-,pin\ *n* : the front pin in the triangular formation of pins in tenpins
head·quar·ters \-,kwórt-ərz\ *n sing or pl* **1** : a place from which a commander performs the functions of command **2** : the administrative center of an enterprise
head·ship \-,ship\ *n* : the position, office, or dignity of a head
head·stall \'hed-,stòl\ *n* : an arrangement of straps or rope encircling the head of an animal and forming part of a bridle or halter
head·stone \-,stōn\ *n* : a stone at the head of a grave
head·strong \-,stròŋ\ *adj* **1** : not easily restrained **2** : directed by ungovernable will **syn** unruly, intractable, willful
head·wa·ter \-,wòt-ər, -,wät-\ *n* : the source and upper part of a stream — usu. used in pl.
head·way \-,wā\ *n* **1** : forward motion; *also* : PROGRESS **2** : clear space (as under an arch)
head·word \-,wərd\ *n* **1** : a word or term placed at the beginning (as of a

heady 213 **Hebraism**

chapter or entry) **2** : a word qualified by a modifier
heady \\'hed-ē\\ *adj* **1** : WILLFUL, RASH; *also* : IMPETUOUS **2** : INTOXICATING **3** : SHREWD
heal \\'hēl\\ *vb* **1** : to make or become sound or whole; *also* : to restore to health **2** : CURE, REMEDY — **heal·er** *n*
health \\'helth\\ *n* **1** : sound physical or mental condition; *also* : personal functional condition (in poor ~) **2** : WELL-BEING **3** : TOAST
health·ful *adj* **1** : beneficial to health **2** : HEALTHY — **health·ful·ly** *adv* — **health·ful·ness** *n*
healthy *adj* **1** : enjoying or typical of good health : WELL **2** : evincing or conducive to health **3** : PROSPEROUS; *also* : CONSIDERABLE — **health·i·ly** *adv* — **health·i·ness** *n*
¹heap \\'hēp\\ *n* : PILE; *also* : LOT
²heap *vb* **1** : to throw or lay in a heap **2** : to fill more than full
hear \\'hiər\\ *vb* **heard** \\'hərd\\ **hear·ing** \\'hi(ə)r-iŋ\\ **1** : to perceive by the ear **2** : HEED; *also* : ATTEND **3** : to give a legal hearing to or take testimony from **4** : LEARN — **hear·er** *n*
hear·ing *n* **1** : the process, function, or power of perceiving sound; *esp* : the special sense by which noises and tones are received as stimuli **2** : EARSHOT **3** : opportunity to be heard **4** : a listening to arguments (as in a court); *also* : a session in which witnesses are heard (as by a legislative committee)
hear·ken \\'här-kən\\ *vb* : to give attention : LISTEN **syn** hear, hark
hear·say \\'hiər-,sā\\ *n* : RUMOR
hearse \\'hərs\\ *n* : a vehicle for carrying the dead to the grave
heart \\'härt\\ *n* **1** : a hollow muscular organ that by rhythmic contraction keeps up the circulation of the blood in the body **2** : any of a suit of playing cards marked with a red heart; *also*, *pl* : a card game in which the object is to avoid taking tricks containing hearts **3** : the whole personality; *also* : the emotional or moral as distinguished from the intellectual nature **4** : COURAGE **5** : one's innermost being **6** : CENTER; *also* : the essential part **7** : MEMORY, ROTE (learn by ~)
heart·ache \\-,āk\\ *n* : anguish of mind
heart·beat \\-,bēt\\ *n* : one complete pulsation of the heart
heart·burn \\-,bərn\\ *n* : a burning distress behind the lower sternum usu. due to spasm of the esophagus or upper stomach
heart·en \\'härt-ᵊn\\ *vb* : ENCOURAGE
heart·felt \\-,felt\\ *adj* : deeply felt : EARNEST
hearth \\'härth\\ *n* **1** : an area (as of brick) in front of a fireplace; *also* : the floor of a fireplace **2** : HOME
hearth·stone \\-,stōn\\ *n* **1** : a stone forming a hearth **2** : HOME
heart·less \\'härt-ləs\\ *adj* : CRUEL
heart·rend·ing \\-,ren-diŋ\\ *adj* : causing intense grief, anguish, or distress (a ~ experience)
heart·sick \\-,sik\\ *adj* : very despondent — **heart·sick·ness** *n*
heart·strings \\-,striŋz\\ *n pl* : the deepest emotions or affections (pulled at his ~)
heart·throb \\-,thräb\\ *n* **1** : the throb of a heart **2** : sentimental emotion **3** : SWEETHEART
¹hearty \\'härt-ē\\ *adj* **1** : THOROUGHGOING; *also* : JOVIAL **2** : vigorously healthy **3** : ABUNDANT; *also* : NOURISHING **syn** sincere, wholehearted, unfeigned — **heart·i·ly** *adv* — **heart·i·ness** *n*
²hearty *n* : COMRADE; *also* : SAILOR
¹heat \\'hēt\\ *vb* **1** : to make or become warm or hot **2** : EXCITE — **heat·ed·ly** *adv* — **heat·er** *n*
²heat *n* **1** : a condition of being hot : WARMTH **2** : a form of energy that causes a body to rise in temperature, to fuse, to evaporate, or to expand **3** : high temperature **4** : intensity of feeling; *also* : sexual excitement esp. in a female mammal **5** : pungency of flavor **6** : a single continuous effort; *also* : a preliminary race for eliminating less competent contenders **7** : PRESSURE — **heat·less** *adj*
heat engine *n* : a mechanism for converting heat energy into mechanical energy
heath \\'hēth\\ *n* **1** : any of a large group of often evergreen shrubby plants (as a blueberry or heather) of wet acid soils **2** : a tract of wasteland — **heath·less** *adj* — **heathy** *adj*
hea·then \\'hē-<u>th</u>ən\\ *n*, *pl* **heathens** or **heathen 1** : an unconverted member of a people or nation that does not acknowledge the God of the Bible **2** : an uncivilized or irreligious person
heath·er \\'he<u>th</u>-ər\\ *n* : a northern evergreen heath with lavender flowers — **heath·ery** *adj*
heat·stroke \\'hēt-,strōk\\ *n* : a disorder marked esp. by high body temperature without sweating and by collapse that follows prolonged exposure to excessive heat
¹heave \\'hēv\\ *vb* **heaved** or **hove** \\'hōv\\ **heav·ing 1** : to rise or lift upward **2** : THROW **3** : to rise and fall rhythmically; *also* : PANT **4** : PULL, PUSH **5** : RETCH — **heav·er** *n*
²heave *n* **1** : an effort to lift or raise **2** : THROW, CAST **3** : an upward motion **4** *pl* : a chronic lung disease of horses marked by difficult breathing and persistent cough
heav·en \\'hev-ən\\ *n* **1** : FIRMAMENT — usu. used in pl. **2** *often cap* : the abode of the Deity and of the blessed dead; *also* : a spiritual state of everlasting communion with God **3** *cap* : ²GOD **4** : a place of supreme happiness — **heav·en·ly** *adj* — **heav·en·ward** *adv* (or *adj*)
¹heavy \\'hev-ē\\ *adj* **1** : having great weight **2** : hard to bear **3** : SERIOUS **4** : DEEP, PROFOUND **5** : burdened with something oppressive; *also* : PREGNANT **6** : SLUGGISH **7** : DRAB; *also* : DOLEFUL **8** : DROWSY **9** : greater than the average of its kind or class **10** : digested with difficulty; *also* : not properly raised or leavened **11** : producing goods (as steel) used in the production of other goods **12** : heavily armed or armored — **heav·i·ly** *adv* — **heav·i·ness** *n*
²heavy *n* : a theatrical role representing a dignified or imposing person; *also* : a villain in a story or a play
He·bra·ism \\'hē-brā-,iz-əm\\ *n* : the thought, spirit, or practice characteristic of the Hebrews — **He·bra·ic** \\hi-

Hebrew 214 **hemisphere**

'brā-ik\ *adj* — **He·bra·ist** \'hē-,brā-əst\ *n*
He·brew \'hē-brü\ *n* **1** : a member of or descendant from a group of Semitic peoples; *esp* : ISRAELITE **2** : the language of the Hebrews — **Hebrew** *adj*
heck·le \'hek-əl\ *vb* : to harass with questions or gibes; *also* : BADGER — **heck·ler**
hect·are \'hek-,taər\ *n* : a metric unit of area equal to about 2.47 acres
hec·tic \'hek-tik\ *adj* **1** : characteristic of a wasting disease esp. in being fluctuating but persistent ⟨a ~ fever⟩; *also* : FLUSHED **2** : RESTLESS — **hec·ti·cal·ly** *adv*
hec·tor \'hek-tər\ *vb* **1** : SWAGGER **2** : to intimidate by bluster or personal pressure
¹**hedge** \'hej\ *n* **1** : a fence or boundary formed of shrubs or small trees **2** : BARRIER
²**hedge** *vb* **1** : ENCIRCLE **2** : HINDER **3** : to protect oneself financially by a counterbalancing transaction **4** : to evade the risk of commitment — **hedg·er** *n*
hedge·hog \-,hȯg, -,häg\ *n* : a small Old World insect-eating mammal covered with spines; *also* : PORCUPINE
he·do·nism \'hēd-ᵊn-,iz-əm\ *n* : the doctrine that pleasure is the chief good in life; *also* : a way of life based on this — **he·do·nist** *n* — **he·do·nis·tic** *adj*
¹**heed** \'hēd\ *vb* : to pay attention : MIND
²**heed** *n* : ATTENTION, NOTICE — **heed·ful** *adj* — **heed·ful·ly** *adv* — **heed·ful·ness** *n* — **heed·less** *adj* — **heed·less·ly** *adv* — **heed·less·ness** *n*
¹**heel** \'hēl\ *n* **1** : the hind part of the foot **2** : one of the crusty ends of a loaf of bread **3** : a solid attachment forming the back of the sole of a shoe **4** : a rear, low, or bottom part **5** : a contemptible person — **heel·less**
²**heel** *vb* : to tilt to one side : LIST
¹**heft** \'heft\ *n* : WEIGHT, HEAVINESS
²**heft** *vb* : to test the weight of by lifting
hefty \'hef-tē\ *adj* **1** : marked by bigness, bulk, and usu. strength **2** : impressively large
he·gem·o·ny \hi-'jem-ə-nē\ *n* : preponderant influence or authority esp. of one nation over others
he·gi·ra \hi-'jī-rə\ *n* : a journey esp. when undertaken to seek refuge away from a dangerous or undesirable environment
heif·er \'hef-ər\ *n* : a young cow; *esp* : one that has not had a calf
height \'hīt, 'hītth\ *n* **1** : the highest part or point : SUMMIT, ZENITH **2** : the distance from the bottom to the top of something standing upright **3** : ALTITUDE
height·en \'hīt-ᵊn\ *vb* **1** : to increase in amount or degree : AUGMENT **2** : to make or become high or higher : ELEVATE **syn** enhance, intensify
hei·nous \'hā-nəs\ *adj* : hatefully or shockingly evil : ATROCIOUS — **hei·nous·ly** *adv* — **hei·nous·ness** *n*
heir \'aər\ *n* : one who inherits or is entitled to inherit property — **heir·ship** *n*
heir·ess \'ar-əs\ *n* : a female heir esp. to great wealth
heir·loom \'aər-,lüm\ *n* **1** : a piece of personal property that descends by in-

heritance **2** : something handed on from one generation to another
heist \'hīst\ *vb*, *slang* : to commit armed robbery on; *also* : STEAL
held *past of* HOLD
hel·i·cal \'hel-i-kəl, 'hēl-\ *adj* : SPIRAL
hel·i·cop·ter \'hel-ə-,käp-tər\ *n* : an aircraft that is supported in the air by one or more rotors revolving on substantially vertical axes
heli·port \'hel-ə-,pōrt\ *n* : a landing and takeoff place for a helicopter
he·li·um \'hē-lē-əm\ *n* [NL, fr. Gk *hēlios* sun; so called from the fact that its existence in the sun's atmosphere was inferred before it was identified on the earth] : a very light nonflammable gaseous chemical element occurring in various natural gases
he·lix \'hē-liks\ *n*, *pl* **hel·i·ces** \'hel-ə-,sēz, 'hē-lə-\ *also* **he·lix·es** : something spiral
hell \'hel\ *n* **1** : a nether world in which the dead continue to exist **2** : the realm of the devil in which the damned suffer everlasting punishment **3** : a place or state of torment or destruction — **hell·ish** *adj*
Hel·le·nism \'hel-ə-,niz-əm\ *n* : a body of humanistic and classical ideals associated with ancient Greece — **Hel·len·ic** \he-'len-ik\ *adj* — **Hel·le·nist** \'hel-ə-nəst\ *n*
Hel·le·nis·tic \,hel-ə-'nis-tik\ *adj* : of or relating to Greek history, culture, or art after Alexander the Great
hel·lion \'hel-yən\ *n* : a troublesome or mischievous person
hel·lo \hə-'lō, he-\ *n* : an expression of greeting — used interjectionally
helm \'helm\ *n* **1** : a lever or wheel for steering a ship **2** : a position of control
hel·met \'hel-mət\ *n* : a protective covering for the head
hel·ot \'hel-ət\ *n* : SLAVE, SERF
¹**help** \'help\ *vb* **1** : AID, ASSIST **2** : REMEDY, RELIEVE **3** : to be of use; *also* : PROMOTE **4** : to change for the better **5** : to refrain from; *also* : PREVENT **6** : to serve with food or drink — **help·er** *n*
²**help** *n* **1** : AID, ASSISTANCE; *also* : a source of aid **2** : REMEDY, RELIEF **3** : one who assists another **4** : the services of a paid worker — **help·ful** *adj* — **help·ful·ly** *adv* — **help·ful·ness** *n* — **help·less** *adj* — **help·less·ly** *adv*
help·ing *n* : a portion of food ⟨asked for a second ~ of potatoes⟩
hel·ter-skel·ter \,hel-tər-'skel-tər\ *adv* **1** : in headlong disorder **2** : HAPHAZARDLY
helve \'helv\ *n* : a handle of a tool or weapon
Hel·ve·tian \hel-'vē-shən\ *adj* : SWISS — **Helvetian** *n*
¹**hem** \'hem\ *n* **1** : a border of a cloth article doubled back and stitched down **2** : RIM, MARGIN
²**hem** *vb* **hemmed; hem·ming 1** : to make a hem in sewing; *also* : BORDER, EDGE **2** : to surround restrictively : CONFINE
hemi·sphere \'hem-ə-,sfiər\ *n* **1** : one of the halves of the earth as divided by the equator into northern and southern parts (**northern hemisphere, southern hemisphere**) or by a meridian into two parts so that one half (**eastern hemisphere**) to the east of the Atlantic

hemlock 215 **hero**

ocean includes Europe, Asia, and Africa and the half (**western hemisphere**) to the west includes No. and So. America and surrounding waters **2** : either of two half spheres formed by a plane through the sphere's center — **hemi·spher·i·cal** \,hem-ə-'sfir-i-kəl\
hem·lock \'hem-,läk\ n **1** : any of several poisonous herbs related to the carrot **2** : an evergreen tree related to the pines; also : its soft light wood
he·mo·glo·bin or **hae·mo·glo·bin** \'hē-mə-,glō-bən\ n : an iron-containing compound found in red blood cells that carries oxygen from the lungs to the body tissues
he·mol·y·sis \hi-'mäl-ə-səs\ n : a breaking down of red blood cells
he·mo·phil·ia \,hē-mə-'fil-ē-ə\ n : a usu. hereditary tendency to severe prolonged bleeding. — **he·mo·phil·i·ac**
hem·or·rhage \'hem-(ə-)rij\ n : a large discharge of blood from the blood vessels — **hemorrhage** vb — **hem·or·rhag·ic** \,hem-ə-'raj-ik\ adj
hem·or·rhoid \'hem-(ə-),rȯid\ n : a swollen mass of dilated veins situated at or just within the anus — usu. used in pl.
hemp \'hemp\ n : a tall Asiatic herb related to the mulberry and grown for its tough fiber used in cordage and its flowers and leaves used in drugs
hem·stitch \'hem-,stich\ vb : to embroider (fabric) by drawing out parallel threads and stitching the exposed threads in groups to form various designs
hen \'hen\ n : a female domestic fowl esp. over a year old; also : a female bird
hence \'hens\ adv **1** : AWAY **2** : from this time **3** : CONSEQUENTLY **4** : from this source or origin
hence·forth \-,fȯrth\ adv : from this point on
hence·for·ward \hens-'fȯr-wərd\ adv : HENCEFORTH
hench·man \'hench-mən\ n **1** : a trusted follower **2** : a political follower whose support is chiefly for personal advantage
hen·peck \'hen-,pek\ vb : to subject (one's husband) to persistent nagging and domination
hep·a·ti·tis \,hep-ə-'tīt-əs\ n : inflammation of the liver; also : an acute virus disease of which this is a feature
¹**her** \(h)ər, hər\ adj : of or relating to her or herself
²**her** pron, objective case of SHE
¹**her·ald** \'her-əld\ n **1** : an official crier or messenger **2** : HARBINGER **3** : ANNOUNCER, SPOKESMAN
²**herald** vb **1** : to give notice of **2** : PUBLICIZE; also : HAIL
he·ral·dic \he-'ral-dik\ adj : of or relating to heralds or heraldry
her·ald·ry \'her-əl-drē\ n **1** : the practice of devising, blazoning, and granting armorial insignia and of tracing and recording genealogies **2** : an armorial ensign; also : INSIGNIA **3** : PAGEANTRY
herb \'(h)ərb\ n **1** : a seed plant that lacks woody tissue and dies to the ground at the end of a growing season **2** : a plant or plant part valued for medicinal or savory qualities — **her·ba·ceous** \,(h)ər-'bā-shəs\ adj
herb·al·ist \-bə-ləst\ n : one that collects, grows, or deals in herbs

her·bi·cide \'(h)ər-bə-,sīd\ n : an agent used to destroy unwanted plants — **her·bi·cid·al** \,(h)ər-bə-'sīd-ᵊl\ adj
her·biv·o·rous \,(h)ər-'biv-ə-rəs\ adj : feeding on plants — **her·bi·vore**
her·cu·le·an \,hər-kyə-'lē-ən, ,hər-'kyü-lē-\ adj, often cap : of extraordinary power, size, or difficulty
¹**herd** \'hərd\ n **1** : a group of animals of one kind kept or living together **2** : a group of people with a common bond **3** : MOB
²**herd** vb : to assemble or move in a herd
herds·man \'hərdz-mən\ n : one who manages, breeds, or tends livestock
¹**here** \'hiər\ adv **1** : in or at this place; also : NOW **2** : at or in this point or particular **3** : in the present life or state **4** : HITHER
²**here** n : this place ⟨get away from ∼⟩
¹**here·af·ter** \hir-'af-tər\ adv **1** : after this in sequence or in time **2** : in some future time or state
²**hereafter** n **1** : FUTURE **2** : an existence beyond earthly life
here·by \hiər-'bī\ adv : by means of this
he·red·i·tary \hə-'red-ə-,ter-ē\ adj **1** : genetically passed or passable from parent to offspring **2** : passing by inheritance; also : having title or possession through inheritance **3** : of a kind established by tradition **syn** innate, inborn, inbred
he·red·i·ty \-ət-ē\ n : the qualities and potentialities genetically derived from one's ancestors; also : the passing of these from ancestor to descendant
here·in \hir-'in\ adv : in this
here·of \-'əv, -'äv\ adv : of this
here·on \-'ȯn, -'än\ adv : on this document
her·e·sy \'her-ə-sē\ n [OF heresie, fr. Gk hairesis choice, sect, fr. haireisthai to choose] **1** : adherence to a religious opinion contrary to church dogma **2** : an opinion or doctrine contrary to church dogma **3** : dissent from a dominant theory or opinion — **her·e·tic**
here·to \hir-'tü\ adv : to this document
here·to·fore \'hirt-ə-,fȯr\ adv : up to this time
here·un·der \hir-'ən-dər\ adv : under this
here·with \'hiər-'with, -'with\ adv **1** : with this **2** : HEREBY
her·i·ta·ble \'her-ət-ə-bəl\ adj : capable of being inherited
her·i·tage \'her-ət-ij\ n **1** : property that descends to an heir **2** : LEGACY **3** : BIRTHRIGHT
her·met·ic \hər-'met-ik\ adj **1** : RECONDITE **2** : tightly sealed : AIRTIGHT — **her·met·i·cal** adj — **her·met·i·cal·ly** adv
her·mit \'hər-mət\ n : one who lives in solitude esp. for religious reasons : RECLUSE
her·mit·age \-ij\ n **1** : the dwelling of a hermit **2** : a secluded dwelling
her·nia \'hər-nē-ə\ n : a protruding of a bodily part (as a loop of intestine) into a pouch of the weakened wall of a cavity in which it is normally enclosed; also : the protruded mass — **her·ni·al** adj — **her·ni·ate** \-nē-,āt\ vb — **her·ni·a·tion** \,hər-nē-'ā-shən\ n
he·ro \'hē-rō\ n, pl **-roes 1** : a mythological or legendary figure of great strength or ability **2** : a man admired

heroics   216   **high frequency**

for his achievements and qualities **3** : the chief male character in a literary or dramatic work — **he·ro·ic** \hi-'rō-ik\ *adj* — **he·ro·i·cal·ly** *adv*
he·ro·ics \hi-'rō-iks\ *n pl* : extravagant display of heroic attitudes in action or expression
her·o·in \'her-ə-wən\ *n* : an addictive narcotic drug made from morphine
her·o·ine \-wən\ *n* : a woman of heroic achievements or qualities
her·o·ism \'her-ə-,wiz-əm\ *n* **1** : heroic conduct **2** : the qualities of a hero **syn** valor, prowess, gallantry
her·on \'her-ən\ *n* : a long-legged long-billed wading bird with soft plumage
her·ring \'her-iŋ\ *n* : a soft-finned narrow-bodied food fish of the north Atlantic; *also* : any of various similar or related fishes
her·ring·bone \-,bōn\ *n* : a pattern made up of rows of parallel lines with adjacent rows slanting in reverse directions; *also* : a twilled fabric with this pattern
hers \'hərz\ *pron* : one or the ones belonging to her
her·self \(h)ər-'self\ *pron* : SHE, HER — used reflexively, for emphasis, or in absolute constructions ⟨she hurt ~⟩ ⟨she ~ did it⟩ ⟨~ busy, she sent me⟩
hes·i·tant \'hez-ə-tənt\ *adj* : tending to hesitate — **hes·i·tan·cy** *n* — **hes·i·tant·ly** *adv*
hes·i·tate \-,tāt\ *vb* **1** : to hold back (as in doubt) **2** : PAUSE **syn** waver, vacillate, falter — **hes·i·ta·tion** \,hez-ə-'tā-shən\ *n*
het·er·o·dox \'het-(ə-)rə-,däks\ *adj* **1** : differing from an acknowledged standard **2** : holding unorthodox opinions — **het·er·o·doxy** *n*
het·er·o·ge·ne·ous \,het-(ə-)rə-'jē-nē-əs\ *adj* : consisting of dissimilar ingredients or constituents : MIXED — **het·er·o·ge·ne·ous·ly** *adv* — **het·er·o·ge·ne·ous·ness** *n*
het·er·o·sex·u·al \,het-ə-rō-'sek-sh(ə-w)əl\ *adj* : involving two sexes; *also* : oriented toward the opposite sex
hew \'hyü\ *vb* **hewed**; **hewed** *or* **hewn** \'hyün\ **hew·ing** \-iŋ\ **1** : to cut or fell with lows (as of an ax) **2** : to give shape to with or as if with an ax **3** : to conform strictly — **hew·er** *n*
hex \'heks\ *vb* **1** : to practice witchcraft **2** : JINX
²**hex** *n* : SPELL, JINX
hexa·gon \'hek-sə-,gän\ *n* : a polygon having 6 angles and 6 sides — **hex·ag·o·nal** \hek-'sag-ən-ᵊl\ *adj*
hex·am·e·ter \hek-'sam-ət-ər\ *n* : a line consisting of six metrical feet
hey·day \'hā-,dā\ *n* : a period of greatest strength, vigor, or prosperity
hi·a·tus \hī-'āt-əs\ *n* **1** : a break in an object : GAP **2** : a lapse in continuity
hi·ber·nate \'hī-bər-,nāt\ *vb* : to pass the winter in a torpid or resting state —
hic·cup *also* **hic·cough** \'hik-(,)əp\ *n* : a spasmodic breathing movement checked by sudden closing of the glottis accompanied by a peculiar sound; *also* : this sound — **hiccup** *vb*
hick \'hik\ *n* : an awkward provincial person
hick·o·ry \'hik-(ə-)rē\ *n* : any of a genus of No. American hardwood trees related to the walnuts; *also* : the wood of a hickory
¹**hide** \'hīd\ *vb* **hid** \'hid\ **hid·den** \'hid-ᵊn\ *or* **hid**; **hid·ing** \'hīd-iŋ\ **1** : to put or remain out of sight **2** : to conceal for shelter or protection; *also* : to seek protection **3** : to keep secret **4** : to turn (as the face) away in shame or anger
²**hide** *n* : the skin of an animal
hide·away \'hīd-ə-,wā\ *n* : a place of retreat or concealment
hide·bound \-,baund\ *adj* : obstinately conservative
hid·eous \'hid-ē-əs\ *adj* **1** : offensive to one of the senses : UGLY **2** : morally offensive : SHOCKING — **hid·eous·ly** *adv* — **hid·eous·ness** *n*
hi·er·ar·chy \'hī-(ə-),rär-kē\ *n* **1** : a ruling body of clergy organized into ranks **2** : persons or things arranged in a graded series — **hi·er·ar·chi·cal** \,hī-ə-'rär-ki-kəl\ *adj*
hi·er·o·glyph·ic \,hī-(ə-)rə-'glif-ik\ *n* **1** : a character in a system of picture writing (as of the ancient Egyptians) **2** : a symbol or sign difficult to decipher

hieroglyphics

hi-fi \'hī-'fī\ *n* **1** : HIGH FIDELITY **2** : equipment for reproduction of sound with high fidelity
¹**high** \'hī\ *adj* **1** : ELEVATED; *also* : TALL **2** : advanced toward fullness or culmination; *also* : slightly tainted **3** : long past **4** : SHRILL, SHARP **5** : far from the equator ⟨~ latitudes⟩ **6** : exalted in character **7** : of greater degree, size, or amount than average **8** : of relatively great importance **9** : FORCIBLE, STRONG ⟨~ winds⟩ **10** : BOASTFUL, ARROGANT **11** : showing elation or excitement; *also* : INTOXICATED **12** : COSTLY, DEAR **13** : advanced esp. in complexity ⟨~*er* mathematics⟩ —
²**high** *adv* **1** : at or to a high place or degree **2** : LUXURIOUSLY ⟨living ~⟩
³**high** *n* **1** : an elevated place **2** : a high point or level **3** : the arrangement of gears in an automobile that gives the highest speed
high·ball \-,bol\ *n* : a usu. tall drink of liquor mixed with water or a carbonated beverage
high·born \-'born\ *adj* : of noble birth
high·boy \-,boi\ *n* : a high chest of drawers mounted on a base with long legs
high·bred \-'bred\ *adj* : coming from superior stock
high·brow \-,brau\ *n* : a person of superior learning or culture
high·er-up \,hī-ər-'əp\ *n* : a superior officer or official
high explosive *n* : an explosive (as TNT) that generates gas with extreme rapidity and has a shattering effect
high·fa·lu·tin \,hī-fə-'lüt-ᵊn\ *adj* : PRETENTIOUS, POMPOUS
high fidelity *n* : the reproduction of sound with a high degree of faithfulness to the original
high-flown \'hī-'flōn\ *adj* **1** : EXALTED **2** : BOMBASTIC
high frequency *n* : a frequency of a radio wave between 3 and 30 megacycles

high-handed \\'hī-'han-dəd\\ *adj* : OVERBEARING — **high-hand-ed-ly** *adv*
high—hat \\-'hat\\ *vb* : to treat in a supercilious or snobbish manner
high-land \\-lənd\\ *n* : elevated or mountainous land
high-land-er *n* **1** : an inhabitant of a highland **2** *cap* : an inhabitant of the Highlands of Scotland
¹**high-light** \\'hī-,līt\\ *n* : an event or detail of major importance
²**highlight** *vb* **1** : EMPHASIZE **2** : to constitute a highlight of
high—mind-ed \\-'mīn-dəd\\ *adj* : marked by elevated principles and feelings
high-ness *n* : the quality or state of being high — used as a title (as for kings)
high—spir-it-ed \\-'spir-ət-əd\\ *adj* : characterized by a bold or lofty spirit
high—strung \\'hī-'strəŋ\\ *adj* : marked by an extremely nervous or sensitive temperament
high-tail \\-,tāl\\ *vb* : to retreat at full speed
high—tension *adj* : having, using, or relating to high voltage
high-way \\'hī-,wā\\ *n* : a public road
high-way-man \\-mən\\ *n* : a person who robs travelers on a road
hi-jack *or* **high-jack** \\'hī-,jak\\ *vb* : to steal esp. by stopping a vehicle on the highway — **hi-jack-er** *n*
¹**hike** \\'hīk\\ *vb* **1** : to move or raise with a sudden effort **2** : to take a long walk — **hik-er** *n*
²**hike** *n* **1** : a long walk **2** : RISE
hi-lar-i-ous \\hil-'ar-ē-əs, hī-'lar-\\ *adj* : marked by or providing boisterous merriment — **hi-lar-i-ous-ly** *adv* — **hi-lar-i-ty** \\-ət-ē\\ *n*
hill \\'hil\\ *n* **1** : a usu. rounded elevation of land **2** : a little heap or mound (as of earth) — **hilly** *adj*
hill-bil-ly \\-,bil-ē\\ *n* : a person from a backwoods area
hill-ock \\'hil-ək\\ *n* : a small hill
hill-side \\-,sīd\\ *n* : the part of a hill between the summit and the foot
hilt \\'hilt\\ *n* : a handle esp. of a sword or dagger
him \\im, (')him\\ *pron, objective case of* HE
him-self \\(h)im-'self\\ *pron* : HE, HIM — used reflexively, for emphasis, or in absolute constructions ⟨he hurt ∼⟩ ⟨he ∼ did it⟩ ⟨∼ busy, he sent me⟩
¹**hind** \\'hīnd\\ *n* : a female deer : DOE
²**hind** *n* : a British farmhand
³**hind** *adj* : REAR
¹**hin-der** \\'hin-dər\\ *vb* **1** : to impede the progress of : HAMPER **2** : to hold back : CHECK **syn** obstruct, block, bar
²**hind-er** \\'hīn-dər\\ *adj* : HIND
Hin-di \\'hin-dē\\ *n* : a literary and official language of northern India
hind-most \\'hīn(d)-,mōst\\ *adj* : farthest to the rear
hind-quar-ter \\-,kwȯrt-ər\\ *n* **1** : the back half of a lateral half of the body or carcass of a quadruped **2** *pl* : the part of the body of a quadruped behind the junction of hind limbs and trunk
hin-drance \\'hin-drəns\\ *n* **1** : the state of being hindered; *also* : the action of hindering **2** : IMPEDIMENT
hind-sight \\'hīn(d)-,sīt\\ *n* : understanding of an event after it has happened
Hin-du-ism \\'hin-dü-,iz-əm\\ *n* : a body of religious beliefs and practices native to India — **Hin-du** *n or adj*
¹**hinge** \\'hinj\\ *n* : a jointed piece on which one piece (as a door, gate, or lid) turns or swings on another
²**hinge** *vb* **1** : to attach by or furnish with hinges **2** : to be contingent on a single consideration
hint \\'hint\\ *n* **1** : an indirect or summary suggestion **2** : CLUE **3** : a very small amount — **hint** *vb*
hin-ter-land \\'hint-ər-,land\\ *n* **1** : a region behind a coast **2** : a region remote from cities
¹**hip** \\'hip\\ *n* : the fruit of a rose
²**hip** *n* : the part of the body on either side below the waist consisting of the side of the pelvis and the upper thigh; *also* : the joint between pelvis and femur
³**hip** *adj* **1** : keenly aware of or interested in the newest developments **2** : WISE, ALERT
hip-po-drome \\'hip-ə-,drōm\\ *n* : an arena for equestrian performances
hip-po-pot-a-mus \\,hip-ə-'pät-ə-məs\\ *n, pl* **-mus-es** *or* **-mi** \\-,mī\\ : a large thick-skinned African river animal related to the swine
hip-ster \\'hip-stər\\ *n* : one who is esp. hep (as to new patterns in jazz)
¹**hire** \\'hī(ə)r\\ *n* **1** : PAY, WAGES **2** : EMPLOYMENT
²**hire** *vb* **1** : to employ for pay **2** : to engage the temporary use of for pay
hire-ling \\-liŋ\\ *n* : a hired person whose motives are chiefly mercenary
¹**his** \\(h)iz, ,hiz\\ *adj* : of or relating to him or himself
²**his** \\'hiz\\ *pron* : one or the ones belonging to him
hiss \\'his\\ *vb* : to make a sharp sibilant sound; *also* : to condemn by hissing — **hiss** *n*
his-ta-mine \\'his-tə-,mēn\\ *n* : a chemical compound widespread in animal tissues and believed to play a role in allergic reactions
his-to-ri-an \\his-'tōr-ē-ən\\ *n* : a student or writer of history
his-to-ric-i-ty \\,his-tə-'ris-ət-ē\\ *n* : historical actuality
his-to-ry \\'his-t(ə-)rē\\ *n* [L *historia*, fr. Gk, investigation, research, history, fr. *histōr* judge] **1** : a chronological record of significant events usu. with an explanation of their causes **2** : a branch of knowledge that records and explains past events — **his-tor-ic** \\his-'tȯr-ik\\ *adj* — **his-tor-i-cal** *adj* — **his-tor-i-cal-ly** *adv*
his-tri-on-ic \\,his-trē-'än-ik\\ *adj* **1** : of or relating to actors, acting, or the theater **2** : deliberately affected : THEATRICAL — **his-tri-on-i-cal-ly** *adv*
¹**hit** \\'hit\\ *vb* **hit**; **hit-ting** **1** : to reach with a blow : STRIKE **2** : to come or cause to come in contact : COLLIDE **3** : to affect detrimentally **4** : to make a request of **5** : to come upon **6** : SUIT **7** : REACH, ATTAIN **8** : to indulge in often to excess — **hit-ter** *n*
²**hit** *n* **1** : BLOW; *also* : COLLISION **2** : something highly successful **3** : a stroke in an athletic contest; *esp* : one that enables a baseball player to reach base
¹**hitch** \\'hich\\ *vb* **1** : to move by jerks **2** : to catch or fasten esp. by a hook or knot **3** : HITCHHIKE

²**hitch** n **1** : JERK **2** : a sudden halt **3** : a connection between a vehicle or implement and a detachable source of power **4** : KNOT

hitch·hike \-,hīk\ vb : to travel by securing free rides from passing vehicles

¹**hith·er** \'hith-ər\ adv : to this place

²**hither** adj : being on the near or adjacent side

hith·er·to \-,tü\ adv : up to this time

hive \'hīv\ n **1** : a container for housing honeybees **2** : a colony of bees **3** : a place swarming with busy occupants — **hive** vb

hives \'hīvz\ n, pl **hives** : an allergic disorder marked by the presence of itching wheals

hoard \'hōrd\ n : a hidden store or accumulation — **hoard** vb — **hoard·er** n

hoarse \'hōrs\ adj **1** : rough and harsh in sound **2** : having a grating voice —

hoary \'hōr-ē\ adj **1** : gray or white with age **2** : ANCIENT — **hoar·i·ness** n

hoax \'hōks\ n : an act intended to trick or dupe; also : something accepted or established by fraud — **hoax** vb —

¹**hob** \'häb\ n : MISCHIEF, TROUBLE

²**hob** n : a projection at the back or side of a fireplace on which something may be kept warm

¹**hob·ble** \'häb-əl\ vb **1** : to limp along; also : to make lame **2** : FETTER

²**hobble** n **1** : a hobbling movement **2** : something used to hobble an animal

hob·by \'häb-ē\ n : a pursuit or interest engaged in for relaxation

hob·gob·lin \'häb-,gäb-lən\ n **1** : a mischievous goblin **2** : BOGEY

hob·nail \-,nāl\ n : a short large-headed nail for studding shoe soles

hob·nob \-,näb\ vb **-nobbed**; **-nob·bing** : to associate familiarly

ho·bo \'hō-bō\ n, pl **-boes** also **-bos** : TRAMP

¹**hock** \'häk\ n : a joint or region in the hind limb of a quadruped corresponding to the human ankle

²**hock** n : PAWN — **hock** vb

hock·ey \'häk-ē\ n : a game played on ice or on a field by 2 teams using curved sticks to drive a puck or ball

hod \'häd\ n **1** : a long-handled tray or trough for carrying a load esp. of mortar or bricks **2** : SCUTTLE

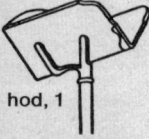

hod, 1

hodge·podge \'häj-,päj\ n : a heterogeneous mixture

hoe \'hō\ n : a long-handled implement with a thin flat blade used esp. for cultivating, weeding, or loosening the earth around plants — **hoe** vb

hog \'hȯg, 'häg\ n **1** : a domestic swine esp. when grown **2** : a selfish, gluttonous, or filthy person — **hog·gish** adj

hogs·head \'hȯgz-,hed, 'hägz-\ n **1** : a large cask; esp : one holding from 63 to 140 gallons **2** : a liquid measure equal to 63 U.S. gallons

hog-tie \'hȯg-,tī, 'häg-\ vb **1** : to tie together the feet of ⟨~ a calf⟩ **2** : to make helpless ⟨operations *hogtied* by red tape⟩

hog·wash \-,wȯsh, -,wäsh\ n **1** : SWILL 1, SLOP 2 **2** : worthless or nonsensical language

hoi pol·loi \,hȯi-pə-'lȯi\ n : the general populace

¹**hoist** \'hȯist\ vb : RAISE, LIFT

²**hoist** n **1** : LIFT **2** : an apparatus for hoisting **3** : the height of a flag when viewed flying

¹**hold** \'hōld\ vb **held** \'held\ **hold·ing** **1** : POSSESS; also : KEEP **2** : RESTRAIN **3** : to have or maintain a grasp on **4** : to remain or cause to remain in a particular situation or position **5** : SUSTAIN; also : RESERVE **6** : BEAR, COMPORT **7** : to maintain in being or action : PERSIST **8** : CONTAIN, ACCOMMODATE **9** : HARBOR, ENTERTAIN; also : CONSIDER, REGARD **10** : to carry on by concerted action; also : CONVOKE **11** : to occupy esp. by appointment or election **12** : to be valid **13** : HALT, PAUSE — **hold·er** n

²**hold** n **1** : STRONGHOLD **2** : CONFINEMENT; also : PRISON **3** : the act or manner of holding or clasping : GRIP **4** : a nonphysical bond which attaches or restrains or by which something is affected **5** : something that may be grasped as a support

³**hold** n **1** : the interior of a ship below decks; esp : a ship's cargo deck **2** : an airplane's cargo compartment

hold·ing n **1** : land held esp. of a superior; also : property owned **2** : a ruling of a court esp. on an issue of law

hold·up \'hōld-,əp\ n **1** : robbery at the point of a gun **2** : DELAY

hole \'hōl\ n **1** : an opening into or through something **2** : a hollow place (as a pit or cave) **3** : DEN, BURROW **4** : a unit of play from tee to cup in golf **5** : a mean or dingy place **6** : an awkward position — **hole** vb

hol·i·day \'häl-ə-,dā\ n **1** : a day observed in Judaism with commemorative ceremonies **2** : a day of freedom from work; esp : one in commemoration of an event **3** : VACATION

ho·li·ness \'hō-lē-nəs\ n : the quality or state of being holy — used as a title esp. for the pope

¹**hol·low** \'häl-ō\ adj **1** : CONCAVE, SUNKEN **2** : having a cavity within **3** : MUFFLED ⟨a ~ sound⟩ **4** : devoid of value or significance; also : FALSE, DECEITFUL — **hol·low·ness** n

²**hollow** vb : to make or become hollow

³**hollow** n **1** : a surface depression **2** : CAVITY

hol·ly \'häl-ē\ n : a tree or shrub with usu. evergreen glossy leaves and red berries

holley: leaves and berries

hol·ly·hock \-,häk, -,hȯk\ n : a tall perennial herb widely grown for its showy flowers

hol·mi·um \'hōl-mē-əm\ n : a metallic chemical element

hol·o·caust \'häl-ə-,kȯst, 'hō-lə-\ n : a thorough destruction esp. by fire

hol·o·graph \-,graf\ *n* : a document wholly in the handwriting of the purported author

hol·ster \'hōl-stər\ *n* : a usu. leather case for a pistol

ho·ly \'hō-lē\ *adj* **1** : SACRED **2** : commanding absolute devotion **3** : spiritually pure **syn** divine, godly, hallowed, blessed, religious

hom·age \'(h)äm-ij\ *n* : reverential regard : RESPECT

home \'hōm\ *n* **1** : one's residence; *also* : HOUSE **2** : the social unit formed by a family living together **3** : a congenial environment; *also* : HABITAT **4** : a place of origin **5** : the objective in various games (as baseball) — **home·less** *adj*

home·bred \-'bred\ *adj* : produced at home

home·com·ing \-,kəm-iŋ\ *n* **1** : a return home **2** : the return of a group of people esp. on a special occasion to a place formerly frequented

home·land \-,land\ *n* : native land

home·ly \'hōm-lē\ *adj* **1** : FAMILIAR **2** : KINDLY **3** : unaffectedly natural : PLAIN **4** : lacking beauty or proportion — **home·li·ness** *n*

home·made \'hōm-'mād\ *adj* : made in the home, on the premises, or by one's own efforts

home·mak·er \-,mā-kər\ *n* : one who manages a household esp. as a wife and mother

home plate *n* : a slab at the apex of a baseball diamond that a base runner must touch in order to score

home run *n* : a hit in baseball that enables the batter to make a circuit of the bases and score a run

home·sick \'hōm-,sik\ *adj* : longing for home and family while absent from them — **home·sick·ness** *n*

home·spun \-,spən\ *adj* **1** : spun or made at home; *also* : made of a loosely woven usu. woolen or linen fabric **2** : SIMPLE, HOMELY

home·stead·er *n* : one who acquires a tract of land from U.S. public lands by filing a record and living on and cultivating the tract

home·stretch \-'strech\ *n* **1** : the part of a racecourse between the last curve and the winning post **2** : a final stretch

home·ward \-wərd\ *adv (or adj)* : in the direction of home

home·work \-,wərk\ *n* : an assignment given a student to be completed outside the classroom

hom·i·cide \'häm-ə-,sīd\ *n* [L *homicida* manslayer & *homicidium* manslaughter; both fr. *homo* man + *caedere* to cut, kill] **1** : a person who kills another **2** : a killing of one human being by another — **hom·i·cid·al** \,häm-ə-'sīd-ᵊl\ *adj*

hom·i·ly \'häm-ə-lē\ *n* : SERMON —

hom·i·ny \'häm-ə-nē\ *n* : hulled corn with the germ removed

ho·mo·ge·ne·ous \,hō-mə-'jē-nē-əs\ *adj* : of the same or a similar kind; *also* : of uniform structure — **ho·mo·ge·ne·i·ty**

ho·mog·e·nize \hō-'mäj-ə-,nīz\ *vb* **1** : to make homogeneous **2** : to reduce the particles in (as milk or paint) to uniform size and distribute them evenly throughout the liquid — **ho·mog·e·nized** *adj*

ho·mol·o·gous \hō-'mäl-ə-gəs\ *adj* : corresponding in structure usu. because of community of origin ⟨wings and arms are ~ organs⟩ — **ho·mol·o·gy**

hom·o·nym \'häm-ə-,nim\ *n* **1** : HOMOPHONE, HOMOGRAPH **2** : one of two or more words spelled and pronounced alike but different in meaning ⟨*pool* of water and *pool* the game are ~s⟩

homo·phone \'häm-ə-,fōn\ *n* : one of two or more words (as *to*, *too*, *two*) pronounced alike but different in meaning or derivation or spelling

Ho·mo sa·pi·ens \,hō-mō-'sap-ē-ənz, -'sāp-\ *n* : MAN, MANKIND

ho·mo·sex·u·al \,hō-mō-'sek-sh(ə-w)əl\ *adj* : of, relating to, or exhibiting sexual desire toward a member of one's own sex — **homosexual** *n* — **ho·mo·sex·u·al·i·ty** \-,sek-shə-'wal-ət-ē\

hon·est \'än-əst\ *adj* **1** : free from deception : TRUTHFUL; *also* : GENUINE, REAL **2** : REPUTABLE **3** : CREDITABLE **4** : marked by integrity **5** : FRANK **syn** upright, just, conscientious, honorable

hon·ey \'hən-ē\ *n* : a sweet sticky substance made by bees (**hon·ey·bees** \-,bēz\) from the nectar of flowers

¹**hon·ey·comb** \-,kōm\ *n* : a mass of 6-sided wax cells built by honeybees; *also* : something of similar structure or appearance

²**honeycomb** *vb* : to make or become full of cavities like a honeycomb

hon·ey·moon \'hən-ē-,mün\ *n* **1** : a holiday taken by a newly married couple **2** : a period of harmony esp. just after marriage — **honeymoon** *vb*

hon·ey·suck·le \-,sək-əl\ *n* : any of various shrubs, vines, or herbs with tubular flowers rich in nectar

honk \'häŋk\ *n* : the cry of a goose; *also* : a similar sound (as of a horn) — **honk** *vb* — **honk·er** *n*

¹**hon·or** \'än-ər\ *n* **1** : good name : REPUTATION; *also* : outward respect **2** : PRIVILEGE **3** : a person of superior standing — used esp. as a title **4** : one whose worth brings respect or fame **5** : an evidence or symbol of distinction **6** : CHASTITY, PURITY **7** : INTEGRITY **syn** homage, reverence, deference, obeisance

²**honor** *vb* **1** : to regard or treat with honor **2** : to confer honor on **3** : to fulfill the terms of (as by accepting and paying when due) — **hon·or·er** *n*

hon·or·able \'än-(ə-)rə-bəl\ *adj* **1** : deserving of honor **2** : accompanied with marks of honor **3** : of great renown **4** : doing credit to the possessor **5** : characterized by integrity — **hon·or·able·ness** *n* — **hon·or·ably** *adv*

hon·o·rar·i·um \,än-ə-'rer-ē-əm\ *n, pl* **-ia** \-ē-ə\ *also* **-i·ums** : a reward usu. for services on which custom or propriety forbids a price to be set

hon·or·ary \'än-ə-,rer-ē\ *adj* **1** : having or conferring distinction **2** : conferred in recognition of achievement without the usual prerequisites ⟨~ degree⟩ **3** : UNPAID, VOLUNTARY — **hon·or·ar·i·ly** \,än-ə-'rer-ə-lē\ *adv*

hood \'hu̇d\ *n* **1** : a covering for the head and neck and sometimes the face **2** : an ornamental fold (as at the back of an ecclesiastical vestment) **3** : a cover for parts of mechanisms; *esp* : the metal covering over an automobile engine — **hood·ed** *adj*

-hood \,hud\ *n suffix* **1** : state : condition : quality : character ⟨boyhood⟩ ⟨hardihood⟩ **2** : instance of a (specified) state or quality ⟨falsehood⟩ **3** : individuals sharing a (specified) state or character ⟨brotherhood⟩

hood·lum \'hüd-ləm\ *n* **1** : THUG **2** : a young ruffian

hoo·doo \'hüd-ü\ *n* **1** : VOODOO **2** : something that brings bad luck — **hoodoo** *vb*

hood·wink \'hud-,wiŋk\ *vb* : to deceive by false appearance

hoo·ey \'hü-ē\ *n* : NONSENSE

hoof \'huf, 'hüf\ *n, pl* **hooves** \'hüvz, 'hüvz\ *or* **hoofs** : a horny covering that protects the ends of the toes of some mammals (as horses or cattle); *also* : a hoofed foot — **hoofed** *adj*

¹**hook** \'huk\ *n* **1** : a curved or bent device for catching, holding, or pulling **2** : something curved or bent like a hook **3** : a flight of a ball (as in golf) that curves in a direction opposite to the dominant hand of the player propelling it **4** : a short punch delivered with a circular motion and with the elbow bent and rigid

²**hook** *vb* **1** : CURVE, CROOK **2** : to seize or make fast with a hook **3** : STEAL

hook·up \'huk-,əp\ *n* : an assemblage (as of apparatus or circuits) used for a specific purpose (as in radio)

hook·worm \-,wərm\ *n* : a parasitic intestinal worm having hooks or plates around the mouth

hoo·li·gan \'hü-li-gən\ *n* : RUFFIAN, HOODLUM

hoop \'hüp, 'hüp\ *n* **1** : a circular strip used esp. for holding together the staves of a container (as a barrel) **2** : a circular figure or object : RING **3** : a circle of flexible material for expanding a woman's skirt

hoot \'hüt\ *vb* **1** : to utter a loud shout usu. in contempt **2** : to make the characteristic cry of an owl — **hoot** *n* — **hoot·er** *n*

¹**hop** \'häp\ *vb* **hopped; hop·ping** **1** : to move by quick springy leaps **2** : to make a quick trip esp. by air

²**hop** *n* **1** : a short brisk leap esp. on one leg **2** : DANCE **3** : a short trip esp. by air

³**hop** *n* : a vine related to the mulberry whose ripe dried cones are used in medicine and in flavoring malt liquors; *also* : its cone

⁴**hop** *vb* **hopped; hop·ping** : to increase the power of beyond an original rating

¹**hope** \'hōp\ *vb* : to desire with expectation of fulfillment

²**hope** *n* **1** : TRUST, RELIANCE **2** : desire accompanied by expectation of fulfillment; *also* : something hoped for **3** : one that gives promise for the future — **hope·ful** *adj* — **hope·ful·ly** *adv*

hop·per *n* **1** : a usu. immature hopping insect **2** : a receptacle holding material to be passed on in a subsequent operation

hop·scotch \'häp-,skäch\ *n* : a child's game in which a player tosses an object (as a stone) consecutively into areas of a figure outlined on the ground and hops through the figure and back to regain the object

horde \'hōrd\ *n* : THRONG, SWARM

hore·hound \'hōr-,haund\ *n* : an aromatic bitter mint with downy leaves used esp. in candy

ho·ri·zon \hə-'rīz-ᵊn\ *n* [Gk *horizont-, horizōn,* fr. prp. of *horizein* to bound, fr. *horos* limit, boundary] **1** : the line marking the apparent junction of earth and sky **2** : range of outlook or experience

hor·i·zon·tal \,hór-ə-'zänt-ᵊl\ *adj* : parallel to the horizon : LEVEL — **hor·i·zon·tal·ly** *adv*

hor·mon·al \'hór-,mōn-ᵊl\ *adj* : of, relating to, or resembling a hormone

hor·mone \'hór-,mōn\ *n* : a product of living cells that circulates in body fluids and has a specific effect on some other cells; *esp* : the secretion of an endocrine gland

horn \'hórn\ *n* **1** : one of the hard bony projections on the head of many hoofed animals **2** : something resembling or suggesting a horn **3** : a brass wind instrument **4** : a usu. electrical device that makes a noise ⟨automobile ∼⟩ —

hor·net \'hór-nət\ *n* : any of the larger social wasps

ho·rol·o·gy \hə-'räl-ə-jē\ *n* : the science of measuring time or constructing time-indicating instruments — **hor·o·log·i·cal** \,hór-ə-'läj-i-kəl\ *adj* — **ho·rol·o·gist** \hə-'räl-ə-jəst\ *n*

hor·o·scope \'hór-ə-,skōp\ *n* : a diagram of the relative positions of planets and signs of the zodiac at a particular time for use by astrologers to foretell events of a person's life

hor·ren·dous \hó-'ren-dəs\ *adj* : DREADFUL, HORRIBLE

hor·ri·ble \'hór-ə-bəl\ *adj* **1** : marked by or conducive to horror **2** : highly disagreeable — **hor·ri·ble·ness** *n* — **hor·ri·bly** *adv*

hor·rid \'hór-əd\ *adj* **1** : HIDEOUS **2** : REPULSIVE — **hor·rid·ly** *adv*

hor·ri·fy \'hór-ə-,fī\ *vb* : to cause to feel horror *syn* appall, daunt, dismay

hor·ror \'hór-ər\ *n* **1** : painful and intense fear, dread, or dismay **2** : intense aversion or repugnance **3** : something that horrifies

horse \'hórs\ *n* **1** : a large solid-hoofed herbivorous mammal domesticated as a draft and saddle animal **2** : a supporting framework usu. with legs — **horse·less** *adj*

¹**horse·back** \-,bak\ *n* : the back of a horse

²**horseback** *adv* : on horseback

horse·flesh \-,flesh\ *n* : horses for riding, driving, or racing

horse·fly \-,flī\ *n* : any of a group of large two-winged flies with bloodsucking females

horse·hide \-,hīd\ *n* : the dressed or raw hide of a horse

horse·play \-,plā\ *n* : rough boisterous play

horse·pow·er \-,pau(-ə)r\ *n* : a unit of power equal to the power necessary to raise 33,000 pounds one foot in one minute

horse·shoe \'hórs(h)-,shü\ *n* **1** : a protective metal plate fitted to the rim of a horse's hoof **2** *pl* : a game in which horseshoes are pitched at a fixed object

hors·ey *or* **horsy** \'hór-sē\ *adj* **1** : of, relating to, or suggesting a horse **2** : having to do with horses or horse racing

hor·ta·tive \'hȯrt-ət-iv\ *adj* : giving exhortation

hor·ti·cul·ture \'hȯrt-ə-,kəl-chər\ *n* : the science and art of growing fruits, vegetables, flowers, and ornamental plants — **hor·ti·cul·tur·al** \,hȯrt-ə-'kəlch-(ə-)rəl\ *adj* — **hor·ti·cul·tur·ist** \-'kəlch-(ə-)rəst\ *n*

ho·san·na \hō-'zan-ə\ *interj* — used as a cry of acclamation or adoration

¹**hose** \'hōz\ *n, pl* **hose** *or* **hos·es** 1 *pl* **hose** : STOCKING, SOCK; *also* : a close-fitting garment covering the legs and waist 2 : a flexible tube for conveying fluids (as from a faucet)

²**hose** *vb* : to spray, water, or wash with a hose

ho·siery \'hōz(h)-ə-rē\ *n* : STOCKINGS, SOCKS

hos·pi·ta·ble \häs-'pit-ə-bəl, 'häs-(,)pit-\ *adj* 1 : given to generous and cordial reception of guests 2 : readily receptive — **hos·pi·ta·bly** *adv*

hos·pi·tal \'häs-,pit-ᵊl\ *n* : an institution where the sick or injured receive medical or surgical care

hos·pi·tal·i·ty \,häs-pə-'tal-ət-ē\ *n* : hospitable treatment, reception, or disposition

hos·pi·tal·ize \'häs-,pit-ᵊl-,īz\ *vb* : to place in a hospital for care and treatment — **hos·pi·tal·iza·tion** \,häs-,pit-ᵊl-ə-'zā-shən\ *n*

¹**host** \'hōst\ *n* 1 : ARMY 2 : MULTITUDE

²**host** *n* 1 : one who receives or entertains guests socially or commercially 2 : an animal or plant on or in which a parasite lives

³**host** *n, often cap* : the eucharistic bread

hos·tage \'häs-tij\ *n* : a person kept as a pledge pending the fulfillment of an agreement

hos·tel \'häst-ᵊl\ *n* 1 : INN 2 : a supervised lodging for youth — **hos·tel·er** *n*

host·ess \'hō-stəs\ *n* : a woman who acts as host

hos·tile \'häs-tᵊl, -,tīl\ *adj* : marked by usu. overt antagonism : UNFRIENDLY — **hos·tile·ly** *adv* — **hos·til·i·ty** \häs-'til-ət-ē\ *n*

hot \'hät\ *adj* 1 : marked by a high temperature or an uncomfortable degree of body heat 2 : giving a sensation of heat or of burning 3 : ARDENT, FIERY 4 : LUSTFUL 5 : EAGER 6 : newly made or received 7 : PUNGENT 8 : unusually lucky or favorable 9 : recently and illegally obtained ⟨~ jewels⟩ — **hot** *adv* — **hot·ly** *adv* — **hot·ness** *n*

hot·bed \-,bed\ *n* 1 : a glass-covered bed of soil heated (as by fermenting manure) and used esp. for raising seedlings 2 : an environment that favors rapid growth or development

hot-blood·ed \-'bləd-əd\ *adj* : easily roused or excited

hot dog \-,dȯg\ *n* : a cooked frankfurter usu. served in a long split roll

ho·tel \hō-'tel\ *n* : a building where lodging and usu. meals, entertainment, and various personal services are provided for the public

hot·house \-,haus\ *n* : a heated glass-enclosed house for raising plants

hot plate *n* : a simple portable appliance for heating or for cooking

¹**hound** \'haund\ *n* : a long-eared hunting dog that follows its prey by scent

²**hound** *vb* : to pursue constantly and relentlessly

hour \'au(ə)r\ *n* 1 : the 24th part of a day 2 : the time of day 3 : a particular or customary time 4 : a class session — **hour·ly** *adv*

hour·glass \-,glas\ *n* : an instrument for measuring time consisting of a glass vessel with two compartments from the uppermost of which a quantity of sand, water, or mercury runs in an hour into the lower one

¹**house** \'haus\ *n, pl* **hous·es** \'hau-zəz\ 1 : a building for human habitation 2 : a shelter for an animal 3 : a building in which something is stored 4 : HOUSEHOLD; *also* : FAMILY 5 : a legislative body 6 : a place of business or entertainment 7 : a business organization 8 : the audience in a theater or concert hall — **house·less** \'haus-ləs\ *adj*

²**house** \'hauz\ *vb* 1 : to provide with or take shelter : LODGE 2 : STORE

house·boat \'haus-,bōt\ *n* : a barge fitted for use as a dwelling or for leisurely cruising

house·boy \-,bȯi\ *n* : a boy or man hired to act as a general household servant

house·break·ing \-,brā-kiŋ\ *n* : the act of breaking into and entering a person's dwelling house with the intent of committing a felony

house·coat \'haus-,kōt\ *n* : a woman's usu. long-skirted informal garment for wear around the house

house·fly \-,flī\ *n* : a two-winged fly that is common about human habitations and acts as a vector of diseases (as typhoid fever)

¹**house·hold** \'haus-,hōld\ *n* : those who dwell as a family under the same roof — **house·hold·er** *n*

²**household** *adj* 1 : DOMESTIC 2 : FAMILIAR

house·lights \-,līts\ *n pl* : the lights that illuminate the parts of a theater occupied by the audience

house·moth·er \-,məth-ər\ *n* : a woman acting as hostess, chaperon, and often housekeeper in a residence for young people

house·top \-,täp\ *n* : ROOF

house·warm·ing \-,wȯr-miŋ\ *n* : a party to celebrate the taking possession of a house or premises

house·wife \'haus-,wīf, 2 *often* 'həz-əf, 'hȯs-\ *n* 1 : a married woman in charge of a household

house·work \'haus-,wərk\ *n* : the work of housekeeping

¹**hous·ing** \'hau-ziŋ\ *n* 1 : SHELTER 2 : something that covers or protects

²**housing** *n* 1 : an ornamental cover for a saddle 2 *pl* : TRAPPINGS

hove *past of* HEAVE

hov·el \'həv-əl, 'häv-\ *n* : a small mean house : HUT

hov·er \'həv-ər\ *vb* 1 : FLUTTER; *also* : to move to and fro 2 : to be in an uncertain state

how \(')hau\ *adv* 1 : in what way or manner ⟨~ was it done⟩ 2 : with what meaning ⟨~ do we interpret such behavior⟩ 3 : for what reason ⟨~ could you have done such a thing⟩ 4 : to what extent or degree ⟨∼ deep is it⟩ 5 : in what state or condition ⟨∼ are you⟩ — **how about** : what do you say to or think of ⟨*how about* coming with me⟩ — **how come** : why is it that ⟨*how come* you are here⟩

¹**how·be·it** \haù-'bē-ət\ *adv* : NEVERTHELESS

²**howbeit** *conj* : ALTHOUGH

¹**how·ev·er** \haù-'ev-ər\ *conj* : in whatever manner

²**however** *adv* 1 : to whatever degree; also : in whatever manner 2 : in spite of that

how·it·zer \'haù-ət-sər\ *n* : a short cannon that shoots shells at a high angle of fire

howl \'haùl\ *vb* 1 : to emit a loud long doleful sound characteristic of dogs 2 : to cry loudly — **howl** *n*

howl·er *n* 1 : one that howls 2 : a stupid and ridiculous blunder

how·so·ev·er \,haù-sə-'wev-ər\ *adv* : HOWEVER 1

hub \'həb\ *n* 1 : the central part of a wheel, propeller, or fan 2 : a center of activity

hu·bris \'hyü-brəs\ *n* : overweening pride or self-confidence

huck·le·ber·ry \'hək-əl-,ber-ē\ *n* 1 : an American shrub related to the blueberry; also : its edible dark blue berry 2 : BLUEBERRY

huck·ster \'hək-stər\ *n* : PEDDLER, HAWKER

¹**hud·dle** \'həd-³l\ *vb* 1 : to crowd together 2 : CONFER

²**huddle** *n* 1 : a closely packed group 2 : MEETING, CONFERENCE

hue \'hyü\ *n* 1 : a color as distinct from white, gray, and black; also : gradation of color 2 : the attribute of colors that permits them to be classed as red, yellow, green, blue, or an intermediate color

huff \'həf\ *n* : a fit of anger or pique — **huffy** *adj*

hug \'həg\ *vb* **hugged**; **hug·ging** 1 : EMBRACE 2 : to stay close to ⟨the road ∼s the river⟩ — **hug** *n*

huge \'hyüj\ *adj* : very large or extensive — **huge·ly** *adv* — **huge·ness** *n*

hulk \'həlk\ *n* 1 : a heavy clumsy ship 2 : a bulky or unwieldy person or thing 3 : the body of an old ship unfit for service

¹**hull** \'həl\ *n* 1 : the outer covering of a fruit or seed 2 : the frame or body esp. of a ship

²**hull** *vb* : to remove the hulls of — **huller** *n*

hul·la·ba·loo \'həl-ə-bə-,lü\ *n* : a confused noise

hum \'həm\ *vb* **hummed**; **hum·ming** 1 : to utter a prolonged *m*-like sound 2 : DRONE 3 : to be busily active 4 : to sing with closed lips — **hum** *n* — **hum·mer** *n*

hu·man \'hyü-mən\ *adj* 1 : of, relating to, being, or characteristic of man 2 : having human form or attributes — **human** *n* — **hu·man·ly** *adv* — **hu·man·ness** *n*

hu·mane \(h)yü-'mān\ *adj* 1 : marked by compassion, sympathy, or considera- tion for others 2 : HUMANISTIC — **hu·mane·ly** *adv* — **hu·mane·ness** *n*

hu·man·ism \'(h)yü-mə-,niz-əm\ *n* 1 : the revival of classical letters characteristic of the Renaissance 2 : a doctrine or way of life centered on human interests or values — **hu·man·ist** *n* — **hu·man·is·tic** \,(h)yü-mə-'nis-tik\ *adj*

hu·man·i·tar·i·an \(h)yü-,man-ə-'ter-ē-ən\ *n* : one who practices philanthropy — **humanitarian** *adj* — **hu·man·i·tar·i·an·ism** *n*

hu·man·i·ty \(h)yü-'man-ət-ē\ *n* 1 : the quality or state of being human or humane 2 *pl* : the branches of learning having primarily a cultural character 3 : MANKIND

hu·man·ize \'(h)yü-mə-,nīz\ *vb* : to make human or humane — **hu·man·iza·tion** \,(h)yü-mə-nə-'zā-shən\ *n*

¹**hum·ble** \'(h)əm-bəl\ *adj* [OF, fr. L *humilis* low, humble, fr. *humus* earth, ground] 1 : not proud or haughty 2 : not pretentious : UNASSUMING 3 : INSIGNIFICANT **syn** meek, modest, lowly — **hum·ble·ness** *n* — **hum·bly** *adv*

²**humble** *vb* 1 : to make humble 2 : to destroy the power or prestige of — **hum·bler** \-b(ə-)lər\ *n*

¹**hum·bug** \'həm-,bəg\ *n* 1 : HOAX, FRAUD 2 : NONSENSE

²**humbug** *vb* : DECEIVE

hum·drum \-,drəm\ *adj* : MONOTONOUS, DULL

hu·mer·us \'hyüm-(ə-)rəs\ *n* : the long bone extending from elbow to shoulder

hu·mid \'(h)yü-məd\ *adj* : containing or characterized by perceptible moisture : DAMP — **hu·mid·i·ty** \(h)yü-'mid-ət-ē\ *n* — **hu·mid·ly** \'(h)yü-məd-lē\ *adv*

hu·mid·i·fy \(h)yü-'mid-ə-,fī\ *vb* : to make humid — **hu·mid·i·fi·ca·tion** *n*

hu·mi·dor \'(h)yü-mə-,dȯr\ *n* : a case usu. for storing cigars in which the air is kept properly humidified

hu·mil·i·ate \(h)yü-'mil-ē-,āt\ *vb* : to injure the self-respect of : MORTIFY — **hu·mil·i·ty** \-'mil-ət-ē\ *n* : the quality or state of being humble

hum·ming·bird \'həm-iŋ-,bərd\ *n* : a tiny American bird related to the swifts

¹**hu·mor** \'(h)yü-mər\ *n* 1 : TEMPERAMENT 2 : MOOD 3 : WHIM 4 : a quality that appeals to a sense of the ludicrous or incongruous ⟨the ∼ of his plight⟩; also : a keen perception of the ludicrous or incongruous 5 : something designed to be comical or amusing — **hu·mor·ist** \'(h)yüm-(ə-)rəst\ *n* — **hu·mor·less** \'(h)yü-mər-ləs\ *adj* — **hu·mor·less·ly** *adv* — **hu·mor·lessness** *n* — **hu·mor·ous** \'(h)yüm-(ə-)rəs\ *adj* — **hu·mor·ous·ly** *adv* — **hu·mor·ous·ness** *n*

²**humor** *vb* : INDULGE

hump \'həmp\ *n* 1 : a rounded protuberance (as on the back of a camel) 2 : a difficult phase (as of an undertaking)

hu·mus \'(h)yü-məs\ *n* : the dark organic part of soil formed from decaying matter

Hun \'hən\ *n* : a member of an Asian people that invaded Europe in the 5th century A.D.

¹**hunch** \'hənch\ *vb* 1 : to thrust oneself forward 2 : to assume or cause to assume a bent or crooked posture

²**hunch** *n* **1 :** PUSH **2 :** a strong intuitive feeling as to how something will turn out
hunch·back \-,bak\ *n* **:** a back with a hump; *also* **:** a person with a crooked back — **hunch·backed** *adj*
hun·dred \'hən-drəd\ *n* **:** 10 times 10 — **hundred** *adj* — **hun·dredth** *adj or n*
hun·dred·weight \-,wāt\ *n* **1 :** a unit of weight equal to 100 avoirdupois pounds
hung *past of* HANG
Hun·gar·i·an \,həŋ-'ger-ē-ən\ *n* **1 :** a native or inhabitant of Hungary **2 :** the language of Hungary — **Hungarian** *adj*
hun·ger \'həŋ-gər\ *n* **1 :** a craving or urgent need for food **2 :** a strong desire — **hunger** *vb* — **hun·gri·ly** \-grə-lē\ *adv* — **hun·gry** *adj*
hunk \'həŋk\ *n* **:** a large piece
hun·ker \'həŋ-kər\ *vb* **:** CROUCH, SQUAT
¹**hunt** \'hənt\ *vb* **1 :** to pursue for food or in sport; *also* **:** to take part in a hunt **2 :** to try to find **:** SEEK **3 :** to drive or chase esp. by harrying ⟨~ a criminal out of town⟩ **4 :** to traverse in search of prey — **hunt·er** *n*
²**hunt** *n* **1 :** an act, practice, or instance of hunting **2 :** an association of huntsmen
hunt·ress \'hən-trəs\ *n* **:** a female hunter
hunts·man \'hənts-mən\ *n* **1 :** HUNTER **2 :** one who manages a hunt and looks after the hounds
hur·dle \'hərd-ᵊl\ *n* **1 :** a movable frame for enclosing land or livestock **2 :** an artificial barrier over which men or horses leap in a race **3 :** OBSTACLE — **hurdle** *vb*
hurl \'hərl\ *vb* **1 :** to move or cause to move vigorously **2 :** to throw down with violence **3 :** FLING; *also* **:** PITCH — **hurl** *n* — **hurl·er** *n*
hur·ly–bur·ly \,hər-lē-'bər-lē\ *n* **:** UPROAR, TUMULT
hur·rah \hù-'rò, -'rä\ *interj* — used to express joy, approval, or encouragement
hur·ri·cane \'hər-ə-,kān\ *n* [Sp *huracán*, of AmerInd origin] **:** a cyclone that originates over tropical oceans, has winds of 73 miles per hour or greater, and is usu. accompanied by rain, thunder, and lightning
¹**hur·ry** \'hər-ē\ *vb* **1 :** to carry or cause to go with haste **2 :** to speed up **3 :** to move or act with haste — **hur·ried·ly** *adv* — **hur·ried·ness** *n*
²**hurry** *n* **:** extreme haste or eagerness
¹**hurt** \'hərt\ *vb* **hurt; hurt·ing 1 :** to feel or cause to feel pain **2 :** to do harm to **:** DAMAGE **3 :** OFFEND **4 :** HAMPER
²**hurt** *n* **1 :** a bodily injury or wound **2 :** SUFFERING **3 :** HARM, WRONG — **hurt·ful** *adj*
hur·tle \'hərt-ᵊl\ *vb* **1 :** to move with a rushing sound **2 :** HURL, FLING
¹**hus·band** \'həz-bənd\ *n* **:** a married man
²**husband** *vb* **:** to manage prudently
hus·band·ry \-bən-drē\ *n* **1 :** the control or judicious use of resources **2 :** AGRICULTURE
¹**hush** \'həsh\ *vb* **1 :** to make or become quiet or calm **2 :** SUPPRESS
²**hush** *n* **:** SILENCE, QUIET
¹**husk** \'həsk\ *n* **1 :** a usu. thin dry outer covering of a seed or fruit **2 :** an outer layer **:** SHELL
²**husk** *vb* **:** to strip the husk from — **husk·er** *n*

husk·ing *n* **:** a gathering of farm families to husk corn
¹**husky** \'həs-kē\ *adj* **:** HOARSE — **husk·i·ly** *adv* — **husk·i·ness** *n*
²**husky** *adj* **1 :** BURLY, ROBUST **2 :** LARGE — **husk·i·ness** *n*
hus·sar \hə-'zär\ *n* **:** a member of any of various European cavalry units
hus·sy \'həz-ē, 'həs-\ *n* **1 :** a lewd or brazen woman **2 :** a pert or mischievous girl
hus·tings \'həs-tiŋz\ *n pl* **:** a place where political campaign speeches are made; *also* **:** the proceedings in an election campaign
¹**hus·tle** \'həs-əl\ *vb* **1 :** JOSTLE, SHOVE **2 :** HASTEN, HURRY **3 :** to work energetically — **hus·tler** \-(ə-)lər\ *n*
²**hustle** *n* **:** energetic activity
hut \'hət\ *n* **:** a small and often temporary dwelling **:** SHACK
hutch \'həch\ *n* **1 :** a chest or compartment for storage **2 :** a low cupboard usu. surmounted with open shelves **3 :** a pen or coop for an animal **4 :** HUT, SHACK
hy·a·cinth \'hī-ə-(,)sinth\ *n* **:** a bulbous herb related to the lilies and widely grown for its spikes of fragrant bell-shaped flowers
hy·brid \'hī-brəd\ *n* **1 :** an offspring of genetically differing parents (as members of different breeds or species) **2 :** one of mixed origin or composition — **hybrid** *adj* — **hy·brid·iza·tion** \,hī-brəd-ə-'zā-shən\ *n* — **hy·brid·ize** \'hī-brəd-,īz\ *vb*
hy·dran·gea \hī-'drān-jə\ *n* **:** any of a genus of shrubs related to the currants and grown for their large clusters of white or tinted flowers
hy·drant \'hī-drənt\ *n* **:** a pipe with a valve and spout at which water may be drawn from a main pipe
hy·drate \'hī-,drāt\ *n* **1 :** a compound formed by union of water with some other substance **2 :** HYDROXIDE ⟨calcium ~⟩
hy·drau·lic \hī-'drò-lik\ *adj* **1 :** operated, moved, or effected by means of water **2 :** of or relating to hydraulics **3 :** operated by the resistance offered or the pressure transmitted when a quantity of liquid is forced through a small orifice or through a tube ⟨~ brake⟩ **4 :** hardening or setting under water ⟨~ cement⟩
hy·drau·lics *n* **:** a science that deals with practical applications of liquids (as water) in motion
hy·dro·car·bon \,hī-drə-'kär-bən\ *n* **:** a compound (as acetylene) containing only carbon and hydrogen
hy·dro·chlo·ric acid \,hī-drə-,klòr-ik-\ *n* **:** a sharp-smelling corrosive acid used in the laboratory and in industry
hy·dro·elec·tric \,hī-drō-i-'lek-trik\ *adj* **:** of, relating to, or used in the production of electricity by waterpower
hy·dro·gen \'hī-drə-jən\ *n* **:** a gaseous colorless odorless highly flammable chemical element that is the lightest of the elements — **hy·drog·e·nous** \hī-'dräj-ə-nəs\ *adj*
hydrogen bomb *n* **:** a bomb whose violent explosive power is due to the sudden release of atomic energy resulting from the union of light nuclei (as of hydrogen atoms)

hydrogen peroxide *n* : an unstable liquid compound of hydrogen and oxygen used as an oxidizing and bleaching agent, an antiseptic, and a propellant

hy·drol·y·sis \hī-'dräl-ə-səs\ *n* : a chemical decomposition involving the addition of the elements of water

hy·drom·e·ter \hī-'dräm-ət-ər\ *n* : a floating instrument for determining specific gravities of liquids and hence the strength (as of alcoholic liquors)

hy·dro·pho·bia \,hī-drə-'fō-bē-ə\ *n* : RABIES

hy·dro·plane \'hī-drə-,plān\ *n* **1** : a speedboat with fins or a stepped bottom so that the hull is raised wholly or partly out of the water **2** : SEAPLANE

hy·dro·pon·ics \,hī-drə-'pän-iks\ *n* : the growing of plants in nutrient solutions — **hy·dro·pon·ic** *adj*

hy·dro·stat·ic \-'stat-ik\ *adj* : of or relating to liquids at rest or to the pressures they exert or transmit

hy·dro·ther·a·py \,hī-drō-'ther-ə-pē\ *n* : the external application of water in the treatment of disease or disability

hy·drous \'hī-drəs\ *adj* : containing water

hy·drox·ide \hī-'dräk-,sīd\ *n* : a compound of an oxygen-and-hydrogen group with an element or radical

hy·e·na \hī-'ē-nə\ *n* : a large nocturnal carnivorous mammal of Asia and Africa

hy·giene \'hī-,jēn\ *n* **1** : a science dealing with the establishment and maintenance of health **2** : conditions or practices conducive to health — **hy·gien·ic** \,hī-jē-'en-ik, hī-'jen-\ *adj*

hymn \'him\ *n* : a song of praise esp. to God — **hymn** *vb* — **hym·nal** \'him-nəl\ *n*

hy·per·acid·i·ty \,hī-pər-ə-'sid-ət-ē\ *n* : excessive stomach acidity

hy·per·bo·le \hī-'pər-bə-(,)lē\ *n* : extravagant exaggeration used as a figure of speech

hy·per·bo·re·an \,hī-pər-'bōr-ē-ən\ *adj* : of, relating to, or inhabiting a remote northern region

hy·per·crit·i·cal \,hī-pər-'krit-i-kəl\ *adj* : excessively critical — **hy·per·crit·i·cal·ly** *adv*

hy·per·sen·si·tive \-'sen-sət-iv\ *adj* : excessively or abnormally sensitive

hy·per·son·ic \-'sän-ik\ *adj* **1** : of or relating to speed five or more times that of sound in air **2** : moving, capable of moving, or utilizing air currents that move at hypersonic speed

hy·per·ten·sion \-'ten-chən\ *n* : abnormally high blood pressure — **hy·per·ten·sive** \-'ten-siv\ *adj or n*

hy·per·tro·phy \hī-'pər-trə-fē\ *n* : excessive growth or development of a body part — **hy·per·tro·phic** \hī-'pər-trə-fik, ,hī-pər-'träf-ik\ *adj*

hy·phen \'hī-fən\ *n* : a punctuation mark - used to divide or to compound words or word elements — **hyphen** *vb*

hy·phen·ate \'hī-fə-,nāt\ *vb* : HYPHEN

hyp·no·sis \hip-'nō-səs\ *n* : an induced state which resembles sleep and in which the subject is responsive to suggestions of the inducer (**hyp·no·tist** \'hip-nə-təst\) — **hyp·no·tism** \'hip-nə-,tiz-əm\ *n* — **hyp·no·tize** \'hip-nə-,tīz\ *vb*

¹hyp·not·ic \hip-'nät-ik\ *adj* **1** : inducing sleep : SOPORIFIC **2** : of or relating to hypnosis or hypnotism — **hyp·not·i·cal·ly** *adv*

²hypnotic *n* : a sleep-inducing drug

hy·po·chon·dria \,hī-pə-'kän-drē-ə\ *n* : depression of mind usu. centered on imaginary physical ailments — **hy·po·chon·dri·ac** \-drē-,ak\ *adj or n*

hy·poc·ri·sy \hip-'äk-rə-sē\ *n* : a feigning to be what one is not or to believe what one does not; *esp* : the false assumption of an appearance of virtue or religion — **hyp·o·crite** \'hip-ə-,krit\ *n* — **hyp·o·crit·i·cal** \,hip-ə-'krit-i-kəl\ *adj* — **hyp·o·crit·i·cal·ly** *adv*

hy·po·der·mic \,hī-pə-'dər-mik\ *n* : a small syringe with a hollow needle for injecting material into or through the skin; *also* : an injection made with this

hy·pot·e·nuse \hī-'pät-ᵊn-,(y)üs, -,(y)üz\ *n* : the side of a right-angled triangle that is opposite the right angle

hypotenuse

hy·poth·e·cate \hī-'päth-ə-,kāt\ *vb* : HYPOTHESIZE

hy·poth·e·sis \hī-'päth-ə-səs\ *n* : an assumption made esp. in order to draw out and test its logical or empirical consequences — **hy·po·thet·i·cal** \,hī-pə-'thet-i-kəl\ *adj* — **hy·po·thet·i·cal·ly** *adv*

hy·poth·e·size \hī-'päth-ə-,sīz\ *vb* : to adopt as a hypothesis

hys·ter·ec·to·mize \,his-tə-'rek-tə-,mīz\ *vb* : to perform a hysterectomy on

hys·ter·ec·to·my \,his-tə-'rek-tə-mē\ *n* : surgical removal of the uterus

hys·te·ria \his-'tir-ē-ə\ *n* **1** : a nervous disorder marked esp. by defective emotional control **2** : uncontrollable fear or emotion — **hys·ter·ic** \-'ter-ik\ *or* **hys·ter·i·cal** *adj* — **hys·ter·i·cal·ly** *adv*

hys·ter·ics \-'ter-iks\ *n* : a fit of uncontrollable laughter or crying

I

i \'ī\ *n, often cap* : the 9th letter of the English alphabet

I \(')ī, ə\ *pron* : the one speaking or writing

iamb \'ī-,am\ *n* : a metrical foot of one unaccented syllable followed by one accented syllable — **iam·bic** \ī-'am-bik\ *adj*

-ian — see -AN

-ible — see -ABLE

¹-ic \ik\ *adj suffix* **1** : having the character or form of : being ⟨pan*oramic*⟩ : consisting of **2** : of or relating to ⟨alderman*ic*⟩ **3** : related to, derived from, or containing ⟨alcohol*ic*⟩ **4** : in the manner of : like that of : characteristic of **5** : associated or dealing with : utilizing ⟨electron*ic*⟩ **6** : characterized by : exhibiting ⟨nostalg*ic*⟩ : affected with ⟨allerg*ic*⟩ **7** : caused by **8** : tending to produce

²-ic *n suffix* : one having the character or

nature of : one belonging to or associated with : one exhibiting or affected by : one that produces
-i·cal \i-kəl\ *adj suffix* : -IC ⟨symmetrical⟩ ⟨geological⟩ — -i·cal·ly \i-k(ə-)lē\ *adv suffix*
¹ice \'īs\ *n* 1 : water frozen 2 : a state of coldness (as from formality or reserve) 3 : a substance resembling ice 4 : a frozen dessert; *esp* : one containing no milk or cream
²ice *vb* 1 : FREEZE 2 : CHILL 3 : to cover with or as if with icing — iced *adj*
ice·berg \-,bərg\ *n* : a huge mass of ice broken off from a glacier; *also* : an emotionally cold person
ice·boat \-,bōt\ *n* 1 : a boatlike frame on runners propelled on ice usu. by sails 2 : ICEBREAKER 2
ice·bound \-,baùnd\ *adj* : surrounded or obstructed by ice
ice·break·er \'īs-,brā-kər\ *n* 1 : a structure that protects a bridge pier from floating ice 2 : a ship equipped to make and maintain a channel through ice
ice cap *n* : a cover of perennial ice and snow; *esp* : a glacier forming on relatively level land and flowing outward from its center
ice cream *n* : a frozen food containing cream or butterfat, flavoring, sweetening, and usu. eggs
ice·house \'īs-,haùs\ *n* : a building for storing ice
Ice·land·er \-,lan-dər, -lən-\ *n* : a native or inhabitant of Iceland
Ice·lan·dic \īs-'lan-dik\ *adj* : of, relating to, or characteristic of Iceland, the Icelanders, or their language
ice·man \'īs-,man\ *n* : one who sells or delivers ice
ice pick *n* : a hand tool ending in a spike for chipping ice
ice–skate \'īs-,skāt\ *vb* : to skate on ice — ice skater *n*
ich·thy·ol·o·gy \,ik-thē-'äl-ə-jē\ *n* : a branch of zoology dealing with fishes — ich·thy·ol·o·gist \-jəst\ *n*
ici·cle \'ī-,sik-əl\ *n* : a hanging mass of ice formed by the freezing of dripping water
ic·ing *n* : a coating for baked goods usu. made from sugar and butter combined with water, milk, egg white, and flavoring
icon \'ī-,kän\ *n* : IMAGE; *esp* : a religious image painted on a small wood panel
icon·o·clast \ī-'kän-ə-,klast\ *n* [MGk *eikonoklastēs*, fr. Gk *eikōn* image + *klan* to break] 1 : one who destroys religious images or opposes their veneration 2 : one who attacks cherished beliefs or institutions
-ics \iks\ *n sing or pl suffix* 1 : study : knowledge : skill : practice ⟨linguistics⟩ ⟨electronics⟩ 2 : characteristic actions or activities ⟨acrobatics⟩ 3 : characteristic qualities, operations, or phenomena ⟨mechanics⟩
icy \'ī-sē\ *adj* 1 : covered with, abounding in, or consisting of ice 2 : intensely cold 3 : being cold and unfriendly ⟨FRIGID ⟨an ~ stare⟩ — ic·i·ly *adv* — ic·i·ness *n*
id \'id\ *n* : the primitive undifferentiated part of the psychic apparatus which is the seat of psychic energy and from which the higher psychic components (as ego and superego) derive

idea \ī-'dē-ə\ *n* 1 : a plan for action : DESIGN, PROJECT 2 : something imagined or pictured in the mind 3 : a central meaning or purpose ⟨the ~ of the game is to keep from getting caught⟩ syn concept, conception, notion, impression
¹ide·al \ī-'dē(-ə)l\ *adj* 1 : existing only in the mind : IMAGINARY; *also* : lacking practicality 2 : of or relating to an ideal or to perfection : PERFECT ⟨~ weather⟩
²ideal *n* 1 : a standard of perfection, beauty, or excellence 2 : one regarded as exemplifying an ideal and often taken as a model for imitation 3 : GOAL
ide·al·ism \ī-'dē-(ə-),liz-əm\ *n* 1 : the practice of forming or living according to ideals 2 : the ability or tendency to see things as they should be rather than as they are — ide·al·ist \-(ə-)ləst\ *n*
ide·al·ize \ī-'dē-(ə-),līz\ *vb* : to think of or represent as ideal — ide·al·iza·tion
ide·al·ly \ī-'dē-(ə-)lē\ *adv* 1 : in idea or imagination : MENTALLY 2 : in agreement with an ideal : PERFECTLY
iden·ti·cal \ī-'dent-i-kəl\ *adj* 1 : being the same 2 : exactly or essentially alike syn equivalent, equal
iden·ti·fi·ca·tion \ī-,dent-ə-fə-'kā-shən\ *n* 1 : an act of identifying : the state of being identified 2 : evidence of identity
iden·ti·fy \ī-'dent-ə-,fī\ *vb* 1 : to be or cause to be or become identical 2 : ASSOCIATE ⟨*identified* himself with no church group⟩ 3 : to establish the identity of ⟨*identified* the watch as his⟩
iden·ti·ty \-'dent-ət-ē\ *n* 1 : sameness of essential character 2 : INDIVIDUALITY 3 : the fact of being the same person or thing as one described
ide·ol·o·gy \,īd-ē-'äl-ə-jē, ,id-\ *n* 1 : the body of ideas characteristic of a particular individual, group, or culture 2 : the assertions, theories, and aims that constitute a political, social, and economic program — ide·o·log·i·cal
ides \'īdz\ *n sing or pl* : the 15th day of March, May, July, or October or the 13th day of any other month in the ancient Roman calendar
id·i·o·cy \'id-ē-ə-sē\ *n* 1 : extreme mental deficiency 2 : something notably stupid or foolish
id·i·om \'id-ē-əm\ *n* 1 : the language peculiar to an individual, a group, a class, or a district : DIALECT ⟨Shakespeare's ~⟩ ⟨doctors speaking in their professional ~⟩ 2 : the characteristic form or structure of a language ⟨know the vocabulary of a foreign language but not its ~⟩ 3 : an expression in the usage of a language that is peculiar to itself either grammatically (as *it wasn't me*) or that cannot be understood from the meanings of its separate words (as *take cold*) — id·i·om·at·ic \,id-ē-ə-'mat-ik\ *adj*
id·io·syn·cra·sy \,id-ē-ə-'siŋ-krə-sē\ *n* : personal peculiarity (as of habit or of response to a drug)
id·i·ot \'id-ē-ət\ *n* 1 : a feebleminded person requiring complete custodial care 2 : a silly or foolish person — id·i·ot·ic
¹idle \'īd-'l\ *adj* 1 : GROUNDLESS, WORTHLESS, USELESS ⟨~ rumor⟩ ⟨~ talk⟩ 2 : not occupied or employed : INACTIVE 3 : LAZY ⟨~ fellows⟩ — idle·ness *n* — idly \'īd-lē\ *adv*

²idle *vb* **1** : to spend time doing nothing **2** : to pass in idleness **3** : to make idle **4** : to run without being connected so that power is not used for useful work ⟨the engine is *idling*⟩ — **idler** \-(ᵊ-)lər\ *n*

idol \'īd-ᵊl\ *n* **1** : a representation of a deity used as an object of worship **2** : a false god **3** : an object of passionate devotion

idol·a·ter \ī-'däl-ət-ər\ *n* : a worshiper of idols

idol·a·try \-ə-trē\ *n* **1** : the worship of a physical object as a god **2** : immoderate devotion — **idol·a·trous** \-ə-trəs\ *adj*

idol·ize \'īd-ᵊl-,īz\ *vb* : to make an idol of : love or admire to excess

idyll *or* **idyl** \'īd-ᵊl\ *n* **1** : a simple descriptive or narrative composition; *esp* : a poem about country life **2** : a fit subject for an idyll **3** : a romantic interlude — **idyl·lic** \ī-'dil-ik\ *adj*

-ier — see -ER

if \(,)if, əf\ *conj* **1** : in the event that ⟨~ he stays, I leave⟩ **2** : WHETHER ⟨ask ~ he left⟩ **3** : even though ⟨an interesting ~ untenable argument⟩

if·fy \'if-ē\ *adj* : abounding in contingencies or unknown qualities or conditions

-i·fy \ə-,fī\ *vb suffix* : -FY

ig·loo \'ig-lü\ *n* : an Eskimo house or hut often made of snow blocks and in the shape of a dome

igloo

ig·ne·ous \'ig-nē-əs\ *adj* **1** : FIERY **2** : formed by solidification of molten rock

ig·nite \ig-'nīt\ *vb* : to set afire or catch fire

ig·ni·tion \ig-'nish-ən\ *n* **1** : a setting on fire **2** : the process or means (as an electric spark) of igniting the fuel mixture in an engine

ig·no·ble \ig-'nō-bəl\ *adj* **1** : of low birth : PLEBEIAN **2** : not honorable : BASE, MEAN, DESPICABLE — **ig·no·bly** \-blē\ *adv*

ig·no·min·i·ous \,ig-nə-'min-ē-əs\ *adj* **1** : DISHONORABLE **2** : DESPICABLE **3** : HUMILIATING, DEGRADING — **ig·no·min·i·ous·ly** *adv* — **ig·no·min·y** \'ig-nə-,min-ē\ *n*

ig·no·ra·mus \,ig-nə-'rā-məs\ *n* : an utterly ignorant person : DUNCE

ig·no·rance \'ig-nə-rəns\ *n* : the state of being ignorant : lack of knowledge

ig·no·rant \-rənt\ *adj* **1** : lacking knowledge : UNEDUCATED **2** : resulting from or showing lack of knowledge or intelligence **3** : UNAWARE, UNINFORMED — **ig·no·rant·ly** *adv*

ig·nore \ig-'nōr\ *vb* : to refuse to take notice of : DISREGARD **syn** overlook, slight, neglect

igua·na \i-'gwän-ə\ *n* : a large edible tropical American lizard

ilk \'ilk\ *n* : SORT, FAMILY — used chiefly in the phrase *of that ilk*

¹**ill** \'il\ *adj* **worse** \'wərs\ **worst** \'wərst\ **1** : not normal or sound ⟨~ health⟩; *also* : suffering ill health ⟨an ~ child⟩ : SICK **2** : BAD, UNLUCKY ⟨~ omen⟩ **3** : not meeting an accepted standard ⟨~ manners⟩ **4** : UNFRIENDLY, HOSTILE ⟨~ feeling⟩ **5** : HARSH, CRUEL ⟨~ treatment⟩

²**ill** *adv* **worse; worst 1** : with displeasure or hostility **2** : in a harsh manner **3** : HARDLY, SCARCELY ⟨can ~ afford it⟩ **4** : BADLY, UNLUCKILY **5** : in a faulty or inefficient manner

³**ill** *n* **1** : EVIL **2** : MISFORTUNE, DISTRESS **3** : AILMENT, SICKNESS; *also* : TROUBLE

ill-ad·vised \,il-əd-'vīzd\ *adj* : not well counseled : UNWISE, RASH ⟨~ efforts⟩

ill-bred \'il-'bred\ *adj* : badly brought up : IMPOLITE

il·le·gal \il-'(l)ē-gəl\ *adj* : not lawful; *also* : not sanctioned by official rules — **il·le·gal·i·ty** \,il-ē-'gal-ət-ē\ *n* — **il·le·gal·ly** \il-'(l)ē-gə-lē\ *adv*

il·leg·i·ble \il-'(l)ej-ə-bəl\ *adj* : not legible : impossible or difficult to read or decipher — **il·leg·i·bil·i·ty** \il-,ej-ə-'bil-ət-ē\ *n* — **il·leg·i·bly** \il-'(l)ej-ə-blē\ *adv*

il·le·git·i·mate \,il-i-'jit-ə-mət\ *adj* **1** : born of parents not married to each other **2** : ILLOGICAL **3** : ERRATIC **4** : ILLEGAL — **il·le·git·i·mate·ly** *adv* — **il·le·git·i·ma·cy** \-'jit-ə-mə-sē\ *n*

ill-fat·ed \'il-'fāt-əd\ *adj* : having or destined to an evil fate : UNFORTUNATE

ill-fa·vored \-'fā-vərd\ *adj* **1** : unattractive in physical appearance; *esp* : having an ugly face **2** : OFFENSIVE, OBJECTIONABLE

ill-got·ten \'il-'gät-ᵊn\ *adj* : acquired by evil means ⟨~ gains⟩

ill-hu·mored \-'(h)yü-mərd\ *adj* : SURLY, IRRITABLE

il·lic·it \il-'(l)is-ət\ *adj* : not permitted : UNLAWFUL — **il·lic·it·ly** *adv*

il·lit·er·ate \il-'(l)it-ə-rət\ *adj* **1** : having little or no education; *esp* : unable to read or write **2** : showing a lack of familiarity with language and literature or with the fundamentals of a particular field of knowledge — **il·lit·er·a·cy** \-rə-sē\ *n* — **illiterate** *n*

ill-na·tured \-'nā-chərd\ *adj* : CROSS, SURLY — **ill-na·tured·ly** *adv*

ill·ness *n* : SICKNESS

il·log·i·cal \il-'(l)äj-i-kəl\ *adj* : not according to good reasoning; *also* : SENSELESS — **il·log·i·cal·ly** *adv*

ill-tem·pered \'il-'tem-pərd\ *adj* : ILL-NATURED, QUARRELSOME

ill-treat \'il-'trēt\ *vb* : to treat cruelly or improperly : MALTREAT — **ill-treatment** *n*

il·lu·mi·nate \il-'ü-mə-,nāt\ *vb* **1** : to supply or brighten with light : make luminous or shining **2** : to make clear : ELUCIDATE **3** : to decorate (as a manuscript) with gold or silver or brilliant colors or with often elaborate designs or pictures — **il·lu·mi·na·tion** \-,ü-mə-'nā-shən\ *n* — **il·lu·mi·na·tor** \-'ü-mə-,nāt-ər\ *n*

il·lu·mine \-'ü-mən\ *vb* : ILLUMINATE

ill-us·age \'il-'yü-sij, -zij\ *n* : harsh, unkind, or abusive treatment

ill-use \-'yüz\ *vb* : MALTREAT, ABUSE — **ill-use** \-'yüs\ *n*

il·lu·sion \il-'ü-zhən\ *n* **1** : a mistaken idea : MISAPPREHENSION, MISCONCEPTION, FANCY **2** : a misleading image presented to the vision : HALLUCINATION; *esp* : APPARITION

illusion; a is equal to b but seems longer

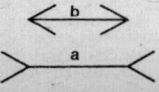

illusive 227 immerse

il·lu·sive \il-'ü-siv\ *adj* **:** ILLUSORY
il·lu·so·ry \il-'üs-(ə-)rē, -'üz-\ *adj* : based on or producing illusion **:** DECEPTIVE
il·lus·trate \'il-ə-,strāt\ *vb* **1 :** to make clear or explain (as by use of examples) **:** CLARIFY; *also* **:** DEMONSTRATE **2 :** to provide with pictures or figures intended to explain or decorate ⟨~ a book⟩ **3 :** to serve to explain or decorate — **il·lus·tra·tor** *n*
il·lus·tra·tion \,il-ə-'strā-shən\ *n* **1 :** the action of illustrating the condition of being illustrated **2 :** an example or instance that helps make something (as a statement or article) clear **3 :** a picture, drawing, or diagram intended to explain or decorate a book or article
il·lus·tra·tive \il-'əs-trət-iv\ *adj* **:** serving, tending, or designed to illustrate ⟨an ~ diagram⟩ ⟨a definition with ~ examples⟩ — **il·lus·tra·tive·ly** *adv*
il·lus·tri·ous \il-'əs-trē-əs\ *adj* **:** notably outstanding because of rank or achievement **:** EMINENT, DISTINGUISHED
ill will *n* **:** unfriendly feeling
¹im·age \'im-ij\ *n* **1 :** a likeness or imitation of a person or thing; *esp* **:** STATUE **2 :** a visual counterpart of an object formed by a device (as a mirror or lens) **3 :** a mental picture or conception **:** IMPRESSION, IDEA, CONCEPT **4 :** a vivid representation or description **5 :** a person strikingly like another person **:** COUNTERPART, COPY ⟨he is the ~ of his father⟩
²image *vb* **1 :** to describe or portray in words **2 :** to bring up before the imagination **:** IMAGINE, FANCY **3 :** REFLECT, MIRROR ⟨a face *imaged* in a mirror⟩ **4 :** to make appear **:** PROJECT **5 :** to create a representation of
im·ag·ery \-ij-(ə-)rē\ *n* **1 :** IMAGES; *also* **:** the art of making images **2 :** figurative language **3 :** mental images; *esp* **:** the products of imagination
imag·in·able \im-'aj-(ə-)nə-bəl\ *adj* **:** capable of being imagined **:** CONCEIVABLE — **imag·in·ably** *adv*
imag·i·nary \im-'aj-ə-,ner-ē\ *adj* **:** existing only in the imagination **:** FANCIED
imag·i·na·tion \im-,aj-ə-'nā-shən\ *n* **1 :** the act or power of forming a mental image of something not present to the senses or not previously known or experienced **2 :** creative ability **3 :** RESOURCEFULNESS **4 :** a mental image **:** a creation of the mind **5 :** popular or traditional belief or conception — **imag·i·na·tive** \im-'aj-(ə-)nət-iv, -ə-,nāt-iv\ *adj* — **imag·i·na·tive·ly** *adv*
imag·ine \im-'aj-ən\ *vb* **1 :** to form a mental picture of something not present **:** FANCY **2 :** PLAN, SCHEME **3 :** THINK, SUPPOSE, GUESS ⟨I ~ it will rain⟩
im·ag·ism \'im-ij-,iz-əm\ *n* **:** a movement in poetry advocating free verse and the expression of ideas and emotions through clear precise images — **im·ag·ist** *n*
im·bal·ance \(')im-'bal-əns\ *n* **:** lack of balance **:** the state of being out of equilibrium or out of proportion ⟨~ of exports and imports⟩
im·be·cile \'im-bə-səl\ *n* **1 :** a feebleminded person; *esp* **:** one capable of performing routine personal care under supervision **2 :** FOOL, IDIOT — **imbecile** or **im·be·cil·ic** \,im-bə-'sil-ik\ *adj* — **im·be·cil·i·ty** \,im-bə-'sil-ət-ē\

im·bibe \im-'bīb\ *vb* **1 :** DRINK **2 :** to receive and retain in the mind **3 :** ASSIMILATE **4 :** to drink in **:** ABSORB — **im·bib·er** *n*
im·bri·ca·tion \,im-brə-'kā-shən\ *n* **1 :** an overlapping of edges (as of tiles) **2 :** a decoration or pattern showing imbrication — **im·bri·cate** \'im-brə-,kāt\ *adj*
im·bro·glio \im-'brōl-yō\ *n* **1 :** a confused mass **2 :** a difficult, complicated, or embarrassing situation; *also* **:** a serious or embarrassing misunderstanding
im·bue \im-'byü\ *vb* **1 :** to tinge or dye deeply **2 :** to cause to become penetrated **:** PERMEATE ⟨*imbued* with a desire to help⟩
im·i·ta·ble \'im-ət-ə-bəl\ *adj* **:** capable or worthy of being imitated or copied
im·i·tate \'im-ə-,tāt\ *vb* **1 :** to follow as a pattern or model **:** COPY **2 :** REPRODUCE **3 :** RESEMBLE **4 :** MIMIC, COUNTERFEIT — **im·i·ta·tor** *n*
im·i·ta·tion \,im-ə-'tā-shən\ *n* **1 :** an act of imitating or mimicking **2 :** COPY, COUNTERFEIT **3 :** a literary work designed to reproduce the style of another author — **imitation** *adj*
im·i·ta·tive \'im-ə-,tāt-iv\ *adj* **1 :** marked by imitation **2 :** exhibiting mimicry **3 :** inclined to imitate or copy **4 :** COUNTERFEIT
im·mac·u·late \im-'ak-yə-lət\ *adj* **1 :** being without stain or blemish **:** PURE **2 :** spotlessly clean ⟨~ linen⟩ — **im·mac·u·late·ly** *adv*
im·ma·nent \'im-ə-nənt\ *adj* **1 :** INDWELLING; *esp* **:** having existence only in the mind **2 :** dwelling in nature and the souls of men — **im·ma·nence** or **im·ma·nen·cy** *n*
im·ma·te·ri·al \,im-ə-'tir-ē-əl\ *adj* **1 :** not consisting of matter **:** SPIRITUAL **2 :** UNIMPORTANT, TRIFLING
im·ma·ture \,im-ə-'t(y)ur\ *adj* **:** lacking complete development **:** not yet mature — **im·ma·tu·ri·ty** \-'t(y)ur-ət-ē\ *n*
im·mea·sur·able \(')im-'ezh-(ə-)rə-bəl\ *adj* **:** not capable of being measured **:** indefinitely extensive **:** ILLIMITABLE — **im·mea·sur·ably** *adv*
im·me·di·a·cy \im-'ēd-ē-ə-sē\ *n* **1 :** the quality or state of being immediate; *esp* **:** lack of an intervening object, place, time, or agent **2 :** URGENCY **3 :** something that is of immediate importance ⟨the *immediacies* of life⟩
im·me·di·ate \im-'ēd-ē-ət\ *adj* **1 :** acting directly and alone **:** DIRECT ⟨the ~ cause of death⟩ **2 :** INTUITIVE ⟨~ awareness⟩ **3 :** being next in line or relation ⟨members of the ~ family attended⟩ **4 :** made or done at once **:** INSTANT ⟨an ~ response⟩ **5 :** near to or related to the present time ⟨the ~ future⟩ **6 :** not distant **:** CLOSE ⟨the ~ neighborhood⟩ — **im·me·di·ate·ly** *adv*
im·me·mo·ri·al \,im-ə-'mōr-ē-əl\ *adj* **:** extending beyond the reach of memory, record, or tradition
im·mense \im-'ens\ *adj* [L *immensus,* lit., unmeasured, fr. *in-* in- + *mensus,* pp. of *metiri* to measure] **1 :** marked by greatness esp. in size or degree **:** VAST, HUGE **2 :** EXCELLENT — **im·mense·ly** *adv* — **im·men·si·ty** \-'en-sət-ē\ *n*
im·merse \im-'ərs\ *vb* **1 :** to plunge or dip esp. into a fluid **2 :** to baptize by

immigrant 228 **impedimenta**

immersing **3** : ENGROSS, ABSORB ⟨*immersed in a book*⟩
im·mi·grant \'im-i-grənt\ *n* **1** : a person who immigrates **2** : a plant or animal that becomes established where it was previously unknown
im·mi·grate \'im-ə-‚grāt\ *vb* : to come into a foreign country and take up permanent residence there — **im·mi·gra·tion** \‚im-ə-'grā-shən\ *n*
im·mi·nent \'im-ə-nənt\ *adj* : ready to take place; *esp* : hanging threateningly over one's head ⟨~ *danger*⟩ — **im·mi·nence** \-nəns\ *n* — **im·mi·nent·ly** *adv*
im·mo·bile \(')im-'ō-bəl\ *adj* : incapable of being moved : IMMOVABLE, FIXED, MOTIONLESS — **im·mo·bil·i·ty** \‚im-ō-'bil-ət-ē\ *n*
im·mo·bi·lize \im-'ō-bə-‚līz\ *vb* : to make immobile ⟨~ *an injured joint with splints*⟩
im·mod·er·ate \(')im-'äd-(ə-)rət\ *adj* : lacking in moderation : having no limit : EXCESSIVE — **im·mod·er·a·cy** \-(ə-)rə-sē\ *n* — **im·mod·er·ate·ly** *adv*
im·mod·est \(')im-'äd-əst\ *adj* : not modest : BRAZEN, INDECENT ⟨an ~ *dress*⟩ ⟨~ *conduct*⟩ — **im·mod·est·ly** *adv* — **im·mod·es·ty** *n*
im·mo·late \'im-ə-‚lāt\ *vb* : to offer in sacrifice; *esp* : to kill as a sacrificial victim — **im·mo·la·tion** \‚im-ə-'lā-shən\ *n*
im·mor·al \(')im-'òr-əl\ *adj* : inconsistent with purity or good morals : WICKED, LICENTIOUS — **im·mor·al·ly** *adv*
im·mo·ral·i·ty \‚im-‚ò-'ral-ət-ē, ‚im-ə-'ral-\ *n* **1** : WICKEDNESS; *esp* : UNCHASTITY **2** : an immoral act or practice
¹**im·mor·tal** \(')im-'òrt-ᵊl\ *adj* **1** : not mortal : exempt from death ⟨~ *gods*⟩ **2** : exempt from oblivion : IMPERISHABLE, ABIDING ⟨those ~ *words*⟩ ⟨~ *fame*⟩ — **im·mor·tal·ly** *adv*
²**immortal** *n* **1** : one exempt from death **2** *pl, often cap* : the gods in Greek and Roman mythology **3** : a person whose fame is lasting ⟨one of the ~*s* of baseball⟩
im·mor·tal·i·ty \‚im-‚òr-'tal-ət-ē\ *n* : the quality or state of being immortal; *esp* : unending existence
im·mor·tal·ize \im-'òrt-ᵊl-‚īz\ *vb* : to make immortal
im·mov·able \(')im-'ü-və-bəl\ *adj* **1** : firmly fixed, settled, or fastened : FAST, STATIONARY ⟨~ *mountains*⟩ **2** : STEADFAST, UNYIELDING **3** : IMPASSIVE — **im·mov·abil·i·ty** \(‚)im-‚ü-və-'bil-ət-ē\ *n* — **im·mov·ably** \(')im-'ü-və-blē\ *adv*
im·mune \im-'yün\ *adj* : EXEMPT; *esp* : having a special capacity for resistance (as to a disease) — **im·mu·ni·ty** \im-'yü-nət-ē\ *n*
im·mu·nize \'im-yə-‚nīz\ *vb* : to make immune — **im·mu·ni·za·tion** \‚im-yə-nə-'zā-shən\ *n*
im·mu·ta·ble \(')im-'yüt-ə-bəl\ *adj* : UNCHANGEABLE, UNCHANGING — **im·mu·ta·bil·i·ty** \(‚)im-‚yüt-ə-'bil-ət-ē\ *n* — **im·mu·ta·bly** \(')im-'yüt-ə-blē\ *adv*
imp \'imp\ *n* **1** : a small demon : FIEND **2** : a mischievous child
¹**im·pact** \im-'pakt\ *vb* **1** : to press close : wedge in; *also* : to fill with impacted material **2** : to have an impact on

²**im·pact** \'im-‚pakt\ *n* **1** : a forceful contact, collision, or onset; *also* : the impetus communicated in or as if in a collision **2** : EFFECT
im·pact·ed \im-'pak-təd\ *adj* : wedged between the jawbone and another tooth
im·pair \im-'paər\ *vb* : to diminish in quantity, value, excellence, or strength : DAMAGE, LESSEN ⟨health ~*ed* by overwork⟩ — **im·pair·ment** *n*
im·pale \im-'pāl\ *vb* : to pierce with or as if with something pointed; *esp* : to torture or kill by fixing on a sharp stake — **im·pale·ment** *n*
im·pal·pa·ble \(')im-'pal-pə-bəl\ *adj* **1** : incapable of being felt by the touch : INTANGIBLE **2** : not readily discerned or apprehended : IMPERCEPTIBLE ⟨an ~ *difference between 2 shades of red*⟩
im·part \im-'pärt\ *vb* **1** : to give, grant, or bestow from one's store or abundance : TRANSMIT ⟨the sun ~*s warmth*⟩ **2** : to make known : DISCLOSE ⟨~ *information*⟩
im·par·tial \(')im-'pär-shəl\ *adj* : not partial : UNBIASED, JUST — **im·par·tial·i·ty** \(‚)im-‚pärsh-(ē-)'al-ət-ē\ *n* — **im·par·tial·ly** \(')im-'pärsh-(ə-)lē\ *adv*
im·pass·able \(')im-'pas-ə-bəl\ *adj* : incapable of being passed, traversed, or circulated ⟨~ *roads*⟩ ⟨~ *counterfeit money*⟩
im·passe \'im-‚pas\ *n* **1** : an impassable road or way **2** : a predicament from which there is no obvious escape : DEADLOCK
im·pas·si·ble \(')im-'pas-ə-bəl\ *adj* : UNFEELING, IMPASSIVE ⟨a hardened ~ *criminal*⟩
im·pas·sioned \im-'pash-ənd\ *adj* : filled with passion or zeal : showing great warmth or intensity of feeling ⟨an ~ *plea*⟩ **syn** passionate, ardent, fervent, fervid
im·pas·sive \(')im-'pas-iv\ *adj* : showing no signs of feeling, emotion, or interest : EXPRESSIONLESS, INDIFFERENT **syn** stoic, phlegmatic, apathetic, stolid — **im·pas·sive·ly** *adv* — **im·pas·siv·i·ty** \‚im-‚pas-'iv-ət-ē\ *n*
im·pa·tience \(')im-'pā-shəns\ *n* **1** : restlessness of spirit esp. under irritation, delay, or opposition **2** : restless or eager desire or longing
im·pa·tient \(')im-'pā-shənt\ *adj* **1** : not patient : restless or short of temper esp. under irritation, delay, or opposition **2** : INTOLERANT ⟨~ *of poverty*⟩ **3** : prompted or marked by impatience **4** : ANXIOUS — **im·pa·tient·ly** *adv*
im·peach \im-'pēch\ *vb* **1** : to charge (a public official) before an authorized tribunal with misbehavior in office **2** : to challenge the credibility or validity of ⟨~ *a person's honesty*⟩ — **im·peach·ment** *n*
im·pec·ca·ble \(')im-'pek-ə-bəl\ *adj* **1** : not capable of sinning or wrongdoing **2** : FAULTLESS, FLAWLESS, IRREPROACHABLE ⟨a man of ~ *character*⟩ — **im·pec·ca·bly** *adv*
im·pe·cu·nious \‚im-pi-'kyü-nyəs, -nē-əs\ *adj* : having little or no money : PENNILESS
im·pede \im-'pēd\ *vb* : to interfere with the progress of : HINDER, BLOCK
im·ped·i·ment \im-'ped-ə-mənt\ *n* : HINDRANCE, OBSTRUCTION; *esp* : a speech detect
im·ped·i·men·ta \im-‚ped-ə-'ment-ə\ *pl* : things (as baggage or supplies) that impede

im·pel \im-'pel\ *vb* **-pelled; -pel·ling** : to urge or drive forward or on : FORCE; *also* : PROPEL

im·pend \im-'pend\ *vb* **1** : to hover or hang over threateningly : MENACE **2** : to be about to occur

im·pend·ing *adj* : threatening to occur soon : IMMINENT, APPROACHING ⟨~ danger⟩

im·pen·e·tra·ble \(')im-'pen-ə-trə-bəl\ *adj* **1** : incapable of being penetrated or pierced ⟨an ~ jungle⟩ **2** : incapable of being comprehended : INSCRUTABLE ⟨an ~ mystery⟩ — **im·pen·e·tra·bil·i·ty** \(,)im-,pen-ə-trə-'bil-ət-ē\ *n* — **im·pen·e·tra·bly** \(')im-'pen-ə-trə-blē\ *adv*

im·pen·i·tent \(')im-'pen-ə-tənt\ *adj* : not penitent : not repenting of sin

im·per·a·tive \im-'per-ət-iv\ *adj* **1** : expressing a command, entreaty, or exhortation ⟨~ sentence⟩ **2** : URGENT, OBLIGATORY, BINDING, COMPULSORY — **imperative** *n* — **im·per·a·tive·ly** *adv*

im·per·cep·ti·ble \,im-pər-'sep-tə-bəl\ *adj* : not perceptible by the senses or by the mind : extremely slight, gradual, or subtle ⟨~ changes⟩ — **im·per·cep·ti·bly** *adv*

im·per·cep·tive \-'sep-tiv\ *adj* : not perceptive

im·per·cip·i·ent \-'sip-ē-ənt\ *adj* : UN-PERCEPTIVE

¹im·per·fect \(')im-'pər-fikt\ *adj* **1** : not perfect : DEFECTIVE, INADEQUATE, IN-COMPLETE **2** : of, relating to, or constituting a verb tense used to designate a continuing state or an incomplete action esp. in the past — **im·per·fect·ly** *adv*

²imperfect *n* : the imperfect tense; *also* : a verb form in it

im·per·fec·tion \,im-pər-'fek-shən\ *n* : the quality or state of being imperfect; *also* : DEFICIENCY, FAULT, BLEMISH

¹im·pe·ri·al \im-'pir-ē-əl\ *adj* [L *imperialis,* fr. *imperium* command, sovereign power, empire] **1** : of, relating to, or befitting an empire or an emperor; *also* : of or relating to the United Kingdom or to the British Commonwealth or Empire **2** : ROYAL, SOVER-EIGN; *also* : REGAL, IMPERIOUS **3** : of superior or unusual size or excellence

²imperial *n* : a pointed beard growing below the lower lip

im·pe·ri·al·ism \-ē-ə-,liz-əm\ *n* **1** : imperial government, authority, or system **2** : the policy of seeking to extend the power, dominion, or territories of a nation — **im·pe·ri·al·ist** \-ē-ə-ləst\ *adj or n* — **im·pe·ri·al·is·tic** \(,)im-,pir-ē-ə-'lis-tik\ *adj*

im·per·il \im-'per-əl\ *vb* **-iled** or **-illed; -il·ing** or **-il·ling** : ENDANGER

im·pe·ri·ous \im-'pir-ē-əs\ *adj* **1** : COM-MANDING, LORDLY **2** : ARROGANT, DOMINEERING **3** : IMPERATIVE, URGENT — **im·pe·ri·ous·ly** *adv*

im·per·ish·able \(')im-'per-ish-ə-bəl\ *adj* : not perishable or subject to decay : INDESTRUCTIBLE ⟨~ glory⟩

im·per·ma·nent \(')im-'pər-mə-nənt\ *adj* : not permanent : TRANSIENT — **im·per·ma·nent·ly** *adv*

im·per·me·able \(')im-'pər-mē-ə-bəl\ *adj* : not permitting passage (as of a fluid) through its substance : IMPERVI-OUS

im·per·son·al \(')im-'pərs-('-)nəl\ *adj* : not referring to any particular person or thing — **im·per·son·al·ly** *adv*

im·per·son·ate \im-'pərs-ᵊn-,āt\ *vb* : to assume or act the character of ⟨caught trying to ~ an officer⟩ — **im·per·son·ation** \(,)im-,pərs-ᵊn-'ā-shen\ *n* — **im·per·son·ator** \im-'pərs-ᵊn-,āt-ər\ *n*

im·per·ti·nent \(')im-'pərt-ᵊn-ənt\ *adj* **1** : IRRELEVANT **2** : not restrained within due or proper bounds : RUDE, IN-SOLENT, SAUCY — **im·per·ti·nence** \-ᵊn-əns\ *n* — **im·per·ti·nent·ly** *adv*

im·per·turb·able \,im-pər-'tər-bə-bəl\ *adj* : marked by extreme calm, impassivity, and steadiness : SERENE

im·per·vi·ous \(')im-'pər-vē-əs\ *adj* **1** : incapable of being penetrated (as by moisture) **2** : not capable of being affected or disturbed ⟨~ to criticism⟩

im·pe·ti·go \,im-pə-'tē-gō, -'tī-\ *n* : a contagious skin disease

im·pet·u·ous \im-'pech-(ə-)wəs\ *adj* **1** : marked by force and violence ⟨with ~ speed⟩ **2** : marked by impulsive vehemence ⟨~ temper⟩ — **im·pet·u·os·i·ty** \(,)im-,pech-ə-'wäs-ət-ē\ *n* — **im·pet·u·ous·ly** *adv*

im·pe·tus \'im-pət-əs\ *n* **1** : a driving force : IMPULSE **2** : INCENTIVE **3** : the tendency of a moving body to keep moving after the force which has kept it in motion ceases to act

im·pi·ety \(')im-'pī-ət-ē\ *n* **1** : the quality or state of being impious **2** : an impious act

im·pinge \im-'pinj\ *vb* **1** : to strike or dash esp. with a sharp collision **2** : EN-CROACH, INFRINGE ⟨~ on another person's rights⟩

imp·ish \'im-pish\ *adj* : of, relating to, or befitting an imp; *esp* : MISCHIEVOUS — **imp·ish·ly** *adv* — **imp·ish·ness** *n*

im·pla·ca·ble \(')im-'plak-ə-bəl, -'plā-kə-\ *adj* : not capable of being appeased, pacified, mitigated, or changed ⟨an ~ enemy⟩ — **im·plac·a·bly** *adv*

im·plant \im-'plant\ *vb* **1** : to fix or set firmly or deeply : INCULCATE **2** : to insert in a living site

im·plau·si·ble \(')im-'plò-zə-bəl\ *adj* : not plausible — **im·plau·si·bil·i·ty** \(,)im-,plò-zə-'bil-ət-ē\ *n*

¹im·ple·ment \'im-plə-mənt\ *n* : TOOL, UTENSIL, INSTRUMENT

²im·ple·ment \-,ment\ *vb* **1** : to carry out : FULFILL; *esp* : to put into practice **2** : to provide implements for

im·pli·cate \'im-plə-,kāt\ *vb* **1** : IM-PLY **2** : INVOLVE ⟨*implicated* in a crime⟩ — **im·pli·ca·tion** \,im-plə-'kā-shən\ *n*

im·plic·it \im-'plis-ət\ *adj* **1** : understood though not directly stated or expressed : IMPLIED; *also* : POTENTIAL **2** : COMPLETE, UNQUESTIONING, ABSO-LUTE ⟨~ faith⟩ — **im·plic·it·ly** *adv*

im·plore \im-'plōr\ *vb* : BESEECH, EN-TREAT **syn** supplicate, beg

im·ply \im-'plī\ *vb* **1** : to involve or indicate by inference, association, or necessary consequence rather than by direct statement ⟨war *implies* fighting⟩ **2** : to express indirectly : hint at : SUG-GEST ⟨remarks that *implied* consent⟩

im·pol·i·tic \(')im-'päl-ə-,tik\ *adj* : not politic : UNWISE

im·pon·der·a·ble \(')im-'pän-d(ə-)rə-bəl\ *adj* : incapable of being weighed or evaluated with exactness — **impon·derable** *n*

¹**im·port** \im-'pōrt\ *vb* **1** : MEAN, SIGNIFY **2** : to bring (as merchandise) into a place or country from a foreign or external source — **im·port·er** *n*

²**im·port** \'im-,pōrt\ *n* **1** : MEANING, SIGNIFICATION **2** : IMPORTANCE, SIGNIFICANCE **3** : something (as merchandise) brought in from another country

im·por·tance \im-'pȯrt-ᵊns\ *n* : the quality or state of being important : MOMENT, SIGNIFICANCE **syn** consequence, import, weight

im·por·tant \-ᵊnt\ *adj* **1** : marked by importance : SIGNIFICANT **2** : giving an impression of importance — **im·por·tant·ly** *adv*

im·por·ta·tion \,im-,pōr-'tā-shən, -pər-\ *n* **1** : the act or practice of importing **2** : something imported : IMPORT

im·por·tune \,im-pər-'t(y)ün, im-'pȯr-chən\ *vb* : to urge or beg with troublesome persistence — **im·por·tu·ni·ty** \,im-pər-'t(y)ü-nət-ē\ *n*

im·pose \im-'pōz\ *vb* **1** : to establish or apply as compulsory : LEVY ⟨~ a tax⟩; *also* : INFLICT ⟨*imposed* himself as leader⟩ **2** : to palm off ⟨~ fake antiques on buyers⟩ **3** : OBTRUDE ⟨*imposed* herself upon others⟩ **4** : to take unwarranted advantage of something ⟨~ upon his good nature⟩ **5** : to practice deception ⟨~ on the public⟩ — **im·po·si·tion** \,im-pə-'zish-ən\ *n*

im·pos·ing *adj* : impressive because of size, bearing, dignity, or grandeur ⟨an ~ appearance⟩ : COMMANDING

im·pos·si·ble \(')im-'päs-ə-bəl\ *adj* **1** : incapable of being or of occurring **2** : HOPELESS **3** : extremely undesirable : UNACCEPTABLE **4** : OBJECTIONABLE — **im·pos·si·bil·i·ty** \(,)im-,päs-ə-'bil-ət-ē\ *n* — **im·pos·si·bly** \(')im-'päs-ə-blē\ *adv*

im·pos·tor *or* **im·pos·ter** \im-'päs-tər\ *n* : one that assumes an identity or title not his own for the purpose of deception : PRETENDER

im·pos·ture \im-'päs-chər\ *n* : DECEPTION; *esp* : fraudulent impersonation

im·po·tent \'im-pət-ənt\ *adj* **1** : lacking in power, strength, or vigor : HELPLESS **2** : lacking the power of procreation : STERILE — **im·po·tence** \-pət-əns\ *n also* **im·po·ten·cy** \-ən-sē\ *n*

im·pound \im-'paund\ *vb* **1** : CONFINE, ENCLOSE ⟨~ stray dogs⟩ **2** : to seize and hold in legal custody **3** : to collect in a reservoir ⟨~ water for irrigation⟩ — **im·pound·ment** \-'paun(d)-mənt\ *n*

im·pov·er·ish \im-'päv-(ə-)rish\ *vb* : to make poor; *also* : to deprive of strength, richness, or fertility — **im·pov·er·ish·ment** *n*

im·prac·ti·ca·ble \(')im-'prak-ti-kə-bəl\ *adj* : not practicable : incapable of being put into practice or use ⟨an ~ plan⟩

im·prac·ti·cal \(')im-'prak-ti-kəl\ *adj* **1** : not practical **2** : IMPRACTICABLE

im·pre·cate \'im-pri-,kāt\ *vb* : to invoke evil upon : CURSE — **im·pre·ca·tion** \,im-pri-'kā-shən\ *n*

im·preg·na·ble \im-'preg-nə-bəl\ *adj* : able to resist attack : INCONQUERABLE, UNASSAILABLE — **im·preg·na·bil·i·ty** \(,)im-,preg-nə-'bil-ət-ē\ *n*

im·preg·nate \im-'preg-,nāt\ *vb* **1** : to make pregnant; *also* : to make fertile or fruitful **2** : to saturate, fill, or charge with some other substance ⟨~ wood with a preservative⟩ — **im·preg·na·tion** \,im-,preg-'nā-shən\ *n*

im·pre·sa·rio \,im-prə-'sär-ē-,ō\ *n* **1** : the promoter, manager, or conductor of an opera or concert company **2** : one who puts on or sponsors an entertainment **3** : MANAGER, PRODUCER

¹**im·press** \im-'pres\ *vb* **1** : to apply with pressure so as to imprint **2** : to produce (as a mark) by pressure : IMPRINT **3** : to press, stamp, or print in or upon **4** : to produce a vivid impression of **5** : to affect esp. forcibly or deeply : INFLUENCE ⟨favorably ~ed⟩ — **im·press·ible** *adj*

²**im·press** \'im-,pres\ *n* **1** : a mark made by pressure : IMPRINT **2** : an image of something formed by or as if by pressure; *esp* : SEAL **3** : a product of pressure or influence **4** : a characteristic or distinctive mark : STAMP **5** : IMPRESSION, EFFECT

im·pres·sion \im-'presh-ən\ *n* **1** : a stamp, form, or figure made by impressing : IMPRINT **2** : an esp. marked influence or effect on feeling, sense, or mind **3** : a characteristic trait or feature resulting from influence : IMPRESS **4** : a single print or copy (as from type or from an engraved plate or book) **5** : all the copies of a publication (as a book) printed for one issue : PRINTING **6** : a usu. vague notion, recollection, belief, or opinion ⟨a first ~ of the place⟩ ⟨under a mistaken ~⟩ **7** : an imitation in caricature of a noted personality as a form of entertainment

im·pres·sion·able \-'presh-(ə-)nə-bəl\ *adj* : capable of being easily impressed : easily molded or influenced

im·pres·sion·ism \-'presh-ə-,niz-əm\ *n* **1** *often cap* : a theory or practice in modern art of depicting the natural appearances of objects by dabs or strokes of primary unmixed colors in order to simulate actual reflected light **2** : the depiction of scene, emotion, or character by details intended to achieve a vividness or effectiveness esp. by evoking subjective and sensory impression — **im·pres·sion·ist** \-'presh-(ə-)nəst\ *n or adj* — **im·pres·sion·is·tic** \(,)im-,presh-ə-'nis-tik\ *adj*

im·pres·sive \im-'pres-iv\ *adj* : making or tending to make a marked impression : stirring deep feeling esp. of awe or admiration ⟨an ~ speech⟩ ⟨~ mountains⟩ — **im·pres·sive·ly** *adv*

im·pri·ma·tur \,im-prə-'mät-ər\ *n* **1** : a license to print or publish; *also* : official approval of a publication by a censor **2** : SANCTION, APPROVAL

¹**im·print** \im-'print\ *vb* **1** : to stamp or mark by or as if by pressure : IMPRESS **2** *archaic* : PRINT

²**im·print** \'im-,print\ *n* **1** : something imprinted or printed : IMPRESS **2** : a publisher's name often with place and date of publication printed at the foot of a title page **3** : an indelible distinguishing effect or influence

im·pris·on \im-'priz-ᵊn\ *vb* : to put in or as if in prison : CONFINE — **im·pris·on·ment** *n*

im·prob·a·ble \(')im-'präb-ə-bəl\ *adj* : unlikely to be true or to occur — **im·prob·a·bil·i·ty** \(,)im-,präb-ə-'bil-ət-ē\ *n*

im·promp·tu \im-'prämp-t(y)ü\ *adj* 1 : made or done on or as if on the spur of the moment : IMPROVISED 2 : EXTEMPORANEOUS, UNREHEARSED — **impromptu** *adv or n*

im·prop·er \(')im-'präp-ər\ *adj* 1 : not proper, fit, or suitable 2 : INCORRECT, INACCURATE 3 : not in accord with propriety, modesty, or good manners : INDECOROUS, INDECENT — **im·prop·er·ly** *adv*

improper fraction *n* : a fraction whose numerator is equal to or larger than the denominator

im·pro·pri·e·ty \,im-prə-'prī-ət-ē\ *n* 1 : the quality or state of being improper 2 : an improper act or remark; *esp* : an unacceptable use of a word or of language

im·prove \im-'prüv\ *vb* 1 : INCREASE, AUGMENT ⟨his education improved his chances⟩ 2 : to enhance or increase in value or quality : make better ⟨~ farmlands by cultivation⟩ ⟨improved his grades⟩ 3 : to grow or become better ⟨~ in health⟩ 4 : to make good use of ⟨~ the time by reading⟩

im·prove·ment *n* 1 : the act or process of improving 2 : increased value or excellence of something 3 : something that adds to the value or appearance of a thing ⟨add a number of ~s to an old house⟩

im·prov·i·dent \(')im-'präv-əd-ənt\ *adj* : not providing for the future : THRIFTLESS — **im·prov·i·dence** *n*

im·pro·vise \,im-prə-'vīz\ *vb* 1 : to compose, recite, or sing on the spur of the moment : EXTEMPORIZE ⟨~ on the piano⟩ 2 : to make, invent, or arrange offhand ⟨~ a sail out of shirts⟩ — **im·pro·vi·sa·tion** \im-,präv-ə-'zā-shən, ,im-prə-və-\ *n* — **im·pro·vis·er** *or* **im·pro·vi·sor** \,im-prə-'vī-zər\ *n*

im·pru·dent \(')im-'prüd-ᵊnt\ *adj* : not prudent : lacking discretion — **im·pru·dence** \-ᵊns\ *n*

im·pu·dent \'im-pyəd-ənt\ *adj* : marked by contemptuous or cocky boldness or disregard of others : INSOLENT, DISRESPECTFUL — **im·pu·dence** \-əns\ *n* — **im·pu·dent·ly** *adv*

im·pulse \'im-,pəls\ *n* 1 : a force that starts a body into motion; *also* : the motion produced by a force 2 : an arousing of the mind and spirit to action; *also* : a wave of nervous excitation 3 : a natural tendency

im·pul·sion \im-'pəl-shən\ *n* 1 : the act of impelling : the state of being impelled 2 : a force that impels 3 : a sudden inclination : IMPULSE 4 : IMPETUS

im·pul·sive \im-'pəl-siv\ *adj* 1 : having the power of or actually driving or impelling ⟨an ~ force⟩ 2 : acting or prone to act on impulse ⟨~ buying⟩ — **im·pul·sive·ly** *adv*

im·pu·ni·ty \im-'pyü-nət-ē\ *n* [L *impunitas*, fr. *impune* without punishment, fr. *in-* in- + *poena* punishment, penalty] : exemption or freedom from punishment, harm, or loss

im·pure \(')im-'pyur\ *adj* 1 : not pure : UNCHASTE, OBSCENE 2 : DIRTY, FOUL 3 : ADULTERATED, MIXED — **im·pu·ri·ty** \-'pyur-ət-ē\ *n*

im·pute \im-'pyüt\ *vb* 1 : to lay the responsibility or blame for : CHARGE ⟨~ a mistake to ignorance⟩ 2 : to credit to a person or a cause : ATTRIBUTE — **im·pu·ta·tion** \,im-pyə-'tā-shən\ *n*

¹**in** \(')in, ən, ᵊn\ *prep* 1 — used to indicate physical surroundings ⟨swim ~ the lake⟩ 2 : INTO 1 ⟨ran ~ the house⟩ 3 : DURING ⟨~ the summer⟩ 4 : WITH ⟨written ~ pencil⟩ 5 — used to indicate one's situation or state of being ⟨~ luck⟩ ⟨~ love⟩ ⟨~ trouble⟩ 6 — used to indicate manner ⟨~ a hurry⟩ or purpose ⟨said ~ reply⟩ 7 : INTO 2 ⟨broke ~ pieces⟩

²**in** \'in\ *adv* 1 : to or toward the inside ⟨come ~⟩ : to or toward some destination or place ⟨flew ~ from the South⟩ 2 : at close quarters : NEAR ⟨the enemy closed ~⟩ 3 : into the midst of something ⟨mix ~ the flour⟩ 4 : to or at its proper place ⟨fit a piece ~⟩ 5 : WITHIN ⟨locked ~⟩ 6 : in vogue or season; *also* : at hand 7 : in a completed or terminated state ⟨the harvest is ~⟩

³**in** \'in\ *adj* 1 : located inside or within 2 : that is in position, connection, operation, or power ⟨the ~ party⟩ 3 : directed inward : INCOMING ⟨the ~ train⟩

⁴**in** \'in\ *n* 1 : one who is in office or power or on the inside 2 : INFLUENCE, PULL ⟨he has an ~ with the owner⟩

in- \(')in, ,in\ *prefix* : not : NON-, UN-

inaccessible indefensible
inaccuracy indemonstrable
inaccurate indeterminable
inaction indiscernible
inactive indistinguishable
inactivity inedible
inadmissible inefficacious
inadvisability inelastic
inadvisable inelasticity
inapplicable inequitable
inapposite inequity
inappreciative ineradicable
inapproachable inexpedient
inappropriate inexpensive
inapt inexpressive
inartistic inextinguishable
inattentive infeasible
inauspicious inharmonious
incalculable inhospitable
incautious injudicious
incombustible inoffensive
incomprehension insanitary
inconceivable insensitive
inconclusive insignificant
inconsistency insuppressible
inconsistent insusceptible
incoordination

in·abil·i·ty \,in-ə-'bil-ət-ē\ *n* : the quality or state of being unable : lack of ability, power, or means

in ab·sen·tia \,in-ab-'sen-ch(ē-)ə\ *adv* : in one's absence ⟨was awarded the degree *in absentia*⟩

in·ac·ces·si·ble \,in-ik-'ses-ə-bəl, ,in-ak-\ *adj* : not accessible — **in·ac·ces·si·bil·i·ty** \-,ses-ə-'bil-ət-ē\ *n*

in·ac·ti·vate \(')in-'ak-tə-,vāt\ *vb* : to make inactive — **in·ac·ti·va·tion** \(,)in-,ak-tə-'vā-shən\ *n*

in·ad·e·quate \(')in-'ad-i-kwət\ *adj* : not adequate : INSUFFICIENT — **in·ad·e·qua·cy** \-kwə-sē\ *n* — **in·ad·e·quate·ly** *adv* — **in·ad·e·quate·ness** *n*

in·ad·ver·tent \,in-əd-'vərt-ᵊnt\ *adj* 1 : HEEDLESS, INATTENTIVE 2 : UNINTENTIONAL — **in·ad·vert·ent·ly** *adv*

in·alien·able \(ˈ)in-ˈāl-yə-nə-bəl, -ˈā-lē-ə-nə-\ *adj* : incapable of being alienated, surrendered, or transferred ⟨~ rights of a citizen⟩ — **in·alien·abil·i·ty** \(ˌ)in-ˌāl-yə-nə-ˈbil-ət-ē, -ˌā-lē-ə-nə-\ *n* — **in·alien·ably** \(ˈ)in-ˈāl-yə-nə-blē, -ˈā-lē-ə-nə-\ *adv*

inane \in-ˈān\ *adj* : EMPTY, INSUBSTANTIAL; *also* : SHALLOW, SILLY ⟨an ~ remark⟩ — **inan·i·ty** \in-ˈan-ət-ē\ *n*

in·an·i·mate \(ˈ)in-an-ə-mət\ *adj* : not animate or animated : lacking the special qualities of living things

in·ap·pre·cia·ble \ˌin-ə-ˈprē-shə-bəl\ *adj* : too small to be perceived ⟨an ~ change⟩ — **in·ap·pre·cia·bly** *adv*

in·ap·ti·tude \(ˈ)in-ˈap-tə-ˌt(y)üd\ *n* : lack of aptitude

in·ar·tic·u·late \ˌin-är-ˈtik-yə-lət\ *adj* **1** : uttered or formed without the definite articulations of intelligible speech **2** : MUTE **3** : incapable of being expressed by speech; *also* : UNSPOKEN **4** : not having the power of distinct utterance or effective expression — **in·ar·tic·u·late·ly** *adv*

in·as·much as \ˌin-əz-ˌməch-əz\ *conj* : seeing that : SINCE

in·at·ten·tion \ˌin-ə-ˈten-chən\ *n* : failure to pay attention : DISREGARD

in·au·di·ble \(ˈ)in-ˈȯd-ə-bəl\ *adj* : not audible — **in·au·di·bly** *adv*

¹in·au·gu·ral \in-ˈȯ-gyə-rəl, -g(ə-)rəl\ *adj* **1** : of or relating to an inauguration **2** : marking a beginning

²inaugural *n* **1** : an inaugural address **2** : INAUGURATION

in·au·gu·rate \in-ˈȯ-g(y)ə-ˌrāt\ *vb* **1** : to introduce into an office with suitable ceremonies : INSTALL **2** : to dedicate ceremoniously ⟨~ a new library⟩ **3** : BEGIN, INITIATE ⟨~ a new system⟩ — **in·au·gu·ra·tion** \-ˌȯ-g(y)ə-ˈrā-shən\ *n*

in·born \ˈin-ˈbȯrn\ *adj* : present from birth rather than acquired : NATURAL **syn** innate, congenital, inbred

in·bred \ˈin-ˈbred\ *adj* **1** : INBORN, INNATE **2** : produced by breeding closely related individuals together ⟨a feeble and ~ stock⟩

in·breed·ing \ˈin-ˌbrēd-iŋ\ *n* **1** : the interbreeding of closely related individuals esp. to preserve and fix desirable characters of and to eliminate unfavorable characters from a stock **2** : confinement to a narrow range or a local or limited field of choice

In·ca \ˈiŋ-kə\ *n* : a noble or a member of the ruling family of an Indian empire of Peru, Bolivia, and Ecuador until the Spanish conquest

in·cal·cu·la·ble \(ˈ)in-ˈkal-kyə-lə-bəl\ *adj* : not capable of being calculated; *esp* : too large or numerous to be calculated

in·can·des·cent \ˌin-kən-ˈdes-ᵊnt\ *adj* **1** : glowing with heat **2** : SHINING, BRILLIANT — **in·can·des·cence** \-ᵊns\ *n*

in·can·ta·tion \ˌin-ˌkan-ˈtā-shən\ *n* : a use of spells or verbal charms spoken or sung as a part of a ritual of magic; *also* : a formula of words chanted or recited in or as if in such a ritual

in·ca·pa·ble \(ˈ)in-ˈkā-pə-bəl\ *adj* : lacking capacity, ability, or qualification for the purpose or end in view : INCOMPETENT; *also* : UNQUALIFIED — **in·ca·pa·bil·i·ty** \(ˌ)in-ˌkā-pə-ˈbil-ət-ē\ *n*

in·ca·pac·i·tate \ˌin-kə-ˈpas-ə-ˌtāt\ *vb* : to make incapable or unfit : DISQUALIFY, DISABLE

in·ca·pac·i·ty \ˌin-kə-ˈpas-ət-ē\ *n* : the quality or state of being incapable

in·car·cer·ate \in-ˈkär-sə-ˌrāt\ *vb* : IMPRISON, CONFINE — **in·car·cer·a·tion** \(ˌ)in-ˌkär-sə-ˈrā-shən\ *n*

in·car·nate \in-ˈkär-nət, -ˌnāt\ *adj* **1** : having bodily and esp. human form and substance **2** : PERSONIFIED — **in·car·nate** \-ˌnāt\ *vb*

in·car·na·tion \ˌin-ˌkär-ˈnā-shən\ *n* **1** : the act of incarnating : the state of being incarnate **2** : the embodiment of a deity or spirit in an earthly form **3** : a person showing a trait or typical character to a marked degree

in·cen·di·ary \in-ˈsen-dē-ˌer-ē\ *adj* **1** : of or relating to a deliberate burning of property **2** : tending to excite or inflame : INFLAMMATORY **3** : designed to kindle fires ⟨an ~ bomb⟩ — **incendiary** *n*

¹in·cense \ˈin-ˌsens\ *n* **1** : material used to produce a fragrant odor when burned **2** : the perfume or smoke from some spices and gums when burned

²in·cense \in-ˈsens\ *vb* : to make extremely angry

in·cen·tive \in-ˈsent-iv\ *n* : something that incites or has a tendency to incite to determination or action : INDUCEMENT

in·cep·tion \in-ˈsep-shən\ *n* : BEGINNING, COMMENCEMENT ⟨a success from the moment of its ~⟩

in·cer·ti·tude \(ˈ)in-ˈsərt-ə-ˌt(y)üd\ *n* **1** : UNCERTAINTY, DOUBT, INDECISION **2** : INSECURITY, INSTABILITY

in·ces·sant \(ˈ)in-ˈses-ᵊnt\ *adj* : continuing or flowing without interruption : UNCEASING ⟨~ rains⟩ — **in·ces·sant·ly** *adv*

in·cest \ˈin-ˌsest\ *n* : sexual intercourse between persons so closely related that marriage is illegal — **in·ces·tu·ous** \in-ˈses-chə-wəs\ *adj*

¹inch \ˈinch\ *n* [OE *ynce, ince,* fr. L *uncia* twelfth part, inch, ounce] : a measure of length that equals the 12th part of a foot

²inch *vb* : to advance or retire a little at a time : move slowly ⟨cars ~*ing* along the slippery road⟩

in·ci·dence \ˈin-səd-əns\ *n* : rate of occurrence or effect

¹in·ci·dent \-səd-ənt\ *n* **1** : OCCURRENCE, HAPPENING **2** : an action likely to lead to grave consequences esp. in matters diplomatic

²incident *adj* **1** : occurring or likely to occur esp. in connection with some other happening **2** : falling or striking on ⟨~ light rays⟩

¹in·ci·den·tal \ˌin-sə-ˈdent-ᵊl\ *adj* **1** : subordinate, nonessential, or attendant in position or significance ⟨~ expenses⟩ **2** : CASUAL, CHANCE ⟨~ traveling companions⟩ — **in·ci·den·tal·ly** \-(ᵊ-)lē\ *adv*

²incidental *n* **1** : something that is incidental **2** *pl* : minor items (as of expense) that are not individually accounted for

in·cin·er·ate \in-ˈsin-ə-ˌrāt\ *vb* : to burn to ashes — **in·cin·er·a·tor** *n*

in·cip·i·ent \in-ˈsip-ē-ənt\ *adj* : beginning to be or become apparent

incision   **233**   **incorrigible**

in·ci·sion \in-'sizh-ən\ *n* : CUT, GASH; *esp* : a surgical wound
in·ci·sive \in-'sī-siv\ *adj* 1 : CUTTING, PENETRATING 2 : ACUTE, CLEAR-CUT ⟨~ comments⟩ — **in·ci·sive·ly** *adv*
in·ci·sor \in-'sī-zər\ *n* : a tooth adapted for cutting; *esp* : one of the cutting teeth in front of the canines of a mammal

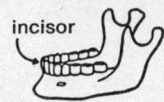

[illustration of jaw labeled "incisor"]

in·cite \in-'sīt\ *vb* : to arouse to action : stir up — **in·cite·ment** *n*
in·clem·ent \(')in-'klem-ənt\ *adj* 1 : SEVERE, STORMY ⟨~ weather⟩ 2 : UNMERCIFUL, RIGOROUS ⟨an ~ judge⟩ — **in·clem·en·cy** \-ən-sē\ *n*
in·cli·na·tion \,in-klə-'nā-shən\ *n* 1 : BOW, NOD ⟨an ~ of the head⟩ 2 : a tilting of something 3 : PROPENSITY, BENT; *esp* : LIKING ⟨an ~ for sports⟩ 4 : SLANT, SLOPE
¹**in·cline** \in-'klīn\ *vb* 1 : BOW, BEND 2 : to lean, tend, or become drawn toward an opinion or course of conduct 3 : to deviate from the vertical or horizontal : SLOPE, SLANT 4 : INFLUENCE, PERSUADE
²**in·cline** \'in-,klīn\ *n* : SLOPE
inclose, inclosure *var of* ENCLOSE, ENCLOSURE
in·clude \in-'klüd\ *vb* : to take in or comprise as a part or parts of a whole ⟨the price ~s tax⟩ — **in·clu·sion** \in-'klü-zhən\ *n* — **in·clu·sive** \-'klü-siv\ *adj*
¹**in·cog·ni·to** \,in-,käg-'nēt-ō, in-'käg-nə-,tō\ *adv (or adj)* : with one's identity concealed (as under an assumed name or title) ⟨the prince traveled ~⟩
²**incognito** *n* 1 : one appearing or living incognito 2 : the state or disguise of an incognito
in·co·her·ent \,in kō-'hir-ənt, -'her-\ *adj* 1 : not sticking closely or compactly together : LOOSE 2 : not clearly or logically connected : RAMBLING — **in·co·her·ence** \-əns\ *n* — **in·co·her·ent·ly** *adv*
in·come \'in-,kəm\ *n* : a gain usu. measured in money that comes in to a person from his labor, business, or property
income tax *n* : a tax on the net income of an individual or business concern
in·com·ing \'in-,kəm-iŋ\ *adj* : coming in ⟨the ~ tide⟩ ⟨~ freshmen⟩ ⟨~ orders⟩
in·com·men·su·rate \,in-kə-'mens-(ə-)rət, -'mench-(ə-)rət\ *adj* : not commensurate; *esp* : not adequate ⟨funds that are ~ with their needs⟩
in·com·mu·ni·ca·ble \,in-kə-'myü-ni-kə-bəl\ *adj* : not communicable : not capable of being communicated or imparted; *also* : UNCOMMUNICATIVE
in·com·mu·ni·ca·do \,in-kə-,myü-nə-'käd-ō\ *adv (or adj)* : without means of communication; *also* : in solitary confinement ⟨a prisoner held ~⟩
in·com·pa·ra·ble \(')in-'käm-p(ə-)rə-bəl\ *adj* 1 : eminent beyond comparison : MATCHLESS 2 : not suitable for comparison
in·com·pat·i·ble \,in-kəm-'pat-ə-bəl\ *adj* : incapable of or unsuitable for association ⟨~ colors⟩ ⟨~ drugs⟩ ⟨temperamentally ~⟩ — **in·com·pat·i·bil·i·ty** \,in-kəm-,pat-ə-'bil-ət-ē\ *n*
in·com·pe·tent \(')in-'käm-pət-ənt\ *adj* 1 : not competent : lacking sufficient knowledge, skill, strength, or ability 2 : not legally qualified — **in·com·pe·tence** \-pət-əns\ *also* **in·com·pe·ten·cy** \-ən-sē\ *n* — **incompetent** *n*
in·com·plete \,in-kəm-'plēt\ *adj* : lacking a part or parts : UNFINISHED, IMPERFECT — **in·com·plete·ly** *adv*
in·com·pre·hen·si·ble \,in-,käm-prē-'hen-sə-bəl\ *adj* : impossible to comprehend : UNINTELLIGIBLE, UNFATHOMABLE
in·con·gru·ous \(')in-'käŋ-grə-wəs\ *adj* : not consistent with or suitable to the surroundings or associations : not harmonious, appropriate, or proper ⟨~ colors⟩ ⟨sports costumes look ~ at a formal dance⟩ — **in·con·gru·i·ty** \,in-kən-'grü-ət-ē, -,kän-\ *n* — **in·con·gru·ous·ly** \(')in-'käŋ-grə-wəs-lē\ *adv*
in·con·se·quen·tial \,in-,kän-sə-'kwen-chəl\ *adj* 1 : ILLOGICAL; *also* : IRRELEVANT 2 : of no significance : UNIMPORTANT — **in·con·se·quen·tial·ly** *adv*
in·con·sid·er·able \,in-kən-'sid-ər-(ə-)bəl\ *adj* : SLIGHT, TRIVIAL
in·con·sid·er·ate \,in-kən-'sid-(ə-)rət\ *adj* : HEEDLESS, THOUGHTLESS; *esp* : not duly respecting the rights or feelings of others — **in·con·sid·er·ate·ly** *adv* — **in·con·sid·er·ate·ness** *n*
in·con·sol·able \,in-kən-'sō-lə-bəl\ *adj* : incapable of being consoled : DISCONSOLATE — **in·con·sol·ably** *adv*
in·con·spic·u·ous \,in-kən-'spik-yə-wəs\ *adj* : not readily noticeable — **in·con·spic·u·ous·ly** *adv*
in·con·stant \(')in-'kän-stənt\ *adj* : not constant : CHANGEABLE *syn* fickle, capricious, mercurial, unstable — **in·con·stan·cy** \-stən-sē\ *n* — **in·con·stant·ly** *adv*
in·con·test·able \,in-kən-'tes-tə-bəl\ *adj* : not contestable : INDISPUTABLE —
in·con·ti·nent \(')in-'känt-ᵊn-ənt\ *adj* 1 : lacking self-restraint 2 : unable to contain, keep, or restrain : UNCONTROLLED — **in·con·ti·nence** \-ᵊn-əns\ *n*
¹**in·con·ve·nience** \,in-kən-'vē-nyəns\ *n* 1 : DISCOMFORT ⟨the ~ of his quarters⟩ 2 : something that is inconvenient : DISADVANTAGE, HANDICAP
²**inconvenience** *vb* : to subject to inconvenience
in·con·ve·nient \-'vē-nyənt\ *adj* : not convenient : causing trouble or annoyance : INOPPORTUNE — **in·con·ve·nient·ly** *adv*
in·cor·po·rate \in-'kȯr-pə-,rāt\ *vb* 1 : to unite closely or so as to form one body : BLEND 2 : to form, form into, or become a corporation 3 : to give material form to : EMBODY — **in·cor·po·rat·ed** *adj* — **in·cor·po·ra·tion** \(,)in-,kȯr-pə-'rā-shən\ *n*
in·cor·po·re·al \,in-kȯr-'pōr-ē-əl\ *adj* : having no material body or form : IMMATERIAL ⟨~ spirits⟩ — **in·cor·po·re·al·ly** *adv*
in·cor·rect \,in-kə-'rekt\ *adj* 1 : INACCURATE, FAULTY 2 : not true : WRONG 3 : UNBECOMING, IMPROPER — **in·cor·rect·ly** *adv* — **in·cor·rect·ness** *n*
in·cor·ri·gi·ble \(')in-'kȯr-ə-jə-bəl\ *adj* : incapable of being corrected, amended, or reformed : DEPRAVED, DELINQUENT,

UNMANAGEABLE, UNALTERABLE — **in·cor·ri·gi·bil·i·ty** \(,)in-,kôr-ə-jə-'bil-ət-ē\ *n* — **in·cor·ri·gi·bly** \(')in-'kòr-ə-jə-blē\ *adv*

in·cor·rupt·ible \,in-kə-'rəp-tə-bəl\ *adj* **1** : not subject to decay or dissolution **2** : incapable of being bribed or morally corrupted ⟨an ∼ judge⟩ — **in·cor·rupt·ibil·i·ty** \,in-kə-,rəp-tə-'bil-ət-ē\ *n* — **in·cor·rupt·ibly** \,in-kə-'rəp-tə-blē\ *adv*

¹in·crease \in-'krēs, 'in-,krēs\ *vb* **1** : to become greater : GROW **2** : to multiply by the production of young ⟨rabbits ∼ rapidly⟩ **3** : to make greater : AUGMENT — **in·creas·ing·ly** *adv*

²in·crease \'in-,krēs\ *n* **1** : addition or enlargement in size, extent, or quantity : GROWTH **2** : something (as offspring, produce, or profit) that is added to the original stock by augmentation or growth

in·cred·i·ble \(')in-'kred-ə-bəl\ *adj* : too extraordinary and improbable to be believed; *also* : hard to believe — **in·cred·i·bil·i·ty** \(,)in-,kred-ə-'bil-ət-ē\ *n* — **in·cred·i·bly** \(')in-'kred-ə-blē\ *adv*

in·cred·u·lous \(')in-'krej-ə-ləs\ *adj* : SKEPTICAL; *also* : expressing disbelief — **in·cre·du·li·ty** \,in-kri-'d(y)ü-lət-ē\ *n* — **in·cred·u·lous·ly** \(')in-'krej-ə-ləs-lē\ *adv*

in·cre·ment \'iŋ-krə-mənt, 'in-\ *n* **1** : an increase esp. in quantity or value : ENLARGEMENT; *also* : QUANTITY **2** : something gained or added; *esp* : one of a series of regular consecutive additions

in·crim·i·nate \in-'krim-ə-,nāt\ *vb* : to charge with or involve in a crime or fault : ACCUSE — **in·crim·i·na·tion** \-,krim-ə-'nā-shən\ *n* — **in·crim·i·na·to·ry** \-'krim-ə-nə-,tōr-ē\ *adj*

in·crus·ta·tion \in-,krəs-'tā-shən\ *n* **1** : the act of encrusting : the state of being encrusted **2** : a hard coating : CRUST; *also* : something resembling a crust

in·cu·bate \'iŋ-kyə-,bāt, 'in-\ *vb* : to sit upon eggs to hatch them; *also* : to keep (as eggs) under conditions favorable for development — **in·cu·ba·tion** \,iŋ-kyə-'bā-shən, ,in-\ *n*

in·cu·ba·tor \'iŋ-kyə-,bāt-ər, 'in-\ *n* : one that incubates; *esp* : an apparatus providing suitable conditions (as of warmth and moisture) for incubating something

in·cul·pa·ble \(')in-'kəl-pə-bəl\ *adj* : free from guilt : BLAMELESS

in·cum·ben·cy \in-'kəm-bən-sē\ *n* **1** : the quality or state of being incumbent **2** : something that is incumbent **3** : the office or period of office of an incumbent

¹in·cum·bent \in-'kəm-bənt\ *n* : the holder of an office or position

²incumbent *adj* **1** : lying or resting on something else **2** : imposed as a duty : OBLIGATORY ⟨it is ∼ on us to help⟩ **3** : occupying a specified office

in·cur \in-'kər\ *vb* **-curred; -cur·ring** **1** : to meet with (as an inconvenience) **2** : to become liable or subject to : bring down upon oneself

in·cur·able \(')in-'kyùr-ə-bəl\ *adj* : not subject to cure — **in·cur·abil·i·ty** \(,)in-,kyùr-ə-'bil-ət-ē\ *n* — **incurable** *n*

in·cu·ri·ous \(')in-'kyùr-ē-əs\ *adj* : not curious or inquisitive : UNINTERESTED

in·debt·ed \in-'det-əd\ *adj* **1** : owing money **2** : owing gratitude or recognition to another : BEHOLDEN — **in·debt·ed·ness** *n*

in·de·cent \(')in-'dēs-ᵊnt\ *adj* : not decent : UNBECOMING, UNSEEMLY; *also* : morally offensive — **in·de·cen·cy** \-ᵊn-sē\ *n* — **in·de·cent·ly** *adv*

in·de·ci·pher·able \,in-di-'sī-f(ə-)rə-bəl\ *adj* : that cannot be deciphered

in·de·ci·sion \,in-di-'sizh-ən\ *n* : a wavering between two or more possible courses of action : IRRESOLUTION

in·de·ci·sive \,in-di-'sī-siv\ *adj* **1** : not decisive : INCONCLUSIVE **2** : marked by or prone to indecision : HESITATING, UNCERTAIN **3** : INDEFINITE — **in·de·ci·sive·ly** *adv* — **in·de·ci·sive·ness** *n*

in·deed \in-'dēd\ *adv* **1** : without any question : TRULY — often used interjectionally to express irony, disbelief, or surprise **2** : in reality **3** : all things considered **4** : ADMITTEDLY, UNDENIABLY

in·de·fat·i·ga·ble \,in-di-'fat-i-gə-bəl\ *adj* : UNTIRING — **in·de·fat·i·ga·bly** *adv*

in·de·fin·able \,in-di-'fī-nə-bəl\ *adj* : incapable of being precisely described or analyzed

in·def·i·nite \(')in-'def-(ə-)nət\ *adj* **1** : not defining or identifying ⟨an is an ∼ article⟩ **2** : not precise : VAGUE **3** : having no fixed limit or amount — **in·def·i·nite·ly** *adv* — **in·def·i·nite·ness** *n*

in·del·i·ble \in-'del-ə-bəl\ *adj* [L *indelebilis*, fr. *in-* in- + *delēre* to destroy] **1** : not capable of being removed, washed away, or erased **2** : making marks that cannot easily be removed ⟨an ∼ pencil⟩ — **in·del·i·bly** *adv*

in·del·i·cate \(')in-'del-i-kət\ *adj* : not delicate; *esp* : IMPROPER, COARSE, TACTLESS **syn** indecent, unseemly, indecorous, unbecoming — **in·del·i·ca·cy** \-kə-sē\ *n*

in·dem·ni·fy \in-'dem-nə-,fī\ *vb* **1** : to secure against hurt, loss, or damage **2** : to make compensation to for some loss or damage **3** : to make compensation for : make good ⟨∼ a loss⟩ — **in·dem·ni·fi·ca·tion** \-,dem-nə-fə-'kā-shən\ *n*

in·dem·ni·ty \in-'dem-nət-ē\ *n* **1** : security against hurt, loss, or damage; *also* : exemption from incurred penalties or liabilities **2** : something that indemnifies

¹in·dent \in-'dent\ *vb* **1** : to make a toothlike cut on the edge of : make jagged : NOTCH **2** : to bind by a contract : INDENTURE **3** : to space in (as the first line of a paragraph) from the margin

²indent *vb* **1** : to force inward so as to form a depression : IMPRESS ⟨∼ a pattern in metal⟩ **2** : to form a depression in the surface of

in·den·ta·tion \,in-,den-'tā-shən\ *n* **1** : NOTCH; *also* : a usu. deep recess (as in a coastline) **2** : the action of indenting : the condition of being indented **3** : DENT **4** : INDENTION 2

in·den·tion \in-'den-chən\ *n* **1** : the action of indenting : the condition of being indented **2** : the blank space produced by indenting

indenture | 235 | **indistinct**

¹**in·den·ture** \in-'den-chər\ n 1 : a written certificate or agreement; esp : a contract binding one person (as an apprentice) to work for another for a given period of time — usu. used in pl. 2 : INDENTATION 1 3 : DENT

²**indenture** vb : to bind (as an apprentice) by indentures

in·de·pen·dence \,in-də-'pen-dəns\ n : the quality or state of being independent : FREEDOM

in·de·pen·dent \,in-də-'pen-dənt\ adj 1 : SELF-GOVERNING; also : not affiliated with a larger controlling unit 2 : not requiring or relying on something else or somebody else ⟨an ~ conclusion⟩ ⟨an ~ source of income⟩ 3 : not easily influenced : showing self-reliance ⟨an ~ mind⟩ 4 : not committed to a political party ⟨an ~ voter⟩ 5 : refusing or disliking to look to others for help ⟨too ~ to accept charity⟩; also : marked by impatience with or annoyance at restriction ⟨a bold and ~ manner of acting⟩ 6 : MAIN ⟨an ~ clause⟩ — **independent** n — **in·de·pen·dent·ly** adv

in·de·scrib·able \,in-di-'skrī-bə-bəl\ adj 1 : that cannot be described ⟨an ~ sensation⟩ 2 : surpassing description ⟨~ horror⟩ — **in·de·scrib·ably** adv

in·de·struc·ti·ble \,in-di-'strək-tə-bəl\ adj : not destructible — **in·de·struc·ti·bil·i·ty** \,in-di-,strək-tə-'bil-ət-ē\ n

in·de·ter·mi·nate \,in-di-'tər-mə-nət\ adj 1 : VAGUE; also : not known in advance 2 : not limited in advance; also : not leading to a definite end or result — **in·de·ter·mi·nate·ly** adv

¹**in·dex** \'in-,deks\ n, pl **in·dex·es** or **in·di·ces** \-də-,sēz\ 1 : a guide for facilitating references; esp : an alphabetical list of items (as topics or names) treated in a printed work with the page number where each item may be found 2 : POINTER, INDICATOR 3 : SIGN, TOKEN ⟨an ~ of character⟩ 4 : a list of restricted or prohibited material ⟨an ~ of forbidden books⟩ 5 pl usu indices : a number or symbol or expression (as an exponent) associated with another to indicate a mathematical operation or use or position in an arrangement or expansion 6 : a character ☞ used to direct particular attention to a note or paragraph : FIST

²**index** vb 1 : to provide with or put into an index 2 : to serve as an index of

index finger n : FOREFINGER

In·di·an \'in-dē-ən\ n 1 : a native or inhabitant of the Republic or the peninsula of India 2 : a member of any of the aboriginal peoples of No. and So. America except the Eskimo — **Indian** adj

Indian corn n : a tall widely grown American cereal grass bearing seeds on long ears; also : its ears or seeds

Indian summer n : a period of warm or mild weather in late autumn or early winter

in·di·cate \'in-də-,kāt\ vb 1 : to point out or to 2 : to state briefly : show indirectly : SUGGEST, INTIMATE, HINT — **in·di·ca·tion** \,in-də-'kā-shən\ n — **in·di·ca·tor** \'in-də-,kāt-ər\ n

¹**in·di·ca·tive** \in-'dik-ət-iv\ adj 1 : of, relating to, or constituting a verb form that represents a denoted act or state as an objective fact ⟨~ mood⟩ 2 : serving to indicate : SUGGESTIVE ⟨actions ~ of fear⟩

²**indicative** n 1 : the indicative mood of a language 2 : a form in the indicative mood

in·dict \in-'dīt\ vb 1 : to charge with an offense : ACCUSE 2 : to charge with a crime by the finding of a grand jury ⟨~ed for murder⟩ — **in·dict·ment** \-mənt\ n

in·dif·fer·ent \in-'dif-(ə-)rənt\ adj 1 : UNBIASED, UNPREJUDICED 2 : of no importance one way or the other 3 : marked by no special liking for or dislike of something : APATHETIC 4 : being neither excessive nor defective : MODERATE, AVERAGE 5 : PASSABLE, MEDIOCRE 6 : being neither right nor wrong — **in·dif·fer·ence** n — **in·dif·fer·ent·ly** adv

in·dig·e·nous \in-'dij-ə-nəs\ adj : NATIVE

in·di·gent \'in-di-jənt\ adj : IMPOVERISHED, NEEDY — **in·di·gence** n

in·di·gest·ible \,in-dī-'jes-tə-bəl, -də-\ adj : not readily digested

in·di·ges·tion \-'jes-chən\ n : inadequate or difficult digestion : DYSPEPSIA

in·dig·nant \in-'dig-nənt\ adj : filled with or marked by indignation — **in·dig·nant·ly** adv

in·dig·na·tion \,in-dig-'nā-shən\ n : anger aroused by something unjust, unworthy, or mean

in·dig·ni·ty \in-'dig-nət-ē\ n : an offense against personal dignity or self-respect : INSULT; also : humiliating treatment

in·di·go \'in-di-,gō\ n, pl **-gos** or **-goes** 1 : a blue dye obtained from plants or synthesized 2 : a color between blue and violet

in·di·rect \,in-də-'rekt, -dī-\ adj 1 : not straight ⟨an ~ route⟩ 2 : not straightforward and open ⟨~ methods⟩ 3 : not having a plainly seen connection ⟨an ~ cause⟩ 4 : not directly to the point ⟨an ~ answer⟩ — **in·di·rec·tion** \-'rek-shən\ n — **in·di·rect·ly** adv

in·dis·creet \,in-dis-'krēt\ adj : not discreet : IMPRUDENT — **in·dis·cre·tion** \-dis-'kresh-ən\ n

in·dis·crim·i·nate \,in-dis-'krim-ə-nət\ adj 1 : not marked by discrimination or careful distinction ⟨~ reading habits⟩ 2 : HAPHAZARD, RANDOM 3 : UNRESTRAINED 4 : JUMBLED, CONFUSED; also : HETEROGENEOUS — **in·dis·crim·i·nate·ly** adv

in·dis·pens·able \,in-dis-'pen-sə-bəl\ adj : absolutely essential : REQUISITE — **in·dis·pens·abil·i·ty** \,in-dis-,pen-sə-'bil-ət-ē\ n — **indispensable** n — **in·dis·pens·ably** \-'pen-sə-blē\ adv

in·dis·posed \,in-dis-'pōzd\ adj 1 : slightly ill 2 : AVERSE — **in·dis·po·si·tion** \(,)in-,dis-pə-'zish-ən\ n

in·dis·put·able \,in-dis-'pyüt-ə-bəl, (')in-'dis-pyət-ə-bəl\ adj : not disputable : UNQUESTIONABLE ⟨~ proof⟩ — **in·dis·put·ably** adv

in·dis·sol·u·ble \,in-dis-'äl-yə-bəl\ adj : not capable of being dissolved, undone, or broken : PERMANENT ⟨an ~ contract⟩

in·dis·tinct \,in-dis-'tiŋkt\ adj 1 : not sharply outlined or separable : BLURRED, FAINT, DIM 2 : not readily distinguishable : UNCERTAIN — **in·dis·tinct·ly** adv — **in·dis·tinct·ness** n

in·dite \in-'dīt\ *vb* : COMPOSE ⟨~ a poem⟩; *also* : to put in writing ⟨~ a letter⟩

in·di·um \'in-dē-əm\ *n* : a malleable tarnish-resistant silvery metallic chemical element

¹in·di·vid·u·al \,in-də-'vij-(ə-w)əl\ *adj* **1** : of, relating to, or used by an individual ⟨~ traits⟩ **2** : being an individual : existing as an indivisible whole **3** : intended for one person ⟨an ~ serving⟩ **4** : SEPARATE ⟨~ copies⟩ **5** : having marked individuality ⟨an ~ style⟩ — **in·di·vid·u·al·ly** *adv*

²individual *n* **1** : a single member of a category : a particular person, animal, or thing **2** : PERSON ⟨a disagreeable ~⟩

in·di·vid·u·al·ism \-'vij-ə-(wə)-,liz-əm\ *n* **1** : EGOISM **2** : a doctrine that the chief end of society is to promote the welfare of its individual members **3** : a doctrine holding that the individual has certain political or economic rights with which the state must not interfere

in·di·vid·u·al·ist \-ləst\ *n* **1** : one that pursues a markedly independent course in thought or action **2** : one that advocates or practices individualism — **in·di·vid·u·al·is·tic** \-,vij-ə-(wə)-'lis-tik\ *adj*

in·di·vid·u·al·i·ty \,in-də-,vij-ə-'wal-ət-ē\ *n* **1** : the sum of qualities that characterize and distinguish an individual from all others; *also* : PERSONALITY **2** : INDIVIDUAL, PERSON **3** : separate or distinct existence

in·di·vid·u·al·ize \-'vij-ə-(wə)-,līz\ *vb* **1** : to make individual in character **2** : to treat or notice individually : PARTICULARIZE ⟨the teacher ~s each student's problems⟩ **3** : to adapt to the needs of an individual

in·di·vis·i·ble \,in-də-'viz-ə-bəl\ *adj* : not divisible : not separable into parts — **in·di·vis·i·bil·i·ty** \-,viz-ə-'bil-ət-ē\ *n* — **in·di·vis·i·bly** \-'viz-ə-blē\ *adv*

in·doc·tri·nate \in-'däk-trə-,nāt\ *vb* **1** : to instruct esp. in fundamentals or rudiments : TEACH **2** : to imbue with a usu. partisan or sectarian opinion, point of view, or principle — **in·doc·tri·na·tion** \(,)in-,däk-trə-'nā-shən\ *n*

In·do–Eu·ro·pe·an \,in-dō-,yur-ə-'pē-ən\ *adj* : of, relating to, or constituting a family of languages comprising those spoken in most of Europe and in the parts of the world colonized by Europeans since 1500 and also in Persia, the subcontinent of India, and some other parts of Asia

in·do·lent \'in-də-lənt\ *adj* **1** : slow to develop or heal ⟨~ ulcers⟩ **2** : LAZY — **in·do·lence** \-ləns\ *n*

in·dom·i·ta·ble \in-'däm-ət-ə-bəl\ *adj* : UNCONQUERABLE ⟨~ courage⟩ — **in·dom·i·ta·bly** *adv*

In·do·ne·sian \,in-də-'nē-zhən\ *n* : a native or inhabitant of the Republic of Indonesia — **Indonesian** *adj*

in·door \,in-,dōr\ *adj* **1** : of or relating to the interior of a building **2** : done, living, or belonging within doors

in·doors \in-'dōrz\ *adv* : in or into a building

in·du·bi·ta·ble \(')in-'d(y)ü-bət-ə-bəl\ *adj* : UNQUESTIONABLE — **in·du·bi·ta·bly** *adv*

in·duce \in-'d(y)üs\ *vb* **1** : to prevail upon : PERSUADE, INFLUENCE **2** : to bring on or bring about : EFFECT, CAUSE ⟨illness *induced* by overwork⟩ **3** : to produce (as an electric current or charge) by induction **4** : to determine by induction; *esp* : to infer from particulars — **in·duc·er** *n*

in·duce·ment *n* **1** : the act or process of inducing **2** : something that induces : MOTIVE

in·duct \in-'dəkt\ *vb* **1** : to place in office : INSTALL **2** : to admit as a member : INTRODUCE, INITIATE **3** : to enroll for military training or service (as under a selective-service act)

in·duc·tion \in-'dək-shən\ *n* **1** : INSTALLATION; *also* : INITIATION **2** : the formality by which a civilian is inducted into military service **3** : reasoning from a part to a whole or from particular instances to a general conclusion; *also* : the conclusion so reached **4** : the process by which an electric current, an electric charge, or magnetism is produced in a body by the proximity of an electric or magnetic field

in·duc·tive \in-'dək-tiv\ *adj* **1** : of, relating to, or employing reasoning by induction **2** : of or relating to inductance or electrical induction

in·dulge \in-'dəlj\ *vb* **1** : to give free rein to : take unrestrained pleasure in : GRATIFY ⟨~ a taste for exotic dishes⟩ **2** : to yield to the desire of : treat leniently or generously : HUMOR ⟨~ a sick child⟩ **3** : to gratify one's taste or desire for ⟨~ in alcohol⟩

in·dul·gence \in-'dəl-jəns\ *n* **1** : remission of temporal punishment due in Roman Catholic doctrine for sins whose eternal punishment has been remitted by reception of the sacrifice of penance **2** : the act of indulging ; the state of being indulgent **3** : an indulgent act : a favor granted **4** : the thing indulged in **5** : SELF-INDULGENCE — **in·dul·gent** \-jənt\ *adj* — **in·dul·gent·ly** *adv*

in·dus·tri·al \in-'dəs-trē-əl\ *adj* : of, relating to, or having to do with industry — **in·dus·tri·al·ly** *adv*

in·dus·tri·al·ist \-ə-ləst\ *n* : a person owning or engaged in the management of an industry : MANUFACTURER

in·dus·tri·al·ize \-trē-ə-,līz\ *vb* : to make or become industrial ⟨~ a rural area⟩ — **in·dus·tri·al·iza·tion** \in-,dəs-trē-ə-lə-'zā-shən\ *n*

in·dus·tri·ous \in-'dəs-trē-əs\ *adj* : DILIGENT, BUSY — **in·dus·tri·ous·ly** *adv* — **in·dus·tri·ous·ness** *n*

in·dus·try \'in-(,)dəs-trē\ *n* **1** : DILIGENCE **2** : a department or branch of a craft, art, business, or manufacture; *esp* : one that employs a large personnel and capital **3** : a distinct group of productive enterprises ⟨the automobile ~⟩ **4** : manufacturing activity as a whole

in·dwell \(')in-'dwel\ *vb* : to exist within as an activating spirit, force, or principle

ine·bri·ate \in-'ē-brē-,āt\ *vb* : to make drunk : INTOXICATE — **ine·bri·a·tion** \-,ē-brē-'ā-shən\ *n*

in·ed·u·ca·ble \-'ej-ə-kə-bəl\ *adj* : incapable of being educated

in·ef·fa·ble \(')in-'ef-ə-bəl\ *adj* **1** : incapable of being expressed in words : INDESCRIBABLE ⟨~ joy⟩ **2** : UNSPEAKABLE ⟨~ disgust⟩ **3** : not to be

uttered : TABOO ⟨the ~ name of Jehovah⟩ — **in·ef·fa·bly** *adv*
in·ef·fec·tive \,in-ə-'fek-tiv\ *adj* **1** : not effective : INEFFECTUAL **2** : INCAPABLE — **in·ef·fec·tive·ly** *adv*
in·ef·fec·tu·al \,in-ə-'fek-ch(ə-w)əl\ *adj* : not producing the proper or usual effect : FUTILE — **in·ef·fec·tu·al·ly** *adv*
in·ef·fi·cient \,in-ə-'fish-ənt\ *adj* **1** : not producing the effect intended or desired **2** : INCAPABLE, INCOMPETENT — **in·ef·fi·cien·cy** \-'fish-ən-sē\ *n* — **in·ef·fi·cient·ly** *adv*
in·el·e·gant \(')in-'el-i-gənt\ *adj* : lacking in refinement, grace, or good taste — **in·el·e·gance** \-gəns\ *n*
in·el·i·gi·ble \(')in-'el-ə-jə-bəl\ *adj* : not qualified to be chosen for an office : not worthy to be chosen or preferred — **in·el·i·gi·bil·i·ty** \(,)in-,el-ə-jə-'bil-ət-ē\ *n* — **ineligible** *n*
in·ept \in-'ept\ *adj* **1** : lacking in fitness or aptitude : UNFIT **2** : being out of place : INAPPROPRIATE **3** : FOOLISH **4** : generally incompetent : BUNGLING — **in·ep·ti·tude** \in-'ep-tə-,t(y)üd\ *n* — **in·ept·ly** *adv* — **in·ept·ness** *n*
in·equal·i·ty \,in-i-'kwäl-ət-ē\ *n* **1** : the quality of being unequal or uneven; *esp* : UNEVENNESS, DISPARITY, CHANGEABLENESS **2** : an instance of being unequal (as in position, proportion, evenness, or regularity)
in·ert \in-'ərt\ *adj* **1** : powerless to move itself **2** : lacking in active properties ⟨chemically ~⟩ **3** : SLUGGISH — **in·ert·ly** *adv* — **in·ert·ness** *n*
in·er·tia \in-'ər-sh(ē-)ə\ *n* **1** : a property of matter whereby it remains at rest or continues in uniform motion unless acted upon by some outside force **2** : INERTNESS, SLUGGISHNESS — **in·er·tial** \-shəl\ *adj*
in·es·cap·able \,in-ə-'skā-pə-bəl\ *adj* : incapable of being escaped : INEVITABLE — **in·es·cap·ably** *adv*
in·es·ti·ma·ble \(')in-'es-tə-mə-bəl\ *adj* **1** : incapable of being estimated or computed ⟨~ errors⟩ **2** : too valuable or excellent to be fully appreciated ⟨a ~ service to his country⟩ — **in·es·ti·ma·bly** *adv*
in·ev·i·ta·ble \in-'ev-ət-ə-bəl\ *adj* : incapable of being avoided or evaded : bound to happen — **in·ev·i·ta·bil·i·ty** \-,ev-ət-ə-'bil-ət-ē\ *n* — **in·ev·i·ta·bly** \-'ev-ət-ə-blē\ *adv*
in·ex·act \,in-ig-'zakt\ *adj* **1** : not precisely correct or true : INACCURATE **2** : not rigorous and careful — **in·ex·act·ly** *adv*
in·ex·cus·able \,in-ik-'skyü-zə-bəl\ *adj* : being without excuse or justification — **in·ex·cus·ably** *adv*
in·ex·haust·ible \,in-ig-'zȯ-stə-bəl\ *adj* **1** : incapable of being used up ⟨an ~ supply⟩ **2** : UNTIRING — **in·ex·haust·ibly** *adv*
in·ex·o·ra·ble \(')in-'eks-(ə-)rə-bəl\ *adj* : not to be moved by entreaty : UNYIELDING, RELENTLESS — **in·ex·o·ra·bly** *adv*
in·ex·pe·ri·ence \,in-ik-'spir-ē-əns\ *n* : lack of experience or of knowledge or proficiency gained by experience — **in·ex·pe·ri·enced** *adj*
in·ex·pert \(')in-'ek-,spərt\ *adj* **1** : INEXPERIENCED **2** : not expert : UNSKILLED — **in·ex·pert·ly** *adv*

in·ex·pi·a·ble \(')in-'ek-spē-ə-bəl\ *adj* : not capable of being atoned for ⟨an ~ crime⟩
in·ex·plic·a·ble \,in-ik-'splik-ə-bəl, (')in-'ek-(,)splik-\ *adj* : incapable of being explained, interpreted, or accounted for — **in·ex·plic·a·bly** *adv*
in·ex·press·ible \,in-ik-'spres-ə-bəl\ *adj* : not capable of being expressed : INDESCRIBABLE — **in·ex·press·ibly** *adv*
in·ex·tric·a·ble \,in-ik-'strik-ə-bəl, (')in-'ek-(,)strik-\ *adj* **1** : forming a maze or tangle from which it is impossible to get free **2** : incapable of being disentangled or untied : UNSOLVABLE — **in·ex·tric·a·bly** *adv*
in·fal·li·ble \(')in-'fal-ə-bəl\ *adj* **1** : incapable of error : UNERRING **2** : SURE, CERTAIN ⟨an ~ remedy⟩ — **in·fal·li·bil·i·ty** \(,)in-,fal-ə-'bil-ət-ē\ *n* — **in·fal·li·bly** \(')in-'fal-ə-blē\ *adv*
in·fa·mous \'in-fə-məs\ *adj* **1** : having a reputation of the worst kind **2** : DISGRACEFUL ⟨an ~ crime⟩ — **in·fa·mous·ly** *adv*
in·fa·my \'in-fə-mē\ *n* **1** : evil reputation brought about by something grossly criminal, shocking, or brutal **2** : an extreme and publicly known criminal or evil act **3** : the state of being infamous
in·fan·cy \'in-fən-sē\ *n* **1** : early childhood **2** : a beginning or early period of existence ⟨in the ~ of our country⟩
in·fant \'in-fənt\ *n* [L *infant-, infans* not talking, young, fr. *in-* in- + *fant-, fans,* prp. of *fari* to speak] : BABY; *also* : a person who is a legal minor
in·fan·tile \'in-fən-,tīl, -t'l, -,tēl\ *adj* : of or relating to infants; *also* : CHILDISH
infantile paralysis *n* : POLIOMYELITIS
in·fan·try \'in-fən-trē\ *n* : soldiers trained, armed, and equipped for service on foot
in·fat·u·ate \in-'fach-ə-,wāt\ *vb* : to inspire with a foolish and unrestrained love or admiration — **in·fat·u·a·tion** \-,fach-ə-'wā-shən\ *n*
in·fect \in-'fekt\ *vb* **1** : to contaminate with disease-producing matter **2** : to communicate a germ or disease to **3** : to influence so as to induce sympathy, belief, or support ⟨~ed the audience with his own enthusiasm⟩
in·fec·tion \in-'fek-shən\ *n* **1** : an act of infecting : the state of being infected **2** : a communicable disease; *also* : an infective agent (as a germ) — **in·fec·tious** \-shəs\ *adj* — **in·fec·tive** \-'fek-tiv\ *adj*
in·fer \in-'fər\ *vb* **-ferred; -fer·ring** **1** : to derive as a conclusion from facts or premises **2** : GUESS, SURMISE **3** : to lead to as a conclusion or consequence : point out **4** : INDICATE **5** : HINT, SUGGEST **syn** deduce, conclude, judge, gather — **in·fer·ence** \'in-f(ə-)rəns\ *n*
in·fe·ri·or \in-'fir-ē-ər\ *adj* : situated lower (as in position, degree, rank, or merit) — **inferior** *n* — **in·fe·ri·or·i·ty** \(,)in-,fir-ē-'ȯr-ət-ē\ *n*
in·fer·nal \in-'fərn-ᵊl\ *adj* **1** : of or relating to hell ⟨~ fires⟩ **2** : HELLISH, FIENDISH ⟨~ schemes⟩ **3** : DAMNABLE, DAMNED ⟨an ~ nuisance⟩ — **in·fer·nal·ly** *adv*
in·fer·no \in-'fər-nō\ *n* : a place or a state that resembles or suggests hell
in·fer·tile \(')in-'fərt-ᵊl\ *adj* : not fertile or productive : BARREN

in・fest \in-'fest\ *vb* : to trouble by spreading or swarming in or over; *also* : to live in or on as a parasite — **in・fes・ta・tion** \,in-,fes-'tā-shən\ *n*

in・fi・del \'in-fəd-ᵊl, -fə-,del\ *n* 1 : one who is not a Christian or opposes Christianity 2 : an unbeliever esp. in respect to a particular religion

in・fi・del・i・ty \,in-fə-'del-ət-ē, -fī-\ *n* 1 : lack of belief in a religion 2 : UNFAITHFULNESS, DISLOYALTY

in・fight・ing \'in-,fīt-iŋ\ *n* : fighting or boxing at close quarters

in・fil・trate \in-'fil-,trāt, 'in-(,)fil-\ *vb* 1 : to enter or filter into or through something 2 : to pass into or through by or as if by filtering or permeating — **in・fil・tra・tion** \,in-(,)fil-'trā-shən\ *n*

in・fi・nite \'in-fə-nət\ *adj* 1 : LIMITLESS, BOUNDLESS, ENDLESS ⟨~ space⟩ ⟨~ wisdom⟩ ⟨~ patience⟩ 2 : VAST, IMMENSE; *also* : INEXHAUSTIBLE ⟨~ wealth⟩ — **infinite** *n* — **in・fi・nite・ly** *adv*

in・fin・i・tes・i・mal \(,)in-,fin-ə-'tes-ə-məl\ *adj* : immeasurably or incalculably small : very minute — **in・fin・i・tes・i・mal・ly** *adv*

in・fin・i・tive \in-'fin-ət-iv\ *n* : a verb form having the characteristics of both verb and noun and in English usu. being used with *to*

in・fin・i・tude \in-'fin-ə-,t(y)üd\ *n* 1 : the quality or state of being infinite 2 : something that is infinite esp. in extent

in・fin・i・ty \in-'fin-ət-ē\ *n* 1 : the quality of being infinite 2 : unlimited extent of time, space, or quantity : BOUNDLESSNESS 3 : an indefinitely great number or amount

in・firm \in-'fərm\ *adj* 1 : deficient in vitality; *esp* : feeble from age 2 : not solid or stable : INSECURE

in・fir・ma・ry \in-'fərm-(ə-)rē\ *n* : a place for the care of the infirm or sick

in・fir・mi・ty \in-'fər-mət-ē\ *n* 1 : FEEBLENESS 2 : DISEASE, AILMENT 3 : a personal failing : FOIBLE

in・flame \in-'flām\ *vb* 1 : KINDLE 2 : to excite to excessive or unnatural action or feeling; *also* : INTENSIFY 3 : to affect or become affected with inflammation

in・flam・ma・ble \in-'flam-ə-bəl\ *adj* 1 : FLAMMABLE 2 : easily inflamed, excited, or angered : IRASCIBLE

in・flam・ma・tion \,in-flə-'mā-shən\ *n* : a bodily response to injury in which an affected area becomes red, hot, and painful and congested with blood

in・flam・ma・to・ry \in-'flam-ə-,tōr-ē\ *adj* 1 : tending to excite the senses or to arouse anger, disorder, or tumult : SEDITIOUS ⟨an ~ speech⟩ 2 : causing or accompanied by inflammation ⟨an ~ disease⟩

in・flate \in-'flāt\ *vb* 1 : to swell with air or gas ⟨~ a balloon⟩ 2 : to puff up : ELATE ⟨*inflated* with pride⟩ 3 : to expand or increase abnormally ⟨*inflated* prices⟩ — **in・flat・able** *adj*

in・fla・tion \in-'flā-shən\ *n* 1 : an act of inflating : the state of being inflated 2 : empty pretentiousness : POMPOSITY 3 : an abnormal increase in the volume of money and credit resulting in a substantial and continuing rise in the general price level

in・fla・tion・ary \-shə-,ner-ē\ *adj* : of, characterized by, or productive of inflation

in・flect \in-'flekt\ *vb* 1 : to turn from a direct line or course : CURVE 2 : to vary a word by inflection 3 : to change or vary the pitch of the voice : MODULATE

in・flec・tion \in-'flek-shən\ *n* 1 : the act or result of curving or bending 2 : a change in pitch or loudness of the voice 3 : the change of form that words undergo to mark case, gender, number, tense, person, mood, or voice

in・flex・i・ble \(')in-'flek-sə-bəl\ *adj* 1 : RIGID 2 : UNYIELDING 3 : UNALTERABLE — **in・flex・i・bil・i・ty** \(,)in-,flek-sə-'bil-ət-ē\ *n* — **in・flex・i・bly** \(')in-'flek-sə-blē\ *adv*

in・flict \in-'flikt\ *vb* : to give or deliver (as blows, pain, or penalty) by or as if by striking : IMPOSE, AFFLICT — **in・flic・tion** \-'flik-shən\ *n*

¹**in・flu・ence** \'in-,flü-əns\ *n* 1 : the act or power of producing an effect without apparent force or direct authority 2 : the power or capacity of causing an effect in indirect or intangible ways ⟨under the ~ of liquor⟩ 3 : a person or thing that exerts influence — **in・flu・en・tial** \,in-flü-'en-chəl\ *adj*

²**influence** *vb* 1 : to affect or alter by influence : SWAY 2 : to have an effect on the condition or development of : MODIFY

in・flu・en・za \,in-flü-'en-zə\ *n* : an acute and very contagious virus disease marked by fever, prostration, aches and pains, and respiratory inflammation; *also* : any of various feverish usu. virus diseases typically with respiratory symptoms

in・flux \'in-,fləks\ *n* : a flowing in

in・form \in-'fórm\ *vb* 1 : to communicate knowledge to : TELL 2 : to give information or knowledge 3 : to act as an informer **syn** acquaint, apprise, advise, notify

in・for・mal \(')in-'fór-məl\ *adj* 1 : conducted or carried out without formality or ceremony ⟨an ~ party⟩ 2 : characteristic of or appropriate to ordinary, casual, or familiar use ⟨~ clothes⟩ — **in・for・mal・i・ty** \,in-fór-'mal-ət-ē, -fər-\ *n* — **in・for・mal・ly** \(')in-'fór-mə-lē\ *adv*

in・for・mant \in-'fór-mənt\ *n* : one who gives information : INFORMER

in・for・ma・tion \,in-fər-'mā-shən\ *n* 1 : the communication or reception of knowledge or intelligence 2 : knowledge obtained from investigation, study, or instruction : INTELLIGENCE, NEWS, FACTS, DATA — **in・for・ma・tion・al** \-'mā-sh(ə-)nəl\ *adj*

in・for・ma・tive \in-'fór-mət-iv\ *adj* : imparting knowledge : INSTRUCTIVE

in・formed \in-'fórmd\ *adj* : EDUCATED, INTELLIGENT

in・form・er *n* : one that informs; *esp* : a person who informs against someone else

in・frac・tion \in-'frak-shən\ *n* : the act of infringing : VIOLATION ⟨~ of the rules⟩

in・fra・red \,in-frə-'red\ *adj* : being or relating to invisible heat rays having wavelengths longer than those of red light

in・fre・quent \(')in-'frē-kwənt\ *adj* 1 : seldom happening : RARE 2 : placed or occurring at considerable distances or intervals : OCCASIONAL **syn** uncommon, scarce, rare, sporadic — **in·fre·quent·ly** *adv*

in·fringe \in-'frinj\ *vb* **1 :** VIOLATE, TRANSGRESS ⟨~ a treaty⟩ **2 :** ENCROACH, TRESPASS ⟨~ upon a person's rights⟩ — **in·fringe·ment** *n*

in·fu·ri·ate \in-'fyùr-ē-,āt\ *vb* : to make furious : ENRAGE

in·fuse \in-'fyüz\ *vb* **1 :** to instill a principle or quality in : INTRODUCE **2 :** INSPIRE, ANIMATE **3 :** to steep (as tea) without boiling — **in·fu·sion** \-'fyü-zhən\ *n*

in·fus·ible \(')in-'fyü-zə-bəl\ *adj* : incapable or very difficult of fusion

¹-ing \iŋ\ *vb suffix or adj suffix* — used to form the present participle ⟨sail*ing*⟩ and sometimes to form an adjective resembling a present participle but not derived from a verb ⟨swashbuckl*ing*⟩

²-ing *n suffix* : one of a (specified) kind

³-ing *n suffix* **1 :** action or process ⟨sleep*ing*⟩ : instance of an action or process ⟨a meet*ing*⟩ **2 :** product or result of an action or process ⟨an engrav*ing*⟩ ⟨earn*ings*⟩ **3 :** something used in an action or process ⟨a bed cover*ing*⟩ **4 :** something connected with, consisting of, or used in making (a specified thing) ⟨scaffold*ing*⟩ **5 :** something related to (a specified concept) ⟨off*ing*⟩

in·ge·nious \in-'jēn-yəs\ *adj* **1 :** marked by special aptitude at discovering, inventing, or contriving **2 :** marked by originality, resourcefulness, and cleverness in conception or execution — **in·ge·nious·ly** *adv* — **in·ge·nious·ness** *n*

in·ge·nue *or* **in·gé·nue** \'an-jə-,nü, 'aⁿ-zhə-\ *n* : a naïve girl or young woman; *esp* : an actress representing such a person

in·ge·nu·i·ty \,in-jə-'n(y)ü-ət-ē\ *n* : skill or cleverness in planning or inventing : INVENTIVENESS

in·gen·u·ous \in-'jen-yə-wəs\ *adj* **1 :** STRAIGHTFORWARD, FRANK **2 :** NAÏVE — **in·gen·u·ous·ly** *adv* — **in·gen·u·ous·ness** *n*

in·gest \in-'jest\ *vb* : to take in for or as if for digestion : ABSORB — **in·ges·tion** \-'jes-chən\ *n*

in·glo·ri·ous \(')in-'glōr-ē-əs\ *adj* **1 :** not glorious : lacking fame or honor **2 :** SHAMEFUL — **in·glo·ri·ous·ly** *adv*

in·got \'iŋ-gət\ *n* : a mass of metal cast in a form convenient for storage or transportation

¹in·grain \(')in-'grān\ *vb* : to work indelibly into the natural texture or mental or moral constitution : IMBUE — **in·grained** *adj*

²in·grain \,in-,grān\ *adj* **1 :** made of fiber that is dyed before being spun into yarn **2 :** made of yarn that is dyed before being woven or knitted **3 :** INNATE — **in·grain** \'in-,grān\ *n*

in·grate \'in-,grāt\ *n* : an ungrateful person

in·gra·ti·at·ing *adj* **1 :** capable of winning favor : PLEASING ⟨an ~ smile⟩ **2 :** FLATTERING ⟨an ~ manner⟩

in·grat·i·tude \(')in-'grat-ə-,t(y)üd\ *n* : lack of gratitude : UNGRATEFULNESS

in·gre·di·ent \in-'grēd-ē-ənt\ *n* : one of the substances that make up a mixture or compound : CONSTITUENT, COMPONENT

in·grown \'in-,grōn\ *adj* : grown in and esp. into the flesh ⟨an ~ toenail⟩

in·hab·it \in-'hab-ət\ *vb* : to live or dwell in — **in·hab·it·able** *adj*

in·hab·i·tant \in-'hab-ət-ənt\ *n* : a permanent resident in a place

in·hal·ant \in-'hā-lənt\ *n* : something (as a medicine) that is inhaled

in·hale \in-'hāl\ *vb* : to draw in in breathing : breathe in — **in·ha·la·tion** \,in-(h)ə-'lā-shən\ *n*

in·hal·er \in-'hā-lər\ *n* : a device by means of which material can be inhaled

in·her·ent \in-'hir-ənt, -'her-\ *adj* : established as an essential part of something : INTRINSIC — **in·her·ent·ly** *adv*

in·her·it \in-'her-ət\ *vb* : to receive esp. from one's ancestors — **in·her·i·tance** \-ət-əns\ *n* — **in·her·i·tor** *n*

in·hib·it \in-'hib-ət\ *vb* **1 :** PROHIBIT, FORBID **2 :** to hold in check : RESTRAIN, REPRESS

in·hi·bi·tion \,in-(h)ə-'bish-ən\ *n* **1 :** PROHIBITION, RESTRAINT **2 :** a usu. inner check on free activity, expression, or functioning

in·hu·man \(')in-'(h)yü-mən\ *adj* **1 :** lacking pity or kindness : CRUEL, SAVAGE **2 :** COLD, IMPERSONAL **3 :** not worthy of or conforming to the needs of human beings **4 :** of or suggesting a nonhuman class of beings — **in·hu·man·ly** *adv*

in·hu·mane \,in-(h)yü-'mān\ *adj* : not humane : INHUMAN 1

in·hu·man·i·ty \,in-(h)yü-'man-ət-ē\ *n* **1 :** the quality or state of being cruel or barbarous **2 :** a cruel or barbarous act

in·im·i·cal \in-'im-i-kəl\ *adj* **1 :** HOSTILE, UNFRIENDLY **2 :** HARMFUL, ADVERSE ⟨habits ~ to health⟩ — **in·im·i·cal·ly** *adv*

in·im·i·ta·ble \(')in-'im-ət-ə-bəl\ *adj* : not capable of being imitated : MATCHLESS

in·iq·ui·ty \in-'ik-wət-ē\ *n* **1 :** WICKEDNESS **2 :** a wicked act : SIN — **in·iq·ui·tous** \-wət-əs\ *adj*

¹ini·tial \in-'ish-əl\ *adj* **1 :** of or relating to the beginning : INCIPIENT **2 :** FIRST — **ini·tial·ly** *adv*

²initial *n* : the first letter of a word or name

³initial *vb* -tialed *or* -tialled; -tial·ing *or* -tial·ling : to affix an initial to

¹ini·ti·ate \in-'ish-ē-,āt\ *vb* **1 :** START, BEGIN **2 :** to instruct in the first principles of something : INTRODUCE ⟨~ a city boy into the mysteries of farming⟩ **3 :** to induct into membership by or as if by special ceremonies — **ini·ti·a·tion** \-,ish-ē-'ā-shən\ *n*

²ini·ti·ate \in-'ish-(ē-)ət\ *n* **1 :** a person who is undergoing or has passed an initiation **2 :** a person who is instructed or adept in some special field

ini·tia·tive \in-'ish-ət-iv\ *n* **1 :** an introductory step **2 :** self-reliant enterprise **3 :** a process by which laws may be introduced or enacted directly by vote of the people

ini·tia·to·ry \in-'ish-(ē-)ə-,tōr-ē\ *adj* **1 :** INTRODUCTORY **2 :** tending or serving to initiate ⟨~ rites⟩

in·ject \in-'jekt\ *vb* **1 :** to force into something ⟨~ serum with a needle⟩ **2 :** to introduce (as by way of suggestion or interruption) into some situation or subject ⟨~ a note of suspicion⟩ — **in·jec·tion** \-'jek-shən\ *n*

in·junc·tion \in-'jəŋk-shən\ *n* **1** : ORDER, ADMONITION **2** : a court writ whereby one is required to do or to refrain from doing a specified act
in·jure \'in-jər\ *vb* : WRONG, DAMAGE, HURT **syn** harm, impair, mar, spoil
in·ju·ry \'inj-(ə-)rē\ *n* **1** : an act that damages or hurts : WRONG **2** : hurt, damage, or loss sustained — **in·ju·ri·ous** \in-'jùr-ē-əs\ *adj*
in·jus·tice \(')in-'jəs-təs\ *n* **1** : violation of a person's rights : UNFAIRNESS, WRONG **2** : an unjust act or deed
¹**ink** \'iŋk\ *n* : a usu. liquid and colored material for writing and printing
²**ink** *vb* : to put ink on
in·kling \'iŋ-kliŋ\ *n* **1** : HINT, INTIMATION **2** : a vague idea
ink·well \-,wel\ *n* : a container for writing ink
inky \'iŋ-kē\ *adj* : consisting of, using or resembling ink : soiled with or as if with ink : BLACK
in·laid \'in-'lād\ *adj* : decorated with material set into a surface
¹**in·land** \'in-,land, -lənd\ *n* : the interior of a country
²**inland** *adj* **1** *chiefly Brit* : not foreign : DOMESTIC ⟨~ revenue⟩ **2** : of or relating to the interior of a country
³**inland** *adv* : into or toward the interior
in–law \'in-,lò\ *n* : a relative by marriage
¹**in·lay** \(')in-'lā\ *vb* : to set (one material into another) by way of decoration
²**in·lay** \'in-,lā\ *n* **1** : inlaid work **2** : a shaped filling cemented into a tooth
in·let \'in-,let, -lət\ *n* **1** : a bay in the shore of a sea, lake, or river **2** : a narrow strip of water running into the land
in·mate \'in-,māt\ *n* : a person who lives in the same house or institution with another; *esp* : a person confined to an asylum, prison, or poorhouse
in me·mo·ri·am \,in-mə-'mòr-ē-əm\ *prep* : in memory of
in·most \'in-,mōst\ *adj* : deepest within : INNERMOST
inn \'in\ *n* : HOTEL, TAVERN
in·nards \'in-ərdz\ *n pl* **1** : the internal organs of a man or animal; *esp* : VISCERA **2** : the internal parts of a structure or mechanism
in·nate \in-'āt\ *adj* **1** : existing in or belonging to an individual from birth : NATIVE **2** : belonging to the essential nature of something : INHERENT — **in·nate·ly** *adv*
in·ner \'in-ər\ *adj* **1** : situated farther in ⟨the ~ ear⟩ **2** : near a center esp. of influence ⟨the ~ circle⟩ **3** : of or relating to the mind or spirit ⟨~ thoughts⟩
in·ner·most \'in-ər-,mōst\ *adj* : farthest inward : INMOST
in·ning \'in-iŋ\ *n* : a baseball team's turn at bat; *also* : a division of a baseball game consisting of a turn at bat for each team
inn·keep·er \'in-,kē-pər\ *n* : the landlord of an inn
in·no·cence \'in-ə-səns\ *n* **1** : BLAMELESSNESS; *also* : freedom from legal guilt **2** : GUILELESSNESS, SIMPLICITY; *also* : IGNORANCE
in·no·cent \-sənt\ *adj* **1** : free from guilt or sin : BLAMELESS **2** : harmless in effect or intention; *also* : CANDID **3** : free from legal guilt or fault : LAWFUL **4** : DESTITUTE **5** : ARTLESS, IGNORANT — **innocent** *n* — **in·no·cent·ly** *adv*
in·noc·u·ous \in-'äk-yə-wəs\ *adj* **1** : HARMLESS **2** : INOFFENSIVE, INSIPID
in·no·vate \'in-ə-,vāt\ *vb* : to introduce as or as if new : make changes — **in·no·va·tor** *n*
in·no·va·tion \,in-ə-'vā-shən\ *n* **1** : the introduction of something new **2** : a new idea, method, or device : NOVELTY
in·nu·en·do \,in-yə-'wen-dō\ *n, pl* **-dos** *or* **-does** : HINT, INSINUATION; *esp* : a veiled reflection on character or reputation
in·nu·mer·a·ble \in-'(y)üm-(ə-)rə-bəl\ *adj* : too many to be numbered : COUNTLESS
in·oc·u·late \in-'äk-yə-,lāt\ *vb* : to introduce something into; *esp* : to treat usu. with a serum or antibody to prevent or cure a disease — **in·oc·u·la·tion** \-,äk-yə-'lā-shən\ *n*
in·op·er·a·ble \(')in-'äp-(ə-)rə-bəl\ *adj* **1** : not suitable for surgery **2** : not operable
in·op·er·a·tive \-'äp-(ə-)rət-iv, -ə-,rāt-iv\ *adj* : not functioning : producing no effect
in·op·por·tune \(,)in-,äp-ər-'t(y)ün\ *adj* : INCONVENIENT, UNSEASONABLE — **in·op·por·tune·ly** *adv*
in·or·di·nate \in-'òrd-(ə-)nət\ *adj* **1** : UNREGULATED, DISORDERLY **2** : EXTRAORDINARY, IMMODERATE ⟨an ~ curiosity⟩ — **in·or·di·nate·ly** *adv*
in·or·gan·ic \,in-òr-'gan-ik\ *adj* : being or composed of matter of other than plant or animal origin : MINERAL
in·pa·tient \'in-,pā-shənt\ *n* : a hospital patient who receives lodging and food as well as treatment
in·put \'in-,pùt\ *n* : something put in; *esp* : power or energy put into a machine or system
in·quest \'in-,kwest\ *n* **1** : an official inquiry or examination esp. before a jury ⟨coroner's ~⟩ **2** : INQUIRY, INVESTIGATION
in·qui·etude \(')in-'kwī-ə-,t(y)üd\ *n* : UNEASINESS, RESTLESSNESS
in·quire \in-'kwī(ə)r\ *vb* **1** : to ask about : ASK **2** : INVESTIGATE, EXAMINE — **in·quir·er** *n* — **in·quir·ing·ly** *adv*
in·qui·ry \in-'kwī(ə)r-ē, 'in-kwə-rē\ *n* **1** : a request for information; *also* : a search for truth or knowledge **2** : a systematic investigation of a matter of public interest
in·qui·si·tion \,in-kwə-'zish-ən\ *n* **1** : a judicial or official inquiry usu. before a jury **2** *cap* : a former Roman Catholic tribunal for the discovery and punishment of heretics **3** : a severe questioning — **in·quis·i·tor** \in-'kwiz-ət-ər\ *n*
in·quis·i·tive \in-'kwiz-ət-iv\ *adj* **1** : given to examination or investigation ⟨an ~ mind⟩ **2** : unduly curious — **in·quis·i·tive·ly** *adv* — **in·quis·i·tive·ness** *n*
in·road \'in-,rōd\ *n* **1** : INVASION, RAID **2** : ENCROACHMENT
in·sane \(')in-'sān\ *adj* **1** : not mentally sound : MAD; *also* : used by or for the insane **2** : FOOLISH, WILD — **in·sane·ly** *adv* — **in·san·i·ty** \in-'san-ət-ē\ *n*
in·sa·tia·ble \(')in-'sā-shə-bəl\ *adj* : incapable of being satisfied ⟨an ~ appetite⟩

in·sa·tiate \-'sā-sh(ē-)ət\ *adj* : not satiated or satisfied; *also* : INSATIABLE

in·scribe \in-'skrīb\ *vb* **1** : to write, engrave, or print esp. as a lasting record **2** : ENROLL **3** : to write, engrave, or print characters upon **4** : to dedicate to someone ⟨~ a poem to a friend⟩ **5** : to stamp deeply or impress esp. on the memory — **in·scrip·tion** \-'skrip-shən\ *n*

in·scru·ta·ble \in-'skrüt-ə-bəl\ *adj* **1** : not readily comprehensible : MYSTERIOUS ⟨an ~ smile⟩ **2** : impossible to see or see through physically ⟨an ~ fog⟩ — **in·scru·ta·bly** *adv*

in·seam \'in-,sēm\ *n* : an inner seam of a garment or shoe

in·sect \'in-,sekt\ *n* : any of a major group of small usu. winged animals with three pairs of legs including the flies, bees, beetles, and moths

insect (grasshopper)

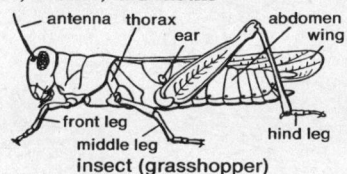

in·sec·ti·cide \in-'sek-tə-,sīd\ *n* : a preparation for destroying insects

in·se·cure \,in-si-'kyu̇r\ *adj* **1** : UNCERTAIN **2** : UNPROTECTED, UNSAFE **3** : LOOSE, SHAKY **4** : INFIRM **5** : beset by fear or anxiety — **in·se·cure·ly** *adv* — **in·se·cu·ri·ty** \-'kyu̇r-ət-ē\ *n*

in·sen·sate \(')in-'sen-,sāt\ *adj* **1** : INANIMATE **2** : lacking sense or understanding; *also* : FOOLISH **3** : BRUTAL, INHUMAN ⟨~ rage⟩

in·sen·si·ble \(')in-'sen-sə-bəl\ *adj* **1** : INANIMATE **2** : UNCONSCIOUS **3** : lacking sensory perception or ability to react ⟨~ to pain⟩ ⟨~ from cold⟩ **4** : IMPERCEPTIBLE; *also* : SLIGHT, GRADUAL **5** : APATHETIC, INDIFFERENT; *also* : UNAWARE ⟨~ of their danger⟩ **6** : MEANINGLESS **7** : lacking delicacy or refinement — **in·sen·si·bil·i·ty** \(,)in-,sen-sə-'bil-ət-ē\ *n* — **in·sen·si·bly** \(')in-'sen-sə-blē\ *adv*

in·sen·tient \(')in-'sen-ch(ē-)ənt\ *adj* : lacking perception, consciousness, or animation — **in·sen·tience** *n*

in·sep·a·ra·ble \(')in-'sep-(ə-)rə-bəl\ *adj* : incapable of being separated or disjoined — **in·sep·a·ra·bil·i·ty** \(,)in-,sep-(ə-)rə-'bil-ət-ē\ *n* — **in·sep·a·ra·bly** \(')in-'sep-(ə-)rə-blē\ *adv*

¹in·sert \in-'sərt\ *vb* **1** : to put or thrust in : INTRODUCE ⟨~ a key in a lock⟩ ⟨~ a comma⟩ **2** : INTERPOLATE ⟨~*ed* a few words of description⟩ **3** : to set in (as a piece of fabric) and make fast ⟨~ a patch⟩

²in·sert \'in-,sərt\ *n* : something that is inserted or is for insertion; *esp* : written or printed material inserted (as between the leaves of a book)

in·ser·tion \in-'sər-shən\ *n* **1** : the act or process of inserting **2** : something that is inserted

¹in·shore \'in-'shōr\ *adj* **1** : situated or carried on near shore **2** : moving toward shore

¹in·side \in-'sīd, 'in-,sīd\ *n* **1** : an inner side or surface : INTERIOR **2** : inward nature, thoughts, or feeling **3** *pl* : VISCERA, ENTRAILS **4** : a position of power or confidence — **inside** *adj*

²inside *prep* **1** : in or into the inside of **2** : before the end of : WITHIN ⟨~ an hour⟩

³inside *adv* **1** : on the inner side **2** : in or into the interior

inside of *prep* : INSIDE

in·sid·er \in-'sīd-ər\ *n* : a person who is in a position of power or has access to confidential information

in·sid·i·ous \in-'sid-ē-əs\ *adj* **1** : SLY, TREACHEROUS **2** : SEDUCTIVE **3** : having a gradual and cumulative effect : SUBTLE

in·sight \'in-,sīt\ *n* : the power or act of seeing into a situation : UNDERSTANDING, PENETRATION; *also* : INTUITION

in·sig·nia \in-'sig-nē-ə\ *or* **in·sig·ne** \-(,)nē\ *n, pl* **-nia** *or* **-ni·as** : a distinguishing mark esp. of authority, office, or honor : BADGE, EMBLEM

in·sin·cere \,in-sin-'siər\ *adj* : not sincere : HYPOCRITICAL — **in·sin·cere·ly** *adv* — **in·sin·cer·i·ty** \-'ser-ət-ē\ *n*

in·sin·u·ate \in-'sin-yə-,wāt\ *vb* **1** : to introduce (as an idea) gradually or in a subtle or indirect way **2** : HINT, IMPLY **3** : to introduce (as oneself) by stealthy, smooth, or artful means ⟨*insinuated* himself into their confidence⟩ — **in·sin·u·a·tion** \(,)in-,sin-yə-'wā-shən\ *n*

in·sin·u·at·ing *adj* **1** : tending gradually to cause doubt, distrust, or change of outlook ⟨~ remarks⟩ **2** : winning favor and confidence by imperceptible degrees ⟨~ voice⟩

in·sip·id \in-'sip-əd\ *adj* **1** : lacking savor : TASTELESS, FLAT **2** : DULL, UNINTERESTING — **in·si·pid·i·ty** \,in-sə-'pid-ət-ē\ *n*

in·sist \in-'sist\ *vb* : to take a resolute stand : PERSIST

in·sis·tence \-'sis-təns\ *n* : the act of insisting; *also* : an insistent attitude or quality : URGENCY

in·sis·tent \-'sis-tənt\ *adj* : disposed to insist : PERTINACIOUS — **in·sis·tent·ly** *adv*

in·so·far as \,in-sə-,fär-əz\ *conj* : to the extent or degree that

in·sole \'in-,sōl\ *n* **1** : an inside sole of a shoe **2** : a loose thin strip (as of felt or leather) placed inside a shoe for warmth or ease

in·so·lent \'in-sə-lənt\ *adj* : contemptuous, rude, disrespectful, or brutal in behavior or language : OVERBEARING, BOLD — **in·so·lence** \-ləns\ *n*

in·sol·u·ble \(')in-'säl-yə-bəl\ *adj* **1** : having or admitting of no solution or explanation **2** : that cannot readily be dissolved in a liquid — **in·sol·u·bil·i·ty** \(,)in-,säl-yə-'bil-ət-ē\ *n*

in·solv·able \(')in-'säl-və-bəl\ *adj* : admitting no solution — **in·solv·ably** *adv*

in·sol·vent \(')in-'säl-vənt\ *adj* **1** : unable to pay one's debts **2** : insufficient to pay all debts charged against it ⟨an ~ estate⟩ **3** : IMPOVERISHED, DEFICIENT — **in·sol·ven·cy** \-'säl-vən-sē\ *n*

in·som·nia \in-'säm-nē-ə\ *n* : prolonged or abnormal sleeplessness

in·so·much \,in-sə-'məch\ *adv* : so much : to such a degree : SO — used with *as* or *that*

in·sou·ci·ance \in-'sü-sē-əns\ *n* : a lighthearted unconcern — **in·sou·ci·ant** *adj*

in·spect \in-'spekt\ *vb* : to view closely and critically : EXAMINE — **in·spec·tion** \-'spek-shən\ *n* — **in·spec·tor** \-tər\ *n*

in·spi·ra·tion \,in-spə-'rā-shən\ *n* 1 : INHALATION 2 : the act or power of moving the intellect or emotions 3 : the quality or state of being inspired; *also* : something that is inspired 4 : an inspiring agent or influence — **in·spi·ra·tion·al** \-sh(ə-)nəl\ *adj*

in·spire \in-'spī(ə)r\ *vb* 1 : INHALE 2 : to influence, move, or guide by divine or supernatural inspiration : exert an animating, enlivening, or exalting influence upon : AFFECT 3 : to communicate to an agent supernaturally; *also* : CREATE 4 : to bring about; *also* : INCITE 5 : to spread by indirect means or through another ⟨a rumor *inspired* by interested parties⟩ — **in·spir·er** *n*

in·sta·bil·i·ty \,in-stə-'bil-ət-ē\ *n* : lack of firmness or steadiness

in·stall *or* **in·stal** \in-'stȯl\ *vb* **-stalled; -stall·ing** 1 : to place formally in office : induct into an office, rank, or order 2 : to establish in an indicated place, condition, or status 3 : to set up for use or service — **in·stal·la·tion** \,in-stə-'lā-shən\ *n*

¹**in·stall·ment** *or* **in·stal·ment** \in-'stȯl-mənt\ *n* : INSTALLATION

²**installment** *also* **instalment** *n* 1 : one of the parts into which a debt or sum is divided for payment 2 : one of several parts presented at intervals ⟨the last ~ of a serial story⟩

¹**in·stance** \'in-stəns\ *n* 1 : INSTIGATION, REQUEST ⟨entered the contest at the ~ of friends⟩ 2 : EXAMPLE ⟨an ~ of heroism⟩ ⟨for ~⟩ 3 : an event or step that is part of a process or series : OCCASION ⟨in the last ~⟩ **syn** case, illustration, sample, specimen

²**instance** *vb* : to mention as a case or example : CITE

¹**in·stant** \'in-stənt\ *n* 1 : MOMENT ⟨the ~ we met⟩ 2 : the present or current month ⟨your letter of the 10th ~⟩

²**instant** *adj* 1 : URGENT 2 : PRESENT, CURRENT 3 : IMMEDIATE ⟨~ relief⟩ 4 : partially prepared by the manufacturer to make final preparation easy ⟨~ cake mix⟩; *also* : immediately soluble in water ⟨~ coffee⟩

in·stan·ta·ne·ous \,in-stən-'tā-nē-əs\ *adj* : done or occurring in an instant or without delay — **in·stan·ta·ne·ous·ly** *adv*

in·stant·ly \'in-stənt-lē\ *adv* : at once : IMMEDIATELY

in·state \in-'stāt\ *vb* : to establish in a rank or office : INSTALL

in·stead \in-'sted\ *adv* 1 : as a substitute or equivalent 2 : as an alternative : RATHER

instead of *prep* : as a substitute for or alternative to

in·step \'in-,step\ *n* : the arched part of the human foot in front of the ankle joint

in·sti·gate \'in-stə-,gāt\ *vb* : to goad or urge forward : PROVOKE, INCITE ⟨~ a revolt⟩ — **in·sti·ga·tion** \,in-stə-'gā-shən\ *n* — **in·sti·ga·tor** \'in-stə-,gāt-ər\ *n*

in·still *also* **in·stil** \in-'stil\ *vb* **-stilled;** **-still·ing** 1 : to cause to enter drop by drop 2 : to impart gradually

¹**in·stinct** \'in-,stiŋkt\ *n* 1 : a natural aptitude 2 : complex but largely hereditary and unalterable response of an organism to stimuli; *also* : behavior originating below the conscious level — **in·stinc·tive** \in-'stiŋk-tiv\ *adj* — **in·stinc·tive·ly** *adv*

²**in·stinct** \in-'stiŋkt, 'in-,stiŋkt\ *adj* : IMBUED, INFUSED

¹**in·sti·tute** \'in-stə-,t(y)üt\ *vb* 1 : to establish in a position or office 2 : to originate and get established : ORGANIZE 3 : INAUGURATE, INITIATE

²**institute** *n* 1 : an elementary principle recognized as authoritative; *also*, *pl* : a collection of such principles and precepts 2 : an organization for the promotion of a cause : ASSOCIATION 3 : an educational institution 4 : a meeting for instruction or a brief course of such meetings

in·sti·tu·tion \,in-stə-'t(y)ü-shən\ *n* 1 : an act of originating, setting up, or founding 2 : an established practice, law, or custom 3 : a society or corporation esp. of a public character ⟨a charitable ~⟩; *also* : the building which houses it — **in·sti·tu·tion·al** \-'t(y)ü-sh(ə-)nəl\ *adj* — **in·sti·tu·tion·al·ize** \-,īz\ *vb* — **in·sti·tu·tion·al·ly** *adv*

in·struct \in-'strəkt\ *vb* 1 : TEACH 2 : INFORM 3 : to give directions or commands to

in·struc·tion \in-'strək-shən\ *n* 1 : LESSON, PRECEPT 2 : COMMAND, ORDER 3 *pl* : DIRECTIONS 4 : the action, practice, or profession of a teacher

in·struc·tive \in-'strək-tiv\ *adj* : carrying a lesson : ENLIGHTENING

in·struc·tor \in-'strək-tər\ *n* : one that instructs; *esp* : a college teacher below professorial rank — **in·struc·tor·ship** *n*

in·stru·ment \'in-strə-mənt\ *n* 1 : a means by which something is done 2 : TOOL, UTENSIL 3 : a device used to produce music 4 : a legal document (as a deed) 5 : a device used in navigating an airplane

in·stru·men·tal \,in-strə-'ment-ᵊl\ *adj* 1 : acting as an agent or means 2 : of, relating to, or done with an instrument 3 : relating to, composed for, or performed on a musical instrument

in·stru·men·tal·ist *n* : a player on a musical instrument

in·stru·men·tal·i·ty \,in-strə-mən-'tal-ət-ē, -,men-\ *n* 1 : the quality or state of being instrumental 2 : MEANS, AGENCY

in·stru·men·ta·tion \,in-strə-mən-'tā-shən, -,men-\ *n* 1 : the use or application of instruments 2 : the arrangement or composition of music for instruments esp. for a band or orchestra

in·sub·or·di·nate \,in-sə-'bȯrd-(ᵊ-)nət\ *adj* : unwilling to submit to authority : DISOBEDIENT — **in·sub·or·di·na·tion** \-,bȯrd-ᵊn-'ā-shən\ *n*

in·sub·stan·tial \,in-səb-'stan-chəl\ *adj* 1 : lacking substance or reality : IMAGINARY 2 : lacking firmness or solidity

in·suf·fer·able \(')in-'səf-(ə-)rə-bəl\ *adj* : incapable of being endured : INTOLERABLE ⟨an ~ bore⟩ — **in·suf·fer·ably** *adv*

insufficient | 243 | **intense**

in·suf·fi·cient \,in-sə-'fish-ənt\ *adj* : not sufficient : INADEQUATE; *also* : INCOMPETENT — **in·suf·fi·cien·cy** \-'fish-ən-sē\ *n* — **in·suf·fi·cient·ly** *adv*

in·su·lar \'ins-(y)ə-lər, 'in-shə-lər\ *adj* **1** : of, relating to, or forming an island **2** : ISOLATED, DETACHED **3** : of or relating to island people **4** : NARROW, PREJUDICED — **in·su·lar·i·ty** \,ins-(y)ə-'lar-ət-ē, ,in-shə-\ *n*

in·su·late \'in-sə-,lāt\ *vb* [L *insula* island] : ISOLATE; *esp* : to separate a conductor of electricity, heat, or sound from other conducting bodies by means of something that will not conduct electricity, heat, or sound — **in·su·la·tion** \,in-sə-'lā-shən\ *n* — **in·su·la·tor** \'in-sə-,lāt-ər\ *n*

in·su·lin \'in-s(ə-)lən\ *n* : a pancreatic hormone essential for bodily use of sugars and used in the control of diabetes

¹in·sult \in-'səlt\ *vb* : to treat with insolence or contempt : AFFRONT

²in·sult \'in-,səlt\ *n* : a gross indignity : INSOLENCE

in·su·per·a·ble \(')in-'sü-p(ə-)rə-bəl\ *adj* : incapable of being surmounted, overcome, or passed over — **in·su·per·a·bly** *adv*

in·sup·port·able \,in-sə-'pōrt-ə-bəl\ *adj* **1** : UNENDURABLE **2** : UNJUSTIFIABLE

in·sur·able \in-'shùr-ə-bəl\ *adj* : capable of being or proper to be insured against loss, damage, or death

in·sur·ance \in-'shùr-əns\ *n* **1** : the action or process of insuring : the state of being insured; *also* : means of insuring **2** : the business of insuring persons or property **3** : coverage by contract whereby one party agrees to indemnify or guarantee another against loss by a specified contingent event or peril **4** : the sum for which something is insured

in·sure \in-'shùr\ *vb* **1** : to give, take, or procure an insurance on or for : UNDERWRITE **2** : to make certain : ENSURE

in·sured *n* : a person whose life or property is insured

in·sur·gent \in-'sər-jənt\ *n* **1** : a person who revolts against civil authority or an established government : REBEL **2** : one who acts contrary to the policies and decisions of his political party — **in·sur·gence** \-jəns\ *n* — **in·sur·gent** *adj*

in·sur·mount·able \,in-sər-'maùnt-ə-bəl\ *adj* : INSUPERABLE 〈~ disadvan­tages〉 — **in·sur·mount·ably** *adv*

in·sur·rec·tion \,in-sə-'rek-shən\ *n* : an act or instance of revolting against civil authority or an established government — **in·sur·rec·tion·ist** *n*

in·tact \in-'takt\ *adj* : untouched esp. by anything that harms or diminishes : ENTIRE, UNINJURED

in·take \'in-,tāk\ *n* **1** : an opening through which fluid enters an enclosure **2** : the act of taking in **3** : the amount taken in

in·tan·gi·ble \(')in-'tan-jə-bəl\ *adj* **1** : incapable of being touched : not tangible : IMPALPABLE **2** : incapable of being defined or determined with certainty or precision : VAGUE — **in·tangible** *n* — **in·tan·gi·bly** *adv*

in·te·ger \'int-i-jər\ *n* : a number (as 1, 2, 3, 12, 432) that is not a fraction and does not include a fraction, is the negative of such a number, or is 0

¹in·te·gral \'int-i-grəl\ *adj* **1** : essential to completeness : CONSTITUENT **2** : formed as a unit with another part **3** : composed of parts that make up a whole **4** : ENTIRE

²integral *n* : a whole number

in·te·grate \'int-ə-,grāt\ *vb* **1** : to form into a whole : UNITE **2** : to incorporate into a larger unit **3** : to end the segregation of and bring into common and equal membership in society or an organization; *also* : DESEGREGATE — **in·te·gra·tion** \,int-ə-'grā-shən\ *n*

in·teg·ri·ty \in-'teg-rət-ē\ *n* **1** : SOUNDNESS **2** : adherence to a code of values (as moral or artistic) : utter sincerity, honesty, and candor **3** : COMPLETENESS

in·teg·u·ment \in-'teg-yə-mənt\ *n* : a covering layer (as a skin or cuticle) of an organism

in·tel·lect \'int-ᵊl-,ekt\ *n* **1** : the power of knowing : the capacity for knowledge **2** : the capacity for rational or intelligent thought esp. when highly developed **3** : a person of notable intellect

in·tel·lec·tu·al \,int-ᵊl-'ek-ch(ə-w)əl\ *adj* **1** : of, relating to, or performed by the intellect : RATIONAL **2** : given to study, reflection, and speculation **3** : engaged in activity requiring the creative use of the intellect — **intellectual** *n* — **in·tel·lec·tu·al·ly** *adv*

in·tel·lec·tu·al·ism *n* : devotion to the exercise of intellect or to intellectual pursuits

in·tel·li·gence \in-'tel-ə-jəns\ *n* **1** : ability to learn and understand or to deal with new or trying situations **2** : relative intellectual capacity **3** : INFORMATION, NEWS **4** : an agency engaged in obtaining information esp. concerning an enemy or possible enemy

intelligence quotient *n* : a number expressing the intelligence of a person determined by dividing his mental age by his chronological age and multiplying by 100

in·tel·li·gent \in-'tel-ə-jənt\ *adj* : having or showing intelligence or intellect — **in·tel·li·gent·ly** *adv*

in·tel·li·gen·tsia \in-,tel-ə-'jent-sē-ə, -'gent-\ *n* : intellectual people as a group : the educated class

in·tel·li·gi·ble \in-'tel-ə-jə-bəl\ *adj* : capable of being understood or comprehended — **in·tel·li·gi·bil·i·ty** \-,tel-ə-jə-'bil-ət-ē\ *n* — **in·tel·li·gi·bly** \-'tel-ə-jə-blē\ *adv*

in·tem·per·ance \(')in-'tem-p(ə-)rəns\ *n* : lack of moderation esp. in satisfying an appetite or passion; *esp* : habitual or excessive drinking of intoxicants — **in·tem·per·ate** \-p(ə-)rət\ *adj* — **in·tem·per·ate·ness** *n*

in·tend \in-'tend\ *vb* **1** : to have in mind as a purpose or aim : PLAN **2** : to design for a specified use or future

¹in·tend·ed *adj* **1** : PROPOSED; *esp* : BETROTHED **2** : INTENTIONAL

²intended *n* : an affianced person : BETROTHED

in·tense \in-'tens\ *adj* **1** : existing in an extreme degree **2** : very large : CONSIDERABLE **3** : strained or straining to the utmost **4** : feeling deeply; *also* : deeply felt — **in·tense·ly** *adv*

in·ten·si·fy \in-'ten-sə-,fī\ *vb* **1** : to make or become intense or more intensive **2** : to make more acute : SHARPEN *syn* aggravate, heighten, enhance — **in·ten·si·fi·ca·tion** \-,ten-sə-fə-'kā-shən\ *n*

in·ten·si·ty \in-'ten-sət-ē\ *n* **1** : the quality or state of being intense **2** : degree of strength, energy, or force ⟨~ of light⟩ ⟨~ of an electric current⟩ ⟨~ of a sound⟩

¹**in·ten·sive** \in-'ten-siv\ *adj* **1** : involving or marked by special effort : THOROUGH, EXHAUSTIVE **2** : serving to give emphasis ⟨the ~ adverb *very* in "very cold"⟩ — **in·ten·sive·ly** *adv*

²**intensive** *n* : an intensive word, particle, or prefix

¹**in·tent** \in-'tent\ *n* **1** : PURPOSE **2** : the state of mind with which an act is done : VOLITION **3** : AIM **4** : MEANING, SIGNIFICANCE

²**intent** *adj* **1** : directed with keen or eager attention : CONCENTRATED ⟨an ~ gaze⟩ **2** : ENGROSSED; *also* : DETERMINED ⟨~ on having fun⟩ — **in·tent·ly** *adv* — **in·tent·ness** *n*

in·ten·tion \in-'ten-chən\ *n* **1** : a determination to act in a certain way **2** : PURPOSE, AIM, END *syn* intent, design, object, objective, goal

in·ten·tion·al \in-'tench-(ə-)nəl\ *adj* : done by intention or design : INTENDED — **in·ten·tion·al·ly** *adv*

in·ter \in-'tər\ *vb* -**terred**; -**ter·ring** [L *in* in + *terra* earth] : BURY

in·ter·ac·tion \,int-ər-'ak-shən\ *n* : mutual or reciprocal action or influence — **in·ter·act** \-'akt\ *vb*

in·ter·cede \,int-ər-'sēd\ *vb* **1** : to act between parties with a view to reconciling differences : MEDIATE

in·ter·cept \,int-ər-'sept\ *vb* **1** : to stop or interrupt the progress or course of **2** : to cut through : INTERSECT — **in·ter·cep·tion** \-'sep-shən\ *n*

in·ter·ces·sion \,int-ər-'sesh-ən\ *n* **1** : MEDIATION **2** : prayer or petition in favor of another — **in·ter·ces·sor** \-'ses-ər\ *n* — **in·ter·ces·so·ry** \-'ses-(ə-)rē\ *adj*

¹**in·ter·change** \,int-ər-'chānj\ *vb* **1** : to put each in the place of the other **2** : EXCHANGE **3** : to change places mutually — **in·ter·change·able** *adj*

²**in·ter·change** \'int-ər-,chānj\ *n* **1** : EXCHANGE **2** : a highway junction that by separated levels permits passage between highways without crossing traffic streams

in·ter·col·le·giate \,int-ər-kə-'lē-j(ē-)ət\ *adj* : existing, carried on, or participating in activities between colleges

in·ter·com·mu·ni·ca·tion system \,int-ər-kə-,myü-nə-'kā-shən-\ *n* : a two-way communication system with microphone and loudspeaker at each station for localized use

in·ter·con·ti·nen·tal \,känt-ᵊn-'ent-ᵊl\ *adj* **1** : extending among or carried on between continents ⟨~ trade⟩ **2** : capable of traveling between continents ⟨~ missile⟩

in·ter·course \'int-ər-,kōrs\ *n* **1** : connection or dealings between persons or nations : COMMUNICATION **2** : COPULATION

in·ter·cul·tur·al \,int-ər-'kəlch-(ə-)rəl\ *adj* : occurring between or relating to two or more cultures

in·ter·de·nom·i·na·tion·al \-di-,näm-ə-'nā-sh(ə-)nəl\ *adj* : involving or occurring between different denominations

in·ter·de·part·men·tal \,int-ər-di-,pärt-'ment-ᵊl, -,dē-\ *adj* : carried on between or involving different departments (as of a college)

in·ter·de·pen·dent \,int-ər-di-'pen-dənt\ *adj* : dependent upon one another — **in·ter·de·pen·dence** \-dəns\ *n*

in·ter·dict \,int-ər-'dikt\ *vb* : to prohibit by decree — **in·ter·dic·tion** \-'dik-shən\ *n*

in·ter·dis·ci·plin·ary \-'dis-ə-plə-,ner-ē\ *adj* : involving two or more academic disciplines

¹**in·ter·est** \'in-t(ə-)rəst, -tə-,rest\ *n* **1** : right, title, or legal share in something **2** : WELFARE, BENEFIT; *esp* : SELF-INTEREST **3** : a charge for borrowed money that is generally a percentage of the amount borrowed : the return received by capital on its investment **4** *pl* : a group financially interested in an industry or enterprise ⟨oil ~s⟩ **5** : readiness to be concerned with or moved by an object or class of objects **6** : the quality in a thing that arouses interest

²**interest** *vb* **1** : AFFECT, CONCERN **2** : to persuade to participate or engage **3** : to engage the attention of

in·ter·est·ing *adj* : holding the attention : capable of arousing interest

in·ter·faith \,int-ər-'fāth\ *adj* : involving persons of different religious faiths

in·ter·fere \,int-ə(r)-'fiər\ *vb* **1** : to come in collision or be in opposition : CLASH **2** : to enter into the affairs of others **3** : to affect one another **4** : to run ahead of and provide blocking for the ballcarrier in football; *also* : to hinder illegally an attempt of a football player to receive a pass — **in·ter·fer·ence** \-'fir-əns\ *n*

in·ter·im \'in-tə-rəm\ *n* : a time intervening : INTERVAL

¹**in·te·ri·or** \in-'tir-ē-ər\ *adj* **1** : lying, occurring, or functioning within the limits : INSIDE, INNER **2** : remote from the surface, border, or shore : INLAND

²**interior** *n* **1** : INSIDE **2** : the inland part (as of a country) **3** : the internal affairs of a state or nation **4** : a scene or view of the interior of a building

in·ter·ject \,int-ər-'jekt\ *vb* : to throw in between or among other things : INSERT ⟨~ a remark⟩

in·ter·jec·tion \,int-ər-'jek-shən\ *n* : an exclamatory word (as *ouch*) — **in·ter·jec·tion·al·ly** *adv*

in·ter·lace \,int-ər-'lās\ *vb* **1** : to unite by or as if by lacing together : INTERWEAVE, INTERTWINE **2** : INTERSPERSE

in·ter·lin·ing \'int-ər-,lī-niŋ\ *n* : a lining (as of a coat) between the ordinary lining and the outside fabric

in·ter·lock \,int-ər-'läk\ *vb* **1** : to engage or interlace together : lock together : UNITE **2** : to connect in such a way that action of one part affects action of another part or parts — **in·ter·lock** \'int-ər-,läk\ *n*

in·ter·loc·u·tor \‚int-ər-'läk-yət-ər\ *n* **1** : one who takes part in dialogue or conversation **2** : a man in a minstrel show who questions the end men

in·ter·loc·u·to·ry \‚int-ər-'läk-yə-‚tōr-ē\ *adj* : pronounced during the progress of a legal action and having only provisional force ⟨an ~ decree⟩

in·ter·lop·er \‚int-ər-'lō-pər, 'int-ər-‚lō-\ *n* : INTRUDER

in·ter·lude \'int-ər-‚lüd\ *n* **1** : a performance given between the acts of a play **2** : an intervening period, space, or event : INTERVAL ⟨an ~ of peace between wars⟩ **3** : a short piece of music inserted between the parts of a longer composition or a religious service

in·ter·lu·nar \‚int-ər-'lü-nər\ *adj* : relating to the interval between the old and new moon when the moon is invisible

in·ter·mar·riage \‚int-ər-'mar-ij\ *n* : marriage between members of different groups; *also* : marriage within one's own group

in·ter·mar·ry \-'mar-ē\ *vb* **1** : to marry each other **2** : to marry within a group **3** : to become connected by intermarriage

¹in·ter·me·di·ary \‚int-ər-'mēd-ē-‚er-ē\ *adj* **1** : INTERMEDIATE **2** : acting as a mediator

²intermediary *n* : MEDIATOR, GO-BETWEEN

¹in·ter·me·di·ate \‚int-ər-'mēd-ē-ət\ *adj* : being or occurring at the middle place or degree or between extremes

²intermediate *n* **1** : an intermediate term, object, or class **2** : MEDIATOR, GO-BETWEEN

in·ter·ment \in-'tər-mənt\ *n* : BURIAL

in·ter·mi·na·ble \(')in-'tərm-(ə-)nə-bəl\ *adj* : ENDLESS; *esp* : wearisomely protracted — **in·ter·mi·na·bly** *adv*

in·ter·min·gle \‚int-ər-'miŋ-gəl\ *vb* : to mingle or mix together

in·ter·mis·sion \‚int-ər-'mish-ən\ *n* **1** : INTERRUPTION, BREAK **2** : a temporary halt esp. in a public performance : PAUSE

in·ter·mit \‚int-ər-'mit\ *vb* **-mit·ted; -mit·ting** : DISCONTINUE; *also* : to be intermittent

in·ter·mit·tent \‚int-ər-'mit-ᵊnt\ *adj* : coming and going at intervals : repeatedly starting and stopping **syn** recurrent, periodic, alternate — **in·ter·mit·tent·ly** *adv*

in·ter·mix \‚int-ər-'miks\ *vb* : to mix together : INTERMINGLE — **in·ter·mix·ture** \-'miks-chər\ *n*

¹in·tern \'in-‚tərn, in-'tərn\ *vb* : to confine or impound esp. during a war

²in·tern *or* **in·terne** \'in-‚tərn\ *n* : an advanced student or recent graduate (as in medicine) gaining supervised practical experience — **in·tern·ship** *n*

³in·tern \'in-‚tərn\ *vb* : to act as an intern

in·ter·nal \in-'tərn-ᵊl\ *adj* **1** : INWARD, INTERIOR **2** : having to do with or situated in the inside of the body ⟨~ pain⟩ ⟨~ medicine⟩ **3** : relating or belonging to or existing within the mind : SUBJECTIVE **4** : INTRINSIC, INHERENT **5** : of or relating to the domestic affairs of a country or state ⟨~ revenue⟩ — **in·ter·nal·ly** *adv*

¹in·ter·na·tion·al \‚int-ər-'nash-(ə-)nəl\ *adj* **1** : common to or affecting two or more nations ⟨~ trade⟩ **2** : of, relating to, or constituting a group having members in two or more nations ⟨~ movement⟩ — **in·ter·na·tion·al·ly** *adv*

²in·ter·na·tion·al *same, or* -‚nash-ə-'nal *for 1*\ *n* **1** : one of several socialist or communist organizations of international scope **2** : a labor union having locals in more than one country

in·ter·na·tion·al·ism *n* : a policy of political and economic cooperation among nations; *also* : an attitude favoring such a policy

in·ter·na·tion·al·ize *vb* : to make international; *esp* : to place under international control

in·ter·nec·ine \‚int-ər-'nes-‚ēn, -'nē-‚sīn\ *adj* **1** : DEADLY; *esp* : mutually destructive **2** : of, relating to, or involving conflict within a group ⟨~ feuds⟩

in·tern·ee \‚in-‚tər-'nē\ *n* : an interned person

in·ter·nist \in-'tər-nəst\ *n* : a specialist in internal medicine esp. as distinguished from a surgeon

in·tern·ment \in-'tərn-mənt\ *n* : the act of interning : the state of being interned

in·ter·of·fice \-'òf-əs\ *adj* : functioning or communicating between the offices of an organization ⟨an ~ memo⟩

in·ter·plan·e·tary \-'plan-ə-‚ter-ē\ *adj* : existing, carried on, or operating between planets ⟨~ space⟩ ⟨~ travel⟩

in·ter·po·late \in-'tər-pə-‚lāt\ *vb* **1** : to change (as a text) by inserting new or foreign matter **2** : to insert (as words) into a text or into a conversation — **in·ter·po·la·tion** \-‚tər-pə-'lā-shən\ *n*

in·ter·pose \‚int-ər-'pōz\ *vb* **1** : to place between **2** : to thrust in : INTRUDE, INTERRUPT **3** : to inject between parts of a conversation or argument **4** : to be or come between : INTERVENE, MEDIATE **syn** interfere, intercede — **in·ter·po·si·tion** \-pə-'zish-ən\ *n*

in·ter·pret \in-'tər-prət\ *vb* **1** : to explain the meaning of; *also* : to act as an interpreter : TRANSLATE **2** : to understand according to individual belief, judgment, or interest : CONSTRUE **3** : to represent artistically ⟨~ s a role⟩ — **in·ter·pret·er** *n* — **in·ter·pre·tive** \-'tər-prət-iv\ *adj*

in·ter·pre·ta·tion \in-‚tər-prə-'tā-shən\ *n* **1** : EXPLANATION **2** : an instance of artistic interpretation in performance or adaptation — **in·ter·pre·ta·tive** \-'tər-prə-‚tāt-iv\ *adj*

in·ter·ra·cial \‚int-ə(r)-'rā-shəl\ *adj* : of, involving, or designed for members of different races

in·ter·re·late \‚int-ə(r)-ri-'lāt\ *vb* : to bring into or have a mutual relationship — **in·ter·re·la·tion** \-ri-'lā-shən\ *n* — **in·ter·re·la·tion·ship** *n*

in·ter·ro·gate \in-'ter-ə-‚gāt\ *vb* : to question esp. formally and systematically : ASK — **in·ter·ro·ga·tion** \-‚ter-ə-'gā-shən\ *n* — **in·ter·ro·ga·tor** \-'ter-ə-‚gāt-ər\ *n*

in·ter·rog·a·tive \‚int-ə-'räg-ət-iv\ *adj* : asking a question ⟨~ sentence⟩ — **interrogative** *n*

in·ter·rog·a·to·ry \‚int-ə-'räg-ə-‚tōr-ē\ *adj* : INTERROGATIVE

in·ter·rupt \‚int-ə-'rəpt\ *vb* **1** : to stop or hinder by breaking in **2** : to break the uniformity or continuity of **3** : to break in upon an action; *esp* : to break in with questions or remarks while another is speaking — **in·ter·rup·tion** \-'rəp-shən\ *n* — **in·ter·rup·tive** \-'rəp-tiv\ *adj*

in·ter·scho·las·tic \,int-ər-skə-'las-tik\ *adj* : existing or carried on between schools

in·ter·sect \,int-ər-'sekt\ *vb* : to cut or divide by passing through : cut across : meet and cross : OVERLAP — **in·ter·sec·tion** \-'sek-shən\ *n*

in·ter·sperse \,int-ər-'spərs\ *vb* **1** : to insert at intervals among other things **2** : to place something at intervals in or among — **in·ter·sper·sion** \-'spər-zhən\ *n*

in·ter·state \,int-ər-'stāt\ *adj* : relating to, including, or connecting two or more states esp. of the U.S.

in·ter·stel·lar \-'stel-ər\ *adj* : located or taking place among the stars

in·ter·stice \in-'tər-stəs\ *n* : a space that intervenes between things : CHINK, CREVICE, INTERVAL — **in·ter·sti·tial** \,int-ər-'stish-əl\ *adj*

in·ter·tid·al \,int-ər-'tīd-ᵊl\ *adj* : of, relating to, or being the area that is above low-tide mark but exposed to tidal flooding

in·ter·twine \,int-ər-'twīn\ *vb* : to twine or twist together one with another : INTERLACE

in·ter·val \'int-ər-vəl\ *n* **1** : a space of time between events or states : PAUSE **2** : a space between objects, units, or states **3** : the difference in pitch between two tones

in·ter·vene \,int-ər-'vēn\ *vb* **1** : to enter or appear as an unrelated feature or circumstance 〈rain *intervened* and we postponed the trip〉 **2** : to occur, fall, or come between points of time or between events **3** : to come in or between in order to stop, settle, or modify 〈~ in a quarrel〉 **4** : to occur or lie between 〈*intervening* mountains〉 — **in·ter·ven·tion** \-ər-'ven-chən\ *n*

in·ter·view \'int-ər-,vyü\ *n* **1** : a formal consultation **2** : a meeting at which a writer or reporter obtains information from a person; *also* : the written account of such a meeting — **interview** *vb* — **in·ter·view·er** *n*

in·ter·weave \,int-ər-'wēv\ *vb* : to weave or blend together : INTERTWINE, INTERMINGLE — **in·ter·wo·ven** \-'wō-vən\ *adj*

in·tes·tate \in-'tes-,tāt, -tət\ *adj* **1** : having made no valid will 〈died ~〉 **2** : not disposed of by will 〈~ estate〉

in·tes·tine \in-'tes-tən\ *n* : the tubular part of the alimentary canal that extends from stomach to anus and consists of a long narrow upper part (**small intestine**) followed by a broader shorter lower part (**large intestine**) — **in·tes·ti·nal** \-tən-ᵊl\ *adj*

¹**in·ti·mate** \'int-ə-,māt\ *vb* **1** : ANNOUNCE, NOTIFY **2** : to communicate indirectly : HINT — **in·ti·ma·tion** \,int-ə-'mā-shən\ *n*

²**in·ti·mate** \'int-ə-mət\ *adj* **1** : INTRINSIC; *also* : INNERMOST **2** : marked by very close association, contact, or familiarity **3** : marked by a warm friendship **4** : suggesting informal warmth or privacy 〈a small ~ theater〉 **5** : of a very personal or private nature — **in·ti·ma·cy** \'int-ə-mə-sē\ *n* — **in·ti·mate·ly** *adv*

³**intimate** \'int-ə-mət\ *n* : an intimate friend, associate, or confidant

in·tim·i·date \in-'tim-ə-,dāt\ *vb* : to make timid or fearful : FRIGHTEN; *esp* : to compel or deter by or as if by threats **syn** cow, bulldoze, bully, browbeat — **in·tim·i·da·tion** \-,tim-ə-'dā-shən\ *n*

in·tinc·tion \in-'tiŋk-shən\ *n* : the administration of the sacrament of Communion by dipping the bread in the wine and giving it to the communicant

in·to \'in-tə, -tü\ *prep* **1** : to the inside of 〈ran ~ the house〉 **2** : to the state, condition, or form of 〈got ~ trouble〉 **3** : AGAINST 〈ran ~ a wall〉

in·tol·er·a·ble \(')in-'täl-(ə-)rə-bəl\ *adj* **1** : UNBEARABLE **2** : EXCESSIVE — **in·tol·er·a·bly** *adv*

in·tol·er·ant \(')in-'täl-ə-rənt\ *adj* **1** : unable to endure **2** : unwilling to endure **3** : unwilling to grant equal freedom of expression esp. in religious matters or social, political, or professional rights : BIGOTED — **in·tol·er·ance** *n*

in·to·na·tion \,in-tə-'nā-shən\ *n* **1** : the act of intoning and esp. of chanting **2** : something that is intoned **3** : the manner of singing, playing, or uttering tones **4** : the rise and fall in pitch of the voice in speech

in·tone \in-'tōn\ *vb* : to utter in musical or prolonged tones : CHANT

in·tox·i·cant \in-'täk-si-kənt\ *n* : something that intoxicates; *esp* : an alcoholic drink — **intoxicant** *adj*

in·tox·i·cate \in-'täk-sə-,kāt\ *vb* **1** : to make drunk **2** : to excite or elate to the point of enthusiasm or frenzy 〈*intoxicated* with joy〉 — **in·tox·i·ca·tion** \-,täk-sə-'kā-shən\ *n*

in·trac·ta·ble \(')in-'trak-tə-bəl\ *adj* : not easily controlled : OBSTINATE

in·tra·mu·ral \,in-trə-'myùr-əl\ *adj* : being or occurring within the walls or limits (as of a city or college) 〈~ sports〉

in·tran·si·geance \in-'trans-ə-jəns, -'tranz-\ *n* : INTRANSIGENCE

in·tran·si·gence \-jəns\ *n* : the quality or state of being intransigent

in·tran·si·gent \-jənt\ *adj* : UNCOMPROMISING; *also* : IRRECONCILABLE

in·tran·si·tive \(')in-'tran-sət-iv, -'tranz-\ *adj* : not transitive; *esp* : not having or containing an object required to complete its meaning — **in·tran·si·tive·ly** *adv* — **in·tran·si·tive·ness** *n*

in·tra·ve·nous \,in-trə-'vē-nəs\ *adj* : being within or entering by way of the veins — **in·tra·ve·nous·ly** *adv*

in·trep·id \in-'trep-əd\ *adj* : characterized by resolute fearlessness, fortitude, and endurance — **in·tre·pid·i·ty** \,in-trə-'pid-ət-ē\ *n*

in·tri·cate \'in-tri-kət\ *adj* **1** : COMPLICATED **2** : difficult to follow, understand, or solve — **in·tri·ca·cy** \-tri-kə-sē\ *n* — **in·tri·cate·ly** *adv*

¹**in·trigue** \in-'trēg\ *vb* **1** : to accomplish by intrigue **2** : to carry on an intrigue; *esp* : PLOT, SCHEME **3** : to arouse the interest, desire, or curiosity of 〈the story ~s me〉

²**in·trigue** \'in-,trēg, in-'trēg\ *n* **1** : a secret and involved stratagem : MACHINATION **2** : a clandestine love affair

in·trin·sic \in-'trin-zik, -sik\ *adj* **1** : belonging to the essential nature or constitution of a thing **2** : REAL, ACTUAL — **in·trin·si·cal** *adj* — **in·trin·si·cal·ly** *adv*

in·tro·duce \,in-trə-'d(y)üs\ *vb* **1** : to lead or bring in esp. for the first time **2** : to bring into practice or use : INSTITUTE **3** : to cause to be acquainted **4** : to bring to notice : PRESENT **5** : to put in : INSERT **syn** insinuate, interpolate, interpose, interject — **in·tro·duc·tion** \-trə-'dək-shən\ *n* — **in·tro·duc·to·ry** \,in-trə-'dək-t(ə-)rē\ *adj*

in·tro·spec·tion \,in-trə-'spek-shən\ *n* : a reflective looking inward : an examination of one's own thoughts or feelings — **in·tro·spec·tive** \-'spek-tiv\ *adj* — **in·tro·spec·tive·ly** *adv*

in·tro·vert \'in-trə-,vərt\ *n* : a person more interested in his own mental life than in the world about him — **in·tro·ver·sion** \,in-trə-'vər-zhən\ *n* — **intro·vert** *adj* — **in·tro·vert·ed** \'in-trə-,vərt-əd\ *adj*

in·trude \in-'trüd\ *vb* **1** : to thrust, enter, or force in or upon **2** : ENCROACH, TRESPASS — **in·trud·er** *n* — **in·tru·sion** \-'trü-zhən\ *n* — **in·tru·sive** \-'trü-siv\ *adj*

in·tu·it \in-'t(y)ü-ət\ *vb* : to apprehend by intuition

in·tu·i·tion \,in-t(y)ú-'ish-ən\ *n* **1** : the power or faculty of knowing things without conscious reasoning **2** : quick and ready insight — **in·tu·i·tive** \in-'t(y)ü-ət-iv\ *adj* — **in·tu·i·tive·ly** *adv*

in·un·date \'in-ən-,dāt\ *vb* : to cover with or as if with a flood : OVERFLOW — **in·un·da·tion** \,in-ən-'dā-shən\ *n*

in·ure \in-'(y)ùr\ *vb* **1** : to accustom to accept something undesirable : HABITUATE, HARDEN **2** : to become of advantage : ACCRUE

in·vade \in-'vād\ *vb* **1** : to enter for conquest or plunder **2** : to encroach upon **3** : to spread through and usu. harm (germs ~ the tissues) — **in·vad·er** *n*

¹**in·val·id** \(')in-'val-əd\ *adj* : being without foundation or force in fact, truth, or law : not valid

²**in·va·lid** \'in-və-ləd\ *adj* : defective in health : SICKLY

³**in·va·lid** \'in-və-ləd\ *n* : a person in usu. chronic ill health — **in·va·lid·ism** \-,iz-əm\ *n*

⁴**in·va·lid** \'in-və-ləd, -,lid\ *vb* **1** : to make sickly or disabled **2** : to remove from active duty by reason of sickness or disability

in·val·i·date \(')in-'val-ə-,dāt\ *vb* : to make invalid; *esp* : to weaken or make valueless

in·valu·able \(')in-'val-yə-(wə-)bəl\ *adj* : valuable beyond estimation : PRICELESS

in·vari·able \(')in-'ver-ē-ə-bəl\ *adj* : not changing or capable of change : CONSTANT — **in·vari·ably** *adv*

in·va·sion \in-'vā-zhən\ *n* : an act or instance of invading; *esp* : entry of an army into a country for conquest or plunder

in·vec·tive \in-'vek-tiv\ *n* **1** : an abusive expression or speech **2** : insulting or abusive language — **invective** *adj*

in·veigh \in-'vā\ *vb* : to protest or complain bitterly or vehemently : RAIL

in·vei·gle \in-'vā-gəl, -'vē-\ *vb* **1** : to win over by flattery : ENTICE **2** : to acquire by ingenuity or flattery

in·vent \in-'vent\ *vb* **1** : to think up : IMAGINE, FABRICATE (~ an excuse) **2** : to create or produce for the first time : DEVISE — **in·ven·tor** *n*

in·ven·tion \in-'ven-chən\ *n* **1** : INVENTIVENESS **2** : a creation of the imagination; *esp* : a false conception **3** : a device, contrivance, or process originated after study and experiment **4** : the act or process of inventing

in·ven·tive \in-'vent-iv\ *adj* **1** : CREATIVE, INGENIOUS (an ~ composer) **2** : characterized by invention (an ~ turn of mind) — **in·ven·tive·ness** *n*

in·ven·to·ry \'in-vən-,tōr-ē\ *n* **1** : an itemized list of current goods or assets **2** : SURVEY, SUMMARY **3** : STOCK, SUPPLY **4** : the act or process of taking an inventory — **inventory** *vb*

in·verse \(')in-'vərs, 'in-,vərs\ *adj* : opposite in order, nature, or effect : REVERSED — **in·verse·ly** *adv*

in·ver·sion \in-'vər-zhən\ *n* **1** : the act or process of inverting **2** : a reversal of position, order, or relationship

in·vert \in-'vərt\ *vb* **1** : to turn upside down or inside out **2** : to turn inward **3** : to reverse in position, order, or relationship

¹**in·ver·te·brate** \(')in-'vərt-ə-brət, -,brāt\ *adj* : lacking a spinal column; *also* : of or relating to invertebrates

²**invertebrate** *n* : an invertebrate animal

¹**in·vest** \in-'vest\ *vb* **1** : to install formally in an office or honor **2** : to furnish with power or authority : VEST **3** : to cover completely : ENVELOP **4** : CLOTHE, ADORN **5** : BESIEGE **6** : to endow with a quality or characteristic : INFUSE

²**invest** *vb* **1** : to commit money in order to earn a financial return **2** : to make use of for future benefits or advantages **3** : to make an investment — **in·ves·tor** *n*

in·ves·ti·gate \in-'ves-tə-,gāt\ *vb* : to observe or study by close examination and systematic inquiry — **in·ves·ti·ga·tion** \-,ves-tə-'gā-shən\ *n* — **in·ves·ti·ga·tor** \-'ves-tə-,gāt-ər\ *n*

in·ves·ti·ture \in-'ves-tə-,chùr, -chər\ *n* **1** : the act of ratifying or establishing in office : CONFIRMATION **2** : something that covers or adorns

¹**in·vest·ment** \in-'ves(t)-mənt\ *n* **1** : an outer layer : ENVELOPE **2** : INVESTITURE 1 **3** : BLOCKADE, SIEGE

²**investment** *n* : the outlay of money for income or profit; *also* : the sum invested or the property purchased

in·vet·er·ate \in-'vet-(ə-)rət\ *adj* **1** : firmly established by age or long persistence **2** : confirmed in a habit : HABITUAL (an ~ smoker) — **in·vet·er·a·cy** *n*

in·vid·i·ous \in-'vid-ē-əs\ *adj* **1** : tending to cause discontent, animosity, or envy **2** : ENVIOUS **3** : INJURIOUS — **in·vid·i·ous·ly** *adv*

in·vig·o·rate \in-'vig-ə-,rāt\ *vb* : to give life and energy to : ANIMATE — **in·vig·o·ra·tion** \-,vig-ə-'rā-shən\ *n*

in·vin·ci·ble \(')in-'vin-sə-bəl\ *adj* : incapable of being conquered, overcome, or subdued — **in·vin·ci·bil·i·ty** \(,)in-,vin-sə-'bil-ət-ē\ *n* — **in·vin·ci·bly** \(')in-'vin-sə-blē\ *adv*

in·vi·o·la·ble \(')in-'vī-ə-lə-bəl\ *adj* **1** : safe from violation or profanation **2** : UNASSAILABLE — **in·vi·o·la·bil·i·ty** \(,)in-,vī-ə-lə-'bil-ət-ē\ *n*

in·vi·o·late \(')in-'vī-ə-lət\ *adj* : not violated or profaned : PURE

in·vis·i·ble \(')in-'viz-ə-bəl\ *adj* **1** : incapable of being seen 〈~ to the naked eye〉 **2** : HIDDEN **3** : IMPERCEPTIBLE, INCONSPICUOUS — **in·vis·i·bil·i·ty** \(,)in-,viz-ə-'bil-ət-ē\ *n* — **in·vis·i·bly** \(')in-'viz-ə-blē\ *adv*

in·vite \in-'vīt\ *vb* **1** : ENTICE, TEMPT **2** : to increase the likelihood of 〈behavior that ~s criticism〉 **3** : to request the presence or participation of : ASK **4** : to request formally 〈*invited* him to be their leader〉 **5** : ENCOURAGE 〈~ bids on a contract〉 — **in·vi·ta·tion** \,in-və-'tā-shən\ *n*

in·vit·ing \in-'vīt-iŋ\ *adj* : ATTRACTIVE, TEMPTING

in·vo·ca·tion \,in-və-'kā-shən\ *n* **1** : SUPPLICATION; *esp* : a prayer at the beginning of a service **2** : a formula for conjuring : INCANTATION

¹in·voice \'in-,vȯis\ *n* **1** : an itemized list of goods shipped usu. specifying the price and the terms of sale : BILL **2** : a consignment of merchandise

²invoice *vb* : to make an invoice of : BILL

in·voke \in-'vōk\ *vb* **1** : to petition for help or support **2** : to appeal to or cite as authority 〈~ a law〉 **3** : to call forth by incantation : CONJURE 〈~ spirits〉 **4** : to make an earnest request for : SOLICIT **5** : to put into effect or operation **6** : to bring about : CAUSE

in·vol·un·tary \(')in-'väl-ən-,ter-ē\ *adj* **1** : done contrary to or without choice **2** : COMPULSORY **3** : not subject to control by the will 〈~ muscles〉 — **in·vol·un·tar·i·ly** \(,)in-,väl-ən-'ter-ə-lē\ *adv*

in·vo·lute \'in-və-,lüt\ *adj* **1** : curled spirally and usu. closely 〈~ shell〉 **2** : INVOLVED, INTRICATE

in·vo·lu·tion \,in-və-'lü-shən\ *n* **1** : the act or an instance of enfolding or entangling **2** : COMPLEXITY, INTRICACY

in·volve \in-'välv\ *vb* **1** : to draw in as a participant : ENGAGE, IMPLICATE **2** : ENVELOP **3** : to relate closely : CONNECT **4** : INCLUDE **5** : ENTAIL, IMPLY **6** : AFFECT **7** : to occupy fully : ABSORB, ENGROSS 〈*involved* in a game of chess〉

in·vul·ner·a·ble \(')in-'vəl-nə-rə-bəl\ *adj* **1** : incapable of being wounded, injured, or damaged **2** : immune to or proof against attack — **in·vul·ner·a·bil·i·ty** \(,)in-,vəl-nə-rə-'bil-ət-ē\ *n* — **in·vul·ner·a·bly** \(')in-'vəl-nə-rə-blē\ *adv*

¹in·ward \'in-wərd\ *adj* **1** : situated on the inside : INNER **2** : MENTAL; *also* : SPIRITUAL 〈~ peace〉 **3** : directed toward the interior

²inward *or* **in·wards** \-wərdz\ *adv* **1** : toward the inside, center, or interior **2** : toward the inner being

in·ward·ly \'in-wərd-lē\ *adv* **1** : MENTALLY, SPIRITUALLY **2** : INTERNALLY 〈bled ~〉 **3** : to oneself : PRIVATELY 〈cursed ~〉 **4** : toward the center or interior

io·dide \'ī-ə-,dīd\ *n* : a compound of iodine with another element or a radical

io·dine \'ī-ə-,dīn, -əd-ᵊn\ *n* [F *iode* iodine, fr. Gk *ioeidēs* violet-colored, fr. *ion* violet; so called fr. its violet-colored vapor] : a nonmetallic chemical element used in medicine and photography

ion \'ī-ən, 'ī-,än\ *n* : an electrically charged particle or group of atoms — **ion·ic** \ī-'än-ik\ *adj*

io·ta \ī-'ōt-ə\ *n* : a very small quantity : JOT 〈not an ~ of truth in the story〉

Ira·ni·an \ir-'ā-nē-ən\ *n* : a native or inhabitant of Iran — **Iranian** *adj*

Iraqi \i-'räk-ē\ *n* : a native or inhabitant of Iraq — **Iraqi** *adj*

iras·ci·ble \ir-'as-ə-bəl, ī-'ras-\ *adj* : marked by hot temper and easily provoked anger **syn** choleric, testy, touchy, cranky, cross — **iras·ci·bil·i·ty** \ir-,as-ə-'bil-ət-ē, ī-,ras-\ *n*

irate \ī-'rāt\ *adj* **1** : roused to or given to ire : INCENSED **2** : arising from anger 〈~ words〉 — **irate·ly** *adv*

ire \'ī(ə)r\ *n* : ANGER, WRATH — **ire·ful** \-fəl\ *adj*

ir·i·des·cence \,ir-ə-'des-ᵊns\ *n* : a rainbowlike play of colors — **ir·i·des·cent** \-ᵊnt\ *adj*

irid·i·um \ir-'id-ē-əm\ *n* : a hard brittle very heavy metallic chemical element used in alloys

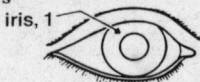

iris \'ī-rəs\ *n*, *pl* **iris·es** *or* **iri·des** \'ī-rə-,dēz, 'ir-ə-\ **1** : the colored part around the pupil of the eye **2** : a plant with linear basal leaves and large showy flowers

iris, 1

Irish \'ī(ə)r-ish\ *n* **1 Irish** *pl* : the people of Ireland **2** : the Celtic language of Ireland — **Irish** *adj* — **Irishman** \-mən\ *n*

irk \'ərk\ *vb* : to make weary, irritated, or bored : ANNOY

irk·some \-səm\ *adj* : tending to irk : TEDIOUS, ANNOYING — **irk·some·ly** *adv*

¹iron \'ī(ə)rn\ *n* **1** : a metallic chemical element that rusts easily, is attracted by magnets, can be readily shaped, and is vital to biological processes **2** : something (as a utensil) made of metal and esp. iron; *also* : something (as handcuffs) used to bind or restrain 〈put them in ~s〉 **3** : STRENGTH, HARDNESS

²iron *vb* **1** : to press or smooth with or as if with a heated flatiron **2** : to remove by ironing 〈~ out wrinkles〉

¹iron·clad \-'klad\ *adj* **1** : sheathed in iron armor **2** : RIGOROUS, EXACTING

²iron·clad \-,klad\ *n* : an armored naval vessel

iron·ic \ī-'rän-ik\ *adj* **1** : of, relating to, or marked by irony **2** : given to irony — **iron·i·cal** \-i-kəl\ — **iron·i·cal·ly** *adv*

iron lung *n* : a device for artificial respiration (as in polio) that encloses the chest or body in a chamber in which changes of pressure force air into and out of the lungs

iron·ware \'ī(ə)rn-,waər\ *n* : articles made of iron

iron·work \-,wərk\ *n* **1** : work in iron **2** *pl* : a mill or building where iron or steel is smelted or heavy iron or steel products are made

iro·ny \'ī-rə-nē\ *n* **1** : the use of words to express the opposite of what one really means **2** : incongruity between the actual result of a sequence of events and the expected result

irradiate 249 issue

ir·ra·di·ate \ir-'ād-ē-,āt\ *vb* **1** : ILLUMINATE **2** : ENLIGHTEN **3** : to treat by exposure to radiation **4** : RADIATE — **ir·ra·di·a·tion** \-,ād-ē-'ā-shən\ *n*

ir·ra·tio·nal \(')ir-'ash-(ə-)nəl\ *adj* **1** : incapable of reasoning ⟨~ beasts⟩; *also* : defective in mental power ⟨~ with fever⟩ **2** : not based on reason ⟨~ fears⟩ — **ir·ra·tio·nal·ly** *adv*

ir·re·claim·able \,ir-i-'klā-mə-bəl\ *adj* : incapable of being reclaimed

ir·rec·on·cil·able \(')ir-'ek-ən-,sī-lə-bəl\ *adj* : impossible to reconcile, adjust, or harmonize — **ir·rec·on·cil·abil·i·ty** \(,)-,ek-ən-,sī-lə-'bil-ət-ē\ *n*

ir·re·cov·er·able \,ir-i-'kəv-(ə-)rə-bəl\ *adj* : not capable of being recovered or rectified : IRREPARABLE

ir·re·deem·able \,ir-i-'dē-mə-bəl\ *adj* **1** : not redeemable; *esp* : not terminable by payment of the principal ⟨an ~ bond⟩ **2** : not convertible into gold or silver at the will of the holder **3** : admitting of no change or reform : HOPELESS

ir·re·duc·ible \,ir-i-'d(y)ü-sə-bəl\ *adj* : not reducible

ir·re·fut·able \,ir-i-'fyüt-ə-bəl, (')ir-'ef-yət-\ *adj* : impossible to refute : INDISPUTABLE, INCONTROVERTIBLE

ir·reg·u·lar \(')ir-'eg-yə-lər\ *adj* **1** : not regular : not natural or uniform **2** : not conforming to the normal or usual manner of inflection ⟨~ verbs⟩ — **ir·reg·u·lar·i·ty** \(,)ir-,eg-yə-'lar-ət-ē\ *n* — **ir·reg·u·lar·ly** \(')ir-'eg-yə-lər-lē\ *adv*

ir·rel·e·vant \(')ir-'el-ə-vənt\ *adj* : not relevant : INAPPLICABLE, FOREIGN — **ir·rel·e·vance** \-vəns\ *n*

ir·re·li·gious \,ir-i-'lij-əs\ *adj* : lacking religious emotions, doctrines, or practices

ir·re·me·di·a·ble \,ir-i-'mēd-ē-ə-bəl\ *adj* : impossible to remedy or correct : INCURABLE

ir·re·mov·able \,ir-i-'mü-və-bəl\ *adj* : not removable

ir·rep·a·ra·ble \(')ir-'ep-(ə-)rə-bəl\ *adj* : impossible to make good, undo, repair, or remedy : IRRETRIEVABLE ⟨~ damage⟩

ir·re·place·able \,ir-i-'plā-sə-bəl\ *adj* : not replaceable

ir·re·press·ible \,ir-i-'pres-ə-bəl\ *adj* : impossible to repress, restrain, or control ⟨~ laughter⟩

ir·re·proach·able \,ir-i-'prō-chə-bəl\ *adj* : not reproachable : BLAMELESS

ir·re·sist·ible \,ir-i-'zis-tə-bəl\ *adj* : impossible to successfully resist — **ir·re·sist·ibly** *adv*

ir·res·o·lute \(')ir-'ez-ə-,lüt\ *adj* : uncertain how to act or proceed : VACILLATING — **ir·res·o·lute·ly** *adv* — **ir·res·o·lu·tion** \(,)ir-,ez-ə-'lü-shən\ *n*

ir·re·spon·si·ble \,ir-i-'spän-sə-bəl\ *adj* : not responsible — **ir·re·spon·si·bil·i·ty** \-,spän-sə-'bil-ət-ē\ *n* — **ir·re·spon·si·bly** \-'spän-sə-blē\ *adv*

ir·re·triev·able \,ir-i-'trē-və-bəl\ *adj* : not retrievable : IRRECOVERABLE

ir·rev·er·ence \(')ir-'ev-(ə-)rəns\ *n* **1** : lack of reverence **2** : an irreverent act or utterance — **ir·rev·er·ent** *adj*

ir·re·vers·ible \,ir-i-'vər-sə-bəl\ *adj* : incapable of being reversed

ir·rev·o·ca·ble \(')ir-'ev-ə-kə-bəl\ *adj* : incapable of being revoked or recalled : UNALTERABLE — **ir·rev·o·ca·bly** *adv*

ir·ri·gate \'ir-ə-,gāt\ *vb* : to supply (as land) with water by artificial means; *also* : to flush with liquid — **ir·ri·ga·tion** \,ir-ə-'gā-shən\ *n*

ir·ri·ta·ble \'ir-ət-ə-bəl\ *adj* : capable of being irritated; *esp* : readily or easily irritated — **ir·ri·ta·bil·i·ty** \,ir-ət-ə-'bil-ət-ē\ *n* — **ir·ri·ta·bly** \'ir-ət-ə-blē\ *adv*

ir·ri·tate \'ir-ə-,tāt\ *vb* **1** : to excite to anger : EXASPERATE **2** : to act as a stimulus toward : STIMULATE; *also* : to make sore or inflamed — **ir·ri·tant** \'ir-ə-tənt\ *adj or n* — **ir·ri·ta·tion** \,ir-ə-'tā-shən\ *n*

is *pres 3d sing of* BE

-ish \ish\ *adj suffix* **1** : of, relating to, or being ⟨Finn*ish*⟩ **2** : characteristic of ⟨boy*ish*⟩ : having the undesirable qualities of ⟨mul*ish*⟩ **3** : having a touch or trace of : somewhat ⟨purpl*ish*⟩ **4** : having the approximate age of ⟨forty*ish*⟩ **5** : being or occurring at the approximate time of ⟨eight*ish*⟩

Is·lam \is-'läm, iz-, -'lam\ *n* : the religious faith of Muslims; *also* : the civilization built on this faith — **Is·lam·ic** \is-'läm-ik, iz-, -'lam-\ *adj*

is·land \'ī-lənd\ *n* **1** : a body of land surrounded by water and smaller than a continent **2** : something resembling an island by its isolated or surrounded position

is·land·er *n* : a native or inhabitant of an island

isle \'īl\ *n* : ISLAND; *esp* : a small island

is·let \'ī-lət\ *n* : a small island

ism \'iz-əm\ *n* : a distinctive doctrine, cause, or theory

-ism \,iz-əm\ *n suffix* **1** : act : practice : process ⟨critic*ism*⟩ **2** : manner of action or behavior characteristic of a ⟨specified⟩ person or thing **3** : state : condition : property ⟨barbarian*ism*⟩ **4** : abnormal state or condition resulting from excess of a (specified) thing ⟨alcohol*ism*⟩ or marked by resemblance to (such) a person or thing ⟨mongol*ism*⟩ **5** : doctrine : theory : cult ⟨Buddh*ism*⟩ **6** : adherence to a system or a class of principles ⟨stoic*ism*⟩ **7** : characteristic or peculiar feature or trait ⟨colloquial*ism*⟩

iso·late \'ī-sə-,lāt, 'is-ə-\ *vb* : to place or keep by itself : separate from others — **iso·la·tion** \,ī-sə-'lā-shən, ,is-ə-\ *n*

iso·la·tion·ism \,ī-sə-'lā-shə-,niz-əm, ,is-ə-\ *n* : a policy of national isolation by abstention from international political and economic relations (as alliances) — **iso·la·tion·ist** \-sh(ə-)nəst\ *n or adj*

isos·ce·les \ī-'säs-ə-,lēz\ *adj* : having two equal sides ⟨an ~ triangle⟩

iso·tope \'ī-sə-,tōp\ *n* : any of two or more species of atoms of the same chemical element nearly identical in chemical behavior but differing in the number of neutrons — **iso·top·ic** \,ī-sə-'täp-ik, -'tōp-\ *adj*

Is·rae·li \iz-'rā-lē\ *n* : a native or inhabitant of the Republic of Israel — **Is·raeli** *adj*

Is·ra·el·ite \'iz-rē-ə-,līt\ *n* : a member of the Hebrew people descended from Jacob — **Israelite** *adj*

is·su·ance \'ish-ü-əns\ *n* : the act of issuing or giving out esp. officially

¹**is·sue** \'ish-ü\ *n* **1** *pl* : proceeds from a source of revenue (as an estate) **2** : the action of going, coming, or flowing out : EGRESS, EMERGENCE **3** : EXIT,

OUTLET, VENT **4** : OFFSPRING, PROGENY **5** : OUTCOME, RESULT **6** : a point of debate or controversy; *also* : the point at which an unsettled matter is ready for a decision **7** : a discharge (as of blood) from the body **8** : something coming forth from a specified source ⟨~s of a disordered imagination⟩ **9** : the act of officially giving out or printing : PUBLICATION; *also* : the quantity of things given out at one time ⟨a new ~ of stamps⟩

²**issue** *vb* **1** : to go, come, or flow out **2** : to come forth or cause to come forth : EMERGE, DISCHARGE, EMIT **3** : ACCRUE **4** : to descend from a specified parent or ancestor **5** : EMANATE, RESULT **6** : to appear through issuance or publication **7** : to have an outcome : result in **8** : to put forth or distribute officially ⟨~ rifles to soldiers⟩ **9** : PUBLISH

¹**-ist** \əst\ *n suffix* **1** : one that performs a (specified) action ⟨cyclist⟩ : one that makes or produces ⟨novelist⟩ **2** : one that plays a (specified) musical instrument ⟨harpist⟩ **3** : one that operates a (specified) mechanical instrument or contrivance ⟨automobilist⟩ **4** : one that specializes in a (specified) art or science or skill ⟨geologist⟩ **5** : one that adheres to or advocates a (specified) doctrine or system or code of behavior ⟨socialist⟩ or that of a (specified) individual ⟨Darwinist⟩

²**-ist** *adj suffix* : of, relating to, or characteristic of ⟨dilettantist⟩

isth·mus \'is-məs\ *n* : a narrow strip of land connecting two larger portions of land

-is·tic \'is-tik\ *also* **-is·ti·cal** \-ti-kəl\ *adj suffix* : of, relating to, or characteristic of ⟨altruistic⟩

¹**it** \(')it, ət\ *pron* **1** : that one — used of a lifeless thing, a plant, a person or animal, or an abstract entity ⟨~'s a big building⟩ ⟨~'s a shade tree⟩ ⟨who is ~⟩ ⟨beauty is everywhere and ~ is a source of joy⟩ **2** — used as an anticipatory subject or object ⟨~'s good to see you⟩ ⟨I find ~ odd that you should mention that⟩

²**it** \'it\ *n* : the player in a game who performs a function (as trying to catch others in a game of tag) essential to the nature of the game

Ital·ian \ə-'tal-yən, i-\ *n* **1** : a native or inhabitant of Italy **2** : the language of Italy — **Italian** *adj*

ital·ic \ə-'tal-ik, i-, ī-\ *adj* : relating to type in which the letters slope up toward the right (as in "*italic*") — **italic** *n*

itch \'ich\ *n* **1** : an uneasy irritating skin sensation related to pain **2** : a skin disorder accompanied by an itch **3** : a troublesome persistent desire — **itch** *vb* — **itchy** *adj*

-ite \,īt\ *n suffix* **1** : native : resident ⟨Brooklynite⟩ **2** : descendant ⟨Ishmaelite⟩ **3** : adherent : follower ⟨Leninite⟩ **4** : product ⟨vulcanite⟩ **5** : mineral : rock ⟨quartzite⟩

item \'īt-əm\ *n* [L, likewise, also] **1** : a separate particular in a list, account, or series : ARTICLE **2** : a separate piece of news (as in a newspaper)

item·ize \'īt-ə-,mīz\ *vb* : to set down in detail or by particulars : LIST

it·er·ate \'it-ə-,rāt\ *vb* : REITERATE, REPEAT — **it·er·a·tion** \,it-ə-'rā-shən\ *n*

itin·er·ant \ī-'tin-ə-rənt, ə-\ *adj* : traveling from place to place; *esp* : covering a circuit ⟨an ~ preacher⟩

itin·er·ary \ī-'tin-ə-,rer-ē, ə-\ *n* **1** : the route of a journey or the proposed outline of one **2** : a travel diary **3** : a traveler's guidebook

its \(,)its, əts\ *adj* : of or relating to it or itself

it·self \it-'self, ət-\ *pron* : its self : IT — used reflexively, for emphasis, or in absolute constructions

-i·ty \ət-ē\ *n suffix* : quality : state : degree ⟨alkalinity⟩

-ive \iv\ *adj suffix* : that performs or tends toward an (indicated) action ⟨corrective⟩

ivo·ry \'īv-(ə-)rē\ *n* **1** : the hard creamy-white material composing elephants' tusks **2** : a variable color averaging a pale yellow **3** : something (as dice or piano keys) made of ivory or of a similar substance

ivy \'ī-vē\ *n* : a trailing woody vine with evergreen leaves and small black berries

-ize \,īz\ *vb suffix* **1** : cause to be or conform to or resemble ⟨systemize⟩ : cause to be formed into ⟨unionize⟩ **2** : subject to a (specified) action ⟨satirize⟩ **3** : saturate, treat, or combine with ⟨macadamize⟩ **4** : treat like ⟨idolize⟩ **5** : become : become like ⟨crystallize⟩ **6** : be productive in or of : engage in a (specified) activity ⟨philosophize⟩ **7** : adopt or spread the manner of activity or the teaching of ⟨calvinize⟩ — **-iza·tion** \ə-'zā-shən, (*not shown elsewhere in vocabulary*) ī-'zā-\ *n suffix*

J

j \'jā\ *n, often cap* : the 10th letter of the English alphabet

¹**jab** \'jab\ *vb* **jabbed**; **jab·bing** : to thrust quickly or abruptly : POKE

²**jab** *n* : a usu. short straight punch

jab·ber \'jab-ər\ *vb* : to talk rapidly, indistinctly, or unintelligibly : CHATTER — **jabber** *n*

jab·ber·wocky \-,wäk-ē\ *n* : meaningless speech or writing

¹**jack** \'jak\ *n* **1** : a mechanical device; *esp* : one used to raise a heavy body a short distance **2** : a small national flag flown by a ship **3** : a playing card bearing the figure of a man **4** : a small target ball in lawn bowling **5** : a small 6-pointed metal object used in a game (**jacks**) **6** : an electrical socket into which a plug is inserted for making connection **7** : a male donkey

²**jack** *vb* **1** : to raise by means of a jack **2** : INCREASE ⟨~ up prices⟩

jack·al \'jak-əl, -,ȯl\ *n* : an Old World wild dog smaller than the related wolves

jack·ass \-,as\ *n* **1** : a male ass; *also* : DONKEY **2** : a stupid person : FOOL

jack·et \-ət\ *n* **1** : a garment for the upper body usu. having a front opening, collar, and sleeves **2** : an outer covering or casing ⟨a book ~⟩ — **jack·et·ed** *adj*

Jack Frost *n* : frost or frosty weather personified

¹**jack·knife** \'jak-ˌnīf\ *n* **1** : a large strong pocketknife **2** : a dive in which the diver bends from the waist and touches his ankles before straightening out

²**jackknife** *vb* : to turn or rise and form an angle of 90 degrees or less with each other — used esp. of a pair of connected vehicles

jack-of-all-trades *n, pl* **jacks-of-all-trades** : one who is able to do passable work at various trades

jack·pot \-ˌpät\ *n* **1** : a large sum of money formed by the accumulation of stakes from previous play (as in poker) **2** : an impressive and often unexpected success or reward

jack·rab·bit \-ˌrab-ət\ *n* : a large hare of western No. America with very long hind legs

jac·quard \'jak-ˌärd\ *n, often cap* : a fabric of intricate variegated weave or pattern

jade *vb* **1** : to wear out by overwork or abuse **2** : to become weary **syn** exhaust, fatigue, tire

jade *n* : a usu. green gemstone that takes a high polish

jag \'jag\ *n* : a sharp projecting part (as of rock)

jag·ged \'jag-əd\ *adj* : sharply notched ⟨a ~ edge⟩

jag·uar \'jag-ˌwär\ *n* : a black-spotted tropical American cat that is larger and stockier than the Old World leopard

¹**jail** \'jāl\ *n* : PRISON; *esp* : one for persons held in temporary custody

²**jail** *vb* : to confine in a jail

jail·bird \-ˌbərd\ *n* : a person confined in jail

jail·break \-ˌbrāk\ *n* : a forcible escape from jail

jail·er *or* **jail·or** \'jā-lər\ *n* : a keeper of a jail

ja·lopy \jə-'läp-ē\ *n* : a dilapidated automobile

jal·ou·sie \'jal-ə-sē\ *n* : a blind, window, or door with adjustable horizontal slats or louvers for control of light and air

¹**jam** \'jam\ *vb* **jammed**; **jam·ming 1** : to press into a close or tight position **2** : to push forcibly ⟨~ on the brakes⟩ **3** : CRUSH, BRUISE **4** : to cause to become wedged so as to be unworkable; *also* : to become unworkable through the jamming of a movable part **5** : to make unintelligible by sending out interfering signals or messages

²**jam** *n* **1** : a crowded mass that impedes or blocks ⟨traffic ~⟩ **2** : a difficult state of affairs

³**jam** *n* : a food made by boiling fruit and sugar to a thick consistency

jamb \'jam\ *n* : an upright piece forming the side of an opening (as of a door)

jam·bo·ree \ˌjam-bə-'rē\ *n* : a large festive gathering

jan·gle \'jaŋ-gəl\ *vb* : to make a harsh or discordant sound — **jangle** *n*

jan·i·tor \'jan-ət-ər\ *n* : a person who has the care of a building (as a school or an apartment)

Jan·u·ary \'jan-yə-ˌwer-ē\ *n* : the 1st month of the year having 31 days

Jap·a·nese \ˌjap-ə-'nēz\ *n, pl* **Japanese 1** : a native or inhabitant of Japan **2** : the language of Japan — **Japanese** *adj*

jape \'jāp\ *vb* **1** : JOKE **2** : MOCK

¹**jar** \'jär\ *vb* **jarred**; **jar·ring 1** : to make a harsh or discordant sound **2** : to have a harsh or disagreeable effect **3** : VIBRATE, SHAKE

²**jar** *n* **1** : a harsh discordant sound **2** : JOLT **3** : QUARREL, DISPUTE **4** : a painful effect : SHOCK

³**jar** *n* : a broad-mouthed container usu. of glass or earthenware

jar·gon \'jär-gən, -ˌgän\ *n* **1** : confused unintelligible language **2** : the special vocabulary of a particular group or activity **3** : obscure and often pretentious language

jas·mine \'jaz-mən\ *n* : any of various climbing shrubs with fragrant flowers

jas·per \'jas-pər\ *n* : an opaque quartz that is red, green, or yellow in color

¹**jaun·dice** \'jón-dəs\ *n* : yellowish discoloration of skin, tissues, and body fluids by bile pigments; *also* : a disorder marked by jaundice

²**jaundice** *vb* : PREJUDICE

jaunt \'jónt\ *n* : a short trip usu. for pleasure

jaun·ty \'jónt-ē\ *adj* : sprightly in manner or appearance : LIVELY **syn** debonair, perky, cocky — **jaun·ti·ly** *adv* — **jaun·ti·ness** *n*

jav·e·lin \'jav-(ə-)lən\ *n* **1** : a light spear **2** : a slender metal-tipped shaft of wood thrown for distance in a track-and-field contest

jaw \'jó\ *n* **1** : either of the bony or cartilaginous structures that support the soft tissues enclosing the mouth and usu. bear teeth; *also* : the parts forming the walls of the mouth and serving to open and close it — usu. used in pl. **2** : one of a pair of movable parts for holding or crushing something — **jaw·bone** \-ˌbōn, -ˌbōn\ *n*

jaw·break·er \-ˌbrā-kər\ *n* **1** : a word difficult to pronounce **2** : a round hard candy

jay \'jā\ *n* : any of various noisy brightly colored birds smaller than the related crows

jay·walk \'jā-ˌwók\ *vb* : to cross a street carelessly without regard to traffic regulations — **jay·walk·er** *n*

¹**jazz** \'jaz\ *vb* : ENLIVEN ⟨~ things up⟩

²**jazz** *n* **1** : American music characterized by improvisation, syncopated rhythms, and contrapuntal ensemble playing **2** : empty talk : STUFF

jazzy *adj* **1** : having the characteristics of jazz **2** : marked by unrestraint, animation, or flashiness

jeal·ous \'jel-əs\ *adj* **1** : demanding complete devotion **2** : suspicious of a rival or of one believed to enjoy an advantage **3** : VIGILANT ⟨~ of his rights⟩ **4** : distrustfully watchful — **jeal·ous·ly** *adv* — **jeal·ou·sy** \-ə-sē\ *n*

jeans \'jēnz\ *n pl* : pants made of durable twilled cotton cloth

¹**jeer** \'jiər\ *vb* **1** : to speak or cry out in derision **2** : RIDICULE

²**jeer** *n* : TAUNT

Je·ho·vah \ji-'hō-və\ *n* : ²GOD

jell \'jel\ *vb* **1** : to come to the consistency of jelly **2** : to take shape ⟨his opinions slowly ~ed⟩

jel·ly \'jel-ē\ *n* **1** : a food with a soft somewhat elastic consistency due usu. to

jellyfish — **joint**

the presence of gelatin or pectin; *esp* : a fruit product made by boiling sugar and the juice of a fruit **2** : a substance resembling jelly in consistency — **jelly** *vb*

jel·ly·fish \-,fish\ *n* : a sea animal with a saucer-shaped jellylike body

jeop·ar·dy \'jep-ərd-ē\ *n* **1** : exposure to death, loss, or injury *syn* peril, hazard, risk, danger — **jeop·ar·dize** \-ər-,dīz\ *vb* — **jeop·ar·dous** \-ərd-əs\ *adj*

¹**jerk** \'jərk\ *vb* **1** : to give a sharp quick push, pull, or twist **2** : to move in short abrupt motions

²**jerk** *n* **1** : a short quick pull or twist : TWITCH **2** : a stupid, foolish, or eccentric person — **jerk·i·ly** *adv* — **jerky** *adj*

jer·sey \'jər-zē\ *n* [fr. *Jersey*, one of the Channel islands] **1** : a plain weft-knitted fabric **2** : a close-fitting knitted garment for the upper body **3** : any of a breed of small usu. fawn-colored dairy cattle

¹**jest** \'jest\ *n* **1** : an act intended to provoke laughter **2** : a witty remark **3** : a frivolous mood ⟨spoken in ~⟩

²**jest** *vb* : JOKE, BANTER

jest·er *n* : a retainer formerly kept to provide casual entertainment ⟨a king's ~⟩

¹**jet** \'jet\ *n* : a compact velvet-black coal that takes a good polish and is used for jewelry

²**jet** *vb* **jet·ted; jet·ting 1** : to spout or emit in a stream : SPURT **2** : to travel by jet

³**jet** *n* **1** : a forceful rush (as of liquid or gas) through a narrow opening; *also* : a nozzle for a jet of fluid **2** : a jet-propelled airplane

jet·sam \'jet-səm\ *n* : goods thrown overboard to lighten a ship in distress; *esp* : such goods when washed ashore

jet·ti·son \'jet-ə-sən\ *vb* **1** : to throw (goods) overboard to lighten a ship in distress **2** : DISCARD — **jettison** *n*

jet·ty \'jet-ē\ *n* **1** : a pier built to influence the current or to protect a harbor **2** : a landing wharf

Jew \'jü\ *n* **1** : ISRAELITE **2** : one whose religion is Judaism — **Jew·ish** *adj*

¹**jew·el** \'jü-əl\ *n* **1** : an ornament of precious metal worn as an accessory of dress **2** : GEMSTONE, GEM

²**jewel** *vb* : to adorn or equip with jewels

jew·el·er *or* **jew·el·ler** \-ər\ *n* : a person who makes or deals in jewelry and related articles

jew·el·ry \-əl-rē\ *n* : JEWELS; *esp* : objects of precious metal set with gems and worn for personal adornment

Jew·ry \'jü-rē\ *n* : the Jewish people

jib \'jib\ *n* : a triangular sail extending forward from the foremast of a ship

jibe \'jīb\ *vb* : to be in accord : AGREE ⟨their stories of what happened do not ~⟩

jif·fy \'jif-ē\ *n* : MOMENT, INSTANT ⟨I'll be ready in a ~⟩

¹**jig** \'jig\ *n* **1** : a lively dance in triple rhythm **2** : TRICK, GAME ⟨the ~ is up⟩ **3** : a device used to hold work while being fabricated or assembled

²**jig** *vb* **jigged; jig·ging** : to dance a jig

jig·ger \'jig-ər\ *n* : a measure usu. holding 1½ ounces used in mixing drinks

jig·gle \'jig-əl\ *vb* : to move with quick little jerks

jig·saw \'jig-,sȯ\ *n* : a machine saw with a narrow vertical blade esp. for cutting up a picture on rigid material into curved and irregular pieces that are fitted together to form a puzzle (**jigsaw puzzle**)

¹**jilt** \'jilt\ *n* : a woman who jilts a man

²**jilt** *vb* : to cast (as a lover) aside unfeelingly

jim·my \'jim-ē\ *vb* : to force open with a short crowbar

¹**jin·gle** \'jiŋ-gəl\ *vb* : to make a light clinking or tinkling sound

²**jingle** *n* **1** : a light clinking or tinkling sound **2** : a short verse or song with catchy repetition

jin·go·ism \'jiŋ-gō-,iz-əm\ *n* : extreme chauvinism or nationalism marked esp. by a belligerent foreign policy — **jin·go·ist** \-,ōst\ *n* — **jin·go·is·tic** \,jiŋ-gō-'is-tik\ *adj*

¹**jinx** \'jiŋks\ *n* : one that brings bad luck

²**jinx** *vb* : to foredoom to failure or misfortune

jit·ney \'jit-nē\ *n* : a small bus that carries passengers over a regular route according to a flexible schedule

jit·ters \'jit-ərz\ *n pl* : extreme nervousness — **jit·tery** \-ə-rē\ *adj*

¹**job** \'jäb\ *n* **1** : a piece of work **2** : something that has to be done : DUTY **3** : a regular remunerative position — **job·less** \'jäb-ləs\ *adj*

²**job** *vb* **jobbed; job·bing 1** : to do occasional pieces of work for hire **2** : to hire or let by the job

job·ber \'jäb-ər\ *n* **1** : MIDDLEMAN **2** : a person who does work by the job

¹**jock·ey** \'jäk-ē\ *n* : one who rides or drives a horse esp. as a professional in a race

²**jockey** *vb* : to maneuver or manipulate by adroit or devious means

jo·cose \jō-'kōs\ *adj* : MERRY, HUMOROUS *syn* jocular, facetious, witty

joc·u·lar \'jäk-yə-lər\ *adj* : marked by jesting : PLAYFUL — **joc·u·lar·i·ty** \,jäk-yə-'lar-ət-ē\ *n*

joc·und \'jäk-ənd\ *adj* : marked by mirth or cheerfulness : GAY

jodh·pur \'jäd-pər\ *n* **1** *pl* : riding breeches loose above the knee and tight-fitting below **2** : an ankle-high boot fastened with a strap

¹**jog** \'jäg\ *vb* **jogged; jog·ging 1** : to give a slight shake or push to **2** : to go at a slow monotonous pace ⟨~ around the track⟩

²**jog** *n* **1** : a slight shake **2** : a jogging movement or pace

³**jog** *n* **1** : a projecting or retreating part of a line or surface **2** : a brief abrupt change in direction

jog·gle \'jäg-əl\ *vb* : to shake slightly — **joggle** *n*

join \'jȯin\ *vb* **1** : to come or bring together so as to form a unit **2** : to come or bring into close association **3** : to become a member of ⟨~ a church⟩ **4** : to take part in a collective activity **5** : ADJOIN

join·er *n* **1** : a worker who constructs articles by joining pieces of wood **2** : a gregarious person who joins many organizations

¹**joint** \'jȯint\ *n* **1** : the point of contact between bones of an animal skeleton with the parts that surround and support it **2** : a cut of meat suitable for roasting **3** : a place where two things or parts are connected **4** : ESTABLISHMENT

²**joint** *adj* **1** : UNITED ⟨a ~ effort⟩ **2** : common to two or more ⟨a ~ account⟩ — **joint·ly** *adv*
³**joint** *vb* **1** : to unite by or provide with a joint **2** : to separate the joints of
joist \'jóist\ *n* : any of the small timbers or metal beams ranged parallel from wall to wall in a building to support the floor or ceiling

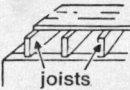

joists

¹**joke** \'jōk\ *n* : something said or done to provoke laughter; *esp* : a brief narrative with a humorous climax
²**joke** *vb* : to speak or act without seriousness
jok·er *n* **1** : a person who jokes **2** : an extra card used in some card games **3** : a part (as of an agreement) meaning something quite different from what it seems to mean and changing the apparent intention of the whole
jol·ly \'jäl-ē\ *adj* : full of high spirits : MERRY
¹**jolt** \'jōlt\ *vb* **1** : to move with a sudden jerky motion **2** : to give a quick hard knock or blow to
²**jolt** *n* **1** : an abrupt jerky blow or movement **2** : a sudden shock
jon·quil \'jän-kwəl\ *n* : a narcissus with fragrant clustered white or yellow flowers
josh \'jäsh\ *vb* : TEASE, JOKE
jos·tle \'jäs-əl\ *vb* **1** : to come in contact or into collision **2** : to make one's way by pushing and shoving
¹**jot** \'jät\ *n* : the least bit : IOTA
²**jot** *vb* **jot·ted**; **jot·ting** : to write briefly and hurriedly
jounce \'jaùns\ *vb* : JOLT — **jounce** *n*
jour·nal \'jərn-ᵊl\ *n* **1** : a brief account of daily events **2** : a record of proceedings (as of a legislative body) **3** : a periodical (as a newspaper) dealing esp. with current events **4** : the part of a rotating axle or spindle that turns in a bearing
jour·nal·ism \'jərn-ᵊl-,iz-əm\ *n* **1** : the business of writing for, editing, or publishing periodicals (as newspapers) **2** : writing designed for or characteristic of newspapers — **jour·nal·ist** \-əst\ *n* — **jour·nal·is·tic** \,jərn-ᵊl-'is-tik\ *adj*
¹**jour·ney** \'jər-nē\ *n* : travel or passage from one place to another
²**journey** *vb* : to go on a journey : TRAVEL
jour·ney·man \-mən\ *n* **1** : a worker who has learned a trade and works for another person **2** : an experienced reliable workman
¹**joust** \'jaùst\ *vb* : to engage in a joust
²**joust** *n* : a combat on horseback between two knights with lances esp. as part of a tournament
jo·vi·al \'jō-vē-əl\ *adj* : marked by good humor : full of fun — **jo·vi·al·i·ty** \,jō-vē-'al-ət-ē\ *n* — **jo·vi·al·ly** \'jō-vē-ə-lē\ *adv*
¹**jowl** \'jaùl\ *n* **1** : the lower jaw **2** : CHEEK
²**jowl** *n* : loose flesh about the lower jaw or throat
joy \'jói\ *n* [OF *joie*, fr. L *gaudium*] **1** : a feeling of happiness that comes from success, good fortune, or a sense of well-being **2** : a source or cause of happiness ⟨a ~ to behold⟩ **syn** bliss, delight, enjoyment, pleasure — **joy·less** \-ləs\ *adj*
²**joy** *vb* : REJOICE
joy·ful \-fəl\ *adj* : experiencing, causing, or showing joy — **joy·ful·ly** *adv*
joy·ous \'jói-əs\ *adj* : JOYFUL — **joy·ous·ly** *adv* — **joy·ous·ness** *n*
joy·ride \-,rīd\ *n* : a ride taken for pleasure — **joy·rid·er** *n*
ju·bi·lant \'jü-bə-lənt\ *adj* : expressing great joy : EXULTANT — **ju·bi·lant·ly** *adv*
ju·bi·la·tion \,jü-bə-'lā-shən\ *n* : EXULTATION
ju·bi·lee \'jü-bə-,lē\ *n* **1** : a 50th anniversary **2** : a season or occasion of celebration
Ju·da·ism \'jüd-ə-,iz-əm\ *n* : a religion developed among the ancient Hebrews and marked by belief in one God and by the moral and ceremonial laws of the Old Testament and the rabbinic tradition
¹**judge** \'jəj\ *vb* **1** : to form an authoritative opinion **2** : to decide as a judge : TRY **3** : to determine or pronounce after inquiry and deliberation : CONSIDER **4** : to form an estimate, conclusion, or evaluation about something : THINK **syn** adjudge, adjudicate, arbitrate, conclude, deduce, gather
²**judge** *n* **1** : a public official authorized to decide questions brought before a court **2** : UMPIRE **3** : one who gives an authoritative opinion : CRITIC
judg·ment *or* **judge·ment** \'jəj-mənt\ *n* **1** : a decision or opinion given after judging; *esp* : a formal decision given by a court **2** *cap* : the final judging of mankind by God **3** : the process of forming an opinion by discerning and comparing **4** : the capacity for judging : DISCERNMENT
ju·di·cial \jù-'dish-əl\ *adj* **1** : of or relating to the administration of justice or the judiciary **2** : ordered or enforced by a court **3** : CRITICAL — **ju·di·cial·ly** *adv*
ju·di·cia·ry \jù-'dish-ē-,er-ē\ *n* **1** : a system of courts of law; *also* : the judges of these courts **2** : a branch of government in which judicial power is vested — **judiciary** *adj*
ju·di·cious \jù-'dish-əs\ *adj* : having, exercising, or characterized by sound judgment : DISCREET **syn** prudent, sage, sane, sensible, wise — **ju·di·cious·ly** *adv*
ju·do \'jüd-ō\ *n* : a form of jujitsu that uses special applications of the principles of movement, balance, and leverage
jug \'jəg\ *n* : a large deep usu. earthenware or glass container with a narrow mouth and a handle
jug·ger·naut \'jəg-ər-,nót\ *n* : a massive inexorable force or object that crushes everything in its path
jug·gle \'jəg-əl\ *vb* **1** : to keep several objects in motion in the air at the same time **2** : to manipulate esp. in order to achieve a desired and often fraudulent end — **jug·gler** \'jəg-lər\ *n*
jug·u·lar \'jəg-yə-lər\ *adj* : of, relating to, or situated in or on the throat or neck ⟨the ~ veins return blood from the head⟩
juice \'jüs\ *n* **1** : the extractable fluid contents of cells or tissues **2** *pl* : the

natural fluids of an animal body **3** : a medium (as electricity) that supplies power
juic·y \'jü-sē\ *adj* **1** : SUCCULENT **2** : rich in interest; *also* : RACY
ju·jit·su *or* **ju·jut·su** \jü-'jit-sü\ *n* : the Japanese art of defending oneself by grasping or striking an opponent so that his own strength and weight are used against him
juke·box \'jük-,bäks\ *n* : a cabinet containing an automatic player of phonograph records that is started by inserting a coin in a slot
ju·lep \'jü-ləp\ *n* : a drink made of bourbon, sugar, and mint served over crushed ice in a tall glass
Ju·ly \ju̇-'lī\ *n* : the 7th month of the year having 31 days
¹jum·ble \'jəm-bəl\ *vb* : to mix in a confused mass
²jumble *n* : a disorderly mass or pile
jum·bo \'jəm-bō\ *n* : a very large specimen of its kind
¹jump \'jəmp\ *vb* **1** : to spring into the air; leap over **2** : to give a start **3** : to rise or increase suddenly or sharply **4** : to make a sudden attack **5** : ANTICIPATE ⟨~ the gun⟩ **6** : to leave hurriedly and often furtively ⟨~ town⟩
²jump *n* **1** : a spring into the air; *esp* : one made for height or distance in a track meet **2** : a sharp sudden increase **3** : an initial advantage ⟨get the ~ on him⟩
jumper *n* **1** : a loose blouse **2** : a sleeveless one-piece dress worn usu. with a blouse **3** *pl* : a child's sleeveless coverall
jumpy *adj* : NERVOUS, JITTERY
junc·tion \'jəŋk-shən\ *n* **1** : an act of joining **2** : a place or point of meeting ⟨a railroad ~⟩
junc·ture \'jəŋk-chər\ *n* **1** : UNION **2** : JOINT, CONNECTION **3** : a critical time or state of affairs
June \'jün\ *n* : the 6th month of the year having 30 days
jun·gle \'jəŋ-gəl\ *n* **1** : a thick tangled mass of tropical vegetation; *also* : a tract overgrown with rank vegetation **2** : a place of ruthless struggle for survival
¹ju·nior \'jü-nyər\ *n* [L, fr. *junior* younger, compar. of *juvenis* young] **1** : a person who is younger or of lower rank than another **2** : a student in his next-to-last year (as at a college)
²junior *adj* **1** : YOUNGER **2** : lower in rank **3** : of or relating to juniors ⟨~ class⟩
ju·ni·per \'jü-nə-pər\ *n* : any of various evergreen shrubs or trees related to the pines
¹junk \'jəŋk\ *n* **1** : old iron, glass, paper, or waste; *also* : discarded articles **2** : a shoddy product
²junk *vb* : DISCARD, SCRAP
³junk *n* : a ship of Chinese waters

jun·ket \'jəŋ-kət\ *n* **1** : a dessert of sweetened flavored milk set in a jelly **2** : a trip made by an official at public expense
jun·ta \'hu̇n-tə, 'jənt-ə\ *n* : a group of persons controlling a government esp. after a revolutionary seizure of power
Ju·pi·ter \'jü-pət-ər\ *n* : the largest of the planets and the one 5th in order of distance from the sun
ju·rid·i·cal \ju̇-'rid-i-kəl\ *adj* **1** : of or relating to the administration of justice **2** : LEGAL
ju·ris·dic·tion \,ju̇r-əs-'dik-shən\ *n* **1** : the power, right, or authority to interpret and apply the law **2** : the authority of a sovereign power **3** : the sphere of authority — **ju·ris·dic·tion·al** *adj*
ju·ris·pru·dence \-'prüd-ᵊns\ *n* **1** : a system of laws **2** : the science or philosophy of law
ju·rist \'ju̇r-əst\ *n* : one having a thorough knowledge of law
ju·ror \'ju̇r-ər\ *n* : a member of a jury
ju·ry \'ju̇r-ē\ *n* **1** : a body of persons sworn to inquire into and test a matter submitted to them and to give their verdict according to the evidence presented **2** : a committee for judging and awarding prizes (as at a contest) — **ju·ry·man** \-mən\ *n*
¹just \'jəst\ *adj* **1** : REASONABLE ⟨~ comment⟩ **2** : CORRECT, PROPER ⟨~ proportions⟩ **3** : morally or legally right ⟨a ~ title⟩ **4** : DESERVED, MERITED ⟨~ punishment⟩ *syn* upright, honorable, conscientious, honest — **just·ly** *adv* — **just·ness** *n*
²just \(,)jəst, (,)jist\ *adv* **1** : EXACTLY ⟨~ right⟩ **2** : very recently ⟨has ~ left⟩ **3** : BARELY ⟨lives ~ outside the city⟩ **4** : DIRECTLY ⟨~ across the street⟩ **5** : ONLY ⟨~ a note⟩ **6** : VERY ⟨~ wonderful⟩
jus·tice \'jəs-təs\ *n* **1** : the administration of what is just (as by assigning merited rewards or punishments) **2** : JUDGE **3** : the administration of law **4** : FAIRNESS; *also* : RIGHTEOUSNESS
jus·ti·fy \'jəs-tə-,fī\ *vb* **1** : to prove to be just, right, or reasonable **2** : to pronounce free from guilt or blame **3** : to adjust or arrange exactly — **jus·ti·fi·able** \-,fī-ə-bəl\ *adj* — **jus·ti·fi·ca·tion** \,jəs-tə-fə-'kā-shən\ *n*
jut \'jət\ *vb* **jut·ted**; **jut·ting** : PROJECT, PROTRUDE
jute \'jüt\ *n* : a strong glossy fiber from a tropical herb used esp. for making sacks and twine
¹ju·ve·nile \'jü-və-,nīl, -nᵊl\ *adj* **1** : showing incomplete development : IMMATURE **2** : of, relating to, or characteristic of children or young people
²juvenile *n* **1** : a young person or lower animal **2** : an actor or actress who plays youthful parts

K

k \'kā\ *n, often cap* : the 11th letter of the English alphabet
ka·bob \'kā-,bäb, kə-'bäb\ *n* : cubes of meat cooked with vegetables usu. on a skewer
kai·ser \'kī-zər\ *n* : EMPEROR; *esp* : the ruler of Germany from 1871 to 1918
kale \'kāl\ *n* : a hardy cabbage with curled leaves that do not form a head
ka·lei·do·scope \kə-'līd-ə-,skōp\ *n* : an instrument containing loose bits of colored glass between two flat plates

and two plane mirrors so placed that changes of position of the bits of glass are reflected in an endless variety of patterns — **ka·lei·do·scop·ic** \kə-ˌlīd-ə-ˈskäp-ik\ *adj*

ka·mi·ka·ze \ˌkäm-i-ˈkäz-ē\ *n* : a member of a corps of Japanese pilots assigned to make a crash on a target; *also* : an airplane flown in such an attack

kan·ga·roo \ˌkaŋ-gə-ˈrü\ *n* : a large leaping marsupial mammal of Australia with powerful hind legs and a long thick tail

kar·at \ˈkar-ət\ *n* : a unit for expressing proportion of gold in an alloy equal to 1/24 part of pure gold ⟨16-*karat* gold is 16/24 pure gold⟩

ka·ra·te \kə-ˈrät-ē\ *n* : a Japanese system of self-defense without a weapon

kar·ma \ˈkär-mə\ *n, often cap* : the force generated by a person's actions held in Hinduism and Buddhism to perpetuate transmigration and to determine his destiny in his next existence — **kar·mic** \-mik\ *adj, often cap*

ka·ty·did \ˈkāt-ē-ˌdid\ *n* : any of several large green tree-dwelling American grasshoppers

katydid   kayak

kay·ak \ˈkī-ˌak\ *n* : a decked-in Eskimo canoe made of skin and propelled by a double-bladed paddle

ka·zoo \kə-ˈzü\ *n* : a toy musical instrument consisting of a tube with a membrane sealing one end and a side hole into which one sings or hums

¹**kedge** \ˈkej\ *vb* : to move a ship by hauling on a line attached to a small anchor dropped at the distance and in the direction desired

²**kedge** *n* : a small anchor

keel \ˈkēl\ *n* **1** : a timber or plate running lengthwise along the center of the bottom of a ship **2** : something (as the breastbone of a bird) like a ship's keel in form or use

keel over *vb* **1** : OVERTURN, CAPSIZE **2** : FAINT, SWOON

¹**keen** \ˈkēn\ *adj* **1** : SHARP ⟨a ~ knife⟩ **2** : SEVERE ⟨a ~ wind⟩ **3** : ENTHUSIASTIC ⟨~ about swimming⟩ **4** : mentally alert ⟨a ~ mind⟩ **5** : STRONG, ACUTE ⟨~ eyesight⟩ — **keen·ly** *adv* — **keen·ness** *n*

²**keen** *n* : a lamentation for the dead uttered in a loud wailing voice or in a wordless cry — **keen** *vb*

¹**keep** \ˈkēp\ *vb* **kept** \ˈkept\ **keep·ing 1** : FULFILL, OBSERVE ⟨~ a promise⟩ ⟨~ a holiday⟩ **2** : GUARD ⟨~ us from harm⟩; *also* : to take care of ⟨~ a neighbor's children⟩ **3** : MAINTAIN ⟨~ silence⟩ **4** : to have in one's service or at one's disposal ⟨~ a horse⟩ **5** : to preserve a record in ⟨~ a diary⟩ **6** : to have in stock for sale **7** : to retain in one's possession ⟨~ what you find⟩ **8** : to carry on (as a business) : CONDUCT **9** : HOLD, DETAIN ⟨~ him in jail⟩ **10** : to refrain from revealing ⟨~ a secret⟩ **11** : to continue in good condition ⟨meat will ~ in a freezer⟩ **12** : ABSTAIN ⟨couldn't ~ from laughing⟩ — **keep·er** *n*

²**keep** *n* **1** : FORTRESS **2** : the means or provisions by which one is kept

keep·sake \-ˌsāk\ *n* : MEMENTO

keg \ˈkeg\ *n* : a small cask or barrel

kelp \ˈkelp\ *n* : any of various coarse brown seaweeds; *also* : a mass of these or their ashes often used as fertilizer

ken·nel \ˈken-ᵊl\ *n* : a shelter for a dog; *also* : an establishment for the breeding or boarding of dogs — **kennel** *vb*

ker·chief \ˈkər-chəf\ *n* [OF *couvrechef*, fr. *couvrir* to cover + *chef* head] **1** : a square of cloth worn by women esp. as a head covering **2** : HANDKERCHIEF

ker·nel \ˈkərn-ᵊl\ *n* **1** : the inner softer part of a seed, fruit stone, or nut **2** : a whole seed of a cereal **3** : a central or essential part : CORE

ker·o·sene *or* **ker·o·sine** \ˈker-ə-ˌsēn\ *n* : a thin oil produced from petroleum and used for a fuel and as a solvent

ket·tle \ˈket-ᵊl\ *n* : a metallic vessel for boiling liquids

ket·tle·drum \-ˌdrəm\ *n* : a brass or copper drum with parchment stretched across the top

¹**key** \ˈkē\ *n* **1** : a usu. metal instrument by which the bolt of a lock is turned; *also* : a device having the form or function of a key **2** : a means of gaining or preventing entrance, possession, or control **3** : EXPLANATION, SOLUTION **4** : one of the levers pressed by a finger in operating or playing an instrument **5** : a leading individual or principle **6** : a system of seven tones based on their relationship to a tonic; *also* : the tone or pitch of a voice **7** : a small switch for opening or closing an electric circuit

²**key** *vb* **1** : SECURE, FASTEN **2** : to regulate the musical pitch of; *also* : ATTUNE **3** : to make nervous — usu. used with *up*

³**key** *n* : a low island or reef (as off the southern coast of Florida)

key·board \-ˌbōrd\ *n* **1** : a row of keys (as on a piano) **2** : an assemblage of keys for operating a machine

key·hole \-ˌhōl\ *n* : a hole for receiving a key

¹**key·note** \-ˌnōt\ *n* **1** : the first and harmonically fundamental tone of a scale **2** : the central fact, idea, or mood

²**keynote** *vb* **1** : to set the keynote of **2** : to deliver the major address (as at a convention) — **key·not·er** *n*

key·stone \-ˌstōn\ *n* : the wedge-shaped piece at the crown of an arch that locks the other pieces in place

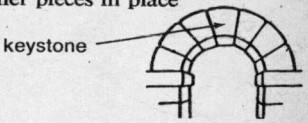

keystone

kha·ki \ˈkak-ē, ˈkäk-\ *n* **1** : a light yellowish brown **2** : a khaki-colored cloth; *also* : a military uniform of this cloth

khan \ˈkän, ˈkan\ *n* : a Mongol leader; *esp* : a successor of Genghis Khan

kib·butz \kib-ˈüts\ *n* : a collective farm or settlement in Israel

kib·itz·er \ˈkib-ət-sər\ *n* : one who looks on and esp. offers unwanted advice esp. at a card game — **kib·itz** \-əts\ *vb*

¹**kick** \'kik\ *vb* **1** : to strike out or hit with the foot; *also* : to score by kicking a ball **2** : to object strongly : PROTEST **3** : to recoil when fired ⟨these guns ~⟩ — **kick·er** *n*

²**kick** *n* **1** : a blow or thrust with the foot; *esp* : a propelling of a ball with the foot **2** : the recoil of a gun **3** : a feeling or expression of objection **4** : a stimulating effect esp. of pleasure

kick·back \'kik-,bak\ *n* **1** : a sharp violent reaction **2** : a secret return of a part of a sum received

kick·off \-,ȯf\ *n* **1** : a kick that puts the ball in play (as in football) **2** : COMMENCEMENT

¹**kid** \'kid\ *n* **1** : a young goat **2** : the flesh, fur, or skin of a young goat; *also* : something (as leather) made of kid **3** : CHILD, YOUNGSTER — **kid·dish** *adj*

²**kid** *vb* **kid·ded**; **kid·ding** **1** : FOOL **2** : TEASE

kid·nap \-,nap\ *vb* **-napped** *or* **-naped** \-,napt\, **-nap·ping** *or* **-nap·ing** : to carry a person away by unlawful force or by fraud and against his will — **kid·nap·per** *or* **kid·nap·er** *n*

kid·ney \'kid-nē\ *n* **1** : either of a pair of organs lying near the spinal column that excrete waste products of the body in the form of urine **2** : TEMPERAMENT; *also* : SORT

kid·skin \'kid-,skin\ *n* : the skin of a young goat used in making leather goods

¹**kill** \'kil\ *vb* **1** : to deprive of life **2** : to put an end to ⟨~ competition⟩; *also* : DEFEAT ⟨~ a proposed amendment⟩ **3** : to use up ⟨~ time⟩ **4** : to mark for omission ⟨~ a news story⟩ *syn* slay, murder, assassinate, execute — **kill·er** *n*

²**kill** *n* **1** : an act of killing **2** : an animal killed (as in a hunt)

kill·ing \'kil-iŋ\ *n* : a sudden notable gain or profit ⟨made a ~ in the stock market⟩

kill·joy \-,jȯi\ *n* : one who spoils the pleasures of others

kiln \'kil(n)\ *n* : a heated enclosure (as an oven) for processing a substance by burning, firing, or drying

ki·lo \'kē-lō, 'kil-ō\ *n* **1** : KILOGRAM **2** : KILOMETER

kilo·cy·cle \'kil-ə-,sī-kəl\ *n* : one thousand cycles per second — used as a unit of radio frequency

kilo·gram \-,gram\ *n* : a metric unit of weight equal to 1000 grams (2.2046 lbs.)

ki·lo·me·ter \kil-'äm-ət-ər, 'kil-ə-,mēt-\ *n* : a metric unit of length equal to 1000 meters (3280.8 ft. or about .62 mile)

kilo·watt \'kil-ə-,wät\ *n* : a unit of electric power equal to 1000 watts

kilt \'kilt\ *n* : a knee-length pleated skirt usu. of tartan worn by men in Scotland

kil·ter \'kil-tər\ *n* : proper condition ⟨out of ~⟩

ki·mo·no \kə-'mō-nə\ *n* **1** : a loose robe with wide sleeves and a broad sash traditionally worn as an outer garment by the Japanese **2** : a loose dressing gown worn esp. by women

kin \'kin\ *n* **1** : an individual's relatives **2** : KINSMAN

¹**kind** \'kīnd\ *n* **1** : essential quality or character **2** : a group united by common traits or interests : CATEGORY ⟨different ~s of insects⟩; *also* : VARIETY ⟨all ~s of people⟩ **3** : goods or commodities as distinguished from money

²**kind** *adj* **1** : of a sympathetic, forbearing, or pleasant nature ⟨~ friends⟩ **2** : arising from sympathy or forbearance ⟨~ deeds⟩ *syn* benevolent, benign, benignant, gracious — **kind·ness** *n*

kin·der·gar·ten \'kin-dər-,gärt-ᵊn\ *n* : a school or class for children of the 4 to 6 age group

kind·heart·ed \'kīnd-'härt-əd\ *adj* : marked by a sympathetic nature

kin·dle \'kin-dᵊl\ *vb* **1** : to set on fire : start burning **2** : to stir up : AROUSE ⟨~ his anger⟩ **3** : ILLUMINATE, GLOW

kin·dling \'kin-dliŋ\ *n* : easily combustible material for starting a fire

¹**kind·ly** \'kīn-dlē\ *adj* **1** : of an agreeable or beneficial nature ⟨a ~ climate⟩ **2** : of a sympathetic or generous nature ⟨~ men⟩ — **kind·li·ness** *n*

²**kindly** *adv* **1** : READILY ⟨does not take ~ to criticism⟩ **2** : SYMPATHETICALLY **3** : COURTEOUSLY, OBLIGINGLY

¹**kin·dred** \'kin-drəd\ *n* **1** : a group of related individuals **2** : one's relatives

²**kindred** *adj* : of a like nature or character

kine \'kīn\ *archaic pl of* COW

ki·net·ic \kə-'net-ik, kī-\ *adj* [Gk *kinētikos*, fr. *kinein* to move] : of or relating to the motion of material bodies and the forces and energy associated therewith

kin·folk \'kin-,fōk\ *or* **kins·folk** \'kinz-\ : RELATIVES

king \'kiŋ\ *n* **1** : a male sovereign **2** : a chief among competitors ⟨home-run ~⟩ **3** : the principal piece in the game of chess **4** : a playing card bearing the figure of a king **5** : a checker that has been crowned — **king·less** \-ləs\ *adj* — **king·ly** *adj* — **king·ship** \-,ship\ *n*

king·dom \-dəm\ *n* **1** : a country whose head is a king or queen **2** : a realm or region in which something or someone is dominant ⟨a cattle ~⟩ **3** : one of the three primary divisions of lifeless material, plants, and animals ⟨**mineral kingdom, plant kingdom, animal kingdom**⟩ into which natural objects are grouped

king·pin \-,pin\ *n* **1** : any of several bowling pins **2** : the leader in a group or undertaking

king-size \-,sīz\ *or* **king-sized** \-,sīzd\ *adj* **1** : longer than the regular or standard size **2** : unusually large

kink \'kiŋk\ *n* **1** : a short tight twist or curl **2** : CRAMP ⟨a ~ in the back⟩ **3** : an imperfection likely to cause difficulties in operation — **kinky** *adj*

kin·ship \'kin-,ship\ *n* : RELATIONSHIP

kins·man \'kinz-mən\ *n* : RELATIVE; *esp* : a male relative

kins·wom·an \-,wu̇m-ən\ *n* : a female relative

¹**kiss** \'kis\ *vb* **1** : to touch with the lips as a mark of affection or greeting **2** : to touch gently or lightly

²**kiss** *n* **1** : a caress with the lips **2** : a gentle touch or contact **3** : a bite-size candy

kit \'kit\ *n* **1** : a set of articles for personal use; *also* : a set of tools or

kitchen   **kraal**

implements or of parts to be assembled **2** : a container (as a case) for a kit
kitch·en \'kich-ən\ *n* **1** : a room with cooking facilities **2** : the personnel that prepares, cooks, and serves food
kite \'kīt\ *n* **1** : any of several small hawks **2** : a light frame covered with paper or cloth and designed to be flown in the air at the end of a long string
kith \'kith\ *n* : familiar friends, neighbors, or relatives ⟨~ and kin⟩
kit·ten \'kit-ᵊn\ *n* : a young cat — **kit·ten·ish** *adj*
¹kit·ty \'kit-ē\ *n* : CAT; *esp* : KITTEN
²kitty *n* : a fund in a poker game made up of contributions from each pot; *also* : POOL
kit·ty-cor·ner \,kit-ē-'kȯr-nər\ *or* **kit·ty-cor·nered** *var of* CATERCORNER
klep·to·ma·nia \,klep-tə-'mā-nē-ə\ *n* : a persistent neurotic impulse to steal esp. without economic motive— **klep·to·ma·ni·ac** \-nē-,ak\ *adj or n*
knack \'nak\ *n* **1** : a clever way of doing something **2** : natural aptitude
knap·sack \'nap-,sak\ *n* : a usu. canvas or leather bag or case strapped on the back and used esp. for carrying supplies (as on a hike)
knave \'nāv\ *n* **1** : ROGUE **2** : JACK 3 — **knav·ery** \'nāv-(ə-)rē\ *n* — **knav·ish** \'nā-vish\ *adj*
knead \'nēd\ *vb* : to work and press into a mass with the hands; *also* : MASSAGE
knee \'nē\ *n* : the joint in the middle part of the leg
kneel \'nēl\ *vb* **knelt** \'nelt\ *or* **kneeled** \'nēld\ **kneel·ing** : to bend the knee : fall or rest on the knees
¹knell \'nel\ *vb* **1** : to ring esp. for a death or disaster **2** : to summon, announce, or proclaim by a knell
²knell *n* **1** : a stroke of a bell esp. when tolled (as for a funeral) **2** : an indication (as a sound) of the end or failure of something
knew *past of* KNOW
knick·ers \'nik-ərz\ *n pl* : loose-fitting short pants gathered at the knee
knick·knack \'nik-,nak\ *n* : a small trivial article intended for ornament
¹knife \'nīf\ *n, pl* **knives** \'nīvz\ **1** : a cutting instrument consisting of a sharp blade fastened to a handle **2** : a sharp cutting blade or tool in a machine
²knife *vb* : to stab, slash, or wound with a knife
knight \'nīt\ *n* **1** : a mounted warrior of feudal times serving a king **2** : a man honored by a sovereign for merit and in Great Britain ranking below a baronet **3** : a man devoted to the service of a lady as her attendant or champion **4** : a member of any of various orders or societies **5** : a chess piece having a move of two squares to a square of the opposite color — **knight·ly** *adj*
knight·hood \-,hud\ *n* **1** : the rank, dignity, or profession of a knight **2** : CHIVALRY **3** : knights as a class or body
knit \'nit\ *vb* **knit** *or* **knit·ted**; **knit·ting** **1** : to link firmly or closely **2** : WRINKLE ⟨~ her brows⟩ **3** : to form a fabric by interlacing yarn or thread in connected loops with needles **4** : to grow together — **knit·ter** *n*

knob \'näb\ *n* **1** : a rounded protuberance; *also* : a small rounded ornament or handle **2** : a rounded usu. isolated hill or mountain — **knobbed** \'näbd\ *adj* — **knob·by** \'näb-ē\ *adj*
¹knock \'näk\ *vb* **1** : to strike with a sharp blow **2** : BUMP, COLLIDE **3** : to make a pounding noise esp. as a result of abnormal ignition **4** : to find fault with
²knock *n* **1** : a sharp blow **2** : a pounding noise; *esp* : one caused by abnormal ignition
knock·er *n* : one that knocks; *esp* : a device hinged to a door for use in knocking
knock·out \'näk-,aut\ *n* **1** : a blow that fells and immobilizes an opponent (as in boxing) **2** : something sensationally striking or attractive
knoll \'nōl\ *n* : a small round hill
¹knot \'nät\ *n* **1** : an interlacing (as of string or ribbon) that forms a lump or knob **2** : PROBLEM **3** : a bond of union; *esp* : the marriage bond **4** : a protuberant lump or swelling in tissue; *also* : the base of a woody branch enclosed in the stem from which it arises **5** : GROUP, CLUSTER **6** : an ornamental bow of ribbon **7** : one nautical mile per hour; *also* : one nautical mile — **knot·ty** *adj*
²knot *vb* **knot·ted, knot·ting** **1** : to tie in or with a knot : form knots in **2** : ENTANGLE
knot·hole \-,hōl\ *n* : a hole in a board or tree trunk where a knot has come out
know \'nō\ *vb* **knew** \'n(y)ü\ **known** \'nōn\ **know·ing** **1** : to perceive directly : have understanding or direct cognition of; *also* : to recognize the nature of **2** : to be acquainted or familiar with **3** : to be aware of the truth of **4** : to have a practical understanding of ⟨~s how to write⟩ — **know·able** \'nō-ə-bəl\ *adj*
know–how \-,haù\ *n* : knowledge of how to do something smoothly and efficiently
know·ing *adj* **1** : having or reflecting knowledge, intelligence, or information **2** : shrewdly and keenly alert **3** : DELIBERATE, INTENTIONAL **syn** astute, bright, smart — **know·ing·ly** *adv*
knowl·edge \'näl-ij\ *n* **1** : understanding gained by actual experience ⟨a ~ of carpentry⟩ **2** : range of information ⟨within my ~⟩ **3** : clear perception of truth **4** : something learned and kept in the mind : LEARNING ⟨a man of great ~⟩
knowl·edge·able *adj* : having or showing knowledge or intelligence
knuck·le \'nək-əl\ *n* : the rounded knob at a joint and esp. at a finger joint
Ko·ran \kə-'ran\ *n* : a book of writings accepted by Muslims as revelations made to Muhammad by Allah
Ko·re·an \kə-'rē-ən\ *n* : a native or inhabitant of Korea — **Korean** *adj*
ko·sher \'kō-shər\ *adj* : ritually fit for use according to Jewish law; *also* : selling or serving such food
kow·tow \kau-'tau\ *vb* **1** : to kneel and touch the forehead to the ground as a sign of homage or deep respect **2** : to show obsequious deference
kraal \'krȯl\ *n* **1** : a village of southern

African natives **2** : an enclosure for domestic animals in southern Africa

Krem·lin \'krem-lən\ *n* : the Russian government

L

l \'el\ *n, often cap* : the 12th letter of the English alphabet
lab \'lab\ *n* : LABORATORY
¹la·bel \'lā-bəl\ *n* **1** : a slip (as of paper or cloth) attached to something for identification or description **2** : a descriptive or identifying word or phrase
²label *vb* **-beled** *or* **-belled; -bel·ing** *or* **-bel·ling 1** : to affix a label to **2** : to describe or designate with a label
la·bile \'lā-,bīl, -bəl\ *adj* **1** : ADAPTABLE **2** : UNSTABLE
¹la·bor \'lā-bər\ *n* **1** : expenditure of physical or mental effort; *also* : human activity that provides the goods or services in an economy **2** : the physical activities involved in parturition **3** : TASK **4** : those who do manual labor or work for wages; *also* : labor unions or their officials
²labor *vb* **1** : WORK **2** : to move with great effort **3** : to be in the labor of giving birth **4** : to suffer from some disadvantage or distress ⟨~ under a delusion⟩ **5** : to treat or work out laboriously ⟨~ the obvious⟩ — **la·bor·er** *n*
lab·o·ra·to·ry \'lab-(ə-)rə-,tōr-ē\ *n* : a place equipped for experimental study in a science or for testing and analysis
la·bored *adj* : not freely or easily done ⟨~ breathing⟩
la·bo·ri·ous \lə-'bōr-ē-əs\ *adj* **1** : INDUSTRIOUS **2** : requiring great effort — **la·bo·ri·ous·ly** *adv*
lab·y·rinth \'lab-ə-,rinth\ *n* : a place constructed of or filled with confusing intricate passageways : MAZE — **lab·y·rin·thine** \,lab-ə-'rin-thən\ *adj*
¹lace \'lās\ *n* [OF *laz*, fr. L *laqueus* noose, snare] **1** : a cord or string used for drawing together two edges (as of a shoe) **2** : an ornamental braid (as for trimming a uniform) **3** : a fine openwork usu. figured fabric made of thread — **lacy** \'lā-sē\ *adj*
²lace *vb* **1** : TIE **2** : INTERTWINE **3** : to adorn with lace **4** : BEAT, LASH **5** : to give zest or savor to
lac·er·ate \'las-ə-,rāt\ *vb* : to tear roughly — **lac·er·a·tion** \,las-ə-'rā-shən\ *n*
¹lack \'lak\ *vb* **1** : to be wanting or missing **2** : to be deficient in
²lack *n* : the fact or state of being wanting or deficient : NEED
lack·a·dai·si·cal \,lak-ə-'dā-zi-kəl\ *adj* : lacking life, spirit, or zest — **lack·a·dai·si·cal·ly** *adv*
lack·ey \'lak-ē\ *n* **1** : a liveried retainer **2** : TOADY
lack·lus·ter \'lak-,ləs-tər\ *adj* : DULL
la·con·ic \lə-'kän-ik\ *adj* : sparing of words : TERSE — **la·con·i·cal·ly** *adv*
lac·quer \'lak-ər\ *n* : a clear or colored usu. glossy and quick-drying surface coating that contains natural or synthetic substances (as shellac or a cellulose substance) and dries by evaporation of the solvent
lac·ri·mal *also* **lach·ry·mal** \'lak-rə-məl\ *adj* : of, relating to, or being the glands (**lacrimal glands**) that produce tears
la·crosse \lə-'kròs\ *n* : a game played on a field by two teams with a hard ball and long-handled rackets
lac·tate \'lak-,tāt\ *vb* : to secrete milk — **lac·ta·tion** \lak-'tā-shən\ *n*
lac·tic \-tik\ *adj* **1** : of or relating to milk **2** : formed in the souring of milk
lactic acid *n* : a syrupy acid present in blood and muscle tissue, produced by bacterial fermentation of carbohydrates, and used in food and medicine
lad \'lad\ *n* : YOUTH; *also* : FELLOW
lad·der \'lad-ər\ *n* : a structure for climbing up or down that consists of two long parallel sidepieces joined at intervals by crosspieces
lad·en \'lād-ᵊn\ *adj* : LOADED, BURDENED
la·dle \'lād-ᵊl\ *n* : a deep-bowled long-handled spoon used in taking up and conveying liquids — **ladle** *vb*
la·dy \'lād-ē\ *n* **1** : a woman of property, rank, or authority; *also* : a woman of superior social position or of refinement and gentle manners **2** : WOMAN **3** : WIFE
la·dy·bug \-,bəg\ *n* : any of various small nearly hemispherical and usu. brightly colored beetles that mostly feed on other insects
la·dy·fin·ger \-,fiŋ-gər\ *n* : a small finger-shaped sponge cake
¹lag \'lag\ *vb* **lagged; lag·ging 1** : to fail to keep up : stay behind : LOITER, LINGER **2** : to slacken gradually : FLAG **syn** dawdle
²lag *n* **1** : a slowing up or falling behind; *also* : the amount by which one lags **2** : INTERVAL
lag·gard \'lag-ərd\ *adj* : DILATORY, SLOW — **laggard** *n*
la·goon \lə-'gün\ *n* : a shallow sound, channel, or pond near or communicating with a larger body of water
laid *past of* LAY
lain *past part of* LIE
lair \'laər\ *n* : the resting or living place of a wild animal : DEN
lais·sez–faire \,les-,ā-'faər\ *n* [F *laissez faire* let do] : a doctrine opposing governmental interference in economic affairs beyond the minimum necessary to maintain peace and property rights
la·ity \'lā-ət-ē\ *n* **1** : the people of a religious faith who are distinguished from its clergy **2** : the mass of the people who are distinguished from those of a particular profession or those specially skilled
lake \'lāk\ *n* : an inland body of standing water of considerable size; *also* : a pool of liquid (as lava or pitch)
¹lamb \'lam\ *n* **1** : a young sheep; *also* : its flesh used as food **2** : an innocent or gentle person
²lamb *vb* : to bring forth a lamb
lam·baste *or* **lam·bast** \lam-'bāst, -'bast\ *vb* **1** : BEAT **2** : EXCORIATE
¹lame \'lām\ *adj* **1** : having a body part and usu. a limb so disabled as to impair freedom of movement; *also* : marked by stiffness and soreness

lament — **Lapp**

2 : lacking substance : WEAK ⟨a ~ excuse⟩ — **lame·ly** *adv* — **lame·ness** *n*
²**lame** *vb* : to make lame : CRIPPLE
³**la·mé** \lä-'mā, la-\ *n* : a brocaded clothing fabric made from any of various fibers combined with tinsel filling threads (as of gold or silver)
¹**la·ment** \lə-'ment\ *vb* **1** : to mourn aloud : WAIL **2** : to express sorrow for : BEWAIL — **lam·en·ta·ble** \'lam-ən-tə-bəl\ *adj* — **lam·en·ta·bly** *adv* — **lam·en·ta·tion** \,lam-ən-'tā-shən\ *n*
²**lament** *n* **1** : a crying out in grief : WAIL **2** : DIRGE, ELEGY
lam·i·nat·ed \-,nāt-əd\ *adj* : consisting of laminae; *esp* : composed of layers of firmly united material — **lam·i·nate** \-,nāt\ *vb* — **lam·i·nate** \-nət\ *n* — **lam·i·nate** \-nət\ *adj* — **lam·i·na·tion** \,lam-ə-'nā-shən\ *n*
lamp \'lamp\ *n* **1** : a vessel with a wick for burning a flammable liquid (as oil) to produce artificial light **2** : a device for producing light or heat
lam·poon \lam-'pün\ *n* : SATIRE; *esp* : one that is harsh and usu. directed against an individual — **lampoon** *vb*
lam·prey \'lam-prē\ *n* : an eellike water animal with sucking mouth and no jaws
¹**lance** \'lans\ *n* **1** : a steel-headed spear **2** : any of various sharp-pointed implements; *esp* : LANCET
²**lance** *vb* : to pierce or open with a lance ⟨~ a boil⟩
lan·cet \'lan-sət\ *n* : a sharp-pointed and usu. 2-edged surgical instrument
¹**land** \'land\ *n* **1** : the solid part of the surface of the earth; *also* : a part of the earth's surface in some way distinguishable (as by political boundaries or physical quality) **2** : the people of a country; *also* : REALM, DOMAIN **3** *pl* : territorial possessions — **land·less** \-ləs\ *adj*
²**land** *vb* **1** : DISEMBARK; *also* : to touch at a place on shore **2** : to bring to or arrive at a destination **3** : to catch with a hook and bring in ⟨~ a fish⟩; *also* : GAIN, SECURE ⟨~ a job⟩ **4** : to strike or meet the ground (as after a fall) **5** : to alight or cause to alight on a surface ⟨~ an airplane⟩
land·ed \'lan-dəd\ *adj* : having an estate in land ⟨~ gentry⟩
land·ing \'lan-diŋ\ *n* **1** : the action of one that lands; *also* : a place for discharging or taking on passengers and cargo **2** : a level part of a staircase
land·locked \'land-,läkt\ *adj* **1** : enclosed or nearly enclosed by land ⟨a ~ harbor⟩ **2** : confined to fresh water by some barrier ⟨~ salmon⟩
land·lord \-,lord\ *n* **1** : the owner of property leased or rented to another **2** : a man who rents lodgings : INNKEEPER — **land·la·dy** *n*
land·lub·ber \-,ləb-ər\ *n* : one who knows little of the sea or seamanship
land·mark \'lan(d)-,märk\ *n* **1** : an object that marks the boundary of land **2** : a conspicuous object on land that marks a course or serves as a guide **3** : an event that marks a turning point
¹**land·scape** \'lan(d)-,skāp\ *n* **1** : a picture representing a view of natural inland scenery **2** : a portion of land that the eye can see in one glance
²**landscape** *vb* : to improve the natural beauties of a tract of land by grading, clearing, or decorative planting
land·slide \-,slīd\ *n* **1** : the slipping down of a mass of rocks or earth on a steep slope; *also* : the mass of material that slides **2** : an overwhelming victory esp. in a political contest
lane \'lān\ *n* **1** : a narrow passageway (as between fences) **2** : a relatively narrow way or track ⟨traffic ~⟩ ⟨ocean ~⟩
lan·guage \'laŋ-gwij\ *n* **1** : the words, their pronunciation, and the methods of combining them used and understood by a considerable community **2** : form or manner of verbal expression; *esp* : STYLE
lan·guid \'laŋ-gwəd\ *adj* **1** : WEAK **2** : sluggish in character or disposition : LISTLESS **3** : SLOW — **lan·guid·ly** *adv* — **lan·guid·ness** *n*
lan·guish \'laŋ-gwish\ *vb* **1** : to become languid **2** : to become dispirited : PINE **3** : to appeal for sympathy by assuming an expression of grief or emotion
lan·guor \'laŋ-(g)ər\ *n* **1** : a languid feeling **2** : listless indolence *syn* lethargy, lassitude — **lan·guor·ous** \-əs\ *adj* — **lan·guor·ous·ly** *adv*
lank \'laŋk\ *adj* **1** : not well filled out : SLENDER **2** : hanging straight and limp ⟨~ hair⟩
lanky \'laŋ-kē\ *adj* : ungracefully tall and thin
lan·o·lin \'lan-ᵊl-ən\ *n* : the fatty coating of sheep's wool esp. when refined for use in ointments and cosmetics
lan·tern \'lant-ərn\ *n* **1** : a usu. portable light with a protective transparent or translucent covering **2** : the chamber in a lighthouse containing the light **3** : a projector for slides
lan·yard \'lan-yərd\ *n* : a piece of rope for fastening something in ships
Lao·tian \lā-'ō-shən, 'laù-shən\ *n* : a member of a Buddhist people living in Laos and northeastern Thailand
¹**lap** \'lap\ *n* **1** : a loose panel or hanging flap of a garment **2** : the clothing that lies on the knees, thighs, and lower part of the trunk when one sits; *also* : the front part of the lower trunk and thighs of a seated person **3** : an environment of nurture ⟨the ~ of luxury⟩ **4** : CHARGE, CONTROL ⟨in the ~ of the gods⟩
²**lap** *vb* **lapped; lap·ping 1** : FOLD **2** : WRAP **3** : to lay over or near so as to partly cover
³**lap** *n* **1** : the amount by which an object overlaps another; *also* : the part of an object that overlaps another **2** : one circuit around a racecourse **3** : one complete turn (as of a rope around a drum)
⁴**lap** *vb* **1** : to scoop up food or drink with the tip of the tongue; *also* : DEVOUR — usu. used with *up* **2** : to splash gently ⟨*lapping* waves⟩
⁵**lap** *n* **1** : an act or instance of lapping **2** : a gentle splashing sound
lap·dog \-,dȯg\ *n* : a small dog that may be held in the lap
la·pel \lə-'pel\ *n* : the fold of the front of a coat that is usu. a continuation of the collar
Lapp \'lap\ *n* : a member of a people of northern Scandinavia, Finland, and the Kola peninsula of Russia

lapse — **laud**

¹**lapse** \'laps\ *n* **1** : a slight error **2** : a fall from a higher to a lower state **3** : the termination of a right or privilege through failure to meet requirements **4** : a passage of time; *also* : INTERVAL

²**lapse** *vb* **1** : to commit apostasy **2** : to sink or slip gradually : SUBSIDE **3** : CEASE

lar·ce·ny \'lärs(-ə)-nē\ *n* : THEFT — **lar·ce·nous** \-nəs\ *adj*

¹**lard** \'lärd\ *vb* **1** : to insert strips of usu. pork fat into (meat) before cooking; *also* : GREASE **2** : ENRICH

²**lard** *n* : a soft white fat obtained by rendering fatty tissue of the hog

lar·der \'lärd-ər\ *n* : a place where foods (as meat) are kept

large \'lärj\ *adj* **1** : having more than usual power, capacity, or scope **2** : exceeding most other things of like kind in quantity or size **syn** big, great — **large·ly** *adv* — **large·ness** *n*

lar·gess *or* **lar·gesse** \lär-'jes\ *n* **1** : liberal giving **2** : a generous gift

lar·go \'lär-gō\ *adv (or adj)* : in a very slow and broad manner — used as a direction in music

lar·i·at \'lar-ē-ət\ *n* [Sp *la riata* the rope] : a long light rope used esp. to catch or tether livestock

¹**lark** \'lärk\ *n* : any of various small songbirds; *esp* : SKYLARK

²**lark** *vb* : FROLIC, SPORT

³**lark** *n* : FROLIC; *also* : PRANK

lark·spur \-,spər\ *n* : any of various mostly annual delphiniums

lar·va \'lär-və\ *n, pl* **lar·vae** \-(,)vē\ *also* **-vas** : the wingless often wormlike form in which insects hatch from the egg; *also* : any young animal (as a tadpole) that is fundamentally unlike its parent — **lar·val** \-vəl\ *adj*

lar·yn·gi·tis \,lar-ən-'jīt-əs\ *n* : inflammation of the larynx

lar·ynx \'lar-iŋks\ *n, pl* **la·ryn·ges** \lə-'rin-,jēz\ *or* **lar·ynx·es** : the upper part of the trachea containing the vocal cords — **la·ryn·ge·al** \lə-'rin-jē-əl, ,lar-ən-'jē-əl\ *adj*

las·civ·i·ous \lə-'siv-ē-əs\ *adj* : LEWD, LUSTFUL — **las·civ·i·ous·ness** *n*

¹**lash** \'lash\ *vb* **1** : to move vigorously **2** : WHIP **3** : to attack or retort verbally

²**lash** *n* **1** : a stroke esp. with a whip; *also* : the flexible part of a whip **2** : a verbal blow **3** : EYELASH

³**lash** *vb* : to bind with a rope, cord, or chain

lass \'las\ *n* : GIRL

las·si·tude \'las-ə-,t(y)üd\ *n* **1** : WEARINESS, FATIGUE **2** : LISTLESSNESS, LANGUOR

las·so \'las-ō, la-'sü\ *n, pl* **lassos** *or* **lassoes** : a rope or long leather thong with a running noose used for catching livestock — **lasso** *vb*

¹**last** \'last\ *vb* **1** : to continue in existence or operation **2** : to remain valid, valuable, or important : ENDURE **3** : to be enough for the needs of

²**last** *adj* **1** : following all the rest : FINAL **2** : next before the present ⟨~ week⟩ **3** : least likely ⟨the ~ thing he wants⟩ **4** : CONCLUSIVE; *also* : SUPREME — **last·ly** *adv*

³**last** *adv* **1** : at the end **2** : most recently **3** : in conclusion

⁴**last** *n* : something that is last : END

⁵**last** *n* : a foot-shaped form on which a shoe is shaped or repaired

⁶**last** *vb* : to shape with a last

¹**latch** \'lach\ *vb* : to catch or get hold ⟨~ onto a pass⟩

²**latch** *n* : a catch that holds a door or gate closed

³**latch** *vb* : CATCH, FASTEN

latch·key \'lach-,kē\ *n* : a key by which a door latch may be opened from the outside

¹**late** \'lāt\ *adj* **1** : coming or remaining after the due, usual, or proper time : TARDY **2** : far advanced toward the close or end **3** : recently deceased ⟨her ~ husband⟩; *also* : holding a position recently but not now **4** : made, appearing, or happening just previous to the present : RECENT — **late·ly** *adv* — **late·ness** *n*

²**late** *adv* **1** : after the usual or proper time; *also* : at or to an advanced point in time **2** : RECENTLY

la·tent \'lāt-ᵊnt\ *adj* : present but not visible or active **syn** dormant, quiescent, potential — **la·ten·cy** \-ᵊn-sē\ *n*

lat·er·al \'lat-(ə-)rəl\ *adj* : situated on, directed toward, or coming from the side — **lat·er·al·ly** *adv*

la·tex \'lā-,teks\ *n* : a milky plant juice esp. of members of the milkweed group ⟨rubber is made from a ~⟩

lath \'lath\ *n* : a thin narrow strip of wood used esp. as a base for plaster; *also* : a building material in sheets used for the same purpose

lathe \'lāth\ *n* : a machine in which a piece of material is held and turned while being shaped by a tool

¹**lath·er** \'lath-ər\ *n* **1** : a foam or froth formed when a detergent is agitated in water; *also* : foam from profuse sweating (as by a horse) **2** : DITHER

²**lather** *vb* : to spread lather over; *also* : to form a lather

Lat·in \'lat-ᵊn\ *n* **1** : the language of ancient Rome **2** : a member of any of the peoples (as the French or Spanish) whose languages derive from Latin — **Latin** *adj*

Latin American *n* : a native or inhabitant of any of the countries of No., Central, or So. America whose official language is Spanish or Portuguese — **Latin–American** *adj*

lat·i·tude \'lat-ə-,t(y)üd\ *n* **1** : angular distance north or south from the earth's equator measured in degrees **2** : a region marked by its latitude **3** : freedom of action or choice

hemisphere marked with parallels of latitude

la·trine \lə-'trēn\ *n* : TOILET

lat·ter \'lat-ər\ *adj* **1** : more recent; *also* : FINAL **2** : of, relating to, or being the second of two things referred to — **lat·ter·ly** *adv*

lat·ter–day *adj* **1** : of a later or subsequent time **2** : of present or recent time

lat·tice \'lat-əs\ *n* : a framework of crossed wood or metal strips; *also* : a window, door, or gate having a lattice

Lat·vi·an \'lat-vē-ən\ *n* : a native or inhabitant of Latvia

¹**laud** \'lòd\ *n* : ACCLAIM, PRAISE

²laud vb : EXTOL, PRAISE — **laud·able** \-ə-bəl\ adj — **laud·ably** adv
lau·da·to·ry \'lȯd-ə-ˌtōr-ē\ adj : of, relating to, or expressive of praise
¹**laugh** \'laf, 'låf\ vb : to show mirth, joy, or scorn with a smile and chuckle or explosive sound; also : to become amused or derisive — **laugh·able** \-ə-bəl\ adj
²laugh n 1 : the act of laughing 2 : JOKE; also : JEER
laugh·ing·stock \-iŋ-ˌstäk\ n : an object of ridicule
laugh·ter \-tər\ n : the action or sound of laughing
¹**launch** \'lȯnch\ vb 1 : THROW, HURL; also : to send off 〈~ a rocket〉 2 : to set afloat 3 : to set in operation : START
²launch n : an act or instance of launching
³launch n : a small open or half-decked motorboat
launching pad n : a platform from which a rocket is launched
laun·der \'lȯn-dər\ vb : to wash or wash and iron clothing and household linens — **laun·der·er** n — **laun·dress** \-drəs\ n
laun·dry \-drē\ n [fr. obs. *launder* launderer, fr. MF *lavandier*, fr. ML *lavandarius*, fr. L *lavandus* needing to be washed, fr. *lavare* to wash] 1 : clothes or linens that have been or are to be laundered 2 : a place where laundering is done — **laun·dry·man** \-mən\ n
lau·re·ate \'lȯr-ē-ət\ n : the recipient of honor for achievement in an art or science — **lau·re·ate·ship** \-ˌship\ n
lau·rel \'lȯ-rəl\ n 1 : any of several trees or shrubs related to the sassafras and cinnamon; esp : a small evergreen tree of southern Europe 2 : a crown of laurel leaves 3 : HONOR, DISTINCTION
la·va \'läv-ə, 'lav-\ n : melted rock coming from a volcano; also : such rock that has cooled and hardened
lav·a·to·ry \'lav-ə-ˌtōr-ē\ n 1 : a fixed bowl or basin with running water and drainpipe for washing 2 : BATHROOM
lave \'lāv\ vb : WASH
lav·en·der \'lav-ən-dər\ n 1 : a European mint or its dried leaves and flowers used to perfume clothing and bed linen 2 : a pale purple
¹**lav·ish** \'lav-ish\ adj 1 : expending or bestowing profusely : PRODIGAL 2 : expended or produced in abundance — **lav·ish·ly** adv
²lavish vb : to expend or give freely
law \'lȯ\ n 1 : a rule of conduct or action established by custom or laid down and enforced by a governing authority; also : the whole body of such rules 2 : the control brought about by enforcing rules 〈forces of ~ and order〉 3 : a rule or principle of construction or procedure 〈~s of poetry〉 4 : a rule or principle stating something that always works in the same way under the same conditions; also : the observed regularity of nature 5 cap : the revelation of the divine will set forth in the Old Testament; also : the first part of the Jewish scriptures 6 : trial in a court to determine what is just and right 7 : the science that deals with laws and their interpretation and application 8 : the profession of a lawyer

law·ful \-fəl\ adj 1 : permitted by law 2 : RIGHTFUL — **law·ful·ly** adv
law·less \-ləs\ adj 1 : having no laws 2 : UNRULY, DISORDERLY 〈a ~ mob〉 — **law·less·ness** n
law·mak·er \-ˌmā-kər\ n : LEGISLATOR
¹**lawn** \'lȯn\ n : a fine sheer linen or cotton fabric
²lawn n : ground (as around a house) covered with closely mowed grass
law·suit \'lȯ-ˌsüt\ n : a suit in law
law·yer \'lȯ-yər\ n : one who conducts lawsuits for clients or advises as to legal rights and obligations in other matters
lax \'laks\ adj 1 : LOOSE, OPEN 2 : not strict 〈~ discipline〉 3 : not tense : SLACK syn remiss, negligent, neglectful — **lax·i·ty** \'lak-sət-ē\ n — **lax·ly** adv
¹**lax·a·tive** \'lak-sət-iv\ adj : relieving constipation
²laxative n : a usu. mild laxative drug
¹**lay** \'lā\ vb laid \'lād\ lay·ing 1 : to beat or strike down 2 : to put on or against a surface : PLACE 3 : to produce and deposit eggs 4 : SETTLE; also : ALLAY 5 : WAGER 6 : SPREAD 7 : to set in order or position 8 : to impose esp. as a duty or burden 9 : PREPARE, CONTRIVE 10 : to bring to a specified condition 11 : to put forward : SUBMIT
²lay n : the way in which something lies or is laid in relation to something else
³lay past of LIE
⁴lay n 1 : a simple narrative poem 2 : SONG
⁵lay adj : of or relating to the laity
lay·er \'lā-ər\ n 1 : one that lays 2 : one thickness, course, or fold laid or lying over or under another
lay·ette \lā-'et\ n : an outfit of clothing and equipment for a newborn infant
lay·man \'lā-mən\ n : a member of the laity
lay·off \'lā-ˌȯf\ n 1 : the act of dismissing an employee temporarily 2 : a period of inactivity
lay·out \-ˌaút\ n 1 : ARRANGEMENT 2 : SET, OUTFIT
laze \'lāz\ vb : to pass time in idleness or relaxation
la·zy \'lā-zē\ adj 1 : disliking activity or exertion : INDOLENT 2 : SLUGGISH 〈a ~ stream〉 — **la·zi·ly** adv — **la·zi·ness** n
la·zy·bones \'lā-zē-ˌbōnz\ n : a lazy person
lazy Su·san \ˌlā-zē-'süz-ᵊn\ n : a revolving tray placed on a dining table (as for serving condiments or relishes)
¹**lead** \'lēd\ vb led \'led\ lead·ing 1 : to guide on a way; also : to run in a specified direction 2 : LIVE 〈~ a quiet life〉 3 : to direct the operations, activity, or performance of 〈~ an orchestra〉 4 : to go at the head of : be first 〈~ a parade〉 5 : to begin play with; also : BEGIN, OPEN 6 : to tend toward a definite result 〈study ~ing to a degree〉 — **lead·er** n — **lead·er·less** adj — **lead·er·ship** n
²**lead** \'led\ n 1 : a position at the front; also : a margin by which one leads 2 : one that leads 3 : the privilege of leading in cards; also : the card or suit led 4 : a principal role (as in a play); also : one who plays such a role 5 : EXAMPLE, PRECEDENT 6 : INDICATION, CLUE

³**lead** \'led\ *n* **1** : a heavy bluish white chemical element that is easily bent and shaped **2** : an article made of lead; *esp* : a weight for sounding at sea **3** : a thin strip of metal used to separate lines of type in printing **4** : a thin stick of marking substance in or for a pencil

⁴**lead** \'led\ *vb* **1** : to cover, line, or weight with lead **2** : to fix (glass) in position with lead

lead·en \'led-ᵊn\ *adj* **1** : made of lead; *also* : of the color of lead **2** : low in quality **3** : SLUGGISH, DULL

¹**leaf** \'lēf\ *n*, *pl* **leaves** \'lēvz\ **1** : a usu. flat and green outgrowth of a plant stem that is a unit of foliage and functions esp. in photosynthesis; *also* : FOLIAGE **2** : PETAL **3** : something (as a single sheet of a book, the movable part of a table top, or a thin sheet of gold) that is suggestive of a leaf — **leaf·less** \'lēf-ləs\ *adj* — **leafy** *adj*

²**leaf** *vb* **1** : to produce leaves **2** : to turn the pages of a book

leaf·let \'lēf-lət\ *n* **1** : a division of a compound leaf **2** : PAMPHLET, FOLDER

¹**league** \'lēg\ *n* : a measure of distance equal to about 3 miles

²**league** *n* **1** : an association or alliance (as of nations or persons) for a common purpose **2** : CLASS, CATEGORY — **league** *vb*

¹**leak** \'lēk\ *vb* **1** : to enter or escape through a leak **2** : to become or make known

²**leak** *n* **1** : a crack or hole that accidentally admits a fluid or light or lets it escape; *also* : something that secretly or accidentally permits the admission or escape of something else **2** : LEAKAGE — **leaky** *adj*

leak·age \'lē-kij\ *n* **1** : the act of leaking **2** : the thing or amount that leaks

¹**lean** \'lēn\ *vb* **1** : to bend from a vertical position : INCLINE **2** : to cast one's weight to one side for support **3** : to rely on for support or inspiration **4** : to incline in opinion, taste, or desire

²**lean** *adj* **1** : lacking or deficient in flesh and esp. in fat **2** : lacking richness or productiveness — **lean·ness** *n*

lean–to \'lēn-,tü\ *n* : a wing or extension of a building having a roof of only one slope; *also* : a rough shed or shelter with a similar roof

lean-to

¹**leap** \'lēp\ *vb* **leaped** *or* **leapt** \'lēpt, 'lept\ **leap·ing** \'lē-piŋ\ : to spring free from the ground : JUMP

²**leap** *n* : JUMP

leap·frog \'lēp-,frȯg, -,fräg\ *n* : a game in which one player bends down and another leaps over him

leap year *n* : a year containing 366 days with February 29 as the extra day

learn \'lərn\ *vb* **1** : to gain knowledge, understanding, or skill by study or experience; *also* : MEMORIZE **2** : to find out : ASCERTAIN — **learn·er** *n*

learn·ed \'lər-nəd\ *adj* : SCHOLARLY, ERUDITE

learn·ing \'lər-niŋ\ *n* : KNOWLEDGE, ERUDITION

¹**lease** \'lēs\ *n* : a contract by which one party conveys real estate to another for a term of years or at will usu. for a specified rent

²**lease** *vb* **1** : to grant by lease **2** : to hold under a lease **syn** let, charter, hire, rent

leash \'lēsh\ *n* : a line for leading or restraining an animal — **leash** *vb*

¹**least** \'lēst\ *adj* **1** : lowest in importance or position **2** : smallest in size or degree **3** : SLIGHTEST

²**least** *n* : one that is least : the smallest amount or degree

³**least** *adv* : in the smallest or lowest degree

leath·er \'leth-ər\ *n* : animal skin dressed for use — **leather** *adj* — **leath·ern** \-ərn\ *adj* — **leath·ery** *adj*

leath·er·neck \-ər-,nek\ *n* : MARINE

¹**leave** \'lēv\ *vb* **left** \'left\ **leav·ing** **1** : BEQUEATH **2** : to allow or cause to remain behind; *also* : DELIVER **3** : to have as a remainder **4** : to let stay without interference **5** : to go away : depart from **6** : to give up : ABANDON

²**leave** *n* **1** : PERMISSION; *also* : authorized absence from duty **2** : DEPARTURE

³**leave** *vb* : LEAF

¹**leav·en** \'lev-ən\ *n* **1** : a substance (as yeast) used to produce fermentation (as in dough) **2** : something that modifies or lightens a mass or aggregate

²**leaven** *vb* : to raise (dough) with a leaven; *also* : to permeate with a modifying or vivifying element

leav·en·ing *n* : LEAVEN

leaves *pl of* LEAF

leave–tak·ing \'lēv-,tā-kiŋ\ *n* : DEPARTURE, FAREWELL

leav·ings \'lē-viŋz\ *n pl* : REMNANT, RESIDUE

lech·ery \'lech-ə-rē\ *n* : inordinate indulgence in sexual activity — **lech·er** \-ər\ *n* — **lech·er·ous** *adj* — **lech·er·ous·ness** *n*

lec·tern \'lek-tərn\ *n* : a desk to support a book in a convenient position for a standing reader

lec·tor \-tər\ *n* : one whose chief duty is to read the lessons in a church service

lec·ture \'lek-chər\ *n* **1** : a discourse given before an audience or a class esp. for instruction **2** : REPRIMAND — **lec·ture** *vb* — **lec·tur·er** *n*

led *past of* LEAD

ledge \'lej\ *n* **1** : a shelflike projection from a top or an edge **2** : REEF

led·ger \'lej-ər\ *n* : a book containing accounts to which debits and credits are transferred in final form

lee \'lē\ *n* **1** : a protecting shelter **2** : the side (as of a ship) that is sheltered from the wind

leech \'lēch\ *n* **1** : any of various segmented usu. freshwater worms related to the earthworms; *esp* : one formerly used by physicians to draw blood **2** : a hanger-on who seeks advantage or gain

leek \'lēk\ *n* : an onionlike herb grown for its mildly pungent leaves and stalk

leer \'liər\ *n* : a suggestive, knowing, or malicious look — **leer** *vb*

leery \'li(ə)r-ē\ *adj* : SUSPICIOUS, WARY

lees \'lēz\ *n pl* : DREGS

lee·ward \'lē-wərd, 'lü-ərd\ *adj* : situated away from the wind — **leeward** *adv*

lee·way \'lē-,wā\ *n* **1** : off-course lateral movement of a ship when under way **2** : an allowable margin of freedom or variation
¹left \'left\ *adj* **1** : of, relating to, or being the side of the body in which the heart is mostly located; *also* : located nearer to this side than to the right **2** *often cap* : of, adhering to, or constituted by the political Left — **left** *adv*
²left *n* **1** : the left hand; *also* : the location or direction of or part on the left side **2** *cap* : those professing political views characterized by desire to reform the established order and to give greater freedom to the common man
³left *past of* LEAVE
left-hand \,left-,hand\ *adj* **1** : situated on the left **2** : LEFT-HANDED
left-hand·ed \'left-'han-dəd\ *adj* **1** : using the left hand habitually **2** : CLUMSY, AWKWARD
left·ist \'lef-təst\ *n* : one who advocates or adheres to the policies of the Left
left·over \'left-,ō-vər\ *n* : an unused or unconsumed residue
¹leg \'leg\ *n* **1** : a limb of an animal used esp. for supporting the body and in walking; *esp* : the part of the vertebrate leg between knee and foot **2** : something resembling an animal leg in shape or use ⟨table ~⟩ **3** : the part of an article of clothing that covers the leg
²leg *vb* **legged** \'legd\ **leg·ging** : to use the legs in walking or esp. in running
leg·a·cy \'leg-ə-sē\ *n* : INHERITANCE, BEQUEST; *also* : something that has come from an ancestor or predecessor or the past
le·gal \'lē-gəl\ *adj* **1** : of or relating to law or lawyers **2** : LAWFUL; *also* : STATUTORY **3** : enforced in courts of law — **le·gal·i·ty** \li-'gal-ət-ē\ *n* — **le·gal·ize** \'lē-gə-,līz\ *vb* — **le·gal·ly** *adv*
le·gal·ism \'lē-gə-,liz-əm\ *n* : strict, literal, or excessive conformity to the law or to a religious or moral code — **le·gal·is·tic** \,lē-gə-'lis-tik\ *adj*
leg·ate \'leg-ət\ *n* : an official representative; *esp* : AMBASSADOR
leg·a·tee \,leg-ə-'tē\ *n* : a person to whom a legacy is bequeathed
le·ga·tion \li-'gā-shən\ *n* **1** : a diplomatic mission headed by a minister **2** : the official residence and office of a minister to a foreign government
leg·end \'lej-ənd\ *n* [ML *legenda*, lit., something to be read, fr. L *legere* to read] **1** : a story coming down from the past; *esp* : one popularly accepted as historical though not verifiable **2** : an inscription on an object; *also* : CAPTION
leg·end·ary \'lej-ən-,der-ē\ *adj* : of, relating to, or characteristic of a legend : FABULOUS
leg·i·ble \'lej-ə-bəl\ *adj* : capable of being read : CLEAR — **leg·i·bil·i·ty** \,lej-ə-'bil-ət-ē\ *n* — **leg·i·bly** \'lej-ə-blē\ *adv*
le·gion \'lē-jən\ *n* **1** : a unit of the Roman army comprising 3000 to 6000 soldiers **2** : MULTITUDE **3** : an association of ex-servicemen — **le·gion·ary** \-,er-ē\ *n* — **le·gion·naire** \,lē-jən-'aər\ *n*
leg·is·late \'lej-ə-,slāt\ *vb* : to make or enact laws; *also* : to bring about by legislation — **leg·is·la·tor** \-,slāt-ər\ *n*
leg·is·la·tion \,lej-ə-'slā-shən\ *n* **1** : the action of legislating **2** : laws made by a legislative body
leg·is·la·tive \'lej-ə-,slāt-iv\ *adj* **1** : having the power of legislating **2** : of or relating to a legislature
leg·is·la·ture \-,slā-chər\ *n* : an organized body of persons having the authority to make laws for a political unit
le·git·i·mate \li-'jit-ə-mət\ *adj* **1** : lawfully begotten **2** : GENUINE **3** : LAWFUL **4** : conforming to recognized principles or accepted rules or standards — **le·git·i·ma·cy** \-mə-sē\ *n* — **le·git·i·mate·ly** *adv*
leg·man \'leg-,man\ *n* **1** : a newspaperman assigned usu. to gather information **2** : an assistant who gathers information and runs errands
leg·ume \'leg-,yüm, li-'gyüm\ *n* **1** : any of a large group of plants having fruits that are dry pods and split when ripe and including important food and forage plants (as beans and clover) **2** : the part (as seeds or pods) of a legume used as food; *also* : VEGETABLE 2 — **le·gu·mi·nous** \li-'gyü-mə-nəs\ *adj*
lei \'lā(-,ē)\ *n* : a wreath or necklace usu. of flowers
lei·sure \'lē-zhər, 'lezh-ər\ *n* **1** : time free from work or duties **2** : EASE; *also* : CONVENIENCE **syn** relaxation, rest, repose — **lei·sure·ly** *adj*
lem·on \'lem-ən\ *n* : an acid yellow usu. nearly oblong citrus fruit
lem·on·ade \,lem-ə-'nād\ *n* : a beverage of lemon juice, sugar, and water
lend \'lend\ *vb* **lent** \'lent\ **lend·ing** **1** : to give for temporary use on condition that the same or its equivalent be returned **2** : AFFORD, FURNISH **3** : ACCOMMODATE — **lend·er** *n*
length \'leŋth\ *n* **1** : the longer or longest dimension of an object; *also* : a measured distance or dimension **2** : duration or extent in time or space **3** : the length of something taken as a unit of measure ⟨the horse won by a ~⟩ **4** : PIECE; *esp* : one in a series of pieces designed to be joined ⟨a ~ of pipe⟩ — **lengthy** *adj*
length·en \'leŋ-thən\ *vb* : to make or become longer **syn** extend, elongate, prolong, protract
length·wise \'leŋth-,wīz\ *adv* (*or adj*) : in the direction of the length
le·ni·ent \'lē-nē-ənt\ *adj* : of mild and tolerant disposition or effect **syn** soft, gentle, indulgent, forbearing — **le·ni·en·cy** \-ən-sē\ *n* — **le·ni·ent·ly** *adv*
len·i·ty \'len-ət-ē\ *n* : LENIENCY, MILDNESS
lens \'lenz\ *n* [L *lent-*, *lens* lentil; so called fr. the shape of a convex lens] **1** : a curved piece of glass or plastic used singly or combined in an optical instrument (as spectacles, a telescope, or a projector) for forming an image; *also* : a device for focusing radiations other than light **2** : a transparent body in the eye that focuses light rays on receptors at the back of the eye
Lent \'lent\ *n* : a 40-day period of penitence and fasting observed from Ash Wednesday to Easter by many churches — **Lent·en** \-ᵊn\ *adj*
len·til \'lent-ᵊl\ *n* : an Old World legume grown for its flat edible seeds and for fodder; *also* : its seed

leop·ard \'lep-ərd\ *n* : a large strong usu. tawny and black-spotted cat of southern Asia and Africa

le·o·tard \'lē-ə-,tärd\ *n* : a close-fitting garment worn esp. by dancers and acrobats

lep·er \'lep-ər\ *n* **1** : a person affected with leprosy **2** : OUTCAST

lep·re·chaun \'lep-rə-,kän\ *n* : a mischievous elf of Irish folklore

lep·ro·sy \'lep-rə-sē\ *n* : a chronic bacterial disease marked esp. by slow-growing swellings with deformity and loss of sensation of affected parts — **lep·rous** \-rəs\ *adj*

les·bi·an \'lez-bē-ən\ *n* : a female homosexual — **lesbian** *adj* — **les·bi·an·ism** \-,iz-əm\ *n*

le·sion \'lē-zhən\ *n* : an abnormal structural change in the body due to injury or disease

¹less \'les\ *adj* **1** : FEWER ⟨~ than six⟩ **2** : of lower rank, degree, or importance **3** : SMALLER; *also* : more limited in quantity

²less *adv* : to a lesser extent or degree

³less *prep* : diminished by : MINUS

⁴less *n* **1** : a smaller portion **2** : something of less importance

-less \ləs\ *adj suffix* **1** : destitute of : not having ⟨child*less*⟩ **2** : unable to be acted on or to act (in a specified way) ⟨dauntless⟩

les·see \le-'sē\ *n* : a tenant under a lease

less·en \'les-ᵊn\ *vb* : to make or become less syn decrease, diminish, dwindle

less·er \-ər\ *adj* **1** : SMALLER **2** : INFERIOR

les·son \'les-ᵊn\ *n* **1** : a passage from sacred writings read in a service of worship **2** : a reading or exercise to be studied by a pupil; *also* : something learned **3** : a period of instruction **4** : an instructive example

les·sor \'les-,ȯr, le-'sȯr\ *n* : one who conveys property by a lease

lest \,lest\ *conj* : for fear that

¹let \'let\ *n* [ME *lette*, fr. *letten* to delay, hinder, fr. OE *lettan*] **1** : HINDRANCE, OBSTACLE **2** : a stroke in racket games that does not count

²let *vb* **let**; **let·ting** [OE *lǣtan*] **1** : to cause to : MAKE ⟨~ it be known⟩ **2** : RENT, LEASE; *also* : to assign esp. after bids **3** : ALLOW, PERMIT ⟨~ him go⟩

-let \lət\ *n suffix* **1** : small one ⟨book*let*⟩ **2** : article worn on ⟨wrist*let*⟩

let·down \'let-,daun\ *n* **1** : DISAPPOINTMENT **2** : a slackening of effort

le·thal \'lē-thəl\ *adj* : DEADLY, FATAL — **le·thal·ly** *adv*

leth·ar·gy \'leth-ər-jē\ *n* **1** : abnormal drowsiness **2** : the quality or state of being lazy or indifferent syn languor, lassitude — **le·thar·gic** \li-'thär-jik\ *adj*

¹let·ter \'let-ər\ *n* **1** : a symbol that stands for a speech sound and constitutes a unit of an alphabet **2** : a written or printed communication **3** *pl* : LITERATURE; *also* : LEARNING **4** : the literal meaning ⟨the ~ of the law⟩ **5** : a single piece of type

²letter *vb* : to mark with letters : INSCRIBE — **let·ter·er** *n*

let·ter·head \-,hed\ *n* : stationery with a printed or engraved heading; *also* : the heading itself

let·ter–per·fect \,let-ər-'pər-fikt\ *adj* : correct to the smallest detail; *esp* : VERBATIM

let·ter·press \'let-ər-,pres\ *n* **1** : printing done directly by impressing the paper on an inked raised surface **2** : TEXT

let·tuce \'let-əs\ *n* : a garden plant with crisp leaves used esp. in salads

let·up \'let-,əp\ *n* : a lessening of effort

leu·ke·mia \lü-'kē-mē-ə\ *n* : a cancerous disease in which white blood cells increase greatly

lev·ee \'lev-ē\ *n* : an embankment to prevent flooding (as by a river); *also* : a river landing place

¹lev·el \'lev-əl\ *n* **1** : a device for establishing a horizontal line or plane **2** : horizontal condition **3** : a horizontal position, line, or surface often taken as an index of altitude; *also* : a flat area of ground **4** : height, position, rank, or size in a scale

²level *vb* **-eled** *or* **-elled**; **-el·ing** *or* **-el·ling** **1** : to make flat or level; *also* : to come to a level **2** : AIM, DIRECT **3** : EQUALIZE **4** : RAZE — **lev·el·er** *n*

³level *adj* **1** : having a flat even surface **2** : HORIZONTAL **3** : of the same height or rank : EVEN; *also* : UNIFORM **4** : steady and cool in judgment — **lev·el·ly** *adv* — **lev·el·ness** *n*

lev·el·head·ed \,lev-əl-'hed-əd\ *adj* : having sound judgment : SENSIBLE

lev·er \'lev-ər, 'lē-vər\ *n* **1** : a bar used for prying or dislodging something; *also* : a means for achieving one's purpose ⟨a ~ to gain votes⟩ **2** : a rigid piece turning about an axis and used for transmitting and changing force and motion

lev·er·age \-ij\ *n* : the action or mechanical effect of a lever

le·vi·a·than \li-'vī-ə-thən\ *n* **1** : a large sea animal **2** : something very large or formidable of its kind

lev·i·tate \'lev-ə-,tāt\ *vb* : to rise or cause to rise in the air in seeming defiance of gravitation — **lev·i·ta·tion** \,lev-ə-'tā-shən\ *n*

lev·i·ty \'lev-ət-ē\ *n* : lack of earnestness : FRIVOLITY syn lightness, flippancy

¹levy \'lev-ē\ *n* **1** : the imposition or collection of an assessment; *also* : an amount levied **2** : the enlistment of men for military service; *also* : troops raised by levy

²levy *vb* **1** : to impose or collect by legal authority ⟨~ a tax⟩ **2** : to enlist for military service **3** : WAGE ⟨~ war⟩ **4** : to seize property in satisfaction of a legal claim

lewd \'lüd\ *adj* **1** : sexually unchaste : LASCIVIOUS **2** : OBSCENE, SALACIOUS — **lewd·ly** *adv* — **lewd·ness** *n*

lex·i·con \'lek-sə-,kän\ *n* : DICTIONARY

li·a·bil·i·ty \,lī-ə-'bil-ət-ē\ *n* **1** : the quality or state of being liable **2** *pl* : DEBTS **2** : DRAWBACK, DISADVANTAGE

li·a·ble \'lī-ə-bəl\ *adj* **1** : legally obligated : RESPONSIBLE **2** : LIKELY, APT ⟨~ to fall⟩ **3** : SUSCEPTIBLE ⟨~ to disease⟩

li·ai·son \'lē-ə-ˌzän, lē-'ā-\ *n* **1** : a close bond : INTERRELATIONSHIP **2** : an illicit sexual relationship **3** : communication esp. between parts of an armed force

li·ar \'lī-ər\ *n* : a person who lies

li·ba·tion \lī-'bā-shən\ *n* **1** : an act of pouring a liquid as a sacrifice (as to a god); *also* : the liquid poured **2** : DRINK

¹li·bel \'lī-bəl\ *n* **1** : the action or crime of injuring a person's reputation by something printed or written or by a visible representation **2** : a spoken or written statement or a representation that gives an unjustly unfavorable impression of a person or thing — **li·bel·ous** *or* **li·bel·lous** \-bə-ləs\ *adj*

²libel *vb* **-beled** *or* **-belled**; **-bel·ing** *or* **-bel·ling** : to make or publish a libel — **li·bel·er** *or* **li·bel·ler** *n*

¹lib·er·al \'lib-(ə-)rəl\ *adj* **1** : of, relating to, or based on studies designed to provide general knowledge and to develop the general intellectual capacities ⟨~ arts⟩ **2** : GENEROUS, BOUNTIFUL **3** : not literal **4** : not narrow in opinion or judgment : TOLERANT; *also* : not orthodox **5** : not conservative — **lib·er·al·i·ty** \ˌlib-ə-'ral-ət-ē\ *n* — **lib·er·al·ize** \'lib-(ə-)rə-ˌlīz\ *vb* — **lib·er·al·ly** \'lib-(ə-)rə-lē\ *adv*

²liberal *n* : a person who holds liberal views

lib·er·al·ism \'lib-(ə-)rə-ˌliz-əm\ *n* : liberal principles and theories

lib·er·ate \'lib-ə-ˌrāt\ *vb* **1** : to free from bondage or restraint **2** : to free (as a gas) from combination — **lib·er·a·tion** \ˌlib-ə-'rā-shən\ *n* — **lib·er·a·tor** \'lib-ə-ˌrāt-ər\ *n*

lib·er·tar·i·an \ˌlib-ər-'ter-ē-ən\ *n* **1** : an advocate of the doctrine of free will **2** : one who upholds the principles of liberty esp. of thought and action

lib·er·tine \'lib-ər-ˌtēn\ *n* : one who leads a life of dissoluteness

lib·er·ty \-ərt-ē\ *n* **1** : FREEDOM **2** : an action going beyond normal limits; *esp* : FAMILIARITY **3** : a short authorized absence from naval duty

li·bid·i·nous \lə-'bid-ᵊn-əs\ *adj* **1** : LASCIVIOUS **2** : LIBIDINAL

li·bi·do \lə-'bēd-ō, -'bīd-\ *n* : psychic energy derived from basic biological urges; *also* : sexual drive — **li·bid·i·nal** \lə-'bid-ᵊn-əl\ *adj*

li·brar·i·an \lī-'brer-ē-ən\ *n* : a specialist in the care or management of a library

li·brary \'lī-ˌbrer-ē\ *n* **1** : a place in which books are kept for use but not for sale **2** : a collection of books

Lib·y·an \'lib-ē-ən\ *n* : a native or inhabitant of Libya

lice *pl of* LOUSE

li·cense *or* **li·cence** \'līs-ᵊns\ *n* **1** : permission to act; *esp* : legal permission to engage in a business, occupation, or activity **2** : a document, plate, or tag evidencing a license granted **3** : freedom used irresponsibly — **license** *vb*

li·cens·ee \ˌlīs-ᵊn-'sē\ *n* : a licensed person

li·cen·ti·ate \lī-'sen-chē-ət\ *n* : one licensed (as by a university) to practice a profession

li·cen·tious \lī-'sen-chəs\ *adj* : LEWD, LASCIVIOUS — **li·cen·tious·ly** *adv* — **li·cen·tious·ness** *n*

li·chen \'lī-kən\ *n* : any of various complex lower plants made up of an alga and a fungus growing as a unit on a solid surface (as of a stone or tree trunk) — **li·chen·ous** \-əs\ *adj*

lic·it \'lis-ət\ *adj* : LAWFUL

¹lick \'lik\ *vb* **1** : to draw the tongue over; *also* : to flicker over like a tongue **2** : THRASH; *also* : DEFEAT

²lick *n* **1** : a stroke of the tongue **2** : a small amount **3** : a hasty careless effort **4** : BLOW **5** : a place (as a spring) having a deposit of salt that animals regularly lick

lic·o·rice \'lik-(ə-)rish, -rəs\ *n* [LL *liquiritia*, alter. of L *glycyrrhiza*, fr. Gk *glykyrrhiza*, fr. *glykys* sweet + *rhiza* root] **1** : a European leguminous plant; *also* : its dried root or an extract from it used esp. as a flavoring and in medicine **2** : a confection flavored with licorice extract

lid \'lid\ *n* **1** : a movable cover **2** : EYELID

¹lie \'lī\ *vb* **lay** \'lā\ **lain** \'lān\ **ly·ing** \'lī-iŋ\ **1** : to be in, stay at rest in, or assume a horizontal position; *also* : to be in a helpless or defenseless state ⟨~ in prison⟩ **2** : EXTEND **3** : to occupy a certain relative position **4** : to have an effect esp. through mere presence

²lie *n* : the position in which something lies

³lie *vb* **lied**; **ly·ing** \'lī-iŋ\ : to tell a lie

⁴lie *n* : an untrue statement made with intent to deceive

lien \'lēn, 'lē-ən\ *n* : a legal claim on the property of another for the satisfaction of a debt or the fulfillment of a duty

lieu \'lü\ *n, archaic* : PLACE, STEAD — **in lieu of** : in the place of

lieu·ten·ant \lü-'ten-ənt\ *n* **1** : a representative of another in the performance of duty **2** : a commissioned officer (as in the army) ranking next below a captain **3** : a commissioned officer in the navy ranking next below a lieutenant commander — **lieu·ten·an·cy** \-ən-sē\ *n*

lieutenant colonel *n* : a commissioned officer (as in the army) ranking next below a colonel

lieutenant commander *n* : a commissioned officer in the navy ranking next below a commander

lieutenant general *n* : a commissioned officer (as in the army) ranking next below a general

lieutenant junior grade *n* : a commissioned officer in the navy ranking next below a lieutenant

life \'līf\ *n, pl* **lives** \'līvz\ **1** : the quality that distinguishes a vital and functional being from a dead body or inanimate matter; *also* : a state of an organism characterized esp. by capacity for metabolism, growth, reaction to stimuli, and reproduction **2** : the physical and mental experiences of an individual **3** : BIOGRAPHY **4** : the period of existence **5** : manner of living **6** : PERSON **7** : ANIMATION, SPIRIT; *also* : LIVELINESS **8** : animate activity ⟨signs of ~⟩ **9** : one providing interest and vigor ⟨~ of the party⟩ — **life·less** \'līf-ləs\ *adj* — **life·like** \-ˌlīk\ *adj*

life·blood \-'bləd\ *n* : a basic source of strength and vitality

life·boat \'līf-ˌbōt\ *n* : a strong boat designed for use in saving lives at sea

life·guard \-,gärd\ *n* : a usu. expert swimmer employed to safeguard bathers

life·line \-,līn\ *n* **1** : a line to which persons may cling to save or protect their lives **2** : a land, sea, or air route considered indispensable

life·long \'līf-,lȯŋ\ *adj* : continuing through life

life preserver *n* : a device designed to save a person from drowning by buoying up the body while in the water

life·sav·ing \'līf-,sā-viŋ\ *n* : the art or practice of saving or protecting lives esp. of drowning persons

life·time \-,tīm\ *n* : the duration of an individual's existence

¹lift \'lift\ *vb* **1** : RAISE, ELEVATE; *also* : RISE, ASCEND **2** : to put an end to : STOP **3** : to pay off ⟨~ a mortgage⟩

²lift *n* **1** : LOAD **2** : the action or an instance of lifting **3** : HELP; *also* : a ride along one's way **4** : RISE, ADVANCE **5** *chiefly Brit* : ELEVATOR **6** : the upward force that is developed by a moving airplane and that opposes the pull of gravity **7** : an elevation of the spirits

lig·a·ment \'lig-ə-mənt\ *n* : a band of tough tissue that holds bones together

lig·a·ture \'lig-ə-,chur, -chər\ *n* **1** : something that binds or ties : BAND, BOND; *also* : a thread used in surgery esp. for tying blood vessels **2** : a printed or written character consisting of two or more letters or characters (as æ) united

¹light \'līt\ *n* **1** : something that makes vision possible : electromagnetic radiation visible to the human eye; *also* : BRIGHTNESS **2** : DAYLIGHT **3** : a source of light (as a candle) **4** : ENLIGHTENMENT; *also* : TRUTH **5** : public knowledge **6** : WINDOW **7** *pl* : STANDARDS ⟨according to his ~s⟩ **8** : CELEBRITY **9** : a lighthouse beacon; *also* : a traffic signal **10** : a flame for lighting something

²light *adj* **1** : BRIGHT **2** : PALE ⟨~ blue⟩ — **light·ness** *n*

³light *vb* **light·ed** *or* **lit** \'lit\ **light·ing** **1** : to make or become light **2** : to cause to burn : BURN **3** : to conduct with a light **4** : ILLUMINATE

⁴light *adj* **1** : not heavy **2** : not serious ⟨~ reading⟩ **3** : SCANTY ⟨~ rain⟩ **4** : GENTLE ⟨a ~ blow⟩ **5** : easily endurable ⟨~ cold⟩; *also* : requiring little effort ⟨~ exercise⟩ **6** : SWIFT, NIMBLE **7** : FRIVOLOUS **8** : DIZZY **9** : producing goods for direct consumption by the consumer ⟨~ industry⟩ — **light·ly** *adv* — **light·ness** *n*

⁵light *vb* **light·ed** *or* **lit** \'lit\ **light·ing** **1** : SETTLE, ALIGHT **2** : to fall unexpectedly **3** : HAPPEN ⟨~ upon a solution⟩

¹light·en \'līt-ᵊn\ *vb* **1** : ILLUMINATE, BRIGHTEN **2** : to give out flashes of lightning

²lighten *vb* **1** : to relieve of a burden **2** : GLADDEN **3** : to become lighter

¹ligh·ter \'līt-ər\ *n* : a barge used esp. in loading or unloading ships

²light·er *n* : a device for lighting ⟨cigarette ~⟩

light·house \-,haùs\ *n* : a structure with a powerful light for guiding mariners

lighthouse

light·ning \'līt-niŋ\ *n* : the flashing of light produced by a discharge of atmospheric electricity from one cloud to another or between a cloud and the earth

light·proof \-'prüf\ *adj* : impenetrable by light

lights \'līts\ *n pl* : the lungs esp. of a slaughtered animal

¹like \'līk\ *vb* **1** : ENJOY ⟨~s baseball⟩ **2** : WANT **3** : CHOOSE ⟨does as he ~s⟩ — **lik·able** *or* **like·able** \-ə-bəl\ *adj*

²like *n* : PREFERENCE

³like *adj* : SIMILAR **syn** alike, identical, comparable, parallel, uniform

⁴like *prep* **1** : similar or similarly to **2** : typical of **3** : inclined to ⟨looks ~ rain⟩ **4** : such as ⟨a subject ~ physics⟩

⁵like *n* : COUNTERPART

⁶like *conj* : in the same way that

-like \,līk\ *adj suffix* **1** : of a form, kind, appearance, or effect resembling or suggesting ⟨a life*like* statue⟩ ⟨bell*like* tones⟩ **2** : of the kind befitting or characteristic of ⟨lady*like* behavior⟩

like·li·hood \'lī-klē-,hud\ *n* : PROBABILITY

¹like·ly \'lī-klē\ *adj* **1** : PROBABLE **2** : BELIEVABLE **3** : PROMISING ⟨a ~ place to fish⟩

²likely *adv* : in all probability

lik·en \'lī-kən\ *vb* : COMPARE

like·ness \'līk-nəs\ *n* **1** : RESEMBLANCE **2** : APPEARANCE, GUISE **3** : COPY, PORTRAIT

like·wise \-,wīz\ *adv* **1** : in like manner **2** : in addition : ALSO

lik·ing \'lī-kiŋ\ *n* : favorable regard; *also* : TASTE

li·lac \'lī-lək, -,lak\ *n* **1** : a shrub with large clusters of fragrant grayish pink, purple, or white flowers **2** : a moderate purple

lilac

lilt \'lilt\ *n* **1** : a gay lively song or tune **2** : a rhythmical swing, flow, or cadence

lily \'lil-ē\ *n* : any of numerous tall bulbous herbs with leafy stems and usu. funnel-shaped flowers; *also* : any of various related plants (as the onion, amaryllis, or iris)

lily

limb \'lim\ *n* : one of the projecting paired appendages (as legs, arms, or wings) that an animal uses esp. in moving or grasping **2** : a large branch of a tree : BOUGH — **limb·less** \'lim-ləs\ *adj*

¹**lim·ber** \'lim-bər\ *adj* **1** : FLEXIBLE, SUPPLE **2** : LITHE, NIMBLE

²**limber** *vb* : to make or become limber

lim·bo \'lim-bō\ *n* **1** *often cap* : an abode of souls barred from heaven through no fault of their own **2** : a place or state of confinement or oblivion

¹**lime** \'līm\ *n* : a caustic infusible white substance that consists of calcium and oxygen, is obtained by heating limestone or shells until they crumble to powder, and is used in making cement and in fertilizer — **limy** \'lī-mē\ *adj*

²**lime** *n* : a small lemonlike greenish yellow citrus fruit with juicy acid pulp

lime·kiln \'līm-ˌkil(n)\ *n* : a kiln or furnace for making lime by burning limestone or shells

lime·light \-ˌlīt\ *n* **1** : a device in which flame is directed against a cylinder of lime formerly used in the theater to cast a strong white light on the stage **2** : the center of public attention

lim·er·ick \'lim-(ə-)rik\ *n* : a light or humorous poem of five lines

lime·stone \'līm-ˌstōn\ *n* : a rock that is formed by accumulation of organic remains (as shells), is used in building, and yields lime when burned

¹**lim·it** \'lim-ət\ *n* **1** : BOUNDARY; *also*, *pl* : BOUNDS **2** : something that restrains or confines; *also* : the utmost extent **3** : a prescribed maximum or minimum — **lim·it·less** \-ləs\ *adj*

²**limit** *vb* **1** : to set limits to **2** : to reduce in quantity or extent — **lim·i·ta·tion** \ˌlim-ə-'tā-shən\ *n*

lim·it·ed \'lim-ət-əd\ *adj* **1** : confined within limits : RESTRICTED **2** : offering superior and faster service and transportation

limn \'lim\ *vb* **1** : DRAW; *also* : PAINT **2** : DELINEATE, DESCRIBE

lim·ou·sine \'lim-ə-ˌzēn\ *n* : a large luxurious often chauffeur-driven sedan

¹**limp** \'limp\ *vb* **1** : to walk lamely; *also* : to proceed with difficulty

²**limp** *n* : a limping movement or gait

³**limp** *adj* **1** : having no defined shape; *also* : not stiff or rigid **2** : lacking in strength or firmness — **limp·ly** *adv* — **limp·ness** *n*

lim·pid \-pəd\ *adj* : CLEAR, TRANSPARENT

¹**line** \'līn\ *vb* : to cover the inner surface of

²**line** *n* **1** : CORD, ROPE, WIRE; *also* : a length of material used in measuring and leveling **2** : pipes for conveying a fluid ⟨a gas ~⟩ **3** : a horizontal row of written or printed characters; *also* : VERSE **4** : NOTE **5** *pl* : the words making up a part in a drama **6** : something distinct, long, and narrow; *also* : ROUTE **7** : a state of agreement **8** : a course of conduct, action, or thought; *also* : OCCUPATION **9** : LIMIT **10** : an arrangement (as of cars) in or as if in a row or sequence; *also* : the football players who are stationed on the line of scrimmage **11** : a transportation system **12** : a long narrow mark; *also* : EQUATOR **13** : CONTOUR **14** : a general plan **15** : an indication (as of intention) based on insight or investigation

³**line** *vb* **1** : to mark with a line **2** : to place or form a line along **3** : ALIGN

lin·eage \'lin-ē-ij\ *n* : lineal descent from a common progenitor; *also* : FAMILY

lin·eal \'lin-ē-əl\ *adj* **1** : LINEAR **2** : consisting of or being in a direct line of ancestry; *also* : HEREDITARY

lin·ea·ment \'lin-ē-ə-mənt\ *n* : an outline, feature, or contour of a body or figure and esp. of a face — usu. used in pl.

lin·ear \'lin-ē-ər\ *adj* **1** : of, relating to, or consisting of a line : STRAIGHT **2** : being long and uniformly narrow

line·man \'līn-mən\ *n* **1** : one who sets up or repairs communication or power lines **2** : a player in the line in football

lin·en \'lin-ən\ *n* **1** : cloth made of flax; *also* : thread or yarn spun from flax **2** : clothing or household articles made of linen cloth or similar fabric

lin·er \'lī-nər\ *n* : a ship or airplane belonging to a regular transportation line

line-up \'līn-ˌəp\ *n* **1** : a line of persons arranged for inspection or identification **2** : a list of players taking part in a game (as of baseball)

lin·ger \'liŋ-gər\ *vb* : TARRY; *also* : PROCRASTINATE

lin·go \'liŋ-gō\ *n*, *pl* **lingoes** : usu. strange or incomprehensible language

lin·gual \-gwəl\ *adj* : of, relating to, or produced by the tongue

lin·guist \'liŋ-gwəst\ *n* [L *lingua* tongue, language] **1** : a person skilled in languages **2** : one who specializes in linguistics

lin·guis·tics \liŋ-'gwis-tiks\ *n* : the study of human speech including the units, nature, structure, and development of language or a language — **lin·guis·tic** *adj*

lin·i·ment \'lin-ə-mənt\ *n* : a liquid preparation rubbed on the skin esp. to relieve pain

lin·ing \'lī-niŋ\ *n* : material used to line esp. an inner surface (as of a garment)

link \'liŋk\ *n* **1** : a connecting structure; *esp* : a single ring of a chain **2** : BOND, TIE — **link** *vb*

link·age *n* **1** : the manner or style of being united **2** : the quality or state of being linked **3** : a system of links

li·no·le·um \lə-'nō-lē-əm\ *n* : a floor covering with a canvas back and a surface of hardened linseed oil and a filler (as cork dust)

lin·seed \'lin-ˌsēd\ *n* : the seeds of flax yielding a yellowish drying oil (**linseed oil**) used esp. in paints, printing inks, and linoleum

lint \'lint\ *n* **1** : linen made into a soft fleecy substance for use in surgical dressings **2** : fine ravels, fluff, or loose short fibers from yarn or fabrics **3** : the fibers that surround cotton seeds and form the cotton staple

lin·tel \'lint-əl\ *n* : a horizontal piece across the top of an opening (as of a door) that carries the weight of the structure above it

lintel

li·on \'lī-ən\ *n* : a large flesh-eating cat of Africa and southern Asia with a shaggy mane in the male — **li·on·ess**

lip \\'lip\\ *n* **1** : either of the two fleshy folds that surround the mouth; *also* : a part or projection suggesting such a lip **2** : the edge of a hollow vessel or cavity — **lipped** \\'lipt\\ *adj*

lip-read-ing \\'lip-,rēd-iŋ\\ *n* : the interpreting of a speaker's words without hearing his voice by watching his lip and facial movements

lip-stick \\'lip-,stik\\ *n* : a waxy solid colored cosmetic in stick form for the lips

liq-ue-fy \\'lik-wə-,fī\\ *vb* : to reduce to a liquid state : become liquid — **liq-ue-fac-tion** \\,lik-wə-'fak-shən\\ *n*

li-queur \\li-'kər\\ *n* : a distilled alcoholic liquor flavored with aromatic substances and usu. sweetened

¹liq-uid \\'lik-wəd\\ *adj* **1** : flowing freely like water **2** : neither solid nor gaseous **3** : shining clear ⟨large ~ eyes⟩ **4** : smooth and musical in tone; *also* : smooth and unconstrained in movement **5** : consisting of or capable of ready conversion into cash ⟨~ assets⟩

²liquid *n* : a liquid substance

liq-ui-date \\'lik-wə-,dāt\\ *vb* **1** : to pay off ⟨~ a debt⟩ **2** : to settle the accounts and distribute the assets of (as a business) **3** : to get rid of; *esp* : KILL — **liq-ui-da-tion** \\,lik-wə-'dā-shən\\ *n*

li-quor \\'lik-ər\\ *n* : a liquid substance; *esp* : a distilled alcoholic beverage

lisp \\'lisp\\ *vb* : to pronounce *s* and *z* imperfectly esp. by giving them the sound of *th*; *also* : to speak childishly — **lisp** *n*

lis-some \\'lis-əm\\ *adj* : LITHE; *also* : NIMBLE

¹list \\'list\\ *vb* : PLEASE; *also* : WISH

²list *vb* : LISTEN

³list *n* **1** : a simple series of names; *also* : an official roster **2** : INDEX, CATALOG

⁴list *vb* : to make a list of; *also* : to include on a list

⁵list *vb* : TILT

⁶list *n* : a heeling over : TILT

lis-ten \\'lis-ᵊn\\ *vb* **1** : to pay attention in order to hear **2** : HEED — **lis-ten-er** *n*

list-less \\'list-ləs\\ *adj* : LANGUID, SPIRITLESS — **list-less-ly** *adv* — **list-less-ness** *n*

lit *past of* LIGHT

lit-a-ny \\'lit-ᵊn-ē\\ *n* : a prayer consisting of a series of supplications and responses said alternately by a leader and a group

li-ter *or* **li-tre** \\'lēt-ər\\ *n* : a metric unit of capacity equal to 1.0567 liquid quarts

lit-er-al \\'lit-(ə-)rəl\\ *adj* **1** : adhering to fact or to the ordinary or usual meaning (as of a word) **2** : UNADORNED; *also* : PROSAIC **3** : VERBATIM — **lit-er-al-ly** *adv*

lit-er-ary \\'lit-ə-,rer-ē\\ *adj* **1** : of or relating to literature **2** : versed in literature : WELL-READ

lit-er-ate \\'lit-ə-rət\\ *adj* **1** : EDUCATED; *also* : able to read and write **2** : LITERARY; *also* : POLISHED, LUCID — **lit-er-a-cy** \\-rə-sē\\ *n*

lit-er-a-ture \\'lit-(ə-)rə-,chùr, -chər\\ *n* **1** : the production of written works having excellence of form or expression and dealing with ideas of permanent or universal interest **2** : writings in prose or verse

lithe \\'līth, 'līth\\ *adj* **1** : SUPPLE, RESILIENT **2** : characterized by effortless grace

lithe-some *adj* : LISSOME

lith-i-um \\'lith-ē-əm\\ *n* : a light silver-white chemical element

li-thog-ra-phy \\lith-'äg-rə-fē\\ *n* : the process of printing from a plane surface (as a smooth stone or metal plate) on which the image to be printed is ink-receptive and the blank area ink-repellent — **lith-o-graph** \\'lith-ə-,graf\\ *vb* — **lithograph** *n* — **li-thog-ra-pher** *n*

Lith-u-a-ni-an \\,lith-(y)ə-'wā-nē-ən\\ *n* **1** : a native or inhabitant of Lithuania **2** : the language of the Lithuanians — **Lithuanian** *adj*

lit-i-gant \\'lit-i-gənt\\ *n* : a party to a lawsuit

lit-i-gate \\'lit-ə-,gāt\\ *vb* : to carry on a legal contest by judicial process; *also* : to contest at law — **lit-i-ga-tion** \\,lit-ə-'gā-shən\\ *n*

li-ti-gious \\lə-'tij-əs\\ *adj* **1** : CONTENTIOUS **2** : prone to engage in lawsuits **3** : of or relating to litigation — **li-ti-gious-ness** *n*

lit-mus \\'lit-məs\\ *n* : a coloring matter from lichens that turns red in acid solutions and blue in alkaline

¹lit-ter \\'lit-ər\\ *n* **1** : a covered and curtained couch with shafts used to carry a single passenger; *also* : a device (as a stretcher) for carrying a sick or injured person **2** : material used as bedding for animals; *also* : the uppermost layer of organic debris on the forest floor **3** : the offspring of an animal at one birth **4** : RUBBISH

²litter *vb* **1** : to give birth to young **2** : to strew with litter

lit-ter-bug \\-,bəg\\ *n* : one who litters a public area

¹lit-tle \\'lit-ᵊl\\ *adj* **1** : not big **2** : not much **3** : not important **4** : NARROW, MEAN — **lit-tle-ness** *n*

²little *adv* **1** : SLIGHTLY; *also* : not at all **2** : INFREQUENTLY

³little *n* **1** : a small amount or quantity **2** : a short time or distance

Little Dipper *n* : the seven principal stars in the constellation of Ursa Minor arranged in a form resembling a dipper with the North Star forming the outer end of the handle

lit-ur-gy \\'lit-ər-jē\\ *n* : a rite or body of rites prescribed for public worship — **li-tur-gi-cal** \\lə-'tər-ji-kəl\\ *adj* — **li-tur-gi-cal-ly** *adv* — **lit-ur-gist** \\'lit-ər-jəst\\ *n*

liv-able *also* **live-able** \\'liv-ə-bəl\\ *adj* **1** : suitable for living in or with **2** : ENDURABLE — **liv-a-bil-i-ty** \\,liv-ə-'bil-ət-ē\\ *n*

¹live \\'liv\\ *vb* **1** : to be or continue alive **2** : SUBSIST **3** : to conduct one's life **4** : RESIDE **5** : to remain in human memory or record

²live \\'līv\\ *adj* **1** : having life **2** : abounding with life **3** : BURNING, GLOWING ⟨a ~ cigar⟩ **4** : connected to electric power ⟨a ~ wire⟩ **5** : UNEXPLODED ⟨a ~ bomb⟩ **6** : of continuing interest ⟨a ~ issue⟩ **7** : being in play ⟨a ~ ball⟩ **8** : of or involving the actual presence of real people ⟨~ audience⟩; *also* : broadcast directly at the time of production ⟨a ~ radio program⟩

live-li-hood \\'līv-lē-,hùd\\ *n* : means of support or subsistence

live-long \\,liv-,lȯŋ\\ *adj* : WHOLE, ENTIRE

live·ly \'līv-lē\ *adj* **1** : full of life **2** : KEEN, VIVID ⟨~ interest⟩ **3** : ANIMATED ⟨~ debate⟩ **4** : showing activity or vigor ⟨a ~ manner⟩ **5** : quick to rebound ⟨~ ball⟩ *syn* vivacious, sprightly, gay — **live·li·ness** *n*

liv·en \'lī-vən\ *vb* : ENLIVEN

liv·er \'liv-ər\ *n* : a large glandular organ of vertebrates that secretes bile and is a center of metabolic activity

liv·er·wort \'liv-ər-,wərt\ *n* : any of various plants resembling the related mosses

liv·er·wurst \-,wərst, -,wu̇(r)st\ *n* : a sausage consisting chiefly of liver

liv·ery \'liv(-ə)-rē\ *n* **1** : a special uniform worn by the servants of a wealthy household; *also* : distinctive dress **2** : the feeding, care, and stabling of horses for pay; *also* : the keeping of horses and vehicles for hire — **liv·er·ied**

lives *pl of* LIFE

live·stock \'līv-,stäk\ *n* : farm animals kept for use and profit

¹liv·ing \'liv-iŋ\ *adj* **1** : having life **2** : NATURAL **3** : full of life and vigor; *also* : VIVID

²living *n* **1** : the condition of being alive; *also* : manner of life **2** : LIVELIHOOD

living room *n* : a room in a residence used for the common social activities of the occupants

liz·ard \'liz-ərd\ *n* : a 4-legged scaly reptile with a long tapering tail

lla·ma \'läm-ə\ *n* : any of several wild or domesticated So. American mammals related to the camel but smaller and without a hump

lo \'lō\ *interj* — used esp. to call attention

¹load \'lōd\ *n* **1** : PACK; *also* : CARGO **2** : a mass of weight supported by something **3** : something that burdens the mind or spirits **4** : a large quantity — usu. used in pl.

²load *vb* **1** : to put a load in or on; *also* : to receive a load **2** : BURDEN **3** : to increase the weight of by adding something **4** : to supply abundantly **5** : to put a charge in (as a firearm)

¹loaf \'lōf\ *n*, *pl* **loaves** \'lōvz\ : a shaped or molded mass esp. of bread

²loaf *vb* : to spend time in idleness : LOUNGE — **loaf·er** *n*

loam \'lōm, 'lüm\ *n* : SOIL; *esp* : a loose soil of mixed clay, sand, and silt — **loamy** *adj*

¹loan \'lōn\ *n* **1** : money let out at interest; *also* : something furnished for the borrower's temporary use **2** : the grant of temporary use

²loan *vb* : LEND

loath \'lōth, 'lōth\ *adj* : RELUCTANT

loathe \'lōth\ *vb* : to dislike greatly *syn* abominate, abhor, detest

loath·ing \'lō-thiŋ\ *n* : extreme disgust

loath·some \'lōth-səm, 'lōth-\ *adj* : exciting loathing : REPULSIVE

lob \'läb\ *vb* **lobbed**; **lob·bing** : to throw, hit, or propel something in a high arc — **lob** *n*

¹lob·by \'läb-ē\ *n* **1** : a corridor or hall used esp. as a passageway or waiting room **2** : a group of persons engaged in lobbying

²lobby *vb* : to try to influence public officials and esp. legislators — **lob·by·ist** \-əst\ *n*

lobe \'lōb\ *n* : a curved or rounded projection or division (the ~ of the ear)

lob·ster \'läb-stər\ *n* : an edible marine crustacean with 2 large pincerlike claws and 4 other pairs of legs; *also* : a related crustacean (the **spiny lobster**) with small claws and many spines

¹lo·cal \'lō-kəl\ *adj* **1** : of, relating to, or occupying a particular place **2** : affecting a small part of the body ⟨~ infection⟩ **3** : serving a particular limited district ⟨~ government⟩; *also* : making all stops ⟨a ~ train⟩ — **lo·cal·ly** *adv*

²local *n* : one that is local

lo·cale \lō-'kal\ *n* : a place that is the setting for a particular event

lo·cal·i·ty \lō-'kal-ət-ē\ *n* : a particular spot, situation, or location

lo·cate \'lō-,kāt\ *vb* **1** : STATION, SETTLE **2** : to determine the site of **3** : to find or fix the place of in a sequence

lo·ca·tion \lō-'kā-shən\ *n* **1** : the process of locating **2** : SITUATION, PLACE **3** : a place outside a studio where a motion picture is filmed

¹lock \'läk\ *n* : a tuft, strand, or ringlet of hair; *also* : a cohering bunch (as of wool or flax)

²lock *n* **1** : a fastening in which a bolt is operated (as by a key) **2** : an enclosure (as in a canal) used in raising or lowering boats from level to level **3** : the mechanism of a firearm by which the charge is exploded

lock, 1

³lock *vb* **1** : to fasten the lock of; *also* : to make fast with a lock **2** : to confine or exclude by means of a lock **3** : INTERLOCK

lock·er \'läk-ər\ *n* **1** : a drawer, cupboard, or compartment for individual storage use **2** : an insulated compartment for storing frozen food

lock·et \'läk-ət\ *n* : a small usu. metal case for a memento worn suspended from a chain or necklace

lock·jaw \'läk-,jȯ\ *n* : TETANUS

lock·out \-,au̇t\ *n* : the suspension of work or closing of a plant by an employer during a labor dispute in order to make his employees accept his terms

lock·smith \-,smith\ *n* : one who makes or repairs locks

lock·step \-,step\ *n* : a mode of marching in step by a body of men moving in a very close single file

lo·co·mo·tion \,lō-kə-'mō-shən\ *n* **1** : the act or power of moving from place to place **2** : TRAVEL

¹lo·co·mo·tive \-'mōt-iv\ *adj* : of or relating to locomotion or a locomotive

²locomotive *n* : a self-propelled vehicle used to move railroad cars

lo·cust \'lō-kəst\ *n* **1** : a usu. destructive migratory grasshopper **2** : CICADA **3** : any of various hard-wooded leguminous trees

lo·cu·tion \lō-'kyü-shən\ *n* : a particular form of expression; *also* : PHRASEOLOGY

lode \'lōd\ *n* : a deposit of a mineral (as gold ore) that fills a crack in rock

lode·star \-,stär\ *n* : a guiding star; *esp* : NORTH STAR

lode·stone \-,stōn\ *n* : an iron-containing rock with magnetic properties

¹lodge \'läj\ *vb* **1** : to provide quarters for; *also* : to settle in a place **2** : CONTAIN **3** : to come to a rest and remain **4** : to deposit for safekeeping **5** : to vest (as authority) in an agent **6** : FILE

²lodge *n* **1** : a house set apart for residence in a special season or by an employee on an estate ⟨hunting ∼⟩ ⟨caretaker's ∼⟩; *also* : INN **2** : a den or lair esp. of gregarious animals **3** : the meeting place of a branch of a fraternal organization; *also* : the members of such a branch

lodg·ing \-iŋ\ *n* **1** : DWELLING **2** : a room or suite of rooms in another's house rented as a dwelling place — usu. used in pl.

lodg·ment *or* **lodge·ment** \'läj-mənt\ *n* **1** : a lodging place **2** : the act or manner of lodging **3** : DEPOSIT

¹loft \'lóft\ *n* **1** : ATTIC **2** : GALLERY ⟨organ ∼⟩ **3** : an upper floor (as in a warehouse or barn) esp. when not partitioned

²loft *vb* : to strike or throw a ball so that it rises high in the air

lofty \'lóf-tē\ *adj* **1** : extremely proud **2** : NOBLE; *also* : SUPERIOR **3** : HIGH, TALL — **loft·i·ly** *adv* — **loft·i·ness** *n*

¹log \'lóg, 'läg\ *n* **1** : a bulky piece of unshaped timber **2** : an apparatus for measuring the rate of a ship's motion through the water **3** : the daily record of a ship's progress; *also* : a regularly kept record of performance (as of an airplane)

²log *vb* **logged; log·ging 1** : to cut trees for lumber **2** : to enter in a log **3** : to sail a ship or fly an airplane for an indicated distance or period of time — **log·ger** *n*

log·a·rithm \'lóg-ə-,rith-əm, 'läg-\ *n* : the exponent that indicates the power to which a base number is raised to produce a given number ⟨the ∼ of 100 to the base number 10 is 2⟩ — **log·a·rith·mic** \,lóg-ə-'rith-mik, ,läg-\ *adj*

log·ger·head \'lóg-ər-,hed, 'läg-\ *n* : a large sea turtle of the warmer parts of the Atlantic — **at loggerheads** : in a state of quarrelsome disagreement

log·ic \'läj-ik\ *n* **1** : a science that deals with the rules and tests of sound thinking and proof by reasoning **2** : sound reasoning — **log·i·cal** \-i-kəl\ *adj* — **log·i·cal·ly** *adv* — **lo·gi·cian** \lō-'jish-ən\ *n*

lo·gis·tics \lō-'jis-tiks\ *n sing or pl* : the procurement, maintenance, and transportation of matériel, facilities, and personnel — **lo·gis·tic** *adj*

log·roll·ing \'lóg-,rō-liŋ, 'läg-\ *n* : the trading of votes by legislators to secure favorable action on projects of individual interest

loin \'lóin\ *n* **1** : the part of the body on each side of the spinal column and between the hip and the lower ribs; *also* : a cut of meat from this part of a meat animal **2** *pl* : the upper and lower abdominal regions and the region about the hips

loin·cloth \-,klóth\ *n* : a cloth worn about the loins often as the sole article of clothing in warm climates

loi·ter \'lóit-ər\ *vb* **1** : LINGER **2** : to hang around idly **syn** dawdle, dally, procrastinate — **loi·ter·er** *n*

loll \'läl\ *vb* **1** : DROOP, DANGLE **2** : LOUNGE

lol·li·pop *or* **lol·ly·pop** \'läl-ē-,päp\ *n* : a lump of hard candy on a stick

lone \'lōn\ *adj* **1** : SOLITARY ⟨a ∼ sentinel⟩ **2** : SOLE, ONLY ⟨the ∼ theater in town⟩ **3** : ISOLATED ⟨a ∼ tree⟩

lone·ly \-lē\ *adj* **1** : being without company **2** : UNFREQUENTED ⟨a ∼ spot⟩ **3** : LONESOME — **lone·li·ness** *n*

lone·some \-səm\ *adj* **1** : sad from lack of companionship **2** : REMOTE; *also* : SOLITARY

¹long \'lóŋ\ *adj* **long·er** \'lóŋ-gər\ **long·est** \-gəst\ **1** : extending for a considerable distance; *also* : TALL, ELONGATED **2** : having a specified length **3** : extending over a considerable time; *also* : TEDIOUS **4** : containing many items in a series **5** : being a syllable or speech sound of relatively great duration **6** : extending far into the future **7** : well furnished with something — used with *on*

²long *adv* : for or during a long time

³long *n* : a long period of time

⁴long *vb* : to feel a strong desire or wish **syn** yearn, hanker, pine

long·bow \-,bō\ *n* : a wooden bow drawn by hand and usu. 5 to 6 feet long

lon·gev·i·ty \län-'jev-ət-ē\ *n* : a long duration of individual life; *also* : length of life.

long·hand \'lóŋ-,hand\ *n* : HANDWRITING

long·ing \'lóŋ-iŋ\ *n* : an eager desire esp. for something unattainable — **long·ing·ly** *adv*

lon·gi·tude \'län-jə-,t(y)üd\ *n* : angular distance due east or west from a meridian and esp. from the meridian that runs between the north and south poles and passes through Greenwich, England, expressed in degrees or in time

hemisphere marked with meridians of longitude

lon·gi·tu·di·nal \,län-jə-'t(y)üd-(ə-)nəl\ *adj* **1** : of or relating to length **2** : extending lengthwise — **lon·gi·tu·di·nal·ly** *adv*

long·shore·man \'lóŋ-'shōr-mən\ *n* : a laborer at a wharf who loads and unloads cargo

long–term \'lóŋ-'tərm\ *adj* **1** : extending over or involving a long period of time **2** : constituting a financial obligation based on a term usu. of more than 10 years ⟨∼ mortgage⟩

¹look \'lúk\ *vb* **1** : to exercise the power of vision : SEE **2** : EXPECT **3** : to have an appearance that befits ⟨∼s the part⟩ **4** : SEEM ⟨∼s thin⟩ **5** : to direct one's attention : HEED **6** : POINT, FACE **7** : to show a tendency

²look *n* **1** : the action of looking : GLANCE **2** : EXPRESSION; *also* : physical appearance **3** : ASPECT

look·out \'lúk-,aút\ *n* **1** : a person assigned to watch (as on a ship) **2** : a careful watch **3** : VIEW **4** : a matter of concern

¹loom \'lüm\ *n* : a frame or machine for weaving together threads or yarns into cloth

²**loom** vb **1** : to come into sight in an unnaturally large, indistinct, or distorted form **2** : to appear in an impressively exaggerated form

loon \'lün\ n : a web-footed black-and-white fish-eating diving bird

loo·ny or **loo·ney** \'lü-nē\ adj : CRAZY, FOOLISH

loop \'lüp\ n **1** : a fold or doubling of a line leaving an aperture between the parts through which another line can be passed; also : a loop-shaped figure or course ⟨a ~ in a river⟩ **2** : a circular airplane maneuver involving flying upside down — **loop** vb

loop·hole \-,hōl\ n **1** : a small opening in a wall through which small firearms may be discharged **2** : a means of escape

¹**loose** \'lüs\ adj **1** : not rigidly fastened **2** : free from restraint or obligation **3** : not dense or compact in structure **4** : not chaste : LEWD **5** : SLACK **6** : not precise or exact — **loose·ly** adv — **loose·ness** n

²**loose** vb **1** : RELEASE **2** : UNTIE **3** : DETACH **4** : DISCHARGE **5** : RELAX, SLACKEN

³**loose** adv : LOOSELY

loos·en \'lüs-ᵊn\ vb **1** : FREE **2** : to make or become loose **3** : to relax the severity of

loot \'lüt\ n : goods taken in war : PLUNDER — **loot** vb — **loot·er** n

¹**lop** \'läp\ vb **lopped**; **lop·ping** : to cut branches or twigs from : TRIM; also : to cut off

²**lop** vb **lopped**; **lop·ping** : to hang downward; also : to flop or sway loosely

lope \'lōp\ n : an easy bounding gait — **lope** vb

lop·sid·ed \'läp-'sīd-ǝd\ adj **1** : leaning to one side **2** : UNSYMMETRICAL — **lop·sid·ed·ly** adv — **lop·sid·ed·ness** n

lord \'lord\ n [OE hlāford, fr. hlāf loaf, bread + weard keeper, guard] **1** : one having power and authority over others; esp : a person from whom a feudal fee or estate is held **2** : a man of rank or high position; esp : a British nobleman **3** pl, cap : the upper house of the British parliament

lord·ly \-lē\ adj **1** : DIGNIFIED; also : NOBLE **2** : HAUGHTY

lord·ship \-,ship\ n **1** : the rank or dignity of a lord — used as a title **2** : the authority, power, or territory of a lord

lore \'lōr\ n : KNOWLEDGE; esp : traditional knowledge or belief

lose \'lüz\ vb **lost** \'lost\ **los·ing** \'lü-ziŋ\ **1** : DESTROY **2** : to miss from a customary place : MISLAY **3** : to suffer deprivation of **4** : to fail to use : WASTE **5** : to fail to win or obtain ⟨~ the game⟩ **6** : to fail to keep or maintain ⟨~ his balance⟩ **7** : to wander from ⟨~ his way⟩ **8** : to get rid of

loss \'los\ n **1** : the harm resulting from losing **2** : something that is lost **3** pl : killed, wounded, or captured soldiers **4** : failure to win **5** : an amount by which the cost exceeds the selling price **6** : decrease in amount or degree **7** : RUIN

lost \'lost\ adj **1** : not used, won, or claimed **2** : unable to find the way; also : HELPLESS **3** : ruined or destroyed physically or morally **4** : no longer possessed or known **5** : DENIED; also : HARDENED **6** : ABSORBED, RAPT

lot \'lät\ n **1** : an object used in deciding something by chance; also : the use of lots to decide something **2** : SHARE, PORTION; also : FORTUNE, FATE **3** : a plot of land **4** : a group of individuals : SET **5** : a considerable quantity

lo·tion \'lō-shǝn\ n : a liquid preparation for cosmetic and external medicinal use

lot·tery \'lät-ǝ-rē\ n **1** : a drawing of lots in which prizes are given to the winning names or numbers **2** : a matter determined by chance

lo·tus or **lot·os** \'lōt-ǝs\ n **1** : a fruit held in Greek legend to cause dreamy content and forgetfulness **2** : a water lily used in ancient Egyptian and Hindu art and religious symbolism **3** : any of several forage plants related to the clovers

loud \'laud\ adj **1** : marked by intensity or volume of sound **2** : CLAMOROUS, NOISY **3** : obtrusive or offensive in color or pattern ⟨a ~ suit⟩ — **loud** adv — **loud·ly** adv — **loud·ness** n

loud-mouthed \-'mauthd, -'mautht\ adj **1** : having an offensively loud voice or a noisy manner **2** : TACTLESS

loud·speak·er \-'spē-kǝr\ n : a device similar to a telephone receiver in operation but amplifying sound

¹**lounge** \'launj\ vb : to act or move lazily or listlessly : LOAF

²**lounge** n **1** : a room with comfortable furniture; also : a room (as in a theater) with lounging, smoking, and toilet facilities **2** : a long couch

louse \'laus\ n, pl **lice** \'līs\ **1** : a small wingless insect parasitic on warm-blooded animals **2** : a plant pest (as an aphid)

lousy \'lau-zē\ adj **1** : infested with lice **2** : POOR, INFERIOR **3** : amply supplied ⟨~ with money⟩ — **lous·i·ly** adv — **lous·i·ness** n

lou·ver or **lou·vre** \'lü-vǝr\ n **1** : an opening having parallel slanted slats to allow flow of air but to exclude rain or sun or to provide privacy; also : a slat in such an opening **2** : a device with fins, vanes, or a grating for controlling a flow of air or the radiation of light

¹**love** \'lǝv\ n **1** : strong affection **2** : warm attachment : ENTHUSIASM ⟨~ of the sea⟩ **3** : attraction based on sexual desire **4** : a beloved person **5** : a score of zero in tennis — **love·less** adj

²**love** vb **1** : CHERISH **2** : to feel a passion, devotion, or tenderness for **3** : CARESS **4** : to take pleasure in ⟨~s to play bridge⟩ — **lov·able** \'lǝv-ǝ-bǝl\ adj — **lov·er** n

love·ly \-lē\ adj : BEAUTIFUL — **love·li·ness** n

love-sick \'lǝv-,sik\ adj **1** : YEARNING **2** : expressing a lover's longing — **love-sick·ness** n

lov·ing \'lǝv-iŋ\ adj : AFFECTIONATE — **lov·ing·ly** adv

¹**low** \'lō\ vb : MOO

²**low** n : MOO

³**low** adj **1** : not high or tall ⟨~ wall⟩; also : DÉCOLLETÉ **2** : situated or passing below the normal level or surface ⟨~ ground⟩; also : marking a nadir **3** : STRICKEN, PROSTRATE **4** : not loud ⟨~ voice⟩ **5** : being near the equator **6** : humble in status **7** : WEAK; also

: DEPRESSED 8 : less than usual (as in degree, amount, or value) 9 : falling short of a standard 10 : UNFAVORABLE — **low** *adv* — **low·ness** *n*

⁴**low** *n* 1 : something that is low 2 : a region of low barometric pressure 3 : an adjustment of gears in an automobile transmission that gives the slowest speed and greatest power

low·brow \'lō-,braù\ *n* : a person without intellectual interests or culture

low·down \-,daùn\ *n* : pertinent and esp. guarded information

¹**low·er** \'laù(-ə)r\ *vb* 1 : FROWN 2 : to become dark, gloomy, and threatening

²**low·er** \'lō-(ə)r\ *adj* 1 : relatively low (as in rank) 2 : constituting the popular and more representative branch of a bicameral legislative body 3 : situated beneath the earth's surface

³**low·er** \'lō-(ə)r\ *vb* 1 : DROP; *also* : DIMINISH 2 : to let descend by its own weight; *also* : to reduce the height of 3 : to reduce in value or amount 4 : DEGRADE; *also* : HUMBLE

low·er·case \,lō-(ə)r-'kās\ *adj* : being a letter that belongs to or conforms to the series a, b, c, etc., rather than A, B, C, etc. — **lowercase** *n*

lower class *n* : a social class occupying a position below the middle class and having the lowest status in a society — **lower-class** *adj*

low frequency *n* : a frequency of a radio wave in the range between 30 and 300 kilocycles

low·land \'lō-lənd\ *n* : low and usu. level country

low·ly \-lē\ *adj* 1 : HUMBLE, MEEK 2 : ranking low in some hierarchy — **low·li·ness** *n*

lox *n*, *pl* **lox** *or* **lox·es** : smoked salmon

loy·al \'lòi-əl\ *adj* 1 : faithful in allegiance to one's government 2 : faithful esp. to a cause or ideal : CONSTANT — **loy·al·ly** *adv* — **loy·al·ty** \-əl-tē\ *n*

loz·enge \'läz-ᵊnj\ *n* 1 : a diamond-shaped figure 2 : a small flat often medicated candy

lu·au \'lü-,aù\ *n* : a Hawaiian feast

lu·bri·cant \'lü-bri-kənt\ *n* : a material (as grease) used between moving parts of machinery to make the surfaces slippery and reduce friction

lu·bri·cate \-brə-,kāt\ *vb* : to apply a lubricant to — **lu·bri·ca·tion** \,lü-brə-'kā-shən\ *n* — **lu·bri·ca·tor** \'lü-brə-,kāt-ər\ *n*

lu·cent \'lüs-ᵊnt\ *adj* 1 : LUMINOUS 2 : CLEAR, LUCID

lu·cid \'lü-səd\ *adj* 1 : SHINING 2 : clear-minded 3 : easily understood — **lu·cid·i·ty** \lü-'sid-ət-ē\ *n* — **lu·cid·ly** \'lü-səd-lē\ *adv* — **lu·cid·ness** *n*

luck \'lək\ *n* 1 : CHANCE, FORTUNE 2 : good fortune : SUCCESS — **luck·less** *adj*

lucky \'lək-ē\ *adj* 1 : favored by luck : FORTUNATE 2 : FORTUITOUS 3 : seeming to bring good luck — **luck·i·ly** *adv*

lu·cra·tive \'lü-krət-iv\ *adj* : PROFITABLE — **lu·cra·tive·ly** *adv* — **lu·cra·tive·ness** *n*

lu·cu·bra·tion \,lü-k(y)ə-'brā-shən\ *n* : laborious study : MEDITATION

lu·di·crous \'lüd-ə-krəs\ *adj* : LAUGHABLE, RIDICULOUS — **lu·di·crous·ly** *adv*

¹**lug** \'ləg\ *vb* **lugged; lug·ging** 1 : DRAG, PULL 2 : to carry laboriously

²**lug** *n* : a projecting piece (as for fastening or support)

lug·gage \'ləg-ij\ *n* 1 : BAGGAGE 2 : containers (as suitcases) for carrying personal belongings

lu·gu·bri·ous \lù-'gü-brē-əs\ *adj* : mournful often to an exaggerated degree — **lu·gu·bri·ous·ly** *adv* — **lu·gu·bri·ous·ness** *n*

luke·warm \'lük-'wórm\ *adj* 1 : moderately warm : TEPID 2 : not enthusiastic

¹**lull** \'ləl\ *vb* 1 : SOOTHE, CALM 2 : to cause to relax vigilance

²**lull** *n* 1 : a temporary calm (as during a storm) 2 : a temporary drop in activity

lul·la·by \'ləl-ə-,bī\ *n* : a song to lull children to sleep

lum·ba·go \,ləm-'bā-gō\ *n* : rheumatic pain in the lower back and loins

¹**lum·ber** \'ləm-bər\ *vb* : to move heavily or clumsily

²**lumber** *n* 1 : surplus or disused articles that are stored away 2 : timber esp. when dressed for use

³**lumber** *vb* : to cut logs; *also* : to saw logs into lumber — **lum·ber·man**

lum·ber·jack \-,jak\ *n* : LOGGER

lum·ber·yard \-,yärd\ *n* : a place where lumber is kept for sale

lu·mi·nary \'lü-mə-,ner-ē\ *n* 1 : a very famous person 2 : a source of light; *esp* : a heavenly body

lu·mi·nous \'lü-mə-nəs\ *adj* 1 : emitting light; *also* : LIGHTED 2 : CLEAR, INTELLIGIBLE — **lu·mi·nos·i·ty** \,lü-mə-'näs-ət-ē\ *n* — **lu·mi·nous·ly** \'lü-mə-nəs-lē\ *adv*

lum·mox \'ləm-əks\ *n* : a clumsy person

¹**lump** \'ləmp\ *n* 1 : a piece or mass of irregular shape 2 : AGGREGATE, TOTALITY 3 : a usu. abnormal swelling — **lump·ish** *adj* — **lumpy** *adj*

²**lump** *vb* 1 : to heap together in a lump 2 : to form into lumps

lu·na·cy \'lü-nə-sē\ *n* 1 : INSANITY 2 : extreme folly

lu·nar \-nər\ *adj* : of or relating to the moon

¹**lu·na·tic** \'lü-nə-,tik\ *adj* 1 : INSANE; *also* : used for insane persons 2 : extremely foolish

²**lunatic** *n* : an insane person

¹**lunch** \'lənch\ *n* 1 : a light meal usu. eaten in the middle of the day 2 : the food prepared for a lunch

²**lunch** *vb* : to eat lunch

lun·cheon \'lən-chən\ *n* : a usu. formal lunch

lunch·room \'lənch-,rüm, -,rum\ *n* : a restaurant specializing in food that is ready to serve or that can be quickly prepared

lung \'ləŋ\ *n* : one of the usu. paired baglike breathing organs in the chest of an air-breathing vertebrate

lunge \'lənj\ *n* 1 : a sudden stretching thrust or pass (as with a sword) 2 : a sudden forward stride or leap — **lunge** *vb*

lurch \'lərch\ *n* : a sudden swaying or tipping movement — **lurch** *vb*

¹**lure** \'lùr\ *n* 1 : ENTICEMENT; *also* : APPEAL 2 : an artificial bait for catching fish

²**lure** *vb* : to draw on with a promise of pleasure or gain : lead astray

lu·rid \'lùr-əd\ *adj* 1 : LIVID 2 : shining with the red glow of fire seen through smoke or cloud 3 : GRUESOME; *also*

lurk 273 **macrocosm**

: SENSATIONAL **syn** ghastly, grisly — **lu·rid·ly** *adv*
lurk \'lərk\ *vb* **1** : to move furtively : SNEAK **2** : to lie concealed
lus·cious \'ləsh-əs\ *adj* **1** : having a pleasingly sweet taste or smell **2** : sensually appealing — **lus·cious·ly** *adv* — **lus·cious·ness** *n*
lush \'ləsh\ *adj* : having or covered with abundant growth ⟨~ pastures⟩
lust \'ləst\ *n* **1** : sexual desire often to an intense or unrestrained degree **2** : an intense longing — **lust** *vb* — **lust·ful** \-fəl\ *adj*
lus·ter *or* **lus·tre** \'ləs-tər\ *n* **1** : a shine or sheen esp. from reflected light **2** : BRIGHTNESS, GLITTER **3** : GLORY, SPLENDOR — **lus·ter·less** \-tər-ləs\ *adj* — **lus·trous** \-trəs\ *adj*
lusty \'ləs-tē\ *adj* : full of vitality : VIGOROUS, ROBUST — **lust·i·ly** *adv*
lute \'lüt\ *n* : a stringed musical instrument with a pear-shaped body and a fretted fingerboard

lute

Lu·ther·an \'lü-th(ə-)rən\ *n* : a member of a Protestant denomination adhering to the doctrines of Martin Luther — **Lu·ther·an·ism** \-,iz-əm\ *n*
lux·u·ri·ant \,ləg-'zhùr-ē-ənt, ,lək-'shùr-\ *adj* **1** : yielding or growing abundantly : LUSH, PRODUCTIVE **2** : exuberantly rich and varied; *also* : FLORID — **lux·u·ri·ance** \-ē-əns\ *n* — **lux·u·ri·ant·ly** *adv*
lux·u·ri·ate \-ē-,āt\ *vb* **1** : to grow profusely **2** : REVEL
lux·u·ry \'ləksh-(ə-)rē, 'ləgzh-\ *n* **1** : great ease or comfort **2** : something desirable but costly or hard to get **3** : something adding to pleasure or comfort but not absolutely necessary — **lux·u·ri·ous** \,ləg-'zhùr-ē-əs, ,lək-'shùr-\ *adj* — **lux·u·ri·ous·ly** *adv*
¹**-ly** \lē\ *adj suffix* **1** : like in appearance, manner, or nature ⟨queen*ly*⟩ **2** : characterized by regular recurrence in (specified) units of time : every
²**-ly** \lē\ (*corresponding adjectives may end in* əl, *as* "double"); *-ically is* i-k(ə-)lē\ *adv suffix* **1** : in a (specified) manner ⟨slow*ly*⟩ **2** : from a (specified) point of view ⟨grammatical*ly*⟩
lye \'lī\ *n* : a white crystalline corrosive alkaline substance used in making rayon and soap
¹**lying** *pres part of* LIE
²**ly·ing** \'lī-iŋ\ *adj* : UNTRUTHFUL, FALSE
lymph \'limf\ *n* : a pale liquid consisting chiefly of blood plasma and white blood cells, circulating in thin-walled tubes (**lymphatic vessels**), and bathing the body tissues — **lym·phat·ic** \lim-'fat-ik\ *adj*
lynch \'linch\ *vb* : to put to death by mob action without legal sanction or due process of law — **lynch·er** *n*
lynx \'liŋks\ *n* : a wildcat with a short tail, long legs, and usu. tufted ears
¹**lyr·ic** \'lir-ik\ *adj* **1** : suitable for singing : MELODIC **2** : expressing direct and usu. intense personal emotion
²**lyric** *n* **1** : a lyric poem **2** *pl* : the words of a popular song — **lyr·i·cal**

M

m \'em\ *n, often cap* : the 13th letter of the English alphabet
ma·ca·bre \mə-'käbrᵊ\ *adj* **1** : having death as a subject **2** : GRISLY, GRUESOME **3** : HORRIBLE
mac·a·ro·ni \,mak-ə-'rō-nē\ *n, pl* **-nis** *or* **-nies** **1** : a food made chiefly of wheat flour dried in the form of usu. slender tubes **2** : FOP, DANDY
mac·a·roon \,mak-ə-'rün\ *n* : a small cake made chiefly of egg whites, sugar, and ground almonds or coconut
ma·caw \mə-'kȯ\ *n* : a large long-tailed parrot of Central and So. America
Mc·Coy \mə-'kȯi\ *n* : something that is neither imitation nor substitute ⟨the real ~⟩
¹**mace** \'mās\ *n* **1** : a heavy often spiked club used as a weapon esp. in the Middle Ages **2** : an ornamental staff carried as a symbol of authority esp. before a public official
²**mace** *n* : a spice from the fibrous coating of the nutmeg
mac·er·ate \'mas-ə-,rāt\ *vb* **1** : to cause to waste away **2** : to soften by steeping or soaking so as to separate the parts — **mac·er·a·tion** \,mas-ə-'rā-shən\ *n*
ma·chete \mə-'shet-ē\ *n* : a large heavy knife used esp. in So. America and the West Indies for cutting sugarcane and underbrush
mach·i·na·tion \,mak-ə-'nā-shən\ *n* **1** : an act of planning esp. to do harm **2** : PLOT — **mach·i·nate** \'mak-ə-,nāt\ *vb*
¹**ma·chine** \mə-'shēn\ *n* **1** : CONVEYANCE, VEHICLE; *esp* : AUTOMOBILE **2** : a combination of mechanical parts that transmit forces, motion, and energy one to another to some desired end (as for sewing, printing, or hoisting) **3** : an instrument (as a pulley or lever) for transmitting or modifying force or motion **4** : a highly organized political group under the leadership of a boss or small clique
²**machine** *vb* : to shape or finish by machine-operated tools
machine gun *n* : an automatic gun using small-arms ammunition for rapid continuous firing
ma·chin·ery \mə-'shēn-(ə-)rē\ *n* **1** : MACHINES; *also* : the working parts of a machine **2** : the means by which something is done or kept going
ma·chin·ist \-'shē-nəst\ *n* : a person who makes or works on machines and engines
mack·er·el \'mak-(ə-)rəl\ *n* : a No. Atlantic food fish greenish above and silvery below
mack·i·naw \'mak-ə-,nȯ\ *n* : a short heavy plaid coat
mac·ro·cosm \'mak-rə-,käz-əm\ *n* : the great world : UNIVERSE

mac·ro·scop·ic \,mak-rə-'skäp-ik\ *adj* : visible to the naked eye

mad \'mad\ *adj* **1** : disordered in mind : INSANE **2** : being rash and foolish **3** : FURIOUS, ENRAGED **4** : FRANTIC **5** : carried away by enthusiasm **6** : wildly gay **7** : RABID — **mad·ly** *adv* — **mad·ness** *n*

mad·am \'mad-əm\ *n* **1** *pl* **mes·dames** \mā-'däm\ — used as a form of polite address to a woman **2** *pl* **madams** : the female head of a house of prostitution

ma·dame \mə-'dam\ *n, pl* **mes·dames** \mā-'däm\ : MISTRESS — used as a title for a woman not of English-speaking nationality

mad·cap \'mad-,kap\ *adj* : WILD, RECKLESS — **madcap** *n*

mad·den \'mad-ᵊn\ *vb* : to make mad : ENRAGE

mad·ding \'mad-iŋ\ *adj* **1** : acting as if mad : FRENZIED ⟨the ~ crowd⟩ **2** : MADDENING

made *past of* MAKE

made-up \'mād-'əp\ *adj* **1** : marked by the use of makeup ⟨~ eyelids⟩ **2** : fancifully conceived or falsely devised ⟨a ~ story⟩

mad·house \'mad-,haùs\ *n* **1** : a place for the detention and care of the insane **2** : a place of great uproar or confusion

mad·man \-,man\ *n* : LUNATIC

ma·dras \mə-'dras, 'mad-rəs\ *n* : a fine usu. corded or striped cotton fabric

mael·strom \'māl-strəm\ *n* : a violent whirlpool dangerous to ships

mae·stro \'mī-strō\ *n, pl* **maestros** *or* **mae·stri** \-,strē\ : a master in an art; *esp* : an eminent composer, conductor, or teacher of music

mag·a·zine \'mag-ə-,zēn\ *n* **1** : a storehouse esp. for military supplies **2** : a place for keeping gunpowder in a fort or ship **3** : a publication usu. containing stories, articles, or poems and issued periodically **4** : a container in a gun for holding cartridges; *also* : a chamber (as on a camera) for film

mag·da·len \'mag-də-lən\ *or* **mag·da·lene** \-,lēn\ *n* : a reformed prostitute

ma·gen·ta \mə-'jent-ə\ *n* : a deep purplish red

mag·got \'mag-ət\ *n* : the legless wormlike larva of a two-winged fly — **mag·goty** *adj*

ma·gi \'mā-,jī\ *n pl, often cap* : the three wise men from the East who paid homage to the infant Jesus

mag·ic \'maj-ik\ *n* **1** : the art of persons who claim to be able to do things by the help of supernatural powers or by their own knowledge of nature's secrets **2** : a seemingly secret power **3** : SLEIGHT OF HAND — **magic** *or* **mag·i·cal** \-i-kəl\ *adj* — **mag·i·cal·ly** *adv*

ma·gi·cian \mə-'jish-ən\ *n* : one skilled in magic

mag·is·te·ri·al \,maj-ə-'stir-ē-əl\ *adj* **1** : AUTHORITATIVE **2** : of or relating to a magistrate or his office or duties

mag·is·tral \'maj-ə-strəl\ *adj* : AUTHORITATIVE

mag·is·trate \'maj-ə-,strāt\ *n* : an official entrusted with administration of the laws — **mag·is·tra·cy** \-strə-sē\ *n*

mag·nan·i·mous \mag-'nan-ə-məs\ *adj* **1** : showing or suggesting a lofty and courageous spirit **2** : NOBLE, GENEROUS — **mag·na·nim·i·ty** \,mag-nə-'nim-ət-ē\ *n* — **mag·nan·i·mous·ly** \mag-'nan-ə-məs-lē\ *adv*

mag·nate \'mag-,nāt\ *n* : a person of rank, influence, or distinction

mag·ne·sia \mag-'nē-shə, -zhə\ *n* : a light white substance that is an oxide of magnesium and is used as a laxative

mag·ne·sium \-'nē-zē-əm, -zhəm\ *n* : a silver-white light and easily worked metallic chemical element

mag·net \'mag-nət\ *n* **1** : LODESTONE **2** : a body having the property of attracting iron **3** : something that attracts

mag·net·ic \mag-'net-ik\ *adj* **1** : of or relating to a magnet or magnetism **2** : magnetized or capable of being magnetized **3** : having an unusual power or ability to attract ⟨a ~ personality⟩

magnetic north *n* : the northerly direction in the earth's magnetic field indicated by the north-seeking pole of the horizontal magnetic needle

magnetic tape *n* : a ribbon of thin material coated for use in recording by magnetic means

mag·ne·tism \'mag-nə-,tiz-əm\ *n* **1** : the power to attract as possessed by a magnet **2** : the property of a substance (as iron) that allows it to be magnetized **3** : an ability to attract or charm

mag·ne·tize \'mag-nə-,tīz\ *vb* **1** : to attract like a magnet : CHARM **2** : to communicate magnetic properties to — **mag·ne·ti·za·tion** \,mag-nət-ə-'zā-shən\ *n*

mag·nif·i·cent \mag-'nif-ə-sənt\ *adj* **1** : great in deed or place **2** : characterized by splendor or grandeur **3** : strikingly beautiful or impressive **4** : unusually fine ⟨a ~ day⟩ *syn* imposing, stately, noble — **mag·nif·i·cence** \-səns\ *n* — **mag·nif·i·cent·ly** *adv*

mag·ni·fy \'mag-nə-,fī\ *vb* **1** : EXTOL, LAUD; *also* : to cause to be held in greater esteem **2** : INTENSIFY; *also* : EXAGGERATE **3** : to enlarge in fact or in appearance — **mag·ni·fi·ca·tion**

mag·ni·tude \'mag-nə-,t(y)üd\ *n* **1** : greatness of size or extent **2** : SIZE **3** : QUANTITY; *also* : volume of sound **4** : degree of brightness of a star on a scale in which the fainter stars are indicated by higher numbers ⟨the naked eye can see stars up to ~ 6⟩

mag·no·lia \mag-'nōl-yə\ *n* : any of several spring-flowering shrubs and trees with large often fragrant flowers

mag·pie \'mag-,pī\ *n* : a long-tailed black-and-white bird related to the jays

Mag·yar \'mag-,yär, 'mäj-,är\ *n* : a member of the dominant people of Hungary — **Magyar** *adj*

ma·ha·ra·ja \,mä-hə-'räj-ə\ *n* : a Hindu prince ranking above a raja

ma·hog·a·ny \mə-'häg-ə-nē\ *n* : any of various tropical trees with reddish wood used in furniture; *esp* : an American evergreen tree or its durable lustrous reddish brown wood

maid \'mād\ *n* **1** : an unmarried girl or young woman **2** : a female servant

¹maid·en \-ᵊn\ *n* : MAID 1 — **maid·en·ly** *adj*

²maiden *adj* **1** : UNMARRIED; *also* : VIRGIN **2** : of, relating to, or befitting a maiden **3** : FIRST ⟨~ voyage⟩ **4** : FRESH, UNTRIED

maidenhair \-ˌhaər\ *n* : a fern with delicate feathery fronds

maid·en·hood \-ˌhu̇d\ *n* : the condition or time of being a maiden

maid of honor : a bride's principal unmarried wedding attendant

¹**mail** \'māl\ *n* **1** : the bags of postal matter conveyed under public authority from one post office to another **2** : a nation's postal system **3** : postal matter

²**mail** *vb* : to send by mail

³**mail** \'māl\ *n* : armor made of metal links or plates

mail·box \-ˌbäks\ *n* **1** : a public box for the collection of mail **2** : a private box for the delivery of mail

mailed \'māld\ *adj* : protected or armed with or as if with mail ⟨a ~ fist⟩

mail·man \-ˌman\ *n* : a man who delivers mail

maim \'mām\ *vb* : to mutilate, disfigure, or wound seriously : CRIPPLE

¹**main** \'mān\ *n* **1** : FORCE ⟨with might and ~⟩ **2** : MAINLAND; *also* : HIGH SEA **3** : the chief part **4** : a principal pipe, duct, or circuit of a utility system

²**main** *adj* **1** : OUTSTANDING, CONSPICUOUS; *also* : CHIEF, PRINCIPAL **2** : fully exerted ⟨~ force⟩ **3** : expressing the chief predication in a complex sentence

main·land \-ˌland, -lənd\ *n* : a continuous body of land constituting the chief part of a country or continent

main·mast \-ˌmast, -məst\ *n* : the principal mast on a sailing ship

main·sail \-ˌmān-ˌsāl, -səl\ *n* : the principal sail on the mainmast

main·sheet \-ˌshēt\ *n* : a rope by which the mainsail is trimmed and secured

main·spring \-ˌspriŋ\ *n* **1** : the chief spring in a mechanism (as of a watch) **2** : the chief motive, agent, or cause

main·stay \-ˌstā\ *n* **1** : a stay extending forward from the head of the mainmast to the foot of the foremast **2** : a chief support

main·stream \-ˌstrēm\ *n* : a prevailing current or direction of activity or influence

main·tain \mān-ˈtān\ *vb* **1** : to keep in an existing state (as of repair) **2** : to sustain against opposition or danger **3** : to continue in : carry on **4** : to provide for : SUPPORT **5** : ASSERT — **main·tain·able** *adj* — **main·te·nance**

maj·es·ty \'maj-ə-stē\ *n* **1** : sovereign power, authority, or dignity; *also* : the person of a sovereign — used as a title **2** : GRANDEUR, SPLENDOR — **ma·jes·tic** \mə-ˈjes-tik\ *or* **ma·jes·ti·cal** \-ti-kəl\ *adj* — **ma·jes·ti·cal·ly** *adv*

¹**ma·jor** \'mā-jər\ *adj* **1** : greater in number, extent, or importance **2** : notable or conspicuous in effect or scope **3** : SERIOUS ⟨a ~ illness⟩ **4** : having half steps between the third and fourth and the seventh and eighth degrees ⟨~ scale⟩; *also* : based on a major scale

²**major** *n* **1** : a commissioned officer (as in the army) ranking next below a lieutenant colonel **2** : a subject of academic study chosen as a field of specialization; *also* : a student specializing in such a field

³**major** *vb* : to pursue an academic major

major general *n* : a commissioned officer (as in the army) ranking next below a lieutenant general

ma·jor·i·ty \mə-ˈjȯr-ət-ē\ *n* **1** : the age at which full civil rights are accorded; *also* : the status of one who has attained this age **2** : a number greater than half of a total; *also* : the excess of this greater number over the remainder **3** : the military rank of a major

¹**make** \'māk\ *vb* **made** \'mād\ **making 1** : to cause to exist, occur, or appear; *also* : DESTINE **2** : FASHION; *also* : COMPOSE **3** : to formulate in the mind **4** : CONSTITUTE ⟨house *made* of stone⟩ **5** : to compute to be **6** : to set in order : PREPARE **7** : APPOINT **8** : ENACT; *also* : EXECUTE ⟨~ a will⟩ **9** : CONCLUDE **10** : to carry out : PERFORM **11** : COMPEL **12** : to assure the success of **13** : to amount to in significance **14** : to be capable of developing or being fashioned into **15** : REACH, ATTAIN; *also* : GAIN **16** : to start out : GO **17** : to have weight or effect **syn** form, shape, fabricate, manufacture — **mak·er** *n*

²**make** *n* **1** : the manner or style of construction; *also* : the origin of a manufactured article **2** : MAKEUP **3** : the action or process of manufacturing

¹**make–be·lieve** \-bə-ˌlēv\ *n* : a pretending to believe : PRETENSE

²**make–believe** *adj* : FEIGNED

make–do \-ˌdü\ *adj* : MAKESHIFT

make·shift \-ˌshift\ *n* : a temporary expedient — **makeshift** *adj*

make–up \-ˌəp\ *n* **1** : the way in which something is put together; *also* : physical, mental, and moral constitution **2** : cosmetics esp. for the face

mal·ad·just·ed \ˌmal-ə-ˈjəs-təd\ *adj* : poorly or inadequately adjusted (as to one's environment) — **mal·ad·just·ment** \'jəs(t)-mənt\ *n*

mal·ad·min·is·ter \ˌmal-əd-ˈmin-ə-stər\ *vb* : to administer badly

mal·a·dy \'mal-əd-ē\ *n* : a disease or disorder of body or mind : AILMENT

mal·aise \ma-ˈlāz\ *n* : a sense of physical ill-being

mal·a·pert \ˌmal-ə-ˈpərt\ *adj* : impudently bold : SAUCY

mal·a·prop·ism \'mal-ə-ˌpräp-ˌiz-əm\ *n* [fr. Mrs. *Malaprop*, character in Sheridan's comedy *The Rivals*] : a usu. humorous misuse of a word

mal·ap·ro·pos \ˌmal-ˌap-rə-ˈpō, ˌmal-ˈap-\ *adv* : in an inappropriate or inopportune way

ma·lar·ia \mə-ˈler-ē-ə\ *n* : a disease marked by recurring chills and fever and caused by a parasite carried by a mosquito — **ma·lar·i·al** \-ē-əl\ *adj*

Ma·lay \mə-ˈlā, 'mā-ˌlā\ *n* : a member of a people of the Malay peninsula and archipelago — **Malay** *adj* — **Ma·lay·an**

mal·con·tent \ˌmal-kən-ˈtent\ *adj* : marked by a dissatisfaction with the existing state of affairs : DISCONTENTED — **malcontent** *n*

¹**male** \'māl\ *adj* **1** : of, relating to, or being the sex that fathers young; *also* : STAMINATE **2** : MASCULINE

²**male** *n* : a male individual

mal·e·dic·tion \ˌmal-ə-ˈdik-shən\ *n* : CURSE, EXECRATION

mal·e·fac·tor \'mal-ə-ˌfak-tər\ *n* : EVIL-DOER; *esp* : one who commits an offense against the law — **mal·e·fac·tion** \ˌmal-ə-'fak-shən\ *n*

ma·lef·i·cent \mə-'lef-ə-sənt\ *adj*: working or productive of harm or evil : HARMFUL — **ma·lef·i·cence** *n*

ma·lev·o·lent \mə-'lev-ə-lənt\ *adj* : having, showing, or arising from ill will, spite, or hatred **syn** malignant, malign, malicious, spiteful — **ma·lev·o·lence** *n*

mal·fea·sance \mal-'fēz-ᵊns\ *n* : wrongful conduct esp. by a public official

mal·for·ma·tion \ˌmal-fȯr-'mā-shən\ *n* : an irregular or faulty formation or structure — **mal·formed** \mal-'fȯrmd\ *adj*

mal·func·tion \mal-'fəŋk-shən\ *vb* : to fail to operate in the normal or usual manner — **malfunction** *n*

mal·ice \'mal-əs\ *n* : ILL WILL — **ma·li·cious** \mə-'lish-əs\ *adj* — **ma·li·cious·ly** *adv*

¹**ma·lign** \mə-'līn\ *adj* **1** : evil in nature, influence, or effect; *also* : MALIGNANT **2** : MALEVOLENT

²**malign** *vb* : to speak evil of : DEFAME, SLANDER

ma·lig·nant \mə-'lig-nənt\ *adj* **1** : INJURIOUS, MALIGN **2** : tending or likely to cause death : VIRULENT — **ma·lig·nan·cy** \-nən-sē\ *n* — **ma·lig·nant·ly** *adv* — **ma·lig·ni·ty** \-nət-ē\ *n*

ma·lin·ger \mə-'liŋ-gər\ *vb* : to pretend illness so as to avoid duty — **ma·lin·ger·er** *n*

mall \'mȯl, 'mal\ *n* **1** : a shaded area designed esp. as a promenade **2** : a usu. paved or grassy strip esp. between two roadways

mal·lard \'mal-ərd\ *n* : a common wild duck that is the ancestor of domestic ducks

mal·le·a·ble \'mal-ē-ə-bəl\ *adj* **1** : capable of being extended or shaped by beating with a hammer or by the pressure of rollers **2** : susceptible of being fashioned into a different form or shape **syn** plastic, pliant, ductile — **mal·le·a·bil·i·ty** \ˌmal-ē-ə-'bil-ət-ē\ *n*

mal·let \'mal-ət\ *n* **1** : a tool with a large head for driving another tool or for striking a surface without marring it **2** : a hammerlike implement for striking a ball (as in polo or croquet)

mal·low \'mal-ō\ *n* : any of several tall herbs with lobed leaves and 5-petaled white, yellow, rose, or purplish flowers

mal·nour·ished \mal-'nər-isht\ *adj* : poorly nourished

mal·nu·tri·tion \ˌmal-n(y)u̇-'trish-ən\ *n* : faulty and esp. inadequate nutrition

mal·odor·ous \mal-'ōd-ə-rəs\ *adj* : ill-smelling — **mal·odor·ous·ly** *adv* — **mal·odor·ous·ness** *n*

mal·prac·tice \-'prak-təs\ *n* : a dereliction from professional duty or a failure of professional skill that results in injury, loss, or damage

malt \'mȯlt\ *n* **1** : grain and esp. barley steeped in water until it has sprouted and used in brewing and distilling **2** : liquor made with malt —

mal·treat \mal-'trēt\ *vb* : to treat cruelly or roughly : ABUSE — **mal·treat·ment** \-mənt\ *n*

mam·mal \'mam-əl\ *n* : any of the group of vertebrate animals that includes man and all others which nourish their young with milk — **mam·ma·li·an**

mam·ma·ry \'mam-ə-rē\ *adj* : of, relating to, or being the glands (**mammary glands**) that in female mammals secrete milk

mam·mon \'mam-ən\ *n* : material wealth or possessions having an esp. debasing influence — **mam·mon·ish** *adj*

¹**mam·moth** \'mam-əth\ *n* : any of various large hairy extinct elephants

mammoth

²**mammoth** *adj* : of very great size : GIGANTIC **syn** colossal, enormous, immense, vast

¹**man** \'man\ *n*, *pl* **men** \'men\ **1** : a human being; *esp* : an adult male **2** : MANKIND **3** : one possessing in high degree the qualities considered distinctive of manhood; *also* : HUSBAND **4** : an adult male servant or employee **5** : one of the pieces with which various games (as chess) are played

²**man** *vb* **manned**; **man·ning** **1** : to supply with men ⟨~ a fleet⟩ **2** : FORTIFY, BRACE

man·a·cle \'man-i-kəl\ *n* **1** : a shackle for the hand or wrist **2** : something used as a restraint — usu. used in pl.

man·age \'man-ij\ *vb* **1** : HANDLE, CONTROL; *also* : to direct or carry on business or affairs **2** : to make and keep submissive **3** : to treat with care : HUSBAND **4** : to achieve one's purpose : CONTRIVE — **man·age·abil·i·ty** \ˌman-ij-ə-'bil-ət-ē\ *n* — **man·age·able** \'man-ij-ə-bəl\ *adj* — **man·age·able·ness** *n* — **man·age·ably** *adv*

man·age·ment \'man-ij-mənt\ *n* **1** : the act or art of managing : CONTROL **2** : judicious use of means to accomplish an end **3** : executive ability **4** : the group of those who manage or direct an enterprise

man·ag·er \'man-ij-ər\ *n* : one that manages; *esp* : a person who directs a team or athlete — **man·a·ge·ri·al**

man-at-arms \ˌman-ət-'ärmz\ *n, pl* **men-at-arms** \ˌmen-\ : SOLDIER; *esp* : one who is heavily armed and mounted

man·da·rin \'man-də-rən\ *n* **1** : a public official of high rank under the Chinese Empire **2** *cap* : the chief dialect of China **3** : a small loose-skinned citrus fruit : TANGERINE

man·date \'man-ˌdāt\ *n* **1** : an authoritative command **2** : an authorization to act given to a representative **3** : a commission granted by the League of Nations to a member nation for governing conquered territory; *also* : a territory so governed

man·da·to·ry \'man-də-ˌtōr-ē\ *adj* **1** : containing or constituting a command : OBLIGATORY **2** : of or relating to a League of Nations mandate

man·di·ble \'man-də-bəl\ *n* **1** : JAW; *esp* : a lower jaw **2** : either segment of a bird's bill

man·do·lin \,man-də-'lin, 'man-dᵊl-ən\ *n* : a stringed musical instrument with a pear-shaped body and a fretted neck

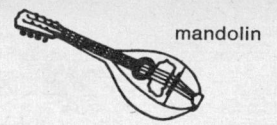

mandolin

man·drag·o·ra \man-'drag-ə-rə\ *n* : MANDRAKE 1

man·drake \'man-,drāk\ *n* **1** : an Old World herb of the nightshade group with a large forked root superstitiously credited with human and medicinal attributes **2** : MAYAPPLE

mane \'mān\ *n* : long heavy hair growing about the neck of some mammals (as a horse or lion)

ma·neu·ver \mə-'n(y)ü-vər\ *n* **1** : a military or naval movement; *also* : an armed forces training exercise — often used in pl. **2** : a procedure involving expert physical management **3** : an evasive movement or shift of tactics; *also* : an action taken to gain a tactical end — **maneuver** *vb* — **ma·neu·ver·abil·i·ty** \-,n(y)üv-(ə-)rə-'bil-ət-ē\ *n*

man·ful \'man-fəl\ *adj* : having or showing courage and resolution — **man·ful·ly** *adv*

man·ga·nese \'maŋ-gə-,nēz, -,nēs\ *n* : a grayish white metallic chemical element resembling iron but not magnetic

mange \'mānj\ *n* : a contagious itchy skin disease esp. of domestic animals — **mangy** \'mān-jē\ *adj*

man·ger \'mān-jər\ *n* : a trough or open box for livestock feed or fodder

¹man·gle \'maŋ-gəl\ *vb* **1** : to cut, bruise, or hack with repeated blows **2** : to spoil or injure in making or performing — **man·gler** \-g(ə-)lər\ *n*

²mangle *n* : a machine for ironing laundry by passing it between heated rollers

man·go \'maŋ-gō\ *n, pl* **-goes** *or* **-gos** : a yellowish red tropical fruit with juicy slightly acid pulp; *also* : an evergreen tree related to the sumacs that bears this fruit

man·grove \'man-,grōv\ *n* : a tropical maritime tree that sends out many prop roots and forms dense thickets important in coastal land building

man·han·dle \'man-,han-dᵊl\ *vb* : to handle roughly

man·hat·tan \man-'hat-ᵊn\ *n, often cap* : a cocktail made of whiskey and sweet vermouth

man·hole \'man-,hōl\ *n* : a hole (as in a pavement, tank, or boiler) through which a man may go

man·hood \'man-,hùd\ *n* **1** : the condition of being a man and esp. an adult male **2** : manly qualities : COURAGE **3** : MEN

man·hour \'man-'aù(ə)r\ *n* : a unit of one hour's work by one man used esp. as a basis for wages and cost accounting

man·hunt \'man-,hənt\ *n* : an organized hunt for a person and esp. for one charged with a crime

ma·nia \'mā-nē-ə\ *n* **1** : insanity esp. when marked by extreme excitement **2** : excessive or unreasonable enthusiasm : CRAZE

¹ma·ni·ac \'mā-nē-,ak\ *adj* **1** : affected with or suggestive of madness **2** : FRANTIC — **ma·ni·a·cal** \mə-'nī-ə-kəl\ *adj*

²maniac *n* : LUNATIC, MADMAN

man·ic-de·pres·sive \,man-ik-di-'pres-iv\ *adj* : characterized by alternating mania and depression — **manic-depressive** *n*

¹man·i·cure \'man-ə-,kyùr\ *n* [F, fr. L *manus* hand + *curare* to care for, fr. *cura* care] **1** : MANICURIST **2** : a treatment for the care of the hands and nails

²manicure *vb* **1** : to do manicure work on **2** : to trim closely and evenly

¹man·i·fest \'man-ə-,fest\ *adj* **1** : readily perceived by the senses and esp by the sight **2** : easily understood : OBVIOUS — **man·i·fest·ly** *adv*

²manifest *vb* : to make evident or certain by showing or displaying *syn* evidence, evince, demonstrate

³manifest *n* : a list (as of passengers) or an invoice of cargo for a ship or plane

man·i·fes·ta·tion \,man-ə-fə-'stā-shən\ *n* : DISPLAY, DEMONSTRATION

man·i·fes·to \,man-ə-'fes-tō\ *n, pl* **-tos** *or* **-toes** : a public declaration of intentions, motives, or views

¹man·i·fold \'man-ə-,fōld\ *ad* **1** : marked by diversity or variety **2** : consisting of or operating many of one kind combined

²manifold *n* : a pipe fitting with several lateral outlets for connecting it with other pipes

³manifold *vb* **1** : to make several or many copies of (as a letter) **2** : MULTIPLY

Ma·nila hemp \mə-,nil-ə-\ *n* : a tough fiber from a Philippine banana plant used esp. for cordage

ma·nip·u·late \mə-'nip-yə-,lāt\ *vb* **1** : to treat or operate manually or mechanically esp. with skill **2** : to manage skillfully **3** : to control or change esp. by artful or unfair means so as to achieve a desired end — **ma·nip·u·la·tion** \mə-,nip-yə-'lā-shən\ *n* — **ma·nip·u·la·tive** \-'nip-yə-,lāt-iv\ *adj* — **ma·nip·u·la·tor**

man·kind *n* **1** \'man-'kīnd\ : the human race **2** \-,kīnd\ : men as distinguished from women

man·like \'man-,līk\ *adj* : resembling or characteristic of a man

¹man·ly \'man-lē\ *adj* : having qualities appropriate to a man : BOLD, RESOLUTE — **man·li·ness** *n*

²manly *adv* : in a manly manner

man-made \'man-,mād\ *adj* : made by man rather than nature ⟨~ systems⟩; *also* : SYNTHETIC ⟨~ fibers⟩

man·na \'man-ə\ *n* **1** : food miraculously supplied to the Israelites in their journey through the wilderness **2** : something of value that falls one's way : WINDFALL

manned \'mand\ *adj* : carrying or performed by a man ⟨~ space flight⟩

man·ne·quin \'man-i-kən\ *n* **1** : an artist's, tailor's, or dressmaker's figure or model of the human body; *also* : a form representing the human figure used esp. for displaying clothes **2** : a woman who models clothing

man·ner \'man·ər\ *n* **1** : KIND, SORT **2** : a characteristic or customary mode of acting; *also* : MODE, FASHION **3** : a method of artistic execution **4** *pl* : social conduct; *also* : BEARING **5** *pl* : BEHAVIOR

man·ner·ism \-,iz-əm\ *n* **1** : ARTIFICIALITY, PRECIOSITY **2** : a characteristic mode or peculiarity of action, bearing, or treatment *syn* pose, air, affectation

man·ner·ly \-lē\ *adj* : showing good manners — POLITE — **man·ner·li·ness** *n*

man·nish \'man-ish\ *adj* **1** : resembling or suggesting a man rather than a woman **2** : suitable to or characteristic of a man *syn* male, masculine, manly, manlike, manful, virile — **man·nish·ly** *adv* — **man·nish·ness** *n*

man·or \'man-ər\ *n* **1** : the house or hall of an estate; *also* : a landed estate **2** : an English estate of a feudal lord — **ma·no·ri·al** \mə-'nōr-ē-əl\ *adj* —

man·sion \'man-chən\ *n* : a large imposing residence; *also* : a separate apartment in a large structure

man·slaugh·ter \'man-,slót-ər\ *n* : the unlawful killing of a human being without express or implied malice

man·sue·tude \'man-swi-,t(y)üd\ *n* : GENTLENESS

man·tel \'mant-ᵊl\ *n* : a beam, stone, or arch serving as a lintel to support the masonry above a fireplace; *also* : a shelf above a fireplace

man·tel·piece \'mant-ᵊl-,pēs\ *n* : the shelf of a mantel

man·tis \'mant-əs\ *n, pl* **-tis·es** *or* **-tes** \'man-,tēz\ : a large insect related to the grasshoppers that feeds on other insects which it holds in forelimbs folded as if in prayer

mantis

¹**man·tle** \'mant-ᵊl\ *n* **1** : a loose sleeveless garment worn over other clothes **2** : something that covers, enfolds, or envelopes **3** : a lacy hood or sheath of some refractory material that gives light by incandescence when placed over a flame **4** : MANTEL

¹**man·u·al** \'man-yə(-wə)l\ *adj* **1** : of, relating to, or involving the hands; *also* : worked by hand ⟨a ~ choke⟩ **2** : requiring or using physical skill and energy ⟨~ labor⟩ — **man·u·al·ly** *adv*

²**manual** *n* **1** : a small book; *esp* : HANDBOOK **2** : the prescribed movements in the handling of a military item and esp. a weapon during a drill or ceremony **3** : a keyboard esp. of a pipe-organ console

¹**man·u·fac·ture** \,man-(y)ə-'fak-chər\ *n* **1** : something made from raw materials **2** : the process of making wares by hand or by machinery; *also* : a productive industry using mechanical power and machinery

²**manufacture** *vb* **1** : to make from raw materials by hand or by machinery; *also* : to engage in manufacture **2** : INVENT, FABRICATE; *also* : CREATE — **man·u·fac·tur·er** *n*

man·u·mit \,man-yə-'mit\ *vb* **-mit·ted; -mit·ting** : to free from slavery — **man·u·mis·sion** \-'mish-ən\ *n*

¹**ma·nure** \mə-'n(y)ùr\ *vb* : to fertilize land with manure

²**manure** *n* : FERTILIZER; *esp* : refuse from stables and barnyards

man·u·script \'man-yə-,skript\ *n* **1** : a written or typewritten composition or document **2** : writing as opposed to print

¹**many** \'men-ē\ *adj* **more** \'mōr\ **most** \'mōst\ : consisting of or amounting to a large but indefinite number

²**many** *pron* : a large number

³**many** *n* : a large but indefinite number

many·fold \,men-ē-'fōld\ *adv* : by many times

Mao·ri \'maù(ə)r-ē\ *n* : a member of a Polynesian people native to New Zealand — **Maori** *adj*

¹**map** \'map\ *n* **1** : a representation usu. on a flat surface of the whole or part of an area **2** : a representation of the celestial sphere or part of it

²**map** *vb* **mapped; map·ping 1** : to make a map of **2** : to plan in detail ⟨~ out a program⟩

ma·ple \'mā-pəl\ *n* : any of various trees or shrubs with 2-winged dry fruit and opposite leaves; *also* : its hard light-colored wood used esp. for floors and furniture

mar \'mär\ *vb* **marred; mar·ring** : to detract from the wholeness or perfection of : SPOIL *syn* injure, hurt, harm, damage, impair

mar·a·schi·no \,mar-ə-'skē-nō\ *n* : a cherry preserved in or as if in a sweet cherry liqueur

mar·a·thon \'mar-ə-,thän\ *n* [fr. *Marathon*, Greece, site of a victory of Greeks over Persians in 490 B.C. news of which was carried to Athens by a long-distance runner] **1** : a long-distance race esp. on foot **2** : an endurance contest

ma·raud \mə-'ród\ *vb* : to roam about and raid in search of plunder : PILLAGE

mar·ble \'mär-bəl\ *n* **1** : a limestone that can be polished and used in fine building work. **2** : something resembling marble (as in coldness or hardness) **3** : a small ball (as of glass) used by children in the game of **marbles** — **marble** *adj*

mar·bling \-b(ə-)liŋ\ *n* : an intermixture of fat through the lean of a cut of meat

¹**march** \'märch\ *n* : a border region : FRONTIER

²**march** *vb* **1** : to move along in or as if in military formation **2** : to walk in a direct purposeful manner; *also* : PROGRESS, ADVANCE **3** : TRAVERSE

³**march** *n* **1** : the action of marching; *also* : the distance covered (as by a military unit) in a march **2** : a regular measured stride or rhythmic step used in marching **3** : forward movement **4** : a piece of music with marked rhythm suitable for marching to — **march·er** *n*

March \'märch\ *n* : the 3d month of the year having 31 days

mar·chio·ness \'mär-shə-nəs\ *n* **1** : the wife or widow of a marquess **2** : a woman holding the rank of a marquess in her own right

Mar·di Gras \,märd-ē-'grä\ *n* : the Tuesday before Ash Wednesday often observed with parades and merrymaking

mare \'maər\ *n* : a female of an animal (as a horse, zebra, or ass) of the horse group

mar·ga·rine \'märj-(ə-)rən, -ə-,rēn\ *n* : a food product made usu. from vegetable oils churned with skimmed

milk and used as a spread and as a cooking fat
mar·gin \'mär-jən\ *n* **1** : the part of a page outside the main body of printed or written matter **2** : EDGE **3** : a spare amount, measure, or degree allowed for contingencies **4** : measure or degree of difference — **mar·gin·al** \-°l\ *adj*
mar·i·gold \'mar-ə-,gōld, 'mer-\ *n* : a garden plant related to the daisies with double yellow, orange, or reddish flower heads
mar·i·jua·na *or* **mar·i·hua·na** \,mar-ə-'(h)wän-ə\ *n* : an intoxicating drug obtained from the hemp plant and smoked by addicts in cigarettes; *also* : this plant
ma·ri·na \mə-'rē-nə\ *n* : a dock or basin providing secure moorings for motorboats and yachts
mar·i·nate \'mar-ə-,nāt\ *vb* : to steep (as meat or fish) in a brine or pickle
¹ma·rine \mə-'rēn\ *adj* **1** : of or relating to the sea, the navigation of the sea, or the commerce of the sea **2** : of or relating to marines
²marine *n* **1** : the mercantile and naval shipping of a country **2** : one of a class of soldiers serving on shipboard **3** : a picture representing marine scenery
mar·i·ner \'mar-ə-nər\ *n* : SEAMAN, SAILOR
mar·i·o·nette \,mar-ē-ə-'net, ,mer-\ *n* : a puppet moved by strings or by hand
mar·i·tal \'mar-ət-°l\ *adj* : of or relating to marriage : CONJUGAL **syn** matrimonial, connubial, nuptial
mar·i·time \'mar-ə-,tīm\ *adj* **1** : of or relating to navigation or commerce on the sea **2** : of, relating to, or bordering on the sea
mar·jo·ram \'märj-(ə-)rəm\ *n* : a fragrant aromatic mint used esp. as a seasoning
¹mark \'märk\ *n* **1** : TARGET; *also* : GOAL, OBJECT **2** : something (as a line or fixed object) designed to record position; *also* : the starting line or position in a track event **3** : BUTT **4** : the question under discussion **5** : NORM (not up to the ~) **6** : a visible sign : INDICATION; *also* : CHARACTERISTIC **7** : a written or printed symbol **8** : GRADE (a ~ of B+) **9** : IMPORTANCE, DISTINCTION **10** : a lasting impression
²mark *vb* **1** : to set apart by a line or boundary **2** : to designate by or make a mark on **3** : CHARACTERIZE; *also* : SIGNALIZE **4** : to take notice of : OBSERVE — **mark·er** *n*
marked \'märkt\ *adj* : NOTICEABLE — **mark·ed·ly** \'mär-kəd-lē\ *adv*
¹mar·ket \'mär-kət\ *n* **1** : a meeting together of people for trade by purchase and sale; *also* : a public place where such a meeting is held **2** : the rate or price offered for a commodity or security **3** : a geographical area of demand for commodities; *also* : extent of demand **4** : a retail establishment usu. of a specific kind (a meat ~)
²market *vb* **1** : to go to a market to buy or sell; *also* : SELL — **mar·ket·able** \-ə-bəl\ *adj*
mar·ket·place \-,plās\ *n* **1** : an open square in a town where markets are held **2** : the world of trade or economic activity
marks·man \'märks-mən\ *n* : a person skillful at hitting a target — **marks·man·ship** \-,ship\ *n*
mar·ma·lade \'mär-mə-,lād\ *n* : a clear jelly holding in suspension pieces of fruit and fruit rind
mar·mo·set \'mär-mə-,set\ *n* : any of various small bushy-tailed tropical American monkeys
¹ma·roon \mə-'rün\ *vb* **1** : to put ashore (as on a desolate island) and leave to one's fate **2** : to leave in isolation and without hope of escape
²maroon *n* : a dark red
mar·quee \mär-'kē\ *n* **1** : a large tent set up (as for an outdoor party) **2** : a usu. metal and glass canopy over an entrance (as of a theater)
mar·quess \'mär-kwəs\ *n* **1** : a nobleman of hereditary rank in Europe and Japan **2** : a member of the British peerage ranking below a duke and above an earl
mar·que·try \'mär-kə-trē\ *n* : inlaid work of wood, shell, or ivory (as in a table or cabinet)
mar·riage \'mar-ij\ *n* **1** : the state of being married : WEDLOCK **2** : a wedding ceremony and attendant festivities **3** : a close union — **mar·riage·able** *adj*
mar·row \'mar-ō\ *n* : a soft vascular tissue that fills the cavities of most bones
mar·row·bone \-,bōn\ *n* : a bone (as a shinbone) rich in marrow
mar·ry \'mar-ē\ *vb* **1** : to join as husband and wife according to law or custom **2** : to take as husband or wife : WED **3** : to enter into a close union — **mar·ried** *adj or n*
Mars \'märz\ *n* : the planet 4th in order of distance from the sun conspicuous for the redness of its light — **Mar·tian** *adj*
marsh \'märsh\ *n* : a tract of soft wet land — **marshy** *adj*
¹mar·shal \'mär-shəl\ *n* **1** : a high official in a medieval household; *also* : a person in charge of the ceremonial aspects of a gathering **2** : a general officer of the highest military rank **3** : an administrative officer (as of a U.S. judicial district) having duties similar to a sheriff's **4** : the administrative head of a city police or fire department
²marshal *vb* **-shaled** *or* **-shalled; -shal·ing** *or* **-shal·ling** **1** : to arrange in order, rank, or position **2** : to lead with ceremony : USHER
marsh·mal·low \'märsh-,mel-ō, -,mal-\ *n* : a light creamy confection made from corn syrup, sugar, albumen, and gelatin
mar·su·pi·al \mär-'sü-pē-əl\ *n* : any of a large group of mostly Australian primitive mammals that bear very immature young that are nourished in a pouch on the abdomen of the female — **marsupial** *adj*
mart \'märt\ *n* : MARKET
mar·ten \'märt-°n\ *n* : a slender weasellike mammal with fine gray or brown fur; *also* : this fur
mar·tial \'mär-shəl\ *adj* [L *martialis* of Mars, fr. *Mart-, Mars* Mars, Roman god of war] **1** : of, relating to, or suited for war or a warrior (~ music) **2** : of or relating to an army or military life **3** : WARLIKE
mar·tin \'märt-°n\ *n* : any of several small swallows and flycatchers
mar·ti·net \,märt-°n-'et\ *n* : a strict disciplinarian

mar·ti·ni \mär-'tē-nē\ *n* : a cocktail made of gin or vodka and dry vermouth

mar·tyr \'märt-ər\ *n* **1** : a person who dies rather than renounce his religion; *also* : one who makes a great sacrifice for the sake of principle **2** : a great or constant sufferer — **martyr** *vb* — **mar·tyr·dom** \-ərd-əm\ *n*

¹mar·vel \'mär-vəl\ *n* **1** : something that causes wonder or astonishment **2** : intense surprise or interest

²marvel *vb* **-veled** *or* **-velled**; **-vel·ing** *or* **-vel·ling** : to feel surprise, wonder, or amazed curiosity ⟨~ed that they had been able to escape capture⟩

mar·vel·ous *or* **mar·vel·lous** \'märv-(ə-)ləs\ *adj* **1** : causing wonder : ASTONISHING **2** : of the highest kind or quality : SPLENDID — **mar·vel·ous·ly** *adv* — **mar·vel·ous·ness** *n*

Marx·ism \'märk-,siz-əm\ *n* : the political, economic, and social principles and policies advocated by Karl Marx — **Marx·ist** \-səst\ *n or adj*

mas·cara \mas-'kar-ə\ *n* : a cosmetic for coloring the eyelashes and eyebrows

mas·cot \'mas-,kät\ *n* : a person, animal, or object believed to bring good luck

¹mas·cu·line \'mas-kyə-lən\ *adj* **1** : MALE; *also* : MANLY **2** : of, relating to, or constituting the gender that includes most words or grammatical forms referring to males — **mas·cu·lin·i·ty**

²masculine *n* **1** : a male person **2** : a noun, pronoun, adjective, or inflectional form or class of the masculine gender; *also* : the masculine gender

¹mash \'mash\ *n* **1** : crushed malt or grain steeped in hot water to make wort **2** : a mixture of ground feeds for livestock **3** : a soft pulpy mass

²mash *vb* **1** : to reduce to a soft pulpy state **2** : CRUSH, SMASH

¹mask \'mask\ *n* **1** : a cover for the face usu. for disguise or protection **2** : MASQUE **3** : a figure of a head worn on the stage in antiquity **4** : a copy of a face made by means of a mold ⟨death ~⟩ **5** : something that conceals or disguises **6** : the face of an animal (as a fox)

²mask *vb* **1** : to take part in a masquerade **2** : to conceal from view : DISGUISE — **mask·er** *n*

mas·och·ism \'mas-ə-,kiz-əm, 'maz-\ *n* : abnormal sexual passion characterized by pleasure in being abused; *also* : any pleasure in being abused or dominated — **mas·och·ist** \-kəst\ *n*

ma·son \'mās-ᵊn\ *n* **1** : a skilled workman who builds with stone or similar material (as brick or concrete) **2** *cap* : FREEMASON

Ma·son·ic \mə-'sän-ik\ *adj* : of or relating to Freemasons or Freemasonry

ma·son·ry \'mās-ᵊn-rē\ *n* **1** : something constructed of materials used by masons **2** : the art, trade, or work of a mason **3** *cap* : FREEMASONRY

¹mas·quer·ade \,mas-kə-'rād\ *n* **1** : a social gathering of persons wearing masks; *also* : a costume for wear at such a gathering **2** : DISGUISE

²masquerade *vb* **1** : to disguise oneself : POSE **2** : to take part in a masquerade — **mas·quer·ad·er** *n*

¹mass \'mas\ *n* **1** : LUMP, HUNK **2** : EXPANSE, BULK; *also* : MASSIVENESS **3** : the principal part **4** : AGGREGATE, WHOLE **5** : the quantity of matter that a body possesses as evidenced by inertia **6** : a large quantity, amount, or number **7** : the great body of people — usu. used in pl. — **massy** *adj*

²mass *vb* : to form or collect into a mass

Mass \'mas\ *n* **1** : a sequence of prayers and ceremonies forming the eucharistic office of the Roman Catholic Church **2** *often not cap* : a celebration of the Eucharist

mas·sa·cre \'mas-i-kər\ *n* **1** : the killing of many persons under cruel or atrocious circumstances **2** : a wholesale slaughter — **massacre** *vb*

mas·sage \mə-'säzh, -'säj\ *n* : remedial or hygienic treatment of the body by manipulation (as rubbing and kneading) — **massage** *vb*

mas·sive \'mas-iv\ *adj* **1** : forming or consisting of a large mass **2** : large in structure, scope, or degree — **mas·sive·ly** *adv* — **mas·sive·ness** *n*

mass-pro·duce \,mas-prə-'d(y)üs\ *vb* : to produce in quantity usu. by machinery — **mass production** *n*

¹mast \'mast\ *n* **1** : a long pole or spar rising from the keel or deck of a ship and supporting the yards, booms, and rigging **2** : a vertical pole

²mast *n* : nuts (as acorns) accumulated on the forest floor and often serving as food for hogs

¹mas·ter \'mas-tər\ *n* **1** : a male teacher; *also* : a person holding an academic degree higher than a bachelor's but lower than a doctor's **2** : one highly skilled (as in an art or profession) **3** : one having authority or control : RULER **4** : VICTOR, SUPERIOR **5** : the commander of a merchant ship **6** : a youth or boy too young to be called *mister* — used as a title **7** : an officer of court appointed to assist a judge

²master *vb* **1** : OVERCOME, SUBDUE **2** : to become skilled or proficient in

master chief petty officer *n* : a petty officer of the highest rank in the navy

mas·ter·ful \'mas-tər-fəl\ *adj* **1** : IMPERIOUS, DOMINEERING ⟨a ~ woman⟩ **2** : having or reflecting the skill of a master ⟨did a ~ job of reporting⟩ — **mas·ter·ful·ly** *adv*

mas·ter·ly \-tər-lē\ *adj* : indicating thorough knowledge or superior skill

mas·ter·mind \-tər-,mīnd\ *n* : a person who provides the directing or creative intelligence for a project — **mastermind** *vb*

master of ceremonies : a person who acts as host at a formal event or a program of entertainment

mas·ter·piece \'mas-tər-,pēs\ *n* : a work done with extraordinary skill

master sergeant *n* **1** : a noncommissioned officer (as in the army) ranking next below a sergeant major **2** : a noncommissioned officer in the air force ranking next below a senior master sergeant

mas·ter·ship \'mas-tər-,ship\ *n* **1** : DOMINION, SUPERIORITY **2** : the status, office, or function of a master **3** : MASTERY

mas·tery \'mas-t(ə-)rē\ *n* **1** : DOMINION; *also* : SUPERIORITY **2** : possession or display of great skill or knowledge

mast·head \'mast-,hed\ *n* **1** : the top of a mast **2** : the printed matter in a newspaper giving details (as of ownership and rates)

mas·ti·cate \'mas-tə-,kāt\ *vb* : CHEW — **mas·ti·ca·tion** \,mas-tə-'kā-shən\ *n*

mas·tur·ba·tion \,mas-tər-'bā-shən\ *n* : stimulation of the genital organs to a climax of excitement by contact (as manual) exclusive of sexual intercourse — **mas·tur·bate** \'mas-tər-,bāt\ *vb*

¹mat \'mat\ *n* **1** : a piece of coarse woven or plaited fabric **2** : something made up of many intertwined or tangled strands **3** : a large thick pad used as a surface for wrestling and gymnastics

²mat *vb* **mat·ted; mat·ting** : to form into a tangled mass

³mat *adj* : not shiny: DULL

⁴mat *n* **1** : a border going around a picture between picture and frame or serving as the frame **2** : a dull finish **3** : MATRIX

mat·a·dor \'mat-ə-,dȯr\ *n* : a bullfighter whose role is to kill the bull in a bullfight

¹match \'mach\ *n* **1** : a person or thing equal or similar to another : COUNTERPART **2** : a pair of persons or objects that harmonize **3** : a contest or game between two or more individuals **4** : a marriage union; *also* : a prospective marriage partner — **match·less** \-ləs\ *adj*

²match *vb* **1** : to meet as an antagonist; *also* : PIT, ARRAY **2** : to provide with a worthy competitor; *also* : to set in comparison with **3** : MARRY **4** : to combine as being suitable or congenial; *also* : ADAPT, SUIT **5** : to provide with a counterpart

³match *n* : a short slender piece of flammable material (as wood) tipped with a combustible mixture that ignites through friction

¹mate \'māt\ *n* **1** : ASSOCIATE, COMPANION; *also* : HELPER **2** : a deck officer on a merchant ship ranking below the captain **3** : one of a pair; *esp* : either member of a married couple

²mate *vb* **1** : to join or fit together : COUPLE **2** : to come or bring together as mates

¹ma·te·ri·al \mə-'tir-ē-əl\ *adj* **1** : PHYSICAL ⟨~ world⟩; *also* : BODILY ⟨~ needs⟩ **2** : of or relating to matter rather than form ⟨~ cause⟩; *also* : EMPIRICAL ⟨~ knowledge⟩ **3** : highly important : SIGNIFICANT **4** : of a physical or worldly nature ⟨~ progress⟩ — **ma·te·ri·al·ly** *adv*

²material *n* **1** : the elements or substance of which something is composed or made **2** : apparatus necessary for doing or making something ⟨writing ~s⟩

ma·te·ri·al·ism \-ē-ə-,liz-əm\ *n* **1** : a theory that physical matter is the only reality and that all being and processes and phenomena can be explained as manifestations or results of matter **2** : a preoccupation with material rather than intellectual or spiritual things — **ma·te·ri·al·ist** \-ləst\ *n or adj* — **ma·te·ri·al·is·tic** \mə-,tir-ē-ə-'lis-tik\ *adj* — **ma·te·ri·al·is·ti·cal·ly** *adv*

ma·te·ri·al·ize \mə-'tir-ē-ə-,līz\ *vb* **1** : to give material form to; *also* : to assume bodily form **2** : to make an often unexpected appearance — **ma·te·ri·al·i·za·tion** \mə-,tir-ē-ə-lə-'zā-shən\ *n*

ma·té·ri·el *or* **ma·te·ri·el** \mə-,tir-ē-'el\ *n* : equipment, apparatus, and supplies used by an organization or institution

ma·ter·nal \mə-'tərn-ᵊl\ *adj* **1** : MOTHERLY **2** : related through or inherited or derived from a mother — **ma·ter·nal·ly** *adv*

ma·ter·ni·ty \mə-'tər-nət-ē\ *n* **1** : the quality or state of being a mother; *also* : MOTHERLINESS **2** : a hospital facility for the care of women before and during childbirth and for the care of newborn babies ⟨~ ward⟩

math \'math\ *n* : MATHEMATICS

math·e·mat·ics \,math-ə-'mat-iks\ *n* : the science of numbers and their operations and the relations between them and of space configurations and their structure and measurement — **math·e·mat·i·cal** \-'mat-i-kəl\ *adj* — **math·e·mat·i·cal·ly** *adv* — **math·e·ma·ti·cian** \,math-ə-mə-'tish-ən\ *n*

mat·i·nee \,mat-ᵊn-'ā\ *n* : a musical or dramatic performance usu. in the afternoon

ma·tri·arch \'mā-trē-,ärk\ *n* : a woman who rules a family, group, or state — **ma·tri·ar·chal** \,mā-trē-'är-kəl\ *adj* — **ma·tri·ar·chy** \'mā-trē-,är-kē\ *n*

ma·tric·u·late \mə-'trik-yə-,lāt\ *vb* : to enroll as a member of a body and esp. of a college or university — **ma·tric·u·la·tion** \mə-,trik-yə-'lā-shən\ *n*

mat·ri·mo·ny \'mat-rə-,mō-nē\ *n* : MARRIAGE — **mat·ri·mo·ni·al** \,mat-rə-'mō-nē-əl\ *adj* — **mat·ri·mo·ni·al·ly** *adv*

ma·trix \'mā-triks\ *n, pl* **ma·tri·ces** \-trə-,sēz\ *or* **ma·trix·es** **1** : something within which something else originates or develops **2** : a mold from which a relief surface (as a stereotype) is made

ma·tron \'mā-trən\ *n* **1** : a married woman usu. of dignified maturity or social distinction **2** : a woman supervisor (as in a school or police station) — **ma·tron·ly** *adj*

¹mat·ter \'mat-ər\ *n* **1** : a subject of interest or concern **2** *pl* : events or circumstances of a particular situation; *also* : elements that constitute material for treatment (as in writing) **3** : TROUBLE, DIFFICULTY ⟨what's the ~⟩ **4** : the substance of which a physical object is composed **5** : PUS **6** : the indeterminate subject of reality **7** : a somewhat indefinite amount or quantity ⟨a ~ of a few days⟩ **8** : something written or printed **9** : MAIL

²matter *vb* **1** : to be of importance : SIGNIFY **2** : to form or discharge pus

mat·ter-of-fact *adj* : adhering to or concerned with fact : PRACTICAL — **mat·ter-of-fact·ness** *n*

mat·ting \'mat-iŋ\ *n* **1** : material for mats **2** : MATS

mat·tock \'mat-ək\ *n* : a digging and grubbing implement with features of an adz, ax, and pick

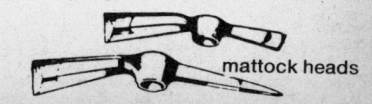

mattock heads

mat·tress \'mat-rəs\ *n* : a fabric case filled with resilient material used as a bed or on a bedstead

mat·u·rate \'mach-ə-,rāt\ *vb* : MATURE

¹ma·ture \mə-'t(y)ùr\ *adj* **1** : based on careful consideration ⟨~ plan⟩ **2** : fully grown and developed : RIPE **3** : due for payment ⟨~ loan⟩ — **ma·tu·ri·ty**

²mature *vb* **1** : to bring or come to maturity — **mat·u·ra·tion** \,mach-ə-'rā-shən\ *n*

mat·u·ti·nal \,mach-ù-'tīn-ᵊl\ *adj* : of, relating to, or occurring in the morning

mat·zo \'mät-sə, -sō\ *n, pl* **-zoth** \-,sōt\ *or* **-zos** : unleavened bread eaten at the Passover

maud·lin \'mód-lən\ *adj* **1** : tearfully sentimental **2** : drunk enough to be emotionally silly

¹maul \'mól\ *n* : a heavy hammer often with a wooden head used esp. for driving wedges or piles

²maul *vb* **1** : BEAT, BRUISE; *also* : MANGLE **2** : to handle roughly

maun·der \'món-dər\ *vb* **1** : to wander slowly and idly **2** : MUTTER

mau·so·le·um \,mó-sə-'lē-əm\ *n* : a large tomb usu. with places for entombment of the dead above ground

mauve \'mōv\ *n* : a moderate purple, violet, or lilac color

mav·er·ick \'mav-(ə-)rik\ *n* **1** : an unbranded range animal **2** : NONCONFORMIST

mawk·ish \'mó-kish\ *adj* : nauseatingly sentimental — **mawk·ish·ly** *adv*

max·il·la \mak-'sil-ə\ *n, pl* **max·il·lae** \-'sil-(,)ē\ *or* **maxillas** : JAW; *esp* : an upper jaw

max·im \'mak-səm\ *n* : a proverbial saying

max·i·mal \'mak-sə-məl\ *adj* : MAXIMUM ⟨~ development⟩ — **max·i·mal·ly** *adv*

max·i·mum \'mak-sə-məm\ *n, pl* **-ma** \-mə\ *or* **-mums** **1** : the greatest quantity, value, or degree **2** : an upper limit allowed by authority **3** : the largest of a set of numbers — **maximum** *adj*

may \(')mā\ *vb* **1** : have permission or liberty to ⟨you ~ go now⟩ **2** : be in some degree likely to ⟨you ~ be right⟩ **3** — used as an auxiliary to express a wish or desire, purpose or expectation, or contingency or concession

May \'mā\ *n* : the 5th month of the year having 31 days

Ma·ya \'mī-ə\ *n* : a member of a group of peoples of the Yucatan peninsula and adjacent areas — **Ma·yan** *adj*

may·be \'mā-bē\ *adv* : PERHAPS

May Day *n* : May 1 celebrated as a springtime festival and in some countries as Labor Day

may·flow·er \'mā-,flaù(-ə)r\ *n* : any of several spring blooming herbs (as the trailing arbutus, hepatica, or anemone)

may·hem \'mā-,hem, 'mā-əm\ *n* : willful and permanent crippling, mutilation, or disfigurement of a person

may·on·naise \'mā-ə-,nāz\ *n* : a dressing of raw eggs or egg yolks, vegetable oil, and vinegar or lemon juice

may·or \'mā-ər\ *n* : an official elected to act as chief executive or nominal head of a city or borough — **may·or·al** \-əl\ *adj* — **may·or·al·ty** \-əl-tē\ *n*

may·pole \'mā-,pōl\ *n, often cap* : a tall flower-wreathed pole forming a center for May Day sports and dances

maze \'māz\ *n* : a confusing intricate network of passages — **mazy** \'mā-zē\ *adj*

me \(')mē\ *pron, objective case of* I

mead·ow \'med-ō\ *n* : land in or mainly in grass; *esp* : a tract of moist low-lying usu. level grassland — **mead·owy**

mead·ow·lark \'med-ō-,lärk\ *n* : any of a genus of largely brown and buff American birds noted for their long melodious songs

mea·ger *or* **mea·gre** \'mē-gər\ *adj* **1** : THIN **2** : lacking richness, fertility, or strength : POOR **syn** scanty, scant, spare, sparse — **mea·ger·ly** *adv* — **mea·ger·ness** *n*

¹meal \'mēl\ *n* **1** : the portion of food taken at one time : REPAST **2** : an act or the time of eating a meal

²meal *n* **1** : usu. coarsely ground seeds of a cereal (as Indian corn) **2** : a product resembling seed meal (as in texture) — **mealy** *adj*

mealy-mouthed \,mē-lē-'maùthd, -'maùtht\ *adj* : smooth, plausible, and insincere in speech; *also* : affectedly unwilling to use strong or coarse language

¹mean \'mēn\ *adj* **1** : HUMBLE **2** : lacking power or acumen : ORDINARY **3** : SHABBY, CONTEMPTIBLE **4** : IGNOBLE, BASE **5** : STINGY **6** : pettily selfish or malicious — **mean·ly** *adv* — **mean·ness** *n*

²mean *vb* **meant** \'ment\ **mean·ing** **1** : to have in the mind as a purpose : INTEND **2** : to serve to convey, show, or indicate : SIGNIFY **3** : to direct to a particular individual **4** : to be of a specified degree of importance ⟨music ~s little to him⟩

³mean *n* **1** : a middle point between extremes **2** *pl* : something helpful in achieving a desired end **3** *pl* : material resources affording a secure life **4** : a value computed by dividing the sum of a set of terms by the number of terms **5** : a value computed by dividing the sum of two extremes of a range of values by 2

⁴mean *adj* **1** : occupying a middle position (as in space, order, or time) **2** : being a mean ⟨a ~ value⟩

¹me·an·der \mē-'an-dər\ *n* **1** : a turn or winding of a stream **2** : a winding course

²meander *vb* **1** : to follow a winding course **2** : to wander aimlessly or casually

mean·ing \'mē-niŋ\ *n* **1** : the thing one intends to convey esp. by language; *also* : the thing that is thus conveyed **2** : PURPOSE **3** : SIGNIFICANCE **4** : CONNOTATION; *also* : DENOTATION — **mean·ing·ful** \-fəl\ *adj* — **mean·ing·less**

¹mean·time \'mēn-,tīm\ *n* : the intervening time

²meantime *adv* : MEANWHILE

¹mean·while \-,hwīl\ *n* : MEANTIME

²meanwhile *adv* : during the intervening time

mea·sles \'mē-zəlz\ *n sing or pl* : an acute virus disease marked by fever and an eruption

mea·sly \'mēz-(ə-)lē\ *adj* : contemptibly small or insignificant

¹mea·sure \'mezh-ər\ *n* **1** : an adequate portion; *also* : a suitable limit **2** : the dimensions, capacity, or amount of something ascertained by measuring; *also* : an instrument or utensil for measuring **3** : a unit of measurement; *also* : a system of such units ⟨metric ∼⟩ **4** : the act or process of measuring **5** : rhythmic structure or movement **6** : CRITERION **7** : a means to an end **8** : a legislative bill **9** : the part of a musical staff between two adjacent bars — **mea·sure·less** \-ləs\ *adj*

²**measure** *vb* **1** : to regulate esp. by a standard **2** : to apportion by measure **3** : to lay off by making measurements **4** : to ascertain the measurements of **5** : to bring into comparison or competition **6** : to serve as a measure of **7** : to have a specified measurement — **mea·sur·able** \'mezh-(ə-)rə-bəl\ *adj* — **mea·sur·ably** *adv* — **mea·sur·er** *n*

mea·sure·ment \'mezh-ər-mənt\ *n* **1** : the act or process of measuring **2** : a figure, extent, or amount obtained by measuring

meat \'mēt\ *n* **1** : FOOD; *esp* : solid food as distinguished from drink **2** : animal and esp. mammal flesh used as food **3** : the edible part inside a covering (as a shell or rind) — **meaty** *adj*

mec·ca \'mek-ə\ *n, often cap* [fr. *Mecca*, Saudi Arabia, birthplace of Muhammad and place of pilgrimage for Muslims] : a place sought as a goal by numerous people

¹**me·chan·ic** \mi-'kan-ik\ *adj* **1** : of or relating to manual work or skill **2** : of the nature of or resembling a machine (as in automatic performance)

²**mechanic** *n* **1** : a manual worker **2** : MACHINIST

me·chan·i·cal \-i-kəl\ *adj* **1** : of or relating to machinery or tools, to manual operations, or to mechanics **2** : done as if by a machine : AUTOMATIC *syn* instinctive, impulsive, spontaneous — **me·chan·i·cal·ly** *adv*

me·chan·ics \-iks\ *n sing or pl* **1** : a branch of physical science that deals with energy and forces and their effect on bodies **2** : the practical application of mechanics (as to the operation of machines) **3** : mechanical or functional details

mech·a·nism \'mek-ə-ˌniz-əm\ *n* **1** : a piece of machinery; *also* : a process or technique for achieving a result **2** : mechanical operation or action **3** : the fundamental processes involved in or responsible for a natural phenomenon

mech·a·nis·tic \ˌmek-ə-'nis-tik\ *adj* **1** : mechanically determined ⟨∼ universe⟩ **2** : MECHANICAL — **mech·a·nis·ti·cal·ly** *adv*

mech·a·nize \'mek-ə-ˌnīz\ *vb* **1** : to make mechanical **2** : to equip with machinery esp. to replace human or animal labor **3** : to equip with armed and armored motor vehicles — **mech·a·ni·za·tion** \ˌmek-ə-nə-'zā-shən\ *n*

med·al \'med-ᵊl\ *n* **1** : a metal disk bearing a religious emblem or picture **2** : a piece of metal issued to commemorate a person or event or awarded for excellence or achievement

med·al·ist *or* **med·al·list** \-əst\ *n* **1** : a designer or maker of medals **2** : a recipient of a medal

me·dal·lion \mə-'dal-yən\ *n* **1** : a large medal **2** : a tablet or panel (as in a wall) bearing a portrait or an ornament

med·dle \'med-ᵊl\ *vb* : to interfere without right or propriety — **med·dler**

med·dle·some \'med-ᵊl-səm\ *adj* : inclined to meddle in the affairs of others

me·di·al \'mēd-ē-əl\ *adj* **1** : occurring in or extending toward the middle : MEDIAN **2** : MEAN, AVERAGE

¹**me·di·an** \'mēd-ē-ən\ *n* **1** : a medial part **2** : a value in an ordered set of values below and above which there are an equal number of values

²**median** *adj* **1** : MEDIAL 1 **2** : relating to or constituting a statistical median

me·di·ate \'mēd-ē-ˌāt\ *vb* : to act as an intermediary (as in settling a dispute or in carrying out a process) *syn* intercede, intervene, interpose — **me·di·a·tion** \ˌmēd-ē-'ā-shən\ *n* — **me·di·a·tor** *n*

med·ic \'med-ik\ *n* : one engaged in medical work

med·i·cal \-i-kəl\ *adj* : of or relating to the science or practice of medicine or the treatment of disease — **med·i·cal·ly** *adv*

med·i·cate \'med-ə-ˌkāt\ *vb* : to treat with medicine — **med·i·ca·tion** \ˌmed-ə-'kā-shən\ *n*

me·dic·i·nal \mə-'dis-(ə-)nəl\ *adj* : tending or used to relieve or cure disease or pain — **me·dic·i·nal·ly** *adv*

med·i·cine \'med-ə-sən\ *n* **1** : a substance or preparation used in treating disease : REMEDY **2** : a science or art dealing with the prevention or cure of disease

me·di·e·val *or* **me·di·ae·val** \ˌmēd-ē-'ē-vəl, ˌmed-\ *adj* : of, relating to, or characteristic of the Middle Ages — **me·di·e·val·ism** \-ˌiz-əm\ *n* — **me·di·e·val·ist** \-əst\ *n*

me·di·o·cre \ˌmēd-ē-'ō-kər\ *adj* : of moderate or low excellence : ORDINARY — **me·di·oc·ri·ty** \-'äk-rət-ē\ *n*

med·i·tate \'med-ə-ˌtāt\ *vb* **1** : to muse over : CONTEMPLATE, PONDER **2** : INTEND, PURPOSE — **med·i·ta·tion** \ˌmed-ə-'tā-shən\ *n* — **med·i·ta·tive** \'med-ə-ˌtāt-iv\ *adj* — **med·i·ta·tive·ly** *adv*

¹**me·di·um** \'mēd-ē-əm\ *n, pl* **me·di·ums** *or* **me·dia** \-ē-ə\ **1** : something in a middle position; *also* : a middle position or degree **2** : a means of effecting or conveying something **3** : a surrounding or enveloping substance **4** : a channel of communication **5** : an individual held to be a channel of communication between the earthly world and a world of spirits **6** : material or technical means of artistic expression **7** : a condition in which something may function or flourish

²**medium** *adj* : intermediate in amount, quality, position, or degree

med·ley \'med-lē\ *n* **1** : HODGEPODGE **2** : a musical composition made up esp. of a series of songs

meek \'mēk\ *adj* **1** : characterized by patience and long-suffering : MILD **2** : deficient in spirit and courage **3** : MODERATE — **meek·ly** *adv* — **meek·ness** *n*

¹**meet** \'mēt\ *vb* **met** \'met\ **meet·ing** **1** : to come upon : FIND **2** : JOIN, INTERSECT **3** : to appear to the perception of **4** : OPPOSE, FIGHT **5** : to join in conversation or discussion; *also* : ASSEMBLE **6** : to conform to **7** : to pay fully **8** : to cope with **9** : to provide for **10** : to be introduced to

²**meet** *n* : an assembling esp. for a hunt or for competitive sports

³**meet** *adj* : SUITABLE, PROPER

meet·ing \'mēt-iŋ\ *n* **1** : an act of coming together : ASSEMBLY **2** : JUNCTION, INTERSECTION

meet·ing·house \-,haùs\ *n* : a building used for public assembly and esp. for Protestant worship

mega·cy·cle \'meg-ə-,sī-kəl\ *n* : one million cycles per second used as a unit of radio frequency

meg·a·lo·ma·nia \,meg-ə-lō-'mā-nē-ə\ *n* : a disorder of mind marked by feelings of personal omnipotence and grandeur

meg·a·lop·o·lis \,meg-ə-'läp-ə-ləs\ *n* : a very large urban unit

mega·phone \'meg-ə-,fōn\ *n* : a cone-shaped device used to intensify or direct the voice — **megaphone** *vb*

mega·ton \-,tən\ *n* : an explosive force equivalent to that of a million tons of TNT

mel·an·choly \'mel-ən-,käl-ē\ *n* [LL *melancholia*, fr. Gk, fr. *melan-*, *melas* black + *cholē* bile; so called fr. the former belief that it was caused by an excess in the system of black bile, a substance supposedly secreted by the kidneys or spleen] : depression of spirits : DEJECTION, GLOOM — **melancholy** *adj*

mé·lange \mā-'läⁿzh\ *n* : a mixture esp. of incongruous elements

¹**meld** \'meld\ *vb* : to show or announce for a score in a card game

²**meld** *n* : a card or combination of cards that is or can be melded

me·lee \'mā-,lā, mā-'lā\ *n* : a confused struggle *syn* fracas, row, brawl

me·lio·rate \'mēl-yə-,rāt\ *vb* : to make or become better : IMPROVE — **me·lio·ra·tion** \,mēl-yə-'rā-shən\ *n* — **me·lio·ra·tive** \'mēl-yə-,rāt-iv\ *adj*

¹**mel·low** \'mel-ō\ *adj* **1** : soft and sweet because of ripeness 〈~ apple〉; *also* : well aged and pleasingly mild 〈~ wine〉 **2** : made gentle by age or experience **3** : of soft loamy consistency 〈~ soil〉 **4** : being rich and full but not garish or strident 〈~ colors〉 — **mellow·ness** *n*

²**mellow** *vb* : to make or become mellow

me·lo·di·ous \mə-'lōd-ē-əs\ *adj* : pleasing to the ear : TUNEFUL — **me·lo·di·ous·ly** *adv* — **me·lo·di·ous·ness** *n*

melo·dra·ma \'mel-ə-,dräm-ə, -,dram-\ *n* : an extravagantly theatrical play in which action and plot predominate over characterization — **melo·dra·mat·ic**

mel·o·dy \'mel-əd-ē\ *n* **1** : sweet or agreeable sound 〈birds making ~〉 **2** : a particular succession of notes : TUNE, AIR — **me·lod·ic** \mə-'läd-ik\ *adj* — **me·lod·i·cal·ly** \-i-k(ə-)lē\ *adv*

mel·on \'mel-ən\ *n* : any of certain gourds (as a muskmelon or watermelon) usu. eaten raw as fruits

melt \'melt\ *vb* **1** : to change from a solid to a liquid state usu. by heat **2** : DISSOLVE, DISINTEGRATE; *also* : to cause to disperse or disappear **3** : to make or become tender or gentle : SOFTEN

mem·ber \'mem-bər\ *n* **1** : a part (as an arm, leg, or branch) of a person, lower animal, or plant **2** : one of the individuals composing a group **3** : a constituent part of a whole

mem·ber·ship \-,ship\ *n* **1** : the state or status of being a member **2** : the body of members (as of a church)

mem·brane \'mem-,brān\ *n* : a thin pliable layer esp. of animal or plant tissue — **mem·bra·nous** \-brə-nəs\ *adj*

me·men·to \mi-'ment-ō\ *n*, *pl* **-tos** or **-toes** : something that serves to warn or remind : SOUVENIR

memo \'mem-ō\ *n* : MEMORANDUM

mem·oir \'mem-,wär\ *n* **1** : MEMORANDUM **2** : AUTOBIOGRAPHY — usu. used in pl. **3** : an account of something noteworthy; *also*, *pl* : the record of the proceedings of a learned society

mem·o·ra·bil·ia \,mem-ə-rə-'bil-yə\ *n pl* : things worthy of remembrance; *also* : a record of such things

mem·o·ra·ble \'mem-(ə-)rə-bəl\ *adj* : worth remembering : NOTABLE — **mem·o·ra·ble·ness** *n* — **mem·o·ra·bly** *adv*

mem·o·ran·dum \,mem-ə-'ran-dəm\ *n*, *pl* **-dums** or **-da** \-də\ **1** : an informal record; *also* : a written reminder **2** : an informal written note or communication

¹**me·mo·ri·al** \mə-'mōr-ē-əl\ *adj* : serving to preserve remembrance : COMMEMORATIVE

²**memorial** *n* **1** : something designed to keep remembrance alive; *esp* : MONUMENT **2** : a statement of facts often accompanied with a petition — **me·mo·ri·al·ize** \-,īz\ *vb*

Memorial Day *n* : May 30 observed as a legal holiday in commemoration of dead servicemen

mem·o·rize \'mem-ə-,rīz\ *vb* : to learn by heart — **mem·o·riz·er** *n*

mem·o·ry \'mem-(ə-)rē\ *n* **1** : the power or process of remembering **2** : the store of things remembered; *also* : a particular act of recollection **3** : commemorative remembrance **4** : the time within which past events are remembered *syn* remembrance, recollection, reminiscence

men *pl of* MAN

¹**men·ace** \'men-əs\ *n* **1** : THREAT **2** : DANGER; *also* : NUISANCE

²**menace** *vb* **1** : THREATEN **2** : ENDANGER — **men·ac·ing·ly** *adv*

me·nag·er·ie \mə-'naj-(ə-)rē\ *n* : a collection of wild animals esp. for exhibition

¹**mend** \'mend\ *vb* **1** : to improve in manners or morals **2** : to put into good shape : REPAIR **3** : to restore to health : HEAL — **mend·er** *n*

²**mend** *n* **1** : an act of mending **2** : a mended place

men·da·cious \men-'dā-shəs\ *adj* : given to deception or falsehood : UNTRUTHFUL *syn* dishonest, deceitful — **men·da·cious·ly** *adv* — **men·dac·i·ty**

men·folk \'men-,fōk\ or **men·folks** *n pl* **1** : men in general **2** : the men of a family or community

¹**me·ni·al** \'mē-nē-əl\ *adj* **1** : of or relating to servants **2** : HUMBLE; *also* : SERVILE — **me·ni·al·ly** *adv*

²**menial** *n* : a domestic servant

men·in·gi·tis \,men-ən-'jīt-əs\ *n* : inflammation of the membranes enclosing the brain and spinal cord; *also* : a usu. bacterial disease marked by this

meno·pause \'men-ə-,pòz\ *n* : the period of natural cessation of menstruation

men·ses \'men-,sēz\ *n pl* : the menstrual period or flow

men·stru·a·tion \,men-strə-'wā-shən, men-'strā-\ *n* : a discharging of bloody matter at approximately monthly intervals from the uterus of breeding-age primate females that are not pregnant — **men·stru·al** \'men-strə(-wə)l\ *adj* — **men·stru·ate** \'men-strə-,wāt, -,strāt\ *vb*

men·su·ra·ble \'men-sə-rə-bəl, 'men-chə-\ *adj* : MEASURABLE

men·su·ra·tion \,men-sə-'rā-shən, ,men-chə-\ *n* : MEASUREMENT

-ment \mənt\ *n suffix* **1** : concrete result, object, or agent of a (specified) action ⟨embank*ment*⟩ ⟨entangle*ment*⟩ **2** : concrete means or instrument of a (specified) action ⟨entertain*ment*⟩ **3** : action : process ⟨encircle*ment*⟩ ⟨development⟩ **4** : place of a (specified) action ⟨encamp*ment*⟩ **5** : state : condition ⟨amaze*ment*⟩

men·tal \'ment-ᵊl\ *adj* **1** : of or relating to the mind **2** : of, relating to, or affected with a disorder of the mind — **men·tal·ly** *adv*

men·tal·i·ty \men-'tal-ət-ē\ *n* **1** : mental power or capacity **2** : mode or way of thought

men·thol \'men-,thȯl, -,thōl\ *n* : a white soothing substance from oil of peppermint — **men·tho·lat·ed** \-thə-,lāt-əd\ *adj*

¹men·tion \'men-chən\ *n* **1** : a brief or casual reference **2** : a formal citation for outstanding achievement

²mention *vb* **1** : to refer to : CITE **2** : to cite for outstanding achievement

men·tor \'men-,tȯr, 'ment-ər\ *n* : a trusted counselor or guide; *also* : TUTOR, COACH

menu \'men-yü\ *n* : a list of the dishes available (as in a restaurant) for a meal; *also* : the dishes served

mer·can·tile \'mər-kən-,tēl, -,tīl\ *adj* : of or relating to merchants or trading

¹mer·ce·nary \'mərs-ᵊn-,er-ē\ *n* : one who serves merely for wages; *esp* : a soldier serving in a foreign army

²mercenary *adj* **1** : serving merely for pay or gain **2** : hired for service in a foreign army — **mer·ce·nar·i·ly** \,mərs-ᵊn-'er-ə-lē\ *adv* — **mer·ce·nar·i·ness** \'mərs-ᵊn-,er-ē-nəs\ *n*

mer·cer·ize \-,īz\ *vb* : to treat cotton yarn or cloth with alkali so that it looks silky or takes a better dye

¹mer·chan·dise \'mər-chən-,dīz, -,dīs\ *n* : the commodities or goods that are bought and sold in business

²mer·chan·dise \-,dīz\ *vb* : to buy and sell in business : TRADE — **mer·chan·dis·er** *n*

mer·chant \'mər-chənt\ *n* **1** : a buyer and seller of commodities for profit **2** : STOREKEEPER

mer·chant·able \-ə-bəl\ *adj* : acceptable to buyers : MARKETABLE

merchant ship *n* : MERCHANTMAN

mer·cu·ri·al \,mər-'kyu̇r-ē-əl\ *adj* : unpredictably changeable — **mer·cu·ri·al·ly** *adv* — **mer·cu·ri·al·ness** *n*

mer·cu·ry \'mər-kyə-rē\ *n* **1** : a heavy silver-white liquid metallic chemical element used in thermometers and medicine **2** *cap* : the smallest of the planets and the one nearest the sun

mer·cy \'mər-sē\ *n* **1** : compassion shown to an offender; *also* : imprisonment rather than death for first-degree murder **2** : a blessing resulting from divine favor or compassion; *also* : a fortunate circumstance **3** : compassion shown to victims of misfortune — **mer·ci·ful** \-si-fəl\ *adj* — **mer·ci·ful·ly** *adv* — **mer·ci·less** \-si-ləs\ *adj* — **mer·ci·less·ly** *adv*

¹mere \'miər\ *n* : LAKE, POOL

²mere *adj* **1** : apart from anything else : BARE **2** : not diluted : PURE — **mere·ly** *adv*

merge \'mərj\ *vb* **1** : to combine, unite, or coalesce into one **2** : to blend gradually syn mingle, amalgamate, fuse

merg·er \'mər-jər\ *n* **1** : absorption by a corporation of one or more others **2** : the combination of two or more groups (as churches)

me·rid·i·an \mə-'rid-ē-ən\ *n* **1** : the highest point : CULMINATION **2** : one of the imaginary circles on the earth's surface passing through the north and south poles and any particular place — **meridian** *adj*

me·ringue \mə-'raŋ\ *n* : a dessert topping of baked beaten egg whites and powdered sugar

¹mer·it \'mer-ət\ *n* **1** : laudable or blameworthy traits or actions **2** : a praiseworthy quality; *also* : character or conduct deserving reward or honor **3** *pl* : the intrinsic rights and wrongs of a legal case; *also* : legal significance or standing

²merit *vb* : EARN, DESERVE

mer·i·to·ri·ous \,mer-ə-'tōr-ē-əs\ *adj* : deserving reward or honor — **mer·i·to·ri·ous·ly** *adv* — **mer·i·to·ri·ous·ness** *n*

mer·maid \'mər-,mād\ *n* : a legendary sea creature with a woman's body and a fish's tail

mer·man \-,man\ *n* : a legendary sea creature with a man's body and a fish's tail

mer·ri·ment \'mer-i-mənt\ *n* **1** : HILARITY **2** : FESTIVITY

mer·ry \'mer-ē\ *adj* **1** : full of gaiety or high spirits **2** : marked by festivity **3** : BRISK, INTENSE ⟨a ∼ pace⟩ syn blithe, jocund, jovial, jolly — **mer·ri·ly** *adv*

mer·ry-go-round \'mer-ē-gō-,rȧu̇nd\ *n* **1** : a circular revolving platform with benches and figures of animals on which people sit for a ride **2** : a rapid round of activities

¹mesh \'mesh\ *n* **1** : one of the openings between the threads or cords of a net; *also* : one of the similar spaces in a network **2** : the fabric of a net **3** : NETWORK **4** : working contact (as of the teeth of gears)

²mesh *vb* **1** : to catch in or as if in a mesh **2** : to be in or come into mesh : ENGAGE ⟨the gears ∼ed⟩ **3** : to fit together properly : COORDINATE

¹mess \'mes\ *n* **1** : a quantity of food; *also* : enough food of a specified kind for a dish or meal ⟨a ∼ of beans⟩ **2** : a group of persons who regularly eat together; *also* : a meal eaten by such a group **3** : a confused, dirty, or offensive state — **messy** *adj*

²mess *vb* **1** : to supply with meals; *also* : to take meals with a mess **2** : to make dirty or untidy; *also* : BUNGLE **3** : PUTTER, TRIFLE **4** : INTERFERE, MEDDLE

mes·sage \'mes-ij\ *n* : a communication sent by one person to another

mes·sen·ger \'mes-ᵊn-jər\ *n* : one who carries a message or does an errand

Mes·si·ah \mə-'sī-ə\ *n* **1** : the expected king and deliverer of the Jews **2** : Jesus **3** *not cap* : a professed or accepted leader — **mes·si·an·ic** \,mes-ē-'an-ik\ *adj*

met *past of* MEET

me·tab·o·lism \mə-'tab-ə-,liz-əm\ *n* : the sum of the processes in the building up and breaking down of the substance of plants and animals incidental to life; *also* : the processes by which a substance is handled in the body 〈~ of sugar〉 — **met·a·bol·ic** \,met-ə-'bäl-ik\ *adj* — **me·tab·o·lize** \mə-'tab-ə-,līz\ *vb*

met·al \'met-ᵊl\ *n* **1** : any of various opaque, fusible, ductile, and typically lustrous substances; *esp* : one that is a chemical element **2** : METTLE; *also* : the material out of which a person or thing is made — **me·tal·lic** \mə-'tal-ik\ *adj* — **met·al·lif·er·ous** \,met-ᵊl-'if-(ə-)rəs\ *adj* — **met·al·loid** \'met-ᵊl-,ȯid\ *n or adj*

met·al·lur·gy \'met-ᵊl-,ər-jē\ *n* : the science and technology of metals — **met·al·lur·gi·cal** \,met-ᵊl-'ər-ji-kəl\ *adj*

met·al·work \-,wərk\ *n* **1** : the process or occupation of making things from metal **2** : work and esp. artistic work made of metal

met·a·mor·pho·sis \,met-ə-'mȯr-fə-səs\ *n, pl* **-pho·ses** \-fə-,sēz\ **1** : a change of physical form, structure, or substance esp. by supernatural means; *also* : a striking alteration in appearance, character, or circumstances **2** : a fundamental change in form and often habits of an animal accompanying the transformation of a larva into an adult — **met·a·mor·phose** \-,fōz, -,fōs\ *vb*

met·a·phor \'met-ə-,fȯr, -fər\ *n* : a figure of speech in which a word denoting one object or idea is used in place of another to suggest a likeness between them (as in "the ship plows the sea") — **met·a·phor·i·cal** \,met-ə-'fȯr-i-kəl\ *adj*

meta·phys·ics \,met-ə-'fiz-iks\ *n* : the part of philosophy concerned with the study of the ultimate causes and the underlying nature of things — **meta·phys·i·cal** \-'fiz-i-kəl\ *adj* — **meta·phy·si·cian** \-fə-'zish-ən\ *n*

me·tas·ta·sis \mə-'tas-tə-səs\ *n, pl* **-ta·ses** \-tə-,sēz\ : transfer of a health-impairing agency (as tumor cells) to a new site in the body; *also* : a secondary growth of a malignant tumor — **met·a·stat·ic** \,met-ə-'stat-ik\ *adj*

me·te·or \'mēt-ē-ər\ *n* **1** : a usu. small particle of matter in the solar system observable only when it falls into the earth's atmosphere where friction causes it to glow **2** : the streak of light produced by passage of a meteor

me·te·or·ic \,mēt-ē-'ȯr-ik\ *adj* **1** : of, relating to, or resembling a meteor **2** : transiently brilliant 〈a ~ career〉 — **me·te·or·i·cal·ly** *adv*

me·te·or·ite \'mēt-ē-ə-,rīt\ *n* : a meteor that reaches the earth without being completely vaporized

me·te·o·rol·o·gy \,mēt-ē-ə-'räl-ə-jē\ *n* : a science that deals with the atmosphere and its phenomena and esp. with weather and weather forecasting — **me·te·o·ro·log·i·cal** \-ē-,ȯr-ə-'läj-i-kəl\ *adj* — **me·te·o·rol·o·gist** \-ē-ə-'räl-ə-jəst\ *n*

¹**me·ter** \'mēt-ər\ *n* : rhythm in verse or music

²**meter** *n* : the basic metric unit of length equal to 39.37 inches

³**meter** *n* : a measuring and sometimes recording instrument 〈a gas ~〉

⁴**meter** *vb* **1** : to measure by means of a meter **2** : to print postal indicia on by means of a postage meter 〈~ed mail〉

meth·ane \'meth-,ān\ *n* : a colorless odorless flammable gas produced by decomposition of organic matter (as in marshes) or from coal and used as a fuel

meth·od \'meth-əd\ *n* **1** : a procedure or process for achieving an end 〈the scientific ~〉 **2** : orderly arrangement : PLAN **syn** mode, manner, way, fashion, system — **me·thod·i·cal** \mə-'thäd-i-kəl\ *adj* — **me·thod·i·cal·ly** *adv*

Meth·od·ist \'meth-əd-əst\ *n* : a member of a Protestant denomination adhering to the doctrines of John Wesley

meth·od·ize \-ə-,dīz\ *vb* : SYSTEMATIZE

meth·od·ol·o·gy \,meth-ə-'däl-ə-jē\ *n* **1** : a body of methods and rules followed in a science or discipline **2** : the study of the principles or procedures of inquiry in a particular field

me·tic·u·lous \mə-'tik-yə-ləs\ *adj* : extremely careful in attending to details — **me·tic·u·lous·ly** *adv* — **me·tic·u·lous·ness** *n*

met·ric \'met-rik\ *or* **met·ri·cal** \-ri-kəl\ *adj* : of or relating to the meter; *esp* : of, relating to, or being a decimal system of weights and measures based on the meter and the kilogram — **met·ri·cal·ly** *adv*

met·ri·cal *or* **met·ric** *adj* **1** : of, relating to, or composed in meter **2** : of or relating to measurement — **met·ri·cal·ly** *adv*

met·ro·nome \'met-rə-,nōm\ *n* : an instrument for marking exact time by a regularly repeated tick

metronome

me·trop·o·lis \mə-'träp-(ə-)ləs\ *n* [Gk *mētropolis* mother city of a colony, fr. *mētēr* mother + *polis* city] : the chief or capital city of a country, state, or region — **met·ro·pol·i·tan** \,met-rə-'päl-ət-ᵊn\ *adj*

met·tle \'met-ᵊl\ *n* **1** : quality of temperament **2** : SPIRIT, COURAGE

met·tle·some *adj* : full of mettle

Mex·i·can \'mek-si-kən\ *n* : a native or inhabitant of Mexico — **Mexican** *adj*

mez·za·nine \'mez-ᵊn-,ēn\ *n* **1** : a low-ceilinged story between two main stories of a building **2** : the lowest balcony in a theater; *also* : the first few rows of such a balcony

mez·zo-so·pra·no \,mets-ō-sə-'pran-ō, ,me(d)z-\ *n* : a woman's voice having a full deep quality between that of the soprano and contralto; *also* : a singer having such a voice

mi·ca \\'mī-kə\\ *n* : any of various minerals readily separable into thin transparent sheets

mice *pl of* MOUSE

mi·crobe \\'mī-krōb\\ *n* : MICROORGANISM; *esp* : one causing disease

mi·cro·bi·al \\mī-'krō-bē-əl\\ *adj*

mi·cro·copy \\'mī-krō-,käp-ē\\ *n* : a photographic copy (as of printed matter) on a reduced scale — **microcopy** *vb*

mi·cro·cosm \\'mī-krə-,käz-əm\\ *n* : a little world; *esp* : man or human nature that is an epitome of the world or the universe

mi·cro·film \\-,film\\ *n* : a film bearing a photographic record (as of printed matter) on a reduced scale — **microfilm** *vb*

mi·crom·e·ter \\mī-'kräm-ət-ər\\ *n* : an instrument used with a telescope or microscope for measuring minute distances

micrometer

mi·cron \\'mī-,krän\\ *n* : a unit of length equal to one thousandth of a millimeter

mi·cro·or·ga·nism \\,mī-krō-'ȯr-gə-,niz-əm\\ *n* : a living being (as a bacterium) too tiny to be seen by the unaided eye

mi·cro·phone \\'mī-krə-,fōn\\ *n* : an instrument for converting sound waves into variations of an electric current for transmitting or recording sound

mi·cro·scope \\-,skōp\\ *n* : an optical instrument for making magnified images of minute objects — **mi·cros·co·py**

mi·cro·scop·ic \\,mī-krə-'skäp-ik\\ *or* **mi·cro·scop·i·cal** \\-i-kəl\\ *adj* **1** : of, relating to, or involving the use of the microscope **2** : too tiny to be seen without the use of a microscope : very small — **mi·cro·scop·i·cal·ly** *adv*

mid \\'mid\\ *adj* : MIDDLE

mid·day \\'mid-,dā\\ *n* : NOON

¹mid·dle \\'mid-ᵊl\\ *adj* **1** : equally distant from the extremes : MEDIAL, CENTRAL **2** : being at neither extreme : INTERMEDIATE

²middle *n* **1** : a middle part, point, or position **2** : WAIST

Middle Ages *n pl* : the period of European history from about A.D. 500 to about 1500

middle class *n* : a social class occupying a position between the upper class and the lower class — **middle-class** *adj*

mid·dle·man \\'mid-ᵊl-,man\\ *n* : INTERMEDIARY; *esp* : one intermediate between the producer of goods and the retailer or consumer

mid·dle·most \\-,mōst\\ *adj* : MIDMOST

mid·dle-of-the-road *adj* : standing for or following a course of action midway between extremes; *esp* : being neither liberal nor conservative in politics — **mid·dle-of-the-road·er** *n*

mid·dle·weight \\'mid-ᵊl-,wāt\\ *n* : one of average weight; *esp* : a boxer weighing more than 147 but not over 160 pounds

mid·dling \\'mid-liŋ\\ *adj* **1** : of middle, medium, or moderate size, degree, or quality **2** : MEDIOCRE, SECOND-RATE

mid·dy \\'mid-ē\\ *n* : MIDSHIPMAN

midge \\'mij\\ *n* : a very small fly : GNAT

midg·et \\'mij-ət\\ *n* : a very small person : DWARF

mid·most \\-,mōst\\ *adj* : being in the exact middle

mid·night \\-,nīt\\ *n* : twelve o'clock at night

mid·point \\-,pȯint\\ *n* : a point at or near the center or middle

mid·riff \\-,rif\\ *n* : DIAPHRAGM 1; *also* : the mid-region of the human torso

mid·ship·man \\-,ship-mən\\ *n* : a student naval officer

¹midst \\'midst\\ *n* **1** : the interior or central part or point **2** : a position of proximity to the members of a group ⟨in our ~⟩ **3** : the condition of being surrounded or beset

mid·stream \\'mid-'strēm\\ *n* : the middle of a stream

mid·sum·mer \\'mid-'səm-ər\\ *n* : the middle of summer; *esp* : the summer solstice

¹mid·way \\-,wā\\ *n* : an avenue (as at a carnival) for concessions and light amusements

²midway *adv* (*or adj*) : in the middle of the way or distance : HALFWAY

mid·wife \\-,wīf\\ *n* : a woman who helps other women in childbirth — **mid·wife·ry** \\-,wīf-(ə-)rē\\ *n*

mid·win·ter \\-'wint-ər\\ *n* : the middle of winter; *esp* : the winter solstice

mid·year \\-,yiər\\ *n* **1** : the middle of a year **2** : a midyear examination — **midyear** *adj*

miff \\'mif\\ *vb* : to put into an ill humor : OFFEND ⟨was ~ed by his behavior⟩

¹might \\(')mīt\\ *past of* MAY — used as an auxiliary to express permission, liberty, probability, or possibility in the past, a present condition contrary to fact, less probability or possibility than *may*, or as a polite alternative to *may*, *ought*, or *should*

²might \\'mīt\\ *n* : the power, authority, or resources of an individual or a group : STRENGTH

mighty \\'mīt-ē\\ *adj* **1** : very strong : POWERFUL **2** : GREAT, NOTABLE — **might·i·ly** *adv* — **might·i·ness** *n* — **mighty** *adv*

mi·graine \\'mī-,grān\\ *n* : a condition marked by recurrent headache and often nausea

mi·grant \\'mī-grənt\\ *n* : one that migrates; *esp* : a person who moves in order to find work (as in harvesting crops)

mi·grate \\-,grāt\\ *vb* **1** : to move from one country, place, or locality to another **2** : to pass usu. periodically from one region or climate to another for feeding or breeding — **mi·gra·tion** \\mī-'grā-shən\\ *n* — **mi·gra·tion·al** *adj* — **mi·gra·to·ry** \\'mī-grə-,tōr-ē\\ *adj*

mild \\'mīld\\ *adj* **1** : gentle in nature or behavior **2** : moderate in action or effect **3** : TEMPERATE *syn* soft, bland, lenient — **mild·ly** *adv* — **mild·ness** *n*

mil·dew \\'mil-,d(y)ü\\ *n* : a superficial usu. whitish growth produced on organic matter and on plants by a fungus; *also* : a fungus producing this growth — **mildew** *vb*

mile \\'mīl\\ *n* [OE *mīl*, fr. L *milia* miles, short for *milia passuum* thousands of paces] **1** : a unit of distance equal to 5280 feet **2** : NAUTICAL MILE

mile·age \\'mī-lij\\ *n* **1** : an allowance for traveling expenses at a certain rate per mile **2** : distance in miles traveled

(as in a day); *also* : the amount of service yielded (as by a tire) expressed in terms of miles of travel
mile·stone \-,stōn\ *n* **1** : a stone serving as a milepost **2** : a significant point in development
mi·lieu \mēl-'yə(r), -'yü\ *n* : ENVIRONMENT, SETTING
mil·i·tant \'mil-ə-tənt\ *adj* **1** : engaged in warfare **2** : aggressively active — **mil·i·tan·cy** \-tən-sē\ *n* — **mil·i·tant·ly** *adv*
mil·i·ta·rism \'mil-ə-tə-,riz-əm\ *n* **1** : predominance of the military class or its ideals **2** : a policy of aggressive military preparedness — **mil·i·ta·rist** \-rəst\ *n* — **mil·i·ta·ris·tic** \,mil-ə-tə-'ris-tik\ *adj*
mil·i·ta·rize \'mil-ə-tə-,rīz\ *vb* **1** : to equip with military forces and defenses **2** : to give a military character to
¹mil·i·tary \'mil-ə-,ter-ē\ *adj* **1** : of or relating to soldiers, arms, or war **2** : performed by armed forces; *also* : supported by armed force **3** : of or relating to the army **syn** martial, warlike — **mil·i·tar·i·ly** \,mil-ə-'ter-ə-lē\ *adv*
²military *n, pl* **military** **1** : the military, naval, and air forces of a nation **2** : military persons
mil·i·tate \'mil-ə-,tāt\ *vb* : to have weight or effect
mi·li·tia \mə-'lish-ə\ *n* : a part of the organized armed forces of a country liable to call only in emergency
¹milk \'milk\ *n* **1** : a nutritive usu. whitish fluid secreted by female mammals for feeding their young **2** : a milklike liquid (as a plant juice) — **milk·i·ness** *n* — **milky** *adj*
²milk *vb* **1** : to draw off the milk of ⟨~ a cow⟩; *also* : to draw or yield milk ⟨a cow that ~s 30 pounds⟩ — **milk·er** *n*
milk·maid \'milk-,mād\ *n* : DAIRYMAID
milk·man \-mən\ *n* : a man who sells or delivers milk
milk of magnesia : a milk-white mixture of hydroxide of magnesium and water used as an antacid and laxative
milk shake *n* : milk and flavoring syrup sometimes with ice cream blended thoroughly
Milky Way *n* : a broad irregular band of light that stretches across the sky and is caused by the light of myriads of faint stars
Milky Way galaxy *n* : the huge system of stars of which our sun is a member and which includes the myriads of stars that comprise the Milky Way
¹mill \'mil\ *n* **1** : a building with machinery for grinding grain into flour; *also* : a machine for grinding grain **2** : a building with machinery for manufacturing **3** : a machine used esp. for crushing, stamping, grinding, cutting, shaping, or polishing
²mill *vb* **1** : to subject to an operation or process in a mill **2** : to move in a circle or in an eddying mass — **mill·er** *n*
³mill *n* : a unit of monetary value equal to ¹⁄₁₀₀₀ U. S. dollar
mil·len·ni·um \mə-'len-ē-əm\ *n, pl* **-nia** \-ē-ə\ *or* **-ni·ums** **1** : a period of 1000 years **2** : the 1000 years mentioned in Revelation 20 when holiness is to prevail and Christ is to reign on earth **3** : a period of great happiness or perfect government

mil·let \'mil-ət\ *n* : any of several small-seeded cereal and forage grasses long cultivated for grain or hay; *also* : the grain of a millet
mil·li·gram \'mil-ə-,gram\ *n* : a unit of weight equal to one thousandth of a gram
mil·li·me·ter \'mil-ə-,mēt-ər\ *n* : a unit of length equal to one thousandth of a meter
mil·li·ner \'mil-ə-nər\ *n* : one who designs, makes, trims, or sells women's hats
mil·li·nery \-,ner-ē\ *n* **1** : women's apparel for the head **2** : the business or work of a milliner
mill·ing \'mil-iŋ\ *n* : a corrugated edge on a coin
mil·lion \'mil-yən\ *n, pl* **millions** *or* **million** : a thousand thousands — **million** *adj* — **mil·lionth** \-yənth\ *adj or n*
mil·lion·aire \,mil-yə-'naər\ *n* : one whose wealth is estimated at a million or more (as of dollars)
mill·pond \'mil-,pänd\ *n* : a pond produced by damming a stream to produce a fall of water for operating a mill
mill·stone \-,stōn\ *n* : either of two round flat stones used for grinding grain
mill·wright \-,rīt\ *n* : one whose occupation is planning and building mills or setting up their machinery
mime \'mīm\ *n* **1** : MIMIC **2** : the art of characterization or of narration by body movement; *also* : a performance of mime — **mime** *vb*
mim·e·o·graph \'mim-ē-ə-,graf\ *n* : a machine for making many copies by means of a stencil through which ink is pressed — **mimeograph** *vb*
mi·met·ic \mə-'met-ik, mī-\ *adj* **1** : IMITATIVE **2** : relating to, characterized by, or exhibiting mimicry — **mi·me·sis** *n*
mim·ic \'mim-ik\ *n* : one who imitates esp. for amusement or ridicule — **mimic** *vb* — **mim·ic·ry** \-rē\ *n*
mi·mo·sa \mə-'mō-sə, mī-\ *n* : any of various leguminous trees, shrubs, and herbs of warm regions with globular heads of small white or pink flowers
min·a·ret \,min-ə-'ret\ *n* : a slender lofty tower attached to a mosque
mince \'mins\ *vb* **1** : to cut into small pieces **2** : to utter or pronounce affectedly **3** : to walk in a prim affected manner — **minc·ing** *adj*
mince·meat \'mins-,mēt\ *n* : a finely chopped mixture esp. of raisins, apples, spices, and often meat used as a filling for a pie (**mince pie**)
¹mind \'mīnd\ *n* **1** : MEMORY **2** : the part of an individual that feels, perceives, thinks, wills, and esp. reasons **3** : INTENTION, DESIRE **4** : the normal condition of the mental faculties **5** : OPINION, VIEW **6** : a person or group embodying mental qualities **7** : intellectual ability — **mind·less** \-ləs\ *adj*
²mind *vb* **1** *chiefly dial* : REMEMBER **2** : to attend to ⟨~ your own business⟩ **3** : HEED, OBEY **4** : to be concerned about : WORRY; *also* : DISLIKE **5** : to be careful or cautious : SEE **6** : to take charge of : TEND **7** : to regard with attention
mind·ful \-fəl\ *adj* : bearing in mind : AWARE — **mind·ful·ly** *adv* — **mind·ful·ness** *n*

mine / **mire**

¹**mine** \'mīn\ *pron* : one or the ones belonging to me
²**mine** *n* 1 : an excavation in the earth from which mineral substances are taken; *also* : an ore deposit 2 : a subterranean passage under an enemy position; *also* : an encased explosive for destroying enemy personnel 3 : a rich source of supply
³**mine** *vb* 1 : to dig a mine 2 : UNDERMINE 3 : to get ore from the earth 4 : to place military mines in — **min·er**
min·er·al \'min-(ə-)rəl\ *n* 1 : a solid homogeneous crystalline substance (as diamond, gold, or quartz) not of animal or vegetable origin; *also* : ORE 2 : any of various naturally occurring homogeneous substances (as coal, salt, water, or gas) obtained for man's use usu. from the ground 3 *Brit* : MINERAL WATER — **mineral** *adj*
min·er·al·o·gy \,min-ə-'ral-ə-jē, -'räl-\ *n* : a science dealing with minerals — **min·er·al·og·i·cal** \-rə-'läj-i-kəl\ *adj* — **min·er·al·o·gist** \-'ral-ə-jəst, -'räl-\ *n*
mineral water *n* : water impregnated with mineral salts or gases
mine·sweep·er \'mīn-,swē-pər\ *n* : a warship designed for removing or neutralizing mines by dragging
min·gle \'miŋ-gəl\ *vb* 1 : to bring or combine together : MIX 2 : CONCOCT
min·ia·ture \'min-ē-(ə-),chùr, -chər\ *n* [ML *miniatura* illumination of manuscripts, fr. L *miniare* to paint with red lead, fr. *minium* red lead] 1 : a copy on a much reduced scale 2 : a small painting (as on ivory or metal) — **miniature** *adj* — **min·ia·tur·ist** \-əst\ *n*
min·i·mal \'min-ə-məl\ *adj* : relating to or being a minimum : LEAST
min·i·mize \'min-ə-,mīz\ *vb* 1 : to reduce to a minimum 2 : to estimate at a minimum; *also* : BELITTLE **syn** depreciate, decry, disparage
min·i·mum \'min-ə-məm\ *n, pl* **-ma** \-mə\ *or* **-mums** 1 : the least quantity, value, or degree 2 : a lower limit allowed by authority 3 : the least of a set of numbers — **minimum** *adj*
min·is·cule \'min-əs-,kyül\ *var of* MINUSCULE
¹**min·is·ter** \'min-ə-stər\ *n* 1 : AGENT 2 : CLERGYMAN; *esp* : a Protestant clergyman 3 : a high officer of state entrusted with the management of a division of governmental activities 4 : a diplomatic representative to a foreign state — **min·is·te·ri·al** \,min-ə-'stir-ē-əl\ *adj*
²**minister** *vb* 1 : to perform the functions of a minister of religion 2 : to give aid — **min·is·tra·tion** \,min-ə-'strā-shən\ *n*
min·is·try \'min-ə-strē\ *n* 1 : MINISTRATION 2 : the office, duties, or functions of a minister; *also* : his period of service or office 3 : CLERGY 4 : AGENCY 5 *often cap* : the body of ministers governing a nation or state; *also* : a government department headed by a minister
mink \'miŋk\ *n* : a slender mammal resembling the related weasels; *also* : its soft lustrous typically dark brown fur
min·now \'min-ō\ *n* : any of numerous small freshwater fishes related to the carps
¹**mi·nor** \'mī-nər\ *n* 1 : a person who has not attained majority 2 : a subject of academic study chosen as a secondary field of specialization
²**minor** *adj* 1 : inferior in importance, size, or degree 2 : not having reached majority 3 : having the third, sixth, and sometimes the seventh degrees lowered by a half step ⟨~ scale⟩; *also* : based on a minor scale ⟨~ key⟩
³**minor** *vb* : to pursue an academic minor
mi·nor·i·ty \mə-'nȯr-ət-ē, mī-\ *n* 1 : the period or state of being a minor 2 : the smaller in number of two groups; *esp* : a group having less than the number of votes necessary for control 3 : a part of a population differing from others (as in race or religion)
min·ster \'min-stər\ *n* 1 : a church attached to a monastery 2 : a large or important church
min·strel \'min-strəl\ *n* 1 : a medieval singer of verses; *also* : MUSICIAN, POET 2 : one of a group of performers in a program usu. of Negro songs, jokes, and impersonations — **min·strel·sy** \-sē\ *n*
¹**mint** \'mint\ *n* 1 : a place where coins are made 2 : a vast sum — **mint** *vb* —
²**mint** *adj* : unmarred as if fresh from a mint ⟨~ coins⟩
³**mint** *n* : any of a large group of square-stemmed herbs and shrubs; *esp* : one (as spearmint or marjoram) with fragrant aromatic foliage used in flavoring — **minty** *adj*
min·u·end \'min-yə-,wend\ *n* : a number from which another is to be subtracted
min·u·et \,min-yə-'wet\ *n* : a slow graceful dance
¹**mi·nus** \'mī-nəs\ *prep* 1 : diminished by : LESS ⟨7 ~ 3 equals 4⟩ 2 : LACKING, WITHOUT ⟨~ his hat⟩
²**minus** *n* 1 : a sign — (**minus sign**) used in mathematics to require subtraction or designate a negative quantity 2 : a negative quantity
³**minus** *adj* 1 : requiring subtraction 2 : algebraically negative ⟨~ quantity⟩ 3 : having negative qualities
minuscule *adj* : very small
¹**min·ute** \'min-ət\ *n* 1 : the 60th part of an hour or of a degree 2 : a short space of time 3 *pl* : the official record of the proceedings of a meeting
²**mi·nute** \mī-'n(y)üt, mə-\ *adj* 1 : very small 2 : of little importance : TRIFLING 3 : marked by close attention to details **syn** diminutive, tiny, miniature, wee — **mi·nute·ly** *adv* — **mi·nute·ness** *n*
min·ute·man \'min-ət-,man\ *n* : a member of a group of armed men pledged to take the field at a minute's notice during and immediately before the American Revolution
mir·a·cle \'mir-i-kəl\ *n* 1 : an extraordinary event manifesting a supernatural work of God 2 : an unusual event, thing, or accomplishment : WONDER, MARVEL — **mi·rac·u·lous** \mə-'rak-yə-ləs\ *adj* — **mi·rac·u·lous·ly** *adv*
mi·rage \mə-'räzh\ *n* : a reflection visible at sea, in deserts, or above a hot pavement of some distant object often in distorted form as a result of atmospheric conditions 2 : something illusory and unattainable
¹**mire** \'mī(ə)r\ *n* : heavy and often deep mud, slush or dirt — **miry** *adj*
²**mire** *vb* : to stick or sink in or as if in mire

¹**mir·ror** \'mir-ər\ *n* **1 :** a polished or smooth substance (as of glass) that forms images by reflection **2 :** a true representation; *also* **:** MODEL

²**mirror** *vb* **:** to reflect in or as if in a mirror

mirth \'mərth\ *n* **:** gladness or gaiety accompanied with laughter **syn** glee, jollity, hilarity — **mirth·ful** \-fəl\ *adj* — **mirth·ful·ly** *adv* — **mirth·ful·ness** *n*

mis·ad·ven·ture \,mis-əd-'vench-ər\ *n* **:** MISFORTUNE, MISHAP

mis·an·thrope \'mis-ᵊn-,thrōp\ *n* **:** one who hates mankind — **mis·an·throp·ic** \,mis-ᵊn-'thräp-ik\ *adj* — **mis·an·throp·i·cal·ly** *adv* — **mis·an·thro·py**

mis·ap·ply \,mis-ə-'plī\ *vb* **:** to apply wrongly — **mis·ap·pli·ca·tion** \,mis-,ap-lə-'kā-shən\ *n*

mis·ap·pre·hend \,mis-,ap-ri-'hend\ *vb* **:** MISUNDERSTAND — **mis·ap·pre·hen·sion** \-'hen-chən\ *n*

mis·ap·pro·pri·ate \,mis-ə-'prō-prē-,āt\ *vb* **:** to appropriate wrongly; *esp* **:** to take dishonestly for one's own use — **mis·ap·pro·pri·a·tion** \-,prō-prē-'ā-shən\ *n*

mis·be·got·ten \,mis-bi-'gät-ᵊn\ *adj* **:** ILLEGITIMATE

mis·be·have \,mis-bi-'hāv\ *vb* **:** to behave improperly — **mis·be·hav·ior**

mis·cal·cu·late \mis-'kal-kyə-,lāt\ *vb* **:** to calculate wrongly — **mis·cal·cu·la·tion** \,mis-,kal-kyə-'lā-shən\ *n*

mis·car·ry \mis-'kar-ē\ *vb* **1 :** to give birth prematurely and esp. before the fetus is capable of living independently **2 :** to go wrong; *also* **:** to be unsuccessful — **mis·car·riage** \-'kar-ij\ *n*

mis·ce·ge·na·tion \mis-,ej-ə-'nā-shən, ,mis-i-jə-\ *n* [L *miscēre* to mix + *genus* kind, race] **:** a mixture of races

mis·cel·la·ne·ous \,mis-ə-'lā-nē-əs\ *adj* **1 :** consisting of diverse things or members; *also* **:** having various traits **2 :** dealing with or interested in diverse subjects — **mis·cel·la·ne·ous·ly** *adv* — **mis·cel·la·ne·ous·ness** *n*

mis·cel·la·ny \'mis-ə-,lā-nē\ *n* **1 :** HODGEPODGE **2 :** a collection of writings on various subjects

mis·chance \mis-'chans\ *n* **:** bad luck; *also* **:** MISHAP

mis·chief \'mis-chəf\ *n* **1 :** injury caused by a human agency **2 :** a cause of harm or irritation **3 :** action that annoys; *also* **:** MISCHIEVOUSNESS

mis·chie·vous \'mis-chə-vəs\ *adj* **1 :** HARMFUL, INJURIOUS **2 :** causing annoyance or minor injury **3 :** irresponsibly playful — **mis·chie·vous·ly** *adv* — **mis·chie·vous·ness** *n*

mis·ci·ble \'mis-ə-bəl\ *adj* **:** capable of being mixed; *esp* **:** soluble in each other

mis·con·ceive \,mis-kən-'sēv\ *vb* **:** to interpret incorrectly — **mis·con·cep·tion** \-'sep-shən\ *n*

mis·con·duct \mis-'kän-(,)dəkt\ *n* **1 :** MISMANAGEMENT **2 :** intentional wrongdoing **3 :** improper behavior

mis·con·strue \,mis-kən-'strü\ *vb* **:** MISINTERPRET — **mis·con·struc·tion**

mis·count \mis-'kaunt\ *vb* **:** to count incorrectly **:** MISCALCULATE

mis·cre·ant \'mis-krē-ənt\ *n* **:** one who behaves criminally or viciously — **miscreant** *adj*

mis·cue \mis-'kyü\ *n* **:** MISTAKE, ERROR — **miscue** *vb*

mis·deed \-'dēd\ *n* **:** a wrong deed **:** OFFENSE

mis·de·mean·or \,mis-də-'mē-nər\ *n* **1 :** a crime less serious than a felony **2 :** MISDEED

mis·di·rect \,mis-də-'rekt, -dī-\ *vb* **:** to give a wrong direction to — **mis·di·rec·tion** \-'rek-shən\ *n*

mis·do·ing \mis-'dü-iŋ\ *n* **1 :** WRONGDOING **2 :** MISDEED — **mis·do·er** *n*

mi·ser \'mī-zər\ *n* **:** a person who hoards his money — **mi·ser·li·ness** *n* — **mi·ser·ly** *adj*

mis·er·a·ble \'miz-ər-(ə-)bəl\ *adj* **1 :** wretchedly deficient; *also* **:** causing extreme discomfort **2 :** extremely poor **3 :** SHAMEFUL — **mis·er·a·ble·ness** *n* — **mis·er·a·bly** *adv*

mis·ery \'miz-(ə-)rē\ *n* **1 :** a state of suffering and want caused by poverty or affliction **2 :** a cause of suffering or discomfort **3 :** a state of emotional distress

mis·fea·sance \mis-'fēz-ᵊns\ *n* **:** a wrong action **:** TRESPASS

mis·fire \-'fī(ə)r\ *vb* **1 :** to fail to fire **2 :** to miss an intended effect — **misfire** *n*

mis·fit \-'fit, *esp for 2* 'mis-,fit\ *n* **1 :** an imperfect fit **2 :** a person poorly adjusted to his environment

mis·for·tune \mis-'fȯr-chən\ *n* **1 :** bad fortune **2 :** MISHAP

mis·giv·ing \-'giv-iŋ\ *n* **:** a feeling of doubt or suspicion esp. concerning a future event

mis·guid·ance \mis-'gīd-ᵊns\ *n* **:** faulty guidance **:** MISDIRECTION — **mis·guide**

mis·han·dle \-'han-dᵊl\ *vb* **1 :** MALTREAT **2 :** to manage wrongly

mis·hap \'mis-,hap\ *n* **:** an unfortunate accident

mish·mash \'mish-,mash, -,mäsh\ *n* **:** HODGEPODGE, JUMBLE

mis·in·form \,mis-ᵊn-'fȯrm\ *vb* **:** to give false or misleading information to — **mis·in·for·ma·tion** \,mis-,in-fər-'mā-shən\ *n*

mis·in·ter·pret \,mis-ᵊn-'tər-prət\ *vb* **:** to understand or explain wrongly — **mis·in·ter·pre·ta·tion** \-,tər-prə-'tā-shən\ *n*

mis·judge \mis-'jəj\ *vb* **1 :** to estimate wrongly **2 :** to have an unjust opinion of — **mis·judg·ment** \-mənt\ *n*

mis·lay \mis-'lā\ *vb* **:** MISPLACE, LOSE

mis·lead \-'lēd\ *vb* **:** to lead in a wrong direction or into a mistaken action or belief

mis·man·age \-'man-ij\ *vb* **:** to manage badly — **mis·man·age·ment** \-mənt\ *n*

mis·match \-'mach\ *vb* **:** to match (as in marriage) unsuitably or badly — **mismatch** *n*

mis·name \-'nām\ *vb* **:** to name incorrectly **:** MISCALL

mis·no·mer \mis-'nō-mər\ *n* **:** a wrong name or designation

mi·sog·y·nist \mə-'säj-ə-nəst\ *n* **:** one who hates or distrusts women — **mi·sog·y·ny** \-nē\ *n*

mis·place \-'plās\ *vb* **1 :** to put in a wrong place **2 :** to set on a wrong object (~ trust)

mis·pro·nounce \,mis-prə-'nau̇ns\ *vb* **:** to pronounce incorrectly — **mis·pro·nun·ci·a·tion** \-,nən-sē-'ā-shən\ *n*

mis·quote \mis-'kwōt\ *vb* **:** to quote incorrectly — **mis·quo·ta·tion** \,mis-kwō-'tā-shən\ *n*

mis·read \-'rēd\ *vb* : to read or interpret incorrectly

mis·rep·re·sent \‚mis-‚rep-ri-'zent\ *vb* : to represent falsely or unfairly — **mis·rep·re·sen·ta·tion** \-‚zen-'tā-shən\ *n*

¹mis·rule \mis-'rül\ *vb* : MISGOVERN

²misrule *n* **1** : MISGOVERNMENT **2** : DISORDER

¹miss \'mis\ *vb* **1** : to fail to hit, reach, or contact **2** : to feel the absence of **3** : to fail to obtain **4** : AVOID **5** : OMIT **6** : to fail to understand **7** : to fail to perform or attend; *also* : MISFIRE

²miss *n* **1** : a failure to hit or to attain a result **2** : MISFIRE

³miss *n* **1** — used as a title prefixed to the name of an unmarried woman or girl **2** : a young unmarried woman or girl

mis·sal \'mis-əl\ *n* : a book containing all that is said or sung at mass during the entire year

mis·shape \mis(h)-'shāp\ *vb* : DEFORM — **mis·shap·en** \-'shā-pən\ *adj*

mis·sile \'mis-əl\ *n* [L, fr. neut. of *missilis* capable of being thrown, fr. *mittere* to let go, send] **1** : an object (as a stone, bullet, or weapon) thrown or projected **2** : a self-propelled unmanned weapon (as a rocket)

miss·ing \'mis-iŋ\ *adj* : ABSENT; *also* : LOST

mis·sion \'mish-ən\ *n* **1** : a ministry commissioned by a church (as to propagate its faith); *also* : a place where such a ministry is carried out **2** : a group of envoys to a foreign country; *also* : a team of specialists or cultural leaders sent to a foreign country **3** : TASK, FUNCTION

¹mis·sion·ary \-‚er-ē\ *adj* : of, relating to, or engaged in church missions

²missionary *n* : a person commissioned by a church to propagate its faith or carry on humanitarian work

mis·sion·er *n* : a person undertaking a mission and esp. a religious mission

mis·spell \mis-'spel\ *vb* : to spell incorrectly — **mis·spell·ing** *n*

mis·state \-'stāt\ *vb* : to state incorrectly — **mis·state·ment** \-mənt\ *n*

mis·step \-'step\ *n* **1** : a wrong step **2** : MISTAKE, BLUNDER

mist \'mist\ *n* **1** : water in the form of particles suspended or falling in the air **2** : something that dims or obscures : HAZE, FILM

mis·tak·able \mə-'stā-kə-bəl\ *adj* : capable of being misunderstood or mistaken

mis·take \mə-'stāk\ *n* **1** : a misunderstanding of the meaning or implication of something **2** : a wrong action or statement : ERROR, BLUNDER — **mistake** *vb*

mis·tak·en \-'stā-kən\ *adj* **1** : MISUNDERSTOOD **2** : having a wrong opinion or incorrect information **3** : ERRONEOUS — **mis·tak·en·ly** *adv*

mis·ter \'mis-tər\ *n* — used as a title prefixed to the name of a man or to a designation of occupation or office

mis·tle·toe \'mis-əl-‚tō\ *n* : a parasitic green plant with yellowish flowers and waxy white berries that grows on trees (as oaks)

mis·treat \mis-'trēt\ *vb* : to treat badly : ABUSE — **mis·treat·ment** \-mənt\ *n*

mis·tress \'mis-trəs\ *n* **1** : a woman who has power, authority, or ownership ⟨~ of the house⟩ **2** : a country or state having supremacy ⟨~ of the seas⟩ **3** : a woman with whom a man cohabits without benefit of marriage; *also, archaic* : SWEETHEART **4** — used archaically as a title prefixed to the name of a married or unmarried woman

mis·tri·al \mis-'trī(-ə)l\ *n* : a trial that has no legal effect (as by reason of an error)

¹mis·trust \-'trəst\ *n* : a lack of confidence : DISTRUST — **mis·trust·ful** \-fəl\ *adj* — **mis·trust·ful·ly** *adv* — **mis·trust·ful·ness** *n*

²mistrust *vb* : to have no trust or confidence in : SUSPECT

misty \'mis-tē\ *adj* : obscured by or as if by mist : INDISTINCT — **mist·i·ly** *adv* — **mist·i·ness** *n*

mis·un·der·stand \‚mis-‚ən-dər-'stand\ *vb* **1** : to fail to understand **2** : to interpret incorrectly

mis·un·der·stand·ing \-'stan-diŋ\ *n* **1** : MISINTERPRETATION **2** : DISAGREEMENT, QUARREL

mis·use \mis-'yüz\ *vb* **1** : to use incorrectly : MISAPPLY **2** : ABUSE, MISTREAT — **mis·use** \-'yüs\ *n*

mite \'mīt\ *n* **1** : any of various tiny animals related to the spiders that often live and feed on animals or plants **2** : a small coin or sum of money **3** : a small amount : BIT

mi·ter *or* **mi·tre** \'mīt-ər\ *n* **1** : a headdress worn by bishops and abbots **2** : a joint or corner made by cutting two pieces of wood at an angle and fitting the cut edges together

mit·i·gate \'mit-ə-‚gāt\ *vb* **1** : to make less harsh or hostile **2** : to make less severe or painful — **mit·i·ga·tion** \‚mit-ə-'gā-shən\ *n* — **mit·i·ga·tive** \'mit-ə-‚gāt-iv\ *adj* — **mit·i·ga·tor** \-‚gāt-ər\ *n* — **mit·i·ga·to·ry** \-gə-‚tōr-ē\ *adj*

mitt \'mit\ *n* : a baseball glove (as for a catcher)

mit·ten \'mit-ᵊn\ *n* : a covering for the hand having a separate section for the thumb only

¹mix \'miks\ *vb* **1** : to combine into one mass **2** : ASSOCIATE **3** : to form by mingling components **4** : CROSSBREED **5** : CONFUSE **6** : to become involved *syn* blend, merge, coalesce, amalgamate, fuse — **mix·able** \-ə-bəl\ *adj* — **mix·er** *n*

²mix *n* : a product of mixing

mix·ture \'miks-chər\ *n* **1** : the act or process of mixing; *also* : the state of being mixed **2** : a product of mixing : COMBINATION

mix–up \'miks-‚əp\ *n* : an instance of confusion ⟨a ~ about who was to meet the train⟩

moan \'mōn\ *n* : a low prolonged sound indicative of pain or grief — **moan** *vb*

moat \'mōt\ *n* : a deep wide usu. waterfilled trench around the rampart of a castle

¹mob \'mäb\ *n* **1** : MASSES, RABBLE **2** : a large disorderly crowd **3** : a criminal set : GANG

²mob *vb* **mobbed**; **mob·bing** : to crowd around and attack or annoy

¹mo·bile \'mō-bəl\ *adj* **1** : capable of moving or being moved **2** : changeable in appearance, mood, or purpose; *also* : ADAPTABLE **3** : using vehicles for transportation ⟨~ warfare⟩

²**mo·bile** \-,bēl\ *n* : a construction or sculpture (as of wire and sheet metal) with parts that can be set in motion by air currents

mo·bi·lize \'mō-bə-,līz\ *vb* **1** : to put into movement or circulation **2** : to assemble and make ready for war duty; *also* : to marshal for action — **mo·bi·li·za·tion** \,mō-bə-lə-'zā-shən\ *n* — **mo·bi·liz·er** \'mō-bə-,lī-zər\ *n*

mob·ster \'mäb-stər\ *n* : a member of a criminal gang

moc·ca·sin \'mäk-ə-sən\ *n* **1** : a soft leather heelless shoe **2** : a venomous snake of the southeastern U.S.

¹**mock** \'mäk\ *vb* **1** : to treat with contempt or ridicule **2** : DELUDE **3** : DEFY, CHALLENGE **4** : to mimic in sport or derision : IMITATE — **mock·er** *n* — **mock·ery** \-(ə-)rē\ *n* — **mock·ing·ly** *adv*

²**mock** *adj* : SHAM, PSEUDO

mock–he·ro·ic \,mäk-hi-'rō-ik\ *adj* : ridiculing or burlesquing the heroic style or heroic character or action ⟨a ~ poem⟩

mock·ing·bird \-iŋ-,bərd\ *n* : a songbird of the southern U.S. noted for its ability to mimic the calls of other birds

mock–up \-,əp\ *n* : a full-sized structural model built accurately to scale chiefly for study, testing, or display ⟨a ~ of an airplane⟩

mode \'mōd\ *n* **1** : a particular form or variety of something; *also* : STYLE **2** : a manner of doing something : METHOD — **mod·al** \'mōd-ᵊl\ *adj*

¹**mod·el** \'mäd-ᵊl\ *n* **1** : structural design **2** : a miniature representation; *also* : a pattern of something to be made **3** : an example for imitation or emulation **4** : one who poses for an artist; *also* : MANNEQUIN **5** : TYPE, DESIGN — **model** *adj*

²**model** *vb* **-eled** *or* **-elled; -el·ing** *or* **-el·ling** **1** : SHAPE, FASHION, CONSTRUCT **2** : to work as a fashion model

¹**mod·er·ate** \'mäd-(ə-)rət\ *adj* **1** : avoiding extremes; *also* : TEMPERATE **2** : AVERAGE; *also* : MEDIOCRE **3** : limited in scope or effect **4** : not expensive — **moderate** *n* — **mod·er·ate·ly** *adv* — **mod·er·ate·ness** *n*

²**mod·er·ate** \'mäd-ə-,rāt\ *vb* **1** : to lessen the intensity of : TEMPER **2** : to act as a moderator — **mod·er·a·tion**

mod·er·a·tor \'mäd-ə-,rāt-ər\ *n* **1** : MEDIATOR **2** : a presiding officer

mod·ern \'mäd-ərn\ *adj* : of, relating to, or characteristic of the present or the immediate past : CONTEMPORARY — **mo·der·ni·ty** \mə-'dər-nət-ē\ *n* — **mod·ern·ly** \'mäd-ərn-lē\ *adv* — **mod·ern·ness** *n*

mod·ern·ize \-,nīz\ *vb* : to make or become modern — **mod·ern·i·za·tion**

mod·est \'mäd-əst\ *adj* **1** : having a moderate estimate of oneself; *also* : DIFFIDENT **2** : DECENT **3** : limited in size, amount, or aim : UNPRETENTIOUS — **mod·est·ly** *adv* — **mod·es·ty** \-ə-stē\ *n*

mod·i·fy \'mäd-ə-,fī\ *vb* **1** : MODERATE **2** : to limit the meaning of esp. in a grammatical construction : QUALIFY **3** : CHANGE, ALTER — **mod·i·fi·ca·tion** \,mäd-ə-fə-'kā-shən\ *n* — **mod·i·fi·er** *n*

mod·ish \'mōd-ish\ *adj* : FASHIONABLE, STYLISH — **mod·ish·ly** *adv* — **mod·ish·ness** *n*

mo·diste \mō-'dēst\ *n* : a fashionable dressmaker

mod·u·lar \'mäj-ə-lər\ *adj* : constructed with standardized units ⟨~ furniture⟩

mod·u·late \'mäj-ə-,lāt\ *vb* **1** : to tune to a key or pitch **2** : to keep in proper measure or proportion : TEMPER **3** : to vary the amplitude, frequency, or phase of a carrier wave for the transmission of intelligence (as in radio or television) — **mod·u·la·tion** \,mäj-ə-'lā-shən\ *n* —

mod·ule \'mäj-ül\ *n* : an assembly of wired electronic parts for use with other such assemblies

mo·gul \'mō-gəl, mō-'gəl\ *n* [fr. *Mogul*, one of the Mongol conquerors of India or their descendants, fr. Per *Mughul* Mongol, fr. Mongolian *Moṅgol*] : an important person : MAGNATE

mo·hair \'mō-,haər\ *n* : a fabric or yarn made wholly or in part from the long silky hair of the Angora goat

Mo·ham·med·an *var of* MUHAMMADAN

moi·e·ty \'mói-ət-ē\ *n* **1** : HALF **2** : one of two approximately equal parts

moil \'mói̇l\ *vb* : to work hard : DRUDGE — **moil** *n* — **moil·er** *n*

moist \'mȯist\ *adj* : slightly or moderately wet — **moist·ly** *adv* — **moist·ness** *n*

moist·en \'mȯis-ᵊn\ *vb* : to make or become moist — **moist·en·er** *n*

mois·ture \'mȯis-chər\ *n* : DAMPNESS

mo·lar \'mō-lər\ *n* : one of the broad teeth adapted to grinding food and located in the back of the jaw — **molar** *adj*

mo·las·ses \mə-'las-əz\ *n* : the thick brown syrup that is separated from raw sugar in sugar manufacture

¹**mold** \'mōld\ *n* : crumbly soil rich in organic matter

²**mold** *n* **1** : distinctive nature or character **2** : the frame on or around which something is constructed **3** : a cavity in which something is shaped; *also* : an object so shaped **4** : MOLDING

³**mold** *vb* **1** : to shape in or as if in a mold **2** : to ornament with molding — **mold·er** *n*

⁴**mold** *n* : a surface growth of fungus on damp or decaying matter; *also* : a fungus that forms molds — **mold·i·ness** *n* — **moldy** *adj*

⁵**mold** *vb* : to become moldy

mold·er \'mōl-dər\ *vb* : to crumble into small pieces

mold·ing \'mōl-diŋ\ *n* **1** : an act or process of shaping in a mold; *also* : an object so shaped **2** : a decorative surface, plane, or curved strip

moldings

¹**mole** \'mōl\ *n* : a small often pigmented spot or protuberance on the skin

²**mole** *n* : a small burrowing mammal with tiny eyes, hidden ears, and soft fur

mol·e·cule \'mäl-i-,kyül\ *n* : the smallest particle of matter that is the same chemically as the whole mass — **mo·lec·u·lar**

mole·hill \'mōl-,hil\ *n* : a little ridge of earth thrown up by a mole

mole·skin \-,skin\ *n* **1** : the skin of the mole used as fur **2** : a heavy durable cotton fabric for industrial, medical, or clothing use

mo·lest \mə-'lest\ *vb* **1** : ANNOY, DISTURB **2** : to make indecent advances to — **mo·les·ta·tion** \,mō-,les-'tā-shən\ *n* — **mo·lest·er** \mə-'les-tər\ *n*

moll \'mäl\ *n* : a girl friend esp. of a gangster

mol·li·fy \'mäl-ə-,fī\ *vb* **1** : APPEASE **2** : SOFTEN **3** : ASSUAGE — **mol·li·fi·ca·tion** \,mäl-ə-fə-'kā-shən\ *n*

mol·lusk *or* **mol·lusc** \'mäl-əsk\ *n* : any of a large group of mostly shelled and aquatic invertebrate animals including snails, clams, and squids

mol·ly·cod·dle \'mäl-ē-,käd-əl\ *n* : a pampered man or boy — **mollycoddle** *vb*

molt \'mōlt\ *vb* : to shed hair, feathers, outer skin, or horns periodically with the parts being replaced by new growth — **molt·er** *n*

mol·ten \'mōlt-ən\ *adj* : fused or liquefied by heat; *also* : GLOWING

mo·lyb·de·num \mə-'lib-də-nəm\ *n* : a metallic chemical element used in strengthening and hardening steel

mo·ment \'mō-mənt\ *n* **1** : a minute portion of time : INSTANT **2** : a time of excellence ⟨he has his ∼s⟩ **3** : IMPORTANCE **syn** consequence, significance

mo·men·tary \'mō-mən-,ter-ē\ *adj* **1** : continuing only a moment: *also* : EPHEMERAL **2** : recurring at every moment — **mo·men·tar·i·ly** \,mō-mən-'ter-ə-lē\ *adv* — **mo·men·tar·i·ness** *n*

mo·men·tous \mō-'ment-əs\ *adj* : very important — **mo·men·tous·ly** *adv* — **mo·men·tous·ness** *n*

mo·men·tum \mō-'ment-əm\ *n, pl* **-men·ta** \-'ment-ə\ *or* **-men·tums** : the force which a moving body has because of its weight and motion

mon·arch \'män-ərk, -,ärk\ *n* **1** : a person who reigns over a kingdom or an empire **2** : one holding preeminent position or power — **mo·nar·chi·cal** \mə-'när-ki-kəl\ *or* **mo·nar·chic** *adj*

mon·ar·chist \'män-ər-kəst\ *n* : a believer in monarchical government — **mon·ar·chism** \-,kiz-əm\ *n*

mon·ar·chy \'män-ər-kē\ *n* : a nation or state governed by a monarch

mon·as·tery \'män-ə-,ster-ē\ *n* : a house for persons under religious vows and esp. for monks — **mon·as·te·ri·al** *adj*

mo·nas·tic \mə-'nas-tik\ *adj* : of or relating to monasteries or to monks or nuns — **mo·nas·ti·cal·ly** *adv*

mon·au·ral \män-'ȯr-əl\ *adj* : MONOPHONIC

Mon·day \'mən-dē\ *n* : the 2d day of the week

mon·e·tary \'män-ə-,ter-ē, 'mən-\ *adj* **1** : of or relating to coinage or currency **2** : PECUNIARY

mon·ey \'mən-ē\ *n, pl* **-eys** *or* **-ies** **1** : something (as metal currency) accepted as a medium of exchange **2** : wealth reckoned in monetary terms **3** : the 1st, 2d, and 3d place in a horse or dog race ⟨finished in the ∼⟩

MONEY

Country	Name	Subdivisions
Afghanistan	afghani	100 puls
Albania	lek	100 qintars
Algeria	dinar	100 centimes
Argentina	peso	100 centavos
Australia	dollar	100 cents
Austria	schilling	100 groschen
Bahamas	dollar	100 cents
Belgium	franc	100 centimes
Bolivia	peso	100 centavos
Brazil	cruzeiro	100 centavos
Bulgaria	lev	100 stotinki
Burma	kyat	100 pyas
Cambodia	riel	100 sen
Cameroon	franc	100 centimes
Canada	dollar	100 cents
Central African Rep.	franc	100 centimes
Ceylon	rupee	100 cents
Chad	franc	100 centimes
Chile	escudo	100 centesimos
China (Taiwan)	yuan	10 chiao
China (mainland)	yuan	10 chiao 100 fen
Colombia	peso	100 centavos
Congo (Brazzaville)	franc	100 centimes
Congo (Kinshasa)	zaire	100 makuta
Costa Rica	colon	100 centimos
Cuba	peso	100 centavos
Cyprus	pound	1000 mils
Czechoslovakia	koruna	100 halers
Dahomey	franc	100 centimes
Denmark	krone	100 öre
Dominican Republic	peso	100 centavos
Ecuador	sucre	100 centavos
Egypt (United Arab Republic)	pound	100 piasters 1000 milliemes
El Salvador	colon	100 centavos
Ethiopia	dollar	100 cents
Finland	markka	100 pennis
France	franc	100 centimes
Gabon	franc	100 centimes
Gambia	pound	20 shillings 240 pence
Ghana	cedi	100 pesewas
Greece	drachma	100 lepta
Guatemala	quetzal	100 centavos
Guinea	franc	100 centimes
Guyana	dollar	100 cents
Haiti	gourde	100 centimes
Honduras	lempira	100 centavos
Hong Kong	dollar	100 cents
Hungary	forint	100 fillers
Iceland	krona	100 aurar
India	rupee	100 naye paise
Indonesia	rupiah	100 sen
Iran	rial	100 dinars
Iraq	dinar	1000 fils
Ireland	pound	20 shillings 240 pence
Israel	pound	100 agorot
Italy	lira	100 centesimi
Ivory Coast	franc	100 centimes
Jamaica	pound	20 shillings 240 pence
Japan	yen	100 sen
Jordan	dinar	1000 fils
Kenya	shilling	100 cents
Kuwait	dinar	1000 fils
Laos	kip	100 at
Lebanon	pound	100 piasters
Liberia	dollar	100 cents
Libya	pound	1000 milliemes
Luxembourg	franc	100 centimes
Malagasy Rep.	franc	100 centimes
Malawi	pound	20 shillings 240 pence
Malaysia	dollar	100 cents
Mali	franc	100 centimes
Malta	pound	20 shillings 240 pence

Country	Currency	Subdivision
Mauritania	franc	100 centimes
Mexico	peso	100 centavos
Morocco	dirham	100 francs
Nepal	rupee	100 pice
Netherlands	gulden	100 cents
New Zealand	pound	20 shillings / 240 pence
Nicaragua	cordoba	100 centavos
Niger	franc	100 centimes
Nigeria	pound	20 shillings / 240 pence
Norway	krone	100 öre
Pakistan	rupee	100 paisa
Panama	balboa	100 centesimos
Paraguay	guarani	100 centimos
Peru	sol	100 centavos
Philippines	peso	100 centavos
Poland	zloty	100 groszy
Portugal	escudo	100 centavos
Puerto Rico	dollar	100 cents
Rhodesia	pound	20 shillings / 240 pence
Romania	leu	100 bani
Saudi Arabia	riyal or rial	20 qurshes / 100 halala
Senegal	franc	100 centimes
Sierra Leone	leone	100 cents
Singapore	dollar	100 cents
Somalia	Somali shilling	100 centesimi
So. Africa	rand	100 cents
So. Korea	won	100 chon
So. Vietnam	piaster	100 cents
Spain	peseta	100 centimos
Sudan	pound	100 piasters / 1000 milliemes
Sweden	krona	100 öre
Switzerland	franc	100 centimes or rappen
Syria	pound	100 piasters
Tanzania	shilling	100 cents
Thailand	baht	100 satang
Togo	franc	100 centimes
Trinidad and Tobago	dollar	100 cents
Tunisia	dinar	1000 milliemes
Turkey	pound	100 kurus or piasters
Uganda	shilling	100 cents
United Kingdom	pound	20 shillings / 240 pence
United States	dollar	100 cents
Upper Volta	franc	100 centimes
Uruguay	peso	100 centesimos
U.S.S.R.	ruble	100 kopecks
Venezuela	bolivar	100 centimos
West Germany	deutsche mark	100 pfennigs
Yugoslavia	dinar	100 paras
Zambia	kwacha	100 ngwee

mon·eyed *or* **mon·ied** \-ēd\ *adj* **1** : having money : WEALTHY **2** : consisting in or derived from money

mon·ey·mak·er \'mən-ē-,mā-kər\ *n* **1** : one who accumulates wealth **2** : a plan or product that produces profit

mon·ger \'məŋ-gər\ *n* : DEALER

Mon·go·lian \män-'gōl-yən\ *n* **1** : a native or inhabitant of Mongolia **2** : a member of a racial stock comprising chiefly the peoples of northern and eastern Asia — **Mon·gol** \'mäŋ-gəl, 'män-,gōl\ *adj or n* — **Mongolian** *adj*

mon·grel \'məŋ-grəl, 'män-\ *n* : an offspring of parents of different breeds or uncertain ancestry

mo·ni·tion \mō-'nish-ən\ *n* : WARNING, CAUTION

¹**mon·i·tor** \'män-ət-ər\ *n* **1** : a student appointed to assist a teacher **2** : one that monitors; *esp* : a screen used by television personnel for viewing the picture being picked up by a camera **3** : a warship used esp. for coastal bombardment

²**monitor** *vb* **1** : to check or adjust the quality of (as a radio or television broadcast); *also* : to check for political, military, or criminal significance **2** : to test for intensity of radiation esp. from radioactivity ⟨~ the upper air⟩ **3** : to watch or observe for a special purpose

mon·i·to·ry \'män-ə-,tōr-ē\ *adj* : giving admonition : WARNING

monk \'məŋk\ *n* : a man belonging to a religious order and living in a monastery — **monk·ish** *adj* — **monk·ish·ly** *adv* — **monk·ish·ness** *n*

¹**mon·key** \'məŋ-kē\ *n* : a primate mammal other than man; *esp* : one of the smaller, longer-tailed, and usu. more arboreal primates as contrasted with the apes

²**monkey** *vb* **1** : FOOL, TRIFLE **2** : TAMPER

monkey wrench *n* : a wrench with one adjustable jaw

monkey wrench

mon·o·cle \'män-ə-kəl\ *n* : an eyeglass for one eye

mo·nog·a·my \mə-'näg-ə-mē\ *n* : marriage with but one person at a time — **mo·nog·a·mist** \-məst\ *n* — **mo·nog·a·mous** \-məs\ *adj*

mon·o·gram \'män-ə-,gram\ *n* : a sign of identity composed of the combined initials of a name — **monogram** *vb*

mon·o·lith \'män-ᵊl-,ith\ *n* **1** : a single great stone often in the form of a monument or column **2** : something (as a social structure) held to be a single massive whole exhibiting solid uniformity — **mono·lith·ic** \,män-ᵊl-'ith-ik\ *adj*

mon·o·logue \'män-ᵊl-,óg\ *n* : a dramatic soliloquy; *also* : a long speech monopolizing conversation — **mon·o·logu·ist** \-,ó-gəst\ *or* **mo·nol·o·gist**

mono·ma·nia \,män-ə-'mā-nē-ə\ *n* : mental derangement involving a single idea or area of mind — **mono·ma·ni·ac** \-ē-,ak\ *n*

mono·phon·ic \,män-ə-'fän-ik\ *adj* : of or relating to sound transmission, recording, or reproduction by techniques that provide a single transmission path as contrasted with binaural techniques

mo·nop·o·ly \mə-'näp-ə-lē\ *n* **1** : exclusive ownership (as through command of supply) **2** : a commodity controlled by one party **3** : a person or group having a monopoly — **mo·nop·o·list** \-ləst\ *n* — **mo·nop·o·lis·tic** \mə-,näp-ə-'lis-tik\ *adj* — **mo·nop·o·li·za·tion** \-lə-'zā-shən\ *n* — **mo·nop·o·lize** *vb*

mono·rail \'män-ə-,rāl\ *n* : a single rail serving as a track for cars that are balanced on it or suspended from it

mono·syl·la·ble \'män-ə-,sil-ə-bəl\ *n* : a word of one syllable — **mono·syl·lab·ic** \,män-ə-sə-'lab-ik\ *adj* — **mono·syl·lab·i·cal·ly** *adv*

mono·the·ism \'män-ə-(,)thē-,iz-əm\ *n* : a doctrine or belief that there is only one deity — **mono·the·ist** \-,thē-əst\ *n*

mon·o·tone \'män-ə-ˌtōn\ *n* : a succession of syllables, words, or sentences in one unvaried key or pitch

mo·not·o·nous \mə-'nät-ᵊn-əs\ *adj* **1** : uttered or sounded in one unvarying tone **2** : tediously uniform — **mo·not·o·nous·ly** *adv* — **mo·not·o·nous·ness** *n* — **mo·not·o·ny** \-ᵊn-ē\ *n*

mon·ox·ide \mə-'näk-ˌsīd\ *n* : an oxide containing one atom of oxygen in the molecule

mon·si·gnor \män-'sēn-yər\ *n, pl* **mon·si·gnors** *or* **mon·si·gno·ri** \ˌmän-ˌsēn-'yōr-ē\ : a Roman Catholic prelate — used as a title

mon·soon \män-'sün\ *n* : a periodic wind esp. in the Indian ocean and southern Asia; *also* : the season of the southwest monsoon esp. in India

mon·ster \'män-stər\ *n* **1** : an abnormally developed plant or animal **2** : an animal of strange or terrifying shape; *also* : one unusually large of its kind **3** : an extremely ugly, wicked, or cruel person — **mon·stros·i·ty** \män-'sträs-ət-ē\ *n* — **mon·strous** \'män-strəs\ *adj* — **mon·strous·ly** *adv*

mon·tage \män-'täzh\ *n* **1** : a composite photograph made by combining several separate pictures **2** : an artistic composition made up of several different kinds of items (as strips of newspaper, pictures, bits of wood) arranged together

month \'mənth\ *n* [OE *mōnath*, fr. *mōna* moon] : one of the twelve parts into which the year is divided — **month·ly** *adv or adj or n*

mon·u·ment \'män-yə-mənt\ *n* **1** : a lasting reminder; *esp* : a structure erected in remembrance of a person or event **2** : a natural feature or area of special interest set aside by the government as public property

mon·u·men·tal \ˌmän-yə-'ment-ᵊl\ *adj* **1** : MASSIVE; *also* : OUTSTANDING **2** : of or relating to a monument **3** : very great — **mon·u·men·tal·ly** *adv*

moo \'mü\ *vb* : to make the natural throat noise of a cow — **moo** *n*

¹mood \'müd\ *n* **1** : a conscious state of mind or predominant emotion : FEELING **2** : a prevailing attitude : DISPOSITION

²mood *n* : distinction of form of a verb to express whether its action or state is conceived as fact or in some other manner

moody \'müd-ē\ *adj* **1** : GLOOMY **2** : subject to moods : TEMPERAMENTAL — **mood·i·ly** *adv* — **mood·i·ness** *n*

¹moon \'mün\ *n* : a celestial body that revolves around the earth

²moon *vb* : to engage in idle reverie : DREAM

moon·beam \-ˌbēm\ *n* : a ray of light from the moon

moon·light \-ˌlīt\ *n* : the light of the moon — **moon·lit** \-ˌlit\ *adj*

moon·light·er \-ˌlīt-ər\ *n* : a person holding two jobs at the same time — **moon·light·ing** *n*

moon·shine \-ˌshīn\ *n* **1** : MOONLIGHT **2** : empty talk **3** : intoxicating liquor usu. illegally distilled

moon·stone \-ˌstōn\ *n* : a transparent or translucent feldspar of pearly luster used as a gem

moon·struck \-ˌstrək\ *adj* **1** : mentally unbalanced **2** : romantically sentimental; *also* : BEMUSED

¹moor \'mùr\ *n* : an area of open and usu. infertile and wet or peaty wasteland

²moor *vb* : to make fast with cables, lines, or anchors : tie up

Moor \'mùr\ *n* **1** : one of the Muslim conquerors of Spain in the 8th century **2** : MUSLIM — **Moor·ish** *adj*

moor·ing \'mùr-iŋ\ *n* **1** : a place where or an object to which a craft can be made fast **2** : moral or spiritual resources — usu. used in pl.

moose \'müs\ *n, pl* **moose** : a large heavy-antlered American deer; *also* : the European elk

moose

moot \'müt\ *adj* **1** : open to question; *also* : DISPUTED **2** : having no practical significance

¹mop \'mäp\ *n* : an implement made of absorbent material fastened to a handle and used esp. for cleaning floors

²mop *vb* **mopped**; **mop·ping** : to use a mop on : clean with a mop

mope \'mōp\ *vb* **1** : to become dull, dejected, or listless **2** : DAWDLE

mop·pet \'mäp-ət\ *n* : CHILD

¹mor·al \'mor-əl\ *adj* **1** : of or relating to principles of right and wrong **2** : conforming to a standard of right behavior; *also* : capable of right and wrong action **3** : probable but not proved ⟨a ~ certainty⟩ **4** : PSYCHOLOGICAL ⟨a ~ victory⟩ *syn* virtuous, righteous, noble — **mor·al·ly** *adv*

²mor·al \'mor-əl, *3 is* mə-'ral\ *n* **1** : the practical meaning (as of a story) : LESSON **2** *pl* : moral practices or teachings **3** : MORALE

mo·rale \mə-'ral\ *n* **1** : MORALITY **2** : the mental and emotional attitudes of an individual to the tasks expected of him; *also* : ESPRIT DE CORPS

mor·al·ist \'mor-ə-ləst\ *n* **1** : a teacher or student of morals **2** : one concerned with regulating the morals of others — **mor·al·is·tic** \ˌmor-ə-'lis-tik\ *adj* — **mor·al·is·ti·cal·ly** *adv*

mo·ral·i·ty \mə-'ral-ət-ē\ *n* : moral conduct : VIRTUE

mor·al·ize \'mor-ə-ˌlīz\ *vb* : to make moral reflections — **mor·al·i·za·tion** \ˌmor-ə-lə-'zā-shən\ *n* — **mor·al·iz·er** *n*

mo·rass \mə-'ras\ *n* : SWAMP

mor·a·to·ri·um \ˌmor-ə-'tōr-ē-əm\ *n, pl* **-ri·ums** *or* **-ria** \-ē-ə\ : a suspension of activity

mor·bid \'mor-bəd\ *adj* **1** : of, relating to, or typical of disease; *also* : DISEASED, SICKLY **2** : GRISLY, GRUESOME ⟨~ details⟩ — **mor·bid·i·ty** \mor-'bid-ət-ē\ *n* — **mor·bid·ly** \'mor-bəd-lē\ *adv* — **mor·bid·ness** *n*

mor·dant \'mord-ᵊnt\ *adj* **1** : INCISIVE **2** : BURNING, PUNGENT — **mor·dant·ly** *adv*

more \'mōr\ *adj* **1** : GREATER **2** : ADDITIONAL — **more** *adv or n*

more·over \mōr-'ō-vər\ *adv* : in addition : FURTHER

mo·res \'mor-ˌāz, -(ˌ)ēz\ *n pl* **1** : the fixed morally binding customs of a group **2** : HABITS, MANNERS

morgue \'morg\ *n* : a place where the bodies of persons found dead are kept until released for burial

mor·i·bund \'mor-ə-(,)bənd\ *adj* : being in a dying condition — **mor·i·bun·di·ty** *n*

Mor·mon \'mor-mən\ *n* : a member of the Church of Jesus Christ of Latter Day Saints — **Mor·mon·ism** \-,iz-əm\ *n*

morn \'morn\ *n* : MORNING

morn·ing \'mor-niŋ\ *n* **1** : the early part of the day; *esp* : the time from sunrise to noon **2** : BEGINNING

morning glory *n* : any of various twining plants related to the sweet potato that have often showy bell-shaped or funnel-shaped flowers

Mo·roc·can \mə-'räk-ən\ *n* : a native or inhabitant of Morocco

mo·roc·co \mə-'räk-ō\ *n* : a fine leather made of goatskins tanned with sumac

mo·ron \'mor-,än\ *n* : a defective person having a mental capacity equivalent to that of a normal 8 to 12 year old and being able to do routine work under supervision; *also* : a stupid person — **mo·ron·ic** \mə-'rän-ik\ *adj* — **mo·ron·i·cal·ly** *adv*

mo·rose \mə-'rōs\ *adj* : having a sullen disposition; *also* : GLOOMY — **mo·rose·ly** *adv* — **mo·rose·ness** *n*

mor·pheme \'mor-,fēm\ *n* : a meaningful linguistic unit that contains no smaller meaningful parts — **mor·phe·mic** \mor-'fē-mik\ *adj*

mor·phine \'mor-,fēn\ *n* : an addictive drug obtained from opium and used to ease pain or induce sleep

mor·phol·o·gy \mor-'fäl-ə-jē\ *n* **1** : a branch of biology dealing with the form and structure of organisms **2** : a study and description of word formation in a language — **mor·pho·log·i·cal** \,mor-fə-'läj-i-kəl\ *adj* — **mor·phol·o·gist** *n*

mor·row \'mär-ō\ *n* : TOMORROW

mor·sel \'mor-səl\ *n* **1** : a small piece or quantity **2** : a tasty dish

mor·tal \'mort-ᵊl\ *adj* **1** : causing death : FATAL; *also* : exposing to spiritual death ⟨~ sin⟩ **2** : subject to death ⟨~ man⟩ **3** : implacably hostile ⟨~ foe⟩ **4** : very great : EXTREME ⟨~ fear⟩ **5** : HUMAN ⟨~ limitations⟩ — **mor·tal·i·ty** \mor-'tal-ət-ē\ *n* — **mor·tal·ly** *adv*

¹mor·tar \'mort-ər\ *n* **1** : a strong bowl in which substances may be broken or powdered with a pestle **2** : a short-barreled cannon used to hurl projectiles at high angles

²mortar *n* : a plastic building material (as a mixture of cement, lime, or gypsum plaster with sand and water) that hardens and is used in masonry or plastering — **mortar** *vb*

mor·tar·board \-,bord\ *n* **1** : a board or platform about 3 feet square for holding mortar **2** : an academic cap

mort·gage \'mor-gij\ *n* : a conveyance of property upon condition that becomes void on payment or performance according to stipulated terms — **mortgage** *vb* — **mort·gag·ee** \,mor-gi-'jē\ *n* — **mort·ga·gor** \,mor-gi-'jor\ *n*

mor·ti·cian \mor-'tish-ən\ *n* [L *mort-, mors* death + E *-ician* (as in *physician*)] : UNDERTAKER

mor·ti·fy \'mort-ə-,fī\ *vb* **1** : to subdue (as the body) esp. by abstinence or self-inflicted pain **2** : HUMILIATE **3** : to become necrotic or gangrenous — **mor·ti·fi·ca·tion** \,mort-ə-fə-'kā-shən\ *n*

mor·tise *also* **mor·tice** \'mort-əs\ *n* : a hole cut in a piece of wood into which another piece fits to form a joint

mor·tu·ary \'mor-chə-,wer-ē\ *n* : a place in which dead bodies are kept until burial

mo·sa·ic \mō-'zā-ik\ *n* : a surface decoration made by inlaying small pieces (as of colored glass or stone) to form figures or patterns; *also* : a design made in mosaic

mo·sey \'mō-zē\ *vb* : SAUNTER

Mos·lem \'mäz-ləm\ *var of* MUSLIM

mosque \'mäsk\ *n* : a building used for public worship by Muslims

mos·qui·to \mə-'skēt-ō\ *n, pl* **-toes** : a two-winged fly the female of which sucks the blood of man and lower animals

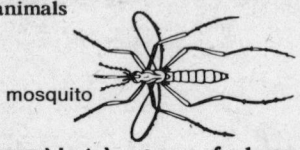

mosquito

moss \'mos\ *n* : any of a large group of green plants without flowers but with small leafy stems growing in clumps — **mossy** *adj*

most \'mōst\ *adj* **1** : the majority of ⟨~ men⟩ **2** : GREATEST — **most** *adv or n*

-most \,mōst\ *adj suffix* : most toward

most·ly *adv* : MAINLY

mo·tel \mō-'tel\ *n* : a hotel for automobile tourists

moth \'moth\ *n* : any of various insects related to the butterflies but usu. night-flying and with a stouter body and smaller wings; *esp* : a small pale insect (**clothes moth**) whose larvae eat wool, fur, and feathers

moth·ball \-,bol\ *n* **1** : a ball (as of naphthalene) used to keep moths out of clothing **2** *pl* : protective storage ⟨ships put in ~s after the war⟩

¹moth·er \'məth-ər\ *n* **1** : a female parent **2** : a woman in authority **3** : SOURCE, ORIGIN — **moth·er·less** *adj* — **moth·er·li·ness** *n* — **moth·er·ly** *adj*

²mother *vb* **1** : to give birth to; *also* : PRODUCE **2** : to protect like a mother

moth·er·hood \-,hud\ *n* : MATERNITY

mother–in–law *n, pl* **mothers–in–law** : the mother of one's spouse

moth·er·land \'məth-ər-,land\ *n* : the land of origin of something

mother–of–pearl *n* : the hard pearly substance forming the inner layer of a mollusk shell

mo·tif \mō-'tēf\ *n* : a dominant idea or central theme (as in a work of art)

mo·tile \'mōt-ᵊl\ *adj* : capable of spontaneous movement — **mo·til·i·ty** \mō-'til-ət-ē\ *n*

¹mo·tion \'mō-shən\ *n* **1** : a proposal for action (as by a deliberative body) **2** : an act, process, or instance of moving **3** *pl* : ACTIVITIES, MOVEMENTS — **mo·tion·less** \-ləs\ *adj* — **mo·tion·less·ly** *adv* — **mo·tion·less·ness** *n*

²motion *vb* : to direct or signal by a motion

motion picture *n* : a series of pictures thrown on a screen so rapidly that they produce a continuous picture in which persons and objects seem to move

mo·ti·vate \'mōt-ə-‚vāt\ *vb* : to provide with a motive — **mo·ti·va·tion** \‚mōt-ə-'vā-shən\ *n*

¹mo·tive \'mōt-iv\ *n* 1 : something (as a need or desire) that causes a person to act 2 : a recurrent theme in a musical composition — **mo·tive·less** \-ləs\ *adj*

²motive *adj* 1 : moving to action 2 : of or relating to motion

mot·ley \'mät-lē\ *adj* 1 : variegated in color 2 : made up of diverse elements **syn** heterogeneous, miscellaneous, assorted

¹mo·tor \'mōt-ər\ *n* 1 : one that imparts motion 2 : a small compact engine 3 : AUTOMOBILE

mo·tor·boat \-‚bōt\ *n* : a boat propelled by an internal-combustion engine or an electric motor

mo·tor·cade \-‚kād\ *n* : a procession of motor vehicles

motor court *n* : MOTEL

mo·tor·cy·cle \-‚sī-kəl\ *n* : a 2-wheeled automotive vehicle

mo·tor·ize \-‚īz\ *vb* 1 : to equip with a motor 2 : to equip with motor-driven vehicles — **mo·tor·i·za·tion** \‚mōt-ər-ə-'zā-shən\ *n*

motor vehicle *n* : an automotive vehicle not operated on rails; *esp* : one with rubber tires for use on highways

mot·tle \'mät-ᵊl\ *vb* : to mark with spots of different color : BLOTCH

mot·to \'mät-ō\ *n*, *pl* **-toes** *also* **-tos** 1 : a sentence, phrase, or word inscribed on something to indicate its character or use 2 : MAXIM

mound \'maůnd\ *n* 1 : an artificial bank or hill of earth or stones 2 : KNOLL

¹mount \'maůnt\ *n* : a high hill : MOUNTAIN

²mount *vb* 1 : to increase in amount or extent; *also* : RISE, ASCEND 2 : to get up on something above ground level; *esp* : to seat oneself on (as a horse) for riding 3 : to put in position ⟨~ artillery⟩; *also* : to have as equipment 4 : to set on something that elevates 5 : to attach to a support 6 : to prepare esp. for examination or display : ARRANGE — **mount·able** \-ə-bəl\ *adj* — **mount·er** *n*

³mount *n* 1 : FRAME, SUPPORT 2 : a means of conveyance; *esp* : a saddle horse

moun·tain \'maůnt-ᵊn\ *n* : a landmass higher than a hill — **moun·tain·ous** *adj*

moun·tain·eer \‚maůnt-ᵊn-'iər\ *n* 1 : a native or inhabitant of a mountainous region 2 : one who climbs mountains for sport — **mountaineer** *vb*

moun·tain·side \'maůnt-ᵊn-‚sīd\ *n* : the side of a mountain

moun·tain·top \-‚täp\ *n* : the summit of a mountain

mount·ing \'maůnt-iŋ\ *n* : something that serves as a frame or support ⟨a ~ for a diamond⟩ ⟨a ~ for an engine⟩

mourn \'mōrn\ *vb* : to feel or express grief or sorrow : LAMENT — **mourn·er** *n*

mourn·ful \-fəl\ *adj* : expressing, feeling, or causing sorrow — **mourn·ful·ly** *adv* — **mourn·ful·ness** *n*

mourn·ing \'mōr-niŋ\ *n* 1 : an outward sign (as black clothes) of grief for a person's death 2 : a period of time during which signs of grief are shown

mouse \'maůs\ *n*, *pl* **mice** \'mīs\ : any of various small rodents with pointed snout, long body, and slender tail

mousse \'müs\ *n* : a dessert of sweetened and flavored whipped cream or thin cream and gelatin frozen without stirring

mous·tache \'məs-‚tash, (‚)məs-'tash\ *n* : the hair growing on the human upper lip

mousy *or* **mous·ey** \'maů-sē, -zē\ *adj* 1 : QUIET 2 : TIMID, COLORLESS

¹mouth \'maůth\ *n* 1 : the opening through which an animal takes in food; *also* : the space between the mouth and the pharynx 2 : something resembling a mouth (as in affording entrance) — **mouth·ful** \-‚fůl\ *n*

²mouth \'maůt͟h\ *vb* : SPEAK; *also* : DECLAIM

mouth·part \'maůth-‚pärt\ *n* : a structure or appendage near the mouth

mouth·piece \'maůth-‚pēs\ *n* 1 : a part (as of a musical instrument) that goes in the mouth or to which the mouth is applied 2 : SPOKESMAN

mouth·wash \-‚wȯsh, -‚wäsh\ *n* : a usu. antiseptic liquid preparation for cleaning the mouth and teeth

¹move \'müv\ *vb* 1 : to go or cause to go from one point to another : ADVANCE; *also* : DEPART 2 : to change one's residence 3 : to change or cause to change place, position, or posture : SHIFT 4 : to show marked activity 5 : to take or cause to take action : PROMPT 6 : to make a formal request, application, or appeal 7 : to stir the emotions 8 : EVACUATE — **mov·able** *or* **move·able** \-ə-bəl\ *adj*

²move *n* 1 : an act of moving : MOVEMENT 2 : a calculated procedure : MANEUVER

move·ment \-mənt\ *n* 1 : the act or process of moving : MOVE 2 : TENDENCY, TREND; *also* : a series of organized activities working toward an objective 3 : the moving parts of a mechanism (as of a watch) 4 : RHYTHM, CADENCE 5 : a unit or division of an extended musical composition 6 : evacuation of or from the bowels

mov·er \'mü-vər\ *n* : one that moves; *esp* : a person or company that moves the belongings of others from one home or place of business to another

mov·ie \'mü-vē\ *n* 1 : MOTION PICTURE 2 *pl* : a showing of a motion picture; *also* : the motion-picture industry

¹mow \'maů\ *n* : the part of a barn where hay or straw is stored

²mow \'mō\ *vb* 1 : to cut (as grass) with a scythe or machine 2 : to cut the standing herbage from ⟨~ the lawn⟩ — **mow·er** *n*

much \'məch\ *adj* 1 : great in quantity, amount, extent, or degree ⟨~ money⟩ 2 : very good ⟨he's not ~ at sports⟩ — **much** *adv or n*

mu·ci·lage \'myü-s(ə-)lij\ *n* : a watery sticky solution (as of a gum) used esp. as an adhesive — **mu·ci·lag·i·nous** *adj*

muck \'mək\ *n* 1 : soft moist barnyard manure 2 : FILTH, DIRT 3 : a dark richly organic soil; *also* : MUD, MIRE — **mucky** *adj*

muck·rak·er \-‚rā-kər\ *n* : one who exposes publicly real or apparent misconduct of prominent individuals

mu·cus \'myü-kəs\ *n* : a slimy slippery protective secretion of membranes lining various bodily cavities — **mu·cous**

mud \'məd\ *n* : soft wet earth : MIRE — **mud·di·ly** *adv* — **mud·di·ness** *n* — **mud·dy** *adj or vb*

mud·dle \'məd-ᵊl\ *vb* **1** : to make muddy **2** : to confuse esp. with liquor **3** : BUNGLE — **muddle** *n*

mud·dle·head·ed \,məd-ᵊl-'hed-əd\ *adj* **1** : mentally confused **2** : BUNGLING

mud·sling·er \'məd-,sliŋ-ər\ *n* : one who uses invective esp. against a political opponent — **mud·sling·ing** *n*

¹**muff** \'məf\ *n* : a warm tubular covering for the hands

²**muff** *n* : a bungling performance; *esp* : a failure to hold a ball in attempting a catch — **muff** *vb*

muf·fin \'məf-ən\ *n* : a small soft biscuit baked in a cup-shaped pan

muf·fle \'məf-əl\ *vb* **1** : to wrap up so as to conceal or protect **2** : to wrap or pad with something to dull the sound of **3** : to keep down : SUPPRESS

muf·fler \'məf-lər\ *n* **1** : a scarf worn around the neck **2** : a device to deaden noise

muf·ti \'məf-tē\ *n* : civilian clothes

¹**mug** \'məg\ *n* : a usu. metal or earthenware cylindrical drinking cup

²**mug** *vb* **mugged; mug·ging 1** : to make faces esp. in order to attract the attention of an audience **2** : PHOTOGRAPH

³**mug** *vb* **mugged; mug·ging** : to assault esp. by garroting

mug·gy \'məg-ē\ *adj* : being warm, damp, and close — **mug·gi·ness** *n*

mug·wump \'məg-,wəmp\ *n* : an independent in politics

Mu·ham·mad·an \mō-'ham-əd-ən, mü-\ *n* : MUSLIM — **Mu·ham·mad·an·ism** *n*

mu·lat·to \m(y)ü-'lat-ō\ *n, pl* **-toes** : a first-generation offspring of a Negro and a white; *also* : a person of mixed Caucasian and Negro ancestry

mul·ber·ry \'məl-,ber-ē\ *n* : a tree grown for its leaves that are used as food for silkworms or for its edible berrylike fruit; *also* : this fruit

mulch \'məlch\ *n* : a protective covering (as of straw or leaves) spread on the ground esp. to reduce evaporation and erosion, control weeds, or improve the soil — **mulch** *vb*

¹**mulct** \'məlkt\ *n* : FINE, PENALTY

²**mulct** *vb* **1** : FINE **2** : DEFRAUD

¹**mule** \'myül\ *n* **1** : a hybrid offspring of a male ass and a female horse **2** : a very stubborn person — **mul·ish** \'myü-lish\ *adj* — **mul·ish·ly** *adv* — **mul·ish·ness** *n*

²**mule** *n* : a slipper without sidepieces

¹**mull** \'məl\ *vb* : PONDER, MEDITATE

²**mull** *vb* : to sweeten, spice, and heat

mul·let \'məl-ət\ *n* **1** : any of various largely gray marine food fishes **2** : any of various red or golden mostly tropical marine food fishes

mul·ti- \,məl-ti, -,tī\ *comb form* **1** : many : multiple ⟨*multi*-unit⟩ **2** : many times over ⟨*multi*millionaire⟩

mul·ti·col·ored \,məl-ti-'kəl-ərd\ *adj* : having many colors

mul·ti·far·i·ous \,məl-tə-'far-ē-əs\ *adj* : having great variety : DIVERSE — **mul·ti·far·i·ous·ly** *adv*

mul·ti·form \'məl-ti-,form\ *adj* : having many forms or appearances — **mul·ti·for·mi·ty** \,məl-ti-'for-mət-ē\ *n*

mul·ti·mil·lion·aire \,məl-ti-,mil-yə-'naər\ *n* : a person worth several million dollars

¹**mul·ti·ple** \'məl-tə-pəl\ *adj* **1** : more than one; *also* : MANY **2** : VARIOUS, COMPLEX

²**multiple** *n* : the product of a quantity by an integer ⟨35 is a ~ of 7⟩

mul·ti·ple–choice *adj* : having several answers given from which the correct one is to be chosen ⟨~ examination⟩

mul·ti·pli·ca·tion \,məl-tə-plə-'kā-shən\ *n* **1** : INCREASE **2** : a short method of finding out what would be the result of adding a figure the number of times indicated by another figure

mul·ti·plic·i·ty \-'plis-ət-ē\ *n* : a great number or variety

mul·ti·ply \'məl-tə-,plī\ *vb* **1** : to increase in number (as by breeding or propagating) **2** : to find the product of by a process of multiplication — **mul·ti·pli·er** \-,plī-(ə)r\ *n*

mul·ti·tude \-,t(y)üd\ *n* : a great number : CROWD — **mul·ti·tu·di·nous**

mum \'məm\ *adj* : SILENT

mum·ble \'məm-bəl\ *vb* : to speak in a low indistinct manner : MUTTER — **mumble** *n* — **mum·bler** \-b(ə-)lər\ *n*

mum·bo jum·bo \,məm-bō-'jəm-bō\ *n* **1** : a complicated ritual with elaborate trappings **2** : complicated activity or language that obscures and confuses

mum·mer \'məm-ər\ *n* **1** : an actor esp. in a pantomime **2** : one who goes merrymaking in disguise during festivals — **mum·mery** *n*

mum·my \'məm-ē\ *n* : a body embalmed and preserved after the manner of the ancient Egyptians — **mum·mi·fi·ca·tion** \,məm-i-fə-'kā-shən\ *n* — **mum·mi·fy** \'məm-i-,fī\ *vb*

mumps \'məmps\ *n sing or pl* : a virus disease marked by fever and swelling esp. of the salivary glands

munch \'mənch\ *vb* : to chew with a crunching sound

mun·dane \,mən-'dān\ *adj* **1** : of or relating to the world : WORLDLY **2** : having no concern for the ideal or heavenly — **mun·dane·ly** *adv*

mu·nic·i·pal \myù-'nis-ə-pəl\ *adj* **1** : of, relating to, or characteristic of a municipality **2** : restricted to one locality — **mu·nic·i·pal·ly** *adv*

mu·nic·i·pal·i·ty \myù-,nis-ə-'pal-ət-ē\ *n* : an urban political unit with corporate status and usu. powers of self-government

mu·nif·i·cent \myù-'nif-ə-sənt\ *adj* : liberal in giving : GENEROUS — **mu·nif·i·cence** \-səns\ *n*

mu·ni·tion \myù-'nish-ən\ *n* : material used in war for defense or attack : ARMAMENT — usu. used in pl.

¹**mu·ral** \'myùr-əl\ *adj* : of, relating to, or resembling a wall

²**mural** *n* : a mural painting — **mu·ral·ist** \-əst\ *n*

¹**mur·der** \'mərd-ər\ *n* **1** : the crime of unlawfully killing a person esp. with malice aforethought **2** : something unusually difficult or dangerous —

murk   299   **mutton**

mur·der·ous \-əs\ *adj* — **mur·der·ous·ly** *adv*

²**murder** *vb* **1** : to commit a murder; *also* : to kill brutally **2** : to put an end to **3** : MUTILATE, MANGLE — **mur·der·er** *n* — **mur·der·ess** \-əs\ *n*

murk \'mərk\ *n* : DARKNESS, GLOOM — **murk·i·ly** *adv* — **murk·i·ness** *n* — **murky** *adj*

mur·mur \'mər-mər\ *n* **1** : a muttered complaint **2** : a low indistinct and often continuous sound — **murmur** *vb* — **mur·mur·er** *n* — **mur·mur·ous**

mus·ca·tel \,məs-kə-'tel\ *n* : a sweet dessert wine

¹**mus·cle** \'məs-əl\ *n* [L *musculus*, lit., little mouse, fr. *mus* mouse] **1** : body tissue consisting of long cells that contract when stimulated; *also* : an organ consisting of this tissue and functioning in moving a body part **2** : STRENGTH, BRAWN — **mus·cu·lar** \'məs-kyə-lər\ *adj* — **mus·cu·lar·i·ty**

²**muscle** *vb* : to force one's way 〈~ in on another racketeer〉

mus·cle-bound \'məs-əl-,baund\ *adj* : having some of the muscles abnormally enlarged and lacking in elasticity (as from excessive athletic exercise)

¹**muse** \'myüz\ *vb* : MEDITATE — **mus·ing·ly** *adv*

²**muse** \'myüz\ *n* : a source of inspiration

mu·se·um \myu̇-'zē-əm\ *n* : an institution devoted to the procurement, care, and display of objects of lasting interest or value

¹**mush** \'məsh\ *n* **1** : cornmeal boiled in water **2** : sentimental drivel

²**mush** *vb* : to travel esp. over snow with a sled drawn by dogs

¹**mush·room** \-,rüm, -,ru̇m\ *n* : the fleshy usu. caplike fruiting body of various fungi esp. when edible

²**mushroom** *vb* **1** : to grow rapidly **2** : to spread out : EXPAND

mushy *adj* **1** : soft like mush **2** : weakly sentimental

mu·sic \'myü-zik\ *n* **1** : the science or art of combining tones into a composition having structure and continuity; *also* : vocal or instrumental sounds having rhythm, melody, or harmony **2** : an agreeable sound **3** : punishment for a misdeed — **mu·si·cal** \-zi-kəl\ *adj* — **mu·si·cal·ly** *adv*

mu·si·cale \,myü-zi-'kal\ *n* : a usu. private social gathering featuring a concert of music

mu·si·cian \myu̇-'zish-ən\ *n* : a composer or performer of music — **mu·si·cian·ly** *adj* — **mu·si·cian·ship** \-,ship\ *n*

mu·si·col·o·gy \,myü-zi-'käl-ə-jē\ *n* : a study of music as a branch of knowledge or field of research — **mu·si·co·log·i·cal** \-kə-'läj-i-kəl\ *adj* — **mu·si·col·o·gist** \-'käl-ə-jəst\ *n*

musk \'məsk\ *n* : a substance obtained esp. from a small Asiatic deer and used as a perfume fixative — **musk·i·ness** *n* — **musky** *adj*

mus·ket \'məs-kət\ *n* : a heavy large-caliber shoulder firearm — **mus·ke·teer** \,məs-kə-'tiər\ *n*

musk·mel·on \'məsk-,mel-ən\ *n* : a small round to oval melon related to the cucumber that has usu. a sweet edible green or orange flesh

musk·rat \'məs-,krat\ *n* : a large No. American water rodent with webbed feet and dark brown fur; *also* : its fur

Mus·lim \'məz-ləm\ *n* : an adherent of the religion founded by the Arab prophet Muhammad

mus·lin \'məz-lən\ *n* : a plain-woven sheer to coarse cotton fabric

¹**muss** \'məs\ *n* : a state of disorder : MESS — **muss·i·ly** *adv* — **muss·i·ness** *n* — **mussy** *adj*

²**muss** *vb* : to make untidy : DISARRANGE

mus·sel \'məs-əl\ *n* **1** : a dark edible saltwater bivalve mollusk **2** : any of various freshwater bivalve mollusks of central U. S. having shells with a pearly lining

must \(')məst\ *vb* — used as an auxiliary esp. to express a command, requirement, obligation, or necessity

mus·tang \'məs-,taŋ\ *n* : a small hardy naturalized horse of the western plains of America

mus·tard \'məs-tərd\ *n* **1** : a pungent yellow powder obtained from the seeds of an herb related to the turnips and used as a condiment or in medicine **2** : the mustard plant; *also* : a closely related plant

¹**mus·ter** \'məs-tər\ *vb* **1** : CONVENE, ASSEMBLE; *also* : to call the roll of **2** : ACCUMULATE **3** : to call forth : ROUSE **4** : to amount to : COMPRISE

²**muster** *n* **1** : an act of assembling (as for military inspection); *also* : critical examination **2** : an assembled group

musty \'məs-tē\ *adj* : MOLDY, STALE; *also* : tasting or smelling of damp or decay — **must·i·ly** *adv* — **must·i·ness** *n*

mu·ta·ble \'myüt-ə-bəl\ *adj* **1** : prone to change : FICKLE **2** : liable to mutation : VARIABLE — **mu·ta·bil·i·ty** \,myüt-ə-'bil-ət-ē\ *n* — **mu·ta·ble·ness**

mu·tate \'myü-,tāt\ *vb* : to undergo or cause to undergo mutation

mu·ta·tion \myü-'tā-shən\ *n* **1** : CHANGE **2** : a sudden and relatively permanent change in a hereditary character; *also* : one marked by such a change — **mu·ta·tion·al** \-ᵊl\ *adj* — **mu·ta·tion·al·ly** *adv* — **mu·ta·tive** \'myü-,tāt-iv\ *adj*

¹**mute** \'myüt\ *adj* **1** : unable to speak : DUMB **2** : SILENT — **mute·ly** *adv* — **mute·ness** *n*

²**mute** *n* **1** : a person who cannot or does not speak **2** : a device on a musical instrument that reduces, softens, or muffles the tone

³**mute** *vb* : to muffle or reduce the sound of

mu·ti·late \'myüt-ᵊl-,āt\ *vb* **1** : MAIM, CRIPPLE **2** : to cut up or alter radically so as to make imperfect — **mu·ti·la·tion** \,myüt-ᵊl-'ā-shən\ *n* — **mu·ti·la·tor** \'myüt-ᵊl-,āt-ər\ *n*

mu·ti·ny \'myüt-ᵊn-ē\ *n* : willful refusal to obey constituted authority; *esp* : revolt against a superior officer — **mu·ti·neer** \,myüt-ᵊn-'iər\ *n* — **mu·ti·nous** \'myüt-ᵊn-əs\ *adj* — **mu·ti·nous·ly** *adv*

mutt \'mət\ *n* : MONGREL, CUR

mut·ter \'mət-ər\ *vb* **1** : to speak indistinctly or with a low voice and lips partly closed **2** : GRUMBLE — **mutter** *n*

mut·ton \'mət-ᵊn\ *n* : the flesh of a mature sheep — **mut·tony** *adj*

mu·tu·al \'myü-chə(-wə)l\ *adj* **1** : given and received in equal amount ⟨~ trust⟩ **2** : having the same feelings one for the other ⟨~ enemies⟩ **3** : COMMON, JOINT ⟨a ~ friend⟩ — **mu·tu·al·ly** *adv*

¹muz·zle \'məz-əl\ *n* **1** : the nose and jaws of an animal; *also* : a covering for the muzzle to prevent the animal from biting or eating **2** : the mouth of a gun

²muzzle *vb* **1** : to put a muzzle on **2** : to restrain from expression : GAG

my \(')mī, mə\ *adj* **1** : of or relating to me or myself **2** — used interjectionally esp. to express surprise

¹myr·i·ad \'mir-ē-əd\ *n* : an indefinitely large number

²myriad *adj* : consisting of a very great but indefinite number ⟨the ~ grains of sand in a single handful⟩

my·self \mī-'self, mə-\ *pron* : I, ME — used reflexively, for emphasis, or in absolute constructions ⟨I hurt ~⟩ ⟨I — did it⟩ ⟨~busy, I sent him instead⟩

mys·tery \'mis-t(ə-)rē\ *n* **1** : a religious truth known by revelation alone **2** : something not understood or beyond understanding **3** : enigmatic quality or character — **mys·te·ri·ous** \mis-'tir-ē-əs\ *adj* — **mys·te·ri·ous·ly** *adv* — **mys·te·ri·ous·ness** *n*

¹mys·tic \'mis-tik\ *adj* **1** : of or relating to mystics or mysticism **2** : MYSTERI-OUS; *also* : MYSTIFYING

²mystic *n* : a person who experiences mystical union or direct communion with God or ultimate reality

mys·ti·cal \'mis-ti-kəl\ *adj* **1** : SPIRITUAL, SYMBOLICAL **2** : of or relating to an intimate knowledge of or direct communion with God (as through contemplation or visions)

mys·ti·cism \'mis-tə-,siz-əm\ *n* : the belief that direct knowledge of God or ultimate reality is attainable through immediate intuition or insight

mys·ti·fy \'mis-tə-,fī\ *vb* **1** : to perplex the mind of : BEWILDER **2** : to make mysterious — **mys·ti·fi·ca·tion** \,mis-tə-fə-'kā-shən\ *n*

mys·tique \mi-'stēk\ *n* : a set of beliefs and attitudes developing around an object or associated with a particular group : CULT

myth \'mith\ *n* **1** : a usu. legendary narrative that presents part of the beliefs of a people or explains a practice or natural phenomenon **2** : an imaginary or unverifiable person or thing — **myth·i·cal** \-i-kəl\ *adj*

my·thol·o·gy \mith-'äl-ə-jē\ *n* : a body of myths and esp. of those dealing with the gods and heroes of a people — **myth·o·log·i·cal** \,mith-ə-'läj-i-kəl\ *adj* — **my·thol·o·gist** \mith-'äl-ə-jəst\ *n*

N

n \'en\ *n, often cap* : the 14th letter of the English alphabet

-n — see -EN

nab \'nab\ *vb* **nabbed; nab·bing** : SEIZE; *esp* : ARREST

na·bob \'nā-,bäb\ *n* : a man of great wealth or prominence

na·dir \'nā-,diər, -dər\ *n* **1** : the point of the celestial sphere that is directly opposite the zenith and vertically downward from the observer **2** : the lowest point ⟨our hopes had reached their ~⟩

¹nag \'nag\ *n* : HORSE; *esp* : an old or decrepit horse

²nag *vb* **nagged; nag·ging 1** : to find fault incessantly : COMPLAIN **2** : to irritate by constant scolding or urging **3** : to be a continuing source of annoyance ⟨a *nagging* toothache⟩

na·iad \'nā-əd\ *n, pl* **na·iads** or **na·ia·des** \-ə-,dēz\ : one of the nymphs in ancient mythology living in lakes, rivers, springs, and fountains

¹nail \'nāl\ *n* **1** : a horny sheath protecting the end of each finger and toe in man and related primates **2** : a slender pointed and headed piece of metal driven into or through something for fastening

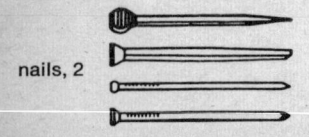

nails, 2

²nail *vb* : to fasten with or as if with a nail

nail down *vb* : to settle or establish clearly and unmistakably

na·ïve *also* **na·ive** \nä-'ēv\ *adj* **1** : marked by unaffected simplicity : ARTLESS, INGENUOUS **2** : CREDULOUS — **na·ïve·ly** *adv* — **na·ïve·ness** *n*

na·ïve·té *also* **na·ive·té** \,nä-,ēv(-ə)-'tā\ *n* **1** : the quality or state of being naïve **2** : a naïve remark or action

na·ïve·ty *also* **na·ive·ty** \nä-'ēv-(ə-)tē\ *n* : NAÏVETÉ

na·ked \'nā-kəd, 'nek-əd\ *adj* **1** : having no clothes on : NUDE **2** : UNSHEATHED ⟨a ~ sword⟩ **3** : lacking a usual or natural covering (as of foliage or feathers) **4** : PLAIN, UNADORNED ⟨the ~ truth⟩ **5** : not aided by artificial means ⟨seen by the ~ eye⟩ — **na·ked·ly** *adv* — **na·ked·ness** *n*

nam·by-pam·by \,nam-bē-'pam-bē\ *adj* **1** : INSIPID **2** : WEAK, INDECISIVE

¹name \'nām\ *n* **1** : a word or combination of words by which a person or thing is regularly known **2** : a descriptive often disparaging epithet ⟨call someone ~s⟩ **3** : REPUTATION; *esp* : distinguished reputation ⟨made a ~ for himself⟩ **4** : FAMILY, CLAN ⟨was a disgrace to his ~⟩ **5** : semblance as opposed to reality ⟨a friend in ~ only⟩

²name *vb* **1** : to give a name to : CALL **2** : to mention or identify by name **3** : NOMINATE, APPOINT **4** : to decide upon : CHOOSE **5** : to speak about : MENTION ⟨~ a price⟩ — **name·able** *adj*

³name *adj* **1** : of, relating to, or bearing a name ⟨~ tag⟩ **2** : having an established reputation ⟨~ brands⟩

name·less \'nām-ləs\ *adj* **1** : having no name **2** : not marked with a name ⟨a ~ grave⟩ **3** : not known by name : UNKNOWN, ANONYMOUS ⟨a ~ hero⟩ ⟨a ~ author⟩ **4** : not to be described ⟨~ fears⟩ ⟨~ indignities⟩ — **nameless·ly** *adv*

name·ly \-lē\ *adv* : that is to say : AS ⟨the cat family, ~, lions, tigers, and similar animals⟩

name·plate \-ˌplāt\ *n* : a plate or plaque bearing a name (as of a resident)

name·sake \-ˌsāk\ *n* : one that has the same name as another; *esp* : one named after another

nan·ny goat \'nan-ē-\ *n* : a female domestic goat

¹**nap** \'nap\ *vb* **napped; nap·ping 1** : to sleep briefly esp. during the day : DOZE **2** : to be off guard ⟨was caught *napping*⟩

²**nap** *n* : a short sleep esp. during the day : SNOOZE

³**nap** *n* : a soft downy fibrous surface (as on yarn and cloth) — **nap·less** *adj*

nape \'nāp, 'nap\ *n* : the back of the neck

naph·tha \'naf-thə, 'nap-\ *n* **1** : PETROLEUM **2** : any of various liquids derived chiefly from petroleum and used in dry cleaning and in making varnish

nap·kin \'nap-kən\ *n* **1** : a piece of material (as cloth or paper) used at table to wipe the lips or fingers and protect the clothes **2** : a small cloth or towel

Na·po·le·on·ic \nə-ˌpō-lē-'än-ik\ *adj* : of, relating to, or characteristic of Napoleon I or his family

nar·cis·sism \'när-sə-ˌsiz-əm\ *n* [fr. *Narcissus*, beautiful boy of Greek mythology who fell in love with his own image] : undue dwelling on one's own self or attainments — **nar·cis·sist**

nar·cis·sus \när-'sis-əs\ *n, pl* **-cis·sus** *or* **-cis·sus·es** *or* **-cis·si** \-'sis-ˌī, -ē\ : DAFFODIL; *esp* : one with short-tubed flowers usu. borne separately

nar·co·sis \när-'kō-səs\ *n, pl* **-co·ses** \-ˌsēz\ : a state of stupor, unconsciousness, or arrested activity produced by the influence of chemicals (as narcotics)

nar·cot·ic \när-'kät-ik\ *n* : a drug (as opium) that dulls the senses and induces sleep — **narcotic** *adj*

nar·rate \'nar-ˌāt\ *vb* : to recite the details of (as a story) : RELATE, TELL — **nar·ra·tion** \na-'rā-shən\ *n* — **nar·ra·tor** \'nar-ˌāt-ər\ *n*

nar·ra·tive \'nar-ət-iv\ *n* **1** : something that is narrated : STORY **2** : the art or practice of narrating

¹**nar·row** \'nar-ō\ *adj* **1** : of slender or less than standard width **2** : limited in size or scope : RESTRICTED **3** : not liberal in views : PREJUDICED **4** : interpreted or interpreting strictly ⟨a ~ view⟩ **5** : CLOSE ⟨a ~ escape⟩; *also* : barely successful ⟨won by a ~ margin⟩ — **nar·row·ly** *adv* — **nar·row·ness** *n*

²**narrow** *n* : a narrow passage : STRAIT — usu. used in pl.

³**narrow** *vb* : to lessen in width or extent

nar·row–mind·ed \ˌnar-ō-'mīn-dəd\ *adj* : not liberal or broad-minded : BIGOTED

nar·thex \'när-ˌtheks\ *n* : a vestibule in a church

nar·whal \'när-ˌhwäl, 'när-wəl\ *n* : an arctic sea animal about 20 feet long that is related to the dolphin and in the male has a long twisted ivory tusk

¹**na·sal** \'nā-zəl\ *n* **1** : a nasal part **2** : a nasal consonant or vowel

²**nasal** *adj* **1** : of or relating to the nose **2** : uttered through the nose — **na·sal·ly** *adv*

nas·cent \'nas-ᵊnt, 'nās-\ *adj* : coming into existence : beginning to grow or develop — **nas·cence** \-ᵊns\ *n*

na·so·phar·ynx \ˌnā-zō-'far-iŋks\ *n* : the upper part of the pharynx continuous with the nasal passages — **na·so·pha·ryn·geal** \-fə-'rin-j(ē-)əl, -ˌfar-ən-'jē-əl\ *adj*

nas·tur·tium \nə-'stər-shəm, na-\ *n* : a watery-stemmed herb with showy spurred flowers and pungent seeds

nas·ty \'nas-tē\ *adj* **1** : FILTHY **2** : INDECENT, OBSCENE **3** : DISAGREEABLE ⟨~ weather⟩ **4** : MEAN, ILL-NATURED ⟨a ~ temper⟩ **5** : DISHONORABLE ⟨a ~ trick⟩ **6** : HARMFUL, DANGEROUS ⟨took a ~ fall⟩ — **nas·ti·ly** *adv* — **nas·ti·ness** *n*

na·tal \'nāt-ᵊl\ *adj* **1** : NATIVE ⟨his ~ place⟩ **2** : of, relating to, or present at birth ⟨~ defects⟩

na·tal·i·ty \nā-'tal-ət-ē\ *n* : BIRTHRATE

na·tion \'nā-shən\ *n* **1** : NATIONALITY 5; *also* : a politically organized nationality **2** : a community of people composed of one or more nationalities with its own territory and government **3** : a territorial division containing a body of people of one or more nationalities **4** : a federation of tribes (as of American Indians) — **na·tion·hood** \-ˌhùd\ *n*

¹**na·tion·al** \'nash-(ə-)nəl\ *adj* **1** : of or relating to a nation **2** : comprising or characteristic of a nationality **3** : FEDERAL **3** — **na·tion·al·ly** *adv*

²**national** *n* **1** : one who is under the protection of a nation without regard to the more formal status of citizen or subject **2** : an organization (as a labor union) having local units throughout a nation

National Guard *n* : a militia force recruited by each state, equipped by the federal government, and jointly maintained subject to the call of either

na·tion·al·ism \'nash-(ə-)nə-ˌliz-əm\ *n* : devotion to national interests, unity, and independence esp. of one nation above all others

na·tion·al·ist \-ləst\ *n* **1** : an advocate of or believer in nationalism **2** *cap* : a member of a political party or group advocating national independence or strong national government — **nationalist** *adj, often cap* — **na·tion·al·is·tic**

na·tion·al·i·ty \ˌnash-ə-'nal-ət-ē\ *n* **1** : national character **2** : national status; *esp* : a legal relationship involving allegiance of an individual and his protection by the state **3** : membership in a particular nation **4** : political independence or existence as a separate nation **5** : a people having a common origin, tradition, and language and capable of forming a state **6** : an ethnic group within a larger unit (as a nation)

na·tion·al·ize \'nash-(ə-)nə-ˌlīz\ *vb* **1** : to make national : make a nation of **2** : to remove from private ownership and place under government control ⟨~ the railroads⟩ — **na·tion·al·iza·tion** \ˌnash-(ə-)nə-lə-'zā-shən\ *n*

na·tion·wide \ˌnā-shən-'wīd\ *adj* : extending throughout a nation

¹**na·tive** \'nāt-iv\ *adj* **1** : INBORN, NATURAL **2** : born in a particular place or country **3** : belonging to a person because of the place or circumstances of his birth ⟨his ~ language⟩ **4** : grown, produced, or originating in a particular place : INDIGENOUS

²**na·tive** *n* : one that is native; *esp* : a person who belongs to a particular country by birth

Na·tiv·i·ty \nə-'tiv-ət-ē, nā-\ *n* **1** : the birth of Christ **2** : CHRISTMAS **3** *not cap* : the process or circumstances of being born : BIRTH

nat·ty \'nat-ē\ *adj* : trimly neat and tidy : SMART — **nat·ti·ly** *adv* — **nat·ti·ness** *n*

¹**nat·u·ral** \'nach-(ə-)rəl\ *adj* **1** : determined by nature : INBORN, INNATE ⟨~ ability⟩ **2** : BORN ⟨a ~ fool⟩ **3** : ILLEGITIMATE **4** : HUMAN **5** : of or relating to nature **6** : not artificial **7** : being simple and sincere : not affected **8** : LIFELIKE **9** : having neither sharps nor flats in the key signature **syn** ingenuous, naïve, unsophisticated, artless — **nat·u·ral·ness** *n*

²**natural** *n* **1** : IDIOT **2** : a character placed on a line or space of the musical staff to nullify the effect of a preceding sharp or flat **3** : one obviously suitable for a specific purpose

natural history *n* : the study of natural objects esp. from an amateur or popular point of view

nat·u·ral·ism \-,iz-əm\ *n* **1** : action, inclination, or thought based only on natural desires and instincts **2** : a doctrine that denies a supernatural explanation of the origin, development, or end of the universe and holds that scientific laws account for everything in nature **3** : realism in art and literature that emphasizes photographic exactness in portraying what actually exists — **nat·u·ral·is·tic** \,nach-(ə-)rəl-'is-tik\ *adj*

nat·u·ral·ist \'nach-(ə-)rəl-əst\ *n* **1** : one that advocates or practices naturalism **2** : a student of animals or plants esp. in the field

nat·u·ral·ize \-,īz\ *vb* **1** : to become or cause to become established as if native ⟨~ new forage crops⟩ **2** : to confer the rights and privileges of a native citizen on — **nat·u·ral·i·za·tion** \,nach-(ə-)rəl-ə-'zā-shən\ *n*

nat·u·ral·ly \'nach-(ə-)rəl-ē, -ər-lē\ *adv* **1** : by nature : by natural character or ability **2** : as might be expected **3** : without artificial aid; *also* : without affectation **4** : REALISTICALLY

natural science *n* : a science (as physics, chemistry, or biology) that deals with matter, energy, and their interrelations and transformations or with objectively measurable phenomena

na·ture \'nā-chər\ *n* **1** : the peculiar quality or basic constitution of a person or thing **2** : KIND, SORT **3** : DISPOSITION, TEMPERAMENT **4** : the physical universe **5** : one's natural instincts or way of life ⟨quirks of human ~⟩; *also* : primitive state ⟨a return to ~⟩ **6** : natural scenery or environment ⟨beauties of ~⟩

naught \'not, 'nät\ *n* **1** : NOTHING **2** : the arithmetical symbol 0 : ZERO

naughty \-ē\ *adj* **1** : guilty of disobedience or misbehavior **2** : lacking in taste or propriety — **naught·i·ly** *adv* — **naught·i·ness** *n*

nau·sea \'no-zē-ə, 'no-shə\ *n* **1** : sickness of the stomach with a desire to vomit **2** : extreme disgust — **nau·seous** \-shəs, -zē-əs\ *adj*

nau·se·ate \'no-z(h)ē-,āt, -s(h)ē-\ *vb* : to affect or become affected with nausea — **nau·se·at·ing·ly** \-,āt-iŋ-lē\ *adv*

nau·ti·cal \'not-i-kəl\ *adj* : of or relating to seamen, navigation, or ships — **nau·ti·cal·ly** *adv*

nautical mile *n* : an international unit of distance equal to about 6076.1 feet

Nav·a·ho *or* **Nav·a·jo** \'nav-ə-,hō, 'näv-\ *n* **1** : a member of an Indian people of northern New Mexico and Arizona **2** : the language of the Navaho people

na·val \'nā-vəl\ *adj* : of, relating to, or possessing a navy

naval stores *n pl* : products (as pitch, turpentine, or rosin) obtained from resinous conifers (as pines)

nave \'nāv\ *n* : the central part of a church running lengthwise

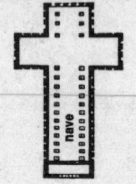

na·vel \'nā-vəl\ *n* : a depression in the middle of the abdomen that marks the point of attachment of fetus and mother

nav·i·ga·ble \'nav-i-gə-bəl\ *adj* **1** : capable of being navigated ⟨a ~ river⟩ **2** : capable of being steered ⟨a ~ balloon⟩ — **nav·i·ga·bil·i·ty** \,nav-i-gə-'bil-ət-ē\ *n*

nav·i·gate \'nav-ə-,gāt\ *vb* **1** : to sail on or through ⟨~ the Atlantic ocean⟩ **2** : to steer or direct the course of a ship or aircraft **3** : MOVE; *esp* : WALK ⟨could hardly ~⟩ — **nav·i·ga·tion** \,nav-ə-'gā-shən\ *n* — **nav·i·ga·tor** *n*

na·vy \'nā-vē\ *n* **1** : the warships belonging to a nation **2** *often cap* : a nation's organization for naval warfare

¹**nay** \'nā\ *adv* **1** : NO — used in oral voting **2** : INDEED, TRULY

²**nay** *n* : a negative vote; *also* : a person casting such a vote

Na·zi \'nät-sē\ *n* : a member of a German fascist party controlling Germany from 1933 to 1945 under Adolf Hitler — **Nazi** *adj* — **Na·zism** \'nät-,siz-əm\ *or* **Na·zi·ism** \-sē-,iz-əm\ *n*

Ne·an·der·thal \nē-'an-dər-,t(h)ol\ *adj* : of, relating to, or being an extinct primitive Old World man; *also* : crudely primitive (as in manner or conduct)

neap \'nēp\ *adj* : being either of two tides (**neap tides**) that are the least in the lunar month

¹**near** \'niər\ *adv* **1** : at, within, or to a short distance or time **2** : ALMOST, NEARLY

²**near** *prep* : close to

³**near** *adj* **1** : closely related or associated; *also* : INTIMATE **2** : not far away; *also* : being the closer or left-hand member of a pair **3** : barely avoided ⟨a ~ accident⟩ **4** : DIRECT, SHORT ⟨by the ~*est* route⟩ **5** : STINGY **6** : not real but very like ⟨~ silk⟩ — **near·ly** *adv* — **near·ness** *n*

⁴**near** *vb* : to draw near : APPROACH

near·by \niər-'bī\ *adv (or adj)* : close at hand

near·sight·ed \ˈniər-ˈsīt-əd\ *adj* : seeing distinctly at short distances only : SHORTSIGHTED — **near·sight·ed·ness** *n*

neat \ˈnēt\ *adj* **1** : not mixed or diluted ⟨~ brandy⟩ **2** : marked by tasteful simplicity **3** : PRECISE, SYSTEMATIC **4** : SKILLFUL, ADROIT **5** : being orderly and clean **6** : CLEAR, NET ⟨~ profit⟩ **7** *slang* : FINE, ADMIRABLE

neath \ˈnēth\ *prep, dial* : BENEATH

neb·u·la \ˈneb-yə-lə\ *n, pl* **-las** *or* **-lae** \-ˌlē\ **1** : any of many vast cloudlike masses of gas or dust among the stars **2** : GALAXY — **neb·u·lar** \-lər\ *adj*

neb·u·lize \-ˌlīz\ *vb* : to reduce to a fine spray — **neb·u·liz·er** *n*

neb·u·lous \ˈneb-yə-ləs\ *adj* **1** : HAZY, INDISTINCT ⟨a ~ memory⟩ **2** : of or relating to a nebula

¹nec·es·sary \ˈnes-ə-ˌser-ē\ *adj* **1** : INEVITABLE, INESCAPABLE; *also* : CERTAIN **2** : PREDETERMINED **3** : COMPULSORY **4** : positively needed : INDISPENSABLE **syn** requisite, essential — **nec·es·sar·i·ly** \ˌnes-ə-ˈser-ə-lē\ *adv*

²necessary *n* : an indispensable item : ESSENTIAL ⟨the *necessaries* of life⟩

ne·ces·si·tate \ni-ˈses-ə-ˌtāt\ *vb* : to make necessary : FORCE, COMPEL

ne·ces·si·tous \ni-ˈses-ət-əs\ *adj* **1** : NEEDY, IMPOVERISHED **2** : URGENT **3** : NECESSARY

ne·ces·si·ty \ni-ˈses-ət-ē\ *n* **1** : very great need **2** : something that is necessary **3** : WANT, POVERTY **4** : conditions that cannot be changed

neck \ˈnek\ *n* **1** : the part of the body connecting the head and the trunk **2** : the part of a garment covering or near to the neck **3** : something like a neck in shape or position : a relatively narrow part ⟨~ of a bottle⟩ ⟨~ of land⟩ **4** : a narrow margin esp. of victory

neck and neck *adj* (*or adv*) : very close

neck·band \ˈnek-ˌband\ *n* **1** : a band worn around the neck **2** : a part of a garment that encircles the neck

neck·er·chief \ˈnek-ər-chəf, -ˌchēf\ *n, pl* **-chiefs** *also* **-chieves** \-ˌchēvz\ : a square of cloth worn folded about the neck like a scarf

neck·lace \ˈnek-ləs\ *n* : an ornamental chain or a string (as of jewels or beads) worn around the neck

neck·line \-ˌlīn\ *n* : the outline of the neck opening of a garment

neck·piece \-ˌpēs\ *n* : an article of apparel (as a fur scarf) worn about the neck

neck·tie \-ˌtī\ *n* : a narrow length of material worn about the neck and tied in front

ne·crol·o·gy \nə-ˈkräl-ə-jē\ *n* **1** : a list of the dead **2** : OBITUARY

nec·ro·man·cy \ˈnek-rə-ˌman-sē\ *n* **1** : the art or practice of conjuring up the spirits of the dead for purposes of magically revealing the future **2** : MAGIC, SORCERY — **nec·ro·man·cer** \-sər\ *n*

ne·crop·o·lis \nə-ˈkräp-ə-ləs\ *n, pl* **-lis·es** *or* **-les** \-ˌlēz\ : CEMETERY; *esp* : a large elaborate cemetery of an ancient city

ne·cro·sis \nə-ˈkrō-səs\ *n, pl* **-cro·ses** \-ˌkrō-ˌsēz\ : usu. local death of body tissue — **ne·crot·ic** \-ˈkrät-ik\ *adj*

nec·tar \ˈnek-tər\ *n* **1** : the drink of the Greek and Roman gods; *also* : any delicious drink **2** : a sweet plant secretion tnat is the raw material of honey

nec·tar·ine \ˌnek-tə-ˈrēn\ *n* : a smooth-skinned peach

¹need \ˈnēd\ *n* **1** : OBLIGATION ⟨no ~ to hurry⟩ **2** : a lack of something requisite, desirable, or useful **3** : a condition requiring supply or relief ⟨when the ~ arises⟩ **4** : POVERTY ⟨help those in ~⟩ **syn** necessity, exigency

²need *vb* **1** : to be in want **2** : to have cause or occasion for : REQUIRE ⟨he ~s advice⟩ **3** : to be under obligation or necessity ⟨we ~ to know the truth⟩

need·ful \-fəl\ *adj* : NECESSARY, REQUISITE

¹nee·dle \ˈnēd-ᵊl\ *n* **1** : a slender pointed usu. steel implement used in sewing **2** : a slender rod (as for knitting, controlling a small opening, or transmitting vibrations to or from a recording) ⟨a phonograph ~⟩ **3** : a needle-shaped leaf (as of a pine) **4** : a slender bar of magnetized steel used in a compass; *also* : an indicator on a dial **5** : a slender hollow instrument by which material is introduced into or withdrawn from the body

²needle *vb* : PROD, GOAD; *esp* : to incite to action by repeated gibes

nee·dle·point \-ˌpȯint\ *n* **1** : lace worked with a needle over a paper pattern **2** : embroidery done on canvas across counted threads — **needlepoint** *adj*

need·less \ˈnēd-ləs\ *adj* : UNNECESSARY — **need·less·ly** *adv* — **need·less·ness** *n*

nee·dle·work \-ˌwərk\ *n* : work done with a needle; *esp* : work (as embroidery) other than plain sewing

needs \ˈnēdz\ *adv* : of necessity : NECESSARILY ⟨must ~ be recognized⟩

needy \ˈnēd-ē\ *adj* : being in want : POVERTY-STRICKEN

ne'er \ˈneər\ *adv* : NEVER

ne'er-do-well \ˈneərd-ü-ˌwel\ *n* : an idle worthless person — **ne'er-do-well** *adj*

ne·far·i·ous \ni-ˈfar-ē-əs\ *adj* : very wicked : EVIL — **ne·far·i·ous·ly** *adv*

ne·gate \ni-ˈgāt\ *vb* **1** : to deny the existence or truth of **2** : to cause to be ineffective or invalid : NULLIFY

ne·ga·tion \ni-ˈgā-shən\ *n* **1** : the action of negating : DENIAL **2** : a negative doctrine or statement : CONTRADICTION

¹neg·a·tive \ˈneg-ət-iv\ *adj* **1** : marked by denial, prohibition, or refusal ⟨a ~ reply⟩ **2** : not positive or constructive; *esp* : not affirming thc presence of what is sought or suspected to be present ⟨a ~ test⟩ **3** : less than zero ⟨a ~ number⟩ **4** : being or relating to the kind of electricity in silk when silk is used to rub glass; *also* : charged with negative electricity : having a preponderance of electrons ⟨a ~ particle⟩ **5** : having lights and shadows opposite to what they were in the original photographic subject — **neg·a·tive·ly** *adv*

²negative *n* **1** : a negative word or statement **2** : a negative vote or reply; *also* : REFUSAL **3** : something that is the opposite or negation of something else **4** : the side that votes or argues for the opposition (as in a debate) **5** : the platelike part to which the current flows from the external circuit in a

negativism

discharging storage battery **6** : a negative photographic image on transparent material
³**negative** *vb* **1** : to refuse to accept or approve **2** : to vote against : VETO **3** : DISPROVE
neg·a·tiv·ism *n* : an attitude of skepticism and denial of nearly everything affirmed or suggested by others
¹**ne·glect** \ni-'glekt\ *vb* **1** : DISREGARD **2** : to leave undone or unattended to esp. through carelessness **syn** omit, ignore, overlook, slight, forget
²**neglect** *n* **1** : an act or instance of neglecting something **2** : the condition of being neglected — **ne·glect·ful** \-fəl\ *adj*
neg·li·gent \'neg-li-jənt\ *adj* : marked by neglect **syn** neglectful, remiss — **neg·li·gence** \-jəns\ *n* — **neg·li·gent·ly** *adv*
neg·li·gi·ble \'neg-li-jə-bəl\ *adj* : fit to be neglected or disregarded : TRIFLING
ne·go·ti·ate \ni-'gō-shē-,āt\ *vb* **1** : to confer with another so as to arrive at the settlement of some matter; *also* : to arrange for or bring about by such conferences ⟨~ a treaty⟩ **2** : to transfer to another by delivery or endorsement in return for equivalent value ⟨~ a check⟩ **3** : to get through, around, or over successfully ⟨~ a turn⟩ — **ne·go·tia·ble** \-sh(ē-)ə-bəl\ *adj* — **ne·go·ti·a·tion** \ni-,gō-s(h)ē-'ā-shən\ *n* — **ne·go·ti·a·tor** \-'gō-shē-,āt-ər\ *n*
Ne·gro \'nē-grō\ *n, pl* **-groes** : a member of the black race — **Negro** *adj* — **ne·groid** \-,grȯid\ *n or adj, often cap*
¹**neigh·bor** \'nā-bər\ *n* [OE *nēahgebūr*, fr. *nēah* near, nigh + *gebūr* dweller] **1** : one living or located near another **2** : FELLOWMAN — often used as a term of address
²**neighbor** *vb* : to be next to or near to : border on
neigh·bor·hood \-,hu̇d\ *n* **1** : NEARNESS **2** : a place or region near : VICINITY; *also* : an approximate amount, extent, or degree ⟨costs in the ~ of $10⟩ **3** : the people living near one another **4** : a section lived in by neighbors and usu. having distinguishing characteristics
neigh·bor·ing \'nā-b(ə-)riŋ\ *adj* : living or being near : ADJOINING, ADJACENT
neigh·bor·ly \-bər-lē\ *adj* : befitting congenial neighbors; *esp* : FRIENDLY — **neigh·bor·li·ness** *n*
¹**nei·ther** \'nē-thər, 'nī-\ *pron* : neither one : not the one and not the other ⟨~ of the two⟩
²**neither** *conj* **1** : not either ⟨~ good nor bad⟩ **2** : NOR ⟨did I⟩
³**neither** *adj* : not either ⟨~ hand⟩
nel·son \'nel-sən\ *n* : a wrestling hold marked by the application of leverage against an opponent's arm, neck, and head
nem·e·sis \'nem-ə-səs\ *n, pl* **-e·ses** \-ə-,sēz\ **1** : one that inflicts retribution or vengeance **2** : a formidable and usu. victorious rival **3** : an act or effect of retribution; *also* : CURSE
neo·clas·sic \,nē-ō-'klas-ik\ *adj* : of or relating to a revival or adaptation of the classical style esp. in literature, art, or music — **neo·clas·si·cal** \-i-kəl\ *adj*
ne·o·dym·i·um \,nē-ō-'dim-ē-əm\ *n* : a metallic chemical element

304

nestling

ne·ol·o·gy \-jē\ *n* : the use of a new word or expression or of an established word in a new or different sense
ne·on \'nē-,än\ *n* : a gaseous chemical element that gives a reddish glow in a vacuum tube and is used in display signs
neo·na·tal \,nē-ō-'nāt-ᵊl\ *adj* : of, relating to, or affecting the newborn — **neo·na·tal·ly** *adv* — **neo·nate** \'nē-ō-,nāt\ *n*
neo·phyte \'nē-ə-,fīt\ *n* **1** : a new convert : PROSELYTE **2** : BEGINNER, NOVICE
neo·plasm \'nē-ō-,plaz-əm\ *n* : TUMOR — **neo·plas·tic** \,nē-ə-'plas-tik\ *adj*
neph·ew \'nef-yü, *chiefly Brit* 'nev-\ *n* : a son of one's brother, sister, brother-in-law, or sister-in-law
ne·phri·tis \ni-'frīt-əs\ *n* : kidney inflammation
nep·o·tism \'nep-ə-,tiz-əm\ *n* : favoritism (as in the distribution of political offices) shown to a relative
Nep·tune \'nep-,t(y)ün\ *n* : the 4th largest of the planets and the one 8th in order of distance from the sun
nep·tu·ni·um \nep-'t(y)ü-nē-əm\ *n* : a short-lived radioactive chemical element artificially produced as a by-product of plutonium
¹**nerve** \'nərv\ *n* **1** : one of the strands of nervous tissue that carry nervous impulses to and fro between the brain and spinal cord and every part of the body **2** : power of endurance or control : FORTITUDE; *also* : BOLDNESS, DARING **3** *pl* : NERVOUSNESS, HYSTERIA **4** : a vein of a leaf or insect wing — **nerve·less** \-ləs\ *adj*
²**nerve** *vb* : to give strength or courage to
nerve gas *n* : a war gas damaging esp. to the nervous and respiratory systems
nerve–rack·ing *or* **nerve–wrack·ing** \-,rak-iŋ\ *adj* : extremely trying on the nerves
ner·vous \'nər-vəs\ *adj* **1** : FORCIBLE, SPIRITED **2** : of, relating to, or made up of nerve cells or nerves **3** : easily excited or annoyed : JUMPY **4** : TIMID, APPREHENSIVE ⟨a ~ smile⟩ **5** : UNEASY, UNSTEADY — **ner·vous·ly** *adv* — **ner·vous·ness** *n*
nervy *adj* **1** : showing calm courage : BOLD **2** : marked by impudence or presumption : BRASH ⟨a ~ salesman⟩ **3** : EXCITABLE, NERVOUS
-ness \nəs\ *n suffix* : state : condition : quality : degree ⟨good*ness*⟩
¹**nest** \'nest\ *n* **1** : the bed or shelter prepared by a bird for its eggs and young **2** : a place where eggs (as of insects) are laid and hatched **3** : a place of rest, retreat, or lodging **4** : DEN, HANGOUT ⟨a ~ of thieves⟩ **5** : the occupants of a nest **6** : a series of objects (as bowls or tables) made to fit into or under the next larger one
²**nest** *vb* **1** : to build or occupy a nest **2** : to fit compactly together or within one another
nest egg *n* **1** : a natural or artificial egg left in a nest to induce a fowl to continue to lay there **2** : a fund of money accumulated as a reserve
nes·tle \'nes-əl\ *vb* **1** : to settle snugly or comfortably **2** : to settle, shelter, or house as if in a nest **3** : to press closely and affectionately : CUDDLE
nest·ling \'nest-liŋ\ *n* : a bird too young to leave its nest

net 305 **newspaper**

¹**net** \'net\ *n* **1** : a meshed fabric twisted, knotted, or woven together at regular intervals; *esp* : a device of net used esp. to catch birds, fish, or insects **2** : something made of net used esp. for protecting, confining, carrying, or dividing ⟨a tennis ∼⟩ **3** : SNARE, TRAP

²**net** *vb* **net·ted; net·ting 1** : to cover or enclose with or as if with a net **2** : to catch in or as if in a net

³**net** *adj* : free from all charges or deductions ⟨∼ bill⟩ ⟨∼ weight⟩

⁴**net** *vb* **net·ted; net·ting** : to gain or produce as profit : CLEAR, YIELD ⟨his business *netted* $8,000 a year⟩

⁵**net** *n* : a net amount, profit, weight, or price

neth·er \'neth-ər\ *adj* : situated down or below : LOWER ⟨the ∼ regions of the earth⟩

neth·er·world \-,wərld\ *n* **1** : the world of the dead **2** : UNDERWORLD

net·ting \'net-iŋ\ *n* **1** : NETWORK **2** : the act or process of making a net or network **3** : the act, process, or right of fishing with a net

¹**net·tle** \'net-ᵊl\ *n* : any of various coarse herbs with stinging hairs

²**nettle** *vb* : PROVOKE, VEX, IRRITATE

net·work \'net-,wərk\ *n* **1** : NET **2** : a system of elements (as lines or channels) that cross in the manner of the threads in a net **3** : a chain of radio or television stations

neu·ral \'n(y)ùr-əl\ *adj* : of, relating to, or involving a nerve or the nervous system

neu·ral·gia \n(y)ù-'ral-jə\ *n* : acute pain that follows the course of a nerve — **neu·ral·gic** \-jik\ *adj*

neu·ri·tis \n(y)ù-'rīt-əs\ *n* : inflammation of a nerve : nervous inflammation — **neu·rit·ic** \-'rit-ik\ *adj or n*

neu·rol·o·gy \n(y)ù-'räl-ə-jē\ *n* : scientific study of the nervous system — **neu·ro·log·i·cal** \,n(y)ùr-ə-'läj-i-kəl\ *adj* — **neu·rol·o·gist** \n(y)ù-'räl-ə-jəst\ *n*

neu·ron \'n(y)ü-,rän\ *also* **neu·rone** \-,rōn\ *n* : a nerve cell with all of its processes

neu·ro·sis \n(y)ù-'rō-səs\ *n, pl* **-ro·ses** \-'rō-,sēz\ : a functional nervous disorder without demonstrable physical lesions

¹**neu·rot·ic** \n(y)ù-'rät-ik\ *adj* : of, relating to, being, or affected with a neurosis; *also* : NERVOUS

²**neurotic** *n* : an emotionally unstable or neurotic person

¹**neu·ter** \'n(y)üt-ər\ *adj* **1** : of, relating to, or constituting the gender that includes most words or grammatical forms referring to things classed as neither masculine nor feminine **2** : having imperfectly developed or no sex organs

²**neuter** *n* **1** : a noun, pronoun, adjective, or inflectional form or class of the neuter gender; *also* : the neuter gender **2** : WORKER 2; *also* : a spayed or castrated animal

¹**neu·tral** \'n(y)ü-trəl\ *adj* **1** : not favoring either side in a quarrel, contest, or war **2** : of or relating to a neutral state or power **3** : being neither one thing nor the other : MIDDLING, INDIFFERENT **4** : having no hue : GRAY; *also* : not decided in color **5** : neither acid nor basic ⟨a ∼ solution⟩

²**neutral** *n* **1** : one that is neutral **2** : a neutral color **3** : the position of machine gears in which the motor imparts no motion

neu·tral·ism \-,iz-əm\ *n* : a policy or the advocacy of neutrality esp. in international affairs

neu·tral·i·ty \n(y)ü-'tral-ət-ē\ *n* **1** : the quality or state of being neutral **2** : the condition of being neutral in time of war that gives immunity from invasion or from use by belligerents

neu·tral·ize \'n(y)ü-trə-,līz\ *vb* : to render neutral; *esp* : COUNTERACT — **neu·tral·iza·tion** \,n(y)ü-trə-lə-'zā-shən\ *n*

neu·tri·no \n(y)ü-'trē-nō\ *n* : an uncharged elementary particle having less mass than the electron

neu·tron \'n(y)ü-,trän\ *n* : an uncharged elementary particle that is nearly equal in mass to the proton and that is present in all atomic nuclei except hydrogen

nev·er \'nev-ər\ *adv* **1** : not ever : at no time **2** : not in any degree, way, or condition

nev·er·more \,nev-ər-'mōr\ *adv* : never again

¹**new** \'n(y)ü\ *adj* **1** : not old : RECENT, MODERN **2** : different from the former **3** : recently discovered, recognized, or learned about ⟨∼ drugs⟩ **4** : not formerly known or experienced : UNFAMILIAR **5** : not accustomed ⟨∼ to the work⟩ **6** : beginning as a repetition of a previous act or thing ⟨a ∼ year⟩ **7** : REFRESHED, REGENERATED ⟨rest made a ∼ man of him⟩ **8** : being in a position or place for the first time ⟨a ∼ member⟩ **9** *cap* : having been in use after medieval times : MODERN ⟨*New* Latin⟩ **syn** novel, original, fresh

²**new** *adv* : NEWLY, RECENTLY ⟨*new*-mown hay⟩

new·born \-'bȯrn\ *adj* **1** : recently born **2** : born anew : REBORN ⟨∼ hope⟩

New Deal *n* : the legislative and administrative program of President F. D. Roosevelt designed to promote economic recovery and social reform during the 1930s — **New Deal·er** *n*

new·fan·gled \'n(y)ü-'faŋ-gəld\ *adj* **1** : attracted to novelty **2** : of the newest style : NOVEL

new·found \'n(y)ü-'faùnd\ *adj* : newly found

new·ly \'n(y)ü-lē\ *adv* **1** : LATELY, RECENTLY **2** : ANEW, AFRESH **3** : in a new way

new·ly·wed \-,wed\ *n* : one recently married

new moon *n* **1** : the phase of the moon with its dark side toward the earth **2** : the thin crescent moon seen for a few days after the new moon phase

new·ness \'n(y)ü-nəs\ *n* : the quality or state of being new

news \'n(y)üz\ *n* **1** : a report of recent events : TIDINGS **2** : material reported in a newspaper or news periodical or on a newscast

news·cast \-,kast\ *n* : a radio or television broadcast of news — **news·cast·er** *n*

news·let·ter \-,let-ər\ *n* : a newspaper containing news or information of interest chiefly to a special group

news·pa·per \-,pā-pər\ *n* : a paper that is printed and distributed at regular intervals and contains news, articles of opinion, features, and advertising

newsprint   306   **nimbus**

news·print \'n(y)üz-,print\ *n* : cheap machine-finished paper made chiefly from wood pulp and used mostly for newspapers

news·reel \-,rēl\ *n* : a short motion picture portraying current events

news·stand \-,stand\ *n* : a place where newspapers and periodicals are sold

news·wor·thy \-,wər-thē\ *adj* : sufficiently interesting to the general public to warrant reporting (as in a newspaper)

newsy \'n(y)ü-zē\ *adj* : filled with news; *esp* : CHATTY

newt \'n(y)üt\ *n* : any of various small salamanders living chiefly in the water

New World *n* : the western hemisphere; *esp* : the continental landmass of No. and So. America

New Year *n* : NEW YEAR'S DAY; *also* : the first days of the year

New Year's Day *n* : January 1 observed as a legal holiday

New Zea·land·er \n(y)ü-'zē-lən-dər\ *n* : a native or inhabitant of New Zealand

¹**next** \'nekst\ *adj* : immediately preceding or following : NEAREST

²**next** *adv* 1 : in the time, place, or order nearest or immediately succeeding 2 : on the first occasion to come

³**next** *prep* : nearest or adjacent to

nex·us \'nek-səs\ *n, pl* **nex·us·es** *or* **nexus** : CONNECTION, LINK

nib \'nib\ *n* : POINT; *esp* : a pen point

¹**nib·ble** \'nib-əl\ *vb* : to bite gently or bit by bit

²**nibble** *n* : a small or cautious bite

nice \'nīs\ *adj* 1 : FASTIDIOUS, DISCRIMINATING 2 : marked by delicate discrimination or treatment 3 : PLEASING, AGREEABLE; *also* : well-executed 4 : WELL-BRED (~ people) 5 : VIRTUOUS, RESPECTABLE — **nice·ly** *adv* — **nice·ness** *n*

nice·ty \'nī-sət-ē\ *n* 1 : a dainty, delicate, or elegant thing (enjoy the *niceties* of life) 2 : a fine detail (*niceties* of workmanship) 3 : EXACTNESS, PRECISION, ACCURACY

niche \'nich\ *n* 1 : a recess (as for a statue) in a wall 2 : a place, work, or use for which a person or thing is best fitted

niche

¹**nick** \'nik\ *n* 1 : a small groove : NOTCH 2 : CHIP (a ~ in a cup) 3 : the final critical moment (in the ~ of time)

²**nick** *vb* : NOTCH, CHIP

nick·el \'nik-əl\ *n* 1 : a hard silver-white metallic chemical element capable of a high polish and used in alloys 2 : the U.S. 5-cent piece made of copper and nickel; *also* : the Canadian 5-cent piece

nick·el·ode·on \,nik-ə-'lōd-ē-ən\ *n* 1 : a theater presenting entertainment for an admission price of five cents 2 : JUKEBOX

nickel silver *n* : a silver-white alloy of copper, zinc, and nickel

nick·name \'nik-,nām\ *n* 1 : a usu. descriptive name given instead of or in addition to the one belonging to a person, place, or thing 2 : a familiar form of a proper name — **nickname** *vb*

nic·o·tine \'nik-ə-,tēn\ *n* : a poisonous substance found in tobacco and used as an insecticide

nic·o·tin·ic acid \,nik-ə-,tē-nik-, -,tin-ik-\ *n* : an organic acid of the vitamin B complex found in plants and animals and used against pellagra

niece \'nēs\ *n* : a daughter of one's brother, sister, brother-in-law, or sister-in-law

nif·ty \'nif-tē\ *adj* : FINE, SWELL

Ni·ge·ri·an \nī-'jir-ē-ən\ *n* : a native or inhabitant of Nigeria — **Nigerian** *adj*

nig·gard \'nig-ərd\ *n* : a stingy person : MISER — **nig·gard·li·ness** *n* — **nig·gard·ly** *adv*

nig·gling \'nig-(ə-)liŋ\ *adj* 1 : PETTY 2 : demanding meticulous care

¹**nigh** \'nī\ *adv* 1 : near in place, time, or relationship 2 : NEARLY, ALMOST

²**nigh** *adj* : CLOSE, NEAR

³**nigh** *prep* : NEAR

night \'nīt\ *n* 1 : the period between dusk and dawn 2 : NIGHTFALL 3 : the darkness of night — **night** *adj*

night blindness *n* : reduced visual capacity in faint light (as at night)

night·cap \'nīt-,kap\ *n* 1 : a cloth cap worn with nightclothes 2 : a usu. alcoholic drink taken at bedtime

night·club \-,kləb\ *n* : a place of entertainment open at night usu. serving food and liquor and providing music for dancing

night crawler *n* : EARTHWORM; *esp* : a large earthworm found on the soil surface at night

night·fall \-,fol\ *n* : the coming of night

night·gown \-,gaùn\ *n* : a loose garment designed for wear in bed

night·hawk \-,hok\ *n* 1 : any of several birds related to and resembling the whippoorwill 2 : a person who habitually stays up late at night

night·in·gale \'nīt-ᵊn-,gāl\ *n* : any of several Old World thrushes noted for the sweet nocturnal song of the male

night·ly \'nīt-lē\ *adj* 1 : of or relating to the night or every night 2 : happening, done, or produced by night or every night — **nightly** *adv*

night·mare \-,maər\ *n* : a frightening oppressive dream or state occurring during sleep

night·shade \-,shād\ *n* : any of a large group of woody or herbaceous plants having alternate leaves, flowers in clusters, and fruits that are berries and including poisonous forms (as belladonna) and important food plants (as potato, tomato, or eggplant)

night·shirt \-,shərt\ *n* : a nightgown esp. for a man or a boy

night·stick \-,stik\ *n* : a policeman's club

night·time \'nīt-,tīm\ *n* : the time from dusk to dawn

nil \'nil\ *n* : NOTHING, ZERO

nim·ble \'nim-bəl\ *adj* 1 : quick and light in motion : AGILE (a ~ dancer) 2 : quick in understanding and learning : CLEVER (a ~ mind) — **nim·ble·ness** *n* — **nim·bly** \-blē\ *adv*

nim·bus \'nim-bəs\ *n, pl* **-bi** \-,bī, -,bē\ *or* **-bus·es** 1 : a figure (as a disk) sug-

nincompoop   307   **noise**

gesting radiant light about the head of a drawn or sculptured divinity, saint, or sovereign **2** : a rain cloud that is of uniform grayness and extends over the entire sky **3** : a cloud from which rain is falling

nin·com·poop \'nin-kəm-ˌpüp\ *n* : FOOL, SIMPLETON

nine \'nīn\ *n* **1** : one more than eight **2** : the 9th in a set or series **3** : something having nine units; *esp* : a baseball team — **nine** *adj or pron* — **ninth**

nine·teen \'nīn-'tēn\ *n* : one more than 18 — **nineteen** *adj or pron* — **nine·teenth** \-'tēnth\ *adj or n*

nine·ty \'nīnt-ē\ *n* : nine times 10 — **nine·ti·eth** \-ē-əth\ *adj or n* — **ninety** *adj or pron*

nin·ny \'nin-ē\ *n* : FOOL, SIMPLETON

ni·o·bi·um \nī-'ō-bē-əm\ *n* : a gray metallic chemical element used in alloys

¹**nip** \'nip\ *vb* **nipped; nip·ping 1** : to catch hold of and squeeze tightly between two surfaces, edges, or points : PINCH, BITE, CLAMP **2** : CLIP **3** : to destroy the growth, progress, or fulfillment of ⟨*nipped* in the bud⟩ **4** : to injure or make numb with cold : CHILL **5** : SNATCH, STEAL

²**nip** *n* **1** : a sharp stinging cold **2** : a biting or pungent flavor **3** : PINCH, BITE **4** : a small portion : BIT

³**nip** *n* : a small quantity of liquor ⟨takes a ~ now and then⟩

⁴**nip** *vb* **nipped; nip·ping** : to take liquor in nips : TIPPLE

nip·per \'nip-ər\ *n* **1** : one that nips **2** *pl* : PINCERS **3** : CHELA

nip·ple \'nip-əl\ *n* : the protuberance of a mammary gland through which milk is drawn off : TEAT; *also* : something resembling a nipple in form or function

nip·py \'nip-ē\ *adj* **1** : PUNGENT, SHARP **2** : CHILLY, CHILLING

nir·va·na \nir-'vän-ə\ *n, often cap* [Skt *nirvāna*, lit., extinction, fr. *nis*-, *nir*- out + *vāti* it blows] **1** : the final freeing of a soul from all that enslaves it; *esp* : the supreme happiness that according to Buddhism comes when all passion, hatred, and delusion die out and the soul is released from the necessity of further purification **2** : OBLIVION, PARADISE

nit \'nit\ *n* : the egg of a parasitic insect (as a louse); *also* : the young insect

ni·trate \'nī-ˌtrāt\ *n* **1** : a salt or ester of nitric acid **2** : sodium nitrate or potassium nitrate used as a fertilizer

ni·tric acid \ˌnī-trik-\ *n* : a corrosive liquid used in making dyes, explosives, and fertilizers

ni·tro·gen \'nī-trə-jən\ *n* : a tasteless odorless gaseous chemical element constituting 78 percent of the atmosphere by volume — **ni·tric** \'nī-trik\ *adj* — **ni·trog·e·nous** \nī-'träj-ə-nəs\ *adj* — **ni·trous** \'nī-trəs\ *adj*

ni·tro·glyc·er·in *or* **ni·tro·glyc·er·ine** \ˌnī-trō-'glis-(ə-)rən\ *n* : a heavy oily explosive liquid used in making dynamite and in medicine

nit·wit \'nit-ˌwit\ *n* : a flighty stupid person

¹**nix** \'niks\ *n, slang* : NOTHING

²**nix** *adv, slang* : NO — used to express disagreement or the withholding of permission

¹**no** \(')nō\ *adv* **1** — used to express the negative of an alternative choice or possibility ⟨shall we continue or ~⟩ **2** : in no respect or degree ⟨he is ~ better than the others⟩ **3** : not so ⟨~, I'm not ready⟩ **4** — used with a following adjective to imply a meaning expressed by the opposite positive statement ⟨in ~ uncertain terms⟩ **5** — used to emphasize a following negative or to introduce a more emphatic or explicit statement ⟨has the right, ~, the duty, to continue⟩ **6** — used as an interjection to express surprise or doubt ⟨~ — you don't say⟩

²**no** *adj* **1** : not any; *also* : hardly any **2** : not a ⟨he's ~ expert⟩

³**no** \'nō\ *n, pl* **noes** *or* **nos 1** : REFUSAL, DENIAL **2** : a negative vote or decision; *also, pl* : persons voting in the negative

no·bel·i·um \nō-'bel-ē-əm\ *n* : a radioactive chemical element produced artificially

No·bel prize \nō-'bel-\ *n* : any of various annual prizes (as in peace, literature, or medicine) established by the will of Alfred Nobel for the encouragement of persons who work for the interests of humanity

no·bil·i·ty \nō-'bil-ət-ē\ *n* **1** : NOBLENESS ⟨~ of character⟩ **2** : noble rank **3** : nobles considered as forming a class or group

¹**no·ble** \'nō-bəl\ *adj* **1** : ILLUSTRIOUS; *also* : FAMOUS, NOTABLE **2** : of high birth, rank, or station : ARISTOCRATIC **3** : EXCELLENT **4** : STATELY, IMPOSING ⟨a ~ edifice⟩ **5** : of a magnanimous nature — **no·ble·ness** *n* — **no·bly**

²**noble** *n* : a person of noble rank or birth

no·ble·man \'nō-bəl-mən\ *n* : a member of the nobility : PEER

¹**no·body** \'nō-ˌbäd-ē\ *pron* : no person

²**nobody** *n* : a person of no influence, importance, or worth

noc·tur·nal \näk-'tərn-ᵊl\ *adj* **1** : of, relating to, or occurring in the night ⟨a ~ journey⟩ **2** : active at night ⟨a ~ bird⟩ — **noc·tur·nal·ly** *adv*

noc·turne \'näk-ˌtərn\ *n* : a work of art dealing with night; *esp* : a dreamy pensive instrumental composition

noc·u·ous \'näk-yə-wəs\ *adj* : likely to cause injury : HARMFUL

nod \'näd\ *vb* **nod·ded nod·ding 1** : to bend the head downward or forward (as in bowing or going to sleep or as a sign of assent) **2** : to move up and down ⟨the tulips *nodded* in the breeze⟩ **3** : to show by a nod of the head ⟨~ agreement⟩ **4** : to make a slip or error in a moment of abstraction — **nod** *n*

nod·dle \'näd-ᵊl\ *n* : HEAD

node \'nōd\ *n* : a thickened, swollen, or differentiated area (as of tissue); *esp* : the part of a stem from which a leaf arises

nod·ule \'näj-ül\ *n* : a small lump or swelling — **nod·u·lar** \'näj-ə-lər\ *adj*

no·el \nō-'el\ *n* **1** : a Christmas carol **2** *cap* : the Christmas season

nog·gin \'näg-ən\ *n* **1** : a small mug or cup; *also* : a small quantity of drink usu. equivalent to a gill **2** : a person's head

¹**noise** \'nȯiz\ *n* **1** : loud, confused, or senseless shouting or outcry **2** : SOUND; *esp* : one that lacks agreeable musical quality or is noticeably unpleasant — **noise·less** \-ləs\ *adj* — **noise·less·ly** *adv*

²noise *vb* : to spread by rumor or report
noise·mak·er \-,mā-kər\ *n* : one that makes noise; *esp* : a device used to make noise at parties
noi·some \'nȯi-səm\ *adj* **1** : HARMFUL, UNWHOLESOME **2** : offensive to the senses (as smell) : DISGUSTING
noisy \'nȯi-zē\ *adj* : making loud noises : full of noises : LOUD — **nois·i·ly** *adv* — **nois·i·ness** *n*
no·mad \'nō-,mad\ *n* **1** : one of a people that has no fixed location but wanders from place to place **2** : an individual who roams about aimlessly — **nomad** *adj* — **no·mad·ic** \nō-'mad-ik\ *adj*
no-man's-land \'nō-,manz-,land\ *n* **1** : an area of unowned, unclaimed, or uninhabited land **2** : an unoccupied area between opposing troops
no·men·cla·ture \'nō-mən-,klā-chər\ *n* **1** : NAME, DESIGNATION **2** : a system of names used in a science or art
nom·i·nal \'näm-ən-ᵊl\ *adj* **1** : being something in name or form only ⟨~ head of a party⟩ **2** : TRIFLING, INSIGNIFICANT ⟨a ~ price⟩ — **nom·i·nal·ly** *adv*
nom·i·nate \'näm-ə-,nāt\ *vb* : to choose as a candidate for election, appointment, or honor : DESIGNATE, NAME — **nom·i·na·tion** \,näm-ə-'nā-shən\ *n*
nom·i·na·tive \'näm-(ə-)nət-iv\ *adj* : of, relating to, or constituting a grammatical case marking typically the subject of a verb — **nominative** *n*
nom·i·nee \,näm-ə-'nē\ *n* : a person nominated for an office, duty, or position
non- \(')nän, ,nän\ *prefix* : not : reverse of : absence of

nonabrasive
nonabsorbent
nonacademic
nonacceptance
nonactive
nonadherence
nonadhesive
nonadjustable
nonadministrative
nonalcoholic
nonappearance
nonaromatic
nonathletic
nonattendance
nonattributive
nonbeliever
nonbreakable
nonburning
noncellular
nonchargeable
nonclerical
noncombat
noncombustible
noncommercial
noncommunicable
noncompeting
noncompetitive
noncompliance
nonconcurrent
nonconducting
nonconflicting
nonconformance
nonconforming
nonconstructive
noncontagious
noncontinuous
noncontraband
noncontributing
nonexistent
nonexplosive
nonfarm
nonfattening
nonferrous
nonfiction
nonfictional
nonfilterable
nonflammable
nonfreezing
nonfulfillment
nonfunctional
nonhereditary
nonhomogeneous
nonhomologous
nonhuman
nonindustrial
noninfectious
noninflammable
nonintercourse
noninterference
nonintoxicating
nonionized
nonirritating
nonlegal
nonlinear
nonliterary
nonliving
nonmagnetic
nonmalignant
nonmarketable
nonmaterial
nonmember
nonmembership
nonmigratory
nonmilitary
nonmoral
nonmotile
noncorroding
noncorrosive
noncrystalline
nondeductible
nondelivery
nondemocratic
nondenominational
nondepartmental
nondevelopment
nondiscrimination
nondistinctive
nondistribution
nondivided
nondurable
noneducational
nonelastic
nonelection
nonelective
nonemotional
nonenforceable
nonenforcement
nonessential
nonethical
nonexchangeable
nonexempt
nonexistence
nonreciprocal
nonrecoverable
nonrecurrent
nonrecurring
nonreligious
nonremovable
nonrenewable
nonrestricted
nonreturnable
nonreversible
nonsalable
nonscientific
nonscientist
nonseasonal
nonsectarian
nonsegregated
nonselective
non-self-governing
nonseptate
nonsexual
nonsinkable
nonsmoker
nonsocial
nonspeaking
nonspecialized
nonmoving
nonnegotiable
nonobservance
nonoccurrence
nonofficial
nonoily
nonorthodox
nonparallel
nonparasitic
nonparticipant
nonparticipating
nonpathogenic
nonpaying
nonperformance
nonperishable
nonpermanent
nonphysical
nonpoisonous
nonpolitical
nonporous
nonproductive
nonprofessional
nonprotein
nonradioactive
nonrandom
(continued)
nonstaining
nonstriated
nonstriker
nonsubscriber
nonsustaining
nontaxable
nontechnical
nontheistic
nontoxic
nontransferable
nontransparent
nontypical
nonuniform
nonuser
nonvascular
nonvenomous
nonviable
nonviolation
nonviolent
nonvocal
nonvoter
nonvoting
nonwhite
nonworker
nonworking

non·age \'nän-ij, 'nō-nij\ *n* **1** : legal minority **2** : a period of youth **3** : IMMATURITY
no·na·ge·nar·i·an \,nō-nə-jə-'ner-ē-ən, ,nän-ə-\ *n* : a person who is in his nineties
¹nonce \'näns\ *n* : the one, particular, or present occasion or purpose ⟨for the ~⟩
²nonce *adj* : occurring, used, or made only once or for a special occasion ⟨~ word⟩
non·cha·lant \,nän-shə-'länt\ *adj* [F, fr. OF, prp. of *nonchaloir* to disregard, fr. *non* not + *chaloir* to be important, fr. L *calēre* to be hot] : having a confident and easy manner : unconcerned about drawing attention to oneself : CASUAL — **non·cha·lance** \-'läns\ *n* — **non·cha·lant·ly** *adv*
non·com·bat·ant \,nän-kəm-'bat-ᵊnt, nän-'käm-bət-ənt\ *n* : a member (as a chaplain) of the armed forces whose duties do not include fighting; *also* : CIVILIAN — **noncombatant** *adj*
non·com·mis·sioned officer \,nän-kə-,mish-ənd-\ *n* : a subordinate officer

noncommittal in a branch of the armed forces appointed from enlisted personnel and holding one of various grades (as staff sergeant)

non·com·mit·tal \,nän-kə-'mit-ᵊl\ *adj* : indicating neither consent nor dissent

non·con·duc·tor \,nän-kən-'dək-tər\ *n* : a substance that is a very poor conductor of heat, electricity, or sound

non·con·form·ist \,nän-kən-'fȯr-məst\ *n* **1** *often cap* : a person who does not conform to an established church and esp. the Church of England **2** : a person who does not conform to a generally accepted pattern of thought or action — **non·con·for·mi·ty** \-'fȯr-mət-ē\ *n*

non·con·trib·u·to·ry \,nän-kən-'trib-yə-,tōr-ē\ *adj* : paid for entirely by an employer : not involving payments by employees ⟨~ pension plan⟩

non·co·op·er·a·tion \,nän-kō-,äp-ə-'rā-shən\ *n* : failure or refusal to cooperate; *esp* : refusal through civil disobedience of a people to cooperate with the government of a country

non·de·script \,nän-di-'skript\ *adj* : not belonging to any particular class or kind : not easily described

¹none \'nən\ *pron* **1** : not any ⟨~ of them went⟩ ⟨~ of it is needed⟩ **2** : not one ⟨~ of the family⟩ **3** : not any such thing or person ⟨half a loaf is better than ~⟩

²none *adj, archaic* : not any : NO

³none *adv* : by no means : not at all ⟨he got there ~ too soon⟩

non·en·ti·ty \nä-'nent-ət-ē\ *n* **1** : something that does not exist or exists only in the imagination **2** : one of no consequence or significance

none·such \'nən-,səch\ *n* : a person or thing without an equal — **nonesuch** *adj*

none·the·less \,nən-t͟hə-'les\ *adv* : NEVERTHELESS

non·in·ter·ven·tion \,nän-,int-ər-'ven-chən\ *n* : refusal or failure to intervene (as in the affairs of another state)

non·met·al \'nän-'met-ᵊl\ *n* : a chemical element (as carbon, phosphorus, nitrogen, or oxygen) that lacks metallic properties — **non·me·tal·lic** \,nän-mə-'tal-ik\ *adj*

¹non·pa·reil \,nän-pə-'rel\ *adj* : having no equal : PEERLESS

²nonpareil *n* **1** : an individual of unequaled excellence : PARAGON **2** : a small flat disk of chocolate covered with white sugar pellets

non·par·ti·san \'nän-'pärt-ə-zən\ *adj* : not partisan; *esp* : not influenced by political party spirit or interests

non·prof·it \'nän-'präf-ət\ *adj* : not conducted or maintained for the purpose of making a profit ⟨a ~ organization⟩

non·res·i·dent \'nän-'rez-əd-ənt\ *adj* : not living in a specified or implied place — **non·res·i·dence** \-əd-əns\ *n* — **nonresident** *n*

non·re·sis·tance \,nän-ri-'zis-təns\ *n* : the principles or practice of passive submission to authority even when unjust or oppressive

non·re·stric·tive \,nän-ri-'strik-tiv\ *adj* **1** : not serving or tending to restrict **2** : not limiting the reference of the word or phrase modified ⟨a ~ clause⟩

non·sched·uled \'nän-'skej-üld\ *adj* : licensed to carry passengers or freight by air without a regular schedule

non·sense \'nän-,sens, -səns\ *n* **1** : foolish or meaningless words or actions **2** : things of no importance or value : TRIFLES — **non·sen·si·cal** \nän-'sen-si-kəl\ *adj*

non sequitur \nän-'sek-wət-ər\ *n* : an inference that does not follow from the premises

non·skid \'nän-'skid\ *adj* : having the tread corrugated or specially constructed to resist skidding

non·stop \'nän-'stäp\ *adj* : done or made without a stop — **nonstop** *adv*

non·sup·port \,nän-sə-'pōrt\ *n* : failure to support; *esp* : failure on the part of one under obligation to provide maintenance

non·union \'nän-'yü-nyən\ *adj* **1** : not belonging to a trade union ⟨~ carpenters⟩ **2** : not recognizing or favoring trade unions or their members ⟨~ employers⟩

noo·dle \'nüd-ᵊl\ *n* : a food like macaroni but shaped into long flat strips and made with egg — usu. used in pl.

nook \'nu̇k\ *n* **1** : an interior angle or corner formed usu. by two walls ⟨a chimney ~⟩ **2** : a sheltered or hidden place ⟨a shady ~⟩

noon \'nün\ *n* : the middle of the day : 12 o'clock in the daytime — **noon** *adj*

noon·day \-,dā\ *n* : NOON, MIDDAY

no one *pron* : NOBODY

noose \'nüs\ *n* : a loop with a running knot (as in a lasso) that binds closer the more it is drawn

no-par \,nō-,pär\ *adj* : having no nominal value ⟨~ stock⟩

nor \nər, (')nȯr\ *conj* : and not ⟨not for you ~ for me⟩ — used esp. to introduce and negate the second member and each later member of a series of items preceded by *neither* ⟨neither here ~ there⟩

Nor·dic \'nȯrd-ik\ *adj* **1** : of or relating to the Germanic peoples of northern Europe and esp. of Scandinavia **2** : of or relating to a physical type characterized by tall stature, long head, light skin and hair, and blue eyes — **Nordic** *n*

norm \'nȯrm\ *n* : AVERAGE, STANDARD; *esp* : a set standard of development or achievement usu. derived from the average or median achievement of a large group

¹nor·mal \'nȯr-məl\ *adj* **1** : REGULAR, STANDARD, NATURAL **2** : of average intelligence; *also* : sound in mind and body — **nor·mal·cy** \-sē\ *n* — **nor·mal·i·ty** \nȯr-'mal-ət-ē\ *n* — **nor·mal·ly** \'nȯr-mə-lē\ *adv*

²normal *n* **1** : one that is normal **2** : the usual condition, level, or quantity : AVERAGE

nor·mal·ize \'nȯr-mə-,līz\ *vb* : to make normal or average

normal school *n* : a school for training chiefly elementary teachers

Norse \'nȯrs\ *n*, *pl* **Norse** : SCANDINAVIANS; *also* : NORWEGIANS **2** : NORWEGIAN; *also* : any of the western Scandinavian dialects or languages

¹north \'nȯrth\ *adv* : to or toward the north

²north *adj* **1** : situated toward or at the north **2** : coming from the north

³north *n* **1** : the direction to the left of one facing east **2** : the compass point directly opposite to south **3** *cap* : regions or countries north of a specified or implied point — **north·er·ly** \'nȯrth-ər-lē\ *adv or adj* — **north·ern** \-ərn\ *adj* — **North·ern·er** \-ə(r)n-ər\ *n* — **north·ern·most** \-ərn-ˌmōst\ *adj* — **north·ward** \'nȯrth-wərd\ *adv or adj* — **north·wards** *adv*

north·east \nȯrth-'ēst\ *n* **1** : the general direction between north and east **2** : the compass point midway between north and east **3** *cap* : regions or countries northeast of a specified or implied point — **northeast** *adj or adv* — **north·east·er·ly** \-ər-lē\ *adv or adj* — **north·east·ern** \-ərn\ *adj*

north·east·er \-ər\ *n* : a storm or strong wind from the northeast

northern lights *n pl* : AURORA BOREALIS

north pole *n, often cap N & P* : the northernmost point of the earth

North Star *n* : the star toward which the northern end of the earth's axis very nearly points

north·west \nȯrth-'west\ *n* **1** : the general direction between north and west **2** : the compass point midway between north and west **3** *cap* : regions or countries northwest of a specified or implied point — **northwest** *adj or adv* — **north·west·er·ly** \-ər-lē\ *adv or adj* — **north·west·ern** \-ərn\ *adj*

Nor·we·gian \nȯr-'wē-jən\ *n* **1** : a native or inhabitant of Norway **2** : the language of Norway — **Norwegian** *adj*

¹nose \'nōz\ *n* **1** : the part of the face containing the nostrils and covering the front of the nasal cavity **2** : the organ or sense of smell **3** : something (as a point, edge, or projecting front part) that resembles a nose ⟨the ~ of a plane⟩

²nose *vb* **1** : to detect by or as if by smell : SCENT **2** : to push or move with the nose **3** : to touch or rub with the nose : NUZZLE **4** : to defeat by a narrow margin in a contest ⟨*nosed* out his opponent⟩ **5** : PRY **6** : to move ahead slowly ⟨the ship *nosed* into her berth⟩

nose·bleed \-ˌblēd\ *n* : a bleeding from the nose

nose cone *n* : a protective cone constituting the forward end of a rocket or missile

nose dive *n* **1** : a downward nose-first plunge (as of an airplane) **2** : a sudden extreme drop (as in prices)

nose·gay \'nōz-ˌgā\ *n* : a small bunch of flowers : POSY

nose·piece \-ˌpēs\ *n* **1** : a piece of armor for protecting the nose **2** : a fitting at the lower end of a microscope tube to which the objectives are attached

no–show \'nō-'shō\ *n* : a person who reserves space esp. on an airplane but neither uses nor cancels the reservation

nos·tal·gia \nä-'stal-jə, nə-\ *n* [NL, fr. Gk *nostos* return home + *algos* pain, grief] **1** : HOMESICKNESS **2** : a wistful yearning for something past or irrecoverable — **nos·tal·gic** \-jik\ *adj*

nos·tril \'näs-trəl\ *n* : an external naris usu. with the adjoining nasal wall and passage

nosy \'nō-zē\ *adj* : INQUISITIVE, PRYING

not \(')nät\ *adv* **1** — used to make negative a group of words or a word ⟨the boys are ~ here⟩ **2** — used to stand for the negative of a preceding group of words ⟨sometimes hard to see and sometimes ~⟩

no·ta be·ne \ˌnōt-ə-'ben-ē\ — used to call attention to something important

no·ta·bil·i·ty \ˌnōt-ə-'bil-ət-ē\ *n* **1** : the quality or state of being notable **2** : a notable or prominent person

¹no·ta·ble \'nōt-ə-bəl\ *adj* **1** : NOTEWORTHY, REMARKABLE **2** : DISTINGUISHED, PROMINENT — **no·ta·bly** *adv*

²notable *n* : a person of note or of great reputation

no·ta·rize \'nōt-ə-ˌrīz\ *vb* : to acknowledge or make legally authentic as a notary public

no·ta·ry public \ˌnōt-ə-rē-\ *n, pl* **notaries public** *or* **notary publics** : a public official who attests or certifies writings (as deeds) to make them legally authentic

no·ta·tion \nō-'tā-shən\ *n* **1** : ANNOTATION, NOTE **2** : the act, process, or method of representing data by marks, signs, figures, or characters; *also* : a system of symbols (as letters, numerals, or musical notes) used in such notation

¹notch \'näch\ *n* **1** : a V-shaped hollow in an edge or surface **2** : a narrow pass between two mountains

²notch *vb* **1** : to cut or make notches in **2** : to score or record by or as if by cutting a series of notches ⟨~ed 20 points for the team⟩

¹note \'nōt\ *vb* **1** : to notice or observe with care; *also* : to record or preserve in writing **2** : to make special mention of : REMARK

²note *n* **1** : a musical sound **2** : a cry, call, or sound esp. of a bird **3** : a special tone in a person's words or voice ⟨a ~ of fear⟩ **4** : a character in music used to indicate duration of a tone by its shapes and pitch by its position on the staff **5** : a characteristic feature : MOOD, QUALITY ⟨a ~ of optimism⟩ **6** : MEMORANDUM **7** : a brief and informal record; *also* : a written or printed comment or explanation **8** : a written promise to pay a debt **9** : a piece of paper money **10** : a short informal letter **11** : a formal diplomatic or official communication **12** : DISTINCTION, REPUTATION ⟨a man of ~⟩ **13** : OBSERVATION, NOTICE, HEED ⟨take ~ of the exact time⟩

note·book \-ˌbuk\ *n* : a book for notes or memoranda

not·ed \'nōt-əd\ *adj* : well known by reputation : EMINENT, CELEBRATED, FAMOUS

note·wor·thy \'nōt-ˌwər-thē\ *adj* : worthy of note : REMARKABLE

¹noth·ing \'nəth-iŋ\ *pron* **1** : no thing ⟨leaves ~ to the imagination⟩ **2** : no part **3** : one of no interest, value, or importance ⟨she's ~ to me⟩

²nothing *adv* : not at all : in no degree ⟨~ daunted by his fall, he got up and continued the race⟩

³nothing *n* **1** : something that does not exist **2** : ZERO **3** : a person or thing of little or no value or importance

noth·ing·ness \-nəs\ *n* **1** : the quality or state of being nothing **2** : NONEXISTENCE; *also* : utter insignificance **3** : something insignificant or valueless

¹no·tice \'nōt-əs\ *n* **1** : WARNING, ANNOUNCEMENT **2** : notification of the termination of an agreement or contract at a specified time **3** : ATTENTION,

noticeable 311 number

HEED ⟨brought the matter to my ~⟩ **4** : a written or printed announcement ⟨see the ~ on the door⟩ ⟨obituary ~⟩ **5** : a short critical account or examination (as of a play) : REVIEW

²**notice** vb **1** : to make mention of : remark on : NOTE **2** : to take notice of : OBSERVE, MARK

no·tice·able \-ə-bəl\ adj **1** : worthy of notice **2** : capable of being or likely to be noticed — **no·tice·ably** \-blē\ adv

no·ti·fy \'nōt-ə-ˌfī\ vb **1** : to give notice of : report the occurrence of **2** : to give notice to : INFORM — **no·ti·fi·ca·tion** \ˌnōt-ə-fə-'kā-shən\ n

no·tion \'nō-shən\ n **1** : IDEA, CONCEPTION ⟨have a ~ of what he means⟩ **2** : a belief held : OPINION, VIEW **3** : WHIM, FANCY ⟨a sudden ~ to go⟩ **4** pl : small useful articles (as pins, needles, or thread)

no·tion·al \'nō-sh(ə-)nəl\ adj **1** : existing in the mind only : IMAGINARY, UNREAL **2** : given to foolish or fanciful moods or ideas : WHIMSICAL

no·to·ri·ous \nō-'tōr-ē-əs\ adj : generally known and talked of; esp : widely and unfavorably known — **no·to·ri·ety** \ˌnōt-ə-'rī-ət-ē\ n — **no·to·ri·ous·ly** \nō-'tōr-ē-əs-lē\ adv

¹**not·with·stand·ing** \ˌnät-with-'stan-diŋ\ prep : in spite of

²**notwithstanding** adv : NEVERTHELESS, HOWEVER

³**notwithstanding** conj : ALTHOUGH

nou·gat \'nü-gət\ n : a confection of nuts or fruit pieces in a sugar paste

noun \'naun\ n : a word that is the name of a subject of discourse (as a person or place)

nour·ish \'nər-ish\ vb : to cause to grow and develop (as by care and feeding)

nour·ish·ing adj : giving nourishment

nour·ish·ment \-ish-mənt\ n **1** : FOOD, NUTRIMENT **2** : the action or process of nourishing

no·va \'nō-və\ n, pl **novas** or **no·vae** \-(ˌ)vē\ : a star that suddenly increases greatly in brightness and then within a few months or years grows dim again

¹**nov·el** \'näv-əl\ adj **1** : having no precedent : NEW **2** : STRANGE, UNUSUAL

²**novel** n : a long invented prose narrative dealing with human experience through a connected sequence of events — **nov·el·ist** \-ə-ləst\ n

nov·el·ty \'näv-əl-tē\ n **1** : something new or unusual **2** : NEWNESS **3** : a small manufactured article intended mainly for personal or household adornment — usu. used in pl.

No·vem·ber \nō-'vem-bər\ n : the 11th month of the year having 30 days

no·ve·na \nō-'vē-nə\ n : a Roman Catholic nine days' devotion

nov·ice \'näv-əs\ n **1** : a new member of a religious order who is preparing to take the vows of religion **2** : one who i inexperienced or untrained

¹**now** \(')nau\ adv **1** : at the present time or moment **2** : in the time immediately before the present **3** : FORTHWITH **4** — used with the sense of present time weakened or lost (as to express command, introduce an important point, or indicate a transition) ⟨~ this would be treason⟩ **5** : SOMETIMES ⟨~ one and ~ another⟩ **6** : under the present circumstances **7** : at the time referred to

²**now** conj : in view of the fact ⟨~ that you're here, we'll start⟩

³**now** \'nau\ n : the present time or moment : PRESENT

now·a·days \'nau-ə-ˌdāz\ adv : at the present time

no·where \-ˌhweər\ adv : not anywhere : in, at, or to no place — **nowhere** n

nowhere near adv : not nearly

nox·ious \'näk-shəs\ adj : harmful esp. to health or morals

noz·zle \'näz-əl\ n : a projecting part with an opening for an outlet ⟨the ~ of a gun⟩; esp : a tube on a hose to direct flow of liquid

nth \'enth\ adj **1** : numbered with an unspecified or indefinitely large ordinal number **2** : EXTREME, UTMOST ⟨to the ~ degree⟩

nu·ance \'n(y)ü-ˌäns, n(y)ü-'äns\ n : a shade of difference : a delicate variation (as in color, tone, or meaning)

nub \'nəb\ n **1** : KNOB, LUMP **2** : GIST, POINT ⟨the ~ of the story⟩

nub·ble \'nəb-əl\ n : a small knob or lump : a projecting bit (as of yarn in a rough-textured fabric) — **nub·bly**

nu·bile \'n(y)ü-bəl, -ˌbīl\ adj : of marriageable condition or age ⟨~ girls⟩

nu·cle·ar \'n(y)ü-klē-ər\ adj **1** : of, relating to, or constituting a nucleus **2** : of, relating to, or utilizing the atomic nucleus, atomic energy, the atom bomb, or atomic power

nu·cle·ic acid \n(y)ü-ˌklē-ik-\ n : any of various complex organic acids found esp. in cell nuclei

nu·cle·us \'n(y)ü-klē-əs\ n, pl **-clei** \-klē-ˌī\ also **-cle·us·es** [L, kernel, fr. nuc-, nux nut] **1** : a central mass or part about which matter gathers or is collected : CORE **2** : the part of a cell that contains chromosomes and is the seat of the mechanisms of heredity **3** : the central part of an atom that comprises nearly all of the atomic mass

¹**nude** \'n(y)üd\ adj : BARE, NAKED, UNCLOTHED — **nu·di·ty** \'n(y)üd-ət-ē\ n

²**nude** n **1** : a nude human figure esp. as depicted in art **2** : the condition of being nude ⟨in the ~⟩

nudge \'nəj\ vb : to touch or push gently (as with the elbow) usu. in order to seek attention — **nudge** n

nud·ism \'n(y)üd-ˌiz-əm\ n : the cult o. practice of living unclothed — **nud·ist**

nu·ga·to·ry \'n(y)ü-gə-ˌtōr-ē\ adj **1** : INCONSEQUENTIAL, WORTḺESS **2** : having no force : INOPERAT'E

nug·get \'nəg-ət\ n : a lump of precious metal (as gold)

nui·sance \'n(y)üs-ᵊns\ n : an annoying or troublesome person or thing

null \'nəl\ adj **1** : having no legal or binding force : INVALID, VOID **2** : amounting to nothing **3** : INSIGNIFICANT — **nul·li·ty** \'nəl-ət-ē\ n

null and void adj : having no force, binding power, or validity

nul·li·fy \'nəl-ə-ˌfī\ vb : to make null or valueless; also : ANNUL — **nul·li·fi·ca·tion** \ˌnəl-ə-fə-'kā-shən\ n

numb \'nəm\ adj : lacking sensation or emotion : BENUMBED — **numb** vb — **numb·ly** \'nəm-lē\ adv — **numb·ness** n

¹**num·ber** \'nəm-bər\ n **1** : the total of individuals or units taken together

2 : a group or aggregate not specif. enumerated ⟨a small ~ of tickets remain unsold⟩ **3** : a numerable state ⟨times without ~⟩ **4** : a distinction of word form to denote reference to one or more than one **5** : a unit belonging to a mathematical system and subject to its laws; *also*, *pl* : ARITHMETIC **6** : a symbol (as a character, letter, or word) used to represent a mathematical number; *also* : such a number used to identify or designate ⟨~ 5 on the list⟩
²**number** *vb* **1** : COUNT, ENUMERATE **2** : to include with or be one of a group **3** : to restrict to a small or definite number **4** : to assign a number to **5** : to comprise in number : TOTAL
num·ber·less \-ləs\ *adj* : INNUMERABLE, COUNTLESS
nu·mer·al \'n(y)üm-(ə-)rəl\ *n* **1** : a word or symbol representing a number **2** *pl* : numbers designating by year a school or college class often awarded for distinction in an extracurricular activity — **numeral** *adj*
nu·mer·ate \'n(y)ü-mə-ˌrāt\ *vb* : ENUMERATE
nu·mer·a·tor \-ˌrāt-ər\ *n* : the part of a fraction above the line
nu·mer·i·cal \n(y)ü-'mer-i-kəl\ *adj* : of or relating to numbers : denoting a number or expressed in numbers — **nu·mer·i·cal·ly** *adv*
nu·mer·ol·o·gy \ˌn(y)ü-mə-'räl-ə-jē\ *n* : the study of the occult significance of numbers — **nu·mer·ol·o·gist** *n*
nu·mer·ous \'n(y)üm-(ə-)rəs\ *adj* : consisting of, including, or relating to a great number : MANY
num·skull \'nəm-ˌskəl\ *n* : a stupid person : DUNCE
nun \'nən\ *n* : a woman belonging to a religious order; *esp* : one under solemn vows of poverty, chastity, and obedience
nun·cio \'nən-sē-ˌō\ *n* : a papal representative of the highest rank permanently accredited to a civil government
¹**nup·tial** \'nəp-shəl\ *adj* : of or relating to marriage or a wedding
²**nuptial** *n* : MARRIAGE, WEDDING — usu. used in pl.
¹**nurse** \'nərs\ *n* **1** : a girl or woman employed to take care of children **2** : a person trained to care for sick people
²**nurse** *vb* **1** : SUCKLE **2** : to take charge of and watch over **3** : TEND ⟨~ an invalid⟩ **4** : to treat with special care ⟨~ a headache⟩ **5** : to hold in one's mind or consideration ⟨~ a grudge⟩ **6** : to act or serve as a nurse
nur·sery \'nərs-(ə-)rē\ *n* **1** : a room for children **2** : a place where children are temporarily cared for in their parents' absence **3** : a place where young plants are grown usu. for transplanting

nursery school *n* : a school for children under kindergarten age
nurs·ling \'nərs-liŋ\ *n* **1** : one that is solicitously cared for **2** : a nursing child
¹**nur·ture** \'nər-chər\ *n* **1** : TRAINING, UPBRINGING; *also* : the influences that modify the hereditary potential of an individual **2** : FOOD, NOURISHMENT
²**nurture** *vb* **1** : to care for : FEED, NOURISH **2** : EDUCATE, TRAIN **3** : FOSTER
nut \'nət\ *n* **1** : a dry fruit or seed with a hard shell and a firm inner kernel; *also* : its kernel **2** : a metal block with a hole through it with the hole having a screw thread enabling the block to be screwed on a bolt or screw **3** : the ridge on the upper end of the fingerboard in a stringed musical instrument over which the strings pass **4** : a foolish, eccentric, or crazy person **5** : ENTHUSIAST
nut·crack·er \-ˌkrak-ər\ *n* : an instrument for cracking nuts
nut·hatch \'nət-ˌhach\ *n* : any of various small birds that creep on tree trunks in search of food and resemble titmice
nut·meg \-ˌmeg\ *n* : the nutlike aromatic seed of a tropical tree that is ground for use as a spice; *also* : this spice
¹**nu·tri·ent** \'n(y)ü-trē-ənt\ *adj* : NOURISHING
²**nutrient** *n* : a nutritive substance or ingredient
nu·tri·ment \-trə-mənt\ *n* : NUTRIENT
nu·tri·tion \n(y)ü-'trish-ən\ *n* : the act or process of nourishing; *esp* : the processes by which an individual takes in and utilizes food material — **nu·tri·tion·al** \-'trish-(ə-)nəl\ *adj* — **nu·tri·tious** \-'trish-əs\ *adj* — **nu·tri·tive** *adj*
nuts \'nəts\ *adj* **1** : ENTHUSIASTIC, KEEN **2** : CRAZY, DEMENTED
nut·shell \'nət-ˌshel\ *n* : the shell of a nut — **in a nutshell** : in a small compass : in a few words ⟨that's the story *in a nutshell*⟩
nut·ty \'nət-ē\ *adj* **1** : containing or suggesting nuts ⟨~ flavor⟩ **2** : mentally unbalanced : ECCENTRIC
nuz·zle \'nəz-əl\ *vb* **1** : to root around, push, or touch with or as if with the nose **2** : NESTLE, SNUGGLE
ny·lon \'nī-ˌlän\ *n* **1** : any of numerous strong tough elastic synthetic materials used esp. in textiles and plastics **2** *pl* : stockings made of nylon
nymph \'nimf\ *n* **1** : one of the lesser goddesses in ancient mythology represented as maidens living in the mountains, forests, meadows, and waters **2** : an immature insect; *esp* : one that resembles the adult but is smaller and less differentiated and usu. lacks wings

O

o \'ō\ *n*, *often cap* : the 15th letter of the English alphabet
oaf \'ōf\ *n* : a stupid or awkward person — **oaf·ish** \'ō-fish\ *adj*
oak \'ōk\ *n* : any of various trees or shrubs related to the beech and chestnut and having a rounded thin-shelled nut; *also* : the usu. tough hard durable wood of an oak — **oak·en** \'ō-kən\ *adj*
oar \'ōr\ *n* : a long slender broad-bladed implement for propelling or steering a boat
oar·lock \-ˌläk\ *n* : a U-shaped device for holding an oar in place
oa·sis \ō-'ā-səs\ *n*, *pl* **oa·ses** \-'ā-ˌsēz\ : a fertile or green area in an arid region
oat \'ōt\ *n* : a cereal grass widely grown for its edible seed; *also* : this seed —

oath \'ōth\ *n* **1** : a solemn appeal to God to witness to the truth of a statement or the sacredness of a promise **2** : an irreverent or careless use of a sacred name

oat·meal \'ōt-ˌmēl\ *n* **1** : meal made from oats **2** : porridge made from ground or rolled oats

ob·du·rate \'äb-d(y)ə-rət\ *adj* : stubbornly resistant : UNYIELDING **syn** inflexible, adamant — **ob·du·ra·cy** \-rə-sē\ *n*

obe·di·ent \ō-'bēd-ē-ənt\ *adj* : submissive to the restraint or command of authority **syn** docile, tractable, amenable — **obe·di·ence** \-əns\ *n* — **obe·di·ent·ly** *adv*

obei·sance \ō-'bās-əns, -'bēs-\ *n* : a bow made to show respect or submission; *also* : DEFERENCE, HOMAGE

ob·e·lisk \'äb-ə-ˌlisk\ *n* : a 4-sided pillar that tapers toward the top and ends in a pyramid

obese \ō-'bēs\ *adj* : extremely fat — **obe·si·ty** \-'bē-sət-ē\ *n*

obey \ō-'bā\ *vb* **1** : to follow the commands or guidance of : behave obediently **2** : to comply with ⟨∼ orders⟩

ob·fus·cate \'äb-fə-ˌskāt\ *vb* **1** : to make dark or obscure **2** : CONFUSE

obit·u·ary \ə-'bich-ə-ˌwer-ē\ *n* : a notice of a person's death usu. with a short biographical account

¹**ob·ject** \'äb-jikt\ *n* **1** : something that may be seen or felt; *also* : something that may be perceived or examined mentally **2** : something that arouses an emotional response (as of affection or pity) **3** : AIM, PURPOSE **4** : a word or word group denoting that on or toward which the action of a verb is directed; *also* : a noun or noun equivalent in a prepositional phrase

²**ob·ject** \əb-'jekt\ *vb* **1** : to offer in opposition **2** : to oppose something; *also* : DISAPPROVE **syn** protest, remonstrate, expostulate — **ob·jec·tion** \-'jek-shən\ *n* — **ob·jec·tion·able** \-sh(ə-)nə-bəl\ *adj* — **ob·jec·tor** \-'jek-tər\ *n*

ob·jec·ti·fy \əb-'jek-tə-ˌfī\ *vb* : to make objective

¹**ob·jec·tive** \əb-'jek-tiv\ *adj* **1** : of or relating to an object or end **2** : existing outside and independent of the mind **3** : treating or dealing with facts without distortion by personal feelings or prejudices **4** : of, relating to, or constituting a grammatical case marking typically the object of a verb or preposition — **ob·jec·tive·ly** *adv* — **ob·jec·tive·ness** *n* — **ob·jec·tiv·i·ty** \ˌäb-jek-'tiv-ət-ē\ *n*

²**objective** *n* **1** : an aim or end of action : GOAL **2** : the objective case; *also* : a word in it **3** : the lens (as in a microscope) nearest the object and forming an image of it

ob·jur·gate \'äb-jər-ˌgāt\ *vb* : to denounce harshly — **ob·jur·ga·tion**

ob·late \äb-'lāt\ *adj* : flattened or depressed at the poles ⟨the earth is an ∼ spheroid⟩

obla·tion \ə-'blā-shən\ *n* : a religious offering

ob·li·gate \'äb-lə-ˌgāt\ *vb* : to bind legally or morally; *also* : to bind by a favor

ob·li·ga·tion \ˌäb-lə-'gā-shən\ *n* **1** : an act of obligating oneself to a course of action **2** : something (as a promise or a contract) that binds one to a course of action **3** : DUTY **4** : INDEBTEDNESS, *also* : LIABILITY — **oblig·a·to·ry** \ə-'blig-ə-ˌtōr-ē, 'äb-li-gə-\ *adj*

oblige \ə-'blīj\ *vb* **1** : FORCE, COMPEL **2** : to bind by a favor; *also* : to do a favor for or do something as a favor — **oblig·ing** *adj* — **oblig·ing·ly** *adv*

oblique \ō-'blēk, -'blīk\ *adj* **1** : neither perpendicular nor parallel : SLANTING **2** : not straightforward : INDIRECT — **oblique·ly** *adv* — **oblique·ness** *n* — **obliq·ui·ty** \-'blik-wət-ē\ *n*

oblit·er·ate \ə-'blit-ə-ˌrāt\ *vb* **1** : to make undecipherable by wiping out or covering over **2** : to remove from recognition or memory **3** : CANCEL — **oblit·er·a·tion** \-ˌblit-ə-'rā-shən\ *n*

obliv·i·on \ə-'bliv-ē-ən\ *n* **1** : FORGETFULNESS **2** : the quality or state of being forgotten

obliv·i·ous \-ē-əs\ *adj* **1** : lacking memory or mindful attention **2** : UNAWARE — **obliv·i·ous·ly** *adv* — **obliv·i·ous·ness** *n*

ob·long \'äb-ˌlȯŋ\ *adj* : longer in one direction than in the other with opposite sides parallel : RECTANGULAR — **oblong** *n*

ob·lo·quy \'äb-lə-kwē\ *n* **1** : strongly condemnatory utterance or language **2** : bad repute : DISGRACE **syn** dishonor, shame, infamy

ob·nox·ious \äb-'näk-shəs\ *adj* : REPUGNANT, OFFENSIVE — **ob·nox·ious·ly** *adv* — **ob·nox·ious·ness** *n*

oboe \'ō-bō\ *n* [It., fr. F *hautbois*, lit., high wood] : a woodwind instrument shaped like a slender conical tube with holes and keys and a reed mouthpiece — **o·bo·ist** \-ˌbō-əst\ *n*

oboe

ob·scene \äb-'sēn\ *adj* **1** : REPULSIVE **2** : deeply offensive to morality or decency; *esp* : designed to incite to lust or depravity **syn** gross, vulgar, coarse — **ob·scen·i·ty** \-'sen-ət-ē\ *n*

ob·scu·ran·tism \äb-'skyu̇r-ən-ˌtiz-əm, ˌäb-skyu̇-'ran-\ *n* **1** : opposition to the spread of knowledge **2** : deliberate vagueness or abstruseness — **ob·scu·ran·tist** *n or adj*

¹**ob·scure** \äb-'skyu̇r\ *adj* **1** : DIM, GLOOMY **2** : REMOTE; *also* : HUMBLE **3** : not readily understood : VAGUE — **ob·scure·ly** *adv* — **ob·scu·ri·ty**

²**obscure** *vb* **1** : to make dark, dim, or indistinct **2** : to conceal or hide by or as if by covering

ob·se·qui·ous \əb-'sē-kwē-əs\ *adj* : excessively attentive : FAWNING, SYCOPHANTIC — **ob·se·qui·ous·ly** *adv* —

ob·se·quy \'äb-sə-kwē\ *n* : a funeral or burial rite — usu. used in pl.

ob·serv·able \əb-'zər-və-bəl\ *adj* **1** : necessarily or customarily observed **2** : NOTICEABLE

ob·ser·vance \-'zər-vəns\ *n* **1** : a customary practice or ceremony **2** : an act or instance of following a custom, rule, or law **3** : OBSERVATION

ob·ser·vant \-vənt\ *adj* **1** : ATTENTIVE **2** : MINDFUL **3** : quick to observe : KEEN

ob·ser·va·tion \ˌäb-sər-'vā-shən, -zər-\ *n* **1** : an act or the power of observing **2** : the gathering of information (as for scientific studies) by noting facts or occurrences **3** : a conclusion drawn from observing; *also* : REMARK, STATEMENT **4** : the fact of being observed

ob·ser·va·to·ry \əb-'zər-və-ˌtōr-ē\ *n* : a place or institution equipped for observation of natural phenomena (as in astronomy)

ob·serve \əb-'zərv\ *vb* **1** : to conform one's action or practice to **2** : CELEBRATE **3** : to see or sense esp. through careful attention **4** : to come to realize esp. through consideration of noted facts **5** : REMARK **6** : to make a scientific observation — **ob·serv·er** *n*

ob·sess \əb-'ses\ *vb* : to preoccupy intensely or abnormally

ob·ses·sion \əb-'sesh-ən\ *n* : a persistent disturbing preoccupation with an idea or feeling; *also* : an emotion or idea causing such a preoccupation — **ob·ses·sive** \-'ses-iv\ *adj*

ob·so·lete \ˌäb-sə-'lēt\ *adj* : no longer in use : OUTMODED **syn** old, antiquated, ancient

ob·sta·cle \'äb-sti-kəl\ *n* : something that stands in the way or opposes : OBSTRUCTION

ob·stet·rics \əb-'stet-riks\ *n* : a branch of medicine that deals with childbirth — **ob·stet·ri·cal** \-ri-kəl\ *also* **ob·stet·ric** \-rik\ *adj* — **ob·ste·tri·cian** *n*

ob·sti·nate \'äb-stə-nət\ *adj* : fixed and unyielding (as in an opinion or course) despite reason or persuasion : STUBBORN — **ob·sti·na·cy** \-nə-sē\ *n* — **ob·sti·nate·ly** *adv*

ob·struct \əb-'strəkt\ *vb* **1** : to block by an obstacle **2** : to impede the passage, action, or operation of **3** : to shut off from sight — **ob·struc·tive** \-'strək-tiv\ *adj* — **ob·struc·tor** \-tər\ *n*

ob·struc·tion \-'strək-shən\ *n* **1** : an act of obstructing : the state of being obstructed **2** : something that obstructs : HINDRANCE

ob·struc·tion·ist *n* : a person who hinders progress or business esp. in a legislative body — **ob·struc·tion·ism** *n*

ob·tain \əb-'tān\ *vb* **1** : to gain or attain usu. by planning or effort **2** : to be generally recognized or established **syn** procure, secure, win, earn — **ob·tain·able** \-'tā-nə-bəl\ *adj*

ob·trude \əb-'trüd\ *vb* **1** : to thrust out **2** : to thrust forward without warrant or request **3** : INTRUDE — **ob·tru·sion** \-'trü-zhən\ *n* — **ob·tru·sive** \-'trü-siv\ *adj*

ob·tuse \äb-'t(y)üs\ *adj* **1** : not sharp or quick of wit **2** : exceeding 90 degrees but less than 180 degrees (~ angle) **3** : not pointed or acute : BLUNT — **ob·tuse·ly** *adv* — **ob·tuse·ness** *n*

¹**ob·verse** \äb-'vərs\ *adj* **1** : facing the observer or opponent **2** : having the base narrower than the top **3** : being a counterpart or complement — **ob·verse·ly** *adv*

ob·vi·ate \'äb-vē-ˌāt\ *vb* : to anticipate and dispose of beforehand : make unnecessary **syn** prevent, avert — **ob·vi·a·tion** \ˌäb-vē-'ā-shən\ *n*

ob·vi·ous \'äb-vē-əs\ *adj* : easily discovered, seen, or understood : PLAIN **syn** evident, manifest, patent, clear — **ob·vi·ous·ly** *adv* — **ob·vi·ous·ness** *n*

¹**oc·ca·sion** \ə-'kā-zhən\ *n* **1** : a favorable opportunity **2** : a direct or indirect cause **3** : the time of an event **4** : EXIGENCY **5** *pl* : AFFAIRS, BUSINESS **6** : a special event : CELEBRATION

²**occasion** *vb* : CAUSE

oc·ca·sion·al \ə-'kāzh-nəl, -ən-ᵊl\ *adj* **1** : happening or met with now and then (~ references to the war) **2** : used or designed for a special occasion (~ verse) **syn** infrequent, rare, sporadic — **oc·ca·sion·al·ly** \-ē\ *adv*

oc·ci·den·tal \ˌäk-sə-'dent-ᵊl\ *adj, often cap* : WESTERN — **Occidental** *n*

oc·clude \ə-'klüd\ *vb* **1** : OBSTRUCT **2** : to shut in or out **3** : to take up and hold by absorption or adsorption **4** : to come together with opposing surfaces in contact — **oc·clu·sion** \-'klü-zhən\ *n*

oc·cult \ə-'kəlt, 'äk-ˌəlt\ *adj* **1** : not revealed : SECRET **2** : ABSTRUSE, MYSTERIOUS **3** : of or relating to supernatural agencies, their effects, or knowledge of them

oc·cu·pan·cy \'äk-yə-pən-sē\ *n* **1** : OCCUPATION **2** : an occupied building or part of a building

oc·cu·pant \-pənt\ *n* : one who occupies something; *esp* : RESIDENT

oc·cu·pa·tion \ˌäk-yə-'pā-shən\ *n* **1** : an activity in which one engages; *esp* : VOCATION **2** : the taking possession of property; *also* : the taking possession of an area by a foreign military force — **oc·cu·pa·tion·al** \-sh(ə-)nəl\ *adj* — **oc·cu·pa·tion·al·ly** *adv*

oc·cu·py \'äk-yə-ˌpī\ *vb* **1** : to engage the attention or energies of **2** : to fill up (an extent in space or time) **3** : to take or hold possession of **4** : to reside in as owner or tenant — **oc·cu·pi·er**

oc·cur \ə-'kər\ *vb* **1** : to be found or met with : APPEAR **2** : to take place **3** : to come to mind

oc·cur·rence \ə-'kər-əns\ *n* **1** : something that takes place **2** : APPEARANCE

ocean \'ō-shən\ *n* **1** : the whole body of salt water that covers nearly three fourths of the surface of the earth **2** : one of the large bodies of water into which the great ocean is divided — **oce·an·ic** \ˌō-shē-'an-ik\ *adj*

oce·lot \'äs-ə-ˌlät, 'ō-sə-\ *n* : a medium-sized American wildcat ranging southward from Texas and having a tawny yellow or gray coat with black markings

ocher *or* **ochre** \'ō-kər\ *n* : an earthy usu. red or yellow iron ore used as a pigment; *also* : the color esp. of yellow ocher

o'clock \ə-'kläk\ *adv* : according to the clock

oc·ta·gon \'äk-tə-ˌgän\ *n* : a polygon of 8 angles and 8 sides — **oc·tag·o·nal** \äk-'tag-ən-ᵊl\ *adj* — **oc·tag·o·nal·ly** *adv*

oc·tave \'äk-tiv\ *n* **1** : a musical interval embracing eight degrees; *also* : a tone or note at this interval or the whole series of notes, tones, or keys within this interval **2** : a group of eight

oc·tet \äk-'tet\ *n* **1** : a musical composition for eight voices or eight instruments; *also* : the performers of such a composition **2** : a group or set of eight

Oc·to·ber \äk-'tō-bər\ *n* : the 10th month of the year having 31 days

oc·to·ge·nar·i·an \ˌäk-tə-jə-'ner-ē-ən\ *n* : a person who is in his eighties

oc·to·pus \ˈäk-tə-pəs\ *n* : any of various sea mollusks with eight long arms furnished with two rows of suckers by which it grasps and holds its prey — **oc·to·pod** \-ˌpäd\ *adj or n*

oc·to·roon \ˌäk-tə-ˈrün\ *n* : a person of one-eighth Negro ancestry

oc·to·syl·lab·ic \ˌäk-tə-sə-ˈlab-ik\ *adj* : having or composed of verses having eight syllables — **octosyllabic** *n*

oc·u·lar \ˈäk-yə-lər\ *adj* 1 : of or relating to the eye or the eyesight 2 : VISUAL

odd \ˈäd\ *adj* 1 : being only one of a pair or set ⟨an ~ shoe⟩ 2 : not divisible by two without leaving a remainder ⟨~ numbers⟩ 3 : somewhat more than the number mentioned ⟨forty ~ years ago⟩ 4 : additional to what is usual : OCCASIONAL ⟨~ jobs⟩ 5 : UNCONVENTIONAL, STRANGE ⟨an ~ way of behaving⟩ — **odd·ly** *adv*

odd·i·ty \ˈäd-ət-ē\ *n* 1 : one that is odd 2 : the quality or state of being odd

odds \ˈädz\ *n pl* 1 : a difference by which one thing is favored over another 2 : an equalizing allowance made to one believed to have a smaller chance of winning 3 : DISAGREEMENT

odds–on \ˈädz-ˈȯn, -ˈän\ *adj* : having a better than even chance to win

ode \ˈōd\ *n* : a lyric poem marked by nobility of feeling and solemnity of style

odi·ous \ˈōd-ē-əs\ *adj* : causing or deserving hatred or repugnance — **odi·ous·ly** *adv* — **odi·ous·ness** *n*

odom·e·ter \ō-ˈdäm-ət-ər\ *n* : an instrument for measuring distance traversed

odor \ˈōd-ər\ *n* 1 : the quality of something that stimulates the sense of smell; *also* : a sensation resulting from such stimulation 2 : REPUTE, ESTIMATION — **odor·less** \-ləs\ *adj* — **odor·ous** \ˈōd-ə-rəs\ *adj*

od·ys·sey \ˈäd-ə-sē\ *n* : a long wandering marked usu. by many changes of fortune

of \(ˈ)əv, ˈäv\ *prep* 1 : FROM ⟨a man ~ the West⟩ 2 : having as a significant background or character element ⟨a man ~ noble birth⟩ ⟨a man ~ ability⟩ 3 : owing to ⟨died ~ flu⟩ 4 : BY ⟨the plays ~ Shakespeare⟩ 5 : having as component parts or material, contents, or members ⟨a house ~ brick⟩ ⟨a glass ~ water⟩ ⟨a pack ~ fools⟩ 6 : belonging to or included by ⟨the front ~ the house⟩ ⟨a time ~ life⟩ ⟨one ~ you⟩ ⟨the best ~ his kind⟩ ⟨the son ~ a doctor⟩ 7 : connected with : OVER ⟨the king ~ England⟩ 8 : marked by : having as a significant or the chief element ⟨a day ~ reckoning⟩ ⟨a tale ~ woe⟩ 9 : ABOUT ⟨tales ~ the West⟩ 10 : that is : signified as ⟨the city ~ Rome⟩ 11 — used to indicate apposition of the words it joins ⟨that fool ~ a husband⟩ 12 : as concerns : FOR ⟨love ~ country⟩ 13 — used to indicate the application of an adjective ⟨fond ~ candy⟩ 14 : BEFORE ⟨five minutes ~ ten⟩

¹**off** \ˈȯf\ *adv* 1 : from a place or position ⟨drove ~ in a new car⟩; *also* : ASIDE ⟨turned ~ into a side road⟩ 2 : so as to be unattached or removed ⟨the lid blew ~⟩ ⟨handle came ~⟩ 3 : to a state of discontinuance, exhaustion, or completion ⟨shut the radio ~⟩ 4 : away from regular work ⟨took time ~ for lunch⟩ 5 : at a distance in time or space ⟨stood ~ a few yards⟩ ⟨several years ~⟩

²**off** *prep* 1 : away from the surface or top of ⟨take it ~ the table⟩ ⟨fell ~ the porch⟩ 2 : FROM ⟨borrowed a dollar ~ me⟩ 3 : at the expense of ⟨lives ~ his sister⟩ 4 : to seaward of ⟨sail ~ the Maine coast⟩ 5 : not engaged in ⟨~ duty⟩ 6 : abstaining from ⟨~ liquor⟩ 7 : below the usual level of ⟨~ his game⟩ 8 : away from ⟨just ~ the highway⟩

³**off** *adj* 1 : more removed or distant 2 : started on the way 3 : not operating 4 : not correct 5 : REMOTE, SLIGHT 6 : INFERIOR 7 : provided for ⟨well ~⟩

of·fal \ˈȯ-fəl\ *n* : the waste or by-product of a process; *esp* : the viscera and trimmings of a butchered animal removed in dressing

¹**off·beat** \ˈȯf-ˌbēt\ *n* : the unaccented part of a musical measure

²**offbeat** *adj* : ECCENTRIC, UNCONVENTIONAL

off–col·or \ˈȯf-ˈkəl-ər\ *or* **off–col·ored** *adj* 1 : not having the right or standard color 2 : of doubtful propriety : RISQUÉ

of·fend \ə-ˈfend\ *vb* 1 : SIN, TRANSGRESS 2 : to cause discomfort or pain : HURT 3 : to cause dislike or vexation : ANNOY *syn* affront, insult — **of·fend·er** *n*

of·fense *or* **of·fence** \ə-ˈfens\ *n* 1 : something that outrages the senses 2 : ATTACK, ASSAULT 3 : DISPLEASURE 4 : SIN, MISDEED 5 : an infraction of law : CRIME

¹**of·fen·sive** \ə-ˈfen-siv\ *adj* 1 : AGGRESSIVE 2 : OBNOXIOUS 3 : INSULTING — **of·fen·sive·ly** *adv* — **of·fen·sive·ness** *n*

²**offensive** *n* : ATTACK

¹**of·fer** \ˈȯ-fər\ *vb* 1 : SACRIFICE 2 : to present for acceptance : TENDER; *also* : to propose as payment 3 : PROPOSE, SUGGEST; *also* : to declare one's readiness 4 : to put up ⟨~ resistance⟩ 5 : to place on sale — **of·fer·ing** \ˈȯ-f(ə-)riŋ\ *n*

²**offer** *n* 1 : PROPOSAL 2 : BID 3 : ATTEMPT, TRY

of·fer·to·ry \ˈȯ-fər-ˌtōr-ē\ *n* : the presentation of offerings at a church service; *also* : the musical accompaniment during it

off·hand \ˈȯf-ˈhand\ *adv* (*or adj*) : without previous thought or preparation

of·fice \ˈȯ-fəs\ *n* 1 : a special duty or position; *esp* : a position of authority in government ⟨run for ~⟩ 2 : a prescribed form or service of worship; *also* : RITE 3 : an assigned or assumed duty or role 4 : a place where a business is transacted or a service is supplied

of·fice·hold·er \-ˌhōl-dər\ *n* : one holding a public office

of·fi·cer \ˈȯ-fə-sər\ *n* 1 : one charged with the enforcement of law 2 : one who holds an office of trust or authority 3 : one who holds a commission in the armed forces

¹**of·fi·cial** \ə-ˈfish-əl\ *n* : OFFICER

²**official** *adj* 1 : of or relating to an office or to officers 2 : AUTHORIZED, AUTHORITATIVE 3 : FORMAL — **of·fi·cial·ly** *adv*

of·fi·ci·ate \ə-ˈfish-ē-ˌāt\ *vb* 1 : to perform a ceremony, function, or duty 2 : to act in an official capacity

of·fi·cious \ə-ˈfish-əs\ *adj* : volunteering one's services where they are neither

offing | 316 | **on**

asked for nor needed : MEDDLESOME — **of·fi·cious·ly** *adv* — **of·fi·cious·ness** *n*

off·ing \'ȯ-fiŋ\ *n* **1** : the part of the deep sea seen from the shore **2** : the near or foreseeable future

off·ish \'ȯ-fish\ *adj* : inclined to stand aloof

¹**off·set** \'ȯf-,set\ *n* **1** : a sharp bend (as in a pipe) by which one part is turned aside out of line **2** : a printing process in which an inked impression is first made on a rubber-blanketed cylinder and then transferred to the paper

²**offset** *vb* **1** : to place over against : BALANCE **2** : to compensate for **3** : to form an offset in (as a wall)

off·shoot \'ȯf-,shüt\ *n* **1** : a branch of a main stem (as of a plant) **2** : a collateral or derived branch, descendant, or member

¹**off·shore** \-'shōr\ *adv* : at a distance from the shore

²**offshore** *adj* **1** : moving away from the shore **2** : situated off the shore and esp. within a zone extending three miles from low-water line

off·spring \-,spriŋ\ *n, pl* **offspring** *also* **offsprings** : PROGENY, YOUNG

off·stage \-'stāj\ *adv (or adj)* : off or away from the stage

off-the-rec·ord *adj* : given or made in confidence and not for publication

oft \'ȯft\ *adv* : OFTEN

of·ten \'ȯf-(t)ən\ *adv* : many times : FREQUENTLY

of·ten·times \-,tīmz\ *adv* : OFTEN

ogle \'ō-gəl\ *vb* : to stare in a flirtatious way : eye amorously — **ogle** *n*

ogre \'ō-gər\ *n* **1** : a monster of fairy tales and folklore that feeds on human beings **2** : a dreaded person or object

ohm \'ōm\ *n* [after George Simon *Ohm* d1854 German physicist] : a unit of electrical resistance equal to the resistance of a circuit in which a potential difference of one volt produces a current of one ampere — **ohm·ic** \'ō-mik\ *ad*

¹**oil** \'ȯil\ *n* **1** : a fatty or greasy liquid substance obtained from plants, animals, or minerals and used for fuel, lighting, food, medicines, and manufacturing **2** : PETROLEUM **3** : artists' colors made with oil; *also* : a painting in such colors — **oily** *adj*

²**oil** *vb* : to treat, furnish, or lubricate with oil

oil-cloth \-,klȯth\ *n* : cloth treated with oil or paint and used for table and shelf coverings

oint·ment \'ȯint-mənt\ *n* : a medicinal or cosmetic preparation usu. with a fatty or greasy base for use on the skin

¹**OK** *or* **okay** \ō-'kā\ *adv (or adj)* : all right

²**OK** *or* **okay** *vb* **OK'd** *or* **okayed**; **OK'ing** *or* **okay·ing** : APPROVE, AUTHORIZE — **OK** *or* **okay** *n*

okra \'ō-krə\ *n* : a tall annual plant related to the hollyhocks and grown for its edible green pods used esp. in soups and stews; *also* : these pods

¹**old** \'ōld\ *adj* **1** : ANCIENT; *also* : of long standing **2** : having existed for a specified period of time **3** : of or relating to a past era **4** : advanced in years **5** : showing the effects of age or use **6** : no longer in use — **old·en** \'ōl-dən\ *adj* — **old·ish** \-dish\ *adj*

²**old** *n* : old or earlier time ⟨days of ~⟩

old·en \'ōl-dən\ *adj* : of or relating to a bygone era : ANCIENT

Old English *n* : the language of the English people from the time of the earliest documents in the 7th century to about 1100

old-fash·ioned \'ōl(d)-'fash-ənd\ *adj* **1** : ANTIQUATED **2** : CONSERVATIVE

old-line \-'līn\ *adj* **1** : ORIGINAL, ESTABLISHED ⟨an ~ business⟩ **2** : adhering to old policies or practices

old maid *n* **1** : SPINSTER **2** : a prim fussy person

Old World *n* : the eastern hemisphere; *esp* : continental Europe

old-world \'ōl(d)-'wərld\ *adj* : OLD-FASHIONED, PICTURESQUE

ole·an·der \'ō-lē-,an-dər\ *n* : a poisonous evergreen shrub often grown for its fragrant red or white flowers

oleo \'ō-lē-,ō\ *n* : MARGARINE

ol·fac·to·ry \äl-'fak-t(ə-)rē\ *adj* : of or relating to the sense of smell

ol·i·gar·chy \'äl-ə-,gär-kē\ *n* **1** : a government in which the power is in the hands of a few **2** : a state having an oligarchy; *also* : the group holding power in such a state — **ol·i·garch** \-,gärk\ *n* — **ol·i·gar·chic** \,äl-ə-'gär-kik\ *or* **ol·i·gar·chi·cal** \-ki-kəl\ *adj*

ol·ive \'äl-iv\ *n* : an Old World evergreen tree grown in warm regions for its fruit that is important as food and for its edible oil (**olive oil**)

om·e·let *also* **om·e·lette** \'äm-(ə-)lət\ *n* : eggs beaten with milk or water, cooked without stirring until set, and folded over

omen \'ō-mən\ *n* : an event or phenomenon believed to be a sign or warning of a future occurrence

om·i·nous \'äm-ə-nəs\ *adj* : foretelling evil : THREATENING — **om·i·nous·ly** *adv* — **om·i·nous·ness** *n*

omit \ō-'mit\ *vb* **omit·ted**; **omit·ting** **1** : to leave out or leave unmentioned **2** : to fail to perform : NEGLECT — **omis·sion** \-'mish-ən\ *n*

¹**om·ni·bus** \'äm-ni-(,)bəs\ *n* [F, fr. L, for all] : BUS

²**omnibus** *adj* : of, relating to, or providing for many things at once ⟨an ~ bill⟩

om·nip·o·tent \äm-'nip-ət-ənt\ *adj* : having unlimited authority or influence : ALMIGHTY — **om·nip·o·tence** \-əns\ *n* — **om·nip·o·tent·ly** *adv*

om·ni·pres·ent \,äm-ni-'prez-ᵊnt\ *adj* : present in all places at all times — **om·ni·pres·ence** \-ᵊns\ *n*

om·ni·scient \äm-'nish-ənt\ *adj* : having infinite awareness, understanding, and insight — **om·ni·science** \-əns\ *n* — **om·ni·scient·ly** *adv*

om·niv·o·rous \äm-'niv-(ə-)rəs\ *adj* : feeding on both animal and vegetable substances; *also* : AVID ⟨an ~ reader⟩ — **om·niv·o·rous·ly** *adv* — **om·niv·o·rous·ness** *n*

¹**on** \(')ȯn, (')än\ *prep* **1** : in or to a position over and in contact with ⟨a book ~ the table⟩ ⟨jumped ~ his horse⟩ **2** : touching the surface of ⟨shadows ~ the wall⟩ **3** : IN, ABOARD ⟨went ~ the train⟩ **4** : AT, TO ⟨~ the right were the mountains⟩ **5** : at or towards as an object ⟨crept up ~ him⟩ ⟨smiled ~ her⟩ **6** : ABOUT, CONCERNING ⟨a book ~ minerals⟩ **7** — used to indicate a basis, source, or standard of

computation ⟨has it ~ good authority⟩ ⟨10 cents ~ the dollar⟩ **8** : with regard to ⟨a monopoly ~ wheat⟩ **9** : connected with as a member or participant ⟨~ a committee⟩ ⟨~ tour⟩ **10** : in a state or process of ⟨~ fire⟩ ⟨~ the wane⟩ **11** : during or at the time of ⟨came ~ Monday⟩ ⟨every hour ~ the hour⟩ **12** : through the agency of ⟨was cut ~ a tin can⟩
²on *adv* **1** : in or into a position of contact with or attachment to a surface **2** : FORWARD **3** : into operation
³on *adj* : being in operation or in progress
once \'wəns\ *adv* **1** : one time only **2** : at any one time : EVER **3** : FORMERLY **4** : by one degree of relationship
once–over \-,ō-vər\ *n* : a swift examination or survey
on·com·ing \'ȯn-,kəm-iŋ, 'än-\ *adj* : APPROACHING ⟨~ traffic⟩
¹one \'wən\ *adj* **1** : being a single unit or thing ⟨~ man went⟩ **2** : being one in particular ⟨early ~ morning⟩ **3** : being the same in kind or quality ⟨members of ~ race⟩; *also* : UNITED **4** : being not specified or fixed ⟨at ~ time or another⟩
²one *pron* **1** : a single member or specimen ⟨saw ~ of his friends⟩ **2** : a person in general ⟨~ never knows⟩ **3** — used in place of a pronoun in the first person
³one *n* **1** : the number denoting unity **2** : the 1st in a set or series **3** : a single person or thing — **one·ness** \'wən-nəs\ *n*
on·er·ous \'än-ə-rəs, 'ō-nə-\ *adj* : imposing or constituting a burden : TROUBLESOME **syn** oppressive, exacting
one·self \(,)wən-'self\ *pron* : one's own self — usu. used reflexively or for emphasis
one–sid·ed \'wən-'sīd-əd\ *adj* **1** : having or occurring on one side only; *also* : having one side prominent or more developed **2** : UNEQUAL ⟨a ~ game⟩ **3** : PARTIAL ⟨a ~ attitude⟩
one–time \-,tīm\ *adj* : FORMER, SOMETIME
one–way \-'wā\ *adj* : moving, allowing movement, or functioning in only one direction ⟨~ streets⟩
on·go·ing \'ȯn-,gō-iŋ, 'än-\ *adj* : continuously moving forward
on·ion \'ən-yən\ *n* : a plant related to the lilies and grown for its pungent edible bulb; *also* : this bulb
on·ion·skin \-,skin\ *n* : a thin strong translucent paper of very light weight
on·look·er \'ȯn-,lu̇k-ər, 'än-\ *n* : SPECTATOR
¹on·ly \'ōn-lē\ *adj* **1** : unquestionably the best **2** : SOLE
²only *adv* **1** : MERELY, JUST ⟨~ two dollars⟩ **2** : SOLELY ⟨known ~ to me⟩ **3** : at the very least ⟨was ~ too true⟩ **4** : as a final result ⟨will ~ make you sick⟩
³only *conj* : except that
on·set \-,set\ *n* **1** : ATTACK **2** : BEGINNING
on·slaught \'än-,slȯt, 'ȯn-\ *n* : a fierce attack
on·to \'ȯn-tü, 'än-, -tə\ *prep* : to a position or point on
onus \'ō-nəs\ *n* **1** : BURDEN; *also* : OBLIGATION **2** : BLAME
¹on·ward \'ȯn-wərd, 'än-\ *also* **on·wards** \-wərdz\ *adv* : FORWARD
²onward *adj* : directed or moving onward : FORWARD

on·yx \'än-iks\ *n* : chalcedony with parallel layers in different shades of color
oo·dles \'üd-ᵊlz\ *n pl* : a great quantity
¹ooze \'üz\ *n* **1** : a soft deposit (as of mud) on the bottom of a body of water **2** : MUD, SLIME — **oozy** \'ü-zē\ *adj*
²ooze *vb* **1** : to flow or leak out slowly or imperceptibly **2** : EXUDE
³ooze *n* : something that oozes
opal \'ō-pəl\ *n* : a noncrystalline silica mineral that is sometimes classed as a gem and has delicate changeable colors
opal·es·cent \,ō-pə-'les-ᵊnt\ *adj* : IRIDESCENT — **opal·es·cence** \-ᵊns\ *n*
opaque \ō-'pāk\ *adj* **1** : being neither transparent nor translucent **2** : not easily understood **3** : OBTUSE, STUPID — **opaque·ly** *adv* — **opaque·ness** *n*
ope \'ōp\ *vb* : OPEN
¹open \'ō-pən\ *adj* **1** : not shut or shut up ⟨~ door⟩ **2** : not secret or hidden; *also* : FRANK **3** : not enclosed or covered ⟨~ fire⟩; *also* : not protected **4** : free to be entered or used ⟨~ tournament⟩ **5** : easy to get through or see ⟨~ country⟩ **6** : spread out : EXTENDED **7** : free from restraints or controls ⟨~ season⟩ **8** : readily accessible and cooperative; *also* : GENEROUS **9** : not decided : UNCERTAIN ⟨~ question⟩ **10** : ready to operate ⟨stores are ~⟩ **11** : having components separated by a space in writing and printing ⟨the name Spanish mackerel is an ~ compound⟩ — **open·ly** *adv* — **open·ness** \-pən-nəs\ *n*
²open *vb* **1** : to change or move from a shut position; *also* : to make open by clearing away obstacles **2** : to make or become functional ⟨~ a store⟩ **3** : REVEAL; *also* : ENLIGHTEN **4** : to make openings in **5** : BEGIN **6** : to give access — **open·er** \'ōp-(ə-)nər\ *n*
³open *n* : OUTDOORS
open–air \,ō-pən-'aər\ *adj* : OUTDOOR
open–hand·ed \,ō-pən-'han-dəd\ *adj* : GENEROUS
open–hearth \-,härth\ *adj* : of, relating to, or being a process of making steel in a furnace that reflects the heat from the roof onto the material
open·ing \'ōp-(ə-)niŋ\ *n* **1** : an act or instance of making or becoming open **2** : something that is open **3** : BEGINNING **4** : OCCASION; *also* : an opportunity for employment
open–mind·ed \,ō-pən-'mīn-dəd\ *adj* : free from rigidly fixed preconceptions : UNPREJUDICED
open shop *n* : an establishment employing and retaining on the payroll members and nonmembers of a labor union
open·work \'ō-pən-,wərk\ *n* : work so made as to show openings through its substance ⟨a railing of wrought-iron ~⟩
¹opera *pl of* OPUS
²op·era \'äp-(ə-)rə\ *n* : a drama set to music — **op·er·at·ic** \,äp-ə-'rat-ik\ *adj*
op·er·a·ble \'äp-(ə-)rə-bəl\ *adj* **1** : fit, possible, or desirable to use **2** : suitable for surgical treatment ⟨an ~ cancer⟩
opera glass *n* : a small binocular adapted for use at an opera — often used in pl.
op·er·ate \'äp-ə-,rāt\ *vb* **1** : to perform work : FUNCTION **2** : to produce an effect **3** : to perform an operation **4** : to put or keep in operation — **op·er·a·tor** \-,rāt-ər\ *n*
op·er·a·tion \,äp-ə-'rā-shən\ *n* **1** : a doing or performing of a practical work

2 : an exertion of power or influence; *also* : method or manner of functioning **3** : a surgical procedure **4** : a process of deriving one mathematical expression from others according to a rule **5** : a military action, mission, or maneuver — **op·er·a·tion·al** \-sh(ə-)nəl\ *adj*

¹**op·er·a·tive** \'äp-(ə-)rət-iv, 'äp-ə-,rāt-\ *adj* **1** : producing an appropriate effect **2** : OPERATING **3** : having to do with physical operations; *also* : WORKING **4** : based on or consisting of an operation

op·er·et·ta \,äp-ə-'ret-ə\ *n* : a light musical-dramatic work with a romantic plot, spoken dialogue, and dancing scenes

oph·thal·mol·o·gy \,äf-,thal-'mäl-ə-jē, ,äp-\ *n* : a branch of medicine dealing with the structure, functions, and diseases of the eye — **oph·thal·mol·o·gist**

opi·ate \'ō-pē-ət, -pē-,āt\ *n* : a preparation or derivative of opium; *also* : NARCOTIC

opine \ō-'pīn\ *vb* : to express an opinion : STATE

opin·ion \ə-'pin-yən\ *n* **1** : a belief stronger than impression and less strong than positive knowledge **2** : JUDGMENT **3** : a formal statement by an expert after careful study

opin·ion·at·ed \-yə-,nāt-əd\ *adj* : obstinately adhering to personal opinions

opi·um \'ō-pē-əm\ *n* : an addictive narcotic drug that is the dried juice of a poppy

opos·sum \ə-'päs-əm\ *n* : any of various American marsupial mammals; *esp* : a common omnivorous tree-dwelling animal of the eastern U.S.

op·po·nent \ə-'pō-nənt\ *n* : one that opposes : ADVERSARY

op·por·tune \,äp-ər-'t(y)ün\ *adj* : SUITABLE, TIMELY — **op·por·tune·ly** *adv*

op·por·tun·ism \-'t(y)ü-,niz-əm\ *n* : a taking advantage of opportunities or circumstances esp. with little regard for principles or ultimate consequences — **op·por·tun·ist** \-nəst\ *n* — **op·por·tu·nis·tic** \-t(y)ü-'nis-tik\ *adj*

op·por·tu·ni·ty \-'t(y)ü-nət-ē\ *n* **1** : a favorable combination of circumstances, time, and place **2** : a chance for advancement or progress

op·pose \ə-'pōz\ *vb* **1** : to place opposite or against something (as to provide resistance or contrast) **2** : to strive against : RESIST — **op·po·si·tion**

¹**op·po·site** \'äp-ə-zət\ *n* : one that is opposed or contrary

²**opposite** *adj* **1** : set over against something that is at the other end or side **2** : OPPOSED, HOSTILE; *also* : CONTRARY **3** : contrarily turned or moving — **op·po·site·ly** *adv* — **op·po·site·ness** *n*

³**opposite** *adv* : on opposite sides

⁴**opposite** *prep* : across from and usu. facing ⟨the house ∼ ours⟩

op·press \ə-'pres\ *vb* **1** : to crush by abuse of power or authority **2** : to weigh down : BURDEN *syn* depress, wrong, persecute — **op·pres·sive** \-'pres-iv\ *adj* — **op·pres·sive·ly** *adv* — **op·pres·sor** \-'pres-ər\ *n*

op·pres·sion \ə-'presh-ən\ *n* **1** : unjust or cruel exercise of power or authority **2** : DEPRESSION

op·pro·bri·um \-'brē-əm\ *n* **1** : something that brings disgrace **2** : INFAMY

opt \'äpt\ *vb* : to make a choice

op·tic \'äp-tik\ *adj* : of or relating to vision or the eye

op·ti·cal \'äp-ti-kəl\ *adj* **1** : relating to optics **2** : OPTIC

op·ti·cian \äp-'tish-ən\ *n* **1** : a maker of or dealer in optical items and instruments **2** : one that grinds spectacle lenses to prescription and dispenses spectacles

op·tics \'äp-tiks\ *n* : a science that deals with the nature and properties of light and the effects that it undergoes and produces

op·ti·mal \'äp-tə-məl\ *adj* : most desirable or satisfactory — **op·ti·mal·ly** *adv*

op·ti·mism \'äp-tə-,miz-əm\ *n* [F *optimisme,* fr. L *optimus* best] **1** : a doctrine that this world is the best possible world **2** : an inclination to anticipate the best possible outcome of actions or events — **op·ti·mist** \-məst\ *n* — **op·ti·mis·tic** \,äp-tə-'mis-tik\ *adj* — **op·ti·mis·ti·cal·ly** \-ti-k(ə-)lē\ *adv*

op·ti·mum \'äp-tə-məm\ *n, pl* **-ma** \-mə\ *also* **-mums** : the amount or degree of something most favorable to an end; *also* : greatest degree attained under implied or specified conditions

op·tion \'äp-shən\ *n* **1** : the power or right to choose **2** : a right to buy or sell something at a specified price during a specified period **3** : something offered for choice — **op·tion·al** \-sh(ə-)nəl\ *adj*

op·tom·e·try \äp-'täm-ə-trē\ *n* : the art or profession of examining the eyes for defects of refraction and of prescribing lenses to correct these — **op·tom·e·trist**

op·u·lent \'äp-yə-lənt\ *adj* **1** : WEALTHY **2** : richly abundant — **op·u·lence**

opus \'ō-pəs\ *n, pl* **opera** \'ō-pə-rə, 'äp-ə-\ *also* **opus·es** : WORK; *esp* : a musical composition

or \ər, (,)ȯr\ *conj* — used as a function word to indicate an alternative ⟨sink ∼ swim⟩

-or \ər\ *n suffix* : one that does a (specified) thing ⟨calculat*or*⟩ ⟨elevat*or*⟩

or·a·cle \'ȯr-ə-kəl\ *n* **1** : one held to give divinely inspired answers or revelations **2** : an authoritative or wise utterance; *also* : a person of great authority or wisdom — **orac·u·lar**

oral \'ȯr-əl, 'ȯr-\ *adj* **1** : SPOKEN **2** : of or relating to the mouth

or·ange \'ȯr-inj\ *n* **1** : a juicy citrus fruit with reddish yellow rind; *also* : the evergreen tree with fragrant white flowers that bears this fruit **2** : a color between red and yellow

orang·u·tan \ə-'raŋ-ə-,taŋ, -,tan\ *n* [Malay *orang hutan,* lit., man of the forest] : a reddish brown manlike tree-living ape of Borneo and Sumatra

orate \ȯ-'rāt\ *vb* : to speak in a declamatory manner

ora·tion \ə-'rā-shən\ *n* : an elaborate discourse delivered in a formal dignified manner

or·a·tor \'ȯr-ət-ər\ *n* : one noted for his skill and power as a public speaker

or·a·tor·i·cal \,ȯr-ə-'tȯr-i-kəl\ *adj* : of, relating to, or characteristic of an orator or oratory

¹**or·a·to·ry** \'ȯr-ə-,tōr-ē\ *n* : a private or institutional chapel

²**oratory** \\'òr-ə-tōr-ē\\ *n* : the art of speaking eloquently and effectively in public — *syn* eloquence, elocution — **or·a·tor·i·cal**

orb \\'òrb\\ *n* : a spherical body; *esp* : a celestial body (as a planet) — **or·bic·u·lar** \\òr-'bik-yə-lər\\ *adj*

¹**or·bit** \\'òr-bət\\ *n* [L *orbita*, lit., track, rut] **1** : a path described by one body or object in its revolution about another **2** : range or sphere of activity — **or·bit·al** \\-ᵊl\\ *adj*

²**orbit** *vb* **1** : CIRCLE **2** : to send up and make revolve in an orbit ⟨~ a satellite⟩

or·chard \\'òr-chərd\\ *n* [OE *ortgeard*, fr. L *hortus* garden + OE *geard* yard, both fr. the same prehistoric IE noun meaning an enclosure] : a place where fruit trees or nut trees are grown; *also* : the trees of such a place — **or·chard·ist** \\-əst\\ *n*

or·ches·tra \\'òr-kə-strə\\ *n* **1** : a group of instrumentalists organized to perform ensemble music **2** : the front section of seats on the main floor of a theater —

or·chid \\'òr-kəd\\ *n* : any of numerous related plants having often showy flowers with three petals of which the middle one is enlarged into a lip; *also* : a flower of an orchid

or·dain \\òr-'dān\\ *vb* **1** : to admit to the ministry or priesthood by the ritual of a church **2** : DECREE, ENACT; *also* : DESTINE

or·deal \\òr-'dē(-ə)l, 'òr-ˌdē(-ə)l\\ *n* : a severe trial or experience

¹**or·der** \\'òrd-ər\\ *n* **1** : a group of people formally united; *also* : a badge or medal of such a group **2** : any of the several grades of the Christian ministry; *also, pl* : ORDINATION **3** : a rank, class, or special group of persons or things **4** : ARRANGEMENT, SEQUENCE; *also* : the prevailing mode of things **5** : a customary mode of procedure; *also* : the rule of law or proper authority **6** : a specific rule, regulation, or authoritative direction : COMMAND **7** : a style of building; *also* : an architectural column forming the unit of a style **8** : condition esp. with regard to repair **9** : a written direction to pay money or to buy or sell goods; *also* : goods bought or sold

²**order** *vb* **1** : ARRANGE, REGULATE **2** : COMMAND **3** : to place an order

¹**or·der·ly** \\'òrd-ər-lē\\ *adj* **1** : arranged according to some order; *also* : NEAT, TIDY **2** : well behaved ⟨an ~ crowd⟩ *syn* methodical, systematic — **or·der·li·ness** *n*

²**orderly** *n* **1** : a soldier who attends a superior officer **2** : a hospital attendant who does general work

¹**or·di·nal** \\'òrd-(ᵊ-)nəl\\ *adj* : indicating order or rank (as sixth) in a series

²**ordinal** *n* : an ordinal number

or·di·nance \\'òrd-(ᵊ-)nəns\\ *n* : an authoritative decree or law; *esp* : a municipal regulation

or·di·nary \\'òrd-ᵊn-ˌer-ē\\ *adj* **1** : to be expected ⟨an ~ day⟩ **2** : of common quality, rank, or ability; *also* : POOR, INFERIOR *syn* customary, routine, normal — **or·di·nar·i·ly** \\ˌòrd-ᵊn-'er-ə-lē\\ *adv*

or·di·na·tion \\ˌòrd-ᵊn-'ā-shən\\ *n* : the act or ceremony by which a person is ordained

ord·nance \\'òrd-nəns\\ *n* **1** : military supplies (as weapons, ammunition, or vehicles) **2** : CANNON, ARTILLERY

¹**ore** \\'ōr\\ *n* : a mineral containing a constituent for which it is mined and worked

or·gan \\'òr-gən\\ *n* **1** : a musical instrument having sets of pipes sounded by compressed air and controlled by keyboards; *also* : an instrument in which the sounds of the pipe organ are approximated by electronic devices **2** : a differentiated animal or plant structure made up of cells and tissues and performing some bodily function **3** : a means of performing a function or accomplishing an end **4** : PERIODICAL

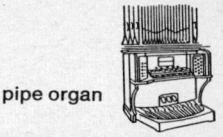

pipe organ

or·gan·ic \\òr-'gan-ik\\ *adj* **1** : of, relating to, or arising in a bodily organ **2** : ORGANIZED ⟨an ~ whole⟩ **3** : of, relating to, or derived from living things; *also* : containing carbon or its compounds **4** : of, relating to, or being a branch of chemistry dealing with carbon compounds formed or related to those formed by living things — **or·gan·i·cal·ly** *adv*

or·ga·nism \\'òr-gə-ˌniz-əm\\ *n* : a living person, animal, or plant

or·ga·ni·za·tion \\ˌòr-gə-nə-'zā-shən\\ *n* **1** : the act or process of organizing or of being organized; *also* : the condition or manner of being organized **2** : ASSOCIATION, SOCIETY **3** : MANAGEMENT

or·ga·nize \\'òr-gə-ˌnīz\\ *vb* **1** : to develop an organic structure **2** : to arrange or form into a complete and functioning whole **3** : to set up an administrative structure for **4** : to arrange by systematic planning and united effort **5** : to join in a union; *also* : UNIONIZE *syn* institute, found, establish — **or·ga·niz·er** *n*

or·gasm \\'òr-ˌgaz-əm\\ *n* : a climax of sexual excitement

or·gu·lous \\'òr-g(y)ə-ləs\\ *adj* : PROUD

or·gy \\'òr-jē\\ *n* : drunken revelry

ori·ent \\'ōr-ē-ˌent\\ *vb* **1** : to set or arrange in a definite position esp. in relation to the points of the compass **2** : to acquaint with an existing situation or environment — **ori·en·ta·tion** \\ˌōr-ē-ən-'tā-shən\\ *n*

ori·en·tal \\ˌōr-ē-'ent-ᵊl\\ *adj, often cap* : of or situated in the Orient — **Oriental** *n*

or·i·fice \\'òr-ə-fəs\\ *n* : OPENING, MOUTH

or·i·gin \\'òr-ə-jən\\ *n* **1** : ANCESTRY **2** : rise, beginning, or derivation from a source; *also* : CAUSE

¹**orig·i·nal** \\ə-'rij-ən-ᵊl\\ *n* : something from which a copy, reproduction, or translation is made : PROTOTYPE

²**original** *adj* **1** : FIRST, INITIAL **2** : not copied from something else : FRESH **3** : INVENTIVE — **orig·i·nal·i·ty** \\-ˌrij-ə-'nal-ət-ē\\ *n* — **orig·i·nal·ly** \\-'rij-ən-ᵊl-ē\\ *adv*

orig·i·nate \\ə-'rij-ə-ˌnāt\\ *vb* **1** : to give rise to : INITIATE **2** : to come into existence : BEGIN — **orig·i·na·tor** *n*

ori·ole \\'ōr-ē-ˌōl\\ *n* : an American songbird about the size of a thrush with brilliant black and orange plumage in the male

or·i·son \ˈȯr-ə-sən\ *n* : PRAYER

¹or·na·ment \ˈȯr-nə-mənt\ *n* : something that lends grace or beauty : DECORATION — **or·na·men·tal** \ˌȯr-nə-ˈment-ᵊl\ *adj*

²ornament \ˈȯr-nə-ˌment\ *vb* : to provide with ornament : ADORN — **or·na·men·ta·tion** \ˌȯr-nə-mən-ˈtā-shən\ *n*

or·nate \ȯr-ˈnāt\ *adj* : elaborately decorated — **or·nate·ly** *adv* — **or·nate·ness** *n*

or·nery \ˈȯrn-(ə-)rē, ˈän-\ *adj* : having an irritable disposition

or·ni·thol·o·gy \ˌȯr-nə-ˈthäl-ə-jē\ *n* : a branch of zoology dealing with birds — **or·ni·tho·log·i·cal** \-thə-ˈläj-i-kəl\ *adj* — **or·ni·thol·o·gist** \-ˈthäl-ə-jəst\ *n*

or·phan \ˈȯr-fən\ *n* : a child deprived by death of one or usu. both parents — **orphan** *vb*

or·phan·age \ˈȯrf-(ə-)nij\ *n* : an institution for the care of orphans

or·tho·don·tics \-ˈdänt-iks\ *n* : a branch of dentistry dealing with faulty tooth occlusion and its correction — **or·tho·don·tist** \-ˈdänt-əst\ *n*

or·tho·dox \ˈȯr-thə-ˌdäks\ *adj* [LGk *orthodoxos*, fr. Gk *orthos* right + *doxa* opinion] **1** : conforming to established doctrine esp. in religion **2** : CONVENTIONAL **3** *cap* : of or relating to a Christian church originating in the church of the Eastern Roman Empire — **or·tho·doxy** \-ˌdäk-sē\ *n*

or·thog·ra·phy \ȯr-ˈthäg-rə-fē\ *n* : SPELLING — **or·tho·graph·ic** \ˌȯr-thə-ˈgraf-ik\ *adj*

or·tho·pe·dics \ˌȯr-thə-ˈpēd-iks\ *n* : the correction or prevention of skeletal deformities — **or·tho·pe·dic** \-ik\ *adj* — **or·tho·pe·dist** \-ˈpēd-əst\ *n*

os·cil·late \ˈäs-ə-ˌlāt\ *vb* **1** : to swing backward and forward like a pendulum **2** : VARY, FLUCTUATE **3** : to increase and decrease in magnitude or reverse direction periodically ⟨an *oscillating* electric current⟩ — **os·cil·la·tion** \ˌäs-ə-ˈlā-shən\ *n* — **os·cil·la·tor** \ˈäs-ə-ˌlāt-ər\ *n* — **os·cil·la·to·ry** \ä-ˈsil-ə-ˌtōr-ē\ *adj*

os·cil·lo·scope \ä-ˈsil-ə-ˌskōp\ *n* : an instrument in which variations in current or voltage appear as visible waves of light

os·cu·late \ˈäs-kyə-ˌlāt\ *vb* : KISS — **os·cu·la·tion** \ˌäs-kyə-ˈlā-shən\ *n*

os·mi·um \ˈäz-mē-əm\ *n* : a heavy hard brittle metallic chemical element used in alloys

os·mo·sis \äs-ˈmō-səs, äz-\ *n* : diffusion through a partially permeable membrane separating a solvent and a solution that tends to equalize their concentrations — **os·mot·ic** \-ˈmät-ik\ *adj*

os·si·fy \ˈäs-ə-ˌfī\ *vb* : to change into bone — **os·si·fi·ca·tion** \ˌäs-ə-fə-ˈkā-shən\ *n*

os·ten·si·ble \ä-ˈsten-sə-bəl\ *adj* : shown outwardly : PROFESSED, APPARENT — **os·ten·si·bly** \-blē\ *adv*

os·ten·ta·tion \ˌäs-tən-ˈtā-shən\ *n* : pretentious or excessive display — **os·ten·ta·tious** \-shəs\ *adj* — **os·ten·ta·tious·ly** *adv*

os·te·op·a·thy \ˌäs-tē-ˈäp-ə-thē\ *n* : a system of healing that emphasizes manipulation (as of joints) but does not exclude other agencies (as the use of medicine and surgery) — **os·te·o·path** \ˈäs-tē-ə-ˌpath\ *n* — **os·te·o·path·ic**

os·tra·cize \ˈäs-trə-ˌsīz\ *vb* : to exclude from a group by common consent — **os·tra·cism** \-ˌsiz-əm\ *n*

os·trich \ˈäs-trich\ *n* : a very large swift-footed flightless bird of Africa and Arabia

¹oth·er \ˈəth-ər\ *adj* **1** : being the one left; *also* : being the ones distinct from those first mentioned **2** : ALTERNATE ⟨every ~ day⟩ **3** : DIFFERENT **4** : ADDITIONAL **5** : recently past ⟨the ~ night⟩

²other *pron* **1** : remaining one or ones ⟨one foot and then the ~⟩ **2** : a different or additional one ⟨something or ~⟩

oth·er·wise \-ˌwīz\ *adv* **1** : in a different way **2** : in different circumstances **3** : in other respects — **otherwise** *adj*

oti·ose \ˈō-shē-ˌōs\ *adj* **1** : IDLE **2** : STERILE **3** : USELESS

ot·ter \ˈät-ər\ *n* : a web-footed fish-eating mammal that is related to the weasels and has dark brown fur; *also* : its fur

ot·to·man \ˈät-ə-mən\ *n* : an upholstered seat or couch; *also* : an overstuffed footstool

ought \ˈȯt\ *vb* — used as an auxiliary to express moral obligation, advisability, natural expectation, or logical consequence

ounce \ˈau̇ns\ *n* : a weight equal to a sixteenth part of a pound avoirdupois or to a twelfth part of a pound troy

our \är, ˈau̇(ə)r\ *adj* : of or relating to us or ourselves

ours \(ˈ)au̇(ə)rz\ *pron* : one or the ones belonging to us

our·selves \är-ˈselvz, au̇(ə)r-\ *pron* : our own selves — used reflexively, for emphasis, or in absolute constructions ⟨we pleased ~⟩ ⟨we'll do it ~⟩ ⟨~ tourists, we avoided other tourists⟩

-ous \əs\ *adj suffix* : full of : abounding in : having : possessing the qualities of ⟨clamor*ous*⟩ ⟨poison*ous*⟩

oust \ˈau̇st\ *vb* : to eject from or deprive of property or position : EXPEL **syn** evict, dismiss

oust·er \ˈau̇s-tər\ *n* : REMOVAL, EXPULSION

¹out \ˈau̇t\ *adv* **1** : in a direction away from the inside or center **2** : beyond control **3** : to extinction, exhaustion, or completion **4** : in or into the open **5** : so as to retire a batter or base runner; *also* : so as to be retired

²out *vb* : to become public ⟨murder will ~⟩

³out *adj* **1** : situated outside or at a distance **2** : not in : ABSENT; *also* : not being in power **3** : not successful in reaching base

⁴out *prep* **1** : out through ⟨looked ~ the window⟩ **2** : outward on or along

⁵out *n* : a batter or base runner who has been retired

out-and-out \ˌau̇t-ᵊn(d)-ˈau̇t\ *adj* **1** : OPEN, UNDISGUISED **2** : COMPLETE, THOROUGHGOING

out·bid \-ˈbid\ *vb* **-bid; -bid·ding** : to make a higher bid than

¹out·board \ˈau̇t-ˌbōrd\ *adj* **1** : situated outboard **2** : having or using an outboard motor

²outboard *adv* **1** : outside the lines of a ship's hull **2** : facing outward from the median line **2** : in a position closer or closest to either of the wing tips of an airplane

out·bound \'aüt-,baünd\ *adj* : outward bound ⟨~ traffic⟩
out·break \'aüt-,brāk\ *n* **1** : a sudden or violent breaking out **2** : something (as an epidemic) that breaks out
out·build·ing \'aüt-,bil-diŋ\ *n* : a building separate from but accessory to a main house
out·burst \'aüt-,bərst\ *n* : ERUPTION; *esp* : a violent expression of feeling
out·cast \'aüt-,kast\ *n* : one who is cast out by society : PARIAH
out·come \'aüt-,kəm\ *n* : a final consequence : RESULT
out·crop \'aüt-,kräp\ *n* : the coming out of a stratum to the surface of the ground; *also* : the part of a stratum that thus appears
out·cry \'aüt-,krī\ *n* : a loud cry : CLAMOR
out·dat·ed \aüt-'dāt-əd\ *adj* : OBSOLETE
out·dis·tance \-'dis-təns\ *vb* : to go far ahead of (as in a race) : OUTSTRIP
out·do \-'dü\ *vb* : to go beyond in action or performance : EXCEL
out·door \,aüt-,dōr\ *also* **out·doors** \-,dōrz\ *adj* **1** : of or relating to the outdoors **2** : performed outdoors **3** : not enclosed (as by a roof)
¹**out·doors** \aüt-'dōrz\ *adv* : in or into the open air
²**outdoors** *n* **1** : the open air **2** : the world away from human habitation
out·er \'aüt-ər\ *adj* **1** : EXTERNAL **2** : situated farther out; *also* : being away from a center
out·er·most \-,mōst\ *adj* : farthest out
out·face \aüt-'fās\ *vb* **1** : to cause to waver or submit **2** : DEFY
out·field \'aüt-,fēld\ *n* : the part of a baseball field beyond the infield and within the foul lines — **out·field·er** *n*
out·fight \aüt-'fīt\ *vb* : to surpass in fighting : DEFEAT
¹**out·fit** \'aüt-,fit\ *n* **1** : the equipment or apparel for a special purpose or occasion **2** : GROUP
²**outfit** *vb* : EQUIP — **out·fit·ter** *n*
out·flank \aüt-'flaŋk\ *vb* : to get around the flank of (an opposing force)
out·flow \'aüt-,flō\ *n* **1** : a flowing out **2** : something that flows out
out·fox \aüt-'fäks\ *vb* : OUTSMART
out·go \'aüt-,gō\ *n* : EXPENDITURE, OUTLAY
out·go·ing \'aüt-,gō-iŋ\ *adj* **1** : going out ⟨~ tide⟩ **2** : retiring from a place or position **3** : FRIENDLY
out·grow \aüt-'grō\ *vb* **1** : to grow faster than **2** : to grow too large for
out·growth \'aüt-,grōth\ *n* : a product of growing out : OFFSHOOT 1; *also* : CONSEQUENCE
out·guess \aüt-'ges\ *vb* : ANTICIPATE, OUTWIT
out·house \'aüt-,haüs\ *n* : OUTBUILDING; *esp* : an outdoor toilet
out·ing \'aüt-iŋ\ *n* **1** : EXCURSION **2** : a brief stay or trip in the open
out·land·ish \aüt-'lan-dish\ *adj* **1** : of foreign appearance or manner; *also* : BIZARRE **2** : remote from civilization
out·last \-'last\ *vb* : to last longer than : SURVIVE
¹**out·law** \'aüt-,lò\ *n* **1** : a person excluded from the protection of the law **2** : a lawless person
²**outlaw** *vb* **1** : to deprive of the protection of the law **2** : to make illegal — **out·law·ry** \-rē\ *n*

out·lay \'aüt-,lā\ *n* **1** : the act of spending **2** : EXPENDITURE
out·let \-,let\ *n* **1** : EXIT, VENT **2** : a means of release (as for an emotion) **3** : a market for a commodity
¹**out·line** \-,līn\ *n* **1** : a line marking the outer limits of an object or figure **2** : a drawing in which only contours are marked **3** : SUMMARY, SYNOPSIS **4** : PLAN
²**outline** *vb* **1** : to draw the outline of **2** : to indicate the chief features or parts of
out·live \aüt-'liv\ *vb* : to live longer than **syn** outlast, survive
out·look \'aüt-,lük\ *n* **1** : a place offering a view; *also* : VIEW **2** : STANDPOINT **3** : the prospect for the future
out·ly·ing \-,lī-iŋ\ *adj* : distant from a center or main body
out·ma·neu·ver \,aüt-mə-'n(y)ü-vər\ *vb* : to defeat by more skillful maneuvering
out·mod·ed \aüt-'mōd-əd\ *adj* **1** : being out of style **2** : no longer acceptable or approved
out·num·ber \-'nəm-bər\ *vb* : to exceed in number
out of *prep* **1** : out from within ⟨walk *out of* the room⟩ or behind ⟨look *out of* the window⟩ **2** : from a state of ⟨wake up *out of* a deep sleep⟩ **3** : beyond the limits of ⟨*out of* sight⟩ **4** : from among ⟨one *out of* four⟩ **5** : in or into a state of loss or not having ⟨cheated him *out of* $5000⟩ ⟨we're *out of* matches⟩ **6** : because of ⟨came *out of* curiosity⟩ **7** : FROM, WITH ⟨built it *out of* scrap lumber⟩
out-of-bounds *adv (or adj)* : outside the prescribed area of play
out-of-date *adj* : no longer in fashion or in use : OUTMODED
out-of-door *or* **out-of-doors** *adj* : OUTDOOR
out·pa·tient \'aüt-,pā-shənt\ *n* : a person not an inmate of a hospital who visits it for diagnosis or treatment
out·play \aüt-'plā\ *vb* : to play more skillfully than
out·post \'aüt-,pōst\ *n* **1** : a military detachment stationed at some distance from a camp as a guard against enemy attack; *also* : a military base established (as by treaty) in a foreign country **2** : an outlying or frontier settlement
out·put \-,pùt\ *n* : the amount produced (as by a machine or factory) : PRODUCTION
¹**out·rage** \'aüt-,rāj\ *n* **1** : a violent or shameful act **2** : INJURY, INSULT
²**outrage** *vb* **1** : RAPE **2** : to subject to violent injury or gross insult **3** : to arouse to extreme resentment
out·ra·geous \aüt-'rā-jəs\ *adj* : extremely offensive, insulting, or shameful : SHOCKING — **out·ra·geous·ly** *adv*
out·rank \aüt-'raŋk\ *vb* : to rank higher than
out·reach \aüt-'rēch\ *vb* **1** : to surpass in reach **2** : to get the better of by trickery
out·rig·ger \-,rig-ər\ *n* **1** : a projecting device (as a light spar with a log at the end) fastened at the side or sides of a boat to prevent upsetting **2** : a boat equipped with an outrigger
out·right \(')aüt-'rīt\ *adv* **1** : COMPLETELY **2** : INSTANTANEOUSLY
out·run \aüt-'rən\ *vb* : to run faster than; *also* : EXCEED

out·sell \-'sel\ *vb* : to exceed in sales
out·set \'aut-,set\ *n* : BEGINNING, START
out·shine \aut-'shīn\ *vb* 1 : to shine brighter than 2 : SURPASS
¹**out·side** \aut-'sīd, 'aut-,sīd\ *n* 1 : a place or region beyond an enclosure or boundary 2 : EXTERIOR 3 : the utmost limit or extent
²**outside** *adj* 1 : OUTER 2 : coming from without 〈~ influences〉 3 : being apart from one's regular duties 〈~ activities〉 4 : REMOTE 〈an ~ chance〉
³**outside** *adv* : on or to the outside
⁴**outside** *prep* 1 : on or to the outside of 2 : beyond the limits of 3 : EXCEPT
outside of *prep* 1 : OUTSIDE 2 : BESIDES
out·sid·er \aut-'sīd-ər\ *n* : one who does not belong to a group
out·size \'aut-,sīz\ *n* : an unusual size; *esp* : a size larger than the standard
out·skirts \-,skərts\ *n pl* : the outlying parts (as of a city) : BORDERS
out·smart \aut-'smärt\ *vb* : OUTWIT
out·spo·ken \aut-'spō-kən\ *adj* : direct and open in speech or expression — **out·spo·ken·ness** *n*
out·spread \'aut-,spred\ *adj* : spread out : EXTENDED
out·stand·ing \(')aut-'stan-diŋ\ *adj* 1 : PROJECTING 2 : UNPAID; *also* : UNRESOLVED 3 : publicly issued and sold 4 : CONSPICUOUS; *also* : DISTINGUISHED
out·stay \aut-'stā\ *vb* 1 : to stay longer than or beyond 2 : to surpass in endurance
out·stretched \-'strecht\ *adj* : stretched out : EXTENDED
out·strip \-'strip\ *vb* 1 : to go faster than 2 : EXCEL, SURPASS
¹**out·ward** \'aut-wərd\ *adj* 1 : moving or directed toward the outside 2 : showing outwardly
²**outward** *or* **out·wards** \-wərdz\ *adv* : toward the outside
out·ward·ly *adv* : on the outside : EXTERNALLY
out·wear \aut-'waər\ *vb* : to wear longer than : OUTLAST
out·weigh \-'wā\ *vb* : to exceed in weight, value, or importance
out·wit \-'wit\ *vb* **-wit·ted; -wit·ting** : to get the better of by superior cleverness
¹**out·work** \aut-'wərk\ *vb* : to outdo in working
²**out·work** \'aut-,wərk\ *n* : a minor defensive position outside a fortified area
out·worn \aut-'wōrn\ *adj* : OUTMODED
ova *pl of* OVUM
oval \'ō-vəl\ *adj* : having the shape of an egg; *also* : broadly elliptical — **oval** *n*
ova·ry \'ōv-(ə-)rē\ *n* 1 : a usu. paired organ of a female animal in which eggs and often sex hormones are produced 2 : the part of a flower in which seeds are produced — **ovar·i·an** \ō-'var-ē-ən, -'ver-\ *adj*
ova·tion \ō-'vā-shən\ *n* : an enthusiastic popular tribute : APPLAUSE
ov·en \'əv-ən\ *n* : a chamber (as in a stove) for baking, heating, or drying
¹**over** \'ō-vər\ *adv* 1 : across a barrier or intervening space 2 : across the brim 〈boil ~〉 3 : so as to bring the underside up 4 : out of a vertical position 5 : beyond some quantity, limit, or norm 6 : ABOVE 7 : at an end 8 : THROUGH; *also* : THOROUGHLY 9 : AGAIN
²**over** *prep* 1 : above in position 〈towered ~ her〉, authority 〈obeyed those ~ him〉,

or scope 〈the talk was ~ their heads〉 2 : more than 〈paid ~ $100 for it〉 3 : ON, UPON 〈a cape ~ his shoulders〉 4 : along the length of 〈~ the road〉 5 : through the medium of : ON 〈spoke ~ TV〉 6 : all through 〈showed me ~ the house〉 7 : on or above so as to cross 〈walk ~ the bridge〉 〈jump ~ a ditch〉 8 : DURING 〈~ the past 25 years〉 9 : on account of 〈fought ~ a woman〉
³**over** *adj* 1 : UPPER, HIGHER 2 : REMAINING 3 : ENDED
over- *prefix* 1 : so as to exceed or surpass 2 : excessive

overabundance   overindulgent
overabundant   overissue
overactive   overlarge
overambitious   overlearn
overanxious   overliberal
overbid   overload
overbuild   overman
overbuy   overmodest
overcapitalize   overnice
overcareful   overpay
overcautious   overpopulate
overcompensation overpopulation
overconfidence   overpraise
overconfident   overprice
overconscientious overproduce
overcooked   overproduction
overcritical   overproportion
overcrowd   overprotect
overdecorated   overproud
overdevelop   overrate
overdose   overrefinement
overdress   overripe
overdue   oversell
overeager   oversensitive
overeat   oversensitiveness
overemphasis   oversimplification
overemphasize   oversimplify
overenthusiastic   overspecialization
overestimate   overspecialize
overexcite   overspend
overexert   overstock
overexertion   overstrict
overextend   oversubtle
overfatigued   oversupply
overfeed   overtax
overfill   overtired
overgenerous   overtrain
overgraze   overuse
overheat   overweight
overindulge   overwork
overindulgence   overzealous

over·act \,ō-vər-'akt\ *vb* : to exaggerate in acting
¹**over·age** \,ō-vər-'āj\ *adj* 1 : too old to be useful 2 : older than is normal for one's position, function, or grade
²**over·age** \'ōv-(ə-)rij\ *n* : SURPLUS, EXCESS
over·all \,ō-vər-'ol\ *adj* : including everything 〈~ expenses〉
over·alls \'ō-vər-,olz\ *n pl* : trousers of strong material usu. with a piece extending up to cover the chest
over·arm \'ō-vər-,ärm\ *adj* : done with the arm raised above the shoulder
over·awe \,ō-vər-'o\ *vb* : to restrain or subdue by awe
over·bear·ing \-'ba(ə)r-iŋ\ *adj* : ARROGANT, DOMINEERING
over·board \'ō-vər-,bōrd\ *adv* 1 : over the side of a ship into the water 2 : to extremes of enthusiasm
over·bur·den \,ō-vər-'bərd-ᵊn\ *vb* : to burden too heavily

over·cast \'ō-vər-,kast\ *adj* : clouded over : GLOOMY
over·charge \,ō-vər-'chärj\ *vb* **1** : to charge too much **2** : to fill or load too full — **over·charge** \'ō-vər-,chärj\ *n*
over·coat \'ō-vər-,kōt\ *n* : a warm coat worn over indoor clothing
over·come \,ō-vər-'kəm\ *vb* **1** : CONQUER **2** : to make helpless or exhausted
over·do \-'dü\ *vb* **1** : to do too much; *also* : to tire oneself **2** : EXAGGERATE **3** : to cook too long
over·draw \-'drȯ\ *vb* : to draw checks on a bank account for more than the balance — **over·draft** \'ō-vər-,draft, -,dräft\ *n*
over·ex·pose \,ō-vər-ik-'spōz\ *vb* : to expose (a photographic plate or film) for more time than is needed — **over·ex·po·sure** \-'spō-zhər\ *n*
¹over·flow \,ō-vər-'flō\ *vb* **1** : INUNDATE; *also* : to pour forth in a flood **2** : to flow over the brim or top of
²over·flow \'ōvər-,flō\ *n* **1** : FLOOD; *also* : SURPLUS **2** : an outlet for surplus liquid
over·grow \,ō-vər-'grō\ *vb* **1** : to grow over so as to cover **2** : OUTGROW **3** : to grow excessively
over·hand \'ō-vər-,hand\ *adj* : made with the hand brought down from above — **overhand** *adv*
¹over·hang \'ō-vər-,haŋ\ *vb* **1** : to project over : jut out **2** : to hang over threateningly
²overhang *n* : a part (as of a roof) that overhangs
over·haul \,ō-vər-'hȯl\ *vb* **1** : to examine thoroughly and make necessary repairs and adjustments **2** : OVERTAKE
¹over·head \-'hed\ *adv* : ALOFT
²over·head \'ō-vər-,hed\ *adj* : operating or lying above ⟨~ door⟩
³over·head \'ō-vər-,hed\ *n* : business expenses not chargeable to a particular part of the work
over·hear \,ō-vər-'hiər\ *vb* : to hear without the speaker's knowledge or intention
over·joy \,ō-vər-'jȯi\ *vb* : to fill with great joy
over·land \'ō-vər-,land, -lənd\ *adv (or adj)* : by, on, or across land
over·lap \,ō-vər-'lap\ *vb* **1** : to lap over **2** : to have something in common
over·lay \-'lā\ *vb* : to lay or spread over or across — **over·lay** \'ō-vər-,lā\ *n*
over·leap \,ō-vər-'lēp\ *vb* **1** : to leap over or across **2** : to defeat (oneself) by going too far
over·look \,ō-vər-'lu̇k\ *vb* **1** : INSPECT **2** : to look down on from above **3** : to fail to see **4** : IGNORE; *also* : EXCUSE **5** : SUPERVISE
over·lord \'ō-vər-,lȯrd\ *n* : a lord who has supremacy over other lords
over·ly \'ō-vər-lē\ *adv* : EXCESSIVELY, TOO
over·much \-'məch\ *adj (or adv)* : too much
¹over·night \-'nīt\ *adv* **1** : on or during the night **2** : SUDDENLY ⟨became famous ~⟩
²overnight *adj* : of, lasting, or staying the night ⟨~ guests⟩
over·pass \'ō-vər-,pas\ *n* : a crossing (as by means of a bridge) of two highways or of a highway and railroad at different levels

over·play \,ō-vər-'plā\ *vb* **1** : EXAGGERATE; *also* : OVEREMPHASIZE **2** : to rely too much on the strength of
over·pow·er \-'pau̇(-ə)r\ *vb* **1** : to overcome by superior force **2** : OVERWHELM
over·reach \,ō-və(r)-'rēch\ *vb* **1** : to reach above or beyond **2** : to defeat (oneself) by too great an effort
over·ride \-'rīd\ *vb* **1** : to ride over or across **2** : to prevail over; *also* : to set aside
over·rule \-'rül\ *vb* **1** : to prevail over **2** : to rule against **3** : to set aside : REVERSE
over·run \-'rən\ *vb* **1** : to defeat and occupy the positions of **2** : OVERSPREAD; *also* : INFEST **3** : to go beyond **4** : to flow over
over·seas \,ō-vər-'sēz\ *adv or adj* : beyond or across the sea : ABROAD — **over·sea** \-'sē\ *adj (or adv)*
over·see \-'sē\ *vb* **1** : OVERLOOK **2** : INSPECT; *also* : SUPERVISE — **over·seer** \'ō-vər-,siər\ *n*
over·shad·ow \,ō-vər-'shad-ō\ *vb* **1** : DARKEN **2** : to exceed in importance
over·sight \'ō-vər-,sīt\ *n* **1** : SUPERVISION **2** : an inadvertent omission or error
over·size \,ō-vər-'sīz\ *or* **over·sized** \-'sīzd\ *adj* : of more than ordinary size
over·sleep \-'slēp\ *vb* : to sleep beyond the time for waking
over·state \-'stāt\ *vb* : EXAGGERATE — **over·state·ment** \-mənt\ *n*
over·stay \-'stā\ *vb* : to stay beyond the time or limits of
over·step \-'step\ *vb* : EXCEED, TRANSGRESS
over·stuffed \-'stəft\ *adj* **1** : stuffed too full **2** : covered completely and deeply with upholstery
over·sub·scribe \-səb-'skrīb\ *vb* : to subscribe for more of than is available, asked for, or offered for sale ⟨~ a stock issue⟩
overt \ō-'vərt, 'ō-,vərt\ *adj* : not secret
over·take \,ō-vər-'tāk\ *vb* : to catch up with
over·throw \-'thrō\ *vb* **1** : UPSET **2** : DEFEAT **3** : to throw over or past — **over·throw** \'ō-vər-,thrō\ *n*
over·time \'ō-vər-,tīm\ *n* : time beyond a set limit; *esp* : working time in excess of a standard day or week
over·tone \'ō-vər-,tōn\ *n* **1** : one of the higher tones in a complex musical tone **2** : IMPLICATION, SUGGESTION
over·top \,ō-vər-'täp\ *vb* **1** : to tower above **2** : SURPASS
over·ture \'ō-vər-,chu̇r, -chər\ *n* **1** : an opening offer : PROPOSAL **2** : an orchestral introduction to a musical dramatic work
over·turn \,ō-vər-'tərn\ *vb* **1** : to turn over **2** : UPSET **3** : OVERTHROW
over·ween·ing \-'wē-niŋ\ *adj* **1** : ARROGANT **2** : IMMODERATE
over·weigh \-'wā\ *vb* **1** : to exceed in weight **2** : OPPRESS
over·whelm \-'hwelm\ *vb* **1** : OVERTHROW **2** : SUBMERGE **3** : to overcome completely
over·wrought \,ō-və(r)-'rȯt\ *adj* **1** : extremely excited **2** : elaborated to excess
ovum \'ō-vəm\ *n, pl* **ova** \-və\ : a female germ cell : EGG

owe \'ō\ *vb* **1** : to be under obligation to pay or render **2** : to be indebted to or for; *also* : to be in debt

owl \'aůl\ *n* : a nocturnal bird of prey with large head and eyes and strong talons — **owl·ish** \'au-lish\ *adj* — **owl·ish·ly** *adv*

¹own \'ōn\ *adj* : belonging to oneself — used as an intensive after a possessive adjective ⟨his ~ car⟩

²own *vb* **1** : to have or hold as property : POSSESS **2** : ACKNOWLEDGE; *also* : CONFESS — **own·er** *n* — **own·er·ship**

³own *pron* : own one or ones

ox \'äks\ *n, pl* **ox·en** \'äk-sən\ : an adult castrated male of the common domestic cattle

ox·blood \'äks-,bləd\ *n* : a moderate reddish brown

ox·cart \-,kärt\ *n* : a cart drawn by oxen

ox·ford \'äks-fərd\ *n* : a low shoe laced or tied over the instep

ox·i·da·tion \,äk-sə-'dā-shən\ *n* : the act or process of oxidizing : the condition of being oxidized

ox·ide \'äk-,sīd\ *n* : a compound of oxygen with an element or radical

ox·i·dize \'äk-sə-,dīz\ *vb* : to combine with oxygen ⟨iron rusts because it is *oxidized* by exposure to the air⟩

ox·y·gen \'äk-si-jən\ *n* : a colorless odorless gaseous chemical element that is found in the air, is essential to life, and is involved in combustion

oys·ter \'ȯi-stər\ *n* : any of various mollusks with an irregular 2-valved shell that live on stony bottoms in shallow seas and include edible shellfish and pearl producers

ozone \'ō-,zōn\ *n* **1** : a faintly blue form of oxygen that is produced by the silent discharge of electricity in air or oxygen, has a faint chlorinelike odor, and is used for sterilizing water, purifying air, and bleaching **2** : pure and refreshing air

P

p \'pē\ *n, often cap* : the 16th letter of the English alphabet

pab·u·lum \'pab-yə-ləm\ *n* : usu. soft digestible food

¹pace \'pās\ *n* **1** : a step in walking; *also* : the length of such a step **2** : rate of movement or progress (as in walking or working) **3** : GAIT; *esp* : a horse's gait in which the legs on the same side move together

²pace *vb* **1** : to go or cover at a pace or with slow steps **2** : to measure off by paces **3** : to set or regulate the pace of

³pa·ce \'pā-sē\ *prep* : with due respect to

pace·mak·er \'pās-,mā-kər\ *n* : one that sets the pace for another

pac·er \'pā-sər\ *n* **1** : a horse that paces **2** : PACEMAKER

pa·cif·ic \pə-'sif-ik\ *adj* **1** : tending to lessen conflict : PEACEABLE **2** : CALM, PEACEFUL

pac·i·fi·er \'pas-ə-,fī(-ə)r\ *n* : one that pacifies; *esp* : a device for a baby to chew or suck on

pac·i·fism \-,fiz-əm\ *n* : opposition to war or violence as a means of settling disputes — **pac·i·fist** \-fəst\ *n*

pac·i·fy \'pas-ə-,fī\ *vb* **1** : to allay anger or agitation in : SOOTHE ⟨~ a weeping child⟩ **2** : SETTLE ⟨~ a quarrel⟩; *also* : SUBDUE ⟨~ a hostile population⟩ — **pac·i·fi·ca·tion** \,pas-ə-fə-'kā-shən\ *n*

¹pack \'pak\ *n* **1** : a compact bundle (as a packet or package) **2** : a large amount or number : HEAP **3** : a set of playing cards **4** : a group or band of people or animals **5** : wet absorbent material for application to the body

²pack *vb* **1** : to make into a pack **2** : to put into a protective container **3** : to fill completely : CRAM **4** : to load with a pack ⟨~ a mule⟩ **5** : to stow goods for transportation **6** : to crowd together **7** : to cause to go without ceremony ⟨~ them off to school⟩ **8** : to fill in or surround so as to prevent passage of air, steam, or water **9** : WEAR, CARRY ⟨~ a gun⟩

³pack *vb* : to make up fraudulently so as to secure a desired result ⟨~ a jury⟩

¹pack·age \'pak-ij\ *n* **1** : BUNDLE, PARCEL **2** : something (as a group of related things offered as a whole) resembling a package

²package *vb* : to make into a package

pack·er \'pak-ər\ *n* : one that packs; *esp* : a wholesale dealer

pack·et \'pak-ət\ *n* **1** : a small bundle or package **2** : a passenger boat carrying mail and cargo on a regular schedule

pact \'pakt\ *n* : AGREEMENT, TREATY

¹pad \'pad\ *n* **1** : a cushioning part or thing : CUSHION **2** : the cushioned part of the foot of some mammals **3** : the floating leaf of a water plant **4** : a writing tablet

²pad *vb* **pad·ded**; **pad·ding** **1** : to furnish with a pad or padding **2** : to expand with needless or fraudulent matter

¹pad·dle \'pad-ᵊl\ *n* **1** : an implement with a flat blade often shaped like an oar and used in propelling and steering a canoe **2** : an implement used for stirring, mixing, or beating **3** : a broad board on the outer rim of a waterwheel or a paddle wheel of a boat

²paddle *vb* **1** : to move on or through water by or as if by using a paddle **2** : to beat or stir with a paddle

³paddle *vb* : to move the hands and feet about in shallow water

paddle wheel *n* : a wheel with blades around its rim used to propel a boat

pad·dock \'pad-ək\ *n* : a usu. enclosed area for pasturing or exercising animals; *esp* : one where racehorses are saddled and paraded before a race

pad·dy \'pad-ē\ *n* **1** : RICE **2** : wet land where rice is grown

pad·lock \'pad-,läk\ *n* : a lock with a bow-shaped piece that can be snapped in or out of a catch by use of a key — **padlock** *vb*

pa·gan \'pā-gən\ *n* : HEATHEN — **pagan** *adj* — **pa·gan·ism** \-,iz-əm\ *n*

¹page \'pāj\ *n* : ATTENDANT; *esp* : one employed to deliver messages

²page *vb* : to summon by repeatedly calling out the name of

³page *n* : a single leaf (as of a book); *also* : a single side of such a leaf

⁴page *vb* : to mark or number the pages of

pag·eant \'paj-ənt\ *n* : an elaborate spectacle, show, or procession esp. with tableaux or floats — **pag·eant·ry** \-ən-trē\ *n*

page·boy \'pāj-,bȯi\ *n* : a woman's often shoulder-length bob with the ends of the hair turned under in a smooth roll

pa·go·da \pə-'gōd-ə\ *n* : a tower with roofs curving upward at the division of each of several stories ⟨Chinese ~⟩

paid *past of* PAY

pail \'pāl\ *n* : a usu. cylindrical vessel with a handle — **pail·ful** \-,fu̇l\ *n*

¹pain \'pān\ *n* **1** : PUNISHMENT, PENALTY **2** : suffering or distress of body or mind; *also* : a basic sensation caused by harmful stimuli and marked by discomfort (as throbbing or aching) **3** *pl* : CARE, TROUBLE — **pain·ful** \-fəl\ *adj* — **pain·ful·ly** *adv* — **pain·less** *adj*

²pain *vb* : to cause or experience pain : HURT

pains·tak·ing \'pān-,stā-kiŋ\ *adj* : taking pains : showing care — **painstaking** *n* — **pains·tak·ing·ly** *adv*

¹paint \'pānt\ *vb* **1** : to apply color, pigment, or paint to **2** : to produce or portray in lines or colors on a surface; *also* : to practice the art of painting **3** : to decorate with colors **4** : to use cosmetics **5** : to describe vividly **6** : SWAB — **paint·er** *n*

²paint *n* **1** : something produced by painting **2** : MAKEUP **3** : a mixture of a pigment and a liquid that forms a thin adherent coating when spread on a surface; *also* : the dry pigment used in making this mixture **4** : an applied coating of paint

paint·brush \-,brəsh\ *n* : a brush for applying paint

paint·ing *n* **1** : a work (as a picture) produced through the art of painting

2 : the art or occupation of painting

¹pair \'paər\ *n* **1** : two things of a kind designed for use together **2** : something made up of two corresponding pieces ⟨a ~ of trousers⟩ **3** : a set of two people or animals : COUPLE ⟨a carriage and ~⟩ ⟨a married ~⟩

²pair *vb* **1** : to arrange in pairs **2** : to form a pair : MATCH **3** : to become associated with another

pais·ley \'pāz-lē\ *adj*, *often cap* : made typically of soft wool with colorful curved abstract figures ⟨a ~ shawl⟩

pa·ja·mas \pə-'jäm-əz, -'jam-\ *n pl* : a loose usu. 2-piece lightweight suit designed for sleeping or lounging

Pak·i·stani \,pak-ə-'stan-ē, ,päk-ə-'stän-ē\ *n* : a native or inhabitant of Pakistan — **Pakistani** *adj*

pal \'pal\ *n* : a close friend

pal·ace \'pal-əs\ *n* [OF *palais*, fr. L *palatium*, fr. *Palatium*, the Palatine Hill in Rome where the emperors' palaces were built] **1** : the official residence of a sovereign **2** : MANSION — **pa·la·tial** \pə-'lā-shəl\ *adj*

pal·at·a·ble \'pal-ət-ə-bəl\ *adj* : agreeable to the taste *syn* appetizing, savory, tasty, toothsome

pal·ate \'pal-ət\ *n* **1** : the roof of the mouth consisting of an anterior bony part (**hard palate**) and a posterior membranous fold (**soft palate**) **2** : TASTE — **pal·a·tal** \-ət-ᵊl\ *adj*

¹pal·a·tine \'pal-ə-,tīn\ *adj* **1** : of or relating to a palace : PALATIAL **2** : possessing royal privileges; *also* : of or relating to a palatine or a palatinate

²palatine *n* **1** : a high officer of an imperial palace **2** : a feudal lord having sovereign power within his domains

pa·la·ver \pə-'lav-ər, -'läv-\ *n* : a long parley : TALK — **palaver** *vb*

¹pale \'pāl\ *adj* **1** : deficient in color : WAN ⟨~ face⟩ **2** : lacking in brightness : DIM ⟨~ star⟩ **3** : light in color or shade ⟨~ blue⟩ — **pale·ness** *n*

²pale *vb* : to make or become pale

³pale *vb* : to enclose with or as if with pales : FENCE

⁴pale *n* **1** : a stake or picket of a fence **2** : an enclosed place; *also* : a district or territory within certain bounds or under a particular jurisdiction **3** : LIMITS, BOUNDS ⟨conduct beyond the ~⟩

pale·face \'pāl-,fās\ *n* : a white person : CAUCASIAN

pa·le·on·tol·o·gy \,pā-lē-,än-'täl-ə-jē\ *n* : a science dealing with the life of past geologic periods esp. as known from fossil remains — **pa·le·on·tol·o·gist**

pal·ette \'pal-ət\ *n* : a thin often oval board or tablet on which a painter lays and mixes his colors; *also* : the colors on a palette

palette

pal·ing \'pā-liŋ\ *n* **1** : a fence of pales **2** : material for pales **3** : PALE, PICKET

pal·la·di·um \pə-'lād-ē-əm\ *n* : a silver= white metallic chemical element used esp. as a catalyst and in alloys

pall·bear·er \'pȯl-,bar-ər\ *n* : a person who attends the coffin at a funeral

pal·let \'pal-ət\ *n* : a small, hard, or makeshift bed

pal·li·ate \'pal-ē-,āt\ *vb* **1** : to ease without curing **2** : to cover by excuses : EXTENUATE ⟨~ faults⟩ — **pal·li·a·tion** \,pal-ē-'ā-shən\ *n* — **pal·li·a·tive**

pal·lid \'pal-əd\ *adj* : PALE, WAN

pal·lor \'pal-ər\ *n* : PALENESS

¹palm \'päm\ *n* **1** : any of a group of mostly tropical trees, shrubs, or vines usu. with a tall unbranched stem topped by a crown of large leaves **2** : a symbol of victory; *also* : VICTORY **3** : the underpart of the hand between the fingers and the wrist

²palm *vb* **1** : to conceal in or with the hand ⟨~ a card⟩ **2** : to impose by fraud ⟨~ off a fake⟩

palm·ist·ry \'päm-ə-strē\ *n* : the practice of reading a person's character or future from the markings on his palms — **palm·ist** \-əst\ *n*

pal·o·mi·no \,pal-ə-'mē-nō\ *n* : a light tan or cream-colored horse with lighter mane and tail

pal·pa·ble \'pal-pə-bəl\ *adj* **1** : capable of being touched or felt : TANGIBLE **2** : OBVIOUS, PLAIN *syn* perceptible, sensible, appreciable, evident, manifest — **pal·pa·bly** \-blē\ *adv*

pal·pate \'pal-,pāt\ *vb* : to examine by touch esp. medically — **pal·pa·tion**

pal·pi·tate \'pal-pə-,tāt\ *vb* : to beat strongly and irregularly : THROB, QUIVER — **pal·pi·ta·tion** \,pal-pə-'tā-shən\ *n*

pal·sy \'pȯl-zē\ *n* **1** : PARALYSIS **2** : a condition marked by tremor — **pal·sied**

pal·try \-trē\ *adj* **1** : TRASHY ⟨a ~ pamphlet⟩ **2** : VILE ⟨a ~ trick⟩ **3** : TRIVIAL ⟨~ excuses⟩

pam·per \'pam-pər\ *vb* : to treat with excessive attention : INDULGE *syn* coddle, humor, baby, spoil

pam·phlet \'pam-flət\ *n* **1** : an unbound printed publication **2** : a controversial tract — **pam·phle·teer** \,pam-flə-'tiər\ *n*

¹pan \'pan\ *n* : a usu. broad, shallow, and open container for domestic use; *also* : something resembling such a container

²pan *vb* **panned; pan·ning** **1** : to wash earth or gravel in a pan in searching for gold **2** : to cook or wash in a pan **3** : to turn out; *esp* : SUCCEED ⟨an experiment that *panned* out⟩ **4** : to criticize severely ⟨a new play *panned* by the critics⟩

pan·a·cea \,pan-ə-'sē-ə\ *n* : a remedy for all ills or difficulties

pan·a·ma \'pan-ə-,mä, -,mȯ\ *n* : a handmade hat braided from strips of the leaves from a tropical American tree

pan·cre·as \'paŋ-krē-əs, 'pan-\ *n* : a large gland that produces insulin and discharges enzymes into the intestine — **pan·cre·at·ic** \,paŋ-krē-'at-ik, ,pan-\ *adj*

pan·da \'pan-də\ *n* : either of two Asiatic mammals related to the raccoon; *esp* : a large black-and-white animal resembling a bear

pan·de·mo·ni·um \,pan-də-'mō-nē-əm\ *n* : a state of wild uproar : TUMULT

¹pan·der \'pan-dər\ *n* **1** : a go-between in love intrigues **2** : a man who solicits clients for a prostitute **3** : someone who caters to or exploits others' desires or weaknesses

²**pander** *vb* : to act as a pander

pane \'pān\ *n* : a sheet of glass (as in a door or window)

¹**pan·el** \'pan-ᵊl\ *n* **1** : a list of persons appointed for special duty ⟨a jury ∼⟩ **2** : a group of people taking part in a discussion or quiz program **3** : a section of something (as a wall or door) often sunk below the level of the frame **4** : a flat piece of wood on which a picture is painted **5** : a board mounting instruments or controls

²**panel** *vb* : to decorate with panels

pan·el·ing *n* : decorative wood panels

pan·el·ist \'pan-ᵊl-əst\ *n* : a member of a discussion or quiz panel

pang \'paŋ\ *n* : a sudden sharp attack

¹**pan·han·dle** \'pan-,han-dᵊl\ *n* : a narrow projection of a larger territory (as a state)

²**panhandle** *vb* : to accost and beg from — **pan·han·dler** \-dlər\ *n*

¹**pan·ic** \'pan-ik\ *n* : a sudden overpowering fright **syn** terror, consternation, dismay, alarm, dread, fear — **pan·icky** \-i-kē\ *adj*

²**panic** *vb* **pan·icked; pan·ick·ing** : to affect or be affected with panic

pan·o·rama \,pan-ə-'ram-ə, -'räm-\ *n* **1** : a view or picture unrolled before one's eyes **2** : a complete view in every direction — **pan·o·ram·ic** \-'ram-ik\ *adj*

pan·sy \'pan-zē\ *n* : a low-growing garden herb related to the violet; *also* : its showy flower

¹**pant** \'pant\ *vb* **1** : to breathe in a labored manner : GASP **2** : YEARN **3** : THROB

²**pant** *n* : a panting breath or sound

pan·ta·loons \,pant-ᵊl-'ünz\ *n pl* : TROUSERS

pan·the·ism \'pan-thē-,iz-əm\ *n* : a doctrine that equates God with the forces and laws of the universe — **pan·the·ist** \-thē-əst\ *n* — **pan·the·is·tic**

pan·the·on \'pan-thē-,än, -ən\ *n* **1** : a temple dedicated to all the gods **2** : a building serving as the burial place of or containing memorials to famous dead **3** : the gods of a people

pan·ther \'pan-thər\ *n* : a large wild cat (as a leopard or cougar)

pant·ie *or* **panty** \'pant-ē\ *n* : a woman's or child's undergarment covering the lower trunk and made with closed crotch and short legs — usu. used in pl.

pan·to·mime \'pant-ə-,mīm\ *n* **1** : a play in which the actors use no words **2** : expression of something by bodily or facial movements only — **pan·to·mim·ic** \,pant-ə-'mim-ik\ *adj*

pan·try \'pan-trē\ *n* : a room or closet used for storing provisions and dishes or for serving

pants \'pants\ *n pl* : TROUSERS; *also* : a woman's or child's short undergarment for the lower trunk

pap \'pap\ *n* : soft food for infants or invalids

pa·pa \'päp-ə\ *n* : FATHER

pa·pa·cy \'pā-pə-sē\ *n* **1** : the office of pope **2** : a succession of popes **3** : the term of a pope's reign **4** *cap* : the system of government of the Roman Catholic Church

pa·pal \'pā-pəl\ *adj* : of or relating to the pope or to the Roman Catholic Church

pa·paw *n* **1** \pə-'pȯ\ : PAPAYA **2** \'päp-,ȯ\ : a No. American tree with yellow edible fruit; *also* : its fruit

pa·pa·ya \pə-'pī-ə\ *n* : a tropical American tree with large yellow black-seeded edible fruit; *also* : its fruit

pa·per \'pā-pər\ *n* **1** : a pliable substance made usu. of vegetable matter and used to write or print on, to wrap things in, or to cover walls; *also* : a single sheet of this substance **2** : a printed or written document **3** : NEWSPAPER **4** : WALLPAPER — **paper** *adj or vb* — **pa·pery** \'pā-p(ə-)rē\ *adj*

pa·per·back \'pā-pər-,bak\ *n* : a paper-covered book

pa·per·weight \-,wāt\ *n* : an object used to hold down loose papers by its weight

pa·pier–mâ·ché \,pā-pər-mə-'shā\ *n* : a molding material of wastepaper and additives (as glue)

pa·pist \'pā-pəst\ *n, often cap* : ROMAN CATHOLIC — usu. used disparagingly

pa·poose \pa-'püs\ *n* : a young child of No. American Indian parents

pa·pri·ka \pə-'prē-kə\ *n* : a mild red spice made from the fruit of some sweet peppers

pa·py·rus \pə-'pī-rəs\ *n* **1** : a tall grassy Egyptian sedge **2** : paper made from papyrus pith

par \'pär\ *n* **1** : a stated value (as of a security) **2** : a common level : EQUALITY **3** : an accepted standard or normal condition **4** : the score standard set for each hole of a golf course — **par** *adj*

par·a·ble \'par-ə-bəl\ *n* : a simple story told to illustrate a moral truth

pa·rab·o·la \pə-'rab-ə-lə\ *n* : a curve formed by the intersection of a cone with a plane parallel to its side — **par·a·bol·ic** \,par-ə-'bäl-ik\ *adj*

par·a·chute \'par-ə-,shüt\ *n* : a large umbrella-shaped device used esp. for making a descent from an airplane — **parachute** *vb* — **par·a·chut·ist** *n*

¹**pa·rade** \pə-'rād\ *n* **1** : a pompous display : EXHIBITION ⟨a ∼ of wealth⟩ **2** : MARCH, PROCESSION; *esp* : a ceremonial formation and march (as of troops) **3** : a place of promenade

²**parade** *vb* **1** : to march in a parade **2** : PROMENADE **3** : to show off **4** : MASQUERADE ⟨fiction *parading* as fact⟩

par·a·dise \'par-ə-,dīs, -,dīz\ *n* [OF *paradis*, fr. LL *paradisus*, fr. Gk *paradeisos*, lit., enclosed park, of Iranian origin] **1** *often cap* : HEAVEN **2** : a place of bliss

par·a·di·si·a·cal \,par-ə-də-'sī-ə-kəl\ *or* **par·a·dis·i·ac** \-'diz-ē-,ak\ *adj* : of, relating to, or resembling paradise — **par·a·di·si·a·cal·ly** \-də-'sī-ə-k(ə-)lē\ *adv*

par·a·dox \'par-ə-,däks\ *n* : a statement that seems contrary to common sense and yet is perhaps true — **par·a·dox·i·cal** \,par-ə-'däk-si-kəl\ *adj*

par·af·fin \'par-ə-fən\ *n* **1** : a waxy substance used esp. for making candles and sealing foods **2** *chiefly Brit* : KEROSENE

par·a·gon \'par-ə-,gän, -gən\ *n* : a model of perfection : PATTERN

¹par·a·graph \'par-ə-ˌgraf\ *n* : a subdivision of a written composition that consists of one or more sentences and deals with one point or gives the words of one speaker; *also* : a character (as ¶) marking the beginning of such a subdivision

²paragraph *vb* : to divide into paragraphs

par·a·keet *var of* PARRAKEET

par·al·lax \'par-ə-ˌlaks\ *n* : the difference in apparent direction of an object as seen from two different points

¹par·al·lel \'par-ə-ˌlel\ *adj* 1 : lying or moving in the same direction but always the same distance apart 2 : similar in essential parts : LIKE — **par·al·lel·ism**

²parallel *n* 1 : a parallel line, curve, or surface 2 : one of the imaginary circles on the earth's surface parallelling the equator and marking the latitude 3 : something essentially similar to another 4 : LIKENESS, SIMILARITY

³parallel *vb* 1 : COMPARE 2 : to correspond to 3 : to extend in a parallel direction with

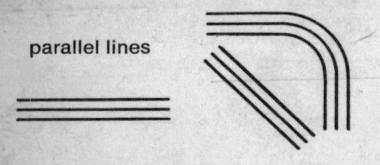

parallel lines

par·al·lel·o·gram \ˌpar-ə-'lel-ə-ˌgram\ *n* : a 4-sided geometrical figure with opposite sides equal and parallel

pa·ral·y·sis \pə-'ral-ə-səs\ *n, pl* **-y·ses** \-ˌsēz\ : loss of function and esp. of feeling or the power of voluntary motion — **par·a·lyt·ic** \ˌpar-ə-'lit-ik\ *adj or n*

par·a·lyze \'par-ə-ˌlīz\ *vb* 1 : to affect with paralysis 2 : to make powerless or inactive

pa·ram·e·ter \pə-'ram-ət-ər\ *n* : a characteristic element; *also* : FACTOR

par·a·mount \'par-ə-ˌmaùnt\ *adj* : superior to all others : SUPREME **syn** preponderant, predominant, dominant, chief, sovereign

par·a·mour \'par-ə-ˌmùr\ *n* : an illicit lover; *esp* : MISTRESS

par·a·noia \ˌpar-ə-'nòi-ə\ *n* : mental disorder marked by delusions and irrational suspicion — **par·a·noid** \'par-ə-ˌnòid\ *adj or n*

par·a·pet \'par-ə-pət, -ˌpet\ *n* 1 : a protecting rampart in a fort 2 : a low wall or railing (as at the edge of a platform or bridge)

par·a·pher·na·lia \ˌpar-ə-fə(r)-'nāl-yə\ *n sing or pl* 1 : personal belongings 2 : EQUIPMENT, APPARATUS

par·a·phrase \'par-ə-ˌfrāz\ *n* : a restatement of a text giving the meaning in different words — **paraphrase** *vb*

par·a·ple·gia \ˌpar-ə-'plē-j(ē-)ə\ *n* : paralysis of the lower trunk and legs — **par·a·ple·gic** \-jik\ *adj or n*

par·a·site \'par-ə-ˌsīt\ *n* 1 : a plant or animal living in or on another organism usu. to its harm 2 : one depending on another and not making adequate return — **par·a·sit·ic** \ˌpar-ə-'sit-ik\ *adj* — **par·a·sit·ism** \'par-ə-ˌsīt-ˌiz-əm\ *n* — **par·a·sit·ize** \-sə-ˌtīz\ *vb*

par·a·sol \'par-ə-ˌsòl\ *n* : a lightweight umbrella used as a shield against the sun

par·a·thi·on \ˌpar-ə-'thī-ˌän\ *n* : an extremely toxic insecticide

para·troops \-ˌtrüps\ *n pl* : troops trained to parachute from an airplane

par·a·ty·phoid \ˌpar-ə-'tī-ˌfòid, -tī-'fòid\ *n* : a food poisoning resembling typhoid fever

par·boil \'pär-ˌbòil\ *vb* : to boil briefly

¹par·cel \'pär-səl\ *n* 1 : a tract or plot of land 2 : COLLECTION, LOT 3 : a wrapped bundle : PACKAGE

²parcel *vb* : to divide into portions : DISTRIBUTE

parch \'pärch\ *vb* 1 : to toast under dry heat : SCORCH 2 : to shrivel with heat

parch·ment \'pärch-mənt\ *n* : the skin of a sheep or goat prepared for writing on; *also* : a writing on such material

¹par·don \'pärd-ᵊn\ *n* : excuse of an offense without penalty : FORGIVENESS; *esp* : an official release from legal punishment

²pardon *vb* : to free from penalty : EXCUSE, FORGIVE — **par·don·able** \'pärd-(ᵊ-)nə-bəl\ *adj*

par·don·er \'pärd-(ᵊ-)nər\ *n* 1 : a medieval preacher delegated to raise money for religious works by soliciting offerings and granting indulgences 2 : one that pardons

pare \'paər\ *vb* 1 : to trim or shave off an outside part (as the skin or rind) of ⟨~ an apple⟩ 2 : to reduce as if by paring ⟨~ expenses⟩

par·e·gor·ic \ˌpar-ə-'gòr-ik\ *n* : an alcoholic preparation of opium and camphor

par·ent \'par-ənt\ *n* 1 : one that begets or brings forth offspring : FATHER, MOTHER 2 : SOURCE, ORIGIN — **par·ent·age** \-ij\ *n* — **pa·ren·tal** \pə-'rent-ᵊl\ *adj* — **par·ent·hood** \'par-ənt-ˌhùd\ *n*

pa·ren·the·sis \pə-'ren-thə-səs\ *n, pl* **-the·ses** \-thə-ˌsēz\ 1 : a word, phrase, or sentence inserted in a passage to explain or modify the thought 2 : one of a pair of punctuation marks ( ) used esp. to enclose parenthetic matter — **par·en·thet·ic** \ˌpar-ən-'thet-ik\ *or* **par·en·thet·i·cal** *adj* — **par·en·thet·i·cal·ly** *adv*

pa·ri·ah \pə-'rī-ə\ *n* : OUTCAST

pari·mu·tu·el \ˌpar-i-'myü-chə(-wə)l\ *n* : a system of betting in which those with winning bets share the total stakes minus a percentage for the management

par·ing \'par-iŋ\ *n* : something pared off ⟨potato ~s⟩

par·ish \'par-ish\ *n* 1 : the ecclesiastical area in the charge of one pastor; *also* : the residents of such an area 2 : a local church community 3 : a civil division of the state of Louisiana : COUNTY

par·i·ty \'par-ət-ē\ *n* : EQUALITY, EQUIVALENCE

¹park \'pärk\ *n* 1 : a tract of ground kept as a game preserve or recreation ground 2 : a place where vehicles (as automobiles) are parked 3 : an enclosed arena used esp. for ball games

²park *vb* 1 : to enclose in a park 2 : to keep (as an automobile) standing for a time at the edge of a public way or in a place reserved for the purpose

parkway   329   **partner**

park·way \'pärk-,wā\ *n* : a broad landscaped thoroughfare
par·lance \'pär-ləns\ *n* **1** : SPEECH **2** : manner of speaking ⟨military ∼⟩
par·lay \'pär-,lā\ *n* : a series of bets in which the original stake plus its winnings are risked on the successive wagers — **parlay** *vb*
par·ley \'pär-lē\ *n* : a conference usu. over matters in dispute : DISCUSSION — **parley** *vb*
par·lia·ment \'pär-lə-mənt\ *n* **1** : a formal governmental conference : COUNCIL **2** *cap* : an assembly that constitutes the supreme legislative body of a country (as the United Kingdom) — **par·lia·men·ta·ry** \,pär-lə-'men-t(ə-)rē\ *adj*
par·lia·men·tar·i·an \,pär-lə-,men-'ter-ē-ən\ *n* **1** *often cap* : an adherent of the parliament in opposition to the king during the English Civil War **2** : an expert in parliamentary procedure
par·lor \'pär-lər\ *n* **1** : a room for conversation or the reception of guests **2** : a place of business ⟨beauty ∼⟩
par·lous \'pär-ləs\ *adj* : full of danger or risk : PRECARIOUS ⟨∼ state of a country's finances⟩ — **par·lous·ly** *adv*
pa·ro·chi·al \pə-'rō-kē-əl\ *adj* **1** : of or relating to a church parish **2** : limited in scope : NARROW, PROVINCIAL
par·o·dy \'par-əd-ē\ *n* : a composition (as a poem or song) that imitates another work humorously or satirically — **parody** *vb*
pa·role \pə-'rōl\ *n* **1** : pledged word; *esp* : the promise of a prisoner of war to fulfill stated conditions in return for release **2** : a conditional release of a prisoner before his sentence expires — **parole** *vb* — **pa·rol·ee** \-,rō-'lē\ *n*
par·ox·ysm \'par-ək-,siz-əm\ *n* : a sudden sharp attack (as of pain or coughing) : SPASM **syn** convulsion, fit — **par·ox·ys·mal** \,par-ək-'siz-məl\ *adj*
par·quet \pär-'kā\ *n* **1** : a flooring of parquetry **2** : the lower floor of a theater; *esp* : the forward part of the orchestra
par·ra·keet \'par-ə-,kēt\ *n* : any of various small long-tailed parrots
par·rot \'par-ət\ *n* : a bright-colored tropical bird with a strong hooked bill
par·ry \'par-ē\ *vb* **1** : to ward off a weapon or blow **2** : to evade esp. by an adroit answer — **parry** *n*
parse \'pärs, 'pärz\ *vb* [L *pars orationis* part of speech, the first item to be given in parsing a word] : to give a grammatical description of a word or a group of words
par·si·mo·ny \'pär-sə-,mō-nē\ *n* : extreme or excessive frugality : STINGINESS
pars·ley \'pär-slē\ *n* : a garden plant with finely divided leaves used as a seasoning or garnish
pars·nip \'pär-snəp\ *n* : a garden plant with a long edible root; *also* : this root
par·son \'pärs-ᵊn\ *n* : a usu. Protestant clergyman
par·son·age \'pärs-(ᵊ-)nij\ *n* : a house provided by a church for its pastor
¹part \'pärt\ *n* **1** : a division or portion of a whole **2** : a spare piece for a machine **3** : the melody or score for a particular voice or instrument ⟨the alto ∼⟩ **4** : DUTY, FUNCTION **5** : one of the sides in a dispute ⟨took his friend's ∼⟩ **6** : ROLE; *also* : an actor's lines in a play **7** *pl* : TALENTS, ABILITY **8** : the line where one's hair divides (as in combing)
²part *vb* **1** : to take leave of someone **2** : to divide or break into parts : SEPARATE **3** : to go away : DEPART; *also* : DIE **4** : to give up possession ⟨∼ed with her jewels⟩ **5** : APPORTION, SHARE
par·take \pär-'tāk, pər-\ *vb* **1** : to have a share or part : PARTICIPATE **2** : to take a portion (as of food) — **par·tak·er** *n*
par·the·no·gen·e·sis \,pär-thə-nō-'jen-ə-səs\ *n* : development of a new individual from an unfertilized egg
par·tial \'pär-shəl\ *adj* **1** : favoring one party over the other : BIASED **2** : markedly or foolishly fond — used with *to* **3** : not total or general : affecting a part only — **par·tial·i·ty** \,pärsh-(ē-)'al-ət-ē\ *n* — **par·tial·ly** \'pärsh-(ə-)lē\ *adv*
par·tic·i·pate \pär-'tis-ə-,pāt, pər-\ *vb* **1** : to take part in something ⟨∼ in a game⟩ **2** : SHARE — **par·tic·i·pant** \-pənt\ *adj or n* — **par·tic·i·pa·tion**
par·ti·ci·ple \'pärt-ə-,sip-əl\ *n* : a word having the characteristics of both verb and adjective — **par·ti·cip·i·al** \,pärt-ə-'sip-ē-əl\ *adj*
par·ti·cle \'pärt-i-kəl\ *n* **1** : a very small bit of matter **2** : a unit of speech (as an article, preposition, or conjunction) expressing some general aspect of meaning or some connective or limiting relation
¹par·tic·u·lar \pə(r)-'tik-yə-lər\ *adj* **1** : of or relating to a specific person or thing ⟨the laws of a ∼ state⟩ **2** : DISTINCTIVE, SPECIAL ⟨the ∼ point of his talk⟩ **3** : SEPARATE, INDIVIDUAL ⟨each ∼ hair⟩ **4** : attentive to details : PRECISE **5** : hard to please : EXACTING **syn** single, sole, unique, lone, solitary, specific, concrete, fussy, squeamish, nice
²particular *n* : an individual fact or detail
par·tic·u·lar·ize \pər-'tik-yə-lə-,rīz\ *vb* **1** : to state in detail : SPECIFY **2** : to go into details
¹part·ing \'pärt-iŋ\ *n* **1** : SEPARATION, DIVISION **2** : the action of leaving one another ⟨lovers' ∼⟩ **3** : a place of separation or divergence
²parting *adj* **1** : DEPARTING; *esp* : DYING **2** : FAREWELL ⟨∼ words⟩ **3** : serving to part : SEPARATING
par·ti·san *or* **par·ti·zan** \'pärt-ə-zən\ *n* **1** : one that takes the part of another : ADHERENT **2** : GUERRILLA — **partisan** *adj* — **par·ti·san·ship** \-,ship\ *n*
par·ti·tion \pər-'tish-ən, pär-\ *n* **1** : DIVISION **2** : something that divides or separates; *esp* : an interior wall dividing one part of a house from another — **partition** *vb*
par·ti·tive \'pärt-ət-iv\ *adj* : of, relating to, or denoting a part ⟨a ∼ construction⟩
part·ly \'pärt-lē\ *adv* : in part : in some measure or degree
part·ner \'pärt-nər\ *n* **1** : ASSOCIATE, COLLEAGUE **2** : either of a couple who dance together **3** : one who plays on the same team with another **4** : HUSBAND, WIFE **5** : one of two or more persons contractually associated as joint

principals in a business — **part·ner·ship** \-,ship\ *n*
part of speech : a traditional class of words distinguished according to the kind of idea denoted and the function performed in a sentence
par·tridge \'pär-trij\ *n* : any of various stout-bodied game birds
par·tu·ri·tion \,pärt-ə-'rish-ən\ *n* : CHILDBIRTH
par·ty \'pärt-ē\ *n* 1 : a person or group taking one side of a question; *esp* : a group of persons organized for the purpose of directing the policies of a government 2 : a person or group concerned in an action or affair : PARTICIPANT 3 : a group of persons detailed for a common task 4 : a social gathering
pa·sha \'päsh-ə, pə-'shä\ *n* : a man (as formerly a governor in Turkey) of high rank
¹**pass** \'pas\ *vb* 1 : MOVE, PROCEED 2 : to go away; *also* : DIE 3 : to go by : move past, beyond, or over 4 : to allow to elapse : ELAPSE, SPEND 5 : to go or make way through 6 : to go or allow to go unchallenged 7 : to undergo transfer : TRANSFER 8 : to render a legal judgment 9 : OCCUR 10 : to secure the approval of (as a legislature) 11 : to go or cause to go through an inspection, test, or course of study successfully 12 : to be regarded 13 : CIRCULATE 14 : VOID 15 : to transfer the ball or puck to another player 16 : to decline to bid or bet on one's hand in a card game 17 : to permit to reach first base by a base on balls — **pass·er** \-ər\ *n* — **pass·er·by**
²**pass** *n* : a gap in a mountain range ⟨the Brenner ~⟩
³**pass** *n* 1 : the act or an instance of passing 2 : REALIZATION, ACCOMPLISHMENT 3 : a state of affairs : CONDITION 4 : a written authorization to leave, enter, or move about freely 5 : a transfer of a ball or puck from one player to another 6 : BASE ON BALLS 7 : EFFORT, TRY
pass·able \'pas-ə-bəl\ *adj* 1 : capable of being passed or traveled on 2 : barely good enough : TOLERABLE — **pass·ably** *adv*
pas·sage \'pas-ij\ *n* 1 : the action or process of passing 2 : a means (as a road or corridor) of passing 3 : a voyage esp. by sea or air 4 : a right or permission to pass 5 : ENACTMENT 6 : a mutual act (as an exchange of blows) 7 : a usu. brief portion or section (as of a book)
pas·sage·way \-,wā\ *n* : a road or way by which a person or thing may pass ⟨a ~ between buildings⟩
pass·book \'pas-,bůk\ *n* : BANKBOOK
pas·sel \'pas-əl\ *n* : a large number : GROUP
pas·sen·ger \'pas-ᵊn-jər\ *n* : a traveler in a public or private conveyance
pass·ing \'pas-iŋ\ *n* : the act of one that passes or causes to pass; *esp* : DEATH
pas·sion \'pash-ən\ *n* 1 *often cap* : the sufferings of Christ between the night of the Last Supper and his death 2 : strong feeling; *also, pl* : the emotions as distinguished from reason 3 : RAGE, ANGER 4 : LOVE; *also* : an object of affection or enthusiasm 5 : sexual desire — **pas·sion·ate** \'pash-(ə-)nət\ *adj* — **pas·sion·ate·ly** *adv* — **pas·sion·less** \-ən-ləs\ *adj*
pas·sive \'pas-iv\ *adj* 1 : not active : acted upon 2 : asserting that the grammatical subject is subjected to or affected by the action represented by the verb ⟨~ voice⟩ 3 : SUBMISSIVE, PATIENT — **passive** *n* — **pas·sive·ly** *adv* — **pas·siv·i·ty** \pa-'siv-ət-ē\ *n*
pass·key \'pas-,kē\ *n* : a key for opening two or more locks
Pass·over \'pas-,ō-vər\ *n* [so called fr. the exemption of the Israelites from the slaughter of the firstborn in Egypt, Exod 12:23–27] : a Jewish holiday celebrated in March or April in commemoration of the Hebrews' liberation from slavery in Egypt
pass·port \'pas-,pōrt\ *n* : an official document issued by a country upon request to a citizen requesting protection for him during travel abroad
¹**past** \'past\ *adj* 1 : AGO ⟨10 years ~⟩ 2 : just gone or elapsed ⟨the ~ month⟩ 3 : having existed or taken place in a period before the present : BYGONE ⟨~ history⟩ 4 : of, relating to, or constituting a verb tense that expresses time gone by
²**past** *prep or adv* : BEYOND
³**past** *n* 1 : time gone by 2 : something that happened or was done in former time 3 : the past tense; *also* : a verb form in it 4 : a secret past life or career
¹**paste** \'pāst\ *n* 1 : DOUGH 2 : a smooth food product made by evaporation or grinding ⟨almond ~⟩ 3 : a preparation (as of flour and water) for sticking things together 4 : a lead=glass composition of great brilliance used in imitation gems
²**paste** *vb* : to cause to adhere by paste : STICK
¹**pas·tel** \pas-'tel\ *n* 1 : a paste made of ground color; *also* : a crayon of such paste 2 : a drawing in pastel 3 : a pale or light color
²**pastel** *adj* 1 : of or relating to a pastel 2 : pale and light in color
pas·tern \'pas-tərn\ *n* : the part of a horse's foot between the fetlock and the joint at the hoof
pas·teur·ize \'pas-chə-,rīz, 'pas-tə-\ *vb* : to heat (as milk) to a point where harmful germs are killed — **pas·teur·i·za·tion** \,pas-chə-rə-'zā-shən, ,pas-tə-\ *n* — **pas·teur·iz·er** *n*
pas·time \'pas-,tīm\ *n* : DIVERSION, RECREATION
pas·tor \'pas-tər\ *n* : a clergyman serving a local church or parish — **pas·tor·ate** \-t(ə-)rət\ *n*
¹**pas·to·ral** \'pas-t(ə-)rəl\ *adj* 1 : of or relating to shepherds or to rural life 2 : of or relating to spiritual guidance esp. of a congregation 3 : of or relating to the pastor of a church
²**pastoral** *n* : a literary work dealing with shepherds or rural life
¹**pas·ture** \'pas-chər\ *n* 1 : plants (as grass) for the feeding of grazing livestock 2 : land or a plot of land used for grazing
²**pasture** *vb* 1 : GRAZE 2 : to use as pasture

¹pat \'pat\ *n* **1** : a light tap esp. with the hand or a flat instrument; *also* : the sound made by it **2** : something (as butter) shaped into a small flat usu square individual portion

²pat *vb* **pat·ted; pat·ting 1** : to strike lightly with a flat instrument **2** : to flatten, smooth, or put into place or shape with a pat **3** : to tap gently or lovingly with the hand

³pat *adj (or adv)* **1** : exactly suited to the occasion **2** : memorized exactly **3** : UNYIELDING

¹patch \'pach\ *n* **1** : a piece of cloth used to cover a torn or worn place in a garment **2** : a small area (as of land) distinct from that about it

²patch *vb* **1** : to mend or cover with a patch **2** : to make of fragments **3** : to repair esp. insecurely ⟨~ up a quarrel⟩

patch·work \-,wərk\ *n* : something made of pieces of different materials, shapes, or colors

pate \'pāt\ *n* : HEAD; *esp* : the crown of the head

pat·en \'pat-ᵊn\ *n* **1** : PLATE; *esp* : one of precious metal for the eucharistic bread **2** : a thin disk

¹pa·tent *1 & 4 are* 'pat- *Brit also* 'pāt-, *2 & 3 are* 'pat-ᵊnt, 'pāt-\ *adj* **1** : open to public inspection ⟨letters ~⟩ **2** : free from obstruction **3** : EVIDENT, OBVIOUS **4** : protected by a patent **syn** manifest, distinct, apparent, palpable, plain, clear

²pat·ent \'pat-ᵊnt, *Brit also* 'pāt-\ *n* **1** : an official document conferring a right or privilege **2** : a document securing to an inventor for a term of years exclusive right to his invention **3** : something patented — **pat·en·tee**

³pat·ent *vb* : to secure by patent

pa·ter·nal \pə-'tərn-ᵊl\ *adj* **1** : FATHERLY **2** : related through or inherited or derived from a father — **pa·ter·nal·ly** *adv*

pa·ter·nal·ism \-,iz-əm\ *n* : a system under which an authority treats those under its control paternally (as by regulating their conduct and supplying their needs)

pa·ter·ni·ty \pə-'tər-nət-ē\ *n* **1** : FATHERHOOD **2** : descent from a father

path \'path, 'pàth\ *n* **1** : a trodden way **2** : ROUTE, COURSE — **path·less** \-ləs\ *adj*

pa·thet·ic \pə-'thet-ik\ *adj* : evoking tenderness, pity, or sorrow **syn** poignant, affecting, moving, touching, impressive — **pa·thet·i·cal·ly** *adv*

path·find·er \'path-,fīn-dər, 'pàth-\ *n* : one that discovers a way; *esp* : one that explores untraveled regions to mark out a new route

path·o·gen·ic \,path-ə-'jen-ik\ *adj* : causing disease — **path·o·ge·nic·i·ty**

pa·thol·o·gy \pə-'thäl-ə-jē\ *n* **1** : the study of the essential nature of disease **2** : the abnormality of structure and function characteristic of a disease — **path·o·log·i·cal** \,path-ə-'läj-i-kəl\ *adj* — **pa·thol·o·gist** \pə-'thäl-ə-jəst\ *n*

pa·thos \'pā-,thäs\ *n* : an element in experience or artistic representation evoking pity or compassion

path·way \'path-,wā\ *n* : PATH, COURSE

pa·tience \'pā-shəns\ *n* **1** : the capacity, habit, or fact of being patient **2** *chiefly Brit* : SOLITAIRE 2

¹pa·tient \-shənt\ *adj* **1** : bearing pain or trials without complaint **2** : showing self-control : CALM **3** : STEADFAST, PERSEVERING — **pa·tient·ly** *adv*

²patient *n* : a person under medical care

pat·io \'pat-ē-,ō, 'pät-\ *n* **1** : COURTYARD **2** : a paved recreation area near a house

pa·tri·arch \'pā-trē-,ärk\ *n* **1** : a man revered as father or founder (as of a tribe or religion) **2** : a venerable old man : ELDER **3** : an ecclesiastical dignitary (as the bishop of an Eastern Orthodox see) — **pa·tri·ar·chal** \,pā-trē-'är-kəl\ *adj*

pat·ri·mo·ny \'pat-rə-,mō-nē\ *n* : something (as an estate) inherited or derived esp. from one's father : HERITAGE — **pat·ri·mo·ni·al** \,pat-rə-'mō-nē-əl\ *adj*

pa·tri·ot \'pā-trē-ət, -,ät\ *n* : one who loves his country — **pa·tri·ot·ic**

pa·tris·tic \pə-'tris-tik\ *adj* : of or relating to the church fathers or their writings

¹pa·trol \pə-'trōl\ *n* : the action of going the rounds (as of an area) for observation or the maintenance of security; *also* : a person or group performing such an action

²patrol *vb* **-trolled; -trol·ling** : to carry out a patrol

pa·trol·man \-'trōl-mən\ *n* : a policeman assigned to a beat

pa·tron \'pā-trən\ *n* **1** : a person chosen or named as special protector **2** : a wealthy or influential supporter ⟨~ of poets⟩; *also* : BENEFACTOR **3** : a regular client or customer **syn** sponsor, guarantor — **pa·tron·ess** \-trə-nəs\ *n*

pa·tron·age \'pat-rə-nij, 'pā-trə-\ *n* **1** : the support or influence of a patron **2** : the trade of customers **3** : control of appointment to government jobs

pa·tron·ize \'pā-trə-,nīz, 'pat-rə-\ *vb* **1** : to act as patron of; *esp* : to be a customer of **2** : to treat condescendingly

pat·sy \'pat-sē\ *n* : one who is duped or victimized

¹pat·ter \'pat-ər\ *vb* : to talk glibly or mechanically **syn** chatter, prate, chat, prattle

²patter *n* **1** : a specialized lingo : CANT **2** : extremely rapid talk ⟨a comedian's ~⟩

³patter *vb* : to strike, pat, or tap rapidly

⁴patter *n* : a quick succession of taps or pats ⟨the ~ of rain⟩

¹pat·tern \'pat-ərn\ *n* **1** : an ideal model **2** : something used as a model for making things ⟨a dressmaker's ~⟩ **3** : SAMPLE **4** : an artistic design **5** : CONFIGURATION

²pattern *vb* : to form according to a pattern

pau·ci·ty \'po-sət-ē\ *n* : smallness of number or quantity

paunch \'ponch\ *n* : a usu. large belly : POTBELLY — **paunchy** *adj*

pau·per \'po-pər\ *n* : a person without means of support except from charity — **pau·per·ism** \-pə-,riz-əm\ *n* — **pau·per·ize** \-pə-,rīz\ *vb*

¹pause \'poz\ *n* **1** : a temporary stop; *also* : a period of inaction **2** : a brief suspension of the voice **3** : a sign

or ⌣ above or below a musical note or rest to show it is to be prolonged 4 : a reason for pausing
²**pause** \ *vb* : to stop, rest, or linger for a time
pave \'pāv\ *vb* : to cover (as a road) with hard material (as stone or asphalt) in order to smooth or firm the surface
pave·ment \-mənt\ *n* 1 : a paved surface 2 : the material with which something is paved
pa·vil·ion \pə-'vil-yən\ *n* 1 : a large tent 2 : a light structure (as in a park) used for entertainment or shelter

pavilion, 2

¹**paw** \'pȯ\ *n* : the foot of a quadruped (as a dog or lion) having claws
²**paw** *vb* 1 : to feel or handle clumsily or rudely 2 : to touch or strike with a paw; *also* : to scrape with a hoof 3 : to flail about or grab for with the hands
¹**pawn** \'pȯn\ *n* 1 : goods deposited with another as security for a loan; *also* : HOSTAGE 2 : the state of being pledged
²**pawn** *vb* : to deposit as a pledge
³**pawn** *n* [MF *poon*, fr. ML *pedon-*, *pedo* foot soldier, fr. L *ped-*, *pes* foot] : a chessman of the least value
¹**pay** \'pā\ *vb* **paid** \'pād\ *also in sense 7* **payed**; **pay·ing** 1 : to make due return to for goods or services 2 : to discharge indebtedness for : SETTLE ⟨~ a bill⟩ 3 : to give in forfeit ⟨~ the penalty⟩ 4 : REQUITE 5 : to give, offer, or make freely or as fitting ⟨~ attention⟩ 6 : to be profitable to : RETURN 7 : to make slack and allow to run out ⟨~ out a rope⟩ — **pay·able**
²**pay** *n* 1 : the status of being paid by an employer : EMPLOY 2 : something paid; *esp* : WAGES
³**pay** *adj* 1 : containing something valuable (as gold) ⟨~ dirt⟩ 2 : equipped to receive a fee for use ⟨~ telephone⟩
pay·check \'pā-,chek\ *n* 1 : a check in payment of wages or salary 2 : WAGES, SALARY
pay·ment \'pā-mənt\ *n* 1 : the act of paying 2 : something paid
pay·off \-,ȯf\ *n* 1 : payment at the outcome of an enterprise ⟨a big ~ from an investment⟩ 2 : the climax of an incident or enterprise ⟨the ~ of a story⟩
pea \'pē\ *n, pl* **peas** *also* **pease** \'pēz\ 1 : the round edible protein-rich seed borne in the pod of a widely grown leguminous vine; *also* : this vine 2 : any of various plants resembling or related to the pea
peace \'pēs\ *n* 1 : a state of calm and quiet : TRANQUILLITY; *esp* : public security under law 2 : freedom from disturbing thoughts or emotions 3 : a state of concord (as between persons or governments); *also* : an agreement to end hostilities — **peace·able** \-ə-bəl\ *adj* — **peace·ably** *adv* — **peace·ful**
peach \'pēch\ *n* : a sweet juicy fruit borne by a low tree with pink blossoms; *also* : this tree

pea·cock \'pē-,käk\ *n* : the male peafowl having long tail coverts which can be spread at will displaying brilliant colors
peak \'pēk\ *n* 1 : a pointed or projecting part 2 : the top of a hill or mountain; *also* : MOUNTAIN 3 : the front projecting part of a cap 4 : the narrow part of a ship's bow or stern 5 : the highest level or greatest degree
peak·ed \'pē-kəd\ *adj* : THIN, SICKLY
¹**peal** \'pēl\ *n* 1 : the loud ringing of bells 2 : a set of tuned bells 3 : a loud sound or succession of sounds
²**peal** *vb* : to give out peals : RESOUND
pea·nut \'pē-(,)nət\ *n* : an annual herb related to the pea but having pods that ripen underground; *also* : this pod or one of the edible seeds it bears
pear \'paər\ *n* : the fleshy fruit of a tree related to the apple; *also* : this tree
pearl \'pərl\ *n* 1 : a small hard often lustrous body formed within the shell of some mollusks and used as a gem 2 : one that is choice or precious ⟨~s of wisdom⟩ 3 : a slightly bluish medium gray — **pearly** *adj*
peas·ant \'pez-ᵊnt\ *n* 1 : one of a chiefly European class of tillers of the soil 2 : a person of low social or cultural status — **peas·ant·ry** \-ᵊn-trē\ *n*
peat \'pēt\ *n* : a dark substance formed by partial decay of plants (as mosses) in wet ground; *also* : a piece of this cut and dried for fuel — **peaty** *adj*
¹**peb·ble** \'peb-əl\ *n* : a small usu. round stone — **peb·bly** \-(ə-)lē\ *adj*
²**pebble** *vb* : to produce a rough surface texture in ⟨~ leather⟩
pe·can \pi-'kän, -'kan\ *n* : a large American hickory tree bearing a smooth-shelled edible nut; *also* : this nut
pec·ca·vi \pe-'kä-,wē\ *n* : an acknowledgment of sin
¹**peck** \'pek\ *n* : a measure equal to 8 quarts or ¼ bushel
²**peck** *vb* 1 : to strike or pierce with or as if with the bill 2 : to pick up with or as if with the bill
³**peck** *n* 1 : an impression made by pecking 2 : a quick sharp stroke; *also* : KISS
pec·tin \'pek-tən\ *n* : any of various water-soluble substances found in plant tissues that cause fruit jellies to set — **pec·tic** \-tik\ *adj*
pec·to·ral \'pek-t(ə-)rəl\ *adj* : of or relating to the breast or chest
pec·u·la·tion \,pek-yə-'lā-shən\ *n* : EMBEZZLEMENT
pe·cu·liar \pi-'kyül-yər\ *adj* 1 : belonging exclusively to one person or group 2 : CHARACTERISTIC, DISTINCTIVE 3 : QUEER, ODD *syn* individual, eccentric, singular, strange, unique — **pe·cu·liar·i·ty** \-,kyül-'yar-ət-ē, -ē-'ar-\ *n* — **pe·cu·liar·ly** \-'kyül-yər-lē\ *adv*
pe·cu·ni·ary \pi-'kyü-nē-,er-ē\ *adj* : of or relating to money : MONETARY
¹**ped·al** \'ped-ᵊl\ *n* : a lever worked by the foot
²**pedal** *adj* : of or relating to the foot
³**pedal** *vb* **-aled** *also* **-alled**; **-al·ing** *also* **-al·ling** 1 : to use or work a pedal (as of a piano or bicycle) 2 : to ride a bicycle

ped·dle \'ped-ᵊl\ *vb* : to sell or offer for sale from place to place — **ped·dler** *or* **ped·lar** \'ped-lər\

ped·es·tal \'ped-əst-ᵊl\ *n* **1** : the support or foot of something (as a column, statue, or vase) that is upright **2** : a raised platform or dais

¹**pe·des·tri·an** \pə-'des-trē-ən\ *adj* **1** : UNIMAGINATIVE, COMMONPLACE **2** : going on foot

²**pedestrian** *n* : WALKER

pe·di·at·rics \,pēd-ē-'at-riks\ *n* : a branch of medicine dealing with the care and diseases of children — **pe·di·at·ric** \-rik\ *adj* — **pe·di·a·tri·cian**

ped·i·gree \'ped-ə-,grē\ *n* [MF *pie de grue* crane's foot; fr. the shape made by the lines of a genealogical chart] **1** : a record of a line of ancestors **2** : an ancestral line : LINEAGE

ped·i·ment \'ped-ə-mənt\ *n* : a low triangular gablelike decoration (as over a door or window) on a building

pe·dom·e·ter \pi-'däm-ət-ər\ *n* : an instrument that measures the distance one walks

pe·dun·cle \'pē-,dəŋ-kəl\ *n* : a narrow supporting stalk

peek \'pēk\ *vb* **1** : to look furtively **2** : to peer from a place of concealment **3** : GLANCE — **peek** *n*

¹**peel** \'pēl\ *vb* **1** : to strip the skin, bark, or rind from **2** : to strip off (as a coat); *also* : to come off **3** : to lose the skin, bark, or rind

²**peel** *n* : a skin or rind esp. of a fruit

¹**peep** \'pēp\ *vb* : to utter a feeble shrill sound

²**peep** *n* : a feeble shrill sound

³**peep** *vb* **1** : to look slyly esp. through an aperture : PEEK **2** : to begin to emerge — **peep·er** *n*

⁴**peep** *n* **1** : the first faint appearance **2** : a brief or furtive look

¹**peer** \'piər\ *n* **1** : one of equal standing with another : EQUAL **2** : NOBLE — **peer·age** \-ij\ *n* — **peer·ess** \-əs\ *n*

²**peer** *vb* **1** : to look intently or curiously **2** : to come slightly into view

peer·less \-ləs\ *adj* : having no equal : MATCHLESS **syn** supreme, superlative, incomparable

¹**peeve** \'pēv\ *vb* : to make resentful : AGGRIEVE

²**peeve** *n* **1** : a feeling or mood of resentment **2** : a particular grievance

pee·vish \'pē-vish\ *adj* : querulous in temperament : FRETFUL **syn** irritable, petulant, complaining — **pee·vish·ly** *adv* — **pee·vish·ness** *n*

¹**peg** \'peg\ *n* **1** : a small pointed piece (as of wood) used to pin down or fasten things or to fit into holes **2** : a projecting piece used as a support or boundary marker **3** : SUPPORT, PRETEXT **4** : STEP, DEGREE **5** : THROW

²**peg** *vb* **pegged; peg·ging 1** : to put a peg into : fasten, pin down, or attach with or as if with pegs **2** : to work hard and steadily : PLUG **3** : HUSTLE **4** : to mark by pegs ⟨~ out a plot⟩ **5** : to hold (as prices) at a set level **6** : THROW

Pe·king·ese \,pē-kən-'ēz, -kiŋ-\ *n* : a small short-legged long-haired Chinese dog

pel·age \'pel-ij\ *n* : the hairy covering of a mammal

pe·lag·ic \pə-'laj-ik\ *adj* : OCEANIC

pel·i·can \'pel-i-kən\ *n* : a large web-footed bird having a pouched lower bill used to scoop in fish

pel·la·gra \pə-'lag-rə, -'lāg-\ *n* : a chronic disease marked by skin and digestive disorder and nervous symptoms and caused by a faulty diet

pel·let \'pel-ət\ *n* **1** : a little ball (as of food or medicine) **2** : BULLET

pel·lu·cid \pə-'lü-səd\ *adj* : extremely clear : LIMPID, TRANSPARENT **syn** translucent, lucid

¹**pelt** \'pelt\ *n* : a skin esp. of a fur-bearing animal

²**pelt** *vb* : to strike with a succession of blows or missiles

pel·vis \'pel-vəs\ *n* : a basin-shaped part of the vertebrate skeleton consisting chiefly of the two large bones of the hip — **pel·vic** \-vik\ *adj*

¹**pen** \'pen\ *n* **1** : a small enclosure for animals **2** : a small place of confinement or storage

²**pen** *vb* **penned; pen·ning** : to shut in a pen : ENCLOSE

³**pen** *n* : an instrument with a split point to hold ink used for writing; *also* : a fluid-using writing instrument

⁴**pen** *vb* **penned; pen·ning** : WRITE

pe·nal \'pēn-ᵊl\ *adj* : of or relating to punishment

pe·nal·ize \'pēn-ᵊl-,īz, 'pen-\ *vb* : to put a penalty on

pen·al·ty \'pen-ᵊl-tē\ *n* **1** : punishment for crime or offense **2** : something forfeited when a person fails to do what he agreed to do **3** : disadvantage, loss, or hardship due to some action

pen·ance \'pen-əns\ *n* **1** : an act performed to show sorrow or repentance for sin **2** : a sacrament (as in the Roman Catholic Church) consisting in repentance, confession, satisfaction as imposed by the confessor, and absolution

¹**pen·cil** \'pen-səl\ *n* : an implement for writing or drawing consisting of or containing a slender cylinder of a solid marking substance

²**pencil** *vb* **-ciled** *or* **-cilled; -cil·ing** *or* **-cil·ling** : to paint, draw, or write with a pencil

pen·dant \'pen-dənt\ *n* : a hanging ornament (as an earring)

pen·dent *or* **pen·dant** \'pen-dənt\ *adj* : SUSPENDED, OVERHANGING

¹**pend·ing** \'pen-diŋ\ *prep* **1** : DURING **2** : while awaiting

²**pending** *adj* **1** : not yet decided **2** : IMMINENT

pen·du·lous \'pen-jə-ləs, -də-\ *adj* : hanging loosely : DROOPING

pen·du·lum \-ləm\ *n* : a body suspended from a fixed point so that it may swing freely

pen·e·trate \'pen-ə-,trāt\ *vb* **1** : to enter into : PIERCE **2** : PERMEATE **3** : to see into : UNDERSTAND, DISCOVER **4** : to affect deeply — **pen·e·tra·ble** \-trə-bəl\ *adj* — **pen·e·tra·tion** \,pen-ə-'trā-shən\ *n* — **pen·e·tra·tive** \'pen-ə-,trāt-iv\ *adj*

pen·e·trat·ing *adj* **1** : PIERCING ⟨a ~ shriek⟩ **2** : PERMEATING ⟨a ~ odor⟩ **3** : DISCERNING ⟨a ~ look⟩

pen·guin \'pen-gwən, 'peŋ-\ *n* : any of several erect short-legged flightless seabirds of the southern hemisphere

pen·i·cil·lin \,pen-ə-'sil-ən\ *n* : an antibiotic produced by a green mold and used against various bacteria

pen·in·su·la \pə-'nin-sə-lə, -'nin-chə-\ *n* [L *paeninsula,* fr. *paene* almost + *insula* island] : a long narrow portion of land extending out into the water from the main land body — **pen·in·su·lar** \-lər\ *adj*

pe·nis \'pē-nəs\ *n, pl* **pe·nes** \-,nēz\ *or* **pe·nis·es** : a male organ of copulation

¹**pen·i·ten·tia·ry** \,pen-ə-'tench-(ə-)rē\ *n* : a state or federal prison

²**penitentiary** *adj* : of or relating to or incurring confinement in a penitentiary

pen·man \-mən\ *n* **1** : COPYIST **2** : one skilled in penmanship **3** : AUTHOR

pen·nant \'pen-ənt\ *n* **1** : a small tapering nautical flag used for identification or signaling **2** : a long narrow flag **3** : a flag emblematic of championship

pen·ny \'pen-ē\ *n, pl* **pennies** \'pen-ēz\ *or* **pence** \'pens, *in compounds usu* pəns\ **1** : a British monetary unit equal to ¹⁄₁₂ shilling; *also* : a coin of this value — see MONEY table **2** *pl* **pennies** : a cent of the U.S. or Canada — **pen·ni·less** \'pen-i-ləs\ *adj*

pen·ny·weight \'pen-ē-,wāt\ *n* : a unit of troy weight equal to ¹⁄₂₀ troy ounce

pe·nol·o·gy \pi-'näl-ə-jē\ *n* : a branch of criminology dealing with prison management and the treatment of offenders

¹**pen·sion** \'pen-chən\ *n* : a fixed sum paid regularly esp. to a person retired from service

²**pension** *vb* : to pay a pension to — **pen·sion·er** *n*

pen·sive \'pen-siv\ *adj* : musingly, dreamily, or sadly thoughtful **syn** reflective, speculative, contemplative, meditative — **pen·sive·ly** *adv*

pen·ta·gon \'pen-ti-,gän\ *n* : a polygon of 5 angles and 5 sides — **pen·tag·o·nal** \pen-'tag-ən-ᵊl\ *adj*

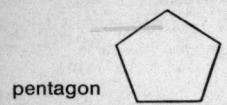

pentagon

pen·tam·e·ter \pen-'tam-ət-ər\ *n* : a line consisting of five metrical feet

Pen·te·cost \'pent-i-,kȯst\ *n* : the 7th Sunday after Easter observed as a church festival commemorating the descent of the Holy Spirit on the apostles — **Pen·te·cos·tal** \,pent-i-'kȧst-ᵊl\ *adj*

Pentecostal *n* : a member of a Christian religious body that is ardently evangelistic — **Pen·te·cos·tal·ism** \,pent-i-'kȧst-ᵊl-,iz-əm\ *n*

pent·house \'pent-,haùs\ *n* **1** : a shed or roof attached to and sloping from a wall or building **2** : an apartment built on the roof of a building

pen·um·bra \pə-'nəm-brə\ *n, pl* **-brae** \-(,)brē\ *or* **-bras** : the partial shadow surrounding a complete shadow (as in an eclipse)

pen·u·ry \'pen-yə-rē\ *n* : extreme poverty

pe·on \'pē-,än, -ən\ *n* **1** : a member of the landless laboring class in Spanish America **2** : one bound to service for payment of a debt — **pe·on·age** \-ə-nij\ *n*

pe·o·ny \'pē-ə-nē, 'pī-nē\ *n* : a garden plant with large usu. double red, pink, or white flowers; *also* : its flower

¹**peo·ple** \'pē-pəl\ *n, pl* **people 1** *pl* : human beings not individually known 〈~ are funny〉 **2** *pl* : human beings making up a group or linked by a common characteristic or interest **3** *pl* : the mass of persons in a community : POPULACE; *also* : ELECTORATE 〈the ~'s choice〉 **4** *pl* **peoples** : a body of persons (as a tribe, nation, or race) united by a common culture, sense of kinship, or political organization

²**people** *vb* : to supply or fill with or as if with people

¹**pep** \'pep\ *n* : brisk energy or initiative — **pep·py** *adj*

²**pep** *vb* **pepped; pep·ping** : to put pep into : STIMULATE

¹**pep·per** \'pep-ər\ *n* **1** : a pungent condiment from the berry of an East Indian climbing plant; *also* : this plant **2** : a plant related to the tomato and widely grown for its hot or mild sweet fruit used as a vegetable or in salads and pickles; *also* : this fruit

²**pepper** *vb* **1** : to sprinkle or season with or as if with pepper **2** : to shower with missiles or rapid blows

pep·sin \'pep-sən\ *n* : an enzyme of the stomach that begins the digestion of proteins; *also* : a preparation of this used medicinally

pep·tic \'pep-tik\ *adj* **1** : relating to or promoting digestion **2** : resulting from the action of digestive juices 〈a ~ ulcer〉

per \(')pər\ *prep* **1** : by means of : THROUGH **2** : to or for each **3** : according to

per an·num \(,)pər-'an-əm\ *adv* : in or for each year : ANNUALLY

per cap·i·ta \(,)pər-'kap-ət-ə\ *adv (or adj)* : by or for each person

per·ceive \pər-'sēv\ *vb* **1** : to attain awareness of : REALIZE **2** : to become aware of through the senses : OBSERVE — **per·ceiv·able** \-'sē-və-bəl\ *adj*

¹**per·cent** \pər-'sent\ *adv* : in each hundred

²**percent** *n, pl* **percent 1** : one part in a hundred : HUNDREDTH **2** : PERCENTAGE

per·cent·age \-ij\ *n* **1** : a part of a whole expressed in hundredths **2** : ADVANTAGE, PROFIT

per·cen·tile \pər-'sen-,tīl\ *n* : a statistical measure expressing an individual's standing (as in a test) in terms of the percentage of individuals falling below him

per·cept \'pər-,sept\ *n* : a sense impression of an object accompanied by an understanding of what it is

per·cep·tion \pər-'sep-shən\ *n* **1** : an act or result of perceiving **2** : awareness of environment through physical sensation **3** : ability to perceive : INSIGHT, COMPREHENSION **syn** penetration, discernment, discrimination

per·cep·tive \pər-'sep-tiv\ *adj* : of or relating to perception : having perception; *also* : DISCERNING

¹**perch** \'pərch\ *n* **1** : a roost for birds **2** : a high station or vantage point

²**perch** *vb* : ROOST.

³**perch** \\'pərch\\ *n* : either of two small freshwater spiny-finned food fishes; *also* : any of various fishes resembling or related to these

per·chance \\pər-'chans\\ *adv* : PERHAPS

per·co·late \\'pər-kə-ˌlāt\\ *vb* **1** : to trickle or filter through a permeable substance **2** : to filter hot water through to extract the essence ⟨~ coffee⟩ — **per·co·la·tor** *n*

per·cus·sion \\pər-'kəsh-ən\\ *n* **1** : a sharp blow : IMPACT; *esp* : a blow upon a cap (**percussion cap**) filled with powder and designed to explode the charge in a firearm **2** : the beating or striking of a musical instrument; *also* : percussion instruments ⟨woodwinds and ~⟩

per·di·tion \\pər-'dish-ən\\ *n* **1** : eternal damnation **2** : HELL

pe·remp·to·ry \\pə-'remp-t(ə-)rē\\ *adj* **1** : barring a right of action or delay : FINAL **2** : expressive of urgency or command : IMPERATIVE **3** : marked by self-assurance : DECISIVE **syn** imperious, masterful, domineering — **pe·remp·to·ri·ly** \\-t(ə-)rə-lē\\ *adv*

pe·ren·ni·al \\pə-'ren-ē-əl\\ *adj* **1** : present at all seasons of the year ⟨~ streams⟩ **2** : continuing to live from year to year ⟨~ plants⟩ **3** : recurring regularly : PERMANENT ⟨~ problems⟩ **syn** lasting, perpetual, stable, everlasting

¹**per·fect** \\'pər-fikt\\ *adj* **1** : being without fault or defect **2** : EXACT, PRECISE **3** : COMPLETE **4** : of, relating to, or constituting a verb tense that expresses an action or state completed at the time of speaking or at a time spoken of **syn** whole, entire, intact — **per·fect·ly** *adv* — **per·fect·ness** *n*

²**per·fect** \\pər-'fekt, 'pər-fikt\\ *vb* : to make perfect

³**per·fect** \\'pər-fikt\\ *n* : the perfect tense; *also* : a verb form in it

per·fect·ible \\pər-'fek-tə-bəl, 'pər-fik-\\ *adj* : capable of improvement or perfection — **per·fect·ibil·i·ty** \\pər-ˌfek-tə-'bil-ət-ē, ˌpər-fik-\\ *n*

per·fec·tion \\pər-'fek-shən\\ *n* **1** : the quality or state of being perfect **2** : the highest degree of excellence **3** : the act or process of perfecting **syn** virtue, merit

per·fec·tion·ist *n* : a person who will not accept or be content with anything less than perfection

per·fi·dy \\'pər-fəd-ē\\ *n* : violation of faith or loyalty : TREACHERY — **per·fid·i·ous** \\pər-'fid-ē-əs\\ *adj*

per·fo·rate \\'pər-fə-ˌrāt\\ *vb* : to bore through : PIERCE; *esp* : to make a line of holes in to facilitate separation **syn** puncture, punch, prick — **per·fo·ra·tion** \\ˌpər-fə-'rā-shən\\ *n*

per·force \\pər-'fōrs\\ *adv* : of necessity

per·form \\pər-'fȯrm\\ *vb* **1** : FULFILL **2** : to carry out : ACCOMPLISH **3** : to do in a set manner **4** : FUNCTION **5** : to give a performance : PLAY **syn** execute, discharge, achieve, effect —

per·for·mance \\pər-'fȯr-məns\\ *n* **1** : the act or process of performing **2** : DEED, FEAT **3** : a public presentation or exhibition

¹**per·fume** \\'pər-ˌfyüm, pər-'fyüm\\ *n* **1** : a usu. pleasant odor : FRAGRANCE **2** : a preparation used for scenting

²**per·fume** \\pər-'fyüm\\ *vb* : to treat with a perfume; *also* : SCENT

per·func·to·ry \\pər-'fəŋk-t(ə-)rē\\ *adj* : done merely as a duty : INDIFFERENT, MECHANICAL — **per·func·to·ri·ly** *adv*

per·haps \\pər-'(h)aps, 'praps\\ *adv* : possibly but not certainly

per·il \\'per-əl\\ *n* : DANGER; *also* : a source of danger : RISK **syn** jeopardy, hazard — **per·il·ous** \\-əs\\ *adj* — **per·il·ous·ly** *adv*

pe·rim·e·ter \\pə-'rim-ət-ər\\ *n* : the outer boundary of a body or figure

¹**pe·ri·od** \\'pir-ē-əd\\ *n* **1** : a well-rounded sentence; *also* : the full pause closing the utterance of a sentence **2** : END, STOP **3** : a punctuation mark . used esp. to mark the end of a declarative sentence or an abbreviation **4** : a portion or division of time in which something comes to an end and is ready to begin again **5** : MENSES **6** : an extent of time; *esp* : one regarded as a stage or division in a process or development **syn** epoch, era, age, aeon

²**period** *adj* : of or relating to a particular historical period

pe·ri·od·ic \\ˌpir-ē-'äd-ik\\ *adj* **1** : occurring at regular intervals of time **2** : happening repeatedly : INTERMITTENT **3** : of or relating to a sentence that has no trailing elements following full grammatical statement of the essential idea

¹**pe·ri·od·i·cal** \\-'äd-i-kəl\\ *adj* **1** : PERIODIC **2** : published at regular intervals **3** : of or relating to a periodical

pe·riph·ery \\pə-'rif-(ə-)rē\\ *n* **1** : the boundary of a rounded figure : PERIMETER **2** : outward bounds : border area — **pe·riph·er·al** \\-(ə-)rəl\\ *adj*

per·i·scope \\'per-ə-ˌskōp\\ *n* : an optical instrument enabling an observer (as in a submerged submarine or at the bottom of a deep trench) to get a view (as above the surface) that he could not otherwise get

per·ish \\'per-ish\\ *vb* : to become destroyed or ruined : pass away completely : DIE

per·ish·able \\-ə-bəl\\ *adj* : easily spoiled ⟨~ foods⟩

per·i·stal·sis \\ˌper-ə-'stȯl-səs, -'stal-\\ *n, pl* **-stal·ses** \\-ˌsēz\\ : waves of contraction passing along the intestine and forcing its contents onward — **per·i·stal·tic** \\-'stȯl-tik, -'stal-\\ *adj*

per·i·style \\'per-ə-ˌstīl\\ *n* : a row of columns surrounding a building or court

per·i·to·ni·tis \\ˌper-ət-ᵊn-'īt-əs\\ *n* : inflammation of the membrane lining the cavity of the abdomen

per·ju·ry \\'pərj-(ə-)rē\\ *n* : the voluntary violation of an oath to tell the truth : false swearing — **per·jure** \\'pər-jər\\

perk \\'pərk\\ *vb* **1** : to thrust (as the head) up impudently or jauntily **2** : to make trim or brisk : FRESHEN **3** : to regain vigor or spirit — **perky** *adj*

per·ma·nent \\'pər-mə-nənt\\ *adj* : LASTING, STABLE — **per·ma·nence** \\-nəns\\ *or* **per·ma·nen·cy** \\-nən-sē\\ *n* — **per·ma·nent·ly** *adv*

per·me·a·ble \\'pər-mē-ə-bəl\\ *adj* : having pores or small openings that permit liquids or gases to seep through — **per·me·a·bil·i·ty** \\ˌpər-mē-ə-'bil-ət-ē\\ *n*

per·me·ate \'pər-mē-,āt\ vb **1** : to seep through the pores of : PENETRATE **2** : PERVADE — **per·me·a·tion** \,pər-mē-'ā-shən\ n

per·mis·si·ble \pər-'mis-ə-bəl\ adj : that may be permitted : ALLOWABLE

per·mis·sion \pər-'mish-ən\ n : formal consent : AUTHORIZATION

per·mis·sive \pər-'mis-iv\ adj : granting permission; esp : INDULGENT

¹**per·mit** \pər-'mit\ vb -**mit·ted**; -**mit·ting 1** : to consent to : ALLOW **2** : to make possible

²**per·mit** \'pər-,mit, pər-'mit\ n : a written permission : LICENSE

per·mu·ta·tion \,pər-myü-'tā-shən\ n **1** : TRANSFORMATION **2** : any one of the total number of changes in position or order possible among the units or members of a group ⟨~s of the alphabet⟩ syn alteration

per·ni·cious \pər-'nish-əs\ adj : very destructive or injurious

per·ox·ide \pə-'räk-,sīd\ n **1** : an oxide containing a large proportion of oxygen; esp : one in which oxygen is joined to oxygen **2** : HYDROGEN PEROXIDE

per·pen·dic·u·lar \,pər-pən-'dik-yə-lər\ adj **1** : standing at right angles to the plane of the horizon **2** : meeting another line at a right angle — **perpendicular** n — **per·pen·dic·u·lar·ly** adv

per·pe·trate \'pər-pə-,trāt\ vb : to be guilty of : COMMIT — **per·pe·tra·tion** \,pər-pə-'trā-shən\ n — **per·pe·tra·tor**

per·pet·u·al \pər-'pech-ə(-wə)l\ adj **1** : continuing forever : EVERLASTING **2** : occurring continually : CONSTANT ⟨~ annoyance⟩ syn lasting, permanent, continual, continuous, incessant, perennial — **per·pet·u·al·ly** adv

per·plex \pər-'pleks\ vb : to disturb mentally; esp : CONFUSE — **per·plex·i·ty**

per·plexed \-'plekst\ adj **1** : filled with uncertainty : PUZZLED **2** : full of difficulty : COMPLICATED — **per·plex·ed·ly**

per·quis·ite \'pər-kwə-zət\ n : a privilege or profit incidental to one's employment in addition to the regular pay

per se \,pər-'sā\ adv : by, of, or in itself : as such

per·se·cute \'pər-si-,kyüt\ vb : to pursue in such a way as to injure or afflict : HARASS; esp : to cause to suffer because of belief syn oppress, wrong, aggrieve — **per·se·cu·tion** \,pər-si-'kyü-shən\ n — **per·se·cu·tor** \'pər-si-,kyüt-ər\ n

per·se·vere \,pər-sə-'viər\ vb : to persist (as in an undertaking) in spite of difficulties — **per·se·ver·ance** \-'vir-əns\ n

Per·sian \'pər-zhən\ n : one of the people of Persia

per·sim·mon \pər-'sim-ən\ n : a tree related to the ebony; also : its edible orange-red plumlike fruit

per·sist \pər-'sist, -'zist\ vb **1** : to go on resolutely or stubbornly in spite of difficulties : PERSEVERE **2** : to continue to exist — **per·sis·tence** \-'sis-təns, -'zis-\ or **per·sis·ten·cy** \-tən-sē\ n — **per·sis·tent** \-tənt\ adj — **per·sis·tent·ly** adv

per·son \'pərs-ᵊn\ n [L persona actor's mask, character in a play, person, prob. fr. Etruscan phersu mask] **1** : a human being : INDIVIDUAL **2** : the body of a human being **3** : the individual personality of a human being : SELF **4** : reference of a segment of discourse to the speaker, to one spoken to, or to one spoken of esp. as indicated by certain pronouns **5** : one of the three modes of being in the Godhead as understood by Trinitarians

per·son·able \'pərs-(ə-)nə-bəl\ adj : pleasing in person : ATTRACTIVE

per·son·age \'pərs-(ə-)nij\ n : a person of rank, note, or distinction

¹**per·son·al** \'pərs-(ə-)nəl\ adj **1** : of, relating to, or affecting a person : PRIVATE ⟨~ correspondence⟩ **2** : done in person ⟨a ~ inquiry⟩ **3** : relating to the person or body ⟨~ injuries⟩ **4** : relating to an individual esp. in an offensive way ⟨resented such ~ remarks⟩ **5** : of or relating to temporary or movable property as distinguished from real estate **6** : denoting grammatical person — **per·son·al·ly** adv

²**personal** n : a short newspaper paragraph relating to a person or group or to personal matters

per·son·al·i·ty \,pərs-ᵊn-'al-ət-ē\ n **1** : an offensively personal remark ⟨indulges in personalities⟩ **2** : distinctive personal character **3** : distinction of personal and social traits; also : a person having such quality syn individuality, temperament, disposition

per·son·al·ize \'pərs-(ə-)nə-,līz\ vb : to make personal or individual; esp : to mark as belonging to a particular person

per·son·ate \'pərs-ᵊn-,āt\ vb : IMPERSONATE, REPRESENT

per·son·i·fy \pər-'sän-ə-,fī\ vb **1** : to think of or represent as a person ⟨~ the forces of nature⟩ **2** : to be the embodiment of : INCARNATE ⟨~ the law⟩ — **per·son·i·fi·ca·tion** \-,sän-ə-fə-'kā-shən\ n

per·son·nel \,pərs-ᵊn-'el\ n : a body of persons employed in a service or an organization

per·spec·tive \pər-'spek-tiv\ n **1** : the science of painting and drawing so that objects represented have apparent depth and distance **2** : the aspect in which a subject or its parts are mentally viewed; esp : a view of things (as objects or events) in their true relationship or relative importance

per·spic·u·ous \pər-'spik-yə-wəs\ adj : plain to the understanding : CLEAR ⟨writes ~ prose⟩ — **per·spi·cu·i·ty**

per·spire \pər-'spīr\ vb : SWEAT — **per·spi·ra·tion** \,pər-spə-'rā-shən\ n

per·suade \pər-'swād\ vb : to move by argument or entreaty to a belief or course of action — **per·sua·sive** \-'swā-siv, -ziv\ adj — **per·sua·sive·ly** adv — **per·sua·sive·ness** n

per·sua·sion \pər-'swā-zhən\ n **1** : the act or process of persuading **2** : OPINION, BELIEF

pert \'pərt\ adj **1** : saucily free and forward : IMPUDENT **2** : stylishly trim : JAUNTY **3** : LIVELY

per·tain \pər-'tān\ vb **1** : to belong to as a part, quality, or function ⟨duties ~ing to the office⟩ **2** : to have reference : RELATE ⟨facts that ~ to the case⟩ syn bear, appertain, apply

per‧ti‧na‧cious \,pərt-ᵊn-'ā-shəs\ *adj* **1** : holding resolutely to an opinion or purpose ⟨a ~ opponent⟩ **2** : obstinately persistent : TENACIOUS ⟨a ~ bill collector⟩ **syn** obstinate, dogged, mulish — **per‧ti‧nac‧i‧ty** \-'as-ət-ē\ *n*

per‧ti‧nent \'pərt-ᵊn-ənt\ *adj* : relating to the matter under consideration ⟨all ~ information⟩ **syn** relevant, germane, applicable, apropos

per‧turb \pər-'tərb\ *vb* : to disturb greatly in mind : UPSET — **per‧tur‧ba‧tion** \,pərt-ər-'bā-shən\ *n*

pe‧ruse \pə-'rüz\ *vb* : READ; *esp* : to read attentively — **pe‧rus‧al** \-'rü-zəl\ *n*

per‧vade \pər-'vād\ *vb* : to spread through every part of : PERMEATE, PENETRATE — **per‧va‧sive** \-'vā-siv, -ziv\ *adj*

per‧verse \pər-'vərs\ *adj* **1** : turned away from what is right or good : CORRUPT **2** : obstinate in opposing what is reasonable or accepted — **per‧verse‧ly** *adv* — **per‧verse‧ness** *n* — **per‧ver‧si‧ty** \-'vər-sət-ē\ *n*

per‧ver‧sion \pər-'vər-zhən\ *n* **1** : the action of perverting : the condition of being perverted **2** : a perverted form of something; *esp* : abnormal sexual behavior

¹per‧vert \pər-'vərt\ *vb* **1** : to lead astray : CORRUPT ⟨~ the young⟩ **2** : to divert to a wrong purpose : MISAPPLY

²per‧vert \'pər-,vərt\ *n* : one that is perverted; *esp* : a person given to sexual perversion

pes‧si‧mism \'pes-ə-,miz-əm\ *n* : an inclination to take the least favorable view (as of events) or to expect the worst possible outcome — **pes‧si‧mist** *n*

pest \'pest\ *n* **1** : a destructive epidemic disease : PLAGUE **2** : one that pesters : NUISANCE **3** : a plant or animal detrimental to man

pes‧ti‧cide \'pes-tə-,sīd\ *n* : an agent used to kill pests

pes‧ti‧lence \'pes-tə-ləns\ *n* : a destructive infectious swiftly spreading disease; *esp* : PLAGUE — **pes‧ti‧len‧tial** \,pes-tə-'len-chəl\ *adj*

pes‧ti‧lent \'pes-tə-lənt\ *adj* **1** : dangerous to life : DEADLY; *also* : spreading or causing pestilence **2** : PERNICIOUS, HARMFUL **3** : TROUBLESOME

pes‧tle \'pes-əl, 'pest-ᵊl\ *n* : an implement for grinding substances in a mortar

¹pet \'pet\ *n* **1** : a domesticated animal kept for pleasure rather than utility **2** : FAVORITE, DARLING

²pet *adj* **1** : kept or treated as a pet ⟨~ dog⟩ **2** : expressing fondness ⟨~ name⟩ **3** : particularly liked or favored

³pet *vb* **pet‧ted**; **pet‧ting 1** : to stroke gently or lovingly **2** : to make a pet of : PAMPER **3** : to engage in amorous kissing and caressing with a member of the opposite sex

⁴pet *n* : a fit of peevishness, sulkiness, or anger

pet‧al \'pet-ᵊl\ *n* : one of the modified leaves of a flower's corolla

pet‧i‧ole \'pet-ē-,ōl\ *n* : a stalk that supports a leaf

pe‧tite \pə-'tēt\ *adj* : small and trim of figure ⟨a ~ woman⟩

¹pe‧ti‧tion \pə-'tish-ən\ *n* : an earnest request : ENTREATY; *esp* : a formal written request made to a superior

²petition *vb* : to make a petition : ENTREAT — **pe‧ti‧tion‧er** *n*

pet‧ri‧fy \'pet-rə-,fī\ *vb* **1** : to change into stony material **2** : to make rigid or inactive (as from fear or awe)

pe‧tro‧le‧um \pə-'trō-lē-əm\ *n* : a dark oily liquid found at places in the earth's upper strata and processed into useful products (as gasoline, kerosene, and oil)

¹pet‧ti‧coat \'pet-ē-,kōt\ *n* **1** : a skirt worn under a dress **2** : an outer skirt

²petticoat *adj* : FEMALE ⟨~ government⟩

pet‧ti‧fog \'pet-ē-,fóg, -,fäg\ *vb* **-fogged**; **-fog‧ging 1** : to engage in legal trickery **2** : to quibble over insignificant details — **pet‧ti‧fog‧ger** *n*

pet‧tish \'pet-ish\ *adj* : PEEVISH **syn** irritable, petulant, fretful

pet‧ty \'pet-ē\ *adj* **1** : having secondary rank : MINOR ⟨~ prince⟩ **2** : of little importance : TRIFLING ⟨~ faults⟩ **3** : marked by narrowness or meanness — **pet‧ti‧ly** *adv* — **pet‧ti‧ness** *n*

petty officer *n* : an enlisted man in the navy of a rank corresponding to a non-commissioned officer in the army; *esp* : one in one of the three lowest ranks

pet‧u‧lant \'pech-ə-lənt\ *adj* : marked by capricious ill humor **syn** irritable, peevish, fretful — **pet‧u‧lance** \-ləns\ *n*

pe‧tu‧nia \pə-'t(y)ü-nyə\ *n* : a garden plant with bright funnel-shaped flowers

petunia

pew \'pyü\ *n* : one of the benches with backs fixed in rows in a church

pew‧ter \'pyüt-ər\ *n* : an alloy of tin usu. with lead and sometimes also copper or antimony used esp. for kitchen or table utensils

pha‧lanx \'fā-,laŋks\ *n, pl* **pha‧lanx‧es** *or* **pha‧lan‧ges** \fə-'lan-,jēz\ : a group or body (as of troops) in compact formation

phal‧lus \'fal-əs\ *n, pl* **phal‧li** \-,ī\ *or* **phal‧lus‧es** : PENIS; *also* : a symbolic representation of the penis

phan‧tasm \'fan-,taz-əm\ *n* : a product of the imagination : ILLUSION

phan‧tas‧ma‧go‧ria \,fan-,taz-mə-'gōr-ē-ə\ *n* : a constantly shifting complex succession of things seen or imagined; *also* : a scene that constantly changes or fluctuates

phan‧tom \'fant-əm\ *n* **1** : something (as a specter) that is apparent to sense but has no substantial existence : APPARITION **2** : a mere show : SHADOW ⟨~ of authority⟩ **3** : a representation of something abstract, ideal, or incorporeal — **phantom** *adj*

phar‧aoh \'fe(ə)r-ō, 'fā-rō\ *n, often cap* : a ruler of ancient Egypt

phar‧i‧sa‧ical \,far-ə-'sā-ə-kəl\ *adj* : hypocritically self-righteous — **phar‧i‧sa‧ical‧ly** *adv*

phar·i·see \\'far-ə-,sē\\ *n* **1** *cap* : a member of an ancient Jewish sect noted for strict observance of rites and ceremonies of the traditional law **2** : a self-righteous or hypocritical person —

phar·ma·ceu·ti·cal \\,fär-mə-'süt-i-kəl\\ *or* **phar·ma·ceu·tic** \\-'süt-ik\\ *adj* **1** : of or relating to pharmacy or pharmacists **2** : MEDICINAL — **pharmaceutical** *n*

phar·ma·col·o·gy \\,fär-mə-'käl-ə-jē\\ *n* **1** : the science of drugs esp. as related to medicinal uses **2** : the reactions and properties of a drug — **phar·ma·co·log·i·cal** \\-kə-'läj-i-kəl\\ *adj* — **phar·ma·col·o·gist** \\-'käl-ə-jəst\\ *n*

phar·ma·cy \\'fär-mə-sē\\ *n* **1** : the art or practice of preparing and dispensing drugs **2** : DRUGSTORE — **phar·ma·cist** \\-səst\\ *n*

phar·ynx \\'far-iŋks\\ *n*, *pl* **pha·ryn·ges** \\fə-'rin-,jēz\\ *also* **phar·ynx·es** : the space just back of the mouth into which the nostrils, esophagus, and trachea open — **pha·ryn·ge·al** \\fə-'rin-j(ē-)əl, ,far-ən-'jē-əl\\ *adj*

phase \\'fāz\\ *n* **1** : a particular appearance in a recurring series of changes ⟨~s of the moon⟩ **2** : a stage or interval in a process or cycle ⟨first ~ of an experiment⟩ **3** : an aspect or part under consideration ⟨~s of social work⟩

pheas·ant \\'fez-ᵊnt\\ *n* : any of various long-tailed brilliantly colored game birds related to the domestic fowl

phe·no·bar·bi·tal \\,fē-nō-'bär-bə-,tȯl\\ *n* : a crystalline drug used as a hypnotic and sedative

phe·nol \\'fē-,nōl, fi-'nōl\\ *n* : a caustic poisonous acidic compound in tar used as a disinfectant and in making plastics

phe·nom·e·non \\fi-'näm-ə-,nän, -nən\\ *n*, *pl* **-e·na** \\-nə\\ [Gk *phainomenon*, fr. neut. of *phainomenos*, prp. of *phainesthai* to appear] **1** : an observable fact or event **2** : an outward sign of the working of a law of nature **3** *pl* **-enons** : an extraordinary person or thing : PRODIGY — **phe·nom·e·nal** *adj*

phi·lan·der \\fə-'lan-dər\\ *vb* : to make love without serious intent : FLIRT — **phi·lan·der·er** *n*

phi·lan·thro·py \\fə-'lan-thrə-pē\\ *n* **1** : goodwill to fellowmen; *esp* : effort to promote human welfare **2** : a charitable act or gift; *also* : an organization that distributes or is supported by donated funds — **phil·an·throp·ic** \\,fil-ən-'thräp-ik\\ *adj* — **phi·lan·thro·pist** \\fə-'lan-thrə-pəst\\ *n*

phil·har·mon·ic \\,fil-ər-'män-ik, ,fil-(h)är-\\ *adj* : of or relating to a symphony orchestra

phil·is·tine \\'fil-ə-,stēn, fə-'lis-tən\\ *n*, *often cap* : a materialistic person; *esp* : one who is smugly insensitive or indifferent to intellectual or artistic values

phil·o·den·dron \\,fil-ə-'den-drən\\ *n*, *pl* **-drons** *or* **-dra** \\-drə\\ : any of various arums grown for their showy foliage

phi·lol·o·gy \\fə-'läl-ə-jē\\ *n* **1** : the study of literature and relevant fields **2** : LINGUISTICS; *esp* : historical and comparative linguistics — **phil·o·log·i·cal** \\,fil-ə-'läj-i-kəl\\ *adj* — **phi·lol·o·gist** \\fə-'läl-ə-jəst\\ *n*

phi·los·o·pher \\fə-'läs-ə-fər\\ *n* **1** : a reflective thinker : SCHOLAR **2** : a student of or specialist in philosophy **3** : one whose philosophical perspective enables him to meet trouble calmly

phi·los·o·phize \\-,fīz\\ *vb* **1** : to reason like a philosopher : THEORIZE **2** : to expound a philosophy esp. superficially

phi·los·o·phy \\fə-'läs-ə-fē\\ *n* **1** : a critical study of fundamental beliefs and the grounds for them **2** : sciences and liberal arts exclusive of medicine, law, and theology ⟨doctor of ~⟩ **3** : a system of philosophical concepts ⟨Aristotelian ~⟩ **4** : a basic theory concerning a particular subject or sphere of activity ⟨~ of education⟩ **5** : the sum of the ideas and convictions of an individual or group ⟨his ~ of life⟩ **6** : calmness of temper and judgment — **phil·o·soph·ic** \\,fil-ə-'säf-ik\\ *or* **phil·o·soph·i·cal** *adj* — **phil·o·soph·i·cal·ly** *adv*

phil·ter *or* **phil·tre** \\'fil-tər\\ *n* **1** : a potion, drug, or charm held to excite sexual love **2** : a magic potion

phle·bi·tis \\fli-'bīt-əs\\ *n* : inflammation of a vein

phle·bot·o·my \\fli-'bät-ə-mē\\ *n* : the letting of blood in the treatment of disease

phlegm \\'flem\\ *n* : thick mucus secreted in abnormal quantity esp. in the nose and throat

phleg·mat·ic \\fleg-'mat-ik\\ *adj* : having or showing a slow and stolid temperament **syn** impassive, apathetic, stoic

phlo·em \\'flō-,em\\ *n* : a vascular plant tissue external to the xylem that carries dissolved food material downward

pho·bia \\'fō-bē-ə\\ *n* : an irrational persistent fear or dread

phoe·nix \\'fē-niks\\ *n* : a legendary bird held to live for centuries and then to burn itself to death and rise fresh and young from its ashes

¹phone \\'fōn\\ *n* **1** : EARPHONE **2** : TELEPHONE

²phone *vb* : TELEPHONE

pho·net·ics \\fə-'net-iks\\ *n* : the study and systematic classification of the sounds made in spoken utterance — **pho·net·ic** \\-ik\\ *adj* — **pho·ne·ti·cian** *n*

pho·no·graph \\'fō-nə-,graf\\ *n* : an instrument for reproducing sounds by means of the vibration of a needle following a spiral groove on a revolving disc — **pho·no·graph·ic** \\,fō-nə-'graf-ik\\ *adj*

pho·ny \\'fō-nē\\ *adj* : marked by empty pretension : FAKE — **phony** *n*

phos·phate \\'fäs-,fāt\\ *n* **1** : a chemical salt obtained esp. from various rocks and bones and widely used in fertilizers **2** : an effervescent drink of carbonated water flavored with fruit syrup — **phos·phat·ic** \\fäs-'fat-ik\\ *adj*

phos·pho·res·cence \\,fäs-fə-'res-ᵊns\\ *n* : the property (as of phosphorus) of emitting light without heat; *also* : light so produced — **phos·pho·res·cent** *adj*

phos·phor·ic acid \\,fäs-,fȯr-ik-, -,fär-\\ *n* : a syrupy or crystalline acid obtained esp. from a wood and used in making fertilizers and flavoring soft drinks

phos·pho·rus \\'fäs-f(ə-)rəs\\ *n* : a waxy nonmetallic chemical element that is found combined with other elements in phosphates, soils, and bones and that has a faint glow in moist air — **phos·phor·ic** \\fäs-'fȯr-ik, -'fär-\\ *adj* —

phos·pho·rous \'fäs-f(ə-)rəs; fäs-'fōr-əs, -'fȯr-\ *adj*

pho·to \'fōt-ō\ *n* : PHOTOGRAPH — **photo** *vb*

pho·to·elec·tric \,fōt-ō-ə-'lek-trik\ *adj* : relating to an electrical effect due to the interaction of light with matter

photo finish *n* : a race finish so close that a photograph of the finish is used to determine the winner

pho·to·gen·ic \,fōt-ə-'jen-ik\ *adj* : eminently suitable esp. aesthetically for being photographed

pho·to·graph \'fōt-ə-,graf\ *n* : a picture taken by photography — **pho·to·graph** *vb* — **pho·tog·ra·pher** \fə-'täg-rə-fər\ *n*

pho·tog·ra·phy \fə-'täg-rə-fē\ *n* : the art or process of producing images on a sensitized surface (as film in a camera) by the action of light — **pho·to·graph·ic** \,fōt-ə-'graf-ik\ *adj*

pho·to·mi·cro·graph \,fōt-ə-'mī-krə-,graf\ *n* : a photograph of a magnified image of a small object

pho·to·mu·ral \-'myu̇r-əl\ *n* : an enlarged photograph usu. several yards long used on walls esp. as decoration

pho·ton \'fō-,tän\ *n* : a quantum of radiant energy

pho·to·sen·si·tive \,fōt-ə-'sen-sət-iv\ *adj* : sensitive or sensitized to the action of radiant energy — **pho·to·sen·si·ti·za·tion** \-,sen-sət-ə-'zā-shən\ *n*

pho·to·syn·the·sis \,fōt-ə-'sin-thə-səs\ *n* : formation of carbohydrates by chlorophyll-containing plants exposed to sunlight

¹**phrase** \'frāz\ *n* **1** : a brief expression **2** : a group of two or more grammatically related words that form a sense unit expressing a thought

²**phrase** *vb* : to express in words

phras·ing \'frā-ziŋ\ *n* : style of expression

phre·nol·o·gy \fri-'näl-ə-jē\ *n* : the study of the conformation of the skull as indicative of mental faculties and character traits

phy·lac·tery \fə-'lak-t(ə-)rē\ *n* **1** : one of two small square leather boxes containing slips inscribed with scripture passages and traditionally worn on the left arm and forehead by Jewish men during morning weekday prayers **2** : AMULET

phy·lum \'fī-ləm\ *n, pl* **-la** \-lə\ : a group (as of people or languages) apparently of common origin; *also* : a major division of the plant or animal kingdom

¹**phys·ic** \'fiz-ik\ *n* **1** : the profession of medicine **2** : MEDICINE; *esp* : CATHARTIC

²**physic** *vb* **-icked; -ick·ing** : PURGE

phys·i·cal \'fiz-i-kəl\ *adj* **1** : of or relating to nature or the laws of nature **2** : material as opposed to mental or spiritual **3** : of or relating to physics : produced by the forces and operations of physics **4** : of or relating to the body : BODILY — **phys·i·cal·ly** *adv*

physical science *n* : the sciences (as mineralogy and astronomy) that deal with physical objects and energy

phy·si·cian \fə-'zish-ən\ *n* : a doctor of medicine

phys·i·cist \'fiz-ə-səst\ *n* : a specialist in physics

phys·ics \'fiz-iks\ *n* : a science that deals with matter and motion and includes mechanics, heat, light, electricity, and sound

phys·i·og·no·my \,fiz-ē-'ä(g)-nə-mē\ *n* : facial appearance esp. as a reflection of inner character

phys·i·og·ra·phy \-'äg-rə-fē\ *n* : geography dealing with physical features of the earth — **phys·i·o·graph·ic** \,fiz-ē-ə-'graf-ik\ *adj*

phys·i·ol·o·gy \,fiz-ē-'äl-ə-jē\ *n* **1** : a science dealing with the functions and functioning of living matter and beings **2** : functional processes in an organism or any of its parts — **phys·i·o·log·i·cal** \-ē-ə-'läj-i-kəl\ *adj* — **phys·i·o·log·i·cal·ly** *adv* — **phys·i·ol·o·gist** \-ē-'äl-ə-jəst\ *n*

phy·sique \fə-'zēk\ *n* : the build of a person's body : bodily constitution

¹**pi** \'pī\ *n* : the symbol π denoting the ratio of the circumference of a circle to its diameter; *also* : the ratio itself

²**pi** *n, pl* **pies** : jumbled type

pi·an·ist \pē-'an-əst, 'pē-ə-nəst\ *n* : one who plays the piano

pi·ano \pē-'an-ō\ *also* **pi·ano·forte** \-'an-ə-,fȯrt, -,an-ə-'fȯrt-ē\ *n* [It *pianoforte*, fr. *piano* soft (fr. L *planus* level, flat) + *forte* loud, fr. L *fortis* strong] : a musical instrument having steel strings sounded by felt-covered hammers operated from a keyboard

pic·a·yune \,pik-ē-'(y)ün\ *adj* : of little value : TRIVIAL; *also* : PETTY

pic·co·lo \'pik-ə-,lō\ *n* : a small shrill flute pitched an octave higher than the ordinary flute

piccolo

¹**pick** \'pik\ *vb* **1** : to pierce or break up with a pointed instrument **2** : to remove bit by bit ⟨~ meat from bones⟩; *also* : to remove covering matter from **3** : to gather by plucking ⟨~ apples⟩ **4** : CULL, SELECT **5** : ROB ⟨~ a pocket⟩ **6** : PROVOKE ⟨~ a quarrel⟩ **7** : to dig into or pull lightly at **8** : to pluck with fingers or a plectrum **9** : to loosen or pull apart with a sharp point ⟨~ wool⟩ **10** : to unlock with a wire **11** : to eat sparingly — **pick·er** *n*

²**pick** *n* **1** : the act or privilege of choosing : CHOICE **2** : the best or choicest one **3** : the portion of a crop gathered at one time

³**pick** *n* **1** : PICKAX **2** : a pointed implement used for picking **3** : PLECTRUM

¹**pick·et** \'pik-ət\ *n* **1** : a pointed stake (as for a fence) **2** : a detached body of soldiers on outpost duty; *also* : SENTINEL **3** : a person posted by a labor union where workers are on strike; *also* : a person posted for a demonstration or protest

²**picket** *vb* **1** : to guard with pickets **2** : TETHER **3** : to post pickets at ⟨~ a factory⟩ **4** : to serve as a picket

pick·ings \'pik-iŋz\ *n pl* **1** : gleanable or eatable fragments : SCRAPS **2** : yield for effort expended : RETURN; *also* : share of spoils

pick·le \'pik-əl\ *n* **1** : a brine or vinegar solution for preserving foods; *also* : a food preserved in a pickle **2** : a difficult situation : PLIGHT — **pickle** *vb*

pick up \'pik-ˌəp\ *n* **1** : a picking up **2** : revival of activity : IMPROVEMENT **3** : ACCELERATION **4** : a temporary chance acquaintance **5** : a light truck with open body and low sides
picky \'pik-ē\ *adj* : FUSSY, FINICKY
¹**pic·nic** \'pik-ˌnik\ *n* : an outing with food usu. provided by members of the group and eaten in the open
²**picnic** *vb* **-nicked; -nick·ing** : to go on a picnic : eat in picnic fashion
pic·to·ri·al \pik-'tōr-ē-əl\ *adj* **1** : of, relating to, or consisting of pictures **2** : ILLUSTRATED
¹**pic·ture** \'pik-chər\ *n* **1** : a representation made by painting, drawing, or photography **2** : a vivid description in words **3** : IMAGE, COPY ⟨the ~ of his father⟩ **4** : a transitory visual image or reproduction **5** : MOTION PICTURE **6** : SITUATION ⟨the political ~⟩
²**picture** *vb* **1** : to paint or draw a picture of **2** : to describe vividly in words **3** : to form a mental image of
pic·tur·esque \ˌpik-chə-'resk\ *adj* **1** : resembling a picture or a painted scene ⟨a ~ landscape⟩ **2** : CHARMING, QUAINT ⟨a ~ character⟩ **3** : GRAPHIC, VIVID ⟨a ~ account⟩ — **pic·tur·esque·ness** *n*
pid·dle \'pid-ᵊl\ *vb* : to act or work idly : DAWDLE
pie \'pī\ *n* : a dish consisting of a pastry crust and a filling (as of fruit or meat)
¹**piece** \'pēs\ *n* **1** : a part of a whole : FRAGMENT **2** : one of a group, set, or mass ⟨a ~ of mail⟩ ⟨chess ~⟩; *also* : a single item ⟨a ~ of news⟩ **3** : a length, weight, or size in which something is made or sold **4** : a product (as an essay or musical composition) of creative work **5** : FIREARM **6** : COIN
²**piece** *vb* **1** : to repair or complete by adding pieces : PATCH **2** : to join into a whole
pier \'piər\ *n* **1** : a support for a bridge span **2** : a structure built out into the water for use as a landing place or a promenade or to protect or form a harbor **3** : PILLAR

pier, 1

pierce \'piərs\ *vb* **1** : to enter or thrust into sharply or painfully : STAB **2** : to make a hole in or through : PERFORATE **3** : to force or make a way into or through : PENETRATE **4** : to see through : DISCERN
pi·ety \'pī-ət-ē\ *n* **1** : fidelity to natural obligations (as to parents) **2** : dutifulness in religion : DEVOUTNESS **3** : a pious act **syn** allegiance, devotion, loyalty
pif·fle \'pif-əl\ *n* : trifling talk or action : NONSENSE
pig \'pig\ *n* **1** : SWINE; *esp* : a young swine **2** : PORK **3** : one resembling a pig (as in dirtiness or greed) **4** : a casting of metal (as iron or lead) run directly from a smelting furnace into a mold
pi·geon \'pij-ən\ *n* : any of numerous stout-bodied short-legged birds with smooth thick plumage; *esp* : a domesticated bird
¹**pi·geon·hole** \-ˌhōl\ *n* : a small open compartment (as in a desk) for keeping letters or documents
²**pigeonhole** *vb* **1** : to place in or as if in a pigeonhole : FILE **2** : to lay aside **3** : CLASSIFY
pi·geon-toed \ˌpij-ən-'tōd\ *adj* : having the toes turned in
pig·gish \'pig-ish\ *adj* : resembling a pig esp. in greed, dirtiness, or stubbornness
pig·head·ed \'pig-'hed-əd\ *adj* : OBSTINATE, STUBBORN
pig·ment \'pig-mənt\ *n* **1** : coloring matter **2** : a powder mixed with a suitable liquid to give color (as in paints and enamels)
pig·men·ta·tion \ˌpig-mən-'tā-shən\ *n* : coloration with or deposition of pigment; *esp* : an excessive deposition of bodily pigment
pig·skin \-ˌskin\ *n* **1** : the skin of a pig; *also* : leather made from it **2** : FOOTBALL
¹**pike** \'pīk\ *n* : a sharp point, spike, or tip
²**pike** *n* : a large slender greedy freshwater food fish; *also* : a related fish
³**pike** *n* : a long wooden shaft with a pointed steel head formerly used as a foot soldier's weapon
⁴**pike** *n* : TURNPIKE
pik·er \'pī-kər\ *n* **1** : one who does things in a small way or on a small scale **2** : TIGHTWAD, CHEAPSKATE
pi·las·ter \'pī-ˌlas-tər, pə-'las-\ *n* : a slightly projecting upright column that ornaments or helps to support a wall
¹**pile** \'pīl\ *n* : a large pointed piece (as of wood or steel) driven into the ground to support a vertical load
²**pile** *n* **1** : a quantity of things heaped together **2** : PYRE **3** : a great number or quantity : LOT **4** : a large building or group of buildings
³**pile** *vb* **1** : to lay in a pile : STACK **2** : to heap up : ACCUMULATE **3** : to press forward in a mass : CROWD
⁴**pile** *n* : a velvety surface of fine short hairs or threads (as on cloth) — **piled**
pil·fer \'pil-fər\ *vb* : to steal in small quantities
pil·grim \'pil-grəm\ *n* [OF *pelegrin*, fr. LL *pelegrinus*, modif. of L *peregrinus*, fr. *peregre* abroad, fr. *per* through + *ager* field, land] **1** : a traveler in alien lands : WAYFARER **2** : one who travels to a shrine or holy place as an act of devotion **3** *cap* : one of the English settlers found Plymouth colony in 1620
pil·grim·age \-grə-mij\ *n* : a journey of a pilgrim esp. to a shrine or holy place
pill \'pil\ *n* **1** : a medicine prepared in a little ball to be taken whole **2** : a disagreeable or tiresome person
pil·lage \'pil-ij\ *vb* : to take booty : LOOT, PLUNDER — **pillage** *n*
pil·lar \'pil-ər\ *n* : a column or shaft standing alone esp. as a monument; *also* : one used as an upright support in a building — **pil·lared** \-ərd\ *adj*
¹**pil·lo·ry** \'pil-(ə-)rē\ *n* : a wooden frame for public punishment having holes in which the head and hands can be locked

²**pillory** vb **1** : to set in a pillory **2** : to expose to public scorn
¹**pil·low** \'pil-ō\ n : a case filled with springy material (as feathers) and used to support the head of a person resting
²**pillow** vb : to rest or place on or as if on a pillow; also : to serve as a pillow for
¹**pi·lot** \'pī-lət\ n **1** : HELMSMAN, STEERSMAN **2** : a person qualified and licensed to take ships into and out of a port **3** : GUIDE, LEADER **4** : one that flies an airplane — **pi·lot·less** adj
²**pilot** vb : CONDUCT, GUIDE; esp : to act as pilot of
³**pilot** adj : serving on a small scale as a guiding or activating device ⟨a ~ parachute⟩ or as a testing or trial unit ⟨a ~ factory⟩
pi·men·to \pə-'ment-ō\ n **1** : PIMIENTO **2** : ALLSPICE; also : the West Indian tree that yields allspice
pimp \'pimp\ n : PANDER, PROCURER — **pimp** vb
pim·ple \'pim-pəl\ n : a small inflamed swelling on the skin often containing pus
¹**pin** \'pin\ n **1** : a piece of wood or metal used esp. for fastening articles together or as a support by which one article may be suspended from another **2** : a small pointed piece of wire with a head used for fastening clothes or attaching papers **3** : an ornament or emblem fastened to clothing with a pin **4** : one of the wooden pieces constituting the target (as in bowling); also : the staff of the flag marking a hole on a golf course **5** : LEG
²**pin** vb **pinned**; **pin·ning** **1** : to fasten with a pin **2** : to press together and hold fast **3** : to make dependent ⟨pinned their hopes on one man⟩ **4** : to assign the blame for ⟨~ a crime on someone⟩ **5** : to define clearly : ESTABLISH ⟨~ down an idea⟩ **6** : to hold fast or immobile in a spot or position
pin·cer \'pin-sər\ n **1** pl : a gripping instrument with two handles and two grasping jaws **2** : a claw (as of a lobster) resembling pincers
¹**pinch** \'pinch\ vb **1** : to squeeze between the finger and thumb or between the jaws of an instrument **2** : to compress painfully : CRAMP **3** : CONTRACT, SHRIVEL **4** : to be miserly; also : to subject to strict economy **5** : STEAL **6** : ARREST
²**pinch** n **1** : a critical point : EMERGENCY **2** : painful effect : HARDSHIP **3** : an act of pinching : SQUEEZE **4** : a very small quantity **5** : ARREST
pinch–hit \(')pinch-'hit\ vb **1** : to bat in the place of another player esp. when a hit is particularly needed **2** : to act or serve in place of another — **pinch hit** n — **pinch hitter** n
pin·cush·ion \'pin-,kùsh-ən\ n : a cushion for pins not in use
¹**pine** \'pīn\ vb **1** : to lose vigor or health through distress **2** : to long for something intensely : YEARN
²**pine** n : any of numerous evergreen cone-bearing trees; also : the light durable resinous wood of pines
pin·feath·er \'pin-,feth-ər\ n : a new feather just coming through the skin
ping \'piŋ\ n : a sharp sound like that of a bullet striking **2** : ignition knock

pin·hole \'pin-,hōl\ n : a small hole made by, for, or as if by a pin
¹**pin·ion** \'pin-yən\ n : the end section of a bird's wing; also : WING
²**pinion** vb : to restrain by binding the arms; also : SHACKLE
³**pinion** n : a gear with a small number of teeth designed to mesh with a larger wheel or rack
¹**pink** \'piŋk\ vb **1** : PIERCE, STAB **2** : to perforate in an ornamental pattern **3** : to cut a saw-toothed edge on
²**pink** n **1** : any of various plants with narrow leaves often grown for their showy flowers **2** : the highest degree
³**pink** adj **1** : of the color pink **2** : holding socialistic views — **pink·ish** adj
⁴**pink** n **1** : a light tint of red **2** : a person who holds socialistic views
pink·eye \'piŋk-,ī\ n : an acute contagious eye inflammation
pin·kie or **pin·ky** \'piŋ-kē\ n : a little finger
pin·na·cle \'pin-i-kəl\ n **1** : a turret ending in a small spire **2** : a lofty peak **3** : the highest point : ACME
pin·nate \'pin-,āt\ adj : having similar parts arranged on each side of an axis
pin·point \'pin-,pòint\ vb : to locate, hit, or aim with great precision
pin·prick \-,prik\ n **1** : a small puncture made by or as if by a pin **2** : a petty irritation or annoyance
pin·stripe \-,strīp\ n : a narrow stripe on a fabric; also : a suit with such stripes — **pin–striped** \-,strīpt\ adj
pint \'pīnt\ n : a measure of capacity equal to half a quart
pin·to \'pin-,tō\ n : a spotted horse
¹**pi·o·neer** \,pī-ə-'niər\ n **1** : one that originates or helps open up a new line of thought or activity **2** : an early settler in a territory
²**pioneer** vb **1** : to act as a pioneer **2** : to open or prepare for others to follow; esp : SETTLE
pi·ous \'pī-əs\ adj **1** : marked by reverence for deity : DEVOUT **2** : excessively or affectedly religious **3** : SACRED, DEVOTIONAL **4** : showing loyal reverence for a person or thing : DUTIFUL **5** : marked by sham or hypocrisy
¹**pip** \'pip\ n **1** : a disease of birds **2** : a usu. minor human ailment
²**pip** n : one of the dots or figures used chiefly to indicate numerical value (as of a playing card)
³**pip** n : a small fruit seed (as of an apple)
¹**pipe** \'pīp\ n **1** : a musical instrument consisting of a tube played by forcing a blast of air through it **2** : BAGPIPE **3** : a long tube designed to conduct something (as water, steam, or oil) **4** : a device for smoking consisting of a tube with a bowl at one end and a mouthpiece at the other
²**pipe** vb **1** : to play on a pipe **2** : to speak in a high or shrill voice **3** : to convey by or as if by pipes — **pip·er** n
pipe·line \'pīp-,līn\ n **1** : a line of pipe with pumps, valves, and control devices for conveying liquids, gases, or finely divided solids **2** : a direct channel for information
pi·quant \'pē-kənt\ adj **1** : pleasantly savory : PUNGENT **2** : engagingly provocative; also : having a livel charm — **pi·quan·cy** \-kən-sē\ n

pique \'pēk\ *n* : offense taken by one slighted; *also* : a fit of resentment

²pique *vb* **1** : to offend esp. by slighting **2** : to arouse by a provocation or challenge : GOAD

pi·rate \'pī-rət\ *n* [L *pirata*, fr. Gk *peiratēs*, fr. *peiran* to attempt, attack] : one who commits piracy — **pirate** *vb* — **pi·rat·i·cal** \pə-'rat-i-kəl, pī-\ *adj*

pis·til \'pist-ᵊl\ *n* : the female reproductive organ in a flower — **pis·til·late**

pis·tol \'pist-ᵊl\ *n* : a short firearm intended to be aimed and fired with one hand

pis·ton \'pis-tən\ *n* : a sliding piece that receives and transmits motion and that usu. consists of a short cylinder inside a larger cylinder

¹pit \'pit\ *n* **1** : a hole, shaft, or cavity in the ground **2** : an often sunken area designed for a particular use; *also* : an enclosed place (as for cockfights) **3** : HELL **4** : a hollow or indentation esp. in the surface of the body **5** : a small indented scar (as from smallpox)

²pit *vb* **pit·ted**; **pit·ting 1** : to form pits in or become marred with pits **2** : to match (as cocks) for fighting : set in opposition

³pit *n* : the stony seed of some fruits (as the cherry, peach, and date)

⁴pit *vb* **pit·ted**; **pit·ting** : to remove the pit from

¹pitch \'pich\ *n* **1** : a dark sticky substance left over esp. from distilling tar or petroleum **2** : resin from various conifers — **pitchy** *adj*

²pitch *vb* **1** : to erect and fix firmly in place ⟨~ a tent⟩ **2** : THROW, FLING **3** : to deliver a baseball to a batter **4** : to toss (as coins) toward a mark **5** : to set at a particular level ⟨~ the voice low⟩ **6** : to fall headlong **7** : to have the front end (as of a ship or airplane) alternately plunge and rise abruptly **8** : to choose something casually ⟨~ed on a likely spot⟩ **9** : to incline downward : SLOPE

³pitch *n* **1** : the action or a manner of pitching **2** : degree of slope ⟨~ of a roof⟩ **3** : the relative level of some quality or state ⟨a high ~ of excitement⟩ **4** : highness or lowness of sound **5** : an often high-pressure sales talk **6** : the delivery of a baseball to a batter; *also* : the baseball delivered

¹pitch·er \'pich-ər\ *n* : a container for holding and pouring liquids that usu. has a lip and a handle

²pitcher *n* : one that pitches esp. in a baseball game

pit·e·ous \'pit-ē-əs\ *adj* : arousing pity : PITIFUL — **pit·e·ous·ly** *adv*

pit·fall \'pit-ˌfȯl\ *n* **1** : TRAP, SNARE; *esp* : a flimsily covered pit used for capturing animals **2** : a hidden danger or difficulty

pith \'pith\ *n* **1** : loose spongy tissue esp. in the center of the stem of vascular plants **2** : the essential part : CORE

pith·ec·an·thro·pus \ˌpith-i-'kan-thrə-pəs\ *n, pl* **-thro·pi** \-ˌpī\ : any of several primitive extinct men from Java

piti·ful \'pit-i-fəl\ *adj* **1** : arousing or deserving pity ⟨a ~ sight⟩ **2** : MEAN, MEAGER ⟨a ~ excuse⟩ — **piti·ful·ly** *adv*

piti·less \'pit-i-ləs\ *adj* : devoid of pity : MERCILESS

pit·tance \'pit-ᵊns\ *n* : a small portion, amount, or allowance

pi·tu·i·tary \pə-'t(y)ü-ə-ˌter-ē\ *adj* : of, relating to, or being a small oval endocrine gland attached to the brain

pit viper *n* : any of various mostly New World specialized venomous snakes with a sensory pit on each side of the head and hollow perforated fangs

¹pity \'pit-ē\ *n* **1** : sympathetic sorrow : COMPASSION **2** : something to be regretted

²pity *vb* : to feel pity for

¹piv·ot \'piv-ət\ *n* : a fixed pin on the end of which something turns — **piv·ot·al** \-ᵊl\ *adj*

²pivot *vb* : to turn on or as if on a pivot

piz·za \'pēt-sə\ *n* : an open pie made typically of thinly rolled bread dough spread with a spiced mixture (as of tomatoes, cheese, and ground meat) and baked

¹plac·ard \'plak-ˌärd\ *n* : a notice posted in a public place : POSTER

²placard *vb* **1** : to cover with or as if with placards **2** : to announce by posting

pla·cate \'plā-ˌkāt, 'plak-ˌāt\ *vb* : to soothe esp. by concessions : APPEASE — **plac·a·ble** \'plak-ə-bəl, 'plā-kə-\ *adj*

¹place \'plās\ *n* [MF, open space, fr. L *platea* broad street, fr. Gk *plateia*, fem. of *platys* broad] **1** : SPACE, ROOM **2** : an indefinite region : AREA **3** : a building or locality used for a special purpose **4** : a center of population **5** : a particular part of a surface : SPOT **6** : relative position in a scale or sequence; *also* : high and esp. second position in a competition **7** : ACCOMMODATION; SEAT **8** : JOB; *esp* : public office **9** : a public square : PLAZA

²place *vb* **1** : to distribute in an orderly manner : ARRANGE **2** : to put in a particular place : SET **3** : IDENTIFY **4** : to give an order for ⟨~ a bet⟩ **5** : to rank high and esp. second in a competition

place·ment \'plās-mənt\ *n* : an act or instance of placing

pla·cen·ta \plə-'sent-ə\ *n* : the structure by which a mammal is nourished and joined to the mother before birth

plac·er \'plas-ər\ *n* : a place where gold is obtained by washing sand and gravel containing particles of the metal

plac·id \'plas-əd\ *adj* : UNDISTURBED, PEACEFUL **syn** tranquil, serene, calm

pla·gia·rize \'plā-jə-ˌrīz\ *vb* : to pass off as one's own the ideas or words of another — **pla·gia·rism** \-ˌriz-əm\ *n*

¹plague \'plāg\ *n* **1** : a disastrous evil or influx; *also* : NUISANCE **2** : PESTILENCE; *esp* : a destructive contagious bacterial disease (as bubonic plague)

²plague *vb* **1** : to afflict with or as if with disease or disaster **2** : TEASE, TORMENT, HARASS

plaid \'plad\ *n* **1** : a rectangular length of tartan worn esp. over the left shoulder in Scotland **2** : a twilled woolen fabric with a tartan pattern — **plaid** *adj*

¹plain \'plān\ *n* : an extensive area of level or rolling treeless country

²plain *adj* **1** : lacking ornament ⟨a ~ dress⟩ **2** : free of extraneous matter : PURE ⟨~ water⟩ **3** : OPEN, UNOBSTRUCTED ⟨~ view⟩ **4** : EVIDENT,

plaintiff 343 play

OBVIOUS **5** : easily understood : CLEAR **6** : CANDID, BLUNT **7** : SIMPLE, UNCOMPLICATED ⟨~ cooking⟩ **8** : lacking beauty : HOMELY — **plain·ly** *adv* —

plain·tiff \'plānt-əf\ *n* : the complaining party in a lawsuit

plain·tive \'plānt-iv\ *adj* : expressive of suffering or woe : MELANCHOLY —

plait \'plāt, 'plat\ *n* **1** : PLEAT **2** : a braid esp. of hair or straw — **plait** *vb*

¹plan \'plan\ *n* **1** : a drawing or diagram drawn on a plane **2** : a method or program for accomplishing something : PROCEDURE **3** : GOAL, AIM — **plan·less** *adj*

²plan *vb* **planned**; **plan·ning** **1** : to form a plan of : DESIGN ⟨~ a new city⟩ **2** : to devise the accomplishment of ⟨~ the day's work⟩ **3** : INTEND ⟨planned to go⟩

¹plane \'plān\ *vb* : to smooth or level off with or as if with a plane — **plan·er** *n*

²plane *n* : any of several shade trees suggesting maples but having globular flower clusters

³plane *n* : a tool for smoothing or shaping a wood surface

⁴plane *n* **1** : a level or flat surface **2** : a level of existence, consciousness, or development **3** : AIRPLANE **4** : one of the main supporting surfaces of an airplane

⁵plane *adj* **1** : FLAT, LEVEL ⟨a ~ surface⟩ **2** : dealing with flat surfaces ⟨~ geometry⟩

plan·et \'plan-ət\ *n* [LL *planeta*, modif. of Gk *planēt-*, *planēs*, lit., wanderer, fr. *planasthai* to wander] : a celestial body other than a comet or meteor that revolves around the sun — **plan·e·tary**

plan·e·tar·i·um \,plan-ə-'ter-ē-əm\ *n* : a room with a dome on which an optical device projects moving images of celestial bodies (as the moon and stars)

¹plank \'plaŋk\ *n* **1** : a heavy thick board **2** : an article in the platform of a political party

²plank *vb* **1** : to cover with planks **2** : to set or lay down forcibly **3** : to cook and serve on a board

plank·ton \'plaŋk-tən\ *n* : the passively floating or weakly swimming animal and plant life of a body of water

¹plant \'plant\ *vb* **1** : to set in the ground to grow **2** : ESTABLISH, SETTLE **3** : to stock or provide with something **4** : to place firmly or forcibly **5** : to hide or arrange with intent to deceive

²plant *n* **1** : any of the great group of living things (as mushrooms, seaweeds, or trees) that usu. have no locomotor ability or obvious sense organs and have cellulose cell walls and usu. capacity for indefinite growth **2** : the land, buildings, and machinery used in carrying on a trade or business

plan·ta·tion \plan-'tā-shən\ *n* **1** : a large group of trees under cultivation **2** : an agricultural estate worked by resident laborers

plaque \'plak\ *n* **1** : an ornamental brooch **2** : a flat thin piece of (as of metal) used for decoration; *also* : a commemorative tablet

plas·ma \'plaz-mə\ *n* **1** : the watery part of blood, lymph, or milk **2** : a gas composed of ionized particles

¹plas·ter \'plas-tər\ *n* **1** : a dressing consisting of a backing spread with an often medicated substance that clings to the skin ⟨adhesive ~⟩ **2** : a paste that hardens as it dries and is used for coating walls and ceilings

²plaster *vb* : to cover with plaster —

¹plas·tic \'plas-tik\ *adj* **1** : CREATIVE ⟨~ artist⟩ **2** : capable of being molded ⟨~ clay⟩ **3** : characterized by or using modeling ⟨~ arts⟩ **syn** pliable, pliant, ductile, malleable, adaptable — **plas·tic·i·ty** \plas-'tis-ət-ē\ *n*

²plas·tic *n* : a plastic substance; *esp* : a synthetic or processed material that can be formed into rigid objects or into films or filaments

¹plat \'plat\ *n* **1** : a small plot of ground **2** : a plan of a piece of land (as a town site)

²plat *vb* **plat·ted**; **plat·ting** : to make a plat of

¹plate \'plāt\ *n* **1** : a flat thin piece of material **2** : domestic hollow ware made of or plated with gold, silver, or base metals **3** : DISH **4** : a rubber slab at the apex of a baseball diamond that must be touched by a base runner in order to score **5** : the molded metal or plastic cast of a page of type to be printed from **6** : a thin sheet of material (as glass) that is coated with a chemical sensitive to light and is used in photography **7** : the part of a denture that fits to the mouth and holds the teeth **8** : something printed from an engraving

²plate *vb* **1** : to arm with armor plate **2** : to overlay with metal (as gold or silver) **3** : to make a printing plate of

pla·teau \pla-'tō\ *n* : a large level area raised above adjacent land on at least one side : TABLELAND

plat·form \'plat-,form\ *n* **1** : a raised flooring or stage for speakers, performers, or workers **2** : a declaration of the principles on which a group of persons (as a political party) stands

plat·ing \'plāt-iŋ\ *n* : a coating of metal plates or plate ⟨the ~ of a ship⟩

plat·i·num \'plat-(ə-)nəm\ *n* : a heavy silver-white metallic chemical element used esp. in jewelry

pla·ton·ic love \plə-,tän-ik-, plā-\ *n*, *often cap P* : a close relationship between two persons in which sexual desire has been excluded

pla·toon \plə-'tün\ *n* : a subdivision of a company-size military unit usu. consisting of two or more squads or sections

plat·ter \'plat-ər\ *n* **1** : a large plate used esp. for serving meat **2** : a phonograph record

plat·y·pus \'plat-i-pəs\ *n* : a small aquatic egg-laying mammal of Australia with webbed feet and a fleshy bill like a duck's

plau·si·ble \'plò-zə-bəl\ *adj* : seemingly worthy of belief : PERSUASIVE — **plau·si·bil·i·ty** \,plò-zə-'bil-ət-ē\ *n*

¹play \'plā\ *n* **1** : brisk handling of something (as a weapon) **2** : the course of a game; *also* : a particular act or maneuver in a game **3** : recreational activity; *esp* : the spontaneous activity of children **4** : JEST ⟨said in ~⟩ **5** : the act or an instance of punning **6** : a stage representation of a drama;

play | 344 | **plot**

also : a dramatic composition **7** : GAMBLING **8** : OPERATION ⟨bring extra force into ~⟩ **9** : a brisk, fitful, or light movement **10** : free motion (as of part of a machine); *also* : the length of such motion **11** : scope for action **12** : PUBLICITY **13** : an effort to arouse liking ⟨made a ~ for her⟩ — **play·ful** \-fəl\ *adj* — **play·ful·ly** *adv* — **play·ful·ness** *n* — **in play** : in condition or position to be played

²**play** *vb* **1** : to engage in recreation : take part in (a game) : FROLIC **2** : to move aimlessly about : TRIFLE ⟨~s with a ring nervously⟩ **3** : to deal in a light manner : JEST **4** : to make a pun ⟨~ on words⟩ **5** : to take advantage ⟨~ on fears⟩ **6** : to move or operate in a brisk, irregular, or alternating manner ⟨a flashlight ~ed over the wall⟩ **7** : to perform music ⟨~ on a violin⟩; *also* : to perform (music) on an instrument ⟨~ a waltz⟩ **8** : to perform music upon ⟨~ the piano⟩; *also* : to sound in performance ⟨the organ is ~ing⟩ **9** : to act in a dramatic medium; *also* : to act in the character of ⟨~ the hero⟩ **10** : GAMBLE **11** : to behave in a specified way ⟨~ safe⟩; *also* : COOPERATE ⟨~ along with him⟩ **12** : to deal with : MANAGE; *also* : EMPHASIZE ⟨~ up the low price⟩ **13** : to perform for amusement ⟨~ a trick⟩ **14** : WREAK ⟨~ havoc⟩ **15** : to contend with in a game; *also* : to fill (a certain position) on a team **16** : to make wagers on ⟨~ the races⟩ **17** : WIELD, PLY **18** : to keep in action — **play·er** *n*

play·bill \-ˌbil\ *n* : a poster advertising the performance of a play; *also* : a theater program

play-off \ˈplā-ˌȯf\ *n* : a contest or series of contests to break a tie or determine a championship

play·wright \-ˌrīt\ *n* : a writer of plays

plaza \ˈplaz-ə, ˈpläz-\ *n* : a public square in a city or town

plea \ˈplē\ *n* **1** : a defendant's answer in law to charges made against him **2** : something alleged as an excuse : PRETEXT **3** : ENTREATY, APPEAL

plead \ˈplēd\ *vb* **plead·ed** \ˈplēd-əd\ *or* **pled** \ˈpled\ **plead·ing** **1** : to argue before a court or authority ⟨~ a case⟩ **2** : to answer to a charge or indictment ⟨~ guilty⟩ **3** : to argue for or against something ⟨~ for acquittal⟩ **4** : to appeal earnestly : IMPLORE ⟨~s for help⟩ **5** : to offer as a plea usu. in defense or excuse ⟨~ed illness⟩ — **plead·er** *n*

pleas·ant \ˈplez-ᵊnt\ *adj* **1** : giving pleasure : AGREEABLE ⟨a ~ experience⟩ **2** : marked by pleasing behavior or appearance ⟨a ~ person⟩ — **pleas·ant·ly** *adv* — **pleas·ant·ness** *n*

pleas·ant·ry \-ᵊn-trē\ *n* : a playful or humorous act or speech : JEST

please \ˈplēz\ *vb* **1** : to give pleasure or satisfaction to **2** : LIKE, WISH ⟨do as you ~⟩ **3** : to be the will or pleasure of ⟨may it ~ your Majesty⟩ **4** : to be willing to ⟨~ come in⟩

pleas·ing *adj* : giving pleasure : AGREEABLE — **pleas·ing·ly** *adv*

plea·sur·able \ˈplezh-(ə-)rə-bəl\ *adj* : PLEASANT, GRATIFYING — **plea·sur·ably** *adv*

plea·sure \ˈplezh-ər\ *n* **1** : DESIRE, INCLINATION ⟨await your ~⟩ **2** : a state of gratification : ENJOYMENT **3** : a source of delight or joy

¹**pleat** \ˈplēt\ *vb* **1** : FOLD; *esp* : to arrange in pleats **2** : BRAID

²**pleat** *n* : a fold in cloth made by doubling material over on itself : PLAIT

¹**ple·be·ian** \pli-ˈbē-ən\ *n* **1** : a member of the Roman plebs **2** : one of the common people

²**plebeian** *adj* **1** : of or relating to plebeians **2** : COMMON, VULGAR

pleb·i·scite \ˈpleb-ə-ˌsīt, -sət\ *n* : a vote of the people (as of a country) on a proposal officially submitted to them

plec·trum \ˈplek-trəm\ *n, pl* **-tra** \-trə\ : a small thin piece (as of ivory or metal) used to pluck a stringed instrument

¹**pledge** \ˈplej\ *n* **1** : something given as security for the performance of an act **2** : the state of being held as a security or guaranty **3** : TOAST **4** : PROMISE, VOW

²**pledge** *vb* **1** : to deposit as a pledge **2** : TOAST **3** : to bind by a pledge : PLIGHT **4** : PROMISE, UNDERTAKE

ple·na·ry \ˈplē-nə-rē, ˈplen-ə-\ *adj* **1** : COMPLETE, FULL ⟨~ power⟩ **2** : including all entitled to attend ⟨~ session⟩

pleni·po·ten·tia·ry \ˌplen-ə-pə-ˈtench-(ə-)rē\ *n* : a diplomatic agent having full authority — **plenipotentiary** *adj*

plen·i·tude \ˈplen-ə-ˌt(y)üd\ *n* **1** : COMPLETENESS **2** : ABUNDANCE

plen·te·ous \ˈplent-ē-əs\ *adj* **1** : FRUITFUL **2** : existing in plenty : ABUNDANT

plen·ti·ful \ˈplent-i-fəl\ *adj* **1** : containing or yielding plenty **2** : ABUNDANT, NUMEROUS — **plen·ti·ful·ly** *adv*

plen·ty \ˈplent-ē\ *n* : a more than adequate number or amount : ABUNDANCE

pleu·ri·sy \ˈplu̇r-ə-sē\ *n* : inflammation of the membrane that lines the chest and covers the lungs

plex·us \ˈplek-səs\ *n* : an interlacing network esp. of blood vessels or nerves

pli·a·ble \ˈplī-ə-bəl\ *adj* **1** : FLEXIBLE **2** : yielding easily to others *syn* plastic, pliant, ductile, malleable, adaptable

pli·ant \ˈplī-ənt\ *adj* **1** : FLEXIBLE **2** : easily influenced : PLIABLE — **pli·an·cy** \-ən-sē\ *n*

pli·ers \ˈplī-(ə)rz\ *n pl* : small pincers with long jaws for bending wire or handling small objects

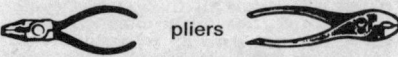

pliers

plod \ˈpläd\ *vb* **plod·ded; plod·ding** **1** : to walk heavily or slowly : TRUDGE **2** : to work laboriously and monotonously : DRUDGE — **plod·der** *n*

plop \ˈpläp\ *vb* **1** : to make or move with a sound like that of something dropping into water **2** : to allow the body to drop heavily **3** : to set, drop, or throw heavily — **plop** *n*

¹**plot** \ˈplät\ *n* **1** : a small area of ground **2** : a ground plan (as of an area) **3** : the main story of a literary work **4** : a secret scheme : INTRIGUE

²**plot** *vb* **plot·ted; plot·ting** **1** : to make a plot or plan of **2** : to mark on or as if on a chart **3** : to plan or contrive

plight \'plīt\ *vb* : to put or give in pledge : ENGAGE
²plight *n* : CONDITION, STATE; *esp* : a bad state (as something evil) esp. secretly — **plot·ter** *n*
¹plow *or* **plough** \'plaù\ *n* 1 : an implement used to cut, turn over, and partly break up soil 2 : a device operating like a plow; *esp* : SNOWPLOW
²plow *or* **plough** *vb* 1 : to open, break up, or work with a plow 2 : to cleave or move through like a plow ⟨a ship ∼ing the waves⟩ 3 : to proceed laboriously — **plow·able** *adj* — **plow·er** *n*
ploy \'plòi\ *n* : a tactic intended to embarrass or frustrate an opponent
¹pluck \'plək\ *vb* 1 : to pull off or out : PICK; *also* : to pull something from 2 : to pick, pull, or grasp at; *also* : to play (an instrument) in this manner 3 : TUG, TWITCH
²pluck *n* 1 : an act or instance of plucking 2 : SPIRIT, COURAGE
¹plug \'pləg\ *n* 1 : STOPPER; *also* : an obstructing mass 2 : a cake of tobacco 3 : a poor or worn-out horse 4 : a device on the end of a cord for making an electrical connection 5 : a piece of favorable publicity
²plug *vb* **plugged; plug·ging** 1 : to stop, make tight, or secure by inserting a plug 2 : HIT, SHOOT 3 : to publicize insistently 4 : PLOD, DRUDGE
plum \'pləm\ *n* 1 : a smooth-skinned juicy fruit borne by trees related to the peach and cherry; *also* : a tree bearing plums 2 : RAISIN 3 : something excellent; *esp* : something given as recompense esp. for political service
plum·age \'plü-mij\ *n* : the feathers of a bird
¹plumb \'pləm\ *n* : a weight on the end of a line used esp. by builders to show vertical direction
²plumb *adv* 1 : VERTICALLY 2 : EXACTLY; *also* : IMMEDIATELY 3 : COMPLETELY
³plumb *vb* : to sound, adjust, or test with a plumb ⟨∼ the depth of a well⟩
⁴plumb *adj* 1 : VERTICAL 2 : DOWNRIGHT
plumb·er \'pləm-ər\ *n* : a workman who fits or repairs water and gas pipes and fixtures
¹plume \'plüm\ *n* : FEATHER; *esp* : a large, conspicuous, or showy feather — **plumy** \'plü-mē\ *adj*
²plume *vb* 1 : to provide or deck with feathers 2 : to indulge (oneself) in pride
¹plump \'pləmp\ *vb* 1 : to drop or fall suddenly or heavily 2 : to favor something strongly ⟨∼s for the new method⟩
²plump *adv* 1 : straight down : VERTICALLY; *also* : straight ahead 2 : UNQUALIFIEDLY, FLATLY
³plump *n* : a sudden heavy fall or blow; *also* : the sound made by it
⁴plump *adj* : having a full rounded usu. pleasing form : CHUBBY **syn** fleshy, stout — **plump·ness** *n*
¹plun·der \'plən-dər\ *vb* : to take the goods of by force or wrongfully : PILLAGE — **plun·der·er** *n*
²plunder *n* : something taken by force or theft : LOOT

¹plunge \'plənj\ *vb* 1 : IMMERSE, SUBMERGE 2 : to enter or cause to enter a state or course of action suddenly or violently ⟨∼ into war⟩ 3 : to cast oneself into or as if into water 4 : to gamble heavily and recklessly 5 : to descend suddenly
²plunge *n* : an act or instance of plunging
plung·er \'plən-jər\ *n* 1 : one that plunges 2 : a sliding piece driven by or against fluid pressure : PISTON 3 : a rubber cup on a handle pushed against an opening to free a waste outlet of an obstruction
plunk \'pləŋk\ *vb* 1 : to make or cause to make a hollow metallic sound 2 : to drop heavily or suddenly — **plunk** *n*
plu·ral \'plùr-əl\ *adj* : of, relating to, or constituting a word form used to denote more than one — **plural** *n*
plu·ral·i·ty \plù-'ral-ət-ē\ *n* 1 : the state of being plural 2 : an excess of votes over those cast for an opposing candidate 3 : a number of votes cast for one candidate that is greater than the number cast for any other in the contest but less than a majority
plu·ral·ize \'plùr-ə-,līz\ *vb* : to make plural or express in the plural form — **plu·ral·iza·tion** \,plùr-ə-lə-'zā-shən\ *n*
¹plus \'pləs\ *prep* [L, more] : increased by : with the addition of ⟨3 ∼ 4 equals 7⟩
²plus *n* 1 : a sign + (**plus sign**) used in mathematics to require addition or designate a positive quantity 2 : an added quantity; *also* : a positive quantity 3 : ADVANTAGE
³plus *adj* 1 : requiring addition 2 : having or being in addition to what is anticipated or specified ⟨∼ values⟩
¹plush \'pləsh\ *n* : a fabric with a pile longer and less dense than velvet pile —
²plush *adj* : notably luxurious — **plush·ly** *adv*
Plu·to \'plüt-ō\ *n* : the planet most remote from the sun
plu·toc·ra·cy \plü-'täk-rə-sē\ *n* 1 : government by the wealthy 2 : a controlling class of rich men — **plu·to·crat**
plu·to·ni·um \plü-'tō-nē-əm\ *n* : a radioactive chemical element formed by the decay of neptunium
¹ply \'plī\ *vb* : to twist together ⟨∼ yarns⟩
²ply *n* : one of the folds, thicknesses, or strands of which something (as plywood or yarn) is made
³ply *vb* 1 : to use, practice, or work diligently ⟨*plies* her needle⟩ ⟨∼ a trade⟩ 2 : to keep furnishing to ⟨*plied* him with liquor⟩ 3 : to go or travel regularly esp. by sea
ply·wood \-,wùd\ *n* : material made of thin sheets of wood glued and pressed together
pneu·mo·nia \n(y)ù-'mō-nyə\ *n* : an inflammatory disease of the lungs
¹poach \'pōch\ *vb* : to cook (as an egg or fish) in simmering liquid
²poach *vb* : to hunt or fish unlawfully
pock \'päk\ *n* : a small swelling on the skin (as in smallpox); *also* : its scar
¹pock·et \'päk-ət\ *n* 1 : a small bag open at the top or side inserted in a garment 2 : supply of money : MEANS 3 : RECEPTACLE, CONTAINER 4 : a small isolated area or group 5 : a small body of ore — **pock·et·ful** \-,fùl\ *n*

pocket   346   **polite**

²**pocket** *vb* **1** : to put in or as if in a pocket **2** : APPROPRIATE, STEAL **3** : to put up with : ACCEPT ⟨~ an insult⟩

³**pocket** *adj* : small enough to fit in a pocket ⟨~ dictionary⟩

pod \'päd\ *n* **1** : a dry fruit (as of a pea) that splits open when ripe **2** : a compartment (as for a jet engine) under an airplane

po·di·um \'pōd-ē-əm\ *n* **1** : a dais esp. for an orchestral conductor **2** : LECTERN

po·em \'pō-əm\ *n* : a composition in verse

po·et \'pō-ət\ *n* [L *poeta*, fr. Gk *poiētēs*, lit., maker, fr. *poiein* to make] : a writer of poetry; *also* : a creative artist of great sensitivity — **po·et·ess** \-əs\ *n*

po·et·ry \'pō-ə-trē\ *n* **1** : metrical writing **2** : POEMS — **po·et·ic** \pō-'et-ik\

po·grom \pō-'gräm\ *n* : an organized massacre of helpless people and esp. of Jews

poi·gnant \'pòi-nyənt\ *adj* **1** : painfully affecting the feelings : PIERCING ⟨~ grief⟩ **2** : deeply moving : TOUCHING ⟨~ scene⟩ — **poi·gnan·cy** \-nyən-sē\ *n*

¹**point** \'pòint\ *n* **1** : an individual detail; *also* : the most important essential **2** : PURPOSE **3** : a particular place : LOCALITY **4** : a particular stage or degree **5** : a sharp end : TIP **6** : a projecting piece of land **7** : a punctuation mark; *esp* : PERIOD **8** : a decimal mark **9** : one of the divisions of the compass **10** : a unit of counting (as in a game score) — **point·less** *adj*

²**point** *vb* **1** : to furnish with a point : give point to : SHARPEN **2** : PUNCTUATE **3** : to separate (a decimal fraction) from an integer by a decimal point **4** : to indicate the position of esp. by extending a finger **5** : to direct attention to ⟨~ out an error⟩ **6** : AIM, DIRECT **7** : to lie extended, aimed, or turned in a particular direction : FACE, LOOK

point·ed \'pòint-əd\ *adj* **1** : having a point **2** : being to the point : DIRECT **3** : aimed at a particular person or group; *also* : CONSPICUOUS, MARKED —

point·er \'pòint-ər\ *n* **1** : one that points out : INDICATOR **2** : a large short-haired hunting dog **3** : HINT, TIP

¹**poise** \'pòiz\ *vb* : BALANCE

²**poise** *n* **1** : BALANCE **2** : self-possessed composure of bearing, *also* : a particular way of carrying oneself

¹**poi·son** \'pòiz-ᵊn\ *n* : a substance that through its chemical action can injure or kill — **poi·son·ous** \-(ᵊ-)nəs\ *adj*

²**poison** *vb* **1** : to injure or kill with poison **2** : to treat or taint with poison **3** : to affect destructively : CORRUPT ⟨~ed her mind⟩ — **poi·son·er** \'pòiz-(ᵊ-)nər\ *n*

poison ivy *n* : a usu. climbing plant related to sumac that has shiny 3-parted leaves and may irritate the skin of one who touches it

¹**poke** \'pōk\ *n* : BAG, SACK

²**poke** *vb* **1** : PROD; *also* : to stir up by prodding **2** : to make a prodding or jabbing movement esp. repeatedly **3** : HIT, PUNCH **4** : to thrust forward obtrusively **5** : RUMMAGE **6** : MEDDLE, PRY **7** : DAWDLE

³**poke** *n* : a quick thrust : JAB; *also* : PUNCH

¹**pok·er** \'pō-kər\ *n* : a metal rod for stirring a fire

²**poker** *n* : any of several card games played with a deck of 52 cards in which each player bets on the superiority of his hand

po·lar \'pō-lər\ *adj* **1** : of or relating to a pole (as of a sphere or magnet) **2** : of or relating to a geographical pole

Po·lar·is \pə-'lar-əs\ *n* : NORTH STAR

po·lar·i·ty \pō-'lar-ət-ē\ *n* : the quality or state of having poles; *esp* : the quality of having opposite negative and positive charges of electricity or of having opposing magnetic poles

po·lar·i·za·tion \,pō-lə-rə-'zā-shən\ *n* **1** : the action of polarizing : the state of being polarized **2** : concentration about opposing extremes

¹**pole** \'pōl\ *n* : a long slender piece of wood or metal ⟨telephone ~⟩

²**pole** *n* **1** : either end of an axis esp. of the earth **2** : either of the terminals of an electric battery **3** : one of two or more regions in a magnetized body at which the magnetism seems to be concentrated

pole·cat \'pōl-,kat\ *n* **1** : a European carnivorous mammal of which the ferret is considered a domesticated variety **2** : SKUNK

po·lem·ic \pə-'lem-ik\ *n* : the art or practice of disputation : CONTROVERSY — usu. used in pl. — **polemic** *or* **po·lem·i·cal** \-'lem-i-kəl\ *adj*

pole·star \'pōl-,stär\ *n* **1** : NORTH STAR **2** : a directing principle : GUIDE

¹**po·lice** \pə-'lēs\ *n* **1** : the department of government that keeps public order and safety, enforces the laws, and detects and prosecutes lawbreakers; *also* : the members of this department **2** : the action or process of cleaning and putting in order; *also* : military personnel detailed to perform this function

²**police** *vb* **1** : to control, regulate, or keep in order esp. by use of police ⟨~ a highway⟩ **2** : to make clean and put in order ⟨~ a camp⟩

¹**pol·i·cy** \'päl-ə-sē\ *n* **1** : wisdom in the management of affairs **2** : a definite course or method of action selected to guide and determine present and future decisions

²**policy** *n* : a writing whereby a contract of insurance is made

pol·i·cy·hold·er \-,hōl-dər\ *n* : one granted an insurance policy

po·lio \'pō-lē-,ō\ *n* : POLIOMYELITIS — **polio** *adj*

po·lio·my·e·li·tis \-,mī-ə-'līt-əs\ *n* : an acute virus disease marked by inflammation of the nerve cells of the spinal cord

¹**pol·ish** \'päl-ish\ *vb* **1** : to make smooth and glossy usu. by rubbing **2** : to refine or improve in manners or condition **3** : to bring to a highly developed, finished, or refined state

²**polish** *n* **1** : a smooth glossy surface **2** : LUSTER **2** : REFINEMENT, CULTURE **3** : the action or process of polishing

Pol·ish \'pō-lish\ *n* : the language of Poland — **Polish** *adj*

po·lite \pə-'līt\ *adj* **1** : REFINED, CULTIVATED ⟨~ society⟩ **2** : marked by correct social conduct : COURTEOUS;

politic   347   **pool**

also : CONSIDERATE, TACTFUL — **po·lite·ly** *adv* — **po·lite·ness** *n*

pol·i·tic \'päl-ə-,tik\ *adj* **1** : wise in promoting a policy ⟨a ~ statesman⟩ **2** : shrewdly tactful : EXPEDIENT ⟨a ~ move⟩

po·lit·i·cal \pə-'lit-i-kəl\ *adj* : of or relating to government or politics — **po·lit·i·cal·ly** *adv*

pol·i·ti·cian \,päl-ə-'tish-ən\ *n* : a person actively engaged in government or politics

pol·i·tics \'päl-ə-,tiks\ *n sing or pl* **1** : the art or science of government, of guiding or influencing governmental policy, or of winning and holding control over a government **2** : political affairs or business; *esp* : competition between groups or individuals for power and leadership **3** : political opinions

pol·i·ty \'päl-ət-ē\ *n* : a politically organized unit; *also* : the form or constitution of such a unit

¹poll \'pōl\ *n* **1** : HEAD **2** : the casting and recording of votes; *also* : the total vote cast **3** : the place where votes are cast — usu. used in pl. **4** : a questioning of persons to obtain information or opinions to be analyzed

²poll *vb* **1** : to cut off or shorten a growth or part of : CLIP, SHEAR **2** : to receive and record the votes of **3** : to receive (as votes) in an election **4** : to question in a poll

pol·len \'päl-ən\ *n* : a mass of male spores of a seed plant usu appearing as a yellow dust

pol·li·na·tion \,päl-ə-'nā-shən\ *n* : the carrying of pollen to the female part of a plant to fertilize the seed — **pol·li·nate**

pol·li·wog *or* **pol·ly·wog** \'päl-ē-,wäg\ *n* : TADPOLE

poll·ster \'pōl-stər\ *n* : one that conducts a poll or compiles data obtained by a poll

pol·lute \pə-'lüt\ *vb* : to make impure : CONTAMINATE — **pol·lu·tion** \-'lü-shən\ *n*

po·lo \'pō-lō\ *n* : a game played by two teams of players on horseback using long-handled mallets to drive a wooden ball

po·lo·ni·um \pə-'lō-nē-əm\ *n* [NL, fr. ML *Polonia* Poland, birthplace of its discoverer, Mme. Curie] : a radioactive metallic chemical element

poly·clin·ic \,päl-i-'klin-ik\ *n* : a clinic or hospital treating diseases of many sorts

po·lyg·a·my \pə-'lig-ə-mē\ *n* : the practice of having more than one wife or husband at one time — **po·lyg·a·mous**

pol·y·glot \'päl-i-,glät\ *adj* **1** : speaking or writing several languages **2** : containing or made up of several languages — **polyglot** *n*

pol·y·gon \'päl-i-,gän\ *n* : a closed plane figure bounded by straight lines

pol·y·math \'päl-i-,math\ *n* : a person of encyclopedic learning

pol·y·mer \'päl-ə-mər\ *n* : a substance formed by union of small molecules of the same kind — **pol·y·mer·ic** \,päl-ə-'mer-ik\ *adj*

Pol·y·ne·sian \,päl-ə-'nē-zhən\ *n* : a member of any of the native peoples of Polynesia — **Polynesian** *adj*

poly·no·mi·al \,päl-i-'nō-mē-əl\ *n* : an algebraic expression having two or more terms

po·lyph·o·ny \pə-'lif-ə-nē\ *n* : music consisting of two or more melodically independent but harmonizing voice parts — **poly·phon·ic** \,päl-i-'fän-ik\ *adj*

poly·syl·lab·ic \,päl-i-sə-'lab-ik\ *adj* **1** : having more than three syllables **2** : characterized by polysyllabic words

poly·tech·nic \,päl-i-'tek-nik\ *adj* : of, relating to, or instructing in many technical arts or applied sciences

poly·the·ism \'päl-i-thē-,iz-əm\ *n* : belief in or worship of many gods —

poly·un·sat·u·rat·ed \,päl-ē-,ən-'sach-ə-,rāt-əd\ *adj* : rich in carbon atoms that can combine with other atoms to form a new compound ⟨a ~ oil⟩

po·made \pō-'mād, -'mäd\ *n* : a perfumed ointment esp. for the hair

pome·gran·ate \'päm-(ə-),gran-ət\ *n* : a tropical reddish fruit with many seeds and an edible crimson pulp; *also* : the tree that bears it

pomp \'pämp\ *n* **1** : brilliant display : SPLENDOR, PAGEANTRY **2** : OSTENTATION

pom·pon \'päm-,pän\ *n* **1** . an ornamental ball or tuft used on a cap or costume **2** : a chrysanthemum or dahlia with small rounded flower heads

pomp·ous \'päm-pəs\ *adj* **1** : suggestive of pomp; *esp* : OSTENTATIOUS **2** : pretentiously dignified : SELF-IMPORTANT **3** : excessively elevated or ornate **syn** showy, pretentious — **pom·pos·i·ty**

pon·cho \'pän-chō\ *n* **1** : a cloak resembling a blanket with a slit in the middle for the head **2** : a waterproof garment resembling a poncho

pond \'pänd\ *n* : a small body of water

pon·der \'pän-dər\ *vb* **1** : to weigh in the mind **2** : MEDITATE **3** : to deliberate over

pon·der·ous \-d(ə-)rəs\ *adj* **1** : of very great weight ⟨a ~ stone⟩ **2** : UNWIELDY, CLUMSY ⟨a ~ weapon⟩ **3** : oppressively dull ⟨a ~ speech⟩ **syn** cumbrous, cumbersome, weighty

pon·tiff \'pänt-əf\ *n* : BISHOP; *esp* : POPE — **pon·tif·i·cal** \pän-'tif-i-kəl\ *adj*

pon·tif·i·cals \pän-'tif-i-kəlz\ *n pl* : the insignia worn by a bishop when celebrating a pontifical mass

¹pon·tif·i·cate \pän-'tif-i-kət, -ə-,kāt\ *n* : the state, office, or term of office of a pontiff

²pon·tif·i·cate \-ə-,kāt\ *vb* : to deliver dogmatic opinions

pon·toon \pän-'tün\ *n* **1** : a flat-bottomed boat; *esp* : a flat-bottomed boat, float, or frame used in building bridges quickly for the passage of troops or vehicles **2** : a watertight structure attached to an aircraft so that it will float on water

po·ny \'pō-nē\ *n* : a small horse

¹pool \'pül\ *n* **1** : a small and rather deep body of usu. fresh water **2** : a small body of standing liquid ⟨a ~ of blood⟩

²pool *n* **1** : all the money bet on the result of a particular event **2** : any of several games of billiards played on a table (**pool table**) having six pockets

3 : the amount contributed by the participants in a joint venture **4** : a combination between competing firms for mutual profit **5** : a readily available supply

³**pool** vb : to contribute to a common fund or effort

poor \\'pùr\\ adj **1** : lacking material possessions ⟨~ people⟩ **2** : less than adequate : MEAGER ⟨~ crop⟩ **3** : arousing pity ⟨~ fellows⟩ **4** : inferior in quality or value ⟨~ sportsmanship⟩ **5** : UNPRODUCTIVE, BARREN ⟨~ soil⟩ **6** : fairly unsatisfactory ⟨~ prospects⟩; also : UNFAVORABLE ⟨~ opinion⟩ syn bad, wrong — **poor·ly** adv

¹**pop** \\'päp\\ vb **popped; pop·ping 1** : to go, come, enter, or issue forth suddenly or quickly ⟨~ into bed⟩ **2** : to put or thrust suddenly ⟨~ questions⟩ **3** : to burst with or make a sharp sound **4** : to protrude from the sockets **5** : SHOOT **6** : to hit a pop-up

²**pop** n **1** : a sharp explosive sound **2** : SHOT **3** : a flavored soft drink

pope \\'pōp\\ n, often cap : the head of the Roman Catholic Church

pop·lar \\'päp-lər\\ n : any of various slender quick-growing trees related to the willows

pop·py \\'päp-ē\\ n : any of several herbs that have showy flowers including one that yields opium

pop·u·lace \\'päp-yə-ləs\\ n **1** : the common people : MASSES **2** : POPULATION

pop·u·lar \\'päp-yə-lər\\ adj **1** : of or relating to the general public ⟨~ government⟩ **2** : easy to understand : PLAIN ⟨~ style⟩ **3** : INEXPENSIVE ⟨~ rates⟩ **4** : widely accepted : PREVALENT ⟨~ notion⟩ **5** : commonly liked or approved ⟨~ teacher⟩ — **pop·u·lar·i·ty**

pop·u·late \\'päp-yə-,lāt\\ vb **1** : to have a place in : INHABIT **2** : PEOPLE

pop·u·la·tion \\,päp-yə-'lā-shən\\ n **1** : the people or number of people in a country or area **2** : the individuals under consideration (as in statistical sampling)

pop·u·lous \\'päp-yə-ləs\\ adj **1** : densely populated **2** : CROWDED — **pop·u·lous·ness** n

por·ce·lain \\'pōr-s(ə-)lən\\ n : a fine translucent ceramic ware

porch \\'pōrch\\ n : a covered entrance usu. with a separate roof : VERANDA

por·cu·pine \\'pȯr-kyə-,pīn\\ n : a mammal having stiff sharp easily detachable spines mingled with its hair

¹**pore** \\'pōr\\ vb **1** : to read studiously or attentively ⟨~ over a book⟩ **2** : PONDER, REFLECT

²**pore** n : a tiny hole or space (as in the skin or soil) — **pored** \\'pōrd\\ adj

pork \\'pȯrk\\ n : the flesh of swine dressed for use as food

por·nog·ra·phy \\pȯr-'näg-rə-fē\\ n : the depiction (as in writing) of erotic behavior designed primarily to cause sexual excitement — **por·no·graph·ic**

po·rous \\'pōr-əs\\ adj **1** : full of pores **2** : permeable to fluids : ABSORPTIVE — **po·ros·i·ty** \\pə-'räs-ət-ē\\ n

por·phy·ry \\'pȯr-f(ə-)rē\\ n : a dark red or purple rock with white crystals embedded in it

por·poise \\'pȯr-pəs\\ n [MF porpois, fr. ML porcopiscis, fr. L porcus pig + piscis fish] **1** : any of several small blunt-snouted whales **2** : any of several dolphins

por·ridge \\'pȯr-ij\\ n : a soft food made by boiling meal of grains or legumes in milk or water

¹**port** \\'pōrt\\ n **1** : HARBOR **2** : a city with a harbor **3** : AIRPORT

²**port** n **1** : an inlet or outlet (as in an engine) for a fluid **2** : PORTHOLE

³**port** n **1** : BEARING, CARRIAGE **2** : the position of a ported weapon

⁴**port** vb : to carry (as a rifle) in a position sloping across the body from right to left with the barrel at the left shoulder

⁵**port** n : the left side of a ship or airplane looking forward — **port** adj

⁶**port** vb : to turn or put a helm or rudder to the left

⁷**port** n : a fortified sweet wine

por·ta·ble \\'pōrt-ə-bəl\\ adj : capable of being carried

por·tage \\'pōrt-ij, pȯr-'täzh\\ n : the carrying of boats and goods overland between navigable bodies of water; also : a route for such carrying

por·tal \\'pōrt-ᵊl\\ n : DOOR, ENTRANCE; esp : a grand or imposing one

porte co·chere \\,pōrt-kō-'sheər\\ n : a roofed structure extending from the entrance of a building over an adjacent driveway and sheltering those getting in or out of vehicles

por·tend \\pȯr-'tend\\ vb **1** : to give a sign or warning of beforehand **2** : INDICATE, SIGNIFY syn augur, prognosticate, foretell, predict, forecast, prophesy, forebode

por·tent \\'pȯr-,tent\\ n **1** : something that foreshadows a coming event : OMEN **2** : MARVEL, PRODIGY

¹**por·ter** \\'pōrt-ər\\ n, chiefly Brit : DOORKEEPER

²**porter** n **1** : one that carries burdens; esp : one employed (as at a terminal) to carry baggage **2** : an attendant in a railroad car **3** : a dark heavy ale

por·ter·house \\-,haùs\\ n : a choice beefsteak with a large tenderloin

port·fo·lio \\pōrt-'fō-lē-,ō\\ n **1** : a portable case for papers or drawings **2** : the office and functions of a minister of state **3** : the securities held by an investor

por·ti·co \\'pōrt-i-,kō\\ n, pl **-coes** or **-cos** : a row of columns supporting a roof around or at the entrance of a building

¹**por·tion** \\'pōr-shən\\ n **1** : an individual's part or share ⟨her ~ of worldly goods⟩ **2** : DOWRY **3** : an individual's lot ⟨sorrow was his ~⟩ **4** : a part of a whole ⟨~s of the book were interesting⟩

²**portion** vb **1** : to divide into portions : DISTRIBUTE **2** : to allot to as a portion : DOWER

port of call : an intermediate port where ships customarily stop for supplies, repairs, or transshipment of cargo

port of entry 1 : a place where foreign goods may be cleared through a customhouse **2** : a place where an alien may enter a country

por·trait \\'pōr-trət, -,trāt\\ n : a picture (as a painting or photograph) of a person usu. showing the face

por·tray \\pōr-'trā\\ vb **1** : to make a picture of : DEPICT **2** : to describe in

Portuguese   349   **postoperative**

words 3 : to play the role of — **por·tray·al** \-əl\ *n*
Por·tu·guese \ˌpōr-chə-'gēz\ *n, pl* **Portuguese 1** : a native or inhabitant of Portugal 2 : the language of Portugal and Brazil — **Portuguese** *adj*
¹**pose** \'pōz\ *vb* **1** : to put or set in place **2** : to assume or cause to assume a posture usu. for artistic purposes **3** : to set forth : PROPOSE ⟨~ a question⟩ **4** : to affect an attitude or character
²**pose** *n* **1** : a sustained posture; *esp* : one assumed by a model **2** : an attitude assumed for effect : PRETENSE
po·si·tion \pə-'zish-ən\ *n* **1** : an arranging in order **2** : the stand taken on a question **3** : the point or area occupied by something : SITUATION **4** : the arrangement of parts (as of the body) in relation to one another : POSTURE **5** : RANK, STATUS **6** : EMPLOYMENT, JOB
¹**pos·i·tive** \'päz-ət-iv\ *adj* **1** : expressed definitely ⟨~ views⟩ **2** : CONFIDENT, CERTAIN **3** : of, relating to, or constituting the degree of grammatical comparison that denotes no increase in quality, quantity, or relation **4** : not fictitious : REAL **5** : active and effective in function ⟨~ leadership⟩ **6** : having the light and shade as existing in the original subject ⟨a ~ photograph⟩ **7** : numerically greater than zero ⟨a ~ number⟩ **8** : being or relating to the kind of electricity in glass when glass is rubbed with silk; *also* : charged with positive electricity having a deficiency of electrons ⟨a ~ particle⟩ **9** : AFFIRMATIVE ⟨a ~ response⟩ — **pos·i·tive·ly** *adv*
²**positive** *n* **1** : the positive degree or a positive form in a language **2** : a positive photograph
pos·se \'päs-ē\ *n* : a body of persons assigned to assist a sheriff in an emergency
pos·sess \pə-'zes\ *vb* **1** : to have as property : OWN **2** : to have as an attribute, knowledge, or skill **3** : to enter into and control firmly ⟨~ed by a devil⟩
pos·ses·sion \pə-'zesh-ən\ *n* **1** : control or occupancy of property **2** : OWNERSHIP **3** : something owned : PROPERTY **4** : domination by something **5** : SELF-CONTROL
pos·ses·sive \pə-'zes-iv\ *adj* **1** : of, relating to, or constituting a grammatical case denoting ownership **2** : showing the desire to possess ⟨a ~ nature⟩ — **possessive** *n* — **pos·ses·sive·ness** *n*
pos·si·ble \'päs-ə-bəl\ *adj* **1** : being within the limits of ability, capacity, or realization ⟨a ~ task⟩ **2** : being something that may or may not occur ⟨~ dangers⟩ **3** : able or fitted to become ⟨a ~ site for a bridge⟩ — **pos·si·bil·i·ty**
pos·sum \'päs-əm\ *n* : OPOSSUM
¹**post** \'pōst\ *n* **1** : an upright piece of timber or metal serving esp. as a support : PILLAR **2** : a pole or stake set up as a mark or indicator
²**post** *vb* **1** : to affix to a usual place (as a wall) for public notices ⟨~ no bills⟩ **2** : to publish or announce by or as if by a public notice ⟨~ grades⟩ **3** : to forbid (property) to trespassers by putting up a notice
³**post** *n* **1** *obs* : COURIER **2** *chiefly Brit* : MAIL; *also* **3** : POST OFFICE
⁴**post** *vb* **1** : to ride or travel with haste : HURRY **2** : MAIL ⟨~ a letter⟩ **3** : INFORM ⟨kept him ~ed on new developments⟩
⁵**post** *n* **1** : the place at which a soldier is stationed; *esp* : a sentry's beat or station **2** : a station or task to which a person is assigned **3** : the place at which a body of troops is stationed : CAMP **4** : OFFICE, POSITION **5** : a trading settlement or station
⁶**post** *vb* **1** : to station in a given place **2** : to put up (as bond)
post·age \'pō-stij\ *n* : the fee for postal service; *also* : stamps representing this fee
post·al \'pōst-ᵊl\ *adj* : of or relating to the mails or the post office
post·date \(')pōs(t)-'dāt\ *vb* : to date with a date later than that of execution
post·doc·tor·al \-'däk-t(ə-)rəl\ *adj* : of, relating to, or engaged in advanced academic or professional work beyond a doctor's degree ⟨~ students⟩
post·er \'pō-stər\ *n* : a bill or placard for posting in a public place
¹**pos·te·ri·or** \pä-'stir-ē-ər, pō-\ *adj* **1** : later in time : SUBSEQUENT **2** : situated behind
²**posterior** *n* : the hinder parts of the body : BUTTOCKS
pos·ter·i·ty \pä-'ster-ət-ē\ *n* **1** : all the descendants from one ancestor **2** : succeeding generations; *also* : future time
pos·tern \'pōs-tərn, 'päs-\ *n* **1** : a back door or gate **2** : a private or side entrance
post exchange *n* : a store at a military post that sells to military personnel and authorized civilians
post·grad·u·ate \(')pōs(t)-'graj-ə-wət, -ˌwāt\ *adj* : of or relating to studies beyond the bachelor's degree — **postgraduate** *n*
post·haste \'pōst-'hāst\ *n* : speed in traveling : great haste — **posthaste** *adv* or *adv*
post·hu·mous \'päs-chə-məs\ *adj* **1** : born after the death of the father **2** : published after the death of the author
post·lude \'pōst-ˌlüd\ *n* : an organ solo played at the end of a church service
post·mark \'pōs(t)-ˌmärk\ *n* : an official postal marking on a piece of mail; *esp* : the mark canceling the postage stamp
post·mas·ter \-ˌmas-tər\ *n* : one who has charge of a post office
postmaster general *n, pl* **postmasters general** : an official in charge of a national post office department
post·mis·tress \'pōs(t)-ˌmis-trəs\ *n* : a woman in charge of a post office
¹**post·mor·tem** \pōs(t)-'mort-əm\ *adj* **1** : occurring, made, or done after death **2** : relating to a postmortem examination
²**postmortem** *n* : a postmortem examination of a body esp. to find the cause of death
post·na·sal \(')pōst-'nā-zəl\ *adj* : lying or occurring posterior to the nose
post·na·tal \(')pōs(t)-'nāt-ᵊl\ *adj* : subsequent to birth
post office *n* **1** : a government department handling the transmission of mail **2** : a local branch of a post office department
post·op·er·a·tive \(')pōst-'äp-(ə-)rət-iv, -'äp-ə-ˌrāt-\ *adj* : following a surgical operation ⟨~ care⟩

post·paid \'pōst-'pād\ *adv* : with the postage paid by the sender and not chargeable to the receiver

post·pone \pōs(t)-'pōn\ *vb* : to hold back to a later time : DELAY — **post·pone·ment** \-mənt\ *n*

post·script \'pōs-,skript\ *n* : a note added to a completed letter, article, or book

pos·tu·lant \'päs-chə-lənt\ *n* : a probationary candidate for membership in a religious house

¹**pos·tu·late** \-,lāt\ *vb* : to assume as true

²**pos·tu·late** \-lət, -,lāt\ *n* : a proposition taken for granted as true and made the starting point in a chain of reasoning

¹**pos·ture** \'päs-chər\ *n* : the position or bearing of the body or one of its parts

²**posture** *vb* : to strike a pose esp. for effect

post·war \'pōst-'wor\ *adj* : of or relating to the period after a war ⟨~ inflation⟩

¹**pot** \'pät\ *n* 1 : a rounded metal or earthen container used chiefly for domestic purposes 2 : the total of the bets at stake at one time

²**pot** *vb* **pot·ted; pot·ting** 1 : to preserve in a pot 2 : SHOOT

pot·ash \'pät-,ash\ *n* : a potassium salt made orig. from wood ashes and used in making soap and glass; *also* : potassium or any of its various compounds

po·tas·si·um \pə-'tas-ē-əm\ *n* : a silver-white metallic chemical element used in making glass, gunpowder, and fertilizer

potassium nitrate *n* : a soluble salt that occurs in some soils and is used in making gunpowder, in preserving meat, and in medicine

pot·boy \-,boi\ *n* : a boy who serves drinks in a tavern

po·teen \pə-'tēn\ *n* : illicitly distilled whiskey of Ireland

po·tent \'pōt-ᵊnt\ *adj* 1 : having authority or influence : POWERFUL 2 : chemically or medicinally effective 3 : able to copulate **syn** forceful, forcible — **po·ten·cy** \-ᵊn-sē\ *n*

po·ten·tate \'pōt-ᵊn-,tāt\ *n* : one who wields controlling power : RULER

¹**po·ten·tial** \pə-'ten-chəl\ *adj* : existing in possibility : capable of becoming actual ⟨a ~ champion⟩ **syn** dormant, latent — **po·ten·ti·al·i·ty** \pə-,ten-chē-'al-ət-ē\ *n* — **po·ten·tial·ly** \-'tench-(ə-)lē\ *adv*

²**potential** *n* 1 : something that can develop or become actual 2 : degree of electrification with reference to a standard (as of the earth)

po·tion \'pō-shən\ *n* : DRINK; *esp* : a dose of liquid medicine or poison

pot·luck \'pät-lək\ *n* : the regular meal available to a guest for whom no special preparations have been made

pot·shot \-,shät\ *n* 1 : a shot taken in a casual manner or at an easy target 2 : a critical remark made in a random or sporadic manner

¹**pot·ter** \'pät-ər\ *n* : one that makes pottery

²**potter** *vb* : PUTTER

pot·tery \'pät-ə-rē\ *n* 1 : a place where earthen pots and dishes are made 2 : the art of the potter 3 : dishes, pots, and vases made from clay

¹**pouch** \'pauch\ *n* 1 : a small bag (as for tobacco) carried on the person 2 : a bag for storing or transporting goods ⟨mail ~⟩ ⟨diplomatic ~⟩ 3 : an anatomical sac; *esp* : one in which a marsupial carries her young

²**pouch** *vb* : to make puffy or protuberant

poul·tice \'pōl-təs\ *n* : a soft usu. heated and medicated mass spread on cloth and applied to a sore or injury — **poultice** *vb*

poul·try \'pōl-trē\ *n* : domesticated birds kept for eggs or meat

pounce \'pauns\ *vb* : to spring or swoop upon and seize something

¹**pound** \'paund\ *n* 1 : a measure of weight equal to 16 ounces 2 — see MONEY table

²**pound** *vb* 1 : to crush to a powder or pulp by beating 2 : to strike or beat heavily or repeatedly 3 : DRILL 4 : to move or move along heavily

³**pound** *n* : a public enclosure where stray animals are kept

pound–fool·ish \-'fü-lish\ *adj* : imprudent in dealing with large sums or large matters

pour \'pōr\ *vb* 1 : to flow or cause to flow in a stream or flood 2 : to rain hard 3 : to supply freely and copiously

pour·par·ler \,pur-,pär-'lā\ *n* : a discussion preliminary to negotiations

pout \'paut\ *vb* : to show displeasure by thrusting out the lips; *also* : to look sullen — **pout** *n*

pov·er·ty \'päv-ərt-ē\ *n* [OF *poverté*, fr. L *paupertat-, paupertas*, fr. *pauper* poor] 1 : lack of money or material possessions : WANT 2 : poor quality (as of soil)

¹**pow·der** \'paud-ər\ *n* 1 : dry material made up of fine particles; *also* : a usu. medicinal or cosmetic preparation in this form 2 : a solid explosive (as gunpowder) — **pow·dery** *adj*

²**powder** *vb* 1 : to sprinkle or cover with or as if with powder 2 : to reduce to powder

¹**pow·er** \'pau(-ə)r\ *n* 1 : a position of ascendancy over others : AUTHORITY 2 : the ability to act or produce an effect 3 : one that has control or authority; *esp* : a sovereign state 4 : physical might; *also* : mental or moral vigor 5 : the number of times as indicated by an exponent a number is to be multiplied by itself 6 : force or energy used to do work; *also* : the time rate at which work is done or energy transferred 7 : the amount by which an optical lens magnifies — **pow·er·ful** \-fəl\ *adj* — **pow·er·ful·ly** *adv* — **pow·er·less** *adj*

²**power** *vb* : to supply with power and esp. motive power

pow·er·boat \-,bōt\ *n* : MOTORBOAT

pow·er·house \-,haus\ *n* : a building in which electric power is generated

pox \'päks\ *n* : any of various diseases (as smallpox or syphilis) marked by eruptions

prac·ti·ca·ble \'prak-ti-kə-bəl\ *adj* : capable of being put into practice, done, or accomplished : FEASIBLE — **prac·ti·ca·bil·i·ty** \,prak-ti-kə-'bil-ət-ē\ *n*

prac·ti·cal \'prak-ti-kəl\ *adj* 1 : of, relating to, or shown in practice ⟨~ questions⟩ 2 : VIRTUAL ⟨~ control⟩ 3 : capable of being put to use or account ⟨a ~ knowledge of a language⟩

practice — **preclude**

4 : inclined to action as opposed to speculation ⟨a ~ person⟩ **5** : qualified by training but lacking the highest professional education ⟨~ nurse⟩ — **prac‧ti‧cal‧i‧ty** \prak-ti-'kal-ət-ē\ n —

¹**prac‧tice** or **prac‧tise** \'prak-təs\ vb **1** : to perform or work at repeatedly so as to become proficient ⟨~ tennis strokes⟩ **2** : to carry out : APPLY ⟨practices what he preaches⟩ **3** : to do or perform customarily or habitually ⟨~ politeness⟩ **4** : to be professionally engaged in ⟨~ law⟩

²**practice** also **practise** n **1** : actual performance or application **2** : customary action : HABIT **3** : systematic exercise for proficiency **4** : the exercise of a profession; also : a professional business

prac‧ti‧tion‧er \prak-'tish-(ə-)nər\ n : one that practices a profession (as law or medicine)

prag‧mat‧ic \prag-'mat-ik\ adj **1** : of or relating to practical affairs **2** : concerned with the practical consequences of actions or beliefs

prag‧ma‧tism \'prag-mə-ˌtiz-əm\ n : a practical approach to problems and affairs

prai‧rie \'pre(ə)r-ē\ n : a broad tract of level or rolling land (as in the Mississippi valley) covered by coarse grass but with few trees

praise \'prāz\ vb **1** : to express approval of : COMMEND **2** : to glorify (a divinity or a saint) esp. in song — **praise** n — **praise‧wor‧thy** \-ˌwər-thē\ adj

prance \'prans\ vb **1** : to spring from the hind legs ⟨a prancing horse⟩ **2** : SWAGGER; also : CAPER — **prance** n

prank \'praŋk\ n : a playful or mildly mischievous act : TRICK — **prank‧ster**

pra‧se‧o‧dym‧i‧um \ˌprā-zē-ō-'dim-ē-əm\ n : a white metallic chemical element

¹**prat‧tle** \'prat-ᵊl\ vb : PRATE, BABBLE

²**prattle** n : trifling or childish talk

prawn \'prȯn\ n : any of various edible shrimplike crustaceans

pray \'prā\ vb **1** : ENTREAT, IMPLORE **2** : to ask earnestly for something **3** : to address a divinity esp. with supplication

prayer \'praər\ n **1** : an earnest request **2** : the act or practice of addressing a divinity esp. in petition **3** often pl : a religious service consisting chiefly of prayers **4** : a form of words used in praying **5** : something prayed for

prayer book n : a book containing prayers and often directions for worship

prayer‧ful \'praər-fəl\ adj **1** : DEVOUT **2** : EARNEST — **prayer‧ful‧ly** adv

preach \'prēch\ vb **1** : to deliver a sermon **2** : to set forth in a sermon **3** : to advocate earnestly — **preach‧er** n — **preach‧ment** \'prēch-mənt\ n

pre‧ad‧o‧les‧cence \ˌprē-ˌad-ᵊl-'es-ᵊns\ n : the period of human development just preceding adolescence — **pre‧ad‧o‧les‧cent** adj or n

pre‧am‧ble \'prē-ˌam-bəl\ n : an introductory part : PREFACE ⟨the ~ to a constitution⟩

pre‧as‧signed \ˌprē-ə-'sīnd\ adj : assigned beforehand

preb‧end \'preb-ənd\ n : an endowment held by a cathedral or collegiate church for the maintenance of a prebendary; also : the stipend paid from this endowment

pre‧car‧i‧ous \pri-'kar-ē-əs\ adj : dependent on uncertain conditions : dangerously insecure : UNSTABLE ⟨a ~ foothold⟩ ⟨~ prosperity⟩ syn dangerous hazardous, perilous, jeopardous, risky — **pre‧car‧i‧ous‧ly** adv — **pre‧car‧i‧ous‧ness** n

pre‧cau‧tion \pri-'kȯ-shən\ n : a measure taken beforehand to prevent harm or secure good — **pre‧cau‧tion‧ary**

pre‧cede \pri-'sēd\ vb : to be, go, or come ahead or in front of (as in rank, sequence, or time) — **prec‧e‧dence**

¹**pre‧ced‧ent** \pri-'sēd-ənt, 'pres-əd-ənt\ adj : prior in time, order, or significance

²**prec‧e‧dent** \'pres-əd-ənt\ n : something said or done that may serve to authorize or justify further words or acts of the same or a similar kind

pre‧ced‧ing \pri-'sēd-iŋ\ adj : that precedes : going before syn antecedent, foregoing, prior, former, anterior

pre‧cept \'prē-ˌsept\ n : a command or principle intended as a general rule of action or conduct

pre‧cep‧tor \pri-'sep-tər\ n : TEACHER, TUTOR — **pre‧cep‧tress** \-trəs\ n

pre‧cinct \'prē-ˌsiŋkt\ n **1** : an administrative subdivision (as of a city) : DISTRICT ⟨police ~⟩ ⟨electoral ~⟩ **2** often pl : an enclosure bounded by the limits of a building or place **3** pl : ENVIRONS

pre‧cious \'presh-əs\ adj **1** : of great value ⟨~ jewels⟩ **2** : greatly cherished : DEAR ⟨~ memories⟩ **3** : AFFECTED ⟨~ language⟩

prec‧i‧pice \'pres-ə-pəs\ n : a steep cliff

¹**pre‧cip‧i‧tate** \pri-'sip-ə-ˌtāt\ v **1** : to throw violently : HURL **2** : to throw down **3** : to cause to happen quickly or abruptly ⟨~ a quarrel⟩ **4** : to cause to separate out of a liquid and fall to the bottom **5** : to fall as rain, snow, or hail syn speed, accelerate, quicken, hasten, hurry

²**pre‧cip‧i‧tate** \-'sip-ət-ət, -ə-ˌtāt\ n : the solid matter that separates out and usu. falls to the bottom of a liquid

³**pre‧cip‧i‧tate** \-ət-ət\ adj **1** : showing extreme or unwise haste : RASH **2** : falling with steep descent; also : PRECIPITOUS — **pre‧cip‧i‧tate‧ly** adv — **pre‧cip‧i‧tate‧ness** n

pre‧cip‧i‧ta‧tion \pri-ˌsip-ə-'tā-shən\ n **1** : rash haste **2** : the causing of solid matter to separate from a liquid and usu. fall to the bottom **3** : water that falls as rain, snow, or hail; also : the quantity of this water

pre‧cip‧i‧tous \pri-'sip-ət-əs\ adj **1** : PRECIPITATE **2** : having the character of a precipice : very steep ⟨a ~ slope⟩; also : containing precipices ⟨~ trails⟩ — **pre‧cip‧i‧tous‧ly** adv

pré‧cis \prā-'sē\ n : a concise summary of essential points

pre‧cise \pri-'sīs\ adj **1** : exactly defined or stated : DEFINITE **2** : highly accurate : EXACT **3** : conforming strictly to a standard : SCRUPULOUS — **pre‧cise‧ly** adv — **pre‧cise‧ness** n

pre‧ci‧sion \pri-'sizh-ən\ n : the quality or state of being precise : EXACTNESS

pre‧clude \pri-'klüd\ vb : to make impossible : BAR, PREVENT

pre·co·cious \pri-'kō-shəs\ *adj* [L *praecoc-*, *praecox* early ripening, fr. *prae-* ahead + *coquere* to cook, ripen] : early in development and esp. in mental development — **pre·co·cious·ly** *adv*

pre·con·ceive \ˌprē-kən-'sēv\ *vb* : to form an opinion of beforehand — **pre·con·cep·tion** \-'sep-shən\ *n*

pre·con·cert·ed \-'sərt-əd\ *adj* : arranged or agreed upon in advance ⟨a ~ plan of attack⟩

pre·con·di·tion \-'dish-ən\ *vb* : to put in proper or desired condition or frame of mind in advance

pre·cur·sor \pri-'kər-sər\ *n* : one that precedes and indicates the approach of another : FORERUNNER

pre·da·cious *or* **pre·da·ceous** \pri-'dā-shəs\ *adj* : living by preying on others : PREDATORY

pre·date \'prē-'dāt\ *vb* : ANTEDATE

pred·a·to·ry \'pred-ə-ˌtōr-ē\ *adj* 1 : of or relating to plunder ⟨~ warfare⟩ 2 : disposed to exploit others 3 : preying upon other animals — **pred·a·tor**

pred·e·ces·sor \'pred-ə-ˌses-ər, 'prēd-\ *n* : one who has previously held a position to which another has succeeded

pre·des·ti·na·tion \ˌprē-ˌdes-tə-'nā-shən\ *n* : the act of foreordaining to an earthly lot or eternal destiny by divine decree; *also* : the state of being so foreordained — **pre·des·ti·nate** \'prē-'des-tə-ˌnāt\ *vb*

pre·des·tine \prē-'des-tən\ *vb* : to settle beforehand : FOREORDAIN

pre·dic·a·ment \pri-'dik-ə-mənt\ *n* : a difficult or trying situation **syn** dilemma, quandary

¹**pred·i·cate** \'pred-i-kət\ *n* : the part of a sentence or clause that expresses what is said of the subject

²**pred·i·cate** \'pred-ə-ˌkāt\ *vb* 1 : AFFIRM, DECLARE 2 : to assert to be a quality or attribute ⟨~ intelligence of man⟩ 3 : FOUND, BASE — **pred·i·ca·tion** \ˌpred-ə-'kā-shən\ *n*

pre·dict \pri-'dikt\ *vb* : to declare in advance : FORECAST — **pre·dic·tion**

pre·dis·pose \ˌprē-dis-'pōz\ *vb* : to incline in advance : make susceptible — **pre·dis·po·si·tion** \ˌprē-ˌdis-pə-'zish-ən\ *n*

pre·dom·i·nate \pri-'däm-ə-ˌnāt\ *vb* : to be superior esp. in power or numbers : PREVAIL — **pre·dom·i·nance** \-nəns\ *n* — **pre·dom·i·nant** \-nənt\ *adj*

pre·em·i·nent \prē-'em-ə-nənt\ *adj* : having highest rank : OUTSTANDING — **pre·em·i·nence** \-nəns\ *n* — **pre·em·i·nent·ly** *adv*

pre·empt \prē-'empt\ *vb* 1 : to settle upon (public land) with the right to purchase before others; *also* : to take by such right 2 : to seize upon before someone else can **syn** usurp, confiscate — **pre·emp·tion** \-'emp-shən\ *n*

preen \'prēn\ *vb* 1 : to trim or dress with the beak 2 : to dress or smooth up : PRIMP 3 : to pride (oneself) for achievement

pre·ex·ist \ˌprē-ig-'zist\ *vb* : to exist before — **pre·ex·is·tence** \-'zis-təns\ *n*

pre·fab \'prē-'fab\ *n* : a prefabricated structure

pre·fab·ri·cate \'prē-'fab-rə-ˌkāt\ *vb* : to fabricate the parts of (as a house) at the factory for rapid assembly elsewhere

¹**pref·ace** \'pref-əs\ *n* : introductory comments : FOREWORD ⟨author's ~ to his book⟩ — **pref·a·to·ry** \'pref-ə-ˌtōr-ē\ *adj*

²**preface** *vb* : to introduce with a preface

pre·fect \'prē-ˌfekt\ *n* 1 : a high official; *esp* : a chief officer or magistrate 2 : a student monitor — **pre·fec·ture** \-ˌfek-chər\ *n*

pre·fer \pri-'fər\ *vb* **-ferred; -fer·ring** 1 *archaic* : PROMOTE 2 : to like better : choose above another 3 : to bring (as a charge) against a person — **pref·er·a·ble** \'pref-(ə-)rə-bəl\ *adj* — **pref·er·a·bly** \'pref-(ə-)rə-blē\ *adv*

pref·er·ence \'pref-(ə-)rəns\ *n* 1 : a special liking for one thing over another 2 : CHOICE, SELECTION — **pref·er·en·tial** \ˌpref-ə-'ren-chəl\ *adj*

pre·fer·ment \pri-'fər-mənt\ *n* : PROMOTION, ADVANCEMENT

¹**pre·fix** \'prē-ˌfiks, prē-'fiks\ *vb* : to place before ⟨~ a title to a name⟩

²**pre·fix** \'prē-ˌfiks\ *n* : an affix occurring at the beginning of a word

preg·nant \'preg-nənt\ *adj* 1 : containing unborn young 2 : rich in significance : MEANINGFUL — **preg·nan·cy** \-nən-sē\ *n*

pre·heat \'prē-'hēt\ *vb* : to heat beforehand; *esp* : to heat (an oven) to a designated temperature before placing food therein

pre·his·tor·ic \ˌprē-(h)is-'tȯr-ik\ *adj* : of, relating to, or existing in the period before written history began

pre·judge \'prē-'jəj\ *vb* : to judge before full hearing or examination

¹**prej·u·dice** \'prej-əd-əs\ *n* 1 : DAMAGE; *esp* : detriment to one's rights or claims 2 : an opinion for or against something without adequate basis : BIAS — **prej·u·di·cial** \ˌprej-ə-'dish-əl\ *adj*

²**prejudice** *vb* 1 : to damage by a judgment or action esp. at law 2 : to cause to have prejudice

prel·ate \'prel-ət\ *n* : an ecclesiastic (as a bishop) of high rank — **prel·a·cy**

¹**pre·lim·i·nary** \pri-'lim-ə-ˌner-ē\ *n* : something that precedes or introduces the main business or event

²**preliminary** *adj* : preceding the main discourse or business

prel·ude \'prel-ˌyüd, 'prā-ˌlüd\ *n* 1 : an introductory performance or event 2 : a musical section or movement introducing the main theme; *also* : an organ solo played at the beginning of a church service

pre·ma·ture \ˌprē-mə-'t(y)u̇ər\ *adj* : happening, coming, born, or done before the usual or proper time **syn** untimely, advanced — **pre·ma·ture·ly** *adv*

pre·med·i·cal \(')prē-'med-i-kəl\ *adj* : preceding and preparing for the professional study of medicine

¹**pre·mier** \pri-'m(y)iər, 'prē-mē-ər\ *adj* : first in rank or importance : CHIEF; *also* : first in time : EARLIEST

²**premier** *n* : the first minister of state : the prime minister — **pre·mier·ship**

pre·miere \pri-'myeər, -'miər\ *n* 1 : a first performance 2 : the leading lady of a group (as a theatrical cast)

prem·ise \'prem-əs\ *n* 1 : a statement of fact made or implied as a basis of argument 2 *pl* : a piece of land with the structures on it; *also* : the place of business of an enterprise

pre·mi·um \\'prē-mē-əm\\ *n* **1** : REWARD, PRIZE **2** : a sum over and above the stated value **3** : something paid over and above a fixed wage or price : BONUS **4** : something given with a purchase **5** : the sum paid for a contract of insurance **6** : an exceptionally high value

pre·mo·ni·tion \\,prē-mə-'nish-ən, ,prem-ə-\\ *n* : previous notice : FOREWARNING; *also* : PRESENTIMENT — **pre·mon·i·to·ry** \\prē-'män-ə-,tōr-ē\\ *adj*

pre·na·tal \\'prē-'nāt-ᵊl\\ *adj* : occurring or existing before birth

pre·oc·cu·pied \\prē-'äk-yə-,pīd\\ *adj* **1** : lost in thought : ENGROSSED **2** : already occupied **syn** abstracted, absent, absentminded, distraught

pre·op·er·a·tive \\(')prē-'äp-(ə-)rət-iv, -'äp-ə-,rāt-\\ *adj* : occurring during the period preceding a surgical operation

pre·or·dain \\,prē-ór-'dān\\ *vb* : FOREORDAIN

pre·par·a·to·ry school \\pri-'par-ə-,tōr-ē-\\ *n* **1** : a usu. private school preparing students primarily for college **2** *Brit* : a private elementary school preparing students primarily for public schools

pre·pare \\pri-'paər\\ *vb* **1** : to make or get ready ⟨~ dinner⟩ ⟨~ a boy for college⟩ **2** : to get ready beforehand : PROVIDE ⟨~ equipment for a trip⟩ **3** : to put together : COMPOUND ⟨~ a vaccine⟩ **4** : to put into written form ⟨~ a document⟩ — **prep·a·ra·tion**

pre·pay \\'prē-'pā\\ *vb* : to pay or pay the charge on in advance

prep·o·si·tion \\,prep-ə-'zish-ən\\ *n* : a word that combines with a noun or pronoun to form a phrase — **prep·o·si·tion·al** \\-'zish-(ə-)nəl\\ *adj*

pre·pos·sess \\,prē-pə-'zes\\ *vb* **1** : to influence beforehand for or against someone or something : PREJUDICE **2** : to induce to a favorable opinion beforehand

pre·pos·ter·ous \\pri-'päs-t(ə-)rəs\\ *adj* : contrary to nature or reason : ABSURD

pre·puce \\'prē-,pyüs\\ *n* : FORESKIN

pre·re·cord \\,prē-ri-'kórd\\ *vb* : to record (as a radio or television program) in advance of presentation or use

pre·req·ui·site \\prē-'rek-wə-zət\\ *n* : something that is required beforehand or for the end in view : prerequisite *adj*

pre·rog·a·tive \\pri-'räg-ət-iv\\ *n* : an exclusive or special right, power, or privilege

¹**pres·age** \\'pres-ij\\ *n* **1** : something that foreshadows a future event : OMEN **2** : FOREBODING

²**pres·age** \\'pres-ij, pri-'sāj\\ *vb* **1** : to give an omen or warning of : FORESHADOW **2** : FORETELL, PREDICT

pres·by·ter \\'prez-bət-ər\\ *n* **1** : PRIEST, MINISTER **2** : an elder in a Presbyterian church

¹**Pres·by·te·ri·an** \\,prez-bə-'tir-ē-ən\\ *adj* **1** *often not cap* : characterized by a graded system of representative ecclesiastical bodies (as presbyteries) exercising legislative and judicial powers **2** : of or relating to a group of Protestant Christian bodies that are presbyterian in government

²**Presbyterian** *n* : a member of a Protestant denomination that traditionally adheres to the doctrines of John Calvin — **Pres·by·te·ri·an·ism** \\-,iz-əm\\ *n*

pres·by·tery \\'prez-bə-,ter-ē\\ *n* **1** : the part of a church reserved for the officiating clergy **2** : a ruling body in Presbyterian churches consisting of ministers and representative elders of a district

pre·school \\'prē-'skül\\ *adj* : of, relating to, or constituting the period in a child's life from infancy to the age of five or six

pre·scribe \\pri-'skrīb\\ *vb* **1** : to lay down as a guide or rule of action **2** : to direct the use of something as a remedy

pre·scrip·tion \\-'skrip-shən\\ *n* **1** : the action of prescribing **2** : a written direction for the preparation and use of a medicine; *also* : a medicine prescribed

pres·ence \\'prez-ᵊns\\ *n* **1** : the fact or condition of being present ⟨noted his ~⟩ **2** : the space immediately around a person ⟨stood in her ~⟩ **3** : one that is present **4** : the bearing of a person; *esp* : stately bearing

¹**pres·ent** \\'prez-ᵊnt\\ *n* : something presented : GIFT

²**pre·sent** \\pri-'zent\\ *vb* **1** : to bring into the presence or acquaintance of : INTRODUCE **2** : to bring before the public ⟨~ a play⟩ **3** : to make a gift to **4** : to give formally **5** : to lay (as a charge) before a court for inquiry **6** : to aim or direct (as a weapon) so as to face in a particular direction — **pre·sent·able** \\-ə-bəl\\ *adj* — **pre·sen·ta·tion** \\,prē-,zen-'tā-shən, ,prez-ᵊn-\\ *n*

³**pres·ent** \\'prez-ᵊnt\\ *adj* **1** : now existing or in progress ⟨~ conditions⟩ **2** : being in view or at hand ⟨~ at the meeting⟩ **3** : constituting the one actually involved ⟨the ~ writer⟩ **4** : of, relating to, or constituting a verb tense that expresses present time or the time of speaking — **pres·ent·ly** *adv*

⁴**pres·ent** \\'prez-ᵊnt\\ *n* **1** *pl* : the present legal document **2** : the present tense; *also* : a verb form in it **3** : the present time

pre·sen·ti·ment \\pri-'zent-ə-mənt\\ *n* : a feeling that something is about to happen : PREMONITION

¹**pre·serve** \\pri-'zərv\\ *vb* **1** : to keep safe : GUARD, PROTECT **2** : to keep from decaying; *esp* : to process food (as by canning or pickling) to prevent spoilage **3** : MAINTAIN ⟨~ silence⟩

²**preserve** *n* **1** : preserved fruit **2** : an area for the protection of natural resources (as animals or plants)

pre·shrunk \\-'shrəŋk\\ *adj* : of, relating to, or constituting a fabric subjected to a shrinking process during manufacture usu. to reduce later shrinking

pre·side \\pri-'zīd\\ *vb* **1** : to occupy the place of authority; *esp* : to act as chairman **2** : to exercise guidance or control

pres·i·dent \\'prez-əd-ənt\\ *n* **1** : one chosen to preside ⟨~ of the assembly⟩ **2** : the chief officer of an organization (as a corporation or society) **3** : an elected official serving as both chief of state and chief political executive; *also* : a chief of state often with only minimal political powers — **pres·i·den·cy** \-ən-sē\ *n* — **pres·i·den·tial**

¹**press** \'pres\ *n* **1** : a crowded condition : THRONG **2** : a machine for exerting pressure (as for stamping, pushing a tool, or expressing a liquid); *esp* : PRINTING PRESS **3** : CLOSET, CUPBOARD **4** : PRESSURE **5** : the properly creased condition of a freshly pressed garment **6** : the act or the process of printing **7** : a printing or publishing establishment **8** : the media (as newspapers) of public news and comment; *also* : persons (as reporters) employed in these media **9** : comment in newspapers and periodicals **10** : a pressure device (as for keeping a tennis racket from warping)

²**press** *vb* **1** : to bear down upon : push steadily against : ASSAIL, COMPEL **2** : to squeeze out the juice or contents of ⟨~ grapes⟩ **3** : to squeeze to a desired density, shape, or smoothness; *esp* : IRON **5** : to try hard to persuade : URGE **6** : to follow through : PROSECUTE **7** : CROWD **8** : to make (a phonograph record) from a matrix —

¹**pres·sure** \'presh-ər\ *n* **1** : the burden of physical or mental distress : OPPRESSION **2** : the action of pressing; *esp* : the application of force to something by something else in direct contact with it **3** : the condition of being pressed or of exerting force over a surface **4** : the stress or urgency of matters demanding attention **syn** stress, strain, tension

²**pressure** *vb* : to apply pressure to : CONSTRAIN

pres·sur·ize \'presh-ə-,rīz\ *vb* : to maintain normal atmospheric pressure within (an airplane cabin) during high-level flight

pres·tige \pres-'tēzh, -'tēj\ *n* : standing or estimation in the eyes of people : REPUTATION **syn** influence, authority

pre·sume \pri-'züm\ *vb* **1** : to take upon oneself without leave or warrant : DARE **2** : to take for granted : ASSUME **3** : to act or behave with undue boldness — **pre·sum·able** \-'zü-mə-bəl\ *adj*

pre·sump·tion \pri-'zəmp-shən\ *n* **1** : presumptuous attitude or conduct : AUDACITY **2** : an attitude or belief dictated by probability; *also* : the grounds lending probability to a belief

pre·sump·tu·ous \pri-'zəmp-chə(-wə)s\ *adj* : overstepping due bounds : taking liberties : OVERBOLD

pre·sup·pose \,prē-sə-'pōz\ *vb* **1** : to suppose beforehand **2** : to require beforehand as a necessary condition **syn** presume, assume — **pre·sup·po·si·tion** \,prē-,səp-ə-'zish-ən\ *n*

pre·tend \pri-'tend\ *vb* **1** : PROFESS ⟨doesn't ~ to be scientific⟩ **2** : FEIGN ⟨~ to be angry⟩ **3** : to lay claim ⟨ alleges a title ⟨~ to a throne⟩ — **pre·tend·er** *n*

pre·tense *or* **pre·tence** \'prē-,tens, pri-'tens\ *n* **1** : CLAIM; *esp* : one not supported by fact **2** : mere display : SHOW **3** : an attempt to attain a certain condition ⟨made a ~ at discipline⟩ **4** : false show : PRETEXT —

pre·ten·tious \pri-'ten-chəs\ *adj* **1** : making or possessing claims (as to excellence) : OSTENTATIOUS ⟨~ furniture⟩ **2** : making demands on one's ability or means : AMBITIOUS ⟨too ~ an undertaking⟩ — **pre·ten·tious·ly** *adv*

pre·text \'prē-,tekst\ *n* : a purpose stated or assumed to cloak the real intention or state of affairs

¹**pret·ty** \'prit-ē, 'pùrt-\ *adj* **1** : pleasing by delicacy or grace : superficially appealing rather than strikingly beautiful ⟨~ flowers⟩ ⟨a ~ girl⟩ ⟨~ verses⟩ **2** : FINE, GOOD ⟨a ~ profit⟩ — often used ironically ⟨a ~ state of affairs⟩ **syn** comely, fair — **pret·ti·ly** *adv* —

²**pret·ty** \,pùrt-ē, pərt-, ,prit-\ *adv* : in some degree : MODERATELY

³**pret·ty** \'prit-ē, 'pùrt-\ *vb* : to make pretty ⟨~ up the place⟩

pre·vail \pri-'vāl\ *vb* **1** : to win mastery : TRIUMPH **2** : to be or become effective : SUCCEED **3** : to urge successfully ⟨~ed upon her to sing⟩ **4** : to be frequent : PREDOMINATE

prev·a·lent \'prev-ə-lənt\ *adj* : generally or widely existent : WIDESPREAD

pre·var·i·cate \pri-'var-ə-,kāt\ *vb* : to deviate from the truth : EQUIVOCATE

pre·vent \pri-'vent\ *vb* **1** : to keep from happening or existing ⟨steps to ~ war⟩ **2** : to hold back : HINDER, STOP ⟨tried to ~ us from going⟩ — **pre·vent·able** \-ə-bəl\ *adj* — **pre·ven·tion** \-'ven-chən\ *n* — **pre·ven·tive** \-'vent-iv\ *or* **pre·ven·ta·tive** \-'vent-ət-iv\ *adj or n*

¹**pre·view** \'prē-,vyü\ *vb* : to see beforehand; *esp* : to view or show in advance of public presentation

²**preview** *n* **1** : an advance showing or viewing **2** *also* **pre·vue** \-,vyü\ : a showing of snatches from a motion picture advertised for future appearance **3** : FORETASTE

pre·vi·ous \'prē-vē-əs\ *adj* : going before : EARLIER, FORMER **syn** foregoing, prior, preceding — **pre·vi·ous·ly** *adv*

pre·vi·sion \prē-'vizh-ən\ *n* **1** : FORESIGHT, PRESCIENCE **2** : FORECAST, PREDICTION

¹**prey** \'prā\ *n* **1** : an animal taken for food by another; *also* : VICTIM **2** : the act or habit of preying

²**prey** *vb* **1** : to raid for booty : PLUNDER **2** : to seize and devour something as prey **3** : to have a harmful or wearing effect ⟨fears that ~ on the mind⟩

¹**price** \'prīs\ *n* **1** *archaic* : VALUE ⟨a pearl of great ~⟩ **2** : the amount of money paid or asked for the sale of a specified thing; *also* : the cost at which something is obtained

²**price** *vb* **1** : to set a price on **2** : to ask the price of

¹**prick** \'prik\ *n* **1** : a mark or small wound made by a pointed instrument **2** : something sharp or pointed **3** : an instance of pricking; *also* : a sensation of being pricked

²**prick** *vb* **1** : to pierce slightly with a sharp point; *also* : to have or cause a sensation of this **2** : to affect with anguish or remorse ⟨~s his conscience⟩ **3** : to outline with punctures ⟨~ out a pattern⟩ **4** : to cause to stand erect ⟨the dog ~ed up his ears⟩ **syn** punch, puncture, perforate, bore, drill

¹**prick·le** \'prik-əl\ *n* **1** : a small sharp point (as on a plant) **2** : a slight stinging pain — **prick·ly** \'prik-lē\ *adj*

prickle 355 **prison**

²**prickle** vb 1 : to prick lightly 2 : TINGLE
¹**pride** \'prīd\ n 1 : CONCEIT 2 : justifiable self-respect 3 : elation over an act or possession 4 : haughty behavior : DISDAIN 5 : ostentatious display — **pride·ful** \-fəl\ adj
²**pride** vb : to indulge in pride : PLUME
priest \'prēst\ n [OE prēost, fr. LL presbyter, fr. Gk presbyteros elder, priest, fr. compar. of presbys old, old man] : a person having authority to perform the sacred rites of a religion; esp : an Anglican, Eastern, or Roman Catholic clergyman ranking below a bishop and above a deacon — **priest·ess** \-əs\ n — **priest·hood** \-,hu̇d\ n
prim \'prim\ adj : stiffly formal and precise : DECOROUS
pri·ma·cy \'prī-mə-sē\ n 1 : the state of being first (as in rank) 2 : the office, rank, or character of an ecclesiastical primate
pri·mal \'prī-məl\ adj 1 : ORIGINAL, PRIMITIVE 2 : first in importance
pri·mar·i·ly \prī-'mer-ə-lē\ adv 1 : FUNDAMENTALLY, MAINLY 2 : ORIGINALLY
¹**pri·ma·ry** \'prī-,mer-ē, 'prīm-(ə-)rē\ adj 1 : first in order of time or development; also : PREPARATORY 2 : of first rank or importance : PRINCIPAL; also : FUNDAMENTAL 3 : not derived from or dependent on something else 〈~ sources〉 〈a ~ color〉
²**primary** n 1 : something that stands first in order or importance : FUNDAMENTAL — usu. used in pl. 2 : a preliminary election in which voters nominate or express a preference among candidates usu. of their own party
pri·mate \'prī-,māt, -mət\ n 1 often cap : the highest-ranking bishop of a province or nation 2 : any of the group of mammals that includes man, the apes, and monkeys
¹**prime** \'prīm\ n 1 : the earliest stage of something; esp : SPRINGTIME 2 : the most active, thriving, or successful stage or period (as of one's life) 3 : the best individual; also : the best part of something
²**prime** adj 1 : standing first (as in time, rank, significance, or quality) 〈~ requisite〉 〈~ beef〉 2 : not capable of being divided by any number except itself or 1 〈a ~ number〉
³**prime** vb 1 : FILL, LOAD 2 : to lay a preparatory coating upon (as in painting) 3 : to put in working condition 4 : to instruct beforehand : COACH
¹**prim·er** \'prim-ər\ n 1 : a small book for teaching children to read 2 : an introductory book on a subject
²**prim·er** \'prī-mər\ n 1 : one that primes 2 : a device for igniting an explosive 3 : material for priming a surface
pri·me·val \prī-'mē-vəl\ adj : of or relating to the earliest ages : PRIMITIVE
prim·i·tive \'prim-ət-iv\ adj 1 : ORIGINAL, PRIMEVAL 2 : of, relating to, or characteristic of an early stage of development or a relatively simple people or culture 3 : ELEMENTAL, NATURAL
pri·mo·gen·i·tor \,prī-mō-'jen-ət-ər\ n : ANCESTOR, FOREFATHER
pri·mo·gen·i·ture \,prī-mō-'jen-ə-,chu̇r, -'jen-i-chər\ n 1 : the state of being the firstborn of a family 2 : an exclusive right of inheritance belonging to the eldest son
pri·mor·di·al \prī-'mȯrd-ē-əl\ adj : first created or developed : existing in its original state : RUDIMENTARY, PRIMEVAL, PRIMARY
prince \'prins\ n 1 : MONARCH, KING 2 : a male member of a royal family; esp : a son of the king 3 : a person of high standing (as in a class) 〈a ~ of poets〉 — **prince·dom** \-dəm\ n — **prince·ly** adj
prin·cess \'prin-səs, -,ses\ n 1 : a female member of a royal family 2 : the consort of a prince
¹**prin·ci·pal** \'prin-sə-pəl\ adj : most important : CHIEF, MAIN — **prin·ci·pal·ly** adv
²**principal** n 1 : a leading person (as in a play) 2 : the chief officer of an educational institution 3 : the person from whom an agent's authority derives 4 : a capital sum placed at interest or used as a fund
prin·ci·ple \'prin-sə-pəl\ n 1 : a general or fundamental law, doctrine, or assumption 2 : a rule or code of conduct; also : devotion to such a code 3 : the laws or facts of nature underlying the working of an artificial device 4 : a primary source : ORIGIN; also : an underlying faculty or endowment 5 : the active part (as of a drug)
prin·ci·pled adj : exhibiting, based on, or characterized by principle 〈high= principled〉
¹**print** \'print\ n 1 : a mark made by pressure 2 : something stamped with an impression 3 : printed state or form 4 : printed matter 5 : a copy made by printing 6 : cloth upon which a figure is stamped
²**print** vb 1 : to stamp (as a mark) in or on something 2 : to produce impressions of (as from type or engraved plates) 3 : to write in letters like those of printer's type 4 : to make (a positive picture) from a photographic negative — **print·er** n
print·able adj 1 : capable of being printed or of being printed from 2 : worthy or fit to be published
print·ing n 1 : reproduction in printed form 2 : the art, practice, or business of a printer 3 : IMPRESSION 5
printing press n : a machine by which printing is done from type or plates
¹**pri·or** \'prī(-ə)r\ n : the superior of a religious house — **pri·or·ess** \'prī-ə-rəs\ n
²**prior** adj 1 : earlier in time or order 2 : taking precedence logically or in importance — **pri·or·i·ty** \prī-'ȯr-ət-ē\ n
prism \'priz-əm\ n 1 : a solid whose sides are parallelograms and whose ends are parallel and alike in shape and size 2 : a 3-sided glass or crystal object of prism shape that breaks up light into rainbow colors — **pris·mat·ic** \priz-'mat-ik\ adj

prism

pris·on \'priz-³n\ n : a place or state of confinement esp. for criminals

pris·on·er \\'priz-(ə-)nər\\ *n* : a person deprived of his liberty; *esp* : one on trial or in prison

pris·sy \\'pris-ē\\ *adj* : being prim and precise — **pris·si·ness** *n*

pris·tine \\'pris-,tēn\\ *adj* **1** : PRIMITIVE **2** : having the purity of its original state : UNSPOILED

pri·va·cy \\'prī-və-sē\\ *n* **1** : the quality or state of being apart from others **2** : SECRECY

¹pri·vate \\'prī-vət\\ *adj* **1** : belonging to or intended for a particular individual or group ⟨~ property⟩ ⟨a ~ beach⟩ **2** : restricted to the individual : PERSONAL ⟨~ opinion⟩ **3** : carried on by the individual independently ⟨~ study⟩ **4** : not holding public office ⟨a ~ citizen⟩ **5** : withdrawn from company or observation ⟨a ~ place⟩ **6** : not known publicly : SECRET ⟨~ dealings⟩

²private *n* **1** : PRIVACY **2** : an enlisted man of the lowest rank in the marine corps and of the next to lowest rank in the army

private first class *n* : an enlisted man ranking next below a corporal in the army and next below a lance corporal in the marine corps

pri·va·tion \\prī-'vā-shən\\ *n* **1** : DEPRIVATION **2** : the state of being deprived; *esp* : lack of what is needed for existence

¹priv·i·lege \\'priv-(ə-)lij\\ *n* : a right or immunity granted as an advantage or favor esp. to some and not others

²privilege *vb* : to grant a privilege to

priv·i·leged *adj* **1** : having or enjoying one or more privileges ⟨~ classes⟩ **2** : not subject to disclosure in a court of law ⟨a ~ communication⟩

¹privy \\'priv-ē\\ *adj* **1** : PERSONAL, PRIVATE **2** : SECRET, CONFIDENTIAL **3** : admitted as one sharing in a secret ⟨~ to the conspiracy⟩ — **priv·i·ly** *adv*

²privy *n* : TOILET; *esp* : OUTHOUSE

¹prize \\'prīz\\ *n* **1** : something offered or striven for in competition or in contests of chance **2** : something exceptionally desirable

²prize *adj* **1** : awarded or worthy of a prize ⟨a ~ essay⟩; *also* : awarded as a prize ⟨a ~ medal⟩ **2** : OUTSTANDING

³prize *vb* : to value highly : ESTEEM *syn* treasure, cherish, appreciate

⁴prize *n* : property (as a ship) lawfully captured in time of war

¹pro \\'prō\\ *n* : a favorable argument, person, or position

²pro *adv* : in favor of : FOR

³pro *n or adj* : PROFESSIONAL

prob·a·ble \\'präb-ə-bəl\\ *adj* **1** : apparently or presumably true ⟨a ~ hypothesis⟩ **2** : likely to be or become true or real ⟨a ~ result⟩ — **prob·a·bil·i·ty** \\,präb-ə-'bil-ət-ē\\ *n* — **prob·a·bly**

¹pro·bate \\'prō-,bāt\\ *n* : the judicial determination of the validity of a will

²probate *vb* : to establish (a will) by probate as genuine and valid

pro·ba·tion \\prō-'bā-shən\\ *n* **1** : subjection of an individual to a period of testing and trial to ascertain fitness (as for a job) **2** : the action of giving a convicted offender freedom during good behavior under the supervision of a probation officer — **pro·ba·tion·ary**

pro·ba·tive \\'prō-bət-iv\\ *adj* **1** : serving to test or try **2** : serving to prove

¹probe \\'prōb\\ *n* **1** : a slender instrument for examining a cavity (as a wound) **2** : a penetrating investigation **3** : an information-gathering device sent high into the air or into outer space *syn* inquiry, inquest, research

²probe *vb* **1** : to examine with a probe **2** : to investigate thoroughly

probe, 1

pro·bi·ty \\'prōb-ət-ē, 'präb-\\ *n* : UPRIGHTNESS, HONESTY

prob·lem \\'präb-ləm\\ *n* **1** : a question raised for consideration or solution **2** : an intricate unsettled question **3** : a source of perplexity or vexation

pro·bos·cis \\prə-'bäs-əs\\ *n* : a long flexible snout (as the trunk of an elephant)

pro·ce·dure \\prə-'sē-jər\\ *n* **1** : a particular way of doing something ⟨democratic ~⟩ **2** : a series of steps followed in a regular order ⟨surgical ~⟩

pro·ceed \\prō-'sēd\\ *vb* **1** : to come forth : ISSUE **2** : to go on in an orderly way; *also* : CONTINUE **3** : to begin and carry on an action **4** : to take legal action **5** : to go forward : ADVANCE

pro·ceed·ing *n* **1** : PROCEDURE **2** *pl* : DOINGS **3** *pl* : legal action **4** : TRANSACTION **5** *pl* : an official record of things said or done

pro·ceeds \\'prō-,sēdz\\ *n pl* : the total amount or the profit arising from a business deal : RETURN

¹pro·cess \\'präs-,es, 'prōs-\\ *n* **1** : PROGRESS, ADVANCE **2** : something going on : PROCEEDING **3** : a natural phenomenon marked by gradual changes that lead toward a particular result ⟨the ~ of growth⟩ **4** : a series of actions or operations directed toward a particular result ⟨a manufacturing ~⟩ **5** : legal action **6** : a mandate issued by a court; *esp* : SUMMONS **7** : a projecting part of an organism or organic structure

²process *vb* : to subject to a special process or treatment

pro·ces·sion \\prə-'sesh-ən\\ *n* : a group of individuals moving along in an orderly often ceremonial way : PARADE

pro·ces·sion·al \\-'sesh-(ə-)nəl\\ *n* **1** : a musical composition designed for a procession **2** : a ceremonial procession

pro·claim \\prō-'klām\\ *vb* : to make known publicly : DECLARE, ANNOUNCE — **proc·la·ma·tion** \\,präk-lə-'mā-shən\\ *n*

pro·cliv·i·ty \\prō-'kliv-ət-ē\\ *n* : an inherent inclination esp. toward something objectionable

pro·cras·ti·nate \\prə-'kras-tə-,nāt\\ *vb* [L *procrastinare*, fr. *pro-* forward + *crastinus* of tomorrow, fr. *cras* tomorrow] : to put off usu. habitually the doing of something that should be done *syn* dawdle, delay, loiter — **pro·cras·ti·na·tion** \\-,kras-tə-'nā-shən\\ *n*

pro·cre·ate \\'prō-krē-,āt\\ *vb* : to beget or bring forth offspring *syn* reproduce — **pro·cre·ation** \\,prō-krē-'ā-shən\\ *n* — **pro·cre·ative** \\'prō-krē-,āt-iv\\ *adj*

proc·tor \\'präk-tər\\ *n* : one appointed to supervise students (as at an examination) — **proctor** *vb* — **proc·to·ri·al**

pro·cure \prə-'kyùr\ *vb* **1** : to get possession of : OBTAIN **2** : to make women available for promiscuous sexual intercourse **3** : to bring about : ACHIEVE **syn** secure, acquire, gain, win, earn —
prod \'präd\ *vb* **prod·ded; prod·ding 1** : to thrust a pointed instrument into : GOAD **2** : INCITE, STIR — **prod** *n*
prod·i·gal \'präd-i-gəl\ *adj* **1** : recklessly extravagant; *also* : LUXURIANT **2** : WASTEFUL, LAVISH **syn** profuse —
pro·di·gious \prə-'dij-əs\ *adj* **1** : exciting wonder **2** : extraordinary in size or degree : ENORMOUS **syn** monstrous, tremendous, stupendous, monumental
prod·i·gy \'präd-ə-jē\ *n* **1** : something extraordinary : WONDER **2** : a highly talented child
¹**pro·duce** \prə-'d(y)üs\ *vb* **1** : to present to view : EXHIBIT **2** : to give birth or rise to : YIELD **3** : EXTEND, PROLONG **4** : to give being or form to : bring about : MAKE; *esp* : MANUFACTURE **5** : to accrue or cause to accrue ⟨~ a profit⟩ — **pro·duc·er** *n*
²**prod·uce** \'präd-,üs, 'prōd-\ *n* : PRODUCT 1; *also* : agricultural products and esp. fresh fruits and vegetables
prod·uct \'präd-(,)əkt\ *n* **1** : something produced (as by labor, thought, or growth) **2** : the number resulting from multiplication
pro·duc·tion \prə-'dək-shən\ *n* **1** : something produced : PRODUCT **2** : the act or process of producing — **pro·duc·tive** \-'dək-tiv\ *adj* — **pro·duc·tive·ness** *n* — **pro·duc·tiv·i·ty**
¹**pro·fane** \prō-'fān\ *vb* **1** : to treat (something sacred) with irreverence or contempt : DESECRATE **2** : to debase by an unworthy use — **prof·a·na·tion**
²**profane** *adj* **1** : not concerned with religion : SECULAR **2** : not holy because unconsecrated, impure, or defiled **3** : serving to debase what is holy : IRREVERENT ⟨~ language⟩ — **pro·fane·ly** *adv*
pro·fess \prə-'fes\ *vb* **1** : to declare or admit openly : AFFIRM **2** : to declare in words only : PRETEND **3** : to confess one's faith in : PRACTICE **4** : to practice or claim to be versed in (a calling or occupation) — **pro·fess·ed·ly** \-'fes-əd-lē\ *adv*
pro·fes·sion \prə-'fesh-ən\ *n* **1** : an open declaration or avowal of a belief or opinion **2** : a calling requiring specialized knowledge and often long academic preparation **3** : the whole body of persons engaged in a calling
¹**pro·fes·sion·al** \prə-'fesh-(ə-)nəl\ *adj* **1** : of, relating to, or characteristic of a profession **2** : engaged in one of the learned professions **3** : participating for gain in an activity often engaged in by amateurs — **pro·fes·sion·al·ly** *adv*
²**professional** *n* : one that engages in an activity professionally
pro·fes·sor \prə-'fes-ər\ *n* : a teacher at a university or college; *also* : a faculty member of the highest academic rank at such an institution — **pro·fes·so·ri·al**
pro·fi·cient \prə-'fish-ənt\ *adj* : well advanced in an art, occupation, or branch of knowledge **syn** adept, skillful — **pro·fi·cien·cy** \-ən-sē\ *n* — **proficient** *n* — **pro·fi·cient·ly** *adv*

pro·file \'prō-,fīl\ *n* **1** : a representation of something in outline; *esp* : a human head seen in a side view **2** : a concise biographical sketch **syn** contour, silhouette
¹**prof·it** \'präf-ət\ *n* **1** : a valuable return : GAIN **2** : the excess of the selling price of goods over their cost — **prof·it·less** \-ləs\ *adj*
²**profit** *vb* **1** : to be of use : BENEFIT **2** : to derive benefit : GAIN — **prof·it·able** \-ə-bəl\ *adj* — **prof·it·ably** *adv*
prof·i·teer \,präf-ə-'tiər\ *n* : one who makes what is considered an unreasonable profit — **profiteer** *vb*
prof·li·gate \'präf-li-gət, -lə-,gāt\ *adj* **1** : completely given up to dissipation and licentiousness **2** : wildly extravagant — **prof·li·ga·cy** \-li-gə-sē\ *n* —
pro·found \prə-'faùnd\ *adj* **1** : marked by intellectual depth or insight ⟨a ~ thought⟩ **2** : coming from or reaching to a depth : DEEP-SEATED ⟨a ~ sigh⟩ **3** : deeply felt : INTENSE ⟨~ sympathy⟩ — **pro·found·ly** *adv* — **pro·fun·di·ty**
pro·fuse \prə-'fyüs\ *adj* : pouring forth liberally : ABUNDANT **syn** lavish, prodigal, luxuriant, exuberant — **pro·fuse·ly** *adv* — **pro·fu·sion** \-'fyü-zhən\ *n*
pro·gen·i·tor \prō-'jen-ət-ər\ *n* **1** : a direct ancestor : FOREFATHER **2** : ORIGINATOR, PRECURSOR
prog·e·ny \'präj-ə-nē\ *n* : OFFSPRING, CHILDREN, DESCENDANTS
prog·no·sis \präg-'nō-səs\ *n, pl* **-no·ses** \-,sēz\ : a forecast esp. of the course of a disease
prog·nos·ti·cate \präg-'näs-tə-,kāt\ *vb* : to foretell from signs or symptoms : PREDICT — **prog·nos·ti·ca·tion**
¹**pro·gram** *or* **pro·gramme** \'prō-,gram, -grəm\ *n* **1** : a brief outline of the order to be pursued or the subjects included (as in a public entertainment); *also* : PERFORMANCE **2** : a plan of procedure **3** : coded instructions for a computer
²**program** *vb* **-grammed** *or* **-gramed; -gram·ming** *or* **-gram·ing 1** : to enter in a program **2** : to provide (an electronic computer) with a program
¹**prog·ress** \'präg-rəs, -,res\ *n* **1** : a forward movement : ADVANCE **2** : a gradual betterment
²**pro·gress** \prə-'gres\ *vb* **1** : to move forward : PROCEED **2** : to develop to a move advanced stage : IMPROVE
pro·gres·sion \prə-'gresh-ən\ *n* **1** : an act of progressing : ADVANCE **2** : a continuous and connected series : SEQUENCE
¹**pro·gres·sive** \prə-'gres-iv\ *adj* **1** : of, relating to, or characterized by progress ⟨a ~ city⟩ **2** : advancing by stages ⟨~ worsening of a condition⟩ — **pro·gres·sive·ly** *adv*
²**progressive** *n* **1** : one that is progressive **2** *cap* : a member of a Progressive Party (as in the presidential campaigns of 1912, 1924, and 1948) in the U.S.
pro·hib·it \prō-'hib-ət\ *vb* **1** : to forbid by authority **2** : to prevent from doing something
pro·hi·bi·tion \,prō-ə-'bish-ən\ *n* **1** : the act of prohibiting **2** : the forbidding by law of the sale or manufacture of alcoholic liquors as beverages — **pro·hi·bi·tion·ist** \-'bish-(ə-)nəst\ *n* — **pro·hib·i·tive** \prō-'hib-ət-iv\ *adj* — **pro·hib·i·to·ry** \prō-'hib-ə-,tōr-ē\ *adv*

¹proj·ect \'präj-,ekt, -ikt\ *n* **1** : a specific plan or design : SCHEME **2** : a planned undertaking ⟨a research ~⟩

²pro·ject \prə-'jekt\ *vb* **1** : to devise in the mind : DESIGN **2** : to throw forward **3** : to cause to protrude **4** : to cause (light or shadow) to fall into space or (an image) upon a surface ⟨a beam of light⟩ ⟨~ motion pictures on a screen⟩ — **pro·jec·tion** \-'jek-shən\ *n*

pro·jec·tile \prə-'jek-t°l\ *n* **1** : a body hurled or projected by external force; *esp* : a missile for a firearm **2** : a self-propelling weapon

pro·jec·tion·ist \-'jek-sh(ə-)nəst\ *n* : one that makes projections; *esp* : one that operates a motion-picture projector or television equipment

pro·jec·tor \-'jek-tər\ *n* : one that projects; *esp* : a device for projecting pictures on a screen (a motion-picture ~)

pro·le·tar·i·at \-ē-ət\ *n* : the laboring class : wage earners

pro·lif·ic \prə-'lif-ik\ *adj* **1** : producing young or fruit abundantly **2** : marked by abundant inventiveness or productivity ⟨a ~ writer⟩ — **pro·lif·i·cal·ly** *adv*

pro·logue \'prō-,lȯg\ *n* : PREFACE, INTRODUCTION ⟨~ of a play⟩

pro·long \prə-'lȯŋ\ *vb* **1** : to lengthen in time : CONTINUE ⟨~ a meeting⟩ **2** : to lengthen in extent or range ⟨~ a line⟩ **syn** protract, extend, elongate —

prom \'präm\ *n* : a formal dance given by a high school or college class

¹prom·e·nade \,präm-ə-'nād, -'näd\ *n* **1** : a leisurely walk for pleasure or display **2** : a place for strolling **3** : an opening grand march at a formal ball

²promenade *vb* **1** : to take a promenade **2** : to walk about, in, or on

pro·me·thi·um \prə-'mē-thē-əm\ *n* : a metallic chemical element obtained from uranium or neodymium

prom·i·nent \'präm-ə-nənt\ *adj* **1** : jutting out : PROJECTING **2** : readily noticeable : CONSPICUOUS **3** : DISTINGUISHED, EMINENT **syn** remarkable, outstanding, striking — **prom·i·nence** *n*

pro·mis·cu·ous \prə-'mis-kyə-wəs\ *adj* **1** : consisting of various sorts and kinds : MIXED **2** : not restricted to one class or person; *esp* : not restricted to one sexual partner **syn** miscellaneous — **prom·is·cu·i·ty** \,präm-ə-'skyü-ət-ē, ,prō-,mis-\ *n* — **pro·mis·cu·ous·ly** \prə-'mis-kyə-wəs-lē\ *adv*

¹prom·ise \'präm-əs\ *n* **1** : a pledge to do or not to do something specified **2** : ground for expectation usu. of success or improvement **3** : something that is promised

²promise *vb* **1** : to engage to do, bring about, or provide ⟨~ help⟩ **2** : to suggest beforehand ⟨dark clouds ~ rain⟩ **3** : to give ground for expectation ⟨the book ~s to be good⟩

prom·is·so·ry \'präm-ə-,sōr-ē\ *adj* : containing a promise

pro·mote \prə-'mōt\ *vb* **1** : to advance in station, rank, or honor **2** : to contribute to the growth or prosperity of : FURTHER **3** : LAUNCH — **pro·mo·tion**

pro·mot·er \prə-'mōt-ər\ *n* **1** : one that promotes; *esp* : one that takes the first steps in launching an enterprise **2** : one that assumes the financial responsibilities of a sports event

¹prompt \'prämpt\ *vb* **1** : INCITE **2** : to assist (one acting or reciting) by suggesting the next words **3** : INSPIRE, URGE — **prompt·er** *n*

²prompt *adj* **1** : being ready and quick to act; *also* : PUNCTUAL **2** : performed readily or immediately ⟨~ service⟩ — **prompt·ly** *adv* — **prompt·ness** *n*

promp·ti·tude \'prämp-tə-,t(y)üd\ *n* : the quality or habit of being prompt : PROMPTNESS

prom·ul·gate \'präm-əl-,gāt, prō-'məl-\ *vb* : to make known by open declaration : PROCLAIM — **prom·ul·ga·tion** \,präm-əl-'gā-shən, ,prō-(,)məl-\ *n*

prone \'prōn\ *adj* **1** : having a tendency or inclination : DISPOSED **2** : lying face downwards; *also* : lying flat or prostrate **syn** subject, exposed, open, liable, susceptible — **prone·ness** *n*

prong \'prȯŋ\ *n* : one of the sharp points of a fork : TINE; *also* : a slender projecting part (as of an antler or a tooth)

pro·noun \'prō-,naun\ *n* : a word used as a substitute for a noun

pro·nounce \prə-'nauns\ *vb* **1** : to utter officially or as an opinion ⟨~ sentence⟩ ⟨~ the book a success⟩ **2** : to employ the organs of speech in order to produce

pro·nounced *adj* : strongly marked : DECIDED

pro·nounce·ment \prə-'nauns-mənt\ *n* : a formal declaration of opinion; *also* : ANNOUNCEMENT

¹proof \'prüf\ *n* **1** : the evidence that compels acceptance by the mind of a truth or fact **2** : a process or operation that establishes validity or truth : TEST **3** : a trial print from a photographic negative **4** : a trial impression (as from type) **5** : alcoholic content (as of a beverage) indicated by a number that is about twice the percent by volume of alcohol present ⟨whiskey of 90 ~ is about 45% alcohol⟩

²proof *adj* **1** : successful in resisting or repelling ⟨~ against tampering⟩ **2** : of standard strength or quality or alcoholic content

proof·read \-,rēd\ *vb* : to read and mark corrections in (printer's proof) —

¹prop \'präp\ *n* : something that props : SUPPORT

²prop *vb* **propped; prop·ping 1** : to support by placing something under or against ⟨~ up a wall⟩ **2** : SUSTAIN, STRENGTHEN

³prop *n* : PROPERTY 4

⁴prop *n* : PROPELLER

prop·a·gan·da \,präp-ə-'gan-də, ,prō-pə-\ *n* : the spreading of ideas or information deliberately to further one's cause or damage an opposing cause; *also* : ideas, facts, or allegations spread for such a purpose — **prop·a·gan·dist**

prop·a·gate \'präp-ə-,gāt\ *vb* **1** : to reproduce or cause to reproduce biologically : MULTIPLY **2** : to cause to spread — **prop·a·ga·tion** \,präp-ə-'gā-shən\ *n*

pro·pane \'prō-,pān\ *n* : a heavy flammable gas found in petroleum and natural gas and used as a fuel

pro·pel \prə-'pel\ *vb* **-pelled; -pel·ling**

propellant

1 : to drive forward or onward **2** : to urge on : MOTIVATE syn push, shove, thrust

pro·pel·lant *also* **pro·pel·lent** \-'pel-ənt\ *n* : something (as an explosive or fuel) that propels — **propellant** *or* **propellent** *adj*

pro·pel·ler \prə-'pel-ər\ *n* : a device consisting of a hub fitted with revolving blades that imparts motion to a vehicle (as a motorboat or an airplane)

pro·pen·si·ty \prə-'pen-sət-ē\ *n* : a particular disposition of mind or character : BENT

prop·er \'präp-ər\ *adj* **1** : marked by suitability or rightness ⟨~ punishment⟩ **2** : referring to one individual only ⟨~ noun⟩ **3** : belonging characteristically to a species or individual : PECULIAR **4** : very satisfactory : EXCELLENT **5** : strictly limited to a specified thing ⟨the city ~⟩ **6** : CORRECT ⟨the ~ way to proceed⟩ **7** : strictly decorous : GENTEEL syn meet, appropriate, fitting, seemly — **prop·er·ly** *adv*

prop·er·ty \'präp-ərt-ē\ *n* **1** : a quality peculiar to an individual or thing **2** : something owned; *esp* : a piece of real estate **3** : OWNERSHIP **4** : an article or object used in a play other than painted scenery and actors' costumes

proph·e·cy \'präf-ə-sē\ *n* **1** : an inspired utterance of a prophet **2** : PREDICTION

proph·e·sy \-,sī\ *vb* **1** : to speak or utter by divine inspiration **2** : PREDICT

proph·et \'präf-ət\ *n* [L *propheta*, fr. Gk *prophētēs*, fr. *pro-* for, forth + *phanai* to speak] **1** : one who utters divinely inspired revelations **2** : one who foretells future events — **proph·et·ess** \-əs\ *n*

¹pro·phy·lac·tic \,prō-fə-'lak-tik, ,präf-ə-\ *adj* **1** : preventing or guarding from disease **2** : PROTECTIVE, PREVENTIVE

²prophylactic *n* : something (as a drug or device) that protects from disease

pro·pin·qui·ty \prō-'piŋ-kwət-ē\ *n* **1** : KINSHIP **2** : nearness in place or time : PROXIMITY

pro·pi·ti·ate \prō-'pish-ē-,āt\ *vb* : to make favorable : APPEASE, CONCILIATE — **pro·pi·ti·a·tion** \-,pis(h)-ē-'ā-shən\ *n* — **pro·pi·tia·to·ry** \-'pish-(ē-)ə-,tōr-ē\ *adj*

pro·pi·tious \prə-'pish-əs\ *adj* **1** : favorably disposed ⟨~ deities⟩ **2** : being of good omen : FAVORABLE ⟨~ circumstances⟩

pro·po·nent \prə-'pō-nənt\ *n* : one who argues in favor of something : ADVOCATE

¹pro·por·tion \prə-'pōr-shən\ *n* **1** : the relation of one part to another or to the whole with respect to magnitude, quantity, or degree : RATIO **2** : BALANCE, SYMMETRY **3** : SHARE, QUOTA **4** : SIZE, DEGREE — **pro·por·tion·al** \-sh(ə-)nəl\ *adj* — **pro·por·tion·ate** \-sh(ə-)nət\ *adj* — **pro·por·tion·ate·ly** *adv*

²proportion *vb* **1** : to adjust (a part or thing) in size relative to other parts or things **2** : to make the parts of harmonious

pro·pose \prə-'pōz\ *vb* **1** : PLAN, INTEND ⟨*proposes* to buy a house⟩ **2** : to make an offer of marriage **3** : to offer for consideration : SUGGEST ⟨~ a policy⟩ — **pro·pos·al** \-'pō-zəl\ *n* — **pro·pos·er** *n*

prop·o·si·tion \,präp-ə-'zish-ən\ *n* **1** : something proposed for consideration : PROPOSAL **2** : a statement of something to be discussed, proved, or explained **3** : SITUATION, AFFAIR ⟨a tough ~⟩

pro·pri·e·tary \prə-'prī-ə-,ter-ē\ *adj* **1** : of, relating to, or characteristic of a proprietor ⟨~ control⟩ **2** : made and sold by one with the sole right to do so

pro·pri·e·tor \prə-'prī-ət-ər\ *n* : OWNER

pro·pri·e·ty \prə-'prī-ət-ē\ *n* **1** : the standard of what is socially acceptable in conduct or speech **2** *pl* : the customs of polite society

pro·pul·sion \prə-'pəl-shən\ *n* **1** : the action or process of propelling : a driving forward **2** : driving power — **pro·pul·sive** \-'pəl-siv\ *adj*

pro ra·ta \prō-'rāt-ə, -'rät-\ *adv* : in proportion : PROPORTIONATELY

pro·rate \'prō-'rāt\ *vb* : to divide, distribute, or assess proportionately

pro·sa·ic \prō-'zā-ik\ *adj* : lacking imagination or excitement : DULL, COMMONPLACE

pro·scribe \prō-'skrīb\ *vb* **1** : OUTLAW **2** : to condemn or forbid as harmful : PROHIBIT — **pro·scrip·tion** \-'skrip-shən\ *n*

prose \'prōz\ *n* : the ordinary language of men in speaking or writing

pros·e·cute \'präs-i-,kyüt\ *vb* **1** : to follow to the end ⟨~ an investigation⟩ **2** : to pursue before a legal tribunal for punishment of a violation of law ⟨~ a forger⟩ — **pros·e·cu·tion** \,präs-i-'kyü-shən\ *n* — **pros·e·cu·tor** \'präs-i-,kyüt-ər\ *n*

¹pros·pect \'präs-,pekt\ *n* **1** : an extensive view; *also* : OUTLOOK **2** : the act of looking forward : ANTICIPATION **3** : a mental vision of something to come **4** : something that is awaited or expected : POSSIBILITY **5** : a potential buyer or customer; *also* : a likely candidate — **pro·spec·tive** \prə-'spek-tiv, 'präs-,pek-\ *adj* — **pro·spec·tive·ly** *adv*

²prospect *vb* : to explore esp. for mineral deposits — **pros·pec·tor** \'präs-,pek-tər\ *n*

pro·spec·tus \prə-'spek-təs\ *n* : a preliminary printed statement that describes an enterprise and is distributed to prospective buyers or participants

pros·per \'präs-pər\ *vb* : SUCCEED, THRIVE; *esp* : to achieve economic success

pros·per·i·ty \präs-'per-ət-ē\ *n* : thriving condition : SUCCESS; *esp* : economic well-being

pros·per·ous \'präs-p(ə-)rəs\ *adj* **1** : FAVORABLE ⟨~ winds⟩ **2** : marked by success or economic well-being ⟨a ~ business⟩

pros·tate \'präs-,tāt\ *n* : a glandular body about the base of the male urethra — **prostate** *adj*

¹pros·ti·tute \'präs-tə-,t(y)üt\ *vb* **1** : to offer indiscriminately for sexual intercourse esp. for money **2** : to devote to corrupt or unworthy purposes — **pros·ti·tu·tion** \,präs-tə-'t(y)ü-shən\ *n*

²prostitute *n* : a woman who engages in promiscuous sexual intercourse esp. for pay

¹pros·trate \'präs-,trāt\ *adj* **1** : stretched out with face on the ground in adoration

prostrate   360   **provost**

or submission **2** : extended in a horizontal position : FLAT ⟨a ∼ shrub⟩ **3** : laid low : OVERCOME ⟨∼ with a cold⟩
²**pros·trate** vb **1** : to throw or put into a prostrate position **2** : to reduce to submission, helplessness, or exhaustion — **pros·tra·tion** \präs-'trā-shən\ n
pro·tag·o·nist \prō-'tag-ə-nəst\ n **1** : one who takes the leading part in a drama or story **2** : a spokesman for a cause : CHAMPION
pro·tect \prə-'tekt\ vb : to shield from injury : GUARD
pro·tec·tion \prə-'tek-shən\ n **1** : the act of protecting : the state of being protected **2** : one that protects ⟨wear a helmet as a ∼⟩ **3** : the oversight or support of one that is smaller and weaker **4** : the freeing of the producers of a country from foreign competition in their home market by high duties on foreign competitive goods — **pro·tec·tive** \-'tek-tiv\ adj
pro·tec·tion·ist n : an advocate of government economic protection for domestic producers through restrictions on foreign competitors — **pro·tec·tion·ism** n
pro·tec·tor \prə-'tek-tər\ n **1** : one that protects : GUARDIAN **2** : a device used to prevent injury : GUARD **3** : REGENT — **pro·tec·tress** \-trəs\ n
pro·tec·tor·ate \-t(ə-)rət\ n **1** : government by a protector **2** : the relationship of superior authority assumed by one power over a dependent one; also : the dependent political unit in such a relationship
pro·tein \'prō-,tēn, 'prōt-ē-ən\ n : any of a great class of chemicals that contain carbon, hydrogen, nitrogen, oxygen, and sometimes other elements, are present in all living matter, and are an essential food item
pro tem \prō-'tem\ adv : for the time being
¹**pro·test** \'prō-,test\ n **1** : the act of protesting **2** : a complaint or objection against an idea, an act, or a course of action
²**pro·test** \prə-'test\ vb **1** : to assert positively : make solemn declaration of ⟨∼s his innocence⟩ **2** : to object strongly : make a protest against ⟨∼ a ruling⟩ — **prot·es·ta·tion** \,prät-əs-'tā-shən\ n
Prot·es·tant \'prät-əs-tənt, 3 also prə-'tes-\ n **1** : a member or adherent of one of the Christian churches deriving from the Reformation **2** : a Christian not of a Catholic or Orthodox church **3** not cap : one who makes a protest
pro·to·col \'prōt-ə-,kȯl\ n **1** : an original draft or record **2** : a preliminary memorandum of diplomatic negotiation **3** : a code of diplomatic or military etiquette and precedence
pro·ton \'prō-,tän\ n [Gk prōton, neut. of prōtos first] : an elementary particle that is present in all atomic nuclei and carries a positive charge of electricity
pro·to·plasm \'prōt-ə-,plaz-əm\ n : the complex colloidal largely protein living substance of plant and animal cells
pro·to·type \'prōt-ə-,tīp\ n : an original model : ARCHETYPE
pro·to·zo·an \,prōt-ə-'zō-ən\ n : any of a great group of lowly animals that are essentially single cells

pro·tract \prō-'trakt\ vb : to prolong in time or space syn extend, lengthen
pro·trac·tor \-'trak-tər\ n : an instrument for constructing and measuring angles
pro·trude \prō-'trüd\ vb : to stick out or cause to stick out : jut out — **pro·tru·sion** \-'trü-zhən\ n
pro·tu·ber·ant \-b(ə-)rənt\ adj : extending beyond the surrounding surface in a bulge
proud \'praud\ adj **1** : having or showing excessive self-esteem : HAUGHTY **2** : highly pleased : EXULTANT **3** : having proper self-respect ⟨too ∼ to beg⟩ **4** : GLORIOUS ⟨a ∼ occasion⟩ **5** : SPIRITED ⟨a ∼ steed⟩ syn arrogant, insolent, overbearing, disdainful — **proud·ly** adv
prove \'prüv\ vb **proved; proved** or **prov·en** \'prü-vən\ **prov·ing** **1** : to test by experiment or by a standard **2** : to establish the truth of by argument or evidence **3** : to show to be correct, valid, or genuine — **prov·able** \'prü-və-bəl\ adj
prov·e·nance \'präv-ə-nəns\ n : ORIGIN, SOURCE
prov·erb \'präv-,ərb\ n : a pithy popular saying : ADAGE — **pro·ver·bi·al**
pro·vide \prə-'vīd\ vb **1** : to take measures beforehand ⟨∼ against inflation⟩ **2** : to make a proviso or stipulation **3** : to supply what is needed ⟨∼ for a family⟩ **4** : EQUIP **5** : to supply for use : YIELD — **pro·vid·er** n
prov·i·dence \'präv-əd-əns\ n **1** often cap : divine guidance or care **2** cap : ²GOD **3** : the quality or state of being provident
prov·i·dent \-əd-ənt\ adj **1** : making provision for the future : PRUDENT **2** : FRUGAL, SAVING — **prov·i·dent·ly** adv
prov·i·den·tial \,präv-ə-'den-chəl\ adj **1** : of, relating to, or determined by Providence **2** : OPPORTUNE, LUCKY
prov·ince \'präv-əns\ n **1** : an administrative district or division of a country **2** pl : all of a country except the metropolis **3** : proper business or scope : SPHERE
pro·vin·cial \prə-'vin-chəl\ adj **1** : of or relating to a province **2** : confined to a region : NARROW ⟨∼ ideas⟩ — **pro·vin·cial·ism** \-,iz-əm\ n
¹**pro·vi·sion** \prə-'vizh-ən\ n **1** : the act or process of providing; also : a measure taken beforehand **2** : a stock of needed supplies; esp : a stock of food — usu. used in pl. **3** : PROVISO, STIPULATION
²**provision** vb : to supply with provisions
pro·vi·sion·al \-'vizh-(ə-)nəl\ adj : provided for a temporary need : CONDITIONAL
pro·voke \prə-'vōk\ vb **1** : to incite to anger : INCENSE **2** : to bring on : EVOKE ⟨a sally that provoked laughter⟩ **3** : to stir up on purpose ⟨∼ an argument⟩ syn irritate, exasperate, excite, stimulate, pique — **prov·o·ca·tion** \,präv-ə-'kā-shən\ n — **pro·voc·a·tive**
pro·vost \'prō-,vōst, 'präv-əst\ n : a high official : DIGNITARY; esp : a high-ranking university administrative officer

prow·ess \\'praù-əs\\ *n* **1** : military valor and skill **2** : extraordinary ability

prowl \\'praùl\\ *vb* : to roam about stealthily — **prowl** *n* — **prowl·er** *n*

prox·i·mate \\'präk-sə-mət\\ *adj* **1** : very near **2** : DIRECT ⟨the ~ cause⟩

proxy \\'präk-sē\\ *n* : the authority or power to act for another; *also* : a document giving such authorization

prude \\'prüd\\ *n* : one who shows or affects extreme modesty — **prud·ery**

pru·dent \\'prüd-ᵊnt\\ *adj* **1** : shrewd in the management of practical affairs **2** : CAUTIOUS, DISCREET **3** : PROVIDENT, FRUGAL **syn** judicious, foresighted, sensible, sane — **pru·dence** \\-ᵊns\\ *n* — **pru·den·tial** \\prü-'den-chəl\\ *adj*

¹**prune** \\'prün\\ *n* : a plum dried or capable of being dried without fermentation

²**prune** *vb* : to cut off unwanted parts (as of a tree) : remove as superfluous : TRIM

¹**pry** \\'prī\\ *vb* : to look closely or inquisitively; *esp* : SNOOP

²**pry** *vb* **1** : to raise, move, or pull apart with a pry or lever **2** : to detach or open with difficulty

³**pry** *n* : a tool for prying

psalm \\'säm\\ *n, often cap* : a sacred song or poem; *esp* : one of the hymns collected in the Book of Psalms — **psalm·ist** \\-əst\\ *n*

Psal·ter \\'sȯl-tər\\ *n* : the Book of Psalms; *also* : a collection of the Psalms arranged for devotional use

pseu·do \\'süd-ō\\ *adj* : SPURIOUS, SHAM

pseud·onym \\'süd-ᵊn-ˌim\\ *n* : a fictitious name

psy·che \\'sī-kē\\ *n* : SOUL, SELF; *also* : MIND

psy·chi·a·try \\sə-'kī-ə-trē, sī-\\ *n* : a branch of medicine dealing with mental disorders — **psy·chi·at·ric** \\ˌsī-kē-'at-rik\\ *adj* — **psy·chi·a·trist** \\sə-'kī-ə-trəst, sī-\\ *n*

psy·chic \\'sī-kik\\ *adj* **1** : of or relating to the psyche **2** : lying outside the sphere of physical science **3** : sensitive to nonphysical or supernatural forces

psy·cho·anal·y·sis \\ˌsī-kō-ə-'nal-ə-səs\\ *n* : a method of dealing with psychic disorders by study of the normally hidden content of the mind esp. to resolve conflicts — **psy·cho·an·a·lyst** \\-'an-ᵊl-əst\\ *n* — **psy·cho·an·al·yt·ic** \\-ˌan-ᵊl-'it-ik\\ *adj* — **psy·cho·an·a·lyze**

psy·chol·o·gy \\sī-'käl-ə-jē\\ *n* **1** : the science of mind and behavior **2** : the mental and behavioral aspect (as of an individual) — **psy·cho·log·i·cal** \\ˌsī-kə-'läj-i-kəl\\ *adj* — **psy·cho·log·i·cal·ly** *adv* — **psy·chol·o·gist** \\sī-'käl-ə-jəst\\ *n*

psy·cho·path \\'sī-kə-ˌpath\\ *n* : a person seriously defective in mental stability and social adjustment — **psy·cho·path·ic** \\ˌsī-kə-'path-ik\\ *adj*

psy·cho·so·mat·ic \\ˌsī-kə-sə-'mat-ik\\ *adj* : of, relating to, or caused by the interaction of mental and bodily phenomena ⟨~ ulcers⟩

pto·maine poisoning *n* : a disorder of the stomach and intestines caused by food contaminated usu. with bacteria or their products

pu·ber·ty \\'pyü-bərt-ē\\ *n* : the condition of being or period of becoming capable of reproducing sexually —

¹**pub·lic** \\'pəb-lik\\ *adj* **1** : of, relating to, or affecting the people as a whole ⟨~ opinion⟩ **2** : CIVIC, GOVERNMENTAL ⟨~ expenditures⟩ **3** : not private : SOCIAL ⟨~ morality⟩ **4** : of, relating to, or serving the community ⟨~ officials⟩ **5** : open to all ⟨~ library⟩ **6** : exposed to general view : not kept secret ⟨the story became ~⟩ **7** : well known

²**public** *n* **1** : the people as a whole : POPULACE **2** : a group of people having common interests ⟨wrote for his ~⟩

pub·li·can \\'pəb-li-kən\\ *n* **1** : a Jewish tax collector for the ancient Romans **2** *chiefly Brit* : the licensee of a public house

pub·li·ca·tion \\ˌpəb-lə-'kā-shən\\ *n* **1** : the act or process of publishing **2** : a published work

pub·li·cist \\'pəb-lə-səst\\ *n* : one that publicizes; *esp* : PRESS AGENT

pub·lic·i·ty \\(ˌ)pə-'blis-ət-ē\\ *n* **1** : information with news value issued to gain public attention or support **2** : public attention or acclaim

pub·li·cize \\'pəb-lə-ˌsīz\\ *vb* : to give publicity to : ADVERTISE

public school *n* **1** : an endowed secondary boarding school in Great Britain offering a classical curriculum and preparation for the universities or public service **2** : a free tax-supported school controlled by a local governmental authority

pub·lish \\'pəb-lish\\ *vb* **1** : to make generally known : announce publicly **2** : to produce or release for sale to the public — **pub·lish·er** *n*

¹**puck** \\'pək\\ *n* : a mischievous sprite — **puck·ish** *adj*

²**puck** *n* : a disk used in ice hockey

¹**puck·er** \\'pək-ər\\ *vb* : to contract into folds or wrinkles

²**pucker** *n* : FOLD, WRINKLE

pud·dle \\'pəd-ᵊl\\ *n* : a very small pool of usu. dirty or muddy water

pudgy \\'pəj-ē\\ *adj* : being short and plump : CHUBBY

pueb·lo \\'pü-'eb-lō\\ *n* : an Indian village of Arizona or New Mexico consisting of flat-roofed stone or adobe houses

pu·er·ile \\'pyü-ə-rəl\\ *adj* : CHILDISH, SILLY — **pu·er·il·i·ty** \\ˌpyü-ə-'ril-ət-ē\\ *n*

Puer·to Ri·can \\ˌpwert-ə-'rē-kən, ˌpȯrt-\\ *n* : a native or inhabitant of Puerto Rico — **Puerto Rican** *adj*

¹**puff** \\'pəf\\ *vb* **1** : to blow in short gusts **2** : PANT **3** : to emit small whiffs or clouds **4** : BLUSTER, BRAG **5** : INFLATE, SWELL **6** : to make proud or conceited **7** : to praise extravagantly

²**puff** *n* **1** : a short discharge (as of air or smoke); *also* : a slight explosive sound accompanying it **2** : a light fluffy pastry **3** : a slight swelling **4** : a fluffy mass; *esp* : a small pad for applying cosmetic powder **5** : a laudatory notice or review — **puffy** *adj*

pug \\'pəg\\ *n* **1** : a small stocky short-haired dog **2** : a short nose turned up at the tip **3** : a tight wad of hair

pu·gi·lism \\'pyü-jə-ˌliz-əm\\ *n* : BOXING — **pu·gi·list** \\-ləst\\ *n* — **pu·gi·lis·tic**

pug·na·cious \\ˌpəg-'nā-shəs\\ *adj* : fond of fighting : COMBATIVE **syn** belligerent, quarrelsome — **pug·nac·i·ty** \\-'nas-ət-ē\\ *n*

puis·sance \\'pwis-ᵊns, 'pyü-ə-səns\\ *n* : POWER, STRENGTH — **puis·sant** *adj*

puke \\'pyük\\ *vb* : VOMIT

¹pull \\'pùl\\ *vb* **1** : PLUCK; *also* : EXTRACT ⟨~ a tooth⟩ **2** : to exert force so as to draw (something) toward the force; *also* : MOVE ⟨~ out of a driveway⟩ **3** : STRETCH, STRAIN ⟨~ a tendon⟩ **4** : to draw apart : TEAR **5** : to make (as a proof) by printing **6** : REMOVE **7** : DRAW ⟨~ a gun⟩ **8** : to carry out esp. with daring ⟨~ a robbery⟩ **9** : to be guilty of : PERPETRATE **10** : ATTRACT **11** : to express strong sympathy — **pull·er** *n*

²pull *n* **1** : the act or an instance of pulling **2** : the effort expended in moving ⟨a long ~ uphill⟩ **3** : ADVANTAGE; *esp* : special influence **4** : a device for pulling something or for operating by pulling **5** : a force that attracts or compels

pul·let \\'pùl-ət\\ *n* : a young hen

pul·ley \\'pùl-ē\\ *n* **1** : a wheel with a grooved rim that forms part of a tackle for hoisting or for changing the direction of a force **2** : a wheel used to transmit power by means of a band, belt, rope, or chain

pul·mo·nary \\'pùl-mə-,ner-ē, 'pəl-\\ *adj* : of or relating to the lungs

pul·mo·tor \\-,mōt-ər\\ *n* : an apparatus for pumping oxygen or air into and out of the lungs (as of an asphyxiated person)

pulp \\'pəlp\\ *n* **1** : the soft juicy or fleshy part of a fruit or vegetable **2** : a soft moist mass **3** : a material (as from wood or rags) used in making paper **4** : a magazine using rough-surfaced paper and often dealing with sensational material — **pulpy** *adj*

pul·pit \\'pùl-,pit\\ *n* : a raised platform or high reading desk used in preaching or conducting a worship service

pul·sate \\'pəl-,sāt\\ *vb* : to expand and contract rhythmically : BEAT — **pul·sa·tion** \\,pəl-'sā-shən\\ *n*

pulse \\'pəls\\ *n* **1** : the regular throbbing in the arteries caused by the contractions of the heart **2** : a brief change in electrical current or voltage — **pulse** *vb*

pul·ver·ize \\'pəl-və-,rīz\\ *vb* **1** : to reduce (as by crushing or grinding) or be reduced to very small particles **2** : DEMOLISH

pum·ice \\'pəm-əs\\ *n* : a light porous volcanic glass used in polishing and erasing

pum·mel \\'pəm-əl\\ *vb* -meled *or* -melled; -mel·ing *or* -mel·ling : POUND, BEAT

¹pump \\'pəmp\\ *n* : a device for raising, transferring, or compressing fluids or gases esp. by suction or pressure

²pump *vb* **1** : to raise (as water) with a pump **2** : to draw water or air from by means of a pump; *also* : to fill by means of a pump ⟨~ up a tire⟩ **3** : to force or propel in the manner of a pump

pum·per·nick·el \\'pəm-pər-,nik-əl\\ *n* : a dark coarse somewhat sour rye bread

pump·kin \\'pəŋ-kən, 'pəm(p)-\\ *n* : the large yellow fruit of a vine related to the gourd grown for food; *also* : this vine

pun \\'pən\\ *n* : the humorous use of a word in a way that suggests two interpretations — **pun** *vb*

¹punch \\'pənch\\ *vb* **1** : PROD, POKE; *also* : to drive or herd (cattle) **2** : to strike with the fist **3** : to make a hole through or to cut or make with a punch — **punch·er** *n*

²punch *n* **1** : a quick blow with or as if with the fist **2** : energy that commands attention : EFFECTIVENESS

³punch *n* : a tool for piercing, stamping, cutting, or forming

⁴punch *n* [perh. fr. Hindi *pāc* five, fr. Skt *pañca*; fr. the number of ingredients] : a beverage usu. composed of wine or alcoholic liquor, citrus juice, spices, tea, and water; *also* : a beverage composed of nonalcoholic liquids (as fruit juices)

punc·til·i·ous \\,pəŋk-'til-ē-əs\\ *adj* : marked by precise accordance with the details of codes or conventions **syn** meticulous, scrupulous, careful, punctual

punc·tu·al \\'pəŋk-chə(-wə)l\\ *adj* : acting or habitually acting at an appointed time : not late : PROMPT — **punc·tu·al·i·ty** \\,pəŋk-chə-'wal-ət-ē\\ *n* — **punc·tu·al·ly** \\'pəŋk-chə-(wə-)lē\\ *adv*

punc·tu·ate \\'pəŋk-chə-,wāt\\ *vb* **1** : to mark or divide (written matter) with punctuation marks **2** : to break into at intervals **3** : EMPHASIZE

punc·tu·a·tion \\,pəŋk-chə-'wā-shən\\ *n* : the act, practice, or system of inserting standardized marks in written matter to clarify the meaning and separate structural units

¹punc·ture \\'pəŋk-chər\\ *n* **1** : an act of puncturing **2** : a small hole made by puncturing

²puncture *vb* **1** : to make a hole in : PIERCE **2** : to make useless as if by a puncture

pun·gent \\'pən-jənt\\ *adj* **1** : sharply stimulating : POINTED, BITING ⟨a ~ editorial⟩ **2** : causing a sharp or irritating sensation; *esp* : ACRID ⟨~ smell of burning leaves⟩ — **pun·gen·cy** *n*

pun·ish \\'pən-ish\\ *vb* **1** : to impose a penalty upon for a fault or crime ⟨~ an offender⟩ **2** : to inflict a penalty for ⟨~ treason with death⟩ **3** : to inflict injury upon : HURT ⟨~ed his man with body blows⟩ **syn** chastise, castigate, chasten, discipline, correct — **pun·ish·able** \\-ə-bəl\\ *adj*

pun·ish·ment \\-mənt\\ *n* **1** : retributive suffering, pain, or loss : PENALTY **2** : rough treatment

pu·ni·tive \\'pyü-nət-iv\\ *adj* : inflicting, involving, or aiming at punishment

punk \\'pəŋk\\ *n* : dry crumbly wood useful for tinder; *also* : a substance made from fungi for use as tinder

¹punt \\'pənt\\ *n* : a long narrow flat-bottomed boat

²punt *vb* : to propel (as a punt) by pushing with a pole against the bottom

³punt *vb* : to kick a football dropped from the hands before it touches the ground

⁴punt *n* : the act or an instance of punting a ball

pup \\'pəp\\ *n* : a young dog; *also* : one of the young of some other animals

¹pu·pil \\'pyü-pəl\\ *n* **1** : a child or young person in school or in the charge of a tutor **2** : DISCIPLE

pupil   363   **puzzle**

²**pupil** n : the dark central opening of the iris of the eye
pup·pet \'pəp-ət\ n **1** : a small figure of a person or animal moved by hand or by strings or wires **2** : DOLL **3** : one whose acts are controlled by an outside force
pup·py \'pəp-ē\ n : a young dog
¹**pur·chase** \'pər-chəs\ vb : to obtain by paying money or its equivalent : BUY — **pur·chas·er** n
²**purchase** n **1** : an act or instance of purchasing **2** : something purchased **3** : a secure hold or grasp; also : advantageous leverage
pure \'pyur\ adj **1** : unmixed with any other matter ⟨~ gold⟩ : free from taint ⟨~ water⟩ : free from harshness ⟨a ~ tone⟩ **2** : SHEER, ABSOLUTE ⟨~ nonsense⟩ **3** : ABSTRACT, THEORETICAL ⟨~ mathematics⟩ **4** : free from what vitiates, weakens, or pollutes ⟨speaks a ~ French⟩ **5** : free from moral fault : INNOCENT **6** : CHASTE, CONTINENT —
¹**pur·ga·tive** \'pər-gət-iv\ adj : purging or tending to purge; also : being a purgative
²**purgative** n : a vigorously laxative drug : CATHARTIC
pur·ga·to·ry \'pər-gə-ˌtōr-ē\ n **1** : an intermediate state after death for expiatory purification **2** : a place or state of temporary punishment — **pur·ga·tor·i·al** \ˌpər-gə-'tōr-ē-əl\ adj
¹**purge** \'pərj\ vb **1** : to cleanse or purify esp. from sin **2** : to have or cause free evacuation from the bowels **3** : to rid (as a political party) by a purge
²**purge** n **1** : an act or result of purging; esp : a ridding of persons regarded as treacherous or disloyal **2** : something that purges; esp : PURGATIVE
pu·ri·fy \'pyur-ə-ˌfī\ vb : to make or become pure — **pu·ri·fi·ca·tion** \ˌpyur-ə-fə-'kā-shən\ n — **pu·rif·i·ca·to·ry**
pur·ism \'pyur-ˌiz-əm\ n : rigid adherence to or insistence on purity or nicety esp. in use of words — **pur·ist** \'pyur-əst\ n
pu·ri·tan \'pyur-ət-³n\ n **1** cap : a member of a 16th and 17th century Protestant group in England and New England opposing formal usages of the Church of England **2** : one who practices or preaches a stricter or professedly purer moral code than that which prevails — **pu·ri·tan·i·cal** \ˌpyur-ə-'tan-i-kəl\ adj
pu·ri·ty \'pyur-ət-ē\ n : the quality or state of being pure
¹**purl** \'pərl\ n : a stitch in knitting
²**purl** vb : to knit in purl stitch
pur·loin \(ˌ)pər-'lȯin\ vb : to appropriate wrongfully : FILCH
¹**pur·ple** \'pər-pəl\ adj **1** : of the color purple **2** : highly rhetorical ⟨a ~ passage⟩ **3** : PROFANE ⟨~ language⟩ —
²**purple** n **1** : a bluish red color **2** : a purple robe emblematic of esp. regal rank or authority
¹**pur·port** \'pər-ˌpōrt\ n : meaning conveyed or implied; also : GIST
²**pur·port** \(ˌ)pər-'pōrt\ vb : to convey or profess outwardly as the meaning or intention : CLAIM
¹**pur·pose** \'pər-pəs\ n **1** : an object or result aimed at : INTENTION **2** : RESOLUTION, DETERMINATION — **pur·pose·ful** \-fəl\ adj — **pur·pose·ful·ly** adv — **pur·pose·less** \-pəs-ləs\ adj — **pur·pose·ly** adv
²**purpose** vb : to propose as an aim to oneself
purr \'pər\ n : a low murmur typical of a contented cat — **purr** vb
¹**purse** \'pərs\ n **1** : a receptacle (as a pouch) to carry money and often other small objects in **2** : RESOURCES, FUNDS **3** : a sum of money offered as a prize or present
²**purse** vb : PUCKER
pur·sue \pər-'sü\ vb **1** : to follow in order to overtake or overcome : CHASE **2** : to seek to accomplish ⟨~s his aims⟩ **3** : to proceed along : FOLLOW ⟨~ a course⟩ **4** : to engage in ⟨~ a vocation⟩ — **pur·su·er** n
pur·suit \pər-'süt\ n **1** : the act of pursuing **2** : OCCUPATION, BUSINESS
pu·ru·lent \'pyur-(y)ə-lənt\ adj : containing or accompanied by pus — **pu·ru·lence** \-ləns\ n
pur·vey \(ˌ)pər-'vā\ vb **1** : to supply (as provisions) usu. as a business — **pur·vey·or** n
pur·view \'pər-ˌvyü\ n **1** : the range or limit esp. of authority, responsibility, or intention **2** : range of vision, understanding, or cognizance
pus \'pəs\ n : thick yellowish fluid (as in a boil) containing germs, blood cells, and tissue debris
¹**push** \'push\ vb **1** : to press against with force in order to drive or impel **2** : to thrust forward, downward, or outward **3** : to urge on : press forward
²**push** n **1** : a vigorous effort : DRIVE **2** : an act of pushing : SHOVE **3** : vigorous enterprise : ENERGY
pus·tule \'pəs-chül\ n : a pus-filled pimple
put \'put\ vb **put**; **put·ting** **1** : to bring into a specified position : PLACE ⟨~ the book on the table⟩ **2** : SEND, THRUST **3** : to throw with an upward pushing motion ⟨~ the shot⟩ **4** : to bring into a specified state ⟨~ the matter right⟩ **5** : SUBJECT ⟨~ him to expense⟩ **6** : IMPOSE **7** : to set before one for decision ⟨~ the question⟩ **8** : EXPRESS, STATE **9** : TRANSLATE, ADAPT **10** : APPLY, ASSIGN ⟨~ them to work⟩ **11** : to give as an estimate ⟨~ the number at 20⟩ **12** : ATTACH, ATTRIBUTE ⟨~ a high value on it⟩ **13** : to take a specified course
pu·ta·tive \'pyüt-ət-iv\ adj **1** : commonly accepted : REPUTED **2** : INFERRED
pu·trid \'pyü-trəd\ adj **1** : ROTTEN, DECAYED **2** : VILE, CORRUPT — **pu·trid·i·ty** \pyü-'trid-ət-ē\ n
putt \'pət\ n : a golf stroke made on the green to cause the ball to roll into the hole — **putt** vb
¹**put·ter** \'put-ər\ n : one that puts
²**put·ter** \'pət-ər\ n **1** : a golf club used in putting **2** : one that putts
³**put·ter** \'pət-ər\ vb **1** : to move or act aimlessly or idly **2** : TINKER
put·ty \'pət-ē\ n : a doughlike cement usu. of whiting and linseed oil used to fasten glass in sashes — **putty** vb
¹**puz·zle** \'pəz-əl\ vb **1** : to bewilder mentally : CONFUSE, PERPLEX **2** : to solve with difficulty or ingenuity ⟨~ out a mystery⟩ **3** : to be in a quandary ⟨~

over what to do⟩ **4** : to attempt a solution of a puzzle ⟨~ over a person's words⟩ **syn** mystify, bewilder, nonplus, confound
²**puz·zle** *n* **1** : something that puzzles **2** : a question, problem, or contrivance designed for testing ingenuity
pyg·my \'pig-mē\ *n* [L *Pygmaei* Pygmies, fr. Gk *Pygmaioi*, fr. pl. of *pygmaios* dwarfish, fr. *pygmē* fist, a measure of length] **1** *cap* : one of a small people of equatorial Africa **2** : DWARF
¹**pyr·a·mid** \'pir-ə-,mid\ *n* **1** : a massive structure with a square base and four triangular faces meeting at a point **2** : a geometrical figure having for its base a polygon and for its sides several triangles meeting at a common point —

²**pyramid** *vb* **1** : to build up in the form of a pyramid : heap up **2** : to increase rapidly on a broadening base

pyramid

pyre \'pī(ə)r\ *n* : a combustible heap for burning a dead body
py·ro·ma·nia \,pī-rō-'mā-nē-ə\ *n* : an irresistible impulse to start fires — **py·ro·ma·ni·ac** \-nē-,ak\ *n*
py·thon \'pī-,thän, -thən\ *n* : any of several very large Old World constricting snakes
pyx \'piks\ *n* : a small case used to carry the Eucharist to the sick

Q

q \'kyü\ *n, often cap* : the 17th letter of the English alphabet
¹**quack** \'kwak\ *vb* : to make the characteristic cry of a duck
²**quack** *n* : the cry of a duck
³**quack** *n* **1** : a pretender to medical skill **2** : CHARLATAN **syn** faker, impostor — **quack** *adj* — **quack·ery** \-ə-rē\ *n*
¹**quad** \'kwäd\ *n* : QUADRANGLE
²**quad** *n* : QUADRUPLET
quad·ran·gle \'kwäd-,raŋ-gəl\ *n* **1** : a flat geometrical figure having 4 angles and 4 sides **2** : a 4-sided courtyard or enclosure — **qua·dran·gu·lar** \kwä-'draŋ-gyə-lər\ *adj*
quad·rant \'kwäd-rənt\ *n* **1** : one quarter of a circle : an arc of 90° **2** : an instrument for measuring heights used esp. in astronomy and surveying **3** : any of the 4 quarters into which something is divided by 2 lines intersecting each other at right angles
qua·drat·ic \kwä-'drat-ik\ *adj* : involving no higher power of terms than a square ⟨a ~ equation⟩
qua·dren·ni·al \kwä-'dren-ē-əl\ *adj* **1** : consisting of or lasting for 4 years **2** : occurring every 4 years
qua·dren·ni·um \-ē-əm\ *n, pl* **-ni·ums** *or* **-nia** \-ē-ə\ : a period of 4 years
quad·ri·lat·er·al \,kwäd-rə-'lat-ə-rəl\ *adj* : QUADRANGULAR — **quadrilateral** *n*
quad·ri·par·tite \,kwäd-rə-'pär-,tīt\ *adj* **1** : consisting of four parts **2** : shared by four parties or persons
qua·droon \kwä-'drün\ *n* : a person of quarter Negro ancestry
quad·ru·ped \'kwäd-rə-,ped\ *n* : an animal having 4 feet — **qua·dru·pe·dal**
¹**qua·dru·ple** \kwä-'drüp-əl, -'drəp-\ *vb* **1** : to multiply by 4 : increase fourfold **2** : to total 4 times as many
²**quadruple** *adj* : FOURFOLD
qua·dru·plet \kwä-'drüp-lət, -'drəp-\ *n* **1** *pl* : four offspring born at one birth **2** : a group of four of a kind
¹**quail** \'kwāl\ *n* : any of various short-winged stout-bodied game birds related to the grouse
²**quail** *vb* : to lose heart : COWER **syn** recoil, shrink, flinch, wince
quaint \'kwānt\ *adj* **1** : unusual or different in character or appearance **2** : pleasingly old-fashioned or unfamiliar **syn** odd, queer, outlandish —

¹**quake** \'kwāk\ *vb* **1** : to shake usu. from shock or instability **2** : to tremble usu. from cold or fear
²**quake** *n* : a tremulous agitation; *esp* : EARTHQUAKE
Quak·er \'kwā-kər\ *n* : FRIEND 4
qual·i·fi·ca·tion \,kwäl-ə-fə-'kā-shən\ *n* **1** : LIMITATION, MODIFICATION **2** : a special skill that fits a person for some work or position
qual·i·fy \'kwäl-ə-,fī\ *vb* **1** : to reduce from a general to a particular form : MODIFY **2** : to make less harsh **3** : to fit by skill or training for some purpose **4** : to give or have a legal right to do something **5** : to demonstrate the necessary ability (as in a preliminary race) **6** : to limit the meaning of (as a noun) **syn** moderate, temper — **qual·i·fied** *adj*
qual·i·ta·tive \'kwäl-ə-,tāt-iv\ *adj* : of, relating to, or involving quality — **qual·i·ta·tive·ly** *adv*
qual·i·ty \'kwäl-ət-ē\ *n* **1** : peculiar and essential character : NATURE **2** : degree of excellence **3** : high social status **4** : a distinguishing attribute
qualm \'kwäm, 'kwòm\ *n* **1** : a sudden attack (as of nausea) **2** : a sudden misgiving **3** : SCRUPLE
quan·da·ry \'kwän-d(ə-)rē\ *n* : a state of perplexity or doubt **syn** predicament, dilemma, plight
quan·ti·ta·tive \'kwän-tə-,tāt-iv\ *adj* : of, relating to, or involving quantity —
quan·ti·ty \'kwän-tət-ē\ *n* **1** : AMOUNT, NUMBER **2** : a considerable amount
quan·tum \'kwänt-əm\ *n, pl* **quan·ta** \-ə\ **1** : QUANTITY, AMOUNT **2** : an elemental unit of energy
quar·an·tine \'kwòr-ən-,tēn\ *n* [It *quarantina*, lit., period of 40 days, fr. F *quarantaine*, fr. *quarante* 40, fr. L *quadraginta*] **1** : a term during which a ship arriving in port and suspected of carrying contagious disease is forbidden contact with the shore **2** : a restraint on the movements of persons or goods intended to prevent the spread of pests or disease **3** : a place or period of quarantine — **quarantine** *vb*
¹**quar·rel** \'kwòr(-ə)l\ *n* **1** : a ground of dispute **2** : a verbal clash : CONFLICT —
²**quarrel** *vb* **-reled** *or* **-relled**; **-rel·ing** *or*

quarry / **quintet**

-rel·ling **1** : to find fault **2** : to dispute angrily : WRANGLE
¹**quar·ry** \\'kwȯr-ē\\ *n* **1** : game hunted with hawks **2** : PREY
²**quarry** *n* : an open excavation usu. for obtaining building stone, slate, or limestone — **quarry** *vb*
quart \\'kwȯrt\\ *n* : a measure of capacity that equals 2 pints
¹**quar·ter** \\'kwȯrt-ər\\ *n* **1** : a fourth part **2** : a fourth of a dollar; *also* : a coin of this value **3** : a district of a city **4** *pl* : LODGINGS ⟨moved into new ~s⟩ **5** : MERCY, CLEMENCY ⟨gave no ~⟩ — **at close quarters** : at close range or in immediate contact
²**quarter** *vb* **1** : to divide into 4 equal parts **2** : to provide with lodgings or shelter
quar·ter·back \\-,bak\\ *n* : a football player who calls the signals for his team
quarter horse *n* : an alert stocky muscular horse capable of high speed for short distances and of great endurance under the saddle
¹**quar·ter·ly** \\'kwȯrt-ər-lē\\ *adv* : at 3-month intervals
²**quarterly** *adj* : occurring, issued, or payable at 3-month intervals
³**quarterly** *n* : a periodical published 4 times a year
quar·tet *also* **quar·tette** \\kwȯr-'tet\\ *n* **1** : a musical composition for four instruments or voices **2** : a group of four and esp. of four musicians
quar·to \\'kwȯrt-ō\\ *n* **1** : the size of a piece of paper cut four from a sheet **2** : a book printed on quarto pages
quartz \\'kwȯrts\\ *n* : a common often transparent crystalline mineral that is a form of silica
¹**quash** \\'kwäsh\\ *vb* : to set aside by judicial action : VOID
²**quash** *vb* : to suppress completely : QUELL
¹**qua·si** \\'kwā-,zī, -,sī; 'kwäz-ē\\ *adv* : in some sense or degree ⟨*quasi*-historical⟩
²**quasi** *adj* : SEEMING, VIRTUAL
qua·train \\'kwä-,trān\\ *n* : a unit of 4 lines of verse
qua·ver \\'kwā-vər\\ *vb* **1** : TREMBLE, SHAKE **2** : TRILL **3** : to speak in tremulous tones **syn** shudder, quake, totter, quiver, shiver — **quaver** *n*
queen \\'kwēn\\ *n* **1** : the wife or widow of a king **2** : a female monarch **3** : a woman notable for rank, power, or attractiveness **4** : the most privileged piece in the game of chess **5** : a playing card bearing the figure of a queen **6** : the fertile female of a social insect (as a bee or termite) — **queen·ly** *adj*
¹**queer** \\'kwiər\\ *adj* : differing from the usual or normal : PECULIAR, STRANGE **syn** erratic, eccentric, curious — **queer·ly** *adv*
²**queer** *vb* : DISRUPT ⟨the rain ~ed our plans⟩
quell \\'kwel\\ *vb* : to put down : CRUSH
quench \\'kwench\\ *vb* **1** : to put out : EXTINGUISH **2** : SUBDUE **3** : SLAKE, SATISFY ⟨~ed his thirst⟩ **4** : to cool (as heated steel) suddenly by immersion esp. in water or oil — **quench·able** *adj*
que·ry \\'kwi(ə)r-ē\\ *n* : QUESTION — **query** *vb*
quest \\'kwest\\ *n* : SEARCH

¹**ques·tion** \\'kwes-chən\\ *n* **1** : an interrogative expression : QUERY **2** : a subject for discussion or debate; *also* : a proposition to be voted on in a meeting **3** : INQUIRY **4** : OBJECTION, DISPUTE
²**question** *vb* **1** : to ask questions **2** : DOUBT, DISPUTE **3** : to subject to analysis : EXAMINE **syn** ask, interrogate, quiz
ques·tion·able \\-ə-bəl\\ *adj* **1** : not certain or exact : DOUBTFUL **2** : not believed to be true, sound, or moral **syn** dubious, problematical
question mark *n* : a punctuation mark ? used esp. at the end of a sentence to indicate a direct question
ques·tion·naire \\,kwes-chə-'na(ə)r\\ *n* : a set of questions for obtaining information
quib·ble \\'kwib-əl\\ *n* **1** : an evasion of or shifting from the point at issue : EQUIVOCATION **2** : a minor objection — **quibble** *vb*
¹**quick** \\'kwik\\ *adj* **1** *archaic* : LIVING **2** : RAPID, SPEEDY ⟨~ steps⟩ **3** : prompt to understand, think, or perceive : ALERT **4** : easily aroused ⟨a ~ temper⟩ **5** : turning or bending sharply ⟨a ~ turn in the road⟩ **syn** fleet, fast, prompt, ready — **quick** *adv* — **quick·ly** *adv* — **quick·ness** *n*
²**quick** *n* **1** : sensitive living flesh **2** : a vital part : HEART
quick·en \\'kwik-ən\\ *vb* **1** : to come to life : REVIVE **2** : AROUSE, STIMULATE **3** : to increase in speed : HASTEN **4** : to show vitality (as by growing or moving) **syn** animate, enliven, excite, provoke
quick·sand \\-,sand\\ *n* : a deep mass of loose sand mixed with water
quick·sil·ver \\-,sil-vər\\ *n* : MERCURY
qui·es·cent \\kwī-'es-ᵊnt\\ *adj* **1** : being at rest : QUIET **2** : INACTIVE **syn** latent, dormant, potential — **qui·es·cence**
¹**quiet** \\'kwī-ət\\ *n* : REPOSE, TRANQUILLITY
²**quiet** *adj* **1** : marked by little motion or activity : CALM **2** : GENTLE, MILD ⟨a man of ~ disposition⟩ **3** : PEACEFUL ⟨a ~ cup of tea⟩ **4** : free from noise or uproar **5** : not showy : MODEST ⟨~ clothes⟩ **6** : SECLUDED ⟨a ~ nook⟩ — **quiet** *adv* — **qui·et·ly** *adv* — **qui·et·ness** *n*
³**quiet** *vb* **1** : CALM, PACIFY **2** : to become quiet ⟨~ down⟩
qui·etude \\'kwī-ə-,t(y)üd\\ *n* : QUIETNESS, REPOSE
qui·etus \\kwī-'ēt-əs\\ *n* **1** : final settlement (as of a debt) **2** : DEATH
quill \\'kwil\\ *n* **1** : a large stiff feather; *also* : the hollow barrel of a feather **2** : a spine of a hedgehog or porcupine
quilt \\'kwilt\\ *n* : a padded bed coverlet
qui·nine \\'kwī-,nīn\\ *n* : a bitter white salt obtained from cinchona bark and used esp. in treating malaria
quin·sy \\'kwin-zē\\ *n* : a severe inflammation of the throat or adjacent parts with swelling and fever
quint \\'kwint\\ *n* : QUINTUPLET
quin·tes·sence \\kwin-'tes-ᵊns\\ *n* **1** : the purest essence of something **2** : the most typical example or representative
quin·tet *also* **quin·tette** \\kwin-'tet\\ *n* **1** : a musical composition for five

instruments or voices **2** : a group of five and esp. of five musicians; *also* : a male basketball team
quin·tup·let \kwin-'təp-lət, -'t(y)üp-\ *n* **1** : a group of five of a kind **2** *pl* : five offspring born at one birth
¹quip \'kwip\ *n* : a clever remark : GIBE
²quip *vb* **quipped**; **quip·ping 1** : to make quips : GIBE **2** : to jest or gibe at
quirk \'kwərk\ *n* : a peculiarity of action or behavior : IDIOSYNCRASY
quis·ling \'kwiz-liŋ\ *n* : a traitor who collaborates with the invaders of his country esp. by serving in a puppet government
quit \'kwit\ *vb* **quit** *also* **quit·ted**; **quit·ting 1** : CONDUCT, BEHAVE ⟨~ themselves well⟩ **2** : to depart from : LEAVE, ABANDON *syn* acquit, comfort, deport, demean — **quit·ter** *n*
quite \'kwīt\ *adv* **1** : COMPLETELY, WHOLLY **2** : to an extreme : POSITIVELY **3** : to a considerable extent : RATHER
quit·tance \'kwit-ᵊns\ *n* : RECOMPENSE, REQUITAL
¹quiv·er \'kwiv-ər\ *n* : a case for carrying arrows
²quiver *vb* : to shake with a slight trembling motion *syn* shiver, shudder, quaver, quake
³quiver *n* : TREMOR
¹quiz \'kwiz\ *n, pl* **quiz·zes 1** : an eccentric person **2** : a practical joke **3** : a short oral or written test

²quiz *vb* **quizzed**; **quiz·zing 1** : MOCK **2** : to look at inquisitively **3** : to question closely : EXAMINE *syn* ask, interrogate, query
quiz·zi·cal \'kwiz-i-kəl\ *adj* **1** : slightly eccentric : ODD **2** : BANTERING, TEASING **3** : INQUISITIVE
quoit \'kwāt, 'k(w)óit\ *n* : a flattened ring (as of iron) or circle (as of rope) used in a game (**quoits**)
quo·rum \'kwōr-əm\ *n* : the number of members of a body required to be present for business to be legally transacted
quo·ta \'kwōt-ə\ *n* : a proportional part : SHARE
quo·ta·tion mark \kwō-'tā-shən-\ *n* : one of a pair of punctuation marks " " or ' ' used esp. to indicate the beginning and the end of a quotation in which the exact phraseology of another is directly cited
quote \'kwōt\ *vb* **1** : to speak or write a passage from another usu. with acknowledgment; *also* : to repeat a passage in substantiation or illustration **2** : to state the market price of a commodity, stock, or bond — **quo·ta·tion**
quo·tid·i·an \kwō-'tid-ē-ən\ *adj* **1** : DAILY **2** : COMMONPLACE, ORDINARY
quo·tient \'kwō-shənt\ *n* : the number resulting from the division of one number by another

R

r \'är\ *n, often cap* : the 18th letter of the English alphabet
¹rab·bet \'rab-ət\ *n* : a groove in the edge or face of a board esp. to receive another piece
²rabbet *vb* : to cut a rabbet in; *also* : to joint by means of a rabbet
rab·bi \'rab-,ī\ *n* **1** : MASTER, TEACHER — used by Jews as a term of address **2** : a Jew trained and ordained for professional religious leadership — **rab·bin·ic** \rə-'bin-ik\ *or* **rab·bin·i·cal** \-i-kəl\ *adj*
rab·bit \'rab-ət\ *n* : a long-eared burrowing mammal related to the hare
rab·ble \'rab-əl\ *n* **1** : MOB **2** : the lowest class of people
rab·id \'rab-əd\ *adj* **1** : VIOLENT, FURIOUS **2** : being fanatical or extreme (as in opinion or partisanship) **3** : affected with rabies — **rab·id·ly** *adv*
ra·bies \'rā-bēz\ *n* : an acute deadly virus disease transmitted by the bite of a rabid animal
rac·coon \ra-'kün\ *n* : a tree-dwelling gray No. American mammal with a bushy ringed tail; *also* : its fur
¹race \'rās\ *n* **1** : a strong current of running water; *also* : its channel **2** : an onward course (as of time or life) **3** : a contest in speed **4** : a contest for a desired end (as election to office)
²race *vb* **1** : to run in a race **2** : to run swiftly : RUSH **3** : to engage in a race with **4** : to drive at high speed — **rac·er** *n*
³race *n* **1** : a family, tribe, people, or nation of the same stock; *also* : MANKIND **2** : a group of individuals within a biological species able to breed together — **ra·cial** \'rā-shəl\ *adj*
rac·ism \'rās-,iz-əm\ *n* : a belief that some races are by nature superior to others; *also* : discrimination based on such belief — **rac·ist** \-əst\ *n*
¹rack \'rak\ *n* **1** : a framework on or in which something may be placed (as for display or storage) **2** : an instrument of torture on which a body is stretched **3** : a bar fitted with teeth to gear with a pinion or worm
²rack *vb* **1** : to torture with or as if with a rack **2** : to stretch or strain by force **3** : TORMENT, HARASS **4** : to place on or in a rack
¹rack·et *also* **rac·quet** \'rak-ət\ *n* : a light bat made of netting stretched across an oval open frame and used for striking a ball (as in tennis)
²racket *n* **1** : confused noise : DIN **2** : a fraudulent or dishonest scheme or activity (as a system for obtaining money by threats of violence)
³racket *vb* **1** : to make a racket **2** : to engage in active social life ⟨~ around⟩
racy \'rā-sē\ *adj* **1** : having the distinctive quality of something in its original or most characteristic form ⟨~ vernacular of the islanders⟩ **2** : full of zest **3** : PUNGENT, SPICY **4** : RISQUÉ, SUGGESTIVE — **rac·i·ly** *adv* — **rac·i·ness** *n*
ra·dar \'rā-,där\ *n* [*ra*dio *d*etecting *a*nd *r*anging] : a detecting device that establishes through reception and timing of reflected radio waves the distance, height, and direction of motion of an object in the path of the beam

ra·dar·scope \-ˌskōp\ *n* : a device that gives the visual indication in a radar receiver

ra·di·al \ˈrād-ē-əl\ *adj* : arranged or having parts arranged like rays coming from a common center — **ra·di·al·ly** *adv*

ra·di·ant \ˈrād-ē-ənt\ *adj* **1** : SHINING, GLOWING **2** : beaming with happiness **3** : transmitted by radiation **syn** brilliant, bright, luminous, lustrous — **ra·di·ance** \-əns\ *also* **ra·di·an·cy**

radiant energy *n* : energy transmitted as electromagnetic waves ⟨heat, light, and radio waves are *radiant energy*⟩

ra·di·ate \ˈrād-ē-ˌāt\ *vb* **1** : to send out rays : SHINE, GLOW **2** : to issue in rays ⟨light ∼s⟩ ⟨heat ∼s⟩ **3** : to spread around as from a center — **ra·di·a·tion**

ra·di·a·tor \ˈrād-ē-ˌāt-ər\ *n* : a device to heat air (as in a room) or to cool an object (as an automobile engine)

¹**rad·i·cal** \ˈrad-i-kəl\ *adj* [L *radic-, radix* root] **1** : FUNDAMENTAL, EXTREME, THOROUGHGOING **2** : of or relating to radicals in politics — **rad·i·cal·ism** \-ˌiz-əm\ *n* — **rad·i·cal·ly** *adv*

²**radical** *n* **1** : a person who favors rapid and sweeping changes in laws and methods of government **2** : a group of atoms that is replaceable by a single atom or remains unchanged during reactions **3** : the indicated root of a mathematical expression; *also* : the sign √ placed before an expression to indicate that its root is to be taken ⟨the ∼ √2 indicates the square root of 2 and ∛27 indicates the cube root of 27⟩

radii *pl of* RADIUS

¹**ra·dio** \ˈrād-ē-ˌō\ *n* **1** : transmission or reception of signals and esp. sound by means of electric waves without a connecting wire **2** : a radio receiving set **3** : the radio broadcasting industry — **radio** *adj*

²**radio** *vb* : to communicate or send a message to by radio

ra·dio·ac·tiv·i·ty \ˌrād-ē-ō-ˌak-ˈtiv-ət-ē\ *n* : the property that some elements (as radium) have of spontaneously emitting rays of radiant energy by the disintegration of the nuclei of atoms —

radio astronomy *n* : astronomy dealing with radio waves received from outside the earth's atmosphere

ra·dio·car·bon \-ˈkär-bən\ *n* : CARBON 14

ra·dio·gram \ˈrād-ē-ō-ˌgram\ *n* : a message transmitted by radiotelegraphy

¹**ra·dio·graph** \-ˌgraf\ *n* : a photograph made by some form of radiation other than light; *esp* : an X-ray photograph

²**radiograph** *vb* : to make a radiograph of

ra·dio·iso·tope \ˌrād-ē-ō-ˈī-sə-ˌtōp\ *n* : a radioactive isotope

ra·di·ol·o·gy \ˌrād-ē-ˈäl-ə-jē\ *n* : the science of high-energy radiations; *esp* : the use of radiant energy (as X rays and radium radiations) in medicine —

ra·dio·tel·e·graph \ˌrād-ē-ō-ˈtel-ə-ˌgraf\ *n* : wireless telegraphy — **ra·dio·te·leg·ra·phy** \-tə-ˈleg-rə-fē\ *n*

ra·dio·tel·e·phone \-ˈtel-ə-ˌfōn\ *n* : a telephone that utilizes radio waves wholly or partly instead of connecting wires

radio telescope *n* : a radio receiver-antenna combination used in radio astronomy

ra·dio·ther·a·py \-ˈther-ə-pē\ *n* : treatment of disease by radiation (as X rays) — **ra·dio·ther·a·pist** \-pəst\ *n*

rad·ish \ˈrad-ish\ *n* : a pungent fleshy root usu. eaten raw; *also* : a plant related to the mustards that produces this root

ra·di·um \ˈrād-ē-əm\ *n* : a metallic chemical element that is notable for its emission of radiant energy by the disintegration of the nuclei of atoms and is used in luminous materials and in the treatment of cancer

ra·di·us \ˈrād-ē-əs\ *n, pl* **ra·dii** \-ē-ˌī\ **1** : a straight line extending from the center of a circle or a sphere to the circumference or surface **2** : a circular area defined by the length of its radius ⟨within a ∼ of 10 miles of home⟩ **syn** range, reach, scope, compass

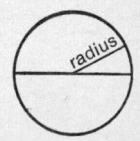

ra·don \ˈrā-ˌdän\ *n* : a heavy radioactive gaseous chemical element

¹**raf·fle** \ˈraf-əl\ *n* : a lottery in which the prize is won by one of a number of persons buying chances

²**raffle** *vb* : to dispose of by means of a raffle

¹**raft** \ˈraft\ *n* **1** : a number of logs or timbers fastened together to form a float **2** : a flat structure for support or transportation on water

²**raft** *vb* **1** : to travel or transport by raft **2** : to make into a raft

³**raft** *n* : a large amount or number

raf·ter \ˈraf-tər\ *n* : a usu. sloping timber of a roof

rag \ˈrag\ *n* : a waste piece of cloth

¹**rage** \ˈrāj\ *n* **1** : violent and uncontrolled anger : FURY **2** : VOGUE, FASHION ⟨was all the ∼⟩

²**rage** *vb* **1** : to be furiously angry : RAVE **2** : to be violent ⟨the storm *raged*⟩ **3** : to continue out of control ⟨for weeks the plague *raged*⟩

rag·ged \ˈrag-əd\ *adj* **1** : TORN, TATTERED; *also* : wearing tattered clothes **2** : done in an uneven way ⟨a ∼ performance⟩ — **rag·ged·ly** *adv* — **rag·ged·ness** *n*

rag·time \ˈrag-ˌtīm\ *n* : rhythm in which there is more or less continuous syncopation in the melody

¹**raid** \ˈrād\ *n* : a sudden usu. surprise attack or invasion : FORAY

²**raid** *vb* : to make a raid on — **raid·er** *n*

¹**rail** \ˈrāl\ *n* **1** : a bar extending from one support to another as a guard, barrier, or support **2** : a bar forming a track for wheeled vehicles **3** : RAILROAD

²**rail** *vb* : to provide with a railing : FENCE

³**rail** *n* : any of several small wading birds related to the cranes

⁴**rail** *vb* : to complain angrily : SCOLD, REVILE — **rail·er** *n*

¹**rail·road** \ˈrāl-ˌrōd\ *n* : a permanent road with rails providing a track for cars; *also* : such a road with all the lands, buildings, and rolling stock belonging with it

²**railroad** *vb* **1** : to send by rail **2** : to work on a railroad **3** : to put through (as a law) too hastily **4** : to convict hastily or with insufficient or improper evidence — **rail·road·er** *n* — **rail·road·ing** *n*

rail·way \-,wā\ *n* **1** : RAILROAD **2** : a line of track providing a runway for wheels ⟨a cash or parcel ~⟩

¹**rain** \'rān\ *n* **1** : water falling in drops from the clouds **2** : a shower of objects ⟨a ~ of bullets⟩ — **rainy** \'rā-nē\ *adj*

²**rain** *vb* **1** : to fall as or like rain **2** : to send down rain **3** : to pour down : bestow abundantly

rain·bow \-,bō\ *n* : an arc of colors formed opposite the sun by the refraction and reflection of the sun's rays in rain, spray, or mist

¹**raise** \'rāz\ *vb* **1** : to cause or help to rise : LIFT ⟨~ a window⟩ **2** : AWAKEN, AROUSE ⟨enough to ~ the dead⟩ **3** : BUILD, ERECT ⟨~ a monument⟩ **4** : ELEVATE, PROMOTE ⟨was *raised* to captain⟩ **5** : COLLECT ⟨~ money⟩ **6** : BREED ⟨~ cattle⟩ : GROW ⟨~ corn⟩ : bring up ⟨~ a family⟩ **7** : PROVOKE ⟨~ a laugh⟩ **8** : to bring to notice ⟨~ an objection⟩ **9** : INCREASE ⟨~ prices⟩ ⟨~ a bet⟩; *also* : to bet more than **10** : to make light and spongy ⟨~ dough⟩ **11** : END ⟨~ a siege⟩ **12** : to cause to form ⟨~ a blister⟩ **syn** lift, hoist, boost — **rais·er** *n*

²**raise** *n* : an increase in amount (as of a bid or bet); *also* : an increase in pay

rai·sin \'rāz-ᵊn\ *n* : a grape usu. of a special kind dried for food

¹**rake** \'rāk\ *n* : a long-handled garden tool having a crossbar with teeth or prongs

²**rake** *vb* **1** : to gather, loosen, or smooth with or as if with a rake **2** : to sweep the length of (as a trench or ship) with gunfire

³**rake** *n* : inclination from either perpendicular or horizontal : SLANT, SLOPE

⁴**rake** *n* : a dissolute man : LIBERTINE, ROUÉ

¹**rak·ish** \'rā-kish\ *adj* : DISSOLUTE — **rak·ish·ly** *adv* — **rak·ish·ness** *n*

²**rakish** *adj* **1** : having a smart appearance indicative of speed ⟨a ~ sloop⟩ ⟨~ masts⟩ **2** : JAUNTY, SPORTY

¹**ral·ly** \'ral-ē\ *vb* **1** : to call together and reduce to order (as troops) **2** : to arouse to activity or from depression or weakness : REVIVE, RECOVER **3** : to come together again to renew an effort **syn** stir, rouse, awaken, waken

²**rally** *n* **1** : an act of rallying **2** : a mass meeting to arouse enthusiasm

³**rally** *vb* : BANTER, TEASE

¹**ram** \'ram\ *n* **1** : a male sheep **2** : a wooden beam or metal bar used in battering down (as in a siege) walls or doors

²**ram** *vb* **rammed**; **ram·ming** **1** : to force or drive in or through **2** : CRAM, CROWD, STUFF **3** : to strike against violently

¹**ram·ble** \'ram-bəl\ *vb* : to go about aimlessly : ROAM, WANDER

²**ramble** *n* : a leisurely excursion; *esp* : an aimless walk

ram·bunc·tious \ram 'bəŋk-shəs\ *adj* : UNRULY

ram·i·fy \'ram-ə-,fī\ *vb* : to branch out — **ram·i·fi·ca·tion** \,ram-ə-fə-'kā-shən\ *n*

ramp \'ramp\ *n* : a sloping passageway connecting different levels

¹**ram·page** \'ram-,pāj\ *vb* : to rush about wildly

²**rampage** *n* : riotous behavior — **ram·pa·geous** \ram-'pā-jəs\ *adj*

ram·pant \'ram-pənt\ *adj* : unchecked in growth or spread : RIFE ⟨fear was ~ in the town⟩ — **ram·pant·ly** *adv*

ram·part \'ram-,pärt\ *n* **1** : a fortification embankment **2** : a protective barrier **3** : a ridge like a wall

ram·rod \'ram-,räd\ *n* **1** : a rod used to ram a charge into a muzzle-loading gun **2** : a cleaning rod for small arms

ram·shack·le \-,shak-əl\ *adj* : RICKETY, TUMBLEDOWN

ran *past of* RUN

¹**ranch** \'ranch\ *n* **1** : an establishment for the raising and grazing of cattle, sheep, or horses **2** : a large farm devoted to a specialty — **ranch·er** *n*

²**ranch** *vb* : to live or work on a ranch

ran·cid \'ran-səd\ *adj* **1** : having a rank smell or taste **2** : ROTTEN, SPOILED —

ran·dom \'ran-dəm\ *adj* : CHANCE, HAPHAZARD — **ran·dom·ly** *adv* — **at random** : without definite aim or method

rang *past of* RING

¹**range** \'rānj\ *n* **1** : a series of things in a row **2** : the act of ranging or roaming **3** : open land where cattle may roam and graze **4** : a cooking stove **5** : a variation within limits **6** : the distance a gun will shoot **7** : a place where shooting is practiced ⟨a rifle ~⟩; *also* : a course over which missiles are tested **8** : the space or extent included, covered, or used : SCOPE, DISTANCE **syn** reach, compass, radius

²**range** *vb* **1** : to set in a row or in proper order **2** : to set in place among others of the same kind **3** : to roam over or through : EXPLORE **4** : to roam at large or freely **5** : to correspond in direction or line **6** : to vary within limits

rang·er \'rān-jər\ *n* **1** : a warden who patrols forest lands **2** : one that ranges **3** : a member of a body of troops who range over a region **4** : an expert in close-range fighting and raiding attached to a special unit of assault troops

rangy \-jē\ *adj* : being long-limbed and slender — **rang·i·ness** *n*

¹**rank** \'raŋk\ *adj* **1** : strong and vigorous and usu. coarse in growth ⟨~ weeds⟩ ⟨a ~ meadow⟩ **2** : unpleasantly strong-smelling : RANCID — **rank·ly**

²**rank** *n* **1** : ROW **2** : a line of soldiers ranged side by side **3** *pl* : the body of enlisted men ⟨rose from the ~s⟩ **4** : an orderly arrangement **5** : CLASS, DIVISION **6** : a grade of official standing (as in an army) **7** : position in a group **8** : superior position

³**rank** *vb* **1** : to arrange in lines or in regular formation **2** : to arrange according to classes **3** : to take or have a relative position **4** : to rate above

rank·ing *adj* **1** : having a high position : FOREMOST, OUTSTANDING **2** : being next to the chairman in seniority

ran·sack \\'ran-,sak\\ *vb* **1 :** to search thoroughly **2 :** PILLAGE, PLUNDER

¹**ran·som** \\'ran-səm\\ *n* [OF *rançon*, fr. L *redemption-*, *redemptio* act of buying back, fr *redimere* to buy back, redeem] **1 :** something paid or demanded for the freedom of a captive **2 :** the act of ransoming

²**ransom** *vb* **:** to free from captivity or punishment by paying a price — **ran·som·er** *n*

rant \\'rant\\ *vb* **1 :** to talk loudly and wildly **2 :** to scold violently **:** RAIL —

¹**rap** \\'rap\\ *n* **1 :** a sharp blow **:** KNOCK **2 :** a sharp rebuke **3** *slang* **:** responsibility for or consequences of an action

²**rap** *vb* **rapped; rap·ping 1 :** to strike sharply **:** KNOCK **2 :** to utter sharply 〈~ out an order〉 **3 :** to criticize sharply

ra·pa·cious \\rə-'pā-shəs\\ *adj* **1 :** excessively greedy or covetous **2 :** living on prey **3 :** RAVENOUS — **ra·pa·cious·ly** *adv* — **ra·pa·cious·ness** *n* —

¹**rape** \\'rāp\\ *vb* **:** to commit rape on **:** RAVISH — **rap·er** *n* — **rap·ist** \\'rā-pəst\\ *n*

²**rape** *n* **1 :** a carrying away by force **2 :** unlawful sexual intercourse with a woman without her consent and chiefly by force or deception

¹**rap·id** \\'rap-əd\\ *adj* **:** very fast **:** SWIFT *syn* fleet, quick, speedy — **ra·pid·i·ty**

²**rapid** *n* **:** a place in a stream where the current flows very fast usu. over obstructions — usu. used in pl.

rap·ine \\'rap-ən\\ *n* **:** PILLAGE, PLUNDER

rap·port \\ra-'pōr\\ *n* **:** RELATION; *esp* **:** relation characterized by harmony or accord

rap·proche·ment \\,rap-,rōsh-'mäⁿ\\ *n* **:** the establishment or a state of cordial relations

rapt \\'rapt\\ *adj* **:** carried away (as in thoughts or spirit) **:** ABSORBED, ENGROSSED — **rapt·ly** *adv*

rap·ture \\'rap-chər\\ *n* **:** spiritual or emotional ecstasy — **rap·tur·ous** \\-chə-rəs\\ *adj*

¹**rare** \\'ra(ə)r\\ *adj* **:** not thoroughly cooked

²**rare** *adj* **1 :** not thick or dense **:** THIN 〈~ air〉 **2 :** unusually fine **:** EXCELLENT, SPLENDID **3 :** seldom met with **:** very uncommon — **rare·ly** *adv* — **rare·ness** *n* — **rar·i·ty** \\'rar-ət-ē\\ *n*

rar·efy \\'rar-ə-,fī\\ *vb* **:** to make or become rare, thin, or less dense — **rar·efac·tion** \\,rar-ə-'fak-shən\\ *n*

ras·cal \\'ras-kəl\\ *n* **1 :** a mean or dishonest person **2 :** a mischievous person

¹**rash** \\'rash\\ *adj* **:** having or showing little regard for consequences **:** too hasty in decision, action, or speech **:** RECKLESS *syn* daring, foolhardy, adventurous, venturesome — **rash·ly**

²**rash** *n* **:** an eruption on the body

¹**rasp** \\'rasp\\ *vb* **1 :** to rub with or as if with a rough file **2 :** to grate harshly upon (as one's nerves) **3 :** to speak in a grating tone

²**rasp** *n* **:** a coarse file with cutting points instead of ridges

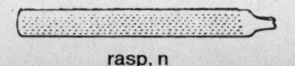

rasp, n

rasp·ber·ry \\'raz-,ber-ē\\ *n* **1 :** an edible red or black berry produced by some brambles; *also* **:** such a bramble **2 :** a sound of contempt made through protruded lips

¹**rat** \\'rat\\ *n* **1 :** a scaly-tailed destructive rodent larger than the mouse **2 :** one that betrays his associates

²**rat** *vb* **rat·ted; rat·ting 1 :** to betray one's associates **2 :** to hunt or catch rats

¹**rate** \\'rāt\\ *vb* **:** to scold violently

²**rate** *n* **1 :** quantity, amount, or degree measured by some standard **2 :** an amount (as of payment) measured by its relation to some other amount (as of time) **3 :** a charge, payment, or price fixed according to a ratio, scale, or standard 〈tax ~〉 **4 :** RANK, CLASS

³**rate** *vb* **1 :** CONSIDER, REGARD **2 :** ESTIMATE **3 :** to settle the relative rank or class of **4 :** to be classed **:** RANK **5 :** to be of consequence **6 :** to have a right to **:** DESERVE — **rat·er** *n*

rath·er \\'rath-ər, 'räth-\\ *adv* **1 :** PREFERABLY **2 :** on the other hand **3 :** more properly **4 :** more correctly speaking **5 :** SOMEWHAT

rat·i·fy \\'rat-ə-,fī\\ *vb* **:** to approve and accept esp. formally **:** CONFIRM — **rat·i·fi·ca·tion** \\,rat-ə-fə-'kā-shən\\ *n*

rat·ing \\'rāt-iŋ\\ *n* **1 :** a classification according to grade **:** RANK **2** *Brit* **:** a naval enlisted man **3 :** an estimate of the credit standing and business responsibility of a person or firm

ra·tio \\'rā-sh(ē-)ō\\ *n* **1 :** the quotient of one quantity divided by another 〈the ~ of 6 to 3 may be expressed as 6:3, 6/3, or 2〉 **2 :** the relation in number, quantity, or degree between things 〈women outnumbered men in the ~ of 3 to 1〉

ra·ti·o·ci·na·tion \\,rat-ē-,ōs-ᵊn-'ā-shən, ,rash-, -,äs-\\ *n* **:** exact thinking **:** REASONING — **ra·ti·o·ci·nate** \\-'ōs-ᵊn-,āt, -'äs-\\ *vb* — **ra·ti·o·ci·na·tive** \\-,āt-iv\\

¹**ra·tion** \\'rash-ən, 'rā-shən\\ *n* **1 :** a food allowance for one day **2 :** FOOD, PROVISIONS, DIET — usu. used in pl. **3 :** SHARE, ALLOTMENT

²**ration** *vb* **1 :** to supply with or allot as rations **2 :** to use or allot sparingly *syn* apportion, portion

ra·tio·nal \\'rash-(ə-)nəl\\ *adj* **1 :** having reason or understanding; *also* **:** SANE **2 :** of or relating to reason **3 :** being an integer or the quotient of two integers (as ⅔) — **ra·tio·nal·ly** *adv*

ra·tio·nale \\,rash-ə-'nal\\ *n* **1 :** an explanation of controlling principles of belief or practice **2 :** an underlying reason

ra·tio·nal·ism \\'rash-(ə)nə-,liz-əm\\ *n* **:** the practice of guiding one's actions and opinions solely by what seems reasonable — **ra·tio·nal·ist** \\-ləst\\ *n*

ra·tio·nal·i·ty \\,rash-ə-'nal-ət-ē\\ *n* **:** the quality or state of being rational

ra·tio·nal·ize \\'rash-(ə-)nə-,līz\\ *vb* **1 :** to make (something irrational) rational or reasonable **2 :** to provide a natural explanation of (as a myth) **3 :** to justify (as one's behavior or weaknesses) esp. to oneself **4 :** to find plausible but untrue reasons for conduct

¹**rat·tle** \\'rat-ᵊl\\ *vb* **1 :** to make or cause to make a series of clattering sounds **2 :** to move with a clattering

sound ⟨~ down the road⟩ 3 : to say or do in a brisk lively fashion ⟨~ off the answers⟩ 4 : CONFUSE, UPSET ⟨~ a witness⟩
²**rattle** *n* 1 : a series of clattering and knocking sounds 2 : a toy that produces a rattle when shaken 3 : one of the horny pieces on a rattlesnake's tail or the organ made of these
rat·tle·snake \'rat-ᵊl-ˌsnāk\ *n* : any of various American venomous snakes with a rattle at the end of the tail
rat·tle·trap \-ˌtrap\ *n* : something rickety and full of rattles; *esp* : an old car
rat·tling \'rat-liŋ\ *adj* 1 : LIVELY, BRISK 2 : FIRST-RATE, SPLENDID
¹**rav·age** \'rav-ij\ *n* : an act or result of ravaging : DEVASTATION
²**ravage** *vb* : to lay waste : DEVASTATE, PLUNDER — **rav·ag·er** *n*
rave \'rāv\ *vb* 1 : to talk wildly in or as if in delirium : STORM, RAGE 2 : to talk with extreme enthusiasm
¹**rav·el** \'rav-əl\ *vb* **-eled** *or* **-elled; -el·ing** *or* **-el·ling** : UNRAVEL, UNTWIST
²**ravel** *n* 1 : something tangled 2 : something raveled out; *esp* : a loose thread
¹**ra·ven** \'rā-vən\ *n* : a large black bird related to the crow
²**raven** *adj* : black and glossy like a raven's feathers
rav·en·ing \'rav-(ə-)niŋ\ *adj* : greedily devouring : RAPACIOUS, VORACIOUS
rav·en·ous \'rav-ə-nəs\ *adj* 1 : RAPACIOUS, VORACIOUS 2 : eager for food : very hungry — **rav·en·ous·ly** *adv*
ra·vine \rə-'vēn\ *n* : a small narrow steep-sided valley larger than a gully and smaller than a canyon
rav·ish \'rav-ish\ *vb* 1 : to carry away by violence 2 : to overcome with emotion and esp. with joy or delight 3 : RAPE — **rav·ish·er** *n* — **rav·ish·ment** *n*
¹**raw** \'ró\ *adj* 1 : not cooked 2 : changed little from the original form : not processed ⟨~ materials⟩ 3 : not trained or experienced ⟨~ recruits⟩ 4 : having the skin abraded or irritated ⟨a ~ sore⟩ 5 : disagreeably cold and damp : BLEAK ⟨a ~ day⟩ 6 : VULGAR, COARSE ⟨~ joke⟩ 7 : UNFAIR ⟨~ deal⟩
²**raw** *n* : a raw place or state; *esp* : NUDITY
raw·hide \-ˌhīd\ *n* : the untanned skin of cattle; *also* : a whip made of this
¹**ray** \'rā\ *n* : any of various large flat fishes that are related to the sharks and have the hind end of the body slender and taillike
²**ray** *n* [MF *rai*, fr. L *radius* rod, spoke, radius, ray] 1 : one of the lines of light that appear to radiate from a bright object 2 : a thin beam of radiant energy (as light) 3 : light from a beam 4 : a tiny bit : PARTICLE ⟨~ of hope⟩ 5 : a thin line like a beam of light 6 : an animal or plant structure resembling a ray
ra·zor \'rā-zər\ *n* : a sharp cutting instrument used to shave off hair
ra·zor–backed \ˌrā-zər-'bakt\ *or* **ra·zor·back** \'rā-zər-ˌbak\ *adj* : having a sharp narrow back ⟨~ horse⟩
¹**razz** \'raz\ *n* : RASPBERRY 2
²**razz** *vb* : RIDICULE, TEASE
re- \rē, ˌrē, 'rē\ *prefix* 1 : again : anew 2 : back : backward

reabsorb
reaccommodate
reacquire
reactuate
readapt
readdress
readjust
readjustment
readmission
readmit
readmittance
readopt
readoption
reaffirm
reaffirmation
realign
reallocate
reallocation
reanalysis
reanalyze
reannexation
reappear
reappearance
reapply
reappoint
reappointment
reapportion
reappraisal
reappraise
rearm
rearouse
rearrange
rearrangement
reassemble
reassembly
reassert
reassess
reassessment
reassignment
reassort
reassume
reattachment
reattain
reattempt
reauthorize
reawake
rebaptism
rebid
reboil
rebuild
rebury
recalculate
redirect
rediscount
rediscover
redissolve
redistillation
redistribute
redistribution
redo
redraw
reecho
reeducate
reelect
reembodiment
reembody
reemerge
reemergence
reemphasis
reemphasize
reemploy
reemployment
reenact
reenactment
reenlist
reenlistment
reenter
reequip

recapitalization
recapitalize
recapture
recast
rechannel
recharge
recharter
recheck
rechristen
reclean
recoat
recoin
recolonization
recolonize
recolor
recomb
recombine
recommence
recommission
recompile
recompress
recompression
recomputation
reconceive
reconcentrate
reconception
recondensation
recondition
reconfine
reconfirm
reconnect
reconquer
reconquest
reconsignment
reconstructive
reconsult
reconsultation
recontact
recontamination
recontract
reconvene
recook
recouple
recrystallize
recut
redecorate
rededicate
redefine
redemand
redesign
redetermine
redigest
reimposition
reincorporate
reinsert
reinterpret
reintroduce
reintroduction
reinvest
reinvestment
reissue
rejudge
rekindle
relearn
relight
relive
reload
relocate
relocation
remake
remanufacture
remarriage
remarry
remelt
remigrate
remix
remold
rename

reestablish
reestablishment
reevaluate
reevaluation
reevoke
reexamination
reexamine
reexchange
reexport
refasten
refight
refigure
refilm
refilter
refinish
refit
refix
refloat
reflow
reflower
refly
refocus
refold
reformulate
reformulation
refortify
refreeze
refuel
refurnish
regather
regild
regive
reglow
reglue
regrade
regrow
reheat
rehouse
reimpose
respring
restaff
restate
restatement
restock
restraighten
restrengthen
restrike
restring
restudy
restuff
restyle
resubmit
resummon
resurface
resurvey
resynthesize
retaste
retell
retest
rethink
retool
retrain

renegotiate
renegotiation
renominate
renomination
renumber
reoccupy
reopen
reorient
reorientation
repack
repackage
repaint
repass
repeople
rephotograph
rephrase
replant
replay
reprice
reprint
republication
republish
repurchase
reread
rerecord
rerun
rescore
rescreen
reseal
reseed
resell
reset
resettle
resettlement
resew
resilver
resow
respell
retransmit
retraverse
retrial
reunification
reunify
reunite
reuse
revaluate
revaluation
revalue
reverify
revictual
revisit
rewarm
rewash
rewater
reweave
rewed
reweigh
reweld
rewind
rewire
rework
rewrite

¹reach \'rēch\ vb 1 : to stretch out : EXTEND 2 : to touch or move to touch or seize 3 : to extend to : stretch as far as 4 : to arrive at 5 : to communicate with   syn gain, compass, achieve, attain — reach·able adj

²reach n 1 : the act of reaching 2 : the distance or extent of reaching or of ability to reach 3 : an unbroken stretch or expanse; esp : a straight part of a river 4 : power to grasp

re·act \rē-'akt\ vb 1 : to exert a return or counteracting influence 2 : to respond to a stimulus 3 : to act in opposition to a force or influence 4 : to turn back or revert to a former condition 5 : to undergo chemical reaction

re–act \'rē-'akt\ vb : to perform again
re·ac·tion \rē-'ak-shən\ n 1 : a return or reciprocal action 2 : a counter tendency; esp : a tendency toward a former esp. outmoded political or social order or policy 3 : bodily, mental, or emotional response to a stimulus 4 : chemical change

¹re·ac·tion·ary \-shə-,ner-ē\ adj : relating to, marked by, or favoring esp. political reaction

²reactionary n : a reactionary person
re·ac·tive \rē-'ak-tiv\ adj : reacting or tending to react

re·ac·tor \-tər\ n 1 : one that reacts 2 : a vat for a chemical reaction 3 : an apparatus in which a chain reaction of fissionable material is initiated and controlled

¹read \'rēd\ vb read \'red\ read·ing \'rēd-iŋ\ 1 : to understand language by interpreting written symbols for speech sounds 2 : to utter aloud written or printed words 3 : to learn by observing 〈~ nature's signs〉 4 : to discover the meaning of 〈~ a riddle〉 〈~ the future〉 5 : to attribute (a meaning) to something 〈~ guilt in the boy's manner〉 6 : to study by a course of reading 〈~ law〉 7 : to consist in phrasing or meaning 〈the two versions ~ quite differently〉 — read·a·bil·i·ty \,rēd-ə-'bil-ət-ē\ n — read·able \'rēd-ə-bəl\ adj — read·ably \-blē\ adv — read·er n

²read \'red\ adj : informed by reading 〈a widely ~ man〉

read·ing \'rēd-iŋ\ n 1 : something read or for reading 2 : a public recital 3 : the form in which something is written : VERSION 4 : the study of books or literature 5 : manner of rendering something written; also : INTERPRETATION 6 : something that is indicated so as to be read 〈a thermometer ~〉

¹ready \'red-ē\ adj 1 : prepared for use or action 2 : likely to do something indicated; also : willingly disposed : INCLINED 3 : spontaneously prompt 4 : notably dexterous, adroit, or skilled 5 : immediately available — HANDY — read·i·ly adv — read·i·ness n

²ready vb : to make ready : PREPARE
³ready n : the state of being ready 〈guns at the ~〉

re·agent \rē-'ā-jənt\ n : a substance that takes part in or brings about a particular chemical reaction

re·al \'rē(-ə)l\ adj 1 : actually being or existent : not imaginary : ACTUAL 2 : not artificial : GENUINE — re·al·ness n

real estate n : property in houses and land

re·al·ism \'rē-ə-,liz-əm\ n 1 : the disposition to face facts and to deal with them practically 2 : true and faithful portrayal of nature and of men in art or literature — re·al·ist \-ləst\ n — re·al·is·tic \,rē-ə-'lis-tik\ adj — re·al·is·ti·cal·ly \-ti-k(ə-)lē\ adv

re·al·i·ty \rē-'al-ət-ē\ n 1 : the quality or state of being real 2 : something real 3 : the totality of real things and events

re·al·ize \'rē-ə-,līz\ vb 1 : to make a reality : ACCOMPLISH 2 : OBTAIN, GAIN

⟨~ a profit⟩ **3** : to convert into money ⟨~ assets⟩ **4** : to be aware of : UNDERSTAND — **re·al·iz·able** \-ˌlī-zə-bəl\ *adj* — **re·al·i·za·tion** \ˌrē-ə-lə-'zā-shən\ *n*

re·al·ly \'rē-(ə-)lē\ *adv* : in truth : in fact : ACTUALLY

realm \'relm\ *n* **1** : KINGDOM **2** : SPHERE, DOMAIN

re·al·ty \'rē-(ə-)l-tē\ *n* : REAL ESTATE

ream \'rēm\ *n* : a quantity of paper usu. 480, 500, or 516 sheets

²ream *vb* **1** : to enlarge or shape with a reamer **2** : to clean or clear with a reamer

ream·er \'rē-mər\ *n* : a tool with cutting edges that is used to enlarge or shape a hole

reap \'rēp\ *vb* **1** : to cut or clear with a scythe, sickle, or machine **2** : to gather by or as if by cutting : HARVEST ⟨~ a reward⟩ — **reap·er** *n*

¹rear \'riər\ *vb* **1** : to set or raise upright **2** : to erect by building **3** : to breed and rear for use or market ⟨~ livestock⟩ **4** : to bring up (as offspring) : FOSTER **5** : to lift or rise up; *esp* : to rise on the hind legs ⟨a ~*ing* horse⟩

²rear *n* **1** : the unit (as of an army) or area farthest from the enemy **2** : BACK; *also* : position at the back of something

³rear *adj* : being at the back

rear admiral *n* : a commissioned officer in the navy ranking next below a vice admiral

¹rear·ward \'riər-wərd\ *adj* **1** : being at or toward the rear **2** : directed to the rear

²rearward *also* **rear·wards** *adv* : at or to the rear

¹rea·son \'rēz-ᵊn\ *n* **1** : a statement offered in explanation or justification **2** : GROUND, CAUSE **3** : the power to think : INTELLECT **4** : a sane or sound mind **5** : due exercise of the faculty of logical thought

²reason *vb* **1** : to use the faculty of reason : THINK **2** : to talk with another so as to influence his actions or opinions **3** : to discover or formulate by the use of reason — **rea·son·er** *n* — **rea·son·ing** *n*

rea·son·able \'rēz-(ᵊ-)nə-bəl\ *adj* **1** : being within the bounds of reason : not extreme : MODERATE, FAIR **2** : INEXPENSIVE **3** : able to reason : RATIONAL — **rea·son·a·ble·ness** *n* — **rea·son·a·bly** *adv*

re·as·sure \ˌrē-ə-'shu̇r\ *vb* **1** : to assure again **2** : to restore confidence to : free from fear — **re·as·sur·ance** *n*

¹re·bate \'rē-ˌbāt\ *vb* : to make or give a rebate

²rebate *n* : a return of part of a payment *syn* deduction, abatement, discount

¹reb·el \'reb-əl\ *adj* : of or relating to rebels : REBELLIOUS

²rebel *n* : one that rebels against authority

³re·bel \ri-'bel\ *vb* **-belled; -bel·ling** **1** : to resist the authority of one's government **2** : to act in or show disobedience

re·bel·lion \ri-'bel-yən\ *n* : resistance to authority; *esp* : open defiance of established government through uprising or revolt

re·bel·lious \-yəs\ *adj* : given to or engaged in rebellion : INSUBORDINATE — **re·bel·lious·ly** *adv* — **re·bel·lious·ness** *n*

re·birth \'rē-'bərth\ *n* **1** : a new or second birth **2** : RENAISSANCE, REVIVAL

re·born \-'bȯrn\ *adj* : born again : having a rebirth

¹re·bound \'rē-'bau̇nd, ri-\ *vb* **1** : to spring back on or as if on striking another body **2** : to recover from a setback or frustration

²re·bound \'rē-ˌbau̇nd\ *n* **1** : the action of rebounding **2** : a rebounding ball (as in basketball) **3** : immediate spontaneous reaction to setback or frustration

¹re·buff \ri-'bəf\ *vb* **1** : to refuse or repulse curtly : SNUB **2** : to drive or beat back : REPULSE

²rebuff *n* **1** : a curt rejection of an offer or advance : SNUB **2** : a sharp check or setback : REPULSE

re·buke \ri-'byük\ *vb* : to reprimand sharply : REPROVE

²rebuke *n* : a sharp reprimand

re·but \ri-'bət\ *vb* **-but·ted; -but·ting** : to refute esp. formally (as in debate) by evidence and arguments *syn* disprove, controvert — **re·but·ter** *n*

re·but·tal \ri-'bət-ᵊl\ *n* : the act of rebutting

re·cal·ci·trant \ri-'kal-sə-trənt\ *adj* **1** : stubbornly resisting authority **2** : resistant to handling or treatment

¹re·call \ri-'kȯl\ *vb* **1** : to call back **2** : REMEMBER, RECOLLECT **3** : REVOKE, ANNUL **4** : RESTORE, REVIVE

²re·call \ri-'kȯl, 'rē-ˌkȯl\ *n* **1** : a summons to return **2** : the right or procedure of removing an official by popular vote **3** : remembrance of things learned or experienced **4** : the act of revoking

re·cant \ri-'kant\ *vb* : to take back (something one has said) publicly : make an open confession of error — **re·can·ta·tion** \ˌrē-ˌkan-'tā-shən\ *n*

¹re·cap \'rē-ˌkap\ *vb* : to vulcanize a strip of rubber upon the outer surface of (a worn tire) — **re·cap·pa·ble** *adj*

²re·cap \'rē-ˌkap\ *n* : a recapped tire

re·ca·pit·u·late \ˌrē-kə-'pich-ə-ˌlāt\ *vb* : to restate briefly : SUMMARIZE — **re·ca·pit·u·la·tion** \-ˌpich-ə-'lā-shən\ *n*

re·cede \ri-'sēd\ *vb* **1** : to move back or away : WITHDRAW **2** : to slant backward **3** : DIMINISH, CONTRACT

¹re·ceipt \ri-'sēt\ *n* **1** : RECIPE **2** : the act of receiving **3** : something received — usu. used in pl. **4** : a writing acknowledging the receiving of money or goods

²receipt *vb* **1** : to give a receipt for **2** : to mark as paid

re·ceiv·able \ri-'sē-və-bəl\ *adj* **1** : capable of being received; *esp* : acceptable as legal ⟨~ certificates⟩ **2** : subject to call for payment : PAYABLE ⟨accounts ~⟩

re·ceive \ri-'sēv\ *vb* **1** : to take in or accept (as something sent or paid) : come into possession of : GET **2** : CONTAIN, HOLD **3** : to permit to enter : GREET, WELCOME **4** : to be at home to visitors **5** : to accept as true or authoritative **6** : to be the subject of : UNDERGO, EXPERIENCE ⟨~ a shock⟩ **7** : to change incoming radio waves into sounds or pictures

re·ceiv·er \n **1** : one that receives **2** : a person legally appointed to receive and have charge of property or money involved in a lawsuit **3** : an apparatus for receiving and changing an electrical signal into an audible or visible effect

re·cent \'rēs-ᵊnt\ *adj* **1** : lately made or used : NEW, FRESH **2** : of the present time or time just past ⟨~ history⟩ — **re·cent·ly** *adv* — **re·cent·ness** *n*

re·cep·ta·cle \ri-'sep-ti-kəl\ *n* **1** : something used to receive and hold something else : CONTAINER **2** : the enlarged end of a stalk bearing a flower **3** : an electrical fitting containing the live parts of a circuit

re·cep·tion \ri-'sep-shən\ *n* **1** : the act of receiving **2** : a social gathering; *esp* : one at which guests are formally welcomed

re·cep·tion·ist \-sh(ə-)nəst\ *n* : one employed to greet callers

re·cep·tive \ri-'sep-tiv\ *adj* : able or inclined to take in or apply (as ideas or stimuli) — **re·cep·tive·ly** *adv* — **re·cep·tive·ness** *n* — **re·cep·tiv·i·ty**

re·cep·tor \ri-'sep-tər\ *n* : one that receives; *esp* : SENSE ORGAN

¹**re·cess** \'rē-ˌses, ri-'ses\ *n* **1** : an indentation in a line or surface (as a niche in a wall or an alcove in a room) **2** : a secret or secluded place : RETREAT **3** : an intermission between work periods : a usu. brief suspension of any regular procedure

²**recess** *vb* **1** : to put into a recess **2** : to make a recess in **3** : to interrupt for a recess **4** : to take a recess

re·ces·sion \ri-'sesh-ən\ *n* **1** : the act of receding : WITHDRAWAL **2** : a return procession **3** : a period of reduced economic activity

re·ces·sive \ri-'ses-iv\ *adj* : tending to go back : RECEDING

rec·i·pe \'res-ə-(ˌ)pē\ *n* [L, take, imperative of *recipere* to receive, fr. *re-* back + *capere* to take] **1** : a set of instructions for making something (as a food dish) from various ingredients **2** : a method of procedure : FORMULA

re·cip·i·ent \ri-'sip-ē-ənt\ *n* : one that receives

re·cip·ro·cal \ri-'sip-rə-kəl\ *adj* **1** : MUTUAL, JOINT, SHARED **2** : so related to each other that one completes the other or is equivalent to the other **syn** common, correspondent, complementary — **re·cip·ro·cal·ly** *adv*

re·cip·ro·cate \-ˌkāt\ *vb* **1** : to move backward and forward alternately ⟨a *reciprocating* mechanical part⟩ **2** : to make a return for something done or given **3** : to give and take mutually — **re·cip·ro·ca·tion** \-ˌsip-rə-'kā-shən\ *n*

rec·i·proc·i·ty \ˌres-ə-'präs-ət-ē\ *n* **1** : the quality or state of being reciprocal **2** : mutual exchange of privileges; *esp* : a trade policy by which special advantages are granted by one country in return for special advantages granted it by another

re·cit·al \ri-'sīt-ᵊl\ *n* **1** : an act or instance of reciting : ACCOUNT, NARRATIVE, STORY **2** : a public reading or recitation ⟨a poetry ~⟩ **3** : a program of music given by one person ⟨song ~⟩ ⟨piano ~⟩ **4** : an exhibition concert by music pupils **5** : a public performance by a dancer or dance troupe

rec·i·ta·tion \ˌres-ə-'tā-shən\ *n* **1** : RECITING, RECITAL **2** : delivery before an audience of something memorized **3** : a classroom exercise in which pupils answer questions on a lesson they have studied; *also* : a class period

re·cite \ri-'sīt\ *vb* **1** : to repeat verbatim (as something memorized) **2** : to recount in some detail : RELATE **3** : to reply to a teacher's questions on a lesson — **re·cit·er** *n*

reck·less \'rek-ləs\ *adj* : lacking due caution : RASH **syn** hasty, headlong, impetuous — **reck·less·ly** *adv* — **reck·less·ness** *n*

reck·on \'rek-ən\ *vb* **1** : COUNT, CALCULATE, COMPUTE **2** : CONSIDER, REGARD **3** *chiefly dial* : THINK, SUPPOSE, GUESS — **reck·on·er** *n*

reck·on·ing *n* **1** : an act or instance of reckoning **2** : calculation of a ship's position **3** : a settling of accounts

re·claim \ri-'klām\ *vb* **1** : to recall from wrong conduct : REFORM **2** : to put into a desired condition (as by labor or discipline) ⟨~ marshy land⟩ **3** : to obtain (as rubber) from a waste product or by-product **syn** save, redeem, rescue — **re·claim·able** *adj* — **rec·la·ma·tion**

re·cline \ri-'klīn\ *vb* **1** : to lean or incline backward **2** : to lie down : REST

rec·luse \'rek-ˌlüs, ri-'klüs\ *n* : a person who lives in seclusion or leads a solitary life : HERMIT

rec·og·ni·tion \ˌrek-ig-'nish-ən\ *n* **1** : the act of recognizing : the state of being recognized : ACKNOWLEDGMENT **2** : special notice or attention

re·cog·ni·zance \ri-'käg(g)-nə-zəns\ *n* : a promise recorded before a court or magistrate to do something (as to appear in court or to keep the peace)

rec·og·nize \'rek-ig-ˌnīz\ *vb* **1** : to identify as previously known **2** : to perceive clearly : REALIZE, UNDERSTAND **3** : to take notice of **4** : to take approving notice of : acknowledge with appreciation **5** : to acknowledge acquaintance with **6** : to acknowledge (as a speaker in a meeting) as one entitled to be heard at the time **7** : to acknowledge the existence or the independence of (a country or government) — **rec·og·niz·able** *adj* — **rec·og·niz·ably** *adv*

¹**re·coil** \ri-'kȯil\ *vb* **1** : to draw back : RETREAT **2** : to spring back to or as if to a starting point **syn** shrink, flinch, wince

²**re·coil** \ri-'kȯil, 'rē-ˌkȯil\ *n* : the action of recoiling (as by a gun or spring)

rec·ol·lect \ˌrek-ə-'lekt\ *vb* : to recall to mind: REMEMBER **syn** recall, remind, reminisce, bethink

rec·ol·lec·tion \-'lek-shən\ *n* **1** : the act of recollecting **2** : the power of recollecting **3** : the time within which things can be recollected : MEMORY **4** : something recollected

rec·om·mend \ˌrek-ə-'mend\ *vb* **1** : to present as deserving of acceptance or trial **2** : to give in charge : COMMIT, ENTRUST **3** : to cause to receive favorable attention **4** : ADVISE, COUNSEL — **rec·om·men·da·to·ry** \-'men-də-ˌtȯr-ē\ *adj* — **rec·om·mend·er** *n*

rec·om·men·da·tion \,rek-ən-'dā-shən\ *n* **1** : the act of recommending **2** : something that recommends **3** : a thing or a course of action recommended

¹rec·om·pense \'rek-əm-,pens\ *vb* **1** : to give compensation to : pay for **2** : to return in kind : REQUITE **syn** reimburse, indemnify, repay

²recompense *n* : COMPENSATION

rec·on·cile \'rek-ən-,sīl\ *vb* **1** : to cause to be friendly or harmonious again **2** : ADJUST, SETTLE ⟨~ differences⟩ **3** : to bring to quiet submission or acceptance **syn** conform, accommodate, adapt — **rec·on·cil·able** \-,sī-lə-bəl\ *adj* — **rec·on·cile·ment** \-,sīl-mənt\ *n* — **rec·on·cil·er** *n* — **rec·on·cil·i·a·tion** \,rek-ən-,sil-ē-'ā-shən\ *n*

rec·on·nais·sance \ri-'kän-ə-zəns\ *n* : a preliminary survey of an area to get information; *esp* : an exploratory military survey of enemy territory

rec·on·noi·ter \,rē-kə-'nóit-ər\ *vb* : to make a reconnaissance of : engage in reconnaissance

re·con·sid·er \,rē-kən-'sid-ər\ *vb* : to consider again with a view to changing or reversing; *esp* : to take up again in a meeting — **re·con·sid·er·a·tion** \-,sid-ə-'rā-shən\ *n*

re·con·sti·tute \'rē-'kän-stə-,t(y)üt\ *vb* **1** : to constitute again **2** : to restore to former condition by adding water ⟨~ powdered milk⟩

re·con·struct \,rē-kən-'strəkt\ *vb* : to construct again : REBUILD

re·con·struc·tion \-'strək-shən\ *n* **1** : the action of reconstructing : the state of being reconstructed **2** *often cap* : the reorganization and reestablishment of the seceded states in the Union after the American Civil War **3** : something reconstructed

¹re·cord \ri-'kórd\ *vb* **1** : to set down (as proceedings in a meeting) in writing **2** : to register permanently **3** : INDICATE, READ **4** : to cause (as sound or visual images) to be registered (as on a phonograph disc or magnetic tape) in a form that permits reproduction **5** : to give evidence of

²rec·ord \'rek-ərd\ *n* **1** : the act of recording **2** : a written account of proceedings **3** : known facts about a person **4** : the best that has been done in any competition **5** : something (as a phonograph disc) on which sound or visual images have been recorded

re·cord·er \ri-'kórd-ər\ *n* **1** : a person who records (transactions) officially ⟨~ of deeds⟩ **2** : a judge in some city courts **3** : an early vertical flute **4** : a recording instrument or device

re·cord·ing \ri-'kórd-iŋ\ *n* : RECORD 5

¹re·count \ri-'kaúnt\ *vb* **1** : to relate in detail : TELL **2** : ENUMERATE **syn** recite, rehearse, narrate, describe, state, report

²re·count \'rē-'kaúnt\ *vb*: to count again

³re·count \'rē-'kaúnt, -,kaúnt\ *n* : a second or fresh count

re·coup \ri-'küp\ *vb* : to get an equivalent or compensation for : make up for something lost **syn** retrieve, regain, recover

re·course \'rē-,kōrs, ri-'kōrs\ *n* **1** : a turning to someone or something for assistance or protection : RESORT **2** : a source of aid

re·cov·er \ri-'kəv-ər\ *vb* **1** : to get back again : REGAIN, RETRIEVE **2** : to regain normal health, poise, or status **3** : RECLAIM ⟨~ land from the sea⟩ **4** : to make up for : RECOUP ⟨~ed all his losses⟩ **5** : to obtain a legal judgment in one's favor — **re·cov·er·able** *adj* — **re·cov·ery** \-'kəv-(ə-)rē\ *n*

re·cov·er \'rē-'kəv-ər\ *vb* : to cover again

¹rec·re·ant \'rek-rē-ənt\ *adj* **1** : COWARDLY, CRAVEN **2** : UNFAITHFUL, FALSE

²recreant *n* **1** : COWARD **2** : DESERTER

rec·re·ate \'rek-rē-,āt\ *vb* : to give new life or freshness to

re–cre·ate \,rē-krē-'āt\ *vb* : to create again — **re·cre·a·tion** \-krē-'ā-shən\ *n* — **re–cre·ative** \-'āt-iv\ *adj*

rec·re·ation \,rek-rē-'ā-shən\ *n* : a refreshing of strength or spirits after work or anxiety; *also* : a means of refreshment **syn** diversion, relaxation — **rec·re·ation·al** \-sh(ə-)nəl\ *adj* — **rec·re·ative** \'rek-rē-,āt-iv\ *adj*

re·crim·i·nate \ri-'krim-ə-,nāt\ *vb* : to make an accusation against an accuser — **re·crim·i·na·tion** \-,krim-ə-'nā-shən\ *n* — **re·crim·i·na·to·ry** \-'krim-ə-nə-,tōr-ē\ *adj*

¹re·cruit \ri-'krüt\ *n* [obs. F *recrute* fresh growth, new levy of soldiers, fr. MF *recroistre* to grow up again, fr. L *recrescere*, fr. *re-* again + *crescere* to grow] : a newcomer to an activity; *esp* : an enlisted man of the lowest rank in the army

²recruit *vb* **1** : to form or strengthen with new members ⟨~ an army⟩ **2** : to secure the services of ⟨~ engineers⟩ **3** : to restore or increase in health or vigor ⟨resting to ~ his strength⟩ — **re·cruit·er** *n* — **re·cruit·ment** *n*

rec·tal \'rek-t³l\ *adj* : of or relating to the rectum

rect·an·gle \'rek-,taŋ-gəl\ *n* : a 4-sided figure with 4 right angles — **rect·an·gu·lar** \rek-'taŋ-gyə-lər\ *adj*

rec·ti·fy \'rek-tə-,fī\ *vb* : to make or set right : CORRECT **syn** emend, amend, remedy, redress — **rec·ti·fi·ca·tion** \,rek-tə-fə-'kā-shən\ *n* — **rec·ti·fi·er** *n*

rec·ti·lin·ear \,rek-tə-'lin-ē-ər\ *adj* **1** : moving in a straight line **2** : characterized by straight lines

rec·ti·tude \'rek-tə-,t(y)üd\ *n* **1** : moral integrity **2** : correctness of procedure **syn** virtue, goodness, morality

rec·tor \'rek-tər\ *n* **1** : a clergyman in charge of a parish **2** : the head of a university or school — **rec·to·rate** \-t(ə-)rət\ *n* — **rec·to·ri·al** \rek-'tōr-ē-əl\ *adj*

rec·to·ry \'rek-t(ə-)rē\ *n* : the residence of a rector

rec·tum \'rek-təm\ *n*, *pl* **-tums** or **-ta** \-tə\ : the last part of the intestine joining colon and anus

re·cum·bent \ri-'kəm-bənt\ *adj* : lying down : RECLINING

re·cu·per·ate \ri-'k(y)ü-pə-,rāt\ *vb* : to get back (as health, strength, or losses) : RECOVER — **re·cu·per·a·tion** \-,k(y)ü-pə-'rā-shən\ *n* — **re·cu·per·a·tive** \-'rāt-iv\ *adj*

re·cur \ri-'kər\ *vb* **-curred; -curring** **1** : to go or come back in thought or discussion **2** : to occur or appear again esp. after an interval — **re·cur·rence** \-'kər-əns\ *n* — **re·cur·rent**

¹red \'red\ *adj* **1** : of the color red **2** : endorsing radical social or political change esp. by force **3** : of or relating to the U.S.S.R. or its allies — **red·ly** *adv* — **red·ness** *n*

²red *n* **1** : the color of blood or of the ruby **2** : a revolutionary in politics **3** *cap* : COMMUNIST **4** : the condition of showing a loss ⟨in the ~⟩

red·coat \-,kōt\ *n* : a British soldier esp. during the Revolutionary War

red·den \'red-ᵊn\ *vb* : to make or become red or reddish : FLUSH, BLUSH

red·dish \'red-ish\ *adj* : tinged with red — **red·dish·ness** *n*

re·deem \ri-'dēm\ *vb* [L *redimere* to buy back, fr. *re-*, *red-* back + *emere* to buy] **1** : to recover (property) by discharging an obligation **2** : to ransom, free, or rescue by paying a price **3** : to atone for **4** : to make good (a promise) by performing : FULFILL **5** : to free from the bondage of sin — **re·deem·able** *adj* — **re·deem·er** *n*

re·demp·tion \ri-'demp-shən\ *n* : the act of redeeming : the state of being redeemed — **re·demp·tive** \-tiv\ *adj* — **re·demp·to·ry** \-t(ə-)rē\ *adj*

red–hand·ed \'red-'han-dəd\ *adv (or adj)* : in the act of committing a crime or misdeed

red·head \-,hed\ *n* : a person having red hair — **red·head·ed** \-'hed-əd\ *adj*

re·dis·trict \'rē-'dis-(,)trikt\ *vb* : to organize into new territorial and esp. political divisions

red–let·ter \'red-'let-ər\ *adj* : of special significance : MEMORABLE

re·doubt \ri-'daut\ *n* : a small usu. temporary fortification

re·doubt·able \ri-'daut-ə-bəl\ *adj* : arousing dread or fear : FORMIDABLE, DOUGHTY

re·dound \ri-'daund\ *vb* **1** : to have an effect : CONDUCE **2** : to become added or transferred : ACCRUE

¹re·dress \ri-'dres\ *vb* **1** : to set right : REMEDY **2** : COMPENSATE **3** : to remove the cause of (a grievance) **4** : AVENGE

²redress *n* **1** : relief from distress **2** : a means or possibility of seeking a remedy **3** : compensation for loss or injury **4** : an act or instance of redressing

red·skin \'red-,skin\ *n* : a No. American Indian

re·duce \ri-'d(y)üs\ *vb* **1** : LESSEN **2** : to put in a lower rank or grade **3** : CONQUER ⟨~ a fort⟩ **4** : to bring into a certain order or classification **5** : to bring to a specified state or condition ⟨~ chaos to order⟩ **6** : to correct (as a fracture) by restoration of displaced parts **7** : to lessen one's weight *syn* decrease, diminish, abate, dwindle, vanquish, defeat, subjugate, beat — **re·duc·er** *n* — **re·duc·ible** \-'d(y)üs-ə-bəl\ *adj*

re·duc·tion \ri-'dək-shən\ *n* **1** : the act of reducing : the state of being reduced **2** : the amount taken off in reducing something **3** : something made by reducing

re·dun·dan·cy \ri-'dən-dən-sē\ *n* **1** : the quality or state of being redundant : SUPERFLUITY **2** : something redundant or in excess **3** : the use of surplus words

re·dun·dant \-dənt\ *adj* : exceeding what is needed or normal : SUPERFLUOUS; *esp* : using more words than necessary

red·wood \'red-,wud\ *n* : a tall coniferous timber tree of California or its durable wood

reed \'rēd\ *n* **1** : any of various tall slender grasses of wet areas; *also* : a stem or growth of reed **2** : a musical instrument made from the hollow stem of a reed **3** : an elastic tongue of cane, wood, or metal by which tones are produced in organ pipes and certain other wind instruments — **reedy** *adj*

¹reef \'rēf\ *n* **1** : a part of a sail taken in or let out in regulating the size of the sail **2** : the reduction in sail area made by reefing

²reef *vb* **1** : to reduce the area of a sail by rolling or folding part of it **2** : to lower or bring inboard a spar

³reef *n* : a ridge of rocks or sand at or near the surface of the water

¹reek \'rēk\ *n* : a strong or disagreeable fume or odor — **reeky** *adj*

²reek *vb* **1** : to give off or become permeated with a strong or offensive odor **2** : to give a strong impression of some constituent quality — **reek·er** *n*

¹reel \'rēl\ *n* : a revolvable device on which something flexible (as yarn, thread, or wire) may be wound; *also* : a quantity of something (as motion-picture film) wound on such a device

²reel *vb* **1** : to wind on or as if on a reel **2** : to pull or draw (as a fish) by reeling a line — **reel·able** *adj* — **reel·er** *n*

³reel *vb* **1** : WHIRL; *also* : to be giddy **2** : to waver or fall back from a blow : RECOIL **3** : to walk or move unsteadily

⁴reel *n* : a reeling motion

⁵reel *n* : a lively Scottish dance or its music

re·fec·to·ry \ri-'fek-t(ə-)rē\ *n* : a dining hall esp. in a monastery

re·fer \ri-'fər\ *vb* **-ferred**; **-fer·ring** **1** : to assign to a certain source, cause, or relationship **2** : to direct or send to some person or place (as for treatment, information, or help) **3** : to submit to someone else for consideration or action **4** : to have recourse (as for information or aid) **5** : to have connection : RELATE **6** : to direct attention : speak of : MENTION, ALLUDE *syn* credit, accredit, ascribe, attribute, resort, apply, go, turn — **ref·er·able** \'ref-(ə-)rə-bəl, ri-'fər-ə-\ *adj*

¹ref·er·ee \,ref-ə-'rē\ *n* **1** : a person to whom an issue esp. in law is referred for investigation or settlement **2** : an umpire in certain games

²referee *vb* : to act as referee

ref·er·ence \'ref-(ə-)rəns\ *n* **1** : the act of referring **2** : RELATION, RESPECT **3** : a direction of the attention to another passage or book **4** : ALLUSION, MENTION **5** : consultation esp. for obtaining information ⟨~ books⟩ **6** : a person of whom inquiries can be made about the character or ability of another person **7** : a written recommendation of a person for employment

ref·er·en·dum \,ref-ə-'ren-dəm\ *n, pl* **-da** \-də\ *or* **-dums** : the principle or practice of referring legislative measures to the voters for approval or rejection; *also* : a vote on a measure so submitted

re·fine \ri-'fīn\ vb 1 : to free from impurities or waste matter : reduce to a pure state 2 : IMPROVE, PERFECT 3 : to free or become free of what is coarse or uncouth 4 : to make improvements by introducing subtle changes — **re·fin·er** n

re·fined adj 1 : freed from impurities 2 : CULTURED, CULTIVATED 3 : SUBTLE

re·fine·ment \ri-'fīn-mənt\ n 1 : the action of refining 2 : the quality or state of being refined 3 : a refined feature or method; also : a device or contrivance intended to improve or perfect

re·flect \ri-'flekt\ vb 1 : to bend or cast back (as light, heat, or sound) 2 : to give back a likeness or image of as a mirror does 3 : to bring as a result 〈~ed credit on him〉 4 : to cast reproach or blame 5 : PONDER, MEDITATE — **re·flec·tion** \-'flek-shən\ n — **re·flec·tive** \-tiv\ adj — **re·flec·tor** n

¹**re·flex** \'rē-,fleks\ n : an automatic and usu. inborn response to a stimulus not involving higher mental centers

²**reflex** adj 1 : bent or directed back 2 : of or relating to a psychic reflex — **re·flex·ly** adv

¹**re·flex·ive** \ri-'flek-siv\ adj : of or relating to an action directed back upon the doer or the grammatical subject 〈a ~ verb〉 〈the ~ pronoun *himself*〉 — **re·flex·ive·ly** adv — **re·flex·ive·ness** n

²**reflexive** n : a reflexive verb or pronoun

re·for·est \rē-'fȯr-əst\ vb : to renew forest cover on by seeding or planting — **re·for·es·ta·tion** \,rē-,fȯr-ə-'stā-shən\ n

¹**re·form** \ri-'fȯrm\ vb 1 : to make or become better by removal of faults : IMPROVE, AMEND 2 : to induce to abandon evil ways syn correct, rectify, emend, remedy, redress, revise — **re·form·able** adj — **re·for·ma·tive** \-'fȯr-mət-iv\ adj

²**reform** n : improvement or correction of what is corrupt or defective

re-form \'rē-'fȯrm\ vb : to form again — **re-for·ma·tion** \,rē-fȯr-'mā-shən\ n

ref·or·ma·tion \,ref-ər-'mā-shən\ n : the act of reforming : the state of being reformed : IMPROVEMENT 2 cap : a 16th century religious movement marked by the establishment of the Protestant churches

¹**re·for·ma·to·ry** \ri-'fȯr-mə-,tōr-ē\ adj : aiming at or tending toward reformation : REFORMATIVE

²**reformatory** n : a penal institution for reforming young or first offenders or women

re·form·er \ri-fȯr-mər\ n 1 : one that works for or urges reform 2 cap : a leader of the Protestant Reformation

re·frac·tion \ri-'frak-shən\ n : the bending of a ray of light, heat, or sound when it passes obliquely from one medium into another in which its velocity is different — **re·frac·tive** \-tiv\ adj

re·frac·to·ry \ri-'frak-t(ə-)rē\ adj 1 : OBSTINATE, STUBBORN, UNMANAGEABLE 2 : difficult to melt, corrode, or draw out; *esp* : capable of enduring high temperature 〈~ bricks〉 syn recalcitrant, intractable, ungovernable, unruly, headstrong, willful — **re·frac·to·ri·ly** adv

¹**re·frain** \ri-'frān\ vb : to hold oneself back : FORBEAR, ABSTAIN — **re·frain·ment**

²**refrain** n : a phrase or verse recurring regularly in a poem or song

re·fresh \ri-'fresh\ vb 1 : to make or become fresh or fresher 2 : to revive by or as if by renewal of supplies 〈~ one's memory〉 3 : to freshen up 4 : to supply or take refreshment syn restore, rejuvenate, renovate, refurbish — **re·fresh·er** n

re·fresh·ment \-mənt\ n 1 : the act of refreshing : the state of being refreshed 2 : something that refreshes 3 pl : a light meal

re·frig·er·ate \ri-'frij-ə-,rāt\ vb : to make cool; *esp* : to chill or freeze (food) for preservation — **re·frig·er·ant** \-(ə-)rənt\ adj or n — **re·frig·er·a·tion** \-,frij-ə-'rā-shən\ n — **re·frig·er·a·tor** \-'frij-ə-,rāt-ər\ n

ref·uge \'ref-,yüj\ n 1 : shelter or protection from danger or distress 2 : a place that provides protection : SHELTER, ASYLUM

ref·u·gee \,ref-yu-'jē\ n : one who flees for safety esp. to a foreign country

¹**re·fund** \ri-'fənd, 'rē-,fənd\ vb : to give or put back (money) : REPAY — **re·fund·able** adj

²**re·fund** \'rē-,fənd\ n 1 : the act of refunding 2 : a sum refunded

¹**re·fuse** \ri-'fyüz\ vb 1 : to decline to accept : REJECT 2 : to decline to do, give, or grant : DENY — **re·fus·al**

²**ref·use** \'ref-,yüs, -,yüz\ n : rejected or worthless matter : RUBBISH, TRASH

re·fute \ri-'fyüt\ vb : to prove to be false by argument or evidence — **ref·u·ta·tion** \,ref-yu-'tā-shən\ n — **re·fut·er** n

re·gain \rē-'gān\ vb 1 : to gain or get again : get back 〈~ed his health〉 2 : to get back to : reach again 〈~ the shore〉 syn recover, retrieve

re·gal \'rē-gəl\ adj 1 : of, relating to, or befitting a king : ROYAL 2 : STATELY, SPLENDID — **re·gal·ly** adv

re·ga·lia \ri-'gāl-yə\ n pl 1 : the emblems, symbols, or paraphernalia of royalty (as the crown and scepter) 2 : the insignia of an office or order 3 : special costume : FINERY

¹**re·gard** \ri-'gärd\ n 1 : CONSIDERATION, HEED; *also* : CARE, CONCERN 2 : GAZE, GLANCE, LOOK 3 : RESPECT, ESTEEM 4 pl : friendly greetings implying respect and esteem 5 : an aspect to be considered : PARTICULAR — **re·gard·ful** adj — **re·gard·less** adj

²**regard** vb 1 : to pay attention to 2 : to show respect for : HEED 3 : to hold in high esteem : care for 4 : to look at : gaze upon 5 : to relate to : touch on 6 : to think of : CONSIDER, JUDGE

re·gard·ing prep : CONCERNING, RESPECTING

re·gen·cy \'rē-jən-sē\ n 1 : the office or government of a regent or body of regents 2 : a body of regents 3 : the period during which a regent governs

¹**re·gen·er·ate** \ri-'jen-ə-rət\ adj 1 : formed or created again 2 : spiritually reborn or converted

²**re·gen·er·ate** \-ə-,rāt\ vb 1 : to reform completely 2 : to give or gain new life; *also* : to renew by a new growth of tissue 3 : to subject to spiritual renewal — **re·gen·er·a·tion** \-,jen-ə-'rā-shən\ n — **re·gen·er·a·tive** \-'jen-ə-,rāt-iv\ adj — **re·gen·er·a·tor** \-,rāt-ər\ n

re·gent \'rē-jənt\ *n* **1** : a person who rules during the childhood, absence, or incapacity of the sovereign **2** : a member of a governing board (as of a state university)

re·gime \rā-'zhēm\ *n* **1** : REGIMEN **2** : a form or system of government or administration

reg·i·men \'rej-ə-mən\ *n* **1** : a systematic course of treatment or behavior ⟨a strict dietary ~⟩ **2** : GOVERNMENT, RULE

¹reg·i·ment \'rej-ə-mənt\ *n* : a military unit consisting of a variable number of units (as battalions) — **reg·i·men·tal**

²reg·i·ment \'rej-ə-‚ment\ *vb* : to organize rigidly esp. for regulation or central control : subject to order or uniformity — **reg·i·men·ta·tion** \‚rej-ə-mən-'tā-shən\ *n*

re·gion \'rē-jən\ *n* : an often indefinitely defined part or area; *also* : VICINITY

re·gion·al \'rēj-(ə-)nəl\ *adj* **1** : of or relating to a geographical region **2** : of or relating to a bodily region : LOCALIZED — **re·gion·al·ly** *adv*

¹reg·is·ter \'rej-ə-stər\ *n* **1** : a record of items or details; *also* : a book or system for keeping such a record **2** : a device (as in a floor or wall) to regulate ventilation or flow of heat from a furnace **3** : a mechanical device which records items **4** : the range of a voice or instrument

²register *vb* **1** : to enter or enroll in a register (as in a list of voters, students, or guests) **2** : to record automatically **3** : to secure special care for (mail matter) by paying additional postage **4** : to show (emotions) by facial expression or gestures **5** : to correspond or adjust so as to correspond exactly

reg·is·tra·tion \‚rej-ə-'strā-shən\ *n* **1** : the act of registering **2** : an entry in a register **3** : the number of persons registered : ENROLLMENT **4** : a document certifying an act of registering

reg·is·try \'rej-ə-strē\ *n* **1** : ENROLLMENT, REGISTRATION **2** : the state or fact of being entered in a register **3** : a place of registration **4** : an official record book or an entry in one

¹re·gress \'rē-‚gres\ *n* **1** : WITHDRAWAL **2** : RETROGRESSION

²re·gress \ri-'gres\ *vb* : to go or cause to go back or to a lower level — **re·gres·sion** *n* — **re·gres·sive** *adj* — **re·gres·sor** *n*

¹re·gret \ri-'gret\ *vb* **-gret·ted; -gret·ting** **1** : to mourn the loss or death of **2** : to be keenly sorry for **3** : to experience regret — **re·gret·ta·ble** *adj* — **re·gret·ta·bly** *adv* — **re·gret·ter** *n*

²regret *n* **1** : distress of mind on account of something past **2** : an expression of sorrow **3** *pl* : a note or oral message politely declining an invitation — **re·gret·ful** *adj* — **re·gret·ful·ly** *adv*

¹reg·u·lar \'reg-yə-lər\ *adj* [LL *regularis* of a rule, fr. L *regula* straightedge, ruler, rule, fr. *regere* to guide straight, rule] **1** : belonging to a religious order **2** : made, built, or arranged according to a rule, standard, or type; *also* : even or symmetrical in form or structure **3** : ORDERLY, METHODICAL ⟨~ habits⟩; *also* : not varying : STEADY ⟨a ~ pace⟩ **4** : made, selected, or conducted according to rule or custom **5** : properly qualified ⟨not a ~ lawyer⟩ **6** : conforming to the normal or usual manner of inflection **7** : belonging to a permanent standing army and esp. to one maintained by a federal government **syn** systematic, typical, natural — **reg·u·lar·i·ty** \‚reg-yə-'lar-ət-ē\ *n* — **reg·u·lar·ize** \'reg-yə-lə-‚rīz\ *vb* — **reg·u·lar·ly** \-lər-lē\ *adv*

²regular *n* **1** : one that is regular (as in attendance) **2** : a member of the regular clergy **3** : a soldier in a regular army **4** : a player on an athletic team who usu. starts every game

reg·u·late \'reg-yə-‚lāt\ *vb* **1** : to govern or direct according to rule : CONTROL **2** : to bring under the control of law or authority **3** : to put in good order **4** : to fix or adjust the time, amount, degree, or rate of — **reg·u·la·tive** \-‚lāt-iv\ *adj* — **reg·u·la·tor** \-‚lāt-ər\ *n* — **reg·u·la·to·ry** \-lə-‚tōr-ē\ *adj*

reg·u·la·tion \‚reg-yə-'lā-shən\ *n* **1** : the act of regulating : the state of being regulated **2** : a rule dealing with details of procedure **3** : an order issued by executive authority of a government and having the force of law

re·gur·gi·tate \rē-'gər-jə-‚tāt\ *vb* : to throw or be thrown back or out; *esp* : VOMIT — **re·gur·gi·ta·tion**

re·ha·bil·i·tate \‚rē-(h)ə-'bil-ə-‚tāt\ *vb* **1** : to restore to a former capacity, rank, or right : REINSTATE **2** : to put into good condition again — **re·ha·bil·i·ta·tion** \-‚bil-ə-'tā-shən\ *n* — **re·ha·bil·i·ta·tive** \-'bil-ə-‚tāt-iv\ *adj*

re·hash \'rē-'hash\ *vb* : to present again in another form without real change or improvement

re·hears·al \ri-'hər-səl\ *n* **1** : something told again : RECITAL **2** : a private performance or practice session preparatory to a public appearance

re·hearse \ri-'hərs\ *vb* **1** : to say again : REPEAT **2** : to recount in order : ENUMERATE **3** : to give a rehearsal of ⟨~ a play⟩ **4** : to train by rehearsal ⟨~ an actor⟩ **5** : to engage in a rehearsal — **re·hears·er** *n*

¹reign \'rān\ *n* **1** : the authority or rule of a sovereign **2** : the time during which a sovereign rules

²reign *vb* **1** : to rule as a sovereign **2** : to be predominant or prevalent

re·im·burse \‚rē-əm-'bərs\ *vb* : to pay back : make restitution : REPAY **syn** indemnify, recompense, requite — **re·im·burs·able** *adj* — **re·im·burse·ment** *n*

¹rein \'rān\ *n* **1** : a line of a bridle by which a rider or drive directs an animal **2** : a restraining influence : CHECK **3** : position of control or command ⟨the ~s of government⟩ **4** : complete freedom : SCOPE — usu used in the phrase *give rein to*

²rein *vb* : to check or direct by or as if by reins

re·in·car·na·tion \,rē-,in-,kär-'nā-shən\ *n* : rebirth of the soul in a new body — **re·in·car·nate** \,rē-in-'kär-,nāt\ *vb*

rein·deer \'rān-,diər\ *n* : any of several large deers of northern regions used for draft and meat

re·in·force \,rē-ən-'fōrs\ *vb* **1** : to strengthen with new force, aid, material, or support **2** : to strengthen with additional forces (as troops or ships) — **re·in·force·ment** *n* — **re·in·forc·er** *n*

re·in·state \,rē-ən-'stāt\ *vb* **1** : to place again **2** : to restore to a previous effective state — **re·in·state·ment** *n*

re·it·er·ate \rē-'it-ə-,rāt\ *vb* : to say or do over again or repeatedly **syn** repeat, iterate — **re·it·er·a·tion** \-,it-ə-'rā-shən\ *n*

¹re·ject \ri-'jekt\ *vb* **1** : to refuse to acknowledge or submit to **2** : to refuse to take or accept **3** : to refuse to grant, consider, or accede to **4** : to throw back or out esp. as useless or unsatisfactory : DISCARD — **re·jec·tion** \-'jek-shən\ *n*

²re·ject \'rē-,jekt\ *n* : a rejected person or thing

re·joice \ri-'jois\ *vb* **1** : to give joy to : GLADDEN **2** : to feel joy or great delight — **re·joic·er** *n* — **re·joic·ing** *n*

re·join \'rē-'join *for 1*, ri- *for 2*\ *vb* **1** : to join again : come together again : REUNITE **2** : to say in answer

re·ju·ve·nate \ri-'jü-və-,nāt\ *vb* **1** : to make young or youthful again : give new vigor to **syn** renew, refresh — **re·ju·ve·na·tion** \-,jü-və-'nā-shən\ *n*

¹re·lapse \ri-'laps\ *vb* : to slip back into a former condition (as of illness) after a change for the better

²re·lapse \ri-'laps, 'rē-,laps\ *n* : the action or process of relapsing; *esp* : a recurrence of illness after a period of improvement

re·late \ri-'lāt\ *vb* **1** : to give an account of : TELL, NARRATE **2** : to show or establish logical or causal connection between **3** : to be connected : have reference **4** : to have meaningful social relationships — **re·lat·able** *adj* — **re·lat·er** *n*

re·lat·ed *adj* **1** : connected by some understood relationship 〈pneumonia and ~ diseases〉 **2** : connected through membership in the same family

re·la·tion \ri-'lā-shən\ *n* **1** : NARRATION, ACCOUNT **2** : CONNECTION, RELATIONSHIP **3** : connection by blood or marriage : KINSHIP **4** : REFERENCE, RESPECT 〈in ~ to this matter〉 **5** : the state of being mutually interested or involved (as in social or commercial matters) **6** *pl* : DEALINGS, AFFAIRS **7** *pl* : sexual intercourse

re·la·tion·ship \-,ship\ *n* : the state of being related or interrelated

¹rel·a·tive \'rel-ət-iv\ *n* **1** : a word referring grammatically to an antecedent **2** : a thing having a relation to or a dependence upon another thing **3** : a person connected with another by blood or marriage; *also* : an animal or plant related to another by common descent

²relative *adj* **1** : introducing a subordinate clause qualifying an expressed or implied antecedent 〈~ pronoun〉; *also* : introduced by such a connective 〈~ clause〉 **2** : PERTINENT, RELEVANT **3** : not absolute or independent : COMPARATIVE **4** : expressed as the ratio of the specified quantity to the total magnitude or to the mean of all quantities involved **syn** dependent, contingent, conditional — **rel·a·tive·ly** *adv* — **rel·a·tive·ness** *n*

rel·a·tiv·i·ty \,rel-ə-'tiv-ət-ē\ *n* **1** : the quality or state of being relative **2** : a theory leading to the assertion of the equivalence of mass and energy and of the increase of the mass of a body with increased velocity

re·lax \ri-'laks\ *vb* **1** : to make or become less firm, tense, or rigid **2** : to make less severe or strict **3** : to seek rest or recreation — **re·lax·er** *n*

re·lax·ation \,rē-,lak-'sā-shən\ *n* **1** : the act or fact of relaxing or of being relaxed : a lessening of tension **2** : DIVERSION, RECREATION **syn** rest, repose, leisure, ease, comfort

¹re·lay \'rē-,lā\ *n* **1** : a fresh supply (as of horses or men) arranged beforehand to relieve or replace others at various stages **2** : a race between teams in which each team member covers a specified part of a course **3** : an electromagnetic device for remote or automatic control of other devices (as switches) in the same or a different circuit **4** : the act of passing along by stages

²re·lay \'rē-,lā, ri-'lā\ *vb* **1** : to place in or provide with relays **2** : to pass along by relays **3** : to control or operate by a relay

³re·lay \'rē-'lā\ *vb* : to lay again

¹re·lease \ri-'lēs\ *vb* **1** : to set free from confinement or restraint **2** : to relieve from something (as pain, trouble, or penalty) that oppresses or burdens **3** : RELINQUISH 〈~ a claim〉 **4** : to permit publication or performance (as of a news story or a motion picture) on but not before a specified date **syn** emancipate, discharge

²release *n* **1** : relief or deliverance from sorrow, suffering, or trouble **2** : discharge from an obligation or responsibility **3** : an act of setting free : the state of being freed **4** : a document effecting a legal release **5** : a device for holding or releasing a mechanism as required **6** : a releasing for performance or publication; *also* : the matter released (as a statement prepared for the press)

rel·e·gate \'rel-ə-,gāt\ *vb* **1** : to send into exile : BANISH **2** : to remove or dismiss (a person or thing) to some less prominent position **3** : to assign to a particular class or sphere **4** : to submit or refer for judgment, decision, or execution : DELEGATE **syn** commit, entrust, consign — **rel·e·ga·tion** \,rel-ə-'gā-shən\ *n*

re·lent \ri-'lent\ *vb* **1** : to become less stern, severe, or harsh **2** : SLACKEN

re·lent·less \-ləs\ *adj* : mercilessly hard or harsh : immovably stern or persistent — **re·lent·less·ly** *adv* — **re·lent·less·ness** *n*

rel·e·vance \'rel-ə-vəns\ *also* **rel·e·van·cy** \-vən-sē\ *n* : the state of being relevant

rel·e·vant \-vənt\ *adj* : bearing upon the matter at hand : having reference to the case under consideration : PERTI-

NENT syn germane, material, applicable, apropos — **rel·e·vant·ly** *adv*
re·li·a·ble \ri-'lī-ə-bəl\ *adj* : fit to be trusted or relied on : DEPENDABLE, TRUSTWORTHY — **re·li·a·bil·i·ty** \-,lī-ə-'bil-ət-ē\ *n* — **re·li·able·ness** \-'lī-ə-bəl-nəs\ *n* — **re·li·ably** \-ə-blē\ *adv*
re·li·ance \ri-'lī-əns\ *n* 1 : the act of relying 2 : the state or attitude of one that relies : CONFIDENCE, DEPENDENCE, FAITH 3 : something or someone relied on — **re·li·ant** *adj*
rel·ic \'rel-ik\ *n* 1 : an object venerated because of its association with a saint or martyr 2 *pl* : REMAINS, RUINS 3 : a remaining trace : SURVIVAL, VESTIGE 4 : SOUVENIR, MEMENTO
re·lief \ri-'lēf\ *n* 1 : removal or lightening of something oppressive, painful, or distressing 2 : aid in the form of money or necessities (as for the aged or handicapped) 3 : military assistance in or rescue from a position of difficulty 4 : release from a post or from performance of a duty; *also* : one that relieves another by taking his place 5 : legal remedy or redress 6 : projection of figures or ornaments from the background (as in sculpture) 7 : elevations of a land surface ⟨map showing ~⟩
re·lieve \ri-'lēv\ *vb* 1 : to free partly or wholly from a burden or from distress 2 : to remove or lessen (as pain or trouble) : MITIGATE 3 : to release from a post or duty; *also* : to take the place of 4 : to break the monotony of (as by contrast in color) 5 : to raise in relief syn alleviate, lighten, assuage, allay — **re·liev·er** *n*
re·li·gion \ri-'lij-ən\ *n* 1 : the service and worship of God or the supernatural 2 : devotion to a religious faith 3 : an organized system of faith and worship; *also* : a personal set of religious beliefs and practices 4 : a cause, principle, or belief held to with faith and ardor —
¹**re·li·gious** \ri-'lij-əs\ *adj* 1 : relating or devoted to the divine or that which is held to be of ultimate importance 2 : of or relating to religious beliefs or observances 3 : scrupulously and conscientiously faithful 4 : FERVENT, ZEALOUS — **re·li·gious·ly** *adv*
²**religious** *n*, *pl* **religious** : one (as a monk) bound by vows and devoted to a life of piety
re·lin·quish \ri-'liŋ-kwish\ *vb* 1 : to withdraw or retreat from : ABANDON, QUIT 2 : RENOUNCE 3 : to let go of : RELEASE syn yield, leave, resign, surrender, cede, waive
¹**rel·ish** \'rel-ish\ *n* [ME *reles* aftertaste, fr. OF, release, something left over, fr. *relessier* to relax. release, fr. L *relaxare*] 1 : a characteristic flavor (as of food) : SAVOR 2 : keen enjoyment or delight in something : GUSTO 3 : APPETITE, INCLINATION 4 : a food eaten with other food to add flavor
²**relish** *vb* 1 : to add relish to 2 : to take pleasure in : be gratified by : ENJOY 3 : to eat with relish — **rel·ish·able** *adj*
re·luc·tance \ri-'lək-təns\ *n* 1 : the quality or state of being reluctant 2 : the opposition offered by a magnetic substance to magnetic flux

re·luc·tant \-tənt\ *adj* : holding back (as from acting, giving, or serving) : UNWILLING; *also* : showing unwillingness syn disinclined, indisposed, hesitant, loath, averse — **re·luc·tant·ly** *adv*
re·ly \ri-'lī\ *vb* : to place faith or confidence : DEPEND syn trust, count
re·main \ri-'mān\ *vb* 1 : to be left after others have been removed, subtracted, or destroyed 2 : to be left as yet to be done or considered 3 : to stay after others have gone 4 : to continue unchanged
re·main·der \-dər\ *n* 1 : that which is left over : a remaining group, part, or trace 2 : the number left after subtraction 3 : a book sold at a reduced price by the publisher after sales have slowed syn leavings, rest, balance, remnant, residue
re·mains \-'mānz\ *n pl* 1 : a remaining part or trace ⟨the ~ of a meal⟩ 2 : writings left unpublished at an author's death 3 : a dead body
re·mand \ri-'mand\ *vb* : to order back; *esp* : to return to custody pending trial or for further detention
¹**re·mark** \ri-'märk\ *vb* 1 : to take notice of : OBSERVE 2 : to express as an observation or comment : SAY
²**remark** *n* 1 : the act of remarking : OBSERVATION, NOTICE 2 : a passing observation or comment : a casual statement
re·mark·able \ri-'mär-kə-bəl\ *adj* : worthy of being or likely to be noticed : UNUSUAL, EXTRAORDINARY, NOTEWORTHY — **re·mark·able·ness** *n* — **re·mark·ably** *adv*
re·me·di·al \ri-'mēd-ē-əl\ *adj* : intended to remedy or improve — **re·me·di·al·ly** *adv*
¹**rem·e·dy** \'rem-əd-ē\ *n* 1 : a medicine or treatment that cures or relieves 2 : something that corrects or counteracts an evil or compensates for a loss
²**remedy** *vb* : to provide or serve as a remedy for — **re·me·di·a·ble** \ri-'mēd-ē-ə-bəl\ *adj*
re·mem·ber \ri-'mem-bər\ *vb* 1 : to have come into the mind again : think of again : RECOLLECT 2 : to keep from forgetting : keep in mind : retain in the memory 3 : to recall to another's mind; *esp* : to convey greetings from 4 : COMMEMORATE
re·mem·brance \-brəns\ *n* 1 : an act of remembering : RECOLLECTION 2 : the state of being remembered : MEMORY 3 : the power of remembering; *also* : the period over which one's memory extends 4 : a memory of a person, thing, or event 5 : something that serves to bring to mind : REMINDER, MEMENTO 6 : a greeting or gift recalling or expressing friendship or affection
re·mind \ri-'mīnd\ *vb* : to put in mind of someone or something : cause to remember — **re·mind·er** *n*
rem·i·nisce \,rem-ə-'nis\ *vb* : to indulge in reminiscence
rem·i·nis·cence \-'nis-ᵊns\ *n* 1 : a recalling or telling of a past experience 2 : an account of a memorable experience 3 : something so like another as to suggest unconscious repetition or imitation
rem·i·nis·cent \-ᵊnt\ *adj* 1 : of or relating to reminiscence 2 : marked by or

given to reminiscence 3 : serving to remind : SUGGESTIVE — **rem·i·nis·cent·ly** *adv*

re·miss \ri-'mis\ *adj* 1 : negligent or careless in the performance of work or duty 2 : showing neglect or inattention **syn** lax, neglectful — **re·miss·ly** *adv* —

re·mit \ri-'mit\ *vb* **-mit·ted; -mit·ting** 1 : FORGIVE, PARDON 2 : to give or gain relief from (as pain) 3 : to refer for consideration, report, or decision 4 : to refrain from exacting or enforcing (as a penalty) 5 : to send (money) in payment of a bill **syn** excuse, condone

re·mit·tance \ri-'mit-ᵊns\ *n* 1 : a sum of money remitted 2 : a sending of money esp. to a distance

rem·nant \'rem-nənt\ *n* 1 : a usu. small part or trace remaining 2 : an unsold or unused end of fabrics that are sold by the yard **syn** remainder, residue, rest

re·mod·el \'rē-'mäd-ᵊl\ *vb* : to alter the structure of : make over

re·mon·strance \ri-'män-strəns\ *n* : an act or instance of remonstrating : EXPOSTULATION

re·mon·strate \ri-'män-,strāt\ *vb* : to give or urge reasons in opposition : speak in protest or reproof **syn** expostulate, object — **re·mon·stra·tion**

re·morse \ri-'mȯrs\ *n* : regret for one's sins or for acts that wrong others : distress arising from a sense of guilt **syn** penitence, repentance, contrition — **re·morse·ful** *adj* — **re·morse·less** *adj*

re·mote \ri-'mōt\ *adj* 1 : far off in place or time : not near 2 : not closely related : DISTANT 3 : located out of the way : SECLUDED 4 : small in degree : SLIGHT ⟨a ~ chance⟩ 5 : distant in manner : ALOOF — **re·mote·ly** *adv* — **re·mote·ness** *n*

¹**re·mount** \'rē-'maunt\ *vb* 1 : to mount again 2 : to furnish remounts to

¹**re·move** \ri-'müv\ *vb* 1 : to move from one place to another : TRANSFER 2 : to move by lifting or taking off or away 3 : DISMISS, DISCHARGE 4 : to get rid of : ELIMINATE ⟨~ a fire hazard⟩ 5 : to change one's residence or location 6 : to go away : DEPART 7 : to be capable of being removed — **re·mov·able** \-'mü-və-bəl\ *adj* — **re·mov·al** \-vəl\ *n* — **re·mov·er** *n*

²**remove** *n* 1 : a transfer from one location to another : MOVE 2 : a degree or stage of separation

re·mu·ner·a·tion \-,myü-nə-'rā-shən\ *n* : COMPENSATION, PAYMENT

re·mu·ner·a·tive \-'myü-nə-,rāt-iv, -rət-\ *adj* : serving to remunerate : GAINFUL, PROFITABLE — **re·mu·ner·a·tive·ly** *adv* — **re·mu·ner·a·tive·ness** *n*

re·nais·sance \,ren-ə-'säns, -'zäns\ *n* 1 *cap* : the revival in art and literature in Europe in the 14th–17th centuries; *also* : the period of the Renaissance 2 *often cap* : a movement or period of vigorous artistic and intellectual activity 3 : REBIRTH, REVIVAL

re·nal \'rēn-ᵊl\ *adj* : of, relating to, or located in or near the kidneys

re·nas·cence \ri-'nas-ᵊns, -'nās-\ *n*, *often cap* : RENAISSANCE

rend \'rend\ *vb* **rent** \'rent\ **rend·ing** 1 : to remove by violence : WREST 2 : to tear forcibly apart : SPLIT, CLEAVE, RIP

ren·der \'ren-dər\ *vb* 1 : to extract (as lard) by heating 2 : DELIVER, GIVE; *also* : YIELD 3 : to give in return as retribution 4 : to do (a service) for another ⟨~ aid⟩ 5 : to cause to be or become : MAKE 6 : to represent by artistic or verbal means (as by a stage performance or by playing or singing) 7 : TRANSLATE ⟨~ into English⟩

ren·di·tion \ren-'dish-ən\ *n* : an act or a result of rendering ⟨demanded the ~ of the fugitives⟩ ⟨first ~ of the work into English⟩

ren·e·gade \'ren-i-,gād\ *n* : one who deserts a faith, cause, principle, or party for another : TURNCOAT, TRAITOR

re·new \ri-'n(y)ü\ *vb* 1 : to make or become new, fresh, or strong again 2 : to restore to existence : RECREATE, REVIVE 3 : to make or do again : REPEAT ⟨~ a complaint⟩ 4 : to begin again : RESUME ⟨~ed his efforts⟩ 5 : REPLACE ⟨~ the lining of a coat⟩ 6 : to grant or obtain an extension of or on ⟨~ a lease⟩ ⟨~ a subscription⟩ — **re·new·able** *adj* — **re·new·er** *n*

re·new·al \-əl\ *n* 1 : the act of renewing : the state of being renewed 2 : something renewed

re·nounce \ri-'nauns\ *vb* 1 : to give up, refuse, or resign usu. by formal declaration 2 : to cast off : REPUDIATE **syn** abdicate, forswear — **re·nounce·ment** *n*

ren·o·vate \'ren-ə-,vāt\ *vb* 1 : to restore to vigor or activity 2 : to make like new again : put in good condition : REPAIR — **ren·o·va·tion** \,ren-ə-'vā-shən\ *n* — **ren·o·va·tor** \'ren-ə-,vāt-ər\

re·nown \ri-'naun\ *n* : a state of being widely acclaimed and honored : FAME, CELEBRITY **syn** honor, glory, reputation, repute — **re·nowned** \-'naund\ *adj*

¹**rent** \'rent\ *n* : money or the amount of money paid or due (as weekly or monthly) for the use of another's property

²**rent** *vb* 1 : to take and hold under an agreement to pay rent 2 : to give possession and use of in return for rent 3 : to be for or bring in as rent

³**rent** *n* 1 : a tear in cloth 2 : a split in a party or organized group : SCHISM

¹**rent·al** \'rent-ᵊl\ *n* 1 : an amount paid or collected as rent 2 : a property rented 3 : an act of renting

²**rental** *adj* : of or relating to rent

re·nun·ci·a·tion \ri-,nən-sē-'ā-shən\ *n* : the act of renouncing : REPUDIATION, DISAVOWAL

re·or·ga·nize \rē-'ȯr-gə-,nīz\ *vb* : to organize again or anew — **re·or·ga·ni·za·tion** \-,ȯr-gə-nə-'zā-shən\ *n*

¹**re·pair** \ri-'paər\ *vb* : to betake oneself : GO ⟨~ed to his den⟩

²**repair** *vb* 1 : to restore to good condition esp. by replacing parts or putting together something torn or broken : FIX, MEND 2 : to restore to a healthy state: HEAL 3 : REMEDY ⟨~ a wrong⟩

³**repair** *n* 1 : an act of repairing 2 : an instance or result of repairing 3 : condition with respect to soundness or need of repairing ⟨in bad ~⟩

rep·a·ra·tion \,rep-ə-'rā-shən\ *n* 1 : the act of making amends for a wrong

re·past \ri-'past\ *n* : something taken as food; *esp* : a supply of food and drink served as a meal

re·pay \rē-'pā\ *vb* **1** : to pay back : REFUND **2** : to give or do in return or requital **3** : to make a return payment to : RECOMPENSE, REQUITE **syn** remunerate, satisfy, reimburse, indemnify — **re·pay·able** *adj* — **re·pay·ment** *n*

re·peal \ri-'pēl\ *vb* : to rescind or annul by authoritative and esp. legislative action — **repeal** *n* — **re·peal·er** *n*

¹**re·peat** \ri-'pēt\ *vb* **1** : to say again **2** : to do again **3** : to say over from memory **syn** iterate, reiterate — **re·peat·able** *adj* — **re·peat·er** *n*

²**repeat** *n* **1** : the act of repeating **2** : something repeated or to be repeated (as a passage in music or a radio or television rebroadcast)

re·peat·ed *adj* : done or recurring again and again : FREQUENT — **re·peat·ed·ly** *adv*

re·pel \ri-'pel\ *vb* **-pelled; -pel·ling** **1** : to drive away : REPULSE **2** : REJECT **3** : to ward off or keep out : RESIST **4** : to cause aversion in : DISGUST — **re·pel·lent** \-'pel-ənt\ *adj or n*

re·pent \ri-'pent\ *vb* **1** : to turn from sin and resolve to reform one's life **2** : to feel sorry for (something done) : REGRET — **re·pen·tance** \ri-'pent-ᵊns\ *n* — **re·pen·tant** \-ᵊnt\ *adj*

re·per·cus·sion \,rē-pər-'kəsh-ən, ,rep-ər-\ *n* **1** : REVERBERATION **2** : a reciprocal action or effect **3** : a widespread, indirect, or unforeseen effect of something done or said

rep·er·to·ry \'rep-ə(r)-,tōr-ē\ *n* **1** : REPOSITORY **2** : REPERTOIRE **3** : the practice of presenting several plays successively or alternately in the same season

rep·e·ti·tion \,rep-ə-'tish-ən\ *n* **1** : the act or an instance of repeating **2** : the fact of being repeated

rep·e·ti·tious \-'tish-əs\ *adj* : marked by repetition; *esp* : tediously repeating — **rep·e·ti·tious·ly** *adv* — **rep·e·ti·tious·ness** *n*

re·pet·i·tive \ri-'pet-ət-iv\ *adj* : REPETITIOUS — **re·pet·i·tive·ly** *adv* — **re·pet·i·tive·ness** *n*

re·place \ri-'plās\ *vb* **1** : to restore to a former place or position **2** : to take the place of : SUPPLANT **3** : to fill the place of : supply an equivalent for — **re·place·able** *adj* — **re·plac·er** *n*

re·place·ment \ri-'plās-mənt\ *n* **1** : the act of replacing : the state of being replaced : SUBSTITUTION **2** : one that replaces; *esp* : one assigned to a military unit to replace a loss or fill a quota

re·plen·ish \ri-'plen-ish\ *vb* : to fill or build up again : stock or supply anew — **re·plen·ish·ment** *n*

re·plete \ri-'plēt\ *adj* **1** : fully provided **2** : FULL; *esp* : full of food — **re·plete·ness** *n*

rep·li·ca \'rep-li-kə\ *n* **1** : a close reproduction (as of a painting or statue) esp. by the maker of the original **2** : FACSIMILE **3** : COPY, DUPLICATE

¹**re·ply** \ri-'plī\ *vb* : to say or do in answer : RESPOND

²**reply** *n* : ANSWER, RESPONSE

¹**re·port** \ri-'pōrt\ *n* **1** : common talk or an account spread by common talk : RUMOR **2** : FAME, REPUTATION **3** : a usu. detailed account or statement **4** : an explosive noise

²**report** *vb* **1** : to give an account of : RELATE, TELL **2** : to describe as being in a specified state ⟨∼ed ill⟩ **3** : to serve as carrier of (a message) **4** : to make a written record or summary of (as a meeting or debate) **5** : to prepare or present an account of (an event) for a newspaper or for broadcast **6** : to make a charge of misconduct against **7** : to present oneself (as for work) **8** : to make known to the proper authorities ⟨∼ a fire⟩ — **re·port·able** *adj*

re·port·ed·ly *adv* : according to report

re·port·er *n* : one that reports; *esp* : a person who gathers and reports news for a newspaper — **rep·or·to·ri·al**

¹**re·pose** \ri-'pōz\ *vb* **1** : to place (as trust or hope) unquestioningly **2** : to place for control, management, or use

²**repose** *vb* **1** : to lay at rest **2** : to lie at rest **3** : to lie dead **4** : to take rest **5** : to rest for support : LIE

³**repose** *n* **1** : a state of resting (as after exertion); *esp* : SLEEP **2** : CALM, PEACE **3** : cessation or absence of activity, movement, or animation **4** : quiet ease and dignity of bearing : COMPOSURE — **re·pose·ful** *adj*

re·pos·i·to·ry \ri-'päz-ə-,tōr-ē\ *n* **1** : a place where something is deposited or stored

re·pos·sess \,rē-pə-'zes\ *vb* : to regain possession of — **re·pos·ses·sion**

rep·re·hend \,rep-ri-'hend\ *vb* : to express disapproval of : CENSURE **syn** criticize, condemn, denounce, blame, reprimand — **rep·re·hen·sion** \-'hen-chən\ *n*

rep·re·hen·si·ble \-'hen-sə-bəl\ *adj* : deserving blame or censure : CULPABLE — **rep·re·hen·si·bly** *adv*

rep·re·sent \,rep-ri-'zent\ *vb* **1** : to present a picture or a likeness of : PORTRAY, DEPICT **2** : to serve as a sign or symbol of **3** : to act the role of **4** : to stand in the place of : act or speak for **5** : to be a member or example of : TYPIFY **6** : to describe as having a specified quality or character **7** : to state with the purpose of affecting judgment or action **8** : to serve as an elected representative of ⟨∼ed his district in congress⟩

rep·re·sen·ta·tion \-,zen-'tā-shən\ *n* **1** : the act of representing **2** : one (as a picture, image, symbol, or emblem) that represents something else **3** : the state of being represented in a legislative body; *also* : the body of persons representing a constituency **4** : a usu. formal statement made to effect a change : PROTEST

¹**rep·re·sen·ta·tive** \-'zent-ət-iv\ *adj* **1** : serving to represent **2** : standing or acting for another **3** : founded on the principle of representation : carried on by elected representatives ⟨∼ government⟩ — **rep·re·sen·ta·tive·ly** *adv*

²**representative** *n* **1** : a typical example of a group, class, or quality **2** : one that represents another; *esp* : one

representing a district or a state in a legislative body usu. as a member of a lower house

re·press \ri-'pres\ *vb* **1** : CURB, SUBDUE **2** : RESTRAIN, SUPPRESS ⟨~ed an angry retort⟩; *esp* : to exclude from consciousness ⟨childhood fears ~ed but not wholly lost⟩ — **re·pres·sion** \-'presh-ən\ *n* — **re·pres·sive** \-'pres-iv\ *adj*

¹re·prieve \ri-'prēv\ *vb* **1** : to delay the punishment or execution of **2** : to give temporary relief to

²reprieve *n* **1** : the act of reprieving : the state of being reprieved **2** : a formal temporary suspension of a sentence esp. of death **3** : a temporary respite

¹rep·ri·mand \'rep-rə-ˌmand\ *n* : a severe or formal reproof

²reprimand *vb* : to reprove severely or formally

re·pri·sal \ri-'prī-zəl\ *n* : action or an act in retaliation for something done by another person

¹re·proach \ri-'prōch\ *n* **1** : a cause or occasion of blame or disgrace **2** : DISGRACE, DISCREDIT **3** : the act of reproaching : REBUKE — **re·proach·ful** *adj* — **re·proach·ful·ly** *adv*

²reproach *vb* **1** : CENSURE, REBUKE **2** : to cast discredit upon **syn** chide, admonish, reprove, reprimand — **reproach·able** *adj*

rep·ro·bate \'rep-rə-ˌbāt\ *n* : a thoroughly bad person : SCOUNDREL — **reprobate** *adj*

re·pro·duce \ˌrē-prə-'d(y)üs\ *vb* **1** : to produce again or anew (as by repeating or portraying) **2** : to bear offspring — **re·pro·duc·tion** \-'dək-shən\ *n* — **re·pro·duc·tive** \-'dək-tiv\ *adj*

re·prove \ri-'prüv\ *vb* **1** : to administer a rebuke to **2** : to express disapproval of **syn** reprimand, admonish, reproach, chide — **re·prov·er** *n*

rep·tile \'rep-tᵊl, -ˌtīl\ *n* [LL *reptile*, fr. L *repere* to creep] : any of a large group of air-breathing scaly vertebrates including snakes, lizards, alligators, and turtles — **rep·til·i·an** \rep-'til-ē-ən\ *adj or n*

re·pub·lic \ri-'pəb-lik\ *n* **1** : a government having a chief of state who is not a monarch and is usu. a president; *also* : a nation or other political unit having such a government **2** : a government in which supreme power is held by the citizens entitled to vote and is exercised by elected officers and representatives governing according to law; *also* : a nation or other political unit having such a form of government

¹re·pub·li·can \-li-kən\ *adj* **1** : of, relating to, or resembling a republic **2** : favoring or supporting a republic **3** *cap* : of, relating to, or constituting one of the two major political parties in the U.S. evolving in the mid-19th century — **re·pub·li·can·ism** *n, often cap*

²republican *n* **1** : one that favors or supports a republican form of government **2** *cap* : a member of a republican party and esp. of the Republican party of the U.S.

re·pu·di·ate \ri-'pyüd-ē-ˌāt\ *vb* **1** : to cast off : DISOWN **2** : to refuse to have anything to do with : refuse to acknowledge, accept, or pay ⟨~ a charge⟩ ⟨~ a debt⟩ **syn** spurn, reject, decline — **re·pu·di·a·tion** \-ˌpyüd-ē-'ā-shən\ *n* — **re·pu·di·a·tor** \-'pyüd-ē-ˌāt-ər\ *n*

re·pug·nance \ri-'pəg-nəns\ *n* **1** : the quality or fact of being opposed esp. reciprocally **2** : strong dislike, distaste, or antagonism

re·pug·nant \-nənt\ *adj* **1** : marked by repugnance **2** : contrary to a person's tastes or principles : exciting distaste or aversion **syn** repellent, abhorrent, distasteful, obnoxious, revolting, offensive, loathsome — **re·pug·nant·ly** *adv*

¹re·pulse \ri-'pəls\ *vb* **1** : to drive or beat back : REPEL **2** : to repel by discourtesy or denial : REBUFF **3** : to cause a feeling of repulsion in : DISGUST

²repulse *n* **1** : REBUFF, REJECTION **2** : a repelling or being repelled in hostile encounter

re·pul·sion \ri-'pəl-shən\ *n* **1** : the action of repulsing : the state of being repulsed **2** : the force with which bodies, particles, or like forces repel one another **3** : a feeling of aversion : REPUGNANCE

re·pul·sive \ri-'pəl-siv\ *adj* **1** : serving or tending to repel or reject **2** : arousing aversion or disgust **syn** repugnant, revolting, loathsome — **re·pul·sive·ly** *adv* — **re·pul·sive·ness** *n*

rep·u·ta·ble \'rep-yət-ə-bəl\ *adj* : bearing a good reputation : ESTIMABLE — **rep·u·ta·bly** *adv*

rep·u·ta·tion \ˌrep-yə-'tā-shən\ *n* **1** : character commonly ascribed to a person **2** : FAME, RENOWN ⟨a national ~⟩ **3** : place in public esteem ⟨lost his ~⟩

¹re·pute \ri-'pyüt\ *vb* : to hold in thought : CONSIDER, ACCOUNT

²repute *n* **1** : the character commonly ascribed to one : REPUTATION **2** : the state of being favorably known or spoken of

re·put·ed \ri-'pyüt-əd\ *adj* **1** : REPUTABLE **2** : according to reputation : SUPPOSED — **re·put·ed·ly** *adv*

¹re·quest \ri-'kwest\ *n* **1** : an act or instance of asking for something **2** : a thing asked for **3** : the fact or condition of being asked for ⟨available on ~⟩

²request *vb* **1** : to make a request to or of **2** : to ask for — **re·quest·er** *n*

re·quire \ri-'kwī(ə)r\ *vb* **1** : to insist upon : DEMAND, COMPEL **2** : to call for as essential : NEED

re·quire·ment \-mənt\ *n* **1** : something (as a condition or quality) required ⟨entrance ~⟩ **2** : NECESSITY, NEED

¹req·ui·site \'rek-wə-zət\ *adj* : REQUIRED, NECESSARY, ESSENTIAL

²requisite *n* : REQUIREMENT

¹req·ui·si·tion \ˌrek-wə-'zish-ən\ *n* **1** : formal application or demand (as for supplies) **2** : the state of being in demand or use

²requisition *vb* : to make a requisition for or on : press into service

re·quite \ri-'kwīt\ *vb* **1** : to make return for : REPAY **2** : to make retaliation for : AVENGE **3** : to make return to for a benefit or service or for an injury — **re·quit·al** \-'kwīt-ᵊl\ *n*

re·run \'rē-ˌrən, -'rən\ *n* : the act or an instance of running again or anew; *esp* : showing of a moving picture or television film after its first run — **rerun** \'rē-'rən\ *vb*

re·scind \ri-'sind\ *vb* : REPEAL, CANCEL, ANNUL — **re·scind·er** *n* — **re·scis·sion** \-'sizh-ən\ *n*

res·cue \'res-kyü\ *vb* : to free from danger, harm, or confinement **syn** deliver, redeem, ransom, reclaim, save — **rescue** *n* — **res·cu·er** *n*

re·search \ri-'sərch, 'rē-,sərch\ *n* 1 : careful or diligent search 2 : studious and critical inquiry and examination aimed at the discovery and interpretation of new knowledge — **research** *vb* — **re·search·er** *n*

re·sem·blance \ri-'zem-bləns\ *n* : the quality or state of resembling : LIKENESS, SIMILARITY

re·sem·ble \-bəl\ *vb* : to be like or similar to

re·sent \ri-'zent\ *vb* : to feel or exhibit annoyance or indignation at — **re·sent·ful** *adj* — **re·sent·ful·ly** *adv* — **resent·ment** *n*

re·ser·pine \ri-'sər-pən\ *n* : a drug obtained from rauwolfia and used in treating high blood pressure and nervous tensions

res·er·va·tion \,rez-ər-'vā-shən\ *n* 1 : an act of reserving 2 : something reserved; *esp* : a tract of public land set aside for a special use 3 : something (as a room in a hotel) arranged for in advance 4 : a limiting condition

¹**re·serve** \ri-'zərv\ *vb* 1 : to store for future or special use 2 : to hold back for oneself 3 : to set aside or arrange to have set aside or held for special use

²**reserve** *n* 1 : something reserved : STOCK, STORE 2 : a tract set apart : RESERVATION 3 : a military force withheld from action for later decisive use — usu. used in pl. 4 : the military forces of a country not part of the regular services; *also* : RESERVIST 5 : an act of reserving : a state of being reserved 6 : restraint, caution, or closeness in one's words or bearing 7 : money or its equivalent kept in hand or set apart to meet liabilities

re·served \ri-'zərvd\ *adj* 1 : restrained in words and actions 2 : set aside for future or special use — **re·serv·ed·ly**

res·er·voir \'rez-ə(r)v-,wär, -,(w)ȯr\ *n* : a place where something is kept in store; *esp* : a place where water is collected and kept for use when wanted

re·side \ri-'zīd\ *vb* 1 : to make one's home : DWELL 2 : to be present as a quality or vested as a right

res·i·dence \'rez-əd-əns\ *n* 1 : the act or fact of residing in a place as a dweller or in discharge of a duty or an obligation 2 : the place where one actually lives 3 : DWELLING 4 : the period of living in a place

res·i·den·cy \-ən-sē\ *n* 1 : the residence of or the territory under a diplomatic resident 2 : a period of advanced training in a medical specialty

¹**res·i·dent** \-ənt\ *adj* 1 : RESIDING 2 : being in residence 3 : not migratory

²**resident** *n* 1 : one who resides in a place 2 : a diplomatic representative with governing powers (as in a protectorate) 3 : a physician serving a residency

res·i·den·tial \,rez-ə-'den-chəl\ *adj* 1 : used as a residence or by residents

⟨~ hotel⟩ 2 : occupied by or restricted to residences ⟨~ neighborhood⟩ — **res·i·den·tial·ly** *adv*

re·sid·u·al \ri-'zij-(ə-w)əl\ *adj* : being a residue or remainder

res·i·due \'rez-ə-,d(y)ü\ *n* : a part remaining after another part has been taken away : REMAINDER

re·sign \ri-'zīn\ *vb* 1 : to give up deliberately (as one's position) esp. by a formal act 2 : to give (oneself) over (as to grief or despair) without resistance

res·ig·na·tion \,rez-ig-'nā-shən\ *n* 1 : an act or instance of resigning; *also* : a formal notification of such an act 2 : the quality or state of being resigned : SUBMISSION

re·signed \ri-'zīnd\ *adj* : SUBMISSIVE, ACQUIESCENT — **re·sign·ed·ly** \-'zī-nəd-lē\ *adv*

re·sil·ient \ri-'zil-yənt\ *adj* : ELASTIC, SPRINGY **syn** flexible, supple — **re·sil·ience** *or* **re·sil·ien·cy** *n*

res·in \'rez-ᵊn\ *n* : a substance obtained from the gum or sap of some trees and used esp. in varnishes, plastics, and medicine; *also* : a comparable synthetic product — **res·in·ous** *adj*

re·sist \ri-'zist\ *vb* 1 : to withstand the force or effect of ⟨~ disease⟩ 2 : to fight against : OPPOSE ⟨~ aggression⟩ **syn** combat, withstand, antagonize — **re·sis·tance** *n* — **re·sis·tant** *adj* — **re·sist·less** *adj*

re·sis·tor \ri-'zis-tər\ *n* : a device used to provide resistance to the flow of an electric current

res·o·lute \'rez-ə-,lüt\ *adj* : firmly determined in purpose : RESOLVED **syn** steadfast, staunch, faithful, true, loyal — **res·o·lute·ly** *adv*

res·o·lu·tion \,rez-ə-'lü-shən\ *n* 1 : the act or process of resolving 2 : the action of solving; *also* : SOLUTION 3 : the quality of being resolute : FIRMNESS, DETERMINATION 4 : a formal statement expressing the opinion, will, or intent of a body of persons

¹**re·solve** \ri-'zälv\ *vb* 1 : to break up into constituent parts : ANALYZE 2 : to find an answer to : SOLVE 3 : DETERMINE, DECIDE 4 : to make or pass a formal resolution — **re·solv·able** *adj*

²**resolve** *n* 1 : something resolved : DETERMINATION, RESOLUTION 2 : fixity of purpose

re·solved *adj* : having a fixed purpose : DETERMINED

res·o·nance \'rez-ᵊn-əns\ *n* 1 : the quality or state of being resonant 2 : a prolongation or increase of sound in one body caused by sound waves from another vibrating body ⟨the ~ of the body of a violin responding to the vibration of the strings⟩

res·o·nant \-ənt\ *adj* 1 : continuing to sound : RESOUNDING 2 : relating to or exhibiting resonance 3 : intensified and enriched by or as if by resonance ⟨a voice having ~ quality⟩ — **res·o·nant·ly** *adv*

¹**re·sort** \ri-'zȯrt\ *n* 1 : one looked to for help : REFUGE, RESOURCE 2 : RECOURSE 3 : frequent or general visiting ⟨place of ~⟩ 4 : a frequently visited place : HAUNT 5 : a place providing recreation esp. to vacationers

²**resort** vb **1** : to go often or habitually **2** : to have recourse (as for aid)

re·sound \ri-'zaund\ vb **1** : to become filled with sound : REVERBERATE, RING **2** : to sound loudly — **re·sound·ing·ly** adv

re·source \'rē-,sōrs, ri-'sōrs\ n **1** : a new or a reserve source of supply or support **2** pl : available funds **3** : a possibility of relief or recovery **4** : a means of spending leisure time **5** : ability to meet and handle situations — **re·source·ful** adj — **re·source·ful·ness** n

¹**re·spect** \ri-'spekt\ n **1** : relation to something usu. specified : REFERENCE, REGARD **2** : high or special regard : ESTEEM **3** pl : an expression of respect or deference **4** : DETAIL, PARTICULAR — **re·spect·ful** adj — **re·spect·ful·ly**

²**respect** vb **1** : to consider deserving of high regard : ESTEEM **2** : to refrain from interfering with ⟨~ another's privacy⟩ **3** : to have reference to : CONCERN — **re·spect·er** n

re·spect·able \ri-'spek-tə-bəl\ adj **1** : worthy of respect : ESTIMABLE **2** : decent or correct in conduct : PROPER **3** : fair in size, quantity, or quality : MODERATE, TOLERABLE **4** : fit to be seen : PRESENTABLE — **re·spect·a·bil·i·ty** \-,spek-tə-'bil-ət-ē\ n — **re·spect·ably** adv

re·spec·tive \ri-'spek-tiv\ adj : relating to particular persons or things each to each ⟨returned to their ~ homes⟩ **syn** individual, special, specific — **re·spec·tive·ly** adv

res·pi·ra·tion \,res-pə-'rā-shən\ n **1** : an act or the process of breathing **2** : an energy-yielding oxidation in living matter — **res·pi·ra·to·ry** \'res-p(ə-)rə-,tōr-ē, ri-'spī-rə-\ adj

res·pi·ra·tor \'res-pə-,rāt-ər\ n **1** : a device covering the mouth or nose esp. to prevent the inhaling of harmful vapors **2** : a device for artificial respiration

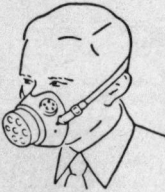

respirator, 1

res·pite \'res-pət\ n **1** : a temporary delay : POSTPONEMENT, REPRIEVE **2** : an interval of rest or relief

re·spond \ri-'spänd\ vb **1** : ANSWER, REPLY **2** : REACT ⟨~ to a stimulus⟩ **3** : to show favorable reaction ⟨~ to medication⟩ — **re·spond·er** n

re·spon·dent \ri-'spän-dənt\ n : one who responds; esp : one who answers in various legal proceedings — **respondent** adj

re·sponse \ri-'späns\ n **1** : an act of responding **2** : something constituting a reply or a reaction

re·spon·si·bil·i·ty \ri-,spän-sə-'bil-ət-ē\ n **1** : the quality or state of being responsible **2** : something for which one is responsible : CARE, DUTY

re·spon·si·ble \ri-'spän-sə-bəl\ adj **1** : liable to be called upon to answer for one's acts or decisions : ANSWERABLE **2** : able to fulfill one's obligations : RELIABLE, TRUSTWORTHY **3** : being a free moral agent **4** : involving accountability or important duties ⟨~ position⟩ — **re·spon·si·ble·ness** n — **re·spon·si·bly** adv

re·spon·sive \-siv\ adj **1** : RESPONDING **2** : quick to respond : SENSITIVE **3** : using responses ⟨~ readings⟩ — **re·spon·sive·ly** adv

¹**rest** \'rest\ n **1** : REPOSE, SLEEP **2** : freedom from work or activity **3** : a state of motionlessness or inactivity **4** : a place of shelter or lodging ⟨a sailors' ~⟩ **5** : something used as a support **6** : a silence in music equivalent in duration to a note of the same name; also : a character indicating this — **rest·ful** adj — **rest·ful·ly** adv

²**rest** vb **1** : to get rest by lying down; esp : SLEEP **2** : to cease from action or motion **3** : to give rest to : set at rest **4** : to sit or lie fixed or supported **5** : to place on or against a support **6** : to remain based or founded **7** : to cause to be firmly fixed : GROUND **8** : to remain for action : DEPEND ⟨the next move ~s with him⟩

³**rest** n : something that remains over

res·tau·rant \'res-t(ə-)rənt, -tə-,ränt\ n : a public eating house

res·ti·tu·tion \,res-tə-'t(y)ü-shən\ n : the act of restoring : the state of being restored; esp : restoration of something to its rightful owner **syn** amends, redress, reparation, indemnity

res·tive \'res-tiv\ adj [MF restif, fr. rester to stop behind, fr. L restare, fr. re- back + stare to stand] **1** : BALKY **2** : UNEASY, FIDGETY **syn** restless, impatient, nervous — **res·tive·ly** adv

rest·less \'rest-ləs\ adj **1** : lacking rest **2** : giving no rest **3** : never resting or ceasing : UNQUIET ⟨the ~ sea⟩ **4** : lacking in repose : averse to inaction : DISCONTENTED **syn** restive, impatient, nervous, fidgety — **rest·less·ly** adv

res·to·ra·tion \,res-tə-'rā-shən\ n **1** : an act of restoring : the state of being restored **2** : something that is restored; esp : a reconstruction or representation of an original form (as of a fossil animal or a building)

re·store \ri-'stōr\ vb **1** : to give back : RETURN **2** : to put back into use or service **3** : to put or bring back into a former or original state : REPAIR, RENEW **4** : to put back into possession — **re·stor·er** n

re·strain \ri-'strān\ vb **1** : to prevent from doing something **2** : to limit, restrict, or keep under control : CURB, CHECK, REPRESS **3** : to place under restraint or arrest — **re·strain·able** adj — **re·strain·er** n

re·strained \-'strānd\ adj : marked by restraint : DISCIPLINED — **re·strain·ed·ly** \-'strā-nəd-lē\ adv

re·straint \ri-'strānt\ n **1** : an act of restraining : the state of being restrained **2** : a restraining force or agency **3** : deprivation or limitation of liberty : CONFINEMENT **4** : control over one's feelings : RESERVE

re·strict \ri-'strikt\ vb **1** : to confine within bounds : LIMIT **2** : to place under restriction as to use — **re·stric·tive** adj — **re·stric·tive·ly** adv

re·stric·tion \ri-'strik-shən\ *n* **1** : something (as a law or rule) that restricts **2** : an act of restricting : the state of being restricted

¹re·sult \ri-'zəlt\ *vb* : to proceed or come about as an effect or consequence — **re·sul·tant** \-'zəlt-ənt\ *adj or n*

²result *n* **1** : something that results : EFFECT, CONSEQUENCE **2** : beneficial or discernible effect **3** : something obtained by calculation or investigation

¹re·sume \ri-'züm\ *vb* **1** : to take or assume again **2** : to return to or begin again after interruption **3** : to take back to oneself — **re·sump·tion**

²ré·su·mé *or* **re·su·me** \'rez-ə-,mā\ *n* : a summing up (as of something said) : SUMMARY

res·ur·rec·tion \-'rek-shən\ *n* **1** *cap* : the rising of Christ from the dead **2** *often cap* : the rising to life of all human dead before the final judgment **3** : REVIVAL

re·sus·ci·tate \ri-'səs-ə-,tāt\ *vb* : to revive from a condition resembling death — **re·sus·ci·ta·tion** \-,səs-ə-'tā-shən\ *n* — **re·sus·ci·ta·tive** \-'səs-ə-,tāt-iv\ *adj* — **re·sus·ci·ta·tor** \-,tāt-ər\ *n*

¹re·tail \'rē-,tāl, ri-'tāl\ *vb* **1** : to sell in small quantities or directly to the ultimate consumer **2** : to tell in detail or to one person after another — **re·tail·er** *n*

²re·tail \'rē-,tāl\ *n* : the sale of goods in small amounts to ultimate consumers — **retail** *adj or adv*

re·tain \ri-'tān\ *vb* **1** : to keep in a fixed place or position **2** : to hold in possession or use **3** : to engage (as a lawyer) by paying a fee in advance *syn* detain, withhold, reserve

re·tain·er *n* **1** : one that retains **2** : a servant or follower in a wealthy household **3** : a fee paid to secure services

¹re·take \'rē-'tāk\ *vb* **1** : to take or seize again **2** : to photograph again

re·tal·i·ate \ri-'tal-ē-,āt\ *vb* : to return like for like; *esp* : to get revenge — **re·tal·i·a·tion** \-,tal-ē-'ā-shən\ *n* — **re·tal·i·a·to·ry** \-'tal-yə-,tōr-ē\ *adj*

re·tard \ri-'tärd\ *vb* : to hold back : delay the progress of *syn* slow, slacken, detain — **retard** *n* — **re·tar·da·tion** *n*

retch \'rech, 'rēch\ *vb* : to try to vomit : VOMIT

re·ten·tion \ri-'ten-chən\ *n* **1** : the act of retaining : the state of being retained **2** : power of retaining esp. in the mind : RETENTIVENESS

re·ten·tive \ri-'tent-iv\ *adj* : having the power of retaining; *esp* : retaining knowledge easily — **re·ten·tive·ness** *n*

ret·i·cent \'ret-ə-sənt\ *adj* : inclined to be silent or secretive : UNCOMMUNICATIVE *syn* reserved, taciturn — **ret·i·cence** *n* — **ret·i·cent·ly** *adv*

ret·i·na \'ret-ən-ə\ *n, pl* **-nas** *or* **-nae** \-ən-,ē\ : the sensory membrane lining the eye and receiving the image formed by the lens

re·tire \ri-'tī(ə)r\ *vb* **1** : RETREAT **2** : to withdraw esp. for privacy **3** : to withdraw from one's occupation or position **4** : to go to bed **5** : to withdraw from circulation or from the market or from usual use or service **6** : to cause to be out in baseball — **re·tire·ment** *n*

re·tired *adj* **1** : SECLUDED, QUIET **2** : withdrawn from active duty or from one's occupation **3** : received by or due to one who has retired ⟨~ pay⟩

re·tir·ing *adj* : SHY, RESERVED

¹re·tort \ri-'tórt\ *vb* **1** : to say in reply : answer back usu. sharply **2** : to answer (an argument) by a counter argument **3** : RETALIATE

²retort *n* : a quick, witty, or cutting reply

re·touch \'rē-'təch\ *vb* : to touch or treat again (as a picture, play, or essay) in an effort to improve

re·trace \(')rē-'trās\ *vb* **1** : to trace over again **2** : to go over again in a reverse direction ⟨*retraced* his steps⟩

re·tract \ri-'trakt\ *vb* **1** : to draw back or in **2** : to withdraw (as a charge or promise) : DISAVOW — **re·tract·able** *adj* — **re·trac·tile** \-'trak-tᵊl\ *adj* — **re·trac·tion** \-'trak-shən\ *n*

re·tread \'rē-'tred\ *vb* : to put a new tread upon the bare cord fabric of (a worn pneumatic tire)

¹re·treat \ri-'trēt\ *n* **1** : an act of withdrawing esp. from something dangerous, difficult, or disagreeable **2** : a military signal for withdrawal; *also* : a military flag-lowering ceremony **3** : a place of privacy or safety : REFUGE, ASYLUM **4** : a period of group withdrawal for prayer, meditation, and study

²retreat *vb* : to make a retreat : WITHDRAW; *also* : to slope backward

re·trench \ri-'trench\ *vb* **1** : to cut down or pare away : REDUCE, CURTAIL **2** : to cut down expenses : ECONOMIZE — **re·trench·ment** *n*

ret·ri·bu·tion \,ret-rə-'byü-shən\ *n* : something administered or exacted in recompense; *esp* : PUNISHMENT *syn* reprisal, vengeance, revenge, retaliation — **re·trib·u·tive** \ri-'trib-yət-iv\ *or* **re·trib·u·to·ry** \-yə-,tōr-ē\ *adj*

re·trieve \ri-'trēv\ *vb* **1** : to search about for and bring in (killed or wounded game) **2** : RECOVER, RESTORE — **re·triev·able** *adj* — **re·triev·al** \-'trē-vəl\ *n*

re·triev·er *n* : one that retrieves; *esp* : a dog bred or trained for retrieving game

¹ret·ro·grade \'ret-rə-,grād\ *adj* : moving or tending backward or from a better to a worse condition

ret·ro·spect \'ret-rə-,spekt\ *n* : a looking backward : a review of past events — **ret·ro·spec·tion** \,ret-rə-'spek-shən\ *n* — **ret·ro·spec·tive** \-'spek-tiv\ *adj* — **ret·ro·spec·tive·ly** *adv*

¹re·turn \ri-'tərn\ *vb* **1** : to go or come back **2** : to pass, give, or send back to an earlier possessor **3** : to put back to or in a former place or state **4** : REPLY, ANSWER **5** : to report esp. officially **6** : to elect (a candidate) as shown by an official report **7** : to bring in (as profit) : YIELD **8** : to give or perform in return — **re·turn·able** *adj* — **re·turn·er** *n*

²return *n* **1** : an act of coming or going back to or from a former place or state **2** : RECURRENCE **3** : a report of the results of balloting **4** : a formal statement of taxable income **5** : the act of returning something **6** : something that returns or is returned; *also* : a means (as a pipe) of returning **7** : the profit from labor, investment, or business : YIELD **8** : something given in repayment or reciprocation (as an answer or an answering or retaliatory play) — **return** *adj*

re·union \rē-'yü-nyən\ *n* **1** : an act of reuniting : the state of being reunited **2** : a meeting again of persons who have been separated

re·vamp \(')rē-'vamp\ *vb* : RECONSTRUCT, REVISE; *esp* : to give a new form to old materials

re·veal \ri-'vēl\ *vb* **1** : to make known : DIVULGE **2** : to show plainly : open up to view : DISCLOSE

¹rev·el \'rev-əl\ *vb* **-eled** *or* **-elled**; **-el·ing** *or* **-el·ling** **1** : to take part in a revel **2** : to take great delight — **rev·el·er** *or* **rev·el·ler** *n* — **rev·el·ry** \-əl-rē\ *n*

²revel *n* : a usu. wild party or celebration

rev·e·la·tion \,rev-ə-'lā-shən\ *n* **1** : an act of revealing **2** : something revealed; *esp* : an enlightening or astonishing disclosure

¹re·venge \ri-'venj\ *vb* : to inflict harm or injury in return for (a wrong) : AVENGE — **re·veng·er** *n*

²revenge *n* **1** : the act of revenging **2** : a desire to return evil for evil **3** : an opportunity for getting satisfaction **syn** vengeance, retaliation, retribution — **re·venge·ful** *adj*

rev·e·nue \'rev-ə-,n(y)ü\ *n* [MF, fr. *revenir* to return, fr. L *revenire*, fr. *re-* back + *venire* to come] **1** : investment income **2** : money collected by a government (as through taxes and duties)

re·ver·ber·ate \ri-'vər-bə-,rāt\ *vb* **1** : REFLECT 〈~ light or heat〉 **2** : to resound in or as if in a series of echoes — **re·ver·ber·a·tion** \-,vər-bə-'rā-shən\ *n*

¹re·vere \ri-'viər\ *vb* : to show honor and devotion to : VENERATE **syn** reverence, worship, adore

¹rev·er·ence \'rev-(ə-)rəns\ *n* **1** : honor and respect mixed with love and awe **2** : a sign (as a bow or curtsy) of respect

rev·er·end \-rənd\ *adj* **1** : worthy of reverence : REVERED **2** : being a member of the clergy — used as a title

rev·er·ent \-rənt\ *adj* : expressing reverence — **rev·er·ent·ly** *adv*

rev·er·ie *or* **rev·er·y** \'rev-(ə-)rē\ *n* **1** : DAYDREAM **2** : the state of being lost in thought

re·ver·sal \ri-'vər-səl\ *n* : an act or process of reversing

¹re·verse \ri-'vərs\ *adj* **1** : opposite to a previous or normal condition **2** : acting or operating in a manner opposite or contrary **3** : effecting reverse movement — **re·verse·ly** *adv*

²reverse *vb* **1** : to turn upside down or completely about in position or direction **2** : to set aside or change (as a legal decision) **3** : to change to the contrary 〈~ a policy〉 **4** : to turn or move in the opposite direction **5** : to put a mechanism (as an engine) in reverse — **re·vers·ible** *adj*

³reverse *n* **1** : something contrary to something else : OPPOSITE **2** : an act or instance of reversing; *esp* : a change for the worse **3** : the back of something **4** : an adjustment of gears causing movement backwards

re·ver·sion \ri-'vər-zhən\ *n* **1** : the right of succession or future possession (as to a title or property) **2** : return toward some former or ancestral condition; *also* : a product of this — **re·ver·sion·ary** \-zhə-,ner-ē\ *adj*

re·vert \ri-'vərt\ *vb* **1** : to come or go back 〈~ed to savagery〉 **2** : to return to a proprietor or his heirs **3** : to return to an ancestral type

¹re·view \ri-'vyü\ *n* **1** : an act of revising **2** : a formal military inspection **3** : a general survey **4** : INSPECTION, EXAMINATION; *esp* : REEXAMINATION **5** : a critical evaluation (as of a book) **6** : a magazine devoted to reviews and essays **7** : a renewed study of previously studied material **8** : REVUE

²review *vb* **1** : to examine or study again; *esp* : to reexamine judicially **2** : to view retrospectively : look back over 〈~ed his life〉 **3** : to write a critical examination of 〈~ a novel〉 **4** : to hold a review of 〈~ troops〉 **5** : to study material again 〈~ for a test〉

re·vile \ri-'vīl\ *vb* : to abuse verbally : rail at **syn** vituperate, berate, rate, upbraid, scold — **re·vile·ment** *n* — **re·vil·er** *n*

re·vise \ri-'vīz\ *vb* **1** : to look over something written in order to correct or improve 〈~ a manuscript〉 〈~ a proof〉 **2** : to make a new version of 〈~ a textbook〉 〈~ the tax laws〉 — **re·vis·able** *adj* — **revise** *n* — **re·vis·er** *or* **re·vi·sor** \-'vī-zər\ *n* — **re·vi·sion** \-'vizh-ən\ *n*

re·vi·tal·ize \'rē-'vīt-əl-,īz\ *vb* : to give new life or vigor to — **re·vi·tal·i·za·tion** \,rē-,vīt-əl-ə-'zā-shən\ *n*

re·viv·al \ri-'vī-vəl\ *n* **1** : an act of reviving : the state of being revived **2** : a new publication or presentation (as of a book or play) **3** : an evangelistic meeting or series of meetings **4** : REVITALIZATION

re·vive \ri-'vīv\ *vb* **1** : to return or restore to consciousness or life : become or make active or flourishing again **2** : to bring back into use **3** : to renew mentally : RECALL — **re·viv·er** *n*

rev·o·ca·tion \,rev-ə-'kā-shən\ *n* : an act or instance of revoking

re·voke \ri-'vōk\ *vb* **1** : to annul by recalling or taking back : REPEAL, RESCIND **2** : RENEGE 1 — **re·vok·er** *n*

¹re·volt \ri-'vōlt\ *vb* **1** : to throw off allegiance to a ruler or government : REBEL **2** : to experience disgust or shock **3** : to turn or cause to turn away with disgust or abhorrence — **re·volt·er** *n*

²revolt *n* : REBELLION, INSURRECTION

re·volt·ing *adj* : extremely offensive : DISGUSTING — **re·volt·ing·ly** *adv*

rev·o·lu·tion \,rev-ə-'lü-shən\ *n* **1** : ROTATION **2** : progress (as that of a planet) around in an orbit **3** : CYCLE **4** : a sudden, radical, or complete change; *esp* : the overthrow or renunciation of one ruler or government and substitution of another by the governed

¹rev·o·lu·tion·ary \-shə-,ner-ē\ *adj* **1** : of or. relating to revolution **2** : tending to or promoting revolution **3** : RADICAL

²revolutionary *n* : REVOLUTIONIST

rev·o·lu·tion·ist \-sh(ə-)nəst\ *n* : one who takes part in a revolution or who advocates revolutionary doctrines — **revolutionist** *adj*

rev·o·lu·tion·ize \-shə-,nīz\ *vb* : to change fundamentally or completely : make revolutionary — **rev·o·lu·tion·iz·er** *n*

re·volve \ri-'välv\ *vb* **1** : to turn over in the mind : reflect upon : PONDER **2** : to move or cause to move in an orbit; *also* : ROTATE — **re·volv·able** *adj*

re·volv·er *n* : a pistol with a revolving cylinder of several chambers

re·vul·sion \ri-'vəl-shən\ *n* **1** : a strong sudden reaction or change of feeling **2** : a feeling of complete distaste or repugnance

¹**re·ward** \ri-'wȯrd\ *vb* **1** : to give a reward to or for **2** : RECOMPENSE

²**reward** *n* : something given in return for good or evil done or received; *esp* : something given or offered for some service or attainment **syn** premium, prize, award

rhap·so·dy \'rap-səd-ē\ *n* **1** : a highly emotional utterance or literary composition : extravagantly rapturous discourse **2** : an instrumental composition of irregular form — **rhap·sod·ic** \rap-'säd-ik\ *adj* — **rhap·sod·i·cal·ly** *adv* — **rhap·so·dize** \'rap-sə-ˌdīz\ *vb*

rhe·ni·um \'rē-nē-əm\ *n* : a heavy hard metallic chemical element

rhet·o·ric \'ret-ə-rik\ *n* [Gk *rhētorikē* art of the orator, fr. *rhētōr* orator] :the art of speaking or writing effectively — **rhe·tor·i·cal** \ri-'tȯr-i-kəl\ *adj* —

rheu·ma·tism \'rü-mə-ˌtiz-əm\ *n* : a disorder marked by inflammation or pain in muscles or joints — **rheu·mat·ic** \ru̇-'mat-ik\ *adj*

rhine·stone \'rīn-ˌstōn\ *n* : a colorless imitation stone of high luster made of glass, paste, or gem quartz

rhi·noc·er·os \rī-'näs-(ə-)rəs\ *n* : a large thick-skinned mammal of Africa and Asia with one or two upright horns on the snout

rho·di·um \'rōd-ē-əm\ *n* : a hard ductile metallic chemical element

¹**rhyme** \'rīm\ *n* **1** : correspondence in terminal sounds (as of two lines of verse) **2** : a composition in verse that rhymes; *also* : POETRY

²**rhyme** *vb* **1** : to make rhymes; *also* : to write poetry **2** : to have rhymes : be in rhyme

rhythm \'rith-əm\ *n* **1** : regular rise and fall in the flow of sound in speech **2** : a movement or activity in which some action or element recurs regularly — **rhyth·mic** \'rith-mik\ *or* **rhyth·mi·cal** *adj* — **rhyth·mi·cal·ly** *adv*

¹**rib** \'rib\ *n* **1** : one of the series of curved paired bony rods that are joined to the spine and stiffen the body wall of most vertebrates **2** : something resembling a rib in shape or function **3** : an elongated ridge

²**rib** *vb* **ribbed; rib·bing 1** : to furnish or strengthen with ribs **2** : to mark with ridges ⟨*ribbed* fabrics⟩ **3** : to make fun of : TEASE — **rib·ber** *n*

rib·bon \'rib-ən\ *n* **1** : a narrow fabric typically of silk or velvet used for trimming and for badges **2** : a narrow strip or shred ⟨torn to ~*s*⟩ **3** : a strip of inked cloth (as in a typewriter)

ri·bo·fla·vin \ˌrī-bə-'flā-vən\ *n* : a growth-promoting vitamin of the B complex occurring in milk and liver

rice \'rīs\ *n* : an annual cereal grass grown in warm wet areas for its edible seed; *also* : this seed

rich \'rich\ *adj* **1** : possessing or controlling great wealth : WEALTHY **2** : COSTLY, VALUABLE **3** : containing much sugar, fat, or seasoning; *also* : high in combustible content **4** : deep and pleasing in color or tone **5** : ABUNDANT **6** : FRUITFUL, FERTILE — **rich·ly** *adv* — **rich·ness** *n*

rich·es \'rich-əz\ *n pl* [ME *richesse* richness, fr. OF, fr. *riche* rich, of Gmc origin] : things that make one rich : WEALTH

rick·ets \'rik-əts\ *n* : a children's disease marked esp. by soft deformed bones and caused by vitamin D deficiency

rick·ety \-ət-ē\ *adj* **1** : affected with rickets **2** : SHAKY, FEEBLE

¹**ric·o·chet** \'rik-ə-ˌshā, *Brit also* -ˌshet\ *n* : a glancing rebound or skipping (as of a bullet off a wall)

²**ricochet** *vb* **-cheted** *or* **-chet·ted**; **-chet·ing** *or* **-chet·ting** : to skip with or as if with glancing rebounds

rid \'rid\ *vb* **rid** *also* **rid·ded; rid·ding** : to make free : CLEAR, RELIEVE — **rid·dance** \'rid-ᵊns\ *n*

¹**rid·dle** \'rid-ᵊl\ *n* : a puzzling question to be solved or answered by guessing : ENIGMA, CONUNDRUM

²**riddle** *vb* **1** : EXPLAIN, SOLVE **2** : to speak in riddles

³**riddle** *n* : a coarse sieve

⁴**riddle** *vb* **1** : to sift with a riddle **2** : to fill as full of holes as a sieve

¹**ride** \'rīd\ *vb* **rode** \'rōd\ **rid·den** \'rid-ᵊn\ **rid·ing** \'rīd-iŋ\ **1** : to go on an animal's back or in a conveyance (as a boat, car, or airplane); *also* : to sit on and control so as to be carried along ⟨~ a bicycle⟩ **2** : to float or move on water ⟨~ at anchor⟩; *also* : to move like a floating object **3** : to travel over a surface ⟨car ~*s* well⟩ **4** : to proceed over on horseback **5** : to bear along : CARRY ⟨*rode* him on their shoulders⟩ **6** : OBSESS, OPPRESS ⟨*ridden* with anxiety⟩ **7** : to torment by nagging or teasing

²**ride** *n* : an act of riding; *esp* : a trip on horseback or by vehicle **2** : a way (as a lane) suitable for riding **3** : a mechanical device (as a merry-go-round) for riding on **4** : a means of transportation

rid·er \'rīd-ər\ *n* **1** : one that rides **2** : an addition to a document often attached on a separate piece of paper **3** : a clause dealing with an unrelated matter attached to a legislative bill during passage — **rid·er·less** *adj*

¹**ridge** \'rij\ *n* **1** : a range of hills **2** : a raised line or strip **3** : the line made where two sloping surfaces meet — **ridgy** *adj*

²**ridge** *vb* **1** : to form into a ridge **2** : to extend in ridges

¹**rid·i·cule** \'rid-ə-ˌkyül\ *n* : the act of exposing to laughter : remarks or actions intended to make people laugh at another person : MOCKERY, DERISION

²**ridicule** *vb* : to laugh at or make fun of mockingly or contemptuously **syn** deride, taunt, twit, mock

ri·dic·u·lous \rə-'dik-yə-ləs\ *adj* : arousing or deserving ridicule : ABSURD, PREPOSTEROUS **syn** laughable, ludicrous — **ri·dic·u·lous·ly** *adv* —

rife \'rīf\ *adj* : WIDESPREAD, PREVALENT, ABOUNDING — **rife** *adv* — **rife·ness** *n*

riff·raff \'rif-ˌraf\ *n* **1** : RABBLE **2** : REFUSE, TRASH

¹ri·fle \'rī-fəl\ vb 1 : to ransack esp. in order to steal 2 : STEAL — ri·fler n
²rifle vb : to groove the inside of (a gun barrel) to increase accuracy of fire
³rifle n 1 : a firearm with a rifled barrel intended for being fired from the shoulder 2 pl : a body of soldiers armed with rifles — ri·fle·man \-mən\ n
rift \'rift\ n 1 : CLEFT, FISSURE 2 : ESTRANGEMENT, SEPARATION — rift vb
¹rig \'rig\ vb rigged; rig·ging 1 : to fit out (as a ship) with rigging 2 : CLOTHE, DRESS 3 : EQUIP 4 : to set up esp. as a makeshift ⟨~ up a shelter⟩
²rig n 1 : the distinctive arrangement of sails and masts that differentiate different types of vessels 2 : CLOTHING, DRESS 3 : EQUIPMENT 4 : a carriage with its horse or horses 5 : APPARATUS
³rig vb rigged; rig·ging 1 : to manipulate esp. by dishonest means 2 : to fix in advance for a desired result
rig·ging \'rig-iŋ\ n 1 : the lines (as ropes and chains) that hold and move masts, sails, and spars of a ship 2 : a network (as in theater scenery) used for support and manipulation
¹right \'rīt\ adj 1 : RIGHTEOUS, UPRIGHT 2 : JUST, PROPER 3 : conforming to truth or fact : CORRECT 4 : APPROPRIATE, SUITABLE 5 : STRAIGHT ⟨a ~ line⟩ 6 : GENUINE, REAL ⟨~ deer⟩ 7 : NORMAL, SOUND (not in his ~ mind) 8 : of, relating to, or being the stronger hand in most persons 9 : located nearer to the right hand; esp : being on the right when facing in the same direction as the observer 10 : made to be placed or worn outward ⟨~ side of a rug⟩ syn good, accurate, exact, precise, nice — right·ness n
²right n 1 : something that is correct, just, proper, or honorable 2 : just action or decision : the cause of justice 3 : something (as a power or privilege) to which one has a just or lawful claim 4 : the side or part that is on or toward the right side 5 often cap : political conservatives; also : the beliefs they hold
³right adv 1 : according to what is right ⟨live ~⟩ 2 : EXACTLY, PRECISELY ⟨~ here and now⟩ 3 : DIRECTLY ⟨went ~ home⟩ 4 : according to fact or truth ⟨guess ~⟩ 5 : all the way : COMPLETELY ⟨~ to the end⟩ 6 : IMMEDIATELY ⟨~ after lunch⟩ 7 : on or to the right ⟨looked ~ and left⟩ 8 : QUITE, VERY ⟨~ nice weather⟩
⁴right vb 1 : to relieve from wrong 2 : to adjust or restore to a proper state or position 3 : to bring or restore to an upright position 4 : to become upright
right angle n : an angle bounded by two lines perpendicular to each other
righ·teous \'rī-chəs\ adj : acting or being in accordance with what is just, honorable, and free from guilt or wrong : UPRIGHT syn virtuous, noble, moral, ethical — righ·teous·ly adv — righ·teous·ness n
right·ful \'rīt-fəl\ adj 1 : JUST; also : FITTING 2 : having or held by a legally just claim — right·ful·ly adv — right·ful·ness n
right–hand \'rīt-,hand\ adj 1 : situated on the right 2 : RIGHT-HANDED 3 : chiefly relied on ⟨his ~ man⟩

right–hand·ed \-'han-dəd\ adj 1 : using the right hand habitually or better than the left 2 : designed for or done with the right hand 3 : CLOCKWISE ⟨a ~ twist⟩ — right–handed adv — right–hand·ed·ly adv — right–hand·ed·ness n
right·ly adv 1 : FAIRLY, JUSTLY 2 : PROPERLY 3 : CORRECTLY, EXACTLY
rig·id \'rij-əd\ adj 1 : lacking flexibility : STIFF 2 : STRICT syn tense, rigorous, stringent — ri·gid·i·ty \rə-'jid-ət-ē\ n — rig·id·ly \'rij-əd-lē\ adv
rig·or \'rig-ər\ n 1 : the quality of being inflexible or unyielding : STRICTNESS 2 : HARSHNESS, SEVERITY 3 : a tremor caused by a chill 4 : strict precision : EXACTNESS syn difficulty, hardship — rig·or·ous adj — rig·or·ous·ly adv
¹rim \'rim\ n 1 : an outer edge esp. of something curved : BORDER, MARGIN 2 : the outer part of a wheel
rind \'rīnd\ n : a usu. hard or tough outer layer (as of skin) ⟨bacon ~⟩
¹ring \'riŋ\ n 1 : a circular band worn as an ornament or token or used for holding or fastening ⟨wedding ~⟩ ⟨key ~⟩ 2 : something circular in shape ⟨smoke ~⟩ 3 : a place for contest or display ⟨boxing ~⟩; also : PRIZEFIGHTING 4 : a group of people who work together for selfish or dishonest purposes ⟨gambling ~⟩ — ring·like adj
²ring vb ringed; ring·ing 1 : ENCIRCLE 2 : to move in a ring or spirally 3 : to throw a ring over (a mark) in a game
³ring vb rang \'raŋ\ rung \'rəŋ\ ring·ing 1 : to sound resonantly when struck; also : to feel as if filled with such sound 2 : to cause to make a clear metallic sound by striking 3 : to sound a bell ⟨~ for the maid⟩ 4 : to announce or call by or as if by striking a bell ⟨~ an alarm⟩ 5 : to repeat loudly and persistently 6 : to call on the telephone
⁴ring n 1 : a set of bells 2 : the clear resonant sound of vibrating metal 3 : resonant tone : SONORITY 4 : a sound or character expressive of a particular quality ⟨the ~ of truth⟩ 5 : an act or instance of ringing; esp : a telephone call
¹ring·er n 1 : one that sounds by ringing 2 : one that enters a competition under false representations 3 : one that closely resembles another
ring·lead·er \'riŋ-,lēd-ər\ n : a leader esp. of a group of troublemakers
ring·worm \-,wərm\ n : a contagious skin disease caused by fungi
rink \'riŋk\ n : a level extent of ice marked off for skating or various games; also : a similar surface (as of wood) marked off or enclosed for a sport or game ⟨roller-skating ~⟩
¹rinse \'rins\ vb 1 : to wash lightly or in water only 2 : to cleanse (as of soap) with clear water 3 : to treat (hair) with a rinse — rins·er n
²rinse n 1 : an act of rinsing 2 : a liquid used for rinsing 3 : a solution that temporarily tints hair
ri·ot \'rī-ət\ n 1 : disorderly behavior 2 : disturbance of the public peace; esp : a violent public disorder 3 : random or disorderly profusion ⟨a ~ of

color⟩ — **riot** *vb* — **ri·ot·er** *n* — **ri·ot·ous** *adj*

¹**rip** \'rip\ *vb* **ripped; rip·ping 1** : to cut or tear open **2** : to saw or split (wood) with the grain — **rip·per** *n*

²**rip** *n* : a rent made by ripping

ripe \'rīp\ *adj* **1** : fully grown and developed : MATURE ⟨~ fruit⟩ **2** : fully prepared : READY ⟨~ for action⟩ — **ripe·ly** *adv* — **ripe·ness** *n*

rip·en \'rī-pən\ *vb* : to grow or make ripe

rip·ple \'rip-əl\ *vb* **1** : to become lightly ruffled on the surface **2** : to make a sound like that of rippling water — **ripple** *n*

¹**rise** \'rīz\ *vb* **rose** \'rōz\ **ris·en** \'riz-ᵊn\ **ris·ing** \'rī-ziŋ\ **1** : to get up from sitting, kneeling, or lying **2** : to get up from sleep or from one's bed **3** : to return from death **4** : to end a session : ADJOURN **5** : to take up arms : go to war; *also* : REBEL **6** : to appear above the horizon **7** : to move upward : ASCEND **8** : to extend above other objects **9** : to attain a higher level or rank **10** : to increase in quantity or in intensity **11** : to come into being : HAPPEN, BEGIN, ORIGINATE

²**rise** *n* **1** : an act of rising or a state of being risen **2** : BEGINNING, ORIGIN, SOURCE **3** : the elevation of one point above another **4** : an increase in amount, number, or volume **5** : an upward slope **6** : a spot higher than surrounding ground **7** : an angry reaction

ris·i·ble \'riz-ə-bəl\ *adj* **1** : able or inclined to laugh **2** : of or relating to laughter ⟨~ muscles⟩

¹**risk** \'risk\ *n* : exposure to possible loss or injury : DANGER, PERIL — **risk·i·ness** *n* — **risky** *adj*

²**risk** *vb* **1** : to expose to danger ⟨~ed his life⟩ **2** : to incur the danger of

ris·que \ris-'kā\ *adj* : verging on impropriety or indecency

rite \'rīt\ *n* **1** : a set form of conducting a ceremony **2** : the liturgy of a church **3** : a ceremonial act or action

rit·u·al \'rich-(ə-)wəl\ *n* **1** : the established form esp. for a religious ceremony **2** : a system of rites **3** : a ceremonial act or action : ritual *adj* — **rit·u·al·ism** \-,iz-əm\ *n* — **rit·u·al·is·tic** \,rich-(ə-w)əl-'is-tik\ *adj* — **rit·u·al·is·ti·cal·ly** *adv* — **rit·u·al·ly** \'rich-(ə-w)ə-lē\ *adv*

¹**ri·val** \'rī-vəl\ *n* **1** : one of two or more trying to get what only one can have **2** : one who tries to excel another **3** : one that equals another esp. in desired qualities : MATCH, PEER

²**rival** *adj* : COMPETING

³**rival** *vb* **-valed** *or* **-valled; -val·ing** *or* **-val·ling 1** : to be in competition with **2** : to try to equal or excel **3** : to have qualities that equal another's : MATCH

ri·val·ry \'rī-vəl-rē\ *n* : COMPETITION

riv·er \'riv-ər\ *n* : a natural stream larger than a brook

¹**riv·et** \'riv-ət\ *n* : a headed metal bolt or pin used for fastening things together by being put through holes in them and then being flattened on the plain end to make another head

²**rivet** *vb* : to fasten with a rivet — **riv·et·er** *n*

rivets

¹**roach** \'rōch\ *n* : a European freshwater fish related to the carp

²**roach** *n* : COCKROACH

road \'rōd\ *n* **1** : an anchorage for ships usu. less sheltered than a harbor — often used in pl. **2** : an open way for vehicles, persons, and animals : HIGHWAY **3** : ROUTE, PATH

road·bed \'rōd-,bed\ *n* **1** : the foundation of a road or railroad **2** : the traveled surface of a road

road·side \-,sīd\ *n* : the strip of land along a road — **roadside** *adj*

road·way \-,wā\ *n* : ROAD; *esp* : ROADBED

roam \'rōm\ *vb* **1** : WANDER, ROVE **2** : to range or wander over or about

¹**roan** \'rōn\ *adj* : having a dark (as bay or black) coat with white hairs interspersed ⟨a ~ steer⟩

²**roan** *n* : an animal with a roan coat; *also* : its color

¹**roar** \'rōr\ *vb* **1** : to utter a full loud prolonged sound **2** : to make a loud confused sound (as of wind or waves) — **roar·er** *n*

²**roar** *n* : a sound of roaring : a prolonged shout, bellow, or loud confused noise

¹**roast** \'rōst\ *vb* **1** : to cook by dry heat (as before a fire or in an oven) **2** : to criticize severely — **roast·er** *n*

²**roast** *n* **1** : a piece of meat suitable for roasting **2** : an outing for roasting food

rob \'räb\ *vb* **robbed; rob·bing 1** : to steal from **2** : to deprive of something due or expected **3** : to commit robbery — **rob·ber** *n*

rob·bery \'räb-(ə-)rē\ *n* : the act or practice of robbing; *esp* : theft of something from a person by use of violence or threat

¹**robe** \'rōb\ *n* **1** : a long flowing outer garment; *esp* : one used for ceremonial occasions **2** : a wrap or covering for the lower body (as for sitting outdoors)

²**robe** *vb* **1** : to clothe with or as if with a robe **2** : DRESS ⟨robed in white⟩

rob·in \'räb-ən\ *n* **1** : a small European thrush with a yellowish red breast **2** : a large No. American thrush with blackish head and tail and reddish breast

ro·bot \'rō-,bät, -bət\ *n* **1** : a machine that looks and acts like a human being **2** : an efficient but insensitive person **3** : an automatic apparatus **4** : something guided by automatic controls

ro·bust \rō-'bəst,'rō-(,)bəst\ *adj* : strong and vigorously healthy — **ro·bust·ly**

¹**rock** \'räk\ *vb* **1** : to move back and forth in or as if in a cradle **2** : to sway or cause to sway back and forth — **rock** *n*

²**rock** *n* **1** : a mass of stony material; *also* : broken pieces of stone **2** : solid mineral deposits **3** : something like a rock in firmness : SUPPORT, DEFENSE, REFUGE — **rock·like** *adj* — **rocky** *adj*

rock·er \'räk-ər\ *n* **1** : one of the curved pieces on which something (as a chair or cradle) rocks **2** : a device that works with a rocking motion

rock·et \\'räk-ət\\ *n* [It *rocchetta,* fr. dim. of *rocca* distaff] **1** : a firework consisting of a case containing a combustible substance that is propelled through the air by the reaction to the rearward discharge of gases produced by burning **2** : a jet engine that operates on the same principle as a firework rocket but carries the oxygen needed for burning its fuel **3** : a rocket-propelled bomb or missile

rock salt *n* : common salt in rocklike masses or large crystals

rod \\'räd\\ *n* **1** : a straight slender stick **2** : a stick or bundle of twigs used in punishing a person; *also* : PUNISHMENT **3** : a staff borne to show rank **4** : a measure of length that equals 16½ feet

ro·dent \\'rōd-ᵊnt\\ *n* : any of a large group of small gnawing mammals (as mice, squirrels, and beavers)

ro·deo \\'rōd-ē-ō, rə-'dā-ō\\ *n* **1** : ROUND-UP 1 **2** : a public performance representing features of cowboy life

¹roe \\'rō\\ *n* **1** : a small nimble European deer **2** : DOE

²roe *n* : the eggs of a fish esp. while bound together in a mass

roe·buck \\'rō-,bək\\ *n* : a male roe deer

rog·er \\'räj-ər\\ *interj* — used esp. in radio and signaling to indicate that a message has been received and understood

rogue \\'rōg\\ *n* **1** : a dishonest person : SCOUNDREL **2** : a mischievous person : SCAMP — **rogu·ery** \\'rō-gə-rē\\ *n* — **rogu·ish** \\'rō-gish\\ *adj* — **rogu·ish·ly** *adv* — **rogu·ish·ness** *n*

rois·ter \\'rȯi-stər\\ *vb* : to engage in noisy revelry : CAROUSE — **rois·ter·er** *n*

role *also* **rôle** \\'rōl\\ *n* **1** : an assigned or assumed character; *also* : a part played (as by an actor) **2** : FUNCTION

¹roll \\'rōl\\ *n* **1** : a document containing an official record **2** : an official list of names **3** : something (as a bun) that is rolled up or rounded as if rolled **4** : something that rolls : ROLLER

²roll *vb* **1** : to move by turning over and over **2** : to move on wheels **3** : to move onward as if by completing a revolution ⟨years ~ed by⟩ **4** : to flow or seem to flow in a continuous stream or with a rising and falling motion **5** : to swing or sway from side to side **6** : to shape or become shaped in rounded form **7** : to press with a roller **8** : to sound with a full reverberating tone **9** : to make a continuous beating sound (as on a drum) **10** : to utter with a trill ⟨~ed his r's⟩

³roll *n* **1** : a sound produced by rapid strokes on a drum **2** : a heavy reverberating sound **3** : a rolling movement or action **4** : a swaying movement (as of the body, a train, or a ship) **5** : SOMERSAULT

roll·er \\'rō-lər\\ *n* **1** : a revolving cylinder used for moving, pressing, shaping, or smoothing **2** : a rod on which something is rolled up **3** : a long heavy wave on a coast **4** : a tumbler pigeon

roller skate *n* : a skate with wheels instead of a runner for skating on a surface other than ice — **roll·er-skate** \\'rō-lər-,skāt\\ *vb* — **roller skater** *n*

rol·lick·ing *adj* **1** : BOISTEROUS, SWAGGERING **2** : lightheartedly gay — **rol·lick·ing·ly** *adv*

¹Ro·man \\'rō-mən\\ *n* **1** : a native or resident of Rome **2** : a citizen of the Roman Empire

²Roman *adj* **1** : of or relating to Rome or the Romans

Roman Catholic *adj* : of or relating to the body of Christians in communion with the pope and having a liturgy centered in the Mass — **Roman Catholic** *n*

¹ro·mance \\'rō-'mans\\ *n* **1** : a medieval tale of knightly adventure **2** : a prose narrative dealing with heroic or mysterious events set in a remote time or place **3** : a love story **4** : a love affair

²romance *vb* **1** : to exaggerate or invent detail or incident **2** : to have romantic fancies **3** : to carry on a love affair with

Ro·mance \\rō-'mans\\ *adj* : of or relating to the languages developed from Latin

Ro·ma·ni·an \\rü-'mā-nē-ən, rō-\\ *n* **1** : a native or inhabitant of Romania **2** : the language of Romania — **Romanian** *adj*

ro·man·tic \\rō-'mant-ik\\ *adj* **1** : IMAGINARY **2** : VISIONARY **3** : having an imaginative or emotional appeal **4** : ARDENT, FERVENT — **ro·man·ti·cal·ly** *adv*

ro·man·ti·cism \\rō-'mant-ə-,siz-əm\\ *n*, *often cap* : a literary movement (as in early 19th century England) marked esp. by emphasis on the imagination and the emotions and by the use of autobiographical material — **ro·man·ti·cist** \\-səst\\ *n*, *often cap*

romp \\'rämp\\ *vb* **1** : to play actively and noisily **2** : to run or play so as to win easily — **romp** *n*

¹roof \\'rüf, 'rȯf\\ *n* **1** : the upper covering part of a building **2** : something suggesting a roof of a building — **roof·ing** *n* — **roof·less** *adj*

²roof *vb* : to cover with a roof

²rook *vb* : CHEAT, SWINDLE

³rook *n* : a chess piece that can move parallel to the sides of the board across any number of unoccupied squares

rook·ie \\'rŭk-ē\\ *n* : RECRUIT; *also* : NOVICE

¹room \\'rüm, 'rùm\\ *n* **1** : unoccupied area : SPACE **2** : sufficient unoccupied space **3** : a partitioned part of a building : CHAMBER, APARTMENT; *also* : the people in a room **4** : OPPORTUNITY, CHANCE ⟨~ to develop his talents⟩ — **roomy** *adj*

²room *vb* : to occupy lodgings : LODGE — **room·er** *n*

room·ette \\rüm-'et, rùm-\\ *n* : a small private room on a sleeping car

room·mate \\'rüm-,māt, 'rùm-\\ *n* : one of two or more persons occupying the same room

¹roost \\'rüst\\ *n* : a support on which or place where birds perch

²roost *vb* : to settle on or as if on a roost

roost·er *n* : an adult male domestic fowl : COCK

¹root \\'rüt, 'rùt\\ *n* **1** : the leafless usu. underground part of a seed plant that functions in absorption, aeration, and storage or as a means of anchorage; *also* : an underground plant part **2** : something (as the basal part of a tooth or hair) resembling a root **3** : SOURCE, ORIGIN **4** : the essential core : HEART ⟨get to the ~ of the matter⟩ 5 : a number that when taken as a factor an indicated number of times gives a specified number 6 : the lower part : BASIS, BASE — **root·less** *adj* — **root·like** *adj*

²**root** *vb* 1 : to form roots 2 : to fix or become fixed by or as if by roots : ESTABLISH 3 : UPROOT

³**root** *vb* 1 : to turn up or dig with the snout ⟨pigs ~*ing*⟩ 2 : to poke or dig around (as in search of something)

⁴**root** \'rüt\ *vb* 1 : to applaud or encourage noisily : CHEER 2 : to wish success or lend support to — **root·er** *n*

¹**rope** \'rōp\ *n* 1 : a large strong cord made of strands of fiber 2 : a hangman's noose 3 : a thick string (as of pearls) made by twisting or braiding

²**rope** *vb* 1 : to bind, tie, or fasten together with a rope 2 : to separate or divide off by means of a rope 3 : LASSO

ro·sa·ry \'rō-zə-rē\ *n* 1 : a string of beads used in counting prayers

¹**rose** *past of* RISE

²**rose** \'rōz\ *n* 1 : any of various prickly shrubs with divided leaves and bright often fragrant flowers; *also* : one of these flowers 2 : something resembling a rose in form 3 : a variable color averaging a moderate purplish red

³**ro·sé** \rō-'zā\ *n* : a light pink table wine

ro·sette \rō-'zet\ *n* 1 : a usu. small badge or ornament of ribbon gathered in the shape of a rose 2 : a circular architectural ornament filled with representations of leaves

rosette, 1

rose water *n* : a watery solution of the fragrant constituents of the rose used as a perfume

rose·wood \'rōz-ˌwu̇d\ *n* : any of various tropical trees with dark red wood streaked with black; *also* : this wood

Rosh Ha·sha·nah \ˌrȯsh-hə-'shō-nə\ *n* : the Jewish New Year observed as a religious holiday in September or October

ros·ter \'räs-tər\ *n* 1 : a list of personnel : ROLL 2 : an itemized list

ros·trum \'räs-trəm\ *n*, *pl* **-trums** *or* **-tra** \-trə\ : a stage or platform for public speaking

rosy \'rō-zē\ *adj* 1 : of the color rose 2 : HOPEFUL, PROMISING — **ros·i·ly** *adv* — **ros·i·ness** *n*

¹**rot** \'rät\ *vb* **rot·ted**; **rot·ting** : to undergo decomposition : DECAY

²**rot** *n* 1 : DECAY 2 : a disease of plants or animals in which tissue breaks down

ro·ta·ry \'rōt-ə-rē\ *adj* 1 : turning on its axis like a wheel 2 : having a rotating part

²**rotary** *n* 1 : a rotary machine 2 : a circular road at a road junction

ro·tate \'rō-ˌtāt\ *vb* 1 : to turn about an axis or a center : REVOLVE 2 : to alternate in a series *syn* turn, circle, spin, whirl, twirl — **ro·ta·tion** \rō-'tā-shən\ *n* — **ro·ta·tor** \'rō-ˌtāt-ər\ *n* — **ro·ta·to·ry** \'rōt-ə-ˌtōr-ē\ *adj*

rote \'rōt\ *n* 1 : repetition from memory of forms or phrases often without attention to meaning 2 : fixed routine or repetition

ro·tor \'rō-tər\ *n* 1 : a part that rotates 2 : a system of rotating horizontal blades for supporting a helicopter

rot·ten \'rät-ᵊn\ *adj* 1 : having rotted : SPOILED, UNSOUND 2 : CORRUPT 3 : extremely unpleasant or inferior — **rot·ten·ness** *n*

ro·tund \rō-'tənd\ *adj* : round or rounded out *syn* plump, chubby, portly, stout — **ro·tun·di·ty** \-'tən-dət-ē\ *n*

ro·tun·da \rō-'tən-də\ *n* 1 : a round building; *esp* : one covered by a dome 2 : a large round room

rouge \'rüzh, 'rüj\ *n* 1 : a cosmetic used to give a red color to cheeks and lips 2 : a red powder used in polishing glass, gems, and metal — **rouge** *vb*

¹**rough** \'rəf\ *adj* 1 : uneven in surface : not smooth 2 : SHAGGY 3 : not calm : TURBULENT, TEMPESTUOUS 4 : marked by harshness or violence : not gentle 5 : DIFFICULT, TRYING 6 : coarse or rugged in character or appearance 7 : marked by lack of refinement : UNCOUTH 8 : CRUDE, UNFINISHED 9 : done or made hastily or tentatively : not exact — **rough·ly** *adv* — **rough·ness** *n*

²**rough** *n* 1 : uneven ground covered with high grass esp. along a golf fairway 2 : a crude, unfinished, or preliminary state; *also* : something in such a state 3 : ROWDY, TOUGH

³**rough** *vb* 1 : ROUGHEN 2 : MANHANDLE ⟨~*ed* him up⟩ 3 : to make or shape roughly esp. in a preliminary way ⟨~ out a scheme⟩ — **rough·er** *n*

rough·age \'rəf-ij\ *n* : coarse bulky food (as bran) whose bulk stimulates the activity of the intestines

rough–and–ready *adj* : rude or unpolished in nature, method, or manner but effective in action or use

rough·en \'rəf-ən\ *vb* : to make or become rough

rough·hew \'rəf-'hyü\ *vb* 1 : to hew (as timber) coarsely without smoothing 2 : to form crudely or roughly

rough·house \-ˌhau̇s\ *n* : an outbreak of rough noisy behavior — **roughhouse** *vb*

rou·lette \rü-'let\ *n* 1 : a gambling game in which a whirling wheel is used 2 : a toothed wheel or disk for making rows of dots or small holes

Rou·ma·ni·an \rü-'mā-nē-ən\ *var of* ROMANIAN

¹**round** \'rau̇nd\ *adj* 1 : having every part of the surface or circumference the same distance from the center 2 : CYLINDRICAL 3 : COMPLETE, FULL 4 : approximately correct : being in even units : being without fractions 5 : liberal or ample in size or amount 6 : BLUNT, OUTSPOKEN 7 : moving in or forming a circle 8 : curved or predominantly curved rather than angular — **round·ish** *adj* — **round·ly** *adv* — **round·ness** *n*

²**round** *prep or adv* : AROUND

³**round** *n* 1 : something round (as a circle, globe, or ring) 2 : a curved or rounded part (as a rung of a ladder) 3 : a circuitous path or course; *also* : a

habitually covered route (as of a watchman) **4** : a series or cycle of recurring actions or events **5** : a period of time or a unit of play in a game or contest **6** : one shot fired by a soldier or a gun; *also* : ammunition for one shot **7** : a cut of beef esp. between the rump and the lower leg — **in the round 1** : FREESTANDING **2** : with a center stage surrounded by an audience on all sides
⁴**round** *vb* **1** : to make or become round **2** : to go or pass around or part way around **3** : to follow a winding course : BEND **4** : COMPLETE, FINISH **5** : to become plump or shapely **6** : to express as a round number
¹**round·about** \'rau̇n-də-ˌbau̇t\ *n, Brit* : MERRY-GO-ROUND
²**roundabout** *adj* : INDIRECT, CIRCUITOUS
round-up \'rau̇nd-ˌəp\ *n* **1** : the gathering together of cattle on the range by riding around them and driving them in; *also* : the men and horses engaged in a roundup **2** : a gathering in of scattered persons or things ⟨a ~ of criminals⟩ **3** : SUMMARY, RÉSUMÉ ⟨news ~⟩ — **round up** \'rau̇nd-'əp\ *vb*
rouse \'rau̇z\ *vb* **1** : to wake from sleep **2** : to excite to activity : stir up
¹**rout** \'rau̇t\ *n* **1** : MOB 1, 2 **2** : DISTURBANCE **3** : a fashionable gathering : RECEPTION
²**rout** *vb* **1** : RUMMAGE **2** : to gouge out **3** : to turn out by compulsion ⟨~ed him out of bed⟩
³**rout** *n* **1** : a state of wild confusion or disorderly retreat **2** : a disastrous defeat
⁴**rout** *vb* **1** : to put to flight **2** : to defeat decisively
¹**route** \'rüt, 'rau̇t\ *n* **1** : a traveled way **2** : CHANNEL **3** : a line of travel
²**route** *vb* **1** : to send by a selected route **2** : to arrange and direct the order of
rou·tine \rü-'tēn\ *n* **1** : a round (as of work or play) regularly followed **2** : any regular course of action — **routine** *adj* — **rou·tine·ly** *adv* — **rou·tin·ize**
¹**row** \'rō\ *vb* **1** : to propel a boat with oars **2** : to travel or convey in a rowboat **3** : to match rowing skill against — **row·er** *n*
²**row** *n* : an act or instance of rowing
³**row** *n* **1** : a number of objects in an orderly sequence **2** : WAY, STREET
⁴**row** \'rau̇\ *n* : a noisy quarrel
⁵**row** \'rau̇\ *vb* : to engage in a row
row·boat \'rō-ˌbōt\ *n* : a boat designed to be rowed
row·dy \'rau̇d-ē\ *adj* : coarse or boisterous in behavior : ROUGH — **row·di·ness** *n* — **rowdy** *n* — **row·dy·ish** *adj*
roy·al \'ròi-əl\ *adj* **1** : of or relating to a king or sovereign : KINGLY, REGAL **2** : resembling or befitting a king : MAJESTIC, MAGNIFICENT — **roy·al·ly** *adv*
roy·al·ist \-ə-ləst\ *n* : an adherent of a king or of monarchical government
roy·al·ty \-əl-tē\ *n* **1** : the state of being royal **2** : a royal person : royal persons **3** : a share of a product or profit (as of a mine or oil well) claimed by the owner for allowing another person to use the property **4** : payment made to the owner of a patent or copyright for the use of it
¹**rub** \'rəb\ *vb* **rubbed; rub·bing 1** : to use pressure and friction on a body or object **2** : to scour, polish, erase, or smear by pressure and friction **3** : to fret or chafe with friction
²**rub** *n* **1** : an act or instance of rubbing **2** : a place roughened or injured by rubbing **3** : DIFFICULTY, OBSTRUCTION **4** : something grating to the feelings
¹**rub·ber** \'rəb-ər\ *n* **1** : one that rubs **2** : ERASER **3** : a flexible waterproof elastic substance made from the juice of various tropical plants or synthetically; *also* : something made of this material — **rub·ber·ize** \-ˌīz\ *vb* — **rub·bery** *adj*
²**rubber** *n* : an extra game or hand played to decide a tie in a game
rub·bish \'rəb-ish\ *n* : something worthless : TRASH
rub·ble \'rəb-əl\ *n* : broken stones or bricks used in masonry; *also* : a mass of such material ⟨the ~ of a bombed building⟩
ru·bid·i·um \rü-'bid-ē-əm\ *n* : a soft silvery metallic chemical element
ru·by \'rü-bē\ *n* : a precious stone of a clear red color
rud·der \'rəd-ər\ *n* : a movable flat piece attached vertically at the rear of a boat or aircraft for steering

rudder

rud·dy \'rəd-ē\ *adj* : REDDISH; *esp* : of a healthy reddish complexion — **rud·di·ness** *n*
rude \'rüd\ *adj* **1** : roughly made : CRUDE **2** : UNDEVELOPED, PRIMITIVE **3** : UNSKILLED **4** : IMPOLITE, DISCOURTEOUS — **rude·ly** *adv* — **rude·ness** *n*
ru·di·ment \'rüd-ə-mənt\ *n* **1** : something not fully developed **2** : an elementary principle or basic skill — **ru·di·men·ta·ry** \ˌrüd-ə-'men-t(ə-)rē\ *adj*
¹**rue** \'rü\ *vb* : to feel regret, remorse, or penitence for
²**rue** *n* : REGRET, SORROW — **rue·ful** *adj* — **rue·ful·ly** *adv* — **rue·ful·ness** *n*
³**rue** *n* : a European strong-scented woody herb with bitter-tasting leaves
ruff \'rəf\ *n* **1** : a wheel-shaped frilled collar worn about 1600 **2** : a fringe of hair or feathers around the neck of an animal — **ruffed** \'rəft\ *adj*
ruf·fi·an \'rəf-ē-ən\ *n* : a brutal cruel fellow — **ruf·fi·an·ly** *adj*
¹**ruf·fle** \'rəf-əl\ *vb* **1** : to draw into or provide with plaits or folds **2** : to roughen the surface of **3** : to erect (as hair or feathers) in or like a ruff **4** : IRRITATE, VEX **5** : to flip through
²**ruffle** *n* **1** : RIPPLE **2** : a strip of fabric gathered or pleated on one edge **3** : RUFF 2
rug \'rəg\ *n* **1** : a piece of heavy fabric usu. with a nap or pile used as a floor covering **2** : a lap robe
rug·ged \'rəg-əd\ *adj* **1** : having a rough uneven surface **2** : TURBULENT, STORMY **3** : HARSH, STERN **4** : ROBUST, STURDY — **rug·ged·ly** *adv* — **rug·ged·ness** *n*
¹**ru·in** \'rü-ən\ *n* **1** : complete collapse or destruction **2** : the remains of something destroyed — usu. used in pl.

3 : a cause of destruction   **4 :** the action of destroying
²ruin *vb* **1 :** to reduce to ruins : DESTROY   **2 :** to damage beyond repair   **3 :** BANKRUPT
ru·i·na·tion \‚rü-ə-'nā-shən\ *n* **:** RUIN, DESTRUCTION
ru·in·ous \'rü-ə-nəs\ *adj* **1 :** RUINED, DILAPIDATED   **2 :** causing ruin — **ru·in·ous·ly** *adv*
¹rule \'rül\ *n* **1 :** a guide or principle for governing action : REGULATION   **2 :** the usual way of doing something   **3 :** GOVERNMENT, CONTROL   **4 :** a straight strip of material (as wood or metal) marked off in units and used for measuring or as a guide in drawing straight lines
²rule *vb* **1 :** CONTROL, GOVERN   **2 :** to be preeminent in : DOMINATE, PREVAIL   **3 :** to give or state as a considered decision   **4 :** to mark on paper with or as if with a rule
rul·er \'rü-lər\ *n* **1 :** SOVEREIGN   **2 :** RULE 4
rum \'rəm\ *n* **1 :** a liquor distilled from a fermented cane product (as molasses)   **2 :** alcoholic liquor
¹rum·ble \'rəm-bəl\ *vb* **:** to make a low heavy rolling sound; *also* **:** to travel or move along with such a sound — **rumbler** \-b(ə-)lər\ *n*
²rumble *n* **1 :** a low heavy rolling sound   **2 :** a seat behind and outside a carriage body; *also* **:** a folding seat located behind the regular seating space in the back of an automobile and not covered by the top   **3** *slang* **:** a street fight esp. among teen-age gangs
ru·mi·nant \'rü-mə-nənt\ *n* **:** any of a great group of hoofed mammals (as cattle, deer, and camels) that chew the cud — **ruminant** *adj*
ru·mi·nate \'rü-mə-‚nāt\ *vb* **1 :** MEDITATE, MUSE   **2 :** to chew the cud — **ru·mi·na·tion** \‚rü-mə-'nā-shən\ *n*
¹rum·mage \'rəm-ij\ *n* **1 :** an act of rummaging   **2 :** things found by rummaging : miscellaneous old things
²rummage *vb* **:** to poke around in all corners looking for something — **rum·mag·er** *n*
rum·my \'rəm-ē\ *n* **:** any of several card games for two or more players
ru·mor \'rü-mər\ *n* **1 :** common talk : HEARSAY   **2 :** a statement or report current but not authenticated
rump \'rəmp\ *n* **1 :** the rear part of an animal; *also* **:** a cut of beef behind the upper sirloin   **2 :** FAG END, REMNANT
rum·ple \'rəm-pəl\ *vb* **:** TOUSLE, MUSS, WRINKLE — **rumple** *n* — **rum·ply** *adj*
rum·pus \'rəm-pəs\ *n* **:** DISTURBANCE, FRACAS
¹run \'rən\ *vb* **ran** \'ran\ **run; running**   **1 :** to go at a pace faster than a walk   **2 :** to take to flight : FLEE   **3 :** to go without restraint ⟨lets his children ∼⟩   **4 :** to go rapidly or hurriedly : HASTEN, RUSH   **5 :** to make a quick or casual trip or visit   **6 :** to contend in a race; *esp* **:** to enter an election   **7 :** to move on or as if on wheels : pass freely   **8 :** to go back and forth : PLY   **9 :** FUNCTION, OPERATE   **10 :** to continue in force ⟨two years to ∼⟩   **11 :** to flow rapidly or under pressure : MELT, FUSE, SPREAD, DISSOLVE; *also* **:** DISCHARGE   **12 :** to tend to produce or to recur ⟨family ∼s to blonds⟩   **13 :** to take a certain direction **:** EXTEND, SPREAD   **14 :** to be current **:** CIRCULATE ⟨rumors *running* wild⟩   **15 :** to move in in schools esp. to a spawning ground ⟨shad are *running*⟩   **16 :** to be worded or written   **17 :** to cause to run   **18 :** to perform or bring about by running   **19 :** TRACE ⟨∼ down a rumor⟩   **20 :** to put forward as a candidate for office   **21 :** to cause to pass   **22 :** to cause to collide   **23 :** SMUGGLE   **24 :** MANAGE, CONDUCT, OPERATE   **25 :** INCUR ⟨∼ a risk⟩   **26 :** to permit to accumulate before settling ⟨∼ a charge account⟩ — **run·ner** *n*
²run *n* **1 :** an act or the action of running   **2 :** BROOK, CREEK   **3 :** a continuous series esp. of similar things   **4 :** persistent heavy demands from depositors, creditors, or customers   **5 :** the quantity of work turned out in a continuous operation; *also* **:** a period of operation (as of a machine or plant)   **6 :** the usual or normal kind ⟨the ordinary ∼ of men⟩   **7 :** the distance covered in continuous travel or sailing   **8 :** a regular course or route; *also* **:** TRIP, JOURNEY   **9 :** a school of migrating fish   **10 :** an enclosure for animals   **11 :** a lengthwise ravel (as in a stocking)   **12 :** a score in baseball made by a base runner reaching home   **13 :** an inclined course (as for skiing)
run·about \'rən-ə-‚baùt\ *n* **:** a light wagon, automobile, or motorboat
run·around \'rən-ə-‚raùnd\ *n* **:** evasive or delaying action esp. in reply to a request
¹run·away \'rən-ə-‚wā\ *n* **1 :** FUGITIVE   **2 :** the act of running away or out of control
²runaway *adj* **1 :** FUGITIVE   **2 :** accomplished by elopement ⟨∼ marriage⟩   **3 :** won by a long lead   **4 :** subject to rapid changes ⟨∼ inflation⟩
run down \'rən-'daùn\ *vb* **1 :** to collide with and knock down   **2 :** to chase until exhausted or captured   **3 :** to find by search   **4 :** DISPARAGE   **5 :** to cease to operate for lack of motive power   **6 :** to decline in physical condition
run-down \'rən-‚daùn\ *adj* **1 :** being in poor repair : DILAPIDATED   **2 :** worn out   **3 :** completely unwound
run·down \'rən-‚daùn\ *n* **:** an item-by-item report : SUMMARY
¹rung *past of* RING
²rung \'rəŋ\ *n* **1 :** a round of a chair or ladder   **2 :** a spoke of a wheel
run in \'rən-'in\ *vb* **1 :** to insert as additional matter   **2 :** to arrest esp. for a minor offense   **3 :** to pay a casual visit
run-in \'rən-‚in\ *n* **1 :** something run in   **2 :** ALTERCATION, QUARREL
run·ner-up \'rən-ər-‚əp\ *n* **:** the competitor in a contest who finishes next to the winner
run·ning \'rən-iŋ\ *adj* **1 :** FLUID, RUNNY   **2 :** CONTINUOUS, INCESSANT   **3 :** measured in a straight line ⟨cost per ∼ foot⟩   **4 :** FLOWING ⟨∼ handwriting⟩   **5 :** of or relating to an act of running ⟨∼ start⟩ ⟨∼ time⟩   **6 :** fitted or trained for running ⟨∼ horse⟩
²running *adv* **:** in succession
run·ny \'rən-ē\ *adj* **:** having a tendency to run
run·off \'rən-‚òf\ *n* **:** a final contest to a previous indecisive contest

run on \ˈrən-ˌȯn, -ˌän\ *vb* **1** : to continue (matter in type) without a break or a new paragraph

runt \ˈrənt\ *n* : an unusually small person or animal : DWARF — **runty** *adj*

run·way \ˈrən-ˌwā\ *n* **1** : a beaten path made by animals; *also* : a passage for animals **2** : a surfaced strip of ground for the landing and takeoff of airplanes **3** : a narrow platform from a stage into an auditorium **4** : a support (as a track, pipe, or trough) on which something runs

¹rup·ture \ˈrəp-chər\ *n* : a breaking or tearing apart; *also* : HERNIA

²rupture *vb* : to cause or undergo rupture

ru·ral \ˈrur-əl\ *adj* : of or relating to the country, country people, or agriculture

ruse \ˈrüs, ˈrüz\ *n* : TRICK, ARTIFICE

¹rush \ˈrəsh\ : a hollow-stemmed grasslike marsh plant — **rushy** *adj*

²rush *vb* **1** : to move forward or act with too great haste or eagerness or without preparation **2** : to perform in a short time or at high speed **3** : ATTACK, CHARGE — **rush·er** *n*

³rush *n* **1** : a violent forward motion **2** : a crowding of people to one place **3** : unusual demand or activity

Rus·sian \ˈrəsh-ən\ *n* **1** : a native or inhabitant of Russia or the U.S.S.R. **2** : the chief language of the U.S.S.R. — **Russian** *adj*

rust \ˈrəst\ *n* **1** : a reddish coating formed on metal (as iron) when it is exposed to air **2** : the reddish orange color of rust **3** : any of various diseases causing reddish spots on plants — **rusty** *adj*

¹rus·tic \ˈrəs-tik\ *adj* **1** : RURAL **2** : AWKWARD, BOORISH **3** : PLAIN, SIMPLE **4** : made of the rough limbs of trees ⟨~ furniture⟩ — **rus·ti·cal·ly** \ˈrəs-ti-k(ə-)lē\ *adv* — **rus·tic·i·ty**

²rustic *n* : a rustic person

rus·ti·cate \ˈrəs-ti-ˌkāt\ *vb* **1** : to go or to force to go into the country for residence : banish or be banished to the country **2** : to become or cause to become rustic — **rus·ti·ca·tion** \ˌrəs-ti-ˈkā-shən\ *n* — **rus·ti·ca·tor** \ˈrəs-ti-ˌkāt-ər\ *n*

¹rus·tle \ˈrəs-əl\ *vb* **1** : to make or cause a rustle **2** : to cause to rustle ⟨~ a newspaper⟩ **3** : to act or move with energy or speed; *also* : to procure in this way **4** : to forage food **5** : to steal cattle from the range

²rustle *n* : a quick succession or confusion of small sounds ⟨~ of leaves⟩

¹rut \ˈrət\ *n* : state or period of sexual excitement esp. in male deer — **rut** *vb*

²rut *n* **1** : a track worn by wheels or by habitual passage of something **2** : a usual way of doing something from which one is not easily stirred — **rut·ted** *adj*

ru·ta·ba·ga \ˌrüt-ə-ˈbā-gə\ *n* : a turnip with a large yellowish root

ru·the·ni·um \rü-ˈthē-nē-əm\ *n* : a hard brittle metallic chemical element

ruth·less \ˈrüth-ləs\ *adj* : having no pity : MERCILESS, CRUEL — **ruth·less·ness** *n*

rye \ˈrī\ *n* **1** : a hardy cereal grass grown for grain or as a cover crop; *also* : its seed **2** : a whiskey distilled from a rye mash

S

s \ˈes\ *n, often cap* : the 19th letter of the English alphabet

¹-s \s *after sounds* f, k, k̲, p, t, th; əz *after sounds* ch, j, s, sh, z, zh; z *after other sounds*\ *n pl suffix* **1** — used to form the plural of most nouns that do not end in *s*, *z*, *sh*, *ch*, or postconsonantal *y* ⟨head*s*⟩ ⟨book*s*⟩ ⟨boy*s*⟩ ⟨belief*s*⟩, to form the plural of proper nouns that end in postconsonantal *y* ⟨Mary*s*⟩, and with or without a preceding apostrophe to form the plural of abbreviations, numbers, letters, and symbols used as nouns ⟨MC*s*⟩ ⟨4*s*⟩ ⟨#*s*⟩ ⟨B's⟩ **2** — used to form adverbs denoting usual or repeated action or state ⟨goes to school night*s*⟩

²-s *vb suffix* — used to form the third person singular present of most verbs that do not end in *s*, *z*, *sh*, *ch*, or postconsonantal *y* ⟨fall*s*⟩ ⟨take*s*⟩ ⟨play*s*⟩

Sab·bath \ˈsab-əth\ *n* **1** : the 7th day of the week observed as a day of worship by Jews and some Christians **2** : Sunday observed among Christians as a day of worship

sa·ble \ˈsā-bəl\ *n* **1** : the color black **2** *pl* : mourning garments **3** : a dark brown mammal of northern Europe and Asia valued for its fur; *also* : this fur

¹sab·o·tage \ˈsab-ə-ˌtäzh\ *n* **1** : deliberate destruction of an employer's property or hindering of production by workmen **2** : destructive or hampering action by enemy agents or sympathizers in time of war

²sabotage *vb* : to practice sabotage on : WRECK

sac \ˈsak\ *n* : a baglike part of an animal or plant

sac·cha·rin \ˈsak-(ə-)rən\ *n* : a very sweet white crystalline substance made from coal tar

sa·chet \sa-ˈshā\ *n* : a small bag filled with perfumed powder (**sachet powder**) for scenting clothes

¹sack \ˈsak\ *n* **1** : a large coarse bag; *also* : a small container esp. of paper **2** : a loose jacket or short coat

²sack *vb* : DISMISS, FIRE

³sack *n* : a white wine popular in England in the 16th and 17th centuries

⁴sack *vb* : to plunder a captured town

sack·cloth \-ˌklȯth\ *n* : a garment worn as a sign of mourning or penitence

sac·ra·ment \ˈsak-rə-mənt\ *n* **1** : a formal religious act or rite; *esp* : one (as baptism or the Eucharist) held to have been instituted by Christ **2** : the elements of the Eucharist — **sac·ra·men·tal** \ˌsak-rə-ˈment-ᵊl\ *adj*

sa·cred \ˈsā-krəd\ *adj* **1** : set apart for the service or worship of deity **2** : devoted exclusively to one service or use **3** : worthy of veneration or reverence **4** : of or relating to religion : RELIGIOUS **syn** blessed, divine, hallowed, holy,

sacrifice — **salubrious**

spiritual — **sa·cred·ly** *adv* — **sa·cred·ness** *n*

¹**sac·ri·fice** \'sak-rə-ˌfīs\ *n* **1** : the offering of something precious to deity **2** : something offered in sacrifice **3** : LOSS, DEPRIVATION **4** : a bunt allowing a base runner to advance while the batter is put out; *also* : a fly ball allowing a runner to score after the catch — **sac·ri·fi·cial** \ˌsak-rə-'fish-əl\ *adj* — **sac·ri·fi·cial·ly** *adv*

²**sacrifice** *vb* **1** : to offer up or kill as a sacrifice **2** : to accept the loss or destruction of for an end, cause, or ideal **3** : to make a sacrifice in baseball

sac·ri·lege \'sak-rə-lij\ *n* **1** : violation of something consecrated to deity **2** : gross irreverence toward a hallowed person, place, or thing — **sac·ri·le·gious** \ˌsak-rə-'lij-əs, -'lē-jəs\ *adj* — **sac·ri·le·gious·ly** *adv*

sac·ro·sanct \'sak-rō-ˌsaŋkt\ *adj* : SACRED, INVIOLABLE

sad \'sad\ *adj* **1** : GRIEVING, MOURNFUL, DOWNCAST **2** : causing sorrow : DEPRESSING **3** : DULL, SOMBER — **sad·ly** *adv* — **sad·ness** *n*

sad·den \'sad-ᵊn\ *vb* : to make sad

¹**sad·dle** \'sad-ᵊl\ *n* **1** : a usu. padded leather-covered seat (as for a rider on horseback or on a bicycle) **2** : the upper back portion of a carcass (as of mutton)

²**saddle** *vb* **1** : to put a saddle on **2** : BURDEN

sa·dism \'sād-ˌiz-əm, 'sad-\ *n* : abnormal delight in cruelty — **sa·dist** *n* — **sa·dis·tic** \sə-'dis-tik\ *adj*

¹**safe** \'sāf\ *adj* **1** : freed from injury or risk **2** : affording safety; *also* : secure from danger or loss **3** : RELIABLE, TRUSTWORTHY — **safe·ly** *adv*

²**safe** *n* : a container for keeping articles (as valuables) safe

¹**safe·guard** \-ˌgärd\ *n* : a measure or device for preventing accident or injury

²**safeguard** *vb* : to provide a safeguard for : PROTECT

safe·keep·ing \-'kē-piŋ\ *n* : a keeping or being kept in safety

safe·ty \'sāf-tē\ *n* **1** : freedom from danger : SECURITY **2** : a protective device **3** : a football play in which the ball is downed by the offensive team behind its own goal line **4** : a defensive football back in the deepest position — **safety** *adj*

saf·fron \'saf-rən\ *n* : an aromatic deep orange powder from the flower of a crocus used to color and flavor foods

sag \'sag\ *vb* **sagged**; **sag·ging 1** : to bend down at the middle **2** : to become flabby : DROOP — **sag** *n*

sa·ga·cious \sə-'gā-shəs\ *adj* : of keen mind : SHREWD — **sa·gac·i·ty** \-'gas-ət-ē\ *n*

¹**sage** \'sāj\ *adj* : WISE, PRUDENT — **sage·ly** *adv*

²**sage** *n* : a wise man : PHILOSOPHER

³**sage** *n* **1** : a shrublike mint with leaves used in flavoring **2** : SAGEBRUSH

sage·brush \-ˌbrəsh\ *n* : a low shrub of the western U.S. with a sagelike odor

said *past of* SAY

¹**sail** \'sāl\ *n* **1** : a piece of fabric by means of which the wind is used to propel a ship **2** : a sailing ship **3** : something resembling a sail **4** : a trip on a sailboat

²**sail** *vb* **1** : to travel on a sailing ship **2** : to pass over in a ship **3** : to manage or direct the course of a ship **4** : to glide through the air

sail·boat \-ˌbōt\ *n* : a boat propelled by wind

sail·ing *n* : the action, fact, or pastime of cruising or racing in a sailboat

sail·or \'sā-lər\ *n* : one that sails; *esp* : a member of a ship's crew

saint \'sānt\ *n* **1** : one officially recognized as preeminent for holiness **2** : one of the spirits of the departed in heaven **3** : a holy or godly person — **saint·ed** *adj* — **saint·hood** *n*

saint·ly *adj* : relating to, resembling, or befitting a saint — **saint·li·ness** *n*

¹**sake** \'sāk\ *n* **1** : MOTIVE, PURPOSE **2** : personal or social welfare, safety, or well being ⟨died for the ~ of his country⟩

sal·a·man·der \'sal-ə-ˌman-dər\ *n* : a small lizardlike animal related to the frogs

sal·a·ry \'sal-(ə-)rē\ *n* : payment made at regular intervals for services

sale \'sāl\ *n* **1** : transfer of ownership of property from one person to another in return for money **2** : ready market : DEMAND **3** : AUCTION **4** : a selling of goods at bargain prices — **sal·able** *or* **sale·able** *adj*

sales·man \-mən\ *n* : a person who sells in a store or to outside customers —

sales·wom·an \-ˌwu̇m-ən\ *n* : a woman who sells merchandise

¹**sa·lient** \'sāl-yənt\ *adj* : jutting forward beyond a line; *also* : OUTSTANDING, PROMINENT **syn** conspicuous, striking, noticeable

²**salient** *n* : a projecting part in a line of defense

¹**sa·line** \'sā-ˌlēn, -ˌlīn\ *adj* : consisting of or containing salt : SALTY

²**saline** *n* **1** : a metallic salt esp. with a purgative action **2** : a saline solution

sa·li·va \sə-'lī-və\ *n* : a liquid secreted into the mouth that helps digestion — **sal·i·vary** \'sal-ə-ˌver-ē\ *adj*

sal·low \'sal-ō\ *adj* : of a yellowish sickly color ⟨a ~ liverish skin⟩

salm·on \'sam-ən\ *n* **1** : any of several soft-finned food fishes with pinkish flesh **2** : a strong yellowish pink

sa·lon \sə-'lōⁿ, -'län\ *n* : an elegant drawing room; *also* : a fashionable shop

sa·loon \sə-'lün\ *n* **1** : a large drawing room or ballroom esp. on a passenger ship **2** : a place where liquors are sold and drunk : BARROOM **3** *Brit* : SEDAN

¹**salt** \'sȯlt\ *n* **1** : a white crystalline substance that consists of sodium and chlorine and is used in seasoning foods **2** : a saltlike cathartic substance **3** : a compound formed usu. by action of an acid on metal — **salt·i·ness** *n* — **salty** *adj*

²**salt** *vb* : to preserve, season, or feed with salt

³**salt** *adj* : preserved or treated with salt; *also* : SALTY

salt·pe·ter *also* **salt·pe·tre** \ˌsȯlt-'pēt-ər\ *n* : a chemical salt found in the earth and used in making explosives, in fertilizers, and in curing meat

salt·wa·ter \ˌsȯlt-ˌwȯt-ər, -ˌwät-\ *adj* : of, relating to, or living in salt water

sa·lu·bri·ous \sə-'lü-brē-əs\ *adj* : favorable to health

sal·u·tary \'sal-yə-,ter-ē\ *adj* : health-giving, *also* : BENEFICIAL

sal·u·ta·tion \,sal-yə-'tā-shən\ *n* : an expression of greeting, goodwill, or courtesy usu. by word or gesture

¹**sa·lute** \sə-'lüt\ *vb* 1 : GREET 2 : to honor by special ceremonies 3 : to show respect to (a superior officer) by a formal position of hand, rifle, or sword

²**salute** *n* 1 : GREETING 2 : the formal position assumed in saluting a superior

¹**sal·vage** \'sal-vij\ *n* 1 : money paid for saving a ship, its cargo, or passengers when the ship is wrecked or in danger 2 : the saving of a ship 3 : the saving of possessions in danger of being lost 4 : things saved from loss or destruction

²**salvage** *vb* : to rescue from destruction

sal·va·tion \sal-'vā-shən\ *n* 1 : the saving of a person from sin or its consequences esp. in the life after death 2 : the saving from danger, difficulty, or evil 3 : something that saves or redeems

¹**salve** \'sav, 'såv\ *n* : a medicinal ointment

²**salve** *vb* : EASE, SOOTHE

sal·vo \'sal-vō\ *n, pl* **-vos** or **-voes** : a simultaneous discharge of guns at the same target or as a salute

sa·mar·i·um \sə-'mer-ē-əm\ *n* : a pale gray lustrous metallic chemical element

¹**same** \'sām\ *adj* 1 : being the one referred to : not different 2 : SIMILAR **syn** identical, equivalent, equal — **sameness** *n*

²**same** *pron* : the same one or ones

³**same** *adv* : in the same manner

¹**sam·ple** \'sam-pəl\ *n* : a piece or item that shows the quality of the whole from which it was taken : EXAMPLE, SPECIMEN

²**sample** *vb* : to judge the quality of by a sample

sam·pler \-plər\ *n* : a piece of needlework; *esp* : one testing skill in embroidering

san·a·to·ri·um \,san-ə-'tōr-ē-əm\ *n* : an establishment for the care esp. of convalescents or the chronically ill : a health resort

sanc·ti·fy \'saŋk-tə-,fī\ *vb* 1 : to make holy : CONSECRATE, HALLOW 2 : to free from sin : PURIFY — **sanc·ti·fi·ca·tion** \,saŋk-tə-fə-'kā-shən\ *n*

sanc·ti·mo·ni·ous \,saŋk-tə-'mō-nē-əs\ *adj* : hypocritically pious — **sanc·ti·mo·ni·ous·ly** *adv*

¹**sanc·tion** \'saŋk-shən\ *n* : authoritative approval

²**sanction** *vb* : to give approval to : RATIFY **syn** endorse, accredit, certify

sanc·ti·ty \'saŋk-tət-ē\ *n* 1 : GODLINESS 2 : SACREDNESS

sanc·tu·ary \'saŋk-chə-,wer-ē\ *n* 1 : a consecrated place (as the part of a church in which the altar is placed) 2 : a place of refuge ⟨bird ~⟩

sanc·tum \'saŋk-təm\ *n* : a private office or study : DEN ⟨an editor's ~⟩

¹**sand** \'sand\ *n* : loose particles of hard broken rock — **sandy** *adj*

²**sand** *vb* 1 : to cover or fill with sand 2 : to scour, smooth, or polish with sand or sandpaper

san·dal \'san-d'l\ *n* : a shoe consisting of a sole strapped to the foot; *also* : a low or open slipper or rubber overshoe

sand·bank \'san(d)-,baŋk\ *n* : a deposit of sand in a mound, hillside, bar, or shoal

sand·blast \-,blast\ *n* : sand blown (as for cleaning stone) by air or steam

sand·hog \'sand-,hȯg, -,häg\ *n* : a laborer who drives underwater tunnels

sand·man \'san(d)-,man\ *n* : the genie of folklore who makes children sleepy

sand·pa·per \-,pā-pər\ *n* : paper with sand glued on one side used in smoothing and polishing surfaces — **sandpaper** *vb*

sand·pip·er \-,pī-pər\ *n* : a long-billed shorebird related to the plovers

sand·stone \-,stōn\ *n* : rock made of sand held together by some natural cement

sand·wich \'sand-(,)wich\ *n* : two or more slices of bread with a layer (as of meat or cheese) spread between them

sane \'sān\ *adj* : mentally sound and healthy; *also* : SENSIBLE, RATIONAL — **sane·ly** *adv*

sang *past of* SING

san·guine \'saŋ-gwən\ *adj* 1 : RUDDY ⟨a ~ complexion⟩ 2 : CHEERFUL, HOPEFUL

san·i·tary \'san-ə-,ter-ē\ *adj* 1 : of or relating to health : HYGIENIC 2 : free from filth or infective matter

san·i·ta·tion \,san-ə-'tā-shən\ *n* : a making sanitary; *also* : protection of health by maintenance of sanitary conditions

san·i·tize \'san-ə-,tīz\ *vb* : to make sanitary (as by sterilizing)

san·i·ty \'san-ət-ē\ *n* : soundness of mind

sank *past of* SINK

San·skrit \'san-,skrit\ *n* : an ancient language that is the classical language of India and of Hinduism — **Sanskrit** *adj*

¹**sap** \'sap\ *n* : a vital fluid; *esp* : a watery fluid that circulates through a vascular plant — **sap·less** *adj*

²**sap** *vb* **sapped; sap·ping** 1 : UNDERMINE 2 : to weaken or exhaust gradually

sap·ling \'sap-liŋ\ *n* : a young tree

sap·phire \'saf-,ī(ə)r\ *n* : a hard transparent bright blue precious stone

sap·wood \-,wu̇d\ *n* : the younger active and usu. lighter and softer outer layer of wood (as of a tree trunk)

sar·casm \'sär-,kaz-əm\ *n* 1 : a cutting or contemptuous remark 2 : ironical criticism or reproach — **sar·cas·tic** \sär-'kas-tik\ *adj* — **sar·cas·ti·cal·ly** *adv*

sar·dine \sär-'dēn\ *n* : a young or very small fish (as a pilchard) preserved esp. in oil for use as food

sar·don·ic \sär-'dän-ik\ *adj* : expressing scorn or mockery : bitterly disdainful **syn** ironical, satirical, sarcastic — **sar·don·i·cal·ly** *adv*

sar·sa·pa·ril·la \,sas-(ə-)pə-'ril-ə, ,särs-\ *n* : the root of a tropical American smilax used esp. for flavoring

¹**sash** \'sash\ *n* : a broad band (as of silk) worn around the waist or over the shoulder

²**sash** *n* : a frame for a pane of glass in a door or window; *also* : the movable part of a window

sas·sa·fras \'sas-ə-,fras\ *n* : a No. American tree related to the laurel; *also* : its dried bark used in medicine and as flavoring

sassy \'sas-ē\ *adj* : SAUCY

sat *past of* SIT

Sa·tan \'sāt-ᵊn\ *n* : DEVIL
sa·tan·ic \sə-'tan-ik, sā-\ *adj* **1** : of or resembling Satan **2** : extremely malicious or wicked — **sa·tan·i·cal·ly** *adv*
satch·el \'sach-əl\ *n* : VALISE
sate \'sāt\ *vb* : to satisfy to the full; *also* : SURFEIT, GLUT
sat·el·lite \'sat-ᵊl-,īt\ *n* **1** : an obsequious follower of a prince or distinguished person : TOADY **2** : a smaller celestial body that revolves around a larger body; *also* : a man-made object that orbits the earth or a celestial body
sa·ti·ate \'sā-shē-,āt\ *vb* **1** : to satisfy fully **2** : SURFEIT, CLOY
sat·in \'sat-ᵊn\ *n* : a silk fabric with a glossy surface — **sat·iny** *adj*
sat·ire \'sa-,tī(ə)r\ *n* : biting wit, irony, or sarcasm used to expose vice or folly; *also* : a literary work having these qualities — **sa·tir·ic** \sə-'tir-ik\ *or* **sa·tir·i·cal** *adj* — **sa·tir·i·cal·ly** *adv* — **sat·i·rist** \'sat-ə-rəst\ *n* — **sat·i·rize** \-ə-,rīz\ *vb*
sat·is·fac·tion \,sat-əs-'fak-shən\ *n* **1** : payment through penance of punishment incurred by sin **2** : CONTENTMENT, GRATIFICATION **3** : reparation (as by a duel) for an insult **4** : settlement of a claim
sat·is·fac·to·ry \-'fak-t(ə-)rē\ *adj* : giving satisfaction : ADEQUATE
sat·is·fy \'sat-əs-,fī\ *vb* **1** : to make happy : GRATIFY **2** : to pay what is due to **3** : to answer or discharge (a claim) in full **4** : CONVINCE **5** : to meet the requirements of
sat·u·rate \'sach-ə-,rāt\ *vb* **1** : to soak thoroughly **2** : to treat or charge with something to the point (**saturation point**) where no more can be absorbed, dissolved, or retained ⟨water *saturated* with salt⟩ ⟨air *saturated* with water vapor⟩ — **sat·u·ra·tion** \,sach-ə-'rā-shən\ *n*
Sat·ur·day \'sat-ərd-ē\ *n* : the 7th day of the week : the Jewish Sabbath
Sat·urn \'sat-ərn\ *n* : the 2d largest of the planets and the one 6th in order of distance from the sun
¹sauce \'sȯs, *3 usu* 'sas\ *n* **1** : a dressing for salads, meats, or puddings **2** : stewed fruit **3** : IMPUDENCE
²sauce *vb* **1** : to add zest to **2** : to be impudent to
sauce·pan \'sȯs-,pan\ *n* : a cooking pan with a long handle
sau·cer \'sȯ-sər\ *n* : a rounded shallow dish for use under a cup
saucy \'sas-ē, 'sȯs-\ *adj* : IMPUDENT, PERT — **sauc·i·ly** *adv*
sau·er·kraut \'saù(-ə)r-,kraùt\ *n* [G, lit., sour cabbage] : finely cut cabbage fermented in brine
saun·ter \'sȯnt-ər\ *vb* : STROLL
sau·sage \'sȯ-sij\ *n* : minced and highly seasoned meat (as pork) usu. enclosed in a tubular casing
¹sav·age \'sav-ij\ *adj* **1** : WILD, UNTAMED **2** : UNCIVILIZED, BARBAROUS **3** : CRUEL, FIERCE — **sav·age·ly** *adv* — **sav·age·ness** *n* — **sav·age·ry** *n*
²savage *n* **1** : a member of a primitive human society **2** : a rude, unmannerly, or brutal person
¹save \'sāv\ *vb* **1** : to rescue from danger **2** : to preserve or guard from destruction or loss **3** : to redeem from sin **4** : to put by : HOARD — **sav·er** *n*
²save *n* : a play that prevents an opponent from scoring or winning
³save \(,)sāv\ *prep* : EXCEPT ⟨no hope ~ one⟩
⁴save \(,)sāv\ *conj* : BUT ⟨no one knew ~ she⟩
sav·ior *or* **sav·iour** \'sāv-yər\ *n* **1** : one who saves or delivers **2** *cap* : Jesus
¹sa·vor \'sā-vər\ *n* **1** : the taste and odor of something **2** : a special flavor or quality — **sa·vory** *adj*
²savor *vb* **1** : to have a specified taste, smell, or quality **2** : to taste with pleasure
¹saw \'sȯ\ *past of* SEE
²saw *n* : a cutting tool with a thin flat blade having a line of teeth along its edge
³saw *vb* : to cut or divide with or as if with a saw — **saw·yer** \-yər\ *n*
⁴saw *n* : a common saying : MAXIM
saw·dust \'sȯ-(,)dəst\ *n* : fine particles made by a saw in cutting
saw·horse \-,hȯrs\ *n* : a frame or rack on which wood is rested while being sawed by hand
saw·mill \-,mil\ *n* : a mill for sawing logs
sax·o·phone \'sak-sə-,fōn\ *n* : a wind instrument with reed mouthpiece and metal body
¹say \'sā\ *vb* **said** \'sed\ **say·ing 1** : to express in words ⟨~ what you mean⟩; *also* : PRONOUNCE ⟨still can't ~ her *r*'s⟩ **2** : ALLEGE ⟨*said* to be rich⟩ **3** : to state positively ⟨can't ~ what will happen⟩ **4** : RECITE ⟨~ your prayers⟩
²say *n* **1** : an expression of opinion ⟨have your ~⟩ **2** : power of decision
say·ing *n* : a commonly repeated statement
¹scab \'skab\ *n* **1** : a disease of plants or animals marked by crusted lesions **2** : a protective crust over a sore or wound **3** : a worker who replaces a striker or who works under conditions not authorized by a trade union — **scab·by** *adj*
²scab *vb* **scabbed; scab·bing 1** : to become covered with a scab **2** : to work as a scab
scaf·fold \'skaf-əld\ *n* **1** : a raised platform for workmen to sit or stand on **2** : a platform on which a criminal is executed (as by hanging or beheading)
scaf·fold·ing *n* : a system of scaffolds; *also* : materials for scaffolds
¹scald \'skȯld\ *vb* **1** : to burn with or as if with hot liquid or steam **2** : to heat up to the boiling point
²scald *n* : a burn caused by scalding
¹scale \'skāl\ *n* **1** : either pan of a balance **2** : BALANCE — usu. used in pl. **3** : a weighing machine
²scale *vb* : WEIGH
³scale *n* **1** : one of the small thin plates that cover the body esp. of a fish or reptile **2** : a thin plate **3** : a thin coating, layer, or incrustation — **scaled** *adj* — **scale·less** \'skāl-ləs\ *adj* — **scaly** *adj*
⁴scale *vb* : to strip of scales
⁵scale *n* [LL *scala* ladder, staircase, fr. L *scalae* (pl.) stairs, rungs, ladder] **1** : something divided into regular spaces as a help in drawing or measuring **2** : a graduated series ⟨a ~ of prices⟩ **3** : the size of a sample (as a model) in proportion to the size of the actual thing **4** : a standard of estimation or

judgment ⟨~ of values⟩ **5** : a series of musical tones going up or down in pitch according to a specified scheme
⁶scale *vb* **1** : to go up by or as if by a ladder **2** : to arrange in a graded series
scal·lion \'skal-yən\ *n* : an onion without an enlarged bulb
¹scal·lop \'skäl-əp, 'skal-\ *n* **1** : a marine mollusk with radially ridged shell valves; *also* : a large edible muscle of this mollusk **2** : one of a continuous series of rounded projections forming an edge (as in lace)
²scallop *vb* **1** : to edge (as lace) with scallops **2** : to bake in a casserole
¹scalp \'skalp\ *n* : the part of the skin and flesh of the head usu. covered with hair
²scalp *vb* **1** : to tear the scalp from **2** : to obtain for the sake of reselling at greatly increased prices ⟨~ing theater tickets⟩
scal·pel \'skal-pəl\ *n* : a small straight knife with a thin blade used esp. in surgery
scamp \'skamp\ *n* : RASCAL
scam·per \'skam-pər\ *vb* : to run nimbly and playfully — **scamper** *n*
scan \'skan\ *vb* **scanned; scan·ning 1** : to read (verses) so as to show metrical structure **2** : to examine closely **syn** scrutinize, inspect
scan·dal \'skan-dᵊl\ *n* **1** : DISGRACE, DISHONOR **2** : malicious gossip : SLANDER — **scan·dal·ize** *vb* — **scan·dal·ous** *adj*
Scan·di·na·vi·an \,skan-də-'nā-vē-ən\ *n* : a native or inhabitant of Scandinavia — **Scandinavian** *adj*
scan·di·um \'skan-dē-əm\ *n* : a white metallic chemical element
¹scant \'skant\ *adj* **1** : barely sufficient **2** : having scarcely enough **syn** scanty, skimpy, meager, sparse
²scant *vb* **1** : STINT **2** : SKIMP
scanty *adj* : barely sufficient : SCANT — **scant·i·ly** *adv* — **scant·i·ness** *n*
scape·goat \'skāp-,gōt\ *n* : one that bears the blame for others
scar \'skär\ *n* : a mark left after injured tissue has healed — **scar** *vb*
scarce \'skeərs\ *adj* **1** : not plentiful **2** : RARE — **scar·ci·ty** \'sker-sət-ē\ *n*
scarce·ly \'skeərs-lē\ *adv* **1** : BARELY **2** : almost not **3** : very probably not
¹scare \'skeər\ *vb* : FRIGHTEN, STARTLE
²scare *n* : FRIGHT — **scary** *adj*
scarf \'skärf\ *n, pl* **scarves** \'skärvz\ *or* **scarfs 1** : a broad band (as of cloth) worn about the shoulders, around the neck, over the head, or about the waist **2** : a long narrow strip of fabric (as for use on a sideboard)
scar·let \'skär-lət\ *n* : a bright red — **scarlet** *adj*
scarlet fever *n* : an acute contagious disease marked by fever, sore throat, and red rash
scat·ter \'skat-ər\ *vb* **1** : to distribute or strew about irregularly **2** : DISPERSE
scav·en·ger \'skav-ən-jər\ *n* : a person or animal that collects or disposes of refuse or waste
sce·nar·io \sə-'nar-ē-,ō\ *n* : the story of the plot of a motion picture
scene \'sēn\ *n* **1** : a division of one act of a play **2** : a single situation or sequence in a play or motion picture **3** : a stage setting **4** : VIEW, PROSPECT **5** : the place of an occurrence or action **6** : a display of strong feeling and esp. anger — **sce·nic** \'sē-nik\ *adj*
sce·nery \'sēn-(ə-)rē\ *n* **1** : the painted scenes or hangings of a stage and the fittings that go with them **2** : picturesque views or landscape
¹scent \'sent\ *vb* **1** : SMELL **2** : to imbue or fill with odor
²scent *n* **1** : ODOR, SMELL ⟨the ~ of roses⟩ **2** : sense of smell **3** : course of pursuit : TRACK **4** : PERFUME **2** —
scep·ter \'sep-tər\ *n* : a staff borne by a sovereign as an emblem of authority
sceptic \'skep-tik\, **sceptical, scepticism** *var of* SKEPTIC, SKEPTICAL, SKEPTICISM
¹sched·ule \'skej-ül, *esp Brit* 'shed-yül\ *n* **1** : a list of items or details **2** : TIMETABLE
²schedule *vb* : to make a schedule of; *also* : to enter on a schedule
¹scheme \'skēm\ *n* **1** : a plan for doing something; *esp* : a crafty plot **2** : a systematic design
²scheme *vb* : to form a plot : INTRIGUE — **schem·er** *n* — **schem·ing** *adj*
schism \'siz-əm, 'skiz-\ *n* **1** : DIVISION, SPLIT; *also* : DISCORD, DISSENSION **2** : a formal division in or separation from a religious body **3** : the offence of promoting schism
schis·mat·ic \siz-'mat-ik, skiz-\ *n* : one who creates or takes part in schism — **schismatic** *adj*
schizo·phre·nia \,skit-sə-'frē-nē-ə\ *n* [NL, fr. Gk *schizein* to split + *phrēn* diaphragm, mind] : mental disorder marked by loss of contact with reality, personality disintegration, and often hallucination — **schiz·oid** \'skit-,sȯid\ *adj or n* — **schizo·phren·ic** \,skit-sə-'fren-ik\ *adj or n*
schol·ar \'skäl-ər\ *n* **1** : STUDENT, PUPIL **2** : a learned man : SAVANT — **schol·ar·ly** *adj*
schol·ar·ship *n* **1** : the qualities or learning of a scholar **2** : money given to a student to help him pay for his education
scho·las·tic \skə-'las-tik\ *adj* : of or relating to schools, scholars, or scholarship
¹school \'skül\ *n* **1** : an institution for teaching and learning; *also* : the pupils in attendance **2** : a body of persons of like opinions or beliefs ⟨the radical ~⟩
²school *vb* : TEACH, TRAIN, DRILL
³school *n* : a large number of one kind of water animal and esp. of fish swimming and feeding together
school·teach·er \-,tē-chər\ *n* : a person who teaches in a school
schoo·ner \'skü-nər\ *n* : a fore-and-aft rigged sailing ship
sci·ence \'sī-əns\ *n* **1** : a branch of study concerned with observation and classification of facts and esp. with the establishment of verifiable general laws **2** : accumulated systematized knowledge esp. when it relates to the physical world — **sci·en·tif·ic** \,sī-ən-'tif-ik\ *adj* — **sci·en·tif·i·cal·ly** *adv* — **sci·en·tist** \'sī-ənt-əst\ *n*
scin·til·late \'sint-ᵊl-,āt\ *vb* : SPARKLE, GLEAM — **scin·til·la·tion** \,sint-ᵊl-'ā-shən\ *n*

sci·on \'sī-ən\ *n* **1** : a shoot of a plant joined to a stock in grafting **2** : DESCENDANT

scis·sors \'siz-ərz\ *n pl* : a cutting instrument like shears but usu. smaller

scissors kick *n* : a swimming kick (as in a sidestroke) in which the legs move like scissors

scoff \'skäf\ *vb* : MOCK, JEER — **scoff·er** *n*

¹**scold** \'skōld\ *n* : a person who scolds

²**scold** *vb* : to censure severely or angrily

¹**scoop** \'sküp\ *n* **1** : a large shovel; *also* : a shovellike utensil ⟨a sugar ~⟩ **2** : a bucket of a dredge or grain elevator **3** : an act or the action of scooping **4** : publication of a news story ahead of a competitor

²**scoop** *vb* **1** : to take out or up or empty with or as if with a scoop **2** : to dig out : make hollow **3** : to gather in as if with a scoop **4** : to get a scoop on (a rival newspaper)

¹**scope** \'skōp\ *n* **1** : mental range **2** : extent covered : RANGE **3** : room for development

²**scope** *n* : an instrument (as a microscope or radarscope) for viewing

scorch \'skȯrch\ *vb* : to burn the surface of; *also* : to dry or shrivel with heat

¹**score** \'skōr\ *n* **1** : DEBT **2** : CUT, SCRATCH, SLASH **3** : REASON ⟨absent on the ~ of illness⟩ **4** : a record of points made (as in a game) **5** : TWENTY **6** : the music of a composition or arrangement with different parts indicated

²**score** *vb* **1** : RECORD **2** : to mark with lines, grooves, scratches, or notches **3** : to keep score in a game **4** : to gain or tally in or as if in a game ⟨*scored* a point⟩ **5** : to assign a grade or score to

¹**scorn** \'skȯrn\ *n* : an emotion involving both anger and disgust : CONTEMPT — **scorn·ful** *adj* — **scorn·ful·ly** *adv*

²**scorn** *vb* : to hold in contempt : DISDAIN — **scorn·er** *n*

scor·pi·on \'skȯr-pē-ən\ *n* : a spiderlike animal with a poisonous sting at the tip of its long jointed tail

Scotch \'skäch\ *n* **1 Scotch** *pl* : the people of Scotland **2** : SCOTS **3** : a whiskey distilled in Scotland esp. from malted barley — **Scotch** *adj* — **Scotchman** \-mən\ *n*

scoun·drel \'skaún-drəl\ *n* : a mean worthless fellow : VILLAIN

¹**scour** \'skaú(ə)r\ *vb* **1** : to move rapidly through : RUSH **2** : to examine thoroughly

²**scour** *vb* **1** : to rub (as with a gritty substance) in order to clean **2** : to cleanse by or as if by rubbing **3** : to suffer from diarrhea

¹**scourge** \'skərj\ *n* **1** : LASH, WHIP **2** : PUNISHMENT; *also* : a cause of affliction (as a plague)

²**scourge** *vb* **1** : LASH, FLOG **2** : to punish severely

¹**scout** \'skaút\ *vb* **1** : to look around : RECONNOITER **2** : to inspect or observe to get information

²**scout** *n* **1** : a person sent out to get information; *also* : a soldier, airplane, or ship sent out to reconnoiter **2** : a member of either of two youth organizations (**Boy Scouts, Girl Scouts**) — **scout·mas·ter** \-,mas-tər\ *n*

scowl \'skaúl\ *vb* : to lower the face muscles in displeasure — **scowl** *n*

scrab·ble \'skrab-əl\ *vb* **1** : SCRAPE, SCRATCH **2** : CLAMBER, SCRAMBLE **3** : to work hard and long **4** : SCRIBBLE — **scrabble** *n*

scram·ble \'skram-bəl\ *vb* **1** : to clamber clumsily around **2** : to struggle for or as if for possession of something **3** : to spread irregularly **4** : to mix together **5** : to fry (eggs) after mixing the yolks and whites — **scramble** *n*

¹**scrap** \'skrap\ *n* **1** : FRAGMENT, PIECE **2** : discarded material : REFUSE

²**scrap** *vb* **scrapped; scrap·ping 1** : to make into scrap ⟨~ a battleship⟩ **2** : to get rid of as useless

¹**scrape** \'skrāp\ *vb* **1** : to remove by drawing a knife over; *also* : to clean or smooth by rubbing off the covering **2** : GRATE; *also* : to damage or injure the surface of by contact with something rough **3** : to scrape anything with a grating sound **4** : to get together (money) by scratching or by strict economy **5** : to hoard money little by little **6** : to get along with difficulty —

²**scrape** *n* **1** : the act or the effect of scraping **2** : a bow accompanied by a drawing back of the foot **3** : an unpleasant predicament

¹**scratch** \ skrach\ *vb* **1** : to scrape, dig, or rub with or as if with claws or nails ⟨a dog ~*ing* at the door⟩ ⟨~*ed* his arm on thorns⟩ **2** : to cause to move or strike roughly and gratingly ⟨~*ed* his nails across the blackboard⟩ **3** : to scrape (as money) together **4** : to cancel or erase by or as if by drawing a line through ⟨~ out a word⟩ ⟨~*ed* his horse from the race⟩

²**scratch** *n* **1** : a mark made by or as if by scratching; *also* : a sound so made **2** : the starting line in a race

³**scratch** *adj* **1** : made as or used for a trial attempt ⟨~ paper⟩ **2** : made or done by chance ⟨a ~ hit⟩

scrawl \'skrȯl\ *vb* : to write hastily and carelessly — **scrawl** *n*

scraw·ny \'skrȯ-nē\ *adj* : very thin : SKINNY

¹**scream** \'skrēm\ *vb* : to cry out loudly and shrilly

²**scream** *n* : a loud shrill cry

screech \'skrēch\ *vb* : SHRIEK — **screech** *n*

¹**screen** \'skrēn\ *n* **1** : a device or partition used to hide, restrain, protect, or decorate ⟨a wire-mesh window ~⟩; *also* : something that shelters, protects, or conceals **2** : a sieve or perforated material for separating finer from coarser parts (as of sand) **3** : a surface upon which pictures appear (as in movies or television); *also* : the motion-picture industry

²**screen** *vb* **1** : to shield with or as if with a screen **2** : to separate with or as if with a screen **3** : to present (as a motion picture) on the screen **syn** hide, conceal, secrete

¹**screw** \'skrü\ *n* **1** : a naillike metal piece with a spiral groove and a head with a slot twisted into or through pieces of solid material to hold them together; *also* : a device with a spirally grooved cylinder used as a machine **2** : a wheellike device with a central hub and radiating blades for propelling vehicles (as motorboats or airplanes)

²**screw** vb **1** : to fasten or close by means of a screw **2** : to operate or adjust by means of a screw **3** : to move or cause to move spirally; *also* : to close or set in position by such an action

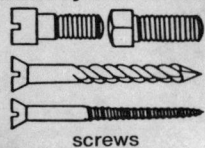

screws

screw·driv·er \-,drī-vər\ *n* **1** : a tool for turning screws **2** : a drink made of vodka and orange juice
¹**scrib·ble** \'skrib-əl\ *vb* : to write hastily or carelessly — **scrib·bler**
²**scribble** *n* : hasty or careless writing
scribe \'skrīb\ *n* **1** : one of a learned class in ancient Palestine serving as copyists, teachers, and jurists **2** : a person whose business is the copying of writing **3** : AUTHOR; *esp* : JOURNALIST
scrim·mage \'skrim-ij\ *n* : the play between two football teams beginning with the snap of the ball; *also* : practice play between a team's squads
scrimp \'skrimp\ *vb* : to be niggardly : economize greatly ⟨~ and save to buy a house⟩
scrip \'skrip\ *n* **1** : paper money for an amount less than one dollar **2** : a certificate showing its holder is entitled to something (as stock or land)
script \'skript\ *n* : written matter (as lines for a play or broadcast)
scrip·ture \'skrip-chər\ *n* **1** *cap* : BIBLE — often used in pl. **2** : the sacred writings of a religion — **scrip·tur·al** *adj* — **scrip·tur·al·ly** *adv*
scroll \'skrōl\ *n* : a roll of paper or parchment for writing a document; *also* : a spiral or coiled ornamental form suggesting a loosely or partly rolled scroll
scro·tum \'skrōt-əm\ *n* : a pouch that in most mammals contains the testes
¹**scrub** \'skrəb\ *n* **1** : a stunted tree or shrub; *also* : a growth of these **2** : an inferior domestic animal **3** : a person of insignificant rank or standing; *esp* : a player not on the first team — **scrub** *adj* — **scrub·by** *adj*
²**scrub** *vb* **scrubbed; scrub·bing 1** : to rub in washing ⟨~ clothes⟩ **2** : to wash by rubbing ⟨~ out a spot⟩ — **scrub** *n*
scruff \'skrəf\ *n* : the loose skin of the back of the neck : NAPE
¹**scru·ple** \'skrü-pəl\ *n* **1** : a point of conscience or honor **2** : hesitation due to ethical considerations — **scru·pu·lous** \-pyə-ləs\ *adj* — **scru·pu·lous·ly** *adv*
²**scruple** *vb* : to be reluctant on grounds of conscience : HESITATE
scru·ti·nize \'skrüt-ᵊn-,īz\ *vb* : to examine closely : make a scrutiny
scru·ti·ny \'skrüt-ᵊn-ē\ *n* : a careful looking over : close examination syn inspection
scu·ba \'sk(y)ü-bə\ *n* [*self-contained underwater breathing apparatus*] : an apparatus for breathing while swimming under water
scuf·fle \'skəf-əl\ *vb* **1** : to struggle confusedly at close quarters **2** : to shuffle one's feet — **scuffle** *n*

¹**scull** \'skəl\ *n* : an oar for use in sculling; *also* : one of a pair of short oars for a single oarsman
²**scull** *vb* : to propel (a boat) by an oar over the stern
sculp·tor \'skəlp-tər\ *n* : one who produces works of sculpture
¹**sculp·ture** \'skəlp-chər\ *n* : the act, process, or art of carving or molding material (as stone, wood, or plastic); *also* : work produced this way
²**sculpture** *vb* : to form or alter as or as if a work of sculpture ⟨~ a face on the side of a mountain⟩
scum \'skəm\ *n* **1** : a foul filmy covering on the surface of a liquid (as a stagnant pool) **2** : waste matter **3** : the lowest class : RABBLE
scur·ri·lous \'skər-ə-ləs\ *adj* : coarsely jesting : OBSCENE, VULGAR
scur·ry \'skər-ē\ *vb* : SCAMPER
¹**scur·vy** \'skər-vē\ *adj* : MEAN, CONTEMPTIBLE — **scur·vi·ly** *adv*
²**scurvy** *n* : a vitamin-deficiency disease marked by spongy gums, loosened teeth, and bleeding into the tissues
¹**scut·tle** \'skət-ᵊl\ *n* : a pail for carrying coal
²**scuttle** *n* : a small opening with a lid esp. in the deck, side, or bottom of a ship
³**scuttle** *vb* : to cut a hole in the deck, side, or bottom of (a ship) in order to sink
scythe \'sīth\ *n* : an implement for mowing (as grass or grain) by hand — **scythe** *vb*
sea \'sē\ *n* **1** : a large body of salt water **2** : OCEAN **3** : rough water; *also* : a heavy wave **4** : something like or likened to a large body of water — **sea** *adj*
sea·board \-,bōrd\ *n* : a seacoast with the country bordering it
sea·coast \-,kōst\ *n* : land at and near the edge of a sea
sea·far·ing *n* : a mariner's calling —
sea·food \-,füd\ *n* : edible marine fish and shellfish
sea·go·ing \-,gō-iŋ\ *adj* : used, working, or operating on the open sea
sea horse *n* : a small sea fish with a head suggesting that of a horse

sea horse

¹**seal** \'sēl\ *n* **1** : any of various large sea mammals of cold regions with limbs adapted for swimming **2** : the pelt of a seal
²**seal** *vb* : to hunt seals — **seal·er** *n*
³**seal** *n* **1** : a device having a raised design that can be stamped on clay or wax; *also* : the impression made by stamping with such a device **2** : something that

fastens or secures as a stamped wax impression fastens a letter; *also* : GUARANTY, PLEDGE **3** : a mark acceptable as having the legal effect of an official seal
⁴**seal** *vb* **1** : to affix a seal to; *also* : AUTHENTICATE **2** : to fasten with a seal; *esp* : to enclose securely **3** : to determine irrevocably — **seal·er** *n*
sea level *n* : the level of the surface of the sea esp. at its mean position midway between mean high and low water
¹**seam** \'sēm\ *n* **1** : the line of junction of two edges and esp. of edges of fabric sewn together **2** : WRINKLE **3** : a layer of mineral matter ⟨coal ∼s⟩ — **seam·less** *adj*
²**seam** *vb* **1** : to join by or as if by sewing **2** : WRINKLE, FURROW
sea·man \'sē-mən\ *n* **1** : one who assists in the handling of ships : MARINER **2** : an enlisted man in the navy ranking next below a petty officer third class
sea·man·ship *n* : the art or skill of handling a ship
seam·stress \'sēm-strəs\ *n* : a woman who does sewing
seamy \'sē-mē\ *adj* **1** : UNPLEASANT **2** : DEGRADED, SORDID
sea·plane \'sē-ˌplān\ *n* : an airplane so made that it can rise from or alight on the water
sea·port \-ˌpōrt\ *n* : a port for seagoing ships
sear \'siər\ *vb* **1** : to dry up : WITHER **2** : to burn or scorch esp. on the surface; *also* : BRAND
¹**search** \'sərch\ *vb* **1** : to look through in trying to find something **2** : SEEK **3** : PROBE — **search·er** *n*
²**search** *n* **1** : the act of searching **2** : critical examination **3** : an act of boarding and inspecting a ship on the high seas in exercise of right of search
search·light \-ˌlīt\ *n* **1** : an apparatus for projecting a beam of light; *also* : the light projected **2** : FLASHLIGHT 2
sea·shore \'sē-ˌshōr\ *n* : the shore of a sea
sea·sick \-ˌsik\ *adj* : nauseated by or as if by the motion of a ship — **sea·sick·ness** *n*
¹**sea·son** \'sēz-ᵊn\ *n* **1** : one of the divisions of the year (as spring, summer, autumn, or winter) **2** : a special period ⟨the Easter ∼⟩ — **sea·son·al** *adj*
²**season** *vb* **1** : to make pleasant to the taste by use of salt, pepper, or spices **2** : FLAVOR **3** : to make (as by aging or drying) suitable for use **4** : to accustom or habituate to something (as hardship or misfortune) *syn* harden, inure, acclimatize
sea·son·able \'sēz-(ᵊ-)nə-bəl\ *adj* : occurring at a fit time : OPPORTUNE *syn* timely
sea·son·ing \-(ᵊ-)niŋ\ *n* : something that seasons : CONDIMENT
¹**seat** \'sēt\ *n* **1** : a place on or at which a person sits **2** : a chair, bench, or stool for sitting on **3** : a place which serves as a capital or center
²**seat** *vb* **1** : to place in or on a seat **2** : to provide seats for
¹**sea·ward** \'sē-wərd\ *also* **sea·wards** \-wərdz\ *adv* (*or adj*) : toward the sea
²**seaward** *n* : the direction or side away from land and toward the open sea
sea·weed \-ˌwēd\ *n* : a marine alga : a mass of marine algae

sea·wor·thy \-ˌwər-t͟hē\ *adj* : fit for a sea voyage
se·cede \si-'sēd\ *vb* : to withdraw from an organized body and esp. from a political body
se·ces·sion \-'sesh-ən\ *n* : the act of seceding — **se·ces·sion·ist** *n*
se·clude \si-'klüd\ *vb* : to shut off by oneself : ISOLATE
se·clu·sion \-'klü-zhən\ *n* : the act of secluding : the state of being secluded
¹**sec·ond** \'sek-ənd\ *adj* **1** : being number two in a countable series **2** : next after the first — **second** *adv* — **sec·ond·ly** *adv*
²**second** *n* **1** : one that is second **2** : one who assists another (as in a duel) **3** : an inferior or flawed article (as of merchandise) **4** : the 2d forward gear in an automotive vehicle
³**second** *n* **1** : a 60th part of a minute either of time or of a degree **2** : an instant of time
⁴**second** *vb* **1** : to act as a second to **2** : to encourage or give support to (as a person or plan) **3** : to support (a motion) by adding one's voice to that of a proposer
sec·ond·ary \'sek-ən-ˌder-ē\ *adj* **1** : second in rank, value, or occurrence : INFERIOR, LESSER **2** : coming after the primary : higher than the elementary ⟨∼ schools⟩ ⟨∼ education⟩ **3** : belonging to a second or later stage of development *syn* subordinate
sec·ond·hand \ˌsek-ən-'hand\ *adj* **1** : not original ⟨∼ information⟩ **2** : not new : USED ⟨∼ clothes⟩ **3** : dealing in used goods
sec·ond–rate \ˌsek-ən(d)-'rāt\ *adj* : INFERIOR
se·cre·cy \'sē-krə-sē\ *n* **1** : the habit or practice of being secretive **2** : the quality or state of being secret
¹**se·cret** \'sē-krət\ *adj* **1** : HIDDEN, CONCEALED ⟨a ∼ panel⟩ **2** : COVERT, STEALTHY; *also* : engaged in detecting or spying ⟨a ∼ agent⟩ **3** : kept from general knowledge ⟨a ∼ password⟩ — **se·cret·ly** *adv*
²**secret** *n* **1** : something kept from the knowledge of others **2** : MYSTERY **3** : CONCEALMENT
sec·re·tar·i·at \ˌsek-rə-'ter-ē-ət\ *n* **1** : the office of a secretary **2** : the body of secretaries in an office **3** : the administrative department of a governmental organization ⟨the UN ∼⟩
sec·re·tary \'sek-rə-ˌter-ē\ *n* **1** : a confidential clerk **2** : a corporation or business official who is in charge of correspondence or records **3** : an official at the head of a department of government **4** : a writing desk — **sec·re·tar·i·al** \ˌsek-rə-'ter-ē-əl\ *adj* — **sec·re·tary·ship** \'sek-rə-ˌter-ē-ˌship\ *n*
¹**se·crete** \si-'krēt\ *vb* : to produce and emit as a secretion
²**se·crete** \si-'krēt, 'sē-krət\ *vb* : HIDE, CONCEAL
se·cre·tion \si-'krē-shən\ *n* **1** : an act or process of secreting **2** : a product of glandular activity; *esp* : one (as a hormone or enzyme) useful in the organism — **se·cre·to·ry** \-'krēt-ə-rē\ *adj*
se·cre·tive \'sē-krət-iv, si-'krēt-\ *adj* : tending to keep secrets or to act secretly — **se·cre·tive·ly** *adv* — **se·cre·tive·ness** *n*

sect \'sekt\ *n* **1** : a dissenting religious body **2** : a religious denomination **3** : a group adhering to a distinctive doctrine or to a leader

¹sec·tar·i·an \sek-'ter-ē-ən\ *adj* **1** : of or relating to a sect or sectarian **2** : limited in character or scope — **sec·tar·i·an·ism** *n*

²sectarian *n* **1** : an adherent of a sect **2** : a narrow or bigoted person

sec·tion \'sek-shən\ *n* **1** : a cutting apart; *also* : a part cut off or separated **2** : a distinct part (as of a book, a country, or a community) **3** : the appearance that a thing has or would have if cut straight through

sec·tion·al \-sh(ə-)nəl\ *adj* **1** : of, relating to, or characteristic of a section **2** : local or regional rather than general in character **3** : divided into sections — **sec·tion·al·ism** *n*

sec·tor \'sek-tər\ *n* **1** : a part of a circle between two radii **2** : a definite part of a region assigned to a military leader as his area of operations

sec·u·lar \'sek-yə-lər\ *adj* **1** : not sacred or ecclesiastical : NONRELIGIOUS **2** : not bound by monastic vows : not belonging to a religious order ⟨~ priest⟩

sec·u·lar·ism *n* : indifference to or exclusion of religion — **sec·u·lar·ist** *adj or n*

¹se·cure \si-'kyùr\ *adj* **1** : easy in mind : free from fear **2** : free from danger or risk of loss : SAFE **3** : CERTAIN, SURE — **se·cure·ly** *adv*

²secure *vb* **1** : to make safe : GUARD **2** : to assure payment of by giving a pledge or collateral **3** : to fasten safely ⟨~ a door⟩ **4** : GET, ACQUIRE

se·cu·ri·ty \-'kyùr-ət-ē\ *n* **1** : SAFETY **2** : CERTAINTY **3** : freedom from worry **4** : PROTECTION, SHELTER **5** : something (as collateral) given as pledge of payment **6** *pl* : bond or stock certificates

se·dan \si-'dan\ *n* **1** : a covered chair borne on poles by two men **2** : an enclosed automobile usu. with front and back seats **3** : a motorboat with one passenger compartment

se·date \si-'dāt\ *adj* : quiet and dignified in behavior *syn* staid, sober, serious, solemn — **se·date·ly** *adv*

¹sed·a·tive \'sed-ət-iv\ *adj* : serving or tending to relieve tension — **se·da·tion** *n*

²sedative *n* : a sedative drug

sed·en·tary \'sed-ᵊn-,ter-ē\ *adj* : characterized by or requiring much sitting

sed·i·ment \'sed-ə-mənt\ *n* **1** : the material that settles to the bottom of a liquid : LEES, DREGS **2** : material (as stones and sand) deposited by water, wind, or a glacier — **sed·i·men·ta·ry**

se·di·tion \si-'dish-ən\ *n* : the causing of discontent, insurrection, or resistance against a government — **se·di·tious** *adj*

se·duce \si-'d(y)üs\ *vb* **1** : to persuade to disobedience or disloyalty **2** : to lead astray ⟨*seduced* into crime⟩ **3** : to entice (a person) into unchastity *syn* tempt, entice, inveigle, lure — **se·duc·er** *n* — **se·duc·tion** \-'dək-shən\ *n* — **se·duc·tive** \-'dək-tiv\ *adj*

¹see \'sē\ *vb* **saw** \'sò\ **seen** \'sēn\ **see·ing 1** : to perceive by the eye : have the power of sight **2** : EXPERIENCE **3** : NOTICE, HEED **4** : UNDERSTAND **5** : to meet with *syn* behold, descry, espy, view, observe, note, discern

²see *n* : the authority or jurisdiction of a bishop

¹seed \'sēd\ *n* **1** : a ripened ovule of a plant that may develop into a new plant **2** : a part (as a small seedlike fruit) by which a plant is propagated **3** : DESCENDANTS ⟨the ~ of David⟩ **4** : SOURCE, ORIGIN — **seed·less** *adj* — **seedy** *adj*

²seed *vb* **1** : SOW, PLANT ⟨~ land to grass⟩ **2** : to bear or shed seeds **3** : to remove seeds from ⟨~ raisins⟩ — **seed·er** *n*

seed·ling \-liŋ\ *n* **1** : a plant grown from seed **2** : a young plant; *esp* : a tree smaller than a sapling

seek \'sēk\ *vb* **sought** \'sòt\ **seek·ing 1** : to search for **2** : to try to reach or obtain **3** : ATTEMPT — **seek·er** *n*

seem \'sēm\ *vb* **1** : to give the impression of being : APPEAR **2** : to appear to the observation or understanding; *also* : to appear to one's own mind or opinion **3** : to give evidence of existing or being present

seem·ing *adj* : outwardly apparent : OSTENSIBLE — **seem·ing·ly** *adv*

seem·ly \'sēm-lē\ *adj* : PROPER, DECENT

seep \'sēp\ *vb* : to leak through fine pores or cracks : percolate slowly — **seep·age** *n*

seer \'siər\ *n* : a person who foresees or predicts events : PROPHET

seethe \'sēth\ *vb* : to make or become violently agitated

seg·ment \'seg-mənt\ *n* **1** : a division of a thing : SECTION ⟨~ of an orange⟩ **2** : a part cut off from a geometrical figure (as a circle) by a line

seg·re·gate \'seg-ri-,gāt\ *vb* [L *segregare*, fr. *se-* apart + *greg-*, *grex* herd, flock] **1** : to cut off from others : ISOLATE — **seg·re·ga·tion** \,seg-ri-'gā-shən\ *n*

seg·re·ga·tion·ist *n* : one who believes in or practices the segregation of races

seis·mo·graph \-mə-,graf\ *n* : an apparatus for recording the intensity, direction, and duration of earthquakes — **seis·mo·graph·ic** \,sīz-mə-'graf-ik, ,sīs-\ *adj*

seize \'sēz\ *vb* **1** : to lay hold of or take possession of by force **2** : ARREST **3** : UNDERSTAND *syn* take, grasp, clutch, snatch, grab — **sei·zure** \'sē-zhər\ *n*

sel·dom \'sel-dəm\ *adv* : not often : RARELY

¹se·lect \sə-'lekt\ *adj* **1** : CHOSEN, PICKED; *also* : CHOICE **2** : judicious or restrictive in choice : DISCRIMINATING

²select *vb* : to take by preference from a number or group : pick out : CHOOSE — **se·lec·tive** *adj*

se·lec·tion \sə-'lek-shən\ *n* **1** : the act of selecting : CHOICE **2** : something selected **3** : a natural or artificial process that increases the chance of propagation of some organisms and decreases that of others

se·le·ni·um \sə-'lē-nē-əm\ *n* : a nonmetallic chemical element that varies in electrical conductivity with the intensity of its illumination

self \'self\ *n, pl* **selves** \'selvz\ **1** : the essential person distinct from all other persons in identity **2** : a particular side of a person's character **3** : personal interest : SELFISHNESS

self- *comb form* **1** : oneself : itself **2** : of oneself or itself **3** : by oneself;

self-centered · 403 · senior

also : automatic 4 : to, for, or toward oneself
self-abasement
self-accusation
self-acting
self-addressed
self-adjusting
self-administered
self-analysis
self-appointed
self-assurance
self-assured
self-awareness
self-betrayal
self-closing
self-command
self-denial
self-denying
self-destruction
self-determination
self-discipline
self-distrust
self-doubt
self-driven
self-educated
self-employed
self-esteem
self-evident
self-examination
self-explaining
self-explanatory
self-expression
self-forgetful
self-giving
self-governing
self-government
self-help
self-importance
self-important
self-imposed
self-improvement
self-induced
self-indulgence
self-inflicted
self-interest
self-limiting
self-love
self-complacent
self-conceit
self-concerned
self-condemned
self-confidence
self-confident
self-contradiction
self-control
self-cultivation
self-deception
self-defeating
self-defense
self-delusion
self-luminous
self-mastery
self-perpetuating
self-pity
self-portrait
self-possessed
self-possession
self-preservation
self-propelled
self-propelling
self-regard
self-regulating
self-reliance
self-reliant
self-reproach
self-respect
self-respecting
self-restraint
self-sacrifice
self-satisfaction
self-satisfied
self-seeking
self-service
self-starting
self-sufficiency
self-sufficient
self-supporting
self-sustaining
self-taught
self-will

self-cen·tered \'self-'sent-ərd\ *adj* : concerned only with one's own desires or interests : SELFISH — **self-cen·tered·ness** *n*

self-con·scious \-'kän-chəs\ *adj* 1 : aware of oneself as an individual 2 : uncomfortably conscious of oneself as an object of the observation of others : ill at ease — **self-con·scious·ly** *adv* — **self-con·scious·ness** *n*

self-con·tained \,self-kən-'tānd\ *adj* 1 : showing self-command; *also* : reserved in manner 2 : complete in itself

self-ef·fac·ing \,self-ə-'fā-siŋ\ *adj* : keeping oneself in the background : RETIRING

self·ish \'sel-fish\ *adj* : taking care of one's own comfort, pleasure, or interest excessively or without regard for others — **self·ish·ly** *adv* — **self·ish·ness** *n*

self·less \'self-ləs\ *adj* : UNSELFISH — **self·less·ness** *n*

self-made \'self-'mād\ *adj* : rising from poverty or obscurity by one's own efforts 〈~ man〉

self-righ·teous \-'rī-chəs\ *adj* : strongly convinced of one's own righteousness

self-same \-,sām\ *adj* : precisely the same : IDENTICAL

sell \'sel\ *vb* **sold** \'sōld\ **sell·ing** 1 : to transfer (property) in return for money or something else of value 2 : to deal in as a business 3 : to be sold : find buyers 〈cars are ~ing well〉 — **sell·er** *n*

sel·vage *or* **sel·vedge** \'sel-vij\ *n* : the edge of a woven fabric so formed as to prevent raveling

se·man·tics *n* : the study of meanings in language

sem·blance \'sem-bləns\ *n* 1 : outward appearance 2 : IMAGE, LIKENESS

se·men \'sē-mən\ *n* : male reproductive fluid consisting of secretions and germ cells

se·mes·ter \sə-'mes-tər\ *n* : half a year; *esp* : one of the two terms into which many colleges divide the school year

semi- \'sem-ē, -i, -,ī\ *prefix* 1 : precisely half of 2 : half in quantity or value; *also* : half of or occurring halfway through a specified period 3 : partly : incompletely 4 : partial : incomplete 5 : having some of the characteristics of
semiannual
semiarid
semicircle
semicircular
semicivilized
semiconscious
semidarkness
semidivine
semiformal
semi-independent
semiliquid
semimonthly
semiofficial
semipermanent
semipolitical
semiprecious
semiprofessional
semireligious
semiskilled
semisweet
semitransparent
semitropical

semi·co·lon \'sem-i-,kō-lən\ *n* : a punctuation mark ; used esp. in a coordinating function between major sentence elements

semi·con·duc·tor \,sem-i-kən-'dək-tər, -,ī-\ *n* : a substance whose electrical conductivity is between that of a conductor and an insulator and increases with temperature increase

¹**semi·fi·nal** \,sem-i-'fīn-ᵊl\ *adj* : being next to the last in an elimination tournament

²**semi·fi·nal** \'sem-i-,fīn-ᵊl\ *n* : a semifinal round or match

semi·flu·id \,sem-i-'flü-əd, -,ī-\ *adj* : having the qualities of both a fluid and a solid

sem·i·nar \'sem-ə-,när\ *n* 1 : a course of study pursued by a group of advanced students doing original research under a professor 2 : CONFERENCE

sem·i·nary \'sem-ə-,ner-ē\ *n* : an educational institution; *esp* : one that gives theological training — **sem·i·nar·i·an** \,sem-ə-'ner-ē-ən\ *n*

Sem·ite \'sem-,īt\ *n* : a member of any of a group of peoples (as the Jews or Arabs) of southwestern Asia — **Sem·it·ic** \sə-'mit-ik\ *adj*

sen·ate \'sen-ət\ *n* : the upper and generally smaller branch of various state and national legislatures

sen·a·tor \'sen-ət-ər\ *n* : a member of a senate — **sen·a·to·ri·al** \,sen-ə-'tōr-ē-əl\ *adj*

send \'send\ *vb* **sent** \'sent\ **send·ing** 1 : to cause to go : DISPATCH 2 : EMIT 3 : to propel or drive esp. with force 〈~ a rocket to the moon〉 — **send·er** *n*

se·nile \'sē-,nīl\ *adj* : OLD, AGED; *also* : DODDERING — **se·nil·i·ty** \si-'nil-ət-ē\ *n*

¹**se·nior** \'sē-nyər\ *n* 1 : a person older or of higher rank than another 2 : a member of the graduating class of a high school or college

²**senior** *adj* 1 : ELDER 2 : more ad-

vanced in dignity or rank **3** : belonging to the final year of a school or college course
senior chief petty officer *n* : a petty officer in the navy ranking next below a master chief petty officer
se·nior·i·ty \sēn-'yȯr-ət-ē\ *n* **1** : the quality or state of being senior **2** : a privileged status owing to length of continuous service
sen·sa·tion \sen-'sā-shən\ *n* **1** : awareness (as of noise or heat) or a mental process (as seeing or hearing) due to stimulation of a sense organ; *also* : an indefinite bodily feeling **2** : a condition of excitement; *also* : the thing that causes this condition
sen·sa·tion·al *adj* **1** : of or relating to sensation or the senses **2** : arousing an intense and usu. superficial interest or emotional reaction — **sen·sa·tion·al·ly** *adv*
sen·sa·tion·al·ism *n* : the use or effect of sensational subject matter or treatment
¹**sense** \'sens\ *n* **1** : the faculty of perceiving by means of sense organs; *also* : a bodily function or mechanism based on this ⟨the pain ~⟩ **2** : JUDGMENT, UNDERSTANDING **3** : semantic content (as of a word or phrase) : MEANING **4** : OPINION ⟨the ~ of the meeting⟩ — **sense·less** *adj*
²**sense** *vb* **1** : to be or become aware of : perceive by the senses **2** : to detect (as radiation) automatically
sense organ *n* : a bodily structure that responds to a stimulus (as heat or light) and sends impulses to the brain where they are interpreted as corresponding sensations
sen·si·bil·i·ty \,sen-sə-'bil-ət-ē\ *n* : delicacy of feeling : SENSITIVITY, RESPONSIVENESS
sen·si·ble \'sen-sə-bəl\ *adj* **1** : capable of being perceived by the senses or by reason; *also* : capable of receiving sense impressions **2** : AWARE, CONSCIOUS **3** : REASONABLE, INTELLIGENT — **sen·si·bly** *adv*
sen·si·tive \'sen-sət-iv\ *adj* **1** : subject to excitation by or responsive to stimuli : SENSORY **2** : having power of feeling **3** : of such a nature as to be easily affected : SUSCEPTIBLE — **sen·si·tive·ness** *n* — **sen·si·tiv·i·ty** \,sen-sə-'tiv-ət-ē\ *n*
sen·si·tize \'sen-sə-,tīz\ *vb* : to make or become sensitive or hypersensitive — **sen·si·ti·za·tion** \,sen-sət-ə-'zā-shən\ *n*
sen·sor \'sen-,sȯr, -sər\ *n* : a device that responds to a physical stimulus
sen·so·ry \'sens-(ə-)rē\ *adj* : of or relating to sensation or the senses
sen·su·al \'sen-chə-wəl\ *adj* **1** : relating to the pleasing of the senses **2** : devoted to the pleasures of the senses — **sen·su·al·ist** *n* — **sen·su·al·i·ty** \,sen-chə-'wal-ət-ē\ *n* — **sen·su·al·ly** \'sen-chə-wə-lē\ *adv*
sen·su·ous \'sen-chə-wəs\ *adj* : relating to the senses or to things that can be perceived by the senses
sent *past of* SEND
¹**sen·tence** \'sent-³ns, -³nz\ *n* **1** : DECISION, JUDGMENT ⟨pass ~⟩ **2** : a grammatically self-contained speech unit that expresses an assertion, a question, a command, a wish, or an exclamation

²**sentence** *vb* : to pronounce sentence on **syn** condemn, damn, doom
sen·tient \'sen-ch(ē-)ənt\ *adj* : capable of feeling : having perception
sen·ti·ment \'sent-ə-mənt\ *n* **1** : FEELING; *also* : thought and judgment influenced by feeling : emotional attitude **2** : OPINION, NOTION
sen·ti·men·tal \,sent-ə-'ment-³l\ *adj* **1** : influenced by tender feelings **2** : affecting the emotions **syn** romantic — **sen·ti·men·tal·ism** *n* — **sen·ti·men·tal·ist** *n* — **sen·ti·men·tal·i·ty** \-,men-'tal-ət-ē\ *n* — **sen·ti·men·tal·ly** *adv*
sen·ti·nel \'sent-(³-)nəl\ *n* : one that watches or guards
sen·try \'sen-trē\ *n* : SENTINEL, GUARD
sep·a·ra·ble \'sep-(ə-)rə-bəl\ *adj* : capable of being separated
¹**sep·a·rate** \'sep-ə-,rāt\ *vb* **1** : to set or keep apart : DISUNITE, DISCONNECT, SEVER **2** : to keep apart by something intervening **3** : to cease to be together : PART
²**sep·a·rate** \-(ə-)rət\ *adj* **1** : not connected **2** : divided from each other : APART **3** : SINGLE, PARTICULAR ⟨the ~ pieces of the puzzle⟩ — **sep·a·rate·ly** *adv*
sep·a·ra·tion \,sep-ə-'rā-shən\ *n* **1** : the act or process of separating : the state of being separated **2** : a point, line, means, or area of division
sep·a·rat·ist \'sep-(ə-)rət-əst, -ə-,rāt-\ *n* : an advocate of separation (as from a political or religious body)
sep·a·ra·tor \-ə-,rāt-ər\ *n* : one that separates; *esp* : a device for separating cream from milk
se·pia \'sē-pē-ə\ *n* : a brownish gray to dark brown
sep·sis \'sep-səs\ *n, pl* **sep·ses** \'sep-,sēz\ : a poisoned condition due to spread of bacteria or their products in the body
Sep·tem·ber \sep-'tem-bər\ *n* : the 9th month of the year having 30 days
sep·tic \'sep-tik\ *adj* **1** : PUTREFACTIVE **2** : relating to or characteristic of sepsis
septic tank *n* : a tank in which sewage is disintegrated by bacteria
¹**sep·ul·cher** *or* **sep·ul·chre** \'sep-əl-kər\ *n* : burial vault : TOMB
²**sepulcher** *or* **sepulchre** *vb* : BURY, ENTOMB
se·quel \'sē-kwəl\ *n* **1** : logical consequence **2** : EFFECT, RESULT **3** : a literary work continuing a story begun in a preceding issue
se·quence \'sē-kwəns\ *n* **1** : the condition or fact of following something else **2** : SERIES **3** : RESULT, SEQUEL **4** : chronological order of events **syn** succession, set — **se·quen·tial** \si-'kwen-chəl\ *adj*
se·ques·ter \si-'kwes-tər\ *vb* : to set apart : SEGREGATE
se·quin \'sē-kwən\ *n* **1** : an obsolete gold coin of Turkey and Italy **2** : SPANGLE
se·quoia \si-'kwȯi-ə\ *n* : either of two huge California coniferous trees
ser·aph \'ser-əf\ *n, pl* **ser·a·phim** \-ə-,fim\ *or* **seraphs** : an angel of a high order of celestial beings — **se·raph·ic** *adj*
sere \'siər\ *adj* : DRY, WITHERED
¹**ser·e·nade** \,ser-ə-'nād\ *n* : music sung or played as a compliment; *esp* : such music performed outdoors at night for a lady

²**serenade** *vb* : to entertain with or perform a serenade
se·rene \sə-'rēn\ *adj* **1** : CLEAR ⟨~ skies⟩ **2** : QUIET, CALM **syn** tranquil, peaceful, placid — **se·rene·ly** *adv*
se·ren·i·ty \-'ren-ət-ē\ *n* : the quality or state of being serene
serf \'sərf\ *n* : a peasant bound to the land and subject in some degree to the owner — **serf·dom** *n*
serge \'sərj\ *n* : a twilled woolen cloth
ser·geant \'sär-jənt\ *n* [OF *sergent, serjant* servant, attendant, officer who keeps order, fr. L *servient-, serviens,* prp. of *servire* to serve] **1** : a noncommissioned officer (as in the army) ranking next below a staff sergeant **2** : an officer in a police force
¹**se·ri·al** \'sir-ē-əl\ *adj* : appearing in parts that follow regularly ⟨a ~ story⟩
²**serial** *n* : a serial story or other writing
se·ries \'si(ə)r-ēz\ *n, pl* **series** : a number of things or events arranged in order and connected by being alike in some way **syn** succession, progression, sequence, set, suit, chain, train, string
se·ri·ous \'sir-ē-əs\ *adj* **1** : thoughtful or subdued in appearance or manner : SOBER **2** : requiring much thought or work **3** : DANGEROUS, HARMFUL **syn** grave, sedate, sober — **se·ri·ous·ly** *adv* — **se·ri·ous·ness** *n*
ser·mon \'sər-mən\ *n* **1** : a religious discourse esp. as part of a worship service **2** : a lecture on conduct or duty
ser·pent \'sər-pənt\ *n* : SNAKE
ser·pen·tine \-pən-ˌtēn, -ˌtīn\ *adj* **1** : SLY, CRAFTY **2** : WINDING, DEVIOUS
ser·rate \'ser-ˌāt\ *or* **ser·rat·ed** \sə-'rāt-əd\ *adj* : having a saw-toothed edge
se·rum \'sir-əm\ *n, pl* **serums** *or* **se·ra** \-ə\ : the watery part of an animal fluid (as blood) remaining after coagulation; *esp* : blood serum that contains specific immune bodies (as antitoxins) — **se·rous** *adj*
ser·vant \'sər-vənt\ *n* : a person employed by another esp. for domestic work
¹**serve** \'sərv\ *vb* **1** : to work as a servant **2** : to render obedience and worship to (God) **3** : to comply with the commands or demands of **4** : to work through or perform a term of service (as in the army) **5** : to put in ⟨*served* 5 years in jail⟩ **6** : to be of use : ANSWER ⟨pine boughs *served* for a bed⟩ **7** : BENEFIT **8** : to prove adequate or satisfactory for ⟨a pie that ~*s* 8 people⟩ **9** : to make ready and pass out ⟨~ drinks⟩ **10** : to wait on ⟨~ a customer⟩ **11** : to furnish or supply with something ⟨one power company *serving* the whole state⟩ **12** : to put the ball in play (as in tennis) **13** : to treat or act toward in a specified way ⟨he *served* me ill⟩ — **serv·er** *n*
²**serve** *n* : the act of serving a ball (as in tennis)
¹**ser·vice** \'sər-vəs\ *n* **1** : the occupation of a servant **2** : the act, fact, or means of serving **3** : required duty **4** : a meeting for worship; *also* : a form followed in worship or in a ceremony ⟨burial ~⟩ **5** : performance of official or professional duties **6** : a branch of public employment; *also* : the persons in it ⟨civil ~⟩ **7** : military or naval duty **8** : a set of dishes or silverware **9** : HELP, BENEFIT **10** : a serving of the ball (as in tennis) **syn** use, advantage, profit, account, avail
²**service** *vb* : to do maintenance or repair work on or for
ser·vice·able *adj* : prepared for service : USEFUL, USABLE
ser·vice·man \-ˌman\ *n* **1** : a male member of the armed forces **2** : a man employed to repair or maintain equipment
ser·vile \'sər-vəl, -ˌvīl\ *adj* **1** : befitting a slave or servant **2** : behaving like a slave : SUBMISSIVE
ser·vil·i·ty \ˌsər-'vil-ət-ē\ *n* : the quality or state of being servile
ser·vi·tude \'sər-və-ˌt(y)üd\ *n* : SLAVERY, BONDAGE
ses·sion \'sesh-ən\ *n* **1** : a meeting or series of meetings of a body (as a court or legislature) for the transaction of business **2** : a meeting or period devoted to a particular activity
¹**set** \'set\ *vb* **set; set·ting 1** : to cause to sit **2** : PLACE **3** : SETTLE, DECREE **4** : to cause to be or do **5** : ARRANGE, ADJUST **6** : to fix in a frame **7** : ESTIMATE **8** : WAGER, STAKE **9** : to make fast or rigid **10** : to adapt (as words) to something (as music) **11** : BROOD **12** : FIT **13** : to pass below the horizon **14** : to have a certain direction : TEND, INCLINE **15** : to become fixed or firm or solid **16** : to defeat in bridge
²**set** *adj* **1** : fixed by authority or custom : PRESCRIBED **2** : DELIBERATE **3** : RIGID **4** : PERSISTENT **5** : FORMED, MADE
³**set** *n* **1** : a setting or a being set **2** : FORM, BUILD **3** : DIRECTION, COURSE; *also* : TENDENCY **4** : the fit of something (as a coat) **5** : a group of persons or things of the same kind or having a common characteristic usu. classed together **6** : an artificial setting for the scene of a play or motion picture **7** : an electronic apparatus ⟨a television ~⟩ **8** : a group of tennis games in which one side wins at least 6 to an opponent's 4 or less
set·back \'set-ˌbak\ *n* : REVERSE
set·ter \'set-ər\ *n* : a large long-coated hunting dog
set·ting *n* **1** : the act of setting ⟨the ~ of type⟩ **2** : that in which something is mounted **3** : BACKGROUND, ENVIRONMENT; *also* : SCENERY **4** : music written for a text (as of a poem) **5** : the eggs that a fowl sits on for hatching at one time
set·tle \'set-ᵊl\ *vb* **1** : to put in place **2** : to locate permanently **3** : to make compact **4** : to sink gradually to a lower level **5** : to establish in life, business, or a home **6** : to direct one's efforts **7** : to fix by agreement **8** : to give legally **9** : ADJUST, ARRANGE **10** : QUIET, CALM **11** : DECIDE, DETERMINE **12** : to make a final disposition of ⟨~ an account⟩ **13** : to reach an agreement on **14** : to become clear by depositing sediment **syn** set, fix — **set·tler** \-(ᵊ-)lər\ *n*
set·tle·ment \'set-ᵊl-mənt\ *n* **1** : the act or process of settling **2** : establishment in life, business, or a home **3** : something that settles or is settled **4** : BESTOWAL ⟨a marriage ~⟩ **5** : payment of an account **6** : adjustment of

doubts and differences **7** : COLONIZATION; *also* : COLONY **8** : a small village **9** : an institution in a poor district of a city to give aid to the community

sev·en \'sev-ən\ *n* **1** : one more than six **2** : the 7th in a set or series **3** : something having seven units — **seven** *adj or pron* — **sev·enth** *adj or adv or n*

sev·en·teen \,sev-ən-'tēn\ *n* : one more than 16 — **seventeen** *adj or pron* — **sev·en·teenth** *adj or n*

sev·en·ty \'sev-ən-tē\ *n* : seven times 10 — **sev·en·ti·eth** *adj or n* — **seventy** *adj or pron*

sev·er \'sev-ər\ *vb* : DIVIDE; *esp* : to separate by force (as by cutting or tearing) — **sev·er·ance** *n*

sev·er·al \'sev-(ə-)rəl\ *adj* **1** : INDIVIDUAL, DISTINCT ⟨federal union of the ~ states⟩ **2** : consisting of an indefinite number but yet not very many

sev·er·al·ly *adv* **1** : one at a time **2** : RESPECTIVELY

se·vere \sə-'viər\ *adj* **1** : marked by strictness or sternness : AUSTERE **2** : strict in discipline **3** : causing distress and esp. physical discomfort or pain ⟨~ weather⟩ ⟨a ~ wound⟩ **4** : hard to endure ⟨~ trials⟩ *syn* stern — **se·vere·ly** *adv* — **se·ver·i·ty** \-'ver-ət-ē\ *n*

sew \'sō\ *vb* **sewed**; **sewed** *or* **sewn** \'sōn\ **sew·ing** **1** : to fasten by stitches made with thread and needle **2** : to practice sewing esp. as an occupation

sew·age \'sü-ij\ *n* : matter (as refuse liquids) carried off by sewers

¹sew·er \'sō(-ə)r\ *n* : one that sews

²sew·er \'sü-ər\ *n* : an artificial pipe or channel to carry off waste matter (as refuse water)

sew·ing \'sō-iŋ\ *n* **1** : the occupation of one who sews **2** : material that has been or is to be sewed

sex \'seks\ *n* **1** : either of two divisions of organisms distinguished respectively as male and female; *also* : the qualities by which these sexes are differentiated and which directly or indirectly function in biparental reproduction **2** : sexual activity or intercourse — **sexed** *adj*

sex·tant \'sek-stənt\ *n* : an instrument for measuring angular distances of celestial bodies which is used esp. at sea to ascertain latitude and longitude

sex·tet \sek-'stet\ *n* **1** : a musical composition for 6 voices or 6 instruments; *also* : the 6 performers of such a composition **2** : a group or set of 6

sex·u·al \'sek-sh(ə-w)əl\ *adj* : of, relating to, or involving sex or the sexes ⟨a ~ spore⟩ ⟨~ relations⟩ — **sex·u·al·i·ty** \,sek-shə-'wal-ət-ē\ *n* — **sex·u·al·ly** \'sek-shə-(wə-)lē\ *adv*

shab·by \'shab-ē\ *adj* **1** : threadbare and faded from wear **2** : dressed in worn clothes **3** : MEAN ⟨~ treatment⟩

shack \'shak\ *n* : HUT, SHANTY

¹shack·le \'shak-əl\ *n* **1** : something (as a manacle or fetter) that confines the legs or arms **2** : a check on free action made as if by fetters **3** : a device for making something fast or secure

²shackle *vb* : to fasten with or as if with shackles : CHAIN

¹shade \'shād\ *n* **1** : partial obscurity **2** : space sheltered from the light esp. of the sun **3** : a dark color or a variety of a color **4** : a small difference ⟨various ~s of meaning⟩ **5** : PHANTOM **6** : something that shelters from or intercepts light or heat — **shady** *adj*

²shade *vb* **1** : to shelter from light and heat **2** : DARKEN, OBSCURE **3** : to mark with degrees of light or color **4** : to show slight differences esp. in color or meaning

shad·ing \'shād-iŋ\ *n* : the color and lines representing darkness or shadow in a drawing or painting

¹shad·ow \'shad-ō\ *n* **1** : partial darkness in a space from which light rays are cut off **2** : SHELTER **3** : a small portion or degree : TRACE ⟨a ~ of doubt⟩ **4** : influence that casts a gloom **5** : shade cast upon a surface by something intercepting rays from a light ⟨the ~ of a tree⟩ **6** : PHANTOM **7** : a shaded portion of a picture — **shad·owy** *adj*

²shadow *vb* **1** : to cast a shadow on : DARKEN, DIM **2** : to represent faintly or vaguely **3** : to follow and watch closely : TRAIL

shaft \'shaft\ *n* **1** : the long handle of a spear or lance **2** *or pl* **shaves** \'shavz\: POLE; *esp* : one of two poles between which a horse is hitched to pull a vehicle **3** : SPEAR, LANCE **4** : something (as a column) long and slender **5** : a bar to support a rotating piece or to transmit power by rotation **6** : a vertical opening (as for an elevator) through the floors of a building **7** : an inclined opening (as in a mine for raising ore) in the ground

shag \'shag\ *n* **1** : a shaggy tangled mat (as of wool) **2** : a strong finely shredded tobacco

shag·gy *adj* **1** : rough with or as if with long hair or wool **2** : tangled or rough in surface

¹shake \'shāk\ *vb* **shook** \'shuk\ **shak·en** \'shā-kən\ **shak·ing** **1** : to move or cause to move jerkily or irregularly : QUIVER ⟨the explosion *shook* the house⟩ **2** : BRANDISH, WAVE ⟨*shaking* his fist⟩ **3** : to disturb emotionally ⟨*shaken* by her death⟩ **4** : WEAKEN ⟨*shook* his faith⟩ **5** : to bring or come into a certain position, condition, or arrangement by or as if by moving jerkily ⟨~ flour out of a can⟩ ⟨the radiator cap *shook* off⟩ **6** : to clasp (hands) in greeting or as a sign of goodwill or agreement *syn* tremble, quake, totter, shiver, rock, convulse — **shak·able** *adj*

²shake *n* **1** : the act or a result of shaking **2** : DEAL, TREATMENT ⟨a fair ~⟩

shak·er *n* **1** : one that shakes ⟨pepper ~⟩ **2** *cap* : a member of a religious sect founded in England in 1747

shaky \'shā-kē\ *adj* : UNSOUND, WEAK — **shak·i·ly** *adv* — **shak·i·ness** *n*

shale \'shāl\ *n* : a rock formed of densely packed clay, mud, or silt that splits easily into layers

shall \shəl, (')shal\ *vb*, *past* **should** \shəd, (')shud\ — used as an auxiliary to express a command, what seems inevitable or likely in the future, simple futurity, or determination

¹shal·low \'shal-ō\ *adj* **1** : not deep **2** : not intellectually profound *syn* superficial

²shallow *n* : a shallow place in a body of water — usu. used in pl.

¹sham \'sham\ *n* **1** : COUNTERFEIT,

sham 407 sheepskin

IMITATION   2 : something resembling an article of household linen and used in its place as a decoration ⟨a pillow ∼⟩
²**sham** *vb* **shammed; sham·ming** : FEIGN, PRETEND — **sham·mer** *n*
sham·ble \'sham-bəl\ *vb* : to walk clumsily : shuffle along — **shamble** *n*
sham·bles \-bəlz\ *n* 1 : a scene of great slaughter   2 : a scene or state of great destruction or disorder
¹**shame** \'shām\ *n* 1 : a painful sense of guilt   2 : DISGRACE, DISHONOR — **shame·ful** *adj* — **shame·ful·ly** *adv* — **shame·less** *adj* — **shame·less·ly** *adv*
²**shame** *vb* 1 : to make ashamed   2 : DISGRACE
shame·faced \-'fāst\ *adj* : ASHAMED, ABASHED — **shame·fac·ed·ly** \-'fā-səd-lē\ *adv*
¹**sham·poo** \sham-'pü\ *vb* : to wash (as the hair) with soap and water or with a special preparation; *also* : to wash or clean (as a rug) with soap or a dry-cleaning preparation
²**shampoo** *n* 1 : the act or process of shampooing   2 : a preparation designed for use in shampooing
sham·rock \'sham-,räk\ *n* [IrGael *seamróg*] : a plant with three leaflets used as an Irish floral emblem
shang·hai \shaŋ-'hī\ *vb* : to force aboard a ship for service as a sailor; *also* : to trick or force into something
shank \'shaŋk\ *n* 1 : the part of the leg between the knee and ankle in man or a corresponding part of a quadruped   2 : a cut of meat from the leg   3 : the part of a tool or instrument (as a key or anchor) connecting the functioning part with the handle
shan·ty \'shant-ē\ *n* : a small roughly built shelter or dwelling : HUT
¹**shape** \'shāp\ *vb* 1 : to form esp. in a particular shape   2 : DESIGN   3 : ADAPT, ADJUST   4 : REGULATE   **syn** make, fashion, fabricate, manufacture
²**shape** *n* 1 : APPEARANCE   2 : surface configuration : FORM   3 : bodily contour apart from the head and face : FIGURE   4 : PHANTOM   5 : CONDITION
shape·less *adj* 1 : having no definite shape   2 : not shapely — **shape·less·ly** *adv* — **shape·less·ness** *n*
shape·ly *adj* : having a pleasing shape — **shape·li·ness** *n*
¹**share** \'sheər\ *n* 1 : a portion belonging to one person   2 : any of the equal interests, each represented by a certificate, into which the capital stock of a corporation is divided
²**share** *vb* 1 : APPORTION   2 : to use or enjoy together with others   3 : PARTICIPATE — **shar·er** *n*
share·crop·per \-,kräp-ər\ *n* : a farmer who works another's land in return for a share of the crop — **share·crop** *vb*
share·hold·er \-,hōl-dər\ *n* : STOCKHOLDER
shark \'shärk\ *n* 1 : any of various active, greedy, and mostly large sea fishes with skeletons of cartilage   2 : a greedy crafty person
¹**sharp** \'shärp\ *adj* 1 : having a thin cutting edge or fine point : not dull or blunt   2 : COLD, NIPPING ⟨a ∼ wind⟩   3 : keen in intellect, perception, or attention   4 : BRISK, ENERGETIC   5 : IRRITABLE ⟨a ∼ temper⟩   6 : causing intense distress ⟨a ∼ pain⟩   7 : HARSH, CUTTING ⟨∼ words⟩   8 : affecting the senses as if cutting or piercing ⟨a ∼ sound⟩ ⟨a ∼ smell⟩   9 : not smooth or rounded : ANGULAR ⟨∼ features⟩   10 : involving an abrupt or extreme change ⟨a ∼ turn⟩ ⟨a ∼ drop in prices⟩   11 : CLEAR, DISTINCT ⟨mountains in ∼ relief⟩; *also* : easy to perceive ⟨a ∼ contrast⟩   12 : higher than the true pitch; *also* : raised by a half step   **syn** keen, acute — **sharp·ly** *adv* — **sharp·ness** *n*
²**sharp** *vb* : to raise in pitch by a half step
³**sharp** *adv* 1 : in a sharp manner : SHARPLY   2 : EXACTLY, PRECISELY
⁴**sharp** *n* 1 : a sharp edge or point   2 : a character # indicating a note a half step higher than the note named
sharp·en \'shär-pən\ *vb* : to make or become sharp
shat·ter \'shat-ər\ *vb* : to dash or burst into fragments
¹**shave** \'shāv\ *vb* **shaved; shaved** or **shav·en** \'shā-vən\ **shav·ing** 1 : to cut or pare off by the sliding movement of a razor   2 : to make bare or smooth by cutting the hair from   3 : to slice in thin pieces   4 : to skim along or near the surface of
²**shave** *n* 1 : any of various tools for cutting thin slices   2 : an act or process of shaving   3 : an act of passing very near so as almost to graze
shav·ing *n* 1 : the act of one that shaves   2 : a thin slice pared off
shawl \'shol\ *n* : a square or oblong piece of fabric used esp. by women as a loose covering for the head or shoulders
she \(')shē\ *pron* : that female one ⟨who is ∼⟩; *also* : that one regarded as feminine ⟨∼'s a fine ship⟩
sheaf \'shēf\ *n, pl* **sheaves** \'shēvz\ 1 : a bundle of stalks and ears of grain   2 : a group of things bound together
¹**shear** \'shiər\ *vb* **sheared; sheared** or **shorn** \'shōrn\ **shear·ing** 1 : to cut the hair or wool from : CLIP, TRIM   2 : to cut or break sharply   3 : to deprive by or as if by cutting
²**shear** *n* 1 : the act, an instance, or the result of shearing   2 : a machine for cutting metal
shears \'shiərz\ *n pl* : any of various instruments used for cutting that consist of two blades fastened together so that the edges slide one by the other
sheath \'shēth\ *n, pl* **sheaths** \'shēthz, 'shēths\ : a case for a blade (as of a knife); *also* : an anatomical covering suggesting such a case
¹**shed** \'shed\ *vb* **shed; shed·ding** 1 : to pour down in drops ⟨∼ tears⟩   2 : to cause to flow from a cut or wound ⟨∼ blood⟩   3 : to give out (as light) : DIFFUSE   4 : to throw off (as a natural covering) : DISCARD
²**shed** *n* : a slight structure built for shelter or storage
sheen \'shēn\ *n* : a subdued luster : GLOSS
sheep \'shēp\ *n* 1 : a domesticated mammal related to the goat and raised for meat, wool, and hide   2 : a timid or defenseless person   3 : SHEEPSKIN
sheep·ish *adj* : BASHFUL, TIMID; *esp* : embarrassed by consciousness of a fault
sheep·skin \'shēp-,skin\ *n* 1 : the hide of a sheep or leather prepared from it; *also* : PARCHMENT   2 : DIPLOMA

¹**sheer** \'shiər\ *adj* **1** : UNQUALIFIED ⟨~ folly⟩ **2** : very steep **3** : of very thin or transparent texture **syn** pure, simple, absolute, precipitous, abrupt — **sheer** *adv*

²**sheer** *vb* : to turn from a course : SWERVE

¹**sheet** \'shēt\ *n* **1** : a broad piece of plain cloth (as for a bed) **2** : a single piece of paper (as for writing or printing) **3** : a broad flat surface ⟨a ~ of water⟩ **4** : something broad and long and relatively thin ⟨a ~ of iron⟩

²**sheet** *n* **1** : a rope that regulates the angle at which a sail is set to catch the wind **2** *pl* : spaces at either end of an open boat

shelf \'shelf\ *n, pl* **shelves** \'shelvz\ **1** : a thin flat usu. long and narrow structure fastened against a wall above the floor to hold things **2** : a sandbank or ledge of rocks usu. partially submerged

¹**shell** \'shel\ *n* **1** : a hard or tough outer covering of an animal (as a beetle, turtle, or mollusk) or of an egg or a seed or fruit (as a nut); *also* : something that resembles a shell ⟨a pastry ~⟩ **2** : a case holding an explosive and designed to be fired from a cannon; *also* : a case holding the charge of powder and shot or bullet for small arms **3** : a light narrow racing boat propelled by oarsmen — **shelly** *adj*

²**shell** *vb* **1** : to remove from a shell or husk : SHUCK **2** : BOMBARD — **shell·er** *n*

¹**shel·lac** \shə-'lak\ *n* **1** : a purified resin used in varnishes and sealing wax; *also* : this resin dissolved in alcohol and used as a varnish

²**shellac** *vb* **-lacked; -lack·ing 1** : to coat or treat with shellac **2** : to defeat decisively

shell·fish \'shel-,fish\ *n* : a water animal (as an oyster, crab, or lobster) with a shell

¹**shel·ter** \'shel-tər\ *n* : something that gives protection : REFUGE

²**shelter** *vb* : to give protection or refuge to : PROTECT **syn** harbor, lodge, house

shelve \'shelv\ *vb* **1** : to slope gradually **2** : to store on shelves **3** : to dismiss from service or use

¹**shep·herd** \'shep-ərd\ *n* : one that tends and guards sheep — **shep·herd·ess** *n*

²**shepherd** *vb* : to tend as or in the manner of a shepherd

sher·iff \'sher-əf\ *n* : a county officer charged with the execution of the law and the preservation of order

sher·ry \'sher-ē\ *n* : a fortified wine with a nutty flavor

¹**shield** \'shēld\ *n* **1** : a broad piece of defensive armor carried on the arm **2** : something that protects or hides

²**shield** *vb* : to protect or hide with a shield **syn** protect, guard, safeguard

¹**shift** \'shift\ *vb* **1** : EXCHANGE, REPLACE **2** : to change place, position, or direction : MOVE; *also* : to change the arrangement of gears transmitting power in an automobile **3** : to get along : MANAGE **syn** remove

²**shift** *n* **1** : TRANSFER **2** : SCHEME, TRICK **3** : a group working together alternating with other groups **4** : GEARSHIFT

shift·less *adj* : LAZY, INEFFICIENT — **shift·less·ness** *n*

shifty *adj* **1** : TRICKY; *also* : ELUSIVE **2** : indicative of a tricky nature ⟨~ eyes⟩

shim·mer \'shim-ər\ *vb* : to shine waveringly or tremulously : GLIMMER **syn** flash, gleam, glint, sparkle, glitter — **shimmer** *n* — **shim·mery** *adj*

shim·my \'shim-ē\ *n* : an abnormal vibration (as in the front wheels of an automobile)

¹**shin** \'shin\ *n* : the front part of the leg below the knee

²**shin** *vb* **shinned; shin·ning** : to climb (as a pole) by gripping alternately with arms or hands and legs

¹**shine** \'shīn\ *vb* **shone** \'shōn\ *or* **shined; shin·ing 1** : to give light **2** : GLEAM, GLITTER **3** : to be eminent **4** : to cause to shed light **5** : POLISH

²**shine** *n* **1** : BRIGHTNESS, RADIANCE **2** : LUSTER, BRILLIANCE **3** : SUNSHINE

shin·er \'shī-nər\ *n* **1** : a small silvery fish : MINNOW **2** : a bruised eye

¹**shin·gle** \'shiŋ-gəl\ *n* **1** : a small thin piece of building material (as wood or an asbestos composition) used in overlapping rows for covering a roof or outside wall **2** : a small sign (as on a doctor's or lawyer's office)

²**shingle** *vb* : to cover with shingles

Shin·to \'shin-,tō\ *n* : the indigenous religion of Japan consisting esp. in reverence of the spirits of natural forces and imperial ancestors — **Shin·to·ism** *n* — **Shin·to·ist** *adj or n* — **Shin·to·is·tic** \,shin-tō-'is-tik\ *adj*

shiny \'shī-nē\ *adj* : BRIGHT, RADIANT; *also* : POLISHED

¹**ship** \'ship\ *n* **1** : a large seagoing boat **2** : AIRSHIP, AIRPLANE **3** : a ship's officers and crew

²**ship** *vb* **shipped; ship·ping 1** : to put or receive on board a ship for transportation **2** : to have transported by a carrier ⟨~ grain by rail⟩ **3** : to take or draw into a boat ⟨~ oars⟩ ⟨~ water⟩ **4** : to engage to serve on a ship — **ship·per** *n*

-ship \,ship\ *n suffix* **1** : state : condition : quality ⟨friend*ship*⟩ **2** : office : dignity : profession ⟨lord*ship*⟩ ⟨clerk*ship*⟩ **3** : art : skill ⟨horseman*ship*⟩ **4** : something showing, exhibiting, or embodying a quality or state ⟨town*ship*⟩ **5** : one entitled to a (specified) rank, title, or appellation ⟨his Lord*ship*⟩

ship·mate \-,māt\ *n* : a fellow sailor

ship·ment *n* : the process of shipping; *also* : the goods shipped

ship·ping *n* **1** : SHIPS; *esp* : ships in one port or belonging to one country **2** : transportation of goods

ship·shape \'ship-'shāp\ *adj* : TRIM, TIDY

¹**ship·wreck** \-,rek\ *n* **1** : a wrecked ship **2** : destruction or loss of a ship (as by sinking or being driven on rocks) **3** : total loss or failure : RUIN

²**shipwreck** *vb* : to cause or meet disaster at sea through destruction or foundering

ship·yard \-,yärd\ *n* : a place where ships are built or repaired

shirk \'shərk\ *vb* : to avoid performing (duty or work) — **shirk·er** *n*

shirt \'shərt\ *n* **1** : a loose cloth garment usu. having a collar, sleeves, a

front opening, and a tail long enough to be tucked inside trousers or a skirt 2 : UNDERSHIRT — **shirt·less** *adj*
¹**shiv·er** \'shiv-ər\ *vb* : TREMBLE, QUIVER
²**shiver** *n* : an instance of shivering : QUIVER — **shiv·er·er** *n* — **shiv·ery** *adj*
¹**shoal** \'shōl\ *n* **1** : a shallow place in a sea, lake, or river **2** : a sandbank or bar creating a shallow
²**shoal** *n* : a large group (as of fish) : SCHOOL, CROWD
¹**shock** \'shäk\ *n* : a pile of sheaves of grain set up in the field
²**shock** *n* **1** : a sharp impact or violent shake or jar **2** : a sudden violent mental or emotional disturbance **3** : the effect of a charge of electricity passing through the body **4** : a depressed bodily condition caused esp. by crushing wounds, blood loss, or burns **5** : an attack of apoplexy or heart disease
³**shock** *vb* **1** : to strike with surprise, horror, or disgust **2** : to subject (a body) to the action of an electrical discharge
shock·ing *adj* : extremely startling and offensive — **shock·ing·ly** *adv*
¹**shod·dy** \'shäd-ē\ *n* **1** : wool reclaimed from old rags; *also* : a fabric made from it **2** : inferior or imitation material **3** : pretentious vulgarity
²**shod·dy** \'shäd-ē\ *adj* **1** : made of shoddy **2** : cheaply imitative : INFERIOR, SHAM — **shod·di·ly** *adv* — **shod·di·ness** *n*
¹**shoe** \'shü\ *n* **1** : a covering for the human foot **2** : HORSESHOE **3** : the part of a brake that presses on the wheel **4** : the casing of an automobile tire
²**shoe** *vb* **shod** \'shäd\ *also* **shoed**; **shoe·ing** : to put a shoe or shoes on
shoe·mak·er \'shü-ˌmā-kər\ *n* : one who sells or repairs shoes
shone *past of* SHINE
shook *past of* SHAKE
¹**shoot** \'shüt\ *vb* **shot** \'shät\ **shoot·ing 1** : to drive (as an arrow or bullet) forward quickly or forcibly **2** : to hit, kill, or wound with a missile **3** : to cause a missile to be driven forth or forth from ⟨~ a gun⟩ ⟨~ an arrow⟩ **4** : to send forth (as a ray of light) **5** : to thrust forward or out **6** : to pass rapidly along ⟨~ the rapids⟩ **7** : PHOTOGRAPH, FILM ⟨~ a motion picture⟩ **8** : to drive or rush swiftly : DART **9** : to grow by or as if by sending out shoots; *also* : MATURE, DEVELOP — **shoot·er** *n*
²**shoot** *n* **1** : a shooting match **2** : the aerial part of a plant; *also* : a plant part (as a branch) developed from one bud
shooting star *n* : METEOR
¹**shop** \'shäp\ *n* **1** : a place where things are made or worked on : FACTORY, MILL **2** : a retail store ⟨dress ~⟩
²**shop** *vb* **shopped**; **shop·ping** : to visit stores for purchasing or examining goods — **shop·per** *n*
shop·keep·er \-ˌkē-pər\ *n* : a retail merchant
¹**shore** \'shōr\ *n* : land along the edge of a body of water — **shore·less** *adj*
²**shore** *vb* : to give support to : BRACE, PROP
shorn *past part of* SHEAR
¹**short** \'short\ *adj* **1** : not long or tall **2** : not great in distance **3** : brief in time **4** : CURT, ABRUPT **5** : not coming up to standard or to an expected amount **6** : insufficiently supplied : not having enough **7** : made with shortening : FLAKY **8** : not having goods or property that one has sold in anticipation of a fall in prices; *also* : consisting of or relating to a sale of securities or commodities that the seller does not possess or has not contracted for at the time of the sale ⟨~ sale⟩ — **short·ness** *n*
²**short** *adv* **1** : ABRUPTLY, CURTLY **2** : at some point before a goal or limit aimed at ⟨fell ~ of the target⟩
³**short** *n* **1** : something shorter than normal or standard **2** *pl* : drawers or trousers of less than knee length
short·age *n* : a deficiency in the amount required : DEFICIT
short circuit *n* : a connection of comparatively low resistance accidentally or intentionally made between points in an electric circuit — **short–circuit** *vb*
short·com·ing \'short-ˌkəm-iŋ\ *n* : FAILING, DEFECT
short·cut \-ˌkət\ *n* **1** : a route more direct than that usu. taken **2** : a quicker way of doing something
short·en \'short-ᵊn\ *vb* : to make or become short
short·en·ing \-(ə-)niŋ\ *n* : a substance (as lard or butter) that makes pastry crisp and flaky
short·hand \'short-ˌhand\ *n* : a method of writing rapidly by using symbols and abbreviations for letters, words, or phrases : STENOGRAPHY
short·hand·ed \-'han-dəd\ *adj* : short of the regular or needed number of workers
short–lived \-'līvd, -'livd\ *adj* : of short life or duration
short·ly *adv* **1** : in a few words : BRIEFLY, CURTLY **2** : in a short time : SOON
short·sight·ed \-'sīt-əd\ *adj* **1** : NEARSIGHTED **2** : lacking foresight — **short·sight·ed·ness** *n*
short·stop \'short-ˌstäp\ *n* : a baseball player defending the area between second and third base
short story *n* : a short invented prose narrative usu. dealing with a few characters and aiming at unity of effect
short–term \'short-'tərm\ *adj* **1** : occurring over or involving a relatively short period of time **2** : of or relating to a financial transaction based on a term usu. of less than a year
short–wave \-'wāv\ *n* : a radio wave of 60-meter wavelength or less used esp. in long-distance broadcasting
shot \'shät\ *n* **1** : an act of shooting **2** : a stroke in some games **3** : something that is shot : MISSILE, PROJECTILE; *esp* : small pellets forming a charge for a shotgun **4** : a metal sphere that is thrown for distance in a field sport (**shot put**) **5** : RANGE, REACH **6** : MARKSMAN **7** : a single photographic exposure **8** : a single sequence of a motion picture or a television program made by one camera **9** : an injection (as of medicine) into the body **10** : a portion (as of liquor or medicine) taken at one time
shot·gun \-ˌgən\ *n* : a gun with a smooth bore used to fire small shot at short range
should \shəd, (ˈ)shùd\ *past of* SHALL — used as an auxiliary to express condition, obligation or propriety, probability, or futurity from a point of view in the past

shoulder — **sick**

¹**shoul·der** \'shōl-dər\ *n* **1** : the part of the human body formed by the bones and muscles where the arm joins the trunk; *also* : a corresponding part of a lower animal **2** : a projecting part resembling a human shoulder
²**shoulder** *vb* **1** : to push or thrust with the shoulder **2** : to take upon the shoulder **3** : to take the responsibility of
shoulder blade *n* : the flat triangular bone at the back of the shoulder
shout \'shaut\ *vb* : to utter a sudden loud cry — **shout** *n*
shove \'shəv\ *vb* : to push along, aside, or away — **shove** *n*
¹**shov·el** \'shəv-əl\ *n* **1** : a broad long-handled scoop used to lift and throw loose material (as earth, coal, or snow) **2** : the amount of something held by a shovel
²**shovel** *vb* **-eled** *or* **-elled; -el·ing** *or* **-el·ling** **1** : to take up and throw with a shovel **2** : to dig or clean out with a shovel
¹**show** \'shō\ *vb* **showed; shown** \'shōn\ *or* **showed; show·ing** **1** : to cause or permit to be seen : EXHIBIT ⟨~ anger⟩ **2** : CONFER, BESTOW ⟨~ mercy⟩ **3** : REVEAL, DISCLOSE ⟨~ed courage in battle⟩ **4** : INSTRUCT ⟨~ed me how to do it⟩ **5** : PROVE ⟨~s he was guilty⟩ **6** : APPEAR **7** : to be noticeable **8** : to be third in a horse race
²**show** *n* **1** : a demonstrative display **2** : outward appearance ⟨a ~ of resistance⟩ **3** : SPECTACLE **4** : a theatrical presentation **5** : a radio or television program **6** : third place in a horse race
¹**show·er** \'shau(-ə)r\ *n* **1** : a brief fall of rain **2** : a bath in which water is showered on the person **3** : a party given by friends who bring gifts — **show·ery** *adj*
²**shower** *vb* **1** : to fall in a shower **2** : to bathe in a shower
show·man \'shō-mən\ *n* : one having a gift for dramatization and visual effectiveness
showy \'shō-ē\ *adj* : superficially impressive or striking : OSTENTATIOUS, GAUDY — **show·i·ly** *adv* — **show·i·ness** *n*
¹**shred** \'shred\ *n* : a narrow strip cut or torn off : a small fragment
²**shred** *vb* **shred·ded; shred·ding** : to cut or tear into shreds
shrew \'shrü\ *n* **1** : a scolding woman **2** : a very small mouselike mammal
shrewd \'shrüd\ *adj* : KEEN, ASTUTE — **shrewd·ly** *adv* — **shrewd·ness** *n*
shrew·ish *adj* : having an irritable disposition : ILL-TEMPERED
shriek \'shrēk\ *n* : a shrill cry : SCREAM, YELL — **shriek** *vb*
¹**shrill** \'shril\ *vb* : to make a high-pitched piercing sound
²**shrill** *adj* : high-pitched : PIERCING ⟨~ whistle⟩ — **shril·ly** \'shril-lē\ *adv*
shrimp \'shrimp\ *n* **1** : any of various small sea crustaceans related to the lobsters **2** : a small or puny person
shrine \'shrīn\ *n* [OE *scrin* receptacle for the relics of a saint, fr. L *scrinium* box, case] **1** : the tomb of a saint; *also* : a place where devotion is paid to a saint or deity **2** : a place or object hallowed by its associations
shrink \'shriŋk\ *vb* **shrank** \'shraŋk\ *or* **shrunk** \'shruŋk\ **shrunk** *or* **shrunk·en** \-ən\ **shrink·ing** **1** : to draw back or away : COWER, HUDDLE **2** : to become smaller in width or length or both ⟨~ from wetting and drying out⟩ **3** : to lessen in value *syn* recoil, flinch, quail, contract, constrict, compress, condense, deflate — **shrink·able** *adj*
shrink·age *n* **1** : the act of shrinking **2** : a decrease in value **3** : the amount by which something contracts or lessens in extent
shriv·el \'shriv-əl\ *vb* **-eled** *or* **-elled; -el·ing** *or* **-el·ling** : to shrink and draw together into wrinkles : wither up
¹**shroud** \'shraud\ *n* **1** : a cloth placed over a dead body **2** : something that covers or screens **3** : one of the ropes leading usu. in pairs from the masthead of a ship to the side to support the mast
²**shroud** *vb* : to veil or screen from view
shrub \'shrəb\ *n* : a low usu. several-stemmed woody plant — **shrub·by** *adj*
shrub·bery \-(ə-)rē\ *n* : a planting or growth of shrubs
shrug \'shrəg\ *vb* **shrugged; shrug·ging** : to hunch (the shoulders) up to express doubt, indifference, or dislike — **shrug** *n*
¹**shuck** \'shək\ *n* : SHELL, HUSK
shud·der \'shəd-ər\ *vb* : TREMBLE, QUAKE — **shudder** *n*
shuf·fle \'shəf-əl\ *vb* **1** : to mix in a disorderly mass **2** : to rearrange the order of (cards in a pack) by mixing two parts of the pack together **3** : to move with a sliding or dragging gait **4** : to shift from place to place **5** : to dance in a slow lagging manner — **shuffle** *n*
shun \'shən\ *vb* **shunned; shun·ning** : to avoid deliberately or habitually *syn* evade, elude, escape
¹**shunt** \'shənt\ *vb* : to turn off to one side; *esp* : to switch (a train) from one track to another
²**shunt** *n* **1** : a means for turning or thrusting aside **2** *chiefly Brit* : a railroad switch
shut \'shət\ *vb* **shut; shut·ting** **1** : CLOSE **2** : to forbid entrance into **3** : to lock up : CONFINE ⟨~ in prison⟩ **4** : to fold together ⟨~ a penknife⟩
shut·ter \'shət-ər\ *n* **1** : a movable cover for a door or window for privacy or to keep out light or air : BLIND **2** : the part of a camera that opens or closes to expose the film
¹**shut·tle** \'shət-ᵊl\ *n* **1** : an instrument used in weaving for passing the horizontal threads between the vertical threads **2** : a vehicle traveling back and forth over a short route ⟨a ~ bus⟩
²**shuttle** *vb* : to move back and forth rapidly or frequently
¹**shy** \'shī\ *adj* **1** : TIMID, DISTRUSTFUL **2** : WARY **3** : BASHFUL **4** : DEFICIENT, LACKING ⟨this coat is ~ a button⟩ — **shy·ly** *adv* — **shy·ness** *n*
²**shy** *vb* **1** : to shrink back : RECOIL **2** : to start suddenly aside through fright ⟨the horse *shied*⟩
Siamese twins *n pl* : twins with bodies united at birth
sick \'sik\ *adj* **1** : not in good health : ILL; *also* : of, relating to, or intended for the sick ⟨~ pay⟩ **2** : NAUSEATED **3** : LANGUISHING, PINING **4** : DISGUSTED — **sick·ly** *adj*

sick·en \'sik-ən\ vb : to make or become sick

sick·le \'sik-əl\ n : a curved metal blade with a short handle used esp. for cutting grass

sick·ness n 1 : ill health; also : a specific disease 2 : NAUSEA

side \'sīd\ n 1 : a border of an object; esp : one of the longer borders as contrasted with an end 2 : an outer surface of an object 3 : the right or left part of the trunk of a body 4 : a place away from a central point or line 5 : a position regarded as opposite to another 6 : a body of contestants — **side** adj

side·board \-,bōrd\ n : a piece of dining-room furniture for holding articles of table service

¹**side·long** \-,lȯŋ\ adv : in the direction along the side : OBLIQUELY

²**sidelong** adj : directed to one side : SLANTING ⟨~ look⟩

side·piece \'sīd-,pēs\ n : a piece forming or contained in the side of something

side·stroke \'sīd-,strōk\ n : a stroke made by a swimmer while lying on his side in which the arms are moved without breaking water while the legs do a scissors kick

¹**side·track** \-,trak\ n : SIDING

²**sidetrack** vb 1 : to switch from a main railroad line to a siding 2 : to turn aside from a purpose

side·walk \-,wȯk\ n : a paved walk at the side of a road or street

side·ways \-,wāz\ or **side·wise** \-,wīz\ adv (or adj) 1 : from the side 2 : with one side to the front 3 : to, toward, or at one side

sid·ing \'sīd-iŋ\ n 1 : a short railroad track connected with the main track 2 : material (as boards) covering the outside of frame buildings

si·dle \'sīd-ᵊl\ vb : to move sideways or side foremost

siege \'sēj\ n 1 : the placing of an army around or before a fortified place to force its surrender 2 : a persistent attack (as of illness)

sieve \'siv\ n : a utensil with meshes or holes to separate the finer particles of a substance from the coarser or solids from liquids

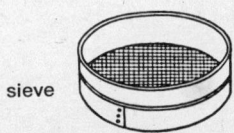

sieve

sift \'sift\ vb 1 : to pass through a sieve 2 : to separate with or as if with a sieve 3 : to examine carefully 4 : to scatter by or as if by passing through a sieve — **sift·er** n

sigh \'sī\ vb 1 : to make a long audible respiration (as to express weariness or sorrow) 2 : GRIEVE, YEARN — **sigh** n

¹**sight** \'sīt\ n 1 : something seen 2 : the process, function, or power of seeing; esp : the special sense of which the eye is the receptor and by which qualities of appearance (as position, shape, and color) are perceived 3 : INSPECTION 4 : a device (as a small bead on a gun barrel) that aids the eye in aiming 5 : VIEW, GLIMPSE 6 : the range of vision — **sight·less** adj

²**sight** vb 1 : to get sight of 2 : to aim by means of a sight

¹**sign** \'sīn\ n 1 : SYMBOL 2 : a gesture expressing a command, wish, or thought 3 : a lettered notice publicly displayed for advertising purposes or for giving direction or warning 4 : OMEN, PORTENT 5 : TRACE, VESTIGE

²**sign** vb 1 : to mark with a sign 2 : to represent by a sign 3 : to make a sign or signal 4 : to write one's name on in token of assent or obligation 5 : to assign legally — **sign·er** n

¹**sig·nal** \'sig-nᵊl\ n 1 : a sign agreed upon as the start of some joint action 2 : a sign giving warning or notice of something 3 : the message, sound, or image transmitted in electronic communication (as radio)

²**signal** vb -naled or -nalled; -nal·ing or -nal·ling 1 : to communicate by signals 2 : to notify by a signal

³**signal** adj 1 : DISTINGUISHED, OUTSTANDING ⟨a ~ honor⟩ 2 : used in signaling ⟨~ flare⟩ — **sig·nal·ly** adv

sig·na·ture \'sig-nə-,chu̇r\ n 1 : the name of a person written by himself 2 : the sign placed after the clef to indicate the key or the meter of a piece of music 3 : a tune or sound effect or in television a visual effect to identify a program, entertainer, or orchestra

sig·net \'sig-nət\ n : a small intaglio seal (as in a ring)

sig·nif·i·cance \sig-'nif-i-kəns\ n 1 : something signified : MEANING 2 : SUGGESTIVENESS 3 : CONSEQUENCE, IMPORTANCE

sig·nif·i·cant \-kənt\ adj 1 : having meaning; esp : having a hidden or special meaning 2 : having or likely to have considerable influence or effect : IMPORTANT — **sig·nif·i·cant·ly** adv

sig·ni·fy \'sig-nə-,fī\ vb 1 : to show by a sign 2 : MEAN, IMPORT 3 : to have significance — **sig·ni·fi·ca·tion** \,sig-nə-fə-'kā-shən\ n

sign·post \'sīn-,pōst\ n : a post bearing a sign

Sikh \'sēk\ n : an adherent of a religion of India marked by rejection of caste

¹**si·lence** \'sī-ləns\ n 1 : the state of being silent 2 : SECRECY 3 : STILLNESS

²**silence** vb 1 : to reduce to silence : STILL 2 : to cause to cease hostile firing by one's own fire or by bombing

si·lent \'sī-lənt\ adj 1 : not speaking : MUTE; also : TACITURN 2 : STILL, QUIET 3 : performed or borne without utterance **syn** reticent, reserved, secretive, close — **si·lent·ly** adv

¹**sil·hou·ette** \,sil-ə-'wet\ n 1 : a representation of the outlines of an object filled in with black or some other uniform color 2 : OUTLINE ⟨~ of a ship⟩

²**silhouette** vb : to represent by a silhouette; also : to show against a light background

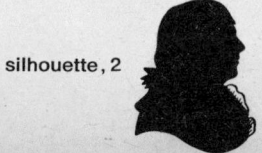

silhouette, 2

sil·i·ca \'sil-i-kə\ *n* : a mineral that consists of silicon and oxygen and is found as quartz and opal

sil·i·cate \'sil-ə-,kāt, -i-kət\ *n* : a compound formed from silica and any of various oxides of metals

sil·i·con \'sil-i-kən\ *n* : a nonmetallic chemical element that is found in nature always combined with some other substance and that is the most abundant element next to oxygen in the earth's crust

sil·i·cone \'sil-ə-,kōn\ *n* : an organic silicon compound obtained as oil, grease, or plastic

silk \'silk\ *n* 1 : a fine strong lustrous protein fiber produced by insect larvae for their cocoons; *esp* : one from moth larvae (**silk·worms** \-,wərmz\) used for cloth 2 : thread or cloth made from silk — **silk·en** *adj* — **silky** *adj*

sill \'sil\ *n* : a heavy crosspiece (as of wood or stone) that forms the bottom member of a window frame or a doorway; *also* : a horizontal supporting piece at the base of a structure

sil·ly \'sil-ē\ *adj* : FOOLISH, ABSURD, STUPID — **sil·li·ness** *n*

si·lo \'sī-lō\ *n* : a trench, pit, or tall cylinder (as of wood or brick) where silage is stored

¹**silt** \'silt\ *n* 1 : fine earth; *esp* : particles of such soil floating in rivers, ponds, or lakes 2 : a deposit (as by a river) of silt

²**silt** *vb* : to choke, obstruct, or cover with silt ⟨~ up a channel⟩

¹**sil·ver** \'sil-vər\ *n* 1 : a white ductile metallic chemical element that takes a high polish and is used for money, jewelry, and table utensils 2 : coin made of silver 3 : SILVERWARE 4 : a grayish white color — **sil·very** *adj*

²**silver** *adj* 1 : relating to, made of, or coated with silver 2 : SILVERY

³**silver** *vb* : to coat with or as if with silver

sil·ver·ware \'sil-vər-,waər\ *n* : articles (as knives, forks, and spoons) made of silver, silver-plated metal, or stainless steel

sim·i·lar \'sim-ə-lər\ *adj* : marked by correspondence or resemblance *syn* alike, akin, comparable, parallel — **sim·i·lar·i·ty** \,sim-ə-'lar-ət-ē\ *n* — **sim·i·lar·ly** \'sim-ə-lər-lē\ *adv*

sim·i·le \'sim-ə-(,)lē\ *n* [L, likeness, comparison, fr. neut. of *similis* like, similar] : a figure of speech in which two dissimilar things are compared by the use of *like* or *as* (as in "cheeks like roses")

sim·mer \'sim-ər\ *vb* 1 : to stew at or just below the boiling point 2 : to be on the point of bursting out with violence or emotional disturbance

bined with anything else 2 : not other than : MERE 3 : not complex : PLAIN 4 : ABSOLUTE ⟨land held in fee ~⟩ 5 : STRAIGHTFORWARD; *also* : ARTLESS 6 : UNADORNED 7 : lacking education, experience, or intelligence *syn* pure, sheer, easy, facile, light, effortless, natural, ingenuous, naïve, unsophisticated, foolish, silly — **sim·ple·ness** *n* — **sim·ply** \-plē\ *adv*

²**simple** *n* 1 : a person of humble birth : COMMONER 2 : a medicinal plant

sim·plic·i·ty \sim-'plis-ət-ē\ *n* 1 : lack of complication : CLEARNESS 2 : CANDOR, ARTLESSNESS 3 : plainness in manners or way of life 4 : IGNORANCE, FOOLISHNESS

sim·pli·fy \'sim-plə-,fī\ *vb* : to make simple : make less complex : CLARIFY — **sim·pli·fi·ca·tion** \,sim-plə-fə-'kā-shən\ *n*

sim·u·late \'sim-yə-,lāt\ *vb* : to create the effect or appearance of : FEIGN — **sim·u·la·tion** \,sim-yə-'lā-shən\ *n*

si·mul·ta·ne·ous \,sīm-əl-'tā-nē-əs, ,sim-\ *adj* : occurring or operating at the same time — **si·mul·ta·ne·ous·ly** *adv*

¹**sin** \'sin\ *n* 1 : an offense esp. against God 2 : FAULT 3 : a weakened state of human nature in which the self is estranged from God — **sin·less** *adj*

²**sin** *vb* **sinned; sin·ning** : to commit a sin — **sin·ner** *n*

¹**since** \(')sins\ *adv* 1 : from a past time until now ⟨have lived there ever ~⟩ 2 : backward in time : AGO ⟨died long ~⟩

²**since** *prep* 1 : in the period after ⟨changes made ~ the war⟩ 2 : continuously from ⟨has been here ~ 1955⟩

³**since** *conj* 1 : from the time when 2 : seeing that : BECAUSE

sin·cere \sin-'siər\ *adj* 1 : free from hypocrisy : HONEST 2 : GENUINE, REAL — **sin·cere·ly** *adv* — **sin·cer·i·ty**

sin·ful *adj* : marked by or full of sin : WICKED — **sin·ful·ly** *adv* — **sin·ful·ness** *n*

sing \'siŋ\ *vb* **sang** \'saŋ\ *or* **sung** \'səŋ\ **sung; sing·ing** 1 : to produce musical tones with the voice; *also* : to utter with musical tones 2 : to produce harmonious sustained sounds ⟨birds ~ing⟩ 3 : CHANT, INTONE 4 : to make a prolonged shrill sound ⟨locusts ~ing⟩ 5 : to write poetry; *also* : to celebrate in song or verse 6 : to give information or evidence — **sing·er** *n*

singe \'sinj\ *vb* **singed; singe·ing** : to scorch lightly the outside of; *esp* : to remove the hair or down from (a plucked fowl) with flame

¹**sin·gle** \'siŋ-gəl\ *adj* 1 : one only 2 : ALONE 3 : UNMARRIED 4 : having only one feature or part 5 : made for one person or family *syn* sole, unique, lone, solitary, separate, particular — **sin·gle·ness** *n* — **sin·gly** \-glē\ *adv*

²**single** *n* 1 : a separate person or thing 2 : a hit in baseball that enables the batter to reach first base 3 *pl* : a tennis match with one player on each side

³**single** *vb* 1 : to select (one) from a group 2 : to hit a single

sin·gu·lar \'siŋ-gyə-lər\ *adj* 1 : of, relating to, or constituting a word form denoting one person, thing, or instance 2 : of unusual quality 3 : OUTSTANDING, EXCEPTIONAL 4 : ODD, STRANGE — **singular** *n* — **sin·gu·lar·i·ty** \,siŋ-gyə-'lar-ət-ē\ *n* — **sin·gu·lar·ly** \'siŋ-gyə-lər-lē\ *adv*

sin·is·ter \'sin-ə-stər\ *adj* 1 : threatening or foreboding evil or disaster 2 : indicative of lurking evil *syn* baleful, malign

¹**sink** \'siŋk\ *vb* **sank** \'saŋk\ *or* **sunk** \'səŋk\ **sunk; sink·ing** 1 : SUBMERGE 2 : to descend lower and lower 3 : to grow less in volume or height 4 : to

sink ... **skill**

¹**sink** ... **1** : slope downward **5** : to penetrate downward **6** : to fail in health or strength **7** : LAPSE, DEGENERATE **8** : to cause (a ship) to plunge to the bottom **9** : to make (a hole or shaft) by digging, boring, or cutting **10** : INVEST — **sink·able** *adj*

²**sink** *n* **1** : DRAIN, SEWER **2** : a basin connected with a drain for washing **3** : an extensive depression in the land surface

sink·er *n* : a weight for sinking a fishing line or net

si·nus \'sī-nəs\ *n* **1** : any of several cavities of the skull mostly connecting with the nostrils **2** : a space forming a channel (as for the passage of blood or pus)

sip \'sip\ *vb* **sipped; sip·ping** : to drink in small quantities — **sip** *n*

¹**si·phon** \'sī-fən\ *n* **1** : a bent tube through which a liquid can be transferred by means of air pressure up and over the edge of one container and into another container placed at a lower level **2** *usu* **sy·phon** : a bottle that ejects soda water through a tube when a valve is opened

²**siphon** *vb* : to draw off by means of a siphon

siphon, 1

sir \(')sər\ *n* [ME *sire* sire, fr. OF, fr. L *senior*, compar. of *senex* old, old man] **1** : a man of rank or position — used as a title before the given name of a knight or baronet **2** — used in addressing a man without using his name

si·ren \'sī-rən\ *n* **1** : a seductive or alluring woman **2** : a loud wailing often electrically operated whistle used to sound warning signals ⟨ambulance ∼⟩ ⟨air-raid ∼⟩ — **siren** *adj*

sir·loin \'sər-,lȯin\ *n* : a cut of beef taken from the part in front of the round

sis·ter \'sis-tər\ *n* **1** : a female person or lower animal viewed in relation to another individual having the same parents (**whole sister**) or one parent in common (**half sister**) **2** : a member of a religious order of women : NUN

sis·ter·hood \-,hu̇d\ *n* **1** : the state of being sisters or a sister **2** : a community or society of sisters

sister-in-law *n, pl* **sisters-in-law** : the sister of one's husband or wife; *also* : the wife of one's brother

sit \'sit\ *vb* **sat** \'sat\ **sit·ting** **1** : to rest upon the buttocks or haunches **2** : ROOST, PERCH **3** : to occupy a seat **4** : to hold a session **5** : to cover eggs for hatching : BROOD **6** : to pose for a portrait **7** : to remain quiet or inactive **8** : FIT **9** : to cause (oneself) to be seated **10** : to place in position **11** : to keep one's seat upon ⟨∼ a horse⟩ — **sit·ter** *n*

site \'sīt\ *n* : LOCATION ⟨∼ of a building⟩ ⟨battle ∼⟩

sit·u·at·ed \'sich-ə-,wāt-əd\ *adj* **1** : LOCATED, PLACED **2** : placed in a particular place or environment or in certain circumstances

sit·u·a·tion \,sich-ə-'wā-shən\ *n* **1** : LOCATION, SITE **2** : CONDITION, CIRCUMSTANCES **3** : place of employment : JOB, POST

six \'siks\ *n* **1** : one more than five **2** : the 6th in a set or series **3** : something having six units; *esp* : a 6-cylinder engine or automobile — **six** *adj or pron* — **sixth** *adj or adv or n*

six·pence \-pəns\ *n* : the sum of six pence; *also* : an English silver coin of this value — **six·pen·ny** \-,pen-ē\ *adj*

six·teen \'siks-'tēn\ *n* : one more than 15 — **sixteen** *adj or pron* — **six·teenth** *adj or n*

six·ty \'siks-tē\ *n* : six times 10 — **six·ti·eth** *adj or n* — **sixty** *adj or pron*

siz·able *or* **size·able** \'sī-zə-bəl\ *adj* : somewhat large : CONSIDERABLE — **siz·ably** *adv*

¹**size** \'sīz\ *n* : physical extent or bulk : DIMENSIONS; *also* : MAGNITUDE

²**size** *vb* : to grade or classify according to size

⁰**size** *n* : a gluey material used for filling the pores in paper, plaster, or textiles — **siz·ing** *n*

siz·zle \'siz-əl\ *vb* : to fry or shrivel up with a hissing sound — **sizzle** *n*

¹**skate** \'skāt\ *n* : any of numerous rays with thick broad fins

²**skate** *n* **1** : a metal runner with a frame fitting on a shoe used for gliding over ice **2** : ROLLER SKATE — **skate** *vb* — **skat·er** *n*

skein \'skān\ *n* : a loosely twisted quantity (as of yarn) as it is taken from the reel

skel·e·ton \'skel-ət-ᵊn\ *n* **1** : the usu. bony supporting framework of an animal body **2** : FRAMEWORK — **skel·e·tal** *adj*

skep·tic \'skep-tik\ *n* **1** : one who believes in skepticism as a doctrine **2** : one having a critical or doubting attitude **3** : one who doubts or disbelieves in religious tenets — **skep·ti·cal** *adj*

skep·ti·cism \-tə-,siz-əm\ *n* **1** : a doctrine that certainty of knowledge cannot be attained **2** : a doubting state of mind **3** : unbelief in religion

sketch \'skech\ *n* **1** : a rough drawing or outline **2** : a short or slight literary composition (as a story or essay); *also* : a vaudeville act — **sketch** *vb* — **sketchy** *adj*

skew·er \'skyü-ər\ *n* : a pin for holding meat in form while roasting — **skewer** *vb*

¹**ski** \'skē\ *n* : one of a pair of long strips (as of wood) bound one on each foot and used for gliding over snow

²**ski** *vb* : to glide on skis — **ski·er** *n*

¹**skid** \'skid\ *n* **1** : a plank for supporting something above the ground **2** : a device placed under a wheel to prevent turning **3** : a timber or rail over or on which something is slid or rolled **4** : a runner on the landing gear of an airplane **5** : the action of skidding

²**skid** *vb* **skid·ded; skid·ding** **1** : to slide without rotating ⟨a *skidding* wheel⟩ **2** : to slide sideways on the road ⟨the car *skidded* on ice⟩

skill \'skil\ *n* **1** : ability to use one's knowledge effectively in doing some-

skillet — **Slavic**

thing **2** : developed or acquired ability syn art, craft — **skilled** adj
skil·let \'skil-ət\ n : a frying pan
skill·ful or **skil·ful** adj **1** : having or displaying skill : EXPERT **2** : accomplished with skill — **skill·ful·ly** adv — **skill·ful·ness** n
skim \'skim\ vb **skimmed; skim·ming 1** : to take off from the top of a liquid; also : to remove (scum or cream) from 〈~ milk〉 **2** : to read rapidly and superficially **3** : to pass swiftly over
skimp \'skimp\ vb : to give insufficient attention, effort, or funds; also : to save by skimping
skimpy adj : deficient in supply or execution : SCANTY
¹**skin** \'skin\ n **1** : the outer limiting layer of an animal body; also : the usu. thin tough tissue of which this is made **2** : an outer or surface layer (as a rind or peel)
²**skin** vb **skinned; skin·ning** : to free from skin : remove the skin of
skin·flint \'skin-ˌflint\ n : a very stingy person
skin·ny adj **1** : resembling skin **2** : very thin : LEAN
¹**skip** \'skip\ vb **skipped; skip·ping 1** : to move with leaps and bounds **2** : to pass from point to point (as in reading) disregarding what is in between **3** : to leap lightly over **4** : to pass over without notice or mention
²**skip** n : a light bound; also : a gait of alternate hops and steps
skip·per \'skip-ər\ n [MD *schipper* boatman, skipper, fr. *schip* ship] : the master of a ship
skir·mish \'skər-mish\ n : a minor or preliminary engagement in war — **skirmish** vb
¹**skirt** \'skərt\ n : a garment or part of a garment that hangs below the waist
²**skirt** vb **1** : BORDER **2** : to pass around the outer edge of
skit \'skit\ n : a brief dramatic sketch
skit·tish \'skit-ish\ adj **1** : CAPRICIOUS, IRRESPONSIBLE **2** : easily frightened 〈a ~ horse〉
skulk \'skəlk\ vb : to move furtively : SNEAK, LURK — **skulk·er** n
skull \'skəl\ n : the bony or cartilaginous case that protects the brain and supports the jaws
skunk \'skəŋk\ n **1** : a No. American mammal related to the weasels that can forcibly eject an ill-smelling fluid when startled **2** : a contemptible person
sky \'skī\ n **1** : the upper air : the great vault that seems to extend over the earth **2** : HEAVEN — **sky·ey** adj
sky·line \-ˌlīn\ n **1** : HORIZON **2** : an outline against the sky 〈buildings forming the ~〉
sky·scrap·er \-ˌskrā-pər\ n : a very tall building
sky·ward \-wərd\ adv (or adj) : toward the sky
slab \'slab\ n **1** : a thick plate or slice **2** : the outside piece taken from a log in sawing it
¹**slack** \'slak\ adj **1** : CARELESS, NEGLIGENT **2** : SLUGGISH, LISTLESS **3** : not taut : LOOSE **4** : not busy or active syn lax, remiss, neglectful — **slack·ly** adv — **slack·ness** n
²**slack** vb **1** : to make or become slack : LOOSEN, RELAX **2** : SLAKE

³**slack** n **1** : cessation of movement or flow : LETUP **2** : a part that hangs loose without strain 〈~ of a rope〉 **3** pl : trousers for casual wear
slack·en \'slak-ən\ vb : to make or become slack
slack·er \'slak-ər\ n : one that shirks work or evades military duty
slag \'slag\ n : the waste left after the melting of ores and the separation of metal from them
slain past part of SLAY
¹**slam** \'slam\ n : the winning of every trick (**grand slam**) or of all tricks but one (**little slam**) in bridge
²**slam** n : a heavy jarring impact : BANG
³**slam** vb **slammed; slam·ming 1** : to shut violently and noisily : BANG **2** : to throw or strike with a loud impact
¹**slan·der** \'slan-dər\ n : a false report maliciously uttered and tending to injure the reputation of a person — **slan·der·ous** adj
²**slander** vb : to utter slander against : DEFAME — **slan·der·er** n
slang \'slaŋ\ n : an informal nonstandard vocabulary composed typically of coinages, arbitrarily changed words, and extravagant figures of speech
¹**slant** \'slant\ vb **1** : SLOPE **2** : to interpret or present in accordance with a special viewpoint syn incline, lean — **slant·ing·ly** adv
²**slant** n **1** : a sloping direction, line, or plane **2** : a particular or personal viewpoint — **slant** adj — **slant·wise** adv
¹**slap** \'slap\ vb **slapped; slap·ping 1** : to strike sharply with the open hand **2** : REBUFF, INSULT — **slap** n
¹**slash** \'slash\ vb **1** : to cut with sweeping strokes **2** : to cut slits in (a garment) **3** : to reduce sharply 〈~ a budget〉
²**slash** n **1** : GASH **2** : an ornamental slit in a garment **3** : a clearing in a forest littered with debris; also : the debris present
slat \'slat\ n : a thin narrow flat strip
¹**slate** \'slāt\ n **1** : a dense fine-grained rock that splits into thin layers **2** : a roofing tile or a writing tablet made from this rock **3** : a list of candidates for election
²**slate** vb **1** : to cover with slate **2** : to designate for action or appointment
¹**slaugh·ter** \'slȯt-ər\ n **1** : the butchering of livestock for market **2** : great destruction of lives esp. in battle
²**slaughter** vb **1** : to kill (animals) for food : BUTCHER **2** : to kill in large numbers or in a bloody way : MASSACRE
Slav \'släv, 'slav\ n : a person speaking a Slavic language
¹**slave** \'slāv\ n [OF *esclave*, fr. ML *sclavus*, fr. *Sclavus* Slav; fr. the reduction to slavery of many Slavic peoples of Europe] : a person held in servitude as property — **slave** adj
²**slave** vb : to work like a slave : DRUDGE
slav·ery \'slāv-(ə-)rē\ n **1** : wearisome drudgery **2** : the condition of being a slave **3** : the custom or practice of owning slaves syn servitude, bondage
¹**Slav·ic** \'slav-ik, 'släv-\ adj : of or relating to the Slavs or their languages
²**Slavic** n : a branch of the Indo-European language family including various

slavish | 415 | **slop**

languages (as Russian or Polish) of eastern Europe
slav·ish \'slāv-ish\ *adj* **1** : SERVILE **2** : obeying or imitating with no freedom of judgment or choice — **slav·ish·ly** *adv*
slaw \'slȯ\ *n* : COLESLAW
slay \'slā\ *vb* **slew** \'slü\ **slain** \'slān\ **slay·ing** : KILL — **slay·er** *n*
slea·zy \'slē-zē, 'slā-\ *adj* : FLIMSY, SHODDY
¹sled \'sled\ *n* : a vehicle on runners adapted esp. for sliding on snow
²sled *vb* **sled·ded; sled·ding** : to ride or carry on a sled
¹sledge \'slej\ *n* : SLEDGEHAMMER
²sledge *n* : a strong heavy vehicle with low runners for carrying heavy loads over snow or ice
sledge·ham·mer \-,ham-ər\ *n* : a large heavy hammer usu. wielded with both hands
¹sleek \'slēk\ *vb* **1** : to make smooth or glossy **2** : to gloss over
²sleek *adj* : having a smooth well-groomed look
¹sleep \'slēp\ *n* **1** : a natural periodic suspension of consciousness **2** : a state (as death or coma) suggesting sleep — **sleep·less** *adj* — **sleep·less·ness** *n*
²sleep *vb* **slept** \'slept\ **sleep·ing 1** : to rest or be in a state of sleep; *also* : to spend or get rid of in sleep ⟨~ cares away⟩ **2** : to lie in a state of inactivity or stillness
sleepy *adj* **1** : ready for sleep : DROWSY **2** : quietly inactive — **sleep·i·ly** *adv* — **sleep·i·ness** *n*
sleet \'slēt\ *n* **1** : partly frozen rain; *also* : a mixture of rain and snow **2** : GLAZE — **sleet** *vb* — **sleety** *adj*
sleeve \'slēv\ *n* **1** : the part of a garment covering the arm **2** : a tubular part fitting over another part — **sleeve·less** *adj*
¹sleigh \'slā\ *n* : a vehicle on runners for use on snow or ice
sleight \'slīt\ *n* **1** : TRICK **2** : DEXTERITY
slen·der \'slen-dər\ *adj* **1** : SLIM, THIN **2** : WEAK, SLIGHT **3** : MEAGER, INADEQUATE
sleuth \'slüth\ *n* : DETECTIVE
¹slice \'slīs\ *n* **1** : a thin flat piece cut from something **2** : a wedge-shaped blade (as for serving fish) **3** : a flight of a ball (as in golf) that curves in the direction of the dominant hand of the player propelling it
²slice *vb* **1** : to cut a slice from; *also* : to cut into slices **2** : to hit (a ball) so that a slice results
¹slick \'slik\ *vb* : to make smooth or sleek
²slick *adj* **1** : very smooth : SLIPPERY **2** : CLEVER, SMART
³slick *n* **1** : a smooth patch of water covered with a film of oil
¹slide \'slīd\ *vb* **slid** \'slid\ **slid·ing** \'slīd-iŋ\ **1** : to move or cause to move smoothly along a surface **2** : to fall by a loss of support **3** : to slip along quietly
²slide *n* **1** : an act or instance of sliding **2** : a fall of a mass of earth or snow down a hillside **3** : something (as a cover or fastener) that operates by sliding **4** : a surface on which something slides **5** : a plate from which a picture

may be projected **6** : a glass plate on which a specimen can be placed for examination under a microscope
slide rule *n* : an instrument for rapid calculation consisting of a ruler and a medial slide graduated with logarithmic scales
¹slight \'slīt\ *adj* **1** : SLENDER; *also* : FRAIL **2** : SCANTY, MEAGER **3** : UNIMPORTANT — **slight·ly** *adv*
²slight *vb* **1** : to treat as unimportant **2** : to ignore discourteously **3** : to perform or attend to carelessly **syn** neglect, overlook, disregard
³slight *n* : a humiliating discourtesy
¹slim \'slim\ *adj* **1** : SLENDER, SLIGHT, THIN **2** : SCANTY, MEAGER
²slim *vb* **slimmed; slim·ming** : to make or become slender
slime \'slīm\ *n* **1** : sticky mud **2** : a slippery substance (as on the skin of a slug or catfish) — **slimy** *adj*
¹sling \'sliŋ\ *vb* **slung** \'sləŋ\ **sling·ing 1** : to hurl with a sling **2** : to throw forcibly : FLING **3** : to place in a sling for hoisting or carrying
²sling *n* **1** : a short strap with strings attached for hurling stones or shot **2** : a strap, rope, or chain for holding securely something being lifted, lowered, or carried
sling·shot \-,shät\ *n* : a forked stick with elastic bands for shooting small stones or shot
slink \'sliŋk\ *vb* **slunk** \'sləŋk\ **slink·ing** : to move stealthily or furtively
¹slip \'slip\ *vb* **slipped; slip·ping 1** : to escape quietly or secretly **2** : to slide along or cause to slide along smoothly **3** : to make a mistake **4** : to pass unnoticed or undone **5** : to fall off from a standard or level ⟨*slipping* prices⟩
²slip *n* **1** : a ramp for repairing ships **2** : a ship's berth between two piers **3** : secret or hurried departure, escape, or evasion **4** : a sudden mishap **5** : BLUNDER **6** : PILLOWCASE **7** : a woman's one-piece garment worn under a dress
³slip *n* **1** : a shoot or twig from a plant for planting or grafting **2** : a long narrow strip; *esp* : one of paper used for a record ⟨deposit ~⟩
⁴slip *vb* **slipped; slip·ping** : to take slips from (a plant)
slip·knot \'slip-,nät\ *n* : a knot that slips along the rope around which it is made
slip·per \'slip-ər\ *n* : a light low shoe that may be easily slipped on and off
slip·pery \'slip-(ə-)rē\ *adj* **1** : icy, wet, or greasy enough to cause one to fall or lose one's hold **2** : TRICKY, UNRELIABLE — **slip·peri·ness** *n*
slip·shod \'slip-'shäd\ *adj* : SLOVENLY, CARELESS ⟨~ work⟩
¹slit \'slit\ *vb* **slit; slit·ting 1** : SLASH **2** : to cut off or away
²slit *n* : a long narrow cut or opening
slith·er \'slith-ər\ *vb* : to slip or glide along like a snake — **slith·ery** *adj*
sliv·er \'sliv-ər\ *n* : SPLINTER
slob·ber \'släb-ər\ *vb* : to dribble saliva : SLAVER — **slobber** *n*
slo·gan \'slō-gən\ *n* [Gael *sluag-ghairm* army cry, war cry] : a word or phrase expressing the spirit or aim of a party, group, or cause
¹slop \'släp\ *n* **1** : thin tasteless drink or liquid food — usu. used in pl.

2 : food waste or gruel for animal feed 3 : body and toilet waste — usu. used in pl.
²slop vb slopped; slop·ping 1 : SPILL 2 : to feed with slop ⟨~ hogs⟩
¹slope \'slōp\ vb : SLANT, INCLINE
²slope n 1 : ground that forms an incline 2 : upward or downward slant or degree of slant 3 : the part of a landmass draining into a particular ocean ⟨the Pacific ~⟩
slop·py \'släp-ē\ adj 1 : MUDDY, SLUSHY 2 : SLOVENLY, MESSY
slot \'slät\ n 1 : a long narrow opening or groove 2 : a position in a sequence
sloth \'slȯth, 'slōth\ n 1 : LAZINESS, INDOLENCE 2 : a slow-moving So. and Central American mammal related to the armadillos — sloth·ful adj
¹slouch \'slaůch\ n 1 : a loose or drooping gait or posture 2 : a lazy or incompetent person
²slouch vb : to walk, stand, or sit with a slouch : STOOP
¹slough \'slü, 3 usu 'slaů\ n 1 : SWAMP 2 : a muddy place 3 : a discouraged state of mind
²slough \'sləf\ or sluff n : something (as dead tissue or a snake's skin) that may be shed
³slough \'sləf\ or sluff vb : to cast off : DISCARD
slov·en·ly adj 1 : untidy in dress or person 2 : lazily or carelessly done : SLIPSHOD
¹slow \'slō\ adj 1 : SLUGGISH; also : dull in mind : STUPID 2 : moving, flowing, or proceeding at less than the usual speed 3 : taking more than the usual time 4 : registering behind the correct time 5 : not lively : BORING syn dilatory, laggard, deliberate, leisurely — slow adv — slow·ly adv — slow·ness n
²slow vb 1 : to make slow : hold back 2 : to go slower
sludge \'sləj\ n : a slushy mass : OOZE; esp : solid matter produced by sewage treatment processes
¹slug \'sləg\ n : a slimy wormlike mollusk related to the snails
²slug n 1 : a small mass of metal; esp : BULLET 2 : a metal disk for use (as in a slot machine) in place of a coin 3 : a single drink of liquor
slug vb slugged; slug·ging : to strike forcibly and heavily — slug·ger n
slug·gish \-ish\ adj 1 : SLOTHFUL, LAZY 2 : slow in movement or flow 3 : STAGNANT, DULL ⟨~ market⟩ — slug·gish·ly adv — slug·gish·ness n
¹sluice \'slüs\ n 1 : an artificial passage for water with a gate for controlling the flow; also : the gate so used 2 : a channel that carries off surplus water 3 : an inclined trough or flume for washing ore or floating logs
²sluice vb 1 : to draw off through a sluice 2 : to wash with running water : FLUSH 3 : to transport (as logs) in a sluice
¹slum \'sləm\ n : a thickly populated area marked by poverty and dirty or deteriorated houses
²slum vb slummed; slum·ming : to visit slums esp. out of curiosity
¹slum·ber \'sləm-bər\ vb 1 : to sleep lightly : DOZE 2 : to be in a sluggish or torpid state
²slumber n : SLEEP

slump \'sləmp\ vb 1 : to sink down suddenly : fall in a heap : COLLAPSE 2 : SLOUCH 3 : to decline sharply
¹slur \'slər\ vb slurred; slur·ring 1 : to slide or slip over without due mention or emphasis 2 : to perform two or more successive notes of different pitch in a smooth or connected way
²slur n : a curved line ⌣ or ⌢ connecting notes to be slurred; also : a group of slurred notes
³slur n : a slighting remark : ASPERSION
slush \'sləsh\ n 1 : partly melted or watery snow 2 : soft mud — slushy adj
slut \'slət\ n 1 : a slovenly woman 2 : PROSTITUTE — slut·tish adj
sly \'slī\ adj 1 : CRAFTY, CUNNING 2 : SECRETIVE, FURTIVE 3 : ROGUISH syn tricky, wily, artful — sly·ly adv — sly·ness n
¹smack \'smak\ n 1 : a sharp noise (as in appreciation of some taste) made by the lips 2 : a noisy slap
²smack vb 1 : to move (the lips) so as to make a sharp noise 2 : to kiss or slap with a loud noise
³smack n : a sailing ship used in fishing
small \'smȯl\ adj 1 : little in size or amount 2 : few in number 3 : TRIFLING, UNIMPORTANT 4 : operating on a limited scale 5 : MEAN, PETTY 6 : made up of little things syn diminutive, petite, wee, tiny, minute — small·ish adj — small·ness n
small·pox \-ˌpäks\ n : a contagious virus disease marked by fever and eruption
¹smart \'smärt\ vb 1 : to cause or feel a stinging pain 2 : to feel or endure distress — smart n
²smart adj 1 : making one smart ⟨a ~ blow⟩ 2 : mentally quick : BRIGHT 3 : WITTY, CLEVER 4 : STYLISH, FASHIONABLE syn knowing, quick-witted, intelligent, dapper — smart·ly adv
¹smash \'smash\ vb 1 : to break or be broken into pieces 2 : to move forward with force and shattering effect 3 : to destroy utterly : WRECK
²smash n : a smashing blow; esp : a hard overhand stroke in tennis 2 : the act or sound of smashing 3 : a collision of vehicles : CRASH 4 : COLLAPSE, RUIN; esp : BANKRUPTCY
¹smear \'smiər\ n : a spot left by an oily or sticky substance
²smear vb 1 : to overspread with something oily or sticky 2 : SMUDGE, SOIL 3 : to injure by slander or insults
smell \'smel\ vb smelled \'smeld\ or smelt \'smelt\ smell·ing 1 : to perceive the odor by sense organs of the nose; also : to detect or seek with or as if with these organs 2 : to have or give off an odor
²smell n 1 : the process or power of perceiving odor; also : the special sense by which one perceives odor 2 : ODOR, SCENT 3 : an act of smelling — smelly adj
¹smelt \'smelt\ n : any of several small food fishes of coastal or fresh waters
²smelt vb : to melt or fuse (ore) in order to separate the metal; also : REFINE
smelt·er n 1 : one that smelts 2 : an establishment for smelting
¹smile \'smīl\ vb 1 : to look with a smile 2 : to be favorable 3 : to express by a smile

²**smile** *n* : a change of facial expression to express amusement, pleasure, or affection

smirch \'smərch\ *vb* **1** : to make dirty or stained **2** : to bring disgrace on — **smirch** *n*

smirk \'smərk\ *vb* : to wear a self-conscious or conceited smile : SIMPER — **smirk** *n*

smite \'smīt\ *vb* **smote** \'smōt\ **smitten** \'smit-ᵊn\ *or* **smote; smit·ing** \'smīt-iŋ\ **1** : to strike heavily; *also* : to kill by striking **2** : to affect as if by a heavy blow ⟨*smitten* with smallpox⟩

smith \'smith\ *n* : a worker in metals; *esp* : BLACKSMITH

¹**smock** \'smäk\ *n* : a long loose garment worn over other clothes as a protection

²**smock** *vb* : to gather (cloth) in regularly spaced tucks — **smock·ing** *n*

smog \'smäg\ *n* : a fog made heavier and darker by smoke and chemical fumes

¹**smoke** \'smōk\ *n* **1** : the gas from burning material (as coal, wood, or tobacco) in which are suspended particles of soot **2** : a suspension of solid or liquid particles in a gas **3** : vapor resulting from action of heat on moisture — **smoke·less** *adj* — **smoky** *adj*

²**smoke** *vb* **1** : to emit smoke **2** : to inhale and exhale the fumes of burning tobacco; *also* : to use in smoking ⟨~ a pipe⟩ **3** : to stupefy or drive away by smoke **4** : to discolor with smoke **5** : to cure (as meat) with smoke

smol·der *or* **smoul·der** \'smōl-dər\ *vb* **1** : to burn and smoke without flame **2** : to burn inwardly — **smolder** *n*

¹**smooth** \'smüth\ *adj* **1** : not rough or uneven **2** : not jarring or jolting **3** : BLAND, MILD, AGREEABLE **4** : fluent in speech and agreeable in manner *syn* even, flat, level, diplomatic, suave, urbane — **smooth·ly** *adv* — **smooth·ness** *n*

²**smooth** *vb* **1** : to make smooth **2** : to free from trouble or difficulty

¹**smoth·er** \'sməth-ər\ *n* **1** : thick stifling smoke **2** : dense fog, spray, foam, or dust **3** : a confused multitude of things : WELTER

²**smother** *vb* **1** : to kill by depriving of air : SUFFOCATE **2** : SUPPRESS **3** : to cover thickly

¹**smudge** \'sməj\ *vb* : to soil or blur by rubbing or smearing

²**smudge** *n* **1** : thick stifling smoke **2** : a dirty or blurred spot — **smudgy** *adj*

smug \'sməg\ *adj* : conscious of one's virtue and importance : SELF-SATISFIED, COMPLACENT — **smug·ly** *adv* — **smug·ness** *n*

smug·gle \'sməg-əl\ *vb* **1** : to import or export secretly, illegally, or without paying the duties required by law **2** : to convey secretly — **smug·gler** \-(ə-)lər\ *n*

smut \'smət\ *n* **1** : something (as soot) that smudges; *also* : SMUDGE, SPOT **2** : indecent language or jokes **3** : any of various destructive fungous diseases of plants — **smut·ty** *adj*

¹**snag** \'snag\ *n* **1** : a stump or piece of a tree esp. when under water **2** : an unexpected difficulty *syn* obstacle, obstruction, impediment, bar

²**snag** *vb* **snagged; snag·ging** **1** : to become caught on or as if on a snag **2** : to seize quickly : SNATCH

snail \'snāl\ *n* : a small mollusk with a spiral shell into which it can withdraw

snake \'snāk\ *n* **1** : a long-bodied limbless crawling reptile : SERPENT **2** : a contemptible or treacherous person — **snaky** *adj*

¹**snap** \'snap\ *vb* **snapped; snap·ping** **1** : to grasp or slash at something with the teeth **2** : to utter sharp or angry words **3** : to get or buy quickly **4** : to break suddenly with a sharp sound **5** : to give a sharp cracking noise **6** : to throw with a quick motion **7** : FLASH ⟨her eyes *snapped*⟩ **8** : to put a football into play — **snap·per** *n* — **snap·pish** *adj* — **snap·py** *adj*

²**snap** *n* **1** : the act or sound of snapping **2** : a short period of cold weather **3** : a catch or fastening that closes with a click **4** : a thin brittle cookie **5** : ENERGY, VIM; *also* : smartness of movement **6** : the putting of the ball into play in football

snap·shot \-,shät\ *n* : a photograph made by rapid exposure with a hand-held camera

snare \'snaər\ *n* : a trap often consisting of a noose — **snare** *vb*

¹**snarl** \'snärl\ *n or vb* : TANGLE

²**snarl** *vb* : to growl angrily or threateningly

³**snarl** *n* : an angry ill-tempered growl

¹**snatch** \'snach\ *vb* **1** : to try to grasp something suddenly **2** : to seize or take away suddenly *syn* clutch, seize

²**snatch** *n* **1** : an act of snatching **2** : a short period **3** : something brief or fragmentary ⟨~es of song⟩

¹**sneak** \'snēk\ *vb* : to move, act, or take in a furtive manner — **sneak·ing·ly** *adv*

²**sneak** *n* **1** : one who acts in a furtive or shifty manner **2** : a stealthy or furtive move or escape — **sneaky** *adj*

sneak·er \'snē-kər\ *n* : a canvas sports shoe with pliable rubber sole

sneer \'sniər\ *vb* : to show scorn or contempt by curling the lip or by a jeering tone — **sneer** *n*

sneeze \'snēz\ *vb* : to force the breath out with sudden and involuntary violence — **sneeze** *n*

snick·er \'snik-ər\ *or* **snig·ger** \'snig-ər\ *n* : a partly suppressed laugh — **snicker** *vb*

snide \'snīd\ *adj* **1** : MEAN, LOW ⟨a ~ trick⟩ **2** : slyly disparaging ⟨a ~ remark⟩

sniff \'snif\ *vb* **1** : to draw air audibly up the nose **2** : to show disdain or scorn **3** : to detect by or as if by smelling — **sniff** *n*

snif·fle \'snif-əl\ *n* : SNUFFLE — **sniffle** *vb*

¹**snip** \'snip\ *vb* **snipped; snip·ping** : to cut off by bits : CLIP; *also* : to remove by cutting off

²**snip** *n* **1** : a fragment snipped off **2** : a simple stroke of the scissors or shears

snip·py \'snip-ē\ *adj* : CURT, SNAPPISH

sniv·el \'sniv-əl\ *vb* **-eled** *or* **-elled; -el·ing** *or* **-el·ling** **1** : to have a running nose; *also* : SNUFFLE **2** : to whine in a snuffling manner — **snivel** *n*

snob \'snäb\ *n* : one who seeks association with persons of higher social position than himself and looks down on those he considers inferior — **snob·bish** *adj* — **snob·bish·ly** *adv* — **snob·bish·ness** *n*

snob·bery \-(ə-)rē\ *n* : snobbish conduct

¹snoop \'snüp\ *vb* : to pry in a furtive or meddlesome way

²snoop *n* : a prying meddlesome person

snooze \'snüz\ *vb* : to take a nap : DOZE — **snooze** *n*

snore \'snōr\ *vb* : to breathe with a rough hoarse noise while sleeping — **snore** *n*

snor·kel \'snȯr-kəl\ *n* : a tube projecting above the water used by swimmers for breathing with the head under water

snort \'snȯrt\ *vb* : to force air violently and noisily through the nose ⟨his horse ~ed⟩ — **snort** *n*

snout \'snaůt\ *n* 1 : a long projecting nuzzle (as of a swine) 2 : a usu. large or grotesque nose

¹snow \'snō\ *n* : crystals of ice formed from the vapor of water in the air; *also* : a fall of such crystals — **snowy** *adj*

²snow *vb* 1 : to fall or cause to fall in or as snow 2 : to cover or shut in with or as if with snow

snow·plow \-ˌplaů\ *n* : a device for clearing away snow

¹snow·shoe \-ˌshü\ *n* : a light frame of wood strung with rawhide leather worn under the shoe to prevent sinking down into soft snow

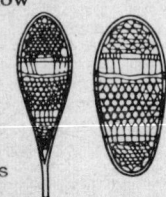

snowshoes

snow·storm \-ˌstȯrm\ *n* : a storm of falling snow

snub \'snəb\ *vb* **snubbed; snub·bing** 1 : to treat with disdain : SLIGHT 2 : to slow up or check the motion of — **snub** *n*

¹snuff \'snəf\ *vb* 1 : to pinch off the charred end of (a candle) 2 : to put out (a candle) — **snuff·er** *n*

²snuff *vb* 1 : to draw forcibly into or through the nose 2 : SMELL

³snuff *n* 1 : SNIFF 2 : pulverized tobacco

snuf·fle \'snəf-əl\ *vb* 1 : to snuff or sniff audibly and repeatedly 2 : to breathe with a sniffing sound — **snuffle** *n*

snug \'snəg\ *adj* 1 : COMFORTABLE, COZY 2 : CONCEALED ⟨lie ~ till they go⟩ 3 : fitting closely : TIGHT — **snug·ly** *adv* — **snug·ness** *n*

snug·gle \'snəg-əl\ *vb* : to curl up or draw close comfortably : NESTLE

¹so \(')sō\ *adv* 1 : in the manner indicated 2 : in the same way 3 : to the extent indicated 4 : THEREFORE 5 : FINALLY 6 : THUS

²so *conj* : for that reason ⟨he wanted it, ~ he took it⟩

³so *pron* 1 : the same ⟨became chairman and remained ~⟩ 2 : approximately that ⟨I'd like a dozen or ~⟩

¹soak \'sōk\ *vb* 1 : to remain in a liquid 2 : WET, SATURATE 3 : to draw in by or as if by absorption **syn** drench, steep, impregnate

²soak *n* 1 : the act of soaking 2 : the liquid in which something is soaked 3 : DRUNKARD

soap \'sōp\ *n* : a cleansing substance made usu. by action of alkali on fat — **soapy** *adj*

soar \'sōr\ *vb* : to fly upward or at a height on or as if on wings

sob \'säb\ *vb* **sobbed; sob·bing** : to weep with convulsive heavings of the chest or contractions of the throat — **sob** *n*

so·ber \'sō-bər\ *adj* 1 : temperate in the use of liquor 2 : not drunk 3 : serious or grave in mood or disposition 4 : not affected by passion or prejudice **syn** solemn, earnest — **so·ber·ly** *adv* — **so·ber·ness** *n*

so·bri·ety \sə-'brī-ət-ē\ *n* : the quality or state of being sober : SOBERNESS

so–called \'sō-'kȯld\ *adj* : commonly or popularly but often inaccurately so termed ⟨the ~ pocket veto⟩ ⟨his ~ friend⟩

soc·cer \'säk-ər\ *n* : a football game played on a field by two teams with a round inflated ball

¹so·cia·ble \'sō-shə-bəl\ *adj* 1 : liking companionship : FRIENDLY 2 : characterized by pleasant social relations **syn** gracious, cordial, affable, genial — **so·cia·bil·i·ty** \ˌsō-shə-'bil-ət-ē\ *n* — **so·cia·bly** \'sō-shə-blē\ *adv*

²sociable *n* : an informal social gathering

¹so·cial \'sō-shəl\ *adj* 1 : marked by pleasant companionship with one's friends 2 : naturally living or growing in groups or communities ⟨~ insects⟩ 3 : of or relating to human society, the interaction of the group and its members, and the welfare of these members ⟨~ legislation⟩ ⟨~ behavior⟩ 4 : of, relating to, or based on rank in a particular society ⟨different ~ circles⟩; *also* : of or relating to fashionable society ⟨a ~ leader⟩ 5 : SOCIALIST — **so·cial·ly** *adv*

²social *n* : a social gathering

so·cial·ism *n* : a theory of social organization based on government ownership, management, or control of the means of production and the distribution and exchange of goods — **so·cial·ist** *n or adj* — **so·cial·is·tic** \ˌsō-shə-'lis-tik\ *adj*

so·cial·ize \'sō-shə-ˌlīz\ *vb* 1 : to regulate according to the theory and practice of socialism 2 : to adapt to social needs or uses : organize on a social basis — **so·cial·iza·tion** \ˌsō-shə-lə-'zā-shən\ *n*

so·ci·ety \sə-'sī-ət-ē\ *n* 1 : COMPANIONSHIP 2 : community life 3 : a part of a community bound together by common interests and standards; *esp* : a leisure class indulging in social affairs 4 : a voluntary association of persons for common ends

so·ci·ol·o·gy \ˌsō-s(h)ē-'äl-ə-jē\ *n* : the study of the development and structure of society and social relationships — **so·ci·o·log·i·cal** \-ə-'läj-i-kəl\ *adj*

¹sock \'säk\ *n, pl* **socks** 1 *or pl* **sox** : a stocking with a short leg 2 : comic drama

sock ... **solstice**

²**sock** *vb* : to hit, strike, or apply forcefully
³**sock** *n* : a vigorous blow : PUNCH
sock·et \'säk-ət\ *n* : an opening or hollow that receives and holds something
¹**sod** \'säd\ *n* : the surface layer of the soil filled with roots (as of grass)
²**sod** *vb* **sod·ded; sod·ding** : to cover with sod or turfs
so·da \'sōd-ə\ *n* **1** : a powdery saltlike substance used in washing and making glass **2** : SODIUM BICARBONATE **3** : SODIUM **4** : SODA WATER **5** : a sweet drink of soda water, flavoring, and often ice cream
sod·den \'säd-ᵊn\ *adj* **1** : lacking spirit : DULLED **2** : SOAKED, DRENCHED **3** : heavy or doughy from being improperly cooked ⟨~ biscuits⟩
so·di·um \'sōd-ē-əm\ *n* : a soft waxy silver-white metallic chemical element occurring in nature in combined form
sodium bicarbonate *n* : BICARBONATE OF SODA
so·ev·er \sō-'ev-ər\ *adv* **1** : in any degree or manner ⟨how bad ~⟩ **2** : at all : of any kind ⟨any help ~⟩
so·fa \'sō-fə\ *n* [Ar *ṣuffah* long bench] : a couch usu. with upholstered back and arms
soft \'sȯft\ *adj* **1** : not hard or rough : NONVIOLENT **2** : RESTFUL, GENTLE, SOOTHING **3** : emotionally susceptible **4** : not prepared to endure hardship **5** : not containing certain salts that prevent lathering ⟨~ water⟩ **6** : not alcoholic **7** : BITUMINOUS ⟨~ coal⟩ *syn* bland, mild — **soft·ly** *adv* — **soft·ness** *n*
soft·ball \'sȯft(t)-,bȯl\ *n* : a game similar to baseball played with a ball larger and softer than a baseball; *also* : the ball used in this game
soft·en \'sȯ-fən\ *vb* : to make or become soft — **soft·en·er** *n*
sog·gy \'säg-ē\ *adj* : heavy with moisture : SOAKED, SODDEN — **sog·gi·ly** *adv* — **sog·gi·ness** *n*
¹**soil** \'sȯil\ *vb* **1** : CORRUPT, POLLUTE **2** : to make or become dirty **3** : STAIN, DISGRACE
²**soil** *n* **1** : STAIN, DEFILEMENT **2** : EXCREMENT, WASTE
³**soil** *n* **1** : firm land : EARTH **2** : the loose surface material of the earth in which plants grow **3** : COUNTRY, REGION
¹**sol·ace** \'säl-əs\ *n* : relief from grief or anxiety : COMFORT
²**solace** *vb* : to give solace to : CONSOLE
so·lar \'sō-lər\ *adj* **1** : of, from, or relating to the sun ⟨~ heat⟩ **2** : measured by the earth's course in relation to the sun ⟨the ~ year⟩ **3** : operated by or utilizing the sun's heat ⟨~ battery⟩ ⟨~ house⟩
solar system *n* : the sun with the group of celestial bodies that revolve about it
¹**sol·der** \'säd-ər\ *n* : a metallic alloy used when melted to mend or join metallic surfaces
²**solder** *vb* **1** : to unite or repair with solder **2** : to join securely : CEMENT
¹**sol·dier** \'sōl-jər\ *n* : a person in military service; *esp* : an enlisted man as distinguished from a commissioned officer — **sol·dier·ly** *adj* or *adv*
²**soldier** *vb* **1** : to serve as a soldier **2** : to pretend to work while actually doing nothing
¹**sole** \'sōl\ *n* **1** : the undersurface of the foot **2** : the bottom of a shoe
²**sole** *vb* : to furnish (a shoe) with a sole
³**sole** *n* : any of various mostly small-mouthed flatfishes valued as food
⁴**sole** *adj* : ONLY, SINGLE — **sole·ly** \'sō(l)-lē\ *adv*
sol·emn \'säl-əm\ *adj* **1** : marked by or observed with full religious ceremony **2** : FORMAL, CEREMONIOUS **3** : highly serious : GRAVE **4** : SOMBER, GLOOMY *syn* ceremonial, conventional, sober — **so·lem·ni·ty** \sə-'lem-nət-ē\ *n* — **sol·emn·ly** \'säl-əm-lē\ *adv* — **sol·emn·ness** *n*
sol·em·nize \'säl-əm-,nīz\ *vb* **1** : to observe or honor with solemnity **2** : to perform (as a marriage ceremony) with solemn rites — **sol·em·ni·za·tion** \,säl-əm-nə-'zā-shən\ *n*
so·lic·it \sə-'lis-ət\ *vb* **1** : ENTREAT, BEG **2** : to approach with a request or plea **3** : TEMPT, LURE *syn* ask, request — **so·lic·i·ta·tion** \-,lis-ə-'tā-shən\ *n*
so·lic·i·tor \-'lis-ət-ər\ *n* **1** : one that solicits (as subscriptions or contributions) **2** : LAWYER; *esp* : a legal official of a city or state
so·lic·i·tous \-ət-əs\ *adj* **1** : WORRIED, CONCERNED **2** : EAGER, WILLING *syn* careful, anxious — **so·lic·i·tous·ly** *adv*
¹**sol·id** \'säl-əd\ *adj* **1** : not hollow; *also* : written as one word without a hyphen ⟨a ~ compound⟩ **2** : having, involving, or dealing with three dimensions or with solids ⟨~ geometry⟩ **3** : not loose or spongy : COMPACT ⟨a ~ mass of rock⟩; *also* : neither gaseous nor liquid : HARD, RIGID ⟨~ ice⟩ **4** : of good substantial quality or kind ⟨~ comfort⟩ **5** : UNANIMOUS, UNITED ⟨~ for pay increases⟩ **6** : thoroughly dependable : RELIABLE ⟨a ~ citizen⟩; *also* : serious in purpose or character ⟨~ reading⟩ **7** : of one substance or character — **solid** *adv* — **so·lid·i·ty** \sə-'lid-ət-ē\ *n* — **sol·id·ly** \'säl-əd-lē\ *adv* — **sol·id·ness** *n*
²**solid** *n* **1** : a geometrical figure (as a cube or sphere) having 3 dimensions **2** : a solid substance
sol·i·dar·i·ty \,säl-ə-'dar-ət-ē\ *n* : a unity of interest or purpose among a group
so·lid·i·fy \sə-'lid-ə-,fī\ *vb* : to make or become solid — **so·lid·i·fi·ca·tion**
so·lil·o·quy \-kwē\ *n* **1** : the act of talking to oneself **2** : a dramatic monologue that gives the illusion of being a series of unspoken reflections
sol·i·taire \'säl-ə-,taər\ *n* **1** : a single gem (as a diamond) set alone **2** : a card game played by one person alone
sol·i·tary \-,ter-ē\ *adj* **1** : being or living apart from others **2** : LONELY, SECLUDED **3** : SOLE, ONLY
sol·i·tude \-,t(y)üd\ *n* **1** : the state of being alone : SECLUSION **2** : a lonely place *syn* isolation
¹**so·lo** \'sō-lō\ *n* **1** : a piece of music for a single voice or instrument with or without accompaniment **2** : an action in which there is only one performer — **solo** *adj* or *vb* — **so·lo·ist** *n*
²**solo** *adv* : without a companion : ALONE
sol·stice \'säl-stəs\ *n* : the time of the year when the sun is farthest north

soluble   420   **sorry**

(**summer solstice**) about June 22 or south (**winter solstice**) about Dec. 22 of the equator

sol·u·ble \'säl-yə-bəl\ *adj* **1** : capable of being dissolved in liquid **2** : capable of being solved or explained — **sol·u·bil·i·ty** \,säl-yə-'bil-ət-ē\ *n*

so·lu·tion \sə-'lü-shən\ *n* **1** : an action or process of solving a problem; *also* : an answer to a problem **2** : an act or the process by which one substance is mixed with another usu. liquid substance forming a mixture consisting apparently of only one substance; *also* : a mixture thus formed

solve \'sälv\ *vb* : to find the answer to or a solution for — **solv·able** *adj*

¹sol·vent \-vənt\ *adj* **1** : able or sufficient to pay all legal debts **2** : dissolving or able to dissolve

²solvent *n* : a usu. liquid substance capable of dissolving or dispersing one or more other substances

som·ber \'säm-bər\ *adj* **1** : DARK, GLOOMY **2** : GRAVE, MELANCHOLY — **som·ber·ly** *adv*

¹some \(')səm\ *adj* **1** : one unspecified 〈~ man called〉 **2** : an unspecified or indefinite number of 〈~ berries are ripe〉 **3** : at least a few or a little 〈~ years ago〉

²some *pron* : a certain number or amount

¹-some \səm\ *adj suffix* : characterized by a (specified) thing, quality, state, or action 〈awe*some*〉 〈burden*some*〉

²-some \səm\ *n suffix* : a group of (so many) members and esp. persons

¹some·body \'səm-,bäd-ē\ *pron* : some person

²somebody *n* : a person of importance

some·day \-,dā\ *adv* : at some future time

some·how \-,hau̇\ *adv* : by some means

some·one \-(,)wən\ *pron* : some person

som·er·sault \'səm-ər-,sȯlt\ *n* : a leap or roll in which a person turns his heels over his head — **somersault** *vb*

some·thing \'səm-thiŋ\ *pron* : some undetermined or unspecified thing

some·time \-,tīm\ *adv* **1** : at a future time **2** : at an unknown or unnamed time

some·times \-,tīmz\ *adv* : OCCASIONALLY

¹some·what \-,hwät, -,hwət\ *pron* **1** : a certain part or amount : SOME 〈told them ~ of his adventures〉 **2** : one with certain qualities

²somewhat *adv* : by a little : in some degree

some·where \-,hweər\ *adv* : in, at, or to an unknown or unnamed place

son \'sən\ *n* **1** : a male offspring or descendant **2** *cap* : Jesus Christ **3** : a person deriving from a particular source

so·nar \'sō-,när\ *n* : an apparatus that detects the presence and location of submerged objects (as submarines) by reflected vibrations

so·na·ta \sə-'nät-ə\ *n* : an instrumental composition with three or four movements differing in rhythm and mood but related in key

song \'sȯŋ\ *n* **1** : vocal music; *also* : a short composition of words and music **2** : poetic composition **3** : a small amount 〈sold for a ~〉

son·ic \'sän-ik\ *adj* : of or relating to sound waves or the speed of sound

son-in-law *n*, *pl* **sons-in-law** : the husband of one's daughter

son·net \'sän-ət\ *n* : a poem of 14 lines usu. in iambic pentameter with a definite rhyme scheme

so·no·rous \sə-'nōr-əs, 'sän-ə-rəs\ *adj* **1** : giving out sound when struck **2** : loud, deep, or rich in sound : RESONANT **3** : high-sounding : IMPRESSIVE — **so·nor·i·ty** \sə-'nȯr-ət-ē\ *n*

soon \'sün\ *adv* **1** : before long **2** : PROMPTLY, QUICKLY **3** : EARLY **4** : WILLINGLY, READILY

soot \'sut, 'sȯt\ *n* : a black substance that is formed when something burns, that colors smoke, and that sticks to the sides of the chimney carrying the smoke — **sooty** *adj*

soothe \'süth\ *vb* **1** : to please by flattery or attention **2** : to calm down : REASSURE, COMFORT — **sooth·er** *n* — **sooth·ing·ly** *adv*

sooth·say·er \'süth-,sā-ər\ *n* : one that foretells events — **sooth·say·ing** *n*

¹sop \'säp\ *vb* **sopped; sop·ping 1** : to steep or dip in or as if in a liquid **2** : to wet thoroughly : SOAK; *also* : to mop up

²sop *n* : a conciliatory bribe, gift, or concession

soph·ism \'säf-,iz-əm\ *n* **1** : an argument correct in form but embodying a subtle fallacy **2** : SOPHISTRY

soph·ist \-əst\ *n* : PHILOSOPHER; *esp* : a captious or fallacious reasoner

so·phis·ti·cat·ed \sə-'fis-tə-,kāt-əd\ *adj* **1** : made wise or worldly-wise by experience or disillusionment : not innocent or naïve **2** : intellectually appealing 〈~ novel〉 **3** : COMPLEX 〈~ instruments〉 — **so·phis·ti·ca·tion** \-,fis-tə-'kā-shən\ *n*

soph·ist·ry \'säf-ə-strē\ *n* : subtly fallacious reasoning or argument

soph·o·more \'säf-(ə-),mōr\ *n* : a student in his 2d year of college or secondary school

so·pra·no \sə-'pran-ō\ *n* **1** : the highest singing voice; *also* : a part for this voice **2** : a singer with a soprano voice — **soprano** *adj*

sor·cery \'sȯrs-(ə-)rē\ *n* : the use of magic : WITCHCRAFT — **sor·cer·er** \-rər\ *n* — **sor·cer·ess** \-rəs\ *n*

sor·did \'sȯrd-əd\ *adj* **1** : FILTHY, DIRTY **2** : marked by baseness or grossness : VILE — **sor·did·ly** *adv* — **sor·did·ness** *n*

¹sore \'sōr\ *adj* **1** : causing pain or distress 〈~ news〉 〈a ~ bruise〉 **2** : painfully sensitive : TENDER 〈~ eyes〉 **3** : SEVERE, INTENSE **4** : IRRITATED, ANGRY — **sore·ly** *adv* — **sore·ness** *n*

²sore *n* **1** : a sore spot on the body; *esp* : one (as an ulcer) with the tissues broken and usu. infected **2** : a source of pain or vexation

so·ror·i·ty \sə-'rȯr-ət-ē\ *n* [ML *sororitas* sisterhood, fr. L *soror* sister] : a club of girls or women esp. at a college

sor·row \'sär-ō\ *n* **1** : pain of mind caused by some loss : SADNESS **2** : repentance for having done something wrong **3** : a cause of grief — **sor·row·ful** *adj* — **sor·row·ful·ly** *adv*

sor·ry \'sär-ē\ *adj* **1** : feeling sorrow, regret, or penitence **2** : WORTHLESS, CONTEMPTIBLE **3** : DISMAL, GLOOMY

sort \'sȯrt\ *n* **1** : a group of persons or things that have similar characteristics : CLASS **2** : WAY, MANNER **3** : QUALITY, NATURE

²**sort** *vb* **1** : to put in a certain place according to kind, class, or nature **2** *archaic* : to be in accord : AGREE

so–so \'sō-'sō\ *adv (or adj)* : PASSABLY

sot \'sät\ *n* : a habitual drunkard

soul \'sōl\ *n* **1** : the immaterial essence of an individual life **2** : the spiritual principle embodied in human beings or the universe **3** : an active or essential part **4** : man's moral and emotional nature **5** : spiritual or moral force **6** : PERSON ⟨a kindly ~⟩ — **soul·less** \-fəl\ *adj* : full of or expressing deep feeling — **soul·ful·ly** *adv*

¹**sound** \'saund\ *adj* **1** : free from flaw or defect **2** : not diseased or sickly : HEALTHY **3** : FIRM, STRONG **4** : SOLID **5** : free from error : RIGHT **6** : showing good judgment **7** : THOROUGH **8** : UNDISTURBED ⟨~ sleep⟩ **9** : LEGAL, VALID — **sound·ly** *adv* — **sound·ness** *n*

²**sound** *n* **1** : the sensation experienced through the sense of hearing; *also* : mechanical energy transmitted by longitudinal pressure waves (as in air) that is the stimulus to hearing **2** : something heard : NOISE, TONE; *also* : hearing distance : EARSHOT — **sound·less** *adj* — **sound·proof** \-'prüf\ *adj or vb*

³**sound** *vb* **1** : to make or cause to make a noise **2** : to order or proclaim by a sound ⟨~ the alarm⟩ **3** : to convey a certain impression : SEEM **4** : to examine the condition of by causing to give out sounds — **sound·er** *n*

⁴**sound** *n* **1** : a long passage of water wider than a strait often connecting two larger bodies of water ⟨Long Island ~⟩ **2** : the air bladder of a fish

⁵**sound** *vb* **1** : to measure the depth of (water) esp. by a weighted line dropped from the surface : FATHOM **2** : PROBE **3** : to dive down suddenly ⟨the hooked fish ~ed⟩

soup \'süp\ *n* **1** : a liquid food with a meat, fish, or vegetable stock as a base and often containing pieces of solid food **2** : something having the consistency of soup **3** : an unfortunate predicament ⟨in the ~⟩

¹**sour** \'sau̇(ə)r\ *adj* **1** : having an acid or tart taste ⟨~ as vinegar⟩ **2** : SPOILED, PUTRID ⟨a ~ odor⟩ **3** : UNPLEASANT, DISAGREEABLE ⟨~ disposition⟩ — **sour·ish** *adj* — **sour·ly** *adv* — **sour·ness** *n*

²**sour** *vb* : to become or make sour

source \'sōrs\ *n* **1** : the beginning of a stream of water **2** : ORIGIN, BEGINNING **3** : a supplier of information

¹**souse** \'sau̇s\ *vb* **1** : PICKLE **2** : to plunge into a liquid **3** : DRENCH **4** : to make drunk

²**souse** *n* **1** : something (as pigs' feet) steeped in pickle **2** : BRINE **3** : a soaking in liquid **4** : DRUNKARD

¹**south** \'sau̇th\ *adv* : to or toward the south

²**south** *adj* **1** : situated toward or at the south **2** : coming from the south

³**south** *n* **1** : the direction to the right of one facing east **2** : the compass point directly opposite to north **3** *cap* : regions or countries south of a specified or implied point; *esp* : the part of the U.S. that lies south of the Mason-Dixon line, the Ohio river, and the southern boundaries of Missouri and Kansas — **south·er·ly** \'səth-ər-lē\ *adv or adj* — **south·ern** \'səth-ərn\ *adj* — **South·ern·er** *n* — **south·ern·most** *adj* — **south·ward** \'sau̇th-wərd\ *adv or adj*

south·east \sau̇th-'ēst\ *n* **1** : the general direction between south and east **2** : the compass point midway between south and east **3** *cap* : regions or countries southeast of a specified or implied point — **southeast** *adj or adv* — **south·east·er·ly** *adv or adj* — **south·east·ern** *adj*

south pole *n, often cap S & P* : the southernmost point of the earth

south·west \sau̇th-'west\ *n* **1** : the general direction between south and west **2** : the compass point midway between south and west **3** *cap* : regions or countries southwest of a specified or implied point — **southwest** *adj or adv* — **south·west·er·ly** *adv or adj* — **south·west·ern** *adj*

sou·ve·nir \'sü-və-,niər\ *n* : something serving as a reminder

¹**sov·er·eign** \'säv-(ə-)rən\ *n* **1** : one possessing the supreme power and authority in a state **2** : a gold coin of Great Britain worth 1 pound

²**sovereign** *adj* **1** : CHIEF, HIGHEST **2** : supreme in power or authority **3** : having independent authority **4** : EXCELLENT, FINE *syn* dominant, predominant, paramount, free

sov·er·eign·ty \-tē\ *n* **1** : supremacy in rule or power **2** : power to govern without external control **3** : the supreme political power in a state

so·vi·et \'sōv-ē-,et, 'säv-, -ē-ət\ *n* **1** : an elected governmental council in a Communist country **2** *pl, cap* : the people and esp. the leaders of the U.S.S.R. — **so·vi·et·ism** *n, often cap*

¹**sow** \'sau̇\ *n* : a female swine

²**sow** \'sō\ *vb* **sowed**; **sown** \'sōn\ *or* **sowed**; **sow·ing** **1** : to plant seed for growing esp. by scattering **2** : to strew with or as if with seed **3** : to scatter abroad — **sow·er** *n*

soy·bean \-'bēn\ *n* : an Asiatic legume widely grown for forage and for its edible seeds that yield a valuable oil

¹**space** \'spās\ *n* **1** : the limitless area in which all things exist and move **2** : some small measurable part of space **3** : the region beyond the earth's atmosphere **4** : a definite place (as a seat or stateroom on a train or ship) **5** : a period of time **6** : an empty place

²**space** *vb* : to place at intervals : arrange with spaces in between

space·man \-,man\ *n* : one concerned with traveling beyond the earth's atmosphere

space·ship \'spās(h)-,ship\ *n* : a man-carrying vehicle for travel beyond the earth's atmosphere

spa·cious \'spā-shəs\ *adj* : very large in extent : ROOMY *syn* commodious, capacious, ample — **spa·cious·ly** *adv* — **spa·cious·ness** *n*

¹**spade** \'spād\ *n* : a shovel with a flat blade — **spade·ful** *n*

²**spade** *vb* : to dig with a spade

³**spade** *n* : any of a suit of playing cards marked with a black figure resembling

an inverted heart with a short stem at the bottom

¹span \'span\ *n* 1 : an English unit of length equal to 9 inches 2 : a limited portion of time 3 : the spread of an arch, beam, truss, or girder from one support to another 4 : a pair of animals (as mules) driven together
²span *vb* spanned; span·ning 1 : MEASURE 2 : to extend over or reach across
span·gle \'span-gəl\ *n* : a small disk of shining metal used esp. on a dress for ornament — spangle *vb*
Span·iard \'span-yərd\ *n* : a native or inhabitant of Spain
span·iel \'span-yəl\ *n* : any of several mostly small and short-legged dogs with long silky hair and drooping ears
Span·ish \'span-ish\ *n* 1 Spanish *pl* : the people of Spain 2 : the chief language of Spain and of many countries colonized by the Spanish — Spanish *adj*
Spanish American *n* : a native or inhabitant of a country colonized by Spain in South or Central America; *also* : a resident of the U.S. whose native language is Spanish — Spanish-American *adj*
spank \'spaŋk\ *vb* : to strike the buttocks of with the open hand — spank *n*
spank·ing *adj* : BRISK, LIVELY ⟨~ breeze⟩
¹spar \'spär\ *n* : a rounded wood or metal piece (as a mast, yard, boom, or gaff) for supporting sail rigging
²spar *vb* sparred; spar·ring : to box scientifically without serious hitting; *also* : SKIRMISH, WRANGLE
¹spare \'spaər\ *vb* 1 : to use frugally or rarely 2 : to exempt from something 3 : to get along without 4 : to refrain from punishing or injuring : show mercy to
²spare *adj* 1 : held in reserve 2 : SUPERFLUOUS 3 : not liberal or profuse 4 : LEAN, THIN 5 : SCANTY *syn* extra, lanky, scrawny, meager, sparse, skimpy
³spare *n* 1 : a duplicate kept in reserve; *esp* : a spare tire 2 : the knocking down of all the bowling pins with the first two balls
spar·ing \'spa(ə)r-iŋ\ *adj* : SAVING, FRUGAL *syn* thrifty, economical — spar·ing·ly *adv*
¹spark \'spärk\ *n* 1 : a small particle of a burning substance or a hot glowing particle struck from a mass (as by steel on flint) 2 : SPARKLE 3 : a particle capable of being kindled or developed : GERM 4 : a luminous electrical discharge of short duration between two conductors
²spark *vb* 1 : to emit or produce sparks 2 : to stir to activity : INCITE
¹spar·kle \'spär-kəl\ *vb* 1 : FLASH, GLEAM 2 : EFFERVESCE 3 : to perform brilliantly — spark·ler \-k(ə-)lər\ *n*
²sparkle *n* 1 : a little spark : GLEAM 2 : ANIMATION
spark plug *n* : a device that produces a spark for combustion in an engine cylinder
spar·row \'spar-ō\ *n* : any of several small dull singing birds
sparse \'spärs\ *adj* : thinly scattered : SCANTY *syn* meager, spare, skimpy — sparse·ly *adv*
spasm \'spaz-əm\ *n* 1 : an involuntary and abnormal muscular contraction 2 : a sudden, violent, and temporary effort or feeling — spas·mod·ic \spaz-'mäd-ik\ *adj* — spas·mod·i·cal·ly *adv*
spas·tic \'spas-tik\ *adj* : of, relating to, or marked by muscular spasm ⟨~ paralysis⟩ — spastic *n*
¹spat \'spat\ *past of* SPIT
²spat *n* : the young of a bivalve mollusk
³spat *n* : a gaiter covering instep and ankle
⁴spat *n* : a brief petty quarrel : DISPUTE
⁵spat *vb* spat·ted; spat·ting : to quarrel briefly
spate \'spāt\ *n* : a sudden outburst : RUSH
spa·tial \'spā-shəl\ *adj* : of or relating to space — spa·tial·ly *adv*
spat·ter \'spat-ər\ *vb* 1 : to splash with drops of liquid 2 : to sprinkle around — spatter *n*
¹spawn \'spȯn\ *vb* 1 : to produce eggs or offspring esp. in large numbers 2 : to bring forth : GENERATE
²spawn *n* 1 : the eggs of water animals (as fishes or oysters) that lay many small eggs 2 : offspring esp. when produced in great quantities
spay \'spā\ *vb* : to remove the ovaries from (an animal)
speak \'spēk\ *vb* spoke \'spōk\ spoken \'spō-kən\ speak·ing 1 : to utter words 2 : to express orally : make known one's thoughts, feelings, or opinions in words 3 : to address an audience 4 : to use or be able to use (a language) in speech — speak·er *n*
¹spear \'spiər\ *n* 1 : a long-shafted weapon with a sharp point for thrusting or throwing 2 : a sharp-pointed instrument with barbs (as for spearing fish) 3 : a young shoot (as of grass) — spear·man \-mən\ *n*
²spear *vb* : to strike or pierce with or as if with a spear
spear·mint \-,(,)mint\ *n* : a common highly aromatic garden mint
spe·cial \'spesh-əl\ *adj* 1 : UNCOMMON, NOTEWORTHY 2 : INDIVIDUAL, UNIQUE 3 : particularly favored 4 : EXTRA, ADDITIONAL 5 : confined to or designed for a definite field of action, purpose, or occasion — special *n* — spe·cial·ly *adv*
spe·cial·ist *n* 1 : one who devotes himself to some special branch of learning or activity 2 : an army enlisted man holding any of several ranks that correspond to the ranks of noncommissioned officers
spe·cial·ize *vb* : to concentrate one's efforts in a special activity or field; *also* : to change in an adaptive manner — spe·cial·iza·tion \,spesh-ə-lə-'zā-shən\ *n*
spe·cial·ty \'spesh-əl-tē\ *n* 1 : a particular quality or detail 2 : a product of a special kind or of special excellence 3 : a branch of knowledge, business, or professional work in which one specializes
spe·cies \'spē-shēz\ *n, pl* species [L, appearance, kind, species, fr. *specere* to look] 1 : SORT, KIND 2 : a taxonomic group comprising closely related organisms potentially able to breed with one another
spe·cif·ic \spi-'sif-ik\ *adj* 1 : of, relating to, or constituting a species 2 : DEFINITE, EXACT 3 : having a unique relation to something ⟨~ antibodies⟩; *esp* : exerting a distinctive and

specification

usu. curative or causative influence — **spe·cif·i·cal·ly** *adv*

spec·i·fi·ca·tion \,spes-ə-fə-'kā-shən\ *n* **1** : something specified : ITEM **2** : a description of work to be done and materials to be used (as in building) — usu. used in pl.

spec·i·fy \'spes-ə-,fī\ *vb* : to mention or name explicitly or in detail

spec·i·men \'spes-ə-mən\ *n* : a part or a single thing that shows what the whole thing or group is like : SAMPLE

spe·cious \'spē-shəs\ *adj* : seeming to be genuine, correct, or beautiful but not really so ⟨~ reasoning⟩

speck \'spek\ *n* **1** : a small spot or blemish **2** : a small particle : BIT — **speck** *vb*

speck·le \-əl\ *n* : a little speck — **speck·le** *vb*

spec·ta·cle \'spek-ti-kəl\ *n* **1** : something exhibited to view; *esp* : an impressive public display **2** *pl* : GLASS **3**; *esp* : glasses held in place by pieces passing over the ears — **spec·ta·cled** *adj*

spec·tac·u·lar \spek-'tak-yə-lər\ *adj* : SENSATIONAL, STRIKING, SHOWY

spec·ta·tor \'spek-,tāt-ər\ *n* : one who looks on (as at a sports event) *syn* observer, witness

spec·ter or **spec·tre** \'spek-tər\ *n* : a visible disembodied spirit : APPARITION, GHOST

spec·trum \'spek-trəm\ *n, pl* **-tra** \-trə\ or **-trums** **1** : a series of colors formed when a beam of white light is dispersed (as by a prism) so that its parts are arranged in the order of their wavelengths **2** : a series of radiations arranged in regular order **3** : a continuous sequence or range ⟨a wide ~ of political opinions⟩

spec·u·late \'spek-yə-,lāt\ *vb* **1** : REFLECT, MEDITATE **2** : to engage in a business deal where a good profit may be made at considerable risk *syn* reason, think, deliberate — **spec·u·la·tion** \,spek-yə-'lā-shən\ *n* — **spec·u·la·tive** \'spek-yə-,lāt-iv\ *adj* — **spec·u·la·tive·ly** *adv* — **spec·u·la·tor** *n*

speech \'spēch\ *n* **1** : the power of speaking **2** : act or manner of speaking **3** : TALK, CONVERSATION **4** : a public discourse **5** : LANGUAGE, DIALECT — **speech·less** *adj*

¹speed \'spēd\ *n* **1** *archaic* : SUCCESS **2** : SWIFTNESS, RAPIDITY **3** : rate of motion or performance **4** : a transmission gear in an automobile *syn* haste, hurry, dispatch, momentum, pace — **speed·i·ly** *adv* — **speedy** *adj*

²speed *vb* **sped** \'sped\ *or* **speed·ed**; **speed·ing** **1** : to get along : FARE, PROSPER **2** : to go fast **3** : to cause to go faster : ACCELERATE

speed·boat \-,bōt\ *n* : a fast launch or motorboat

speed·om·e·ter \spi-'däm-ət-ər\ *n* : an instrument for indicating speed or speed and distance traveled

¹spell \'spel\ *n* **1** : a magic formula : INCANTATION **2** : a controlling influence

²spell *vb* **1** : to name, write, or print in order the letters of a word **2** : MEAN, SIGNIFY

³spell *n* **1** : the relief of one person by another in any work or duty **2** : one's turn at work or duty **3** : a period of rest from work or duty **4** : a stretch of a specified kind of weather **5** : a period of bodily or mental distress or disorder : ATTACK

⁴spell *vb* : to take the place of for a time in work or duty : RELIEVE

spell·bound \-'baùnd\ *adj* : held by or as if by a spell : FASCINATED

spell·er *n* **1** : one who spells **2** : a book with exercises for teaching spelling

spend \'spend\ *vb* **spent** \'spent\; **spend·ing** **1** : to use up or pay out **2** : to wear out : EXHAUST; *also* : to consume wastefully **3** : to cause or permit to elapse : PASS **4** : to make use of

spend·thrift \'spen(d)-,thrift\ *n* : one who spends wastefully or recklessly : PRODIGAL

spent \'spent\ *adj* : drained of energy : EXHAUSTED

sperm \'spərm\ *n* : SEMEN; *also* : SPERMATOZOON

sphere \'sfiər\ *n* **1** : a figure so shaped that every point on its surface is an equal distance from the center : BALL **2** : a globular body : GLOBE; *esp* : a celestial body **3** : range of action or influence : FIELD — **spher·i·cal** \'sfir-i-kəl, 'sfer-\ *adj* — **spher·i·cal·ly** *adv*

sphinx \'sfiŋks\ *n* **1** : a monster in Greek mythology with the head and bust of a woman, the body of a lion, and wings; *esp* : one who asks a riddle of persons who pass and destroys those who cannot answer it **2** : a person whose character and motives are hard to understand

sphinx, 2

spice \'spīs\ *n* **1** : any of various aromatic plant products (as pepper or nutmeg) used to season or flavor foods **2** : something that adds interest and relish — **spice** *vb* — **spicy** *adj*

spick-and-span \'spik-ən-'span\ *adj* : quite new; *also* : spotlessly clean

spi·der \'spīd-ər\ *n* **1** : any of numerous small wingless animals that resemble insects but have eight legs and a body divided into two parts **2** : a cast-iron frying pan — **spi·dery** *adj*

¹spike \'spīk\ *n* **1** : a very large nail **2** : any of various pointed projections

²spike *vb* **1** : to fasten with spikes **2** : to put an end to : QUASH ⟨~ a rumor⟩ **3** : to pierce with or impale on a spike **4** : to add alcoholic liquor to

³spike *n* **1** : an ear of grain **2** : a long cluster of usu. stemless flowers

¹spill \'spil\ *vb* **spilled** \'spild\ *also* **spilt** \'spilt\ **spill·ing** **1** : to cause or allow unintentionally to fall, flow, or run out ⟨~ water from a glass⟩ **2** : to lose or allow to be scattered **3** : to cause (blood) to flow **4** : to run out or over with resulting loss or waste

²spill *n* **1** : an act of spilling; *also* : a fall from a horse or vehicle or in running **2** : something spilled **3** : SPILLWAY

¹spin \'spin\ *vb* **spun** \'spən\ **spin·ning** **1** : to draw out (fiber) and twist into thread; *also* : to form (thread) by such means **2** : to form thread by extruding a sticky quickly hardening fluid; also : to construct from such thread ⟨spiders *spun* their webs⟩   **3** : to produce slowly and by degrees ⟨~ a story⟩   **4** : TWIRL   **5** : WHIRL, REEL ⟨my head is *spinning*⟩   **6** : to move rapidly along — **spin·ner** *n*

²**spin** *n*   **1** : a rapid rotating motion   **2** : an excursion in a wheeled vehicle

spin·ach \'spin-ich\ *n* : a garden herb grown for its edible leaves

spi·nal \'spīn-ᵊl\ *adj* : of or relating to the backbone or spinal cord — **spi·nal·ly** *adv*

spinal cord *n* : the thick strand of nervous tissue that extends from the brain along the back in the cavity of the backbone

spin·dle \'spin-dᵊl\ *n*   **1** : a round tapering stick or rod by which fibers are twisted in spinning   **2** : a turned part of a piece of furniture ⟨the ~s of a chair⟩   **3** : a slender pin or rod which turns or on which something else turns

spine \'spīn\ *n*   **1** : BACKBONE   **2** : a stiff sharp process on a plant or animal; *esp* : one that is a modified leaf — **spine·less** *adj* — **spiny** *adj*

spinning wheel *n* : a small domestic machine for spinning thread or yarn in which a large wheel drives a single spindle

spin·ster \'spin-stər\ *n* : an unmarried woman past the common age for marrying — **spin·ster·hood** *n*

¹**spi·ral** \'spī-rəl\ *adj*   **1** : circling around a center like the thread of a screw   **2** : winding or coiling around a center or pole in gradually enlarging circles — **spi·ral·ly** *adv*

²**spiral** *n*   **1** : something that has a spiral form; *also* : a single turn in a spiral object   **2** : a continuously spreading and accelerating increase or decrease

³**spiral** *vb* **-raled** *or* **-ralled; -ral·ing** *or* **-ral·ling**   **1** : to move in a spiral course   **2** : to rise or fall in a spiral ⟨the cost of living ~*ed* upward⟩

spire \'spī(ə)r\ *n*   **1** : a slender tapering stalk (as of grass)   **2** : a pointed tip (as of a tree or antler)   **3** : STEEPLE — **spiry** *adj*

¹**spir·it** \'spir-ət\ *n*   **1** : a life-giving force; *also* : the animating principle : SOUL   **2** *cap* : the active presence of God in human life : the third person of the Trinity   **3** : SPECTER, GHOST   **4** : PERSON   **5** : DISPOSITION, MOOD   **6** : VIVACITY, ARDOR   **7** : LOYALTY ⟨school ~⟩   **8** : essential or real meaning : INTENT   **9** : distilled alcoholic liquor — **spir·it·less** *adj*

²**spirit** *vb* : to carry off secretly or mysteriously

spir·it·ed *adj*   **1** : ANIMATED, LIVELY   **2** : COURAGEOUS

¹**spir·i·tu·al** \'spir-i-ch(ə-w)əl\ *adj*   **1** : of, relating to, or consisting of spirit : INCORPOREAL   **2** : of or relating to sacred matters   **3** : ecclesiastical rather than lay or temporal — **spir·i·tu·al·i·ty** \,spir-i-chə-'wal-ət-ē\ *n* — **spir·i·tu·al·ize** \'spir-i-ch(ə-w)ə-,līz\ *vb* — **spir·i·tu·al·ly** *adv*

²**spiritual** *n* : a religious song originating among Negroes of the southern U.S.

spir·i·tu·al·ism \'spir-i-ch(ə-w)ə-,liz-əm\ *n* : the belief that spirits of the dead hold intercourse with the living through physical phenomena (as table rappings) or the trances of mediums — **spir·i·tu·al·ist** *n* — **spir·i·tu·al·is·tic** \,spir-i-ch(ə-w)ə-'lis-tik\ *adj*

¹**spit** \'spit\ *n*   **1** : a thin pointed rod for holding meat over a fire   **2** : a point of land that runs out into the water

²**spit** *vb* **spit·ted; spit·ting** : to pierce with or as if with a spit

³**spit** *vb* **spit** *or* **spat** \'spat\ **spit·ting**   **1** : to eject (saliva) from the mouth   **2** : to send forth forcefully, defiantly, or disgustedly

⁴**spit** *n*   **1** : SALIVA; *also* : an act of spitting   **2** : perfect likeness ⟨~ and image of his father⟩   **3** : a flurry of rain or snow

¹**spite** \'spīt\ *n* : ill will with a wish to annoy, anger, or defeat : petty malice   **syn** malignity, spleen, grudge, malevolence — **spite·ful** *adj* — **spite·ful·ly** *adv* — **spite·ful·ness** *n* — **in spite of** : in defiance or contempt of : NOTWITHSTANDING

²**spite** *vb* : to treat maliciously (as by insulting or thwarting)

spit·toon \spi-'tün\ *n* : a receptacle for spit

splash \'splash\ *vb*   **1** : to dash a liquid about   **2** : to scatter a liquid upon : SPATTER   **3** : to fall or strike with a splashing noise   **syn** sprinkle, bespatter — **splash** *n*

splat·ter \'splat-ər\ *vb* : SPATTER — **splatter** *n*

¹**splay** \'splā\ *vb*   **1** : to spread out   **2** : to slope or slant outwards ⟨~*ed* doorway⟩ — **splay** *n*

²**splay** *adj*   **1** : spread out : turned outward   **2** : AWKWARD, CLUMSY

spleen \'splēn\ *n*   **1** : a vascular organ located near the stomach in most vertebrates concerned esp. with the storage, formation, and destruction of blood cells   **2** : SPITE, MALICE   **syn** malignity, grudge, malevolence

splen·did \'splen-dəd\ *adj*   **1** : SHINING, BRILLIANT   **2** : SHOWY, GORGEOUS   **3** : ILLUSTRIOUS   **4** : EXCELLENT   **syn** resplendent, glorious, sublime, superb — **splen·did·ly** *adv*

splen·dor \'splen-dər\ *n*   **1** : BRILLIANCE   **2** : POMP, MAGNIFICENCE

sple·nic \'splē-nik, 'splen-ik\ *adj* : of, relating to, or located in the spleen

splice \'splīs\ *vb*   **1** : to unite (as two ropes) by weaving the strands together   **2** : to unite (as two timbers) by lapping the ends and making them fast — **splice** *n*

splint \'splint\ *n*   **1** : a thin strip of wood interwoven with others to make something (as a basket or a chair seat)   **2** : material or a device used to protect and keep in place an injured body part

¹**splin·ter** \'splint-ər\ *n* : a thin piece of something split off lengthwise : SLIVER

²**splinter** *vb* : to split into splinters

split \'split\ *vb* **split; split·ting**   **1** : to divide lengthwise or along a grain or seam   **2** : to burst or break in pieces   **3** : to divide into parts or sections   **syn** rend, cleave, rip, tear — **split** *n*

split·ting *adj* : causing a feeling of breaking or bursting ⟨~ headache⟩

splotch \'spläch\ *n* : BLOTCH

splurge \'splərj\ *n* : a showy display or expense — **splurge** *vb*

splut·ter \'splət-ər\ *n* : SPUTTER — **splutter** *vb*

spoil — **spring**

¹**spoil** \'spȯil\ *n* : PLUNDER, BOOTY
²**spoil** *vb* **spoiled** \'spȯild\ *or* **spoilt** \'spȯilt\ **spoil·ing** **1** : ROB, PILLAGE **2** : to damage seriously : RUIN **3** : to impair the quality or effect of **4** : to damage the disposition of by pampering; *also* : INDULGE, CODDLE **5** : DECAY, ROT **6** : to have an eager desire ⟨~*ing* for a fight⟩ *syn* injure, harm, hurt, mar — **spoil·age** *n* — **spoil·er** *n*
¹**spoke** \'spōk\ *past of* SPEAK
²**spoke** *n* **1** : any of the rods extending from the hub of a wheel to the rim **2** : a rung of a ladder
spokes·man \'spōks-mən\ *n* : one who speaks as the representative of another or others
¹**sponge** \'spənj\ *n* **1** : the elastic porous mass of fibers that forms the skeleton of any of a group of lowly sea animals; *also* : one of the animals **2** : the act of washing or wiping with a sponge **3** : a spongelike or porous mass or material (as used for sponging) — **spong·er** *n* — **spongy** *adj*
²**sponge** *vb* **1** : to gather sponges **2** : to bathe or wipe with a sponge **3** : to live at another's expense
spon·sor \'spän-sər\ *n* [L, fr. *spons-, spondēre* to pledge, promise] **1** : one who takes the responsibility for some other person or thing : SURETY **2** : GODPARENT **3** : a business firm who pays a broadcaster and performer for a radio or television program that allots some time to advertising its product *syn* patron, guarantor — **sponsor** *vb* — **spon·sor·ship** *n*
spon·ta·ne·ous \spän-'tā-nē-əs\ *adj* **1** : done or produced freely, naturally, and without constraint **2** : acting or taking place without external force or cause *syn* impulsive, instinctive, automatic, mechanical — **spon·ta·ne·i·ty** \,spänt-ə-'nē-ət-ē\ *n* — **spon·ta·ne·ous·ly** \spän-'tā-nē-əs-lē\ *adv*
spoof \'spüf\ *vb* **1** : DECEIVE, HOAX **2** : to make good-natured fun of — **spoof** *n*
spook \'spük\ *n* : GHOST, APPARITION
spool \'spül\ *n* : a cylinder on which flexible material (as thread, wire, or tape) is wound
spoon \'spün\ *n* **1** : an eating or cooking implement consisting of a shallow bowl with a handle **2** : a metal piece used on a fishing line as a lure — **spoon** *vb* — **spoon·ful** *n*
spo·rad·ic \spə-'rad-ik\ *adj* : occurring in scattered single instances *syn* occasional, rare, scarce, infrequent, uncommon — **spo·rad·i·cal·ly** *adv*
¹**sport** \'spōrt\ *vb* **1** : to amuse oneself : FROLIC **2** : to wear or display ostentatiously — **sport·ive** *adj*
²**sport** *n* **1** : a source of diversion : PASTIME **2** : physical activity engaged in for pleasure **3** : JEST **4** : MOCKERY ⟨make ~ of his efforts⟩ **5** : BUTT, LAUGHINGSTOCK **6** : one who accepts results cheerfully whether favoring his interests or not **7** : a person devoted to a gay easy life **8** : an individual distinguished by a mutation *syn* play, frolic, fun — **sporty** *adj*
³**sport** *or* **sports** *adj* : of, relating to, or suitable for sport ⟨~ fish⟩ ⟨~ coats⟩
sports·man \'spōrts-mən\ *n* **1** : one who engages in field sports **2** : one who plays fairly and wins or loses gracefully — **sports·man·ship** *n*
¹**spot** \'spät\ *n* **1** : STAIN, BLEMISH **2** : a small part different (as in color) from the main part **3** : LOCATION, SITE — **spot·less** *adj* — **spot·less·ly** *adv*
²**spot** *vb* **spot·ted**; **spot·ting** **1** : to mark or disfigure with spots **2** : to pick out : RECOGNIZE, IDENTIFY
spot·light \-,līt\ *n* **1** : a circle of brilliant light projected upon a definite area, person, or object (as on a stage); *also* : the device that produces this light **2** : public notice
spouse \'spaùs\ *n* : one's husband or wife
¹**spout** \'spaùt\ *vb* **1** : to eject or issue forth forcibly and freely ⟨wells ~*ing* oil⟩ ⟨blood ~*ing* from a wound⟩ **2** : to declaim pompously
²**spout** *n* **1** : a pipe or hole through which liquid spouts **2** : a jet of liquid; *esp* : WATERSPOUT
¹**sprain** \'sprān\ *n* : a sudden or severe twisting of a joint with stretching and tearing of ligaments; *also* : a sprained condition
²**sprain** *vb* : to subject to sprain
sprawl \'sprȯl\ *vb* **1** : to lie or sit with limbs spread out awkwardly **2** : to spread out irregularly ⟨a ~*ing* vine⟩ — **sprawl** *n*
¹**spray** \'sprā\ *n* : a usu. flowering branch or a decorative arrangement of flowers and foliage
²**spray** *n* **1** : liquid flying in small drops like water blown from a wave **2** : a jet of fine vapor (as from an atomizer) **3** : an instrument (as an atomizer) for scattering fine liquid
³**spray** *vb* **1** : to scatter or let fall in a spray **2** : to discharge spray on or into — **spray·er** *n*
¹**spread** \'spred\ *vb* **spread**; **spread·ing** **1** : to scatter over a surface **2** : to flatten out : open out **3** : to stretch, force, or push apart **4** : to distribute over a period of time or among many persons **5** : to pass on from person to person **6** : to cover with something ⟨~ a floor with rugs⟩ **7** : to prepare for a meal ⟨~ a table⟩ — **spread·er** *n*
²**spread** *n* **1** : act of spreading : EXPANSION **2** : EXPANSE, EXTENT **3** : distance or difference between two points : GAP **4** : a cloth cover for a bed **5** : a food to be spread on bread or crackers **6** : a prominent display in a magazine or newspaper
spree \'sprē\ *n* : an unrestrained outburst ⟨buying ~⟩; *esp* : a drinking bout
sprig \'sprig\ *n* : a small shoot or twig
spright·ly \'sprīt-lē\ *adj* : LIVELY, SPIRITED *syn* animated, vivacious, gay
¹**spring** \'spriŋ\ *vb* **sprang** \'spraŋ\ *or* **sprung** \'sprəŋ\ **sprung**; **spring·ing** **1** : to move suddenly upward or forward : LEAP, BOUND **2** : to shoot up ⟨weeds ~ up overnight⟩ **3** : to move quickly by elastic force **4** : to make lame : STRAIN **5** : WARP **6** : to develop (a leak) through the seams **7** : to make known suddenly ⟨~ a surprise⟩ **8** : to cause to close suddenly ⟨~ a trap⟩
²**spring** *n* **1** : a source of supply; *esp* : an issuing of water from the ground **2** : SOURCE, ORIGIN; *also* : MOTIVE **3** : the season between winter and summer **4** : an elastic body or device that

springtime recovers its original shape when it is released after being distorted **5** : the act or an instance of leaping up or forward : JUMP **6** : elastic power — **springy** *adj*

spring·time \\'spriŋ-,tīm\\ *n* : the season of spring

¹**sprin·kle** \\'spriŋ-kəl\\ *vb* : to scatter in small drops or particles — **sprin·kler** *n*

²**sprinkle** *n* : a light rainfall

sprin·kling \\-kliŋ\\ *n* : a small scattered quantity or number

¹**sprint** \\'sprint\\ *vb* : to run at top speed esp. for a short distance — **sprint·er** *n*

²**sprint** *n* **1** : a short run at top speed **2** : a short distance race

sprite \\'sprīt\\ *n* **1** : GHOST, SPIRIT **2** : ELF, FAIRY

¹**sprout** \\'spraùt\\ *vb* : to send out new growth esp. rapidly ⟨~*ing* seeds⟩

²**sprout** *n* : a usu. young and growing plant shoot

¹**spruce** \\'sprüs\\ *n* : any of various conical evergreen trees related to the pines

²**spruce** *adj* : neat and smart in appearance **syn** stylish, fashionable, modish

³**spruce** *vb* : to make or become spruce

spry \\'sprī\\ *adj* : NIMBLE, ACTIVE **syn** agile, brisk

spunk \\'spəŋk\\ *n* : PLUCK, COURAGE — **spunky** *adj*

¹**spur** \\'spər\\ *n* **1** : a pointed device fastened to a rider's boot and used to urge on a horse **2** : something that urges to action **3** : a stiffly projecting part or process (as on the leg of a cock or on some flowers) **4** : a ridge extending sideways from a mountain **5** : a branch of railroad track extending from the main line **syn** goad, motive, impulse, incentive, inducement — **on the spur of the moment** : on hasty impulse

²**spur** *vb* **spurred; spur·ring 1** : to urge a horse on with spurs **2** : INCITE, STIMULATE

spurn \\'spərn\\ *vb* **1** : to kick away or trample on **2** : to reject with disdain **syn** repudiate, refuse, decline

¹**spurt** \\'spərt\\ *n* **1** : a sudden brief burst of effort or speed **2** : a sharp increase of activity ⟨~ in sales⟩

²**spurt** *vb* : to make a spurt

³**spurt** *vb* : to gush out : spout forth : JET

⁴**spurt** *n* : a sudden gushing or spouting

sput·ter \\'spət-ər\\ *vb* **1** : to spit small scattered particles : SPLUTTER **2** : to utter words hastily or explosively in excitement or confusion **3** : to make small popping sounds — **sputter** *n*

¹**spy** \\'spī\\ *vb* **1** : to watch secretly usu. for hostile purposes : SCOUT **2** : to get a momentary or quick glimpse of : SEE **3** : to search for information secretly

²**spy** *n* **1** : one who secretly watches others **2** : one who secretly tries to obtain information for his own country in the territory of an enemy country

squab·ble \\'skwäb-əl\\ *n* : a noisy altercation : WRANGLE **syn** quarrel, spat — **squabble** *vb*

squad \\'skwäd\\ *n* **1** : a small organized group of military personnel **2** : a small group engaged in common effort

squad·ron \\'skwäd-rən\\ *n* **1** : a body of men in regular formation **2** : any of several units of military organization

squal·id \\'skwäl-əd\\ *adj* **1** : filthy or degraded through neglect or poverty **2** : SORDID, DEBASED **syn** nasty, foul

squall \\'skwol\\ *n* : a sudden violent gust of wind often with rain or snow — **squally** *adj*

squal·or \\'skwäl-ər\\ *n* : the quality or state of being squalid

squan·der \\'skwän-dər\\ *vb* : to spend wastefully or foolishly

¹**square** \\'skwaər\\ *n* **1** : an instrument used to lay out or test right angles **2** : a flat figure that has four equal sides and four right angles **3** : something square **4** : an area bounded by four streets **5** : an open area in a city where streets meet **6** : the product of a number multiplied by itself **7** : a highly conventional person

²**square** *adj* **1** : having 4 equal sides and 4 right angles **2** : forming a right angle ⟨cut a ~ corner⟩ **3** : multiplied by itself : SQUARED ⟨X² is the symbol for X ~⟩ **4** : converted from a linear unit into a square unit of area having the same length of side ⟨a ~ foot is the area of a square each side of which is a foot⟩ **5** : being of a specified length in each of 2 dimensions ⟨an area 10 feet ~⟩ **6** : exactly adjusted **7** : JUST, FAIR ⟨a ~ deal⟩ **8** : leaving no balance : EVEN ⟨make accounts ~⟩ **9** : SUBSTANTIAL, SATISFYING ⟨a ~ meal⟩ — **square·ly** *adv*

³**square** *vb* **1** : to form with 4 equal sides and right angles or with flat surfaces ⟨~ a timber⟩ **2** : to multiply a number by itself **3** : CONFORM, AGREE ⟨the story does not ~ with fact⟩ **4** : BALANCE, SETTLE ⟨~ an account⟩

square dance *n* : a dance for 4 couples arranged to form a square

square root *n* : a factor of a number that when multiplied by itself gives the number ⟨the *square root* of 9 is ± 3⟩

¹**squash** \\'skwäsh\\ *vb* **1** : to beat or press into a pulp or flat mass **2** : QUASH, SUPPRESS

²**squash** *n* **1** : the impact of something soft and heavy; *also* : the sound of such impact **2** : a crushed mass **3** : SQUASH RACQUETS

³**squash** *n* : a fruit of any of various plants related to the gourds that are used esp. as a vegetable; *also* : a plant bearing squashes

¹**squat** \\'skwät\\ *vb* **squat·ted** *or* **squat; squat·ting 1** : to sit down upon the hams or heels **2** : to settle on land without right or title; *also* : to settle on public land with a view to acquiring title — **squat·ter** *n*

²**squat** *n* : the act or posture of squatting

³**squat** *adj* : low to the ground; *also* :short and thick in stature **syn** thickset, stocky

squaw \\'skwò\\ *n* : an American Indian woman

squawk \\'skwòk\\ *n* : a harsh loud cry; *also* : a noisy protest — **squawk** *vb*

squeak \\'skwēk\\ *vb* **1** : to utter or speak in a weak shrill tone **2** : to make a thin high-pitched sound — **squeak** *n* — **squeaky** *adj*

¹**squeal** \\'skwēl\\ *vb* **1** : to make a shrill sound or cry **2** : COMPLAIN, PROTEST **3** : to betray a secret or turn informer

²**squeal** *n* : a shrill sharp somewhat prolonged cry

squeamish 427 stale

squea·mish \\'skwē-mish\\ *adj* **1** : easily nauseated; *also* : NAUSEATED **2** : easily disgusted **syn** fussy, nice, dainty — **squea·mish·ness** *n*

¹squeeze \\'skwēz\\ *vb* **1** : to exert pressure on the opposite sides or parts of **2** : to obtain by pressure ⟨∼ juice from a lemon⟩ **3** : to force, thrust, or cause to pass by pressure — **squeez·er** *n*

²squeeze *n* **1** : an act of squeezing : COMPRESSION **2** : a quantity squeezed out

squelch \\'skwelch\\ *vb* **1** : to suppress completely : CRUSH **2** : to move in soft mud — **squelch** *n*

squint \\'skwint\\ *vb* **1** : to look or aim obliquely **2** : to close the eyes partly ⟨the glare made him ∼⟩ **3** : to be cross-eyed — **squint** *n or adj*

¹squire \\'skwī(ə)r\\ *n* [OF *esquier*, fr. LL *scutarius*, fr. L *scutum* shield] **1** : an armor-bearer of a knight **2** : a member of the British gentry ranking below a knight and above a gentleman; *also* : a prominent landowner **3** : a local magistrate **4** : a man gallantly devoted to a lady

²squire *vb* : to accompany a lady as an escort

squirm \\'skwərm\\ *vb* : to twist about like a worm : WRIGGLE

squir·rel \\'skwər(-ə)l\\ *n* : any of various rodents usu. with a long bushy tail and strong hind legs; *also* : the fur of a squirrel

¹squirt \\'skwərt\\ *vb* : to eject liquid in a thin spurt

²squirt *n* **1** : an instrument (as a syringe) for squirting **2** : a small forcible jet of liquid

-st — see -EST

¹stab \\'stab\\ *vb* **stabbed**; **stab·bing** : to pierce or wound with or as if with a pointed weapon; *also* : THRUST, DRIVE

²stab *n* **1** : a wound given by a pointed weapon **2** : a quick thrust; *also* : a brief attempt

sta·bi·lize \\'stā-bə-ˌlīz\\ *vb* **1** : to make stable **2** : to hold steady ⟨∼ prices⟩ **syn balance** — **sta·bi·li·za·tion** \\ˌstā-bə-lə-'zā-shən\\ *n* — **sta·bi·liz·er** \\'stā-bə-ˌlī-zər\\ *n*

¹sta·ble \\'stā-bəl\\ *n* : a building in which livestock is sheltered and fed

²stable *adj* **1** : firmly established; *also* : mentally healthful and well-balanced **2** : steady in purpose : CONSTANT **3** : DURABLE, ENDURING **4** : resistant to chemical or physical change **syn** lasting, permanent, perpetual — **sta·bil·i·ty** \\stə-'bil-ət-ē\\ *n*

¹stack \\'stak\\ *n* **1** : a large pile (as of hay, grain, or straw) **2** : a large quantity **3** : a vertical pipe : SMOKESTACK, CHIMNEY **4** : an orderly pile (as of poker chips) **5** : a rack with shelves for storing books

²stack *vb* **1** : to pile up **2** : to arrange (cards) secretly for cheating

sta·di·um \\'stād-ē-əm\\ *n* : a structure with tiers of seats for spectators built around a field for sports events

staff \\'staf\\ *n, pl* **staves** \\'stavz\\ *or in senses 3 & 4* **staffs** \\'stafs\\ **1** : a pole, stick, rod, or bar used for supporting, for measuring, or as a symbol of authority; *also* : CLUB, CUDGEL **2** : something that sustains ⟨bread is the ∼ of life⟩ **3** : a body of assistants to an executive **4** : a group of officers holding no command but having duties concerned with planning and managing **5** : the five horizontal lines on which music is written

stag \\'stag\\ *n* : an adult male of various large deer

¹stage \\'stāj\\ *n* **1** : a raised platform on which an orator may speak or a play may be presented **2** : the acting profession : THEATER **3** : the scene of a notable action or event **4** : a station or resting place on a traveled road **5** : STAGECOACH **6** : a degree of advance in an undertaking, process, or development **7** : a propulsion unit in a rocket — **stagy** \\'stā-jē\\ *adj*

²stage *vb* : to produce or perform on or as if on a stage

stage·coach \\-ˌkōch\\ *n* : a coach that runs regularly between stations

¹stag·ger \\'stag-ər\\ *vb* **1** : to reel from side to side : TOTTER **2** : to begin to doubt : WAVER **3** : to cause to reel or waver **4** : to arrange (working hours) in overlapping or alternating positions or times

²stagger *n* **1** *pl* : an abnormal condition of domestic mammals and birds associated with damage to the central nervous system and marked by lack of coordination and a reeling unsteady gait **2** : a reeling or unsteady gait or stance

stag·nant \\'stag-nənt\\ *adj* **1** : not flowing : MOTIONLESS ⟨∼ water in a pond⟩ **2** : DULL, INACTIVE ⟨∼ business⟩

stag·nate \\'stag-ˌnāt\\ *vb* : to be or become stagnant — **stag·na·tion** \\stag-'nā-shən\\ *n*

staid \\'stād\\ *adj* : SOBER, SEDATE **syn** grave, serious, earnest

¹stain \\'stān\\ *vb* **1** : DISCOLOR, SOIL **2** : to color (as wood, paper, or cloth) by processes affecting the material itself **3** : TAINT, CORRUPT **4** : DISGRACE

²stain *n* **1** : SPOT, DISCOLORATION **2** : a taint of guilt : STIGMA **3** : a preparation (as a dye or pigment) used in staining — **stain·less** *adj*

stainless steel *n* : steel alloyed with chromium that is highly resistant to stain, rust, and corrosion

stair \\'staər\\ *n* **1** : any one step of a series for ascending or descending from one level to another **2** *pl* : a flight of steps

stair·case \\-ˌkās\\ *n* : a flight of steps with their supporting framework, casing, and balusters

stair·way \\-ˌwā\\ *n* : one or more flights of stairs with connecting landings

¹stake \\'stāk\\ *n* **1** : a pointed piece of material (as of wood) driven into the ground as a marker or a support **2** : a post to which a person who is to be burned is bound; *also* : death by such burning **3** : something that is staked for gain or loss **4** : the prize in a contest

²stake *vb* **1** : to mark the limits of with stakes **2** : to tether to a stake **3** : to support or secure with stakes **4** : to place as a bet

sta·lac·tite \\stə-'lak-ˌtīt\\ *n* : an icicle-shaped deposit hanging from the roof or sides of a cavern

sta·lag·mite \\-'lag-ˌmīt\\ *n* : a deposit resembling an inverted stalactite rising from the floor of a cavern

stale \\'stāl\\ *adj* **1** : flat and tasteless from age ⟨∼ beer⟩ **2** : not freshly made

⟨~ bread⟩ 3 : COMMONPLACE, TRITE — **stale** *vb*

¹stalk \'stȯk\ *vb* 1 : to walk stiffly or haughtily 2 : to approach (game) stealthily

²stalk *n* : a plant stem; *also* : any slender usu. upright supporting or connecting part — **stalked** \'stȯkt\ *adj*

¹stall \'stȯl\ *n* 1 : a compartment in a stable for one animal 2 : a booth or counter where articles may be displayed for sale 3 : a seat in a church choir; *also* : a church pew 4 *Brit* : a seat in the front part of the orchestra

²stall *vb* : to bring or come to a standstill unintentionally ⟨~ an engine⟩

stal·lion \'stal-yən\ *n* : a male horse

stal·wart \'stȯl-wərt\ *adj* : STOUT, STRONG; *also* : BRAVE, VALIANT

stam·i·na \'stam-ə-nə\ *n* : VIGOR, ENDURANCE

stam·mer \'stam-ər\ *vb* : to hesitate or stumble in speaking : STUTTER — **stammer** *n* — **stam·mer·er** *n*

¹stamp \'stamp\ *vb* 1 : to pound or crush with a heavy instrument 2 : to strike or beat with the bottom of the foot 3 : to impress or imprint with a mark 4 : to cut out or indent with a stamp or die 5 : to put a postage stamp upon

²stamp *n* 1 : a device or instrument for stamping 2 : the mark made by stamping; *also* : a distinctive mark or quality 3 : a paper or a mark put on a thing to show that a required charge (as a tax) has been paid ⟨a postage ~⟩ 4 : the act of stamping

¹stam·pede \stam-'pēd\ *n* : a wild headlong rush or flight esp. of frightened animals

²stampede *vb* 1 : to flee or cause to flee in panic 2 : to act or cause to act together suddenly and heedlessly

stance \'stans\ *n* : a way of standing : POSTURE

¹stand \'stand\ *vb* **stood** \'stu̇d\ **standing** 1 : to take or be at rest in an upright or firm position 2 : to assume a (specified) position 3 : to remain stationary or unchanged 4 : to be steadfast 5 : to act in resistance ⟨~ against a foe⟩ 6 : to maintain a relative position or rank 7 : to gather slowly and remain bright ⟨tears *stood* in her eyes⟩ 8 : to set upright 9 : ENDURE, TOLERATE 10 : to submit to ⟨~ trial⟩

²stand *n* 1 : an act of standing, staying, or resisting 2 : a place taken by a witness to testify in court 3 : a structure for a small retail business 4 : a raised platform (as for speakers or performers) 5 : a structure for supporting or holding something upright ⟨umbrella ~⟩ ⟨music ~⟩ 6 : a group of plants growing in a continuous area 7 *pl* : tiered seats for spectators 8 : a stop made to give a performance

stan·dard \'stan-dərd\ *n* 1 : a figure adopted as an emblem by a people 2 : the personal flag of a ruler; *also* : FLAG 3 : something set up as a rule for measuring or as a model to be followed 4 : an upright support ⟨lamp ~⟩ — **standard** *adj*

stan·dard·ize \'stan-dər-ˌdīz\ *vb* : to make standard or uniform — **stan·dard·iza·tion** \ˌstan-dərd-ə-'zā-shən\ *n*

standard time *n* : the time established by law or by general usage over a region or country

stand·by \'stan(d)-ˌbī\ *n* : one that can be relied upon

¹stand·ing *adj* 1 : ERECT 2 : not flowing : STAGNANT 3 : remaining at the same level or amount for an indefinite period ⟨~ offer⟩ 4 : PERMANENT 5 : done from a standing position ⟨a ~ jump⟩

²standing *n* 1 : length of service; *also* : relative position : RANK 2 : DURATION

stand·point \-ˌpȯint\ *n* : a position from which objects or principles are judged

stan·za \'stan-zə\ *n* : a group of lines forming a division of a poem

¹sta·ple \'stā-pəl\ *n* : a U-shaped piece of metal with sharp points to be driven into a surface to hold something (as a hook or wire); *also* : a similarly shaped piece of wire driven through papers and bent over at the ends to fasten them together or through thin material to fasten it to a surface ⟨fasten cardboard to wood with ~s⟩ — **staple** *vb* — **stapler** \-p(ə-)lər\ *n*

²staple *n* 1 : a chief commodity or product 2 : the main part of a thing : chief item 3 : unmanufactured or raw material 4 : a textile fiber suitable for spinning into yarn

³staple *adj* 1 : regularly produced in large quantities 2 : PRINCIPAL, MAIN

¹star \'stär\ *n* 1 : a natural celestial body that is visible as an apparently fixed point of light; *esp* : such a body that is gaseous, self-luminous, and of great mass 2 : a planet or configuration of planets that is held in astrology to influence one's fortune — usu. used in pl. 3 : DESTINY, FORTUNE 4 : a conventional figure representing a star 5 : ASTERISK 6 : a brilliant performer 7 : an actor or actress playing the leading role — **star·less** *adj* — **star·like** *adj* — **star·ry** *adj*

²star *vb* **starred; star·ring** 1 : to adorn with stars or spangles 2 : to mark with an asterisk 3 : to play the leading role

star·board \'stär-bərd\ *n* : the right side of a ship or airplane looking forward — **starboard** *adj*

¹starch \'stärch\ *n* : a complex carbohydrate that is stored in plants, is an important foodstuff, and is used in adhesives and sizes, in laundering, and in pharmacy — **starchy** *adj*

²starch *vb* : to stiffen with starch

stare \'sta(ə)r\ *vb* 1 : to look fixedly with wide-open eyes 2 : to be conspicuous ⟨*staring* colors⟩ — **stare** *n* —

star·fish \'stär-ˌfish\ *n* : a star-shaped sea animal that feeds on mollusks

stark \'stärk\ *adj* 1 : STRONG, ROBUST 2 : rigid as if in death; *also* : STRICT 3 : SHEER, UTTER 4 : BARREN, DESOLATE ⟨~ landscape⟩; *also* : UNADORNED ⟨~ realism⟩ 5 : sharply delineated — **stark** *adv* — **stark·ly** *adv*

¹start \'stärt\ *vb* 1 : to give an involuntary twitch or jerk (as from surprise) 2 : BEGIN, COMMENCE 3 : to set going : help to begin 4 : to enter (as a horse) in a contest 5 : TAP ⟨~ a cask⟩ — **start·er** *n*

²start *n* 1 : a sudden involuntary motion : LEAP 2 : a spasmodic and brief

startle 429 **steam**

effort or action **3** : BEGINNING; *also* : the place of beginning

star·tle \ˈstärt-ᵊl\ *vb* : to frighten or surprise suddenly : cause to start

star·tling \-(ə-)liŋ\ *adj* : causing sudden fear, surprise, or anxiety

starve \ˈstärv\ *vb* **1** : to perish from hunger **2** : to suffer extreme hunger **3** : to kill with hunger; *also* : to distress or subdue by famine — **star·va·tion**

¹**state** \ˈstāt\ *n* [L *status*, fr. *stare* to stand] **1** : mode or condition of being ⟨gaseous ~ of water⟩ **2** : condition of mind **3** : social position; *esp* : high rank **4** : a body of people occupying a definite territory and politically organized under one government; *also* : the government of such a body of people **5** : one of the constituent units of a nation having a federal government — **state·hood** *n*

²**state** *vb* **1** : to express in words : TELL, DECLARE **2** : SETTLE, FIX ⟨stated intervals⟩

state·ly *adj* **1** : having lofty dignity : HAUGHTY **2** : IMPRESSIVE, MAJESTIC *syn* magnificent, imposing, august — **state·li·ness** *n*

state·ment *n* **1** : the act or result of presenting in words : ACCOUNT, REPORT **2** : a summary of a financial account

state·room \ˈstāt-ˌrüm, -ˌrum\ *n* : a private room on a ship or on a railroad car

states·man \ˈstāts-mən\ *n* : one skilled in government and wise in handling public affairs; *also* : one influential in shaping public policy — **states·man·like** *adj* — **states·man·ship** *n*

¹**stat·ic** \ˈstat-ik\ *adj* **1** : acting by mere weight without motion ⟨~ pressure⟩ **2** : relating to bodies or forces at rest or in equilibrium **3** : not moving : not active **4** : of or relating to stationary charges of electricity **5** : of, relating to, or caused by radio static

²**static** *n* : noise produced in a radio or television receiver by atmospheric or other electrical disturbances

¹**sta·tion** \ˈstā-shən\ *n* **1** : the place where a person or thing stands or is appointed to remain **2** : a regular stopping place on a transportation route ⟨a railroad ~⟩ ⟨a bus ~⟩; *also* : DEPOT **3** : a stock farm or ranch in Australia or New Zealand **4** : a place where a fleet is assigned for duty **5** : a military post **6** : social standing **7** : a complete assemblage of radio or television equipment for sending or receiving

²**station** *vb* : to assign to a station or position

sta·tion·ary \ˈstā-shə-ˌner-ē\ *adj* **1** : fixed in a certain place or position **2** : not changing condition : neither improving nor getting worse

sta·tio·nery \ˈstā-shə-ˌner-ē\ *n* : materials (as paper, pens, or ink) for writing; *esp* : letter paper with envelopes

sta·tis·tics \stə-ˈtis-tiks\ *n sing or pl* **1** : a branch of mathematics dealing with the analysis and interpretation of masses of numerical data **2** : facts collected and arranged in an orderly way (as in tables of figures) for study — **sta·tis·ti·cal** \-ti-kəl\ *adj* — **stat·is·ti·cian** \ˌstat-ə-ˈstish-ən\ *n*

stat·u·ary \ˈstach-ə-ˌwer-ē\ *n* **1** : a branch of sculpture dealing with figures in the round **2** : a collection of statues

stat·ue \ˈstach-ü\ *n* : a likeness of a living being sculptured in a solid substance

stat·u·esque \ˌstach-ə-ˈwesk\ *adj* : resembling a statue esp. in well-proportioned or massive dignity

stat·ure \ˈstach-ər\ *n* **1** : natural height (as of a person) **2** : quality or status gained (as by growth or achievement)

sta·tus \ˈstāt-əs, ˈstat-\ *n* **1** : the state or condition of a person in the eyes of the law or of others **2** : condition of affairs

sta·tus quo \-ˈkwō\ *n* : the existing state of affairs

stat·ute \ˈstach-üt\ *n* : a law enacted by a legislative body

stat·u·to·ry \ˈstach-ə-ˌtōr-ē\ *adj* : imposed by statute : LAWFUL

¹**staunch** \ˈstȯnch\ *var of* STANCH

²**staunch** *adj* **1** : WATERTIGHT ⟨a ~ ship⟩ **2** : FIRM, STRONG; *also* : STEADFAST, LOYAL *syn* resolute, constant, true, faithful — **staunch·ly** *adv*

¹**stay** \ˈstā\ *vb* **1** : PAUSE, WAIT **2** : LIVE, DWELL **3** : to stand firm **4** : STOP, CHECK **5** : DELAY, POSTPONE **6** : to last out (as a race) *syn* remain, abide, linger, sojourn, lodge, reside

²**stay** *n* **1** : STOP, HALT **2** : a residence or sojourn in a place

³**stay** *n* **1** : a strong rope or wire used to support or steady something (as a ship's mast) **2** : a holding or stiffening part in a structure (as a bridge) **3** : PROP, SUPPORT **4** *pl* : CORSET

⁴**stay** *vb* **1** : to hold up : PROP **2** : to satisfy (as hunger) for a time

stead \ˈsted\ *n* [OE *stede* place] **1** : the place or function that another person has ⟨his brother served in his ~⟩ **2** : ADVANTAGE, AVAIL ⟨his cudgel stood him in good ~⟩

stead·fast \-ˌfast\ *adj* **1** : firmly fixed in place **2** : not subject to change **3** : firm in belief, determination, or adherence : LOYAL *syn* resolute, true, faithful, staunch — **stead·fast·ly** *adv*

¹**steady** \ˈsted-ē\ *adj* **1** : STABLE, FIRM **2** : not faltering or swerving; *also* : CALM **3** : CONSTANT, RESOLUTE **4** : REGULAR **5** : RELIABLE, SOBER *syn* uniform, even — **stead·i·ly** *adv* — **stead·i·ness** *n* — **steady** *adv*

²**steady** *vb* : to make or become steady

steak \ˈstāk\ *n* : a slice of meat cut from a fleshy part esp. of a beef carcass

¹**steal** \ˈstēl\ *vb* **stole** \ˈstōl\ **sto·len** \ˈstō-lən\ **steal·ing** **1** : to take and carry away without right or permission **2** : to get for oneself slyly or secretly **3** : to come or go secretly or gradually **4** : to gain a base in baseball by running without the aid of a hit or an error *syn* pilfer, filch, purloin

²**steal** *n* **1** : an act of stealing **2** : BARGAIN

stealthy *adj* : done by stealth : FURTIVE, SLY *syn* secret, covert, clandestine, surreptitious, underhanded — **stealth·i·ly** *adv*

¹**steam** \ˈstēm\ *n* **1** : the vapor into which water is changed when heated to the boiling point **2** : water vapor when compressed so that it supplies heat and power **3** : POWER, FORCE, ENERGY — **steamy** *adj*

²**steam** *vb* **1** : to emit vapor **2** : to pass off as vapor **3** : to move by or as if by the agency of steam — **steam·er** *n*

steed \\'stēd\\ *n* : HORSE
¹steel \\'stēl\\ *n* **1** : iron treated with intense heat and mixed with carbon to make it hard and tough **2** : an instrument or implement made of steel **3** : steellike quality : HARDNESS, COLDNESS — **steely** *adj*
²steel *adj* **1** : made of steel **2** : resembling steel
³steel *vb* **1** : to sheathe, point, or edge with steel **2** : to make able to resist : HARDEN
¹steep \\'stēp\\ *adj* **1** : having a very sharp slope : PRECIPITOUS **2** : too great or too high ⟨~ prices⟩ — **steep·ly** *adv* — **steep·ness** *n*
²steep *n* : a steep slope
³steep *vb* **1** : to soak in a liquid; *esp* : to extract the essence of by soaking ⟨~ tea⟩ **2** : SATURATE ⟨~ed in learning⟩
stee·ple \\'stē-pəl\\ *n* : a tall tapering structure built on top of a church tower; *also* : a church tower
stee·ple·chase \\-,chās\\ *n* : a race across country by horsemen; *also* : a race over a course obstructed by hurdles (as hedges, walls, or ditches)
¹steer \\'stiər\\ *n* : an ox castrated before sexual maturity and usu. raised for beef
²steer *vb* **1** : to direct the course of (as by a rudder or wheel) **2** : GUIDE, CONTROL **3** : to obey the helm **4** : to pursue a course of action — **steers·man**
stel·lar \\'stel-ər\\ *adj* : of or relating to stars : resembling a star
¹stem \\'stem\\ *n* **1** : the main shaft of a plant; *also* : a plant part that supports another part (as a leaf or fruit) **2** : a line of ancestry : STOCK **3** : something resembling the stem of a plant **4** : the prow of a ship **5** : that part of an inflected word which remains unchanged throughout a given inflection — **stemless** *adj*
²stem *vb* **stemmed; stem·ming** : to have a specified source : DERIVE
³stem *vb* **stemmed; stem·ming** : to make headway against ⟨~ the tide⟩
⁴stem *vb* **stemmed; stem·ming** : to stop or check by or as if by damming
stench \\'stench\\ *n* : STINK
sten·cil \\'sten-səl\\ *n* : a piece of thin impervious material (as metal or paper) that is perforated with lettering or a design through which a substance (as ink or paint) is applied to a surface to be printed — **stencil** *vb*
ste·nog·ra·phy \\stə-'näg-rə-fē\\ *n* : the art or process of writing in shorthand — **ste·nog·ra·pher** *n* — **sten·o·graph·ic** *adj*
¹step \\'step\\ *n* **1** : an advance made by raising one foot and putting it down in a different spot **2** : a rest for the foot in ascending or descending : STAIR **3** : a degree, rank, or plane in a series **4** : a small space or distance **5** : manner of walking **6** : a sequential measure leading to a result
²step *vb* **stepped; step·ping 1** : to advance or recede by steps **2** : to go on foot : WALK **3** : to move along briskly **4** : to measure by steps **5** : to press down with the foot **6** : to construct or arrange in or as if in steps
step·broth·er \\'step-,brəth-ər\\ *n* : the son of one's stepparent by a former marriage
step·child \\-,chīld\\ *n* : a child of one's husband or wife by a former marriage

step·fa·ther \\-,fäth-ər\\ *n* : the husband of one's mother by a subsequent marriage
step·lad·der \\-,lad-ər\\ *n* : a light portable set of steps in a hinged frame
step·moth·er \\-,məth-ər\\ *n* : the wife of one's father by a subsequent marriage
step·sis·ter \\'step-,sis-tər\\ *n* : the daughter of one's stepparent by a former marriage
ster·eo \\'ster-ē-,ō, 'stir-\\ *n* **1** : a stereoscopic method or effect **2** : a stereoscopic photograph **3** : stereophonic reproduction **4** : a stereophonic sound system
ster·e·o·phon·ic \\,ster-ē-ə-'fän-ik, ,stir-\\ *adj* : giving, relating to, or being a three-dimensional effect of reproduced sound
ster·e·o·type \\'ster-ē-ə-,tīp, 'stir-\\ *n* : a metal printing plate cast from a mold made from set type
ster·e·o·typed *adj* : repeated without variation : lacking originality or individuality ⟨~ response⟩ **syn** trite
ster·ile \\'ster-əl\\ *adj* **1** : unable to bear fruit, crops, or offspring **2** : free from infectious matter — **ste·ril·i·ty** \\stə-'ril-ət-ē\\ *n*
ster·il·ize \\'ster-ə-,līz\\ *vb* : to make sterile; *esp* : to free from germs — **ster·il·iza·tion** \\,ster-ə-lə-'zā-shən\\ *n* — **ster·il·iz·er** \\'ster-ə-,lī-zər\\ *n*
¹ster·ling \\'stər-liŋ\\ *n* **1** : British money **2** : sterling silver
²sterling *adj* **1** : of, relating to, or calculated in terms of British sterling **2** : having a fixed standard of purity represented by an alloy of 925 parts of silver with 75 parts of copper ⟨~ silver⟩ **3** : made of sterling silver **4** : GENUINE
¹stern \\'stərn\\ *adj* **1** : SEVERE, AUSTERE **2** : STOUT, STURDY ⟨~ resolve⟩ — **stern·ly** *adv* — **stern·ness** *n*
²stern *n* : the rear end of a boat
ster·num \\'stər-nəm\\ *n* : a long flat bone or cartilage at the center front of the chest connecting the ribs of the two sides — **ster·nal** \\'stərn-²l\\ *adj*
steth·o·scope \\'steth-ə-,skōp\\ *n* : an instrument used for listening to sounds produced in the body and esp. in the chest
¹stew \\'st(y)ü\\ *vb* : to boil slowly : SIMMER
²stew *n* : a dish of stewed meat and vegetables served in gravy
stew·ard \\'st(y)ü-ərd\\ *n* **1** : one employed on a large estate to manage domestic concerns (as collecting rents, keeping accounts, and directing servants) **2** : one actively concerned with the direction of the affairs of an organization **3** : one who supervises the provision and distribution of food (as on a ship); *also* : an employee on a ship or airplane who serves passengers generally — **stew·ard·ess** *n* — **stew·ard·ship** *n*
¹stick \\'stik\\ *n* **1** : a cut or broken branch or twig; *also* : a long slender piece of wood **2** : ROD, STAFF **3** : something like a stick in being long, slender, and rigid **4** : a dull uninteresting person
²stick *vb* **stuck** \\'stək\\ **stick·ing 1** : STAB, PRICK **2** : to thrust or project in some direction or manner **3** : IMPALE **4** : to hold fast by or as if by gluing : ADHERE **5** : ATTACH, FASTEN **6** : to hold to something firmly or

sticker 431 **stockyard**

closely : CLING 7 : to become jammed or blocked 8 : to be unable to proceed or move freely
stick·er *n* : one that sticks (as a bur) or causes sticking (as glue); *esp* : a gummed label
stick·ler \'stik-(ə-)lər\ *n* : one who insists on exactness or completeness
sticky \'stik-ē\ *adj* 1 : ADHESIVE 2 : VISCOUS, GLUEY 3 : tending to stick ⟨~ valve⟩
stiff \'stif\ *adj* 1 : not pliant : RIGID 2 : not limber ⟨~ joints⟩ 3 : TENSE, TAUT 4 : not flowing or working easily ⟨~ paste⟩ 5 : not natural and easy : FORMAL 6 : STRONG, FORCEFUL ⟨~ breeze⟩ 7 : HARSH, SEVERE 8 : DIFFICULT *syn* inflexible — **stiff·ly** *adv* — **stiff·ness** *n*
stiff·en *vb* : to make or become stiff — **stiff·en·er** *n*
stiff–necked \'stif-'nekt\ *adj* : STUBBORN, HAUGHTY
sti·fle \'stī-fəl\ *vb* 1 : SUFFOCATE 2 : QUENCH, SUPPRESS 3 : SMOTHER, MUFFLE 4 : to die because of obstruction of the breath
stig·ma \'stig-mə\ *n, pl* **stig·ma·ta** \stig-'mät-ə, 'stig-mət-ə\ *or* **stigmas** 1 : a mark of disgrace or discredit : BRAND, STAIN 2 *pl* : bodily marks resembling the wounds of the crucified Christ 3 : the part of the pistil of a flower that receives the pollen in fertilization — **stig·mat·ic** \stig-'mat-ik\ *adj*
stig·ma·tize \'stig-mə-,tīz\ *vb* 1 : to mark with a stigma 2 : to set a mark of disgrace upon : CENSURE
¹**still** \'stil\ *adj* 1 : MOTIONLESS 2 : making no sound : QUIET, SILENT — **still·ness** *n*
²**still** *n* 1 : STILLNESS, SILENCE 2 : a static photograph esp. of an instant in a motion picture
³**still** *vb* : to make or become still : QUIET
⁴**still** *adv* 1 : without motion ⟨sit ~⟩ 2 : up to and during this or that time 3 : in spite of that : NEVERTHELESS 4 : EVEN, YET ⟨~ more difficult problem⟩ ⟨ran ~ faster⟩
still–born \'stil-'bórn\ *adj* : born dead
still life *n, pl* **still lifes** : a picture of inanimate objects
stilt \'stilt\ *n* : one of a pair of poles for walking with each having a step or loop for the foot; *also* : a polelike support of a structure above ground or water level
stilt·ed \'stil-təd\ *adj* : FORMAL, POMPOUS
stim·u·lant \'stim-yə-lənt\ *n* 1 : an agent (as a drug) that temporarily increases the activity of an organism or any of its parts 2 : STIMULUS 3 : an alcoholic beverage — **stimulant** *adj*
stim·u·late \-,lāt\ *vb* : to make active or more active : ANIMATE, AROUSE *syn* excite, provoke — **stim·u·la·tion** \,stim-yə-'lā-shən\ *n* — **stim·u·la·tive** *adj*
stim·u·lus \'stim-yə-ləs\ *n, pl* **-li** \-,lī\ : something that stimulates : SPUR
¹**sting** \'stiŋ\ *vb* **stung** \'stəŋ\ **sting·ing** 1 : to prick painfully esp. with a sharp or poisonous process 2 : to cause to suffer acutely
²**sting** *n* 1 : an act of stinging; *also* : a resultant sore, pain, or mark 2 : a pointed often venom-bearing organ (as of a bee or scorpion) used esp. in defense
stin·gy \'stin-jē\ *adj* : not generous : SPARING, NIGGARDLY — **stin·gi·ness** *n*

stink \'stiŋk\ *vb* **stank** \'staŋk\ *or* **stunk** \'stəŋk\ **stunk; stink·ing** : to give forth a strong and offensive smell; *also* : to be extremely bad in quality or repute — **stink** *n*
¹**stint** \'stint\ *vb* 1 : to restrict to a scant allowance : cut short in amount 2 : to be sparing or frugal
²**stint** *n* 1 : RESTRAINT, LIMITATION 2 : an assigned amount of work
sti·pend \'stī-,pend, -pənd\ *n* : a fixed sum of money paid periodically for services or to defray expenses
stip·u·late \'stip-yə-,lāt\ *vb* : to make an agreement; *esp* : to make a special demand for something as a condition in an agreement — **stip·u·la·tion** \,stip-yə-'lā-shən\ *n*
¹**stir** \'stər\ *vb* **stirred; stir·ring** 1 : to move slightly 2 : to move to activity (as by pushing, beating, or prodding) 3 : to mix, dissolve, or make by a continued circular movement ⟨~ eggs into cake batter⟩ 4 : AROUSE, EXCITE
²**stir** *n* 1 : a state of agitation or activity 2 : an act of stirring
³**stir** *n, slang* : PRISON
stir·ring *adj* 1 : ACTIVE, BUSTLING 2 : ROUSING, INSPIRING
stir·rup \'stər-əp\ *n* [OE *stigrāp*, lit., mounting rope] : a light frame hung from a saddle to support the foot of a horseback rider
¹**stitch** \'stich\ *n* 1 : one of the series of loops formed by or over a needle in sewing 2 : a particular method of stitching 3 : a sudden sharp pain esp. in the side *syn* twinge
²**stitch** *vb* 1 : to fasten or join with stitches 2 : to decorate with stitches 3 : SEW
¹**stock** \'stäk\ *n* 1 : a block of wood 2 : a stupid person 3 : a wooden part of a thing serving as its support, frame, or handle 4 : the original from which others derive : SOURCE; *also* : a group having a common origin : FAMILY, STRAIN 5 : farm animals : LIVESTOCK 6 : the supply of goods kept by a merchant 7 : the sum of money invested in a large business 8 *pl* : PILLORY 9 : a company of actors playing at a particular theater and presenting a series of plays 10 : raw material
²**stock** *vb* : to provide with stock or a stock
³**stock** *adj* : kept regularly for sale or use; *also* : used regularly : STANDARD
stock·ade \stä-'kād\ *n* : an enclosure of posts and stakes for defense or confinement
stock·bro·ker \'stäk-,brō-kər\ *n* : one who executes orders to buy and sell securities
stock exchange *n* 1 : an association of stockbrokers 2 : a place where trading in securities is accomplished under an organized system
stock·hold·er \'stäk-,hōl-dər\ *n* : one who owns stock
stock·ing \'stäk-iŋ\ *n* : a close-fitting knitted covering for the foot and leg
stock market *n* 1 : STOCK EXCHANGE 2 2 : a market for stocks or for a particular stock
stocky \'stäk-ē\ *adj* : being short and relatively thick : STURDY *syn* thickset, squat
stock·yard \'stäk-,yärd\ *n* : a yard for

stock; *esp* : one for livestock about to be slaughtered or shipped

¹sto·ic \\'stō-ik\\ *n* : one who suffers silently and without complaining

²stoic *adj* : not affected by passion or feeling; *esp* : showing indifference to pain **syn** impassive, phlegmatic, apathetic, stolid — **sto·i·cal** \\'stō-i-kəl\\ *adj* — **sto·i·cal·ly** *adv* — **sto·i·cism** *n*

stoke \\'stōk\\ *vb* 1 : to stir up a fire 2 : to tend and supply fuel to a furnace — **stok·er** *n*

¹stole \\'stōl\\ *past of* STEAL

²stole *n* 1 : a long narrow band worn round the neck by some clergymen 2 : a long wide scarf or similar covering worn by women usu. across the shoulders

stol·id \\'stäl-əd\\ *adj* : not easily aroused or excited : showing little or no emotion **syn** phlegmatic, apathetic — **sto·lid·i·ty** \\stä-'lid-ət-ē\\ *n* — **stol·id·ly** \\'stäl-əd-lē\\ *adv*

stom·ach \\'stəm-ək, -ik\\ *n* 1 : a sac-like digestive organ into which food goes from the mouth by way of the throat and which opens below into the intestine 2 : ABDOMEN, BELLY 3 : APPETITE

²stomach *vb* : to bear without overt resentment : BROOK

¹stone \\'stōn\\ *n* 1 : hardened earth or mineral matter : ROCK 2 : a small piece of rock 3 : a precious stone : GEM 4 *pl usu* **stone** : a British unit of weight equal to 14 pounds 5 : a hard stony seed or one (as of a plum) with a stony covering 6 : a hard abnormal mass in a bodily cavity or duct — **stony** *adj*

²stone *vb* 1 : to pelt or kill with stones 2 : to remove the stones of (a fruit)

stooge \\'stüj\\ *n* 1 : an actor whose function is to feed lines to the chief comedian 2 : a person who plays a subordinate or compliant role to a principal

stool \\'stül\\ *n* 1 : a seat without back or arms 2 : FOOTSTOOL 3 : a discharge of fecal matter

¹stoop \\'stüp\\ *vb* 1 : to bend over 2 : CONDESCEND 3 : to humiliate or lower oneself socially or morally

²stoop *n* 1 : an act of bending over 2 : a bent position of head and shoulders

³stoop *n* : a small porch or platform at a house door

¹stop \\'stäp\\ *vb* **stopped; stop·ping** 1 : to close (an opening or hole) by filling or covering closely 2 : BLOCK, HALT 3 : to cease to go on 4 : to cease activity or operation 5 : STAY, TARRY **syn** quit, discontinue, desist, lodge, sojourn

²stop *n* 1 : CHECK, OBSTRUCTION 2 : END, CESSATION 3 : a set of organ pipes of one tone quality; *also* : a control knob for such a set 4 : PLUG, STOPPER 5 : an act of stopping 6 : a delay in a journey : STAY 7 : a place for stopping 8 *chiefly Brit* : any of several punctuation marks

stop·page *n* : the act of stopping : the state of being stopped

stop·per *n* : something (as a cork or plug) for sealing an opening

stor·age \\'stōr-ij\\ *n* 1 : the act of storing; *esp* : the safekeeping of goods (as in a warehouse) 2 : space for storing; *also* : cost of storing

¹store \\'stōr\\ *vb* 1 : to provide esp. for a future need 2 : to collect and keep for future use 3 : to deposit in a safe place (as a warehouse)

²store *n* 1 : something accumulated and kept for future use 2 : a large or ample quantity 3 : STOREHOUSE 4 : a retail business establishment

store·house \\-,haus\\ *n* : a building for storing goods or supplies; *also* : an abundan. source or supply

store·room \\'stōr-,rüm, -,rum\\ *n* : a room for storing goods or supplies

stork \\'stȯrk\\ *n* : a large stout-billed Old World wading bird related to the herons

¹storm \\'stȯrm\\ *n* 1 : a heavy fall of rain, snow, or hail with high wind 2 : a violent outbreak or disturbance 3 : a mass attack ⟨capture a position by ~⟩ — **storm·i·ly** *adv* — **storm·i·ness** *n* — **stormy** *adj*

²storm *vb* 1 : to blow with violence; *also* : to rain, snow, or hail heavily 2 : to be violently angry : RAGE 3 : to rush along furiously 4 : to make a mass attack against

¹sto·ry \\'stōr-ē\\ *n* 1 : NARRATIVE, ACCOUNT 2 : REPORT, STATEMENT 3 : ANECDOTE 4 : FIB **syn** chronicle, lie, falsehood, untruth

²story *also* **sto·rey** *n* : a floor of a building or the habitable space between two floors

sto·ry·tell·er \\-,tel-ər\\ *n* : a teller of stories — **sto·ry·tell·ing** *adj or n*

stout \\'staut\\ *adj* 1 : BRAVE 2 : STURDY, STAUNCH 3 : FIRM, SOLID 4 : FORCEFUL 5 : BULKY, THICKSET **syn** strong, stalwart, tough, tenacious, fleshy, fat, portly, corpulent, obese, plump — **stout·ly** *adv* — **stout·ness** *n*

stove \\'stōv\\ *n* : an apparatus that burns fuel or uses electricity to provide heat (as for cooking or room heating)

stow \\'stō\\ *vb* 1 : to pack in a compact mass 2 : HIDE, STORE

stow·away \\-ə-,wā\\ *n* : one who conceals himself on a ship or airplane to obtain a passage

strad·dle \\'strad-ᵊl\\ *vb* 1 : to stand, sit, or walk with legs spread apart 2 : to favor or seem to favor two apparently opposite sides — **straddle** *n*

strag·gle \\'strag-əl\\ *vb* 1 : to wander from the direct course : ROVE 2 : to become separated from others of the same kind : STRAY — **strag·gler** \\-(ə-)lər\\ *n* — **strag·gly** \\-(ə-)lē\\ *adj*

¹straight \\'strāt\\ *adj* 1 : following the same direction throughout its length : not curved : not crooked or bent : not irregular : DIRECT 2 : not wandering from the main point or proper course ⟨~ thinking⟩ 3 : HONEST, UPRIGHT 4 : not in confusion : correctly arranged or ordered 5 : UNMIXED, UNDILUTED

²straight *adv* : in a straight manner

³straight *n* 1 : a straight line, course, or arrangement 2 : the part of a race track between the last turn and the finish 3 : a sequence of five cards in a poker hand

straight·en \\'strāt-ᵊn\\ *vb* : to make or become straight

straight·for·ward \\strāt-'fȯr-wərd\\ *adj* 1 : proceeding in a straight course or manner 2 : CANDID, HONEST

straight·way \'strāt-,wā, -'wā\ *adv* : IMMEDIATELY

¹strain \'strān\ *n* **1** : LINEAGE, ANCESTRY **2** : a group (as of people or plants) of presumed common ancestry; *also* : a distinctive quality shared by its members **3** : STREAK, TRACE **4** : the general style or tone **5** : MELODY

²strain *vb* **1** : to draw taut **2** : to exert to the utmost **3** : to filter or remove by filtering **4** : to stretch beyond a proper limit **5** : to injure by improper or excessive use ⟨~ed his heart⟩ ⟨a ~ed back⟩ **6** : to strive violently — **strain·er** *n*

³strain *n* **1** : excessive tension or exertion (as of body or mind) **2** : bodily injury from excessive tension, effort, or use; *esp* : one in which muscles or ligaments are unduly stretched usu. from a wrench or twist **3** : deformation of a material body under the action of applied forces

¹strait \'strāt\ *adj* **1** *archaic* : NARROW, CONSTRICTED **2** *archaic* : STRICT **3** : DIFFICULT, STRAITENED

²strait *n* **1** : a narrow channel connecting two bodies of water **2** *pl* : DISTRESS, NEED

strait·en \'strāt-ᵊn\ *vb* **1** : to hem in : CONFINE **2** : to make distressing or difficult

strait·laced \-'lāst\ *adj* : strict in observing moral or religious laws

¹strand \'strand\ *n* : SHORE; *esp* : a shore of a sea or ocean

²strand *vb* **1** : to run, drift, or drive upon the shore ⟨a ~ed ship⟩ **2** : to place or leave in a helpless position

³strand *n* **1** : one of the fibers twisted or plaited together into a cord, rope, or cable; *also* : a cord, rope, or cable made up of such fibers **2** : a twisted or plaited ropelike mass ⟨a ~ of pearls⟩

strange \'strānj\ *adj* [OF *estrange*, fr. L *extraneus*, fr. *extra* outside] **1** : of external origin, kind, or character **2** : UNUSUAL; *also* : UNNATURAL **3** : NEW, UNFAMILIAR **4** : SHY **5** : UNACCUSTOMED, INEXPERIENCED *syn* singular, unique, peculiar, eccentric, erratic, odd, queer, quaint, curious — **strange·ly** *adv* — **strange·ness** *n*

strang·er \'strān-jər\ *n* **1** : FOREIGNER **2** : INTRUDER **3** : a person with whom one is unacquainted

stran·gle \'straŋ-gəl\ *vb* **1** : to choke to death : THROTTLE **2** : STIFLE, SUFFOCATE — **stran·gler** \-g(ə-)lər\ *n*

stran·gu·late \'straŋ-gyə-,lāt\ *vb* : to become so constricted as to stop circulation ⟨a *strangulated* rupture⟩

stran·gu·la·tion \,straŋ-gyə-'lā-shən\ *n* : the act or process of strangling or strangulating : the state of being strangled or strangulated

¹strap \'strap\ *n* : a narrow strip of flexible material used esp. for fastening, holding together, or wrapping

²strap *vb* **strapped; strap·ping** **1** : to secure with a strap **2** : BIND, CONSTRICT **3** : to flog with a strap **4** : STROP

strap·less *adj* : having no straps and esp. no shoulder straps

strap·ping \'strap-iŋ\ *adj* : LARGE, STRONG, HUSKY

strat·a·gem \'strat-ə-jəm\ *n* **1** : a trick in war to deceive or outwit the enemy; *also* : a deceptive scheme **2** : skill in deception

strat·e·gy \'strat-ə-jē\ *n* **1** : the science and art of military command employed with the object of meeting the enemy under conditions advantageous to one's own force **2** : a careful plan or method esp. for achieving an end — **stra·te·gic**

strat·i·fy \'strat-ə-,fī\ *vb* : to form or arrange in layers — **strat·i·fi·ca·tion**

strat·o·sphere \'strat-ə-,sfiər\ *n* : a portion of the earth's atmosphere from about 7 to 37 miles above the earth's surface

stra·tum \'strāt-əm, 'strat-\ *n*, *pl* **stra·ta** \-ə\ **1** : a bed, layer, or sheetlike mass (as of one kind of rock lying between layers of other kinds of rock) **2** : a level of culture; *also* : a group of people representing one stage in cultural development

¹straw \'strȯ\ *n* **1** : stalks of grain after threshing; *also* : a single coarse dry stem (as of a grass) **2** : a thing of small worth : TRIFLE **3** : a prepared tube for sucking up a beverage

²straw *adj* **1** : made of straw **2** : having no real value, force, or validity ⟨a ~ vote⟩

straw·ber·ry \-,ber-ē, -b(ə-)rē\ *n* : an edible juicy red pulpy fruit borne by a low herb related to the roses; *also* : this plant

¹stray \'strā\ *vb* **1** : to wander from a course : DEVIATE **2** : ROVE, ROAM

²stray *n* **1** : a domestic animal wandering at large or lost **2** : WAIF

³stray *adj* **1** : having strayed : separated from the group or the main body **2** : occurring at random : UNRELATED

¹streak \'strēk\ *n* **1** : a line or mark of a different color or texture from its background **2** : a narrow band of light; *also* : a lightning bolt **3** : a slight admixture : TRACE **4** : a brief run (as of luck); *also* : an unbroken series

²streak *vb* **1** : to form streaks in or on **2** : to move very swiftly

¹stream \'strēm\ *n* **1** : a body of water (as a brook or river) flowing on the earth **2** : a course of running liquid **3** : a steady flow (as of water, air, or gas) **4** : a continuous procession ⟨the ~ of history⟩

²stream *vb* **1** : to flow in or as if in a stream **2** : to pour out streams of liquid **3** : to stretch or trail out in length **4** : to move forward in a steady stream

stream·er *n* **1** : a long narrow ribbonlike flag **2** : a long ribbon on a dress or hat **3** : a column of light (as from the aurora borealis) **4** : a newspaper headline that runs across the entire sheet

stream·lined \'strēm-'līnd\ *also* **stream·line** *adj* **1** : made with contours to reduce resistance to motion through water or air **2** : SIMPLIFIED **3** : MODERNIZED — **streamline** *vb*

street \'strēt\ *n* [OE *strǣt*, fr. LL *strata* paved road, fr. L, fem. of *stratus*, pp. of *sternere* to spread flat] **1** : a thoroughfare esp. in a city, town, or village **2** : the occupants of the houses on a street

street·car \-,kär\ *n* : a passenger vehicle running on rails on the public streets

strength \'streŋth\ *n* **1** : the quality of being strong : ability to do or endure : POWER **2** : TOUGHNESS, SOLIDITY **3** : power to resist attack **4** : INTENSITY

strengthen 434 **strong**

5 : force as measured in numbers ⟨~ of an army⟩
strength·en \'streŋ-thən\ *vb* : to make, grow, or become stronger — **strength·en·er** *n*
stren·u·ous \'stren-yə-wəs\ *adj* 1 : VIGOROUS, ENERGETIC 2 : requiring energetic effort or stamina — **stren·u·ous·ly** *adv*
¹**stress** \'stres\ *n* 1 : PRESSURE, STRAIN; *esp* : a force that tends to distort a body 2 : URGENCY, EMPHASIS 3 : intense effort 4 : prominence of sound : ACCENT; *also* : any syllable carrying the accent 5 : a factor that induces bodily or mental tension; *also* : a state induced by such a stress
²**stress** *vb* 1 : to put pressure or strain on 2 : to put emphasis on : ACCENT
¹**stretch** \'strech\ *vb* 1 : to spread or reach out : EXTEND 2 : to draw out in length or breadth : EXPAND 3 : to make tense : STRAIN 4 : EXAGGERATE 5 : to become extended without breaking ⟨rubber ~es easily⟩
²**stretch** *n* 1 : an act of extending or drawing out beyond ordinary or normal limits 2 : a continuous extent in length, area, or time 3 : the extent to which something may be stretched 4 : either of the straight sides of a racecourse
³**stretch** *adj* : easily stretched ⟨~ pants⟩
stretch·er *n* 1 : one that stretches 2 : a litter (as of canvas) esp. for carrying a disabled person
strew \'strü\ *vb* **strewed**; **strewed** *or* **strewn** \'strün\ **strew·ing** 1 : to spread by scattering 2 : to cover by or as if by scattering something over or on 3 : DISSEMINATE
strick·en \'strik-ən\ *adj* 1 : WOUNDED 2 : afflicted with disease, misfortune, or sorrow
strict \'strikt\ *adj* 1 : allowing no evasion or escape : RIGOROUS ⟨~ discipline⟩ 2 : ACCURATE, PRECISE **syn** stringent, rigid — **strict·ly** *adv* — **strict·ness** *n*
stric·ture \'strik-chər\ *n* 1 : hostile criticism : a critical remark 2 : an abnormal narrowing of a bodily passage; *also* : the narrowed part
¹**stride** \'strīd\ *vb* **strode** \'strōd\ **strid·den** \'strid-ᵊn\ **strid·ing** \'strīd-iŋ\ : to walk or run with long regular steps — **strid·er** *n*
²**stride** *n* 1 : a long step; *also* : the distance covered by such a step 2 : manner of striding : GAIT
strife \'strīf\ *n* : CONFLICT, FIGHT, STRUGGLE **syn** discord, contention, dissension
¹**strike** \'strīk\ *vb* **struck** \'strək\ **struck** *or* **strick·en** \'strik-ən\ **strik·ing** 1 : to take a course : GO ⟨~ out for home⟩ 2 : to touch or hit sharply; *also* : to deliver a blow 3 : to produce by or as if by a blow ⟨*struck* terror in the foe⟩ 4 : to lower (as a flag or sail) usu. in salute or surrender 5 : to collide with; *also* : to injure or destroy by collision 6 : DELETE, CANCEL 7 : to produce by impressing ⟨*struck* a medal⟩; *also* : COIN ⟨~ a new cent⟩ 8 : to cause to sound ⟨~ a bell⟩ 9 : to afflict suddenly : lay low ⟨*stricken* with a high fever⟩ 10 : to appear to; *also* : to appear to as remarkable : IMPRESS 11 : to reach by reckoning ⟨~ an average⟩ 12 : to stop work in order to obtain a change in conditions of employment 13 : to cause (a match) to ignite by rubbing 14 : to come upon : meet with ⟨~ a detour from the main road⟩ 15 : to take on : ASSUME ⟨~ a pose⟩ — **strik·er** *n*
²**strike** *n* 1 : an act or instance of striking 2 : a sudden discovery of rich ore or oil deposits 3 : a pitched baseball recorded against a batter 4 : the knocking down of all the bowling pins with the first ball 5 : a military attack
strik·ing *adj* : attracting attention : very noticeable **syn** arresting, salient, conspicuous, outstanding, remarkable, prominent — **strik·ing·ly** *adv*
¹**string** \'striŋ\ *n* 1 : a line usu. composed of twisted threads 2 : a series of things arranged as if strung on a cord 3 : a natural fiber (as that joining the halves of a bean pod) 4 *pl* : the stringed instruments of an orchestra **syn** succession, progression, sequence, set
²**string** *vb* **strung** \'strəŋ\ **string·ing** 1 : to provide with strings ⟨~ a racket⟩ 2 : to thread on or as if on a string ⟨~ pearls⟩ 3 : to take the strings out of ⟨~ beans⟩ 4 : to hang, tie, or fasten by a string 5 : to make taut 6 : to extend like a string
strin·gen·cy \'strin-jən-sē\ *n* 1 : STRICTNESS, SEVERITY 2 : SCARCITY ⟨~ of money⟩ — **strin·gent** *adj*
stringy \'striŋ-ē\ *adj* 1 : resembling string esp. in tough, fibrous, or disordered quality ⟨~ meat⟩ ⟨~ hair⟩ 2 : lean and sinewy in build
¹**strip** \'strip\ *vb* **stripped**; **strip·ping** 1 : to take the covering or clothing from 2 : to take off one's clothes 3 : to pull or tear off 4 : to make bare or clear (as by cutting or grazing) 5 : PLUNDER, PILLAGE **syn** divest, denude
²**strip** *n* 1 : a long narrow flat piece 2 : AIRSTRIP
¹**stripe** \'strīp\ *n* 1 : a line or long narrow division having a different color from the background 2 : a strip of braid (as on a sleeve) indicating military rank or length of service 3 : TYPE, CHARACTER **syn** description, nature, kind, sort
²**stripe** *vb* : to make stripes upon
strive \'strīv\ *vb* **strove** \'strōv\ **striv·en** \'striv-ən\ *or* **strived**; **striv·ing** \'strī-viŋ\ 1 : to struggle in opposition : CONTEND 2 : to make effort : labor hard **syn** endeavor, attempt, try
¹**stroke** \'strōk\ *n* 1 : the act of striking : BLOW, KNOCK 2 : a sudden action or process producing an impact ⟨~ of lightning⟩ ⟨a ~ of luck⟩; *also* : APOPLEXY 3 : a vigorous effort 4 : the sound of striking (as of a clock) 5 : one of a series of movements against air or water to get through or over it ⟨the ~ of a bird's wing⟩ 6 : a single movement with or as if with a tool or implement
²**stroke** *vb* 1 : to rub gently 2 : to set the stroke for (a racing crew)
stroll \'strōl\ *vb* : to walk in a leisurely or idle manner **syn** saunter, amble — **stroll** *n* — **stroll·er** *n*
strong \'stroŋ\ *adj* **stron·ger** \'stroŋ-gər\ **stron·gest** \-gəst\ 1 : POWERFUL, VIGOROUS 2 : HEALTHY, ROBUST

stronghold 435 **stupor**

3 : of a specified number ⟨an army 10 thousand ~⟩ 4 : not mild or weak 5 : VIOLENT ⟨~ wind⟩ 6 : ZEALOUS 7 : not easily broken 8 : FIRM, SOLID syn stout, sturdy, stalwart, tough — **strong·ly** \'strȯŋ-lē\ adv

strong·hold \'strȯŋ-ˌhōld\ n : a fortified place : FORTRESS

stron·tium \'strän-ch(ē-)əm, 'stränt-ē-əm\ n : a soft malleable metallic chemical element

struc·ture \'strək-chər\ n 1 : the manner of building : CONSTRUCTION 2 : something built (as a house or a dam); also : something made up of interdependent parts in a definite pattern of organization 3 : arrangement or relationship of elements (as particles, parts, or organs) in a substance, body, or system — **struc·tur·al** adj

¹**strug·gle** \'strəg-əl\ vb 1 : to make strenuous efforts against opposition : STRIVE 2 : to proceed with difficulty or with great effort syn endeavor, attempt, try

²**struggle** n 1 : a violent effort or exertion 2 : CONTEST, STRIFE

strum \'strəm\ vb **strummed; strumming** : to play on a stringed instrument by brushing the strings with the fingers

¹**strut** \'strət\ vb **strut·ted; strut·ting** : to walk with an affectedly proud gait syn swagger

²**strut** n 1 : a haughty or pompous gait 2 : a bar or rod for resisting lengthwise pressure

strych·nine \'strik-ˌnīn, -nən\ n : a bitter poisonous alkaloid from some plants used to kill vermin and in small doses as a stimulant

¹**stub** \'stəb\ n 1 : STUMP 1 2 : a short blunt end 3 : a small part of each leaf (as of a checkbook) kept as a memorandum of the items on the detached part

²**stub** vb **stubbed; stub·bing** : to strike (as one's toe) against something

stub·ble \'stəb-əl\ n : the stumps of herbs and esp. grasses left in the soil after harvest — **stub·bly** \-(ə-)lē\ adj

stub·born \'stəb-ərn\ adj 1 : FIRM, DETERMINED 2 : not easily controlled or remedied ⟨a ~ fever⟩ 3 : done or continued in a willful, unreasonable, or persistent manner — **stub·born·ly** adv — **stub·born·ness** n

stub·by \'stəb-ē\ adj : short, blunt, and thick like a stub

stuc·co \'stək-ō\ n : plaster for coating exterior walls

stuck–up \'stək-'əp\ adj : CONCEITED, VAIN

¹**stud** \'stəd\ n 1 : one of the smaller uprights in a building to which sheathing, paneling, or laths are fastened 2 : a removable device like a button used as a fastener or ornament ⟨shirt ~s⟩ 3 : a projecting nail, pin, or rod

²**stud** vb **stud·ded; stud·ding** 1 : to supply with or adorn with studs 2 : DOT

stud·ding n 1 : material for studs 2 : STUDS

stu·dent \'st(y)üd-ᵊnt\ n : SCHOLAR, PUPIL; esp : one who attends a school

stud·ied \'stəd-ēd\ adj : INTENTIONAL ⟨a ~ insult⟩ syn deliberate, considered, premeditated, designed

stu·dio \'st(y)üd-ē-ˌō\ n 1 : a place where an artist works; also : a place for the study of an art 2 : a place where motion pictures are made 3 : a place equipped for the transmission of radio or television programs

stu·di·ous \'st(y)üd-ē-əs\ adj : devoted to study; given to reading — **stu·di·ous·ly** adv

¹**study** \'stəd-ē\ n 1 : the use of the mind to gain knowledge 2 : the act or process of learning about something 3 : a branch of learning 4 : INTENT, PURPOSE 5 : careful examination 6 : a room esp. for reading and writing

²**study** vb 1 : to apply the attention and mind to a subject : examine closely 2 : MEDITATE, PONDER syn consider, contemplate, weigh

¹**stuff** \'stəf\ n 1 : personal property 2 : raw material 3 : a finished textile fabric; esp : a worsted fabric 4 : writing, talk, or ideas of little or transitory worth 5 : an aggregate of matter; also : matter of a particular often unspecified kind 6 : fundamental material : SUBSTANCE 7 : special knowledge or capability

²**stuff** vb 1 : to fill by packing something into : CRAM 2 : to stop up : PLUG 3 : to prepare (as meat) by filling with seasoned bread crumbs and spices 4 : to eat greedily : GORGE

stuff·ing n : material used to fill tightly; esp : a mixture of bread crumbs and spices used to stuff meat and poultry

stuffy \'stəf-ē\ adj : lacking fresh air : CLOSE; also : blocked up ⟨a ~ nose⟩

stum·ble \'stəm-bəl\ vb 1 : to trip in walking or running 2 : to walk unsteadily; also : to speak or act in a blundering or clumsy manner 3 : to blunder morally; also : to come or happen by chance ⟨~ onto the truth⟩ — **stumble** n

¹**stump** \'stəmp\ n 1 : the part of a plant and esp. a tree remaining with the root after the top is cut off 2 : the base of a bodily part (as a leg or tooth) left after the rest is removed 3 : a place or occasion for political public speaking

²**stump** vb 1 : to clear (land) of stumps 2 : to tour (a region) making political speeches 3 : BAFFLE, PERPLEX 4 : to walk clumsily and heavily

stun \'stən\ vb **stunned; stun·ning** 1 : to make senseless or dizzy by or as if by a blow 2 : BEWILDER, STUPEFY

stun·ning adj : strikingly pretty or attractive

¹**stunt** \'stənt\ vb : to hinder the normal growth of : DWARF

²**stunt** n : an unusual or spectacular feat

stu·pe·fy \'st(y)ü-pə-ˌfī\ vb : to make dull, torpid, or numb by or as if by drugs; also : AMAZE, BEWILDER — **stu·pe·fac·tion** \ˌst(y)ü-pə-'fak-shən\ n

stu·pen·dous \st(y)ü-'pen-dəs\ adj : causing astonishment esp. because of great size or height syn tremendous, prodigious, monumental, monstrous — **stu·pen·dous·ly** adv

stu·pid \'st(y)ü-pəd\ adj 1 : very dull in mind : lacking in understanding 2 : showing or resulting from dullness of mind — **stu·pid·i·ty** \st(y)ü-'pid-ət-ē\ n — **stu·pid·ly** \'st(y)ü-pəd-lē\ adv

stu·por \'st(y)ü-pər\ n 1 : a condition marked by great dulling or suspension of sense or feeling 2 : a torpid state often following stress or shock

sturdy 436 **sublimate**

stur·dy \'stərd-ē\ *adj* [ME, reckless, brave, fr. OF *estourdi* stunned, fr. pp. of *estourdir* to stun, fr. (assumed) VL *exturdire* to be dizzy like a thrush drunk from eating grapes, fr. L *ex-*, intensive prefix + *turdus* thrush] **1** : RESOLUTE, UNYIELDING **2** : STRONG, ROBUST **syn** stout, stalwart, tough, tenacious — **stur·di·ly** *adv* — **stur·di·ness** *n*
stut·ter \'stət-ər\ *vb* : to speak haltingly : STAMMER — **stutter** *n*
¹sty \'stī\ *n* : a pen or housing for swine
²sty *or* **stye** \'stī\ *n* : an inflamed swelling on the edge of an eyelid
¹style \'stīl\ *n* **1** : a slender pointed instrument or process; *esp* : STYLUS **2** : a way of speaking or writing, *esp* : one characteristic of an individual, period, school, or nation ⟨ornate ~⟩ **3** : the custom or plan followed in spelling, capitalization, punctuation, and typographic arrangement and display **4** : mode of address : TITLE **5** : manner or method of acting or performing esp. as sanctioned by some standard; *also* : a distinctive or characteristic manner **6** : a fashionable manner or mode ⟨her dress is out of ~⟩ **7** : overall excellence, skill, or grace in performance, manner, or appearance
²style *vb* **1** : NAME, DESIGNATE **2** : to make or design in accord with a prevailing mode
styl·ish \'stī-lish\ *adj* : conforming to an accepted standard of style : FASHIONABLE **syn** modish, smart, chic — **styl·ish·ly** *adv* — **styl·ish·ness** *n*
styl·ist \'stī-ləst\ *n* : a master of style esp. in writing
¹sty·mie \'stī-mē\ *n* : a position in golf when the ball nearer the hole lies in the line of play of another ball
²stymie *vb* **sty·mied; sty·mie·ing** : BLOCK, FRUSTRATE
suave \'swäv\ *adj* : persuasively pleasing : smoothly agreeable **syn** urbane, diplomatic, bland — **suave·ly** *adv* — **sua·vi·ty** \'swäv-ət-ē\ *n*
sub- \ˌsəb, 'səb\ *prefix* **1** : under : beneath **2** : subordinate : secondary **3** : subordinate portion of : subdivision of **4** : with repetition of a process described in a simple verb so as to form, stress, or deal with subordinate parts or relations **5** : somewhat **6** : falling nearly in the category of : bordering upon

subacute
subagency
subangular
subarctic
subarea
subarid
subbasement
subcaption
subcellar
subchairman
subchief
subcivilized
subclass
subclassify
subclause
subclinical
subhuman
subirrigate
subkingdom
sublateral
sublease
sublethal
subcommission
subcontract
subcrystalline
subculture
subdeacon
subdean
subequal
suberect
subfamily
subfauna
subflora
subfossil
subfreezing
subgenus
subgroup
subhorizontal
subprofessional
subsaturated
subscience
subsexual
subsocial
subspecies

submaximal
subminimal
suboceanic
suboptimal
subparagraph
subparallel
subpermanent
subplot
subprincipal
substage
subtemperate
subtopic
subtreasury
subtype
subunit
subvisible

sub·atom·ic \ˌsəb-ə-'täm-ik\ *adj* : of or relating to the inside of the atom or particles smaller than atoms
sub·com·mit·tee \'səb-kə-ˌmit-ē\ *n* : a subordinate division of a committee
sub·con·scious \ˌsəb-'kän-chəs\ *adj* : existing in the mind and affecting thought and behavior without entering conscious awareness — **subconscious** *n* — **sub·con·scious·ly** *adv*
sub·con·ti·nent \'səb-'känt-(ə-)nənt\ *n* : a vast subdivision of a continent
sub·cu·ta·ne·ous \ˌsəb-kyū-'tā-nē-əs\ *adj* : located, made, or used under the skin ⟨~ fat⟩ ⟨a ~ needle⟩
sub·di·vide \ˌsəb-də-'vīd\ *vb* : to divide into several parts; *esp* : to divide (a tract of land) into building lots — **sub·di·vi·sion** \-'vizh-ən\ *n*
sub·due \səb-'d(y)ü\ *vb* **1** : to bring into subjection : VANQUISH **2** : to bring under control : CURB **3** : to reduce the intensity of
¹sub·ject \'səb-jikt\ *n* **1** : a person under the authority of another **2** : a person subject to a sovereign **3** : an individual subjected to an operation or process **4** : the person or thing discussed or treated : TOPIC, THEME **5** : a word or word group denoting that of which something is affirmed or declared
²subject *adj* **1** : being under the power or rule of another **2** : LIABLE, EXPOSED ⟨~ to floods⟩ **3** : dependent on some act or condition ⟨appointment ~ to senate approval⟩ **syn** subordinate, secondary, tributary, open, prone, susceptible
³sub·ject \səb-'jekt\ *vb* **1** : to bring under control : CONQUER **2** : to make liable : EXPOSE **3** : to cause to undergo or submit to — **sub·jec·tion** \-'jek-shən\ *n*
sub·jec·tive \ˌsəb-'jek-tiv\ *adj* **1** : of, relating to, or of the nature of a subject **2** : of, relating to, or arising within one's self or mind in contrast to what is outside : PERSONAL — **sub·jec·tive·ly** *adv* — **sub·jec·tiv·i·ty** \-ˌjek-'tiv-ət-ē\ *n*
sub·ject matter \'səb-jikt-\ *n* : matter presented for consideration, discussion, or study
sub ju·di·ce \ˌsùb-'yüd-i-ˌkā\ *adv* : before a judge or court : not yet legally decided
sub·ju·gate \'səb-ji-ˌgāt\ *vb* : CONQUER, SUBDUE; *also* : ENSLAVE **syn** reduce, overcome, overthrow, rout, vanquish, defeat, beat — **sub·ju·ga·tion** \ˌsəb-ji-'gā-shən\ *n*
sub·junc·tive \səb-'jəŋk-tiv\ *adj* : of, relating to, or constituting a verb form that represents a denoted act or state as contingent or possible or viewed emotionally (as with desire) ⟨~ mood⟩ — **subjunctive** *n*
sub·let \'səb-'let\ *vb* : to let all or a part of (a leased property) to another; *also* : to rent (a property) from a lessee
sub·li·mate \'səb-lə-ˌmāt\ *vb* **1** : to cause to pass from a solid to a vapor

state by the action of heat and then condense to solid form without apparently liquefying 2 : to direct the energy of (as desires) toward higher ends — **sub·li·ma·tion** \,səb-lə-'mā-shən\ *n*

¹**sub·lime** \sə-'blīm\ *adj* 1 : EXALTED, NOBLE 2 : having awe-inspiring beauty or grandeur **syn** glorious, splendid, superb, resplendent, gorgeous — **sub-**

²**sublime** *vb* : SUBLIMATE

sub·lu·nar \'səb-'lü-nər\ *adj* : SUBLUNARY

sub·lu·na·ry \-nə-rē\ *adj* : situated beneath the moon : TERRESTRIAL

sub·ma·chine gun \,səb-mə-'shēn-,gən\ *n* : an automatic or partly automatic firearm fired from the shoulder or hip

¹**sub·ma·rine** \'səb-mə-,rēn\ *adj* : existing, acting, or growing under the sea

²**submarine** *n* : a naval boat capable of operation either on or below the surface of the water

sub·merge \səb-'mərj\ *vb* 1 : to put or plunge under the surface of water 2 : INUNDATE **syn** immerse, duck, dip — **sub·mer·gence** *n*

sub·merse \səb-'mərs\ *vb* : SUBMERGE — **sub·mer·sion** \-'mər-zhən\ *n*

sub·mit \səb-'mit\ *vb* **-mit·ted; -mit·ting** 1 : to commit to the discretion or decision of another or of others 2 : YIELD, SURRENDER 3 : to put forward as an opinion — **sub·mis·sion** \-'mish-ən\ *n* — **sub·mis·sive** \-'mis-iv\ *adj*

sub·nor·mal \'səb-'nȯr-məl\ *adj* : falling below what is normal ⟨mentally ~⟩

¹**sub·or·di·nate** \sə-'bȯrd-(ə-)nət\ *adj* 1 : of lower class or rank 2 : INFERIOR 3 : submissive to authority 4 : subordinated to other elements in a sentence : DEPENDENT ⟨~ clause⟩ **syn** secondary, subject, tributary

²**subordinate** *n* : one that is subordinate

³**sub·or·di·nate** \-ᵊn-,āt\ *vb* 1 : to place in a lower rank or class 2 : SUBDUE — **sub·or·di·na·tion** \-,bȯrd-ᵊn-'ā-shən\ *n*

sub·orn \sə-'bȯrn\ *vb* 1 : to incite secretly : INSTIGATE 2 : to induce to commit perjury — **sub·or·na·tion**

¹**sub·poe·na** \sə-'pē-nə\ *n* [L *sub poena* under penalty] : a writ commanding the person named in it to attend court under penalty for failure to do so

²**subpoena** *vb* : to summon with a subpoena

sub·scribe \səb-'skrīb\ *vb* 1 : to sign one's name to a document 2 : to give consent by or as if by signing one's name 3 : to promise to contribute by signing one's name with the amount promised 4 : to place an order by signing 5 : FAVOR, APPROVE **syn** agree, acquiesce — **sub·scrib·er** *n*

sub·scrip·tion \-'skrip-shən\ *n* 1 : the act of subscribing : SIGNATURE 2 : a purchase by signed order

sub·se·quent \'səb-si-kwənt, -,kwent\ *adj* : following after : SUCCEEDING — **sub·se·quent·ly** *adv*

sub·ser·vi·ence \səb-'sər-vē-əns\ *n* 1 : a subordinate place or condition; *also* : willingness to serve in a subordinate capacity 2 : SERVILITY — **sub·ser·vi·en·cy** *n* — **sub·ser·vi·ent** *adj*

sub·side \səb-'sīd\ *vb* 1 : to settle to the bottom of a liquid 2 : to tend downward : DESCEND 3 : SINK, SUBMERGE 4 : to become quiet and tranquil **syn** abate, wane — **sub·sid·ence**

¹**sub·sid·i·ary** \səb-'sid-ē-,er-ē\ *adj* 1 : furnishing aid or support; *also* : owned or controlled by some main company 2 : of or relating to a subsidy **syn** auxiliary, contributory, subservient

²**subsidiary** *n* : one that is subsidiary; *esp* : a company controlled by another

sub·si·dize \'səb-sə-,dīz\ *vb* : to aid or furnish with a subsidy

sub·si·dy \'səb-səd-ē\ *n* : a gift of public money to another country or to private enterprise **syn** grant, appropriation

sub·sist \səb-'sist\ *vb* 1 : EXIST, PERSIST 2 : to receive the means (as food and clothing) of maintaining life

sub·sis·tence \-'sis-təns\ *n* 1 : EXISTENCE 2 : means of subsisting : the minimum (as of food and clothing) necessary to support life

sub·soil \'səb-,sȯil\ *n* : a layer of weathered material just under the surface soil

sub·stance \'səb-stəns\ *n* 1 : essential nature : ESSENCE ⟨divine ~⟩; *also* : the fundamental or essential part or quality ⟨the ~ of his speech⟩ 2 : physical material from which something is made or which has discrete existence; *also* : matter of particular or definite chemical constitution 3 : material possessions : PROPERTY, WEALTH

sub·stan·dard \'səb-'stan-dərd\ *adj* : falling short of a standard or norm

sub·stan·tial \səb-'stan-chəl\ *adj* 1 : existing as or in substance : MATERIAL; *also* : not illusory : REAL 2 : IMPORTANT, ESSENTIAL 3 : NOURISHING, SATISFYING ⟨~ meal⟩ 4 : having means : WELL-TO-DO 5 : CONSIDERABLE ⟨~ profit⟩ 6 : STRONG, FIRM — **sub·stan·tial·ly** *adv*

sub·stan·ti·ate \səb-'stan-chē-,āt\ *vb* 1 : VERIFY, PROVE 2 : to give substance or body to : EMBODY — **sub·stan·ti·a·tion** \-,stan-chē-'ā-shən\ *n*

sub·stan·tive \'səb-stən-tiv\ *n* : NOUN; *also* : a word or phrase used as a noun

sub·sta·tion \'səb-,stā-shən\ *n* : a station (as a post-office branch) subordinate to another station

¹**sub·sti·tute** \'səb-stə-,t(y)üt\ *n* : a person or thing replacing another

²**substitute** *vb* 1 : to put in the place of another 2 : to serve as a substitute — **sub·sti·tu·tion** \,səb-stə-'t(y)ü-shən\ *n*

sub·struc·ture \'səb-,strək-chər\ *n* : the structure underneath : FOUNDATION

sub·ter·fuge \'səb-tər-,fyüj\ *n* : a trick or device used in order to conceal, escape, or evade **syn** fraud, deception, trickery

sub·ter·ra·ne·an \,səb-tə-'rā-nē-ən\ *adj* 1 : lying or being underground 2 : SECRET, HIDDEN

sub·tile \'sət-ᵊl, 'səb-tᵊl\ *adj* : SUBTLE

sub·ti·tle \'səb-,tīt-ᵊl\ *n* 1 : a secondary or explanatory title (as of a book) 2 : printed matter projected on a motion-picture screen during or between the scenes

sub·tle \'sət-ᵊl\ *adj* 1 : hardly noticeable : DELICATE, REFINED 2 : SHREWD, KEEN 3 : CLEVER, SLY — **sub·tle·ty** *n* — **sub·tly** \'sət-(ᵊ-)lē\ *adv*

sub·tract \səb-'trakt\ *vb* : to take away (as one number from another) — **sub·trac·tion** \-'trak-shən\ *n*

subtrahend 438 sugarcane

sub·tra·hend \'səb-trə-ˌhend\ *n* : the quantity to be subtracted in mathematics

sub·trop·i·cal \'səb-'träp-i-kəl\ *adj* : of, relating to, or being regions bordering on the tropical zone

sub·urb \'səb-ˌərb\ *n* 1 : an outlying part of a city; *also* : a small community adjacent to a city 2 *pl* : a residential area adjacent to a city — **sub·ur·ban**

sub·ur·ban·ite \'səb-'bər-bə-ˌnīt\ *n* : one living in a suburb

sub·vert \səb-'vərt\ *vb* 1 : OVERTHROW, RUIN 2 : CORRUPT **syn** overturn, upset — **sub·ver·sion** \-'vər-zhən\ *n* — **sub·ver·sive** \-'vər-siv\ *adj*

sub·way \'səb-ˌwā\ *n* : an underground way; *esp* : an underground electric railway

suc·ceed \sək-'sēd\ *vb* 1 : to follow next in order or next after some other person or thing; *esp* : to inherit sovereignty 2 : to attain a desired object or end : be successful

suc·cess \-'ses\ *n* 1 : satisfactory completion of something 2 : the gaining of wealth and fame 3 : a person or thing that succeeds — **suc·cess·ful** *adj* — **suc·cess·ful·ly** *adv*

suc·ces·sion \-'sesh-ən\ *n* 1 : the order, act, or right of succeeding to a property, title, or throne 2 : a repeated following of one person or thing after another 3 : a series of persons or things that follow one after another **syn** progression, sequence, set, chain, train, string

suc·ces·sive \-'ses-iv\ *adj* : following in order : CONSECUTIVE — **suc·ces·sive·ly** *adv*

suc·ces·sor \-'ses-ər\ *n* : one that succeeds to a throne, title, estate, or office

suc·cinct \sə(k)-'siŋkt\ *adj* : BRIEF, CONCISE **syn** terse, laconic, summary — **suc·cinct·ly** *adv* — **suc·cinct·ness** *n*

suc·cor \'sək-ər\ *n* : AID, HELP, RELIEF — **succor** *vb*

suc·cu·lent \'sək-yə-lənt\ *adj* : full of juice : JUICY; *also* : having fleshy tissues that conserve moisture

suc·cumb \sə-'kəm\ *vb* 1 : to give up : YIELD 2 : DIE **syn** submit, capitulate, relent

¹**such** \(')səch\ *adj* 1 : of this or that kind 2 : having a quality just specified or to be specified

²**such** *pron* 1 : such a one or ones ⟨he's the boss, and had the right to act as ∼⟩ 2 : that or those similar or related thereto ⟨bought boards and nails and ∼⟩

³**such** *adv* : to that degree : SO ⟨∼ fine clothes⟩

¹**suck** \'sək\ *vb* 1 : to draw in liquid and esp. mother's milk with the mouth 2 : to draw liquid from by action of the mouth ⟨∼ an orange⟩ 3 : to take in or up or remove by or as if by suction

²**suck** *n* : the act of sucking : SUCTION

suck·er *n* 1 : one that sucks 2 : a part of an animal's body used for sucking or for clinging 3 : a fish with thick soft lips that suck in food 4 : a shoot from the roots or lower part of a plant 5 : a person easily cheated or deceived

suck·le \'sək-əl\ *vb* : to give or draw milk from the breast or udder; *also* : NURTURE, REAR

su·crose \'sü-ˌkrōs\ *n* : cane or beet sugar

suc·tion \'sək-shən\ *n* 1 : the act of sucking 2 : the act or process of drawing something (as liquid or dust) into a space (as in a vacuum cleaner or a pump) by partially exhausting the air in the space

sud·den \'səd-ᵊn\ *adj* 1 : happening or coming quickly or unexpectedly ⟨∼ shower⟩; *also* : come upon unexpectedly ⟨∼ turn in the road⟩ 2 : ABRUPT, STEEP ⟨∼ descent to the sea⟩ 3 : marked by or showing hastiness : RASH ⟨∼ decision⟩ 4 : made or brought about in a short time : PROMPT ⟨∼ cure⟩ **syn** precipitate, headlong, impetuous — **sud·den·ly** *adv* — **sud·den·ness** *n*

suds \'sədz\ *n pl* : soapy water esp. when frothy

sue \'sü\ *vb* 1 : PETITION, SOLICIT 2 : to seek justice or right by bringing legal action **syn** pray, plead

suede *or* **suède** \'swād\ *n* [F *gants de Suède* Swedish gloves] 1 : leather with a napped surface 2 : a fabric with a suedelike nap

su·et \'sü-ət\ *n* : the hard fat from beef and mutton that yields tallow

suf·fer \'səf-ər\ *vb* 1 : to feel or endure pain 2 : EXPERIENCE, UNDERGO 3 : to bear loss, damage, or injury 4 : ALLOW, PERMIT **syn** endure, abide, tolerate, stand, brook, let, leave — **suf·fer·er** *n*

suf·fer·ance \-(ə-)rəns\ *n* 1 : consent or approval implied by lack of interference or resistance 2 : ENDURANCE, PATIENCE

suf·fer·ing \-(ə-)riŋ\ *n* : PAIN, MISERY, HARDSHIP

suf·fice \sə-'fīs\ *vb* 1 : to satisfy a need : be sufficient 2 : to be capable or competent

suf·fi·cien·cy \sə-'fish-ən-sē\ *n* 1 : a sufficient quantity to meet one's needs 2 : ADEQUACY 3 : SELF-CONFIDENCE

suf·fi·cient *adj* : adequate to accomplish a purpose or meet a need : ENOUGH — **suf·fi·cient·ly** *adv*

¹**suf·fix** \'səf-ˌiks\ *n* : an affix occurring at the end of a word

²**suf·fix** \'səf-ˌiks, (ˌ)sə-'fiks\ *vb* : to attach as a suffix

suf·fo·cate \'səf-ə-ˌkāt\ *vb* : STIFLE, SMOTHER, CHOKE — **suf·fo·ca·tion**

suf·frage \'səf-rij\ *n* 1 : VOTE 2 : the right to vote : FRANCHISE

suf·frag·ette \ˌsəf-ri-'jet\ *n* : a woman who advocates suffrage for her sex

suf·fuse \sə-'fyüz\ *vb* : to spread over or through in the manner of a fluid or light **syn** infuse, imbue, ingrain — **suf·fu·sion** \-'fyü-zhən\ *n*

¹**sug·ar** \'shùg-ər\ *n* 1 : a sweet substance that is colorless or white when pure and is chiefly derived from sugarcane or sugar beets 2 : a water-soluble compound (as glucose) that varies widely in sweetness — **sug·ary** *adj*

²**sugar** *vb* 1 : to mix, cover, or sprinkle with sugar 2 : SWEETEN ⟨∼ advice with flattery⟩ 3 : to form sugar ⟨a syrup that ∼s⟩ 4 : GRANULATE

sugar beet *n* : a large beet with a white root from which sugar is made

sug·ar·cane \'shùg-ər-ˌkān\ *n* : a tall grass widely grown in warm regions for the sugar in its stalks

sug·gest \sə(g)-'jest\ *vb* **1** : to put (as a thought, plan, or desire) into a person's mind **2** : to remind or evoke by association of ideas **syn** imply, hint, intimate, insinuate — **sug·gest·ible** *adj*

sug·ges·tion \-'jes-chən\ *n* **1** : an act or instance of suggesting; *also* : something suggested **2** : a slight indication : TRACE

sug·ges·tive \-'jes-tiv\ *adj* : tending to suggest something; *esp* : suggesting something improper or indecent — **sug·ges·tive·ly** *adv* — **sug·ges·tive·ness** *n*

su·i·cide \'sü-ə-,sīd\ *n* **1** : the act of killing oneself purposely **2** : a person who kills himself purposely — **su·i·cid·al** *adj*

¹suit \'süt\ *n* **1** : an action in court to recover a right or claim **2** : an act of suing or entreating; *esp* : COURTSHIP **3** : a number of things used together 〈~ of clothes〉 **4** : one of the four sets of playing cards in a pack **syn** prayer, plea, petition, appeal

²suit *vb* **1** : to be appropriate or fitting **2** : to be becoming to **3** : to meet the needs or desires of : PLEASE

suit·able \'süt-ə-bəl\ *adj* : FITTING, PROPER, APPROPRIATE **syn** fit, meet, apt — **suit·abil·i·ty** \,süt-ə-'bil-ət-ē\ *n* — **suit·able·ness** \'süt-ə-bəl-nəs\ *n* — **suit·ably** *adv*

suit·case \'süt-,kās\ *n* : a flat rectangular traveling bag

suite \'swēt\ *n* **1** : a personal staff attending a dignitary or ruler : RETINUE **2** : a group of rooms occupied as a unit : APARTMENT **3** : a modern instrumental composition free in its character and number of movements; *also* : a long orchestral concert arrangement in suite form of material drawn from a longer work (as a ballet) **4** : a set of matched furniture for a room

suit·ing \'süt-iŋ\ *n* : fabric for suits of clothes

suit·or \'süt-ər\ *n* **1** : one who sues or petitions **2** : one who seeks to marry a woman

sul·fa \'səl-fə\ *adj* **1** : related chemically to sulfanilamide **2** : of, relating to, or using sulfa drugs 〈~ therapy〉

sul·fate *or* **sul·phate** \'səl-,fāt\ *n* : a salt or ester of sulfuric acid

sul·fide *or* **sul·phide** \-,fīd\ *n* : a compound of sulfur with an element or radical

sul·fur *or* **sul·phur** \'səl-fər\ *n* : a nonmetallic element that occurs in nature combined or free in the form of yellow crystals and in masses, crusts, and powder and is used in making gunpowder and matches, in vulcanizing rubber, and in medicine — **sul·fu·re·ous** \,səl-'fyür-ē-əs\ *adj*

sul·fu·ric *or* **sul·phu·ric** \,səl-'fyür-ik\ *adj* : of, relating to, or containing sulfur

sul·fu·rous *or* **sul·phu·rous** \'səl-f(y)ə-rəs, ,səl-'fyür-əs\ *adj* **1** : of, relating to, or containing sulfur **2** : of or relating to brimstone or the fire of hell : INFERNAL **3** : FIERY, SCORCHING

¹sulk \'səlk\ *vb* : to be or become moodily silent

²sulk *n* : a sulky mood or spell

¹sulky *adj* : inclined to sulk : MOROSE, MOODY **syn** surly, glum, sullen, gloomy — **sulk·i·ly** *adv* — **sulk·i·ness** *n*

²sulky *n* : a light 2-wheeled vehicle with a seat for the driver and usu. no body

sul·len \'səl-ən\ *adj* **1** : gloomily silent : MOROSE **2** : DISMAL, GLOOMY 〈a ~ sky〉 **syn** glum, surly — **sul·len·ly** *adv* — **sul·len·ness** *n*

sul·ly \'səl-ē\ *vb* : SOIL, SMIRCH, DEFILE

sul·tan \'səlt-ᵊn\ *n* : a sovereign esp. of a Muslim state — **sul·tan·ate** \-,āt\ *n*

sul·try \'səl-trē\ *adj* : very hot and moist : SWELTERING; *also* : burning hot : TORRID

¹sum \'səm\ *n* **1** : a quantity of money **2** : the whole amount **3** : GIST **4** : the result obtained by adding numbers **5** : a problem in arithmetic **syn** aggregate, total, whole

²sum *vb* **summed; sum·ming** **1** : to find the sum of by adding or counting **2** : SUMMARIZE — usu. used with *up*

su·mac *or* **su·mach** \'s(h)ü-,mak\ *n* : any of various shrubs or small trees with feathery compound leaves and spikes of red or whitish berries

sum·ma·rize \'səm-ə-,rīz\ *vb* : to tell in a summary : present briefly

¹sum·ma·ry \'səm-ə-rē\ *adj* **1** : covering the main points briefly : CONCISE **2** : done without delay or formality 〈~ punishment〉 **syn** terse, succinct, laconic — **sum·mar·i·ly** \(,)sə-'mer-ə-lē, 'səm-ə-rə-lē\ *adv*

²summary *n* : a concise statement of the main points

sum·ma·tion \(,)sə-'mā-shən\ *n* : a summing up; *esp* : a speech in court summing up the arguments in a case

sum·mer \'səm-ər\ *n* : the season of the year in a region in which the sun shines most directly : the warmest period of the year — **sum·mery** *adj*

sum·mit \'səm-ət\ *n* : the highest point : PEAK

sum·mon \'səm-ən\ *vb* **1** : to call to a meeting : CONVOKE **2** : to send for; *also* : to order to appear in court **3** : to evoke esp. by an act of the will 〈~ up courage〉 — **sum·mon·er** *n*

sum·mons \'səm-ənz\ *n*, *pl* **-mons·es** **1** : an authoritative call to appear at a designated place or to attend to a duty **2** : a warning or citation to appear in court at a specified time to answer charges

sump·tu·ous \'səmp-ch(ə-w)əs\ *adj* [L *sumptuosus* expensive, fr. *sumptus* expense, fr. *sumere* to take, spend] : LAVISH, LUXURIOUS

¹sun \'sən\ *n* **1** : the shining celestial body around which the earth and other planets revolve and from which they receive light and heat **2** : a celestial body that like the sun is the center of a system of planets **3** : SUNSHINE — **sun·less** *adj* — **sun·ny** *adj*

²sun *vb* **sunned; sun·ning** **1** : to expose to or as if to the rays of the sun **2** : to sun oneself

sun·bon·net \-,bän-ət\ *n* : a bonnet with a wide brim to shield the face and neck from the sun

¹sun·burn \-,bərn\ *vb* : to burn or discolor by the sun

²sunburn *n* : a skin inflammation caused by exposure to sunlight

Sun·day \'sən-dē\ *n* : the 1st day of the week : the Christian Sabbath

sun·der \'sən-dər\ *vb* : to force apart : separate with violence **syn** sever, part

sun·di·al \'sən-,dī(-ə)l\ *n* : a device for showing the time of day from the shadow cast by an upright pin on a plate

sundown 440 **supple**

sun·down \-,daun\ *n* : the time of the setting of the sun
sun·dry \-drē\ *adj* : SEVERAL, DIVERS, VARIOUS **syn** many, numerous
sun·flow·er \-,flau(-ə)r\ *n* : a tall plant related to the daisies and often grown for the oil-rich seeds of its yellow-petaled dark-centered flower heads
sunk·en \'səŋ-kən\ *adj* 1 : SUBMERGED ⟨~ ships⟩ 2 : fallen in : HOLLOW ⟨~ cheeks⟩ 3 : lying in a depression ⟨~ garden⟩; *also* : constructed below the general floor level ⟨~ living room⟩
sun·light \'sən-,līt\ *n* : SUNSHINE
sun·rise \-,rīz\ *n* : the apparent rising of the sun above the horizon; *also* : the time of this rising
sun·set \-,set\ *n* : the apparent descent of the sun below the horizon; *also* : the time of this descent
sun·shine \'sən-,shīn\ *n* : the direct light of the sun — **sun·shiny** *adj*
sun·spot \-,spät\ *n* : one of the dark spots that appear from time to time on the sun's surface
sun·stroke \-,strōk\ *n* : heatstroke caused by exposure to the sun
¹**sup** \'səp\ *vb* **supped; sup·ping** : to take or drink in swallows or gulps
²**sup** *n* : a mouthful esp. of liquor or broth : SIP; *also* : a small quantity of liquid
³**sup** *vb* **supped; sup·ping** 1 : to eat the evening meal 2 : to make one's supper
su·per- \,sü-pər, 'sü-\ *prefix* 1 : over and above : higher in quantity, quality, or degree than : more than 2 : in addition : extra 3 : exceeding a norm 4 : in excessive degree or intensity 5 : surpassing all or most others of its kind 6 : situated above, on, or at the top of 7 : next above or higher 8 : more inclusive than 9 : superior in status or position

superacid	supersalesman
supereminent	supersize
superfine	superspectacle
supergalaxy	superspeed
supergene	superstate
superglacial	superstratum
supergovernment	superstrength
superheat	supersubtle
superindividual	supertanker
superliner	supertax
supermicroscope	supertemporal
supernormal	supertower
superpatriot	supervoltage
superpatriotism	superwoman
superphysical	superzealot
superpower	

su·per·abun·dant \,sü-pər-ə-'bən-dənt\ *adj* : more than ample : EXCESSIVE — **su·per·abun·dance** *n*
su·perb \su̇-'pərb\ *adj* 1 : LORDLY, MAJESTIC 2 : RICH, SPLENDID 3 : of highest quality **syn** resplendent, glorious, gorgeous, sublime — **su·perb·ly** *adv*
su·per·car·go \,sü-pər-'kär-gō\ *n* : an officer on a merchant ship who manages the business part of the voyage
su·per·cil·i·ous \,sü-pər-'sil-ē-əs\ *adj* [L *supercilium* eyebrow, haughtiness] : haughtily contemptuous **syn** disdainful, overbearing, arrogant
su·per·ego \,sü-pər-'ē-gō\ *n* : a largely unconscious part of the psyche significant in character formation

su·per·fi·cial \,sü-pər-'fish-əl\ *adj* 1 : of or relating to the surface or appearance only 2 : not thorough : SHALLOW **syn** cursory — **su·per·fi·ci·al·i·ty** \-,fish-ē-'al-ət-ē\ *n* — **su·per·fi·cial·ly** \-'fish-(ə-)lē\ *adv*
su·per·flu·ous \su̇-'pər-flə-wəs\ *adj* : exceeding what is sufficient or necessary : SURPLUS **syn** extra, spare — **su·per·flu·i·ty** \,sü-pər-'flü-ət-ē\ *n*
su·per·im·pose \-im-'pōz\ *vb* : to lay (one thing) over and above something else **syn** superpose
su·per·in·tend \,sü-p(ə-)rin-'tend\ *vb* : to have or exercise the charge and oversight of : DIRECT — **su·per·in·ten·dence** *n* — **su·per·in·ten·den·cy** *n* — **su·per·in·ten·dent** *n*
¹**su·pe·ri·or** \su̇-'pir-ē-ər\ *adj* 1 : situated higher up; *also* : higher in rank or numbers 2 : better than most others of its kind 3 : of greater value or importance 4 : courageously indifferent (as to pain or misfortune) 5 : ARROGANT, HAUGHTY — **su·pe·ri·or·i·ty**
²**superior** *n* 1 : one who is above another in rank, office, or station; *esp* : the head of a religious house or order 2 : one higher in quality or merit
¹**su·per·la·tive** \su̇-'pər-lət-iv\ *adj* 1 : of, relating to, or constituting the degree of grammatical comparison that denotes an extreme or unsurpassed level or extent 2 : surpassing others : SUPREME **syn** peerless, incomparable
²**superlative** *n* 1 : the superlative degree or a superlative form in a language 2 : the utmost degree : ACME
su·per·nat·u·ral \,sü-pər-'nach-(ə-)rəl\ *adj* : of or relating to phenomena beyond or outside of nature; *esp* : relating to or attributed to a divinity, ghost, or infernal spirit — **su·per·nat·u·ral·ly** *adv*
su·per·pose \,sü-pər-'pōz\ *vb* : SUPERIMPOSE — **su·per·po·si·tion** \-pə-'zish-ən\ *n*
su·per·sede \,sü-pər-'sēd\ *vb* : to take the place or position of : REPLACE **syn** displace, supplant
su·per·sti·tion \-'stish-ən\ *n* 1 : beliefs or practices resulting from ignorance, fear of the unknown, or trust in magic or chance 2 : an irrationally abject attitude of mind toward nature, the unknown, or God resulting from superstition — **su·per·sti·tious** *adj*
su·per·struc·ture \'sü-pər-,strək-chər\ *n* : something built on a base or as a vertical extension
su·per·vise \'sü-pər-,vīz\ *vb* : OVERSEE, SUPERINTEND — **su·per·vi·sion** \,sü-pər-'vizh-ən\ *n* — **su·per·vi·sor** \'sü-pər-,vī-zər\ *n* — **su·per·vi·so·ry** \,sü-pər-'vīz-(ə-)rē\ *adj*
su·pine \su̇-'pīn\ *adj* 1 : lying on the back with face upward 2 : LETHARGIC, SLUGGISH; *also* : ABJECT **syn** inactive, inert, passive, idle
sup·per \'səp-ər\ *n* : the evening meal when dinner is taken at midday — **sup·per·less** *adj* — **sup·per·time** \-,tīm\ *n*
sup·plant \sə-'plant\ *vb* 1 : to take the place of (another) esp. by force or trickery 2 : REPLACE **syn** displace, supersede
sup·ple \'səp-əl\ *adj* 1 : capable of bending without breaking or creasing : LIMBER, PLIANT 2 : COMPLIANT, ADAPTABLE **syn** resilient, elastic

supplement   441   **surprise**

¹**sup·ple·ment** \'səp-lə-mənt\ *n* **1** : something that supplies a want or makes an addition **2** : a continuation of a book or periodical containing corrections or additional material — **sup·ple·men·tal** \ˌsəp-lə-'ment-ᵊl\ *adj* — **sup·ple·men·ta·ry** \-'men-t(ə-)rē\ *adj*
²**sup·ple·ment** \'səp-lə-ˌment\ *vb* : to fill up the deficiencies of : add to
sup·pli·ant \'səp-lē-ənt\ *n* : one who supplicates : PETITIONER, PLEADER
sup·pli·cate \'səp-lə-ˌkāt\ *vb* **1** : to make a humble entreaty; *esp* : to pray to God **2** : to ask earnestly and humbly : BESEECH **syn** implore, beg — **sup·pli·ca·tion** \ˌsəp-lə-'kā-shən\ *n*
¹**sup·ply** \sə-'plī\ *vb* **1** : to add as a supplement **2** : to satisfy the needs of **3** : FURNISH, PROVIDE — **sup·pli·er** *n*
²**supply** *n* **1** : the quantity or amount (as of a commodity) needed or available; *also* : PROVISIONS, STORES — usu. used in pl. **2** : the act or process of filling a want or need : PROVISION **3** : the quantities of goods or services offered for sale at a particular time or at one price
¹**sup·port** \sə-'pōrt\ *vb* **1** : BEAR, TOLERATE **2** : to take sides with : BACK, ASSIST **3** : to provide with food, clothing, and shelter **4** : to hold up or serve as a foundation for : keep from sinking or falling **syn** uphold, advocate, champion — **sup·port·able** *adj* — **sup·port·er** *n*
²**support** *n* **1** : the act of supporting : the state of being supported **2** : one that supports : PROP, BASE
sup·pose \sə-'pōz\ *vb* **1** : to assume to be true (as for the sake of argument) **2** : EXPECT ⟨I am *supposed* to go⟩ **3** : to think probable : incline to believe
sup·posed \sə-'pōzd\ *adj* : BELIEVED; *also* : mistakenly believed — **sup·pos·ed·ly** \-'pō-zəd-lē\ *adv*
sup·pos·ing *conj* : if by way of hypothesis : on the assumption that
sup·po·si·tion \ˌsəp-ə-'zish-ən\ *n* **1** : something that is supposed : HYPOTHESIS **2** : the act of supposing
sup·pos·i·to·ry \sə-'päz-ə-ˌtōr-ē\ *n* : a small easily melted mass of usu. medicated material for insertion (as into the rectum)
sup·press \sə-'pres\ *vb* **1** : to put down by authority or force : SUBDUE ⟨~ a revolt⟩ **2** : to keep from being known; *also* : to stop the publication or circulation of **3** : to exclude from consciousness : REPRESS — **sup·press·ible** *adj* — **sup·pres·sion** \-'presh-ən\ *n*
su·prem·a·cy \sù-'prem-ə-sē\ *n* : supreme rank, power, or authority
su·preme \sù-'prēm\ *adj* **1** : highest in rank or authority **2** : UTMOST **3** : most excellent ⟨he is ~ among poets⟩ **4** : ULTIMATE ⟨the ~ sacrifice⟩ **syn** superlative, surpassing, peerless, incomparable — **su·preme·ly** *adv*
¹**sur·charge** \'sər-ˌchärj\ *vb* **1** : to fill to excess : OVERCHARGE, OVERLOAD **2** : to print or write a surcharge on
²**surcharge** *n* **1** : an excessive load or burden **2** : an extra fee or cost **3** : something officially printed on a postage stamp to give it a new value or use
¹**sure** \'shùr\ *adj* **1** : firmly established : not likely to be overthrown or displaced **2** : CONFIDENT, CERTAIN **3** : TRUSTWORTHY, RELIABLE **4** : not to be disputed : UNDOUBTED **5** : bound to happen **syn** assured, positive — **sure·ly** *adv* — **sure·ness** *n*
²**sure** *adv* : SURELY
sure·fire \-'fī(ə)r\ *adj* : certain to get results : DEPENDABLE
sure·ty \'shùr(-ə)t-ē\ *n* **1** : SURENESS, CERTAINTY **2** : something that makes sure : GUARANTEE **3** : one who becomes a guarantor for another person **syn** security, bond, bail, sponsor, backer
surf \'sərf\ *n* : the swell of the sea as it breaks on the shore; *also* : the sound or foam caused by breaking waves
¹**sur·face** \'sər-fəs\ *n* **1** : the outside of an object or body **2** : outward aspect or appearance
²**surface** *vb* **1** : to give a surface to : make smooth **2** : to rise to the surface
surf·board \'sərf-ˌbōrd\ *n* : a buoyant board used in riding the crests of waves
¹**sur·feit** \'sər-fət\ *n* **1** : EXCESS, SUPERABUNDANCE **2** : excessive indulgence (as in food or drink); *also* : bodily disorder caused by such indulgence **3** : disgust caused by excess in eating and drinking : SATIETY
²**surfeit** *vb* : to feed, supply, or indulge to the point of surfeit : CLOY
¹**surge** \'sərj\ *vb* **1** : to rise and fall actively : TOSS **2** : to move in waves **3** : to rise suddenly to a high value **syn** arise, mount, soar
²**surge** *n* **1** : a large billow **2** : a sweeping onward like a wave of the sea ⟨a ~ of emotion⟩ **3** : a transient sudden increase of current in an electrical circuit
sur·geon \'sər-jən\ *n* [OF *cirurgien*, fr. *cirurgie* surgery, fr. L *chirurgia*, fr. Gk *cheirourgia*, fr. *cheir* hand + *ergon* work] : a physician who specializes in surgery
sur·gery \'sərj-(ə-)rē\ *n* **1** : a branch of medicine concerned with the correction of physical defects, the repair of injuries, and the treatment of disease esp. by operation **2** : a surgeon's operating room or laboratory **3** : work done by a surgeon
sur·gi·cal \'sər-ji-kəl\ *adj* : of, relating to, or associated with surgeons or surgery — **sur·gi·cal·ly** *adv*
sur·ly \'sər-lē\ *adj* : ILL-NATURED, CRABBED **syn** morose, glum, sullen, sulky, gloomy — **sur·li·ness** *n*
sur·mise \sər-'mīz\ *vb* : GUESS **syn** conjecture — **surmise** *n*
sur·mount \sər-'maùnt\ *vb* **1** : to rise superior to : OVERCOME ⟨~ a difficulty⟩ **2** : to get to or lie at the top of **syn** overthrow, rout, vanquish, defeat, subdue
sur·name \'sər-ˌnām\ *n* **1** : NICKNAME **2** : the name borne in common by members of a family
sur·pass \sər-'pas\ *vb* **1** : to be superior to in quality, degree, or performance : EXCEL **2** : to be beyond the reach or powers of **syn** transcend, outdo, outstrip, exceed
sur·plice \'sər-pləs\ *n* : a loose white knee-length outer vestment worn at services by some clergymen
sur·plus \'sər-ˌ(ˌ)pləs\ *n* **1** : quantity left over : EXCESS **2** : the excess of assets over liabilities **syn** superfluity
¹**sur·prise** \sə(r)-'prīz\ *n* **1** : an attack made without warning **2** : a taking unawares **3** : something that surprises

4 : AMAZEMENT, ASTONISHMENT
²**sur·prise** vb **1** : to come upon and attack unexpectedly **2** : to take unawares **3** : to strike with amazement : AMAZE **4** : to effect or accomplish by means of a surprise **syn** waylay, ambush, astonish, astound — **sur·pris·ing** adj — **sur·pris·ing·ly** adv
¹**sur·ren·der** \sə-'ren-dər\ vb **1** : to yield to the power of another : give up under compulsion **2** : RELINQUISH
²**surrender** n : the act of giving up or yielding oneself or the possession of something into another's possession or control **syn** submission, capitulation
sur·rep·ti·tious \,sər-əp-'tish-əs\ adj : done, made, or acquired by stealth : SECRET, CLANDESTINE **syn** underhand, covert, furtive
sur·rey \'sər-ē\ n : a 4-wheeled 2-seated horse-drawn carriage
sur·ro·gate \'sər-ə-,gāt, -gət\ n **1** : DEPUTY, SUBSTITUTE **2** : a law officer in some states with authority in the probate of wills, the settlement of estates, and the appointment of guardians
sur·round \sə-'raùnd\ vb **1** : to enclose on all sides : ENCOMPASS, ENCIRCLE **2** : to enclose so as to cut off retreat or escape
sur·round·ings n pl : conditions by which one is surrounded : ENVIRONMENT
sur·tax \'sər-,taks\ n : an additional tax over and above a normal tax
sur·veil·lance \sər-'vāl-(y)əns\ n : close watch; also : SUPERVISION
¹**sur·vey** \sər-'vā\ vb **1** : to look over and examine closely **2** : to make a survey of (as a tract of land) **3** : to view or study something as a whole **syn** behold, see, observe, remark — **sur·vey·or** n
²**sur·vey** \'sər-,vā\ n **1** : INSPECTION, EXAMINATION **2** : a wide general view ⟨a ~ of English literature⟩ **3** : the process of finding and representing the contours, measurements, and position of a part of the earth's surface; also : a measured plan and description of a region
sur·vey·ing \sər-'vā-iŋ\ n : the branch of mathematics that teaches the art of making surveys
sur·vive \sər-'vīv\ vb **1** : to remain alive or existent **2** : OUTLIVE, OUTLAST — **sur·viv·al** n — **sur·vi·vor** n
sus·cep·ti·ble \sə-'sep-tə-bəl\ adj **1** : of such a nature as to permit ⟨words ~ of being misunderstood⟩ **2** : having little resistance to a stimulus or agency ⟨~ to colds⟩ **3** : easily affected or emotionally moved : RESPONSIVE **syn** sensitive, subject, exposed, prone, liable, open —
¹**sus·pect** \sə-'spekt\ vb **1** : to have doubts of : MISTRUST **2** : to imagine to be guilty without proof **3** : SURMISE
²**sus·pect** \'səs-,pekt\ n : one who is suspected (as of a crime)
³**sus·pect** \'səs-,pekt, sə-'spekt\ adj : regarded with suspicion
sus·pend \sə-'spend\ vb **1** : to bar temporarily from a privilege, office, or function **2** : to stop temporarily ; make inactive for a time **3** : to withhold (judgment) for a time **4** : HANG ; esp : to hang so as to be free except at one point **5** : to fail to meet obligations **syn** exclude, eliminate, stay, postpone, defer
sus·pend·er n : one of two supporting straps which pass over the shoulders and to which the trousers are fastened
²**Brit** : GARTER
sus·pense \sə-'spens\ n **1** : SUSPENSION **2** : mental uncertainty : ANXIETY
sus·pen·sion \-'spen-chən\ n **1** : the act of suspending : the state or period of being suspended **2** : the state of a substance when its particles are mixed with but undissolved in a fluid or solid; also : a substance in this state **3** : something suspended **4** : a device by which something is suspended
sus·pi·cion \sə-'spish-ən\ n **1** : the act or an instance of suspecting something wrong without proof **2** : a slight trace **syn** mistrust, uncertainty
sus·pi·cious \-'spish-əs\ adj **1** : open to or arousing suspicion **2** : inclined to suspect **3** : showing suspicion — **sus·pi·cious·ly** adv
sus·tain \sə-'stān\ vb **1** : to provide with nourishment **2** : to keep going : PROLONG ⟨~ed effort⟩ **3** : to hold up : PROP **4** : to hold up under : ENDURE **5** : SUFFER ⟨~ a broken arm⟩ **6** : to support as true, legal, or valid **7** : PROVE, CORROBORATE
sus·te·nance \'səs-tə-nəns\ n **1** : FOOD, NOURISHMENT **2** : a supplying with the necessities of life **3** : something that sustains or supports
su·ture \'sü-chər\ n **1** : a seam or line along which two things or parts are joined by or as if by sewing ⟨the ~s of the skull⟩ **2** : material or a stitch for sewing a wound together
¹**swab** \'swäb\ n **1** : MOP **2** : a wad of absorbent material esp. for applying medicine or for cleaning (as a wound) **3** : SAILOR
²**swab** vb swabbed; swab·bing : to use a swab on **:** MOP
swad·dle \'swäd-əl\ vb **1** : to bind (an infant) in bands of cloth **2** : to wrap up : SWATHE
swag·ger \'swag-ər\ vb **1** : to walk with a conceited swing or strut **2** : BOAST, BRAG — **swagger** n
Swa·hi·li \swä-'hē-lē\ n : a language that is a trade and governmental language over much of East Africa and the Congo region
¹**swal·low** \'swäl-ō\ n : any of various small long-wing fork-tailed migratory birds
²**swallow** vb **1** : to take into the stomach through the throat **2** : to envelop or take in as if by swallowing **3** : to accept or believe too easily **4** : ENDURE, BEAR
³**swallow** n **1** : an act of swallowing **2** : as much as can be swallowed at one time
¹**swamp** \'swämp\ n : wet spongy land; also : a tract of this — **swampy** adj
²**swamp** vb **1** : to plunge or sink in or as if in a swamp **2** : to deluge with or as if with water; also : to sink by filling with water
swan \'swän\ n : any of several heavy-bodied, long-necked, mostly pure white swimming birds related to the geese
¹**swank** \'swaŋk\ n **1** : PRETENTIOUSNESS **2** : ELEGANCE
²**swank** \'swaŋk\ or **swanky** adj : showily smart and dashing; also : fashionably elegant
swap \'swäp\ vb swapped; swap·ping : TRADE, EXCHANGE — **swap** n

¹**swarm** \\'swȯrm\\ *n* **1** : a great number of honeybees including a queen and leaving a hive to start a new colony; *also* : a hive of bees **2** : a large crowd : THRONG

²**swarm** *vb* **1** : to form in a swarm and depart from a hive **2** : to throng together : gather in great numbers

swarthy \\'swȯr-thē, -thē\\ *adj* : dark in color or complexion : dark-skinned

swash \\'swäsh\\ *vb* : to move about with a splashing sound : SPLASH — **swash** *n*

swas·ti·ka \\'swäs-ti-kə, swä-'stē-\\ *n* [Skt *svastika*, fr. *svasti* welfare, fr. *su*- well + *-asti* being] : a symbol or ornament in the form of a Greek cross with the arms bent at right angles

swat \\'swät\\ *vb* **swat·ted; swat·ting** : to hit sharply ⟨~ a fly⟩ ⟨~ a ball⟩ — **swat** *n*

¹**sway** \\'swā\\ *vb* **1** : to swing gently from side to side **2** : RULE, GOVERN **3** : to cause to swing from side to side **4** : BEND, SWERVE; *also* : INFLUENCE **syn** oscillate, fluctuate, vibrate, waver

²**sway** *n* **1** : a gentle swinging from side to side **2** : sovereign power : DOMINION; *also* : a controlling influence : DOMINANCE

swear \\'swaər\\ *vb* **swore** \\'swȯr\\ **sworn** \\'swȯrn\\ **swear·ing 1** : to make a solemn statement or promise under oath : VOW **2** : to use profane or obscene language **3** : to assert emphatically as true with an appeal to God or one's honor **4** : to charge or confirm under oath; *also* : to bind by or as if by an oath **5** : to administer an oath to — **swear·er** *n* — **swear·ing** *n*

¹**sweat** \\'swet\\ *vb* **sweat** *or* **sweat·ed; sweat·ing 1** : to excrete salty moisture from glands of the skin : PERSPIRE **2** : to form drops of moisture on the surface **3** : to work so that one sweats : TOIL **4** : to cause to sweat **5** : to draw out or get rid of by perspiring **6** : to make a person overwork ⟨a factory that ~s its employees⟩

²**sweat** *n* **1** : perceptible liquid exuded through pores from glands (**sweat glands**) of the skin : PERSPIRATION **2** : moisture issuing from or gathering on a surface in drops — **sweaty** *adj*

sweat·er \\'swet-ər\\ *n* **1** : one that sweats **2** : a knitted or crocheted jacket or pullover

Swede \\'swēd\\ *n* : a native or inhabitant of Sweden

Swed·ish \\'swēd-ish\\ *n* **1 Swedish** *pl* : the people of Sweden **2** : the language of Sweden — **Swedish** *adj*

¹**sweep** \\'swēp\\ *vb* **swept** \\'swept\\ **sweep·ing 1** : to remove or clean by brushing **2** : to remove or destroy by vigorous continuous action **3** : to strip or clear by gusts of wind or rain **4** : to move over with speed and force ⟨the tide *swept* over the shore⟩ **5** : to gather in with a single swift movement **6** : to move or extend in a wide curve — **sweep·er** *n* — **sweep·ing** *adj*

²**sweep** *n* **1** : a clearing off or away **2** : a sweeping movement ⟨~ of a scythe⟩ **3** : RANGE, SCOPE **4** : CURVE, BEND **5** : something (as a long oar) that operates with a sweeping motion

sweep·ing *n* **1** : the act or action of one that sweeps ⟨gave the room a good ~⟩ **2** *pl* : things collected by sweeping : REFUSE

sweep·stakes \\'swēp-,stāks\\ *also* **sweepstake** \\-,stāk\\ *n, pl* **sweepstakes 1** : a race or contest in which the entire prize may go to the winner; *esp* : a horse race in which the stakes are contributed at least in part by the owners of the horses **2** : any of various lotteries

¹**sweet** \\'swēt\\ *adj* **1** : being or causing the primary taste sensation that is typical of sugars; *also* : pleasing to the taste **2** : not stale or spoiled : WHOLESOME ⟨~ milk⟩ **3** : not salted ⟨~ butter⟩ **4** : pleasing to a sense other than taste ⟨a ~ smell⟩ ⟨~ music⟩ **5** : KINDLY, MILD — **sweet·ish** *adj* — **sweet·ly** *adv* — **sweet·ness** *n*

²**sweet** *n* **1** : something sweet : CANDY **2** : DARLING

sweet·en \\'swēt-ᵊn\\ *vb* : to make sweet

sweet·heart \\'swēt-,härt\\ *n* : a loved person : LOVER

sweet pea *n* : a garden plant with climbing stems and fragrant flowers of many colors; *also* : its flower

sweet potato *n* : a tropical vine related to the morning glory; *also* : its sweet yellow edible root

¹**swell** \\'swel\\ *vb* **swelled; swelled** *or* **swol·len** \\'swō-lən\\ **swell·ing 1** : to grow big or make bigger : increase in size, quantity, or value **2** : to expand or distend abnormally or excessively ⟨a *swollen* joint⟩; *also* : BULGE **3** : to fill or be filled with pride, anger, or some other emotion **syn** expand, amplify, distend, inflate, dilate — **swell·ing** *n*

²**swell** *adj* **1** : FASHIONABLE, STYLISH; *also* : socially prominent **2** : EXCELLENT, FIRST-RATE

³**swell** *n* **1** : sudden increase in size or value **2** : a long crestless wave or series of waves in the open sea **3** : a person dressed in the height of fashion; *also* : a person of high social position or outstanding competence

swel·ter \\'swel-tər\\ *vb* : to be faint or oppressed with the heat

swerve \\'swərv\\ *vb* : to move abruptly aside from a straight line or course **syn** veer, deviate, diverge — **swerve** *n*

¹**swift** \\'swift\\ *adj* **1** : moving or capable of moving with great speed **2** : occurring suddenly **3** : READY, ALERT — **swift·ly** *adv* — **swift·ness** *n*

²**swift** *n* : a small insect-eating bird with long narrow wings

swig \\'swig\\ *vb* **swigged; swig·ging** : to drink in long drafts : GULP — **swig** *n*

¹**swill** \\'swil\\ *vb* **1** : to swallow greedily : GUZZLE **2** : to feed (as hogs) on swill

²**swill** *n* **1** : food for animals composed of edible refuse mixed with liquid **2** : GARBAGE

¹**swim** \\'swim\\ *vb* **swam** \\'swam\\ **swum** \\'swəm\\ **swim·ming 1** : to propel oneself along in water by natural means (as by hands and legs, by tail, or by fins) **2** : to glide smoothly along **3** : FLOAT **4** : to be covered with or as if with a liquid **5** : to cross or go over by swimming **6** : to be dizzy ⟨his head *swam*⟩ — **swim·mer** *n*

²**swim** *n* **1** : an act of swimming **2** : the main current of activity or fashion ⟨in the social ~⟩

swim·ming *n* : the action, art, or sport of swimming and diving

swin·dle \\'swin-dᵊl\\ *vb* : CHEAT, DEFRAUD — **swindle** *n* — **swin·dler**

swine \\'swīn\\ *n, pl* **swine** **1** : any of various stout short-legged hoofed mammals with bristly skin and flexible snout; *esp* : one widely raised as a meat animal **2** : a contemptible person — **swin·ish** *adj*

¹swing \\'swiŋ\\ *vb* **swung** \\'swəŋ\\ **swing·ing** **1** : to move rapidly in an arc **2** : to sway or cause to sway back and forth **3** : to hang so as to move freely back and forth or in a curve **4** : to be executed by hanging **5** : to move or turn on a hinge or pivot **6** : to march or walk with free swaying movements **7** : to manage or handle successfully **8** : to have a steady pulsing rhythm *syn* wave, flourish, brandish, thrash, oscillate, vibrate, fluctuate, wield, manipulate, ply

²swing *n* **1** : the act of swinging **2** : a swinging blow, movement, or rhythm **3** : the distance through which something swings : FLUCTUATION **4** : a seat suspended by a rope or chain for swinging back and forth for pleasure **5** : music marked by lively rhythm and improvisation

¹swipe \\'swīp\\ *n* : a strong sweeping blow

²swipe *vb* **1** : to strike or wipe with a sweeping motion **2** : PILFER, SNATCH

swirl \\'swərl\\ *vb* : WHIRL, EDDY — **swirl** *n*

swish \\'swish\\ *n* **1** : a prolonged hissing sound (as of a whip cutting the air) **2** : a light sweeping or brushing sound (as of a full silk skirt in motion) — **swish** *vb*

Swiss \\'swis\\ *n* **1** *pl* **Swiss** : a native or inhabitant of Switzerland **2** : a hard cheese with large holes that form during ripening

¹switch \\'swich\\ *n* **1** : a slender flexible whip, rod, or twig **2** : a blow with a switch **3** : a shift from one thing to another **4** : a device for adjusting the rails of a track so that a locomotive or train may be turned from one track to another; *also* : a railroad siding **5** : a device for making, breaking, or changing the connections in an electrical circuit

²switch *vb* **1** : to punish or urge on with a switch **2** : WHISK ⟨a cow ~*ing* her tail⟩ **3** : to shift or turn by operating a switch **4** : CHANGE, EXCHANGE

switch·board \\-,bōrd\\ *n* : a panel on which is mounted a group of electric switches so arranged that a number of circuits may be connected, combined, and controlled

¹swiv·el \\'swiv-əl\\ *n* : a part that turns on or as if on a headed bolt or pin; *also* : a system of links joined by such a part so as to permit rotation

²swivel *vb* **-eled** *or* **-elled; -el·ing** *or* **-el·ling** : to swing or turn on or as if on a swivel

swoop \\'swüp\\ *vb* : to descend or pounce swiftly like a hawk on its prey — **swoop** *n*

sword \\'sōrd\\ *n* **1** : a weapon with a long pointed blade and sharp cutting edges **2** : a symbol of authority or military power **3** : the use of force : WAR

sword·fish \\-,fish\\ *n* : a very large ocean food fish with the bones of the upper jaw prolonged in a long swordlike beak

syc·a·more \\'sik-ə-,mōr\\ *n* : any of several shade trees (as an Old World maple or an American plane tree)

syl·la·ble \\'sil-ə-bəl\\ *n* : a unit of spoken language consisting of an uninterrupted utterance and forming either a whole word (as *man*) or a commonly recognized division of a word (as *syl* in *syl·la·ble*); *also* : one or more letters representing such a unit — **syl·lab·ic**

syl·la·bus \\'sil-ə-bəs\\ *n, pl* **-bi** \\-,bī\\ *or* **-bus·es** : a summary containing the heads or main topics of a speech, book, or course of study

sylph \\'silf\\ *n* **1** : an imaginary being inhabiting the air **2** : a slender graceful woman

syl·van \\'sil-vən\\ *adj* **1** : living or located in a wooded area; *also* : of, relating to, or characteristic of forest **2** : abounding in woods or trees : WOODED

sym·bol \\'sim-bəl\\ *n* **1** : something that stands for something else; *esp* : something concrete that represents or suggests another thing that cannot in itself be represented or visualized **2** : a letter, character, or sign used in writing or printing relating to a particular field (as mathematics, physics, or music) to represent operations, quantities, elements, sounds, or other ideas — **sym·bol·ic** \\sim-'bäl-ik\\ *or* **sym·bol·i·cal** *adj* — **sym·bol·i·cal·ly** *adv*

sym·bol·ism \\'sim-bə-,liz-əm\\ *n* : representation of abstract or intangible things by means of symbols or emblems

sym·bol·ize \\'sim-bə-,līz\\ *vb* **1** : to serve as a symbol of **2** : to represent by symbols — **sym·bol·iza·tion** \\,sim-bə-lə-'zā-shən\\ *n*

sym·me·try \\'sim-ə-trē\\ *n* **1** : correspondence in size, shape, and position of parts that are on opposite sides of a dividing line or center **2** : an arrangement marked by regularity and balanced proportions *syn* proportion, balance, harmony — **sym·met·ri·cal** \\sə 'met-ri-kəl\\ *adj* — **sym·met·ri·cal·ly** *adv*

sym·pa·thize \\sim-pə-,thīz\\ *vb* : to feel or show sympathy — **sym·pa·thiz·er** *n*

sym·pa·thy \\'sim-pə-thē\\ *n* **1** : a relationship between persons or things wherein whatever affects one similarly affects the others **2** : harmony of interests and aims **3** : the ability of entering into and sharing the feelings or interests of another; *also* : COMPASSION, PITY **4** : FAVOR, SUPPORT **5** : an expression of sorrow for another's loss, grief, or misfortune — **sym·pa·thet·ic**

sym·pho·ny \\'sim-fə-nē\\ *n* **1** : harmony of sounds **2** : a large and complex composition for a full orchestra **3** : a large orchestra of a kind that plays symphonies — **sym·phon·ic** \\sim-'fän-ik\\ *adj*

sym·po·si·um \\sim-'pō-zē-əm\\ *n, pl* **-sia** \\-zē-ə\\ *or* **-si·ums** [L, drinking party after a banquet, fr. Gk *symposion*, fr. *sympinein* to drink together, fr. *syn-* together + *pinein* to drink] : a conference at which a particular topic is discussed by various speakers; *also* : a collection of opinions about a subject

symp·tom \\'simp-təm\\ *n* **1** : a change in an organism indicative of disease or abnormality; *esp* : one (as headache) directly perceptible only to the victim **2** : SIGN, INDICATION — **symp·tom·at·ic** \\,simp-tə-'mat-ik\\ *adj*

syn·a·gogue \\'sin-i-,gäg\\ *n* **1** : a Jewish congregation **2** : the house of worship of a Jewish congregation

syn·chro·nize \'siŋ-krə-,nīz\ vb 1 : to occur or cause to occur at the same instant 2 : to represent, arrange, or tabulate according to dates or time 3 : to cause to agree in time ⟨~ two watches⟩ 4 : to make synchronous in operation ⟨~ two machines⟩ — **syn·chro·nism** \-,niz-əm\ n

syn·co·pa·tion \,siŋ-kə-'pā-shən\ n : a shifting of the regular musical accent : occurrence of accented notes on the weak beat — **syn·co·pate** \'siŋ-kə-,pāt\ vb

¹**syn·di·cate** \'sin-di-kət\ n 1 : a group of persons who combine to carry out a financial or industrial undertaking 2 : a business concern that sells materials for publication in many newspapers and periodicals at the same time

²**syn·di·cate** \-də-,kāt\ vb 1 : to combine into or manage as a syndicate 2 : to publish through a syndicate — **syn·di·ca·tion** \,sin-də-'kā-shən\ n

syn·drome \'sin-,drōm\ n : a group of signs and symptoms that occur together and characterize a particular abnormality

syn·onym \'sin-ə-,nim\ n : one of two or more words in the same language which have the same or very nearly the same meaning — **syn·on·y·mous** \sə-'nän-ə-məs\ adj

syn·op·sis \sə-'näp-səs\ n, pl **-op·ses** \-,sēz\ : a condensed statement or outline (as of a narrative or treatise) : ABSTRACT

syn·the·sis \'sin-thə-səs\ n, pl **-the·ses** \-,sēz\ : the combination of parts or elements into a whole — **syn·the·size**

syn·thet·ic \sin-'thet-ik\ adj : produced artificially esp. by chemical means; also : not genuine — **synthetic** n — **syn·thet·i·cal·ly** adv

syph·i·lis \'sif-(ə-)ləs\ n : a destructive contagious usu. venereal disease caused by a bacterium — **syph·i·lit·ic** \,sif-ə-'lit-ik\ adj or n

¹**sy·ringe** \sə-'rinj, 'sir-inj\ n : a device used esp. for injecting liquids into or withdrawing them from the body

²**syringe** vb : to inject or cleanse with or as if with a syringe

syr·up \'sər-əp, 'sir-\ n 1 : a thick sticky solution of sugar and water 2 : the concentrated juice of a fruit or plant — **syr·upy** adj

sys·tem \'sis-təm\ n 1 : a group of units so combined as to form a whole and to operate in unison : an organized whole 2 : the body as a functioning whole; also : a group of bodily organs that together carry on some vital function ⟨the nervous ~⟩ 3 : a definite scheme or method of procedure or classification 4 : regular method or order : ORDERLINESS — **sys·tem·at·ic** \,sis-tə-'mat-ik\ adj — **sys·tem·at·i·cal** adj — **sys·tem·at·i·cal·ly** adv

sys·tem·a·tize \'sis-tə-mə-,tīz\ vb : to make into a system : arrange methodically : ORGANIZE, CLASSIFY

sys·tem·ic \sis-'tem-ik\ adj : of or relating to the whole body ⟨~ disease⟩

sys·tem·ize \'sis-tə-,mīz\ vb : SYSTEMATIZE

T

t \'tē\ n, often cap : the 20th letter of the English alphabet

tab \'tab\ n 1 : a short projecting flap, loop, or tag; also : a small insert or addition 2 : close surveillance : WATCH ⟨keep ~s on him⟩ 3 : BILL, CHECK

tab·er·na·cle \'tab-ər-,nak-əl\ n 1 often cap : a tent sanctuary used by the Israelites during the Exodus 2 : a receptacle for the consecrated elements of the Eucharist 3 : a house of worship

¹**ta·ble** \'tā-bəl\ n 1 : a flat slab or plaque : TABLET 2 : a piece of furniture consisting of a smooth flat slab fixed on legs 3 : a supply of food : BOARD, FARE 4 : a group of people assembled at or as if at a table 5 : a systematic arrangement of data for ready reference 6 : a condensed enumeration : LIST

²**table** vb 1 Brit : to place on the agenda 2 : to remove (a parliamentary motion) from consideration indefinitely

tab·leau \'tab-,lō\ n, pl **-leaux** \-,lōz\ also **-leaus** 1 : a graphic description : PICTURE 2 : a striking or artistic grouping 3 : a static depiction of a scene usu. presented on a stage by costumed participants

ta·ble·spoon \'tā-bəl-,spün\ n : a large spoon used esp. for serving — **ta·ble·spoon·ful** \,tā-bəl-'spün-,fül\ n

tab·let \'tab-lət\ n 1 : a flat slab or plaque suited for or bearing an inscription 2 : a collection of sheets of paper glued together at one edge ⟨a writing ~⟩ 3 : a compressed or molded block of material; esp : a usu. disk-shaped medicated mass

¹**tab·loid** \'tab-,lòid\ adj : condensed into small scope

²**tabloid** n : a newspaper of small page size marked by condensation of the news and usu. much photographic matter; esp : one characterized by sensationalism

¹**ta·boo** or **ta·bu** \ta-'bü, tə-\ adj 1 : set apart as charged with a dangerous supernatural power : INVIOLABLE 2 : banned esp. as immoral or dangerous

²**taboo** or **tabu** n 1 : an act or object avoided as taboo 2 : a prohibition imposed by social usage or as a protection

tab·u·lar \'tab-yə-lər\ adj 1 : having a flat surface 2 : arranged in a table; esp : set up in rows and columns 3 : computed by means of a table

tab·u·late \-,lāt\ vb : to put into tabular form — **tab·u·la·tion** \,tab-yə-'lā-shən\ n — **tab·u·la·tor** \'tab-yə-,lāt-ər\ n

ta·chom·e·ter \ta-'käm-ət-ər\ n : a device to indicate speed of rotation

tac·it \'tas-ət\ adj 1 : expressed without words or speech ⟨~ sympathy⟩ 2 : implied or indicated but not actually expressed ⟨~ consent⟩ — **tac·it·ly** adv

tac·i·turn \'tas-ə-,tərn\ adj : disinclined to talk : habitually silent **syn** uncommunicative, reserved, reticent, secretive

¹**tack** \'tak\ n 1 : a small sharp nail with a broad flat head 2 : the direction

a ship is sailing as shown by the way the sails are trimmed; *also* : the run of a ship trimmed in one way   **3** : a change of course from one tack to another   **4** : a zigzag course   **5** : a course of action

²**tack** *vb*   **1** : to fasten with tacks; *also* : to add on : ATTACH   **2** : to change the direction of (a sailing ship) from one tack to another   **3** : to follow a zigzag course

¹**tack·le** \'tak-əl\ *n*   **1** : GEAR, APPARATUS, EQUIPMENT   **2** : the rigging of a ship   **3** : an arrangement of ropes and pulleys for hoisting or pulling heavy objects   **4** : the act or an instance of tackling; *also* : a football lineman playing between guard and end

²**tackle** *vb*   **1** : to attach and secure with or as if with tackle   **2** : to seize, grapple with, or throw down with the intention of subduing or stopping   **3** : to set about dealing with ⟨~ a problem⟩

tacky \'tak-ē\ *adj* : sticky to the touch

tact \'takt\ *n* : a keen sense of what to do or say to keep good relations with others or avoid offense — **tact·ful** *adj* — **tact·ful·ly** *adv* — **tact·less** *adj* — **tact·less·ly** *adv*

tac·tic \'tak-tik\ *n* : a device for accomplishing an end

tac·tics *n sing or pl*   **1** : the science and art of disposing and maneuvering forces in combat   **2** : the art or skill of employing available means to accomplish an end — **tac·ti·cal** \-ti-kəl\ *adj* — **tac·ti·cian** \tak-'tish-ən\ *n*

tac·tile \'tak-tᵊl, -,tīl\ *adj* : of, relating to, or perceptible through the sense of touch

tad·pole \'tad-,pōl\ *n* : a larval frog or toad with tail and gills

tadpoles

¹**tag** \'tag\ *n*   **1** : a metal or plastic binding on an end of a shoelace   **2** : a piece of hanging or attached material (as of cardboard, plastic, or metal) ⟨price ~⟩ ⟨identification ~⟩   **3** : a hackneyed quotation or saying : CLICHÉ   **4** : a descriptive or identifying epithet

²**tag** *vb* **tagged; tag·ging**   **1** : to provide or mark with or as if with a tag; *esp* : IDENTIFY   **2** : to attach as an addition   **3** : to follow closely and persistently ⟨~s along everywhere we go⟩   **4** : to hold responsible for something

³**tag** *n* : a game in which one player chases others and tries to touch one of them

⁴**tag** *vb* **tagged; tag·ging**   **1** : to touch in or as if in a game of tag   **2** : SELECT

¹**tail** \'tāl\ *n*   **1** : the rear end or a process extending from the rear end of an animal   **2** : something resembling an animal's tail   **3** *pl* : full evening dress for men   **4** : the back, last, lower, or inferior part of something; *esp* : the reverse of a coin — **tail·less** \'tāl-ləs\ *adj*

²**tail** *vb* : FOLLOW; *esp* : to follow for the purposes of surveillance   **syn** pursue, chase, trail, tag

¹**tai·lor** \'tā-lər\ *n* [OF *tailleur*, lit., cutter, fr. *taillier* to cut, fr. LL *taliare*] : one whose occupation is making or altering outer garments

²**tailor** *vb*   **1** : to make or fashion as the work of a tailor   **2** : to make or adapt to suit a special purpose

taint \'tānt\ *vb*   **1** : to affect or become affected with something bad and esp. putrefaction   **2** : CORRUPT, CONTAMINATE   **syn** pollute, defile

²**taint** *n*   **1** : a result of tainting : BLEMISH, FLAW   **2** : a contaminating influence

¹**take** \'tāk\ *vb* **took** \'tuk\ **tak·en** \'tā-kən\ **tak·ing**   **1** : to get into one's hands or possession : GRASP, SEIZE   **2** : CAPTURE; *also* : DEFEAT   **3** : to catch or attack through the effect of a sudden force or influence ⟨*taken* ill⟩   **4** : CAPTIVATE, DELIGHT   **5** : to receive into one's body (as by eating) ⟨~ a pill⟩   **6** : to bring into a relation ⟨~ a wife⟩   **7** : RECEIVE, ACCEPT   **8** : to obtain or secure for use; *also* : to take when bestowed ⟨~ a degree⟩   **9** : ASSUME, UNDERTAKE   **10** : to pick out : CHOOSE   **11** : to use for transportation ⟨~ a bus⟩   **12** : NEED, REQUIRE   **13** : to obtain as the result of a special procedure ⟨~ a snapshot⟩   **14** : ENDURE, UNDERGO   **15** : to become impregnated with : ABSORB ⟨~s a dye⟩   **16** : to lead, carry, or cause to go along to another place   **17** : REMOVE, SUBTRACT   **18** : to undertake and do, make, or perform ⟨~ a walk⟩   **19** : to take effect : ACT, OPERATE   **syn** grab, clutch, snatch, enchant, fascinate, allure, attract — **tak·er** *n*

²**take** *n*   **1** : an act or the action of taking   **2** : the number or quantity taken : CATCH; *also* : PROCEEDS, RECEIPTS   **3** : mental response : REACTION

take off \'tāk-'óf\ *vb*   **1** : REMOVE   **2** : to set out : go away : WITHDRAW   **3** : COPY, REPRODUCE; *esp* : MIMIC   **4** : to leave the surface; *esp* : to begin flight

take-off \-,óf\ *n* : an act or instance of taking off

¹**tak·ing** *n*   **1** : SEIZURE   **2** *pl* : receipts esp. of money

²**taking** *adj*   **1** : ATTRACTIVE, CAPTIVATING   **2** : CONTAGIOUS ⟨measles is a ~ disease⟩   **syn** charming, enchanting, fascinating, bewitching, alluring

talc \'talk\ *n* : a soft mineral of a soapy feel used esp. in making toilet powder (**tal·cum powder** \'tal-kəm-\)

tale \'tāl\ *n*   **1** : a relation of a series of events : ACCOUNT   **2** : a report of a confidential matter   **3** : idle talk; *esp* : harmful gossip   **4** : a usu. imaginative narrative : STORY   **5** : FALSEHOOD   **6** : COUNT, TALLY

tal·ent \'tal-ənt\ *n*   **1** : an ancient unit of weight and value   **2** : the natural endowments of a person   **3** : a special often creative or artistic aptitude   **4** : mental power : ABILITY   **5** : a person of talent in a field or activity   **syn** genius, gift, faculty, aptitude, knack — **tal·ent·ed** *adj*

¹**talk** \'tók\ *vb*   **1** : to express in speech : utter words : SPEAK   **2** : DISCUSS ⟨~ business⟩   **3** : to influence or cause by talking ⟨~ed him into agreeing⟩   **4** : to use (a language) for communicating   **5** : CONVERSE   **6** : to reveal confidential information; *also* : GOSSIP   **7** : to give a talk : LECTURE — **talk·er** *n*

²**talk** n 1 : the act of talking : SPEECH, CONVERSATION 2 : a way of speaking : LANGUAGE 3 : a formal discussion : CONFERENCE 4 : REPORT, RUMOR 5 : the topic of comment or gossip ⟨the ~ of the town⟩ 6 : an informal address or lecture

talk·ative \'tȯ-kət-iv\ adj : given to talking **syn** loquacious, voluble, garrulous — **talk·ative·ly** adv

tall \'tȯl\ adj 1 : high in stature; also : of a specified height ⟨six feet ~⟩ 2 : LARGE, FORMIDABLE ⟨a ~ order⟩ 3 : UNBELIEVABLE, IMPROBABLE ⟨a ~ story⟩ **syn** lofty

tal·low \'tal-ō\ n 1 : animal fat; esp : SUET 2 : a hard white fat rendered usu. from cattle or sheep tissues and used esp. in soap, margarine, and lubricants

¹**tal·ly** \'tal-ē\ n 1 : a device (as a mechanical counter or a sheet) for visibly recording or accounting esp. business transactions 2 : a recorded account : RECKONING, SCORE 3 : a corresponding part : COUNTERPART; also : CORRESPONDENCE, AGREEMENT

²**tally** vb 1 : to mark on or as if on a tally : TABULATE 2 : to make a count of : RECKON; also : SCORE 3 : CORRESPOND, MATCH **syn** square, accord, harmonize, conform, jibe

Tal·mud \'täl-,mu̇d, 'tal-məd\ n : the authoritative body of Jewish tradition — **tal·mu·dic** \tal-'m(y)üd-ik, -'məd-\ adj, often cap — **tal·mud·ist** \'täl-,mu̇d-əst, 'tal-məd-\ n, often cap

tal·on \'tal-ən\ n : the claw of an animal and esp. of a bird of prey

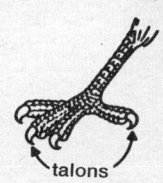

talons

tam·bou·rine \,tam-bə-'rēn\ n : a small shallow drum with loose disks at the sides played by shaking or striking with the hand

tambourine

¹**tame** \'tām\ adj 1 : reduced from a state of native wildness esp. so as to be useful to man : DOMESTICATED 2 : made docile : SUBDUED 3 : lacking spirit or interest : INSIPID **syn** submissive — **tame·ly** adv — **tame·ness** n

²**tame** vb 1 : to make or become tame; also : to subject (land) to cultivation 2 : HUMBLE, SUBDUE — **tam·able** or **tame·able** adj — **tame·less** adj — **tam·er** n

tam·per \'tam-pər\ vb 1 : to carry on underhand negotiations (as by bribery) ⟨~ with a witness⟩ 2 : to interfere so as to weaken or change for the worse ⟨~ with a document⟩ 3 : to try foolish or dangerous experiments : MEDDLE

¹**tan** \'tan\ vb **tanned**; **tan·ning** 1 : to change (hide) into leather esp. by soaking in a liquid containing tannin 2 : to make or become brown (as by exposure to the sun) 3 : WHIP, THRASH

²**tan** n 1 : TANBARK; also : a tanning material 2 : a brown skin color induced by sun or weather 3 : a light yellowish brown color

tang \'taŋ\ n 1 : a part in a tool that connects the blade with the handle 2 : a sharp distinctive flavor; also : a pungent odor — **tangy** \-ē\ adj

¹**tan·gent** \'tan-jənt\ adj [L tangent-, tangens, prp. of tangere to touch] : TOUCHING; esp : meeting a curve or surface and not cutting it if extended

²**tangent** n 1 : a tangent line, curve, or surface 2 : an abrupt change of course : DIGRESSION — **tan·gen·tial** \tan-'jen-chəl\ adj

tan·ger·ine \'tan-jə-,rēn\ n : a deep orange loose-skinned citrus fruit

¹**tan·gi·ble** \'tan-jə-bəl\ adj 1 : perceptible esp. by the sense of touch : PALPABLE 2 : substantially real : MATERIAL ⟨~ rewards⟩ 3 : capable of being appraised **syn** appreciable — **tan·gi·bil·i·ty** \,tan-jə-'bil-ət-ē\ n

²**tangible** n : something tangible; esp : a tangible asset

¹**tan·gle** \'taŋ-gəl\ vb 1 : to involve so as to hamper or embarrass; also : ENTRAP 2 : to unite or knit together in intricate confusion : ENTANGLE

²**tangle** n 1 : a tangled twisted mass (as of vines) 2 : a confusedly complicated state : MUDDLE

tank \'taŋk\ n 1 : a large artificial receptacle for liquids 2 : an armored and armed tractor for military use

tank·er \'taŋ-kər\ n : a vehicle (as a ship, airplane, truck, or trailer) equipped with one or more tanks for transporting a liquid (as fuel)

tan·nin \'tan-ən\ n : any of various substances of plant origin used in tanning and dyeing, in inks, and as astringents

tan·ta·lize \'tant-ᵊl-,īz\ vb [fr. Tantalus, mythical Greek king punished in Hades by having to stand up to his chin in water that receded whenever he bent to drink] : to tease or torment by presenting something desirable to the view but continually keeping it out of reach — **tan·ta·liz·er** n

tan·ta·lum \'tant-ᵊl-əm\ n : a hard ductile acid-resisting chemical element

tan·ta·mount \'tant-ə-,mau̇nt\ adj : equivalent in value or meaning **syn** same, selfsame, identical

tan·trum \'tan-trəm\ n : a fit of bad temper

¹**tap** \'tap\ n 1 : FAUCET, COCK 2 : liquor drawn through a tap 3 : the removing of fluid from a container or cavity by tapping 4 : a tool for forming an internal screw thread 5 : a point in an electric circuit where a connection may be made

²**tap** vb **tapped**; **tap·ping** 1 : to release or cause to flow by piercing or by drawing a plug from a container or cavity 2 : to pierce so as to let out or draw off a fluid 3 : to draw from ⟨~ resources⟩ 4 : to connect into (a telephone wire)

to get information or to connect into (an electrical circuit) 5 : to connect (as a gas or water main) with a local supply
³tap vb tapped; tap·ping 1 : to rap lightly 2 : to make (as a hole) by repeated light blows 3 : to repair by putting a half sole on 4 : SELECT; esp : to elect to membership
⁴tap n 1 : a light blow or stroke; also : its sound 2 : a small metal plate for the sole or heel of a shoe
¹tape \'tāp\ n 1 : a narrow band of woven fabric 2 : a narrow flexible strip (as of paper, plastic, or metal) 3 : MAGNETIC TAPE 4 : TAPE MEASURE
²tape vb 1 : to fasten or support with tape 2 : to measure with a tape measure 3 : to record on magnetic tape
tape measure n : a long flexible measuring instrument made of tape
ta·per \'tā-pər\ n 1 : a slender wax candle or a long waxed wick 2 : a gradual lessening of thickness or width in a long object ⟨the ~ of a steeple⟩
²taper vb 1 : to make or become gradually smaller toward one end 2 : to diminish gradually
tape-re·cord \,tāp-ri-'kord\ vb : to make a recording of (as sounds) on magnetic tape — tape recorder n
tap·es·try \'tap-ə-strē\ n : a heavy handwoven reversible textile characterized by complicated pictorial designs and used esp. as a wall hanging
tape·worm \'tāp-,wərm\ n : a long flat segmented worm that lives in the intestines
tap·i·o·ca \,tap-ē-'ō-kə\ n : a usu. granular preparation of cassava starch used esp. in puddings
ta·pir \'tā-pər\ n : any of several large harmless hoofed mammals of tropical America and southeast Asia
taps \'taps\ n sing or pl : the last bugle call at night blown as a signal that lights are to be put out; also : a similar call blown at military funerals and memorial services
¹tar \'tär\ n 1 : a thick dark sticky liquid distilled from organic material (as wood, coal, or peat) 2 : SAILOR, SEAMAN
²tar vb tarred; tar·ring : to treat or smear with tar
ta·ran·tu·la \tə-'ran-chə-lə, -'rant-ᵊl-ə\ n 1 : a large European spider once thought very dangerous 2 : any of various large hairy American spiders essentially harmless to man
tar·dy \'tärd-ē\ adj 1 : moving slowly : SLUGGISH 2 : LATE; also : DILATORY syn behindhand, overdue — tar·di·ly adv — tar·di·ness n
¹tare \'taər\ n : a weed of fields where grain is grown
²tare n : a deduction from the gross weight of a substance and its container made in allowance for the weight of the container
tar·get \'tär-gət\ n 1 : a mark to shoot at 2 : an object of ridicule or criticism 3 : a goal to be achieved
tar·iff \'tar-əf\ n 1 : a schedule of duties imposed by a government esp. on imported goods; also : a duty or rate of duty imposed in such a schedule 2 : a schedule of rates or charges syn customs, toll, tax, levy, assessment

tar·nish \'tär-nish\ vb : to make or become dull, dim, or discolored : SULLY — tarnish n
tar·pau·lin \tär-'po-lən, 'tär-pə-\ n : waterproof material and esp. canvas used in sheets for protecting exposed objects (as goods)
tar·ry \'tar-ē\ vb 1 : to be tardy : DELAY; esp : to be slow in leaving 2 : to stay in or at a place : SOJOURN syn remain, wait
¹tart \'tärt\ adj 1 : agreeably sharp to the taste : PUNGENT 2 : BITING, CAUSTIC syn sour, acid — tart·ly adv — tart·ness n
²tart n 1 : a small pie or pastry shell containing jelly, custard, or fruit 2 : PROSTITUTE
tar·tar \'tärt-ər\ n 1 : a substance in the juice of grapes deposited (as in wine casks) as a reddish crust or sediment 2 : a hard crust of saliva, debris, and calcium salts on the teeth — tar·tar·ic \tär-'tar-ik\ adj
¹task \'task\ n : a usu. assigned piece of work often to be finished within a certain time syn job, duty, chore, stint, assignment
²task vb : to oppress with great labor : BURDEN
task·mas·ter \-,mas-tər\ n : one that imposes a task or labor upon another
¹tas·sel \'tas-əl, 'tas-\ n 1 : a pendent ornament made by laying parallel a bunch of cords of even length and fastening them at one end 2 : something suggesting a tassel; esp : a male flower cluster of Indian corn
²tassel vb -seled or -selled; -sel·ing or -sel·ling : to adorn with or put forth tassels
¹taste \'tāst\ vb 1 : to try or determine the flavor of by taking a bit into the mouth 2 : to eat or drink esp. in small quantities 3 : SAMPLE 3 : EXPERIENCE, UNDERGO 4 : to have a specific flavor
²taste n 1 : a small amount tasted 2 : BIT; esp : a sample of experience 3 : the special sense that identifies sweet, sour, bitter, or salty qualities and is mediated by receptors in the tongue 4 : a quality perceptible to the sense of taste; also : a complex sensation involving true taste, smell, and touch : FLAVOR 5 : individual preference : INCLINATION 6 : critical judgment, discernment, or appreciation; also : aesthetic quality syn tang, relish — taste·ful adj — taste·ful·ly adv — taste·less adj — taste·less·ly adv
tasty \'tā-stē\ adj : pleasing to the taste : SAVORY syn palatable, appetizing, toothsome, flavorsome — tast·i·ness n
¹tat·ter \'tat-ər\ n 1 : a part torn and left hanging : SHRED 2 pl : tattered clothing : RAGS
²tatter vb : to make or become ragged
tat·ting \'tat-iŋ\ n : a delicate handmade lace; also : the act or process of making such lace
tat·tle \'tat-ᵊl\ vb 1 : CHATTER, PRATE 2 : to tell secrets; also : to inform against another
¹tat·too \ta-'tü\ n [alter. of earlier taptoo, fr. D taptoe, fr. the phrase tap toe! taps shut!] 1 : a call sounded before taps as notice to go to quarters 2 : a rapid rhythmic rapping

²**tattoo** *n* : an indelible figure fixed upon the body esp. by insertion of pigment under the skin
³**tattoo** *vb* : to mark (the skin) with tattoos
¹**taunt** \'tȯnt\ *vb* : to reproach or challenge in a mocking manner : jeer at **syn** mock, deride, ridicule, twit — **taunt·er** *n*
²**taunt** *n* : a sarcastic challenge or insult
taut \'tȯt\ *adj* 1 : tightly drawn : not slack 2 : extremely nervous : TENSE 3 : TRIM, TIDY ⟨a ~ ship⟩ — **taut·ly** *adv* — **taut·ness** *n*
tav·ern \'tav-ərn\ *n* 1 : an establishment where alcoholic liquors are sold to be drunk on the premises 2 : INN
taw \'tȯ\ *n* 1 : a marble used as a shooter 2 : the line from which players shoot at marbles
taw·dry \'tȯ-drē\ *adj* : cheap and gaudy in appearance and quality **syn** garish, flashy — **taw·dri·ly** *adv*
taw·ny \'tȯ-nē\ *adj* : of a brownish orange color
¹**tax** \'taks\ *vb* 1 : to levy a tax on 2 : CHARGE, ACCUSE 3 : to put under pressure : STRAIN — **tax·able** *adj* — **tax·a·tion** \tak-'sā-shən\ *n*
²**tax** *n* 1 : a usu. pecuniary charge imposed by authority upon persons or property for public purposes 2 : a heavy charge : STRAIN **syn** assessment, customs, duty, tariff
¹**taxi** \'tak-sē\ *n* : TAXICAB; *also* : a similarly operated boat or airplane
²**taxi** *vb* **tax·ied**; **taxi·ing** *or* **taxy·ing** 1 : to go by taxicab 2 : to run along the ground or on the water under an airplane's own power when starting or when coming in after a landing
taxi·cab \'tak-sē-,kab\ *n* : a chauffeur-driven automobile for hire that usu. carries a device (**taxi·me·ter** \-,mēt-ər\) for automatic registering of the fare due
tax·i·der·my \'tak-sə-,dər-mē\ *n* : the art of preparing, stuffing, and mounting skins of animals — **tax·i·der·mist** *n*
tax·pay·er \'taks-,pā-ər\ *n* : one who pays or is liable for a tax
tea \'tē\ *n* 1 : the cured leaves and leaf buds of a shrub grown chiefly in China, Japan, India, and Ceylon; *also* : this shrub 2 : a drink made by steeping tea in boiling water 3 : refreshments usu. including tea served in late afternoon; *also* : a reception at which tea is served
teach \'tēch\ *vb* **taught** \'tȯt\ **teach·ing** 1 : to cause to know a subject : act as a teacher 2 : to show how ⟨~ a child to swim⟩ 3 : to guide the studies of 4 : to make to know the disagreeable consequences of an action 5 : to impart the knowledge of ⟨~ algebra⟩ — **teach·able** *adj* — **teach·er** *n*
teach·ing *n* 1 : the act, practice, or profession of a teacher 2 : something taught; *esp* : DOCTRINE
¹**team** \'tēm\ *n* 1 : two or more draft animals harnessed to the same vehicle or implement 2 : a number of persons associated in work or activity; *esp* : a group on one side in a match — **team·mate** \'tēm-,māt\ *n*
²**team** *vb* 1 : to haul with or drive a team 2 : to form a team : join forces ⟨~ up together⟩
³**team** *adj* : of or performed by a team

team·ster \'tēm-stər\ *n* : one that drives a team or motortruck esp. as an occupation
team·work \-,wərk\ *n* : the work or activity of a number of persons acting in close association as members of a unit
¹**tear** \'tiər\ *n* : a drop of the salty liquid that moistens the eye and inner side of the eyelids — **tear·ful** *adj* — **tear·ful·ly** *adv*
²**tear** \'taər\ *vb* **tore** \'tōr\ **torn** \'tōrn\ **tear·ing** 1 : to separate parts of or pull apart by force : REND 2 : LACERATE 3 : to disrupt by the pull of contrary forces 4 : to break off : WRENCH 5 : to move or act with violence, haste, or force **syn** rip, split, cleave
³**tear** \'taər\ *n* 1 : the act of tearing 2 : a hole or flaw made by tearing : RENT
¹**tease** \'tēz\ *vb* 1 : to disentangle and lay parallel by combing or carding ⟨~ wool⟩ 2 : to scratch the surface of (cloth) so as to raise a nap 3 : to annoy persistently esp. in fun by goading, coaxing, or tantalizing **syn** harass, worry, pester
²**tease** *n* 1 : a teasing or being teased 2 : one that teases
tea·spoon \'tē-,spün\ *n* : a small spoon suitable for stirring and sipping tea or coffee and holding one third of a tablespoon — **tea·spoon·ful** \-,fúl\ *n*
tech·ni·cal \'tek-ni-kəl\ *adj* [Gk *technikos*, fr. *technē* art, craft] 1 : having special knowledge esp. of a mechanical or scientific subject ⟨~ experts⟩ 2 : of or relating to a particular and esp. a practical or scientific subject ⟨~ training⟩ 3 : according to a strict interpretation of the rules ⟨a ~ victory⟩ 4 : of or relating to technique ⟨an artist's ~ skill⟩ — **tech·ni·cal·ly** *adv*
tech·ni·cal·i·ty \,tek-nə-'kal-ət-ē\ *n* 1 : the quality or state of being technical 2 : a detail meaningful only to a specialist
tech·ni·cian \tek-'nish-ən\ *n* : a person who has acquired the technique of a specialized skill or subject
tech·nique \tek-'nēk\ *n* : the manner in which technical details are treated or used in accomplishing a desired aim : technical methods
tech·nol·o·gy \tek-'näl-ə-jē\ *n* : applied science; *also* : a technical method of achieving a practical purpose — **tech·no·log·i·cal** \,tek-nə-'läj-i-kəl\ *adj*
te·dious \'tēd-ē-əs, 'tē-jəs\ *adj* : tiresome because of length or dullness **syn** boring, wearisome, irksome — **te·dious·ly** *adv* — **te·dious·ness** *n*
¹**tee** \'tē\ *n* : a small mound or peg on which a golf ball is placed before the beginning of play on a hole; *also* : the area from which the ball is hit to begin play
²**tee** *vb* : to place (a ball) on a tee
teem \'tēm\ *vb* : to become filled to overflowing : ABOUND **syn** swarm
teen–age \'tēn-,āj\ *or* **teen–aged** \-,ājd\ *adj* : of, being, or relating to people in their teens — **teen–ag·er** *n*
tee·ter \'tēt-ər\ *vb* 1 : to move unsteadily : WOBBLE 2 : SEESAW — **teeter** *n*
teethe \'tēth\ *vb* : to grow teeth : cut one's teeth
tee·to·tal \'tē-'tōt-ᵊl\ *adj* : of or relating to the practice of complete

telecast | 450 | **temporize**

abstinence from alcoholic drinks — tee·to·tal·er *or* **tee·to·tal·ler** *n* — **tee·to·tele·cast** \'tel-i-,kast\ *vb* **-cast** *also* **-cast·ed; -cast·ing :** to broadcast by television — **telecast** *n* — **tele·cast·er** *n*
tele·com·mu·ni·ca·tion \,tel-i-kə-,myü-nə-'kā-shən\ *n* : communication at a distance (as by telephone or radio)
tel·e·gram \'tel-ə-,gram\ *n* : a message sent by telegraph
¹**tel·e·graph** \-,graf\ *n* : an apparatus or system for communication at a distance by electrical transmission of coded signals
²**telegraph** *vb* : to send or communicate by telegraph — **te·leg·ra·pher** \tə-'leg-rə-fər\ *n* — **te·leg·ra·phist** \-fəst\ *n*
te·leg·ra·phy \tə-'leg-rə-fē\ *n* : the use or operation of a telegraph apparatus or system — **tel·e·graph·ic** \,tel-ə-'graf-ik\ *adj*
te·lep·a·thy \tə-'lep-ə-thē\ *n* : apparent communication from one mind to another without speech or signs — **tel·e·path·ic** \,tel-ə-'path-ik\ *adj* — **tel·e·path·i·cal·ly** *adv*
¹**tel·e·phone** \'tel-ə-,fōn\ *n* : an instrument for reproducing sounds and esp. spoken words transmitted from a distance by electrical means over wires
²**telephone** *vb* **1 :** to send or communicate by telephone **2 :** to speak to (a person) by telephone
tele·pho·to \,tel-ə-'fōt-ō\ *adj* : being a camera lens giving a large image of a distant object — **tele·pho·to·graph**
¹**tel·e·scope** \'tel-ə-,skōp\ *n* : a long tube-shaped instrument equipped with lenses for viewing objects at a distance and esp for observing celestial bodies
²**telescope** *vb* : to slide, pass, or force or cause to slide, pass, or force one within another like the sections of a hand telescope
tel·e·scop·ic \,tel-ə-'skäp-ik\ *adj* **1 :** of or relating to a telescope **2 :** seen only by a telescope **3 :** able to discern objects at a distance **4 :** having parts that telescope
tel·e·vise \'tel-ə-,vīz\ *vb* : to pick up and broadcast by television
tele·vi·sion \'tel-ə-,vizh-ən\ *n* [F *télévision*, fr. Gk *tēle* far, at a distance + F *vision* vision] : transmission and reproduction of a rapid series of images by a device that converts light waves into radio waves and then converts these back into visible light rays
tell \'tel\ *vb* **told** \'tōld\ **tell·ing 1 :** COUNT, ENUMERATE **2 :** to relate in detail : NARRATE **3 :** SAY, UTTER **4 :** to make known : REVEAL **5 :** to report to : INFORM **6 :** ORDER, DIRECT **7 :** to ascertain by observing **8 :** to have a marked effect **9 :** to serve as evidence **syn** reveal, disclose, discover, betray
tell·er *n* **1 :** one that relates : NARRATOR **2 :** one that counts (appoint ~s to tally the votes) **3 :** a bank employee handling money received or paid out
tell·ing *adj* : producing a marked effect : EFFECTIVE **syn** cogent, convincing, sound
tell·tale \'tel-,tāl\ *n* **1 :** INFORMER, TATTLETALE **2 :** something that serves to disclose : INDICATION — **telltale** *adj*
tel·lu·ri·um \tə-'lùr-ē-əm\ *n* : a chemical element that resembles sulfur in properties

te·mer·i·ty \tə-'mer-ət-ē\ *n* : rash or presumptuous daring : BOLDNESS **syn** audacity, effrontery, gall, nerve, cheek, gall
¹**tem·per** \'tem-pər\ *vb* **1 :** to dilute or soften by the addition of something else ⟨~ justice with mercy⟩ **2 :** to bring to a desired consistency or texture (as clay by moistening and kneading, paints by mixing with oil, steel by gradual heating and cooling) **3 :** TOUGHEN **4 :** TUNE
²**temper** *n* **1 :** characteristic tone : TENDENCY **2 :** the state of a metal or other substance with respect to various qualities (as hardness) ⟨~ of a knife blade⟩ **3 :** frame of mind : DISPOSITION **4 :** calmness of mind : COMPOSURE **5 :** MOOD, HUMOR **6 :** heat of mind or emotion : proneness to anger **syn** temperament, character, personality
tem·per·a·ment \'tem-p(ə-)rə-mənt\ *n* **1 :** characteristic or habitual inclination or mode of emotional response : DISPOSITION ⟨nervous ~⟩ **2 :** excessive sensitiveness or irritability **syn** character, personality — **tem·per·a·men·tal** \,tem-p(ə-)rə-'ment-ᵊl\ *adj*
tem·per·ance \'tem-p(ə-)rəns\ *n* : habitual moderation in the indulgence of the appetites or passions; *esp* : moderation in or abstinence from the use of intoxicating drink
tem·per·ate \'tem-p(ə-)rət\ *adj* **1 :** not extreme or excessive : MILD, RESTRAINED **2 :** moderate in indulgence of appetite or desire **3 :** moderate in the use of intoxicating liquors **4 :** having a moderate climate **syn** sober, continent
temperate zone *n* : the region between the tropic of Cancer and the arctic circle or between the tropic of Capricorn and the antarctic circle
tem·per·a·ture \'tem-pər-,chùr, -p(ə-)rə-,chùr, -chər\ *n* **1 :** degree of hotness or coldness of something (as air, water, or the body) as shown by a thermometer **2 :** FEVER ⟨the patient had a ~⟩
tem·pest \'tem-pəst\ *n* : a violent wind; *esp* : one with rain, hail, or snow
tem·pes·tu·ous \tem-'pes-chə-wəs\ *adj* : of, involving, or resembling a tempest : STORMY — **tem·pes·tu·ous·ly** *adv*
tem·plate *or* **tem·plet** \'tem-plət\ *n* : a gauge, mold, or pattern used as a guide to the form of a piece being made
¹**tem·ple** \'tem-pəl\ *n* **1 :** an edifice for the worship of a deity **2 :** a place devoted to a special or exalted purpose
²**temple** *n* : the flattened space on each side of the forehead esp. of man
tem·po \'tem-pō\ *n, pl* **-pi** \-(,)pē\ *or* **-pos 1 :** the rate of speed of a musical piece or passage **2 :** rate of motion or activity : PACE
¹**tem·po·ral** \'tem-p(ə-)rəl\ *adj* **1 :** of, relating to, or limited by time ⟨~ and spatial bounds⟩ **2 :** of or relating to earthly life or secular concerns ⟨~ power⟩ **syn** temporary, secular, lay
²**temporal** *adj* : of or relating to the temples or to the sides of the skull
tem·po·rary \'tem-pə-,rer-ē\ *adj* : lasting for a time only : TRANSITORY **syn** provisional, impermanent — **tem·po·rar·i·ly** \,tem-pə-'rer-ə-lē\ *adv*
tem·po·rize \'tem-pə-,rīz\ *vb* **1 :** to adapt one's actions to the time or the dominant opinion : COMPROMISE **2 :** to

draw out matters so as to gain time : DELAY — **tem·po·riz·er** *n*

tempt \'tempt\ *vb* **1** : to entice to do wrong by promise of pleasure or gain **2** : PROVOKE **3** : to risk the dangers of **4** : to induce to do something : INCITE **syn** inveigle, decoy, seduce — **tempt·er** *n* — **tempt·ress** \'temp-trəs\ *n*

temp·ta·tion \temp-'tā-shən\ *n* **1** : a tempting or a being tempted **2** : something that tempts

ten \'ten\ *n* **1** : one more than nine **2** : the 10th in a set or series **3** : something having 10 units — **ten** *adj or pron* — **tenth** *adj or adv or n*

ten·a·ble \'ten-ə-bəl\ *adj* : capable of being held, maintained, or defended : DEFENSIBLE, REASONABLE — **ten·a·bil·i·ty** \,ten-ə-'bil-ət-ē\ *n*

te·na·cious \tə-'nā-shəs\ *adj* **1** : not easily pulled apart : COHESIVE, TOUGH ⟨steel is a ~ metal⟩ **2** : holding fast : PERSISTENT, STUBBORN ⟨~ of his rights⟩ **3** : RETENTIVE ⟨~ memory⟩ — **te·na·cious·ly** *adv* — **te·nac·i·ty** \tə-'nas-ət-ē\ *n*

ten·ant \'ten-ənt\ *n* **1** : one who rents or leases (as a house) from a landlord **2** : DWELLER, OCCUPANT — **tenant** *vb* — **ten·ant·less** *adj*

¹tend \'tend\ *vb* **1** : to apply oneself ⟨~ to your affairs⟩ **2** : to take care of ⟨~ a plant⟩ **3** : to manage the operations of ⟨~ a machine⟩ **syn** mind, watch

²tend *vb* **1** : to move or develop one's course in a particular direction **2** : to show an inclination or tendency

ten·den·cy \'ten-dən-sē\ *n* **1** : DRIFT, TREND **2** : a proneness to or readiness for a particular kind of thought or action : PROPENSITY **syn** tenor, current, bent, leaning

¹ten·der \'ten-dər\ *adj* **1** : having a soft texture : easily broken, chewed, or cut **2** : physically weak : DELICATE; *also* : IMMATURE **3** : expressing or responsive to love or sympathy : LOVING, COMPASSIONATE **4** : SENSITIVE, TOUCHY **syn** sympathetic, warm, warmhearted — **ten·der·ly** *adv* — **ten·der·ness** *n*

²tend·er \'ten-dər\ *n* **1** : one that tends or takes care **2** : a vehicle attached to a locomotive to carry fuel and water **3** : a boat carrying passengers and freight to a larger ship

³ten·der *n* **1** : an offer or proposal made for acceptance; *esp* : an offer of a bid for a contract **2** : something (as money) that may be offered in payment

⁴ten·der *vb* : to present for acceptance : OFFER

ten·der·foot \'ten-dər-,fut\ *n* **1** : one not hardened to frontier or rough outdoor life **2** : an inexperienced beginner : NEOPHYTE

ten·der·heart·ed \,ten-dər-'härt-əd\ *adj* : easily moved to love, pity, or sorrow : COMPASSIONATE

ten·der·loin \'ten-dər-,loin\ *n* **1** : a strip of very tender meat on each side of the backbone in beef or pork **2** : a district of a city marked by extensive vice, crime, and corruption

ten·don \'ten-dən\ *n* : a tough cord of dense tissue uniting a muscle with another part (as a bone)

ten·dril \'ten-drəl\ *n* : a slender coiling organ by which some climbing plants attach themselves to a support

ten·e·ment \'ten-ə-mənt\ *n* **1** : a house used as a dwelling **2** : a dwelling house divided into separate apartments for rent to families; *esp* : one meeting only minimum standards of safety and comfort **3** : APARTMENT, FLAT

ten·et \'ten-ət\ *n* : one of the principles or doctrines held in common by members of an organized group (as a church or profession) **syn** doctrine, dogma, belief

ten·nis \'ten-əs\ *n* : a game played with a ball and racket on a court divided by a net

ten·on \'ten-ən\ *n* : the shaped end of one piece of wood that fits into the hole in another piece and thus joins the two pieces together

ten·or \'ten-ər\ *n* **1** : the general drift of something spoken or written : PURPORT **2** : the highest natural adult male voice **3** : TREND, TENDENCY

¹tense \'tens\ *n* [MF *tens* time, tense, fr. L *tempus*] : distinction of form of a verb to indicate the time of the action or state

²tense *adj* **1** : stretched tight : TAUT **2** : feeling or marked by nervous tension **syn** stiff, rigid, inflexible — **tense·ly** *adv* — **tense·ness** *n* — **ten·si·ty** \'ten-sət-ē\ *n*

ten·sion \'ten-chən\ *n* **1** : the act of straining or stretching; *also* : the condition of being strained or stretched **2** : a state of mental unrest often with signs of bodily stress **3** : a state of latent hostility or opposition ⟨~ between parents and children⟩

¹tent \'tent\ *n* **1** : a collapsible shelter of canvas or other material stretched and supported by poles **2** : a canopy placed over the head and shoulders to retain vapors or oxygen being medically administered

²tent *vb* **1** : to lodge in tents **2** : to cover with or as if with a tent

ten·ta·cle \'tent-i-kəl\ *n* : a long flexible projection about the head or mouth (as of an insect, mollusk, or fish) — **ten·ta·cled** *adj*

ten·ta·tive \'tent-ət-iv\ *adj* : of the nature of an experiment or hypothesis : not final ; PROVISIONAL — **ten·ta·tive·ly** *adv*

ten·u·ous \'ten-yə-wəs\ *adj* **1** : not dense : RARE ⟨a ~ fluid⟩ **2** : not thick : SLENDER ⟨a ~ rope⟩ **3** : having little substance : FLIMSY, WEAK ⟨~ influences⟩ **syn** thin, slim, slight — **te·nu·i·ty** \te-'n(y)ü-ət-ē, tə-\ *n* — **ten·u·ous·ly** \'ten-yə-wəs-lē\ *adv* — **ten·u·ous·ness** *n*

ten·ure \'ten-yər\ *n* : the act, right, manner, or period of holding something (as a landed property or a position)

te·pee \'tē-(,)pē\ *n* : an American Indian conical tent usu. of skins

tep·id \'tep-əd\ *adj* **1** : moderately warm : LUKEWARM **2** : HALFHEARTED

ter·bi·um \'tər-bē-əm\ *n* : a metallic chemical element

¹term \'tərm\ *n* **1** : END, TERMINATION **2** : DURATION; *esp* : a period of time fixed esp. by law or custom **3** : a mathematical expression connected with another by a plus or minus sign; *also* : any of the members of a ratio or of a series **4** : a word or expression that has a precise meaning in some uses or is peculiar to a subject or field **5** *pl* : PROVI-

SIONS, CONDITIONS ⟨~s of a contract⟩ 6 *pl* : mutual relationship ⟨on good ~s with his neighbors⟩ 7 : AGREEMENT, CONCORD
²**term** *vb* : to apply a term to : CALL, NAME
¹**ter·mi·nal** \'tər-mən-ᵊl\ *adj* : of, relating to, or forming an end, limit, or terminus **syn** final, concluding, last, latest, extreme
²**terminal** *n* 1 : EXTREMITY, END 2 : a device at the end of a wire or on an apparatus for making an electrical connection 3 : either end of a carrier line (as a railroad or trucking line) with its handling and storage facilities and stations; *also* : a freight or passenger station
ter·mi·nate \'tər-mə-,nāt\ *vb* : to bring or come to an end : CLOSE **syn** conclude, finish, complete — **ter·mi·na·ble** \-nə-bəl\ *adj* — **ter·mi·na·tion** \,tər-mə-'nā-shən\ *n*
ter·mi·nol·o·gy \,tər-mə-'näl-ə-jē\ *n* : the technical or special terms used in a business, art, science, or special subject
ter·mi·nus \'tər-mə-nəs\ *n* 1 : final goal : finishing point : END 2 : either end of a transportation line, travel route, pipeline, or canal; *also* : the station or city at such a place
ter·mite \'tər-,mīt\ *n* : any of a large group of pale soft-bodied social insects that feed on wood

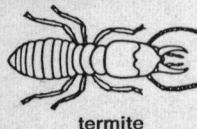

termite

¹**ter·race** \'ter-əs\ *n* 1 : a flat roof or open platform 2 : a level paved or planted area next to a building 3 : an embankment with level top 4 : a bank or ridge on a slope to conserve moisture and soil 5 : a row of houses on raised land; *also* : a street with such a row of houses 6 : a strip of park in the middle of a street
²**terrace** *vb* : to form into a terrace or supply with terraces
ter·rain \tə-'rān\ *n* : a tract of ground considered with reference to its surface features ⟨a rough ~⟩
ter·ra·pin \'ter-ə-pən\ *n* : any of various No. American edible turtles of fresh or brackish water
ter·res·tri·al \tə-'res-t(r)ē-əl\ *adj* 1 : of or relating to the earth or its inhabitants : EARTHLY 2 : living or growing on land
ter·ri·ble \'ter-ə-bəl\ *adj* 1 : exciting terror : FEARFUL, DREADFUL ⟨~ weapons⟩ 2 : hard to bear : DISTRESSING ⟨a ~ situation⟩ 3 : extreme in degree : INTENSE ⟨~ heat⟩ 4 : of very poor quality : AWFUL ⟨a ~ play⟩ **syn** frightful, horrible, shocking, appalling — **ter·ri·bly** \-blē\ *adv*
ter·ri·er \'ter-ē-ər\ *n* : any of various usu. small dogs orig. used by hunters to drive small game from holes
ter·rif·ic \tə-'rif-ik\ *adj* 1 : exciting terror : AWESOME 2 : EXTRAORDINARY, ASTOUNDING ⟨~ speed⟩ 3 : unusually fine : MAGNIFICENT **syn** terrible, frightful, dreadful, fearful, horrible, awful

ter·ri·fy \'ter-ə-,fī\ *vb* : to fill with terror : FRIGHTEN **syn** scare, terrorize, startle, intimidate
ter·ri·to·ri·al \,ter-ə-'tōr-ē-əl\ *adj* 1 : of or relating to a territory ⟨~ government⟩ 2 : of or relating to an assigned area ⟨~ commanders⟩
ter·ri·to·ry \'ter-ə-,tōr-ē\ *n* 1 : a geographical area belonging to or under the jurisdiction of a governmental authority 2 : a part of the U.S. not included within any state but organized with a separate legislature 3 : REGION, DISTRICT 4 : a field of knowledge or interest 5 : an assigned area ⟨a salesman's ~⟩
ter·ror \'ter-ər\ *n* 1 : a state of intense fear : FRIGHT 2 : one that inspires fear : SCOURGE **syn** panic, consternation, dread, alarm, dismay, horror, trepidation
ter·ror·ism *n* : the systematic use of terror esp. as a means of coercion — **ter·ror·ist** *n*
ter·ror·ize *vb* 1 : to fill with terror : SCARE 2 : to coerce by threat or violence **syn** terrify, frighten, alarm, startle
terse \'tərs\ *adj* : effectively brief : CONCISE — **terse·ly** *adv*
ter·tia·ry \'tər-shē-,er-ē\ *adj* 1 : of 3d rank, importance, or value 2 : occurring or being in the 3d stage
¹**test** \'test\ *n* 1 : a critical examination or evaluation : TRIAL 2 : a means or result of testing
²**test** *vb* 1 : to put to test : TRY, EXAMINE 2 : to undergo or score on tests ⟨an ore that ~s high in gold⟩
tes·ta·ment \'tes-tə-mənt\ *n* 1 *cap* : either of two main divisions (**Old Testament, New Testament**) of the Bible 2 : EVIDENCE, WITNESS 3 : CREDO 4 : an act by which a person determines the disposition of his property after his death : WILL — **tes·ta·men·ta·ry** \,tes-tə-'men-t(ə-)rē\ *adj*
tes·ta·tor \'tes-,tāt-ər, tes-'tāt-\ *n* : a person who leaves a will in force at his death — **tes·ta·trix** \tes-'tā-triks\ *n*
tes·ti·cle \'tes-ti-kəl\ *n* : TESTIS
tes·ti·fy \'tes-tə-,fī\ *vb* 1 : to make a statement based on personal knowledge or belief : bear witness 2 : to serve as evidence or proof **syn** swear, affirm
tes·ti·mo·ni·al \,tes-tə-'mō-nē-əl\ *n* 1 : a statement testifying to a person's good character or to the worth of something 2 : an expression of appreciation : TRIBUTE
tes·ti·mo·ny \'tes-tə-,mō-nē\ *n* 1 : a solemn declaration made by a witness under oath esp. in a court 2 : authoritative statement : WITNESS 3 : an outward sign : SYMBOL **syn** evidence, affidavit
tes·tis \'tes-təs\ *n*, *pl* **tes·tes** \'tes-,tēz\ : a male reproductive gland
test tube *n* : a thin glass tube closed at one end and used esp. in chemistry and biology
tes·ty \'tes-tē\ *adj* : marked by ill humor : easily annoyed
tet·a·nus \'tet-ᵊn-əs\ *n* : a disease caused by bacterial poisons and marked by violent muscular spasm esp. of the jaw
¹**teth·er** \'teth-ər\ *n* 1 : a line (as of rope or chain) by which an animal is fastened so as to restrict its range 2 : the limit of one's strength or resources

tether 453 **theoretical**

²**tether** vb : to fasten or restrain by or as if by a tether

text \'tekst\ n 1 : the actual words of an author's work 2 : the main body of printed or written matter on a page 3 : a scriptural passage chosen as the subject of a sermon 4 : TEXTBOOK 5 : THEME, TOPIC — **tex·tu·al** \'teks-chə-wəl\ adj

text·book \'teks(t)-,bu̇k\ n : a book used in the study of a subject

tex·tile \'teks-,tīl, -t³l\ n : CLOTH; esp : a woven or knit cloth

tex·ture \'teks-chər\ n 1 : the visual or tactile surface characteristics and appearance of something ⟨a coarse ~⟩ 2 : essential part : SUBSTANCE, NATURE 3 : basic scheme or structure : FABRIC 4 : overall structure : BODY

¹**-th** \th\ — see -ETH

²**-th** \th\ or **-eth** \əth\ adj suffix — used in forming ordinal numbers ⟨hundredth⟩

³**-th** n suffix 1 : act or process 2 : state or condition ⟨dearth⟩

Thai \'tī\ n : a native or inhabitant of Thailand — **Thai** adj

thal·li·um \'thal-ē-əm\ n : a poisonous metallic chemical element

than \thən, (')than\ conj : when compared to the way, manner, extent, or degree in or to which ⟨he's older ~ I am⟩ ⟨it works better ~ the other one did⟩

¹**thank** \'thaŋk\ n : an expression of gratitude — usu. used in pl. ⟨~s for the ride⟩ — **thank·ful** adj — **thank·ful·ly** adv — **thank·ful·ness** n — **thank·less** adj

²**thank** vb : to express gratitude to ⟨~ed him for the present⟩

thanks·giv·ing \thaŋks-'giv-iŋ\ n 1 : the act of giving thanks 2 : prayer expressing gratitude 3 cap : the 4th Thursday in November observed as a legal holiday for giving thanks for divine goodness

¹**that** \(')that\ pron, pl **those** \(')thōz\ 1 : the one indicated, mentioned, or understood ⟨~'s my wife⟩ 2 : the one farther away or first mentioned ⟨this is an elm, ~'s a maple⟩ 3 : what has been indicated or mentioned ⟨after ~, we left⟩ 4 : the one or ones : IT, THEY

²**that** adj, pl **those** 1 : being the one mentioned, indicated, or understood ⟨~ boy⟩ ⟨those people⟩ 2 : being the one farther away or first mentioned ⟨this chair or ~ one⟩

³**that** \thət, (,)that\ conj 1 : the following, namely ⟨he said ~ he would⟩; also : which is, namely ⟨there's a chance ~ it may fail⟩ 2 : to this end or purpose ⟨shouted ~ all might hear⟩ 3 : as to result in the following, namely ⟨so heavy ~ it can't be moved⟩ 4 : for this reason, namely : BECAUSE ⟨we're glad ~ you came⟩ 5 : I wish this, or I am surprised or indignant at this, namely ⟨~ it should come to this⟩

⁴**that** \thət, (,)that\ pron 1 : WHO, WHOM, WHICH ⟨the man ~ saw you⟩ ⟨the man ~ you saw⟩ ⟨the money ~ was spent⟩ 2 : in, on, or at which ⟨the way ~ he drives⟩ ⟨the day ~ it rained⟩ ⟨tell me the moment ~ he comes in⟩

⁵**that** \'that\ adv : to such an extent or degree ⟨I like it, but not ~ much⟩

¹**thatch** \'thach\ vb : to cover with thatch

²**thatch** n 1 : plant material (as straw) for use as roofing 2 : a covering of or as if of thatch ⟨a ~ of white hair⟩

thaw \'tho̊\ vb 1 : to melt or cause to melt 2 : to become so warm or mild as to melt ice or snow 3 : to abandon aloofness or hostility **syn** liquefy — **thaw** n

¹**the** \thə, before vowel sounds usu thē\ definite article 1 : that in particular 2 — used before adjectives functioning as nouns ⟨a word to ~ wise⟩ ⟨nothing but ~ best⟩

²**the** adv 1 : to what extent ⟨~ sooner, the better⟩ 2 : to that extent ⟨the sooner, ~ better⟩

the·ater or **the·atre** \'thē-ət-ər\ n 1 : a building for dramatic performances; also : a building or area for showing motion pictures 2 : a place (as a lecture room) similar to such a building 3 : a place of enactment of significant events 4 : dramatic literature or performance

the·at·ri·cal \thē-'at-ri-kəl\ adj 1 : of or relating to the theater 2 : marked by artificiality of emotion : HISTRIONIC 3 : marked by extravagant display : SHOWY **syn** dramatic, melodramatic

thee \(')thē\ pron, objective case of THOU

theft \'theft\ n : the act of stealing : LARCENY

their \thər, (,)theər\ adj : of or relating to them or themselves

theirs \'theərz\ pron : one or the ones belonging to them

them \(th)əm, (')them\ pron, objective case of THEY

theme \'thēm\ n 1 : a subject or topic of discourse or of artistic representation 2 : a written exercise : COMPOSITION 3 : a melodic subject of a musical composition or movement

them·selves \thəm-'selvz, them-\ pron pl : THEY, THEM — used reflexively, for emphasis, or in absolute constructions

¹**then** \(')then\ adv 1 : at that time 2 : soon after that : NEXT 3 : in addition : BESIDES 4 : in that case 5 : CONSEQUENTLY

²**then** \'then\ n : that time

³**then** \'then\ adj : existing or acting at that time ⟨the ~ king⟩

thence \'thens\ adv 1 : from that place 2 archaic : THENCEFORTH 3 : from that fact : THEREFROM

thence·forth \-,fo̊rth\ adv : from that time forward : THEREAFTER

the·oc·ra·cy \thē-'äk-rə-sē\ n 1 : government of a state by immediate divine guidance or by officials regarded as divinely inspired 2 : a state governed by a theocracy — **the·o·crat·ic** \,thē-ə-'krat-ik\ adj

the·ol·o·gy \thē-'äl-ə-jē\ n 1 : the study of religion and of religious ideas and beliefs; esp : a branch of theology treating of God and his relation to the world 2 : a theory or system of theology — **the·o·lo·gian** \,thē-ə-'lō-jən\ n — **the·o·log·i·cal** \-'läj-i-kəl\ adj

the·o·rem \'thē-ə-rəm, 'thir-əm\ n 1 : a statement in mathematics that has been or is to be proved 2 : an idea accepted or proposed as a demonstrable truth : PROPOSITION

the·o·ret·i·cal \,thē-ə-'ret-i-kəl\ adj 1 : relating to or having the character of theory : ABSTRACT, SPECULATIVE 2 : ex-

the·o·rize \'thē-ə-,rīz\ *vb* : to form a theory : SPECULATE — **the·o·rist** *n*

the·o·ry \'thē-ə-rē, 'thir-ē\ *n* **1** : the general principles drawn from any body of facts (as in science); *also* : the principles governing practice (as in a profession or art) **2** : a more or less plausible or scientifically acceptable general principle offered to explain observed facts **3** : HYPOTHESIS, GUESS **4** : abstract thought

ther·a·peu·tic \,ther-ə-'pyüt-ik\ *adj* : of, relating to, or dealing with healing and esp. with remedies for diseases: MEDICINAL — **ther·a·peu·ti·cal·ly** *adv*

ther·a·py \'ther-ə-pē\ *n* : remedial treatment of bodily, mental, or social disorders or maladjustment — **ther·a·pist**

¹there \'tha(ə)r\ *adv* **1** : in or at that place — often used interjectionally **2** : to or into that place : THITHER **3** : in that matter or respect

²there \(,)tha(ə)r, thər\ *pron* — used as an anticipatory subject before copulas, auxiliaries, and certain other verbs ⟨~'s a man here⟩ ⟨~'s trouble brewing⟩ ⟨~ comes a time⟩ ⟨~'s no use⟩

³there \'tha(ə)r\ *n* : that place ⟨get away from ~⟩

there·abouts *or* **there·about** \,thar-ə-'baut(s)\ *adv* **1** : near that place or time **2** : near that number, degree, or quantity

there·af·ter \thar-'af-tər\ *adv* : after that : AFTERWARD

there·by \tha(ə)r-'bī\ *adv* **1** : by that : by that means **2** : connected with or with reference to that

there·for \-'fòr\ *adv* : for or in return for that

there·fore \'tha(ə)r-,fòr\ *adv* : for that reason : CONSEQUENTLY

there·in \that-'in\ *adv* **1** : in or into that place, time, or thing **2** : in that respect

there·of \-'əv, -'äv\ *adv* **1** : of that or it **2** : from that : THEREFROM

there·on \-'òn, -'än\ *adv* **1** : on that

there·to \tha(ə)r-'tü\ *adv* : to that

there·upon \'thar-ə-,pòn, -,pän\ *adv* **1** : on that matter : THEREON **2** : THEREFORE **3** : immediately after that : at once

there·with \tha(ə)r-'with, -'with\ *adv* **1** : with that **2** *archaic* : THEREUPON, FORTHWITH

there·with·al \'tha(ə)r-wə-,thòl, -,thòl\ *adv* **1** *archaic* : BESIDES **2** : THEREWITH

ther·mal \'thər-məl\ *adj* : of, relating to, or caused by heat : WARM, HOT

ther·mo·dy·nam·ics \,thər-mō-dī-'nam-iks\ *n* : physics that deals with the mechanical action or relations of heat — **ther·mo·dy·nam·ic** *adj* — **ther·mo·dy·nam·i·cal·ly** *adv*

ther·mom·e·ter \thə(r)-'mäm-ət-ər\ *n* : an instrument for measuring temperature commonly by means of the expansion or contraction of mercury or alcohol as indicated by its rise or fall in a thin glass tube — **ther·mo·met·ric** \,thər-mə-'me-trik\ *adj*

ther·mo·nu·cle·ar \,thər-mō-'n(y)ü-klē-ər\ *adj* **1** : of or relating to changes in the nucleus of atoms of low atomic weight (as hydrogen) that require a very high temperature (as in the hydrogen bomb) **2** : utilizing or relating to a thermonuclear bomb ⟨~ war⟩

ther·mo·stat \'thər-mə-,stat\ *n* : a device that automatically controls temperature (as by regulating a flow of oil or electricity) — **ther·mo·stat·ic** \,thər-mə-'stat-ik\ *adj* — **ther·mo·stat·i·cal·ly** *adv*

the·sau·rus \thi-'sòr-əs\ *n, pl* **-sau·ri** \-'sòr-,ī\ *or* **-sau·rus·es** : a book of words; *esp* : a dictionary of synonyms

these *pl of* THIS

the·sis \'thē-səs\ *n, pl* **the·ses** \-,sēz\ **1** : a proposition that a person advances and offers to maintain by argument **2** : an essay embodying results of original research; *esp* : one written by a candidate for an academic degree

they \(')thā\ *pron* **1** : those individuals under discussion : the ones previously mentioned or referred to **2** : unspecified persons : PEOPLE

thi·a·mine \'thī-ə-,mēn\ *n* : a vitamin essential to normal metabolism and nerve function

¹thick \'thik\ *adj* **1** : having relatively great depth or extent from one surface to its opposite ⟨a ~ plank⟩; *also* : heavily built : THICKSET **2** : densely massed : CROWDED; *also* : FREQUENT, NUMEROUS **3** : dense or viscous in consistency ⟨~ syrup⟩ **4** : marked by haze, fog, or mist ⟨~ weather⟩ **5** : measuring in thickness ⟨12 inches ~⟩ **6** : imperfectly articulated : INDISTINCT ⟨~ speech⟩ **7** : STUPID, OBTUSE **8** : associated on close terms : INTIMATE **9** : EXCESSIVE **syn** stocky, compact, close, confidential — **thick·ly** *adv* — **thick·ness** *n*

²thick *n* **1** : the most crowded or active part **2** : the part of greatest thickness

thick·en \'thik-ən\ *vb* : to make or become thick — **thick·en·er** \-(ə-)nər\ *n*

thick·et \'thik-ət\ *n* : a dense local growth of bushes or small trees

thief \'thēf\ *n, pl* **thieves** \'thēvz\ : one that steals esp. secretly

thigh \'thī\ *n* : the part of the vertebrate hind limb between the knee and the hip

thim·ble \'thim-bəl\ *n* : a cap or guard used in sewing to protect the finger when pushing the needle — **thim·ble·ful** *n*

¹thin \'thin\ *adj* **1** : having little extent from one surface through to its opposite : not thick : SLENDER **2** : not closely set or placed : SPARSE ⟨~ hair⟩ **3** : not dense or not dense enough : more fluid or rarefied than normal ⟨~ air⟩ ⟨~ syrup⟩ **4** : lacking substance, fullness, or strength ⟨~ broth⟩ **5** : FLIMSY **syn** slim, slight, tenuous — **thin·ly** *adv* — **thin·ness** *n*

²thin *vb* **thinned**; **thin·ning** : to make or become thin

thine \(')thīn\ *pron, archaic* : one or the ones belonging to thee

thing \'thiŋ\ *n* **1** : a matter of concern : AFFAIR ⟨~s to do⟩ **2** *pl* : state of affairs ⟨~s are improving⟩ **3** : EVENT, CIRCUMSTANCE ⟨the crime was a terrible ~⟩ **4** : DEED, ACT ⟨expected great ~s of him⟩ **5** : a distinct entity : OBJECT **6** : an inanimate object distinguished from a living being **7** *pl* : POSSESSIONS, EFFECTS ⟨packed his ~s⟩ **8** : an article of clothing **9** : DETAIL, POINT **10** : IDEA, NOTION

think \\'thiŋk\\ *vb* **thought** \\'thȯt\\ **think·ing 1** : to form or have in the mind **2** : to have as an opinion : BELIEVE **3** : to reflect on : PONDER **4** : to call to mind : REMEMBER **5** : to devise by thinking **6** : to form a mental picture of : IMAGINE **7** : REASON *syn* conceive, fancy, realize, cogitate, reflect, speculate, deliberate — **think·er** *n*

thin·ner \\'thin-ər\\ *n* : a volatile liquid (as turpentine) used to thin paint

¹**third** \\'thərd\\ *adj* **1** : being number three in a countable series **2** : next after the second — **third** *or* **third·ly** *adv*

²**third** *n* **1** : one that is third **2** : one of three equal parts of something **3** : the 3rd forward gear in an automotive vehicle

third degree *n* : the subjection of a prisoner to mental or physical torture to force a confession

¹**thirst** \\'thərst\\ *n* **1** : a feeling of dryness in the mouth and throat associated with a wish to drink; *also* : a bodily condition producing this **2** : an ardent desire : CRAVING ⟨a ~ for knowledge⟩ — **thirsty** *adj*

²**thirst** *vb* **1** : to need drink : suffer thirst **2** : to have a strong desire : CRAVE

thir·teen \\'thər-'tēn\\ *n* : one more than 12 — **thirteen** *adj or pron* — **thir·teenth** *adj or n*

thir·ty \\'thərt-ē\\ *n* : three times 10 — **thir·ti·eth** *adj or n* — **thirty** *adj or pron*

¹**this** \\(')this\\ *pron, pl* **these** \\(')thēz\\ **1** : the one close or closest in time or space ⟨~ is your book⟩ **2** : what is in the present or under immediate observation or discussion ⟨~ is a mess⟩; *also* : what is happening or being done now ⟨after ~ we'll leave⟩

²**this** *adj, pl* **these 1** : being the one near, present, just mentioned, or more immediately under observation ⟨~ book⟩ ⟨~ morning⟩ **2** : constituting the immediate past or future ⟨friends all *these* years⟩

³**this** \\'this\\ *adv* : to such an extent or degree ⟨we need a book about ~ big⟩

this·tle \\'this-əl\\ *n* : any of several tall prickly herbs

thistle

¹**thith·er** \\'thith-ər\\ *adv* : to that place : THERE

²**thither** *adj* : being on the farther side : more remote

thong \\'thȯŋ\\ *n* : a strip of leather used esp. to fasten something

tho·rax \\'thōr-,aks\\ *n, pl* **tho·rax·es** *or* **tho·ra·ces** \\thə-'rā-,sēz, 'thōr-ə-\\ **1** : the part of the body of a mammal between the neck and the abdomen; *also* : its cavity **2** : the middle of the three divisions of the body of an insect — **tho·rac·ic** \\thə-'ras-ik\\ *adj*

tho·ri·um \\'thōr-ē-əm\\ *n* : a radioactive metallic chemical element

thorn \\'thȯrn\\ *n* **1** : a woody plant bearing sharp processes **2** : a sharp rigid plant process that is usu. a modified leafless branch **3** : something that causes irritation or distress — **thorny** *adj*

thor·ough \\'thər-ō\\ *adj* **1** : COMPLETE, EXHAUSTIVE ⟨a ~ search⟩ **2** : very careful : PAINSTAKING ⟨a ~ scholar⟩ **3** : having full mastery ⟨~ musician⟩ — **thor·ough·ly** *adv* — **thor·ough·ness** *n*

¹**thor·ough·bred** \\'thər-ə-,bred\\ *adj* **1** : bred from the best blood through a long line **2** *cap* : of or relating to the Thoroughbred breed of horses **3** : marked by high-spirited grace

²**thoroughbred** *n* **1** *cap* : any of an English breed of light speedy horses kept chiefly for racing **2** : one (as a pedigreed animal) of excellent quality

thor·ough·fare \\-,faər\\ *n* : a public road or street

thor·ough·go·ing \\,thər-ə-'gō-iŋ\\ *adj* : marked by thoroughness or zeal

those *pl of* THAT

thou \\(')thaū\\ *pron, archaic* : the person addressed

¹**though** \\'thō\\ *adv* : HOWEVER, NEVERTHELESS ⟨failed to convince him, ~⟩

²**though** \\(,)thō\\ *conj* **1** : despite the fact that ⟨~ the odds are hopeless, they fight on⟩ **2** : granting that ⟨~ it may look bad, still, all is not lost⟩

¹**thought** \\'thȯt\\ *past of* THINK

²**thought** *n* **1** : the process of thinking **2** : serious consideration : REGARD **3** : reasoning power **4** : the power to imagine : CONCEPTION **5** : IDEA, NOTION **6** : OPINION, BELIEF **7** : a slight amount : BIT

thought·ful *adj* **1** : absorbed in thought **2** : marked by careful thinking ⟨a ~ essay⟩ **3** : considerate of others ⟨a ~ host⟩ — **thought·ful·ly** *adv* — **thought·ful·ness** *n*

thought·less *adj* **1** : insufficiently alert : CARELESS ⟨a ~ worker⟩ **2** : RECKLESS ⟨a ~ act⟩ **3** : lacking concern for others : INCONSIDERATE ⟨~ remarks⟩ — **thought·less·ly** *adv* — **thought·less·ness** *n*

thou·sand \\'thaùz-ᵊnd\\ *n, pl* **thousands** *or* **thousand** : 10 times 100 — **thousand** *adj* — **thou·sandth** *adj or n*

thrash \\'thrash\\ *vb* **1** : THRESH 1 **2** : BEAT, WHIP; *also* : DEFEAT **3** : to move about violently : toss about **4** : to go over again and again ⟨~ over the matter⟩; *also* : to hammer out ⟨~ out a plan⟩

thread \\'thred\\ *n* **1** : a thin fine cord formed by spinning and twisting short textile fibers into a continuous strand **2** : something felt to resemble a textile thread **3** : a train of thought **4** : a continuing element **5** : the ridge or groove that winds around a screw

thread·bare \\-,baər\\ *adj* **1** : worn so that the thread shows : SHABBY **2** : TRITE, HACKNEYED

thready *adj* **1** : consisting of or bearing fibers or filaments ⟨a ~ bark⟩ **2** : lacking in fullness, body, or vigor : THIN

threat \'thret\ *n* **1** : an expression of intention to do harm **2** : something that threatens

threat·en \-ᵊn\ *vb* **1** : to utter threats against **2** : to give signs or warning of : PORTEND **3** : to hang over as a threat : MENACE — **threat·en·ing·ly**

three \'thrē\ *n* **1** : one more than two **2** : the 3d in a set or series **3** : something having three units — **three** *adj or pron*

three–di·men·sion·al *adj* **1** : relating to or having three dimensions **2** : giving the illusion of varying distances ⟨a ~ picture⟩

three·fold \'thrē-'fōld\ *adj* **1** : having three parts : TRIPLE **2** : being three times as great or as many — **threefold** *adv*

thresh \'thrash, 'thresh\ *vb* **1** : to separate (as grain from straw) by beating **2** : THRASH — **thresh·er** *n*

thresh·old \'thresh-,ōld\ *n* **1** : the sill of a door **2** : a point or place of beginning or entering : OUTSET, ENTRANCE

thrice \'thrīs\ *adv* **1** : three times **2** : in a threefold manner or degree

thrift \'thrift\ *n* : careful management esp. of money : FRUGALITY — **thrift·i·ly** *adv* — **thrift·less** *adj* — **thrifty** *adj*

thrill \'thril\ *vb* **1** : to have or cause to have a sudden sharp feeling of excitement; *also* : TINGLE, SHIVER **2** : TREMBLE, VIBRATE — **thrill** *n* — **thrill·er** *n*

thrive \'thrīv\ *vb* **throve** \'thrōv\ *or* **thrived**; **thriv·en** \'thriv-ən\ *also* **thrived**; **thriv·ing** \'thrī-viŋ\ **1** : to grow luxuriantly : FLOURISH **2** : to gain in wealth or possessions : PROSPER

throat \'thrōt\ *n* : the part of the neck in front of the spinal column; *also* : the passage through it to the stomach and lungs — **throat·ed** *adj*

throaty *adj* **1** : uttered or produced from low in the throat ⟨a ~ voice⟩ **2** : heavy, thick, or deep as if from the throat ⟨~ notes of a horn⟩ — **throat·i·ly** *adv* —

¹**throb** \'thräb\ *vb* **throbbed**; **throbbing** : to pulsate or pound esp. with abnormal force or rapidity : BEAT, VIBRATE

²**throb** *n* : BEAT, PULSE

throm·bo·sis \thräm-'bō-səs\ *n* : the formation or presence of a clot in a blood vessel during life — **throm·bot·ic**

throne \'thrōn\ *n* **1** : the chair of state esp. of a king or bishop **2** : royal power : SOVEREIGNTY

¹**throng** \'thrȯŋ\ *n* **1** : a crowding together of many persons **2** : MULTITUDE

²**throng** *vb* : CROWD

¹**throt·tle** \'thrät-ᵊl\ *vb* **1** : CHOKE, STRANGLE **2** : SUPPRESS **3** : to obstruct the flow of (fuel) to an engine; *also* : to reduce the speed of (an engine) by such means

²**throttle** *n* **1** : THROAT, TRACHEA **2** : a valve regulating the volume of steam or fuel charge delivered to the cylinders of an engine; *also* : the lever controlling this valve

¹**through** \(')thrü\ *prep* **1** : into at one side and out at the other side of ⟨go ~ the door⟩ **2** : by way of ⟨entered ~ a skylight⟩ **3** : AMONG ⟨a path ~ the trees⟩ **4** : by means of ⟨succeeded ~ hard work⟩ **5** : over the whole of ⟨rumors swept ~ the office⟩ **6** : during the whole of ⟨~ the night⟩

²**through** \'thrü\ *adv* **1** : from one end or side to the other **2** : from beginning to end : to completion ⟨see it ~⟩ **3** : to the core : THOROUGHLY **4** : into the open : OUT ⟨break ~⟩

³**through** \'thrü\ *adj* **1** : permitting free or continuous passage : DIRECT ⟨a ~ road⟩ **2** : going from point of origin to destination without change or reshipment ⟨~ train⟩ **3** : FINISHED ⟨~ with the job⟩

¹**through·out** \thrü-'aút\ *adv* **1** : EVERYWHERE **2** : from beginning to end

²**throughout** *prep* **1** : in or to every part of **2** : during the whole period of

¹**throw** \'thrō\ *vb* **threw** \'thrü\ **thrown** \'thrōn\ **throw·ing** **1** : to propel through the air with a forward motion of the hand and arm ⟨~ a ball⟩ **2** : HURL, CAST **3** : to cause to fall or fall off **4** : to fling precipitately or violently : DASH **5** : to put in some position or condition ⟨~ into panic⟩ **6** : to give up : ABANDON; *also* : to lose intentionally **7** : to move (a lever) so as to connect or disconnect parts of something (as a clutch or switch) **syn** toss, fling, pitch, sling

²**throw** *n* **1** : an act of throwing, hurling, or flinging; *also* : CAST **2** : the distance a missile may be thrown **3** : a light coverlet **4** : a woman's scarf or light wrap

thrush \'thrəsh\ *n* : any of numerous songbirds usu. of a plain color but sometimes with spotted underparts

¹**thrust** \'thrəst\ *vb* **thrust**; **thrust·ing** **1** : to push or drive with force : SHOVE **2** : STAB, PIERCE **3** : INTERJECT **4** : to press the acceptance of upon someone

²**thrust** *n* **1** : a lunge with a pointed weapon **2** : a violent push : SHOVE **3** : ATTACK **4** : force exerted endwise through a propeller shaft (as of a ship or airplane); *also* : forward force produced (as in a rocket) by a high-speed jet of fluid discharged rearward **5** : the pressure of one part of a construction against another (as of an arch against an abutment)

¹**thud** \'thəd\ *vb* **thud·ded**; **thud·ding** : to move or strike so as to make a thud

²**thud** *n* **1** : BLOW **2** : a dull sound : THUMP

thug \'thəg\ *n* : a brutal ruffian; *also* : ASSASSIN

¹**thumb** \'thəm\ *n* **1** : the short thick first digit of the human hand or a corresponding digit of a lower animal **2** : the part of a glove that covers the thumb

²**thumb** *vb* **1** : to leaf through (pages) with the thumb **2** : to wear or soil with the thumb by frequent handling **3** : to request or obtain (a ride) in a passing automobile by signaling with the thumb

thumb·screw \-,skrü\ *n* **1** : a screw with a head that may be turned by the thumb and forefinger **2** : an old instrument of torture for squeezing the thumb

thumb·tack \-,tak\ *n* : a tack with a broad flat head for pressing with one's thumb into a board or wall

¹**thump** \'thəmp\ vb 1 : to strike with or as if with something thick or heavy so as to cause a dull heavy sound 2 : POUND

²**thump** n : a blow with or as if with something blunt or heavy; also : the sound made by such a blow

¹**thun·der** \'thən-dər\ n 1 : the sound following a flash of lightning; also : a noise like such a sound 2 : a loud utterance or threat

²**thunder** vb 1 : to produce thunder 2 : ROAR, SHOUT

thun·der·bolt \-,bōlt\ n : a single discharge of lightning with its accompanying thunder

thun·der·clap \-,klap\ n : a crash of thunder

thun·der·cloud \-,klaůd\ n : a cloud producing lightning and thunder

thun·der·ous \'thən-d(ə-)rəs\ adj : producing thunder; also : making a noise like thunder — **thun·der·ous·ly** adv

thun·der·storm \-,stórm\ n : a storm accompanied by thunder and lightning

thun·der·struck \-,strək\ adj : struck dumb : ASTONISHED

Thurs·day \'thərz-dē\ n : the 5th day of the week

thus \'thəs\ adv 1 : in this or that manner 2 : to this degree or extent : SO 3 : because of this or that : HENCE

¹**thwart** \'thwórt\ adv : ATHWART

²**thwart** adj : situated or placed across something else

³**thwart** vb 1 : BAFFLE 2 : BLOCK, DEFEAT syn balk, foil, outwit, frustrate

⁴**thwart** \'th(w)órt\ n : a rower's seat extending across a boat

thy \(,)thī\ adj, archaic : of, relating to, or done by or to thee or thyself

thyme \'tīm, 'thīm\ n : any of several mints with aromatic leaves used esp. in seasoning

thy·mus \'thī-məs\ n : a glandular organ of the neck that in lambs and calves is a sweetbread

thy·roid \'thī-,róid\ adj : of, relating to, or being a large endocrine gland that lies at the base of the neck and produces a hormone with a profound influence on growth and metabolism — **thyroid** n

ti·ara \tē-'ar-ə, -'är-\ n 1 : the pope's triple crown 2 : a decorative headband or semicircle for formal wear by women

Ti·bet·an \tə-'bet-ᵊn\ n : a native or inhabitant of Tibet — **Tibetan** adj

tib·ia \'tib-ē-ə\ n, pl **tib·i·ae** \-ē-,ē\ also **tib·i·as** : the inner of the two bones of the vertebrate hind limb between the knee and the ankle

tic \'tik\ n : a local and habitual twitching of muscles esp. of the face

¹**tick** \'tik\ n : any of numerous small 8-legged blood-sucking animals

²**tick** n 1 : a light rhythmic audible tap or beat 2 : a small mark used to draw attention to or check something

³**tick** vb 1 : to make a tick or series of ticks ⟨loud ~ing of a clock⟩ 2 : to mark or check with a tick 3 : to mark, count, or announce by or as if by the ticks of a clock or of a telegraph instrument 4 : to function as an operating mechanism : RUN

⁴**tick** n : the fabric case of a mattress or pillow; also : a mattress consisting of a tick and its filling

tick·er n 1 : something (as a watch) that ticks 2 : a telegraph instrument that prints off news (as stock quotations) on paper tape

tick·et \'tik-ət\ n 1 : CERTIFICATE, LICENSE, PERMIT; esp : a certificate or token showing that a fare or admission fee has been paid 2 : TAG, LABEL 3 : a summons issued to a traffic offender 4 : SLATE 3

²**ticket** vb 1 : to attach a ticket to : LABEL 2 : to furnish with a ticket : BOOK

tick·ing \'tik-iŋ\ n : a strong fabric used in upholstering and as a mattress covering

tick·le \'tik-əl\ vb 1 : to have a tingling sensation 2 : to excite or stir up agreeably : PLEASE, AMUSE 3 : to touch (as a body part) lightly so as to cause uneasiness, laughter, or spasmodic movements syn gratify, delight, regale — **tickle** n

tick·lish \-(ə-)lish\ adj 1 : sensitive to tickling 2 : OVERSENSITIVE, TOUCHY 3 : UNSTABLE ⟨a ~ foothold⟩ 4 : requiring delicate handling ⟨~ subject⟩

tid·al wave \,tīd-ᵊl-\ n 1 : a high sea wave that sometimes follows an earthquake 2 : the great rise of water alongshore due to exceptionally strong winds

¹**tide** \'tīd\ n [OE tīd time] 1 : the alternate rising and falling of the surface of the ocean 2 : something that fluctuates like the tides of the sea — **tid·al** adj

²**tide** vb : to carry through or help along as if by the tide ⟨a loan to ~ him over⟩

tide·land \-,land\ n 1 : land overflowed during flood tide 2 : land under the ocean within a nation's territorial waters — often used in pl.

tide·wa·ter \-,wòt-ər, -,wät-\ n 1 : water overflowing land at flood tide 2 : low-lying coastal land

tid·ings \'tīd-iŋz\ n pl : NEWS, MESSAGE

¹**ti·dy** \'tīd-ē\ adj 1 : well ordered and cared for : NEAT 2 : LARGE, SUBSTANTIAL ⟨a ~ sum⟩ — **ti·di·ness** n

²**tidy** vb 1 : to put in order ⟨~ up a room⟩ 2 : to make things tidy

¹**tie** \'tī\ n 1 : a line, ribbon, or cord used for fastening, uniting, or closing 2 : a structural element (as a beam or rod) holding two pieces together 3 : one of the cross supports to which railroad rails are fastened 4 : a connecting link : BOND ⟨family ~s⟩ 5 : an equality in number (as of votes or scores); also : an undecided or deadlocked contest 6 : NECKTIE

²**tie** vb **tied**; **ty·ing** or **tie·ing** 1 : to fasten, attach, or close by means of a tie 2 : to bring together firmly : UNITE 3 : to form a knot or bow in ⟨~ a scarf⟩ 4 : to restrain from freedom of action : CONSTRAIN 5 : to make or have an equal score with

tier \'tiər\ n : ROW, LAYER; esp : one of two or more rows arranged one above another

ti·ger \'tī-gər\ n : a large tawny black-striped Asiatic flesh-eating mammal related to the cat — **ti·ger·ish** \'tī-g(ə-)rish\ adj — **ti·gress** \-grəs\ n

¹**tight** \'tīt\ adj 1 : so close in structure as not to permit passage of a liquid or gas 2 : fixed or held very firmly in place 3 : TAUT 4 : fitting usu. too closely ⟨~ shoes⟩ 5 : set close to-

gether : COMPACT ⟨a ~ formation⟩ 6 : difficult to get out of ⟨get in a ~ spot⟩ 7 : STINGY, MISERLY 8 : evenly contested : CLOSE 9 : INTOXICATED 10 : low in supply : hard to get : SCARCE ⟨money is ~⟩ — **tight·ly** *adv* — **tight·ness** *n*

²**tight** *adv* 1 : TIGHTLY, FIRMLY 2 : SOUNDLY ⟨sleep ~⟩

tight·en \-ᵊn\ *vb* : to make or become tight

tight·fist·ed \'tīt-'fis-təd\ *adj* : STINGY

tight·rope \-,rōp\ *n* : a taut rope or wire for acrobats to perform on

tights \'tīts\ *n pl* : skintight garments covering the body esp. from the waist down

tight·wad \'tīt-,wäd\ *n* : a stingy person

¹**tile** \'tīl\ *n* 1 : a thin piece of fired clay, stone, or concrete used for roofs, floors, or walls; *also* : a hollow or concave earthenware or concrete piece used for a drain 2 : a thin piece (as of a rubber composition) used for covering walls or floors — **til·ing** *n*

²**tile** *vb* 1 : to cover with tiles 2 : to install drainage tile in

¹**till** \(,)til\ *prep or conj* : UNTIL

²**till** \'til\ *vb* : to work by plowing, sowing, and raising crops from : CULTIVATE — **till·able** *adj*

³**till** \'til\ *n* : DRAWER; *esp* : a money drawer in a store or bank

til·ler \'til-ər\ *n* : a lever used for turning a boat's rudder from side to side

¹**tilt** \'tilt\ *vb* 1 : to move or shift so as to incline : TIP 2 : to engage in or as if in a combat with lances : JOUST

²**tilt** *n* 1 : a military exercise in which two combatants charging usu. with lances try to unhorse each other : JOUST; *also* : a tournament of tilts 2 : a verbal contest : CONTENTION 3 : SLANT, TIP

¹**tim·ber** \'tim-bər\ *n* 1 : wood for use in making something 2 : a usu. large squared or dressed piece of wood 3 : wooded land or growing trees from which timber may be obtained — **tim·ber·ing** *n* — **tim·ber·land** \-bər-,land\ *n*

²**timber** *vb* : to cover, frame, or support with timbers — **tim·bered** *adj*

tim·ber·line \'tim-bər-,līn\ *n* : the upper limit of tree growth on mountains or in high latitudes

timber wolf *n* : a large usu. gray No. American wolf

tim·brel \'tim-brəl\ *n* : a small hand drum or tambourine

¹**time** \'tīm\ *n* 1 : a period during which an action, process, or condition exists or continues ⟨gone a long ~⟩ 2 : LEISURE ⟨found ~ to read⟩ 3 : a point or period when something occurs : OCCASION ⟨the last ~ we met⟩ 4 : a set or customary moment or hour for something to occur ⟨arrived on ~⟩ 5 : AGE, ERA 6 *pl* : state of affairs : CONDITIONS ⟨hard ~s⟩ 7 : rate of speed : TEMPO 8 : a moment, hour, day, or year as indicated by a clock or calendar ⟨what ~ is it⟩ 9 : a system of reckoning time ⟨solar ~⟩ 10 : one of a series of recurring instances; *also*, *pl* : multiplied instances ⟨five ~s greater⟩ 11 : a person's experience during a particular period ⟨had a good ~ at the beach⟩

²**time** *vb* 1 : to arrange or set the time of : SCHEDULE ⟨~s his calls conveniently⟩ 2 : to set the tempo or duration of ⟨~ a performance⟩ 3 : to cause to keep time with ⟨~s her steps to the music⟩ 4 : to determine or record the time, duration, or rate of ⟨~ a sprinter⟩ — **tim·er** *n*

time–hon·ored \'tīm-,än-ərd\ *adj* : honored because of age or long usage

time·keep·er \-,kē-pər\ *n* 1 : a clerk who keeps records of the time worked by employees 2 : one appointed to mark and announce the time in an athletic game or contest

time·less *adj* 1 : UNENDING 2 : not limited or affected by time ⟨~ works of art⟩ — **time·less·ly** *adv*

time·ly *adj* 1 : coming early or at the right time : OPPORTUNE ⟨a ~ arrival⟩ 2 : appropriate to the time ⟨a ~ book⟩ — **time·li·ness** *n*

time·piece \'tīm-,pēs\ *n* : a device (as a clock or watch) to show the passage of time

times \,tīmz\ *prep* : multiplied by ⟨2 ~ 2 is 4⟩

time·ta·ble \'tīm-,tā-bəl\ *n* 1 : a table of the departure and arrival times of scheduled conveyances 2 : a schedule showing a planned order or sequence

tim·id \'tim-əd\ *adj* : lacking in courage or self-confidence : FEARFUL — **ti·mid·i·ty** \tə-'mid-ət-ē\ *n* — **tim·id·ly** \'tim-əd-lē\ *adv*

tim·o·rous \'tim-(ə-)rəs\ *adj* : of a timid disposition : AFRAID — **tim·o·rous·ly** *adv* — **tim·o·rous·ness** *n*

¹**tin** \'tin\ *n* 1 : a soft white crystalline metallic chemical element malleable at ordinary temperatures but brittle when heated that is used in solders and alloys 2 : a container (as a can) made of tinplate

²**tin** *vb* **tinned**; **tin·ning** 1 : to cover or plate with tin 2 *chiefly Brit* : to pack in tins : CAN

¹**tinc·ture** \'tiŋk-chər\ *n* 1 : a substance that colors or dyes 2 : a slight admixture : TRACE 3 : an alcoholic solution of a medicinal substance **syn** touch, suggestion, suspicion

²**tincture** *vb* : COLOR, TINGE

tin·der \'tin-dər\ *n* : something that catches fire easily; *esp* : a substance used to kindle a fire from a slight spark

tin·der·box \-,bäks\ *n* : a metal box for holding tinder and usu. flint and steel for striking a spark

¹**tinge** \'tinj\ *vb* **tinged**; **tinge·ing** or **ting·ing** 1 : to color slightly : TINT 2 : to affect or modify esp. with a slight odor or taste

²**tinge** *n* : a slight coloring, flavor, or quality : TRACE **syn** touch, suggestion

tin·gle \'tiŋ-gəl\ *vb* 1 : to feel a prickling or thrilling sensation 2 : TINKLE — **tingle** *n*

¹**tin·ker** \'tiŋ-kər\ *n* 1 : a usu. itinerant mender of household utensils 2 : an unskillful mender : BUNGLER

²**tinker** *vb* : to repair or adjust something in an unskillful or experimental manner

¹**tin·kle** \'tiŋ-kəl\ *vb* : to make or cause to make a tinkle

²**tinkle** *n* : a series of short high ringing or clinking sounds

tin·ny \'tin-ē\ *adj* 1 : of or yielding tin 2 : resembling tin (as in being thin, hard,

and brittle or as in sounding metallic) **3** : tasting of tin ⟨~ canned food⟩
¹**tint** \'tint\ *n* **1** : a slight or pale coloration : HUE **2** : any of various shades of a color
²**tint** *vb* : to impart a tint to : COLOR
tin·type \'tin-ˌtīp\ *n* : a photograph made on a thin darkened iron plate
ti·ny \'tī-nē\ *adj* : very small : MINUTE *syn* miniature, diminutive, wee, little
¹**tip** \'tip\ *n* **1** : the usu. pointed end of something **2** : a small piece or part serving as an end, cap, or point
²**tip** *vb* **tipped; tip·ping 1** : to furnish with a tip **2** : to cover or adorn the tip of
³**tip** *vb* **tipped; tip·ping 1** : OVERTURN, UPSET **2** : LEAN, SLANT; *also* : TILT
⁴**tip** *n* : the act or an instance of tipping : TILT
⁵**tip** *vb* **tipped; tip·ping** : to strike lightly : TAP
⁶**tip** *vb* **tipped; tip·ping** : to give a gratuity to
⁷**tip** *n* : a gift or small sum given for a service performed or anticipated : GRATUITY
⁸**tip** *n* : a piece of expert or confidential information : HINT
⁹**tip** *vb* **tipped; tip·ping** : to impart a piece of information about or to
tip·sy \'tip-sē\ *adj* : unsteady or foolish from the effects of alcohol
¹**tip·toe** \'tip-ˌtō\ *n* : the end of the toes
²**tiptoe** *adv (or adj)* : on or as if on tiptoe
³**tiptoe** *vb* : to walk or proceed on or as if on tiptoe
ti·rade \'tī-ˌrād\ *n* : a prolonged speech of abuse or condemnation
¹**tire** \'tī(ə)r\ *vb* **1** : to make or become weary : FATIGUE **2** : to wear out the patience of : BORE
²**tire** *n* **1** : a metal band that forms the tread of a wheel **2** : a rubber cushion usu. containing compressed air that encircles a wheel (as of an automobile)
tired \'tī(ə)rd\ *adj* **1** : WEARY, FATIGUED **2** : HACKNEYED
tire·less \'tī(ə)r-ləs\ *adj* : not tiring : UNTIRING, INDEFATIGABLE — **tire·less·ly** *adv* — **tire·less·ness** *n*
tire·some *adj* : tending to bore : WEARISOME, TEDIOUS — **tire·some·ly** *adv*
tis·sue \'tish-ü\ *n* **1** : a fine lightweight often sheer fabric **2** : NETWORK, WEB **3** : a soft absorbent paper **4** : a mass or layer of cells forming a basic structural element of an animal or plant body
ti·tan \'tīt-ᵊn\ *n* : one gigantic in size or power
ti·tan·ic \tī-'tan-ik\ *adj* : enormous in size, force, or power *syn* immense, huge, vast, gigantic, giant, colossal, mammoth
ti·ta·ni·um \tī-'tā-nē-əm, tə-\ *n* : a gray light strong metallic chemical element used in alloys
tithe \'tīth\ *n* : a tenth part paid or given esp. for support of the church — **tithe** *vb* — **tith·er** *n*
tit·il·late \'tit-ᵊl-ˌāt\ *vb* **1** : TICKLE **2** : to excite pleasurably — **tit·il·la·tion** \ˌtit-ᵊl-'ā-shən\ *n*
ti·tle \'tīt-ᵊl\ *n* **1** : CLAIM, RIGHT; *esp* : a legal right to the ownership of property **2** : the distinguishing name esp. of an artistic production (as a book) **3** : an appellation of honor, rank, or office **4** : CHAMPIONSHIP *syn* designation, denomination
ti·tled \'tīt-ᵊld\ *adj* : having a title esp. of nobility
tit·ter \'tit-ər\ *vb* : to laugh in an affected or in a nervous or half-suppressed manner — **titter** *n*
tit·u·lar \'tich-ə-lər\ *adj* **1** : existing in title only : NOMINAL ⟨~ ruler⟩ **2** : of, relating to, or bearing a title ⟨~ role⟩
TNT \ˌtē-ˌen-'tē\ *n* : a high explosive used in artillery shells and bombs and in blasting
¹**to** \tə, (')tü\ *prep* **1** : in the direction of and reaching ⟨drove ~ town⟩ **2** : in the direction of : TOWARDS ⟨walking ~ school⟩ **3** : ON, AGAINST ⟨apply salve ~ a burn⟩ **4** : as far as ⟨can pay up ~ a dollar⟩ **5** : and thus brought into the state of or changed into ⟨beaten ~ death⟩ ⟨broken ~ pieces⟩ **6** : BEFORE ⟨it's five minutes ~ six⟩ **7** : UNTIL ⟨from May ~ December⟩ **8** : fitting or being a part of : FOR ⟨key ~ the lock⟩ **9** : with the accompaniment of ⟨sing ~ the music⟩ **10** : in relation or comparison with ⟨similar ~ that one⟩ ⟨won ten ~ six⟩ **11** : in accordance with ⟨add salt ~ taste⟩ **12** : within the range of ⟨~ my knowledge⟩ **13** : contained, occurring, or included in ⟨two pints ~ a quart⟩ **14** : as regards ⟨attitude ~ our friends⟩ **15** : affecting as the receiver or beneficiary ⟨whispered ~ her⟩ ⟨gave it ~ me⟩ **16** : for no one except ⟨a room ~ myself⟩ **17** : into the action of ⟨we got ~ talking⟩ **18** — used for marking the following verb as an infinitive ⟨wants ~ go⟩ ⟨easy ~ like⟩ ⟨the man ~ beat⟩ and often used by itself at the end of a clause in place of an infinitive suggested by the preceding context ⟨goes to town whenever he wants ~⟩ ⟨can leave if you'd like ~⟩
²**to** \'tü\ *adv* **1** : in a direction toward ⟨run ~ and fro⟩ ⟨wrong side ~⟩ **2** : into contact esp. with the frame of a door ⟨the door snapped ~⟩ **3** : to the matter in hand ⟨fell ~ and ate heartily⟩ **4** : to a state of consciousness or awareness ⟨came ~ hours after the accident⟩
toad \'tōd\ *n* : a tailless leaping amphibian differing typically from the related frogs in shorter stockier build, rough dry warty skin, and less aquatic habits
toad·stool \-ˌstül\ *n* : MUSHROOM; *esp* : one that is poisonous or inedible
toady \'tōd-ē\ *n* : one who flatters in the hope of gaining favors : SYCOPHANT — **toady** *vb*
¹**toast** \'tōst\ *vb* **1** : to make (as bread) crisp, hot, and brown by heat **2** : to warm thoroughly
²**toast** *n* **1** : sliced toasted bread **2** : someone or something in whose honor persons drink **3** : an act of drinking in honor of a toast
³**toast** *vb* : to propose or drink to as a toast
toast·er *n* : one that toasts; *esp* : an electrical appliance for toasting
to·bac·co \tə-'bak-ō\ *n* **1** : a tall broadleaved herb related to the potato; *also* : its leaves prepared for smoking or chewing or as snuff **2** : manufactured tobacco products (as cigars)

¹**to·bog·gan** \tə-'bäg-ən\ *n* : a long flat-bottomed light sled made of thin boards curved up at one end

²**toboggan** *vb* 1 : to coast on a toboggan 2 : to decline suddenly (as in value)

¹**to·day** \tə-'dā\ *adv* 1 : on or for this day 2 : at the present time

²**today** *n* : the present day, time, or age

tod·dle \'täd-ᵊl\ *vb* : to walk with short tottering steps in the manner of a young child — **toddle** *n* — **tod·dler** \-(ᵊ-)lər\ *n*

tod·dy \'täd-ē\ *n* : a drink made of liquor, sugar, spices, and hot water

¹**toe** \'tō\ *n* 1 : one of the terminal jointed members of the foot 2 : the front part of a foot or hoof

²**toe** *vb* **toed**; **toe·ing** : to touch, reach, or drive with the toes

toe·nail \'tō-,nāl\ *n* : a nail of a toe

to·geth·er \tə-'geth-ər\ *adv* 1 : in or into one place or group 2 : in or into contact or association ⟨mix ~⟩ 3 : at one time : SIMULTANEOUSLY ⟨talk and work ~⟩ 4 : in succession ⟨for days ~⟩ 5 : in or into harmony or coherence ⟨get ~ on a plan⟩ 6 : as a group : JOINTLY — **to·geth·er·ness** *n*

¹**toil** \'toil\ *n* 1 : laborious effort 2 : long fatiguing labor : DRUDGERY

²**toil** *vb* 1 : to work hard and long 2 : to proceed with laborious effort : PLOD — **toil·er** *n*

³**toil** *n* : NET, TRAP — usu. used in pl.

toi·let \'toi-lət\ *n* 1 : the act or process of dressing and grooming oneself 2 : BATHROOM 3 : a fixture for use in urinating and defecating; *esp* : one consisting essentially of a hopper that can be flushed with water

toi·let·ry \'toi-lə-trē\ *n* : an article or preparation used in making one's toilet — usu. used in pl.

to·ken \'tō-kən\ *n* 1 : an outward sign 2 : SYMBOL 3 : SOUVENIR, KEEPSAKE 4 : a small part representing the whole : INDICATION 5 : a piece resembling a coin issued as money or for use by a particular group on specified terms — **token** *adj*

tol·er·a·ble \'täl-(ə-)rə-bəl\ *adj* 1 : capable of being borne or endured 2 : moderately good : PASSABLE — **tol·er·a·bly** *adv*

tol·er·ance \'täl-(ə-)rəns\ *n* 1 : the act or practice of tolerating; *esp* : sympathy or indulgence for beliefs or practices differing from one's own 2 : capacity for enduring or adapting (as to a poor environment) 3 : the allowable deviation from a standard (as of size) **syn** forbearance, leniency, clemency — **tol·er·ant** *adj* — **tol·er·ant·ly** *adv*

tol·er·ate \'täl-ə-,rāt\ *vb* 1 : to allow to be or to be done without hindrance 2 : to endure or resist the action of (as a drug) **syn** abide, bear, suffer, stand — **tol·er·a·tion** \,täl-ə-'rā-shən\ *n*

¹**toll** \'tōl\ *n* 1 : a tax paid for a privilege (as for passing over a bridge) 2 : a charge for a service (as for a long-distance telephone call) 3 : the cost in loss or suffering at which something is achieved **syn** levy, assessment

²**toll** *vb* 1 : to give signal of : SOUND ⟨the clock ~s the hour⟩ 2 : to cause the slow regular sounding of (a bell) esp. by pulling a rope 3 : to sound with slow measured strokes 4 : to announce by tolling

³**toll** *n* : the sound of a tolling bell

tom·a·hawk \'täm-i-,hok\ *n* : a light ax used as a missile and as a hand weapon by No. American Indians

to·ma·to \tə-'māt-ō, -'mät-\ *n, pl* **-toes** : a tropical American herb related to the potato and widely grown for its usu. large, rounded, and red or yellow pulpy edible berry; *also* : this fruit

tomb \'tüm\ *n* 1 : a place of burial : GRAVE 2 : a house, chamber, or vault for the dead

tom·boy \'täm-,boi\ *n* : a girl of boyish behavior

tomb·stone \'tüm-,stōn\ *n* : a stone marking a grave

tom·cat \'täm-,kat\ *n* : a male cat

to·mor·row \tə-'mär-ō\ *adv* : on or for the day after today — **tomorrow** *n*

tom-tom \'täm-,täm\ *n* 1 : a small-headed drum beaten with the hands 2 : a monotonous beating

ton \'tən\ *n* 1 : a unit of weight that equals 2240 lbs. avoirdupois (**long ton**) or 2000 lbs. avoirdupois (**short ton**) 2 : a unit of internal capacity for ships equal to 100 cubic feet 3 : a unit equal to the volume of a long-ton weight of sea water or 35 cubic feet used in reckoning the displacement of ships 4 : a unit of volume for a ship's cargo freight usu. reckoned at 40 cubic feet

to·nal·i·ty \tō-'nal-ət-ē\ *n* : tonal quality

¹**tone** \'tōn\ *n* [L *tonus*, fr. Gk *tonos*, lit., stretching, tension; fr. the dependence of the pitch of a musical string on its tension] 1 : vocal or musical sound; *esp* : sound quality 2 : a sound of definite pitch 3 : WHOLE STEP 4 : accent or inflection expressive of an emotion 5 : style or manner of expression 6 : color quality; *also* : SHADE, TINT 7 : the effect in painting of light and shade together with color 8 : the healthy and vigorous condition of a living body or bodily part 9 : general character, quality, or trend **syn** atmosphere, feeling, savor — **ton·al**

²**tone** *vb* 1 : to give a particular intonation or inflection to 2 : to impart tone to : STRENGTHEN 3 : SOFTEN, MELLOW 4 : to harmonize in color : BLEND

tongs \'tängz, 'tongz\ *n pl* : an instrument for holding, gripping, or lifting commonly resembling in general appearance a pair of scissors

¹**tongue** \'təŋ\ *n* 1 : a fleshy movable process of the floor of the mouth used in tasting and in taking and swallowing food and in man as a speech organ 2 : the flesh of a tongue (as of the ox) used as food 3 : the power of communication : SPEECH 4 : LANGUAGE 1 5 : manner or quality of utterance; *also* : intended meaning 6 : something resembling an animal's tongue in being elongated and fastened at one end only — **tongue·less** *adj*

²**tongue** *vb* **tongued**; **tongu·ing** 1 : to touch or lick with the tongue 2 : to articulate notes on a wind instrument

¹**ton·ic** \'tän-ik\ *adj* 1 : of, relating to, or producing a healthy physical or mental condition : INVIGORATING 2 : of or relating to tones 3 : relating to or based on the first tone of a scale

tonic · 461 · **torpid**

²**tonic** n 1 : something (as a drug) that invigorates, restores, or refreshes 2 : the first degree of a musical scale
¹**to·night** \tə-'nīt\ adv : on this present night or the night following this present day
²**tonight** n : the present or the coming night
ton·nage \'tən-ij\ n 1 : a duty on ships based on tons carried 2 : ships in terms of the number of tons registered or carried 3 : the cubical content of a ship in units of 100 cubic feet 4 : total weight in tons shipped, carried, or mined
ton·sil \'tän-səl\ n : either of a pair of oval masses of spongy tissue in the throat at the back of the mouth
ton·sil·lec·to·my \,tän-sə-'lek-tə-mē\ n : the surgical removal of the tonsils
ton·sil·li·tis \-'līt-əs\ n : inflammation of the tonsils
too \(')tü\ adv 1 : ALSO, BESIDES 2 : EXCESSIVELY 3 : to such a degree as to be regrettable 4 : VERY syn besides, moreover, furthermore
¹**tool** \'tül\ n 1 : a hand instrument used to aid in mechanical operations 2 : the cutting or shaping part in a machine; also : a machine for shaping metal in any way 3 : an instrument or apparatus used in performing an operation or necessary in the practice of a vocation or profession ⟨a scholar's books are ~s⟩; also : a means to an end 4 : a person used by another : DUPE
²**tool** vb 1 : to shape, form, or finish with a tool; esp : to letter or decorate (as a book cover) by means of hand tools 2 : to equip a plant or industry with machines and tools for production
¹**toot** \'tüt\ vb 1 : to sound or cause to sound esp. in short blasts 2 : to blow a wind instrument (as a horn)
²**toot** n : a short blast (as on a horn)
tooth \'tüth\ n, pl **teeth** \'tēth\ 1 : one of the hard bony structures borne esp. on the jaws of vertebrates and used for seizing and chewing food and as weapons 2 : something resembling an animal's tooth in shape, sharpness, or action 3 : one of the projections on the edge of a wheel that fits into corresponding projections on another wheel — **toothed** \'tütht\ adj — **tooth·less** adj
tooth·ache \'tüth-,āk\ n : pain in or about a tooth
tooth·brush \-,brəsh\ n : a brush for cleaning the teeth
tooth·pick \-,pik\ n : a pointed instrument for removing substances lodged between the teeth
¹**top** \'täp\ n 1 : the highest part, point, or level of something 2 : the stalks and leaves of a plant with edible roots ⟨beet ~s⟩ 3 : the upper end, edge, or surface ⟨the ~ of a page⟩ 4 : an upper piece, lid, or covering 5 : a platform around the head of the lower mast 6 : the highest degree, pitch, or rank : ACME
²**top** vb **topped**; **top·ping** 1 : to remove or trim the top of : PRUNE ⟨~ a tree⟩ 2 : to cover with a top or on the top : CROWN, CAP 3 : to be superior to : EXCEL, SURPASS 4 : to go over the top of : SURMOUNT 5 : to strike (a golf ball) above the center 6 : to make an end or conclusion ⟨~ off a meal with coffee⟩

³**top** adj : of, relating to, or at the top : HIGHEST
⁴**top** n : a child's toy that has a tapering point on which it is made to spin
to·paz \'tō-,paz\ n : a hard silicate mineral that when occurring as perfect yellow crystals is valued as a gem
top–heavy \'täp-,hev-ē\ adj : having the top part too heavy for the lower part
top·ic \'täp-ik\ n 1 : a heading in an outlined argument 2 : the subject of a discourse or a section of it : THEME
top·i·cal adj 1 : of, relating to, or arranged by topics ⟨a ~ outline⟩ 2 : relating to current or local events ⟨a ~ skit⟩ — **top·i·cal·ly** adv
top·knot \'täp-,nät\ n 1 : an ornament (as a knot of ribbons) forming a headdress 2 : a crest of feathers or hair on the top of the head
top·most \-,mōst\ adj : highest of all : UPPERMOST
top–notch \-'näch\ adj : of the highest quality : FIRST-RATE
to·pog·ra·phy \tə-'päg-rə-fē\ n 1 : the art of showing in detail on a map or chart the physical features of a place or region 2 : the outline of the form of a place showing its relief and the position of features (as rivers, roads, or cities) — **to·pog·ra·pher** n — **top·o·graph·ic** adj
top·ping \'täp-iŋ\ n : something (as a garnish or sauce) that forms a top
top·ple \'täp-əl\ vb 1 : to fall from or as if from being top-heavy 2 : to push over : OVERTURN; also : OVERTHROW
tops \'täps\ adj : topmost in quality or eminence ⟨is considered ~ in his field⟩
top·soil \-,soil\ n : surface soil; esp : the organic layer in which plants have most of their roots
top·sy–tur·vy \,täp-sē-'tər-vē\ adv (or adj) 1 : upside down 2 : in utter confusion
To·rah \'tōr-ə\ n, pl **To·roth** \tō-'rōt(h)\ or **Torahs** 1 : a scroll of the first five books of the Old Testament used in a synagogue; also : these five books 2 : the body of divine knowledge and law found in the Jewish scriptures and tradition
torch \'tórch\ n 1 : a flaming light made of something that burns brightly and usu. carried in the hand 2 : something that resembles a torch in giving light, heat, or guidance 3 chiefly Brit : FLASHLIGHT — **torch·bear·er** \-,bar-ər\ n — **torch·light** \-,līt\ n
¹**tor·ment** \'tór-,ment\ n 1 : extreme pain or anguish of body or mind 2 : a source of vexation or pain
²**tor·ment** \tór-'ment\ vb 1 : to cause severe suffering of body or mind to 2 : VEX, HARASS syn rack, afflict, try, torture — **tor·men·tor** n
tor·na·do \tór-'nād-ō\ n, pl -**does** or -**dos** [modif. of Sp tronada thunderstorm, fr. tronar to thunder, modif. of L tonare] : a violent destructive whirling wind accompanied by a funnel-shaped cloud that moves over a narrow path
¹**tor·pe·do** \tór-'pēd-ō\ n, pl -**does** : a self-propelling cigar-shaped submarine missile filled with explosive
²**torpedo** vb : to hit with or destroy by a torpedo
tor·pid \'tór-pəd\ adj 1 : having lost motion or the power of exertion : SLUG-

GISH 2 : lacking vigor : DULL — **tor·pid·i·ty** \ˈtȯr-ˈpid-ət-ē\ *n*
tor·por \ˈtȯr-pər\ *n* 1 : extreme sluggishness : STAGNATION 2 : DULLNESS, APATHY **syn** stupor, lethargy, languor, lassitude
torque \ˈtȯrk\ *n* : a force that produces or tends to produce rotation or torsion
tor·rent \ˈtȯr-ənt\ *n* 1 : a rushing stream (as of water or lava) 2 : a tumultuous outburst
tor·ren·tial \tȯ-ˈren-chal\ *adj* 1 : relating to or having the character of a torrent ⟨~ rains⟩ 2 : resembling a torrent ⟨~ abuse⟩
tor·rid \ˈtȯr-əd\ *adj* 1 : parched with heat esp. of the sun : HOT 2 : ARDENT, PASSIONATE
torrid zone *n* : the region of the earth between the tropics over which the sun is vertical at some time of the year
tor·sion \ˈtȯr-shən\ *n* : a twisting or being twisted : a wrenching by which one part of a body is under pressure to turn about a longitudinal axis while the other part is held fast or is under pressure to turn in the opposite direction
tor·so \ˈtȯr-sō\ *n, pl* **torsos** *or* **tor·si** \-,sē\ : the trunk of the human body
tort \ˈtȯrt\ *n* : a wrongful act except one involving a breach of contract for which the injured party can recover damages in a civil action
tor·toise \ˈtȯrt-əs\ *n* : TURTLE; *esp* : a sea turtle whose shell yields horny mottled brown-and-yellow plates (**tortoise-shell**) used for various ornamental objects
tor·tu·ous \ˈtȯr-chə-wəs\ *adj* 1 : marked by twists or turns : WINDING 2 : DEVIOUS, TRICKY
¹**tor·ture** \ˈtȯr-chər\ *n* 1 : the infliction of severe pain esp. to punish or coerce 2 : anguish of body or mind : AGONY
²**torture** *vb* 1 : to punish or coerce by inflicting severe pain 2 : to cause intense suffering to : TORMENT 3 : TWIST, DISTORT **syn** rack, grill, afflict, try
To·ry \ˈtōr-ē\ *n* 1 : a member of a chiefly 18th century British party upholding the established church and the traditional political structure 2 : an American supporter of the British during the American Revolution 3 : a member of the Conservative party in the United Kingdom 4 *often not cap* : an extreme conservative — **Tory** *adj*
¹**toss** \ˈtȯs, ˈtäs\ *vb* 1 : to fling to and fro or up and down 2 : to throw with a quick light motion; *also* : BANDY 3 : to fling or lift with a sudden motion ⟨~ed her head angrily⟩ 4 : to move restlessly or turbulently ⟨~es on the waves⟩ 5 : to twist and turn repeatedly ⟨~ off an article⟩ 6 : FLOUNCE 7 : to accomplish readily 8 : to decide an issue by flipping a coin
²**toss** *n* : an act or instance of tossing
¹**to·tal** \ˈtōt-ᵊl\ *adj* 1 : making up a whole : ENTIRE ⟨~ amount⟩ 2 : COMPLETE, UTTER ⟨a ~ failure⟩ 3 : concentrating all personnel and resources on an objective : THOROUGHGOING ⟨~ war⟩ — **to·tal·ly** *adv*
²**total** *n* : the entire amount : SUM **syn** aggregate, whole, quantity
³**total** *vb* **-taled** *or* **-talled**; **-tal·ing** *or* **-tal·ling** 1 : to add up : COMPUTE 2 : to amount to : NUMBER

to·tal·i·tar·i·an \tō-,tal-ə-ˈter-ē-ən\ *adj* : of or relating to a political regime based on subordination of the individual to the state and strict control of all aspects of life esp. by coercive measures; *also* : advocating, constituting, or characteristic of such a regime — **totalitarian** *n*
to·tal·i·ty \tō-ˈtal-ət-ē\ *n* 1 : an aggregate amount : SUM, WHOLE 2 : ENTIRETY, WHOLENESS
tote \ˈtōt\ *vb* : CARRY, HAUL
to·tem \ˈtōt-əm\ *n* : an object (as an animal or plant) serving as the emblem of a family or clan and often as a reminder of its ancestry; *also* : a usu. carved or painted representation of such an object (as on a **totem pole**)
tot·ter \ˈtät-ər\ *vb* 1 : to tremble or rock as if about to fall : SWAY 2 : to move unsteadily : STAGGER
¹**touch** \ˈtəch\ *vb* 1 : to bring a bodily part (as the hand) into contact with so as to feel 2 : to be or cause to be in contact 3 : to strike or push lightly esp. with the hand or foot 4 : to make use of ⟨never ~es alcohol⟩ 5 : DISTURB, HARM 6 : to induce to give or lend 7 : to get to : REACH 8 : to refer to in passing : MENTION 9 : to affect the interest of : CONCERN 10 : to leave a mark on; *also* : BLEMISH 11 : to improve with or as if with a brush ⟨~ up a portrait⟩ 12 : to move to sympathetic feeling 13 : to come close : VERGE 14 : to have a bearing : RELATE 15 : to make a usu. brief or incidental stop in port ⟨~ed at several coastal towns⟩ **syn** affect, influence, impress, strike, sway
²**touch** *n* 1 : a light stroke or tap 2 : the act or fact of touching or being touched 3 : the sense by which pressure or traction is felt; *also* : a particular sensation conveyed by this sense 4 : mental or moral sensitiveness : TACT ⟨has a fine ~ with children⟩ 5 : a small quantity : TRACE 6 : a manner of striking or touching esp. the keys of a keyboard instrument 7 : an improving detail ⟨add a few ~es to the painting⟩ 8 : distinctive manner or skill ⟨~ of a master⟩ 9 : the state of being in contact ⟨keep in ~⟩ **syn** suggestion, suspicion, tincture, tinge
touch·down \ˈtəch-,daun\ *n* : the act of scoring six points in American football by being lawfully in possession of the ball on, above, or behind an opponent's goal line
touch·ing *adj* : capable of stirring emotions : PATHETIC **syn** moving, impressive, poignant
touch·stone \ˈtəch-,stōn\ *n* : a test or criterion of genuineness or quality **syn** standard, gauge
touchy \ˈtəch-ē\ *adj* 1 : easily offended : PEEVISH 2 : calling for tact in treatment ⟨a ~ subject⟩ **syn** irascible, cranky, cross
tough \ˈtəf\ *adj* 1 : strong or firm in texture but flexible and not brittle 2 : not easily chewed 3 : characterized by severity and determination ⟨a ~ policy⟩ 4 : capable of enduring strain or hardship : ROBUST 5 : hard to influence : STUBBORN 6 : difficult to cope with ⟨a ~ problem⟩ 7 : ROWDYISH, RUFFIANLY **syn** tenacious, stout, sturdy, stalwart — **tough·ly** *adv* — **tough·ness** *n*

tough·en \-ən\ *vb* : to make or become tough

¹tour \'tu̇r\ *n* **1** : one's turn : SHIFT **2** : a journey in which one returns to the starting point

²tour *vb* : to travel or travel over as a tourist

tour·ist \'tu̇r-əst\ *n* : one that makes a tour for pleasure or culture

tourist class *n* : economy accommodation on a ship, airplane, or train

tour·na·ment \'tu̇r-nə-mənt, 'tər-\ *n* **1** : a medieval sport in which mounted armored knights contended with blunted lances or swords; *also* : the whole series of knightly sports, jousts, and tilts occurring at one time and place. **2** : a championship series of games or athletic contests

tour·ni·quet \'tu̇r-ni-kət, 'tər-\ *n* : a device (as a bandage twisted tight with a stick) for stopping bleeding or blood flow

tou·sle \'tau̇-zəl\ *vb* : to disorder by rough handling : DISHEVEL, MUSS

¹tout \'tau̇t\ *vb* : to give a tip or solicit bets on a racehorse — **tout** *n*

²tout *vb* : to praise or publicize loudly

¹tow \'tō\ *vb* : to draw or pull along behind **syn** tug, haul, drag

²tow *n* **1** : an act of towing or condition of being towed **2** : something (as a barge) that is towed

to·ward *or* **to·wards** \(')tō(-ə)rd(z), tə-'wȯrd(z)\ *prep* **1** : in the direction of ⟨heading ~ the river⟩ **2** : along a course leading to ⟨efforts ~ reconciliation⟩ **3** : in regard to ⟨tolerance ~ minorities⟩ **4** : FACING ⟨the gun's muzzle was ~ him⟩ **5** : close upon : NEAR ⟨it was getting along ~ sundown⟩ **6** : for part payment of ⟨paid $100~his tuition⟩

tow·el \'tau̇(-ə)l\ *n* : an absorbent cloth or paper for wiping or drying

¹tow·er \'tau̇(-ə)r\ *n* **1** : a tall structure either isolated or built upon a larger structure ⟨a bell ~ of a church⟩ ⟨an observation ~⟩ **2** : a towering citadel : FORTRESS

²tower *vb* : to reach or rise to a great height **syn** soar, mount, ascend, surge

tow·er·ing *adj* **1** : LOFTY, IMPOSING ⟨~ pines⟩ **2** : reaching high intensity ⟨a ~ rage⟩ **3** : EXCESSIVE ⟨~ ambition⟩

tow·head \'tō-,hed\ *n* : a person having soft whitish hair — **tow·head·ed**

town \'tau̇n\ *n* **1** : a compactly settled area usu. larger than a village but smaller than a city **2** : CITY **3** : a New England territorial and political unit usu. containing both rural and urban areas; *also* : a New England community in which matters of local government are decided by a general assembly (**town meeting**) of qualified voters

town·ship \'tau̇n-,ship\ *n* **1** : TOWN **3** **2** : a unit of local government in some states **3** : an unorganized subdivision of a county; *also* : an administrative division **4** : a division of territory in surveys of U.S. public land containing 36 square miles

towns·peo·ple \-,pē-pəl\ *n pl* **1** : the inhabitants of a town or city **2** : townbred persons

tox·emia \täk-'sē-mē-ə\ *n* : abnormality associated with the presence of toxic matter in the blood

tox·ic \'täk-sik\ *adj* [L *toxicum*, n., poison, fr. Gk *toxikon* arrow poison, fr. *toxa* bow and arrows, fr. pl. of *toxon* bow] : of, relating to, or caused by poison or a toxin : POISONOUS

tox·i·col·o·gy \,täk-sə-'käl-ə-jē\ *n* : a science that deals with poisons and esp. with problems of their use and control — **tox·i·co·log·ic** \,täk-si-kə-'läj-ik\ *adj* — **tox·i·col·o·gist** \,täk-sə-'käl-ə-jəst\ *n*

tox·in \'täk-sən\ *n* : a substance produced by a living organism that is very poisonous when introduced into the tissues but is usu. destroyed by digestive processes when taken by mouth

¹toy \'tȯi\ *n* **1** : something trifling **2** : a small ornament : BAUBLE **3** : something for a child to play with : PLAYTHING

²toy *vb* **1** : FLIRT **2** : to deal lightly : TRIFLE **3** : to amuse oneself as if with a plaything

³toy *adj* **1** : designed for use as a toy **2** : DIMINUTIVE

¹trace \'trās\ *n* **1** : a mark (as a footprint or track) left by something that has passed : VESTIGE **2** : a minute or barely detectable amount

²trace *vb* **1** : to mark out : SKETCH **2** : to form (as letters) carefully **3** : to copy (a drawing) by marking lines on transparent paper laid over the drawing to be copied **4** : to follow the trail of : track down **5** : to study out and follow the development of ⟨*traced* his ancestors⟩ — **trace·able** *adj* — **trac·er** *n*

³trace *n* : either of two lines of a harness for fastening a draft animal to a vehicle

tra·chea \'trā-kē-ə\ *n, pl* -**che·ae** \-kē-,ē\ : the main tube by which air enters the lungs : WINDPIPE — **tra·che·al** \-kē-əl\ *adj*

trac·ing *n* **1** : the act of one that traces **2** : something that is traced **3** : a graphic record made by an instrument for measuring vibrations or pulsations

¹track \'trak\ *n* **1** : a mark left in passing **2** : PATH, ROUTE, TRAIL **3** : a course laid out for racing; *also* : track-and-field sports **4** : a way for various wheeled vehicles; *esp* : a way made by two parallel lines of metal rails **5** : awareness of a fact or progression ⟨lost ~ of his movements⟩ **6** : either of two endless metal belts on which a vehicle (as a tractor) travels

²track *vb* **1** : to follow the tracks or traces of : TRAIL **2** : to make tracks upon — **track·er** *n*

¹tract \'trakt\ *n* : a pamphlet of political or religious propaganda

²tract *n* **1** : a stretch of land without precise boundaries ⟨broad ~s of prairie⟩ **2** : a defined area of land ⟨a garden ~⟩ **3** : a system of body parts or organs together serving some special purpose

trac·ta·ble \'trak-tə-bəl\ *adj* **1** : easily controlled : DOCILE **2** : easily wrought : MALLEABLE **syn** amenable, obedient

trac·tion \'trak-shən\ *n* **1** : the act of drawing or condition of being drawn **2** : the drawing of a vehicle by motive power; *also* : the particular form of motive power used **3** : the adhesive friction of a body on a surface on which it moves (as of a wheel on a rail) — **trac·tive** \'trak-tiv\ *adj*

trac·tor \\'trak-tər\\ *n* **1** : an automotive vehicle that is borne on four wheels or beltlike metal tracks and used for drawing, pushing, or bearing implements or vehicles **2** : a motortruck with short chassis for hauling a trailer

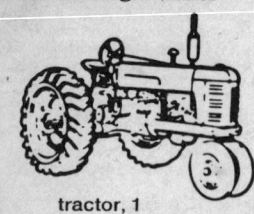

tractor, 1

¹trade \\'trād\\ *n* **1** : one's regular business or work : OCCUPATION **2** : an occupation requiring manual or mechanical skill **3** : the persons engaged in a business or industry **4** : the business of buying and selling or bartering commodities **5** : an act of trading : TRANSACTION **syn** craft, profession, commerce, industry

²trade *vb* **1** : to give in exchange for another commodity : BARTER **2** : to engage in the exchange, purchase, or sale of goods **3** : to deal regularly as a customer **4** : EXPLOIT ⟨~s on his family name⟩

¹trade·mark \\-,märk\\ *n* : a device (as a word or mark) that points distinctly to the origin or ownership of merchandise or service to which it is applied and that is legally reserved for the exclusive use of the owner

²trademark *vb* **1** : to label with a trademark **2** : to secure the trademark rights for

trad·er \\'trād-ər\\ *n* **1** : a person whose business is buying or selling **2** : a ship engaged in trade

trade wind *n* : a wind blowing regularly from northeast to southwest north of the equator and from southeast to northwest south of the equator

tra·di·tion \\trə-'dish-ən\\ *n* **1** : the handing down of beliefs and customs by word of mouth or by example without written instruction; *also* : a belief or custom thus handed down **2** : an inherited pattern of thought or action — **tra·di·tion·al** *adj* — **tra·di·tion·al·ly** *adv* — **tra·di·tion·ary** *adj*

tra·duce \\trə-'d(y)üs\\ *vb* **1** : to lower the reputation of : DEFAME, SLANDER **syn** malign, libel — **tra·duc·er** *n*

¹traf·fic \\'traf-ik\\ *n* **1** : the business of bartering or buying and selling **2** : INTERCOURSE, BUSINESS **3** : the movement (as of vehicles) along a route **4** : the passengers or cargo carried by a transportation system

²traffic *vb* **-ficked; -fick·ing** : to carry on traffic — **traf·fick·er** *n*

trag·e·dy \\'traj-əd-ē\\ *n* **1** : a serious drama describing a conflict between the protagonist and a superior force (as destiny) and having a sad end that excites pity or terror **2** : a disastrous event : CALAMITY; *also* : MISFORTUNE **3** : tragic quality or element

trag·ic \\'traj-ik\\ *adj* **1** : of, relating to, or expressive of tragedy **2** : appropriate to tragedy **3** : LAMENTABLE, UNFORTUNATE — **trag·i·cal** *adj* — **trag·i·cal·ly** *adv*

¹trail \\'trāl\\ *vb* **1** : to hang down so as to drag along or sweep the ground **2** : to draw or drag along behind **3** : to extend over a surface in a straggling manner **4** : to follow slowly : lag behind ⟨~s his competitors⟩ **5** : to follow upon the track of : PURSUE **6** : DWINDLE ⟨her voice ~ed off⟩ **syn** chase, tag, tail

²trail *n* **1** : something that trails or is trailed ⟨a ~ of smoke⟩ **2** : a trace or mark left by something that has passed or been drawn along : TRACK ⟨a ~ of blood⟩ **3** : a beaten path; *also* : a marked path through woods **4** : SCENT

trail·er *n* **1** : one that trails; *esp* : a creeping plant (as an ivy) **2** : a vehicle that is hauled by another (as by a tractor) **3** : a vehicle equipped to serve wherever parked as a dwelling or as a place of business

¹train \\'trān\\ *n* **1** : a part of a gown that trails behind the wearer **2** : RETINUE **3** : a moving file of persons, vehicles, or animals **4** : a connected series ⟨a ~ of thought⟩ **5** : a connected line of railroad cars usu. hauled by a locomotive **6** : AFTERMATH **syn** succession, sequence, procession, chain

²train *vb* **1** : to cause to grow as desired ⟨~ a vine on a trellis⟩ **2** : to form by instruction, discipline, or drill **3** : to make or become prepared (as by exercise) for a test of skill **4** : to aim or point at an object ⟨~ guns on a fort⟩ **syn** discipline, school, educate, direct, level — **train·er** *n*

¹train·ing *n* **1** : the act or process of one who trains **2** : the state of being trained

²training *adj* : used in or for training; *also* : providing training

trait \\'trāt\\ *n* : a distinguishing quality (as of personality or physical makeup) : CHARACTERISTIC

trai·tor \\'trāt-ər\\ *n* **1** : one who betrays another's trust or is false to an obligation **2** : one who commits treason — **trai·tor·ous** *adj* — **trai·tress**

tra·jec·to·ry \\trə-'jek-t(ə-)rē\\ *n* : the curve that a body (as a planet in its orbit, a projectile in flight, or a missile passing through the air) describes in space

¹tram·mel \\'tram-əl\\ *n* : something impeding activity, progress, or freedom

²trammel *vb* **-meled** *or* **-melled; -mel·ing** *or* **-mel·ling** **1** : to catch and hold in or as if in a net **2** : HAMPER **syn** clog, fetter, shackle

¹tramp \\'tramp\\ *vb* **1** : to walk, tread, or step heavily **2** : to walk about or through; *also* : HIKE **3** : to tread on forcibly and repeatedly

²tramp *n* **1** : a foot traveler **2** : a begging or thieving vagrant **3** : an immoral woman; *esp* : PROSTITUTE **4** : a walking trip : HIKE **5** : the succession of sounds made by the beating of feet on a road **6** : a ship that does not follow a regular course but takes cargo to any port

tram·ple \\'tram-pəl\\ *vb* **1** : to tread heavily so as to bruise, crush, or injure **2** : to inflict injury or destruction **3** : to press down or crush by or as if by

treading : STAMP — **trample** *n* — **trampler** \-p(ə-)lər\ *n*
trance \'trans\ *n* **1** : DAZE, STUPOR **2** : a prolonged and profound sleeplike condition (as of deep hypnosis) **3** : a state of mystical absorption : RAPTURE
tran·quil \'traŋ-kwəl\ *adj* : free from agitation or disturbance : QUIET **syn** serene, placid, peaceful — **tran·quil·li·ty** *or* **tran·quil·i·ty** \tran-'kwil-ət-ē\ *n* — **tran·quil·ly** \'traŋ-kwə-lē\ *adv*
tran·quil·ize *or* **tran·quil·lize** \'traŋ-kwə-,līz\ *vb* : to make or become tranquil; *esp* : to relieve of mental tension and anxiety
tran·quil·iz·er *n* : a drug used to relieve tension and anxiety
trans·act \trans-'akt, tranz-\ *vb* : to carry out : PERFORM; *esp* : to carry on
trans·ac·tion \-'ak-shən\ *n* **1** : an act or process of transacting **2** : something transacted; *esp* : a business deal **3** *pl* : the records of the proceedings of a society or organization
trans·at·lan·tic \,trans-ət-'lant-ik, ,tranz-\ *adj* : crossing or extending across or situated beyond the Atlantic ocean
tran·scend \trans-'end\ *vb* **1** : to rise above the limits of **2** : SURPASS **syn** exceed, outdo
tran·scen·dent \trans-'en-dənt\ *adj* **1** : exceeding usual limits : SURPASSING **2** : transcending material existence **syn** superlative, supreme, peerless, incomparable
tran·scen·den·tal \,trans-,en-'dent-ᵊl\ *adj* **1** : TRANSCENDENT **2** : of, relating to, or characteristic of transcendentalism; *also* : ABSTRUSE, ABSTRACT
trans·con·ti·nen·tal \,trans-,känt-ᵊn-'ent-ᵊl\ *adj* **1** : extending or going across a continent **2** : situated on the farther side of a continent
tran·scribe \trans-'krīb\ *vb* **1** : to write a copy of **2** : to make a copy of (shorthand notes or recorded matter) in longhand or on a typewriter **3** : to represent (speech sounds) by means of phonetic symbols; *also* : to make a musical transcription of **4** : to record on a phonograph record or magnetic tape for later radio broadcast; *also* : to broadcast recorded matter
tran·script \'trans-,kript\ *n* **1** : a written, printed, or typed copy **2** : an official copy esp. of a student's educational record
tran·scrip·tion \trans-'krip-shən\ *n* **1** : an act or process of transcribing **2** : COPY, TRANSCRIPT **3** : an arrangement of a musical composition for some instrument or voice other than the original **4** : radio broadcasting from a phonograph record; *also* : the record itself
¹**trans·fer** \trans-'fər\ *vb* **-ferred**; **-fer·ring** **1** : to pass or cause to pass from one person, place, or situation to another : TRANSPORT, TRANSMIT **2** : to make over the possession of : CONVEY **3** : to print or copy from one surface to another by contact **4** : to change from one vehicle or transportation line to another — **trans·fer·able** *adj* — **trans·fer·al** *n*
²**trans·fer** \'trans-,fər\ *n* **1** : conveyance of right, title, or interest in property from one person to another **2** : an act or process of transferring **3** : one that transfers or is transferred **4** : a ticket entitling a passenger on a public conveyance to continue his journey on another route
trans·fig·ure \trans-'fig-yər\ *vb* **1** : to change the form or appearance of **2** : EXALT, GLORIFY — **trans·fig·u·ra·tion** \,trans-,fig-(y)ə-'rā-shən\ *n*
trans·fix \trans-'fiks\ *vb* **1** : to pierce through with or as if with a pointed weapon **2** : to hold motionless by or as if by piercing
trans·form \trans-'förm\ *vb* **1** : to change in structure, appearance, or character **2** : to change (an electric current) in potential or type **syn** transmute, transfigure — **trans·for·ma·tion** \,trans-fər-'mā-shən\ *n* — **trans·form·er** \trans-'för-mər\ *n*
trans·fuse \trans-'fyüz\ *vb* **1** : to cause to pass from one to another **2** : to diffuse into or through **3** : to transfer (as blood) into a vein of a man or animal — **trans·fu·sion** \-'fyü-zhən\ *n*
trans·gress \trans-'gres, tranz-\ *vb* [L *transgress-, transgredi* to cross beyond, fr. *trans-* across + *gradi* to step, go] **1** : to go beyond the limits set by (~ the divine law) **2** : to go beyond : EXCEED **3** : SIN — **trans·gres·sion** \-'gresh-ən\ *n* — **trans·gres·sor** \-'gresh-ər\ *n*
¹**tran·sient** \'tran-chənt\ *adj* **1** : not lasting long : SHORT-LIVED **2** : passing through a place with only a brief stay **syn** transitory, passing, momentary, fleeting — **tran·sient·ly** *adv*
²**transient** *n* : one that is transient; *esp* : a transient guest
tran·sis·tor \tranz-'is-tər, trans-\ *n* **1** : a small electronic device to control electrons **2** : a radio having transistors
tran·sit \'trans-ət, 'tranz-\ *n* **1** : a passing through or across : PASSAGE **2** : conveyance of persons or things from one place to another **3** : usu. local transportation esp. of people by public conveyance **4** : a surveyor's instrument for measuring angles

surveyor's transit

tran·si·tion \trans-'ish-ən, tranz-\ *n* : passage from one state, place, stage, or subject to another : CHANGE — **tran·si·tion·al** *adj*
tran·si·tive \'trans-ət-iv, 'tranz-\ *adj* **1** : having or containing an object required to complete its meaning **2** : TRANSITIONAL — **tran·si·tive·ly** *adv* — **tran·si·tive·ness** *n*
tran·si·to·ry \'trans-ə-,tōr-ē, 'tranz-\ *adj* : of brief duration : SHORT-LIVED, TEMPORARY **syn** transient, passing, momentary, fleeting
trans·late \trans-'lāt, tranz-\ *vb* **1** : to bear or change from one place, state, or form to another **2** : to convey to heaven without death **3** : to transfer (a bishop) from one see to another **4** : to

trans·la·tion \-'lā-shən\ *n* — **trans·la·tor** \-'lāt-ər\ *n*

trans·lu·cent \-'lüs-ᵊnt\ *adj* : admitting and diffusing light so that objects beyond cannot be clearly distinguished : partly transparent — **trans·lu·cence** *n* — **trans·lu·cen·cy** *n*

trans·mis·sion \-'mish-ən\ *n* **1** : an act or process of transmitting **2** : the passage of radio waves between transmitting stations and receiving stations **3** : the gears by which power is transmitted from the engine of an automobile to the axle that propels the vehicle **4** : something transmitted

trans·mit \-'mit\ *vb* **1** : to transfer from one person or place to another : FORWARD **2** : to pass on by or as if by inheritance **3** : to cause (as light, electricity, or force) to pass through space or a medium **4** : to send out (radio or television signals) **syn** carry, bear, convey, transport — **trans·mis·si·ble** \-'mis-ə-bəl\ *adj* — **trans·mit·ta·ble** \-'mit-ə-bəl\ *adj*

trans·mit·ter *n* **1** : one that transmits **2** : the part of a telephone into which one speaks **3** : a set of apparatus for transmitting telegraph, radio, or television signals

tran·som \'tran-səm\ *n* **1** : a piece (as a crossbar in the frame of a window or door) that lies crosswise in a structure **2** : a window above an opening (as a door) built on and often hinged to a horizontal crossbar

trans·par·ent \trans-'par-ənt\ *adj* **1** : transmitting light : clear enough to be seen through **2** : SHEER, DIAPHANOUS ⟨a ~ fabric⟩ **3** : readily understood : CLEAR; *also* : easily detected ⟨a ~ lie⟩ **syn** lucid — **trans·par·en·cy** *n* —

tran·spire \trans-'pī(ə)r\ *vb* **1** : to pass off (as watery vapor) through pores or a membrane **2** : to become known : come to light **3** : to take place : OCCUR

¹**trans·plant** \trans-'plant\ *vb* **1** : to take up and set again in another soil or location **2** : to remove from one place and settle or introduce elsewhere : TRANSPORT **3** : to transfer (an organ or tissue) from one part or individual to another **4** : to admit of being transplanted — **trans·plan·ta·tion** \,trans-,plan-'tā-shən\ *n*

²**trans·plant** \'trans-,plant\ *n* **1** : the act or process of transplanting **2** : something transplanted

¹**trans·port** \trans-'pōrt\ *vb* **1** : to convey from one place to another : CARRY **2** : to carry away by strong emotion : ENRAPTURE **3** : to send to a penal colony overseas **syn** bear, transmit, deport, exile — **trans·por·ta·tion** \,trans-pər-'tā-shən\ *n* — **trans·port·er** *n*

²**trans·port** \'trans-,pōrt\ *n* **1** : act of transporting : TRANSPORTATION **2** : strong or intensely pleasurable emotion : RAPTURE **3** : a ship used in transporting troops or supplies; *also* : a vehicle (as a truck or plane) used to transport persons or goods

trans·pose \trans-'pōz\ *vb* **1** : to change the position or sequence of ⟨~ the letters in a word⟩ **2** : to write or perform (a musical composition) in a different key **syn** reverse, invert — **trans·po·si·tion** \,trans-pə-'zish-ən\ *n*

trans·verse \trans-'vərs, tranz-\ *adj* : lying across : set crosswise — **transverse** \'trans-,vərs, 'tranz-\ *n* — **trans·verse·ly** *adv*

¹**trap** \'trap\ *n* **1** : a device (as a snare) for catching animals **2** : something by which one is caught unawares **3** : a machine for throwing objects into the air to be targets for shooters; *also* : a hazard on a golf course consisting of a depression containing sand **4** : a light 2-wheeled or 4-wheeled one-horse carriage on springs **5** : a device to allow some one thing to pass through while keeping other things out ⟨a ~ in a drainpipe⟩

²**trap** *vb* **trapped**; **trap·ping** **1** : to catch in or as if in a trap; *also* : CONFINE **2** : to provide or set (a place) with traps **3** : to set traps for animals esp. as a business **syn** snare, entrap, ensnare, bag, lure, decoy — **trap·per** *n*

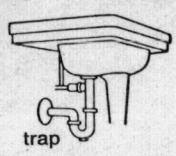

trap

trap·door \'trap-'dōr\ *n* : a lifting or sliding door covering an opening in a floor or roof

tra·peze \tra-'pēz\ *n* : a gymnastic apparatus consisting of a horizontal bar suspended by two parallel ropes

trap·e·zoid \'trap-ə-,zȯid\ *n* : a plane 4-sided figure with two parallel sides — **trap·e·zoi·dal** \,trap-ə-'zȯid-ᵊl\ *adj*

trash \'trash\ *n* **1** : something of little worth : RUBBISH **2** : a worthless person; *also* : such persons as a group : RIFFRAFF — **trashy** *adj*

trau·ma \'traú-mə, 'trȯ-\ *n*, *pl* **-ma·ta** \-mət-ə\ *or* **-mas** : a bodily or mental injury usu. caused by an external agent; *also* : a cause of trauma — **trau·mat·ic** *adj*

¹**tra·vail** \trə-'vāl, 'trav-,āl\ *n* **1** : painful work or exertion : TOIL **2** : AGONY, TORMENT **3** : CHILDBIRTH, LABOR **syn** work, drudgery

²**travail** *vb* : to labor hard : TOIL

¹**trav·el** \'trav-əl\ *vb* **-eled** *or* **-elled**; **-el·ing** *or* **-el·ling** **1** : to go on or as if on a trip or tour : JOURNEY **2** : to move as if by traveling : PASS **3** : ASSOCIATE **4** : to go from place to place as a salesman **5** : to move from point to point ⟨light waves ~ very fast⟩ **6** : to journey over or through — **trav·el·er** *or* **trav·el·ler** *n*

²**travel** *n* **1** : the act of traveling : PASSAGE **2** : JOURNEY, TRIP—often used in pl. **3** : the number traveling : TRAFFIC **4** : the motion of a piece of machinery and esp. when to and fro; *also* : length of motion (as of a piston)

¹**trav·erse** \'trav-ərs\ *n* : something (as a crosswise beam) that crosses or lies across

²**tra·verse** \trə-'vərs\ *vb* **1** : to pass through : PENETRATE **2** : to go or travel across or over **3** : to extend over **4** : SWIVEL

¹**trav·es·ty** \'trav-ə-stē\ *n* : a burlesque and usu. grotesque translation or imitation

²**travesty** *vb* : to make a travesty of
¹**trawl** \'trȯl\ *vb* 1 : to fish or catch with a trawl — **trawl·er** *n*
²**trawl** *n* 1 : a large conical net dragged along the sea bottom in fishing 2 : a long fishing line anchored at both ends and equipped with many hooks
tray \'trā\ *n* : an open receptacle with flat bottom and low rim for holding, carrying, or exhibiting articles
treach·er·ous \'trech-(ə-)rəs\ *adj* 1 : characterized by treachery 2 : UNTRUSTWORTHY, UNRELIABLE 3 : providing insecure footing or support **syn** traitorous, faithless, false, disloyal — **treach·er·ous·ly** *adv*
treach·ery \-rē\ *n* : violation of allegiance or trust : TREASON, PERFIDY
¹**tread** \'tred\ *vb* **trod** \'träd\ **trod·den** \'träd-ᵊn\ *or* **trod**; **tread·ing** 1 : to step or walk on or over 2 : to move on foot : WALK; *also* : DANCE 3 : to beat or press with the feet : TRAMPLE
²**tread** *n* 1 : a mark made by or as if by treading 2 : manner of stepping 3 : the sound of treading 4 : the part of something that is trodden upon (the ~ of a step in a flight of stairs) 5 : the part of a thing on which it runs (the ~ of a tire)
trea·dle \'tred-ᵊl\ *n* : a lever device pressed by the foot to drive a machine
tread·mill \'tred-,mil\ *n* 1 : a mill worked by persons who tread steps around the edge of a wheel or by animals that walk on an endless belt 2 : a wearisome routine
trea·son \'trēz-ᵊn\ *n* : the offense of attempting by overt acts to overthrow the government of the state to which one owes allegiance or to kill or injure the sovereign or his family — **trea·son·able**
¹**trea·sure** \'trezh-ər\ *n* 1 : wealth (as money or jewels) stored up or held in reserve 2 : something of great value
²**treasure** *vb* 1 : HOARD 2 : to keep as precious : CHERISH **syn** prize, value, appreciate
trea·sur·er \-ər-ər\ *n* : an officer entrusted with the receipt, care, and disbursement of funds
treasure trove \-,trōv\ *n* 1 : treasure (as money in gold) that is found hidden and whose ownership is unknown 2 : a valuable discovery
trea·sury \'trezh-(ə-)rē\ *n* 1 : a place in which stores of wealth are kept 2 : the place of deposit and disbursement of collected funds; *esp* : one where public revenues are deposited, kept, and disbursed 3 *cap* : a governmental department in charge of finances
¹**treat** \'trēt\ *vb* 1 : NEGOTIATE 2 : to deal with esp. in writing; *also* : HANDLE 3 : to pay for the food or entertainment of 4 : to bear oneself toward (~ them well) 5 : to regard in a specified manner (~ as inferiors) 6 : to care for medically or surgically (~ a wound)
²**treat** *n* 1 : food or entertainment paid for by another 2 : a source of joy or amusement
trea·tise \'trēt-əs\ *n* : a systematic written exposition or argument on a subject
treat·ment \-mənt\ *n* : the act or manner or an instance of treating someone or something; *also* : a substance or method used in treating

trea·ty \'trēt-ē\ *n* : an agreement made by negotiation or diplomacy esp. between two or more states or governments **syn** contract, bargain, pact
¹**tre·ble** \'treb-əl\ *n* 1 : the highest of the four voice parts in vocal music : SOPRANO 2 : a high-pitched or shrill voice or sound 3 : the upper half of the musical pitch range
²**treble** *adj* 1 : triple in number or amount 2 : relating to or having the range of a musical treble 3 : high-pitched : SHRILL — **tre·bly** \'treb-lē\ *adv*
³**treble** *vb* : to make or become three times the size, amount, or number
¹**tree** \'trē\ *n* 1 : a woody perennial plant usu. with a single main stem and a head of branches and leaves at the top 2 : a piece of wood adapted to a particular use (a shoe ~) 3 : something in the form of or felt to resemble a tree (a genealogical ~) — **tree·less** *adj*
²**tree** *vb* **treed**; **tree·ing** : to drive to or up a tree (~ a raccoon)
¹**trek** \'trek\ *n* 1 : a migration esp. of settlers by ox wagon 2 : TRIP; *esp* : one involving difficulties or complex organization
²**trek** *vb* **trekked**; **trek·king** 1 : to travel or migrate by ox wagon 2 : to make one's way arduously
trel·lis \'trel-əs\ *n* : a structure of latticework
²**trellis** *vb* : to train (as a vine) on a trellis
¹**trem·ble** \'trem-bəl\ *vb* 1 : to shake involuntarily (as with fear or cold) : SHIVER 2 : to move, sound, pass, or come to pass as if shaken or tremulous 3 : to be affected with fear or doubt
²**tremble** *n* : a spell of shaking or quivering : TREMOR
tre·men·dous \tri-'men-dəs\ *adj* 1 : fitted to excite trembling : TERRIFYING 2 : astonishingly large, powerful, or great **syn** stupendous, monumental, monstrous — **tre·men·dous·ly** *adv*
trem·or \'trem-ər\ *n* 1 : a trembling or shaking esp from weakness or disease 2 : a quivering motion of the earth (as during an earthquake)
trem·u·lous \'trem-yə-ləs\ *adj* 1 : marked by trembling or tremors : QUIVERING 2 : TIMOROUS, TIMID 3 : UNSTEADY (~ handwriting) — **trem·u·lous·ly** *adv*
¹**trench** \'trench\ *n* 1 : a long narrow cut in land : DITCH; *also* : a similar depression in an ocean floor 2 : a ditch protected by banks of earth and used to shelter soldiers
²**trench** *vb* 1 : to cut or dig trenches in; *also* : to drain by trenches 2 : to protect (troops) with trenches 3 : to come close : VERGE
¹**trend** \'trend\ *vb* 1 : to have or take a general direction : TEND 2 : to show a tendency : INCLINE
²**trend** *n* 1 : general direction taken (as by a stream or mountain range) 2 : a prevailing tendency : DRIFT
trep·i·da·tion \,trep-ə-'dā-shən\ *n* : nervous agitation : APPREHENSION **syn** horror, terror, panic, consternation, dread, fright, dismay
¹**tres·pass** \'tres-pəs, -,pas\ *n* 1 : SIN, OFFENSE 2 : wrongful entry on real property **syn** transgression, violation, infraction, infringement

²**trespass** *vb* **1** : to commit an offense : ERR, SIN **2** : INTRUDE, ENCROACH; *esp* : to enter unlawfully upon the land of another — **tres·pass·er** *n*

tres·tle \'tres-əl\ *n* **1** : a supporting framework consisting usu. of a horizontal piece with spreading legs at each end **2** : a braced framework of timbers, piles, or steel for carrying a road or railroad over a depression

tri·ad \'trī-,ad,-əd\ *n* : a union of three esp. closely related persons or things : TRINITY

¹**tri·al** \'trī-(-ə)l\ *n* **1** : the action or process of trying or putting to the proof : TEST **2** : the hearing and judgment of a matter in issue before a competent tribunal **3** : a source of vexation or annoyance **4** : a temporary use or experiment to test quality or usefulness **5** : EFFORT, ATTEMPT **syn** proof, demonstration, tribulation, affliction

²**trial** *adj* **1** : of, relating to, or used in a trial **2** : made or done as a test **3** : used in a test

tri·an·gle \'trī-,aŋ-gəl\ *n* : a plane figure that is bounded by 3 straight lines and has 3 angles; *also* : something shaped like such a figure — **tri·an·gu·lar** \trī-'aŋ-gyə-lər\ *adj* — **tri·an·gu·lar·ly** *adv*

tribe \'trīb\ *n* **1** : a social group comprising numerous families, clans, or generations **2** : a group of persons having a common character, occupation, or interest **3** : a group of related plants or animals ⟨the cat ∼⟩ — **trib·al** \'trī-bəl\ *adj*

trib·u·la·tion \,trib-yə-'lā-shən\ *n* : distress or suffering resulting from oppression or persecution; *also* : a trying experience **syn** trial, affliction

tri·bu·nal \trī-'byün-ᵊl, trib-'yün-\ *n* **1** : the seat of a judge **2** : a court of justice **3** : something that decides or determines

¹**trib·u·tary** \'trib-yə-,ter-ē\ *adj* **1** : paying tribute : SUBJECT **2** : flowing into a larger stream or a lake **syn** subordinate, secondary, dependent

²**tributary** *n* **1** : a ruler or state that pays tribute **2** : a tributary stream

trib·ute \'trib-yüt\ *n* **1** : a payment by one ruler or nation to another as acknowledgment of submission or price of protection **2** : a usu. excessive tax, rental, or levy exacted by a sovereign or superior **3** : a gift or service showing respect, gratitude, or affection; *also* : PRAISE **syn** assessment, rate, eulogy, citation

trice \'trīs\ *n* : INSTANT, MOMENT

tri·ceps \'trī-,seps\ *n* : a 3-headed muscle along the back of the upper arm

trich·i·no·sis \,trik-ə-'nō-səs\ *n* : a disease caused by infestation of muscle tissue by small worms (**tri·chi·nae** \trik-'ī-nē\) and marked by pain, fever, and swelling

¹**trick** \'trik\ *n* **1** : a crafty procedure meant to deceive **2** : a mischievous action : PRANK **3** : a childish action **4** : a deceptive or ingenious feat designed to puzzle or amuse **5** : PECULIARITY, MANNERISM **6** : an artful expedient : KNACK **7** : the cards played in one round of a card game **8** : a tour of duty : SHIFT **syn** ruse, maneuver, artifice, wile, feint

²**trick** *vb* **1** : to deceive by cunning or artifice : CHEAT **2** : to dress ornately : ORNAMENT

trick·ery \-(ə-)rē\ *n* : deception by tricks and stratagems

trick·le \'trik-əl\ *vb* **1** : to run or fall in drops **2** : to flow in a thin gentle stream — **trickle** *n*

tricky *adj* **1** : inclined to trickery ⟨a ∼ person⟩ **2** : requiring skill or caution : DELICATE ⟨a ∼ situation to handle⟩ **3** : UNRELIABLE

tri·cy·cle \'trī-,sik-əl\ *n* : a 3-wheeled vehicle propelled by pedals, hand levers, or motor

tried \'trīd\ *adj* **1** : found trustworthy through testing **2** : subjected to trials **syn** reliable, dependable, trusty

¹**tri·fle** \'trī-fəl\ *n* : something of little value or importance; *esp* : an insignificant amount (as of money)

²**trifle** *vb* **1** : to talk in a jesting or mocking manner **2** : to act frivolously or playfully **3** : DALLY, FLIRT **4** : to handle something idly : TOY — **tri·fler**

tri·fling \-f(ə-)liŋ\ *adj* **1** : FRIVOLOUS **2** : TRIVIAL, INSIGNIFICANT **syn** petty, paltry

tri·fo·cals \trī-'fō-kəlz\ *n pl* : eyeglasses with lenses having one part for close focus, one for intermediate focus, and one for distant focus

¹**trig·ger** \'trig-ər\ *n* : the part of a firearm lock moved by the finger to release the hammer in firing

²**trigger** *vb* **1** : to fire by pulling a trigger **2** : to initiate, actuate, or set off as if by a trigger

trig·o·nom·e·try \,trig-ə-'näm-ə-trē\ *n* : the branch of mathematics dealing with the relations of the sides and angles of triangles and of methods of deducing from given parts other required parts — **trig·o·no·met·ric** \-nə-'met-rik\ *or* **trig·o·no·met·ri·cal** *adj*

¹**trill** \'tril\ *n* **1** : the alternation of two musical tones a scale degree apart **2** : WARBLE **3** : the rapid vibration of one speech organ against another (as of the tip of the tongue against the ridge of the teeth)

²**trill** *vb* : to utter as or with a trill

tril·lion \'tril-yən\ *n, pl* **trillions** *or* **trillion** **1** : a thousand billions **2** *Brit* : a million billions — **trillion** *adj* — **tril·lionth** *adj or n*

tril·o·gy \'tril-ə-jē\ *n* : a series of three dramas or literary or musical compositions that although each is complete in itself are mutually related and develop one theme

¹**trim** \'trim\ *vb* **trimmed; trim·ming** **1** : to put ornaments on : ADORN **2** : to defeat esp. resoundingly **3** : CHEAT **4** : to make trim, neat, regular, or less bulky by or as if by cutting ⟨∼ a beard⟩ ⟨∼ a budget⟩ **5** : to cause (a boat) to assume a desired position in the water by arrangement of ballast, cargo, or passengers; *also* : to adjust (as a submarine or airplane) for motion and esp. for horizontal motion **6** : to adjust (a sail) to a desired position **7** : to change one's views for safety or expediency **syn** stabilize, steady, poise, balance, ballast — **trim·ly** *adv* — **trim·mer** *n*

²**trim** *adj* : showing neatness, good order, or compactness ⟨∼ houses⟩ ⟨∼ figure⟩

³**trim** *n* **1** : the readiness of a ship for sailing; *also* : the position of a ship in the water **2** : good condition : FITNESS **3** : material used for ornament or trimming; *esp* : the woodwork in the finish of a house esp. around doors and windows **4** : something that is trimmed off

trin·i·ty \'trin-ət-ē\ *n* **1** *cap* : the unity of Father, Son, and Holy Spirit as three persons in one godhead **2** : a union of three in one : TRIAD

trin·ket \'triŋ-kət\ *n* **1** : a small ornament (as a jewel or ring) **2** : TRIFLE

trio \'trē-ō\ *n* **1** : a musical composition for three voices or three instruments **2** : the performers of a musical or dance trio **3** : a group or set of three

¹**trip** \'trip\ *vb* **tripped; trip·ping 1** : to move with light quick steps **2** : to catch the foot against something so as to stumble or cause to stumble **3** : to make a mistake : SLIP; *also* : to detect in a misstep : EXPOSE **4** : to release (as a spring or switch) by moving a catch; *also* : ACTIVATE

²**trip** *n* **1** : JOURNEY, VOYAGE **2** : a quick light step **3** : a false step : STUMBLE; *also* : ERROR **4** : the action of tripping mechanically; *also* : a device for tripping

tri·par·tite \trī-'pär-,tīt\ *adj* **1** : divided into three parts **2** : having three corresponding parts or copies **3** : made between three parties ⟨a ~ treaty⟩

tripe \'trīp\ *n* : stomach tissue of a ruminant and esp. an ox for use as food

¹**tri·ple** \'trip-əl\ *vb* **1** : to make or become three times as great or as many **2** : to hit a triple

²**triple** *n* **1** : a triple quantity **2** : a group of three **3** : a hit in baseball that enables the batter to reach third base

³**triple** *adj* **1** : having three units or members **2** : being three times as great or as many **3** : three times repeated

trip·let \'trip-lət\ *n* **1** : a unit of three lines of verse **2** : a group of three of a kind **3** *pl* : three offspring born at one birth

¹**trip·li·cate** \'trip-li-kət\ *adj* : made in three identical copies

²**trip·li·cate** \-lə-,kāt\ *vb* **1** : TRIPLE **2** : to provide three copies of ⟨~ a document⟩

³**trip·li·cate** \-li-kət\ *n* : one of three identical copies

tri·pod \'trī-,päd\ *n* : something (as a caldron, stool, or camera stand) that rests on three legs

trite \'trīt\ *adj* [L *tritus*, fr. pp. of *terere* to rub, wear away] : used so commonly that the novelty is worn off : STALE **syn** hackneyed, stereotyped, commonplace

trit·i·um \'trit-ē-əm\ *n* : a radioactive form of hydrogen with atoms of three times the mass of ordinary hydrogen atoms

¹**tri·umph** \'trī-əmf\ *n* **1** : the joy or exultation of victory or success **2** : VICTORY, CONQUEST — **tri·um·phal** \trī-'əm-fəl\ *adj*

²**triumph** *vb* **1** : to celebrate victory or success exultantly **2** : to obtain victory : PREVAIL — **tri·um·phant** \trī-'əm-fənt\ *adj* — **tri·um·phant·ly** *adv*

tri·une \'trī-,(y)ün\ *adj* : being three in one ⟨the ~ God⟩

triv·et \'triv-ət\ *n* : a 3-legged stand : TRIPOD **2** : a metal stand with short feet for use under a hot dish

triv·i·al \'triv-ē-əl\ *adj* [L *trivialis* commonplace, fr. *trivium* meeting of three roads, street corner, fr. *tres* three + *via* way, road] : of little importance : TRIFLING — **triv·i·al·i·ty** \,triv-ē-'al-ət-ē\ *n*

¹**troll** \'trōl\ *vb* **1** : to sing the parts of (a song) in succession **2** : to angle for with a hook and line drawn through the water **3** : to sing or play in a jovial manner

²**troll** *n* : a lure used in trolling; *also* : the line with its lure

³**troll** *n* : a supernatural being of Teutonic folklore inhabiting caves or hills

trol·ley *or* **trol·ly** \'träl-ē\ *n* **1** : a device (as a grooved wheel on the end of a pole) to carry current from a wire to an electrically driven vehicle **2** : a passenger car that runs on tracks and gets its electric power through a trolley **3** : a wheeled carriage running on an overhead rail or track (as on a parcel railway in a store)

trol·lop \'träl-əp\ *n* **1** : a slovenly woman : SLATTERN **2** : a loose woman : WANTON

trom·bone \träm-'bōn\ *n* [It, lit., big trumpet, fr. *tromba* trumpet] : a brass wind instrument that consists of a long metal tube bent twice upon itself and flaring at the end and that has a movable slide to vary the pitch

¹**troop** \'trüp\ *n* **1** : a cavalry unit corresponding to an infantry company **2** : an armed force : SOLDIERS — usu. used in pl. **3** : a collection of people or things **4** : a unit of boy or girl scouts under a leader **syn** band, troupe, party

²**troop** *vb* : to move or gather in crowds or groups

troop·er *n* **1** : an enlisted cavalryman; *also* : a cavalry horse **2** : a mounted policeman

tro·phy \'trō-fē\ *n* : something gained or given in conquest or victory esp. when mounted as a memorial

trop·ic \'träp-ik\ *n* [Gk *tropikos* of the solstice, fr. *tropē* turn] **1** : either of the two parallels of latitude one 23° 27' north of the equator (**tropic of Can·cer** \-'kan-sər\) and one 23° 27' south of the equator (**tropic of Cap·ri·corn** \-'kap-rə-,kórn\) where the sun is directly overhead when apparently at its greatest distance north or south of the equator **2** *pl*, *often cap* : the region lying between the tropics of Cancer and Capricorn — **tropic** *or* **trop·i·cal** *adj*

tro·po·sphere \'trōp-ə-,sfiər, 'träp-\ *n* : the portion of the atmosphere that is below the stratosphere and extends outward about 10 miles from the earth's surface

¹**trot** \'trät\ *n* **1** : a moderately fast gait of a 4-footed animal (as a horse) in which the legs move in diagonal pairs **2** : a jogging gait of a man between a walk and a run

²**trot** *vb* **trot·ted; trot·ting 1** : to ride, drive, or go at a trot **2** : to proceed briskly : HURRY — **trot·ter** *n*

troth \'trȯth, 'trōth\ *n* **1** : pledged faithfulness : FIDELITY **2** : one's pledged word; *also* : BETROTHAL

trou·ba·dour \'trü-bə-,dȯr\ *n* : one of a class of poet-musicians flourishing esp. in southern France and northern Italy during the 11th, 12th, and 13th centuries

¹**trou·ble** \\'trəb-əl\\ *vb* **1** : to agitate mentally or spiritually : DISTURB, WORRY **2** : to produce physical disorder in : AFFLICT **3** : to put to inconvenience **4** : to make an effort **5** : RUFFLE ⟨~ the waters⟩ *syn* distress, discommode, molest — **trou·ble·some** *adj* — **trou·ble·some·ly** *adv* — **trou·blous** \\-(ə-)ləs\\ *adj*

²**trouble** *n* **1** : the quality or state of being troubled : MISFORTUNE **2** : an instance of distress or annoyance **3** : a cause of disturbance or distress **4** : EXERTION, PAINS ⟨took the ~ to phone⟩ **5** : ill health : AILMENT

trough \\'trof\\ *n* **1** : a long shallow open boxlike container esp. for water or feed for livestock **2** : a gutter along the eaves of a house **3** : a long channel or depression (as between waves or hills)

trounce \\'traůns\\ *vb* **1** : to thrash or punish severely **2** : to defeat decisively

trou·sers \\'traů-zərz\\ *n pl* : an outer garment extending from the waist to the ankle or sometimes only to the knee, covering each leg separately, and worn esp. by men and boys — **trouser** *adj*

trout \\'traůt\\ *n, pl* **trout** *also* **trouts** : any of various mostly freshwater food and game fishes usu. smaller than the related salmons

trow·el \\'traů(-ə)l\\ *n* **1** : any of various hand implements used for spreading, shaping, or smoothing loose or plastic material (as mortar or plaster) **2** : a small flat or scooplike implement used in gardening

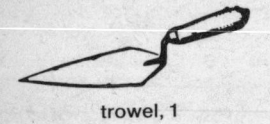

trowel, 1

troy \\'trȯi\\ *adj* : of or relating to a system of weights (**troy weights**) based on a pound of 12 ounces and the ounce of 480 grains

tru·ant \\'trü-ənt\\ *n* : one who shirks duty; *esp* : one who stays out of school without permission — **tru·an·cy** *n*

truce \\'trüs\\ *n* **1** : ARMISTICE **2** : a respite esp. from a disagreeable state or action

¹**truck** \\'trək\\ *vb* **1** : EXCHANGE, BARTER **2** : to have dealings : TRAFFIC

²**truck** *n* **1** : BARTER **2** : small goods or merchandise; *esp* : vegetables grown for market **3** : close association : DEALINGS

³**truck** *n* **1** : a vehicle (as a small flat-topped car on small wheels, a 2-wheeled barrow with long handles, or a strong heavy wagon or automobile) designed for carrying heavy articles **2** : a swiveling frame with springs and one or more pairs of wheels designed to carry and guide one end of a locomotive or of a railroad or electric car

⁴**truck** *vb* **1** : to transport on a truck **2** : to be employed in driving a truck

truckle *vb* : to yield slavishly to the will of another : SUBMIT *syn* fawn, toady, cringe, cower

truck·load \\'trək 'lōd\\ *n* **1** : a load that fills a truck **2** : the minimum weight required for shipping at truck-load rates

truc·u·lent \\'trək-yə-lənt\\ *adj* **1** : feeling or showing ferocity : SAVAGE **2** : aggressively self-assertive : PUGNACIOUS — **truc·u·lence** *also* **truc·u·len·cy** *n* — **truc·u·lent·ly** *adv*

trudge \\'trəj\\ *vb* : to walk or march steadily and usu. laboriously

¹**true** \\'trü\\ *adj* **1** : STEADFAST, LOYAL **2** : conformable to fact or reality ⟨a ~ description⟩ **3** : CORRECT, ACCURATE; *also* : placed or formed accurately **4** : GENUINE, REAL; *also* : properly so called ⟨the ~ stomach⟩ **5** : CONSISTENT ⟨~ to expectations⟩ **6** : RIGHTFUL ⟨~ and lawful king⟩ *syn* constant, staunch, resolute, actual — **tru·ly** *adv*

²**true** *n* **1** : something that is true : REALITY ⟨the good, the beautiful, and the ~⟩ **2** : the state of being accurate

³**true** *vb* **trued; tru·ing** *also* **tru·ing** : to bring to exactly correct condition as to place, position, or shape

⁴**true** *adv* **1** : TRUTHFULLY **2** : ACCURATELY ⟨the bullet flew straight and ~⟩; *also* : without variation from type

tru·ism \\'trü-,iz-əm\\ *n* : an undoubted or self-evident truth *syn* commonplace, platitude, bromide, cliché

¹**trump** \\'trəmp\\ *n* : TRUMPET

²**trump** *n* : a card of a suit designated (as by declaration) any of whose cards will win over a card that is not a trump; *also* : the suit itself — often used in pl.

³**trump** *vb* : to take with a trump

trum·pery \\'trəm-p(ə-)rē\\ *n* **1** : trivial articles : JUNK **2** : NONSENSE

¹**trum·pet** \\'trəm-pət\\ *n* **1** : a wind instrument consisting of a long curved metal tube flaring at one end and with a cup-shaped mouthpiece at the other **2** : a funnel-shaped instrument for collecting, directing, or intensifying sound **3** : something that resembles a trumpet or its tonal quality

²**trumpet** *vb* **1** : to blow a trumpet **2** : to proclaim on or as if on a trumpet — **trum·pet·er** *n*

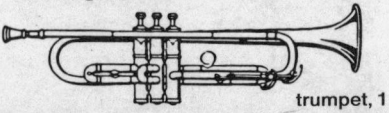

trumpet, 1

¹**trun·cate** \\'trəŋ-,kāt\\ *vb* : to shorten by or as if by cutting : LOP — **trun·ca·tion** \\,trəŋ-'kā-shən\\ *n*

²**truncate** *adj* : having the end square or blunt

trundle bed *n* : a low bed that can be slid under a higher bed

¹**trunk** \\'trəŋk\\ *n* **1** : the main stem of a tree **2** : the body of a man or animal apart from the head and limbs **3** : the main or basal part of something **4** : the long muscular nose of an elephant **5** : a box or chest used to hold usu. clothes or personal effects (as of a traveler); *also* : the enclosed luggage space in the rear of an automobile **6** *pl* : men's shorts worn chiefly for sports **7** : a passage or duct serving as a conduit or conveyor **8** : a circuit between telephone exchanges for making connections between subscribers

²**trunk** *adj* : being or relating to a main line (as of a railroad, telegraph, or telephone system)

¹**truss** \'trəs\ *vb* **1** : to secure tightly : BIND **2** : to arrange for cooking by binding close the wings or legs of (a fowl) **3** : to support by a truss : strengthen or stiffen (as a girder) by braces

²**truss** *n* **1** : a collection of structural parts (as beams, bars, or rods) so put together as to form a rigid framework (as in bridge or building construction) **2** : an appliance worn to hold a hernia in place

¹**trust** \'trəst\ *n* **1** : assured reliance on the character, strength, or truth of someone or something **2** : one in which confidence is placed **3** : confident hope **4** : financial credit **5** : a property interest held by one person for the benefit of another **6** : a combination of firms formed by a legal agreement; *esp* : one that reduces competition **7** : something entrusted to one to be cared for in the interest of another **8** : CARE, CUSTODY

²**trust** *vb* **1** : to place confidence : DEPEND **2** : to be confident : expect confidently : HOPE **3** : ENTRUST **4** : to permit to stay or go or to act without fear or misgiving **5** : to rely on or on the truth of : BELIEVE **6** : to extend credit to

trust·ee \ˌtrəs-'tē\ *n* : a person to whom property is legally committed in trust

trust·ful \'trəst-fəl\ *adj* : full of trust : CONFIDING — **trust·ful·ly** *adv* — **trust·ful·ness** *n*

trust·wor·thy \-ˌwər-thē\ *adj* : worthy of confidence : DEPENDABLE **syn** trusty, tried, reliable — **trust·wor·thi·ness** *n*

¹**trusty** *adj* : TRUSTWORTHY, DEPENDABLE

²**trusty** *n* : a trusted person; *esp* : a convict considered trustworthy and allowed special privileges

truth \'trüth\ *n* **1** : TRUTHFULNESS, HONESTY **2** : the state of being true : FACT **3** : the body of real events or facts : ACTUALITY **4** : a true or accepted statement or proposition **5** : agreement with fact or reality : CORRECTNESS **syn** veracity, verity, verisimilitude

truth·ful *adj* : telling or disposed to tell the truth — **truth·ful·ly** *adv* — **truth·ful·ness** *n*

¹**try** \'trī\ *vb* **tried; try·ing 1** : to examine or investigate judicially **2** : to conduct the trial of **3** : to put to test or trial ⟨*tried* on several dresses⟩ **4** : to subject to strain, affliction, or annoyance **5** : to extract or clarify (as lard) by melting **6** : to make an effort to do something : ATTEMPT, ENDEAVOR **syn** essay, assay, strive, struggle

²**try** *n* : an experimental trial : ATTEMPT

try·ing *adj* : severely straining the powers of endurance

tub \'təb\ *n* **1** : a wide low bucketlike vessel **2** : BATHTUB; *also* : BATH **3** : the amount that a tub will hold

tu·ba \'t(y)ü-bə\ *n* : a large low-pitched brass wind instrument

tube \'t(y)üb\ *n* **1** : a hollow cylinder to convey fluids : CHANNEL, DUCT **2** : any of various usu. cylindrical structures or devices **3** : a round metal container from which a paste is squeezed **4** : a tunnel for vehicular or rail travel — **tube·less** *adj*

tu·ber \'t(y)ü-bər\ *n* : a short fleshy usu. underground stem (as of a potato plant) bearing minute scalelike leaves each with a bud at its base

tu·ber·cle \-kəl\ *n* **1** : a small knobby prominence or outgrowth esp. on an animal or plant **2** : a small abnormal lump in an organ or on the skin; *esp* : one caused by tuberculosis

tu·ber·cu·lar \t(y)ü-'bər-kyə-lər\ *adj* **1** : of, resembling, or being a tubercle **2** : TUBERCULATE 1 **3** : TUBERCULOUS

tu·ber·cu·lo·sis \t(y)ü-ˌbər-kyə-'lō-səs\ *n* : a communicable bacterial disease typically marked by wasting, fever, and formation of cheesy tubercles often in the lungs — **tu·ber·cu·lous** \-'bər-kyə-ləs\ *adj*

tub·ing \'t(y)ü-biŋ\ *n* **1** : material in the form of a tube; *also* : a length of tube **2** : a series of tubes

tu·bu·lar \'t(y)ü-byə-lər\ *adj* : having the form of or consisting of a tube; *also* : made with tubes

tu·bule \'t(y)ü-byül\ *n* : a small tube

¹**tuck** \'tək\ *vb* **1** : to pull up into a fold ⟨~*ed* up her skirt⟩ **2** : to make tucks in **3** : to put into a snug often concealing place ⟨~ a book under the arm⟩ **4** : to secure in place by pushing the edges under ⟨~ in a blanket⟩ **5** : to cover by tucking in bedclothes

²**tuck** *n* : a fold stitched into cloth to shorten, decorate, or control fullness

tuck·er \'tək-ər\ *vb* : EXHAUST, FATIGUE

Tues·day \'t(y)üz-dē\ *n* : the 3d day of the week

¹**tuft** \'təft\ *n* **1** : a small cluster of long flexible outgrowths (as hairs or feathers); *also* : a bunch of soft fluffy threads cut off short and used as ornament **2** : CLUMP, CLUSTER

²**tuft** *vb* **1** : to provide or adorn with a tuft **2** : to make (as a mattress) firm by stitching at intervals and sewing on tufts

¹**tug** \'təg\ *vb* **tugged; tug·ging 1** : to pull hard **2** : to struggle in opposition : CONTEND **3** : to move by pulling hard : HAUL **4** : to tow with a tugboat

²**tug** *n* **1** : a harness trace **2** : an act of tugging : PULL **3** : a straining effort **4** : a struggle between opposing people or forces **5** : a strongly built boat used for towing or pushing

tug-of-war *n, pl* **tugs-of-war 1** : a struggle for supremacy **2** : an athletic contest in which two teams pull against each other at opposite ends of a rope

tu·i·tion \t(y)ü-'ish-ən\ *n* **1** : INSTRUCTION **2** : the price of or payment for instruction

tu·lip \'t(y)ü-ləp\ *n* [NL *tulipa*, fr. Turk *tülbend* turban] : any of various Old World bulbous herbs related to the lilies and grown for their large showy erect cup-shaped flowers; *also* : a flower or bulb of a tulip

¹**tum·ble** \'təm-bəl\ *vb* **1** : to perform gymnastic feats of rolling and turning **2** : to fall or cause to fall suddenly and helplessly **3** : to fall into ruin : COLLAPSE **4** : to roll over and over : TOSS **5** : to issue forth hurriedly and confusedly **6** : to come to understand : catch on **7** : to throw together in a confused mass

²**tumble** *n* **1** : a disorderly state **2** : an act or instance of tumbling

tum·ble·down \-ˌdaůn\ *adj* : DILAPIDATED, RAMSHACKLE

tum·bler \'təm-blər\ *n* **1** : one that tumbles; *esp* : ACROBAT **2** : a drinking glass without foot or stem **3** : a domestic pigeon having the habit of somersaulting backward in flight **4** : a movable obstruction in a lock that must be adjusted to a particular position (as by a key) before the bolt can be thrown

tum·ble·weed \'təm-bəl-‚wēd\ *n* : a plant that breaks away from its roots in autumn and is driven about by the wind

tu·mid \'t(y)ü-məd\ *adj* **1** : SWOLLEN, DISTENDED **2** : BOMBASTIC, TURGID — **tu·mid·i·ty** \t(y)ü-'mid-ət-ē\ *n*

tu·mor \'t(y)ü-mər\ *n* : an abnormal and functionless mass of tissue that is not inflammatory and arises without obvious cause from preexistent tissue — **tu·mor·ous** *adj*

tu·mult \'t(y)ü-‚məlt\ *n* **1** : disorderly agitation of a crowd usu. with uproar and confusion of voices **2** : DISTURBANCE, RIOT **3** : a confusion of loud noise and usu. turbulent movement **4** : violent agitation of mind or feelings

tu·mul·tu·ous \t(y)ü-'məl-chə-wəs\ *adj* **1** : marked by tumult ⟨a ∼ reception⟩ **2** : tending to incite a tumult ⟨a ∼ faction⟩ **3** : marked by violent upheaval ⟨∼ passions⟩

tu·na \'t(y)ü-nə\ *n* : any of several mostly large sea fishes related to the mackerels and important for food and sport

tun·dra \'tən-drə\ *n* : a treeless plain of northern arctic regions

¹**tune** \'t(y)ün\ *n* **1** : an easily remembered melody **2** : correct musical pitch **3** : harmonious relationship : AGREEMENT ⟨in ∼ with the times⟩ **4** : general attitude ⟨changed his ∼⟩ **5** : AMOUNT, EXTENT ⟨in debt to the ∼ of millions⟩

²**tune** *vb* **1** : to bring or come into harmony : ATTUNE **2** : to adjust in musical pitch **3** : to adjust a radio or television receiver so as to receive a broadcast **4** : to put in first-class working order ⟨∼ up a motor⟩ — **tun·er** *n*

tune·ful *adj* : MELODIOUS, MUSICAL — **tune·ful·ly** *adv*

tune·less *adj* **1** : UNMELODIOUS **2** : not producing music

tune-up \'t(y)ün-‚əp\ *n* : an adjustment to ensure efficient functioning ⟨a motor ∼⟩

tung·sten \'təŋ-stən\ *n* : a white hard heavy ductile metallic element used for electrical purposes and in an alloy (**tungsten steel**) noted for its strength and hardness

tu·nic \'t(y)ü-nik\ *n* **1** : a usu. knee-length belted under or outer garment worn by ancient Greeks and Romans **2** : a hip-length or longer blouse or jacket

tuning fork *n* : a 2-pronged metal implement that gives a fixed tone when struck and is useful for tuning musical instruments

Tu·ni·sian \t(y)ü-'nēzh-ən, -'nizh-\ *n* : a native or inhabitant of Tunisia — **Tunisian** *adj*

¹**tun·nel** \'tən-ᵊl\ *n* : an underground passageway excavated esp. for a road, railroad, water system, or sewer; *also* : a horizontal passage in a mine

²**tunnel** *vb* **-neled** *or* **-nelled; -nel·ing** *or* **-nel·ling** : to make a tunnel through or under

tur·bid \'tər-bəd\ *adj* **1** : thick with roiled sediment ⟨a ∼ stream⟩ **2** : heavy with smoke or mist : DENSE **3** : CONFUSED, MUDDLED

tur·bine \'tər-bən\ *n* : an engine whose central driving shaft is fitted with curved vanes whirled by the pressure of water, steam, or gas

tur·bo·jet \'tər-bō-‚jet\ *n* : an airplane powered by a jet engine (**turbojet engine**) having a turbine-driven air compressor supplying compressed air to the combustion chamber

tur·bo·prop \-‚präp\ *n* : an airplane powered by a jet engine (**turbo-propeller engine**) having a turbine-driven propeller but usu. obtaining additional thrust from the discharge of a jet of hot gases

tur·bot \'tər-bət\ *n* : a European flatfish esteemed as food; *also* : any of several flatfishes resembling this

tur·bu·lence \'tər-byə-ləns\ *n* : the quality or state of being turbulent : violent agitation : COMMOTION

tur·bu·lent *adj* **1** : causing violence or disturbance **2** : marked by agitation or tumult : TEMPESTUOUS — **tur·bu·lent·ly** *adv*

¹**turf** \'tərf\ *n, pl* **turfs** *or* **turves** \'tərvz\ **1** : the upper layer of soil bound by grass and roots into a close mat; *also* : a piece of this : SOD **2** : a piece of peat dried for fuel **3** : a track or course for horse racing; *also* : horse racing as a sport or business

²**turf** *vb* : to cover with turf

tur·gid \'tər-jəd\ *adj* **1** : marked by distention : SWOLLEN **2** : excessively embellished in style or language : BOMBASTIC — **tur·gid·i·ty** \‚tər-'jid-ət-ē\ *n*

tur·key \'tər-kē\ *n* : a large American bird related to the common fowl and widely raised for food; *also* : its flesh

tur·moil \'tər-‚moil\ *n* : an extremely confused or agitated condition

¹**turn** \'tərn\ *vb* **1** : to move or cause to move around an axis or center : ROTATE, REVOLVE ⟨∼ a wheel⟩ **2** : to twist so as to effect a desired end ⟨∼ a key⟩ **3** : WRENCH ⟨∼ an ankle⟩ **4** : to change or cause to change position by moving through an arc of a circle ⟨∼ed his chair to the fire⟩ **5** : to cause to move around a center so as to show another side of ⟨∼ a page⟩ **6** : to revolve mentally : PONDER **7** : to become dizzy : REEL **8** : to reverse the sides or surfaces of ⟨∼ a pancake⟩ **9** : UPSET, DISORDER ⟨things ∼ed topsy-turvy⟩ ⟨∼ed his stomach⟩ **10** : to set in another esp. contrary direction **11** : to change one's course or direction **12** : TRANSFER ⟨∼ the task over to him⟩ **13** : to go around ⟨∼ a corner⟩ **14** : to reach or pass beyond ⟨∼ed twenty-one⟩ **15** : to direct toward or away from something; *also* : DEVOTE, APPLY **16** : to have recourse : RESORT ⟨∼ to an agency for help⟩ **17** : to become or make hostile **18** : to make or become spoiled : SOUR **19** : to cause to become of a specified nature or appearance ⟨∼s the leaves yellow⟩ **20** : to pass from one state to another ⟨water ∼s to ice⟩ **21** : CONVERT, TRANSFORM **22** : TRANSLATE, PARAPHRASE

23 : to give a rounded form to; *esp* : to shape by means of a lathe **24 :** to gain by passing in trade ⟨~ a quick profit⟩
turn *n* **1 :** a turning about a center or axis : REVOLUTION, ROTATION **2 :** the action or an act of giving or taking a different direction ⟨make a left ~⟩ **3 :** a change of course or tendency ⟨a ~ for the better⟩ **4 :** a place at which something turns : BEND, CURVE **5 :** a short walk or trip round about ⟨take a ~ around the deck⟩ **6 :** an act affecting another ⟨did him a good ~⟩ **7 :** a place, time, or opportunity accorded in a scheduled order ⟨waited his ~ to be served⟩ **8 :** a period of duty : SHIFT **9 :** a short act esp. in a variety show **10 :** a special purpose or requirement ⟨the job serves his ~⟩ **11 :** a skillful fashioning ⟨neat ~ of phrase⟩ **12 :** a single round (as of rope passed around an object) **13 :** natural or special aptitude : BENT **14 :** a usu. sudden and brief disorder of body or spirits; *esp* : a spell of nervous shock or faintness
turn·coat \-ˌkōt\ *n* : one who forsakes his party or principles : RENEGADE
turn·er *n* **1 :** one that turns or is used for turning **2 :** one that forms articles with a lathe
turn in *vb* **1 :** to deliver up **2 :** to inform on **3 :** to acquit oneself of ⟨*turn in* a good job⟩ **4 :** to go to bed
turn·ing *n* **1 :** the act or course of one that turns **2 :** a place or a change of direction
tur·nip \ˈtər-nəp\ *n* : the thick edible root of either of two herbs related to the mustards; *also* : either of these plants
turn·key \ˈtərn-ˌkē\ *n* : one who has charge of a prison's keys : JAILER
turn out \ˈtərn-ˈaút\ *vb* **1 :** EXPEL, EVICT **2 :** PRODUCE **3 :** to come forth and assemble ⟨*turn out* for drill⟩ **4 :** to get out of bed **5 :** to prove to be in the end
turn·out \ˈtərn-ˌaút\ *n* **1 :** an act of turning out **2 :** a gathering of people for a special purpose **3 :** a widened place in a highway for vehicles to pass or park **4 :** manner of dress **5 :** net yield : OUTPUT
¹**turn·over** \-ˌō-vər\ *n* **1 :** UPSET **2 :** SHIFT, REVERSAL **3 :** a filled pastry made by turning half of the crust over the other half **4 :** the volume of business done **5 :** movement (as of goods or people) into, through, and out of a place; *esp* : a cycle of purchase, sale, and replacement of a stock of goods **6 :** the number of persons hired within a period to replace those leaving or dropped; *also* : the ratio of this number to that of the average force maintained
²**turnover** *adj* : capable of being turned over
turn·pike \ˈtərn-ˌpīk\ *n* **1 :** TOLLGATE; *also* : a road having a tollgate **2 :** a main road
turn·stile \-ˌstīl\ *n* : a post with four arms pivoted on the top set in a passageway so that persons can pass through but cattle cannot **2 :** a similar device set in an entrance for controlling or counting the persons entering
turn·ta·ble \-ˌtā-bəl\ *n* : a circular platform that revolves (as for turning a locomotive or a phonograph record)

turn up *vb* **1 :** to come to light or bring to light : DISCOVER, APPEAR **2 :** to arrive at an appointed time or place **3 :** to happen unexpectedly
tur·pen·tine \ˈtər-pən-ˌtīn\ *n* **1 :** a mixture of oil and resin obtained from various cone-bearing trees (as pines) as a substance that oozes from cuts in the trunk **2 :** a colorless or yellowish oil obtained from various turpentines by distillation and used as a solvent and thinner (as in paint); *also* : a similar oil obtained from distillation of pine wood
tur·pi·tude \ˈtər-pə-ˌt(y)üd\ *n* : inherent baseness : DEPRAVITY
tur·quoise \ˈtər-ˌk(w)óiz\ *n* **1 :** a blue, bluish green, or greenish gray mineral that contains a little copper and is valued as a gem **2 :** a light greenish blue color
tur·ret \ˈtər-ət\ *n* **1 :** a little tower often at an angle of a larger structure and merely ornamental **2 :** a revolvable holder in a machine tool **3 :** a towerlike armored and usu. revolving structure within which guns are mounted in a warship or tank; *also* : a similar structure in an airplane
turtle *n* : any of a group of horny-beaked land, freshwater, or sea reptiles with the trunk enclosed in a bony shell
tur·tle·dove \-ˌdəv\ *n* : any of several small wild pigeons; *esp* : an Old World bird noted for plaintive cooing
tusk \ˈtəsk\ *n* **1 :** a long enlarged protruding tooth (as of an elephant, walrus, or boar) used to dig up food or as a weapon **2 :** a long projecting tooth —
tusked \ˈtəskt\ *adj*
¹**tus·sle** \ˈtəs-əl\ *vb* : to struggle roughly : SCUFFLE
²**tussle** *n* **1 :** a physical struggle : SCUFFLE **2 :** a rough controversy or struggle against difficult odds
tu·te·lage \ˈt(y)üt-ᵊl-ij\ *n* **1 :** an act of guarding or protecting : GUARDIANSHIP **2 :** the state of being under a guardian or tutor **3 :** instruction esp. of an individual
¹**tu·tor** \ˈt(y)üt-ər\ *n* **1 :** a person charged with the instruction and guidance of another **2 :** a private teacher **3 :** a college or university teacher ranking below an instructor
²**tutor** *vb* **1 :** to have the guardianship of **2 :** to teach or guide individually : COACH ⟨~*ed* the boy in Latin⟩ **3 :** to receive instruction esp. privately
tu·to·ri·al \t(y)ü-ˈtór-ē-əl\ *n* : a class conducted by a tutor for one student or a small number of students
¹**twang** \ˈtwaŋ\ *n* **1 :** a harsh quick ringing sound like that of a plucked bowstring **2 :** nasal speech or resonance **3 :** the characteristic speech of a region
²**twang** *vb* **1 :** to sound or cause to sound with a twang **2 :** to speak with a nasal twang
tweak \ˈtwēk\ *vb* : to pinch and pull with a sudden jerk and twitch — **tweak** *n*
tweed \ˈtwēd\ *n* **1 :** a rough woolen fabric made usu. in twill weaves **2** *pl* : tweed clothing; *esp* : a tweed suit
tweez·ers \ˈtwē-zərz\ *n pl* : a small pincerlike implement held between the thumb and forefinger for grasping or extracting something

twelve \'twelv\ *n* **1** : one more than 11 **2** : the 12th in a set or series **3** : something having 12 units — **twelfth** \'twelfth\ *adj or n* — **twelve** *adj or pron*

twen·ty \'twent-ē\ *n* : two times 10 — **twen·ti·eth** *adj or n* — **twenty** *adj or pron*

twice \'twīs\ *adv* **1** : on two occasions ⟨absent ~⟩ **2** : two times ⟨~ two is four⟩

twig \'twig\ *n* : a small branch — **twig·gy** *adj*

twi·light \'twī-,līt\ *n* **1** : the light from the sky between full night and sunrise or between sunset and full night **2** : a state of imperfect clarity; *also* : a period of decline — **twilight** *adj*

¹twill \'twil\ *n* **1** : a fabric with a twill weave **2** : a textile weave that gives an appearance of diagonal lines in the fabric

²twill *vb* : to make cloth with a twill weave

¹twin \'twin\ *adj* **1** : born with one another or as a pair at one birth ⟨~ brother⟩ ⟨~ girls⟩ **2** : made up of two similar or related members or parts : DOUBLE **3** : being one of a pair ⟨~ city⟩

²twin *n* **1** : either of two offspring produced at a birth **2** : one of two persons or things closely related to or resembling each other

¹twine \'twīn\ *n* **1** : a strong thread of two or three strands twisted together **2** : an act of entwining or interlacing — **twiny** *adj*

²twine *vb* **1** : to twist together; *also* : to form by twisting **2** : INTERLACE, WEAVE **3** : to coil about a support **4** : to stretch or move in a sinuous manner : MEANDER — **twin·er** *n*

¹twinge \'twinj\ *vb* : to affect with or feel a sharp sudden pain

²twinge *n* : a sudden sharp stab (as of pain or distress)

¹twin·kle \'twiŋ-kəl\ *vb* **1** : to shine or cause to shine with a flickering or sparkling light **2** : to flutter or flit rapidly **3** : to appear bright with merriment — **twin·kler** \-k(ə-)lər\ *n*

²twinkle *n* **1** : a wink of the eyelids; *also* : the duration of a wink **2** : an intermittent radiance **3** : a rapid flashing motion

twin·kling \-kliŋ\ *n* **1** : a wink of the eyelids **2** : the time occupied by a single wink **syn** instant, moment, minute, second, flash

¹twirl \'twərl\ *vb* **1** : to whirl round **2** : to pitch in a baseball game **syn** turn, revolve, rotate, circle, spin, swirl, pirouette

²twirl *n* **1** : an act of twirling **2** : COIL, WHORL

¹twist \'twist\ *vb* **1** : to unite by winding one thread or strand round another **2** : WREATHE, TWINE **3** : to turn so as to hurt ⟨~*ed* her ankle⟩ **4** : to twirl into spiral shape **5** : to subject (as a shaft) to torsion **6** : to pull off or break by torsion **7** : to turn from the true form or meaning **8** : to follow a winding course **9** : to turn around

²twist *n* **1** : something formed by twisting or winding **2** : an act of twisting : the state of being twisted **3** : a spiral turn or curve; *also* : SPIN **4** : a turning aside : DEFLECTION **5** : ECCENTRICITY,

IDIOSYNCRASY **6** : a distortion of meaning **7** : an unexpected turn or development **8** : a variant approach or method **9** : DEVICE, TRICK

twist·er *n* **1** : one that twists; *esp* : a ball with a forward and spinning motion **2** : a tornado or waterspout in which the rotary ascending column of air is apparent

¹twitch \'twich\ *vb* **1** : to move or pull with a sudden motion : JERK **2** : to move jerkily : QUIVER

²twitch *n* **1** : an act or movement of twitching **2** : a short sharp contraction of muscle fibers

¹twit·ter \'twit-ər\ *vb* **1** : to make a succession of chirping noises **2** : to talk in a chattering fashion; *also* : TITTER **3** : to have a slight trembling of the nerves : FLUTTER

²twitter *n* **1** : a small tremulous intermittent noise (as made by a swallow) **2** : a light chattering; *also* : TITTER **3** : a slight agitation of the nerves

two \'tü\ *n* **1** : one more than one **2** : the 2d in a set or series **3** : something having two units — **two** *adj or pron*

two–faced \-'fāst\ *adj* **1** : having two faces **2** : DOUBLE-DEALING, FALSE —

two·fold \-'fōld\ *adj* **1** : having two units or members **2** : being twice as much or as many — **twofold** *adv*

two–ply \'tü-'plī\ *adj* **1** : woven as a double cloth **2** : consisting of two strands or thicknesses

two·some \-səm\ *n* **1** : a group of two persons or things : COUPLE **2** : a golf match between two players

-ty \tē\ *n suffix* : quality : condition : degree ⟨real*ty*⟩

ty·coon \tī-'kün\ *n* **1** : a powerful businessman or industrialist **2** : a masterful leader (as in politics)

tym·pa·num \'tim-pə-nəm\ *n, pl* **-nums** *or* **-na** \-nə\ : the cavity of the middle part of the ear closed externally by the eardrum; *also* : EARDRUM — **tym·pan·ic**

¹type \'tīp\ *n* **1** : a distinctive stamp, mark, or sign : EMBLEM **2** : a person, thing, or event that foreshadows another to come : TOKEN, SYMBOL **3** : general character or form common to a number of individuals and setting them off as a distinguishable class ⟨horses of draft ~⟩ **4** : a class, kind, or group set apart by common characteristics ⟨ a seedless ~ of orange⟩; *also* : something distinguishable as a variety ⟨reactions of this ~⟩ **5** : MODEL, EXAMPLE **6** : a rectangular block usu. of metal or wood having its face so shaped as to produce in printing a character (as a letter or figure); *also* : such blocks or the letters or characters printed from them **syn** sort, nature, character, description

²type *vb* **1** : to represent beforehand by a type **2** : to produce a copy of; *also* : REPRESENT, TYPIFY **3** : TYPEWRITE **4** : to identify as belonging to a type **5** : TYPECAST

types, 6

type·cast \-,kast\ *vb* **1** : to cast (an actor) in a part calling for characteristics possessed by the actor himself **2** : to cast repeatedly in the same type of role
type·face \-,fās\ *n* : all type of a single design
type·set·ter \-,set-ər\ *n* : one that sets type — **type·set** *vb*
type·writ·er \-,rīt-ər\ *n* **1** : a machine for writing in characters similar to those produced by printers' types by means of types striking through an inked ribbon **2** : a person who operates a typewriter
type·writ·ing *n* : the use of a typewriter ⟨teach ∼⟩; *also* : the printing done with a typewriter
¹ty·phoid \'tī-,fȯid, tī-'fȯid\ *adj* : of, relating to, or being a communicable bacterial disease (**typhoid fever**) marked by fever, diarrhea, prostration, and intestinal inflammation
²typhoid *n* : TYPHOID FEVER
ty·phoon \tī-'fün\ *n* : a tropical cyclone in the region of the Philippines or the China Sea
ty·phus \'tī-fəs\ *n* : a severe disease transmitted esp. by body lice and marked by high fever, stupor and delirium, intense headache, and a dark red rash
typ·i·cal \'tip-i-kəl\ *adj* **1** : having the nature of a type : SYMBOLIC **2** : exhibiting the essential characteristics of a group **3** : conforming to a type — **typ·i·cal·ly** *adv* — **typ·i·cal·ness** *n*

typ·i·fy \'tip-ə-,fī\ *vb* **1** : to represent by an image, form, model, or resemblance **2** : to embody the essential or common characteristics of
typ·ist \'tī-pəst\ *n* : one who operates a typewriter
ty·pog·ra·pher \tī-'päg-rə-fər\ *n* **1** : PRINTER **2** : one who designs or arranges printing
ty·pog·ra·phy \-fē\ *n* : the art of printing with type; *also* : the style, arrangement, or appearance of matter printed from type — **ty·po·graph·ic** \,tī-pə-'graf-ik\ *or* **ty·po·graph·i·cal** *adj* — **ty·po·graph·i·cal·ly** *adv*
ty·ran·ni·cal \tə-'ran-i-kəl, tī-\ *also* **ty·ran·nic** *adj* : of or relating to a tyrant : unjustly severe in governing : DESPOTIC **syn** arbitrary, absolute, autocratic — **ty·ran·ni·cal·ly** *adv*
tyr·an·nize \'tir-ə-,nīz\ *vb* : to act as a tyrant : rule with unjust severity — **tyr·an·niz·er** *n*
tyr·an·nous \'tir-ə-nəs\ *adj* : TYRANNICAL, DESPOTIC — **tyr·an·nous·ly** *adv*
tyr·an·ny \-nē\ *n* **1** : the rule or authority of a tyrant : government in which absolute power is vested in a single ruler **2** : despotic use of power : DESPOTISM **3** : a tyrannical act
ty·rant \'tī-rənt\ *n* **1** : an absolute ruler : DESPOT **2** : a ruler who governs oppressively or brutally **3** : one who uses authority or power harshly
tzar \'zär, '(t)sär\ *var of* CZAR

U

u \'yü\ *n, often cap* : the 21st letter of the English alphabet
ubiq·ui·tous \yü-'bik-wət-əs\ *adj* : existing or being everywhere at the same time : OMNIPRESENT — **ubiq·ui·tous·ly** *adv* — **ubiq·ui·ty** \-wət-ē\ *n*
U–boat \'yü-,bōt\ *n* : a German submarine
ud·der \'əd-ər\ *n* : an organ (as of a cow) consisting of two or more milk glands enclosed in a large hanging sac and each provided with a nipple
ug·ly \'əg-lē\ *adj* **1** : FRIGHTFUL, DIRE **2** : offensive to the sight : HIDEOUS **3** : offensive or unpleasing to any sense **4** : morally objectionable : REPULSIVE **5** : likely to cause inconvenience or discomfort : TROUBLESOME **6** : SURLY, QUARRELSOME ⟨an ∼ disposition⟩ — **ug·li·ness** *n*
Ukrai·ni·an \yü-'krā-nē-ən\ *n* : a native or inhabitant of the Ukraine
uku·le·le \,yü-kə-'lā-lē\ *n* : a small usu. 4-stringed guitar popularized in Hawaii and played with the fingers or a pick

ukulele

ul·cer \'əl-sər\ *n* **1** : an eroded sore often discharging pus **2** : something that festers and corrupts like an open sore — **ul·cer·ous** *adj*
ul·cer·ate \'əl-sə-,rāt\ *vb* : to cause or become affected with an ulcer — **ul·cer·a·tion** \,əl-sə-'rā-shən\ *n*

ul·te·ri·or \,əl-'tir-ē-ər\ *adj* **1** : situated beyond or on the farther side **2** : lying farther away : more remote **3** : going beyond what is openly said or shown : HIDDEN ⟨∼ motives⟩
¹ul·ti·mate \'əl-tə-mət\ *adj* **1** : most remote in space or time : FARTHEST **2** : last in a progression : FINAL **3** : EXTREME, UTMOST **4** : finally reckoned **5** : FUNDAMENTAL, ABSOLUTE, SUPREME ⟨∼ reality⟩ **6** : incapable of further analysis or division : ELEMENTAL **7** : MAXIMUM — **ul·ti·mate·ly** *adv*
²ultimate *n* : something ultimate
ul·ti·ma·tum \,əl-tə-'māt-əm, -'mät-\ *n, pl* **-tums** *or* **-ta** \-ə\ : a final proposition, condition, or demand; *esp* : one whose rejection will bring about an end of negotiations
¹ul·tra \'əl-trə\ *adj* : going beyond others or beyond due limits : EXTREME
²ultra *n* : EXTREMIST
ul·tra·con·ser·va·tive \,əl-trə-kən-'sər-vət-iv\ *adj* : extremely conservative
ul·tra·high frequency \,əl-trə-,hī-\ *n* : a frequency of a radio wave between 300 and 3000 megacycles
¹ul·tra·ma·rine \,əl-trə-mə-'rēn\ *n* **1** : a deep blue pigment **2** : a very bright deep blue color
²ultramarine *adj* : situated beyond the sea
ul·tra·mod·ern \-'mäd-ərn\ *adj* : extremely or excessively modern in idea, style, or tendency
ul·tra·vi·o·let \-'vī-ə-lət\ *adj* : having a wavelength shorter than those of visible light ⟨∼ radiation⟩; *also* : producing or employing ultraviolet radiation — **ultraviolet** *n*

ul·tra vi·res \ˌəl-trə-ˈvī-rēz\ *adv* (*or adj*) : beyond the scope of legal power or authority

um·bel \ˈəm-bəl\ *n* : a flat or rounded flower cluster in which the individual flower stalks all arise at one point on the main stem — **um·bel·late** \-bə-ˌlāt\ *adj*

um·ber \ˈəm-bər\ *n* : a brown earthy substance valued as a pigment either in its raw state or burnt — **umber** *adj*

um·bil·i·cus \ˌəm-ˈbil-i-kəs, ˌəm-bə-ˈlī-\ *n, pl* **-bil·i·ci** \-ˌkī\ *or* **-bil·i·cus·es** : a small depression on the abdominal wall marking the site of the cord (**umbilical cord**) that joins the unborn fetus to its mother — **um·bil·i·cal** \ˌəm-ˈbil-i-kəl\ *adj*

um·brage \ˈəm-brij\ *n* **1** : SHADE; *also* : FOLIAGE **2** : RESENTMENT, OFFENSE

um·brel·la \ˌəm-ˈbrel-ə\ *n* **1** : a collapsible shade for protection against weather consisting of fabric stretched over hinged ribs radiating from a center pole **2** : the saucer-shaped transparent body of a jellyfish

um·pire \ˈəm-ˌpī(ə)r\ *n* [ME *oumpere*, alter. of *noumpere* (the phrase *a noumpere* being understood as *an oumpere*), fr. MF *nomper* not equal, not paired, fr. *non* not + *per* equal, fr. L *par*] **1** : one having authority to decide finally a controversy or question between parties **2** : an official in a sport who rules on plays — **umpire** *vb*

ump·teen \ˈəmp-ˈtēn\ *adj* : very many : indefinitely numerous

un- \ˌən, ˈən\ *prefix* **1** : not : IN-, NON- **2** : opposite of : contrary to

unabashed	unattended	unappreciative	unchecked
unabated	unattested	unapproachable	unchivalrous
unabbreviated	unattractive	unappropriated	unchristened
unabsolved	unauthentic	unapproved	unclaimed
unabsorbed	unauthenticated	unartistic	unclassified
unacademic	unauthorized	unashamed	uncleaned
unaccented	unavailable	unasked	unclear
unacceptable	unavenged	unassertive	uncleared
unacclimatized	unavowed	unassisted	unclosed
unaccommodating	unawakened	unattainable	unclothed
unaccomplished	unbaked	unattempted	unclouded
unaccredited	unbaptized	uncluttered	undimmed
unacknowledged	unbefitting	uncoated	undiplomatic
unacquainted	unblamed	uncollected	undirected
unadapted	unbleached	uncolored	undiscerning
unadjusted	unblemished	uncombed	undisciplined
unadorned	unblinking	uncombined	undisclosed
unadvertised	unbound	uncomely	undiscovered
unaffiliated	unbranched	uncomforted	undiscriminating
unafraid	unbranded	uncompensated	undisguised
unaided	unbreakable	uncomplaining	undismayed
unaimed	unbridgeable	uncompleted	undisputed
unalarmed	unbruised	uncomplicated	undissolved
unalike	unbrushed	uncomplimentary	undistinguished
unallied	unburied	uncompounded	undistributed
unallowable	unburned	uncomprehending	undisturbed
unaltered	uncanceled	unconcealed	undivided
unambiguous	uncanonical	unconfined	undivulged
unambitious	uncapitalized	unconfirmed	undogmatic
unanchored	uncared-for	unconformable	undomesticated
unannounced	uncaught	uncongealed	undone
unanswerable	uncensored	unconnected	undramatic
unanswered	uncensured	unconquered	undraped
unanticipated	unchallenged	unconscientious	undrawn
unapologetic	unchangeable	unconsecrated	undressed
unappalled	unchanged	unconsolidated	undrinkable
unapparent	unchanging	unconsumed	undutiful
unappealing	unchaperoned	uncontaminated	undyed
unappeased	uncharged	uncontested	uneatable
unappetizing	uncharted	uncontradicted	uneaten
unappreciated	unchastened	uncontrolled	uneconomic
		unconvincing	unedifying
		uncooked	uneducated
		uncooperative	unembarrassed
		uncoordinated	unemotional
		uncorrected	unenclosed
		uncorroborated	unencumbered
		uncorrupted	unendorsed
		uncountable	unendurable
		uncovered	unenforceable
		uncredited	unenforced
		uncropped	unengaged
		uncrowded	unenjoyable
		uncrowned	unenlightened
		uncrystallized	unenterprising
		uncultivated	unentertaining
		uncultured	unenthusiastic
		uncurbed	unenviable
		uncured	unequipped
		uncurtained	unessential
		undamaged	unethical
		undamped	unexaggerated
		undated	unexcelled
		undazzled	unexceptional
		undecipherable	unexchangeable
		undecked	unexcited
		undeclared	unexciting
		undecorated	unexecuted
		undefeated	unexperienced
		undefended	unexpired
		undefiled	unexplained
		undefinable	unexploded
		undefined	unexplored
		undemanding	unexposed
		undemocratic	unexpressed
		undependable	unextended
		undeserved	unextinguished
		undetachable	unfaltering
		undetected	unfashionable
		undetermined	(continued)

undeterred undeveloped undifferentiated undigested undignified undiluted undiminished unfertilized unfilled unfiltered unfinished unfitted unfitting unflagging unflattering unflavored unforced unforeseeable unforeseen unforgivable unformulated unfortified unframed unfulfilled unfunded unfurnished ungentle ungentlemanly unglazed ungoverned ungraded unguided unhackneyed unhampered unharmed unhatched unhealthful unheeded unheralded unheroic unhesitating unhindered unhonored unhoused unhurried unhurt unhygienic unidentified unidiomatic unimaginable unimaginative unimpaired unimpassioned unimpeded unimportant unimposing unimpressive unimproved unincorporated uninflammable uninfluenced uninformed uninhabitable uninhabited uninitiated uninjured uninspired uninstructed uninsured unintended uninteresting uninvested uninvited uninviting unjointed unjustifiable unjustified unkept unknowable unknowledgeable

unfathomable unfavored unfeasible unfed unfeminine unfenced unfermented unlamented unleavened unlicensed unlighted unlikable unlimited unlined unlisted unlit unlivable unlobed unlovable unloved unmanageable unmanufactured unmapped unmarked unmarketable unmarred unmarried unmastered unmatched unmeant unmeasured unmelted unmentioned unmerited unmilitary unmilled unmixed unmolested unmounted unmovable unmusical unnameable unnamed unnaturalized unnavigable unnecessary unneighborly unnoticeable unnoticed unobjectionable unobliging unobscured unobservant unobserved unobserving unobstructed unobtainable unoffending unofficial unopened unopposed unordained unoriginal unorthodox unostentatious unowned unpaid unpainted unpaired unpalatable unpardonable unpasteurized unpatriotic unpaved unpedigreed unpeopled unperceived unperceptive unperformed unperturbed

unlabeled unlabored unlanded unplanted unpleasing unplowed unpoetic unpolished unpolluted unposed unpractical unpracticed unprejudiced unpremeditated unprepared unprepossessing unpresentable unpressed unpretending unpreventable unpriviledged unprocessed unproductive unprofessed unprogressive unpromising unprompted unpronounceable unpropitious unprotected unproven unprovided unprovoked unpublished unpunished unquenchable unquestioned unraised unratified unreadable unrealistic unrealized unrecognizable unrecompensed unrecorded unredeemable unrefined unreflecting unregarded unregistered unregulated unrehearsed unrelated unreliable unrelieved unremunerative unrented unrepentant unreported unrepresentative unrepressed unreproved unresisting unresolved unresponsive unrestful unrestricted unreturned unrewarding unrhymed unromantic unsafe unsaid unsalable unsalted unsanitary unsatisfactory unsatisfied untrimmed untrod untroubled

unpitied unplanned unscented unscheduled unscholarly unsealed unseasoned unseen unsentimental unserviceable unshaded unshakable unshaken unshapely unshaven unshed unshorn unsifted unsigned unsinkable unsmiling unsociable unsoiled unsold unsoldierly unsolicited unsolvable unsolved unsorted unspecified unspoiled unspoken unstained unstinting unstressed unsubdued unsubstantiated unsuccessful unsuited unsupervised unsupported unsuppressed unsure unsurpassed unsuspected unsuspecting unsuspicious unswayed unsweetened unswept unswerving unsymmetrical unsympathetic unsystematic untainted untalented untamed untanned untarnished untaxed unteachable untenanted unterrified untested unthankful unthoughtful untidy untilled untiring untouched untraceable untrained untrammeled untranslatable untraveled untraversed unwatched unwavering unweaned (continued)

unable 478 **uncanny**

untrustworthy
untruthful
unusable
unvaried
unvarying
unventilated
unverifiable
unverified
unversed
unvexed
unvisited
unwanted
unwarranted
unwary
unwashed
unwearable
unwearied
unweathered
unwed
unwelcome
unwifely
unwished
unwitnessed
unwomanly
unworkable
unworn
unworried
unwounded
unwrinkled
unwrought

un·able \ˌən-'ā-bəl\ *adj* **1** : not able : INCAPABLE **2** : UNQUALIFIED, INCOMPETENT, INEFFICIENT

un·abridged \ˌən-ə-'brijd\ *adj* **1** : not abridged : COMPLETE ⟨an ∼ edition of Shakespeare⟩ **2** : complete of its class : not based on one larger ⟨an ∼ dictionary⟩

un·ac·com·pa·nied \ˌən-ə-'kəmp-(ə-)nēd\ *adj* : not accompanied; *esp* : being without instrumental accompaniment

un·ac·count·able \-'kaunt-ə-bəl\ *adj* **1** : not to be accounted for : INEXPLICABLE, STRANGE **2** : not responsible — **un·ac·count·ably** *adv*

un·ac·count·ed \-'kaunt-əd\ *adj* : not accounted : UNEXPLAINED ⟨the loss was ∼ for⟩

un·ac·cus·tomed \-'kəs-təmd\ *adj* **1** : not customary : not usual or common **2** : not accustomed or habituated

un·adorned \ˌən-ə-'dórnd\ *adj* : not adorned : lacking embellishment or decoration : BARE, PLAIN, SIMPLE

un·adul·ter·at·ed \ˌən-ə-'dəl-tə-ˌrāt-əd\ *adj* : PURE, UNMIXED

un·ad·vised \ˌən-əd-'vīzd\ *adj* **1** : done without due consideration : RASH **2** : not prudent — **un·ad·vis·ed·ly** *adv*

un·af·fect·ed \ˌən-ə-'fek-təd\ *adj* **1** : not influenced or changed mentally, physically, or chemically **2** : free from affectation : NATURAL, GENUINE — **un·af·fect·ed·ly** *adv*

un·al·loyed \ˌən-ə-'lóid\ *adj* : UNMIXED, UNQUALIFIED, PURE ⟨∼ metals⟩ ⟨∼ happiness⟩

un-Amer·i·can \ˌən-ə-'mer-ə-kən\ *adj* : not characteristic of or consistent with American customs, principles, or traditions

unan·i·mous \yu̇-'nan-ə-məs\ *adj* [L *unanimus*, fr. *unus* one + *animus* spirit, mind] **1** : being of one mind : AGREEING **2** : formed with or indicating the agreement of all — **una·nim·i·ty** \ˌyü-nə-'nim-ət-ē\ *n* — **unan·i·mous·ly** \yu̇-'nan-ə-məs-lē\ *adv*

un·armed \-'ärmd\ *adj* : not armed or armored

un·as·sail·able \ˌən-ə-'sā-lə-bəl\ *adj* : not assailable : not liable to doubt, attack, or question

un·as·sum·ing \-'sü-miŋ\ *adj* : MODEST, RETIRING

un·at·tached \ˌən-ə-'tacht\ *adj* **1** : not attached **2** : not married or engaged

un·avail·ing \ˌən-ə-'vā-liŋ\ *adj* : being of no avail : not successful : VAIN — **un·avail·ing·ly** *adv*

un·avoid·able \-'vóid-ə-bəl\ *adj* : not avoidable : INEVITABLE — **un·avoid·ably** *adv*

¹**un·aware** \ˌən-ə-'waər\ *adv* : UNAWARES

²**unaware** *adj* : not aware : IGNORANT — **un·aware·ness** *n*

un·awares \-'waərz\ *adv* **1** : without warning : by surprise ⟨taken ∼⟩ **2** : without knowing : UNINTENTIONALLY

un·bal·anced \ˌən-'bal-ənst\ *adj* **1** : not equally poised or balanced **2** : mentally disordered **3** : not adjusted so as to make credits equal to debits ⟨an ∼ account⟩

un·bear·able \-'bar-ə-bəl\ *adj* : greater than can be borne ⟨∼ pain⟩ — **un·bear·ably** *adv*

un·beat·able \-'bēt-ə-bəl\ *adj* : not capable of being defeated

un·beat·en \-'bēt-ᵊn\ *adj* **1** : not pounded, beaten, or whipped **2** : UNTROD **3** : UNDEFEATED

un·be·com·ing \ˌən-bi-'kəm-iŋ\ *adj* : not becoming : UNSUITABLE, IMPROPER — **un·be·com·ing·ly** *adv*

un·be·liev·able \-'lē-və-bəl\ *adj* : too improbable for belief : INCREDIBLE — **un·be·liev·ably** *adv*

un·be·liev·er \-'lē-vər\ *n* **1** : DOUBTER **2** : INFIDEL

un·bend \ˌən-'bend\ *vb* **1** : to free from being bent : make or become straight **2** : UNTIE **3** : to make or become less stiff or more affable : RELAX

un·bend·ing \-'ben-diŋ\ *adj* : formal and distant in manner : INFLEXIBLE

un·bi·ased \ˌən-'bī-əst\ *adj* : free from bias; *esp* : UNPREJUDICED, IMPARTIAL

un·bid·den \-'bid-ᵊn\ *also* **un·bid** \-'bid\ *adj* : not bidden : UNASKED, UNINVITED

un·bind \-'bīnd\ *vb* **1** : to remove bindings from : UNTIE, UNFASTEN, LOOSE **2** : RELEASE

un·blush·ing \-'bləsh-iŋ\ *adj* **1** : not blushing **2** : SHAMELESS — **un·blush·ing·ly** *adv*

un·bod·ied \-'bäd-ēd\ *adj* **1** : having no body; *also* : DISEMBODIED **2** : FORMLESS

un·bolt \-'bōlt\ *vb* : to open or unfasten by withdrawing a bolt

un·born \-'bórn\ *adj* : not yet born : FUTURE ⟨∼ generations⟩

un·bound·ed \-'baun-dəd\ *adj* : having no bounds or limits ⟨∼ enthusiasm⟩

un·bowed \-'baud\ *adj* **1** : not bowed down **2** : UNSUBDUED

un·bri·dled \-'brīd-ᵊld\ *adj* **1** : not confined by a bridle **2** : UNRESTRAINED, UNGOVERNED

un·bro·ken \ˌən-'brō-kən\ *adj* **1** : not damaged : WHOLE **2** : not subdued or tamed **3** : not interrupted : CONTINUOUS ⟨∼ sleep⟩

un·buck·le \-'bək-əl\ *vb* : to loose the buckle of : UNFASTEN ⟨∼ a belt⟩

un·bur·den \-'bərd-ᵊn\ *vb* **1** : to free or relieve from a burden **2** : to relieve oneself of (as cares or worries) : cast off

un·but·ton \-'bət-ᵊn\ *vb* : to unfasten the buttons of ⟨∼ your coat⟩

un·called-for \ˌən-'kóld-ˌfór\ *adj* : not called for, needed, or wanted : not proper

un·can·ny \ˌən-'kan-ē\ *adj* **1** : GHOSTLY, MYSTERIOUS, EERIE **2** : suggesting superhuman or supernatural powers — **un·can·ni·ly** *adv*

un·ceas·ing \-'sē-siŋ\ *adj* : never ceasing : CONTINUOUS, INCESSANT — **un·ceas·ing·ly** *adv*

un·cer·tain \'ən-'sərt-ᵊn\ *adj* **1** : not determined or fixed ⟨an ~ quantity⟩ **2** : subject to chance or change : not dependable **3** : not sure ⟨~ of the truth⟩ **4** : not definitely known — **un·cer·tain·ly** *adv*

un·cer·tain·ty \-ᵊn-tē\ *n* **1** : lack of certainty : DOUBT **2** : something that is uncertain

un·chain \'ən-'chān\ *vb* : to free by or as if by removing a chain : set loose

un·char·i·ta·ble \-'char-ət-ə-bəl\ *adj* : not charitable; *esp* : severe in judging others — **un·char·i·ta·ble·ness** *n* — **un·char·i·ta·bly** *adv*

un·chris·tian \-'kris-chən\ *adj* **1** : not of the Christian faith **2** : contrary to the Christian spirit

un·cir·cum·cised \'ən-'sər-kəm-ˌsīzd\ *adj* : not circumcised; *also* : HEATHEN

un·civ·il \-'siv-əl\ *adj* **1** : not civilized : BARBAROUS **2** : DISCOURTEOUS, ILL-MANNERED, IMPOLITE

un·civ·i·lized \-'siv-ə-ˌlīzd\ *adj* **1** : not civilized : BARBAROUS **2** : remote from civilization : WILD

un·clad \-'klad\ *adj* : not clothed : UNDRESSED, NAKED

un·clasp \-'klasp\ *vb* : to loose the clasp of : open by or as if by loosing the clasp

un·cle \'əŋ-kəl\ *n* : the brother of one's father or mother; *also* : the husband of one's aunt

un·clean \'ən-'klēn\ *adj* **1** : morally or spiritually impure **2** : prohibited by ritual law for use or contact **3** : DIRTY, FILTHY — **un·clean·ness** \-'klēn-nəs\ *n*

un·clench \-'klench\ *vb* : to open from a clenched position : RELAX

un·cloak \-'klōk\ *vb* **1** : to remove a cloak or cover from **2** : UNMASK, REVEAL

un·clothe \-'klōth\ *vb* : to strip of clothes or a covering

un·coil \-'kȯil\ *vb* : to release or become released from a coiled state : UNWIND

un·com·fort·able \-'kəm(f)-tə-bəl, -'kəm-fərt-ə-bəl\ *adj* **1** : causing discomfort **2** : feeling discomfort : UNEASY — **un·com·fort·ably** *adv*

un·com·mit·ted \ˌən-kə-'mit-əd\ *adj* : not committed; *esp* : not pledged to a particular belief, allegiance, or program

un·com·mon \'ən-'käm-ən\ *adj* **1** : not ordinarily encountered : UNUSUAL, RARE **2** : REMARKABLE, EXCEPTIONAL — **un·com·mon·ly** *adv*

un·com·mu·ni·cat·ive \ˌən-kə-'myü-nə-ˌkāt-iv, -ni-kət-\ *adj* : not inclined to talk or impart information : RESERVED

un·com·pro·mis·ing \'ən-'käm-prə-ˌmī-ziŋ\ *adj* : not making or accepting a compromise : UNYIELDING

un·con·cern \ˌən-kən-'sərn\ *n* **1** : lack of care or interest : INDIFFERENCE **2** : freedom from excessive concern or anxiety

un·con·cerned \-'sərnd\ *adj* **1** : not having any part or interest **2** : not anxious or upset : free of worry — **un·con·cern·ed·ly** \-'sər-nəd-lē\ *adv*

un·con·di·tion·al \ˌən-kən-'dish-(ə-)nəl\ *adj* : not limited in any way : ABSOLUTE, UNQUALIFIED — **un·con·di·tion·al·ly** *adv*

un·con·di·tioned \-'dish-ənd\ *adj* **1** : not subject to conditions **2** : not acquired or learned : INHERENT, NATURAL

un·con·quer·able \'ən-'käŋ-k(ə-)rə-bəl\ *adj* : incapable of being conquered or overcome : INDOMITABLE

¹**un·con·scious** \-'kän-chəs\ *adj* **1** : deprived of consciousness or awareness **2** : not realized by oneself : not consciously done — **un·con·scious·ly** *adv* — **un·con·scious·ness** *n*

²**unconscious** *n* : the part of one's mental life not ordinarily available to consciousness but revealed esp. in spontaneous behavior (as slips of the tongue) or in dreams

un·con·sti·tu·tion·al \ˌən-ˌkän-stə-'t(y)ü-sh(ə-)nəl\ *adj* : not according to or consistent with the constitution of a state or society — **un·con·sti·tu·tion·al·i·ty** \-ˌt(y)ü-shə-'nal-ət-ē\ *n* — **un·con·sti·tu·tion·al·ly** \-'t(y)üsh(ə-)nə-lē\ *adv*

un·con·trol·la·ble \ˌən-kən-'trō-lə-bəl\ *adj* : incapable of being controlled : UNGOVERNABLE — **un·con·trol·la·bly** *adv*

un·con·ven·tion·al \-'vench-(ə-)nəl\ *adj* : not conventional : being out of the ordinary — **un·con·ven·tion·al·i·ty** \-ˌven-chə-'nal-ət-ē\ *n* — **un·con·ven·tion·al·ly** \-'vench-(ə-)nə-lē\ *adv*

un·cork \'ən-'kȯrk\ *vb* **1** : to draw a cork from **2** : to release from a sealed or pent-up state; *also* : to let go

un·count·ed \-'kaunt-əd\ *adj* : not counted; *also* : INNUMERABLE

un·cou·ple \-'kəp-əl\ *vb* : DISCONNECT

un·couth \-'küth\ *adj* [OE *uncūth* unknown, unfamiliar, fr. *un-* + *cūth* known] **1** : strange, awkward, and clumsy in shape or appearance **2** : vulgar in conduct or speech : RUDE

un·cov·er \'ən-'kəv-ər\ *vb* **1** : to make known : DISCLOSE, REVEAL **2** : to expose to view by removing some covering **3** : to take the cover from **4** : to remove the hat from; *also* : to take off the hat as a token of respect

un·crit·i·cal \-'krit-i-kəl\ *adj* **1** : not critical : lacking in discrimination **2** : showing lack or improper use of critical standards or procedures — **un·crit·i·cal·ly** *adv*

unc·tion \'əŋk-shən\ *n* **1** : the act of anointing as a rite of consecration or healing **2** : exaggerated, assumed, or superficial earnestness of language or manner

unc·tu·ous \'əŋk-ch(ə-w)əs\ *adj* **1** : FATTY, OILY **2** : full of unction in speech and manner; *esp* : insincerely smooth — **unc·tu·ous·ly** *adv*

un·cut \-'kət\ *adj* **1** : not cut down or into **2** : not shaped by cutting ⟨an ~ diamond⟩ **3** : not having the folds of the leaves slit **4** : not abridged or curtailed

un·daunt·ed \ˌən-'dȯnt-əd\ *adj* : not daunted : not discouraged or dismayed : FEARLESS — **un·daunt·ed·ly** *adv*

un·de·cid·ed \-'sīd-əd\ *adj* **1** : not yet determined : UNSETTLED **2** : uncertain what to do : WAVERING

un·de·mon·stra·tive \ˌən-di-'män-strət-iv\ *adj* : restrained in expression of feeling : RESERVED

un·de·ni·able \-'nī-ə-bəl\ *adj* **1** : plainly true : INCONTESTABLE **2** : unques-

under   480   **underneath**

tionably excellent or genuine — **un·de·ni·a·bly** *adv*

¹un·der \\'ən-dər\\ *adv* **1** : in or into a position below or beneath something **2** : below some quantity, level, or norm ⟨$10 or ~⟩ **3** : in or into a condition of subjection, subordination, or unconsciousness ⟨the ether put him ~⟩

²under *prep* **1** : lower than and overhung, surmounted, or sheltered by ⟨~ a tree⟩ **2** : below the surface of ⟨~ the sea⟩ **3** : in or into such a position as to be covered or concealed by ⟨a vest ~ his jacket⟩ ⟨the moon went ~ a cloud⟩ **4** : subject to the authority or guidance of ⟨served ~ him⟩ ⟨had the man ~ contract⟩ **5** : with the guarantee of ⟨~ the royal seal⟩ **6** : controlled, limited, or oppressed by ⟨~ lock and key⟩ ⟨brave ~ trials⟩ **7** : subject to the action or effect of ⟨~ an anesthetic⟩ **8** : within the division or grouping of ⟨items ~ this head⟩ **9** : less or lower than (as in size, amount, or rank)

³under *adj* **1** : lying below, beneath, or on the ventral side **2** : facing or protruding downward **3** : SUBORDINATE **4** : lower than usual, proper, or desired in amount, quality, or degree

un·der·act \\,ən-dər-'akt\\ *vb* : to perform feebly or with restraint

un·der·age \\-'āj\\ *adj* : of less than mature or legal age

un·der·arm \\-'ärm\\ *adj* **1** : placed under or on the underside of the arm ⟨~ seams⟩ **2** : performed with the hand kept below the level of the shoulder : UNDERHAND ⟨an ~ throw⟩ — **underarm** *adv or n*

un·der·bid \\,ən-dər-'bid\\ *vb* **1** : to bid less than another **2** : to bid too low

un·der·bred \\-'bred\\ *adj* **1** : marked by lack of good breeding : ILL-BRED **2** : of inferior or mixed breeding

un·der·brush \\'ən-dər-,brəsh\\ *n* : shrubs and small trees growing beneath large trees

un·der·charge \\,ən-dər-'chärj\\ *vb* : to charge (as a person) too little — **un·der·charge** \\'ən-dər-,chärj\\ *n*

un·der·class·man \\,ən-dər-'klas-mən\\ *n* : a member of the freshman or sophomore class

un·der·clothes \\'ən-dər-,klō(th)z\\ *n pl* : UNDERWEAR

un·der·coat \\-,kōt\\ *n* **1** : a coat worn under another **2** : a growth of short hair or fur partly concealed by a longer growth ⟨a dog's ~⟩ **3** : a coat of paint under another

un·der·coat·ing *n* : a special waterproof coating applied to the undersurfaces of a vehicle

un·der·cov·er \\,ən-dər-'kəv-ər\\ *adj* : acting or executed in secret; *esp* : employed or engaged in secret investigation ⟨~ agent⟩

un·der·cur·rent \\-,kər-ənt\\ *n* **1** : a current below the surface **2** : a hidden tendency of feeling or opinion

un·der·cut \\,ən-dər-'kət\\ *vb* **1** : to cut away the underpart of **2** : to offer to sell or to work at a lower rate than **3** : to strike (the ball) in golf, tennis, or hockey obliquely downward so as to give a backward spin or elevation to the shot — **un·der·cut** \\'ən-dər-,kət\\ *n*

un·der·de·vel·oped \\-di-'vel-əpt\\ *adj* **1** : not normally or adequately developed ⟨~ muscles⟩ **2** : failing to reach a potential level of economic development (as from lack of capital) ⟨the ~ nations⟩

un·der·dog \\'ən-dər-,dȯg\\ *n* **1** : the losing dog in a fight **2** : the loser or predicted loser in a struggle

un·der·done \\,ən-dər-'dən\\ *adj* : not thoroughly done or cooked : RARE ⟨~ steak⟩

un·der·es·ti·mate \\,ən-dər-'es-tə-,māt\\ *vb* : to set too low a value on : estimate below the truth

un·der·ex·pose \\-ik-'spōz\\ *vb* : to expose (a photographic plate or film) for less time than is needed — **un·der·ex·po·sure** \\-'spō-zhər\\ *n*

un·der·feed \\-'fēd\\ *vb* **1** : to feed inadequately **2** : to feed (as a furnace) with fuel admitted from below

un·der·foot \\,ən-dər-'fu̇t\\ *adv* **1** : under the feet ⟨flowers trampled ~⟩ **2** : close about one's feet : in the way ⟨a puppy always ~⟩

un·der·gar·ment \\'ən-dər-,gär-mənt\\ *n* : a garment to be worn under another

un·der·gird \\,ən-dər-'gərd\\ *vb* **1** : to make secure underneath **2** : to brace up : STRENGTHEN

un·der·go \\-'gō\\ *vb* **1** : to be subjected to : ENDURE **2** : to pass through : EXPERIENCE

un·der·grad·u·ate \\-'graj-(ə-)wət\\ *n* : a student at a university or college who has not taken a first degree

¹un·der·ground \\,ən-dər-'grau̇nd\\ *adv* **1** : beneath the surface of the earth **2** : in secret

²un·der·ground \\'ən-dər-,grau̇nd\\ *adj* **1** : being or growing under the surface of the ground ⟨~ stems⟩ **2** : conducted by secret means

³un·der·ground \\'ən-dər-,grau̇nd\\ *n* **1** : a space under the surface of the ground; *esp* : an underground railway **2** : a secret political movement or group; *esp* : an organized body working in secret to overthrow a government or an occupying power

un·der·growth \\'ən-dər-,grōth\\ *n* : low growth (as of herbs and shrubs) on the floor of a forest

¹un·der·hand \\'ən-dər-,hand\\ *adv* **1** : in an underhand or secret manner **2** : with an underhand motion

²underhand *adj* **1** : marked by secrecy and deception : SLY **2** : made with the hand kept below the level of the shoulder

un·der·hand·ed \\,ən-dər-'han-dəd\\ *adj (or adv)* : UNDERHAND — **un·der·hand·ed·ly** *adv* — **un·der·hand·ed·ness** *n*

un·der·lie \\-'lī\\ *vb* **1** : to lie or be situated under **2** : to be at the basis of : form the foundation of : SUPPORT

un·der·line \\'ən-dər-,līn\\ *vb* **1** : to draw a line under **2** : EMPHASIZE, STRESS — **underline** *n*

un·der·ly·ing \\-'lī-iŋ\\ *adj* **1** : lying under or below **2** : FUNDAMENTAL, BASIC ⟨~ principles⟩

un·der·mine \\-'mīn\\ *vb* **1** : to excavate beneath **2** : to weaken or wear away secretly or gradually ⟨~ a government⟩

un·der·most \\'ən-dər-,mōst\\ *adj* : lowest in relative position — **undermost** *adv*

¹un·der·neath \\,ən-dər-'nēth\\ *prep* **1** : directly under **2** : under subjection to

underneath — **undue**

²**underneath** *adv* **1 :** below a surface or object **:** BENEATH **2 :** on the lower side

un·der·nour·ished \-'nər-isht\ *adj* **:** supplied with insufficient nourishment — **un·der·nour·ish·ment** *n*

un·der·pants \'ən-dər-,pants\ *n pl* **:** short or long pants worn under an outer garment **:** DRAWERS

un·der·part \-,pärt\ *n* **1 :** a part lying on the lower side esp. of a bird or mammal **2 :** a subordinate or auxiliary part or role

un·der·pass \-,pas\ *n* **:** a passage underneath ⟨a railroad ∼⟩

un·der·pay \,ən-dər-'pā\ *vb* **:** to pay too little

un·der·pin·ning \'ən-dər-,pin-iŋ\ *n* **:** the material and construction (as a foundation) used for support of a structure

un·der·play \,ən-dər-'plā\ *vb* **:** to treat or handle with restraint; *esp* **:** to play a role with subdued force

un·der·priv·i·leged \-'priv-(ə-)lijd\ *adj* **:** having fewer esp. economic and social privileges than others **:** POOR

un·der·pro·duc·tion \,ən-dər-prə-'dək-shən\ *n* **:** the production of less than enough to satisfy the demand or of less than the usual supply

un·der·rate \,ən-də(r)-'rāt\ *vb* **:** to rate or value too low

un·der·score \'ən-dər-,skōr\ *vb* **1 :** to draw a line under **:** UNDERLINE **2 :** EMPHASIZE — **underscore** *n*

¹**un·der·sea** \,ən-dər-'sē\ *adj* **:** being, carried on, or used beneath the surface of the sea

²**undersea** *or* **un·der·seas** \-'sēz\ *adv* **:** beneath the surface of the sea

un·der·sell \-'sel\ *vb* **:** to sell articles cheaper than ⟨∼ a competitor⟩

un·der·shot \,ən-dər-'shät\ *adj* **1 :** having the lower front teeth projecting beyond the upper when the mouth is closed **2 :** moved by water passing beneath

un·der·side \'ən-dər-,sīd\ *n* **:** the side or surface lying underneath

un·der·signed \-,sīnd\ *n, pl* **undersigned :** one who signs his name at the end of a document ⟨the ∼ agree⟩

un·der·sized \,ən-dər-'sīzd\ *adj* **:** of a size less than is common, proper, normal, or average ⟨∼ trout⟩

un·der·slung \,ən-dər-'sləŋ\ *adj* **:** suspended so as to extend below the axles

un·der·stand \,ən-dər-'stand\ *vb* **1 :** to grasp the meaning of **:** COMPREHEND **2 :** to have thorough or technical acquaintance with or expertness in ⟨∼ finance⟩ **3 :** GATHER, INFER ⟨I ∼ that you spread this rumor⟩ **4 :** INTERPRET ⟨we ∼ this to be a refusal⟩ **5 :** to have a sympathetic attitude **6 :** to accept as settled ⟨it is *understood* that he will pay the expenses⟩ — **un·der·stand·able** *adj* — **un·der·stand·ably** *adv*

¹**un·der·stand·ing** *n* **1 :** knowledge and ability to apply judgment **:** INTELLIGENCE **2 :** ability to comprehend and judge ⟨a man of ∼⟩ **3 :** agreement of opinion or feeling **4 :** a mutual agreement informally or tacitly entered into (as between two nations)

²**understanding** *adj* **:** endowed with understanding **:** TOLERANT, SYMPATHETIC

un·der·state \,ən-dər-'stāt\ *vb* **1 :** to represent as less than is the case **2 :** to state with restraint esp. for greater effect — **un·der·state·ment** *n*

un·der·stood \-'stud\ *adj* **1 :** agreed upon **2 :** IMPLICIT

un·der·study \'ən-dər-,stəd-ē\ *vb* **:** to study another actor's part in order to be his substitute in an emergency — **understudy** *n*

un·der·take \,ən-dər-'tāk\ *vb* **1 :** to take upon oneself as a task **:** set about **2 :** to put oneself under obligation **:** AGREE, CONTRACT **3 :** GUARANTEE, PROMISE

un·der·tak·er \'ən-dər-,tā-kər\ *n* **:** one whose business is to prepare the dead for burial and to take charge of funerals

un·der·tak·ing \-,tā-kiŋ\ *n* **1 :** the act of one who undertakes or engages in any project or business **2 :** the business of an undertaker **3 :** something undertaken **4 :** PROMISE, GUARANTEE

un·der·tone \'ən-dər-,tōn\ *n* **1 :** a low or subdued tone or utterance **2 :** a subdued color (as seen through and modifying another color)

un·der·tow \-,tō\ *n* **:** the current beneath the surface that sets seaward when waves are breaking upon the shore

un·der·val·ue \,ən-dər-'val-yü\ *vb* **1 :** to value or estimate below the real worth **2 :** to esteem lightly

un·der·wa·ter \,ən-dər-,wöt-ər, -,wät-\ *adj* **:** lying, growing, worn, or operating below the surface of the water — **underwater** *adv*

under way *adv* **1 :** into motion from a standstill **2 :** in progress **:** AFOOT

un·der·wear \'ən-dər-,wa(ə)r\ *n* **:** a garment worn next to the skin and under other clothing

un·der·weight \,ən-dər-'wāt\ *n* **:** weight below what is normal, average, or necessary — **underweight** *adj*

un·der·world \'ən-dər-,wərld\ *n* **1 :** the place of departed souls **:** HADES **2 :** a social sphere below the level of ordinary life; *esp* **:** the world of organized crime

un·der·write \'ən-də(r)-,rīt\ *vb* **1 :** to write under or at the end of something else **2 :** to set one's name to an insurance policy and thereby become answerable for a designated loss or damage **:** insure life or property **3 :** to subscribe to **:** agree to **4 :** to agree to purchase (as bonds) usu. on a fixed date at a fixed price; *also* **:** to guarantee financial support of — **un·der·writ·er** *n*

un·de·sir·able \,ən-di-'zī-rə-bəl\ *adj* **:** not desirable **:** UNWANTED — **undesirable** *n*

un·de·vi·at·ing \'ən-'dē-vē-,āt-iŋ\ *adj* **:** keeping a true course **:** UNSWERVING

un·do \,ən-'dü\ *vb* **1 :** to make or become unfastened or loosened **:** OPEN **2 :** to make null or as if not done **:** REVERSE **3 :** to bring to ruin; *also* **:** UPSET

un·do·ing *n* **1 :** LOOSING, UNFASTENING **2 :** RUIN; *also* **:** a cause of ruin **3 :** REVERSAL

un·doubt·ed \'ən-'daut-əd\ *adj* **:** not doubted or called into question **:** CERTAIN — **un·doubt·ed·ly** *adv*

¹**un·dress** \-'dres\ *vb* **:** to remove the clothes or covering of **:** STRIP, DISROBE

²**undress** *n* **1 :** informal dress; *esp* **:** a loose robe or dressing gown **2 :** ordinary dress **3 :** NUDITY

un·due \-'d(y)ü\ *adj* **1 :** not due

2 : INAPPROPRIATE, UNSUITABLE **3** : EXCESSIVE, IMMODERATE ⟨~ severity⟩

un·du·lant \'ən-jə-lənt, -d(y)ə-\ *adj* : UNDULATING

un·du·late \-,lāt\ *vb* **1** : to have a wavelike motion or appearance **2** : to rise and fall in pitch or volume *syn* waver, swing, sway, oscillate, vibrate, fluctuate

un·du·la·tion \,ən-jə-'lā-shən, -d(y)ə-\ *n* **1** : wavy or wavelike motion **2** : pulsation of sound **3** : a wavy appearance or outline — **un·du·la·to·ry** \'ən-jə-lə-,tōr-ē, -d(y)ə-\ *adj*

un·du·ly \'ən-'d(y)ü-lē\ *adv* : in an undue manner; *esp* : EXCESSIVELY

un·dy·ing \-'dī-iŋ\ *adj* : not dying : IMMORTAL, PERPETUAL

un·earned \-'ərnd\ *adj* : not earned by labor, service, or skill ⟨~ income⟩

un·earth \-'ərth\ *vb* **1** : to drive or draw from the earth : dig up ⟨~ buried treasure⟩ **2** : to bring to light : DISCOVER ⟨~ a secret⟩

un·earth·ly \-lē\ *adj* **1** : not of or belonging to the earth **2** : SUPERNATURAL, WEIRD, TERRIFYING

un·easy \'ən-'ē-zē\ *adj* **1** : AWKWARD, EMBARRASSED ⟨~ among strangers⟩ **2** : disturbed by pain or worry; *also* : RESTLESS — **un·eas·i·ly** *adv* — **un·eas·i·ness** *n*

un·em·ployed \,ən-im-'ploid\ *adj* : not employed; *esp* : not engaged in a gainful occupation

un·em·ploy·ment \-'ploi-mənt\ *n* : lack of employment

un·end·ing \'ən-'en-diŋ\ *adj* : having no ending : ENDLESS

un·equal \-'ē-kwəl\ *adj* **1** : not alike (as in size, amount, number, or value) **2** : not uniform : VARIABLE, UNEVEN **3** : badly balanced or matched **4** : INADEQUATE, INSUFFICIENT ⟨timber ~ to the strain⟩ — **un·equal·ly** *adv*

un·equaled *adj* : not equaled : UNPARALLELED

un·equiv·o·cal \,ən-i-'kwiv-ə-kəl\ *adj* : leaving no doubt : CLEAR — **un·e·quiv·o·cal·ly** *adv*

un·err·ing \'ən-'e(ə)r-iŋ, -'ər-\ *adj* : making no errors : CERTAIN, UNFAILING — **un·err·ing·ly** *adv*

un·even \-'ē-vən\ *adj* **1** : ODD **2** : not even : not level or smooth : RUGGED, RAGGED **3** : IRREGULAR; *also* : varying in quality — **un·even·ly** *adv* — **un·even·ness** \-vən-nəs\ *n*

un·event·ful \,ən-i-'vent-fəl\ *adj* : not eventful : lacking interesting or noteworthy incidents

un·ex·pect·ed \,ən-ik-'spek-təd\ *adj* : not expected : UNFORESEEN — **un·ex·pect·ed·ly** *adv*

un·fail·ing \'ən-'fā-liŋ\ *adj* **1** : not failing, flagging, or waning : CONSTANT **2** : INEXHAUSTIBLE **3** : INFALLIBLE

un·fair \-'faər\ *adj* **1** : marked by injustice, partiality, or deception : UNJUST, DISHONEST **2** : not equitable in business dealings — **un·fair·ly** *adv* — **un·fair·ness** *n*

un·faith·ful \-'fāth-fəl\ *adj* **1** : not observant of vows, allegiance, or duty : DISLOYAL **2** : INACCURATE, UNTRUSTWORTHY — **un·faith·ful·ly** *adv* — **un·faith·ful·ness** *n*

un·fa·mil·iar \,ən-fə-'mil-yər\ *adj* **1** : not well known : STRANGE ⟨an ~ place⟩ **2** : not well acquainted ⟨~ with the subject⟩ — **un·fa·mil·iar·i·ty** *n*

un·fas·ten \'ən-'fas-ᵊn\ *vb* : to make or become loose : UNDO, DETACH, UNTIE

un·fa·vor·able \-'fāv-(ə-)rə-bəl\ *adj* : not favorable — **un·fa·vor·ably** *adv*

un·feel·ing \-'fē-liŋ\ *adj* **1** : lacking feeling : INSENSATE **2** : HARDHEARTED, CRUEL — **un·feel·ing·ly** *adv*

un·fet·ter \-'fet-ər\ *vb* **1** : to free from fetters **2** : LIBERATE

¹**un·fit** \-ən-'fit\ *adj* : not fit or suitable; *esp* : physically or mentally unsound — **un·fit·ness** *n*

²**unfit** *vb* : DISABLE, DISQUALIFY

un·fix \'ən-'fiks\ *vb* **1** : to loosen from a fastening : DETACH **2** : UNSETTLE

un·fledged \-'flejd\ *adj* : not feathered or ready for flight; *also* : IMMATURE, CALLOW

un·flinch·ing \-'flin-chiŋ\ *adj* : not flinching or shrinking : STEADFAST

un·fold \-'fōld\ *vb* **1** : to open the folds of : open up **2** : to lay open to view : REVEAL, DISCLOSE ⟨~ a plan⟩ **3** : BLOSSOM, DEVELOP

un·for·get·ta·ble \,ən-fər-'get-ə-bəl\ *adj* : not to be forgotten : lasting in memory — **un·for·get·ta·bly** *adv*

un·formed \'ən-'fȯrmd\ *adj* : not regularly formed : SHAPELESS

un·for·tu·nate \-'fȯrch-(ə-)nət\ *adj* **1** : not fortunate : UNLUCKY **2** : attended with misfortune **3** : UNSUITABLE — **unfortunate** *n* — **un·for·tu·nate·ly** *adv*

un·found·ed \-'faun-dəd\ *adj* : lacking a sound basis : GROUNDLESS ⟨an ~ rumor⟩

un·fre·quent·ed \,ən-fri-'kwent-əd\ *adj* : seldom visited or traveled over

un·friend·ly \'ən-'frend-lē\ *adj* **1** : not friendly or kind : HOSTILE **2** : UNFAVORABLE — **un·friend·li·ness** *n*

un·fruit·ful \-'früt-fəl\ *adj* **1** : not producing fruit or offspring : UNPRODUCTIVE **2** : yielding no desired or valuable result ⟨~ efforts⟩

un·furl \-'fərl\ *vb* : to loose from a furled state : UNFOLD

un·gain·ly \-'gān-lē\ *adj* : CLUMSY, AWKWARD — **un·gain·li·ness** *n*

un·gird \-'gərd\ *vb* : to divest of a restraining band or girdle : UNBIND

un·god·ly \-'gäd-lē\ *adj* **1** : IMPIOUS, IRRELIGIOUS **2** : SINFUL, WICKED **3** : OUTRAGEOUS — **un·god·li·ness** *n*

un·gov·ern·able \-'gəv-ər-nə-bəl\ *adj* : not capable of being governed, guided, or restrained : UNRULY

un·grace·ful \-'grās-fəl\ *adj* : not graceful : AWKWARD — **un·grace·ful·ly** *adv*

un·gra·cious \-'grā-shəs\ *adj* **1** : not courteous : RUDE **2** : not pleasing : DISAGREEABLE

un·grate·ful \'ən-'grāt-fəl\ *adj* **1** : not thankful for favors **2** : not pleasing : DISAGREEABLE — **un·grate·ful·ly** *adv* — **un·grate·ful·ness** *n*

un·ground·ed \-'graun-dəd\ *adj* **1** : UNFOUNDED, BASELESS **2** : not instructed or informed

un·guard·ed \-'gärd-əd\ *adj* **1** : UNPROTECTED **2** : DIRECT, INCAUTIOUS

un·guent \'əŋ-gwənt\ *n* : a soothing or healing salve : OINTMENT

¹**un·gu·late** \'əŋ-gyə-lət\ *adj* : having hoofs

²**ungulate** *n* : a hoofed mammal (as a cow, horse, or rhinoceros)

un·hand \-'hand\ *vb* : to remove the hand from : let go
un·hand·some \-'han-səm\ *adj* 1 : not beautiful or handsome : HOMELY 2 : UNBECOMING 3 : DISCOURTEOUS, RUDE
un·handy \-'han-dē\ *adj* : INCONVENIENT; *also* : AWKWARD
un·hap·py \-'hap-ē\ *adj* 1 : UNLUCKY, UNFORTUNATE 2 : SAD, MISERABLE 3 : INAPPROPRIATE ⟨an ~ color combination⟩ — **un·hap·pi·ly** *adv* — **un·hap·pi·ness** *n*
un·har·ness \ən-'här-nəs\ *vb* : to remove the harness from (as a horse)
un·healthy \-'hel-thē\ *adj* 1 : not conducive to health : UNWHOLESOME 2 : SICKLY, DISEASED
un·heard \-'hərd\ *adj* 1 : not heard 2 : not granted a hearing
un·heard-of \-,əv, -,äv\ *adj* : previously unknown : UNPRECEDENTED
un·hinge \ən-'hinj\ *vb* 1 : to take from the hinges 2 : to make unstable (as one's mind)
un·ho·ly \-'hō-lē\ *adj* : not holy : PROFANE, WICKED — **un·ho·li·ness** *n*
un·hook \-'hůk\ *vb* : to loose or become loosed from a hook
uni·cam·er·al \,yü-ni-'kam-(ə-)rəl\ *adj* : having a single legislative house or chamber
uni·cel·lu·lar \-'sel-yə-lər\ *adj* : of or having a single cell — **uni·cel·lu·lar·i·ty** \-,sel-yə-'lar-ət-ē\ *n*
uni·cy·cle \'yü-ni-,sī-kəl\ *n* : a vehicle that has a single wheel and is usu. propelled by pedals
uni·fi·ca·tion \,yü-nə-fə-'kā-shən\ *n* : the act, process, or result of unifying : the state of being unified
¹**uni·form** \'yü-nə-,förm\ *adj* 1 : having always the same form, manner, or degree : not varying 2 : of the same form with others : conforming to one rule — **u·ni·form·ly** *adv*
²**uniform** *vb* : to clothe with a uniform
³**uniform** *n* : distinctive dress worn by members of a particular group (as an army or a police force)
uni·for·mi·ty \,yü-nə-'för-mət-ē\ *n* : the state of being uniform : absence of variation : SAMENESS
uni·fy \'yü-nə-,fī\ *vb* : to make into a unit or a coherent whole : UNITE
uni·lat·er·al \,yü-nə-'lat-(ə-)rəl\ *adj* : of, having, affecting, or done by one side only — **uni·lat·er·al·ly** *adv*
un·im·peach·able \,ən-im-'pē-chə-bəl\ *adj* : exempt from liability to accusation : BLAMELESS
un·in·hib·it·ed \,ən-in-'hib-ət-əd\ *adj* : free from inhibition; *esp* : boisterously informal
un·in·tel·li·gent \-'tel-ə-jənt\ *adj* : lacking intelligence : UNWISE, IGNORANT
un·in·tel·li·gi·ble \-jə-bəl\ *adj* : not intelligible : OBSCURE — **un·in·tel·li·gi·bly** *adv*
un·in·ten·tion·al \,ən-in-'tench-(ə-)nəl\ *adj* : not intentional — **un·in·ten·tion·al·ly** *adv*
un·in·ter·est·ed \'ən-'in-t(ə-)rəs-təd, -tə-,res-\ *adj* 1 : having no interest and esp. no property interest in 2 : not having the mind or feelings engaged : not having the curiosity or sympathy aroused

un·in·ter·rupt·ed \,ən-,int-ə-'rəp-təd\ *adj* : not interrupted : CONTINUOUS
union \'yü-nyən\ *n* 1 : an act or instance of uniting two or more things into one : the state of being so united : COMBINATION, JUNCTION 2 : a uniting in marriage 3 : something formed by a combining of parts or members; *esp* : a confederation of independent individuals (as nations or persons) for some common purpose 4 : an organization of workers (**labor union, trade union**) formed to advance its members' interests esp. in respect to wages and working conditions 5 : a device emblematic of union used on or as a national flag; *also* : the upper inner corner of a flag 6 : any of various devices for connecting parts (as of a machine); *esp* : a coupling for pipes
union·ism *n* 1 : the principle or policy of forming or adhering to a union; *esp*, *cap* : adherence to the policy of a firm federal union prior to or during the U.S. Civil War 2 : the principles or system of trade unions — **union·ist** *n*, *often cap*
union·ize *vb* : to form into or cause to become a member of a labor union — **union·iza·tion** \,yü-nyən-ə-'zā-shən\ *n*
union jack *n* 1 : a flag consisting of the part of a national flag that signifies union 2 *cap U & J* : the national flag of the United Kingdom
unique \yu-'nēk\ *adj* 1 : being the only one of its kind : SINGLE, SOLE 2 : very unusual : NOTABLE
uni·son \'yü-nə-sən\ *n* 1 : sameness or identity in pitch 2 : the condition of being tuned or sounded at the same pitch or at an octave ⟨sing in ~ rather than in harmony⟩ 3 : exact agreement : ACCORD
unit \'yü-nət\ *n* 1 : the least whole number : ONE 2 : a definite amount or quantity used as a standard of measurement 3 : a single thing or person or group that is a constituent of a whole ⟨the family is the ~ of a nation⟩; *also* : a part of a military establishment that has a prescribed organization
Uni·tar·i·an \,yü-nə-'ter-ē-ən\ *n* : a member of a religious denomination stressing individual freedom of belief — **Uni·tar·i·an·ism** *n*
unite \yů-'nīt\ *vb* 1 : to put or join together so as to make one : COMBINE, COALESCE 2 : to join by a legal or moral bond (as nations by treaty); *also* : to join in interest or fellowship 3 : AMALGAMATE, CONSOLIDATE 4 : to join in an act ⟨~ in prayer⟩
unit·ed \yů-'nīt-əd\ *adj* 1 : made one : COMBINED 2 : relating to or produced by joint action 3 : being in agreement : HARMONIOUS
uni·ty \'yü-nət-ē\ *n* 1 : the quality or state of being one : ONENESS, SINGLENESS 2 : a definite quantity or combination of quantities taken as one or for which 1 is made to stand in calculation 3 : CONCORD, ACCORD, HARMONY 4 : continuity without change ⟨~ of purpose⟩ 5 : reference of all the parts of a literary or artistic composition to a single main idea : singleness of effect or style 6 : totality of related parts **syn** solidarity, union
uni·ver·sal \,yü-nə-'vər-səl\ *adj* 1 : including, covering, or affecting the whole

universality without limit or exception : UNLIMITED, GENERAL ⟨a ~ rule⟩ **2** : present or occurring everywhere **3** : used or for use among all ⟨a ~ language⟩ **4** : affirming or denying something of all members of a class ⟨"No man knows everything" is a ~ negative⟩ — **uni·ver·sal·ly** *adv*

uni·ver·sal·i·ty \-vər-'sal-ət-ē\ *n* : the quality or state of being universal (as in range, occurrence, or appeal)

uni·verse \'yü-nə-,vərs\ *n* : all created things and phenomena viewed as constituting one system or whole

uni·ver·si·ty \,yü-nə-'vər-s(ə-)tē\ *n* : an institution of higher learning authorized to confer degrees in various special fields (as theology, law, and medicine) as well as in the arts and sciences generally

un·just \'ən-'jəst\ *adj* : characterized by injustice : WRONGFUL — **un·just·ly** *adv*

un·kempt \-'kempt\ *adj* **1** : not combed : DISHEVELED **2** : ROUGH, UNPOLISHED

un·kind \-'kīnd\ *adj* : wanting in kindness or sympathy : CRUEL, HARSH — **un·kind·ly** *adj* : UNKIND

un·know·ing \'ən-'nō-iŋ\ *adj* : not knowing : IGNORANT — **un·know·ing·ly** *adv*

un·known \ən-'nōn\ *adj* : not known : UNFAMILIAR; *also* : not ascertained — **unknown** *n*

un·law·ful \'ən-'lȯ-fəl\ *adj* **1** : not lawful : ILLEGAL **2** : ILLEGITIMATE — **un·law·ful·ly** *adv*

un·learn \-'lərn\ *vb* : to put out of one's knowledge or memory

un·learned *adj* **1** \-'lər-nəd\ : UNEDUCATED, ILLITERATE **2** \-'lərnd\ : not learned by study : not known **3** \-'lərnd\ : not learned by previous experience

un·leash \-'lēsh\ *vb* : to free from or as if from a leash

un·less \ən-,les\ *conj* : except on condition that ⟨won't go ~ you do⟩

¹**un·like** \-'līk\ *prep* **1** : different from ⟨he's quite ~ his brother⟩ **2** : unusual for ⟨it's ~ him to be late⟩ **3** : differently from ⟨behaves ~ his brother⟩

²**unlike** *adj* **1** : not like : DISSIMILAR, DIFFERENT **2** : UNEQUAL — **un·like·ness** *n*

un·like·ly \-lē\ *adj* **1** : not likely : IMPROBABLE **2** : likely to fail : UNPROMISING

un·load \-'lōd\ *vb* **1** : to take away or off ⟨~ cargo from a hold⟩; *also* : to get rid of **2** : to take a load from; *also* : to relieve or set free : UNBURDEN ⟨~ one's mind of worries⟩ **3** : to get rid of or be relieved of a burden **4** : to sell in volume ⟨~ surplus goods⟩

un·lock \-'läk\ *vb* **1** : to unfasten through release of a lock **2** : RELEASE ⟨~ed her emotions⟩ **3** : DISCLOSE, REVEAL

un·loose \'ən-'lüs\ *vb* : to relax the strain of : set free; *also* : UNTIE

un·lucky \-'lək-ē\ *adj* **1** : UNFORTUNATE, ILL-FATED **2** : likely to bring misfortune : INAUSPICIOUS **3** : REGRETTABLE — **un·luck·i·ly** *adv*

un·man \'ən-'man\ *vb* **1** : to deprive of manly courage **2** : to deprive of men

un·man·ly \-'man-lē\ *adj* : not manly : COWARDLY; *also* : EFFEMINATE

un·manned \-'mand\ *adj* : having no men aboard

un·man·ner·ly \-'man-ər-lē\ *adj* : RUDE, IMPOLITE — **unmannerly** *adv*

un·mask \'ən-'mask\ *vb* **1** : to strip of a mask or a disguise : EXPOSE **2** : to remove one's own disguise (as at a masquerade)

un·mean·ing \-'mē-niŋ\ *adj* : having no meaning : SENSELESS

un·men·tion·able \-'mench-(ə-)nə-bəl\ *adj* : not fit or proper to be talked about

un·mer·ci·ful \-'mər-si-fəl\ *adj* : not merciful : CRUEL, MERCILESS

un·mind·ful \-'mīnd-fəl\ *adj* : not mindful : CARELESS, UNAWARE

un·mis·tak·able \,ən-mə-'stā-kə-bəl\ *adj* : not capable of being mistaken or misunderstood : CLEAR, OBVIOUS — **un·mis·tak·ably** *adv*

un·mit·i·gat·ed \'ən-'mit-ə-,gāt-əd\ *adj* **1** : not softened or lessened **2** : ABSOLUTE, DOWNRIGHT ⟨an ~ liar⟩

un·mor·al \-'mȯr-əl\ *adj* : having no moral perception or quality : being neither moral nor immoral

un·moved \-'müvd\ *adj* **1** : not moved **2** : FIRM, RESOLUTE, UNSHAKEN; *also* : CALM, UNDISTURBED

un·nat·u·ral \-'nach-(ə-)rəl\ *adj* : contrary to or acting contrary to nature or natural instincts : ARTIFICIAL, IRREGULAR; *also* : ABNORMAL — **un·nat·u·ral·ly** *adv* — **un·nat·u·ral·ness** *n*

un·nec·es·sar·i·ly \,ən-,nes-ə-'ser-ə-lē\ *adv* **1** : not by necessity ⟨spent more money ~⟩ **2** : to an unnecessary degree ⟨~ harsh⟩

un·nerve \'ən-'nərv\ *vb* : to deprive of nerve, courage, or self-control

un·num·bered \-'nəm-bərd\ *adj* : not numbered or counted : INNUMERABLE

un·ob·tru·sive \,ən-əb-'trü-siv\ *adj* : not obtrusive or forward : not bold : INCONSPICUOUS

un·oc·cu·pied \'ən-'äk-yə-,pīd\ *adj* **1** : not busy : UNEMPLOYED **2** : not occupied : EMPTY, VACANT

un·or·ga·nized \-'ȯr-gə-,nīzd\ *adj* **1** : not formed or brought into an integrated or ordered whole **2** : not organized into unions ⟨~ labor⟩

un·pack \-'pak\ *vb* **1** : to separate and remove things packed **2** : to open and remove the contents of ⟨~ a trunk⟩

un·par·al·leled \-'par-ə-,leld\ *adj* : having no parallel; *esp* : having no equal or match : UNSURPASSED

un·par·lia·men·ta·ry \,ən-,pär-lə-'men-t(ə-)rē\ *adj* : contrary to parliamentary practice

un·pleas·ant \-'plez-ᵊnt\ *adj* : not pleasant : DISAGREEABLE, DISPLEASING — **un·pleas·ant·ly** *adv* — **un·pleas·ant·ness** *n*

un·plumbed \-'pləmd\ *adj* **1** : not tested with a plumb line **2** : not measured with a plumb **3** : not explored in depth, intensity, or significance

un·pop·u·lar \-'päp-yə-lər\ *adj* : not popular : looked upon or received unfavorably — **un·pop·u·lar·i·ty** \,ən-,päp-yə-'lar-ət-ē\ *n*

un·prec·e·dent·ed \'ən-'pres-ə-,dent-əd\ *adj* : having no precedent : NOVEL, NEW

un·pre·dict·able \,ən-pri-'dik-tə-bəl\ *adj* : not predictable — **un·pre·dict·abil·i·ty** \-,dik-tə-'bil-ət-ē\ *n* — **un·pre·dict·ably** \-'dik-tə-blē\ *adv*

un·pre·ten·tious \-'ten-chəs\ *adj* : not pretentious or pompous : SIMPLE, MODEST

un·prin·ci·pled \'ən-'prin-sə-pəld\ *adj* : lacking sound or honorable principles : UNSCRUPULOUS

un·print·able \-'print-ə-bəl\ *adj* : unfit to be printed

un·pro·fes·sion·al \,ən-prə-'fesh-(ə-)nəl\ *adj* : not conforming to the technical or ethical standards of a profession

un·prof·it·able \'ən-'präf-ət-ə-bəl\ *adj* : not profitable : USELESS

un·qual·i·fied \-'kwäl-ə-,fīd\ *adj* **1** : not having requisite qualifications **2** : not modified or restricted by reservations — **un·qual·i·fied·ly** \-,fī(-ə)d-lē\ *adv*

un·ques·tion·able \-'kwes-chə-nə-bəl\ *adj* **1** : acknowledged as beyond doubt **2** : INDISPUTABLE — **un·ques·tion·a·bly** *adv*

un·ques·tion·ing \-chə-niŋ\ *adj* : not questioning : accepting without examination or hesitation — **un·ques·tion·ing·ly** *adv*

un·quote \'ən-,kwōt\ *vb* : to inform a hearer or reader that the matter preceding is quoted

un·rav·el \'ən-'rav-əl\ *vb* **1** : to separate the threads of : DISENTANGLE **2** : SOLVE ⟨~ a mystery⟩ **3** : to become unraveled

un·read \-'red\ *adj* **1** : not read **2** : not well informed through reading **3** : UNEDUCATED

un·re·al \'ən-'rē(-ə)l\ *adj* : lacking in reality, substance, or genuineness : ARTIFICIAL — **un·re·al·i·ty** \,ən-rē-'al-ət-ē\ *n*

un·rea·son·able \-'rēz(-ə)-nə-bəl\ *adj* **1** : not governed by or acting according to reason; *also* : not conformable to reason : ABSURD **2** : exceeding the bounds of reason or moderation — **un·rea·son·able·ness** *n* — **un·rea·son·ably** *adv*

un·rea·soned \-'rēz-ənd\ *adj* : not based on reason or reasoning

un·re·con·struct·ed \,ən-,rē-kən-'strək-təd\ *adj* : not reconciled to some political, economic, or social change; *esp* : holding stubbornly to principles, beliefs, or views that are or are held to be outmoded

un·reel \'ən-'rēl\ *vb* : to unwind from or as if from a reel

un·re·gen·er·ate \,ən-ri-'jen(-ə-)rət\ *adj* : not regenerated or reformed

un·re·lent·ing \-'lent-iŋ\ *adj* **1** : not yielding in determination : HARD, STERN **2** : not letting up or weakening in vigor or pace — **un·re·lent·ing·ly** *adv*

un·re·mit·ting \-'mit-iŋ\ *adj* : CONTINUOUS, INCESSANT, PERSEVERING — **un·re·mit·ting·ly** *adv*

un·re·served \-'zərvd\ *adj* **1** : not held in reserve : not kept back **2** : having or showing no reserve in manner or speech — **un·re·serv·ed·ly** \-'zər-vəd-lē\ *adv*

un·rest \'ən-'rest\ *n* : want of rest : a disturbed or uneasy state : TURMOIL

un·re·strained \,ən-ri-'strānd\ *adj* **1** : IMMODERATE, UNCONTROLLED **2** : SPONTANEOUS

un·rid·dle \'ən-'rid-əl\ *vb* : to read the riddle of : SOLVE

un·ripe \-'rīp\ *adj* : not ripe : IMMATURE

un·ri·valed *or* **un·ri·valled** \-'rī-vəld\ *adj* : having no rival : INCOMPARABLE, UNEQUALED

un·roll \-'rōl\ *vb* **1** : to unwind a roll of : open out **2** : DISPLAY, DISCLOSE **3** : to become unrolled or spread out : UNFOLD

un·ruf·fled \-'rəf-əld\ *adj* **1** : not agitated or upset **2** : not ruffled : SMOOTH

un·ru·ly \'ən-'rü-lē\ *adj* : not submissive to rule or restraint : TURBULENT, UNCONTROLLABLE, UNGOVERNABLE

un·sa·vory \-'sāv-(ə-)rē\ *adj* **1** : TASTELESS **2** : unpleasant to taste or smell **3** : morally offensive

un·scathed \-'skāthd\ *adj* : wholly unharmed : not injured

un·sci·en·tif·ic \,ən-,sī-ən-'tif-ik\ *adj* : not scientific : not in accord with the principles and methods of science

un·scram·ble \'ən-'skram-bəl\ *vb* **1** : RESOLVE, CLARIFY **2** : to restore (as a radio message) to intelligible form

un·screw \-'skrü\ *vb* **1** : to draw the screws from **2** : to loosen by turning

un·scru·pu·lous \-'skrü-pyə-ləs\ *adj* : not scrupulous : UNPRINCIPLED

un·search·able \-'sər-chə-bəl\ *adj* : not to be searched or explored : INSCRUTABLE

un·sea·son·able \-'sēz-(ə-)nə-bəl\ *adj* : not seasonable : happening or coming at the wrong time : UNTIMELY — **un·sea·son·ably** *adv*

un·seat \'ən-'sēt\ *vb* **1** : to throw from one's seat esp. on horseback **2** : to remove from political office

un·seem·ly \-'sēm-lē\ *adj* : not according with established standards of good form or taste; *also* : not suitable

un·seg·re·gat·ed \-'seg-ri-,gāt-əd\ *adj* : not segregated; *esp* : free from racial segregation

un·self·ish \-'sel-fish\ *adj* : not selfish : GENEROUS — **un·self·ish·ly** *adv* — **un·self·ish·ness** *n*

un·set·tle \-'set-əl\ *vb* : to move or loosen from a settled position : DISPLACE, DISTURB

un·set·tled *adj* **1** : not settled : not fixed (as in position or character) **2** : not calm : DISTURBED **3** : not decided in mind : UNDETERMINED ⟨~ what to do⟩ **4** : not paid ⟨~ accounts⟩ **5** : not occupied by settlers

un·shack·le \-'shak-əl\ *vb* : to free from shackles

un·shaped \'ən-'shāpt\ *adj* : not shaped : not perfectly shaped : RUDE

un·ship \-'ship\ *vb* **1** : to remove from a ship **2** : to remove or become removed from position ⟨~ an oar⟩

un·sight·ly \-'sīt-lē\ *adj* : unpleasant to the sight : UGLY

un·skilled \-'skild\ *adj* **1** : not skilled; *esp* : not skilled in a specified branch of work **2** : not requiring skill

un·skill·ful \-'skil-fəl\ *adj* : lacking in skill or proficiency

un·snarl \-'snärl\ *vb* : to remove snarls from : UNTANGLE

un·so·phis·ti·cat·ed \,ən-sə-'fis-tə-,kāt-əd\ *adj* **1** : not worldly-wise : lacking sophistication **2** : PLAIN, SIMPLE

un·sought \'ən-'sot\ *adj* : not sought : not searched for or asked for : not obtained by effort

un·sound \-'saund\ *adj* **1** : not healthy or whole; *also* : not mentally normal

2 : not valid **3** : not firmly made or fixed — **un·sound·ly** *adv* — **un·sound·ness** *n*

un·spar·ing \-'spa(ə)r-iŋ\ *adj* **1** : HARD, RUTHLESS **2** : LIBERAL, PROFUSE

un·speak·able \-'spē-kə-bəl\ *adj* **1** : impossible to express in words **2** : extremely bad — **un·speak·ably** *adv*

un·spot·ted \-'spät-əd\ *adj* : free from spot or stain; *esp* : free from moral stain

un·sta·ble \'ən-'stā-bəl\ *adj* **1** : not stable : FLUCTUATING, IRREGULAR **2** : FICKLE, VACILLATING; *also* : having defective emotional control **3** : readily changing chemically or physically; *esp* : tending to decompose spontaneously

un·steady \-'sted-ē\ *adj* : not steady : UNSTABLE — **un·stead·i·ly** *adv* — **un·stead·i·ness** *n*

un·stop \-'stäp\ *vb* **1** : to free from an obstruction : OPEN **2** : to remove a stopper from

un·strung \-'strəŋ\ *adj* **1** : having the strings loose or detached **2** : nervously tired or anxious

un·stud·ied \-'stəd-ēd\ *adj* **1** : not acquired by study **2** : NATURAL, UNFORCED

un·sub·stan·tial \,ən-səb-'stan-chəl\ *adj* : lacking substance, firmness, or strength

un·suit·able \'ən-'süt-ə-bəl\ *adj* : not suitable or fitting : UNBECOMING, INAPPROPRIATE — **un·suit·ably** *adv*

un·sung \-'səŋ\ *adj* **1** : not sung **2** : not celebrated in song or verse ⟨~ heroes⟩

un·tangle \-'taŋ-gəl\ *vb* **1** : DISENTANGLE **2** : to straighten out : RESOLVE

un·taught \-'tȯt\ *adj* **1** : not instructed or taught : IGNORANT **2** : NATURAL, SPONTANEOUS

un·think·able \-'thiŋ-kə-bəl\ *adj* : not to be thought of or considered as possible : INCREDIBLE

un·think·ing \-kiŋ\ *adj* : not thinking; *esp* : THOUGHTLESS, HEEDLESS, CARELESS — **un·think·ing·ly** *adv*

un·thought-of \'ən-'thȯt-,əv, -,äv\ *adj* : not thought of : not considered

un·tie \'ən-'tī\ *vb* **1** : to free from something that ties, fastens, or restrains : UNBIND **2** : DISENTANGLE, RESOLVE **3** : to become loosened or unbound

¹un·til \(,)ən-'til\ *prep* : up to the time of ⟨worked ~ 5 o'clock⟩

²until *conj* **1** : up to the time that ⟨wait ~ he calls⟩ **2** : to the point or degree that ⟨ran ~ he was breathless⟩

¹un·time·ly \'ən-'tīm-lē\ *adv* : at an inopportune time : UNSEASONABLY; *also* : PREMATURELY

²untimely *adj* : PREMATURE ⟨~ death⟩; *also* : INOPPORTUNE, UNSEASONABLE

un·told \'ən-'tōld\ *adj* **1** : not told : not revealed **2** : not counted : VAST, NUMBERLESS

¹un·touch·able \-'təch-ə-bəl\ *adj* : forbidden to the touch

²untouchable *n* : a member of the lowest social class in India having in traditional Hindu belief the quality of defiling by contact a member of a higher caste

un·tried \-'trīd\ *adj* : not tested or proved by experience or trial; *also* : not tried in court

un·true \-'trü\ *adj* **1** : not faithful : DISLOYAL **2** : not according with a standard of correctness : INEXACT **3** : FALSE

un·truth \-'trüth\ *n* **1** : lack of truthfulness : FALSITY **2** : FALSEHOOD

un·tu·tored \-'t(y)üt-ərd\ *adj* : UNTAUGHT, UNLEARNED, IGNORANT

un·twist \-'twist\ *vb* **1** : to separate the twisted parts of : UNTWINE **2** : to become untwined

un·used *adj* **1** \-'yüst, -'yüzd\ : UNACCUSTOMED **2** \-'yüzd\ : not used

un·usu·al \-'yü-zh(ə-w)əl\ *adj* : not usual : UNCOMMON, RARE — **un·usu·al·ly** *adv*

un·ut·ter·able \-'ət-ə-rə-bəl\ *adj* **1** : not pronounceable **2** : INEXPRESSIBLE — **un·ut·ter·ably** *adv*

un·var·nished \'ən-'vär-nisht\ *adj* **1** : not varnished **2** : not embellished : PLAIN ⟨the ~ truth⟩

un·veil \-'vāl\ *vb* **1** : to remove a veil or covering from : DISCLOSE **2** : to remove a veil : reveal oneself

un·voiced \-'vȯist\ *adj* **1** : not verbally expressed : UNSPOKEN **2** : VOICELESS

un·war·rant·able \-'wȯr-ənt-ə-bəl\ *adj* : not justifiable : INEXCUSABLE

un·weave \-'wēv\ *vb* : DISENTANGLE, RAVEL

un·wept \'ən-'wept\ *adj* : not mourned : UNLAMENTED ⟨died ~ and unsung⟩

un·whole·some \-'hōl-səm\ *adj* : harmful to physical, mental, or moral wellbeing

un·wieldy \-'wēl-dē\ *adj* : not easily managed or handled because of size or weight : AWKWARD, CLUMSY, CUMBERSOME ⟨an ~ tool⟩

un·will·ing \-'wil-iŋ\ *adj* : not willing — **un·will·ing·ly** *adv* — **un·will·ing·ness** *n*

un·wind \-'wīnd\ *vb* **1** : to undo something that is wound : loose from coils **2** : to become unwound : be capable of being unwound

un·wise \-'wīz\ *adj* : not wise : FOOLISH — **un·wise·ly** *adv*

un·wit·ting \'ən-'wit-iŋ\ *adj* **1** : not intended : INADVERTENT **2** : not knowing : UNAWARE — **un·wit·ting·ly** *adv*

un·wont·ed \-'wȯnt-əd, -'wōnt-, -'wənt-\ *adj* **1** : RARE, UNUSUAL **2** *archaic* : not accustomed by experience — **un·wont·ed·ly** *adv*

un·world·ly \-'wərld-lē\ *adj* **1** : not of this world; *esp* : SPIRITUAL **2** : NAÏVE **3** : not swayed by worldly considerations — **un·world·li·ness** *n*

un·wor·thy \-'wər-thē\ *adj* **1** : BASE, DISHONORABLE **2** : not meritorious : not worthy : UNDESERVING — **un·wor·thi·ness** *n*

un·wrap \-'rap\ *vb* : to free from wrappings : DISCLOSE

un·writ·ten \'ən-'rit-ᵊn\ *adj* **1** : not in writing : ORAL, TRADITIONAL ⟨an ~ law⟩ **2** : containing no writing : BLANK

un·yield·ing \-'yēl-diŋ\ *adj* **1** : characterized by lack of softness or flexibility **2** : characterized by firmness or obduracy

un·zip \-'zip\ *vb* : to zip open : open by means of a zipper

¹up \'əp\ *adv* **1** : in or to a higher position or level : away from the center of the earth **2** : from beneath a surface (as ground or water) **3** : from below the horizon **4** : in or into an upright position **5** : out of bed **6** : with greater intensity ⟨speak ~⟩ **7** : in or into a better or more advanced state or a state of greater intensity or activity ⟨stir ~ a fire⟩ **8** : into existence, evidence, or knowledge ⟨the missing book turned ~⟩ **9** : into consideration ⟨brought the matter ~⟩ **10** : to or at bat **11** : into possession or custody ⟨gave himself ~⟩ **12** : ENTIRELY, COMPLETELY ⟨eat it ~⟩ **13** — used for emphasis ⟨clean ~ a room⟩ **14** : ASIDE, BY ⟨lay ~ supplies⟩ **15** : into a state of tightness or confinement ⟨wrap ~ the bread⟩ **16** : so as to arrive or approach ⟨ran ~ the path⟩ **17** : in a direction opposite to down **18** : so as to be even with, overtake, or arrive at ⟨catch ~⟩ **19** : in or into parts ⟨tear ~ paper⟩ **20** : to a stop ⟨pull ~ at the curb⟩ **21** : in advance ⟨one ~ on his opponent⟩ **22** : for each side ⟨the score was 15 ~⟩

²up *adj* **1** : risen above the horizon **2** : being out of bed **3** : relatively high ⟨prices are ~⟩ **4** : RAISED, LIFTED **5** : BUILT ⟨the house is ~⟩ **6** : grown above a surface **7** : moving, inclining, or directed upward **8** : marked by agitation, excitement, or activity **9** : READY; *esp* : highly prepared **10** : going on : taking place ⟨find out what is ~⟩ **11** : EXPIRED, ENDED ⟨the time is ~⟩ **12** : well informed ⟨~ on the news⟩ **13** : being ahead or in advance of an opponent ⟨one hole ~ in a match⟩ **14** : presented for or being under consideration **15** : charged before a court ⟨~ for robbery⟩

³up *vb* **upped; up·ping 1** : to act abruptly or surprisingly ⟨she *upped* and left home⟩ **2** : to rise from a lying or sitting position **3** : to move or cause to move upward : ASCEND

⁴up *prep* **1** : to, toward, or at a higher point of ⟨~ a ladder⟩ **2** : to or toward the source of ⟨~ the river⟩ **3** : to or toward the northern part of ⟨~ the coast⟩ **4** : to or toward the interior of ⟨traveling ~ the country⟩ **5** : ALONG ⟨walk ~ the street⟩

⁵up *n* **1** : an upward course or slope **2** : a period or state of prosperity or success ⟨he had his ~s and downs⟩

up·beat \ˈəp-ˌbēt\ *n* : an unaccented beat in a musical measure; *esp* : the last beat of the measure

up·bring·ing \ˈəp-ˌbriŋ-iŋ\ *n* : the process of bringing up and training

up·com·ing \ˈəp-ˈkəm-iŋ\ *adj* : FORTHCOMING, APPROACHING

up·date \ˌəp-ˈdāt\ *vb* : to bring up to date

up·draft \ˈəp-ˌdraft, -ˌdräft\ *n* : an upward movement of gas (as air)

¹up·grade \ˈəp-ˌgrād\ *n* **1** : an upward grade or slope **2** : INCREASE, RISE **3** : a rise toward a better state or position ⟨trade is on the ~⟩

²upgrade *vb* : to raise to a higher grade or position

up·heav·al \ˌəp-ˈhē-vəl\ *n* **1** : the action or an instance of uplifting esp. of part of the earth's crust **2** : a violent agitation or change

¹up·hill \ˈəp-ˈhil\ *adv* : upward on a hill or incline; *also* : against difficulties

²uphill *adj* **1** : situated on elevated ground **2** : ASCENDING **3** : DIFFICULT, LABORIOUS

up·hold \ˌəp-ˈhōld\ *vb* **1** : to give support to **2** : to support against an opponent **3** : to keep elevated : lift up — **up·hold·er** *n*

up·hol·ster \ˌəp-ˈhōl-stər\ *vb* : to furnish with or as if with upholstery; *esp* : to cover with padding and fabric that is fastened over the padding ⟨~ a chair⟩

up·hol·stery \-st(ə-)rē\ *n* : materials (as fabrics, padding, and springs) used to make a soft covering esp. for a seat

up·keep \ˈəp-ˌkēp\ *n* : the act or cost of keeping up or maintaining : MAINTENANCE; *also* : the state of being maintained

¹up·lift \ˌəp-ˈlift\ *vb* **1** : to lift or raise up : ELEVATE **2** : to improve the condition of esp. morally, socially, or intellectually ⟨~ the drama⟩

²up·lift \ˈəp-ˌlift\ *n* **1** : an upheaval of the earth's surface **2** : moral or social improvement; *also* : a movement to make such improvement

up·on \ə-ˈpȯn, -ˈpän\ *prep* : ON

¹up·per \ˈəp-ər\ *adj* **1** : higher in physical position, rank, or order **2** : constituting the smaller and more restricted branch of a bicameral legislature **3** *cap* : being a later part or formation of a specific geological period **4** : being toward the interior : further inland ⟨the ~ Amazon⟩ **5** : NORTHERN ⟨~ New York State⟩

²upper *n* : one that is upper; *esp* : the parts of a shoe or boot above the sole

upper class *n* : a social class occupying a position above the middle class and having the highest status in a society — **upper-class** *adj*

up·per·class·man \ˌəp-ər-ˈklas-mən\ *n* : a junior or senior in a college or high school

up·per·cut \ˈəp-ər-ˌkət\ *n* : a short swinging punch delivered in an upward direction

upper hand *n* : MASTERY, ADVANTAGE

up·per·most \ˈəp-ər-ˌmōst\ *adv* : in or into the highest or most prominent position — **uppermost** *adj*

up·pi·ty \ˈəp-ət-ē\ *adj* : ARROGANT, PRESUMPTUOUS

¹up·right \ˈəp-ˌrīt\ *adj* **1** : PERPENDICULAR, VERTICAL **2** : erect in carriage or posture **3** : morally correct : JUST — **up·right·ly** *adv* — **up·right·ness** *n*

²upright *n* **1** : the state of being upright : a vertical position **2** : something upright

up·ris·ing \ˈəp-ˌrī-ziŋ\ *n* : INSURRECTION, REVOLT, REBELLION

up·roar \ˈəp-ˌrōr\ *n* : a state of commotion, excitement, or violent disturbance

up·roar·i·ous \ˌəp-ˈrōr-ē-əs\ *adj* **1** : marked by uproar **2** : extremely funny — **up·roar·i·ous·ly** *adv*

up·root \ˌəp-ˈrüt\ *vb* : to remove by or as if by pulling up by the roots

¹up·set \ˌəp-ˈset\ *vb* **1** : to force or be forced out of the usual upright, level, or proper position : OVERTURN, CAPSIZE **2** : to disturb emotionally : WORRY; *also* : to make somewhat ill **3** : UNSETTLE, DISARRANGE **4** : to defeat unexpectedly

²up·set \ˈəp-ˌset\ *n* **1** : an upsetting or being upset; *esp* : a minor physical disorder **2** : a derangement of plans or ideas

up·shot \ˈəp-ˌshät\ *n* : final result : OUTCOME

upside down *adv* **1** : with the upper and the lower parts reversed in position **2** : in or into confusion or disorder

¹**up·stage** \'əp-'stāj\ *adv (or adj)* : toward or at the rear of a theatrical stage

²**upstage** *vb* **1** : to force (as an actor) to face away from the audience by staying upstage **2** : to treat snobbishly

¹**up·stairs** \'əp-'staərz\ *adv* **1** : up the stairs : to or on a higher floor **2** : to or at a higher position

²**upstairs** *adj* : situated above the stairs; *also* : of or relating to the upper floors

³**upstairs** *n sing or pl* : the part of a building above the ground floor

up·stand·ing \,əp-'stan-diŋ\ *adj* **1** : ERECT **2** : STRAIGHTFORWARD, HONEST

¹**up·start** \,əp-'stärt\ *vb* : to jump up suddenly

²**up·start** \'əp-,stärt\ *n* : one that has risen suddenly (as from a low position to wealth or power); *esp* : one that claims more personal importance than he warrants — **upstart** *adj*

¹**up·state** \'əp-'stāt\ *adj* : of, relating to, or characteristic of a part of a state away from a large city and esp. to the north

²**upstate** *n* : an upstate region

up·stream \'əp-'strēm\ *adv* : at or toward a location nearer the source of a stream — **upstream** *adj*

up·surge \-,sərj\ *n* : a rapid or sudden rise

up·swept \-,swept\ *adj* : swept upward

up·take \-,tāk\ *n* **1** : UNDERSTANDING, COMPREHENSION ⟨quick on the ~⟩ **2** : the process of absorbing and incorporating esp. into a living organism

up-to-date *adj* **1** : extending up to the present time **2** : abreast of the times (as in style or technique) : MODERN — **up-to-date·ness** *n*

up·town \'əp-'taun\ *adv* : toward, to, or in the upper part of a town or city — **uptown** *adj*

¹**up·turn** \'əp-,tərn\ *vb* **1** : to turn (as earth) up or over **2** : to turn or direct upward

²**upturn** *n* : an upward turn esp. toward better conditions or higher prices

¹**up·ward** \'əp-wərd\ *or* **up·wards** \-wərdz\ *adv* **1** : in a direction from lower to higher **2** : toward a higher or better condition **3** : toward a greater amount or higher number, degree, or rate

²**upward** *adj* : directed or moving toward or situated in a higher place or level : ASCENDING

up·wind \'əp-'wind\ *adv (or adj)* : in the direction from which the wind is blowing

ura·ni·um \yù-'rā-nē-əm\ *n* : a heavy white metallic radioactive chemical element used as a source of atomic energy

Ura·nus \'yùr-ə-nəs, yù-'rā-\ *n* : the 3d largest planet and the one 7th in order of distance from the sun

ur·ban \'ər-bən\ *adj* : of, relating to, characteristic of, or constituting a city

ur·bane \,ər-'bān\ *adj* : COURTEOUS, POLITE, POLISHED, SUAVE

ur·ban·i·ty \,ər-'ban-ət-ē\ *n* : the quality or state of being urbane

ur·ban·ize \'ər-bə-,nīz\ *vb* : to cause to take on urban characteristics ⟨*urbanized* areas⟩ — **ur·ban·iza·tion** \,ər-bə-nə-'zā-shən\ *n*

ur·chin \'ər-chən\ *n* : a pert or mischievous youngster

Ur·du \'ùr-dü, 'ər-\ *n* : a language that is an official literary language of Pakistan and is widely used in India

urea \yù-'rē-ə\ *n* : a soluble nitrogenous compound that is the chief solid constituent of mammalian urine

ure·ter \'yùr-ət-ər, yù-'rēt-\ *n* : a duct that carries the urine from a kidney to the bladder

ure·thra \yù-'rē-thrə\ *n, pl* **-thras** *or* **-thrae** \-thrē\ : the canal that in most mammals carries off the urine from the bladder and in the male also serves as a genital duct — **ure·thral** *adj*

¹**urge** \'ərj\ *vb* **1** : to present, advocate, or demand earnestly **2** : to try to persuade or sway ⟨~ a guest to stay⟩ **3** : to serve as a motive or reason for **4** : to impress or impel to some course or activity ⟨the dog *urged* the sheep onward⟩

²**urge** *n* **1** : the act or process of urging **2** : a force or impulse that urges or drives

ur·gent \'ər-jənt\ *adj* **1** : calling for immediate attention : PRESSING **2** : urging insistently — **ur·gen·cy** *n* — **ur·gent·ly** *adv*

uric \'yùr-ik\ *adj* : of, relating to, or found in urine

uri·nal \'yùr-ən-ᵊl\ *n* **1** : a receptacle for urine **2** : a place for urinating

uri·nal·y·sis \,yùr-ə-'nal-ə-səs\ *n* : analysis of urine usu. for medical purposes

uri·nary \'yùr-ə-,ner-ē\ *adj* **1** : relating to, occurring in, or being organs for the formation and discharge of urine **2** : of, relating to, or found in urine

uri·nate \-,nāt\ *vb* : to discharge urine — **uri·na·tion** \,yùr-ə-'nā-shən\ *n*

urine \'yùr-ən\ *n* : a usu. yellowish and liquid waste material from the kidneys

urn \'ərn\ *n* **1** : a vessel that typically has the form of a vase on a pedestal and often is used to hold the ashes of the dead **2** : a closed vessel usu. with a spout for serving a hot beverage ⟨coffee ~⟩

urn, 1   urn, 3

us \(,)əs\ *pron, objective case of* WE

us·able \'yü-zə-bəl\ *adj* : suitable or fit for use — **us·abil·i·ty** \,yü-zə-'bil-ət-ē\ *n*

us·age \'yü-sij, -zij\ *n* **1** : habitual or customary practice or procedure **2** : the way in which words and phrases are actually used **3** : the action or mode of using **4** : manner of treating

¹**use** \'yüs\ *n* **1** : the act or practice of using or employing something : EMPLOYMENT, APPLICATION **2** : the fact or state of being used ⟨a book in daily ~⟩ **3** : the way of using **4** : USAGE, CUSTOM **5** : the privilege or benefit of using something **6** : the ability or power to use something (as a limb) **7** : the legal enjoyment of property that consists in its employment, occupation, or exercise;

use *also* : the benefit or profit esp. from property held in trust **8** : USEFULNESS, UTILITY; *also* : the end served : OBJECT, FUNCTION **9** : the occasion or need to employ ⟨he had no more ~ for it⟩ **10** : ESTEEM, LIKING ⟨had no ~ for modern art⟩

²**use** \'yüz\ ; *"used to"* usu 'yüs-tə\ *vb* **1** : ACCUSTOM, HABITUATE ⟨he was *used* to the heat⟩ **2** : to put into action or service : EMPLOY **3** : to consume or take (as drugs) regularly **4** : UTILIZE ⟨~ tact⟩ **5** : to expend or consume by putting to use **6** : to behave toward : TREAT ⟨*used* the horse cruelly⟩ **7** — used in the past with *to* to indicate a former practice, fact, or state ⟨we *used* to work harder⟩ — **us·er** *n*

use·ful \'yüs-fəl\ *adj* : capable of being put to use : ADVANTAGEOUS; *esp* : serviceable for a beneficial end ⟨~ ideas⟩ — **use·ful·ly** *adv* — **use·ful·ness** *n*

use·less \'yüs-ləs\ *adj* : having or being of no use : UNSERVICEABLE, WORTHLESS — **use·less·ly** *adv* — **use·less·ness** *n*

¹**ush·er** \'əsh-ər\ *n* **1** : an officer who walks before a person of rank **2** : one who escorts people to their seats (as in a church or theater)

²**usher** *vb* **1** : to conduct to a place **2** : to precede as an usher, forerunner, or harbinger **3** : INAUGURATE, INTRODUCE ⟨~ in a new era⟩

usu·al \'yü-zh(ə-w)əl\ *adj* **1** : accordant with usage, custom, or habit : NORMAL **2** : commonly or ordinarily used **3** : ORDINARY *syn* customary, habitual, accustomed — **usu·al·ly** *adv*

usu·fruct \'yü-zə-ˌfrəkt\ *n* : the legal right to use and enjoy the benefits and profits of something belonging to another

usu·rer \'yü-zhər-ər\ *n* : one that lends money esp. at an excessively high rate of interest

usurp \yù-'sərp, -'zərp\ *vb* : to seize and hold by force or without right ⟨~ a throne⟩ — **usur·pa·tion** \ˌyü-sər-'pā-shən, -zər-\ *n* — **usurp·er** \yù-'sər-pər, -'zər-\ *n*

usu·ry \'yüzh-(ə-)rē\ *n* **1** : the lending of money with an interest charge for its use **2** : an excessive rate or amount of interest charged; *esp* : interest above an established legal rate

uten·sil \yù-'ten-səl\ *n* **1** : an instrument or vessel used in a household and esp. a kitchen **2** : an article serving a useful purpose

uter·us \'yüt-ə-rəs\ *n, pl* **uteri** \-ˌrī\ : an organ of a female mammal for containing and usu. for nourishing the young during the development previous to birth — **uter·ine** \-ˌrīn, -rən\ *adj*

¹**util·i·tar·i·an** \yù-ˌtil-ə-'ter-ē-ən\ *n* : a person who believes in utilitarianism

²**utilitarian** *adj* **1** : of or relating to utilitarianism **2** : of or relating to utility : aiming at usefulness rather than beauty; *also* : serving a useful purpose

util·i·tar·i·an·ism *n* : a doctrine that one's conduct should be determined by the usefulness of its results; *esp* : a theory that the greatest good of the greatest number should be the main consideration in making a choice of actions

util·i·ty \yù-'til-ət-ē\ *n* **1** : USEFULNESS **2** : something useful or designed for use **3** : a business organization performing a public service and subject to special governmental regulation **4** : a public service or a commodity provided by a public utility; *also* : equipment (as plumbing) to provide such or a similar service

uti·lize \'yüt-ᵊl-ˌīz\ *vb* : to make use of : turn to profitable account or use — **uti·li·za·tion** \ˌyüt-ᵊl-ə-'zā-shən\ *n*

ut·most \'ət-ˌmōst\ *adj* **1** : situated at the farthest or most distant point : EXTREME **2** : of the greatest or highest degree, quantity, number, or amount — **utmost** *n*

uto·pia \yù-'tō-pē-ə\ *n* [fr. *Utopia*, imaginary island described in St. Thomas More's *Utopia*, fr. Gk *ou* not, no + *topos* place] **1** *often cap* : a place of ideal perfection esp. in laws, government, and social conditions **2** : an impractical scheme for social improvement

¹**uto·pi·an** *adj, often cap* **1** : of, relating to, or resembling a utopia **2** : proposing ideal social and political schemes that are impractical : VISIONARY

²**utopian** *n* **1** : a believer in the perfectibility of human society **2** : one that proposes or advocates utopian schemes

¹**ut·ter** \'ət-ər\ *adj* : ABSOLUTE, TOTAL ⟨~ ruin⟩ — **ut·ter·ly** *adv*

²**utter** *vb* **1** : to send forth usu. as a sound : express in usu. spoken words : PRONOUNCE, SPEAK **2** : to put (as currency) into circulation

ut·ter·ance *n* **1** : something uttered; *esp* : an oral or written statement **2** : the action of uttering with the voice : SPEECH **3** : power, style, or manner of speaking

ut·ter·most \'ət-ər-ˌmōst\ *adj* : EXTREME, UTMOST ⟨the ~ parts of the earth⟩ — **uttermost** *n*

V

v \'vē\ *n, often cap* : the 22d letter of the English alphabet

va·can·cy \'vā-kən-sē\ *n* **1** : a vacating esp. of an office, position, or piece of property **2** : the state of being vacant **3** : a vacant office, position, or tenancy; *also* : the period during which it stands vacant **4** : empty space : VOID

va·cant \'vā-kənt\ *adj* **1** : not occupied ⟨~ seat⟩ ⟨~ room⟩ **2** : EMPTY ⟨~ space⟩ **3** : free from business or care : LEISURE **4** : FOOLISH, STUPID ⟨~ laugh⟩; *also* : EXPRESSIONLESS ⟨~ stare⟩ — **va·cant·ly** *adv*

va·cate \'vā-ˌkāt\ *vb* **1** : to make void : ANNUL **2** : to make vacant (as an office or house); *also* : to give up the occupancy of

¹**va·ca·tion** \vā-'kā-shən\ *n* : a period of rest from work : HOLIDAY

²**vacation** *vb* : to take or spend a vacation — **va·ca·tion·er** \-sh(ə-)nər\ *n*

vac·ci·nate \'vak-sə-ˌnāt\ *vb* : to inoculate with a related harmless virus to produce immunity to smallpox; *also* : to administer a vaccine to usu. by injection

vac·ci·na·tion \ˌvak-sə-'nā-shən\ *n* : the act of or the scar left by vaccinating

vac·cine \vak-'sēn\ *n* [L *vaccinus* of or from cows; so called from the derivation of smallpox vaccine from cows] : material (as a preparation of killed or weakened virus or bacteria) used in vaccinating to induce immunity to a disease — **vaccine** *adj*

vac·il·late \'vas-ə-,lāt\ *vb* **1** : SWAY, TOTTER; *also* : FLUCTUATE **2** : to incline first to one course or opinion and then to another : WAVER — **vac·il·la·tion**

va·cu·i·ty \va-'kyü-ət-ē, və-\ *n* **1** : an empty space **2** : EMPTINESS, HOLLOWNESS **3** : vacancy of mind **4** : a foolish remark

vac·u·ous \'vak-yə-wəs\ *adj* **1** : EMPTY, VACANT, BLANK **2** : DULL, STUPID, INANE

¹vac·u·um \'vak-yə(-wə)m, -yüm\ *n, pl* **vac·u·ums** *or* **vac·ua** \-yə-wə\ **1** : a space entirely empty of matter **2** : a space almost exhausted of air (as by a special pump) **3** : VOID, GAP

²vacuum *vb* : to use a vacuum device (as a cleaner) on

vacuum cleaner *n* : an electrical appliance for cleaning (as floors or rugs) by suction

vacuum tube *n* : an electron tube having a high degree of vacuum

¹vag·a·bond \'vag-ə-,bänd\ *adj* **1** : WANDERING, HOMELESS **2** : of, characteristic of, or leading the life of a vagrant or tramp **3** : leading an unsettled or irresponsible life

²vagabond *n* : one leading a vagabond life; *esp* : TRAMP

va·ga·ry \'vā-gə-rē, və-'ge(ə)r-ē\ *n* : an odd or eccentric idea or action : WHIM, CAPRICE

va·gi·na \və-'jī-nə\ *n, pl* **-nae** \-(,)nē\ *or* **-nas** : a canal that leads out from the uterus

va·gran·cy \'vā-grən-sē\ *n* **1** : the quality or state of being vagrant; *also* : a vagrant act or notion **2** : the offense of being a vagrant

¹va·grant \'vā-grənt\ *n* : one who wanders idly with no residence and no visible means of support

²vagrant *adj* **1** : of, relating to, or characteristic of a vagrant **2** : following no fixed course : RANDOM, CAPRICIOUS ⟨~ thoughts⟩ — **va·grant·ly** *adv*

vague \'vāg\ *adj* **1** : not clear : not definite or exact : not distinct **2** : not clearly felt or analyzed ⟨a ~ unrest⟩ **syn** obscure, dark, enigmatic, ambiguous, equivocal — **vague·ly** *adv* — **vague·ness** *n*

vail \'vāl\ *vt* : to lower esp. as a sign of respect or submission

vain \'vān\ *adj* **1** : of no real value : IDLE, WORTHLESS **2** : FUTILE, UNSUCCESSFUL **3** : CONCEITED **syn** empty, hollow, fruitless, proud, vainglorious — **vain·ly** *adv*

vain·glo·ry \'vān-,glōr-ē\ *n* **1** : excessive or ostentatious pride esp. in one's own achievements **2** : vain display : VANITY

val·ance \'val-əns, 'vāl-\ *n* **1** : drapery hanging from an edge (as of an altar table, bed, or shelf) **2** : a drapery or a decorative frame across the top of a window

¹vale \'vāl\ *n* : VALLEY, DALE

²va·le \'väl-(,)ā, 'wäl-\ *n* : FAREWELL

val·e·dic·to·ri·an \,val-ə-,dik-'tōr-ē-ən\ *n* : the student of the graduating class who pronounces the valedictory oration at commencement

va·lence \'vā-ləns\ *n* : the degree of combining power of a chemical element or radical as shown by the number of atomic weights of hydrogen, chlorine, or sodium with which the atomic weight of the element will combine or for which it can be substituted

val·en·tine \'val-ən-,tīn\ *n* : a sweetheart to whom one pays his respects on St. Valentine's Day; *also* : a greeting card sent often anonymously on this day

val·iant \'val-yənt\ *adj* : having or showing valor : BRAVE, HEROIC **syn** valorous, doughty, courageous, bold, audacious, dauntless, undaunted, intrepid — **val·iant·ly** *adv*

val·id \'val-əd\ *adj* **1** : having legal force ⟨a ~ contract⟩ **2** : founded on truth or fact : capable of being justified or defended : SOUND ⟨a ~ argument⟩ ⟨~ reasons⟩ — **val·id·ly** *adv* — **val·id·ness** *n*

val·i·date \'val-ə-,dāt\ *vb* **1** : to make legally valid **2** : to confirm the validity of **3** : VERIFY, SUBSTANTIATE — **val·i·da·tion** \,val-ə-'dā-shən\ *n*

va·lid·i·ty \və-'lid-ət-ē\ *n* : the quality or state of being valid

val·ley \'val-ē\ *n* **1** : a long depression between ranges of hills or mountains **2** : a channel at the meeting place of two slopes of a roof

val·or \'val-ər\ *n* : personal bravery **syn** heroism, prowess, gallantry — **val·or·ous** \'val-ə-rəs\ *adj*

val·o·ri·za·tion \,val-ə-rə-'zā-shən\ *n* : the support of commodity prices by any of various forms of government subsidy — **val·o·rize** \'val-ə-,rīz\ *vb*

¹valu·able \'val-yə(-wə)-bəl\ *adj* **1** : having money value **2** : having great money value **3** : of great use or service **syn** invaluable, priceless, costly, expensive, dear, precious

²valuable *n* : a usu. personal possession of considerable value

val·u·ate \'val-yə-,wāt\ *vb* : to place a value on : APPRAISE — **val·u·a·tor**

val·u·a·tion \,val-yə-'wā-shən\ *n* **1** : the act or process of valuing; *esp* : appraisal of property **2** : the estimated or determined market value of a thing

¹val·ue \'val-yü\ *n* **1** : a fair return or equivalent in money, goods, or services for something exchanged **2** : the worth of a thing : market price, purchasing power, or estimated worth **3** : an assigned or computed numerical quantity ⟨the ~ of x in an equation⟩ : AMOUNT **4** : precise meaning ⟨~ of a word⟩ **5** : distinctive quality of sound in speech **6** : luminosity of a color : BRILLIANCE; *also* : the relation of one detail in a picture to another with respect to lightness or darkness **7** : the relative length of a tone or note **8** : something (as a principle or ideal) intrinsically valuable or desirable ⟨instill a sense of ~s⟩ — **val·ue·less** \-ləs\ *adj*

²value *vb* **1** : to estimate the monetary worth of : APPRAISE **2** : to rate in usefulness, importance, or general worth **3** : to consider or rate highly : PRIZE, ESTEEM — **val·u·er** *n*

valve \'valv\ *n* **1** : a structure (as in a vein) that temporarily closes a passage or that permits movement in one direction only **2** : one of the pieces into which a ripe seed capsule or pod separates **3** : a device by which the flow of liquid or gas may be regulated by a movable part that either opens or obstructs passage; *also* : the movable part of such a device **4** : a device in a brass wind instrument for quickly varying the tube length in order to change the fundamental tone by some definite interval

¹**vamp** \'vamp\ *n* : the part of a boot or shoe upper covering esp. the front part of the foot

²**vamp** *vb* **1** : to provide with a new vamp **2** : to patch up with a new part **3** : INVENT, IMPROVISE

³**vamp** *n* : a woman who uses her charm and allurements to seduce and exploit men

vam·pire \'vam-ˌpī(ə)r\ *n* **1** : a night-wandering bloodsucking ghost **2** : a person who preys on other people; *esp* : a woman who exploits and ruins her lover **3** : a So. American bat that sucks the blood of animals including man; *also* : any of several bats believed to suck blood

¹**van** \'van\ *n* : VANGUARD

²**van** *n* : a usu. enclosed wagon or motortruck for moving goods or animals; *also* : a closed railroad freight or baggage car

va·na·di·um \və-'nād-ē-əm\ *n* : a soft ductile metallic chemical element used to form alloys

van·dal \'van-dᵊl\ *n* **1** *cap* : a member of a Germanic people charged with sacking Rome in A.D. 455 **2** : one who willfully or ignorantly mars or destroys property belonging to another or to the public

van·dal·ism \-ˌiz-əm\ *n* : willful or malicious destruction or defacement of public or private property

vane \'vān\ *n* **1** : a movable device attached to a high object to show the way the wind blows **2** : a flat extended surface attached to an axis and moved by air or wind ⟨the ∼s of a windmill⟩; *also* : a fixture revolving in a manner resembling this and moving in or by water or air ⟨the ∼s of a propeller⟩

van·guard \'van-ˌgärd\ *n* **1** : the troops moving at the front of an army : VAN **2** : the forefront of an action or movement

va·nil·la \və-'nil-ə\ *n* : a tropical American climbing orchid with beanlike pods; *also* : its pods or a flavoring extract made from these

van·ish \'van-ish\ *vb* : to pass from sight or existence : disappear completely

van·i·ty \'van-ət-ē\ *n* **1** : something that is vain, empty, or useless **2** : the quality or fact of being useless or futile : FUTILITY **3** : undue pride in oneself or one's appearance : CONCEIT **4** : a small box for cosmetics : COMPACT

van·quish \'vaŋ-kwish, 'van-\ *vb* **1** : to overcome in battle or in a contest **2** : CONQUER

van·tage \'vant-ij\ *n* **1** : superiority in a contest **2** : a position or condition of affairs giving a strategic advantage or a commanding perspective

vap·id \'vap-əd\ *adj* : lacking spirit, liveliness, or zest : FLAT, INSIPID — **va·pid·i·ty** \va-'pid-ət-ē\ *n* — **vap·id·ly** *adv*

¹**va·por** \'vā-pər\ *n* **1** : fine separated particles (as fog or smoke) floating in the air and clouding it **2** : a substance in the gaseous state; *esp* : one that is liquid under ordinary conditions **3** : something unsubstantial or fleeting

²**vapor** *vb* **1** : to rise or pass off in vapor **2** : to emit vapor

va·por·ing *n* : an idle, boastful, or high-flown expression or speech — usu. used in pl.

va·por·ize \'vā-pə-ˌrīz\ *vb* : to convert into vapor either naturally or artificially — **va·por·iza·tion** \ˌvā-pə-rə-'zā-shən\ *n*

va·por·iz·er *n* : a device that vaporizes something (as a fuel oil or a medicated liquid)

va·por·ous \'vā-p(ə-)rəs\ *adj* **1** : consisting of or characteristic of vapor **2** : producing vapors : VOLATILE **3** : full of vapors : FOGGY, MISTY — **va·por·ous·ly** *adv* — **va·por·ous·ness** *n*

¹**vari·able** \'ver-ē-ə-bəl\ *adj* **1** : able or apt to vary : CHANGEABLE **2** : FICKLE **3** : not true to type : not breeding true ⟨a ∼ wheat⟩ — **vari·abil·i·ty** \ˌver-ē-ə-'bil-ət-ē\ *n* — **vari·able·ness** \'ver-ē-ə-bəl-nəs\ *n* — **vari·ably** *adv*

²**variable** *n* **1** : something that is variable **2** : a quantity that may assume a succession of values; *also* : a symbol standing for any one of a class of things

vari·ance \'ver-ē-əns\ *n* **1** : variation or a degree of variation : DEVIATION **2** : DISAGREEMENT, DISPUTE **3** : a license to do something contrary to the usual rule ⟨a zoning ∼⟩ **syn** discord, contention, dissension, strife, conflict

¹**vari·ant** \'ver-ē-ənt\ *adj* **1** : differing from others of its kind or class **2** : varying usu. slightly from the standard or type **3** : VARYING, DISCREPANT

²**variant** *n* **1** : one that exhibits variation from a type or norm **2** : one of two or more different spellings or pronunciations of a word

vari·a·tion \ˌver-ē-'ā-shən\ *n* **1** : an act or instance of varying : a change in form, position, or condition : MODIFICATION, ALTERATION **2** : extent of change or difference **3** : divergence in qualities from those typical or usual to a group; *also* : one exhibiting such variation **4** : repetition of a musical theme with modifications in rhythm, tune, harmony, or key

var·i·cose \'var-ə-ˌkōs\ *adj* : abnormally and irregularly swollen ⟨∼ veins⟩

var·ied \'ver-ēd\ *adj* **1** : CHANGED, ALTERED **2** : of different kinds : VARIOUS **3** : VARIEGATED — **var·ied·ly** *adv*

var·ie·gate \'ver-ē-(ə-)ˌgāt\ *vb* **1** : to diversify in external appearance esp. with different colors **2** : to introduce variety into : DIVERSIFY — **var·ie·gat·ed**

va·ri·etal \və-'rī-ət-ᵊl\ *adj* : of or relating to a variety; *also* : being a variety rather than an individual or species —

va·ri·ety \və-'rī-ət-ē\ *n* **1** : the state of being varied or various : DIVERSITY **2** : VARIATION, DIFFERENCE **3** : a collection of different things **4** : something varying from other things of the same general kind **5** : entertainment such as is given in a stage presentation comprising a series of performances (as songs, dances, or acrobatic acts) **6** : any of various groups of animals or plants ranking lower than the species

var·i·o·rum \,ver-ē-'ōr-əm\ *n* : an edition or text of a work containing notes by various persons or variant readings of the text

var·i·ous \'ver-ē-əs\ *adj* **1** : VARICOLORED **2** : of differing kinds : MULTIFARIOUS **3** : UNLIKE **4** : having a number of different aspects **5** : NUMEROUS, MANY **6** : INDIVIDUAL, SEPARATE **syn** divergent, disparate, sundry, divers, manifold, multifold — **var·i·ous·ly** *adv*

¹**var·nish** \'vär-nish\ *n* **1** : a liquid preparation that is spread on a surface and dries into a hard glossy coating; *also* : the glaze of this coating **2** : something suggesting varnish by its gloss **3** : outside show : GLOSS

²**varnish** *vb* **1** : to cover with varnish **2** : to cover or conceal with something that gives a fair appearance : gloss over

var·si·ty \'värs-(ə-)tē\ *n* **1** *chiefly Brit* : UNIVERSITY **2** : a first team representing a college, school, or club

vary \'ver-ē\ *vb* **1** : ALTER, CHANGE **2** : to make or be of different kinds : introduce or have variety : DIVERSIFY, DIFFER **3** : DEVIATE, SWERVE **4** : to diverge structurally or physiologically from typical members of a group

vas·cu·lar \'vas-kyə-lər\ *adj* [L *vasculum* small vessel, dim. of *vas* vase, vessel] : of or relating to a channel for the conveyance of a body fluid (as blood or sap) to a system of such channels; *also* : supplied with or containing such vessels and esp. blood vessels

vase \'vās, 'vāz\ *n* : a usu. round vessel of greater depth than width used chiefly for ornament or for flowers

vaso·mo·tor \,vas-ə-'mōt-ər, ,vāz-\ *adj* : of, relating to, or being nerves controlling the size of the blood vessels

¹**vast** \'vast\ *adj* : very great in size, amount, degree, intensity, or esp. extent **syn** enormous, huge, gigantic, colossal, mammoth — **vast·ly** *adv* — **vast·ness** *n*

²**vast** *n* : a great expanse : IMMENSITY

vat \'vat\ *n* : a large vessel (as a tub or barrel) esp. for holding liquids in manufacturing processes

vat·ic \'vat-ik\ *adj* : PROPHETIC, ORACULAR

Vat·i·can \'vat-i-kən\ *n* **1** : the papal headquarters in Rome **2** : the papal government

vaude·ville \'vȯd-(ə-)vəl, 'vōd-, -,vil\ *n* : a stage entertainment consisting of unrelated acts (as of acrobats, comedians, dancers, or singers)

¹**vault** \'vȯlt\ *n* **1** : an arched masonry structure usu. forming a ceiling or roof **2** : a room or space covered by a vault esp. when underground and used for a special purpose (as for storage of valuables or wine supplies) **3** : the canopy of heaven : SKY **4** : a burial chamber; *also* : a usu. metal or concrete case in which a casket is enclosed at burial — **vaulty** *adj*

²**vault** *vb* : to form or cover with a vault

³**vault** *vb* : to leap vigorously esp. by aid of the hands or a pole — **vault·er** *n*

⁴**vault** *n* : an act of vaulting : LEAP

vault·ed *adj* **1** : built in the form of a vault : ARCHED **2** : covered with a vault

vault·ing *adj* : leaping upwards : reaching for the heights ⟨~ ambition⟩

vaunt \'vȯnt\ *vb* : BRAG, BOAST — **vaunt** *n*

veal \'vēl\ *n* : the flesh of a young calf

veer \'viər\ *vb* : to shift from one direction or course to another **syn** swerve, deviate, depart, digress, diverge — **veer** *n*

¹**veg·e·ta·ble** \'vej-(ə-)tə-bəl\ *adj* **1** : of, relating to, or made up of plants **2** : obtained from plants ⟨~ oils⟩ ⟨the ~ kingdom⟩ **3** : suggesting that of a plant

²**vegetable** *n* **1** : PLANT **1 2** : a usu. herbaceous plant grown for an edible part that is usu. eaten with the principal course of a meal; *also* : such an edible part

veg·e·tal \'vej-ət-ᵊl\ *adj* **1** : VEGETABLE **2** : VEGETATIVE

veg·e·tar·i·an \,vej-ə-'ter-ē-ən\ *n* : one that believes in or practices living solely on plant products — **vegetarian** *adj* — **veg·e·tar·i·an·ism** \-ē-ə-,niz-əm\ *n*

veg·e·ta·tion \,vej-ə-'tā-shən\ *n* **1** : the act or process of vegetating; *also* : a dull inert existence **2** : plant life or cover (as of an area) **3** : an abnormal bodily outgrowth — **veg·e·ta·tion·al**

veg·e·ta·tive \'vej-ə-,tāt-iv\ *adj* **1** : of or relating to nutrition and growth esp. as contrasted with reproduction **2** : leading or marked by a passive, stupid, and dull existence **3** : VEGETATIONAL

ve·he·mence \'vē-ə-məns\ *n* : the quality or state of being vehement : INTENSITY, VIOLENCE

ve·he·ment \-mənt\ *adj* **1** : marked by great force or energy **2** : marked by strong feeling or expression : PASSIONATE **3** : strong in effect : INTENSE — **ve·he·ment·ly** *adv*

ve·hi·cle \'vē-,(h)ik-əl\ *n* **1** : a medium through or by means of which something is conveyed or expressed **2** : a medium by which a thing is applied or administered ⟨linseed oil is a ~ for pigments⟩ **3** : a means of carrying or transporting something : CONVEYANCE **syn** means, instrument, agent, agency, organ, channel — **ve·hic·u·lar** \vē-'hik-yə-lər\ *adj*

¹**veil** \'vāl\ *n* **1** : a piece of often sheer or diaphanous material used to screen or curtain something or to cover the head or face **2** : the state accepted or the vows made when a woman becomes a nun ⟨take the ~⟩ **3** : something that hides or obscures like a veil

²**veil** *vb* : to cover with or as if with a veil : wear a veil

¹**vein** \'vān\ *n* **1** : a fissure in rock filled with mineral matter; *also* : a bed of useful mineral matter **2** : one of the tubular branching vessels that carry blood toward the heart **3** : one of the vascular bundles forming the framework of a leaf **4** : one of the thickened ribs that stiffen the wings of an insect **5** : something (as a wavy variegation in marble) suggesting veins **6** : something of distinctive character considered as running through something else : STRAIN **7** : a distinctive mode of expression : STYLE **8** : MOOD, HUMOR — **veined** *adj*

²**vein** *vb* : to form or mark with or as if with veins — **vein·ing** *n*

ve·loc·i·ty \və-'läs-(ə-)tē\ *n* : quickness of motion : SPEED ⟨the ~ of light⟩ **syn** momentum, impetus, pace

ve·lour *or* **ve·lours** \və-'lùr\ *n*, *pl* **ve·lours** \-'lùrz\ : any of various textile fabrics with pile like that of velvet

¹**vel·vet** \'vel-vət\ *n* **1** : a fabric of silk, rayon, cotton, nylon, or wool characterized by a short soft dense pile **2** : something resembling or suggesting velvet (as in softness or luster) **3** : soft skin covering the growing antlers of deer **4** : the amount a player is ahead in a gambling game : WINNINGS — **vel·vety** *adj*

²**velvet** *adj* **1** : made of or covered with velvet **2** : resembling or suggesting velvet : SMOOTH, SOFT, SLEEK

vel·ve·teen \,vel-və-'tēn\ *n* **1** : a fabric woven usu. of cotton in imitation of velvet **2** *pl* : clothes made of velveteen

ve·nal \'vēn-əl\ *adj* : capable of being bought esp. by underhand means : MERCENARY, CORRUPT — **ve·nal·i·ty** \vi-'nal-ət-ē\ *n* — **ve·nal·ly** \'vēn-əl-ē\ *adv*

vend \'vend\ *vb* : SELL; *esp* : to sell as a hawker or peddler — **vend·ible** *adj*

ven·det·ta \ven-'det-ə\ *n* : a feud between clans or families

ven·dor \'ven-dər, ven-'dòr\ *n* **1** : one that vends : SELLER **2** : a vending machine

¹**ve·neer** \və-'niər\ *n* **1** : a thin usu. superficial layer of material ⟨brick ~⟩; *esp* : a thin layer of fine wood glued over a cheaper wood **2** : superficial display : GLOSS

²**veneer** *vb* : to overlay with a veneer

ven·er·a·ble \'ven-ər-(ə-)bəl, 'ven-rə-bəl\ *adj* **1** : deserving to be venerated — often used as a religious title **2** : made sacred by association

ven·er·ate \'ven-ə-,rāt\ *vb* : to regard with reverential respect **syn** adore, revere, reverence, worship — **ven·er·a·tion** \,ven-ə-'rā-shən\ *n*

ve·ne·re·al \və-'nir-ē-əl\ *adj* : of or relating to sexual intercourse or to diseases transmitted by it

ve·ne·tian blind \və-,nē-shən-\ *n* : a blind having thin horizontal parallel slats that can be set to overlap to keep out light or tipped to let light come in between them

ven·geance \'ven-jəns\ *n* : punishment inflicted in retaliation for an injury or offense : RETRIBUTION

venge·ful \'venj-fəl\ *adj* : filled with a desire for revenge : VINDICTIVE — **venge·ful·ly** *adv*

ve·ni·al \'vē-nē-əl, -nyəl\ *adj* : capable of being forgiven : EXCUSABLE ⟨~ sin⟩

ven·i·son \'ven-ə-sən, -zən\ *n* : the edible flesh of a deer

ven·om \'ven-əm\ *n* **1** : poisonous material secreted by some animals (as snakes, spiders, or bees) and transmitted usu. by biting or stinging **2** : something that poisons or embitters the mind or spirit : MALIGNITY, MALICE

ve·nous \'vē-nəs\ *adj* : of, relating to, or full of veins **2** : being purplish red oxygen-deficient blood present in most veins

¹**vent** \'vent\ *vb* **1** : to provide with a vent **2** : to serve as a vent for **3** : to let out at a vent : EXPEL, DISCHARGE **4** : to give expression to

²**vent** *n* **1** : an opportunity or way of escape or passage : OUTLET **2** : an opening for passage or escape (as of a fluid, gas, or smoke) or for relieving pressure **3** : ANUS

³**vent** *n* : a slit in a garment esp. in the lower part of a seam (as of a jacket or skirt)

ven·ti·late \'vent-əl-,āt\ *vb* **1** : to cause fresh air to circulate through (as a room or mine) so as to replace foul air **2** : to give vent to ⟨~ one's grievances⟩ **3** : to discuss freely and openly ⟨~ a question⟩ **4** : to provide with a vent or outlet

ven·ti·la·tion \,vent-əl-'ā-shən\ *n* **1** : the act or process of ventilating **2** : circulation of air (as in a room) **3** : a system or means of providing fresh air

ven·tral \'ven-trəl\ *adj* **1** : of or relating to the belly : ABDOMINAL **2** : of, relating to, or located on or near the surface of the body that in man is the front but in most other animals is the lower surface — **ven·tral·ly** *adv*

ven·tri·cle \'ven-tri-kəl\ *n* **1** : a chamber of the heart that receives blood from the atrium of the same side and pumps it into the arteries **2** : one of the communicating cavities of the brain that are continuous with the central canal of the spinal cord

ven·tril·o·quism \ven-'tril-ə-,kwiz-əm\ *n* : the production of the voice in such a manner that the sound appears to come from a source other than the speaker — **ven·tril·o·quist** \-ə-kwəst\ *n*

¹**ven·ture** \'ven-chər\ *vb* **1** : to expose to hazard : RISK **2** : to undertake the risks of : BRAVE **3** : to advance or put forward or expose to criticism or argument ⟨~ an opinion⟩ **4** : to make a venture : run a risk : proceed despite danger : DARE

²**venture** *n* **1** : an undertaking involving chance or risk; *esp* : a speculative business enterprise **2** : something risked in a speculative venture : STAKE

ven·ture·some \-səm\ *adj* **1** : inclined to venture : BOLD, DARING **2** : involving risk : DANGEROUS, HAZARDOUS **syn** adventurous, venturous, rash, reckless, foolhardy — **ven·ture·some·ly** *adv*

ven·ue \'ven-yü\ *n* : the place in which the alleged events from which a legal action arises took place; *also* : the place from which the jury is taken and where the trial is held

Ve·nus \'vē-nəs\ *n* : the brightest planet and the one 2d in order of distance from the sun

ve·ra·cious \və-'rā-shəs\ *adj* **1** : TRUTHFUL, HONEST **2** : TRUE, ACCURATE — **ve·ra·cious·ly** *adv*

ve·rac·i·ty \və-'ras-ət-ē\ *n* **1** : devotion to truth : TRUTHFULNESS **2** : CORRECTNESS **3** : conformity with fact : ACCURACY **4** : something true

ve·ran·da *or* **ve·ran·dah** \və-'ran-də\ *n* : a usu. roofed open gallery or portico attached to the exterior of a building : PORCH

verb \'vərb\ *n* : a word that is the grammatical center of a predicate and expresses an act, occurrence, or mode of being

¹**ver·bal** \'vər-bəl\ *adj* **1** : of, relating to, or consisting of words; *esp* : having

verbal to do with words rather than with the ideas to be conveyed **2** : expressed in usu. spoken words : NOT WRITTEN : ORAL ⟨a ~ contract⟩ **3** : LITERAL, VERBATIM **4** : of, relating to, or formed from a verb — **ver·bal·ly** *adv*

²**verbal** *n* : a word that combines characteristics of a verb with those of a noun or adjective

ver·bal·ize \'vər-bə-,līz\ *vb* **1** : to speak, write, or express in wordy or empty fashion **2** : to express something in words : describe verbally **3** : to convert into a verb — **ver·bal·iza·tion** \,vər-bə-lə-'zā-shən\ *n*

ver·ba·tim \(,)vər-'bāt-əm\ *adv* (*or adj*) : in the same words : word for word

ver·be·na \(,)vər-'bē-nə\ *n* : VERVAIN; *esp* : any of several garden plants grown for their showy spikes of bright, long-lasting, and often fragrant flowers

ver·bose \(,)vər-'bōs\ *adj* : using more words than are needed to convey a meaning : WORDY **syn** prolix, diffuse, redundant — **ver·bos·i·ty** \-'bäs-ət-ē\ *n*

ver·bo·ten \vər-'bōt-ᵊn\ *adj* : forbidden usu. by authority and often unreasonably

ver·dant \'vərd-ᵊnt\ *adj* **1** : green with growing plants **2** : unripe in experience : GREEN — **ver·dant·ly** *adv*

ver·dict \'vər-(,)dikt\ *n* **1** : the finding or decision of a jury on the matter submitted in trial **2** : DECISION, JUDGMENT

¹**verge** \'vərj\ *n* **1** : a staff carried as an emblem of authority or office **2** : something that borders or bounds : EDGE, MARGIN **3** : BRINK, THRESHOLD

²**verge** *vb* : to be on the verge, edge, or margin : be contiguous : APPROACH, BORDER

³**verge** *vb* **1** : to incline toward the horizon : SINK **2** : to move or incline in a particular direction **3** : to be in transition or change

ver·i·fy \'ver-ə-,fī\ *vb* **1** : to confirm in law by oath **2** : to establish the truth, accuracy, or reality of **syn** authenticate, confirm, corroborate, substantiate, validate — **ver·i·fi·able** *adj* — **ver·i·fi·ca·tion** \,ver-ə-fə-'kā-shən\ *n*

ver·i·ly \'ver-ə-lē\ *adv* **1** : in very truth : CERTAINLY **2** : TRULY, CONFIDENTLY

veri·si·mil·i·tude \,ver-ə-sə-'mil-ə-,t(y)üd\ *n* : the quality or state of appearing to be true : PROBABILITY; *also* : a statement that is apparently true **syn** truth, veracity, verity

ver·i·ta·ble \'ver-ət-ə-bəl\ *adj* : ACTUAL, GENUINE, TRUE — **ver·i·ta·bly** *adv*

ver·i·ty \'ver-ət-ē\ *n* **1** : the quality or state of being true or real : TRUTH, REALITY **2** : a true fact or statement **3** : HONESTY, VERACITY

ver·mil·ion \vər-'mil-yən\ *n* : any of a number of very bright red colors not quite as bright as scarlet; *also* : a pigment yielding one of these colors

ver·min \'vər-mən\ *n, pl* **vermin** : small common harmful or disgusting animals (as lice or mice) that are difficult to get rid of — **ver·min·ous** \-mə-nəs\ *adj*

¹**ver·nac·u·lar** \və(r)-'nak-yə-lər\ *adj* **1** : of, relating to, or being a language or dialect native to a region or country rather than a literary, cultured, or foreign language **2** : of, relating to, or being the normal spoken form of a language

²**vernacular** *n* **1** : a vernacular language **2** : the mode of expression of a group or class **3** : a vernacular name of a plant or animal

ver·nal \'vərn-ᵊl\ *adj* : of, relating to, or occurring in the spring of the year

ver·sa·tile \'vər-sət-ᵊl\ *adj* : turning with ease from one thing or position to another; *esp* : having many aptitudes ⟨a ~ genius⟩ — **ver·sa·til·i·ty** \,vər-sə-'til-ət-ē\ *n*

verse \'vərs\ *n* **1** : a line of poetry; *also* : STANZA **2** : metrical language **3** : POETRY; *also* : POEM **4** : one of the short divisions of a chapter in the Bible

versed \'vərst\ *adj* : familiar from experience, study, or practice : SKILLED, PRACTICED

ver·si·cle \'vər-si-kəl\ *n* : a verse or sentence said or sung by a clergyman and followed by a response from the people

ver·si·fi·ca·tion \,vər-sə-fə-'kā-shən\ *n* **1** : the making of verses **2** : metrical structure

ver·si·fy \'vər-sə-,fī\ *vb* **1** : to write verse **2** : to turn into verse — **ver·si·fi·er** \-,fī(-ə)r\ *n*

ver·sion \'vər-zhən\ *n* **1** : TRANSLATION; *esp* : a translation of the Bible **2** : an account or description from a particular point of view esp. as contrasted with another **3** : a form or variant of a type or original

ver·sus \'vər-səs\ *prep* **1** : AGAINST ⟨John Doe ~ Richard Roe⟩ **2** : in contrast or as an alternative to ⟨free trade ~ protection⟩

ver·te·bra \'vərt-ə-brə\ *n, pl* **-brae** \-(,)brē, -,brā\ *or* **-bras** : one of the segments making up the backbone

ver·te·bral \'vərt-ə-brəl\ *adj* : of, relating to, or made up of vertebrae : SPINAL

¹**ver·te·brate** \'vərt-ə-brət, -,brāt\ *adj* **1** : having a backbone **2** : of or relating to the vertebrates

²**vertebrate** *n* : any of a large group of animals (as mammals, birds, reptiles, amphibians, or fishes) distinguished by possession of a backbone

ver·tex \'vər-,teks\ *n, pl* **ver·tex·es** *or* **ver·ti·ces** \'vərt-ə-,sēz\ **1** : the point opposite to and farthest from the base of a geometrical figure **2** : ZENITH **3** : the highest point : TOP, SUMMIT

ver·ti·cal \'vərt-i-kəl\ *adj* **1** : of, relating to, or located at the vertex : directly overhead **2** : rising perpendicularly from a level surface : UPRIGHT — **vertical** *n* — **ver·ti·cal·ly** *adv* — **ver·ti·cal·ness** *n*

ver·tig·i·nous \(,)vər-'tij-ə-nəs\ *adj* **1** : marked by, suffering from, or tending to cause dizziness **2** : marked by turning : WHIRLING, ROTARY

ver·ti·go \'vərt-i-,gō\ *n, pl* **vertigoes** *or* **ver·tig·i·nes** \(,)vər-'tij-ə-,nēz\ : DIZZINESS, GIDDINESS

verve \'vərv\ *n* : liveliness of imagination; *also* : VIVACITY

¹**very** \'ver-ē\ *adj* **1** : EXACT, PRECISE ⟨the ~ heart of the city⟩ **2** : exactly suitable ⟨the ~ tool for the job⟩ **3** : ABSOLUTE, UTTER ⟨the *veriest* nonsense⟩ **4** : MERE, BARE ⟨the ~ idea scared him⟩ **5** : SELFSAME, IDENTICAL ⟨the ~ man I saw⟩ **6** : even the : EVEN ⟨made the ~

walls shake⟩
²**very** *adv* **1** : to a high degree : EXTREMELY **2** : in actual fact : TRULY
very high frequency *n* : a frequency of a radio wave between 30 and 300 megacycles
ves·i·cle \'ves-i-kəl\ *n* : a membranous and usu. fluid-filled cavity in a plant or animal; *also* : BLISTER — **ve·sic·u·lar**
¹**ves·per** \'ves-pər\ *n* **1** *cap* : the evening star **2** : a vesper bell **3** *archaic* : EVENING, EVENTIDE
²**vesper** *adj* : of or relating to vespers or to the evening
ves·sel \'ves-əl\ *n* **1** : a hollow or concave utensil (as a barrel, bottle, bowl, or cup) for holding something **2** : a craft bigger than a rowboat for navigation of the water **3** : a person regarded as one into whom some quality is infused **4** : a tube in which a body fluid (as blood) is contained and circulated
¹**vest** \'vest\ *vb* **1** : to place or give into the possession or discretion of some person or authority **2** : to clothe with a particular authority, right, or property **3** : to become legally vested **4** : to clothe with or as if with a garment; *esp* : to garb in ecclesiastical vestments
²**vest** *n* **1** : a man's sleeveless garment worn under a suit coat; *also* : a similar garment for women **2** : UNDERSHIRT **3** : a front piece of a dress resembling the front of a vest
¹**ves·tal** \'vest-ᵊl\ *adj* **1** : of or relating to Vesta **2** : relating to, characteristic of, or befitting a vestal virgin : CHASTE
ves·ti·bule \'ves-tə-,byül\ *n* **1** : a passage or room between the outer door and the interior of a building **2** : the enclosed entrance to a railroad passenger car **3** : a bodily cavity forming or suggesting an entrance to some other part — **ves·tib·u·lar** \ve-'stib-yə-lər\ *adj*
ves·tige \'ves-tij\ *n* : a trace or visible sign left by something lost or vanished; *also* : a minute remaining amount — **ves·ti·gial** \ve-'stij-(ē-)əl\ *adj* — **ves·ti·gial·ly** *adv*
vest·ment \'ves(t)-mənt\ *n* : an outer garment; *esp* : a ceremonial or official robe **2** *pl* : CLOTHING, GARB **3** : a garment or insignia worn by a clergyman when officiating or assisting at a religious service
ves·try \'ves-trē\ *n* **1** : a room in a church for vestments, altar linens, and sacred vessels **2** : a room used for church meetings and classes **3** : a body administering the temporal affairs of an Episcopal parish
ves·ture \'ves-chər\ *n* **1** : a covering garment (as a robe) **2** : CLOTHING, APPAREL
vet·er·an \'vet-(ə-)rən\ *n* **1** : an old soldier of long service **2** : a former member of the armed forces **3** : a person of long experience in an occupation or skill — **veteran** *adj*
vet·er·i·nar·i·an \,vet-(ə-)rən-'er-ē-ən, ,vet-ᵊn-\ *n* : one qualified and authorized to treat injuries and diseases of animals
vet·er·i·nary \ 'vet-(ə-)rən-,er-ē, 'vet-ᵊn-\ *adj* : of, relating to, or being the medical care of animals and esp. domestic animals

¹**ve·to** \'vēt-ō\ *n, pl* **-toes** [L, I forbid] **1** : an authoritative prohibition **2** : a power of one part of a government to forbid the carrying out of projects attempted by another part; *esp* : a power vested in a chief executive to prevent the carrying out of measures adopted by a legislature **3** : the exercise of the power of veto; *also* : a document or message stating the reasons for a specific use of this power
²**veto** *vb* **1** : FORBID, PROHIBIT **2** : to refuse assent to (a legislative bill) so as to prevent enactment or cause reconsideration — **ve·to·er** *n*
vex \'veks\ *vb* **1** : to bring trouble, distress, or agitation to **2** : to irritate or annoy by petty provocations **3** : to debate or discuss at length : DISPUTE ⟨a ~ed question⟩ **4** : to shake or toss about
vex·a·tion \vek-'sā-shən\ *n* **1** : the quality or state of being vexed : IRRITATION **2** : the act of vexing **3** : a cause of trouble or annoyance
vex·a·tious \-shəs\ *adj* **1** : causing vexation : ANNOYING, DISTRESSING **2** : full of distress or annoyance : TROUBLED — **vex·a·tious·ly** *adv*
via \,vī-ə, ,vē-ə\ *prep* : by way of ⟨goods shipped ~ the Panama Canal⟩
vi·a·ble \'vī-ə-bəl\ *adj* **1** : capable of living or growing; *esp* : born alive and sufficiently developed physically as to be normally capable of living ⟨a ~ infant⟩ **2** : capable of being put into practice : WORKABLE — **vi·a·bil·i·ty** \,vī-ə-'bil-ət-ē\ *n* — **vi·a·bly** \'vī-ə-blē\ *adv*
via·duct \'vī-ə-,dəkt\ *n* : a bridge with high supporting towers or piers for carrying a road or railroad over something (as a valley, river, or road)

viaduct

vi·al \'vī(-ə)l\ *n* : a small vessel for liquids
vi·brant \'vī-brənt\ *adj* **1** : VIBRATING, PULSING **2** : pulsing with vigor or activity **3** : readily set in vibration : RESPONSIVE, SENSITIVE **4** : sounding from vibration — **vi·bran·cy** *n*
vi·brate \'vī-,brāt\ *vb* **1** : OSCILLATE **2** : to set in vibration **3** : to be in vibration **4** : to respond sympathetically : THRILL **5** : WAVER, FLUCTUATE — **vi·bra·tor** *n*
vi·bra·tion \vī-'brā-shən\ *n* : an act of vibrating : a state of being vibrated : OSCILLATION **2** : a rapid to-and-fro motion of the particles of an elastic body or medium (as a stretched cord) that produces sound **3** : a trembling motion **4** : VACILLATION
vi·bra·to·ry \'vī-brə-,tōr-ē\ *adj* : consisting in, capable of, or causing vibration
vic·ar \'vik-ər\ *n* **1** : an administrative deputy **2** : an Anglican clergyman in charge of a dependent parish — **vi·car·i·al** \vī-'kar-ē-əl\ *adj*

vi·car·i·ous \vī-'kar-ē-əs\ *adj* **1** : acting for another **2** : done or suffered by one person on behalf of another or others ⟨a ~ sacrifice⟩ **3** : realized or experienced by one person through sympathetic sharing in the experience of another — **vi·car·i·ous·ly** *adv* — **vi·car·i·ous·ness** *n*

¹vice \'vīs\ *n* **1** : a moral fault; *esp* : an immoral habit **2** : DEPRAVITY, WICKEDNESS **3** : a physical imperfection : BLEMISH **4** : an undesirable behavior pattern in a domestic animal

²vice *n, chiefly Brit* : VISE

³vi·ce \'vī-sē\ *prep* : in the place of : SUCCEEDING ⟨appointed chairman ~ J.W.Doe, resigned⟩

vi·cen·ni·al \vī-'sen-ət-ē-əl\ *adj* : happening once every twenty years

vice–pres·i·dent *n* **1** : an officer ranking next to a president and usu. empowered to act for him during an absence or disability **2** : a president's deputy in charge of a particular location or function

vice·roy \'vīs-,rȯi\ *n* : the governor of a country or province who rules as representative of his sovereign — **vice·roy·al·ty** \-əl-tē\ *n*

vice ver·sa \,vīs-(i-)'vər-sə\ *adv* : with the order reversed : CONVERSELY

vi·cin·i·ty \və-'sin-ət-ē\ *n* **1** : NEARNESS, PROXIMITY **2** : a surrounding area : NEIGHBORHOOD

vi·cious \'vish-əs\ *adj* **1** : addicted to vice : WICKED, DEPRAVED **2** : DEFECTIVE, FAULTY; *also* : INVALID **3** : IMPURE, FOUL **4** : having a savage disposition **5** : MALICIOUS, SPITEFUL **6** : worsened by internal causes that augment each other ⟨~ wage-price spiral⟩ — **vi·cious·ly** *adv* — **vi·cious·ness** *n*

vi·cis·si·tude \və-'sis-ə-,t(y)üd, vī-\ *n* **1** : the quality or state of being changeable **2** : a change or succession from one thing to another; *esp* : an irregular, unexpected, or surprising change — usu. used in pl.

vic·tim \'vik-təm\ *n* **1** : a living being offered as a sacrifice in a religious rite **2** : an individual injured or killed (as by disease or accident) **3** : a person cheated, fooled, or injured ⟨a ~ of circumstances⟩

vic·tim·ize \'vik-tə-,mīz\ *vb* : to make a victim of — **vic·tim·iza·tion** \,vik-tə-mə-'zā-shən\ *n* — **vic·tim·iz·er** *n*

vic·tor \'vik-tər\ *n* : WINNER, CONQUEROR

¹vic·to·ri·an \-ē-ən\ *adj* **1** : of or relating to the reign of Queen Victoria of England or the art, letters, or taste of her time **2** : typical of the standards or conduct of the age of Victoria esp. when prudish or narrow

²Victorian *n* : a person and esp. an author of the Victorian period

vic·to·ri·ous \vik-'tōr-ē-əs\ *adj* **1** : having won a victory : CONQUERING **2** : of, relating to, or characteristic of victory — **vic·to·ri·ous·ly** *adv*

vic·to·ry \'vik-t(ə-)rē\ *n* **1** : the overcoming of an enemy or an antagonist **2** : achievement of success in a struggle or endeavor against odds

¹vict·ual \'vit-ᵊl\ *n* **1** : food usable by man **2** *pl* : food supplies : PROVISIONS

²victual *vb* **-ualed** *or* **-ualled; -ual·ing** *or* **-ual·ling** **1** : to supply with food **2** : to lay in provisions

¹vid·eo \'vid-ē-,ō\ *adj* : relating to or used in transmission or reception of the television image

²video *n* : TELEVISION

vie \'vī\ *vb* **vied; vy·ing** : to strive for superiority : CONTEND — **vi·er**

Viet·nam·ese \vē-,et-nə-'mēz\ *n, pl* **Vietnamese** : a native or inhabitant of Vietnam — **Vietnamese** *adj*

¹view \'vyü\ *n* **1** : the act of seeing or examining : INSPECTION; *also* : SURVEY **2** : ESTIMATE, JUDGMENT ⟨stated his ~s⟩ **3** : a sight (as of a landscape) regarded for its pictorial quality ⟨a beautiful ~⟩ **4** : extent or range of vision ⟨within ~⟩ **5** : a picture of a scene ⟨~s of Paris⟩ **6** : OBJECT, PURPOSE ⟨done with a ~ to promotion⟩

²view *vb* **1** : SEE, BEHOLD **2** : to look at attentively : EXAMINE **3** : to examine mentally : CONSIDER — **view·er** *n*

view·point \'vyü-,pȯint\ *n* : a position from which something is considered : point of view : STANDPOINT

vig·il \'vij-əl\ *n* **1** : a religious observance formerly held on the night before a religious feast **2** : the day before a religious feast observed as a day of spiritual preparation **3** : evening or nocturnal devotions or prayers — usu. used in pl. **4** : an act or a time of keeping awake when sleep is customary; *esp* : an act of wakeful watching

vig·i·lance \'vij-ə-ləns\ *n* : the quality or state of being vigilant

vig·i·lant *adj* : alertly watchful esp. to avoid danger — **vig·i·lant·ly** *adv*

vig·i·lan·te \,vij-ə-'lant-ē\ *n* : a member of a volunteer committee (**vigilance committee**) of citizens organized to suppress and punish crime summarily

¹vi·gnette \vin-'yet\ *n* **1** : a small decorative design on or just before the title page of a book or at the beginning or end of a chapter **2** : a picture (as an engraving or a photograph) that shades off gradually into the surrounding ground **3** : a brief word picture

²vignette *vb* : to finish (as a photograph) in the manner of a vignette

vig·or \'vig-ər\ *n* **1** : active strength or energy of body or mind **2** : INTENSITY, FORCE

vig·or·ous *adj* **1** : having vigor : ROBUST **2** : done with vigor : carried out forcefully and energetically — **vig·or·ous·ly** *adv*

Vi·king \'vī-kiŋ\ *n* : one of the pirate Norsemen plundering the coasts of Europe from the 8th to the 10th century

vile \'vīl\ *adj* **1** : WORTHLESS, MEAN, BASE **2** : morally base : WICKED **3** : UNCLEAN, REPULSIVE, ODIOUS — **vile·ly**

vil·i·fy \'vil-ə-,fī\ *vb* : to blacken the character of with abusive language : DEFAME *syn* malign, calumniate, slander, libel, traduce — **vil·i·fi·ca·tion** \,vil-ə-fə-'kā-shən\ *n*

vil·la \'vil-ə\ *n* **1** : a country estate **2** : a usu. somewhat pretentious rural or suburban residence

vil·lage \'vil-ij\ *n* **1** : a settlement usu. larger than a hamlet and smaller than a town **2** : an incorporated minor municipality **3** : the people of a village

vil·lag·er *n* : an inhabitant of a village

vil·lain \'vil-ən\ *n* **1** : VILLEIN **2** : a deliberate scoundrel or criminal

vil·lain·ous *adj* **1** : befitting a villain : WICKED, EVIL **2** : highly objectionable : DETESTABLE **syn** vicious, iniquitous, nefarious, infamous, corrupt, degenerate — **vil·lain·ous·ly** *adv* — **vil·lain·ous·ness** *n*

vim \'vim\ *n* : robust energy and enthusiasm : VITALITY

vin·ci·ble \'vin-sə-bəl\ *adj* : capable of being overcome or subdued

vin·di·cate \'vin-də-ˌkāt\ *vb* **1** : AVENGE **2** : EXONERATE, ABSOLVE **3** : CONFIRM, SUBSTANTIATE **4** : to provide defense for : JUSTIFY **5** : to maintain a right to : ASSERT — **vin·di·ca·tor** *n*

vin·di·ca·tion \ˌvin-də-'kā-shən\ *n* : a vindicating or being vindicated; *esp* : justification against denial or censure

vin·dic·tive \vin-'dik-tiv\ *adj* **1** : disposed to revenge **2** : intended for or involving revenge **3** : VICIOUS, SPITEFUL — **vin·dic·tive·ly** *adv* — **vin·dic·tive·ness** *n*

vine \'vīn\ *n* **1** : GRAPE 2 **2** : a plant whose stem requires support and which climbs (as by tendrils) or trails along the ground; *also* : the stem of such a plant

vin·e·gar \'vin-i-gər\ *n* [OF *vinaigre*, fr. *vin* wine + *aigre* sour] : a sour liquid obtained by fermentation (as of cider, wine, or malt) and used in cookery and pickling

vin·e·gary *adj* **1** : resembling vinegar : SOUR **2** : disagreeable in manner or disposition : CRABBED

vine·yard \'vin-yərd\ *n* : a plantation of grapevines; *also* : an area of physical or mental occupation

vi·nous \'vī-nəs\ *adj* **1** : of, relating to, or made with wine 〈~ medications〉 **2** : showing the effects of the use of wine

vin·tage \'vint-ij\ *n* **1** : a season's yield of grapes or wine **2** : the act or period of gathering grapes or making wine **3** : WINE; *esp* : a wine of a particular type, region, and year and usu. of superior quality **4** : a period of origin 〈clothes of the ~ of 1890〉

vi·nyl \'vīn-ᵊl\ *n* : any of various tough plastics used esp. for coatings, sheeting, tile, flooring, and molded objects

vi·o·la \vē-'ō-lə\ *n* : an instrument of the violin family slightly larger and tuned lower than a violin

vi·o·la·ble \'vī-ə-lə-bəl\ *adj* : capable of being violated

vi·o·late \'vī-ə-ˌlāt\ *vb* **1** : BREAK, DISREGARD 〈~ a law〉 〈~ a frontier〉 **2** : RAPE **3** : PROFANE, DESECRATE **4** : INTERRUPT, DISTURB 〈*violated* his privacy〉 — **vi·o·la·tor** *n*

vi·o·la·tion \ˌvī-ə-'lā-shən\ *n* : an act or instance of violating : the state of being violated **syn** breach, infraction, trespass, infringement

vi·o·lence \'vī-ə-ləns\ *n* **1** : exertion of physical force so as to injure or abuse **2** : injury by or as if by infringement or profanation **3** : intense or furious often destructive action or force **4** : vehement feeling or expression : INTENSITY **5** : jarring quality : DISCORDANCE **syn** compulsion, coercion, duress, constraint, restraint

vi·o·lent *adj* **1** : marked by extreme force or sudden intense activity; *esp* : marked by improper use of such force **2** : EXTREME, INTENSE **3** : caused by force : not natural 〈~ death〉 **4** : caused by or showing strong feeling 〈~ words〉 — **vi·o·lent·ly** *adv*

vi·o·let \'vī-ə-lət\ *n* **1** : any of numerous low plants with mostly heart-shaped leaves and both aerial and underground flowers; *esp* : one with small solid-colored flowers **2** : a variable color averaging a reddish blue — **violet** *adj*

vi·o·lin \ˌvī-ə-'lin\ *n* : a bowed stringed instrument with four strings that has a shallower body and a more curved bridge than a viol

vi·o·lin·ist *n* : one who plays the violin

vi·o·list \vē-'ō-ləst\ *n* : one who plays the viola

vi·per \'vī-pər\ *n* **1** : any of a group of sluggish heavy-bodied Old World venomous snakes **2** : PIT VIPER **3** : a venomous or reputedly venomous snake **4** : a treacherous or malignant person

vi·ral \'vī-rəl\ *adj* : of, relating to, or caused by a virus

¹vir·gin \'vər-jən\ *n* **1** : an unmarried woman devoted to religion **2** *cap* : the mother of Jesus **3** : an unmarried woman **4** : a person who has not had sexual intercourse

²virgin *adj* **1** : free from stain : PURE, SPOTLESS **2** : CHASTE **3** : befitting a virgin : MODEST **4** : FRESH, UNSPOILED; *esp* : not altered by human activity 〈~ forest〉 **5** : INITIAL, FIRST

vir·gin·al *adj* : of, relating to, or characteristic of a virgin or virginity — **vir·gin·al·ly** *adv*

Virginia reel *n* : an American country-dance

vir·gin·i·ty \vər-'jin-ət-ē\ *n* **1** : the quality or state of being virgin; *esp* : MAIDENHOOD **2** : the unmarried life : CELIBACY

vir·ile \'vir-əl\ *adj* **1** : having the nature, powers, or qualities of a man **2** : MASTERFUL, FORCEFUL **3** : MASCULINE, MALE — **vi·ril·i·ty** \və-'ril-ət-ē\ *n*

vir·tu·al \'vər-ch(ə-w)əl\ *adj* : being in essence or in effect though not formally recognized or admitted 〈a ~ dictator〉 — **vir·tu·al·ly** *adv*

vir·tue \'vər-chü\ *n* **1** : conformity to a standard of right : MORALITY **2** : a particular moral excellence **3** : active power to accomplish a given effect : POTENCY, EFFICACY **4** : manly strength or courage : VALOR **5** : a commendable quality : MERIT **6** : chastity esp. in a woman

vir·tu·os·i·ty \ˌvər-chə-'wäs-ət-ē\ *n* : great technical skill in the practice of the fine arts

vir·tu·o·so \ˌvər-chə-'wō-sō, -zō\ *n, pl* **-sos** *or* **-si** \-(ˌ)sē, -(ˌ)zē\ **1** : one skilled in or having a taste for the fine arts **2** : one who excels in the technique of an art; *esp* : a musical performer

vir·tu·ous \'vər-chə-wəs\ *adj* **1** : having or showing virtue and esp. moral virtue **2** : CHASTE — **vir·tu·ou·ly** *adv*

vir·u·lent \'vir-(y)ə-lənt\ *adj* **1** : extremely poisonous or venomous : NOXIOUS **2** : bitterly hostile : MALIGNANT **3** : highly infectious 〈a ~ germ〉; *also* : marked by a rapid and very severe course 〈a ~ disease〉 — **vir·u·lence** *or* **vir·u·len·cy** *n* — **vir·u·lent·ly** *adv*

vi·rus \'vī-rəs\ *n* **1** : an infective agent too small to be seen with a light microscope and active after passage through a filter too fine for a bacterium to pass;

also : a disease caused by a virus 2 : something (as a corrupting influence) that poisons the mind or spirit

¹vi·sa \'vē-zə\ n 1 : an endorsement by the proper authorities on a passport to show that it has been examined and the bearer may proceed 2 : a signature by a superior official signifying approval of a document

²visa vb vi·saed; vi·sa·ing : to give a visa to (a passport)

vis·age \'viz-ij\ n : the face or countenance of a person or sometimes an animal; also : LOOK, APPEARANCE

¹vis-à-vis \,vē-zə-'vē\ n, pl vis-à-vis \-zə-'vē(z)\ 1 : one that is face to face with another 2 : ESCORT 3 : COUNTERPART 4 : TÊTE-À-TÊTE

²vis-à-vis prep 1 : face to face with : OPPOSITE 2 : in relation to : as compared with

viscera pl of VISCUS

vis·cer·al \'vis-ə-rəl\ adj 1 : felt in or as if in the viscera 2 : of or relating to the viscera — vis·cer·al·ly adv

vis·cos·i·ty \vis-'käs-ət-ē\ n : the quality of being viscous; esp : the property of fluids that causes them not to flow easily because of the friction of their molecules ⟨the ~ of oil⟩

vis·cous \'vis-kəs\ adj 1 : having the sticky consistency of glue 2 : having or characterized by viscosity : THICK

vis·cus \'vis-kəs\ n, pl vis·cera \'vis-ə-rə\ : an internal organ of the body; esp : one (as the heart or liver) located in the cavity of the trunk

vise \'vīs\ n : a device for holding or clamping work typically having two jaws closed by a screw or lever

vise

vis·i·bil·i·ty \,viz-ə-'bil-ət-ē\ n 1 : the quality, condition, or degree of being visible 2 : the degree of clearness of the atmosphere

vis·i·ble \'viz-ə-bəl\ adj : capable of being seen ⟨~ stars⟩; also : MANIFEST, APPARENT ⟨has no ~ means of support⟩ — vis·i·bly adv

¹vi·sion \'vizh-ən\ n 1 : something seen otherwise than by ordinary sight (as in a dream or trance) 2 : a vivid picture created by the imagination 3 : the act or power of imagination 4 : unusual wisdom in foreseeing what is going to happen 5 : the act or power of seeing : SIGHT 6 : something seen; esp : a lovely sight

²vision vb : to see in or as if in a vision : IMAGINE, ENVISION

¹vi·sion·ary \'vizh-ə-,ner-ē\ adj 1 : seeing or likely to see visions : given to dreaming or imagining 2 : of the nature of a vision : ILLUSORY, UNREAL 3 : not practical : UTOPIAN syn imaginary, fantastic, chimerical, quixotic

²visionary n 1 : one who sees visions 2 : one whose ideas or projects are impractical : DREAMER

¹vis·it \'viz-ət\ vb 1 : to go to see in order to comfort or help 2 : to call upon either as an act of courtesy or in a professional capacity 3 : to dwell with for a time as a guest 4 : to come to or upon as a reward, affliction, or punishment 5 : INFLICT 6 : to make a visit or regular or frequent visits

²visit n 1 : a short stay : CALL 2 : a brief residence as a guest 3 : a journey to and stay at a place 4 : a formal or professional call (as by a doctor)

vis·i·ta·tion \,viz-ə-'tā-shən\ n 1 : VISIT; esp : an official visit 2 : a special dispensation of divine favor or wrath; also : a severe trial

vis·i·tor \'viz-ət-ər\ n : one that visits

vi·sor \'vī-zər\ n 1 : the front piece of a helmet; esp : a movable upper piece 2 : VIZARD 3 : a projecting part (as on a cap or an automobile windshield) to shade the eyes

vis·ta \'vis-tə\ n 1 : a distant view through or along an avenue or opening 2 : an extensive mental view over a series of years or events

vi·su·al \'vizh-(ə-w)əl\ adj 1 : of, relating to, or used in sight ⟨~ organs⟩ 2 : perceived by vision ⟨a ~ impression⟩ 3 : attained or performed by vision ⟨~ tests⟩ 4 : done by sight only ⟨~ navigation⟩ 5 : VISIBLE 6 : of or relating to instruction by means of sight ⟨~ aids⟩ — vi·su·al·ly adv

vi·su·al·ize \'vizh-ə-(wə-),līz\ vb : to make visible; esp : to form a mental image of — vi·su·al·i·za·tion \,vizh-ə-(wə-)lə-'zā-shən\ n — vi·su·al·iz·er n

vi·ta \'vīt-ə, 'wē-,tä\ n, pl vi·tae \'vīt-ē, 'wē-,tī\ : a brief autobiographical sketch

vi·tal \'vīt-ᵊl\ adj 1 : of, relating to, or characteristic of life 2 : concerned with or necessary to the maintenance of life 3 : full of life and vigor : ANIMATED 4 : FATAL, MORTAL ⟨~ wound⟩ 5 : FUNDAMENTAL, BASIC, INDISPENSABLE 6 : dealing with births, deaths, marriages, health, and disease ⟨~ statistics⟩

vi·tal·i·ty \vī-'tal-ət-ē\ n 1 : the peculiarity distinguishing the living from the nonliving; also : capacity to live : mental and physical vigor 2 : enduring quality 3 : ANIMATION, LIVELINESS

vi·tal·ize \'vīt-ᵊl-,īz\ vb : to impart life or vigor to : ANIMATE, ENERGIZE — vi·tal·i·za·tion

vi·ta·min \'vīt-ə-mən\ n : any of various organic substances that are essential in tiny amounts to most animals and some plants and are mostly obtained from foods

vi·ti·ate \'vish-ē-,āt\ vb 1 : CONTAMINATE, POLLUTE; also : DEBASE, PERVERT 2 : to make legally without force : INVALIDATE — vi·ti·a·tion \,vish-ē-'ā-shən\ n — vi·ti·a·tor \'vish-ē-,āt ər\ n

vit·re·ous \'vit-rē-əs\ adj 1 : of, relating to, or resembling glass 2 : GLASSY ⟨~ rocks⟩ 3 : of, relating to, or being the clear colorless transparent jelly (vit·reous humor) behind the lens in the eyeball

vit·ri·fy \-rə-,fī\ vb : to change into glass or a glassy substance by heat and fusion

vit·ri·ol \-rē-əl\ n 1 : a sulfate of any of various metals (as copper, iron, or

vit·ri·ol·ic \,vit-rē-'äl-ik\ *adj* **1** : derived from vitriol **2** : CAUSTIC, BITING

vi·tu·per·ate \vī-'t(y)ü-pə-,rāt, və-\ *vb* : to abuse in words : SCOLD *syn* revile, berate, rate, upbraid, rail — **vi·tu·per·a·tion** \-,t(y)ü-pə-'rā-shən\ *n* — **vi·tu·per·a·tive** \-'t(y)ü-p(ə-)rət-iv, -pə-,rāt-\ *adj* — **vi·tu·per·a·tive·ly** *adv*

vi·va \'vē-və\ *interj* — used to express goodwill

vi·va·cious \və-'vā-shəs, vī-\ *adj* : lively in temper or conduct : ANIMATED, SPRIGHTLY — **vi·va·cious·ly** *adv* — **vi·va·cious·ness** *n*

vi·vac·i·ty \-'vas-ət-ē\ *n* : the quality or state of being vivacious

viv·id \'viv-əd\ *adj* **1** : having the appearance of vigorous life or freshness : LIVELY **2** : BRILLIANT, INTENSE ⟨a ~ red⟩ **3** : producing a strong impression on the senses : SHARP **4** : calling forth lifelike mental images ⟨a ~ description⟩ — **viv·id·ly** *adv* — **viv·id·ness** *n*

viv·i·fy \'viv-ə-,fī\ *vb* **1** : to endue with life : ANIMATE **2** : to make vivid — **viv·i·fi·ca·tion** \,viv-ə-fə-'kā-shən\ *n*

vi·vip·a·rous \vī-'vip-(ə-)rəs\ *adj* : producing living young from within the body rather than from eggs

vivi·sec·tion \,viv-ə-'sek-shən\ *n* : the cutting of or operation on a living animal; *also* : animal experimentation

vix·en \'vik-sən\ *n* **1** : a female fox **2** : an ill-tempered scolding woman

viz·ard \'viz-ərd\ *n* : a mask for disguise or protection

vo·ca·ble \'vō-kə-bəl\ *n* : TERM, NAME; *esp* : a word composed of various sounds or letters without regard to its meaning

vo·cab·u·lary \vō-'kab-yə-,ler-ē\ *n* **1** : a list or collection of words usu. alphabetically arranged and defined or explained : LEXICON **2** : a stock of words used in a language by a class or individual or in relation to a subject

vocabulary entry *n* : a word (as the noun *book*), hyphened or open compound (as the verb *cross-refer* or the noun *boric acid*), word element (as the affix *-an*), abbreviation (as *agt*), verbalized symbol (as *Na*), or term (as *master of ceremonies*) entered alphabetically in a dictionary for the purpose of definition or identification or expressly included as an inflectional form (as the noun *mice* or the verb *saw*) or as a derived form (as the noun *godlessness* or the adverb *globally*) or related phrase (as *in spite of*) run on at its base word and usu. set in a type (as boldface) readily distinguishable from that of the lightface running text which defines, explains, or identifies the entry

¹**vo·cal** \'vō-kəl\ *adj* **1** : uttered by the voice : ORAL **2** : relating to, composed or arranged for, or sung by the human voice ⟨~ music⟩ **3** : of, relating to, or having the power of producing voice **4** : full of voices : RESOUNDING **5** : given to expressing one's feelings or opinions in speech : TALKATIVE; *also* : OUTSPOKEN *syn* articulate, fluent, eloquent, voluble, glib

²**vocal** *n* **1** : a vocal sound **2** : a vocal solo (as in a dance number)

vo·cal·ist \'vō-kə-ləst\ *n* : SINGER

vo·cal·ize \'vō-kə-,līz\ *vb* **1** : to give vocal expression to : UTTER; *esp* : SING **2** : to make voiced rather than voiceless — **vo·cal·iz·er** *n*

vo·ca·tion \vō-'kā-shən\ *n* **1** : a summons or strong inclination to a particular state or course of action ⟨religious ~⟩ **2** : the work to which one feels he is called or specially fitted **3** : regular employment : OCCUPATION, PROFESSION — **vo·ca·tion·al** *adj*

vo·cif·er·ate \vō-'sif-ə-,rāt\ *vb* : to cry out loudly : CLAMOR, SHOUT — **vo·cif·er·a·tion** \-,sif-ə-'rā-shən\ *n*

vod·ka \'väd-kə\ *n* [Russ, fr. *voda* water] : a liquor that is distilled from a grain mash and has no color, aroma, or taste

vogue \'vōg\ *n* **1** : popular acceptance or favor : POPULARITY **2** : a period of popularity **3** : something or someone in fashion at a particular time *syn* mode, fad, rage

¹**voice** \'vois\ *n* **1** : sound produced through the mouth by vertebrates and esp. by human beings in speaking or shouting **2** : musical sound produced by the vocal cords : the power to produce such sound; *also* : one of the melodic parts in a vocal or instrumental composition **3** : the vocal organs as a means of tone production ⟨train the ~⟩ **4** : sound produced by vibration of the vocal cords as heard in vowels and some consonants **5** : the faculty of speech **6** : a sound suggesting vocal utterance ⟨the ~ of the sea⟩ **7** : an instrument or medium of expression **8** : a choice, opinion, or wish openly expressed; *also* : right of expression **9** : distinction of form of a verb to indicate the relation of the subject to the action expressed by the verb

²**voice** *vb* **1** : to give voice or expression to : UTTER; *also* : ANNOUNCE **2** : to regulate the tone of ⟨~ the pipes of an organ⟩ *syn* express, vent, air, ventilate

voiced \'voist\ *adj* **1** : furnished with a voice ⟨soft-*voiced*⟩ **2** : expressed by the voice **3** : uttered with voice —

¹**void** \'void\ *adj* **1** : containing nothing : EMPTY **2** : UNOCCUPIED, VACANT **3** : LACKING, DEVOID ⟨proposals ~ of sense⟩ **4** : VAIN, USELESS **5** : of no legal force or effect : NULL

²**void** *n* **1** : empty space : EMPTINESS, VACUUM **2** : a feeling of want or hollowness

³**void** *vb* **1** : to make or leave empty; *also* : VACATE, LEAVE **2** : DISCHARGE, EMIT ⟨~ urine⟩ **3** : to render void

vol·a·tile \'väl-ət-ᵊl\ *adj* **1** : readily becoming a vapor at a relatively low temperature ⟨a ~ liquid⟩ **2** : LIGHTHEARTED **3** : easily erupting into violent action **4** : CHANGEABLE — **vol·a·til·i·ty** \,väl-ə-'til-ət-ē\ *n* — **vol·a·til·ize**

vol·can·ic \väl-'kan-ik\ *adj* **1** : of or relating to a volcano **2** : explosively violent : VOLATILE ⟨~ emotions⟩

vol·ca·no \väl-'kā-nō\ *n, pl* **-noes** *or* **-nos** : an opening in the earth's crust from which molten rock and steam issue; *also* : a hill or mountain composed of the ejected material

vo·li·tion \vō-'lish-ən\ *n* **1** : the act or the power of making a choice or decision : WILL 2 : a choice or decision made — **vo·li·tion·al** *adj*

¹vol·ley \'väl-ē\ *n* 1 : a flight of missiles (as arrows or bullets) 2 : simultaneous discharge of a number of missile weapons 3 : a pouring forth of many things at the same instant ⟨a ∼ of oaths⟩ 4 : the act of volleying

²volley *vb* 1 : to discharge or become discharged in or as if in a volley 2 : to hit an object of play in the air before it touches the ground

vol·ley·ball \-,bȯl\ *n* : a game played by volleying an inflated ball over a net

volt \'vōlt\ *n* : the unit of electromotive force equal to a force that when steadily applied to a conductor whose resistance is one ohm will produce a current of one ampere

volt·age *n* : electromotive force measured in volts

vol·u·ble \'väl-yə-bəl\ *adj* : fluent and smooth in speech : GLIB **syn** eloquent, vocal, articulate, garrulous, loquacious, talkative — **vol·u·bil·i·ty** \,väl-yə-'bil-ət-ē\ *n* — **vol·u·bly** \'väl-yə-blē\ *adv*

vol·ume \'väl-yəm\ *n* 1 : a series of printed sheets bound typically in book form; *also* : an arbitrary number of issues of a periodical 2 : sufficient matter to fill a book ⟨his glance spoke ∼s⟩ 3 : space occupied as measured by cubic units ⟨the ∼ of a cylinder⟩ 4 : AMOUNT ⟨increasing ∼ of business⟩; *also* : MASS, BULK 5 : the degree of loudness or the intensity of a sound **syn** magnitude, size, extent, dimensions, area

vo·lu·mi·nous \və-'lü-mə-nəs\ *adj* 1 : consisting of many folds or windings 2 : BULKY, LARGE, SWELLING 3 : filling or sufficient to fill a large volume or several volumes — **vo·lu·mi·nos·i·ty** \-,lü-mə-'näs-ət-ē\ *n* — **vo·lu·mi·nous·ly** \-'lü-mə-nəs-lē\ *adv* — **vo·lu·mi·nous·ness** *n*

¹vol·un·tary \'väl-ən-,ter-ē\ *adj* 1 : done, made, or given freely and without compulsion ⟨a ∼ sacrifice⟩ 2 : not accidental : INTENTIONAL ⟨a ∼ slight⟩ 3 : of, relating to, or controlled by the will ⟨∼ muscles⟩ 4 : having power of free choice ⟨man is a ∼ agent⟩ 5 : supported by gifts rather than by the state ⟨∼ churches⟩ **syn** deliberate, willful, willing — **vol·un·tar·i·ly** \,väl-ən-'ter-ə-lē\ *adv*

²voluntary *n* : an organ solo played in a religious service

¹vol·un·teer \,väl-ən-'tiər\ *n* : a person who of his own free will offers himself for a service or duty — **volunteer** *adj*

²volunteer *vb* 1 : to offer or give voluntarily 2 : to offer oneself as a volunteer

vo·lup·tu·ous \və-'ləp-ch(ə-w)əs\ *adj* 1 : giving sensual gratification ⟨∼ furnishings⟩ 2 : given to or spent in enjoyment of luxury or pleasure **syn** luxurious, epicurean, sensuous, sensual

¹vom·it \'väm-ət\ *n* : an act or instance of discharging the stomach contents through the mouth; *also* : the matter discharged

²vomit *vb* 1 : to discharge the stomach contents as vomit 2 : to belch forth : GUSH

voo·doo \'vüd-ü\ *n* 1 : VOODOOISM 2 : one who practices voodooism 3 : a charm or a fetish used in voodooism — **voodoo** *adj*

vo·ra·cious \vȯ-'rā-shəs, və-\ *adj* 1 : greedy in eating : RAVENOUS 2 : excessively eager : INSATIABLE ⟨a ∼ reader⟩ **syn** gluttonous, ravening, rapacious — **vo·ra·cious·ly** *adv*

vor·tex \'vȯr-,teks\ *n, pl* **vor·ti·ces** \'vȯrt-ə-,sēz\ *also* **vor·tex·es** : a mass of liquid in whirling motion forming in the center of the mass a depression or cavity toward which things are drawn

vo·ta·ry \'vōt-ə-rē\ *n* 1 : ENTHUSIAST, DEVOTEE; *also* : a devoted adherent or admirer 2 : a devout or zealous worshiper

¹vote \'vōt\ *n* 1 : a choice or opinion of a person or body of persons expressed usu. by a ballot, spoken word, or raised hand; *also* : the ballot, word, or gesture used to express a choice or opinion 2 : the decision reached by voting 3 : the right of suffrage 4 : a group of voters with some common characteristics ⟨the big city ∼⟩

²vote *vb* 1 : to cast a vote 2 : to choose, endorse, authorize, or defeat by vote 3 : to express an opinion 4 : to adjudge by general agreement : DECLARE 5 : to offer as a suggestion : PROPOSE 6 : to cause to vote esp. in a given way — **vot·er** *n*

vo·tive \'vōt-iv\ *adj* : offered or performed in fulfillment of a vow or in petition, gratitude, or devotion ⟨∼ lights⟩

vouch \'vaüch\ *vb* 1 : PROVE, SUBSTANTIATE 2 : to verify by examining documentary evidence 3 : to give a guarantee 4 : to supply supporting evidence or testimony; *also* : to give personal assurance

vouch·er *n* 1 : an act of vouching 2 : one that vouches for another 3 : a documentary record of a business transaction 4 : a written affidavit or authorization

vouch·safe \vaüch-'sāf\ *vb* 1 : to grant or give often in a condescending manner 2 : to grant as a privilege or as a special favor — **vouch·safe·ment** *n*

¹vow \'vaü\ *n* : a solemn promise or assertion; *esp* : one by which a person binds himself to an act, service, or condition

²vow *vb* 1 : to make a vow or as a vow 2 : to bind or commit by a vow — **vow·er** *n*

vow·el \'vaü(-ə)l\ *n* 1 : a speech sound produced without obstruction or friction in the mouth 2 : a letter representing such a sound

¹voy·age \'vȯi-ij\ *n* 1 : JOURNEY 2 : a journey by water from one place or country to another 3 : a journey through air or space

²voyage *vb* : to take or make a voyage — **voy·ag·er** *n*

vul·can·ize \'vəl-kə-,nīz\ *vb* : to subject to or undergo a process of treating rubber or rubberlike material chemically to give useful properties (as elasticity and strength) — **vul·can·iza·tion** \,vəl-kə-nə-'zā-shən\ *n* — **vul·can·iz·er**

vul·gar \'vəl-gər\ *adj* 1 : of or relating to the common people : GENERAL, COMMON 2 : VERNACULAR ⟨the ∼ tongue⟩ 3 : lacking cultivation or refinement : BOORISH; *also* : offensive to good taste or refined feelings **syn** common, ordinary, familiar, popular, gross, obscene, ribald — **vul·gar·ly** *adv*

vulgarity 501 **waiver**

vul·gar·i·ty \ˌvəl-'gar-ət-ē\ *n* **1** : the quality or state of being vulgar **2** : an instance of coarseness of manners or language

vul·gar·ize \'vəl-gə-ˌrīz\ *vb* : to make vulgar — **vul·gar·iza·tion** \ˌvəl-gə-rə-'zā-shən\ *n* — **vul·gar·iz·er** \'vəl-gə-ˌrī-zər\ *n*

Vul·gate \'vəl-ˌgāt\ *n* : a Latin version of the Bible used by the Roman Catholic Church

vul·ner·a·ble \'vəl-nə-rə-bəl\ *adj* **1** : capable of being wounded : susceptible to wounds **2** : open to attack **3** : liable to increased penalties in contract bridge

vul·pine \'vəl-ˌpīn\ *adj* : of, relating to, or resembling a fox esp. in cunning

vul·ture \'vəl-chər\ *n* : any of various large birds related to hawks and eagles but having weaker claws and the head usu. naked and living chiefly on carrion

vul·va \'vəl-və\ *n* : the external genital parts of the female or their opening —

W

w \'dəb-əl-(ˌ)yü\ *n*, *often cap* : the 23d letter of the English alphabet

wacky \'wak-ē\ *adj* : ECCENTRIC, CRAZY

¹wad \'wäd\ *n* **1** : a little mass, bundle, or tuft ⟨~s of clay⟩ **2** : a soft mass of usu. light fibrous material **3** : a pliable plug (as of felt) used to retain a powder charge (as in a cartridge) **4** : a roll of paper money **5** : a considerable amount (as of money)

²wad *vb* **wad·ded; wad·ding 1** : to form into a wad **2** : to push a wad into ⟨~ a gun⟩ **3** : to hold in by a wad ⟨~ a bullet in a gun⟩ **4** : to stuff or line with a wad : PAD

wad·ding \'wäd-iŋ\ *n* **1** : WADS; *also* : material for making wads **2** : a soft mass or sheet of short loose fibers used for stuffing or padding

wad·dle \'wäd-ᵊl\ *vb* : to walk with short steps swaying from side to side like a duck — **waddle** *n*

wade \'wād\ *vb* **1** : to step in or through a medium (as water) more resistant than air **2** : to move or go with difficulty or labor and often with determined vigor

wad·er *n* **1** : one that wades **2** : WADING BIRD **3** *pl* : high waterproof rubber boots or trousers for wading

wa·fer \'wā-fər\ *n* **1** : a thin crisp cake or cracker **2** : a thin round piece of unleavened bread used in the Eucharist **3** : something (as a piece of candy or an adhesive seal) that resembles a wafer

waf·fle \'wäf-əl\ *n* : a soft but crisped cake of pancake batter cooked in a special hinged metal utensil (**waffle iron**)

¹waft \'wäft, 'waft\ *vb* : to cause to move or go lightly by or as if by the impulse of wind or waves

²waft *n* **1** : a slight breeze : PUFF **2** : the act of waving

¹wag \'wag\ *vb* **wagged; wag·ging 1** : to sway or swing shortly from side to side or to and fro ⟨the dog *wagged* his tail⟩ **2** : to move in chatter or gossip ⟨scandal caused tongues to ~⟩

²wag *n* **1** : WIT, JOKER **2** : an act of wagging : a wagging movement

¹wage \'wāj\ *vb* **1** : to engage in : carry on ⟨~ a war⟩ **2** : to be in process of being waged

²wage *n* **1** : payment for labor or services usu. according to contract **2** *pl* : RECOMPENSE, REWARD

¹wa·ger \'wā-jər\ *n* **1** : BET, STAKE **2** : an act of betting : GAMBLE

²wager *vb* : RISK, VENTURE; *esp* : to risk usu. money on the outcome of an uncertain event — **wa·ger·er** *n*

wag·gery \'wag-ə-rē\ *n* **1** : mischievous merriment : PLEASANTRY **2** : JEST, TRICK

wag·gish \'wag-ish\ *adj* **1** : resembling or characteristic of a wag : MISCHIEVOUS, ROGUISH, FROLICSOME **2** : SPORTIVE, HUMOROUS

wag·gle \'wag-əl\ *vb* : to move backward and forward or from side to side : WAG — **waggle** *n*

wag·on \'wag-ən\ *n* **1** : a 4-wheeled vehicle; *esp* : one drawn by animals and used for freight or merchandise **2** : a child's 4-wheeled cart **3** : STATION WAGON **4** : PATROL WAGON

waif \'wāf\ *n* **1** : something found without an owner and esp. by chance **2** : a stray person or animal; *esp* : a homeless child

wail \'wāl\ *vb* **1** : LAMENT, WEEP **2** : to make a sound suggestive of a mournful cry **3** : COMPLAIN — **wail** *n*

wail·ful *adj* : SORROWFUL, MOURNFUL — **wail·ful·ly** *adv*

wain·scot \'wān-ˌskōt, -ˌskät, -skət\ *n* **1** : a usu. paneled wooden lining of an interior wall of a room **2** : the lower part of an interior wall when finished differently from the rest — **wainscot** *vb*

wain·wright \'wān-ˌrīt\ *n* : a builder and repairer of wagons

waist \'wāst\ *n* **1** : the narrowed part of the body between the chest and hips **2** : a part resembling the human waist esp. in narrowness or central position ⟨the ~ of a ship⟩ **3** : a garment (as a blouse or bodice) for the upper part of the body **4** : a child's undergarment to which other garments may be buttoned

¹wait \'wāt\ *vb* **1** : to remain inactive in readiness or expectation : AWAIT ⟨~ for orders⟩ **2** : POSTPONE, DELAY ⟨~ dinner for late guests⟩ **3** : to act as attendant or servant ⟨~ on customers⟩ **4** : to attend as a waiter : SERVE ⟨~ tables⟩ ⟨~ at a banquet⟩ **5** : to be ready

²wait *n* **1** : a position of concealment usu. with intent to attack or surprise ⟨lie in ~⟩ **2** : an act or period of waiting

wait·er *n* **1** : one that waits upon another; *esp* : a man who waits on table **2** : TRAY

wait·ress \'wā-trəs\ *n* : a girl or woman who waits on table

waive \'wāv\ *vb* **1** : to give up claim to ⟨*waived* his right to a trial⟩ **2** : POSTPONE

waiv·er \'wā-vər\ *n* : the act of waiving right, claim, or privilege; *also* : a document containing a declaration of such an act

¹wake \'wāk\ *vb* **waked** *or* **woke** \'wōk\ **waked** *or* **wo·ken** \'wō-kən\ **wak·ing** 1 : to be or remain awake; *esp* : to keep watch (as over a corpse) 2 : AWAKE, AWAKEN ⟨the baby *waked* up early⟩ ⟨the thunder *waked* him up⟩

²wake *n* 1 : the state of being awake 2 : a watch held over the body of a dead person prior to burial

³wake *n* : the track left by a ship in the water; *also* : a track left behind

wake·ful *adj* : not sleeping or able to sleep : SLEEPLESS, ALERT — **wake·ful·ness** *n*

wak·en \'wā-kən\ *vb* : WAKE; *also* : to rouse to action

¹wale \'wāl\ *n* 1 : a streak or ridge made on the skin usu. by a rod or whip : WHEAL 2 : a ridge esp. on cloth; *also* : TEXTURE

²wale *vb* : to mark with wales or stripes

¹walk \'wȯk\ *vb* 1 : to move or cause to move along on foot usu. at a natural unhurried gait ⟨~ to town⟩ ⟨~ a horse⟩ 2 : to pass over, through, or along by walking ⟨~ the streets⟩ 3 : to perform or accomplish by walking ⟨~ guard⟩ 4 : to follow a course of action or way of life ⟨~ humbly in the sight of God⟩ 5 : to receive a base on balls; *also* : to give a base on balls to — **walk·er** *n*

²walk *n* 1 : a going on foot ⟨go for a ~⟩ 2 : a place, path, or course for walking 3 : distance to be walked ⟨a 10-minute ~ from here⟩ 4 : manner of living : CONDUCT, BEHAVIOR; *also* : social or economic status ⟨various ~s of life⟩ 5 : manner of walking : GAIT; *esp* : a slow 4-beat gait of a horse 6 : BASE ON BALLS

walk·ie–talk·ie \'wȯ-kē-'tȯ-kē\ *n* : a small portable radio sending and receiving set

walk–on \-,ȯn, -,än\ *n* : a small usu. nonspeaking part in a dramatic production

walk·out \-,au̇t\ *n* : a labor strike

walk·over \-,ō-vər\ *n* : a one-sided contest : an easy victory

walk–up \-,əp\ *n* : a building or apartment house without an elevator — **walk–up** *adj*

walk·way \-,wā\ *n* : a passage for walking

¹wall \'wȯl\ *n* 1 : a structure (as of stone or brick) intended for defense or security or for enclosing something 2 : one of the upright enclosing parts of a building or room 3 : something like a wall in appearance or function ⟨a tariff ~⟩ 4 : the inside surface of a cavity or vessel ⟨the ~ of a boiler⟩

²wall *vb* 1 : to provide, separate, or surround with or as if with a wall ⟨~ in a garden⟩ 2 : to close (an opening) with or as if with a wall ⟨~ up a door⟩

wall·board \'wȯl-,bōrd\ *n* : a structural material (as of wood pulp or plaster) made in large sheets and used for sheathing interior walls and ceilings

wal·let \'wäl-ət\ *n* 1 : a bag or sack for carrying things on a journey 2 : a pocketbook with compartments (as for cards and photographs) : BILLFOLD

wall·eye \'wȯl-,ī\ *n* 1 : an eye with whitish iris or an opaque white cornea 2 : an eye that turns outward 3 : a large No. American food and sport fish related to the perches — **wall·eyed** *adj*

Wal·loon \wä-'lün\ *n* : a member of a chiefly Celtic people of southern and southeastern Belgium and adjacent parts of France — **Walloon** *adj*

¹wal·lop \'wäl-əp\ *n* 1 : a powerful blow or impact 2 : the ability to hit hard

²wallop *vb* 1 : to beat soundly : TROUNCE 2 : to hit hard : SOCK

¹wal·low \'wäl-ō\ *vb* 1 : to roll oneself about in or as if in deep mud : FLOUNDER ⟨hogs ~*ing* in the mire⟩ 2 : to live or be filled with excessive pleasure in some condition ⟨~ in luxury⟩

²wallow *n* : a muddy or dust-filled area where animals wallow

wall·pa·per \'wȯl-,pā-pər\ *n* : decorative paper for the walls of a room —

wal·nut \'wȯl-(,)nət\ *n* [OE *wealhhnutu*, fr. *wealh* foreigner, Welshman + *hnutu* nut] 1 : an edible nut with a furrowed usu. rough shell and an adherent husk; *also* : any of several trees related to the hickories that produce such nuts 2 : the usu. reddish to dark brown wood of a walnut used esp. in cabinetwork and veneers 3 : a hickory nut or tree

wal·rus \'wȯl-rəs, 'wäl-\ *n* : either of two large mammals of northern seas related to the seals and hunted esp. for hides, the ivory tusks of the male, and oil

¹waltz \'wȯlts\ *n* 1 : a gliding dance done to music having three beats to the measure 2 : music for or suitable for waltzing

²waltz *vb* 1 : to dance a waltz 2 : to move or advance easily, successfully, or conspicuously ⟨he ~*ed* through customs⟩

wan \'wän\ *adj* 1 : SICKLY, PALLID; *also* : FEEBLE 2 : DIM, FAINT 3 : LANGUID ⟨a ~ smile⟩ — **wan·ly** *adv*

wand \'wänd\ *n* 1 : a slender staff carried in a procession 2 : the staff of a fairy, diviner, or magician

wan·der \'wän-dər\ *vb* 1 : to move about aimlessly or without a fixed course or goal : RAMBLE 2 : STRAY 3 : to go astray in conduct or thought; *esp* : to become delirious — **wan·der·er** *n*

wan·der·ing Jew *n* : any of several trailing or creeping plants some of which are often planted in hanging baskets

¹wane \'wān\ *vb* 1 : to grow gradually smaller or less after being at the full ⟨the moon ~s⟩ ⟨his strength *waned*⟩ 2 : to lose power, prosperity, or influence 3 : to draw near an end ⟨summer ~s away⟩

²wane *n* : a waning (as in size or power); *also* : a period in which something is waning

wan·gle \'waŋ-gəl\ *vb* 1 : to obtain by sly or roundabout means; *also* : to use trickery or questionable means to achieve an end 2 : MANIPULATE; *also* : FINAGLE

¹want \'wȯnt\ *vb* 1 : to fail to possess : LACK ⟨they ~ the necessities of life⟩ 2 : to fall short by ⟨it ~s three minutes to six⟩ 3 : to feel or suffer the need of 4 : NEED, REQUIRE ⟨the house ~s painting⟩ 5 : to desire earnestly : WISH

²want *n* 1 : a lack of a required or usual amount : SHORTAGE 2 : dire need : DESTITUTION 3 : something wanted : DESIRE 4 : FAULT

wanting / **warp**

¹want·ing *adj* **1** : not present or in evidence : ABSENT **2** : falling below standards or expectations **3** : lacking in ability or capacity : DEFICIENT ⟨~ in common sense⟩
²wanting *prep* : LESS, MINUS ⟨a book ~ a cover⟩ ⟨a month ~ two days⟩
¹wan·ton \'wȯnt-ᵊn\ *adj* **1** : excessively merry : FROLICSOME ⟨~ holidays⟩ ⟨a ~ breeze⟩ **2** : UNCHASTE, LEWD, LUSTFUL; *also* : SENSUAL **3** : having no regard for justice or for other persons' feelings, rights, or safety : MERCILESS, INHUMANE
²wanton *n* : a wanton individual; *esp* : a lewd or immoral person
³wanton *vb* **1** : to be wanton : act wantonly **2** : to pass or waste wantonly
¹war \'wȯr\ *n* **1** : a state or period of usu. open and declared armed fighting between states or nations **2** : the art or science of warfare **3** : a state of hostility, conflict, or antagonism **4** : a struggle between opposing forces or for a particular end ⟨~ against disease⟩
²war *vb* **warred; war·ring** : to engage in warfare : be in conflict
¹war·ble \'wȯr-bəl\ *n* **1** : a melodious succession of low pleasing sounds **2** : a musical trill
²warble *vb* **1** : to sing or utter in a trilling manner or with variations **2** : to express by or as if by warbling
¹ward \'wȯrd\ *n* **1** : a guarding or being under guard or guardianship; *esp* : CUSTODY **2** : a body of guards **3** : a division of a prison **4** : a division in a hospital **5** : a division of a city for electoral or administrative purposes **6** : a person (as a child) under the protection of a guardian or a law court **7** : a person or body of persons under the protection or tutelage of a government **8** : means of defense : PROTECTION
²ward *vb* : to turn aside : DEFLECT — usu. used with *off* ⟨~ off a blow⟩
¹-ward \wərd\ *also* **-wards** \wərdz\ *adj suffix* **1** : that moves, tends, faces, or is directed toward ⟨wind*ward*⟩ **2** : that occurs or is situated in the direction of ⟨left*ward*⟩
²-ward *or* **-wards** *adv suffix* **1** : in a (specified) direction ⟨up*wards*⟩ ⟨after*ward*⟩ **2** : toward a (specified) point, position, or area ⟨earth*ward*⟩
war dance *n* : a dance performed by primitive peoples before going to war or in celebration of victory
war·den \'wȯrd-ᵊn\ *n* **1** : GUARDIAN, KEEPER **2** : the governor of a town, district, or fortress **3** : an official charged with special supervisory duties or with the enforcement of specified laws or regulations ⟨game ~⟩ ⟨air raid ~⟩ **4** : an official in charge of the operation of a prison **5** : one of two ranking lay officers of an Episcopal parish **6** : any of various British college officials
ward·robe \'wȯrd-ˌrōb\ *n* **1** : a room or closet where clothes are kept; *also* : CLOTHESPRESS **2** : a collection of wearing apparel ⟨his summer ~⟩
ward·ship \-ˌship\ *n* **1** : GUARDIANSHIP **2** : the state of being under care of a guardian
ware \'waər\ *n* **1** : manufactured articles or products of art or craft : GOODS **2** : an article of merchandise ⟨a peddler hawking his ~s⟩ **3** : items (as dishes) of fired clay : POTTERY
ware·house \-ˌhaus\ *n* : place for the storage of merchandise or commodities : STOREHOUSE
war·fare \'wȯr-ˌfaər\ *n* **1** : military operations between enemies : WAR; *also* : an activity undertaken by one country to weaken or destroy another ⟨economic ~⟩ **2** : STRUGGLE, CONFLICT
war·i·ly \'war-ə-lē\ *adv* : in a wary manner : CAUTIOUSLY
war·i·ness \'war-ē-nəs\ *n* : WATCHFULNESS, CAUTION
war·less \'wȯr-ləs\ *adj* : free from war
war·like \-ˌlīk\ *adj* **1** : fond of war ⟨~ peoples⟩ **2** : of, relating to, or having to do with war : MILITARY, MARTIAL ⟨~ supplies⟩ **3** : threatening war : HOSTILE
war·lock \-ˌläk\ *n* : SORCERER, WIZARD
war·lord \-ˌlȯrd\ *n* **1** : a high military leader **2** : a military commander exercising local civil power by force
¹warm \'wȯrm\ *adj* **1** : having or giving out heat to a moderate or adequate degree ⟨~ milk⟩ ⟨a ~ stove⟩ **2** : serving to retain heat ⟨~ clothes⟩ **3** : feeling or inducing sensations of heat ⟨~ from exercise⟩ ⟨a ~ climb⟩ **4** : showing or marked by strong feeling : ARDENT ⟨~ support⟩ **5** : marked by tense excitement or hot anger ⟨a ~ campaign⟩ **6** : marked by or tending toward injury, distress, or pain ⟨made things ~ for the enemy⟩ **7** : newly made : FRESH ⟨a ~ scent⟩ **8** : near to a goal ⟨getting ~ in a search⟩ **9** : giving a pleasant impression of warmth, cheerfulness, or friendliness ⟨~ colors⟩ ⟨a ~ tone of voice⟩ — **warm·ly** *adv*
²warm *vb* **1** : to make or become warm **2** : to give a feeling of warmth or vitality to **3** : to experience feelings of affection or pleasure ⟨she ~ed to her guest⟩ **4** : to reheat for eating ⟨~ed over the roast⟩ **5** : to make or become ready for operation or performance by preliminary exercise or operation ⟨~ up the motor⟩ **6** : to become increasingly ardent, interested, or competent ⟨the speaker ~ed to his topic⟩
warm-blood·ed \-'bləd-əd\ *adj* : able to maintain a relatively high and constant body temperature essentially independent of that of the surroundings
warm·heart·ed \'wȯrm-'härt-əd\ *adj* : marked by warmth of feeling : CORDIAL
war·mon·ger \'wȯr-ˌməŋ-gər, -ˌmäŋ-\ *n* : one who urges or attempts to stir up war
warmth \'wȯrmth\ *n* **1** : the quality or state of being warm **2** : ZEAL, ARDOR, FERVOR
warn \'wȯrn\ *vb* **1** : to put on guard : CAUTION; *also* : ADMONISH, COUNSEL **2** : to notify esp. in advance : INFORM **3** : to order to go or keep away
¹warn·ing *n* **1** : the act of warning : the state of being warned **2** : something that warns or serves to warn
²warning *adj* : serving as an alarm, signal, summons, or admonition ⟨~ bell⟩
¹warp \'wȯrp\ *n* **1** : the lengthwise threads on a loom or in a woven fabric **2** : a warping or being warped ; a twist out of a true plane or straight line ⟨a ~ in a board⟩
²warp *vb* **1** : to turn or twist out of shape; *also* : to become so twisted

2 : to lead astray : **PERVERT**; *also* : **FALSIFY, DISTORT** **3** : to move (a ship) by hauling on a line attached to some fixed object (as a buoy, anchor, or dock)

¹**war·rant** \'wȯr-ənt\ *n* **1** : **AUTHORIZATION**; *also* : **JUSTIFICATION, GROUND** **2** : evidence (as a document) of authorization; *esp* : a legal writ authorizing an officer to take action (as in making an arrest, seizure, or search) **3** : a certificate of appointment issued to an officer of lower rank than a commissioned officer

²**warrant** *vb* **1** : to declare or maintain positively ⟨I ~ this is so⟩ **2** : to assure (a person) of the truth of what is said **3** : to guarantee to be as it appears or as it is represented ⟨~ goods as of the first quality⟩ **4** : to guarantee security or immunity to : **SECURE** **5** : **SANCTION, AUTHORIZE** **6** : to give proof of : **ATTEST**; *also* : **GUARANTEE** **7** : **JUSTIFY**

warrant officer *n* : an officer in the armed forces ranking next below a commissioned officer

war·ran·ty \'wȯr-ənt-ē\ *n* : an expressed or implied statement that some situation or thing is as it appears or is represented to be; *esp* : a usu. written guarantee of the integrity of a product and of the maker's responsibility for the repair or replacement of defective parts

war·ren \'wȯr-ən\ *n* **1** : an area for the keeping and rearing of small game and esp. rabbits; *also* : an area where rabbits breed **2** : a crowded tenement or district

war·rior \'wȯr-yər, 'wär-ē-ər\ *n* : a man engaged or experienced in warfare

wart \'wȯrt\ *n* **1** : a small usu. horny projection on the skin; *esp* : one caused by a virus **2** : a protuberance resembling a wart (as on a plant) — **warty** *adj*

wary \'wa(ə)r-ē\ *adj* : very cautious; *esp* : careful in guarding against danger or deception

was *past 1st & 3d sing of* **BE**

¹**wash** \'wȯsh, 'wäsh\ *vb* **1** : to cleanse with or as if with a liquid (as water) **2** : to wet thoroughly with water or other liquid **3** : to flow along the border of ⟨waves ~ the shore⟩ **4** : to pass (a gas or gaseous mixture) through or over a liquid for purifying **5** : to pour or flow in a stream or current **6** : to move or remove by or as if by the action of water **7** : to cover or daub lightly with a liquid (as whitewash) **8** : to run water over (as gravel or ore) in order to separate valuable matter from refuse ⟨~ sand for gold⟩ **9** : to bear washing without injury ⟨some materials do not ~⟩ **10** : to stand a test ⟨that story will not ~⟩ **11** : to be worn away by water

²**wash** *n* **1** : the act or process or an instance of washing or being washed **2** : articles to be washed or being washed **3** : the flow, sound, or action of a mass of water (as a wave) **4** : water or waves thrown back (as by oars or paddles) **5** : erosion by waves (as of the sea) **6** *West* : the dry bed of a stream **7** : worthless esp. liquid waste : **REFUSE, SWILL** **8** : the liquid with which something is washed or tinted **9** : a disturbance in the air caused by the passage of an airplane wing or propeller

³**wash** *adj* : **WASHABLE**

washed–out \'wȯsht-'aut, 'wäsht-\ *adj* **1** : faded in color **2** : **EXHAUSTED** ⟨felt ~ after working all night⟩

wash·er \'wȯsh-ər, 'wäsh-\ *n* **1** : one that washes; *esp* : a machine for washing **2** : a ring or perforated plate used around a bolt or screw to ensure tightness or relieve friction

wash·ing *n* **1** : material obtained by washing **2** : a thin covering or coat ⟨a ~ of silver⟩ **3** : articles washed or to be washed

Washington's Birthday *n* : February 22 observed as a legal holiday

wash–out \'wȯsh-,aut, 'wäsh-\ *n* **1** : the washing out or away of earth esp. in a roadbed by a freshet; *also* : a place where earth is washed away **2** : **FAILURE**; *esp* : one who fails in a course of training or study

wash·room \-,rüm, -,rum\ *n* : a room equipped with washing and toilet facilities : **LAVATORY**

washy \'wȯsh-ē, 'wäsh-\ *adj* **1** : **WEAK, WATERY** **2** : **PALLID** **3** : lacking in vigor, individuality, or definiteness

wasp \'wäsp\ *n* : a slender-bodied winged insect related to the bees and ants with biting mouthparts and in females and workers a formidable sting

wasp·ish *adj* **1** : **SNAPPISH, IRRITABLE** **2** : resembling a wasp in form; *esp* : slightly built

Was·ser·mann test \,wäs-ər-mən-, ,väs-\ *n* : a blood test for infection with syphilis

wast·age \'wā-stij\ *n* : loss by use, decay, erosion, or leakage or through wastefulness

¹**waste** \'wāst\ *n* **1** : a sparsely settled or barren region : **DESERT**; *also* : uncultivated land **2** : the act or an instance of wasting : the state of being wasted **3** : gradual loss or decrease by use, wear, or decay **4** : damaged, defective, or superfluous material; *esp* : refuse matter of cotton or wool used for wiping machinery or absorbing oil **5** : refuse (as garbage or rubbish) that accumulates about habitations; *also* : material (as feces) produced but not used by a living body — **waste·ful** *adj*

²**waste** *vb* **1** : **DEVASTATE** **2** : to wear away or diminish gradually : **CONSUME** **3** : to spend money or use property carelessly or uselessly : **SQUANDER**; *also* : to allow to be used inefficiently or become dissipated **4** : to lose or cause to lose weight, strength, or vitality ⟨*wasting* away from fever⟩ **5** : to become diminished in bulk or substance

³**waste** *adj* **1** : being wild and uninhabited : **BARREN, DESOLATE**; *also* : **UNCULTIVATED** **2** : **RUINED, DEVASTATED** ⟨bombs laid ~ the city⟩ **3** : discarded as worthless after being used ⟨~ water⟩ **4** : of no further use to a person, animal, or plant ⟨~ matter thrown off by the body⟩ **5** : serving to conduct or hold refuse material; *esp* : carrying off superfluous water

waste·land \-,land\ *n* : barren or uncultivated land

was·trel \'wā-strəl\ *n* : one that wastes : **SPENDTHRIFT**

watch

¹**watch** \\'wäch\\ *vb* **1** : to be or stay awake intentionally : keep vigil ⟨~ed by the patient's bedside⟩ ⟨~ and pray⟩ **2** : to be on the lookout for danger : be on one's guard **3** : to keep guard ⟨~ outside the door⟩ **4** : OBSERVE ⟨~ a game⟩ **5** : to keep in view so as to prevent harm or warn of danger ⟨~ a brush fire carefully⟩ **6** : to keep oneself informed about ⟨~ his progress⟩ **7** : to lie in wait for esp. so as to take advantage of ⟨~ed his opportunity⟩ —
²**watch** *n* **1** : the act of keeping awake to guard, protect, or attend; *also* : a state of alert and continuous attention **2** : close observation **3** : one that watches : LOOKOUT, WATCHMAN, GUARD **4** : an allotted period of usu. 4 hours for being on nautical duty; *also* : the members of a ship's company operating the vessel during such a period **5** : a portable timepiece carried on the person
watch·ful \\-fəl\\ *adj* : steadily attentive and alert esp. to danger : VIGILANT — **watch·ful·ly** *adv* — **watch·ful·ness** *n*
watch·word \\-,wərd\\ *n* **1** : a secret word used as a signal or sign of recognition **2** : a motto used as a slogan or rallying cry
¹**wa·ter** \\'wȯt-ər, 'wät-\\ *n* **1** : the liquid that descends as rain and forms rivers, lakes, and seas **2** : mineral waters **3** *pl* : the water occupying or flowing in a particular bed; *also* : a band of seawater bordering on and under the control of a country ⟨sailing Canadian ~s⟩ **4** : any of various liquids containing or resembling water; *esp* : a watery fluid (as tears, urine, or sap) formed in a living body **5** : the clearness and luster of a precious stone ⟨a diamond of the purest ~⟩ **6** : a specified degree of thoroughness or completeness ⟨a scoundrel of the first ~⟩ **7** : a wavy lustrous pattern such as is given to some silks and metals
²**water** *vb* **1** : to supply with or get or take water ⟨~ horses⟩ ⟨the ship ~ed at each port⟩ **2** : to treat (as cloth) so as to give a lustrous appearance in wavy lines **3** : to dilute by or as if by adding water to **4** : to form or secrete water or watery matter ⟨his eyes ~ed⟩ ⟨my mouth ~ed⟩
wa·ter·borne \\-,bōrn\\ *adj* : supported or carried by water
water buffalo *n* : a common oxlike often domesticated Asiatic buffalo
wa·ter·course \\-,kōrs\\ *n* : a stream of water; *also* : the bed of a stream
wa·ter·fall \\-,fȯl\\ *n* : a very steep descent of the water of a stream
water flea *n* : any of various tiny active freshwater crustaceans
wa·ter·fowl \\-,faul\\ *n* **1** : a bird that frequents the water **2** *pl* : swimming game birds
wa·ter·front \\-,frənt\\ *n* : land or a section of a town fronting or abutting on a body of water
water gas *n* : a gas made by forcing air and steam over glowing hot coke or coal to give a mixture of hydrogen and carbon monoxide used as a fuel
wa·ter·line \\'wȯt-ər-,līn, 'wät-\\ *n* : any of several lines that are marked on the outside of a ship and correspond with the surface of the water when it is afloat on an even keel

505

wattle

wa·ter·logged \\-,lȯgd, -,lägd\\ *adj* : so filled or soaked with water as to be heavy or unmanageable ⟨a ~ boat⟩ ⟨~ timbers⟩
wa·ter·loo \\,wȯt-ər-'lü, ,wät-\\ *n* : a decisive defeat
¹**wa·ter·mark** \\'wȯt-ər-,märk, 'wät-\\ *n* **1** : a mark indicating height to which water has risen **2** : a marking in paper visible when the paper is held up to the light
²**watermark** *vb* : to mark (paper) with a watermark
wa·ter·mel·on \\-,mel-ən\\ *n* : a large roundish or oblong fruit with sweet juicy usu. red pulp; *also* : an African vine related to the gourds that produces watermelons
water moccasin *n* : a venomous snake of the southern U.S. related to the copperhead
water polo *n* : a team game played in a swimming pool with a ball resembling a soccer ball
wa·ter·pow·er \\'wȯt-ər-,pau(-ə)r, 'wät-\\ *n* : the power of moving water used to run machinery
¹**wa·ter·proof** \\,wȯt-ər-'prüf, ,wät-\\ *adj* : not letting water through; *esp* : covered or treated with a material to prevent permeation by water
²**wa·ter·proof** \\'wȯt-ər-,prüf, 'wät-\\ *n* **1** : a waterproof fabric **2** *chiefly Brit* : RAINCOAT
³**wa·ter·proof** \\,wȯt-ər-'prüf, ,wät-\\ *vb* : to make waterproof
wa·ter·shed \\'wȯt-ər-,shed, 'wät-\\ *n* **1** : a dividing ridge between two drainage areas **2** : the region or area drained by a particular body of water
wa·ter·side \\-,sīd\\ *n* : the land bordering a body of water
water ski *n* : a ski used on water when the wearer is towed — **wa·ter·ski** *vb*
wa·ter·spout \\'wȯt-ər-,spaut, 'wät-\\ *n* **1** : a pipe from which water is spouted **2** : a funnel-shaped column of rotating cloud-filled wind extending from a cumulus cloud down to a cloud of spray torn up by whirling winds from an ocean or lake
wa·ter·tight \\,wȯt-ər-'tīt, ,wät-\\ *adj* **1** : so tight as not to let water in **2** : so worded that its meaning cannot be misunderstood or its purpose defeated ⟨a ~ contract⟩
wa·ter·way \\'wȯt-ər-,wā, 'wät-\\ *n* : a navigable body of water
wa·ter·wheel \\-,hwēl\\ *n* : a wheel rotated by direct action of water flowing against it
wa·ter·works \\-,wərks\\ *n pl* : a system including reservoirs, pipes, and machinery by which water is supplied (as to a city)
wa·tery \\'wȯt-ə-rē, 'wät-\\ *adj* **1** : of or relating to water **2** : containing, full of, or giving out water ⟨~ clouds⟩ **3** : being like water : THIN, WEAK ⟨~ lemonade⟩ **4** : being soft and soggy
watt \\'wät\\ *n* [after James *Watt* d1819 Scottish engineer and inventor] : a unit of electric power equal to the power produced in a circuit when a pressure of one volt causes a current of one ampere to flow
watt·age *n* : amount of electric power expressed in watts
wat·tle \\'wät-ᵊl\\ *n* **1** : a framework of rods with flexible branches or reeds in-

terlaced used for fencing and esp. formerly in building; *also* : material for this framework   **2** : a naked fleshy process hanging usu. about the head or neck (as of a bird) — **wat·tled** *adj*

¹**wave** \'wāv\ *vb*   **1** : FLUTTER ⟨flags *waving* in the breeze⟩   **2** : to motion with the hands or with something held in them in signal or salute   **3** : to become moved or brandished to and fro; *also* : BRANDISH, FLOURISH ⟨~ a sword⟩   **4** : to move before the wind with a wavelike motion ⟨fields of *waving* grain⟩   **5** : to curve up and down like a wave

²**wave** *n*   **1** : a moving ridge or swell on the surface of water   **2** : a wavelike formation or shape ⟨a ~ in the hair⟩   **3** : the action or process of making wavy or curly   **4** : a waving motion; *esp* : a signal made by waving something   **5** : FLOW, GUSH ⟨a ~ of color swept her face⟩   **6** : a rapid increase : SURGE ⟨a ~ of buying⟩ ⟨a heat ~⟩   **7** : a disturbance somewhat similar to a wave in water that transfers energy progressively from point to point ⟨a light ~⟩

wave·length \-,leŋth\ *n* : the distance in the line of advance of a wave from any one point (as a crest) to the next corresponding point

wa·ver \'wā-vər\ *vb*   **1** : to vacillate between choices : fluctuate in opinion, allegiance, or direction : HESITATE   **2** : REEL, TOTTER; *also* : QUIVER, FLICKER ⟨~*ing* flames⟩   **3** : FALTER   **4** : to give an unsteady sound : QUAVER — **waver** *n* — **wa·ver·er** *n* — **wa·ver·ing·ly** *adv*

¹**wax** \'waks\ *n*   **1** : a yellowish plastic substance secreted by bees for constructing the honeycomb : BEESWAX   **2** : any of various substances resembling beeswax; *esp* : a solid mixture of higher hydrocarbons

²**wax** *vb* : to treat or rub with wax

³**wax** *vb*   **1** : to increase in size, numbers, strength, volume, or duration   **2** : to increase in apparent size ⟨the moon ~*es* toward the full⟩   **3** : to pass from one state to another : BECOME ⟨~*ed* indignant⟩ ⟨the party ~*ed* merry⟩

wax·work \-,wərk\ *n*   **1** : an effigy usu. of a person in wax   **2** *pl* : an exhibition of wax figures

waxy *adj*   **1** : made of or full of wax   **2** : resembling wax   **3** : PLASTIC, IMPRESSIONABLE

way \'wā\ *n*   **1** : a thoroughfare for travel or passage : ROAD, PATH, STREET; *also* : an opening for passage ⟨make ~ for the ambulance⟩   **2** : ROUTE   **3** : a course of action ⟨chose the easy ~⟩; *also* : opportunity, capability, or fact of doing as one pleases ⟨always had his own ~⟩   **4** : a possible course : POSSIBILITY ⟨no two ~*s* about it⟩   **5** : METHOD, MODE ⟨this ~ of thinking⟩ ⟨a new ~ of painting⟩   **6** : FEATURE, RESPECT ⟨a good worker in many ~*s*⟩   **7** : the usual or characteristic state of affairs ⟨as is the ~ with old people⟩   **8** : STATE, CONDITION ⟨that is the ~ things are⟩   **9** : individual characteristic or peculiarity (used to his ~*s*)   **10** : a regular continued course (as of life or action) ⟨the American ~⟩   **11** : DISTANCE ⟨a short ~ from here⟩ ⟨a long ~ from success⟩   **12** : progress along a course : HEADWAY ⟨earned his ~ through college⟩   **13** : something having direction : LOCALITY ⟨out our ~⟩   **14** : room or chance to progress or advance ⟨make ~ for youth⟩   **15** : place for something else   **16** *pl* : an inclined structure upon which a ship is built or is supported in launching   **17** : CATEGORY, KIND ⟨get what you need in the ~ of supplies⟩   **18** : motion or speed of a boat through the water — **by way of 1** : for the purpose of ⟨*by way of* illustration⟩   **2** : by the route through : VIA — **out of the way   1** : WRONG, IMPROPER   **2** : SECLUDED, REMOTE — **under way   1** : in motion through the water   **2** : in progress

way·bill \'wā-,bil\ *n* : a paper that accompanies a freight shipment and gives details of goods, route, and charges

way·far·er \-,far-ər\ *n* : a traveler esp. on foot — **way·far·ing** *adj*

way·lay \-,lā\ *vb*   **1** : to lie in wait for often in order to seize, rob, or kill   **2** : to stop or attempt to stop so as to speak with

way·ward \-wərd\ *adj*   **1** : taking one's own and usu. irregular or improper way : DISOBEDIENT ⟨~ children⟩   **2** : UNPREDICTABLE, IRREGULAR   **3** : opposite to what is desired or expected ⟨~ fate⟩

we \(')wē\ *pron*   **1** — used of a group that includes the speaker or writer   **2** — used for the singular *I* by sovereigns and by writers (as of editorials)

weak \'wēk\ *adj*   **1** : lacking strength or vigor : FEEBLE   **2** : not able to sustain or resist much weight, pressure, or strain   **3** : deficient in vigor of mind or character; *also* : resulting from or indicative of such deficiency ⟨a ~ policy⟩ ⟨a ~ will⟩ ⟨*weak*-minded⟩   **4** : deficient in the usual or required ingredients : of less than usual strength ⟨~ tea⟩   **5** : not supported by truth or logic ⟨a ~ argument⟩   **6** : not able to function properly   **7** : lacking skill or proficiency; *also* : indicative of a lack of skill or aptitude   **8** : wanting in vigor of expression or effect   **9** : not having or exerting authority ⟨~ government⟩; *also* : INEFFECTIVE, IMPOTENT   **10** : of, relating to, or constituting a verb or verb conjugation that forms the past tense and past participle by adding -*ed* or -*d* or -*t* — **weak·ly** *adv*

weak·en *vb* : to make or become weak **syn** enfeeble, debilitate, undermine, sap, cripple, disable

weak·fish \'wēk ,fish\ *n* : any of several food fishes related to the perches; *esp* : a common sport and market fish of the Atlantic coast of the U.S.

weak-kneed \-'nēd\ *adj* : lacking willpower or resolution

¹**weal** \'wēl\ *n* : WELL-BEING, PROSPERITY

²**weal** *n* : WHEAL, WELT

weald \'wēld\ *n*   **1** : FOREST   **2** : a wild or uncultivated usu. upland region : WOLD

wealth \'welth\ *n*   **1** : large possessions or resources : AFFLUENCE, RICHES   **2** : abundant supply : PROFUSION ⟨a ~ of detail⟩   **3** : all property that has a money or an exchange value; *also* : all objects or resources that have usefulness for man

wealthy *adj* : having wealth : RICH, AFFLUENT, OPULENT

wean \'wēn\ *vb*   **1** : to accustom (a young mammal) to take food otherwise

weapon 507 **weed**

than by nursing **2 :** to turn (one) away from something long desired or followed ⟨~ a boy from smoking⟩
weap·on \\'wep-ən\\ *n* **1 :** something (as a gun, knife, or club) that may be used to fight with **2 :** a means by which one contends against another
¹**wear** \\'waər\\ *vb* **wore** \\'wōr\\ **worn** \\'wōrn\\ **wear·ing 1 :** to bear on the person or use habitually for clothing or adornment ⟨~ a coat⟩ ⟨~ a wig⟩; *also* **:** to carry on the person ⟨~ a sword⟩ **2 :** to have or show an appearance of ⟨~ a smile⟩ **3 :** to impair, diminish, or decay by use or by scraping or rubbing ⟨clothes *worn* to shreds⟩ ⟨letters on the stone *worn* away by weathering⟩; *also* **:** to produce gradually by friction, rubbing, or wasting away ⟨~ a hole in the rug⟩ **4 :** to exhaust or lessen the strength of **:** WEARY, FATIGUE ⟨*worn* by care and toil⟩ **5 :** to endure use **:** last under use or the passage of time ⟨this cloth ~s well⟩ **6 :** to diminish or fail with the passage of time ⟨the day ~s on⟩ **7 :** to grow or become by attrition, use, or age ⟨the coin was *worn* thin⟩ — **wear·able** \\'war-ə-bəl\\ *adj* — **wearer** \\'war-ər\\ *n*
²**wear** *n* **1 :** the act of wearing **:** the state of being worn **:** USE ⟨clothes for everyday ~⟩ **2 :** clothing usu. of a particular kind or for a special occasion or use ⟨men's ~⟩ **3 :** wearing or lasting quality ⟨the coat still has lots of ~ in it⟩ **4 :** the result of wearing or use **:** impairment resulting from use ⟨her suit shows ~⟩
wea·ri·some \\'wir-ē-səm\\ *adj* **:** causing weariness **:** TIRESOME — **wea·ri·some·ly** *adv*
¹**wea·ry** \\'wi(ə)r-ē\\ *adj* **1 :** worn out in strength, endurance, vigor, or freshness **2 :** expressing or characteristic of weariness ⟨a ~ sigh⟩ **3 :** having one's patience, tolerance, or pleasure exhausted ⟨~ of war⟩ — **wea·ri·ly** *adv*
²**weary** *vb* **:** to become or make weary **:** TIRE
wea·sel \\'wē-zəl\\ *n* **:** any of various small slender bloodthirsty flesh-eating mammals related to the minks
¹**weath·er** \\'weth-ər\\ *n* **1 :** condition of the atmosphere with respect to heat or cold, wetness or dryness, calm or storm, clearness or cloudiness **2 :** a particular and esp a disagreeable atmospheric state **:** RAIN, STORM
²**weather** *vb* **1 :** to expose to or endure the action of weather; *also* **:** to alter (as in color or texture) by such exposure **2 :** to sail or pass to the windward of **3 :** to bear up against successfully ⟨~ a storm⟩ ⟨~ troubles⟩
weath·er-beat·en \\'weth-ər-,bēt-ᵊn\\ *adj* **:** altered by exposure to the weather; *also* **:** toughened or tanned by the weather ⟨~ face⟩
weath·er–bound \-,baund\\ *adj* **:** kept in port or at anchor or from travel or sport by bad weather
weath·er·cock \-,käk\\ *n* **1 :** a vane often in the figure of a cock that turns with the wind to show the wind's direction **2 :** a fickle person
weath·er·glass \-,glas\\ *n* **:** an instrument (as a barometer) that shows atmospheric conditions

weath·er·ing \\'weth-(ə-)riŋ\\ *n* **:** the action of the weather in altering the color, texture, composition, or form of exposed objects; *also* **:** alteration thus effected
weath·er·proof \,weth-ər-'prüf\\ *adj* **:** able to withstand exposure to weather without appreciable harm — **weatherproof** *vb*
¹**weave** \\'wēv\\ *vb* **wove** \\'wōv\\ **wo·ven** \\'wō-vən\\ **weav·ing 1 :** to form by interlacing strands of material; *esp* **:** to make on a loom by interlacing warp and filling threads ⟨~ cloth⟩ **2 :** to interlace (as threads) into a fabric and esp. cloth **3 :** SPIN **4 :** CONTRIVE **5 :** to unite in a coherent whole **6 :** to work in ⟨*wove* the episodes into a story⟩ **7 :** to direct or move in a winding or zigzag course esp. to avoid obstacles ⟨we *wove* our way through the crowd⟩ — **weav·er** *n*
²**weave** *n* **:** a pattern or method of weaving ⟨a coarse loose ~⟩
¹**web** \\'web\\ *n* **1 :** a fabric on a loom or coming from a loom **2 :** COBWEB; *also* **:** SNARE, ENTANGLEMENT **3 :** an animal or plant membrane; *esp* **:** one uniting the toes (as in many birds) **4 :** a thin metal sheet or strip (as used in machinery or engineering between stiffening ribs or girders) **5 :** NETWORK ⟨a ~ of highways⟩ **6 :** the series of barbs on each side of the shaft of a feather
²**web** *vb* **webbed; web·bing 1 :** to cover or provide with webs or a network **2 :** ENTANGLE, ENSNARE **3 :** to make a web
webbed \\'webd\\ *adj* **:** having or being toes or fingers united by a web ⟨a ~ foot⟩
web·bing *n* **:** a strong closely woven tape used esp. for straps, harness, or upholstery
wed \\'wed\\ *vb* **wed·ded** *also* **wed; wedding 1 :** to take, give, or join in marriage **:** enter into matrimony **:** MARRY **2 :** to unite firmly
wed·ding \\'wed-iŋ\\ *n* **1 :** a marriage ceremony usu. with accompanying festivities **:** NUPTIALS **2 :** a joining in close association **3 :** a wedding anniversary or its celebration
¹**wedge** \\'wej\\ *n* **1 :** a solid triangular piece of wood or metal that tapers to a thin edge and is used to split logs or rocks or to raise heavy weights **2 :** a wedge-shaped object or part ⟨a ~ of pie⟩ **3 :** something (as an action or policy) that serves to open up a way for a breach, change, or intrusion
²**wedge** *vb* **1 :** to hold firm by or as if by driving in a wedge **2 :** to force (something) into a narrow space **3 :** to split apart with or as if with a wedge
wed·lock \\'wed-,läk\\ *n* **:** the state of being married **:** MARRIAGE, MATRIMONY
Wednes·day \\'wenz-dē\\ *n* **:** the 4th day of the week
wee \\'wē\\ *adj* **1 :** very small **:** TINY **2 :** very early ⟨~ hours of the morning⟩
¹**weed** \\'wēd\\ *n* **:** a plant of no value and usu. of rank growth; *esp* **:** one growing in cultivated ground to the damage of the crop
²**weed** *vb* **1 :** to clear of or remove weeds or something harmful, inferior, or superfluous ⟨~ a garden⟩ **2 :** to get rid of (unwanted items) ⟨~ out the loafers

week

from the crew⟩ — **weed·er** *n*

³**weed** *n* : GARMENT; *esp* : dress worn (as by a widow) as a sign of mourning

week \'wēk\ *n* 1 : seven successive days; *esp* : a calendar period of 7 days beginning with Sunday and ending with Saturday 2 : the working or school days of the calendar week

week·day \-,dā\ *n* : a day of the week except Sunday or sometimes except Saturday and Sunday

¹**week·end** \-,end\ *n* : the period between the close of one working or business or school week and the beginning of the next

²**weekend** *vb* : to spend the weekend

¹**week·ly** *adj* 1 : occurring, done, produced, or issued every week 2 : computed in terms of one week — **weekly** *adv*

²**weekly** *n* : a weekly publication

wee·ny \'wē-nē\ *adj* : exceptionally small

weep \'wēp\ *vb* **wept** \'wept\ **weep·ing** 1 : to express emotion and esp. sorrow by shedding tears : BEWAIL, CRY 2 : to drip or exude (liquid) — **weep·er** *n*

weep·ing *adj* 1 : TEARFUL; *also* : RAINY 2 : having slender drooping branches

wee·vil \'wē-vəl\ *n* : any of numerous mostly small beetles with a long head usu. curved into a snout and larvae that feed esp. in fruits or seeds — **wee·vi·ly** or **wee·vil·ly** *adj*

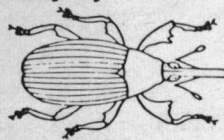

boll weevil

¹**weigh** \'wā\ *vb* 1 : to ascertain the heaviness of by a balance 2 : to have weight or a specified weight 3 : to consider carefully : PONDER 4 : to merit consideration as important : COUNT ⟨evidence ~ing against him⟩ 5 : to heave up (an anchor) 6 : to press down with or as if with a heavy weight

²**weigh** *n* : WAY — used in the phrase *under weigh*

¹**weight** \'wāt\ *n* 1 : quantity as determined by weighing 2 : the property of a body measurable by weighing 3 : the amount that something weighs 4 : relative heaviness (as of a textile) 5 : a unit (as a pound or kilogram) of weight or mass; *also* : a system of such units 6 : a heavy object for holding or pressing something down 7 : BURDEN ⟨a ~ of grief⟩ 8 : PRESSURE ⟨~ of an attack⟩ 9 : IMPORTANCE; *also* : INFLUENCE **syn** significance, moment, consequence, import, authority, prestige, credit

²**weight** *vb* 1 : to load with or as if with a weight 2 : to oppress with a burden

weighty *adj* 1 : of much importance or consequence : MOMENTOUS, SERIOUS ⟨~ problems⟩ 2 : SOLEMN ⟨a ~ manner⟩ 3 : HEAVY 4 : BURDENSOME, GRIEVOUS 5 : exerting force, influence, or authority ⟨~ arguments⟩

weir \'waər, 'wiər\ *n* 1 : a dam in a river for the purpose of directing water to a mill or making a pond 2 : a fence (as of brush) set in a stream or waterway for catching fish

weird \'wiərd\ *adj* 1 : MAGICAL 2 : UNEARTHLY, MYSTERIOUS 3 : ODD, UNUSUAL, FANTASTIC **syn** eerie, uncanny

¹**wel·come** \'wel-kəm\ *vb* 1 : to greet cordially or courteously 2 : to accept, meet, or face with pleasure ⟨he ~s criticism⟩

²**welcome** *adj* 1 : received gladly ⟨a ~ visitor⟩ 2 : giving pleasure : PLEASING ⟨~ news⟩ 3 : willingly permitted or admitted ⟨all are ~ to use the books⟩

³**welcome** *n* : a cordial greeting or reception

¹**weld** \'weld\ *vb* 1 : to unite (metal or plastic parts) either by heating and allowing the parts to flow together or by hammering or pressing together 2 : to unite closely or intimately ⟨~ed together in friendship⟩

²**weld** *n* 1 : a welded joint 2 : union by welding

wel·fare \'wel-,faər\ *n* 1 : the state of doing well esp. in respect to happiness, well-being, or prosperity 2 : organized efforts for the social betterment of a group in society 3 : RELIEF 2

¹**well** \'wel\ *n* 1 : a spring with its pool : FOUNTAIN 2 : a hole sunk in the earth to obtain a natural deposit (as of water, oil, or gas) 3 : a source of supply ⟨a ~ of information⟩ 4 : something (as a container or space) suggesting a well 5 : the reservoir of a fountain pen 6 : an open space (as for a staircase or elevator) extending vertically through floors 7 : an enclosure in the middle of a ship's hold around the pumps

²**well** *vb* : to rise up and flow forth : RUN

³**well** *adv* **bet·ter** \'bet-ər\ **best** \'best\ 1 : in a good or proper manner : RIGHTLY; *also* : EXCELLENTLY, SKILLFULLY 2 : SATISFACTORILY, FORTUNATELY ⟨the party turned out ~⟩ 3 : ABUNDANTLY ⟨eat ~⟩ 4 : with reason or courtesy : PROPERLY ⟨I cannot ~ refuse⟩ 5 : COMPLETELY, FULLY, QUITE ⟨~ worth the price⟩ ⟨~ hidden⟩ 6 : INTIMATELY, CLOSELY ⟨I know him ~⟩ 7 : CONSIDERABLY, FAR ⟨~ over a million⟩ ⟨~ ahead⟩ 8 : without trouble or difficulty ⟨he could ~ have gone⟩

⁴**well** *adj* 1 : SATISFACTORY, PLEASING ⟨all is ~⟩ 2 : PROSPEROUS; *also* : being in satisfactory condition or circumstances 3 : ADVISABLE, DESIRABLE ⟨it is not ~ to anger him⟩ 4 : free or recovered from infirmity or disease : HEALTHY 5 : FORTUNATE ⟨it is ~ that this has happened⟩

well-be·ing \'wel-'bē-iŋ\ *n* : the state of being happy, healthy, or prosperous : WELFARE

well-born \-'bȯrn\ *adj* : born of good stock either socially or physically

well-bred \-'bred\ *adj* : having or indicating good breeding : REFINED

well-de·fined \,wel-di-'fīnd\ *adj* : having clearly distinguishable limits or boundaries ⟨a ~ scar⟩

well-dis·posed \,wel-dis-'pōzd\ *adj* : disposed to be friendly, favorable, or sympathetic

well-fixed \-'fikst\ *adj* : well-off financially

well-found·ed \-'faun-dəd\ *adj* : based on sound information, reasoning, judgment, or grounds ⟨~ rumors⟩

well-knit \-'nit\ *adj* : well and firmly formed or framed ⟨a ~ argument⟩
well-mean·ing \-'mē-niŋ\ *adj* : having or based on excellent intentions
well-off \-'òf\ *adj* : being in good condition or circumstances; *esp* : WELL-TO-DO
well-or·dered \'wel-'òrd-ərd\ *adj* : having an orderly procedure or arrangement
well-read \-'red\ *adj* : well informed through reading
well-timed \-'tīmd\ *adj* : coming or happening at an opportune moment : TIMELY
well-to-do \,wel-tə-'dü\ *adj* : having more than adequate material resources : PROSPEROUS
well-turned \'wel-'tərnd\ *adj* 1 : pleasingly rounded : SHAPELY ⟨a ~ ankle⟩ 2 : pleasingly and appropriately expressed ⟨a ~ phrase⟩
welsh \'welsh, 'welch\ *vb* 1 : to cheat by avoiding payment of bets 2 : to avoid dishonorably the fulfillment of an obligation ⟨~ed on his promises⟩
Welsh \'welsh\ *n* 1 **Welsh** *pl* : the people of Wales 2 : the Celtic language of Wales — **Welsh** *adj* **Welsh·man**
Welsh rabbit *n* : melted often seasoned cheese poured over toast or crackers
¹**welt** \'welt\ *n* 1 : the narrow strip of leather between a shoe upper and sole to which other parts are stitched 2 : a doubled edge, strip, insert, or seam for ornament or reinforcement 3 : a ridge or lump raised on the skin usu. by a blow; *also* : a heavy blow
²**welt** *vb* 1 : to furnish with a welt 2 : to hit hard
¹**wel·ter** \'wel-tər\ *vb* 1 : WRITHE, TOSS; *also* : WALLOW 2 : to rise and fall or toss about in or with waves 3 : to lie soaked or drenched ⟨~ing in his gore⟩ 4 : to become deeply sunk or involved
²**welter** *n* 1 : TURMOIL 2 : a chaotic mass or jumble
went *past of* GO
wept *past of* WEEP
were *past 2d sing, past pl, or past subjunctive of* BE
were·wolf \'wiər-,wùlf, 'wər-, 'weər-\ *n* [OE *werwulf*, fr. *wer* man + *wulf* wolf] : a person held to be transformed or able to transform into a wolf
¹**west** \'west\ *adv* : to or toward the west
²**west** *adj* 1 : situated toward or at the west 2 : coming from the west
³**west** *n* 1 : the general direction of sunset 2 : the compass point directly opposite to east 3 : regions or countries west of a specified or implied point 4 *cap* : Europe and the Americas
¹**west·ern** \'wes-tərn\ *adj* 1 *often cap* : of, relating to, or characteristic of a region conventionally designated West 2 : lying toward or coming from the west 3 *cap* : of or relating to the Roman Catholic or Protestant segment of Christianity — **West·ern·er** *n*
²**western** *n* 1 : one that is produced in or is characteristic of a western region and esp. the western U.S. 2 *often cap* : a novel, story, motion picture, or broadcast dealing with life in the western U.S. during the latter half of the 19th century

¹**wet** \'wet\ *adj* 1 : consisting of or covered or soaked with liquid (as water) 2 : RAINY 3 : not dry ⟨~ paint⟩ 4 : permitting or advocating the manufacture and sale of intoxicating liquor
²**wet** *n* 1 : WATER; *also* : WETNESS, MOISTURE 2 : rainy weather : RAIN 3 : an advocate of a wet liquor policy
³**wet** *vb* **wet** *or* **wet·ted; wet·ting** : to make or become wet
wet blanket *n* : one that quenches or dampens enthusiasm or pleasure
weth·er \'weth-ər\ *n* : a male sheep castrated while immature
wet nurse *n* : one who cares for and suckles young not her own
¹**whack** \'hwak\ *vb* 1 : to strike with a smart or resounding blow 2 : CHOP
²**whack** *n* 1 : a smart or resounding blow; *also* : the sound of such a blow 2 : PORTION, SHARE 3 : CONDITION, *esp* : proper working order ⟨the machine is out of ~⟩ 4 : an opportunity or attempt to do something : CHANCE 5 : a single action or occasion : TIME
¹**whale** \'hwāl\ *n* 1 : a large sea mammal that superficially resembles a fish but breathes air and suckles its young 2 : a person or thing impressive in size or quality ⟨a ~ of a story⟩
²**whale** *vb* : to fish or hunt for whales
³**whale** *vb* 1 : THRASH 2 : to strike or hit vigorously
whale·boat \-,bōt\ *n* : a long narrow rowboat made with both ends sharp and sloping and used by whalers
whale·bone \-,bōn\ *n* : a horny substance attached in plates to the upper jaw of some large whales (**whalebone whales**) and used esp. for ribs in corsets or fans
whal·er \'hwā-lər\ *n* 1 : a person or ship employed in the whale fishery 2 : WHALEBOAT
wharf \'hwòrf\ *n, pl* **wharves** \'hwòrvz\ *also* **wharfs** : a structure alongside which ships lie to load and unload
¹**what** \(')hwät\ *pron* 1 — used to inquire the identity or nature of a being, an object, or some matter or situation ⟨~ is he, a salesman⟩ ⟨~'s that⟩ ⟨~ happened⟩ 2 : that which ⟨I know ~ you want⟩ 3 : WHATEVER 1 ⟨take ~ you want⟩
²**what** *adv* 1 : in what respect : HOW; *also* : how much ⟨~ does he care⟩ 2 — used with *with* to introduce a prepositional phrase that expresses cause
³**what** *adj* 1 — used to inquire about the identity or nature of a person, object, or matter ⟨~ books does he read⟩ 2 : how remarkable or surprising ⟨~ an idea⟩ 3 : WHATEVER
¹**what·ev·er** \hwät-'ev-ər\ *pron* 1 : anything or everything that ⟨does ~ he wants to⟩ 2 : no matter what ⟨~ you do, don't cheat⟩ 3 : WHAT 1 — used as an intensive ⟨~ happened⟩
²**whatever** *adj* : of any kind at all ⟨no food ~⟩
what·so·ev·er \,hwät-sə-'wev-ər\ *pron or adj* : WHATEVER
wheat \'hwēt\ *n* : a cereal grain that yields a fine white flour and is the chief breadstuff of temperate regions; *also* : any of several grasses whose white to dark red grains are wheat — **wheat·en** *adj*

wheel ¹**wheel** \'hwēl\ *n* **1** : a disk or circular frame capable of turning on a central axis **2** : something resembling a wheel in shape, use, or method of turning; *esp* : a circular frame with handles for controlling a ship's rudder **3** : a device the chief part of which is a wheel or wheels; *esp* : BICYCLE **4** : a former wheellike instrument of torture to which a victim was bound **5** : a revolution or rotation : a turn around an axis; *esp* : a turning movement of troops or ships in line in which units preserve alignment and relative position as they change direction **6** : machinery that imparts motion : moving power ⟨the ~s of government⟩ **7** : a directing or controlling person, *esp* : a political leader — **wheeled** *adj*

²**wheel** *vb* **1** : to convey or move on wheels or in a vehicle having wheels **2** : ROTATE, REVOLVE **3** : to turn so as to change direction

wheel·bar·row \-,bar-ō\ *n* : a vehicle with handles and usu. one wheel for conveying small loads

wheelbarrow

wheel·base \-,bās\ *n* : the distance in inches between the front and rear axles of an automotive vehicle

wheel·chair \-,cheər\ *n* : a chair mounted on wheels esp. for the use of invalids

wheel·wright \-,rīt\ *n* : a man whose occupation is to make or repair wheels and wheeled vehicles

¹**wheeze** \'hwēz\ *vb* **1** : to breathe with difficulty usu. with a whistling sound

²**wheeze** *n* **1** : a sound of wheezing **2** : GAG, JOKE **3** : a trite saying

¹**whelp** \'hwelp\ *n* **1** : one of the young of various carnivorous mammals (as a dog) **2** : a low contemptible fellow

²**whelp** *vb* : to give birth to (whelps) : bring forth whelps

¹**when** \(')hwen, hwən\ *adv* **1** : at what time ⟨~ did it happen⟩ **2** : the time at which ⟨that's ~ it happened⟩ ⟨unsure of ~ they would come⟩ **3** : at, in, or during which ⟨at a time ~ things were upset⟩ **4** : at which time ⟨come at night, ~ things will be quiet⟩

²**when** *conj* **1** : at or during the time that ⟨leave ~ I do⟩ **2** : every time that ⟨they all laughed ~ he sang⟩ **3** : in the event that : IF ⟨the batter is out ~ he bunts foul with two strikes⟩ **4** : ALTHOUGH

³**when** \,hwen\ *pron* : what or which time ⟨since ~ have you been the boss⟩

⁴**when** \'hwen\ *n* : the time of a happening

whence \(')hwens\ *adv* **1** : from what place, source, or cause ⟨~ come all these questions⟩ **2** : from or out of which ⟨the land ~ he came⟩

when·ev·er \hwen-'ev-ər, hwən-\ *conj or adv* : at whatever time

when·so·ev·er \'hwen-sə-,wev-ər\ *conj* : at whatever time

¹**where** \(')hweər\ *adv* **1** : at, in, or to what place ⟨~ is he⟩ ⟨~ did he go⟩ **2** : the place to or in which ⟨he knows ~ we went⟩ ⟨spoke of ~ they'd been⟩ **3** : at or in which ⟨this is the dock ~ you get the ferry⟩ ⟨the restaurant ~ we eat⟩ **4** : in or at which place ⟨went to New York, ~ they had a wonderful time⟩ **5** : in what way or particular

²**where** *conj* **1** : in, at, or to the place or point in, at, or to which ⟨sit ~ the light's better⟩ ⟨went ~ he had promised to go⟩ ⟨it's cold ~ you're going⟩ ⟨won't go ~ I'm not wanted⟩ **2** : every place that : WHEREVER ⟨goes ~ he likes⟩ **3** : in the situation or respect in which ⟨outstanding ~ endurance is called for⟩

³**where** \'hweər\ *n* : PLACE, LOCATION

⁴**where** \,hweər\ *pron* : what place ⟨~ is he from⟩

¹**where·abouts** \'hwer-ə-,baůts\ *also* **where·about** *adv* : about where ⟨~ does he live⟩

²**whereabouts** *n sing or pl* : the place where a person or thing is

where·as \hwer-'az\ *conj* **1** : in view of the fact that : SINCE **2** : when in fact : while on the contrary

where·at \-'at\ *conj* **1** : at or toward which **2** : in consequence of which : WHEREUPON

where·by \-'bī\ *adv* : by or through which ⟨the means ~ he achieved his goal⟩

¹**where·fore** \'hweər-,fōr\ *adv* **1** : for what reason or purpose : WHY **2** : THEREFORE

²**wherefore** *n* : CAUSE, REASON

where·in \hwer-'in\ *adv* **1** : in what place, point, or particular ⟨~ was he wrong⟩ **2** : in which ⟨the place ~ he resides⟩ **3** : during which ⟨a period ~ nothing was done⟩ **4** : the point or particular in which ⟨showed me ~ I was wrong⟩

where·of \-'əv, -'äv\ *conj* **1** : of what ⟨knows ~ he speaks⟩ **2** : of which or whom ⟨books ~ the best are lost⟩

where·on \-'ȯn, -'än\ *adv* : on which

where·to \'hweər-,tü\ *conj* : to which

¹**where·up·on** \'hwer-ə-,pȯn, -,pän\ *adv* : WHEREON

²**whereupon** *conj* : because of or after which ⟨she hit him in the eye, ~ he hit her⟩

¹**wher·ev·er** \hwer-'ev-ər\ *adv* : where in the world ⟨~ did she get that hat⟩

²**wherever** *conj* **1** : at, in, or to whatever place **2** : in any circumstance in which

where·with \'hweər-,with, -,with\ *adv* : with or by means of which

whet \'hwet\ *vb* **whet·ted**; **whet·ting** **1** : to sharpen by rubbing against or with a hard substance (as a whetstone) **2** : to make keen : STIMULATE ⟨~ the appetite⟩

wheth·er \'hweth-ər\ *conj* **1** : IF ⟨ask he's going⟩ **2** : if the following be the case ⟨ask ~ or not he's going⟩ **3** : which is the better or best course, namely ⟨uncertain ~ to go or stay⟩ **4** : no matter if ⟨~ you like it or not, you're going⟩

whet·stone \'hwet-,stōn\ *n* : a stone for whetting sharp-edged tools

whey \'hwā\ *n* : the watery part of milk that separates after the milk sours and thickens

¹**which** \(')hwich\ *adj* **1** : being what one or ones out of a group ⟨~ tie should I wear⟩ **2** : WHICHEVER

²**which** *pron* **1** : which one or ones ⟨~ is yours⟩ ⟨~ are his⟩ ⟨~'s a Swede or a Dane, I don't remember⟩ **2** : WHICHEVER ⟨we have all kinds of

whichever them; take ~ you like⟩ **3** — used to introduce a relative clause and to serve as a substitute therein for the substantive modified by the clause ⟨give me the money ~ is coming to me⟩

¹**which·ev·er** \hwich-'ev-ər\ *pron* : whatever one or ones

²**whichever** *adj* : no matter which ⟨~ way you go⟩

which·so·ev·er *pron or adj* \,hwich-sə-'wev-ər\ : WHICHEVER

¹**whiff** \'hwif\ *n* **1** : a quick puff or slight gust esp. of air, gas, smoke, or spray **2** : an inhalation of odor, gas, or smoke ⟨a ~ of perfume⟩ **3** : a slight trace : HINT

²**whiff** *vb* **1** : to expel, puff out, or blow away in or as if in whiffs **2** : to inhale an odor

Whig \'hwig\ *n* **1** : a member or supporter of a British political group of the 18th and early 19th centuries seeking to limit royal authority and increase parliamentary power **2** : an American favoring independence from Great Britain during the American Revolution **3** : a member or supporter of an American political party formed about 1834 to oppose the Democrats

¹**while** \'hwīl\ *n* **1** : a period of time ⟨stay a ~⟩ **2** : the time and effort used

²**while** \(,)hwīl\ *conj* **1** : during the time that ⟨she called ~ you were out⟩ **2** : as long as ⟨~ there's life there's hope⟩ **3** : ALTHOUGH ⟨~ he's respected, he's not liked⟩

³**while** \'hwīl\ *vb* : to cause to pass esp. pleasantly ⟨~ away an hour⟩

whim \'hwim\ *n* : a sudden wish, desire, or change of mind : NOTION, FANCY, CAPRICE

whim·per \'hwim-pər\ *vb* : to make a low whining plaintive or broken sound

whim·si·cal \'hwim-zi-kəl\ *adj* **1** : full of whims : CAPRICIOUS **2** : resulting from or characterized by whim or caprice : ERRATIC — **whim·si·cal·i·ty**

whine \'hwīn\ *vb* **1** : to utter a usu. high-pitched plaintive or distressed cry; *also* : to make a sound similar to such a cry **2** : to utter a complaint with or as if with a whine — **whine** *n*

¹**whip** \'hwip\ *vb* **whipped**; **whip·ping** **1** : to move, snatch, or jerk quickly or forcefully ⟨~ out a gun⟩ **2** : to strike with a slender lithe implement (as a lash) esp. as a punishment; *also* : SPANK **3** : to drive or urge on by or as if by using a whip **4** : to bind or wrap (as a rope or rod) with cord in order to protect and strengthen; *also* : to wind or wrap around something **5** : DEFEAT **6** : to stir up : INCITE ⟨~ up enthusiasm⟩ **7** : to produce in a hurry ⟨~ up a meal⟩ **8** : to beat (as eggs or cream) into a froth **9** : to gather together or hold together for united action **10** : to move nimbly or briskly; *also* : to thrash about like a whiplash

²**whip** *n* **1** : an instrument used for whipping **2** : a stroke or cut with or as if with a whip **3** : a dessert made by whipping a portion of the ingredients ⟨prune ~⟩ **4** : a person who handles a whip; *esp* : a driver of horses **5** : a member of a legislative body appointed to enforce party discipline and to secure the attendance of party members at important sessions **6** : a whipping or thrashing motion ⟨a ~ of his tail⟩

whip·cord \-,kord\ *n* **1** : a thin tough cord made of braided or twisted hemp or catgut **2** : a cloth that is made of hard-twisted yarns and has fine diagonal cords or ribs

whip hand *n* : positive control : ADVANTAGE

whip·lash \'hwip-,lash\ *n* : the lash of a whip

¹**whip·saw** \'hwip-,so\ *n* **1** : a narrow tapering saw that has hook teeth and is from 5 to 7½ feet long **2** : a 2-man crosscut saw

²**whipsaw** *vb* **1** : to saw with a whipsaw **2** : to worst in two opposite ways at once, by a two-phase operation, or by the collusive action of two opponents

¹**whir** *also* **whirr** \'hwər\ *vb* **whirred**; **whir·ring** : to move, fly, or revolve with a whizzing sound : WHIZ

²**whir** *also* **whirr** *n* : a continuous fluttering or vibratory sound made by something in rapid motion

¹**whirl** \'hwərl\ *vb* **1** : to move or drive in a circle or similar curve esp. with force or speed **2** : to turn or cause to turn on or around an axis : SPIN **3** : to turn abruptly : WHEEL **4** : to pass, move, or go quickly **5** : to become dizzy or giddy : REEL

²**whirl** *n* **1** : a rapid rotating or circling movement; *also* : something undergoing such a movement **2** : COMMOTION, BUSTLE **3** : a state of mental confusion

whirl·pool \'hwərl-,pül\ *n* : water moving rapidly in a circle so as to produce a depression in the center into which floating objects may be drawn

whirl·wind \-,wind\ *n* **1** : a small whirling windstorm **2** : a confused rush : WHIRL

¹**whish** \'hwish\ *vb* : to move with a whizzing or swishing sound

²**whish** *n* : a rushing sound : SWISH

¹**whisk** \'hwisk\ *n* **1** : a quick light sweeping or brushing motion **2** : a small usu. wire kitchen implement for hand beating of food **3** : a flexible bunch (as of twigs, feathers, or straw) attached to a handle for use as a brush

²**whisk** *vb* **1** : to move nimbly and quickly **2** : to move or convey briskly ⟨~ out a knife⟩ ⟨~ed the children off to bed⟩ **3** : to beat or whip lightly ⟨~ eggs⟩ **4** : to brush or wipe off lightly

whisk broom *n* : a small broom with a short handle used esp. as a clothes brush

whisk·er \'hwis-kər\ *n* **1** *pl* : the part of the beard that grows on the sides of the face or on the chin **2** : one hair of the beard **3** : one of the long bristles or hairs growing near the mouth of an animal (as a cat or bird) — **whisk·ered**

whis·key *or* **whis·ky** \'hwis-kē\ *n* [IrGael *uisce beathadh* & ScGael *uisge beatha*, lit., water of life] : a liquor distilled from a fermented mash of grain

¹**whis·per** \'hwis-pər\ *vb* **1** : to speak very low or under the breath; *also* : to tell or utter by whispering ⟨~ a secret⟩ **2** : to make a low rustling sound ⟨~ing leaves⟩

²**whisper** *n* **1** : an act or instance of whispering; *esp* : speech without vibration of the vocal cords **2** : something communicated by or as if by whispering

¹whis·tle \'hwis-əl\ *n* **1** : a device by which a shrill sound is produced ⟨steam ~⟩ ⟨tin ~⟩ **2** : a shrill clear sound made by forcing breath out or air in through the puckered lips **3** : the sound or signal produced by a whistle or as if by whistling **4** : the shrill clear note of an animal (as a bird)

²whistle *vb* **1** : to utter a shrill clear sound by blowing or drawing air through the puckered lips **2** : to utter a shrill note or call resembling a whistle **3** : to make a shrill clear sound esp. by rapid movement ⟨bullets *whistled* by him⟩ **4** : to blow or sound a whistle **5** : to signal or call by a whistle **6** : to produce, utter, or express by whistling

whit \'hwit\ *n* : the smallest part or particle imaginable : BIT

¹white \'hwīt\ *adj* **1** : free from color **2** : of the color of new snow or milk; *esp* : of the color white **3** : light or pallid in color ⟨lips ~ with fear⟩ **4** : SILVERY; *also* : made of silver **5** : of, relating to, or being a member of a group or race characterized by light-colored skin **6** : free from spot or blemish : PURE, INNOCENT **7** : BLANK ⟨~ space in printed matter⟩ **8** : not intended to cause harm ⟨a ~ lie⟩ **9** : wearing white ⟨~ friars⟩ **10** : SNOWY ⟨~ Christmas⟩ **11** : ARDENT, PASSIONATE ⟨~ fury⟩

²white *n* **1** : the color of maximal lightness that characterizes objects which both reflect and transmit light ; the opposite of black **2** : a white or light-colored part or thing ⟨the ~ of an egg⟩; *also, pl* : white garments **3** : the light-colored pieces in a 2-handed board game; *also*; the person by whom these are played **4** : one that is or approaches the color white **5** : a member of a light-skinned race **6** : a member of a conservative or reactionary political group

white blood cell *n* : a blood cell that does not contain hemoglobin : LEUKOCYTE

white–col·lar *adj* : of, relating to, or constituting the class of salaried workers whose duties require a well-groomed appearance

white elephant *n* [so called because white elephants were venerated in parts of Asia and maintained without being required to work] **1** : something requiring much care and expense and yielding little profit **2** : an object no longer wanted by its owner though not without value to others

white–faced \'hwīt-'fāst\ *adj* : having a wan pale face

White·hall \'hwīt-,hȯl\ *n* : the British government

white heat *n* : a temperature higher than red heat at which a body becomes brightly incandescent so as to appear white — **white–hot** *adj*

White House *n* **1** : the presidential mansion in Washington **2** : the executive department of the U.S. government

white lead *n* : a heavy white powder that is a carbonate of lead and is used as a pigment

white slave *n* : a woman or girl held unwillingly for purposes of prostitution

¹white–wash \-,wȯsh, -,wäsh\ *vb* **1** : to whiten with whitewash **2** : to clear of a charge of wrongdoing by offering excuses, hiding facts, or conducting a perfunctory investigation **3** : to defeat (an opponent) so that he fails to score

²whitewash *n* **1** : a liquid preparation (as of lime and water or of whiting, size, and water) for whitening structural surfaces **2** : WHITEWASHING

white·wood \-,wu̇d\ *n* : any of various trees (as a tulip tree or cottonwood) having light-colored wood; *also* : the wood of such a tree

whith·er \'hwith-ər\ *adv* **1** : to what place **2** : to what situation, position, degree, or end ⟨~ will this drive him⟩ **3** : to the place at, in, or to which; *also* : to which place **4** : to whatever place

¹whit·ing \'hwīt-iŋ\ *n* : any of several usu. light or silvery food fishes (as a hake) found mostly near seacoasts

²whiting *n* : pulverized chalk or limestone used as a pigment and in putty

Whit·sun·day \'hwit-,sən-dē\ *n* : PENTECOST

whit·tle \'hwit-ᵊl\ *vb* **1** : to pare or cut off chips from the surface of (wood) with a knife; *also* : to cut or shape by such paring **2** : to reduce, remove, or destroy gradually as if by paring down : PARE ⟨~ down expenses⟩

¹whiz *or* **whizz** \'hwiz\ *vb* **whizzed**; **whiz·zing** : to hum, whir, or hiss like a speeding object (as an arrow or ball) passing through air

²whiz *or* **whizz** *n, pl* **whiz·zes** : a hissing, buzzing, or whirring sound

who \(')hü\ *pron* **1** — used to inquire the identity of an indicated person or group ⟨~ did it⟩ ⟨~ is he⟩ ⟨~ are they⟩ **2** : the person or persons that ⟨knows ~ did it⟩ **3** \(,)hü, ü\ — used to introduce a relative clause and to serve as a substitute therein for the substantive modified by the clause ⟨the man ~ lives there is rich⟩ ⟨the people ~ did it were caught⟩

who·ev·er \hü-'ev-ər\ *pron* : whatever person or persons : no matter who

¹whole \'hōl\ *adj* **1** : being in healthy or sound condition : free from defect or damage : WELL, INTACT **2** : having all its proper parts or elements ⟨~ milk⟩ **3** : constituting the total sum of : INTEGRAL **4** : each or all of the ⟨the ~ family⟩ **5** : not scattered or divided : CONCENTRATED ⟨gave me his ~ attention⟩ **6** : seemingly complete or total *syn* entire, perfect — **whole·ness** *n*

²whole *n* **1** : a complete amount or sum : a number, aggregate, or totality lacking no part, member, or element **2** : something constituting a complex unity : a coherent system or organization of parts fitting or working together as one — **on the whole 1** : in view of all the circumstances or conditions **2** : in general

whole·heart·ed \-'härt-əd\ *adj* : undivided in purpose, enthusiasm, or will

¹whole·sale \'hōl-,sāl\ *n* : the sale of goods in quantity usu. for resale by a retail merchant

²wholesale *adj* **1** : of, relating to, or engaged in wholesaling **2** : performed on a large scale without discrimination

³wholesale *vb* : to sell at wholesale

whole·some \'hōl-səm\ *adj* **1** : promoting mental, spiritual, or bodily health or well-being ⟨~ advice⟩ ⟨a ~ environment⟩ **2** : not detrimental to

whom \(')hüm\ *pron, objective case of* WHO

whom·ev·er \hüm-'ev-ər\ *pron, objective case of* WHOEVER

whom·so·ev·er \,hüm-sə-'wev-ər\ *pron, objective case of* WHOSOEVER

¹**whoop** \'h(w)üp, 'h(w)ůp\ *vb* **1** : to shout or call loudly and vigorously **2** : to make the sound that follows a fit of coughing in whooping cough **3** : to go or pass with a loud noise **4** : to utter or express with a whoop; *also* : to urge, drive, or cheer with a whoop

²**whoop** *n* **1** : a whooping sound or utterance : SHOUT, HOOT **2** : a crowing sound accompanying the intake of breath after a fit of coughing in whooping cough

whooping cough *n* : an infectious disease esp. of children marked by convulsive coughing fits sometimes followed by a whoop

whop·per \'hwäp-ər\ *n* : something unusually large or extreme of its kind; *esp* : a monstrous lie

whore \'hōr\ *n* : PROSTITUTE

whorl \'hwȯrl, 'hwərl\ *n* **1** : a row of parts (as leaves or petals) encircling an axis esp. a plant stem **2** : something that whirls or coils or whose form suggests such movement : COIL, SPIRAL **3** : one of the turns of a snail shell

¹**whose** \(')hüz\ *adj* : of or relating to whom or which esp. as possessor or possessors, agent or agents, or object or objects of an action ⟨asked ~ bag it was⟩

²**whose** *pron* : whose one or ones ⟨~ is this car⟩ ⟨~ are those books⟩

who·so \'hü-,sō\ *pron* : WHOEVER

who·so·ev·er \,hü-sə-'wev-ər\ *pron* : WHOEVER

¹**why** \(')hwī\ *adv* **1** : for what reason, cause, or purpose ⟨~ did you do it⟩ **2** : the reason for or because of which ⟨knows ~ he did it⟩ ⟨spoke of ~ he'd done it⟩ **3** : for or because of which

²**why** \'hwī\ *n, pl* **whys** : REASON, CAUSE ⟨the ~ of race prejudice⟩

³**why** \(,)wī\ *interj* — used to express surprise, hesitation, approval, disapproval, or impatience ⟨~, here's what I was looking for⟩

wick \'wik\ *n* : a loosely bound bundle of soft fibers that draws up oil, tallow, or wax to be burned in a candle, oil lamp, or stove

wick·ed \'wik-əd\ *adj* **1** : morally bad : EVIL, SINFUL **2** : FIERCE, VICIOUS **3** : HARMFUL, DANGEROUS ⟨a ~ attack⟩ **4** : REPUGNANT, VILE ⟨a ~ odor⟩ **5** : ROGUISH — **wick·ed·ly** *adv* — **wick·ed·ness** *n*

wick·er \'wik-ər\ *n* **1** : a small pliant branch (as an osier or a withe) **2** : WICKERWORK — **wicker** *adj*

wick·et \'wik-ət\ *n* **1** : a small gate or door; *esp* : one forming a part of or placed near a larger one **2** : a windowlike opening usu. with a grille or grate (as at a ticket office) **3** : a small gate for regulating the amount of water in a canal lock **4** : a set of three upright rods topped by two crosspieces bowled at in cricket **5** : an arch through which the ball is driven in croquet

¹**wide** \'wīd\ *adj* **1** : covering a vast area **2** : measured across or at right angles to the length **3** : not narrow : BROAD; *also* : ROOMY **4** : opened to full width ⟨eyes ~ with wonder⟩ **5** : not limited : EXTENSIVE ⟨~ experience⟩ **6** : far from the goal, mark, or truth ⟨a ~ guess⟩ — **wide·ly** *adv*

²**wide** *adv* **1** : over a great distance or extent : WIDELY ⟨searched far and ~⟩ **2** : over a specified distance, area, or extent **3** : so as to leave a wide space between ⟨~ apart⟩ **4** : so as to clear by a considerable distance ⟨ran ~ around left end⟩ **5** : COMPLETELY, FULLY ⟨opened their eyes ~⟩ **6** : ASTRAY, AFIELD ⟨the bullet went ~⟩

wid·en \'wīd-ᵊn\ *vb* : to make or become wide : BROADEN

wid·geon *also* **wi·geon** \'wij-ən\ *n* : any of several freshwater ducks between the teal and the mallard in size

¹**wid·ow** \'wid-ō\ *n* : a woman who has lost her husband by death; *esp* : one who has not married again — **wid·ow·hood** *n*

²**widow** *vb* : to cause to become a widow

wid·ow·er \'wid-ə-wər\ *n* : a man who has lost his wife by death and has not married again

width \'width\ *n* **1** : a distance from side to side : the measurement taken at right angles to the length : BREADTH **2** : largeness of extent or scope; *also* : FULLNESS **3** : a measured and cut piece of material ⟨a ~ of calico⟩ ⟨a ~ of lumber⟩

wield \'wēld\ *vb* **1** : to use or handle esp. effectively ⟨~ a broom⟩ ⟨~ a pen⟩ **2** : to exert authority by means of : EMPLOY ⟨~ influence⟩ — **wield·er** *n*

wife \'wīf\ *n, pl* **wives** \'wīvz\ **1** *dial* : WOMAN **2** : a woman acting in a specified capacity — used in combination **3** : a married woman — **wife·hood**

wig \'wig\ *n* : a manufactured covering of hair for the head often made of human hair; *also* : TOUPEE

wig·gle \'wig-əl\ *vb* **1** : to move to and fro with quick jerky or shaking movements : JIGGLE **2** : WRIGGLE — **wig·gler** \-(ə-)lər\ *n*

wight \'wīt\ *n* : a living being : CREATURE

¹**wig·wag** \'wig-,wag\ *vb* **1** : to signal by or as if by a flag or light waved according to a code **2** : to make or cause to make a signal (as with the hand or arm)

²**wigwag** *n* **1** : the art or practice of wigwagging **2** : a wigwagged message

wig·wam \'wig-,wäm\ *n* : a hut of the Indians of the eastern U.S. having typically an arched framework of poles overlaid with bark, rush mats, or hides

¹**wild** \'wīld\ *adj* **1** : living in a state of nature and not ordinarily tamed ⟨~ ducks⟩ **2** : growing or produced without human aid or care ⟨~ honey⟩ ⟨~ plants⟩ **3** : WASTE, DESOLATE ⟨~ country⟩ **4** : UNCONTROLLED, UNRESTRAINED, UNRULY ⟨~ passions⟩ ⟨a ~ young stallion⟩ **5** : TURBULENT, STORMY ⟨a ~ night⟩ **6** : EXTRAVAGANT, FANTASTIC, CRAZY ⟨~ ideas⟩ **7** : indicative of strong passion, desire, or emotion ⟨a ~ stare⟩ **8** : UNCIVILIZED, SAVAGE

9 : deviating from the natural or expected course : ERRATIC ⟨a ∼ price increase⟩ **10 :** having a denomination determined by the holder ⟨deuces ∼⟩ — ²**wild** n **1 :** WILDERNESS **2 :** a natural or undomesticated state or existence
³**wild** adv **1 :** WILDLY **2 :** without regulation or control ⟨running ∼⟩
¹**wild·cat** \'wīl(d)-,kat\ n **1 :** any of various small or medium-sized cats (as a lynx or ocelot) **2 :** a quick-tempered hard-fighting person **3 :** a well drilled for oil or gas in a region not known to be productive
²**wildcat** adj **:** not sound or safe ⟨∼ banks⟩ ⟨∼ schemes⟩
³**wildcat** vb **-cat·ted; -cat·ting :** to drill an oil or gas well in a region not known to be productive
wil·der·ness \'wil-dər-nəs\ n **:** an uncultivated and uninhabited region
wild·fowl \-,faůl\ n **:** a game bird; esp **:** a game waterfowl (as a wild duck or goose)
wild·life \-,līf\ n **:** creatures that are neither human nor domesticated; esp **:** mammals, birds, and fishes hunted by man
wild·wood \'wīld-,wůd\ n **:** a wild or unfrequented wood
¹**wile** \'wīl\ n **1 :** a trick or stratagem intended to ensnare or deceive; also **:** a playful trick **2 :** TRICKERY, GUILE
²**wile** vb **:** LURE, ENTICE
wil·i·ness \'wī-lē-nəs\ n **:** the quality or state of being wily
¹**will** \wəl, (ə)l, (')wil\ vb, past **would** \wəd, (ə)d, (')wůd\ **1 :** WISH, DESIRE ⟨call it what you ∼⟩ **2 —** used as an auxiliary to express desire or consent, habitual action or natural disposition, simple futurity, capability, probability, determination, inevitability, or a command
²**will** \'wil\ n **1 :** wish or desire often combined with determination ⟨the ∼ to win⟩ **2 :** something desired; esp **:** a choice or determination of one having authority or power **3 :** the act, process, or experience of willing **:** VOLITION **4 :** the mental powers manifested as wishing, choosing, desiring, or intending **5 :** a disposition to act according to principles or ends **6 :** SELF-CONTROL ⟨a man of iron ∼⟩ **7 :** a legal document in which a person declares to whom his possessions are to go after his death
³**will** \'wil\ vb **1 :** to dispose of by or as if by a will **:** BEQUEATH **2 :** to determine by an act of choice; also **:** DECREE, ORDAIN **3 :** INTEND, PURPOSE; also **:** CHOOSE
will·ful or **wil·ful** \'wil-fəl\ adj **1 :** governed by will without regard to reason **:** OBSTINATE, STUBBORN **2 :** INTENTIONAL ⟨∼ murder⟩ — **will·ful·ly** adv
wil·lies \'wil-ēz\ n pl **:** a fit of nervousness **:** JITTERS
will·ing \'wil-iŋ\ adj **1 :** inclined or favorably disposed in mind **:** READY ⟨∼ to go⟩ **2 :** prompt to act or respond ⟨∼ workers⟩ **3 :** done, borne, or accepted voluntarily or without reluctance **:** VOLUNTARY **4 :** VOLITIONAL — **will·ing·ly** adv
wil·low \'wil-ō\ n **1 :** any of numerous quick-growing shrubs and trees with tough pliable shoots used in basketry **2 :** the wood of a willow **3 :** an object made of willow wood

wil·lowy \'wil-ə-wē\ adj **:** PLIANT; also **:** gracefully tall and slender ⟨a ∼ young woman⟩
will·pow·er \'wil-,pau̇(-ə)r\ n **:** energetic determination **:** RESOLUTENESS
¹**wilt** \'wilt\ vb **1 :** to lose or cause to lose freshness and become limp **:** DROOP **2 :** to grow weak or faint **:** LANGUISH **3 :** to lose courage or spirit **4 :** to lower the spirit, force, or vigor of
²**wilt** n **:** any of various plant disorders marked by wilting and often shriveling
wily \'wī-lē\ adj **:** full of guile **:** TRICKY ⟨a ∼ player⟩
¹**win** \'win\ vb **won** \'wən\ **win·ning 1 :** to gain the victory in or as if in a contest **:** SUCCEED **2 :** to get possession of esp. by effort **:** GAIN **3 :** to gain in or as if in battle or contest; also **:** to be the victor in ⟨won the war⟩ **4 :** to obtain by work **:** EARN **5 :** to solicit and gain the favor of; esp **:** to induce to accept oneself in marriage
²**win** n **:** VICTORY; esp **:** first place at the finish of a horse race
wince \'wins\ vb **:** to shrink back involuntarily (as from pain) **:** FLINCH — **wince** n
winch \'winch\ n **1 :** a machine to hoist, haul, turn, or strain something forcibly **2 :** a crank with a handle for giving motion to a machine (as a grindstone)
¹**wind** \'wind\ n **1 :** a movement of the air of any velocity **2 :** a force or agency that carries along or influences **:** TENDENCY, TREND **3 :** BREATH ⟨he had the ∼ knocked out of him⟩ **4 :** gas generated in the stomach or intestines **5 :** something insubstantial; esp **:** idle words **6 :** air carrying a scent (as of game) **7 :** INTIMATION ⟨they got ∼ of our plans⟩ **8 :** WIND INSTRUMENTS; also, pl **:** players of wind instruments
²**wind** vb **1 :** to get a scent of ⟨the dogs ∼ed the game⟩ **2 :** to cause to be out of breath ⟨he was ∼ed from the climb⟩ **3 :** to allow (as a horse) to rest so as to recover breath
³**wind** \'wīnd\ vb **wound**
⁴**wind** \'wīnd, 'wind\ vb **wound** \'waůnd\ also **wind·ed; wind·ing 1 :** to have a curving course or shape ⟨a river ∼ing through the valley⟩ **2 :** to move or lie so as to encircle **3 :** ENTANGLE, INVOLVE **4 :** to introduce stealthily **:** INSINUATE **5 :** to encircle or cover with something pliable **:** WRAP, COIL, TWINE, TWIST ⟨∼ a bobbin⟩ **6 :** to hoist or haul up by a rope or chain ⟨∼ a ship to the wharf⟩ **7 :** to tighten the spring of; also **:** CRANK **8 :** to raise to a high level (as of excitement) **9 :** to cause to move in a curving line or path **10 :** TURN **11 :** to traverse on a curving course
⁵**wind** \'wīnd\ n **:** COIL, TURN
wind·bag \'win(d)-,bag\ n **:** an idly talkative person
wind·blown \-,blōn\ adj **:** blown by the wind; also **:** having the appearance of being blown by the wind
wind·break \-,brāk\ n **:** something serving to break the force of the wind; esp **:** a growth of trees and shrubs
wind-bro·ken \-,brō-kən\ adj **:** having the power of breathing impaired by disease ⟨a ∼ horse⟩
wind·burn \-,bərn\ n **:** skin irritation caused by wind

wind·fall \'win(d)-ˌfȯl\ n 1 : something (as a tree or fruit) blown down by the wind 2 : an unexpected or sudden gift, gain, or advantage

¹**wind·ing** \'wīn-diŋ\ n : material (as wire) wound or coiled about an object

²**winding** adj 1 : having a pronounced curve; esp : SPIRAL ⟨~ stairs⟩ 2 : having a course that winds ⟨a ~ road⟩

wind·jam·mer \'win(d)-ˌjam-ər\ n : a sailing ship; also : one of its crew

wind·lass \'win-dləs\ n : a machine for hoisting or hauling that consists in its simple form of a horizontal barrel wound with the hoisting rope and supported in vertical frames and that has a crank with a handle for turning it

wind·mill \'win(d)-ˌmil\ n : a mill or machine worked by the wind turning sails or vanes that radiate from a central shaft

win·dow \'win-dō\ n 1 : an opening in the wall of a building to let in light and air; also : the framework with fittings that closes such an opening 2 : WINDOWPANE 3 : an opening resembling or suggesting that of a window in a building

win·dow·pane \-ˌpān\ n : a pane in a window

win·dow·sill \-ˌsil\ n : the horizontal member at the bottom of a window opening

wind·pipe \'win(d)-ˌpīp\ n : the passage for the breath from the larynx to the lungs

wind·proof \-'prüf\ adj : proof against the wind ⟨a ~ jacket⟩

wind·row \'win-ˌ(d)rō\ n 1 : hay raked up into a row to dry 2 : a row of something (as dry leaves) swept up by or as if by the wind

wind·shield \'win(d)-ˌshēld\ n : a transparent screen in front of the occupants of a vehicle to protect them from wind and rain

wind up \'win-'dəp\ vb 1 : END 2 : SETTLE 3 : to arrive in a place, situation, or condition at the end or as a result of a course of action ⟨wound up as paupers⟩ 4 : to give a preliminary swing to the arm

wind-up \-ˌdəp\ n 1 : CONCLUSION, FINISH 2 : a pitcher's motion preliminary to delivering a pitch

¹**wind·ward** \'win-dwərd\ adj : moving toward or situated on the side toward the direction from which the wind is blowing

²**windward** n : the point or side from which the wind is blowing

¹**wine** \'wīn\ n 1 : fermented grape juice 2 : the usu. fermented juice of a plant product (as fruit) used as a beverage ⟨rice ~⟩ ⟨cherry ~⟩

²**wine** vb : to treat to or drink wine

wine cellar n : a room for storing wines; also : a stock of wines

wine·press \-ˌpres\ n : a vat in which juice is expressed from grapes by treading or by means of a plunger

¹**wing** \'wiŋ\ n 1 : one of the movable feathered or membranous paired appendages by means of which a bird, bat, or insect is able to fly 2 : something suggesting a wing in shape, position, or appearance 3 : a plant or animal appendage or part likened to a wing; esp : one that is flat or broadly extended 4 : a turned-back or extended edge on an article of clothing 5 : a unit in military aviation consisting of a varying number of airplanes 6 : a means of flight or rapid progress 7 : the act or manner of flying : FLIGHT 8 : ARM; esp : a throwing or pitching arm 9 : a part of a building projecting from the main part 10 pl : the area at the side of the stage out of sight 11 : the right or left division of an army, fleet, or command as it faces an enemy 12 : a position or player on each side of the center (as in hockey) 13 : either of two opposing groups within an organization : FACTION

²**wing** vb 1 : to fit with wings; also : to enable to fly easily 2 : to pass through in flight : FLY ⟨~ the air⟩ ⟨swallows ~ing southward⟩ 3 : to achieve or accomplish by flying 4 : to let fly : DISPATCH ⟨~ an arrow through the air⟩ 5 : to wound in the wing ⟨~ a bird⟩ also : to wound without killing

winged \'wiŋd, also except for "esp." sense of 1 'wiŋ-əd\ adj 1 : having wings esp. of a specified character 2 : soaring with or as if with wings : ELEVATED 3 : SWIFT, RAPID

wing·span \'wiŋ-ˌspan\ n : WINGSPREAD; esp : the distance between the tips of an airplane's wings

wing·spread \-ˌspred\ n : the spread of the wings; esp : the distance between the tips of the fully extended wings of a winged animal

¹**wink** \'wiŋk\ vb 1 : to close and open the eyes quickly : BLINK 2 : to avoid seeing or noticing something ⟨~ at a violation of the law⟩ 3 : TWINKLE, FLICKER 4 : to close and open one eye quickly as a signal or hint 5 : to affect or influence by or as if by blinking the eyes ⟨he ~ed back his tears⟩

²**wink** n 1 : a brief period of sleep : NAP 2 : an act of winking; esp : a hint or sign given by winking 3 : INSTANT

win·kle \'wiŋ-kəl\ n 1 : PERIWINKLE 2 : any of various whelks

¹**win·ning** n 1 : VICTORY 2 : something won; esp : money won at gambling

²**winning** adj 1 : successful in competition 2 : ATTRACTIVE, CHARMING

win·now \'win-ō\ vb 1 : to remove (as chaff from grain) by a current of air; also : to free (as grain) from waste in this manner 2 : to get rid of (something unwanted) or to separate, sift, or sort (something) as if by winnowing

win·some \'win-səm\ adj 1 : causing joy or pleasure : PLEASANT, WINNING ⟨a ~ lass⟩ 2 : CHEERFUL, GAY — **win·some·ly** adv — **win·some·ness** n

¹**win·ter** \'wint-ər\ n 1 : the season of the year in any region in which the noonday sun shines most obliquely : the coldest period of the year 2 : YEAR ⟨a man of 70 ~s⟩ 3 : a time or season of inactivity or decay

²**winter** vb 1 : to pass or survive the winter 2 : to keep, feed, or manage through the winter ⟨~ cattle on silage⟩

³**winter** adj : occurring in or surviving winter; esp : sown in autumn for harvesting in the following spring or summer ⟨~ wheat⟩

win·ter·green \'wint-ər-ˌgrēn\ n 1 : any of several low evergreen plants related to the heaths; esp : one with spicy red ber-

wintry — **516** — **within**

ries **2** : an aromatic oil from the common wintergreen or its flavor or something flavored with it

win·try \ˈwin-t(ə-)rē\ *adj* **1** : of or characteristic of winter : coming in winter ⟨~ weather⟩ **2** : CHILLING, COLD, CHEERLESS ⟨a ~ welcome⟩

¹**wipe** \ˈwīp\ *vb* **1** : to clean or dry by rubbing ⟨~ dishes⟩ **2** : to remove by or as if by rubbing or cleaning ⟨~ away tears⟩ **3** : to erase completely : OBLITERATE, DESTROY ⟨the regiment was wiped out⟩ **4** : to pass or draw over a surface ⟨wiped his hand across his face⟩ — **wip·er** *n*

²**wipe** *n* **1** : an act or instance of wiping; *also* : BLOW, STRIKE, SWIPE **2** : something used for wiping

¹**wire** \ˈwī(ə)r\ *n* **1** : metal in the form of a thread or slender rod; *also* : a thread or rod of metal **2** : work made of wire threads or rods and esp of wire netting **3** : a telegraph or telephone wire or system **4** : TELEGRAM, CABLEGRAM **5** *usu pl* : hidden or secret influences controlling the action of a person or body of persons ⟨pull ~s to get a nomination⟩ **6** : the finish line of a race

²**wire** *vb* **1** : to provide or equip with wire ⟨~ a house for electricity⟩ **2** : to bind, string, or mount with wire **3** : to telegraph or telegraph to

¹**wire·less** \-ləs\ *adj* **1** : having or using no wire or wires **2** *chiefly Brit* : RADIO

²**wireless** *n* **1** : a system for communicating by code signals and radio waves and without connecting wires **2** *chiefly Brit* : RADIO — **wireless** *vb*

wire·tap \-ˌtap\ *vb* : to tap a telephone or telegraph wire to get information —

wir·ing \ˈwī(ə)r-iŋ\ *n* : a system of wires; *esp* : one for distributing electricity through a building

wis·dom \ˈwiz-dəm\ *n* **1** : accumulated learning : KNOWLEDGE; *also* : INSIGHT **2** : good sense : JUDGMENT **3** : a wise attitude or course of action

¹**wise** \ˈwīz\ *n* : WAY, MANNER, FASHION

²**wise** *adj* **1** : having wisdom : SAGE **2** : having or showing good sense or good judgment : SENSIBLE, SOUND, PRUDENT **3** : aware of what is going on : KNOWING, INFORMED; *also* : CRAFTY, SHREWD — **wise·ly** *adv*

¹**wise·crack** \-ˌkrak\ *n* : a clever, smart, or flippant remark

²**wisecrack** *vb* : to make a wisecrack

¹**wish** \ˈwish\ *vb* **1** : to have a desire : long for : CRAVE, WANT ⟨~ you were here⟩ ⟨~ for a puppy⟩ **2** : to form or express a wish concerning ⟨~ed him a happy birthday⟩ **3** : BID ⟨he ~ed me good morning⟩ **4** : to request by expressing a desire ⟨I ~ you to go now⟩

²**wish** *n* **1** : an act or instance of wishing or desire : WANT; *also* : GOAL **2** : an expressed will or desire : MANDATE

wish·bone \-ˌbōn\ *n* : a forked bone in front of the breastbone in most birds

wish·ful *adj* **1** : expressive of a wish : HOPEFUL, LONGING; *also* : DESIROUS **2** : according with wishes rather than fact ⟨~ thinking⟩

wisp \ˈwisp\ *n* **1** : a small bunch of hay or straw **2** : a thin strand, strip, or fragment ⟨a ~ of hair⟩; *also* : a thready streak ⟨a ~ of smoke⟩ **3** : something frail, slight, or fleeting ⟨a ~ of a girl⟩ ⟨a ~ of a smile⟩

wist·ful \ˈwist-fəl\ *adj* : full of unfulfilled longing or desire : YEARNING ⟨a ~ expression⟩ — **wist·ful·ly** *adv* — **wist·ful·ness** *n*

wit \ˈwit\ *n* **1** : reasoning power : INTELLIGENCE **2** : mental soundness : SANITY — usu. used in pl. **3** : RESOURCEFULNESS, INGENUITY; *esp* : quickness and cleverness in handling words and ideas **4** : a talent for making clever remarks; *also* : one noted for making witty remarks — **at one's wit's end** : at a loss for a means of solving a problem

¹**witch** \ˈwich\ *n* **1** : a person believed to have magic power; *esp* : SORCERESS **2** : an ugly old woman : HAG **3** : a charming or unusually attractive girl or woman

²**witch** *vb* : BEWITCH

witch·craft \-ˌkraft\ *n* : the power or practices of a witch : SORCERY

witch doctor *n* : a practitioner of magic in a primitive society

witch·ery \ˈwich-(ə-)rē\ *n* **1** : SORCERY **2** : FASCINATION, CHARM

with \(ˈ)with, (ˈ)with\ *prep* **1** : AGAINST ⟨a fight ~ his wife⟩ **2** : in mutual relation to ⟨talk ~ a friend⟩ **3** : as regards : TOWARD ⟨patient ~ children⟩ **4** : compared to ⟨on equal terms ~ another⟩ **5** : in support of ⟨I'm ~ you all the way⟩ **6** : in the opinion of : as judged by ⟨their arguments had weight ~ him⟩ **7** : because of : THROUGH ⟨pale ~ anger⟩ **8** : in a manner indicating ⟨work ~ a will⟩ **9** : GIVEN, GRANTED ⟨~ your permission I'll leave⟩ **10** : in the company of ⟨a professor ~ his students⟩ **11** : HAVING ⟨came ~ good news⟩ ⟨stood there ~ his mouth open⟩ **12** : DESPITE ⟨~ all his cleverness, he failed⟩ **13** : at the time of : right after ⟨~ that he paused⟩ **14** : CONTAINING ⟨tea ~ sugar⟩ **15** : FROM ⟨parting ~ friends⟩ **16** : by means of ⟨hit him ~ a club⟩ **17** : so as not to cross or oppose ⟨swim ~ the tide⟩

with·draw \with-ˈdrȯ, with-\ *vb* **1** : to take back or away : draw away : REMOVE **2** : to call back (as from consideration) : RECALL, RESCIND; *also* : RETRACT ⟨~ an accusation⟩ **3** : to go away : RETREAT, LEAVE **4** : to terminate one's participation in or use of something — **with·draw·al** \-ˈdrȯ(-ə)l\ *n*

with·drawn \-ˈdrȯn\ *adj* **1** : ISOLATED, SECLUDED **2** : socially detached and unresponsive

withe \ˈwith\ *n* : a slender flexible twig or branch; *esp* : one used as a band or rope

with·er \ˈwith-ər\ *vb* **1** : to become dry and shrunken; *esp* : to shrivel from or as if from loss of bodily moisture **2** : to lose or cause to lose vitality, force, or freshness **3** : to cause to feel shriveled or blighted : STUN ⟨~ed him with a glance⟩

with·hold \with-ˈhōld, with-\ *vb* **1** : to hold back : RESTRAIN; *also* : RETAIN **2** : to refrain from granting, giving, or allowing ⟨~ permission⟩ ⟨~ names⟩

withholding tax *n* : a tax on income withheld at the source

¹**with·in** \with-ˈin, with-\ *adv* **1** : in or into the interior : INSIDE **2** : inside oneself : INWARDLY ⟨calm without but furious ~⟩

²**with·in** \prep **1** : in or to the inner part of ⟨~ the room⟩ **2** : in the limits or compass of ⟨~ a mile⟩ **3** : inside the limits or influence of ⟨~ call⟩
¹**with·out** \with-'aut, with-\ *prep* **1** : at, to, or on the outside of ⟨~ the gate⟩ **2** : out of the limits of **3** : LACKING
²**without** *adv* **1** : on the outside : EXTERNALLY **2** : with something lacking or absent ⟨has learned to do ~⟩
with·stand \with-'stand, with-\ *vb* : to stand against : RESIST; *esp* : to oppose (as an attack or bad influence) successfully
¹**wit·ness** \'wit-nəs\ *n* **1** : TESTIMONY ⟨bear ~ to the fact⟩ **2** : one that gives evidence; *esp* : one who testifies in a cause or before a court **3** : one present at a transaction so as to be able to testify that it has taken place **4** : one who has personal knowledge or experience of something **5** : something serving as evidence or proof : SIGN
²**witness** *vb* **1** : to bear witness : ATTEST, TESTIFY **2** : to act as legal witness of **3** : to furnish proof of : BETOKEN **4** : to be a witness of **5** : to be the scene of ⟨this region has ~ed many wars⟩
wit·ted \'wit-əd\ *adj* : having wit or understanding ⟨dull-*witted*⟩
wit·ti·cism \'wit-ə-,siz-əm\ *n* : a witty saying or phrase
wit·ting \'wit-iŋ\ *adj* : done knowingly : INTENTIONAL — **wit·ting·ly** *adv*
wit·ty \'wit-ē\ *adj* : marked by or full of wit : AMUSING ⟨a ~ writer⟩ ⟨a ~ remark⟩ **syn** humorous, facetious, jocular, jocose
wive \'wīv\ *vb* **1** : to marry a woman **2** : to take for a wife
wiz·ard \'wiz-ərd\ *n* [ME *wysard* wise man, fr. *wys* wise] **1** : MAGICIAN, SORCERER **2** : a very clever or skillful person ⟨a ~ at chess⟩
wiz·ened \'wiz-ᵊnd\ *adj* : dried up
wob·ble \'wäb-əl\ *vb* **1** : to move or cause to move with an irregular rocking or side-to-side motion **2** : TREMBLE, QUAVER **3** : WAVER, VACILLATE — **wobble** *n* — **wob·bly** \-(ə-)lē\ *adj*
woe \'wō\ *n* **1** : a condition of deep suffering from misfortune, affliction, or grief **2** : CALAMITY, MISFORTUNE
woe·be·gone \'wō-bi-,gȯn\ *adj* : exhibiting woe, sorrow, or misery; *also* : DISMAL, DESOLATE
woe·ful *also* **wo·ful** \'wō-fəl\ *adj* **1** : full of woe : AFFLICTED **2** : involving, bringing, or relating to woe ⟨~ poverty⟩ **3** : PALTRY, DEPLORABLE —
woke *past of* WAKE
woken *past part of* WAKE
wold \'wōld\ *n* : an upland plain or stretch of rolling land without woods
¹**wolf** \'wulf\ *n, pl* **wolves** \'wulvz\ **1** : any of several large erect-eared bushy-tailed doglike mammals that are crafty, greedy, and destructive to game and livestock **2** : a fierce or destructive person **3** : a man forward, direct, and zealous in amatory attentions to women
²**wolf** *vb* : to eat greedily : DEVOUR
wolf·hound \-,haund\ *n* : any of several large dogs orig. used in hunting wolves
wol·ver·ine \,wul-və-'rēn\ *n* : a dark shaggy-coated American flesh-eating mammal related to the sables and noted for cunning and gluttony

wom·an \'wum-ən\ *n, pl* **wom·en** \'wim-ən\ [OE *wīfman*, fr. *wīf* woman, wife + *man* man] **1** : an adult female person **2** : WOMANKIND **3** : feminine nature : WOMANLINESS **4** : a female servant or attendant
wom·an·hood \-,hud\ *n* **1** : the state of being a woman : the distinguishing qualities of a woman or of womankind **2** : WOMEN, WOMANKIND
wom·an·kind \'wum-ən-,kīnd\ *n* : the females of the human race : WOMEN
womb \'wüm\ *n* **1** : UTERUS **2** : a place where something is generated or developed
¹**won** *past of* WIN
²**won** \'wȯn\ *n, pl* **won** — see MONEY table
¹**won·der** \'wən-dər\ *n* **1** : a cause of astonishment or surprise : MARVEL; *also* : MIRACLE **2** : a feeling (as of awed astonishment or uncertainty) aroused by something extraordinary or affecting **3** : the quality of exciting wonder ⟨the charm and ~ of the scene⟩
²**wonder** *vb* **1** : to feel surprise or amazement **2** : to feel curiosity or doubt
won·der·ful \'wən-dər-fəl\ *adj* **1** : exciting wonder : MARVELOUS, ASTONISHING **2** : unusually good : ADMIRABLE —
won·der·land \-,land, -lənd\ *n* **1** : a fairylike imaginary realm **2** : a place that excites admiration or wonder
won·der·ment \-mənt\ *n* **1** : ASTONISHMENT, SURPRISE **2** : a cause of or occasion for wonder **3** : curiosity about something
won·drous \'wən-drəs\ *adj* : WONDERFUL, MARVELOUS — **wondrous** *adv*
¹**wont** \'wȯnt, 'wōnt\ *adj* **1** : ACCUSTOMED, USED ⟨as he was ~ to do⟩ **2** : INCLINED, APT
²**wont** *n* : CUSTOM, USAGE, HABIT ⟨according to her ~⟩
woo \'wü\ *vb* **1** : to sue for the affection of and usu. marriage with : COURT **2** : SOLICIT, ENTREAT **3** : to try to gain or bring about ⟨~ public favor⟩
¹**wood** \'wud\ *n* **1** : a dense growth of trees usu. larger than a grove and smaller than a forest — often used in pl. **2** : a hard fibrous substance that forms the bulk of trees and shrubs beneath the bark; *also* : this material fit or prepared for some use (as burning or building) **3** : something made of wood
²**wood** *adj* **1** : WOODEN **2** : suitable for holding, cutting, or working with wood **3** *or* **woods** \'wudz\ : living or growing in woods
³**wood** *vb* **1** : to supply or load with wood esp. for fuel **2** : to cover with a growth of trees
wood alcohol *n* : a flammable liquid that resembles ordinary alcohol but is very poisonous and is used as a solvent and an antifreeze
wood·bine \'wud-,bīn\ *n* : any of several climbing vines (as a honeysuckle)
wood block *n* **1** : a block of wood **2** : a die for printing cut in relief on wood; *also* : a print from such a die
wood·chop·per \'wud-,chäp-ər\ *n* : one engaged esp. in chopping down trees
wood·chuck \-,chək\ *n* : a thickset grizzled marmot of the northeastern U. S. and Canada
wood·cock \-,käk\ *n* : either of two

woodcraft   518   **workday**

long-billed mottled birds related to the snipe; *esp* : an American upland game bird
wood·craft \-‚kraft\ *n* **1** : skill and practice in matters relating to the woods esp. in maintaining oneself and making one's way or in hunting or trapping **2** : skill in shaping or constructing articles from wood
wood·cut \-‚kət\ *n* : an engraving on wood; *also* : a print from such an engraving
wood·en \'wu̇d-ᵊn\ *adj* **1** : made of wood **2** : lacking resilience : STIFF **3** : AWKWARD, CLUMSY — **wood·en·ly** *adv*
wood·land \'wu̇d-lənd, -‚land\ *n* : land covered with trees : FOREST
wood louse *n* : a small flat grayish crustacean that lives esp. under stones and bark
wood·peck·er \'wu̇d-‚pek-ər\ *n* : any of various usu. brightly marked climbing birds with stiff spiny tail feathers and a chisellike bill used to drill into trees for insects
wood·pile \-‚pīl\ *n* : a pile of wood and esp. firewood
wood·shed \-‚shed\ *n* : a shed for storing wood and esp. firewood
woods·man \'wu̇dz-mən\ *n* : one who frequents or works in the woods; *esp* : one skilled in woodcraft
wood·wind \'wu̇d-‚wind\ *n* : one of a group of wind instruments including flutes, clarinets, oboes, bassoons, and sometimes saxophones
wood·work \-‚wərk\ *n* : work made of wood; *esp* : interior fittings (as moldings or stairways) of wood
woody \-ē\ *adj* **1** : abounding or overgrown with woods **2** : of or containing wood or wood fibers **3** : resembling or characteristic of wood
wool \'wu̇l\ *n* **1** : the soft wavy or curly hair of some mammals and esp. the sheep; *also* : something (as a textile or garment) made of wool **2** : short thick often crisply curled human hair **3** : a light and fleecy woollike substance —
¹**wool·en** *or* **wool·len** *adj* **1** : made of wool **2** : of or relating to the manufacture or sale of woolen products ⟨~ mills⟩
²**woolen** *or* **woollen** *n* **1** : a fabric made of wool **2** : garments of woolen fabric — usu. used in pl.
¹**wool·ly** *also* **wooly** \'wu̇l-ē\ *adj* **1** : of, relating to, or bearing wool **2** : consisting of or resembling wool **3** : CONFUSED, BLURRY ⟨~ thinking⟩
²**woolly** *also* **wooly** *n* : a garment made from wool; *esp* : underclothing of knitted wool
woo·zy \'wü-zē\ *adj* **1** : BEFUDDLED **2** : somewhat dizzy, nauseated, or weak
¹**word** \'wərd\ *n* **1** : something that is said; *esp* : a brief remark **2** : a speech sound or series of speech sounds that communicates a meaning; *also* : a graphic representation of such a sound or series of sounds **3** : ORDER, COMMAND **4** *often cap* : the second person of the Trinity; *also* : GOSPEL **5** : NEWS, INFORMATION **6** : PROMISE **7** *pl* : QUARREL, DISPUTE **8** : a verbal signal
²**word** *vb* : to express in words : PHRASE

word·play \'wərd-‚plā\ *n* : verbal wit
wordy *adj* : using many words : VERBOSE *syn* prolix, diffuse, redundant — **word·i·ness** *n*
wore *past of* WEAR
¹**work** \'wərk\ *n* **1** : TOIL, LABOR; *also* : EMPLOYMENT ⟨out of ~⟩ **2** : TASK, JOB ⟨have ~ to do⟩ **3** : DEED, ACHIEVEMENT **4** : material in the process of manufacture **5** : something produced by mental effort or physical labor; *esp* : an artistic production (as a book or needlework) **6** *pl* : engineering structures **7** *pl* : the buildings, grounds, and machinery of a factory **8** *pl* : the moving parts of a mechanism **9** : WORKMANSHIP ⟨careless ~⟩ **10** : a fortified structure of any kind **11** : the transference of energy when a force produces movement of a body **12** *pl* : everything possessed, available, or belonging ⟨the whole ~s went overboard⟩; *also* : subjection to drastic treatment ⟨gave him the ~s⟩ *syn* occupation, employment, business, pursuit, calling, travail, grind, drudgery
²**work** *adj* **1** : suitable or styled for wear while working ⟨~ clothes⟩ **2** : used for work ⟨~ elephants⟩
³**work** *vb* **worked** *or* **wrought** \'rȯt\ **work·ing** **1** : to bring to pass : EFFECT **2** : to fashion or create by expending labor or exertion upon **3** : to prepare for use esp. by stirring or kneading **4** : to bring into a desired form by a gradual process of cutting, hammering, scraping, pressing, or stretching ⟨~ cold steel⟩ **5** : to set or keep in operation : OPERATE ⟨a pump ~ed by hand⟩ **6** : to solve by reasoning or calculation ⟨~ a problem⟩ **7** : to cause to toil or labor ⟨~ed his men hard⟩; *also* : EXPLOIT **8** : to pay for with labor or service ⟨~ off a debt⟩ **9** : to bring into some (specified) position or condition by stages ⟨the stream ~ed itself clear⟩ **10** : CONTRIVE, ARRANGE ⟨we'll go if we can ~ it⟩ **11** : to practice trickery or cajolery on for some end ⟨~ed the management for a free ticket⟩ **12** : EXCITE, PROVOKE ⟨~ed himself into a rage⟩ **13** : to exert oneself physically or mentally; *esp* : to perform work regularly for wages **14** : to function according to plan or design **15** : to produce a desired effect : SUCCEED **16** : to make way slowly and with difficulty ⟨he ~ed forward through the crowd⟩ **17** : to permit of being worked ⟨this wood ~s easily⟩ **18** : to be in restless motion; *also* : FERMENT 1 **19** : to move slightly in relation to another part; *also* : to get into a specified condition slowly or imperceptibly ⟨the knot ~ed loose⟩ — **work on 1** : AFFECT **2** : to try to influence or persuade — **work upon** : to have effect upon : operate on : PERSUADE, INFLUENCE
work·able *adj* **1** : capable of being worked **2** : PRACTICABLE, FEASIBLE
work·book \-‚bu̇k\ *n* **1** : a booklet outlining a course of study **2** : a workman's manual **3** : a record book of work done **4** : a student's individual book of problems to be solved directly on the pages
work·day \-‚dā\ *n* **1** : a day on which work is done as distinguished from

work·er \'wər-kər\ *n* **1** : one that works; *esp* : a person who works for wages **2** : one of the sexually undeveloped individuals of a colony of social insects (as bees, ants, or termites) that perform the work of the community

work·horse \'wərk-,hors\ *n* **1** : a horse used chiefly for labor **2** : a person who undertakes arduous labor

work·house \-,haus\ *n* **1** *Brit* : POORHOUSE **2** : a house of correction where persons who have committed a minor offense are confined

¹work·ing \'wər-kiŋ\ *adj* **1** : adequate to allow work to be done ⟨a ~ majority⟩ ⟨a ~ knowledge of French⟩ **2** : adopted or assumed to help further work or activity ⟨a ~ draft of a peace treaty⟩

²working *n* **1** : manner of functioning : OPERATION **2** *pl* : an excavation made in mining or tunneling

work·man \'wərk-mən\ *n* **1** : WORKINGMAN **2** : ARTISAN, CRAFTSMAN

work·man·ship *n* : the art or skill of a workman : CRAFTSMANSHIP; *also* : the quality imparted to something in the process of making it ⟨a vase of exquisite ~⟩

work·out \'wərk-,aut\ *n* **1** : a practice or exercise to test or improve one's fitness esp. for athletic competition, ability, or performance **2** : a test or trial to determine ability or capacity or suitability

work·room \-,rüm, -,rum\ *n* : a room used esp. for manual work

work·shop \-,shäp\ *n* **1** : a small establishment where manufacturing or handicrafts are carried on **2** : a seminar emphasizing exchange of ideas and practical methods and given mainly for adults already employed in the field

world \'wərld\ *n* **1** : UNIVERSE, CREATION **2** : the earth with its inhabitants and all things upon it **3** : people in general : MANKIND **4** : a state of existence : scene of life and action ⟨the ~ of the future⟩ **5** : a great number or quantity ⟨a ~ of troubles⟩ **6** : a part or section of the earth or its inhabitants by itself **7** : the affairs of men ⟨withdraw from the ~⟩ **8** : a heavenly body esp. if inhabited **9** : a distinctive class of persons or their sphere of interest ⟨the musical ~⟩

world·ly \'wərld-lē\ *adj* **1** : of, relating to, or devoted to this world and its pursuits rather than to religion or spiritual affairs **2** : WORLDLY-WISE, SOPHISTICATED — **world·li·ness** *n*

world·wide \'wərld-'wīd\ *adj* : extended throughout the entire world ⟨~ fame⟩

¹worm \'wərm\ *n* **1** : an earthworm or a closely related and similar animal; *also* : any of various small long usu. naked and soft-bodied creeping animals (as a maggot) **2** : a human being who is an object of contempt, loathing, or pity : WRETCH **3** : something that inwardly torments or devours **4** : a spiral or wormlike thing (as the thread of a screw) **5** *pl* : infestation with or disease caused by parasitic worms — **wormy** *adj*

²worm *vb* **1** : to move or cause to move or proceed slowly and deviously **2** : to insinuate or introduce (oneself) by devious or subtle means **3** : to free from worms ⟨~ a dog⟩ **4** : to obtain or extract by artful or insidious pleading, asking, or persuading ⟨~ed the truth out of him⟩

worm–eat·en \'wərm-,ēt-ᵊn\ *adj* **1** : eaten or burrowed by worms **2** : PITTED **3** : WORN-OUT, ANTIQUATED ⟨tried to update the ~ regulations⟩

worm·hole \'wərm-,hōl\ *n* : a hole or passage burrowed by a worm

worn *past part of* WEAR

worn–out \'wōrn-'aut\ *adj* : exhausted or used up by or as if by wear ⟨an old ~ suit⟩ ⟨a ~ automobile⟩

wor·ri·some \'wər-ē-səm\ *adj* **1** : causing distress or worry **2** : inclined to worry or fret

¹wor·ry \'wər-ē\ *vb* **1** : to shake and mangle with the teeth ⟨a terrier ~ing a rat⟩ **2** : TROUBLE, PLAGUE ⟨his poor health *worries* his parents⟩ **3** : to feel or express great care or anxiety : FRET —

²worry *n* **1** : ANXIETY **2** : a cause of anxiety : TROUBLE

¹worse \'wərs\ *adj, comparative of* BAD *or of* ILL **1** : bad or evil in a greater degree : less good; *esp* : more unwell **2** : more unfavorable, unpleasant, or painful

²worse *n* **1** : one that is worse **2** : a greater degree of ill or badness

³worse *adv, comparative of* BAD *or of* ILL : in a worse manner : to a worse extent or degree

¹wor·ship \'wər-shəp\ *n* [OE *weorthscipe* honor, respect, fr. *weorth* worth, worthy + *-scipe* -ship, suffix denoting quality or condition] **1** *chiefly Brit* : a person of importance — used as a title for officials (as magistrates and some mayors) **2** : reverence toward God, a god, or a sacred object; *also* : the expression of such reverence **3** : extravagant respect or admiration for or devotion to an object of esteem ⟨~ of the dollar⟩

²worship *vb* **-shiped** *or* **-shipped**; **-ship·ing** *or* **-ship·ping** **1** : to honor or reverence as a divine being or supernatural power **2** : IDOLIZE **3** : to perform or take part in worship — **wor·ship·er** *or* **wor·ship·per** *n*

¹worst \'wərst\ *adj, superlative of* BAD *or of* ILL **1** : most bad, evil, ill, or corrupt **2** : most unfavorable, unpleasant, or painful; *also* : most unsuitable, faulty, or unattractive **3** : least skillful or efficient **4** : most wanting in quality, value, or condition

²worst *n* **1** : one that is worst **2** : the greatest degree of ill or badness

³worst *adv, superlative of* ILL *or of* BAD *or* BADLY **1** : to the extreme degree of badness or inferiority : in the worst manner

wor·sted \'wus-təd, 'wərs-\ *n* : a smooth compact yarn from long wool fibers used esp. for firm napless fabrics, carpeting, or knitting; *also* : a fabric made from such yarn

¹wort \'wərt, 'wort\ *n* : PLANT; *esp* : an herbaceous plant

²wort *n* : a solution obtained by infusion from malt and fermented to form beer

¹worth \'wərth\ *prep* **1** : equal in value to; *also* : having possessions or

worthless — wretched

income equal to **2** : deserving of ⟨well ~ the effort⟩ **3** : capable of ⟨ran for all he was ~⟩

²**worth** *n* **1** : monetary value : the equivalent of a specified amount or figure **2** : the value of something measured by its qualities or by the esteem in which it is held **3** : moral or personal value : MERIT, EXCELLENCE

worth·less *adj* **1** : lacking worth : VALUELESS; *also* **2** : USELESS **3** : LOW, DESPICABLE — **worth·less·ness** *n*

worth·while \'wərth-'hwīl\ *adj* : being worth the time or effort spent

¹**wor·thy** \'wər-thē\ *adj* **1** : having worth or value : ESTIMABLE **2** : HONORABLE, MERITORIOUS **3** : having sufficient worth ⟨a man ~ of the honor⟩ — **wor·thi·ly** *adv* — **wor·thi·ness** *n*

²**worthy** *n* : a worthy person

would \wəd, (ə)d, (')wùd\ *past of* WILL **1** *archaic* : wish for : WANT ⟨he ~ a word with you⟩ **2** : strongly desire : WISH ⟨I ~ I were young again⟩ **3** — used as an auxiliary to express preference, wish or desire, intention, habitual action, a contingency or possibility, probability, capability, a request, or simple futurity from a point of view in the past **4** : COULD **5** : SHOULD

¹**wound** \'wünd\ *n* **1** : an injury in which the skin is broken (as by violence or by surgery) **2** : an injury or hurt to feelings or reputation

²**wound** *vb* : to inflict a wound to or in

³**wound** \'waùnd\ *past of* WIND

wove *past of* WEAVE

woven *past part of* WEAVE

¹**wrack** \'rak\ *n* **1** : RUIN, DESTRUCTION **2** : a remnant of something destroyed

²**wrack** *n* **1** : a wrecked ship; *also* : WRECKAGE, WRECK **2** : sea vegetation

¹**wran·gle** \'raŋ-gəl\ *vb* **1** : to quarrel angrily or peevishly : BICKER **2** : ARGUE **3** : to obtain by persistent arguing **4** : to herd and care for (livestock) on the range — **wran·gler** *n*

²**wrangle** *n* : an angry, noisy, or prolonged dispute or quarrel; *also* : CONTROVERSY

¹**wrap** \'rap\ *vb* **wrapped; wrap·ping** **1** : to cover esp. by winding or folding **2** : to envelop and secure for transportation or storage : BUNDLE **3** : to enclose wholly : ENFOLD **4** : to coil, fold, draw, or twine about something **5** : SURROUND, ENVELOP; *also* : SUFFUSE **6** : INVOLVE, ENGROSS ⟨*wrapped* up in a hobby⟩ **7** : to conceal as if by enveloping or enfolding : HIDE **8** : to put on clothing : DRESS **9** : to be subject to covering or enclosing ⟨~s up into a small package⟩

²**wrap** *n* **1** : WRAPPER, WRAPPING **2** : an article of clothing that may be wrapped around a person; *esp* : an outer garment (as a coat or shawl)

wrap·around \'rap-ə-,raùnd\ *n* : a garment (as a dress) made with a full-length opening and adjusted to the figure by wrapping around

wrap·per *n* **1** : that in which something is wrapped **2** : one that wraps **3** : an article of clothing worn wrapped around the body; *also* : a loose outer garment

wrap·ping *n* : something used to wrap an object : WRAPPER

wrap up \'rap-'əp\ *vb* **1** : END, CONCLUDE **2** : to make a single comprehensive report of

wrath \'rath\ *n* **1** : violent anger : RAGE **2** : retributory punishment for an offense or a crime : divine chastisement **syn** indignation, ire, fury

wreak \'rēk\ *vb* **1** : to exact as a punishment : INFLICT ⟨~ vengeance on an enemy⟩ **2** : to give free scope or rein to

wreath \'rēth\ *n* : something (as boughs or flowers) intertwined into a circular shape

wreathe \'rēth\ *vb* **1** : to twist or become twisted esp. so as to show folds or creases ⟨a face *wreathed* in smiles⟩ **2** : to shape or take on the shape of a wreath : move or extend in circles or spirals **3** : to fold or coil around

¹**wreck** \'rek\ *n* **1** : something (as goods) cast up on the land by the sea after a shipwreck **2** : broken remains (as of a ship or vehicle after heavy damage) **3** : something disabled or in a state of ruin; *also* : an individual broken in health or strength **4** : SHIPWRECK **5** : the action of breaking up or destroying something : WRECKING

²**wreck** *vb* **1** : SHIPWRECK **2** : to ruin or damage by breaking up : involve in disaster or ruin

wreck·age *n* **1** : the act of wrecking : the state of being wrecked : RUIN **2** : the remains of a wreck

wren \'ren\ *n* : any of various small mostly brown singing birds with short wings and tail

¹**wrench** \'rench\ *vb* **1** : to move with a violent twist **2** : to pull, strain, or tighten with violent twisting or force **3** : to injure or disable by a violent twisting or straining **4** : to change (as the meaning of a word) violently : DISTORT **5** : to snatch forcibly : WREST **6** : to cause to suffer anguish

²**wrench** *n* **1** : a forcible twisting; *also* : an injury (as to one's ankle) by twisting **2** : a tool for exerting a twisting force (as on a nut or bolt)

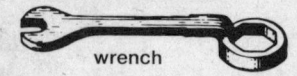

wrench

¹**wrest** \'rest\ *vb* **1** : to pull or move by a forcible twisting movement **2** : to gain with difficulty by or as if by force or violence ⟨~ a living⟩ ⟨~ the power from the usurper⟩ **3** : to wrench (a word or passage) from its proper meaning or use

²**wrest** *n* : a forcible twist : WRENCH

¹**wres·tle** \'res-əl\ *vb* **1** : to scuffle with an opponent in an attempt to trip him or throw him down **2** : to contend against in wrestling **3** : to struggle for mastery (as with something difficult) ⟨~ with a problem⟩ — **wres·tler** *n*

²**wrestle** *n* : the action or an instance of wrestling : STRUGGLE

wres·tling \'res-liŋ\ *n* : the sport of hand-to-hand combat between two opponents who seek to throw and pin each other

wretch \'rech\ *n* **1** : a miserable unhappy person **2** : a base, despicable, or vile person

wretch·ed \'rech-əd\ *adj* **1** : deeply afflicted, dejected, or distressed : MISERABLE **2** : WOEFUL, GRIEVOUS ⟨a ~ accident⟩ **3** : DESPICABLE ⟨a ~ trick⟩ **4** : poor in quality or ability : INFERIOR

wrig·gle \\'rig-əl\\ *vb* **1** : to twist and turn restlessly : SQUIRM ⟨*wriggled* in his chair⟩; *also* : to move or advance by twisting and turning ⟨a snake *wriggled* along the path⟩ **2** : to extricate oneself or bring into a state or place by maneuvering, twisting, or dodging ⟨~ out of a difficulty⟩ — **wriggle** *n*

wring \\'riŋ\\ *vb* **wrung** \\'rəŋ\\ **wring·ing 1** : to squeeze or twist esp. so as to make dry or to extract moisture or liquid ⟨~ clothes⟩ **2** : to get by or as if by forcible exertion of pressure : EXTORT ⟨~ the truth out of him⟩ **3** : to twist so as to strain or sprain : CONTORT ⟨~ his neck⟩ **4** : to twist together as a sign of anguish ⟨*wrung* her hands⟩ **5** : to affect painfully as if by wringing : TORMENT ⟨her plight *wrung* my heart⟩ **6** : to shake (a hand) vigorously in greeting

wring·er *n* : one that wrings; *esp* : a device for squeezing out liquid or moisture ⟨clothes ~⟩

¹**wrin·kle** \\'riŋ-kəl\\ *n* **1** : a crease or small fold on a surface (as in the skin or in cloth) **2** : METHOD, TECHNIQUE; *also* : information about a method **3** : an innovation in method, technique, or equipment : NOVELTY ⟨the latest ~ in hairdos⟩ — **wrin·kly** *adj*

²**wrinkle** *vb* : to develop or cause to develop wrinkles

wrist \\'rist\\ *n* : the joint or region between the hand and the arm; *also* : a corresponding part in a lower animal

writ \\'rit\\ *n* **1** : WRITING **2** : a legal order in writing issued in the name of the sovereign power or in the name of a court or judicial authority commanding the performance or nonperformance of a specified act **3** : a written order constituting a symbol of the power and authority of the issuer

write \\'rīt\\ *vb* **wrote** \\'rōt\\ **writ·ten** \\'rit-ᵊn\\ *also* **writ** \\'rit\\ **writ·ing** \\'rīt-iŋ\\ **1** : to form characters, letters, or words on a surface (as with a pen) ⟨learn to read and ~⟩ **2** : to form the letters or the words of (as on paper) : INSCRIBE ⟨*wrote* his name⟩ **3** : to put down on paper : give expression to in writing **4** : to make up and set down for others to read : COMPOSE ⟨~ music⟩ **5** : to pen, typewrite, or dictate a letter to **6** : to communicate by letter : CORRESPOND **7** : to be fitted for writing

write off *vb* **1** : to reduce the estimated value of : DEPRECIATE **2** : CANCEL

writ·er \\'rīt-ər\\ *n* : one that writes esp. as a business or occupation : AUTHOR

write–up \\'rīt-,əp\\ *n* : a written account (as in a newspaper); *esp* : a flattering article

writhe \\'rīth\\ *vb* **1** : to move or proceed with twists and turns ⟨~ in pain⟩ **2** : to suffer with shame or confusion : SQUIRM

writ·ing \\'rīt-iŋ\\ *n* **1** : the act of one that writes; *also* : HANDWRITING **2** : something (as a letter, book, or document) that is written or printed **3** : INSCRIPTION **4** : a style or form of composition **5** : the occupation of a writer

¹**wrong** \\'ròŋ\\ *n* **1** : an injurious, unfair, or unjust act **2** : something that is contrary to justice, goodness, equity, or law ⟨know right from ~⟩ **3** : the state, position, or fact of being or doing wrong; *also* : the state of being guilty ⟨in the ~⟩ **4** : a violation of the legal rights of another person

²**wrong** *adj* **1** : SINFUL, IMMORAL **2** : not right according to a standard or code : IMPROPER **3** : UNSUITABLE, INAPPROPRIATE **4** : INCORRECT ⟨a ~ solution⟩ **5** : UNSATISFACTORY **6** : constituting a surface that is considered the back, bottom, inside, or reverse of something

³**wrong** *adv* **1** : in a wrong direction, manner, position, or relation **2** : INCORRECTLY

⁴**wrong** *vb* **1** : to do wrong to : INJURE, HARM **2** : to treat unjustly : DISHONOR, MALIGN **syn** oppress, persecute, aggrieve

wrong·do·er \\'ròŋ-'dü-ər\\ *n* : a person who does wrong and esp. moral wrong

wrong·ful \\-fəl\\ *adj* **1** : WRONG, UNJUST **2** : UNLAWFUL — **wrong·ful·ly** *adv*

wrong·ly \\'ròŋ-lē\\ *adv* **1** : in an improper or inappropriate way **2** : UNFAIRLY, UNJUSTLY **3** : INCORRECTLY **4** : in error : by mistake ⟨rightly or ~⟩

wrote *past of* WRITE

wrought \\'ròt\\ *adj* **1** : FASHIONED, FORMED **2** : ORNAMENTED **3** : beaten into shape : HAMMERED ⟨~ silver dishes⟩ **4** : deeply stirred : EXCITED ⟨gets easily ~ up over nothing⟩

wrought iron *n* : a commercial form of iron that contains less than 0.3 percent carbon and is tough, malleable, and relatively soft — **wrought–iron** *adj*

wrung *past of* WRING

wry \\'rī\\ *adj* **1** : turned abnormally to one side : CONTORTED; *also* : made by twisting the facial muscles ⟨a ~ smile⟩ **2** : cleverly and often ironically humorous — **wry·ly** *adv*

X

x \\'eks\\ *n, often cap* : the 24th letter of the English alphabet

X–dis·ease \\'eks-diz-,ēz\\ *n* : a virus disease of uncertain origin and relationships; *esp* : an encephalitis first encountered in Australia

xe·non \\'zēn-,än, 'zen-\\ *n* : a heavy gaseous chemical element occurring in minute quantities in air

xeno·pho·bia \\,zen-ə-'fō-bē-ə\\ *n* : fear and hatred of strangers or foreigners or of what is strange or foreign — **xenophobe** \\'zen-ə-,fōb\\ *n*

xe·roph·thal·mia \\,zir-,äf-'thal-mē-ə, -,äp-\\ *n* : an eye disease resulting from severe lack of vitamin A — **xe·roph·thal·mic** *adj*

xe·ro·phyte \\'zir-ə-,fīt\\ *n* : a plant adapted for growth with a limited water supply

Xmas \\'kris-məs\\ *n* : CHRISTMAS

X ray \\'eks-,rā\\ *n* **1** : a radiation of the same nature as light rays but of extremely short wavelength that is generated by the striking of a stream of electrons against a metal surface in a

xylophone 522 **yellow**

vacuum and that is able to penetrate through various thicknesses of solids 2 : a photograph taken with X rays
x-ray vb, often cap X : to examine, treat, or photograph with X rays
xy·lo·phone \ˈzī-lə-ˌfōn\ n [Gk xylon wood + phōnē voice, sound] : a musical instrument consisting of a series of wooden bars graduated in length to sound the musical scale, supported on belts of straw or felt, and sounded by striking with two small wooden hammers

Y

y \ˈwī\ n, often cap : the 25th letter of the English alphabet
¹-y also **-ey** \ē\ adj suffix **-i·er** \ē-ər\ **-i·est** \ē-əst\ 1 : characterized by : full of ⟨dirty⟩ ⟨clayey⟩ 2 : having the character of : composed of ⟨icy⟩ 3 : like : like that of ⟨homey⟩ ⟨wintry⟩ ⟨stagy⟩ 4 : devoted to : addicted to : enthusiastic over ⟨horsy⟩ 5 : tending or inclined to ⟨sleepy⟩ ⟨chatty⟩ 6 : giving occasion for (specified) action ⟨teary⟩ 7 : performing (specified) action ⟨curly⟩ 8 : somewhat : rather : -ISH ⟨chilly⟩
²-y \ē\ n suffix, pl **-ies** \ēz\ 1 : state : condition : quality ⟨beggary⟩ 2 : activity, place of business, or goods dealt with ⟨laundry⟩ 3 : whole body or group ⟨soldiery⟩
³-y n suffix, pl **-ies** : instance of a (specified) action ⟨entreaty⟩ ⟨inquiry⟩
¹yacht \ˈyät\ n : any of various relatively small sailing or mechanically driven ships that usu. have a sharp prow and graceful lines and are used esp. for pleasure cruising and racing
²yacht vb : to race or cruise in a yacht
ya·hoo \ˈyā-hü, ˈyä-\ n : an uncouth or rowdy person
Yah·weh \ˈyä-ˌwā\ n : the God of the Hebrews
¹yak \ˈyak\ n : a large long-haired blackish brown ox of Tibet and adjacent Asiatic uplands
²yak n : persistent or voluble talk — **yak** vb
yam \ˈyam\ n 1 : the edible starchy root of a twining vine that largely replaces the potato as food in the tropics 2 : a usu. deep orange sweet potato
yam·mer \ˈyam-ər\ vb 1 : WHIMPER 2 : CHATTER — **yammer** n
¹yank \ˈyaŋk\ n : a strong sudden pull : JERK
²yank vb : to pull with a quick vigorous movement
Yan·kee \ˈyaŋ-kē\ n 1 : a native or inhabitant of New England; also : a native or inhabitant of the northern U.S. 2 : AMERICAN 2 — **Yankee** adj
yan·qui \ˈyäŋ-kē\ n, often cap : a citizen of the U.S. as distinguished from a Latin American
¹yap \ˈyap\ vb **yapped; yap·ping** 1 : BARK, YELP 2 : GAB
²yap n 1 : a quick sharp bark 2 : CHATTER
¹yard \ˈyärd\ n 1 : a measure of length equaling 3 feet or 0.9144 meter 2 : a long spar tapered toward the ends that supports and spreads the head of a sail
²yard n 1 : a small enclosed area open to the sky and adjacent to a building 2 : the grounds of a building 3 : an enclosure for livestock 4 : an area set aside for a particular business or activity ⟨a navy ~⟩ 5 : a system of railroad tracks for storing cars and making up trains

yard·age n : an aggregate number of yards; also : the length, extent, or volume of something as measured in yards
yard·stick \-ˌstik\ n 1 : a graduated measuring stick 3 feet long 2 : a standard for making a critical judgment : CRITERION **syn** gauge, touchstone
yarn \ˈyärn\ n 1 : a continuous often plied strand composed of fibers or filaments and used in weaving and knitting to form cloth 2 : STORY; esp : a tall tale
¹yawn \ˈyȯn\ vb : to open wide; esp : to open the mouth wide usu. as an involuntary reaction to fatigue or boredom
²yawn n : a deep usu. involuntary intake of breath through the wide-open mouth
yaws \ˈyȯz\ n sing or pl : a tropical disease related to syphilis but not venereal
¹yea \ˈyā\ adv 1 : YES — used in oral voting 2 : INDEED, TRULY
²yea n : an affirmative vote; also : a person casting such a vote
year \ˈyiər\ n 1 : the period of about 365¼ solar days required for one revolution of the earth around the sun 2 : a cycle in the Gregorian calendar of 365 or 366 days beginning with January 1; also : a calendar year specified usu. by a number 3 pl : a time of special significance ⟨~s of plenty⟩ 4 pl : AGE ⟨advanced in ~s⟩ 5 : a period of time other than a calendar year ⟨the school ~⟩
year·book \-ˌbu̇k\ n 1 : a book published annually esp. as a report 2 : a school publication recording the history and activities of a graduating class
year·ling \ˈyiər-liŋ, ˈyər-lən\ n : one that is or is rated as a year old
¹year·ly \-lē\ adj : ANNUAL
²yearly adv : every year
yearn \ˈyərn\ vb 1 : to feel a longing or craving 2 : to feel tenderness or compassion **syn** long, pine, hanker, hunger, thirst
yearn·ing n : a tender or urgent longing
yeast \ˈyēst\ n 1 : a surface froth or a sediment in sugary liquids (as fruit juices) that consists largely of cells of a tiny fungus and is used in making alcoholic liquors and as a leaven in baking 2 : any of various usu. one-celled fungi that reproduce by budding and promote alcoholic fermentation 3 : a commercial product containing yeast plants in a moist or dry medium 4 : the foam of waves : SPUME 5 : something that causes ferment or activity
¹yell \ˈyel\ vb : to utter a loud cry or scream : SHOUT
²yell n 1 : SHOUT 2 : a cheer used esp. to encourage an athletic team (as at a college)
¹yel·low \ˈyel-ō\ adj 1 : of the color yellow 2 : having a yellow complexion or skin 3 : SENSATIONAL ⟨~ journalism⟩ 4 : COWARDLY
²yellow vb : to make or turn yellow

yellow fever   523   **youth**

³**yellow** *n* **1** : a color between green and orange in the spectrum : the color of ripe lemons or sunflowers **2** : something yellow; *esp* : the yolk of an egg **3** *pl* : JAUNDICE **4** *pl* : any of several plant virus diseases marked by stunted growth and yellowing of foliage

yellow fever *n* : an acute destructive virus disease marked by prostration, jaundice, fever, and often hemorrhage and transmitted by a mosquito

yellow jacket *n* : an American social wasp having the body barred with bright yellow

yelp \'yelp\ *vb* : to utter a sharp quick shrill cry — **yelp** *n*

yen *n* : a strong desire : LONGING

yeo·man \'yō-mən\ *n* **1** : an attendant or officer in a royal or noble household **2** : a small farmer who cultivates his own land; *esp* : one of a class of English freeholders below the gentry **3** : a naval petty officer who performs clerical duties

-yer — see -ER

¹**yes** \'yes\ *adv* — used as a function word esp. to express assent or agreement or to introduce a more emphatic or explicit phrase

²**yes** *n* : an affirmative reply

¹**yes·ter·day** \'yes-tərd-ē\ *adv* **1** : on the day preceding today **2** : only a short time ago

²**yesterday** *n* **1** : the day last past **2** : time not long past

yes·ter·year \-tər-,yiər\ *n* **1** : last year **2** : the recent past

¹**yet** \(')yet\ *adv* **1** : in addition : BESIDES; *also* : EVEN **3 2** : up to now; *also* : STILL **3** : so soon as now ⟨not time to go ~⟩ **4** : EVENTUALLY **5** : NEVERTHELESS, HOWEVER

²**yet** *conj* : despite the fact that : BUT

yew \'yü\ *n* **1** : any of various evergreen trees or shrubs with dark stiff poisonous needles and fleshy fruits **2** : the fine-grained wood of a yew; *esp* : that of an Old World yew valued for bows, hoops, and cabinetwork

yew

Yid·dish \'yid-ish\ *n* [Yiddish *yidish*, short for *yidish daytsh*, lit., Jewish German] : a language derived from German and spoken by Jews esp. of eastern Europe — **Yiddish** *adj*

¹**yield** \'yēld\ *vb* **1** : to give as fitting, owed, or required **2** : to give up; *esp* : to give up possession of on claim or demand **3** : to bear as a natural product **4** : PRODUCE, SUPPLY **5** : to bring in : RETURN **6** : to give way (as to force or influence) **7** : to give place **syn** relinquish, cede, waive, submit, capitulate, defer

²**yield** *n* : something yielded; *esp* : the amount or quantity produced or returned

yield·ing *adj* **1** : not rigid or stiff : FLEXIBLE **2** : SUBMISSIVE, COMPLIANT

yo·ga \'yō-gə\ *n* **1** *cap* : a Hindu theistic philosophy teaching the suppression of all activity of body, mind, and will in order that the self may realize its distinction from them and attain liberation **2** : a system of exercises for attaining bodily or mental control and well-being

¹**yoke** \'yōk\ *n* **1** : a wooden bar or frame by which two draft animals (as oxen) are coupled at the heads or necks for working together; *also* : a frame fitted to a person's shoulders to carry a load in two equal portions **2** : a clamp that embraces two parts to hold or unite them in position **3** *pl* **yoke** : two animals yoked together **4** : SERVITUDE, BONDAGE **5** : TIE, LINK ⟨the ~ of matrimony⟩ **6** : a fitted or shaped piece esp. at the shoulder of a garment **syn** couple, pair, brace

²**yoke** *vb* **1** : to put a yoke on : couple with a yoke **2** : to attach a draft animal to ⟨~ a plow⟩ **3** : JOIN; *esp* : MARRY

yoke and oxbows

yolk \'yō(l)k\ *n* **1** : the yellow rounded inner mass of the egg of a bird or reptile : the stored food material of an egg **2** : oily matter in sheep's wool

Yom Kip·pur \,yȯm-'kip-ər, -ki-'pu̇r\ *n* : a Jewish holiday observed in September or October with fasting and prayer as a day of atonement

¹**yon** \'yän\ *adj* : YONDER

²**yon** *adv* **1** : YONDER **2** : THITHER ⟨ran hither and ~⟩

¹**yon·der** \'yän-dər\ *adv* : at or to that place

²**yonder** *adj* **1** : more distant ⟨the ~ side of the river⟩ **2** : being at a distance within view ⟨~ hills⟩

yore \'yōr\ *n* : time long past ⟨in days of ~⟩

you \(')yü, yə\ *pron* **1** : the person or persons addressed ⟨~ are a nice person⟩ ⟨~ are nice people⟩ **2** : ONE **2** ⟨~ turn this knob to open it⟩

¹**young** \'yəŋ\ *adj* **1** : being in the first or an early stage of life, growth, or development **2** : INEXPERIENCED **3** : recently come into being **4** : YOUTHFUL **5** *cap* : belonging to or representing a new or revived usu. political group or movement

²**young** *n pl* : young persons or lower animals

young·ster \-stər\ *n* **1** : a young person **2** : CHILD

youn·ker \'yəŋ-kər\ *n* **1** : a young man **2** : YOUNGSTER

your \yər, (')yu̇r, (')yōr\ *adj* : of or relating to you or yourself

your·self \yər-'self\ *pron*, *pl* **your·selves** \-'selvz\ : YOU — used reflexively, for emphasis, or in absolute constructions ⟨you'll hurt ~⟩ ⟨do it ~⟩ ⟨~ a man, you should understand⟩

youth \'yüth\ *n* **1** : the period of life between childhood and maturity **2** : a young man; *also* : young persons **3** : YOUTHFULNESS

youthful 524 **zodiac**

youth·ful *adj* **1** : of, relating to, or appropriate to youth **2** : being young and not yet mature **3** : FRESH, VIGOROUS
yowl \ˈyau̇l\ *vb* : to utter a loud long mournful cry : WAIL — **yowl** *n*
yt·ter·bi·um \i-ˈtər-bē-əm\ *n* : a rare metallic chemical element
yt·tri·um \ˈit-rē-əm\ *n* : a rare metallic chemical element
yule \ˈyül\ *n, often cap* : CHRISTMAS
yule log *n, often cap Y* : a large log formerly put on the hearth on Christmas Eve as the foundation of the fire
yule·tide \ˈyül-ˌtīd\ *n, often cap* : CHRISTMASTIDE
yum·my \ˈyəm-ē\ *adj* : highly attractive or pleasing
Yu·go·slav \ˌyü-gō-ˈsläv, -ˈslav\ *n* : a native or inhabitant of Yugoslavia

Z

z \ˈzē\ *n, often cap* : the 26th letter of the English alphabet
¹za·ny \ˈzā-nē\ *n* **1** : CLOWN, BUFFOON **2** : a silly or foolish person
²zany *adj* **1** : characteristic of a zany **2** : CRAZY, FOOLISH — **za·ni·ly** *adv*
zeal \ˈzēl\ *n* : eager and ardent interest in the pursuit of something : FERVOR **syn** enthusiasm, passion
zeal·ous \ˈzel-əs\ *adj* : filled with, characterized by, or due to zeal
ze·bra \ˈzē-brə\ *n* : any of several African mammals related to the horse and ass but conspicuously striped with black or brown and white or buff
zeit·geist \ˈtsīt-ˌgīst\ *n* : the general intellectual, moral, and cultural state of an era
Zen \ˈzen\ *n* : a Japanese Buddhist sect that teaches self-discipline, meditation, and attainment of enlightenment through direct intuitive insight
ze·nith \ˈzē-nəth\ *n* **1** : the point in the heavens directly overhead **2** : the highest point : ACME **syn** culmination pinnacle, apex
zeph·yr \ˈzef-ər\ *n* **1** : a breeze from the west; *also* : a gentle breeze **2** : any of various lightweight fabrics and articles of clothing
zep·pe·lin \ˈzep-(ə-)lən\ *n* : a rigid airship consisting of a cylindrical trussed and covered frame supported by internal gas cells
¹ze·ro \ˈzē-rō\ *n, pl* **-ros** *also* **-roes** **1** : CIPHER, NAUGHT **2** : the point at which the graduated degrees or measurements on a scale (as of a thermometer) begin **3** : the lowest point
²zero *vb* : TRAIN ⟨~ in artillery on the crossroads⟩
zest \ˈzest\ *n* **1** : a quality of enhancing enjoyment : PIQUANCY **2** : keen enjoyment : RELISH, GUSTO — **zest·ful** *adj*
¹zig·zag \ˈzig-ˌzag\ *n* : one of a series of short sharp turns, angles, or alterations in a course; *also* : something marked by such a series
²zigzag *adv* : in or by a zigzag path or course
³zigzag *adj* : having short sharp turns or angles
⁴zigzag *vb* **-zagged**; **-zag·ging** : to form into or proceed along a zigzag
zinc \ˈziŋk\ *n* : a bluish white crystalline metallic chemical element that tarnishes only slightly in moist air at ordinary temperatures and is used to make alloys and as a protective coating for iron
zinc ointment *n* : an ointment containing 20 percent of zinc oxide and used for skin disorders
zinc oxide *n* : an infusible white solid used as a pigment, in compounding rubber, and in ointments
zing \ˈziŋ\ *n* **1** : a shrill humming noise **2** : VITALITY — **zing** *vb*
zin·nia \ˈzin-ē-ə, ˈzēn-yə\ *n* : an American herb related to the daisies and widely grown for its showy long-lasting flower heads

zinnias

Zi·on \ˈzī-ən\ *n* **1** : the Jewish people **2** : the Jewish homeland as a symbol of Judaism or of Jewish national aspiration **3** : HEAVEN **4** : UTOPIA
Zi·on·ism \-ˌiz-əm\ *n* : a theory, plan, or movement for setting up a Jewish national or religious community in Palestine —
¹zip \ˈzip\ *vb* **zipped**; **zip·ping** : to move or act with speed or vigor
²zip *n* **1** : a sudden sharp hissing sound **2** : ENERGY, VIM
³zip *vb* **zipped**; **zip·ping** : to close or open with a zipper
zip·per \ˈzip-ər\ *n* : a fastener consisting of two rows of metal or plastic teeth on strips of tape and a sliding piece that closes an opening by drawing the teeth together
zir·co·ni·um \ˌzər-ˈkō-nē-əm\ *n* : a heat-resistant and corrosion-resistant metallic element used in alloys and ceramics
zith·er \ˈzith-ər, ˈzith-\ *n* : a musical instrument having 30 to 40 strings played with plectrum and fingers
zo·di·ac \ˈzōd-ē-ˌak\ *n* [Gk *zōidiakos, fr. zōidion* small figure, sign of the zodiac, fr. dim. of *zōion* animal] **1** : an imaginary elongated region in the heavens that encompasses the paths of all the principal planets except Pluto, that has the ecliptic as its central line, and that is divided into 12 signs (**Ar·i·es** \ˈar-ē-ˌēz\ the Ram, **Tau·rus** \ˈtȯr-əs\ the Bull, **Gem·i·ni** \ˈjem-ə-nē, -ˌnī\ the Twins, **Can·cer** \ˈkan-sər\ the Crab, **Leo** \ˈlē-ō\ the Lion, **Vir·go** \ˈvər-gō\ the Virgin, **Li·bra** \ˈlī-brə\ the Balance, **Scor·pio** \ˈskȯr-pē-ˌō\ the Scorpion, **Sag·it·tar·i·us** \ˌsaj-ə-ˈter-ē-əs\ the Archer, **Cap·ri·corn** \ˈkap-rə-ˌkȯrn\ the Goat, **Aquar·i·us** \ə-ˈkwar-ē-əs\ the Water Bearer, **Pi·sces** \ˈpīs-ˌēz, ˈpis-\ the Fishes) with each taken

for astrological purposes to extend 30 degrees of longitude **2** : a figure representing the signs of the zodiac and their symbols — **zo·di·a·cal** \zō-'dī-ə-kəl\ *adj*

zom·bi *or* **zom·bie** \'zäm-bē\ *n* **1** : the voodoo snake deity **2** : the supernatural power held in voodoo belief to enter into and reanimate a dead body

¹**zone** \'zōn\ *n* **1** : any of five great divisions of the earth's surface that is made according to latitude and temperature and includes the torrid zone extending 23°27′ on each side of the equator, the two temperate zones lying between the torrid zone and the polar circles which are 23°27′ from the poles, and the two frigid zones lying between the polar circles and the poles **2** *archaic* : GIRDLE, BELT **3** : an encircling band or girdle ⟨a ∼ of trees⟩ **4** : an area or region set off or distinguished in some way from adjoining parts

²**zone** *vb* **1** : ENCIRCLE **2** : to arrange in or mark off into zones; *esp* : to divide (as a city) into sections reserved for different purposes — **zo·na·tion** \zō-'nā-shən\ *n* — **zoned** \'zōnd\ *adj*

zoo \'zü\ *n* : a zoological garden or collection of living animals usu. for public display

zoo·ge·og·ra·phy \,zō-ə-jē-'äg-rə-fē\ *n* : a branch of biogeography concerned with the geographical distribution of animals — **zoo·ge·og·ra·pher** \-fər\ *n*

zo·ol·o·gy \zō-'äl-ə-jē\ *n* : a science that deals with animals and the animal kingdom — **zo·o·log·i·cal** \,zō-ə-'läj-i-kəl\ *adj* — **zo·o·log·i·cal·ly** *adv* — **zo·ol·o·gist** \zō-'äl-ə-jəst\ *n*

zoom \'züm\ *vb* **1** : to move with a loud hum or buzz **2** : to climb sharply and briefly by means of momentum

zoo·mor·phism \,zō-ə-'mȯr-,fiz-əm\ *n* **1** : the representation of a deity in the form or with the attributes of an animal **2** : the use of animal forms in art — **zoo·mor·phic** *adj*

zoo·phyte \'zō-ə-,fīt\ *n* : any of numerous invertebrate animals (as a coral or sponge) suggesting plants esp. in growth

zoo·spore \-,spȯr\ *n* : a motile spore

Zo·ro·as·tri·an·ism \,zȯr-ə-'was-trē-ən-,iz-əm\ *n* : a religion founded by the Persian prophet Zoroaster — **Zo·ro·as·tri·an** *adj or n*

zy·gote \'zī-,gōt\ *n* : a cell formed by the union of two sexual cells

zy·mase \'zī-,mās\ *n* : an enzyme or enzyme complex that promotes fermentation of simple sugars

WEIGHTS AND MEASURES

Source: National Bureau of Standards, Department of Commerce
U.S. Moving, Inch by 25.4 mm, to Metric System

The U.S. is the only industrial country in the world that is not on the metric system and is not yet involved in an official changeover program. Senator Claiborne Pell (D.-R.I.) has estimated that the U.S. loses $10 to $25 billion a year because U.S. measurements are not compatible with world standards.

On July 2, 1971, following the report of a metric conversion study committee, Commerce Secretary Maurice H. Stans recommended a gradual U.S. changeover during a 10-year period at the end of which the U.S. would be predominantly, but not exclusively, on the metric system. Proposals to that effect are now pending in Congress.

The International System (Metric)

Two systems of weights and measures exist side by side in the United States today, with roughly equal but separate legislative sanction: the U.S. Customary System and the International (Metric) System. Throughout U.S. history, the Customary System (inherited, but now different, from the British Imperial System) has been, as its name implies, customarily used; a plethora of federal and state legislation has given it, through implication, standing as our primary system of weights and measures. However, the Metric System (incorporated in the scientists' new SI or Systeme International d'Unites) is the only system that has ever received specific legislative sanction by Congress. The "Law of 1866" reads:

> It shall be lawful throughout the United States of America to employ the weights and measures of the metric system; and no contract or dealing, or pleading in any court, shall be deemed invalid or liable to objection because the weights or measures expressed or referred to therein are weights or measures of the metric system.

Over the last 100 years, the Metric System has seen slow, steadily increasing use in the U.S. and, today, is nearly equal in importance to the Customary System.

On Feb. 10, 1964, the National Bureau of Standards issued the following bulletin:

> Henceforth it shall be the policy of the National Bureau of Standards to use the units of the International System (SI), as adopted by the 11th General Conference on Weights and Measures (October 1960), except when the use of these units would obviously impair communication or reduce the usefulness of a report.

What had been the Metric System became the International System (SI), a more complete scientific system.

Seven units have been adopted to serve as the base for the International System as follows: length—meter; mass—kilogram; time—second; electric current—ampere; thermodynamic temperature—kelvin; amount of substance—mole; and light intensity—candela.

Prefixes

The following prefixes, in combination with the basic unit names, provide the multiples and submultiples in the International System. For example, the unit name *meter*, with the prefix *kilo* added, becomes *kilometer*, meaning "1,000 meters."

Prefix	Symbol	Multiples and Submultiples	Equivalent
tera	T	10^{12}	trillionfold
giga	G	10^9	billionfold
mega	M	10^6	millionfold
kilo	k	10^3	thousandfold
hecto	h	10^2	hundredfold
deka	da	10	tenfold
deci	d	10^{-1}	tenth part
centi	c	10^{-2}	hundredth part
milli	m	10^{-3}	thousandth part
micro	u	10^{-6}	millionth part
nano	n	10^{-9}	billionth part
pico	p	10^{-12}	trillionth part
femto	f	10^{-15}	quadrillionth part
atto	a	10^{-18}	quintillionth part

Tables of Metric Weights and Measures
Linear Measure

10 millimeters (mm)	= 1 centimer (cm)
10 centimeters	= 1 decimeter (dm) = 100 millimeters
10 decimeters	= 1 meter (m) = 1,000 millimeters
10 meters	= 1 dekameter (dam)
10 dekameters	= 1 hectometer (hm) = 100 meters
10 hectometers	= 1 kilometer (km) = 1,000 meters

Area Measure

100 square millimeters (mm^2)	= 1 square centimeter (cm^2)
10,000 square centimeters	= 1 square meter (m^2) = 1,000,000 square millimeters
100 square meters	= are (a)
100 ares	= 1 hectare (ha) = 10,000 square meters
100 hectares	= 1 square kilometer (km^2) = 1,000,000 square meters

Volume Measure

10 milliliters (ml)	=	1 centiliter (cl)
10 centiliters	=	1 deciliter (dl) = 100 milliliters
10 deciliters	=	1 liter (l) = 1,000 milliliters
10 liters	=	1 dekaliter (dal)
10 dekaliters	=	1 hectoliter (hl) = 100 liters
10 hectoliters	=	1 kiloliter (kl) = 1,000 liters

Cubic Measure

1,000 cubic millimeters (mm^3)	=	1 cubic centimeter (cm^3)
1,000 cubic centimeters	=	1 cubic decimeter (dm^3) = 1,000,000 cubic millimeters
1,000 cubic decimeters	=	1 cubic meter (m^3) = 1 stere = 1,000,000 cubic centimeters = 1,000,000,000 cubic millimeters

Weight

10 milligrams (mg)	=	1 centigram (cg)
10 centigrams	=	1 decigram (dg) = 100 milligrams
10 decigrams	=	1 grm (g) = 1,000 milligrams
10 grams	=	1 dekagram (dag)
10 dekagrams	=	1 hectogram (hg) = 100 grams
10 hectograms	=	1 kilogram (kg) = 1,000 grams
1,000 kilograms	=	1 metric ton (t)

Table of United States Customary Weights and Measures
Linear Measure

12 inches (in)	=	1 foot (ft)
3 feet	=	1 yard (yd)
5½ yards	=	1 rod (rd), pole, or perch (16½ feet)
40 rods	=	1 furlong (fur) = 220 yards = 660 feet
8 furlongs	=	1 statute mile (mi) = 1,760 yards = 5,280 feet
3 miles	=	1 league = 5,280 yards = 15,840 feet
6076.11549 feet	=	1 International Nautical Mile

Area Measure

Squares and cubes of units are sometimes abbreviated by using "superior" figures. For example, ft^2 means square foot, and ft^3 means cubic foot.

144 square inches	=	1 square foot (ft^2)

9 square feet	=	1 square yard (yd²) = 1,296 square inches
30½ square yards	=	1 square rod (rd²) = 272¼ square feet
160 square rods	=	1 acre = 4,840 yards = 43,560 square feet
640 acres	=	1 square mile (mi²)
1 mile square	=	1 section (of land)
6 miles square	=	1 township = 36 sections = 36 square miles

Cubic Measure

1,728 cubic inches (in³)	=	1 cubic foot (ft³)
27 cubic feet	=	1 cubic yard (yd³)

Dry Measure

When necessary to distinguish the dry pint or quart from the liquid pint or quart, the word "dry" should be used in combination with the name or abbreviation of the dry unit.

2 pints	=	1 quart (qt)
8 quarts	=	1 peck (pk) = 16 pints
4 pecks	=	1 bushel (bu) = 32 quarts

Liquid Measure

When necessary to distinguish the liquid pint or quart from the dry pint or quart, the word "liquid" or the abbreviation "liq" should be used in combination with the name or abbreviation of the liquid unit.

4 gills	=	1 pint (pt) = 28.875 cubic inches
2 pints	=	1 quart (qt) = 57.75 cubic inches
4 quarts	=	1 gallon (gal) = 231 cubic inches = 8 pints = 32 gills

Avoirdupois Weight

27 11/32 grains	=	1 dram (dr)
16 drams	=	1 ounce (oz)
16 ounces	=	1 pound (lb) = 256 drams
2,000 pounds	=	1 short ton
2,240 pounds	=	1 long ton

When the term "ton" is used unmodified, it is commonly understood to mean the 2,000 pound ton; this unit may be designated "net" or "short" when necessary to distinguish it from the corresponding unit in gross or long measure.

Equivalents
Linear Measure

1 millimeter (mm)	=	0.03937 inch
1 centimeter (cm)	=	0.3937 inch

1 decimeter (dm)	= 3.937 inches
1 meter (m)	= 39.37 inches = 3.2808 feet = 1.094 yards
1 dekameter (dam)	= 32.808 feet
1 hectometer (hm)	= 328.08 feet
1 kilometer (km)	= 0.621 mile = 3,280.8 feet
1 inch (in)	= 2.54 centimeters (exactly)
1 foot (ft)	= 0.3048 meter (exactly)
1 yard (yd)	= 0.9144 meter (exactly)
1 rod (rd), pole, or perch	= 5.029 meters
1 mile (mi) (statute or land)	= 1.609 kilometers
1 International Nautical Mile (INM)	= 1,852 kilometers (exactly)

Area Measure

1 square millimeter (mm^2)	= 0.00155 square inch
1 square centimeter (cm^2)	= 0.155 square inch
1 square decimeter (dm^2)	= 15.50 square inches
1 square meter (m^2)	= 1.196 square yards = 1,550 square inches
1 square dekameter (dam^2)	= 119.6 square yards
1 square hectometer (hm^2)	= 2.471 acres
1 square kilometer (km^2)	= 247.1 acres = 0.386 square mile
1 centiare	= 1,550 square inches
1 are	= 0.025 acre = 119.6 square yards
1 hectare	= 2.471 acres
1 square inch (in^2)	= 6.452 square centimeters
1 square foot (ft^2)	= 929.03 square centimeters
1 square yard (yd^2)	= 0.836 square meter
1 square rod (rd^2) sq. pole, or sq. perch	= 25.293 square meters
1 square mile (mi^2)	= 258.999 hectares
1 acre	= 0.405 hectare

Cubic Measure

1 cubic centimeter (cm^3)	= 0.06102 cubic inch
1 cubic decimeter (dm^3)	= 61.023 cubic inches = 0.0353 cubic foot
1 cubic meter (m^3)	= 1.308 cubic yards = 35.314 cubic feet
1 cubic inch (in^3)	= 16.387 cubic centimeters
1 cubic foot (ft^3)	= 28.317 cubic decimeters
1 cubic yard (yd^3)	= 0.765 cubic meter

Volume Measure

1 milliliter	= 0.061 cubic inch
1 centiliter	= 0.338 fluid ounce
1 deciliter	= 3.38 fluid ounces = 0.1057 liquid quart
1 liter	= 1.0567 liquid quarts = 0.9081 dry quart = 61.024 cubic inches
1 dekaliter	= 2.64 gallons = 0.284 bushel
1 hectoliter	= 26.418 gallons = 2838 bushels
1 kiloliter	= 264.18 gallons = 35.315 cubic feet
1 ounce (liquid)	= 29.573 milliliters
1 cup	= 0.2366 liter
1 gallon	= 3.785 liters
1 bushel	= 35.238 liters
1 peck	= 8.810 liters
1 pint (dry)	= 0.551 liter
1 pint (liquid)	= 0.473 liter
1 quart (dry)	= 1.101 liters
1 quart (liquid)	= 0.946 liter

Weights

1 decagram	= 0.3527 ounce
1 hectogram	= 3.5274 ounces
1 kilogram	= 2.2046 pounds
1 metric ton	= 2,204.6 pounds
1 ounce	= 28.349 grams
1 pound	= 0.453 kilogram
1 short ton	= 0.907 metric ton
1 long ton	= 1.016 metric tons

A Concise Guide to Punctuation

Punctuation symbols are necessary to give written language the emphasis and inflection that the voice gives to speech. The following are commonly accepted rules of punctuation. Each rule is followed by an example designed to aid the reader.

Use the **period:**
1. To end a declarative or imperative sentence
   We have nothing to fear but fear itself.
                                                                    Franklin D. Roosevelt
2. To end an interrogative sentence to which no answer is required
   Will you please enter my name on your mailing list.
3. With most abbreviations*
   P.M. Jan. Mrs. Ave. M.D. etc.
   *But, do not use a period with abbreviations that are accepted as shortened forms of proper names.
   PanAm TWA FBI ABCTV
4. After figures to represent principal divisions of lists. Parentheses enclosing the figures are also acceptable. When parentheses are used, the period is omitted.
   IV. Gross income   (1) Net Income
      A. Expenses   (A) Net earnings per share

Use the **question mark:**
1. To end an interrogatory sentence that is a direct question
   "What time is it?" he asked.
2. Following each question when more than one question is contained in the same sentence
   The teacher asked, "How large is Berlin? What is its population? and In what country is it located?"

Use the **exclamation point:**
1. After a strong command or exhortation
   "Stop that!" he yelled.
2. To express surprise or strong emotion
   This is too good to be true!
3. After an interjection, or at the end of the sentence introduced by the interjection
   Whew! That was a close call.
   Oh, what a beautiful day!
   A comma may also follow an interjection, with a period at the end of the sentence. Use of the exclamation point strengthens the expression.

Use the **comma:**
1. To introduce a short quotation, maxim, or proverb
   The saying is, "Time waits for no man."
2. To separate words, phrases, or clauses in a series
   Mike couldn't decide among the banana split, hot fudge sundae, or ice cream cake.
3. To separate two or more coordinate adjectives modifying the same noun. Adjectives are considered coordinate when the conjunction *and* may be substituted for the comma.
   John is a short, stocky, powerful wrestler.
4. Before a coordinating conjunction joining two independent clauses
   My folks didn't come over on the *Mayflower*, but they were there to meet the boat.
                                                                              Will Rogers
5. To separate an introductory subordinate phrase or clause from a main clause.
   When you get to the end of your rope, tie a knot and hang on.
                                                                    Franklin D. Roosevelt
6. Between an introductory modifying phrase and the subject modified
   Drawing on my fine command of knowledge, I said nothing.
                                                                          Robert Benchley
7. To enclose a parenthetic word, phrase, or nonrestrictive clause

The *Spirit of St. Louis,* which Lindbergh flew across the Atlantic, was a single engine airplane.
8. To set off words in apposition or contrast
This year Bill, not Jim, received the athletic trophy.
9 To indicate the omission of one or more words
To love and win is the best thing; to love and lose, the next best.
William Makepeace Thackeray
10. To set off the person spoken to in direct address
I wish a leave of absence, sir.
I move, Mr. Chairman, that the motion be put to a vote.
11. To separate a direct question from the rest of the sentence
It's getting late, isn't it?
12. To separate a mild interjection from the rest of the sentence
Oh, why did I ever do that?
13. To separate unrelated words or figures that might otherwise be misunderstood
In 1960, 68,837,000 votes were cast in the presidential election.
To Mary, Myra's party was a smashing success.
14. To set off the year when it follows the month, and the state when it follows a city or town, in a sentence.
In December, 1964, John moved to Los Angeles.
Denver, Colorado, was hit by a severe snow storm.
15. To set off a title when it follows the person's name in a sentence
Lyndon B. Johnson, President of the United States, will address the United Nations.
16. After the salutation of a friendly, informal letter
Dear Bill,   Dear Mom,
17. After the complimentary closing in informal, formal, and business letters
Sincerely,   Yours truly,
18. To separate the day of the month from the year
December 31, 1950

Use the **colon:**
1. To introduce long quotations
The President began to speak: "Fourscore and seven years ago . . ."
2. Before a final clause that extends or expands on the preceding material
There is only one rule for being a good talker: learn how to listen.
Christopher Morley
3. To introduce a list of items or details
I have come to the following conclusions:
Kindly forward the items listed:
4. To introduce material that forms a complete sentence, question, or quotation
The personnel committee issued the following resolution: Hiring practices must conform to federal, state, and local laws.
5. To separate a subtitle from a main title
Wheat: The Staff of Life
6. After the salutation of a formal or business letter
Gentlemen: Dear Sir:
7. To express time
8:15 A.M.   6:50 P.M.

Use the **semicolon:**
1. To separate elements in a series when those elements contain internal punctuation
Contestants arrived from St. Louis, Missouri; Richmond, Virginia; Des Moines, Iowa; and Little Rock, Arkansas, for the three-day meet.
2. To separate independent coordinate clauses in a compound sentence where no coordinate conjunction is used
I cleared the proposal through the proper officials; the president later turned it down.
3. Before a coordinate conjunction between independent clauses when either contains internal punctuation
Bill, who threw hard, hoped to make the first string line-up; but Tom, who hit well, was the coach's choice.

Use **quotation marks:**
1. To enclose a direct quotation

"Speak for yourself, John," suggested Priscilla.
2. When a quotation consists of more than one paragraph, place the quotation marks at the beginning of each paragraph quoted and at the end of the concluding paragraph only.
3. To enclose titles of articles, chapters of books, stories, speeches, poems, songs, paintings, and sculpture
   Chapter II: "My Early Years"
   "Say It With Music"
   Dr. Jones will speak on "The Meaning of Christmas"
4. In formal writing, to enclose terms that are slang, ironical, or coined
   He has the job all "sewed up."
5. A single quotation mark is used to enclose a quotation that occurs within a quotation
   John reported, "Judge Bishop addressed the students on the subject 'The First Amendment and Constitutional Freedom.'"

NOTE:
The period and comma are always placed inside quotation marks.
   Although Anne said, "That was a fine play," she did not mean it.
A colon or semicolon following a quotation always appears outside the quotation marks.
   Mary said, "Of course not"; and she meant it.
All other punctuation marks are placed inside the quotation marks if they refer specifically to the quotation, and outside the quotation marks if they refer to the sentence as a whole.
   Did you remember to say "Thank You"?
   She exclaimed, "Oh no, I forgot!"

Use **parentheses:**
1. To set off a comment that is not part of the main statement nor gramatically related to the sentence
   We (that's my ship and I) took off rather suddenly.
                                          Charles A. Lindbergh
2. To enclose a number, symbol, or letter used as confirmation in a sentence
   Payment terms are net sixty (60) days.
3. To enclose figures or letters marking the order of a series
   Weekly grocery items at our hourse include (1) milk, (2) bread, (3) eggs.
4. To enclose an explanatory word
   Tornadoes claimed lives in Cabet (Arkansas) yesterday.
5. To enclose references and directions
   (Continued on page 65)

Use **brackets:**
1. To enclose parenthetical material that occurs within parentheses
   (For information related to this subject, refer to sections 2 and 3 [see pp. 19-23] of Chapter 1.)
2. To enclose comments, corrections, or explanations made by a person other than the author of the material
   The committee decided [over the chairperson's protests] to authorize the proposal.
   See [Gertrude Stein] used to counsel Hemingway to great length.

Use the **apostrophe:**
1. To form the possessive case of nouns: add apostrophe and *s*. When a word ends in *s*, place the aprostrophe after the *s*.
   Mary's cocker spaniel   James' new golf clubs
2. To indicate the omission of figures or letters
   o'clock   shouldn't   don't
   the Spirit of '76   the class of '69

Use the **hyphen:**
1. To connect two or more words acting as a single adjective before a noun
   The student submitted a well-written report.
2. To avoid ambiguity or an awkward combination of letters between a word and its prefix or suffix
   re-enter   micro-organism   governor-elect

3. To indicate inclusion of numbers in street address, Social Security numbers, account numbers, etc.
   38-14 Sunset Blvd.
   Library of Congress catalog card number 64-20010
4. To indicate inclusive page numbers
   For a discussion of the causes of war, see pp. 29-138.

Use the **dash:**
1. To show an interruption or change of thought in a sentence, or an unfinished sentence
   John—I mean George—wanted to go, too.
   Just a moment. I don't understand—
2. To clarify meaning when internal punctuation occurs within the phrase
   His clothes—dirty, shabby, torn—belied his circumstances.
3. For emphasis or rhetorical effect.
   The lawmakers' decision—finally—went into effect.
4. To indicate omitted letters or numbers
   He handed the note to Mr. D—, and left with no explanation.
5. To indicate inclusion in dates and times; to take the place of *to* or *through*
   Office hours are 9:00—5:00 daily.

FOREIGN WORDS AND PHRASES

INCLUDING STATE AND NATIONAL MOTTOES

ab·eunt stu·di·a in mo·res \'äb-e-ùnt-'stüd-ē-,ä,-in-'mō-,rās\ [L] : practices zealously pursued pass into habits

ab in·cu·na·bu·lis \,äb-,in-kə-'näb-ə-,lēs\ [L] : from the cradle : from infancy

à bon chat, bon rat \à-bōⁿ-'shà bōⁿ-'rà\ [F] : to a good cat, a good rat : retaliation in kind

à bouche ou·verte \à-bü-shü-vert\ [F] : with open mouth : eagerly : uncritically

ab ovo us·que ad ma·la \äb-'ō-vō-,üs-kwe-,äd-'mäl-ä\ [L] : from egg to apples : from soup to nuts : from beginning to end

à bras ou·verts \à-brà-zü-ver\ [F] : with open arms : cordially

ab·sit in·vi·di·a \'äb-,sit-in-'wid-ē-,ä\ [L] : let there be no envy or ill will

ab uno dis·ce om·nes \äb-'ü-nō-,dis-ke-'òm-,nās\ [L] : from one learn to know all

ab ur·be con·di·ta \äb-'ùr-be-'kòn-də-,tä\ [L] : from the founding of the city (Rome, founded 753 B.C.) — used by the Romans in reckoning dates

ab·usus non tol·lit usum \'äb,-ü-səs-,nōn-,tò-lət-'ü-səm\ [L] : abuse does not take away use, i.e., is not an argument against proper use

à compte \à-'kōⁿt\ [F] : on account

à coup sûr \à-kü-sœ̄r\ [F] : with sure stroke : surely

ad ar·bi·tri·um \,ad-är-'bit-rē-əm\ [L] : at will : arbitrarily

ad as·tra per as·pera \ad-'as-trə-,pər-'as-pə-rə\ [L] : to the stars by hard ways — motto of Kansas

ad ex·tre·mum \,ad-ik-'strē-məm\ [L] : to the extreme : at last

ad ka·len·das Grae·cas \,äd-kə-'len-däs-'grī-,käs\ [L] : at the Greek calends : never (since the Greeks had no calends)

ad pa·tres \äd-'pä-,träs\ [L] : (gathered) to his fathers : deceased

à droite \à-drwät\ [F] : to or on the right hand

ad un·guem \äd-'ùŋ-,gwem\ [L] : to the fingernail : to a nicety : exactly (from the use of the fingernail to test the smoothness of marble)

ad utrum·que pa·ra·tus \,äd-ù-'trùm-kwe-pə-'rät-əs\ [L] : prepared for either (event)

ad vi·vum \äd-'wē-,wùm\ [L] : to the life

ae·gri som·nia \,ī-grē-'sòm-nē-,ä\ [L] : a sick man's dreams

ae·quam ser·va·re men·tem \'ī-,kwäm-sər-,wä-rē-'men,-tem\ [L] : to preserve a calm mind

ae·quo ani·mo \,ī-,kwō-'än-ə-,mō\ [L] : with even mind : calmly

ae·re pe·ren·ni·us \'ī-rä-pə-'ren-ē-,ùs\ [L] : more lasting than bronze

à gauche \à-gōsh\ [F] : to or on the left hand

age quod agis \'äg-e-,kwòd-'äg-,is\ [L] : do what you are doing : to the business at hand

à grands frais \à-gräⁿ-fre\ [F] : at great expense

à huis clos \à-wʸē-klō\ [F] : with closed doors

aide–toi, le ciel t'aidera \ed-twà lə-'syel-te-drà\ [F] : help yourself (and) heaven will help you

aî·né \e-nā\ [F] : elder : senior (masc.)

aî·née \e-nā\ [F] : elder : senior (fem.)

à l'aban·don \à-là-bäⁿ-dōⁿ\ [F] : carelessly : in disorder

à la belle étoile \à-là-bel-ā-twàl\ [F] : under the beautiful star : in the open air at night

à la bonne heure \à-là-bò-nœr\ [F] : at a good time : well and good : all right

à la fran·çaise \à-là-fräⁿ-sez\ [F] : in the French style

à l'an·glaise \à-läⁿ-glez\ [F] : in the English style

alea jac·ta est \'äl-ē-,ä-,yäk-tə-'est\ [L] : the die is cast

à l'im·pro·viste \à-laⁿ-prò-vēst\ [F] : unexpectedly

ali·quan·do bo·nus dor·mi·tat Ho·me·rus \,äl-ə-,kwän-dō-'bò-nəs-,dòr-mə-,tät-hō-'mer-əs\ [L] : sometimes (even) good Homer nods

alis vo·lat pro·pri·is \'äl-,ēs-'wò-,lät-'prō-prē-,ēs\ [L] : she flies with her own wings — motto of Oregon

al–ki \'al-,kī, -kē\ [Chinook Jargon] : by and by — motto of Washington

alo·ha oe \ä-,lō-hä-'òi, -'ō-ē\ [Hawaiian] : love to you ; greetings : farewell

al·ter idem \,òl-tər-ʸī-,dem, ,äl-tər-'ē-\ [L] : second self

a max·i·mis ad mi·ni·ma \ä-'mäk-sə-,mēs-,äd-'min-ə-,mä\ [L] : from the greatest to the least

ami·cus hu·ma·ni gen·er·is \ä-'mē-kəs-hü-,män-ē-'gen-ə-rəs\ [L] : friend of the human race

ami·cus us·que ad aras \-,ùs-kwe-,äd-'är-,äs\ [L] : a friend as far as to the altars, i.e., except in what is contrary to one's religion; also : a friend to the last extremity

ami de cour \à-,mēd-ə-'kùr\ [F] : court friend : insincere friend

amor pa·tri·ae \,äm-,òr-'pä-trē-,ī\ [L] : love of one's country

amor vin·cit om·nia \'ä-,mòr,wiŋ-kət-'òm-nē-ə\ [L] : love conquers all things

an·cienne no·blesse \äⁿ-syen-nò-bles\ [F] : old-time nobility : the French nobility before the Revolution of 1789

an·guis in her·ba \,äŋ-gwəs-in-'her-,bä\ [L] : snake in the grass

ani·mal bi·pes im·plu·me \'än-i-,mäl-,bip-,äs-im-'plü-me\ [L] : two-legged animal without feathers (i.e., man)

ani·mis opi·bus·que pa·ra·ti \'än-ə-,mēs-,ò-pə-'bùs-kwe-pə-'rät-ē\ [L] : prepared in spirits and resources — one of the mottoes of South Carolina

an·no ae·ta·tis su·ae \'än-ō-ī-,tät-əs-'sü-,ī\ [L] : in the (specified) year of his (or her) age

Foreign Words and Phrases

an·no mun·di \ˌän-ō-'mùn-dē\ [L] : in the year of the world — used in reckoning dates from the supposed period of the creation of the world, esp. as fixed by James Ussher at 4004 B.C. or by the Jews at 3761 B.C.

an·no ur·bis con·di·tae \ˌän-ō-ˌùr-bəs-'kòn-də-ˌtī\ [L] : in the year of the founded city (Rome, founded 753 B.C.)

an·nu·it coep·tis \ˌän-ə-ˌwit-'kòip-ˌtēs\ [L] : He (God) has smiled on our undertakings — motto on the reverse of the great seal of the United States

à peu près \ȧ-pœ-pre\ [F] : nearly : approximately

à pied \ȧ-pyā\ [F] : on foot

après moi le dé·luge \ȧ-pre-mwȧ-lə-dā-lūezh\ [F] : after me the deluge (attributed to Louis XV)

à pro·pos de bottes \ȧ-prə-pōd-ə-bòt\ [F] : apropos of boots — used to change the subject

à propos de rien \-ryan\ [F] : apropos of nothing

aqua et ig·ni in·ter·dic·tus \ˌäk-wä-et-'ig-nē-ˌint-ər-'dik-təs\ [L] : forbidden to be furnished with water and fire : outlawed

Ar·ca·des am·bo \ˌär-kə-ˌdes-'äm-bō\ [L] : both Arcadians : two persons of like occupations or tastes; also : two rascals

a ri·ve·der·ci \ˌär-ē-vā-'der-chē\ [It] : till we meet again — used as a formula of farewell

ar·rec·tis au·ri·bus \ä-'rek-ˌtēs-'aù-ri-ˌbùs\ [L] : with ears pricked up : attentively

ars est ce·la·re ar·tem \ˌärs-ˌest-kā-ˌlär-ē-'är-ˌtem\ [L] : it is (true) art to conceal art

ars lon·ga, vi·ta bre·vis \ˌärs-'lòŋ-ˌgä-ˌwē-ˌtä-'bre-wəs\ [L] : art is long, life is short

à tort et à tra·vers \ȧ-tòr-tā-ȧ-trȧ-ver\ [F] : wrong and crosswise : at random : without rhyme or reason

au bout de son la·tin \ō-bùd-(ə-)sōn-lȧ-tan\ [F] : at the end of one's Latin : at the end of one's mental resources

au con·traire \ō-kōn-trer\ [F] : on the contrary

au·de·mus ju·ra no·stra de·fen·de·re \aù-'dā-məs-ˌyùr-ə-'nò-strə-dā-'fen-də-rē\ [L] : we dare defend our rights — motto of Alabama

au·den·tes for·tu·na ju·vat \aù-'den-ˌtäs-fòr-ˌtü-nə-'yù-ˌwät\ [L] : fortune favors the bold

au fond \ō-fōn\ [F] : at bottom : fundamentally

au grand sé·rieux \ō-grän-sā-ryœ\ [F] : in all seriousness

au pays des aveugles les borgnes sont rois \ō-pā-ē-dā-zȧ-vœglᵊ lā-bórnʸ-ə-sōn-rwȧ\ [F] : in the country of the blind the one-eyed men are kings

au·rea me·di·o·cri·tas \'aù-rē-ə-ˌmed-ē-'ò-krə-ˌtäs\ [L] : the golden mean

au reste \ō-rest\ [F] : for the rest : besides

au·spi·ci·um me·li·o·ris ae·vi \aù-'spik-ē-ˌùm-ˌmel-ē-ˌòr-əs-'ī-ˌwē\ [L] : an omen of a better age — motto of the Order of St. Michael and St. George

aus·si·tôt dit, aus·si·tôt fait \ō-sē-tō-dē ō-sē-tō-fe\ [F] : no sooner said than done

aut Cae·sar aut ni·hil \aùt-'kī-sär-ˌaùt-'ni-ˌhil\ [L] : either a Caesar or nothing

aut Caesar aut nul·lus \-'nùl-əs\ [L] : either a Caesar or a nobody

au·tres temps, au·tres mœurs \ō-trə-tän ō-trə-mœrs\ [F] : other times, other customs

aut vin·ce·re aut mo·ri \aùt-'wiŋ-kə-rē-ˌaùt-'mò-ˌrē\ [L] : either to conquer or to die

aux armes \ō-zȧrm\ [F] : to arms

ave at·que va·le \'ä-ˌwä-ˌät-kwe-'wä-ˌlā\ [L] : hail and farewell

à vo·tre san·té \ȧ-vòt-sän-tā, -vò-trə-\ [F] : to your health — used as a toast

beaux yeux \bō-zyœ\ [F] : beautiful eyes : beauty of face

bien en·ten·du \byan-nän-tän-dᵫ\ [F] : well understood : of course

bien·sé·ance \byan-sā-äns\ [F] : propriety

bis dat qui ci·to dat \ˌbis-ˌdät-kwē-'ki-tō-ˌdät\ [L] : he gives twice who gives promptly

bon gré, mal gré \'bōn-ˌgrä-'mȧl-ˌgrā\ [F] : whether with good grace or bad : willy-nilly

bo·nis avi·bus \ˌbò-ˌnēs-'ä-wi-ˌbùs\ [L] : under good auspices

bon jour \bōn-zhür\ [F] : good day : good morning

bonne foi \bòn-fwȧ\ [F] : good faith

bon soir \bōn-swȧr\ [F] : good evening

bru·tum ful·men \ˌbrüt-əm-'fùl-mən\ [L] : insensible thunderbolt : a futile threat or display of force

ca·dit quae·stio \ˌkäd-ət-'kwī-stē-ˌō\ [L] : the question drops : the argument collapses

cau·sa si·ne qua non \'kaù-ˌsä-ˌsin-ē-kwä-'nōn\ [L] : an indispensable cause or condition

ca·ve ca·nem \ˌkä-wā-'kän-ˌem\ [L] : beware of the dog

ce·dant ar·ma to·gae \'kä-ˌdänt-ˌär-mə-'tō-ˌgī\ [L] : let arms yield to the toga : let military power give way to civil power — motto of Wyoming

c'est à dire \se-tȧ-der\ [F] : that is to say : namely

c'est au·tre chose \se-tōt-shōz, -tō-trə-\ [F] : that's a different thing

c'est plus qu'un crime, c'est une faute \se-plᵫ̄-kœn-krēm se-tᵫ̄n-fōt\ [F] : it is worse than a crime, it is a blunder

ce·tera de·sunt \ˌkät-ə-ˌrä-'dä-ˌsùnt\ [L] : the rest is missing

cha·cun à son gout \shȧ-kœn-nȧ-sōn-gü\ [F] : everyone to his taste

châ·teau en Es·pagne \shä-tō-än-nes-pȧnʸ\ [F] : castle in Spain : a visionary project

cher·chez la femme \sher-shā-lȧ-fȧm\ [F] : look for the woman

che sa·rà, sa·rà \ˌkā-sä-ˌrä-sä-'rä\ [It] : what will be, will be

che·val de ba·taille \shə-vȧl-də-bȧ-täyʸ\ [F] : war-horse : argument constantly relied on : favorite subject

co·gi·to, er·go sum \'kō-gə-ˌtō-ˌer-gō-'sùm\ [L] : I think, therefore I exist

com·pa·gnon de voy·age \kōn-pȧ-nyōn-də-vwȧ-yȧzh\ [F] : traveling companion

compte rendu \kōnt-rän-dᵫ̄\ [F] : report (as of proceedings in an investigation)

coup de maî·tre \kᵫ̄d-(ə-)metrᵊ\ [F] : master stroke

coup d'es·sai \kᵫ̄-dā-se\ [F] : experiment : trial

coûte que coûte \küt-kə-küt\ [F] : cost what it may

cre·do quia ab·sur·dum est \ˌkrād-ō-ˈkwē-ä-ˌäp-ˌsu̇rd-əm-ˈest\ [L] : I believe it because it is absurd

cres·cit eun·do \ˌkres-kət-ˈeu̇n-dō\ [L] : it grows as it goes — motto of New Mexico

crux cri·ti·co·rum \ˈkrüks-ˌkrit-ə-ˈkōr-əm\ [L] : crux of critics

cum gra·no sa·lis \ˌku̇m-ˌgrän-ō-ˈsäl-əs\ [L] : with a grain of salt

cus·tos mo·rum \ˌku̇s-tōs-ˈmōr-əm\ [L] : guardian of manners or morals : censor

d'ac·cord \då-kȯr\ [F] : in accord : agreed

dame d'hon·neur \dȧm-dȯ-nœr\ [F] : lady-in-waiting

dam·nant quod non in·tel·li·gunt \ˈdäm-ˌnänt-ˌkwȯd-ˌnōn-in-ˈtel-ə-ˌgu̇nt\ [L] : they condemn what they do not understand

de bonne grâce \də-bȯn-gräs\ [F] : with good grace : willingly

de gus·ti·bus non est dis·pu·tan·dum \dā-ˈgu̇s-tə-ˌbu̇s-ˌnōn-ˌest-ˌdis-pu̇-ˈtän-ˌdu̇m\ [L] : there is no disputing about tastes

de in·te·gro \dā-ˈint-ə-ˌgrō\ [L] : anew : afresh

de l'au·dace, en·core de l'au·dace, et tou·jours de l'au·dace \də-lō-ˈdȧs äⁿ-ˈkȯr-də-lō-dȧs ā-tü-ˈzhür-də-lō-dȧs\ [F] : audacity, more audacity, and ever more audacity

de·len·da est Car·tha·go \dā-ˈlen-dä-ˌest-kär-ˈtäg-ō\ [L] : Carthage must be destroyed

de·li·ne·a·vit \dā-ˌlē-nā-ˈä-wit\ [L] : he (or she) drew it

de mal en pis \də-må-läⁿ-pē\ [F] : from bad to worse

de mi·ni·mis non cu·rat lex \dā-ˈmin-ə-ˌmēs-ˌnōn-ˌkü-ˌrät-ˈleks\ [L] : the law takes no account of trifles

de mor·tu·is nil ni·si bo·num \dā-ˈmȯrt-ə-ˌwēs-ˌnēl-ˌnis-ē-ˈbȯ-ˌnu̇m\ [L] : of the dead (say) nothing but good

Deo fa·ven·te \ˌdā-ō-fȧ-ˈvent-ē\ [L] : with God's favor

Deo gra·ti·as \ˌdā-ō-ˈgrät-ē-ˌäs\ [L] : thanks (be) to God

de pro·fun·dis \ˌdā-prō-ˈfu̇n-dēs, -ˈfən-\ [L] : out of the depths

der Geist der stets ver·neint \dər-ˈgīst-dər-ˌshtāts-fer-ˈnīnt\ [G] : the spirit that ever denies — applied originally to Mephistopheles

de·si·pere in lo·co \dā-ˈsip-ə-rē-in-ˈlȯ-kō\ [L] : to indulge in trifling at the proper time

Deus vult \ˌdā-əs-ˈwu̇lt\ [L] : God wills it — rallying cry of the First Crusade

di·es fau·stus \ˌdē-ˌäs-ˈfau̇-stəs\ [L] : lucky day

dies in·fau·stus \-ˈin-ˌfau̇-stəs\ [L] : unlucky day

di·es irae \-ˈē-ˌrī, -ˌrā\ [L] : day of wrath — used of the Judgment Day

Dieu et mon droit \dyœ̄-ā-mȯⁿ-drwȧ\ [F] : God and my right — motto on the British royal arms

Dieu vous garde \dyœ̄-vü-gȧrd\ [F] : God keep you

di·ri·go \ˈdē-ri-ˌgō\ [L] : I direct — motto of Maine

dis ali·ter vi·sum \ˌdēs-ˌal-ə-ˌter-ˈwē-ˌsu̇m\ [L] : the gods decreed otherwise

di·tat De·us \ˌdē-ˌtät-ˈdā-ˌu̇s\ [L] : God enriches — motto of Arizona

di·vi·de et im·pe·ra \ˈdē-wi-ˌde-ˌet-ˈim-pə-ˌrä\ [L] : divide and rule

do·cen·do dis·ci·mus \dō-ˌken-dō-ˈdis-ki-ˌmu̇s\ [L] : we learn by teaching

Domine, dirige nos \ˈdȯ-mi-ˌne-ˌdē-ri-ˌge-ˈnōs\ [L] : Lord, direct us — motto of the City of London

Do·mi·nus vo·bis·cum \ˌdȯ-mi-ˌnu̇s-wō-ˈbēs-ˌku̇m\ [L] : the Lord be with you

dul·ce et de·co·rum est pro pa·tria mo·ri \ˌdu̇l-ket-de-ˈkȯr-ˌest-prō-ˌpä-trē-ˌä-ˈmȯ-ˌrē\ [L] : it is sweet and seemly to die for one's country

dum spi·ro, spe·ro \ˌdu̇m-ˈspē-rō-ˈspā-rō\ [L] : while I breathe I hope — one of the mottoes of South Carolina

dum vi·vi·mus vi·va·mus \ˌdu̇m-ˈwē-wē-ˌmu̇s-wē-ˈwäm-u̇s\ [L] : while we live, let us live

dux fe·mi·na fac·ti \ˌdu̇ks-ˌfā-mi-nä-ˈfäk-ˌtē\ [L] : a woman was leader of the exploit

ec·ce sig·num \ˌek-e-ˈsig-ˌnu̇m\ [L] : behold the sign : look at the proof

e con·tra·rio \ˌā-kȯn-ˈträr-ē-ˌō\ [L] : on the contrary

écra·sez l' in·fâme \ā-krȧ-zā-laⁿ-fäm\ [F] : crush the infamous thing

eheu fu·ga·ces la·bun·tur an·ni \ā-ˌheu̇-fu̇-ˌgä-ˌkās-lä-ˌbu̇n-ˌtu̇r-ˈän-ˌē\ [L] : alas! the fleeting years glide on

ein fes·te Burg ist un·ser Gott \īn-ˌfes-tə-ˈbu̇rk-ist-ˌu̇n-zər-ˈgȯt\ [G] : a mighty fortress is our God

em·bar·ras de ri·chesses \äⁿ-bȧ-räd-(ə-)rē-shes\ [F] : embarrassing surplus of riches : confusing abundance

em·bar·ras du choix \äⁿ-bȧ-rä-dü-shwȧ\ [F] : embarrassing variety of choice

en ami \äⁿ-nȧ-mē\ [F] : as a friend

en ef·fet \äⁿ-nā-fe\ [F] : in fact : indeed

en fa·mille \äⁿ-fȧ-mēy\ [F] : in one's family : at home

en·fant gâ·té \äⁿ-fäⁿ-gä-tā\ [F] : spoiled child

en·fants per·dus \äⁿ-fäⁿ-per-dǖ\ [F] : lost children : soldiers sent to a dangerous post

en·fin \äⁿ-faⁿ\ [F] : in conclusion : in a word

en gar·çon \äⁿ-gȧr-sōⁿ\ [F] : as or like a bachelor

en pan·tou·fles \äⁿ-päⁿ-tüflᵊ\ [F] : in slippers : at ease : informally

en plein air \äⁿ-plen-er\ [F] : in the open air

en plein jour \äⁿ-pläⁿ-zhür\ [F] : in broad day

en règle \äⁿ-reglᵊ\ [F] : in order : in due form

en re·tard \äⁿr-(ə-)tȧr\ [F] : behind time : late

en re·traite \äⁿ-rə-tret\ [F] : in retreat : in retirement

en re·vanche \äⁿr-(ə-)väⁿsh\ [F] : in return : in compensation

en·se pe·tit pla·ci·dam sub li·ber·ta·te qui·e·tem \ˌen-se-ˌpet-ət-ˈpläk-i-ˌdäm-ˌsu̇b-lē-ber-ˌtä-te-kwē-ˈä-ˌtem\ [L] : with the sword she seeks calm repose under liberty — motto of Massachusetts

e plu·ri·bus unum \ˌē-ˌplu̇r-ə-bəs-ˈ(y)ü-nəm, ˌā-ˌplu̇r-\ [L] : one out of many — motto on the great seal of the U.S.

e pur si muo·ve \ā-ˌpu̇r-sē-ˈmwȯ-vā\

[It] : and yet it does move — attributed to Galileo after recanting his assertion of the earth's motion

er·ra·re hu·ma·num est \e-'rär-e-hü-‚män-əm-'est\ [L] : to err is human

es·prit de l'es·ca·lier \es-prēd-les-kå-lyä\ *or* es·prit d'es·ca·lier \-prē-des-\ [F] : spirit of the staircase : repartee thought of only too late, on the way home

es·se quam vi·de·ri \'es-ē-,kwäm-wi-'dā-rē\ [L] : to be rather than to seem — motto of North Carolina

est mo·dus in re·bus \est-'mò-‚dùs-in-'rä-‚bùs\ [L] : there is a proper measure in things, i.e., the golden mean should always be observed

es·to per·pe·tua \'es-‚to-pər-'pet-ə-,wä\ [L] : may she endure forever — motto of Idaho

et hoc ge·nus om·ne \et-‚hōk-,gen-əs-'óm-ne\ *or* et id ge·nus om·ne \et-‚id-\ [L] : and everything of this kind

et in Ar·ca·dia ego \‚et-in-är-‚käd-ē-ə-'eg-ō\ [L] : I too (lived) in Arcadia

et sic de si·mi·li·bus \et-‚sēk-dā-sə-'mil-ə-‚bùs\ [L] : and so of like things

et tu Bru·te \et-'tü-'brü-te\ [L] : thou too, Brutus — exclamation attributed to Julius Caesar on seeing his friend Brutus among his assassins

eu·re·ka \yù-'rē-kə\ [Gk] : I have found it — motto of California

Ewig-Weib·li·che \‚ā-vik-'vīp-li-kə\ [G] : eternal feminine

ex ani·mo \ek-'sän-ə-,mō\ [L] : from the heart : sincerely

ex·cel·si·or \ik-'sel-sē-ər, eks-'kel-sē-‚ór\ [L] : still higher — motto of New York

ex·cep·tio pro·bat re·gu·lam de re·bus non ex·cep·tis \eks-'kep-tē-‚ō-‚prō-‚bät-'rä-gə-‚läm-dā-'rä-‚bùs-‚nōn-eks-'kep-‚tēs\ [L] : an exception establishes the rule as to things not excepted

ex·cep·tis ex·ci·pi·en·dis \eks-'kep-‚tēs-eks-‚kip-ē-'en-‚dēs\ [L] : with the proper or necessary exceptions

ex·i·tus ac·ta pro·bat \'ek-sə-‚tùs-‚äk-tə-'prò-‚bät\ [L] : the event justifies the deed

ex li·bris \eks-'lē-brəs\ [L] : from the books of — used on bookplates

ex me·ro mo·tu \‚eks-‚mer-ō-'mō-tü\ [L] : out of mere impulse : of one's own accord

ex ne·ces·si·ta·te rei \‚eks-nə-‚kes-ə-'tä-te-'rä(-‚ē)\ [L] : from the necessity of the case

ex ni·hi·lo ni·hil fit \eks-'ni-hi-‚lō-‚ni-‚hil-'fit\ [L] : from nothing nothing is produced

ex pe·de Her·cu·lem \eks-‚ped-e-'her-kə-,lem\ [L] : from the foot (we may judge of the size of) Hercules : from a part we may judge of the whole

ex·per·to cre·di·te \eks-‚pert-ō-'krād-ə-‚te\ [L] : believe one who has had experience

ex un·gue le·o·nem \eks-'ùŋ-gwe-le-'ō-‚nem\ [L] : from the claw (we may judge of) the lion : from a part we may judge of the whole

ex vi termini \eks-‚wē-'ter-mə-‚nē\ [L] : from the force of the term

fa·ci·le prin·ceps \‚fäk-i-le-'priŋ-‚keps\ [L] : easily first

fa·ci·lis de·scen·sus Aver·no \'fäk-i-lis-dā-‚skän-‚sùs-ä-'wer-nō\ *or* facilis descensus Aver·ni \-(,)nē\ [L] : the descent to Avernus is easy : the road to evil is easy

faire suivre \fer-swᵞēvrᵉ\ [F] : have forwarded : please forward

fas est et ab ho·ste do·ce·ri \fäs-'est-et-äb-'hò-ste-dò-'kā-(,)rē\ [L] : it is right to learn even from an enemy

Fa·ta vi·am in·ve·ni·ent \‚fä-tä-'wē-‚äm-in-'wen-ē-,ent\ [L] : the Fates will find a way

fat·ti mas·chii, pa·ro·le fe·mi·ne \‚fät-tē-'mäs-‚kē pä-‚ró-lā-'fā-mē-‚nā\ [It] : deeds are males, words are females : deeds are more effective than words — motto of Maryland, where it is generally interpreted as meaning "manly deeds, womanly words"

femme de cham·bre \fäm-də-shäⁿbrᵉ\ [F] : chambermaid : lady's maid

fe·sti·na len·te \fe-‚stē-nə-'len-‚tā\ [L] : make haste slowly

feux d'ar·ti·fice \fœ-där-tē-fēs\ [F] : fireworks : display of wit

fi·at ex·pe·ri·men·tum in cor·po·re vi·li \'fē-‚ät-ek-‚sper-ē-'men-‚tùm-‚in-‚kór-pə-re-'wē-lē\ [L] : let experiment be made on a worthless body

fi·at ju·sti·tia, ru·at cae·lum \‚fē-‚ät-yùs-'tit-ē-ä ‚rù-‚ät-'kī-‚lùm\ [L] : let justice be done though the heavens fall

fi·at lux \‚fē-‚ät-'lùks\ [L] : let there be light

Fi·dei De·fen·sor \‚fid-e-‚ē-dā-'fän-‚sór\ [L] : Defender of the Faith — a title of the sovereigns of England

fi·dus Acha·tes \‚fēd-əs-ä-'kä-‚tās\ [L] : faithful Achates : trusty friend

fille de cham·bre \fēy-də-shäⁿbrᵉ\ [F] : lady's maid

fille d'hon·neur \fēy-dò-nœr\ [F] : maid of honor

fils \fēs\ [F] : son — used after French proper names to distinguish a son from his father

fi·nem re·spi·ce \‚fē-‚nem-'rä-spi-‚ke\ [L] : consider the end

fi·nis co·ro·nat opus \‚fē-nəs-kə-‚rō-‚nät-'ō-‚pùs\ [L] : the end crowns the work

fluc·tu·at nec mer·gi·tur \'flùk-tə-‚wät-‚nek-'mer-gə-‚tùr\ [L] : it is tossed by the waves but does not sink — motto of Paris

fors·an et haec olim me·mi·nis·se ju·va·bit \‚fór-‚sän-‚et-'hīk-‚ō-lim-‚mem-ə-'nis-e-yù-'wä-bit\ [L] : perhaps this too will be a pleasure to look back on one day

for·tes for·tu·na ju·vat \'fòr-‚tās-fòr-‚tü-nə-'yù-‚wät\ [L] : fortune favors the brave

fron·ti nul·la fi·des \'frón-‚tē-‚nùl-ə-'fid-‚ās\ [L] : no reliance can be placed on appearance

fu·it Ili·um \'fù-ət-'il-ē-əm\ [L] : Troy has been (i.e., is no more)

fu·ror lo·quen·di \‚fùr-‚òr-lò-'kwen-(,)dē\ [L] : rage for speaking

furor po·e·ti·cus \-pò-'āt-i-kùs\ [L] : poetic frenzy

furor scri·ben·di \-skrē-'ben-(,)dē\ [L] : rage for writing

Gal·li·ce \'gäl-ə-‚ke\ [L] : in French : after the French manner

gar·çon d'hon·neur \gàr-sōⁿ-dò-nœr\ [F] : bridegroom's attendant

garde du corps \gàrd-dǖ-kòr\ [F] : bodyguard

gar·dez la foi \gàr-dā-lä-fwä\ [F] : keep faith

Foreign Words and Phrases

gau·de·a·mus igi·tur \,gaud-ē-'äm-əs-'ig-ə-,tur\ [L] : let us then be merry

gens d'é·glise \zhäⁿ-dā-glēz\ [F] : church people : clergy

gens de guerre \zhäⁿ-də-ger\ [F] : military people : soldiery

gens du monde \zhäⁿ-dǣ-mōⁿd\ [F] : people of the world : fashionable people

gno·thi se·au·ton \gə-'nō-thē-,se-au-'tōn\ [Gk] : know thyself

grand monde \gräⁿ-mōⁿd\ [F] : great world : high society

guerre à ou·trance \ger-à-ü-träⁿs\ [F] : war to the uttermost

haut goût \ō-gü\ [F] : high flavor : slight taint of decay

hic et ubi·que \,hēk-et-ù-'bē-kwe\ [L] : here and everywhere

hic ja·cet \hik-'jā-sət, hēk-'yäk-ət\ [L] : here lies — used preceding a name on a tombstone

hinc il·lae la·cri·mae \hiŋk-,il-,ī-'läk-ri-,mī\ [L] : hence those tears

hoc age \hōk-'äg-e\ [L] : do this : apply yourself to what you are about

hoc opus, hic labor est \hōk-'ō-,pùs-,hēk-,lä-,bor-'est\ [L] : this is the hard work, this is the toil

homme d'af·faires \òm-dà-fer\ [F] : man of business : business agent

homme d'es·prit \-des-prē\ [F] : man of wit

ho·mo sum: hu·ma·ni nil a me ali·e·num pu·to \'hō-mō-,sùm hü-,män-ē-'nēl-ä-,mā-,äl-ē-'ā-nəm-'pù-tō\ [L] : I am a man; I regard nothing that concerns man as foreign to my interests

ho·ni soit qui mal y pense \ò-nē-swà-kē-màl-ē-päⁿs\ [F] : shamed be he who thinks evil of it — motto of the Order of the Garter

hô·tel-Dieu \ō-tel-dyœ\ [F] : hospital

hu·ma·num est er·ra·re \hü-,män-əm-,est-e-'rär-e\ [L] : to err is human

ich dien \ik-'dēn\ [G] : I serve — motto of the Prince of Wales

ici on parle français \ē-sē-ōⁿ-pàrl-(ə)-fräⁿ-se\ [F] : French is spoken here

id est \id-'est\ [L] : that is

ig·no·ran·tia ju·ris ne·mi·nem ex·cu·sat \,ig-nə-,ränt-ē-à-'yùr-əs-'nā-mə-,nem-eks-'kü-,sät\ [L] : ignorance of the law excuses no one

ig·no·tum per ig·no·ti·us \ig-'nōt-əm-,per-ig-'nōt-ē-,ùs\ [L] : (explaining) the unknown by means of the more unknown

il faut cul·ti·ver no·tre jar·din \ēl-fō-kuel-tē-vā-nòt-zhàr-daⁿ, -nò-trə-zhàr-\ [F] : we must cultivate our garden : we must tend to our own affairs

in ae·ter·num \,in-ī-'ter-,nùm\ [L] : forever

in du·bio \in-'dùb-ē-,ō\ [L] : in doubt : undetermined

in fu·tu·ro \,in-fə-'tùr-ō\ [L] : in the future

in hoc sig·no vin·ces \in-hōk-'sig-nō-'wiŋ-,kās\ [L] : by this sign (the Cross) thou shalt conquer

in li·mi·ne \in-'lē-mə-,ne\ [L] : on the threshold : at the beginning

in om·nia pa·ra·tus \in-'òm-nē-ə-pə-'rä-,tùs\ [L] : ready for all things

in par·ti·bus in·fi·de·li·um \in-'pärt-ə-,bùs-,in-fə-'dā-lē-,ùm\ [L] : in the regions of the infidels — used of a titular bishop having no diocesan jurisdiction, usu. in non-Christian countries

in prae·sen·ti \,in-prī-'sen-,tē\ [L] : at the present time

in sae·cu·la sae·cu·lo·rum \in-'sī-kù-,lä-,sī-kə-'lōr-əm, -'sā-kù-,lä-,sā-\ [L] : for ages of ages : forever and ever

in sta·tu quo an·te bel·lum \in-'stä-,tü-kwō-,änt-ē-'bel-əm\ [L] : in the same state as before the war

in·te·ger vi·tae sce·le·ris·que pu·rus \,in-tə-,ger-'wē-,tī-,skel-ə-'ris-kwe-'pür-əs\ [L] : upright of life and free from wickedness

in·ter nos \,int-ər-'nōs\ [L] : between ourselves

in·tra mu·ros \,in-trä-'mü-,rōs\ [L] : within the walls

in usum Del·phi·ni \in-'ü-səm-del-'fē-nē\ [L] : for the use of the Dauphin : expurgated

in utrum·que pa·ra·tus \,in-ü-'trùm-kwe-pə-'rä-,tùs\ [L] : prepared for either (event)

in·ve·nit \in-'wā-nit\ [L] : he (or she) devised it

in vi·no ve·ri·tas \in-wē-nō-'wā-rə-,täs\ [L] : there is truth in wine

in·vi·ta Mi·ner·va \in-'wē-,tä-mi-'ner-wä\ [L] : Minerva being unwilling : without natural talent or inspiration

ip·sis·si·ma ver·ba \ip-,sis-ə-,mä-'wer-bä\ [L] : the very words

ira fu·ror bre·vis est \,ē-rä-'für-,òr-'bre-wəs-,est\ [L] : anger is a brief madness

jacta alea est \'yäk-,tä-,ä-lē-,ä-'est\ [L] : the die is cast

j'adoube \zhà-düb\ [F] : I adjust — used in chess when touching a piece without intending to move it

ja·nu·is clau·sis \,yän-ə-,wēs-'klaù-,sēs\ [L] : with closed doors

je main·tien·drai \zhə-maⁿ-tyaⁿ-drā\ [F] : I will maintain — motto of the Netherlands

je ne sais quoi \zhən-(ə-)sā-kwà\ [F] : I don't know what : an inexpressible something

jeu de mots \zhœd-(ə-)mō\ [F] : play on words : pun

Jo·an·nes est no·men eius \yō-'än-ās-,est-,nō-men-'ā-yùs\ [L] : John is his name — motto of Puerto Rico

jour·nal in·time \zhùr-nàl-aⁿ-tēm\ [F] : intimate journal : private diary

jus di·vi·num \,yüs-di-'wē-,nùm\ [L] : divine law

jus·ti·tia om·ni·bus \yùs-,tit-ē-,ä-'òm-ni-,bùs\ [L] : justice for all — motto of the District of Columbia

j'y suis, j'y reste \zhē-swᵉē-zhē-rest\ [F] : here I am, here I remain

kte·ma es aei \(kə-)'tā-,mä-,es-ä-'ā\ [Gk] : a possession for ever — applied to a work of art or literature of enduring significance

la belle dame sans mer·ci \là-bel-dàm-säⁿ-mer-sē\ [F] : the beautiful lady without mercy

la·bo·ra·re est ora·re \'läb-ō-,rär-e-,est-'ō-,rär-e\ [L] : to work is to pray

la·bor om·nia vin·cit \'lä-,bòr-,òm-nē-,ä-'wiŋ-kit\ [L] : labor conquers all things — motto of Oklahoma

la·cri·mae re·rum \,läk-ri-,mī-'rā-,rùm\ [L] : tears for things : pity for misfortune; *also* : tears in things : tragedy of life

Foreign Words and Phrases 541

lais·ser–al·ler \le-sā-à-lā\ [F] : letting go : lack of restraint
lap·sus ca·la·mi \ˌläp-ˌsùs-ˈkäl-ə-ˌmē, ˌlap-səs-ˈkal-ə-ˌmī\ [L] : slip of the pen
lap·sus lin·guae \ˌlap-səs-ˈliŋ-ˌgwī, ˌläp-ˌsùs-\ [L] : slip of the tongue
la reine le veut \là-ren-lə-vœ̄\ [F] : the queen wills it
la·scia·te ogni spe·ran·za, voi ch'en·tra·te \läsh-ˈshä-tā ˌō-nʸē-spä-ˈrän-tsä-ˌvō-ē-kän-ˈträ-tā\ [It] : abandon all hope, ye who enter
lau·da·tor tem·po·ris ac·ti \laù-ˈdä-ˌtòr-ˌtem-pə-ris-ˈäk-ˌtē\ [L] : one who praises past times
laus Deo \laùs-ˈdā-ō\ [L] : praise (be) to God
le roi est mort, vive le roi \lə-rwä-e-mór vēv-lə-rwä\ [F] : the king is dead, long live the king
le roi le veut \-lə-vœ̄\ [F] : the king wills it
le roi s'avi·se·ra \-sà-vēz-rà\ [F] : the king will consider
le style, c'est l'homme \lə-stēl-se-lòm\ [F] : the style is the man
l'état, c'est moi \lā-tà-se-mwà\ [F] : the state, it is I
l'étoile du nord \lā-twàl-dǖ-nòr\ [F] : the star of the north — motto of Minnesota
Lie·der·kranz \ˈlēd-ər-ˌkräns\ [G] : wreath of songs : German singing society
lit·tera scrip·ta ma·net \ˌlit-ə-ˌrä-ˌskrip-tə-ˈmän-et\ [L] : the written letter abides
lo·cus in quo \ˌlò-kəs-in-ˈkwō\ [L] : place in which
l'union fait la force \lǖē-nyōⁿ-fe-là-fòrs\ [F] : union makes strength — motto of Belgium
lu·sus na·tu·rae \ˌlü-səs-nə-ˈtùr-ē, -ˈtùr-ˌī\ [L] : freak of nature

ma foi \mà-fwà\ [F] : my faith! : indeed
mag·na est ve·ri·tas et prae·va·le·bit \ˌmäg-nä-ˌest-ˈwä-ri-ˌtäs-et-ˌprī-wä-ˈlā-bit\ [L] : truth is mighty and will prevail
mag·ni no·mi·nis um·bra \ˌmäg-ne-ˌnō-mə-nis-ˈùm-brä\ [L] : the shadow of a great name
mai·son de san·té \mā-zōⁿd-(ə-)säⁿ-tā\ [F] : private hospital : asylum
ma·lis avi·bus \ˌmäl-ˌēs-ˈä-wi-ˌbùs\ [L] : under evil auspices
man spricht Deutsch \män-shprikt-ˈdòich\ [G] : German spoken
ma·riage de con·ve·nance \mà-ryàzh-də-kōⁿv-näⁿs\ [F] : marriage of convenience
mau·vaise honte \mò-vez-ōⁿt\ [F] : bad shame : bashfulness
me·den agan \(ˌ)mā-ˌden-ˈäg-ˌän\ [Gk] : nothing in excess
me·dio tu·tis·si·mus ibis \ˈmed-ē-ˌō-tü-ˌtis-ə-mùs-ˈē-bəs\ [L] : you will go most safely by the middle course
me ju·di·ce \mā-ˈyüd-ə-ke\ [L] : I being judge : in my judgment
mens sa·na in cor·po·re sa·no \ˌmäns-ˈsän-ə-in-ˌkòr-pə-re-ˈsän-ō\ [L] : a sound mind in a sound body
me·um et tu·um \ˌmē-əm-ˌet-ˈtü-əm, ˌme-əm-\ [L] : mine and thine: distinction of private property
mi·ra·bi·le vi·su \mə-ˌräb-ə-lē-ˈwē-sü\ [L] : wonderful to behold
mi·ra·bi·lia \ˌmir-ə-ˈbil-ē-ə\ [L] : wonders : miracles

mo·le ru·it sua \ˈmō-le-ˌrù-it-ˌsù-ä\ [L] : it collapses from its own bigness
monde \mōⁿd\ [F] : world : fashionable world : society
mon·ta·ni sem·per li·be·ri \mòn-ˈtän-ē-ˌsem-pər-ˈlē-bə-ˌrē\ [L] : mountaineers are always free men — motto of West Virginia
mo·nu·men·tum ae·re per·en·ni·us \ˌmó-nə-ˈmen-tùm-ˌī-re-pə-ˈren-ē-ùs\ [L] : a monument more lasting than bronze — used of an immortal work of art or literature
mo·ri·tu·ri te sa·lu·ta·mus \ˌmò-ri-ˈtùr-ē-ˌtā-ˌsäl-ə-ˈtäm-ùs\ [L] : we are about to die salute thee
mul·tum in par·vo \ˌmùl-təm-in-ˈpär-vō\ [L] : much in little
mu·ta·to no·mi·ne de te fa·bu·la nar·ra·tur \mü-ˌtät-ō-ˈnō-mə-ne-dā-ˈtā-ˌfäb-ə-lä-nä-ˈrä-ˌtùr\ [L] : with the name changed the story applies to you

na·tu·ra non fa·cit sal·tum \nä-ˈtü-rä-ˌnōn-ˌfäk-ət-ˈsäl-ˌtùm\ [L] : nature makes no leap
ne ce·de ma·lis \nā-ˌkä-de-ˈmäl-ˌēs\ [L] : yield not to misfortunes
ne·mo me im·pu·ne la·ces·sit \ˈnā-mō-ˈmä-im-ˌpü-nā-lä-ˈkes-ət\ [L] : no one attacks me with impunity — motto of Scotland and of the Order of the Thistle
ne quid ni·mis \ˌnā-ˌkwid-ˈnim-əs\ [L] : not anything in excess
n'est–ce pas? \nes-pä\ [F] : isn't it so?
nil ad·mi·ra·ri \ˈnēl-ˌäd-mə-ˈrär-ē\ [L] : to be excited by nothing : equanimity
nil de·spe·ran·dum \ˈnēl-ˌdā-spä-ˈrän-dùm\ [L] : never despair
nil si·ne nu·mi·ne \ˈnēl-ˌsin-e-ˈnü-mə-ne\ [L] : nothing without the divine will — motto of Colorado
n'im·porte \naⁿ-pòrt\ [F] : it's no matter
no·lens vo·lens \ˌnō-ˌlenz-ˈvō-ˌlenz\ [L] : unwilling (or) willing : willy-nilly
non om·nia pos·su·mus om·nes \ˌnōn-ˈòm-nē-ä-ˌpó-sə-mùs-ˈòm-ˌnās\ [L] : we can't all (do) all things
non om·nis mo·ri·ar \nōn-ˈòm-nəs-ˌmòr-ē-ˌär\ [L] : I shall not wholly die
non sans droict \nōⁿ-säⁿ-drwà\ [OF] : not without right — motto on Shakespeare's coat of arms
non sum qua·lis eram \ˌnōn-ˌsùm-ˌkwäl-əs-ˈer-ˌäm\ [L] : I am not what I used to be
nos·ce te ip·sum \ˌnòs-ke-ˌtā-ˈip-ˌsùm\ [L] : know thyself
nos·tal·gie de la boue \ˌnòs-tàl-zhēd-(ə-)là-bü\ [F] : nostalgia for the mud : homesickness for the gutter
nous avons chan·gé tout ce·la \nü-zà-vōⁿ-shäⁿ-zhā-tü-s(l)à\ [F] : we have changed all that
nous ver·rons ce que nous ver·rons \nü-ve-rōⁿs-(ə-)kə-nü-ve-rōⁿ\ [F] : we shall see what we shall see
no·vus ho·mo \ˌnó-wəs-ˈhò-mō\ [L] : new man : man newly ennobled : upstart
no·vus or·do se·clo·rum \-ˈòr-ˌdō-sā-ˈklōr-əm\ [L] : a new cycle of the ages — motto on the reverse of the great seal of the United States
nu·gae \ˈnü-ˌgī\ [L] : trifles
nyet \ˈnyet\ [Russ] : no

ob·iit \ˈò-bē-ˌit\ [L] : he (or she) died
ob·scu·rum per ob·scu·ri·us \əb-

'skyùr-əm-,per-əb-'skyùr-ē-əs\ [L]: (explaining) the obscure by means of the more obscure
om·ne ig·no·tum pro mag·ni·fi·co \,ȯm-ne-ig-'nō-,tùm-prō-mäg-'nif-i-,kō\ [L]: everything unknown (is taken) as grand: the unknown tends to be exaggerated in importance or difficulty
om·nia mu·tan·tur, nos et mu·ta·mur in il·lis \,ȯm-nē-ä-mü-'tän-,tùr ,nōs-,et-mü-,täm-ər-in-'il-,ēs\ [L]: all things are changing, and we are changing with them
om·nia vin·cit amor \'ȯm-nē-ä-,wiŋ-kət-'äm-,ȯr\ [L]: love conquers all
onus pro·ban·di \,ō-nəs-prō-'ban-,dī, -dē\ [L]: burden of proof
ora pro no·bis \,ō-rä-prō-'nō-,bēs\ [L]: pray for us
ore ro·tun·do \,ōr-ē-rō-'tən-dō\ [L]: with round mouth: eloquently
oro y pla·ta \,ōr-ō-ē-'plät-ə\ [Sp]: gold and silver — motto of Montana
o tem·po·ra! o mo·res! \'ō-'tem-pə-rä-ō-'mō-,räs\ [L]: oh the times! oh the manners!
oti·um cum dig·ni·ta·te \'ōt-ē-,ùm-kùm-,dig-nə-'tä-te\ [L]: leisure with dignity
où sont les neiges d'an·tan? \ü-sōⁿ-lā-nezh-däⁿ-täⁿ\ [F]: where are the snows of yesteryear?

pal·li·da Mors \,pal-əd-ə-'mȯrz\ [L]: pale Death
pa·nem et cir·cen·ses \'pän-,em-et-kir-'kän-,sēs\ [L]: bread and circuses: provision of the means of life and recreation by government to appease discontent
par avance \pȧr-ȧ-väⁿs\ [F]: in advance: by anticipation
par avion \pȧr-ȧ-vyōⁿ\ [F]: by airplane — used on airmail
par ex·em·ple \pȧr-āg-zäⁿplᵊ\ [F]: for example
par·tu·ri·unt mon·tes, nas·ce·tur ri·di·cu·lus mus \pȧr-,tùr-ē-,ùnt-'mȯn-,tās näs-'kā-,tùr-ri-,dik-ə-lùs-'mūs\ [L]: the mountains are in labor, and a ridiculous mouse will be brought forth
pa·ter pa·tri·ae \'pä-,ter-pä-trē-,ī\ [L]: father of his country
pau·cis ver·bis \,paù-,kēs-'wer-,bēs\ [L]: in a few words
pax vo·bis·cum \,päks-wō-'bēs-,kùm\ [L]: peace (be) with you
peine forte et dure \pen-fȯr-tā-dǖr\ [F]: strong and hard punishment: torture
per an·gus·ta ad au·gus·ta \per-'äŋ-,gùs-tə-äd-'aù-,gùs-tə, per-'äŋ-\ [L]: through difficulties to honors
père \per\ [F]: father — used after French proper names to distinguish a father from his son
per·eant qui an·te nos nos·tra dix·e·runt \'per-e-,änt-kwē-,än-te-'nōs-'nȯs-trä-dēk-'sā-,rùnt\ [L]: may they perish who have expressed our bright ideas before us
per·eunt et im·pu·tan·tur \'per-e-,ùnt-et-,im-pə-'tän-,tùr\ [L]: they (the hours) pass away and are reckoned on (our) account
per·fide Al·bion \per-fēd-ȧl-byōⁿ\ [F]: perfidious Albion (England)
peu à peu \pœ̄-ȧ-pœ̄\ [F]: little by little
peu de chose \pœ̄d-(ə-)shōz\ [F]: a trifle

pièce d'oc·ca·sion \pyes-dȯ-kä-zyōⁿ\ [F]: piece for a special occasion
pinx·it \'piŋk-sət\ [L]: he (or she) painted it
place aux dames \plȧs-ō-dȧm\ [F]: (make) room for the ladies
ple·no ju·re \,plā-nō-'yùr-e\ [L]: with full right
plus ça change, plus c'est la même chose \plǖē-sȧ-shäⁿzh plǖē-se-lȧ-mem-shōz\ [F]: the more that changes, the more it's the same thing
po·cas pa·la·bras \,pō-käs-pä-'läv-räs\ [Sp]: few words
po·eta nas·ci·tur, non fit \pȯ-,ā-tä-'näs-kə-,tùr nōn-'fit\ [L]: a poet is born, not made
pol·li·ce ver·so \,pȯ-li-ke-'ver-sō\ [L]: with thumb turned: with a gesture or expression of condemnation
post hoc, er·go prop·ter hoc \'pōst-,hōk ,er-gō-'prȯp-ter-,hōk\ [L]: after this, therefore on account of it (a fallacy of argument)
post ob·itum \pȯst-'ȯ-bə-,tùm\ [L]: after death
pour ac·quit \pür-ȧ-kē\ [F]: received payment
pour le mé·rite \pür-lə-mā-rēt\ [F]: for merit
pro aris et fo·cis \prō-,ä-,rēs-et-'fȯ-,kēs\ [L]: for altars and firesides
pro bo·no pu·bli·co \prō-,bȯ-nō-'pü-bli-,kō\ [L]: for the public good
pro hac vi·ce \prō-,häk-'wik-e\ [L]: for this occasion
pro pa·tria \prō-'pä-trē-,ä\ [L]: for one's country
pro re·ge, le·ge, et gre·ge \prō-'rā-,ge-'lā-,ge-et-'greg-,e\ [L]: for the king, the law, and the people
pro re na·ta \,prō-,rā-'nät-ə\ [L]: for an occasion that has arisen: as needed — used in medical prescriptions

quand même \käⁿ-mem\ [F]: even though: whatever may happen
quan·tum mu·ta·tus ab il·lo \,kwänt-əm-mü-'tät-əs-äb-'il-ō\ [L]: how changed from what he once was
quan·tum suf·fi·cit \,kwänt-əm-'səf-ə-,kit\ [L]: as much as suffices: a sufficient quantity — used in medical prescriptions
¿quien sa·be? \kyān-'sä-vā\ [Sp]: who knows?
qui fa·cit per ali·um fa·cit per se \kwē-,fäk-it-,per-'äl-ē-,ùm-,fäk-it-,per-'sä\ [L]: he who does (anything) through another does it through himself
quis cus·to·di·et ip·sos cus·to·des? \,kwis-kùs-'tōd-ē-,et-,ip-,sōs-kùs-'tō-,däs\ [L]: who will keep the keepers themselves?
qui s'ex·cuse s'ac·cuse \kē-'sek-,skūēz-'sä-,kūēz\ [F]: he who excuses himself accuses himself
quis se·pa·ra·bit? \,kwis-,sā-pə-'räb-it\ [L]: who shall separate (us)? — motto of the Order of St. Patrick
qui trans·tu·lit sus·ti·net \kwē-'träns-tə-,lit-'sùs-tə-,net\ [L]: He who transplanted sustains (us) — motto of Connecticut
qui va là? \kē-vȧ-lȧ\ [F]: who goes there?
quo·ad hoc \,kwȯ-,äd-'hōk\ [L]: as far as this: to this extent
quod erat de·mon·stran·dum \,kwȯd-'er-,ät-,dem-ən-'stran-dəm, -,dā-,mȯn-

'strän-,dùm\ [L] : which was to be proved
quod erat fa·ci·en·dum \-,fäk-ē-'en-,dùm\ **[L]** : which was to be done
quod vi·de \kwód-'wid-,e\ **[L]** : which see
quos de·us vult per·de·re pri·us de·men·tat \kwōs-'de-ùs-,wùlt-'perd-ə-,re-,pri-ùs-dā-'men-,tät\ **[L]** : those whom a god wishes to destroy he first drives mad
quot ho·mi·nes, tot sen·ten·ti·ae \kwót-'hó-mə-,näs-,tót-sen-'ten-tē-,ī\ **[L]** : there are as many opinions as there are men
quo va·dis? \kwō-'wäd-əs\ **[L]** : whither are you going?

rai·son d'état \re-zōⁿ-dā-tá\ **[F]** : reason of state
re·cu·ler pour mieux sau·ter \rə-kūe-lā-pür-myœ-sō-tā\ **[F]** : to draw back in order to make a better jump
reg·nat po·pu·lus \,reg-,nät-'pò-pə-,lús\ **[L]** : the people rule — motto of Arkansas
re in·fec·ta \,rā-in-'fek-,tä\ **[L]** : the business being unfinished : without accomplishing one's purpose
re·li·gio lo·ci \re-,lig-ē-,ō-'ló-,kē\ **[L]** : religious sanctity of a place
ré·pon·dez s'il vous plaît \rā-pōⁿ-dā-sēl-vü-ple\ **[F]** : reply, if you please
re·qui·es·cat in pa·ce \,rek-wē-'es-,kät-in-'päk-,e, ,rā-kwē-'es-,kät-in-'päch-,ā\ **[L]** : may he (or she) rest in peace — used on tombstones
re·spi·ce fi·nem \,rā-spi-,ke-'fē-,nem\ **[L]** : look to the end : consider the outcome
re·sur·gam \re-'sùr-,gäm\ **[L]** : I shall rise again
re·te·nue \rət-nūe\ **[F]** : self-restraint : reserve
re·ve·nons à nos mou·tons \rəv-nōⁿ-à-nō-mü-tōⁿ\ **[F]** : let us return to our sheep : let us get back to the subject
ruse de guerre \rūez-də-ger\ **[F]** : war stratagem
rus in ur·be \,rüs-in-'ùr-,be\ **[L]** : country in the city

sal At·ti·cum \sal-'at-i-kəm\ **[L]** : Attic salt : wit
salle à man·ger \sàl-à-mäⁿ-zhā\ **[F]** : dining room
sa·lus po·pu·li su·pre·ma lex es·to \,säl-,üs-'pò-pə-,lē-sü-,prā-mə-,leks-'es-tō\ **[L]** : let the welfare of the people be the supreme law — motto of Missouri
sans doute \säⁿ-düt\ **[F]** : without doubt
sans gêne \säⁿ-zhen\ **[F]** : without embarrassment or constraint
sans peur et sans re·proche \säⁿ-pœr-ā-säⁿ-rə-'prósh\ **[F]** : without fear and without reproach
sans sou·ci \säⁿ-sü-sē\ **[F]** : without worry
sculp·sit \'skəlp-sət, 'skùlp-\ **[L]** : he (or she) carved it
scu·to bo·nae vo·lun·ta·tis tu·ae co·ro·nas·ti nos \'skü-,tō-'bó-,nī-,vò-lùn-,tät-əs-'tù-,ē,kòr-ə-,näs-tē-'nōs\ **[L]** : Thou hast crowned us with the shield of Thy good will — a motto on the Great Seal of Maryland
se·cun·dum ar·tem \se-,kùn-dəm-'är-,tem\ **[L]** : according to the art : according to the accepted practice of a profession or trade

se·cun·dum na·tu·ram \-,nä-'tü-,räm\ **[L]** : according to nature : naturally
se de·fen·den·do \'sā-,dā-,fen-'den-dō\ **[L]** : in self-defense
se ha·bla es·pa·ñol \sā-,äv-lä-,äs-pä-'nyól\ **[Sp]** : Spanish spoken
sem·per ea·dem \,sem-,per-'e-ä-,dem\ **[L]** : always the same (fem.) — motto of Queen Elizabeth I
sem·per fi·de·lis \,sem-pər-fə-'dā-ləs\ **[L]** : always faithful — motto of the U. S. Marine Corps
sem·per idem \,sem-,per-'ē-,dem\ **[L]** : always the same (masc.)
sem·per pa·ra·tus \,sem-pər-pə-'rät-əs\ **[L]** : always prepared — motto of the U. S. Coast Guard
se non è ve·ro, è ben tro·va·to \sā-,nōn-e-'vā-rō-e,ben-trō-'vä-tō\ **[It]** : even if it is not true, it is well conceived
sic itur ad as·tra \sēk-'i-,tùr-,äd-'äs-trə\ **[L]** : thus one goes to the stars : such is the way to immortality
sic pas·sim \sēk-'päs-im\ **[L]** : so everywhere
sic sem·per ty·ran·nis \,sik-,sem-pər-tə-'ran-əs\ **[L]** : thus ever to tyrants — motto of Virginia
sic tran·sit glo·ria mun·di \sēk-'trän-sət-,glōr-ē-ä-'mùn-dē\ **[L]** : so passes away the glory of the world
sic·ut pa·tri·bus sit De·us no·bis \,sē-,kùt-'pä-tri-,bùs-sit-,de-ùs-'nō-,bēs\ **[L]** : as to our fathers may God be to us — motto of Boston
si jeu·nesse sa·vait, si vieil·lesse pou·vait! \sē-'zhœ-nes-'sà-ve sē-'vye-yes-'pü-ve\ **[F]** : if youth only knew, if age only could!
si·lent le·ges in·ter ar·ma \,sil-,ent-'lā-,gäs-,int-ər-'är-mä\ **[L]** : the laws are silent in the midst of arms
s'il vous plaît \sēl-vü-ple\ **[F]** : if you please
si·mi·lia si·mi·li·bus cu·ran·tur \sim-'il-ē-ä-sim-'il-ə-bùs-kü-'rän-,tùr\ **[L]** : like is cured by like
si·mi·lis si·mi·li gau·det \'sim-ə-ləs-'sim-ə-lē-'gaù-,det\ **[L]** : like takes pleasure in like
si mo·nu·men·tum re·qui·ris, cir·cum·spi·ce \sē-,mó-nə-,ment-əm-re-'kwē-rəs kir-'kùm-spi-ke\ **[L]** : if you seek his monument, look around — epitaph of Sir Christopher Wren in St. Paul's, London, of which he was architect
si quae·ris pen·in·su·lam amoe·nam, cir·cum·spi·ce \sē-,kwī-rəs-pā-,nin-sə-,läm-ə-'mói-,näm kir-'kùm-spi-ke\ **[L]** : if you seek a beautiful peninsula, look around — motto of Michigan
sis·te vi·a·tor \,sis-te-wē-'ä-,tòr\ **[L]** : stop, traveler — used on roadside tombs
sol·vi·tur am·bu·lan·do \'sól-wə-,tùr-,äm-bə-'län-dō\ **[L]** : it is solved by walking : the problem is solved by a practical experiment
splen·di·de men·dax \,splen-də-,dā-men-,däks\ **[L]** : nobly untruthful
spo·lia opi·ma \,spò-lē-ə-ō-'pē-mə\ **[L]** : rich spoils : the arms taken by the victorious from the vanquished general
sta·tus in quo \,stät-əs-,in-'kwō\ **[L]** : state in which : the existing state
sta·tus quo an·te bel·lum \'stät-əs-kwō-,änt-e-'bel-ùm\ **[L]** : the state existing before the war
sua·vi·ter in mo·do, for·ti·ter in re

Foreign Words and Phrases

\'swä-wə-,ter-in-'mȯd-ō 'fȯrt-ə-,ter-in-'rā\ [L] : gently in manner, strongly in deed

sub ver·bo \,sùb-'wer-bō\ *or* **sub vo·ce** \,sùb-'wō-ke\ [L] : under the word — introducing a cross-reference in a dictionary or index

sunt la·cri·mae re·rum \,sùnt-,läk-ri-,mī-'rä-rùm\ [L] : there are tears for things

suo ju·re \,sù-ō-'yùr-e\ [L] : in his (or her) own right

suo lo·co \-'lò-kō\ [L] : in its proper place

suo Mar·te \-'mär-te\ [L] : by one's own exertions

su·um cui·que \,sù-əm-'kwik-we\ [L] : to each his own

tant mieux \tän-myœ̄\ [F] : so much the better

tant pis \-pē\ [F] : so much the worse

tem·po·ra mu·tan·tur, nos et mu·ta·mur in il·lis \,tem-pə-rä-mü-'tän-,tùr nōs-,et-mü-,täm-ər-in-'il-,ēs\ [L] : the times are changing, and we are changing with them

tem·pus edax re·rum \'tem-pùs-,ed-,äks-'rä-rùm\ [L] : time, that devours all things

tem·pus fu·git \,tem-pəs-'fyü-jət, -'fü-git\ [L] : time flies

ti·meo Da·na·os et do·na fe·ren·tes \,tim-ē-,ō-'dän-ä-,ōs-,et-,dō-nä-fe-'ren-,täs\ [L] : I fear the Greeks even when they bring gifts

to·ti·dem ver·bis \,tòt-ə-,dem-'wer-,bēs\ [L] : in so many words

to·tis vi·ri·bus \,tō-,tēs-'wē-ri-,bùs\ [L] : with all one's might

to·to cae·lo \,tō-tō-'kī-lō\ *or* **toto coe·lo** \-'kòi-lō\ [L] : by the whole extent of the heavens : diametrically

tou·jours per·drix \tü-zhùr-per-drē\ [F] : always partridge : too much of a good thing

tous frais faits \tü-fre-fe\ [F] : all expenses defrayed

tout à fait \tü-tà-fe\ [F] : altogether : quite

tout au con·traire \tü-tō-kōⁿ-trer\ [F] : quite the contrary

tout à vous \tü-tà-vü\ [F] : wholly yours : at your service

tout bien ou rien \tü-byaⁿ-nü-'ryaⁿ\ [F] : everything well (done) or nothing (attempted)

tout com·pren·dre c'est tout par·don·ner \'tü,kō-ⁿprä-ⁿdrə se-'tü-pàr-dò-nā\ [F] : to understand all is to forgive all

tout court \tü-kür\ [F] : quite short : simply; *also* : brusquely

tout de même \tüt-mem\ [F] : all the same : nevertheless

tout de suite \tüt-sw'ēt\ [F] : immediately; *also* : all at once : consecutively

tout en·sem·ble \tü-täⁿ-säⁿbl'\ [F] : all together : general effect

tout est per·du fors l'hon·neur \tü-te-per-düē-fȯr-lò-nœr\ *or* **tout est perdu hors l'honneur** \-düē-òr-\ [F] : all is lost save honor

tout le monde \tül-mōⁿd\ [F] : all the world : everybody

tria junc·ta in uno \,tri-ä-'yùⁿk-tä-in-'ü-nō\ [L] : three joined in one — motto of the Order of the Bath

tru·di·tur di·es die \'trüd-ə-,tùr,-di-,äs-'di-,ä\ [L] : day is pushed forth by day : one day hurries on another

tu·e·bor \tù-'ā-,bȯr\ [L] : I will defend — a motto on the Great Seal of Michigan

ua mau ke ea o ka ai·na i ka po·no \,ù-ä-'mä-ù-ke-'e-ä-ō-kä-'ä-ē-nä-,ē-kä-'pō-nō\ [Hawaiian] : the life of the land is established in righteousness — motto of Hawaii

ul·ti·ma ra·tio re·gum \'ùl-ti-mä-,rät-ē-ō-'rä-gùm\ [L] : the final argument of kings, i.e., war

und so wei·ter \ùnt-zō-'vī-tər\ [G] : and so on

uno ani·mo \,ü-nō-'än-ə-,mō\ [L] : with one mind : unanimously

ur·bi et or·bi \,ùr-bē-,et-'òr-bē\ [L] : to the city (Rome) and the world

uti·le dul·ci \,üt-ᵊl-e-'dùl,kē\ [L] : the useful with the agreeable

ut in·fra \ùt-'in-frä\ [L] : as below

ut su·pra \ùt-'sü-prä\ [L] : as above

va·de re·tro me, Sa·ta·na \,wä-de-'rä-trō-,mä-'sä-tə-,nä\ [L] : get thee behind me, Satan

vae vic·tis \,wī-'wik-,tēs\ [L] : woe to the vanquished

va·ria lec·tio \,wär-ē-ä-'lek-tē-,ō\ *pl* **va·ri·ae lec·ti·o·nes** \'wär-ē-,ī-,lek-tē-'ō-,näs\ [L] : variant reading

va·ri·um et mu·ta·bi·le sem·per fe·mi·na \,wär-ē-,et-,mü-'tä-bə-le-,sem-per-'fä-mə-nä\ [L] : woman is ever a fickle and changeable thing

ve·di Na·po·li e poi mo·ri \,vä-dē-'nä-pō-lē-ä-,pó-ē-'mò-rē\ [It] : see Naples, and then die

ve·ni, vi·di, vi·ci \,wā-nē-,wēd-ē-'wē-kē\ [L] : I came, I saw, I conquered

ven·tre à terre \väⁿ-trà-ter\ [F] : belly to the ground : at very great speed

ver·ba·tim ac lit·ter·a·tim \wer-'bä-tim-,äk-,lit-ə-'rä-tim\ [L] : word for word and letter for letter

ver·bum sat sa·pi·en·ti est \,wer-bùm-'sät-,säp-ē-'ent-ē-,est\ [L] : a word to the wise is sufficient

vin·cit om·nia ve·ri·tas \,wiŋ-kət-'òm-nē-ä-'wā-rə-,täs\ [L] : truth conquers all things

vin·cu·lum ma·tri·mo·nii \,wiŋ-kə-lùm,-mä-trə-'mō-nē-,ē\ [L] : bond of marriage

vir·gin·i·bus pu·er·is·que \,wir-'gin-ə-bùs,-pù-ə-'rēs-kwe\ [L] : for girls and boys

vir·tu·te et ar·mis \wir-'tü-te,-et-'är-mēs\ [L] : by valor and arms — motto of Mississippi

vive la reine \vēv-là-ren\ [F] : long live the queen

vive le roi \vēv-lə-rwä\ [F] : long live the king

vix·e·re for·tes an·te Aga·mem·no·na \wik-,sā-re-'fòr-,täs,-änt-,äg-ə-'mem-nə-,nä\ [L] : brave men lived before Agamemnon

vogue la ga·lère \vòg-là-gà-ler\ [F] : let the galley be kept rowing : keep on, whatever may happen

voi·là tout \vwä-là-tü\ [F] : that's all

vox et prae·te·rea ni·hil \'wōks-et-prī-,ter-e-ä-'ni-,hil\ [L] : voice and nothing more

vox po·pu·li vox Dei \wōks-'pó-pə-,lē-,wōks-'de-ē\ [L] : the voice of the people is the voice of God

Wan·der·jahr \'vän-dər-,yär\ [G] : year of wandering

wie geht's? \vē-'gāts\ [G] : how goes it?